U0687356

教育部人文社会科学百所重点研究基地
内蒙古大学蒙古学研究中心学术著作系列
TOMUS 23

国家社科基金成果文库

SELECTED WORKS OF THE CHINA
NATIONAL FUND FOR SOCIAL SCIENCES

内蒙古通史 第六卷

民国时期的内蒙古（一）

总 主 编　郝维民　齐木德道尔吉

本卷主编　金　海　赛　航

人民出版社

策划编辑:陈寒节
编辑统筹:侯俊智
责任编辑:周果钧
装帧设计:肖 辉
责任校对:王 惠

图书在版编目(CIP)数据

内蒙古通史.第六卷/金海 赛航 主编.
　-北京:人民出版社,2011.12
ISBN 978－7－01－009409－0

Ⅰ.①内…　Ⅱ.①金…②赛…　Ⅲ.①内蒙古-地方史-近代②内蒙古-地方史-
　现代　Ⅳ.①K292.6

中国版本图书馆 CIP 数据核字(2010)第 214153 号

内蒙古通史(第六卷)
NEIMENGGU TONGSHI DILIUJUAN
民国时期的内蒙古
主编　金海　赛航

人民出版社 出版发行
(100706　北京市东城区隆福寺街99号)

北京中科印刷有限公司印刷　新华书店经销

2011 年 12 月第 1 版　2012 年 10 月北京第 2 次印刷
开本:710 毫米×1000 毫米 1/16　插页:11
印张:91.5　字数:1447 千字

ISBN 978－7－01－009409－0　定价:265.00 元(共三册)

邮购地址 100706　北京市东城区隆福寺街 99 号
人民东方图书销售中心　电话 (010)65250042　65289539

版权所有·侵权必究
凡购买本社图书,如有印制质量问题,我社负责调换。
服务电话:(010)65250042

《国家社科基金成果文库》
出版说明

国家社科基金研究项目优秀成果代表国家社科研究的最高水平。为集中展示这些优秀成果，全国哲学社会科学规划领导小组决定编辑出版《国家社科基金成果文库》。《文库》将按照"高质量的成果、高水平的编辑、高标准的印刷"和"统一标识、统一版式、统一封面设计"的总体要求陆续出版。

全国哲学社会科学规划领导小组办公室
2005 年 6 月

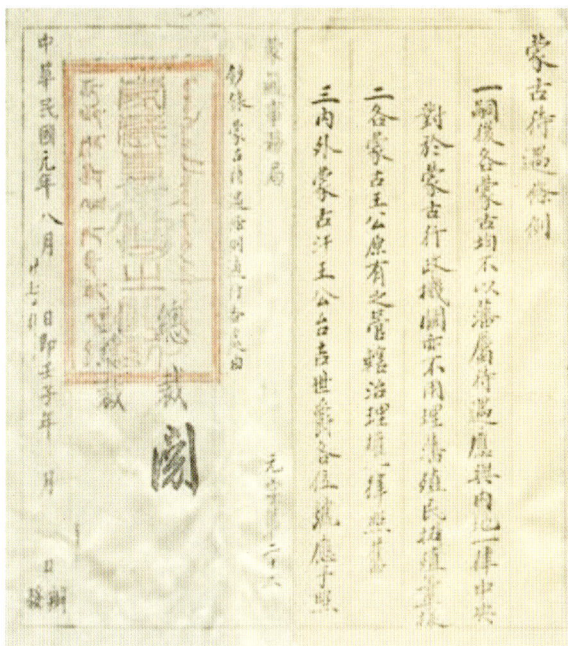

1912 年 8 月，民国政府颁布的《蒙古待遇条例》

1913 年 1 月绥远城将军张绍曾主持召开西蒙王公会议的合影

民国政府蒙藏院总裁、
喀喇沁右旗亲王贡桑诺尔布

民国初年，北洋军阀政府在内蒙古掀起新一轮开垦浪潮，引起蒙古族各阶层的激烈反对。
图为伊克昭盟部分抗垦的"独贵龙"群众

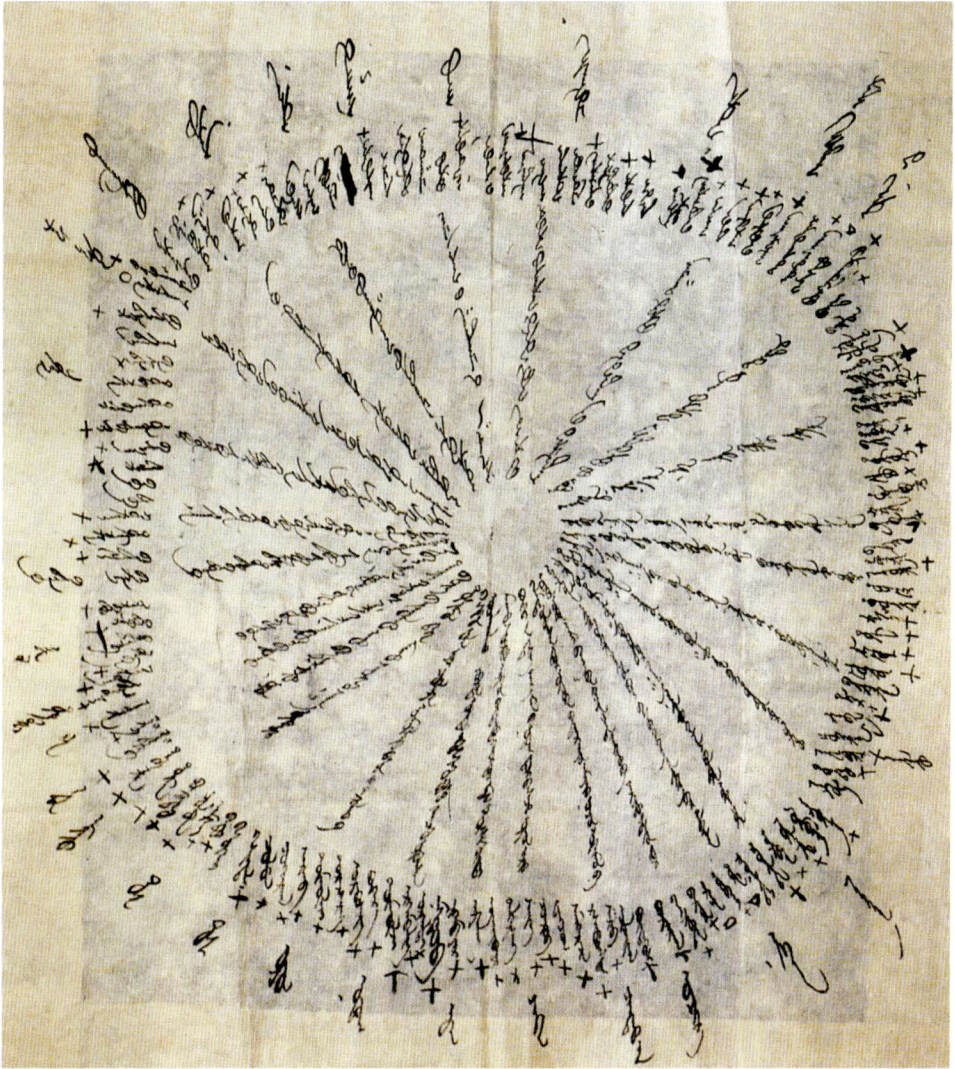

"独贵龙"运动的签名图

　　中国共产党最早在北京蒙藏学校开展蒙古民族工作，使一大批蒙古族青年走上了革命道路。图为1923年11月，在北京蒙藏学校学习的土默特旗学生与教师的合影。左起，前排：黄维世、多松年、云继珍、荣照、云泽（乌兰夫）、云润、孟纯、云星槎、朱实夫、云盛、巴树棠；第二排：云采章、李春荣、云继章、孟子忠、福坦、赵柏祥、孙子玉、贺汉卿、袁锦云、卜文林、云硕德、吉雅泰；第三排：王祥、王国栋、玉春、（未详）、奎璧、赵诚、云零、佛祥、张济仁、傅卜忠、春恒；第四排：康济民、高喜才、昌瑞、春和（高布泽博）、康根诚、佛鼎、任殿邦、王丕吉、荣耀先

中共绥远工作委员会旧址——归绥巧尔气召

大革命时期的中共察哈尔工委书记多松年烈士

大革命时期的中共包头工委书记李裕智烈士

大革命时期的中共热河工委负责人陈镜湖烈士

1925 年 6 月，中共绥远工委组织各族青年在归绥席力图召开集会，声援"五卅"运动

内蒙古最早的革命刊物——《蒙古农民》

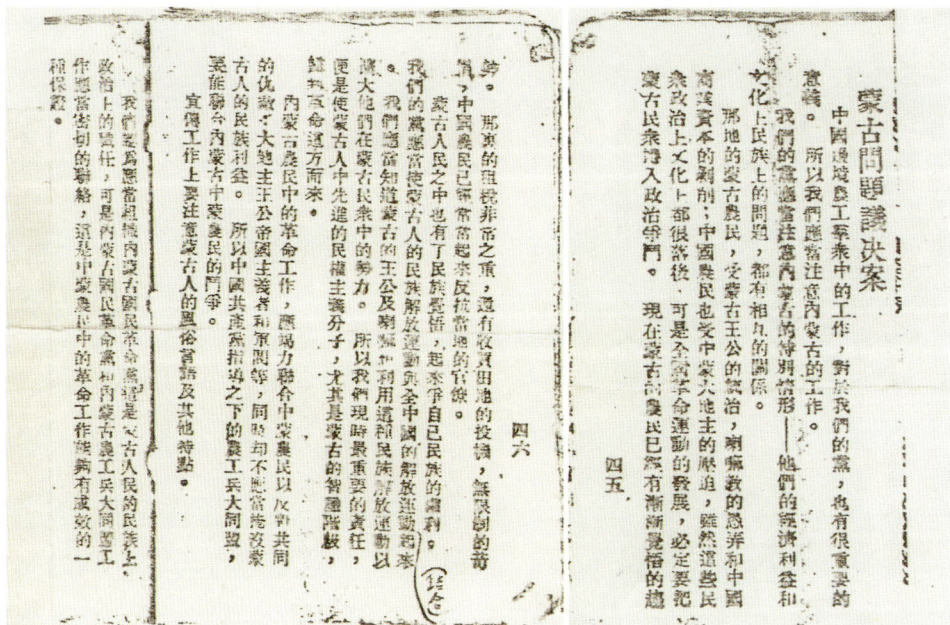

1925 年 9 月中国共产党第四届中央执行委员会第一次扩大会议的《蒙古问题议决案》

　　内蒙古人民革命党中央执行委员会常务委员合影。前排左起：金永昌、福明泰、郭道甫、白云梯、乐景涛、包悦卿、李丹山；后排左二为蒙古人民革命党中央书记丹巴道尔计，左三为共产国际驻内蒙古代表奥其洛夫

　　1925 年 10 月，在张家口召开的内蒙古人民革命党第一次代表大会代表合影

内蒙古人民革命党党证。（国家一级文物）

"独贵龙"运动著名首领、蒙古族杰出的民族民主革命家锡尼喇嘛

1934年4月百灵庙蒙古地方自治政务委员会成立大会合影

百灵庙自治时期的德
穆楚克栋鲁普（即德王）

1937 年 11 月，驻绥远国民党军队奔赴绥东抗日前线

日本关东军在阿尔山修筑的铁路隧道和守备碉堡

1937 年 10 月，日军侵占绥远。图为日本兵在归绥旧城街头

日军在兴安盟五岔沟修建的飞机库

1937年10月28日第二次蒙古大会成立了"蒙古联盟自治政府"

1939年9月1日在张家口成立了"蒙古联合自治政府"

1938 年，八路军 120 师大青山支队挺进大青山，开辟抗日游击根据地

八路军大青山骑兵支队司令员姚喆和进山送信的群众

1939 年夏，大青山支队改编为晋西北军区大青山支队，开展骑兵游击战争

1939年9月17日，苏联和蒙古人民共和国军队与日军代表举行诺门罕战争停战谈判

中共绥蒙工委委员、新三师中共党务委员会书记乌兰夫与新三师部分官兵在一起

1945年11月，内蒙古自治运动联合会在张家口隆重成立，图为大会会场

内蒙古自治运动联合会执行委员会委员合影，乌兰夫任执委会主席

内蒙古自治运动统一会议全体代表合影。前排左四为内蒙古自治运动联合会执委会主席乌兰夫，左三为副主席博彦满都

1947年4月内蒙古人民代表会议在兴安盟王爷庙召开，图为各族各界代表步入会场

1949 年 9 月 23 日，阿拉善旗和平解放。图为阿拉善旗代表在宁夏仁存渡会见解放军第 19 兵团司令员杨得志

1949 年 9 月 21 日，参加中国人民政治协商会议第一届全体会议的内蒙古代表团成员合影。前排左起：王悦丰、特木尔巴根、乌兰夫、朋斯克。后排左起：王再天、刘春、王逸伦

题　　记

一、本卷主旨

从 1912 年 1 月 1 日中华民国建立到 1949 年 10 月 1 日中华人民共和国成立期间的历史，史称民国时期。这一时期的内蒙古地区处在政治动荡、社会动乱、经济凋敝的状态之中，特别是日本帝国主义的侵略，使内蒙古的大部分地区一度沦为殖民地。这一时期同时也是民族民主革命兴起、发展，直至最后胜利的时期，而中国共产党的领导，成为内蒙古民族民主革命走向胜利的根本保证。

民国时期内蒙古的历史，除了有与中国这一历史阶段相同的一面，还有其突出的特殊性。北洋军阀、中国国民党对内蒙古的政策，特别是对蒙古民族的政策，始终是触动内蒙古社会的敏感问题；日本帝国主义的所谓"满蒙政策"及其对内蒙古大部分地区的侵占，使内蒙古的社会问题更加复杂化。由此而形成的这一时期内蒙古社会、经济、文化，成为内蒙古历史平台上的特殊现象，特别是蒙古民族问题成为社会问题的中心内容。

民国时期内蒙古历史的另一面，就是人民的觉醒、蒙古民族的觉醒。这是内蒙古社会中蕴藏的主流。中国共产党一经成立，即抓住了这个主流，使内蒙古成为共产党最早开辟工作的少数民族地区，培养了蒙古民族中的第一代共产主义者，发展了中国共产党的首批少数民族党员；同时，推动了蒙古民族的解放运动持续发展和蒙汉各民族的团结斗争；在内蒙古持续不断地探索解决民族问题的途径，取得了成功。

本卷对民国时期内蒙古的历史进行了全面、细致、科学地研究和叙述，可谓空前之标志性成果。当然，这不是研究工作的终结，要研究的课题还很多，应该总结的问题也不少，探讨历史发展的规律更为重要。

二、本卷编著者介绍

金海（又名阿拉腾达来，**Altandalai**） 努何腾氏（Nuheten），蒙古族，1955 年 11 月生，内蒙古乌审旗人。内蒙古大学蒙古学学院内蒙古近现代史研究所研究员，历史学博士，博士生导师。1981 年 12 月内蒙古大学蒙古语言文学系毕业，留校从事内蒙古近现代史研究工作至今。主要研究领域为内蒙古近现代史、历史文献学、中日关系史等。兼任中国蒙古史学会理事、内蒙古史学会理事。

著有《日本与内蒙古》《日本占领时期内蒙古历史研究》；主编《蒙古族——内蒙古正蓝旗巴彦胡舒嘎查调查》、《鄂温克族资料选编》（蒙、汉文各一部）；合著出版《内蒙古革命史》（副主编）、《蒙古民族通史》（第 5卷）、《内蒙古通史纲要》等专著 7 部。发表学术论文 30 多篇。主持完成内蒙古自治区人才开发基金项目《日本占领时期内蒙古历史研究》、中国社会科学院项目《日本在内蒙古殖民统治政策研究（1931—1945）》、国家社科基金项目《鄂温克族现代游牧社会文化研究》；参加国家社科基金项目《内蒙古历史地理》、《内蒙古革命史》（副主编）、《蒙古学百科全书·近现代史卷》（常务副主编）和内蒙古自治区社科规划项目《内蒙古近代简史》、国家重大研究项目《清史·民族志·蒙古族篇》等。获国家社科基金优秀成果二等奖 1 项、内蒙古自治区哲学社会科学优秀成果一等奖 1 项、内蒙古自治区社会科学规划项目一等奖 1 项、其他省部级奖 13 项。

金海教授 1999 年初查明身患癌症，2001 年动了第二次大手术后，毅然参加《内蒙古通史》的编写工作。在 8 年期间，先后动了 8 次大手术、两次化疗，并成为残疾人。他一面坚强地与病魔斗争，一面认真、负责地组织本卷的编写工作，出色地完成了撰写任务；而且以惊人的毅力攻读博士课程，获得博士学位，晋升教授，并指导博士、硕士研究生；荣获内蒙古自治区优秀共产党员、全国"五一"劳动奖章、全国先进工作者光荣称号，成为课题组敬业尽责的楷模。

本卷主编；撰写：

第一编　史料与研究概况　第一章　史料概况

第二编　概述　第五章　国民政府统治时期的内蒙古　第六章　日本殖民统治时期的内蒙古　第七章　国民党统治下的内蒙古西部地区　第八章内蒙古地区的抗日战争

第三编　专题　第十三章　中华民国政府对内蒙古的统治体制及其政策第十四章　民国时期内蒙古地区行政建制沿革　第十五章　日本对内蒙古地区的侵略及其统治　第十六章　内蒙古地区的抗日战争　第十八章　民国时期内蒙古地区的经济　第五节　日本殖民统治时期内蒙古地区的社会经济第十九章　民国时期内蒙古地区的社会问题　第四节　日本统治时期对东蒙古土地问题的处置和西部蒙旗社会变革　第二十一章　民国时期内蒙古地区的教育与科技　第二节　"满洲国"时期内蒙古东部地区教育事业　第三节蒙疆政权时期内蒙古西部地区教育事业　第四节　抗战时期内蒙古西部国民党统治区教育事业　第二十二章　民国时期内蒙古地区的文化　第五节　日本殖民统治时期内蒙古地区文化事业　第二十三章　民国时期内蒙古地区的宗教　第一节　喇嘛教　第二节　萨满教

赛航（Saihang）　蒙古族，1955年7月生，内蒙古克什克腾旗人。内蒙古大学蒙古学学院内蒙古近现代史研究所副研究员。1983年7月内蒙古大学历史系毕业后，一直在内蒙古大学从研从教。

合著出版《内蒙古近代简史》、《内蒙古民族团结史》、《内蒙古革命史》、《百年风云内蒙古》（副主编）、《中共内蒙古地区简史》、《蒙古民族通史》第5卷、《内蒙古通史纲要》、《民国时期内蒙古史》等。发表论文数篇。参加国家社科基金项目《内蒙古革命史》、《内蒙古通史》、《蒙古学百科全书·近现代史卷》（副主编）、《当代中国蒙古族历史》，内蒙古自治区社科规划项目《内蒙古近代简史》、教育部人文社科研究基地重大项目《当代内蒙古蒙古族社会经济文化变迁研究》、教育部哲学社会科学研究重大课题攻关项目子课题《内蒙古自治区民族关系与宗教问题研究》等。获国家级奖1项、省部级奖8项。

本卷主编；撰写：

第一编　史料与研究概况　第二章　研究概况　第一节　国内研究概况

第二编　概述　第三章　辛亥革命时期的内蒙古　第四章　北洋军阀政府统治时期的内蒙古　第九章　抗战胜利后的内蒙古　第十章　中国共产党领导的自治运动和自卫解放战争　第十一章　内蒙古全境的解放

第三编　专题　第十八章　民国时期内蒙古地区的经济　第三节　民国时期内蒙古地区金融事业史　第十九章　民国时期内蒙古地区的社会问题　第二节　民国时期内蒙古地区的匪患问题

第四编　人物　撰写了 54 位人物传略

忒莫勒（**Tuimer**，巴雅古特氏，曾用名白燎原）　蒙古族。内蒙古图书馆研究馆员，从事内蒙古民族文献和地方文献研究工作。主要研究范围，近代内蒙古民族文献与地方文献研究以及近代蒙古族报刊图书出版印刷史。著有《建国前内蒙古地方报刊考录》、《建国前内蒙古方志考述》，校勘或点校出版《内蒙古历史文献丛书》、《从西纪略》、《绥远旗志》、《土默特旗志》、《荣祥诗文选集》等。发表学术论文、文章百余篇。

本卷撰写：

第三编　专题　第二十一章　民国时期内蒙古地区的教育与科技　第一节　民国时期蒙古族教育事业　第二十二章　民国时期内蒙古地区的文化第一节　内蒙古地区新闻报刊事业　第二节　内蒙古地区文化机构和团体及其事业　第三节　内蒙古地方志编纂事业　第四节　内蒙古地区公共图书馆事业

苏德毕力格（**Sodubilig**）　介绍见本通史第五卷题记。

本卷撰写：

第二编　概述　第十二章　民国时期内蒙古地区社会经济与文化

第三编　专题　第二十三章　民国时期内蒙古地区的宗教　第三节　汉传佛教与道教　第四节　基督教　第五节　伊斯兰教

乌云格日勒（**Oyungerel**）　介绍见本通史第五卷题记。

本卷撰写：

第三编　专题　第十八章　民国时期内蒙古地区的经济　第四节　民国时期呼伦贝尔地区的商业贸易　第二十章　民国时期内蒙古地区城镇发展

周太平（**Urgedai Taibung**）　蒙古族。内蒙古大学内蒙古近现代史研究所所长、教授，人文科学博士，博士生导师。主要研究领域为近代蒙古史、历史文献学。著有《博克多汗政权与内蒙古地域政治》、《二十世纪前期内蒙古地区政治变迁史研究》等，发表学术论文10多篇。

本卷撰写：

第一编　资料与研究概况　第二章　研究概况　第二节　国外研究概况

第三编　专题　第二十一章　民国时期内蒙古地区的教育与科技　第五节　内蒙古地区科学技术与医疗卫生事业

李玉伟　介绍见本通史第五卷题记。

本卷撰写：

第三编　专题　第十七章　中国共产党领导的内蒙古革命斗争

白玉双（**曾用名索优真，Soyojin**）　介绍见本通史第五卷题记。

本卷撰写：

第三编　专题　第十九章　民国时期内蒙古地区的社会问题　第一节民国时期绥远地区的鸦片问题

于　永　蒙古族。内蒙古师范大学历史文化学院院长、教授，历史学博士。主要研究中国现代史和现代内蒙古地方史。曹永年主编《内蒙古通史》副主编，合著《明清内蒙古西部土地开发与沙化》等。

本卷撰写：

第三编　专题　第十九章　民国时期内蒙古地区的社会问题　第三节20世纪20年代末绥远地区旱灾救济

万　淑　女，蒙古族。内蒙古电视台编辑，历史学硕士。

本卷撰写：

第三编 专题 第十八章 民国时期内蒙古地区的经济 第一节 东北军在兴安区的屯垦

黄咏梅 女，蒙古族。呼和浩特市实验中学教师，历史学硕士。

本卷撰写：

第三编 专题 第十八章 民国时期内蒙古地区的经济 第二节 晋绥军在河套地区的屯垦

参加本卷编撰工作的 11 人中，有高级职称的 9 位，博士 7 位。

郝维民

2009 年 12 月

目　　录

一　册

二　册

第三编　专　题

三　册

第四编　人　物

A General History of Inner Mongolia

Volume VI
The Inner Mongolia During the Republican Period

CONTENTS

PART I

PART II

Division III Subject Studies

PART Ⅲ

Division IV   Historical Figures

(English Translation by Baohua and Nasan Bayar, Revision by Irene Bain)

第一编

史料与研究概况

第　一　章

史　料　概　况

在内蒙古地区的历史上，民国时期（1912—1949 年）是一个大动荡、大变革的时期。随着东西方交通的发展及帝国主义时代的到来，内蒙古地区成为列强争夺的目标和场所之一，被卷入了世界性的大变动的潮流之中。在这个过程中，相应地形成了极其丰富的历史资料。

有关民国时期内蒙古地区历史资料可以说是浩如烟海，不仅有大量的历史档案，还有官书、文集、方志、报刊、专门史料汇编、游记、回忆录、传记、日记等文献资料。仅从文献资料的文种来说，除了蒙文、汉文史料之外，还有大量的日文、俄文和英、法、德、拉丁、瑞典文史料。从收藏范围来说，这些史料不仅收藏在中国，还收藏在日本、俄罗斯、蒙古、德国、法国、瑞典等国家的各种图书馆、档案馆、科研机构及个人手中。

民国时期内蒙古地区历史资料与古代史史料有一个不同之处就是出现了很多新的史料载体形式，如报刊、文电、照片、电影、录音，等等。还有民国时期内蒙古地区历史资料的收集、整理和研究远不如古代史史料那样系统和深入。

由此可见，民国时期内蒙古地区历史资料，具有数量多、种类多、语种多、收藏地多和整理研究少的特点。民国时期内蒙古地区历史资料，大致可分为历史档案、史料汇编、地方志、报刊、游记、回忆录、外文史料等几大类。

第一节　历史档案

历史档案是历史的重要记录，记载着各类重要人物、各种社会团体的活动和各种典章制度，记载着各种政制兴衰、内政外务、阶级斗争和生产斗争、物质建设和文化建设。历史档案在历史研究中具有无可争辩的权威性和可靠性。

有关民国时期内蒙古地区历史的档案史料，在各种类型的史料当中数量最多。在国内，收藏内蒙古地区历史档案最多的是内蒙古档案馆，其次是中国第二历史档案馆，另外在内蒙古自治区各盟、市、旗、县档案馆和黑龙江、吉林、辽宁、河北、山西、陕西、宁夏等省区的有关档案馆以及中央档案馆、中央军委档案馆均有与民国时期内蒙古历史有关的档案史料。

一、内蒙古档案馆馆藏民国时期内蒙古地区档案史料

（一）内蒙古档案馆档案史料

内蒙古档案馆是收藏内蒙古地区档案史料最多的档案馆。截止到 2001 年底，该馆共有 341 个全宗，384 723 卷，其中民国时期内蒙古地区档案共计 151 个全宗（包括民国档案 86 个全宗、近 56 000 卷，伪满政权档案 7 个全宗、771 卷，伪蒙疆政权档案 6 个全宗、1 296 卷，革命历史档案 52 个全宗、2 068 卷），另有旧图书报刊资料 120 532 册。[①] 内蒙古档案馆馆藏民国时期档案，涉及内蒙古地区政治、经济、文化、民族、宗教等诸多方面的内容，是研究民国时期内蒙古地区历史不可或缺的第一手史料。

（二）内蒙古档案馆具有代表性的档案

内蒙古档案馆馆藏民国时期档案，形成时间为 1912—1949 年，以汉文、蒙文为主，间有少量的满文、藏文和日文、英文、俄文档案。其中具有代表性的是各蒙旗蒙古文档案、绥远省政府档案、呼伦贝尔副都统衙门档案、垦务档案、伪满及蒙疆政权档案和革命历史档案。

1. 内蒙古各蒙旗蒙文档案

---

① 李晓峰主编：《内蒙古自治区各级各类档案馆概览》，内蒙古人民出版社 2003 年版，第 2—7 页。

内蒙古档案馆馆藏历史档案中，蒙文档案数量在国内是最多的，而且也最有价值，共有 17 个全宗、69 254 卷、239 885 件，时间跨度为 305 年（1644—1949 年），[①] 其中相当一部分档案形成于民国时期。这些档案是研究民国时期内蒙古地区历史的重要史料来源，有着其他史料所不可替代的特殊作用。

2. 绥远地区档案

有关绥远地区的档案共有 54 个全宗、36 000 余卷，形成时间为 1912—1949 年，[②] 主要由绥远省政府直属机构、组成机构、临时机构和中央及其派驻机构的档案构成。直属机构档案主要有秘书处、人事处、统计处、会计处、主计处等全宗；组成机构档案主要有民政厅、财政厅、建设厅、教育厅以及社会处、卫生处、农林处、合作事业管理处、田赋粮食管理处、水利局、公路局、地政局等全宗；临时机构档案有动员委员会、赈济委员会、逆产处理委员会、敌伪资产处理委员会、土地整理委员会、战区农贷委员会、绥西水利委员会、煤炭管理委员会、晋绥兽疫防治处及省银行、税捐稽征处、省党部、省参议会、国大代表选举事务所、驻绥部队指挥所等全宗；属于中央机构的有蒙藏院、蒙藏委员会等全宗；中央派驻办事机构档案有归绥广播电台、归绥电信局、归绥邮政局等全宗；还有绥远省境内蒙古各盟旗地方自治政务委员会的全宗。绥远地区的档案记载了该地区行政机构的设置和变迁、官员任免、田赋税收、土地整理、农业水利、社会、教育、文化、户籍人口、禁烟禁毒、卫生防疫、赈济救灾、工矿商业、交通邮电、金融、日军暴行、惩治汉奸以及社会团体活动等内容。

3. 呼伦贝尔副都统衙门档案

有关呼伦贝尔副都统衙门的档案为 1 个全宗，共 3 161 卷，其中民国时期档案 2 442 卷，所属年代为 1644—1938 年，95% 为满文档案。民国时期的档案涉及呼伦贝尔地区的旗制，官员任免，道、府、厅、县建制，兵丁调遣，建立学校，选送学生，民刑案件，禁烟，收纳税课，市场贸易，盐务，寺庙，宗教祭祀，水陆交通以及布里亚特，达斡尔，鄂伦春，鄂温克人的迁

---

① 刘黑龙：《内蒙古档案馆馆藏蒙文历史档案简介》，《内蒙古档案》1992 年第 2 期。

② 李晓峰主编：《内蒙古自治区各级各类档案馆概览》，内蒙古人民出版社 2003 年版，第 5 页。

居，调查等内容。

4. 内蒙古地区垦务档案

有关内蒙古各旗垦务档案在内蒙古档案馆收藏较多，有清末督办蒙旗垦务大臣行辕档案及民国时期绥远垦务总局、督办蒙旗垦务公所、内蒙古东部区垦务档案汇集、察哈尔全区垦务总局、赤峰经界局、热河垦务总局、巴林爱新荒务局等 10 个全宗。其中涉及民国时期的主要有：

（1）督办蒙旗垦务公所档案。垦务公所档案共有 256 卷（其中清代档案只有 2 卷），有 1813—1915 年间的各种地契和垦务公所办事细则、机构设置等；民国时期的档案有 254 卷，形成时间为 1910—1916 年，内容包括机构设置、人事任免、田赋条例、民兵岁租、经费开支、垦务情形、垦务调查、后山牧厂放垦、土地纠纷、垦地社情民情等。

（2）绥远垦务总局档案。绥远垦务总局档案共有 4 154 卷，形成时间为1915—1940 年，内容包括该局规章制度、人事管理、放垦征款、河套水利、县局设置及人事任免以及各旗县实情等。

（3）察哈尔全区垦务总局。察哈尔垦务总局档案共有 84 卷，形成时间为 1915—1917 年，内容涉及机构设置、人事任免、清查丈放蒙旗土地条例办法及计划、蒙旗、教堂土地争讼等。

（4）内蒙古东部区垦务档案汇集。该全宗是内蒙古档案馆为编撰《内蒙古恳务志》征集的档案，反映了呼伦贝尔、哲里木、卓索图、昭乌达等盟各旗从清末到民国年间的垦务情况，共有 177 卷。内容包括北洋政府、蒙藏院、东三省督军、蒙务局对蒙政策、办理新政、蒙情调查、王公封叙赏罚、王公会议记录及统计；开垦哲里木盟各旗和伊克明安、索伦 8 旗、布特哈以及昭乌达盟敖汉旗、阿鲁科尔沁旗土地档案、热河垦务总局、兴安屯垦材料；蒙地开垦办法、设立县局、蒙地计科、征收钱粮租税章程等；陶克陶胡、嘎达梅林及赤峰人民抗垦斗争材料等。

5. 革命历史档案

内蒙古档案馆收藏的革命历史档案，包括绥蒙区党委、绥蒙区政府、绥察行政公署、绥远省委、绥远省政府、东蒙古人民政府、兴安省政府、内蒙古自治政府、内蒙古党委等机构的 52 个全宗、2 068 卷，形成时间为 1938—1949 年，以汉文为主，有部分蒙古文。内容涉及抗日根据地和党政军组织的建立与演变、统一战线工作、实行区域自治、民主革命、土地革命、支援解放战争、"独贵龙"运动、内蒙古人民革命党、伊克昭盟"三二六"事变、绥远"九一九"和平起义等。内蒙古地区革命历史档案虽然内容不全，但具有很高的史料价值。

6. 伪满及伪蒙疆政权档案

内蒙古档案馆收藏的伪满及伪蒙疆政权档案共 13 个全宗、2 067 卷，建成时间为 1932—1945 年，语种有蒙文、汉文、日文及俄文，包括兴安总省、兴安北省警务厅、海拉尔宪兵队、蒙古自治邦政府内政部、巴彦塔拉盟公署、厚和市公署、厚和高等法院、蒙疆银行厚和分行等全宗，内容涉及日伪政权的统治政策、措施，政府组织机构以及警察、宪兵、特务机关的活动，镇压民众抗日活动、土地开垦、粮谷征收、经济掠夺、文化教育、调查材料等。这些档案虽然内容不全，但具有较高史料价值。

内蒙古档案馆从 20 世纪 80 年代初开始根据馆藏档案，整理出版或内部编印了部分专题档案史料汇编，其中有关民国时期的主要有《内蒙古民族团结革命史料选编》（1983 年，内部）、《大青山抗日游击根据地资料选编》（上、中册，1986、1987 年）、《绥远"九一九"和平起义档案资料选编》（1987 年）、《内蒙古统战史档案资料选编》（1987 年，内部）、《内蒙古革命历史文件汇集》（1988 年，内部）、《内蒙古自治运动联合会档案史料选编》（1989 年）、《中国第一个民族自治区诞生档案史料选编》（1997 年）、《成吉思汗八白室》（1998 年）、《中国档案精粹——内蒙古卷》（1999 年）等，还编印了部分油印馆藏本，如《东蒙自治政府档案史料汇编》（蒙、汉文）、《内蒙古人民革命青年团蒙文历史资料汇编》、《内蒙古人民革命党历史资料汇编》、《内蒙古妇女运动档案史料选编》、《内蒙古地区党组织史资料》、《内蒙古水利史档案资料选编》（第 1 辑）、《伊克昭盟档案史料选编》（合编）、《解放战争时期伊克昭盟历史档案选编》。还出版了《内蒙古档案馆指南》（1992 年）、《内蒙古自治区历史档案全宗概览》等介绍档案全宗内容的工具书。此外，内蒙古档案馆从 1992 年至 1993 年曾创办《内蒙古档案史料》（季刊），共出 6 期，另有一本特刊，公布了与民国时期内蒙古地区历史有关的几百件档案史料。该馆还与内蒙古档案局合办《内蒙古档案工作》（蒙、汉文）、《内蒙古档案》等刊物，其中也公布了一些有关民国时期内蒙古地区历史的档案史料。

二、中国第二历史档案馆馆藏民国时期内蒙古地区档案史料

中国第二历史档案馆收藏中华民国时期（1912—1949 年）历届中央政府及其所属机构的档案。据 1985 年的统计，该馆有 756 个全集，140 多万卷档案，排架长度达 5 610 米。中国第二历史档案馆馆藏档案中，民国政府蒙藏院档案以及国民政府蒙藏委员会档案是与内蒙古地区历史直接有关而且最集中的部分。

（一）蒙藏院档案

蒙藏院是中华民国政府（1912—1928 年）掌管蒙古、西藏等少数民族事务的机构。中华民国政府于 1912 年 5 月在内务部设立蒙藏事务处，9 月改为蒙藏事务局，隶属国务总理。1914 年 5 月，升格为蒙藏院，直属于大总统，直到 1928 年 6 月为止。

蒙藏院档案共有 900 卷，时限为 1912 年 5 月—1928 年 6 月，内容共分 10 大类：①法规类分本院规则、蒙藏规则、优待条例等，共 50 卷；②职员类 14 卷；③会计类 7 卷；④文书资料类 44 卷；⑤民治类分政策建议、治边大吏建制、蒙藏地方制度、选举、疆理、比丁、词讼、教育等，共 120 卷；⑥边卫类分蒙古问题（库伦独立、外蒙自治时期、外蒙取消自治时期、中俄蒙会议时期、外蒙人民革命时期）、西藏问题、新蒙边务问题、游历、治安兵备、台站驿递等，共 270 卷；⑦劝业类 19 卷；⑧封叙类分蒙回袭封、哲里木盟、卓索图盟、昭乌达盟、锡林郭勒盟、乌兰察布盟、伊克昭盟、外蒙与科属、青海霍硕特、新疆各属、西北蒙回哈土司、铸发印信、王公俸银、奖惩等，共 202 卷；⑨宗教类分喇嘛管理、驻京呼图克图、各地喇嘛、西藏驻京堪布、九世班禅来京、寺庙管理、宗教活动等，共 110 卷；⑩典礼类分设制规则、宴赉、恤祭、年班、经班、觐见等，共 69 卷。以上 920 卷档案中与蒙古有关的大体有 700 多卷。

（二）蒙藏委员会档案

蒙藏委员会是中华民国国民政府（1928—1949 年）掌管蒙古、西藏等边疆少数民族事务的专门机构，正式成立于 1929 年 2 月，隶属于行政院。

蒙藏委员会档案共有 3 128 卷，其中有关蒙古的档案有 2 219 卷，时限

为1929年1月—1949年11月，内容分总务、人事、会计、调查、蒙事、藏事等6大类，其中与内蒙古地区有关的是：①总务类，分法规、组织、会议、报告、建议、考察、教育、外交、文书、事务、逃亡等，共295卷；②人事类，分法规、会议、考绩、考试、奖励、训练、交接、任免、铨叙、动态等，共184卷；③会计类，分法规、人事、经常、经常费、旅费、招待费、文教费、宗教费、补助费、一般经费等，共354卷；④调查类，分统计、调查、资料、情报等，共计409卷；⑤蒙事类，分法规、组织、会议、建设、社会、内政、保安、教育、司法、财经、交通、农矿水利、垦牧、宗教、盟旗行政、各盟旗联合驻京办事处、绥境蒙政会地方自治长官公署、绥境蒙政会、察哈尔蒙旗特派员公署、蒙旗宣慰使署、张家口与杀虎口牧场等，共1 206卷。

中国第二历史档案馆馆藏档案中除以上2个全宗之外，民国政府国务院、内务部、外交部、督办边防事务处、热察绥巡阅使署和国民政府行政院、总统府、军事委员会、军委调查统计室及国民党中央执行委员会、组织部、宣传部、中央调查统计室等部门全宗以及其他全宗中也有数量不等的有关内蒙古地区历史的档案。

从中国第二历史档案馆馆藏的有关蒙古的档案内容来看，涉及民国时期内蒙古的政治、经济、军事、外交、文化教育、宗教等各方面，不仅数量多，而且从空间范围上不仅包括了内蒙古，还涉及外蒙古、青海、甘肃、新疆等蒙古族聚居地区。

中国第二历史档案馆根据其馆藏档案先后编辑出版了《中国现代政治史资料汇编》（共244册，2 190万字，内部油印）、《中华民国史档案资料汇编》（1979年起由江苏人民出版社分册出版，1994年起由江苏古籍出版社以统一格式出版）和《中华民国档案资料丛刊》以及《中华民国史史料长编》（共70卷，南京大学出版社1993年版）等。这些整理出版的档案史料中，与民国时期内蒙古历史有关的档案不少。该馆主办的《民国档案》个别期（如2000年第3期、2001年第1期等）也曾发表过有关民国时期内蒙古地区历史的档案。

三、内蒙古部分盟市旗县档案馆馆藏民国时期内蒙古地区档案史料

内蒙古自治区各盟市旗县档案馆中也有相当数量的民国时期档案，共计有 247 个全宗，86 262 卷。[①] 其中收藏民国时期历史档案较多的档案馆有以下几个：

一是呼和浩特市档案馆。呼和浩特市档案馆收藏民国时期历史档案共 15 个全宗、5 977 卷（其中民国档案 10 个全宗、5 806 卷，蒙疆政权时期档案 4 个全宗、844 卷，革命历史档案 1 个全宗、47 卷），形成时间为 1938—1949 年，有归绥市政府、归绥县政府、归绥市警察局、归绥地方法院、归绥市商业联合会、归绥市师范学校、归绥市女子师范学校、归绥中学、厚和市公署、厚和警察局以及绥远毛织厂和归绥被服厂等机构、团体档案。这些档案以汉文为主，还有部分蒙古文和日文档案，主要反映了国民党及日伪统治时期呼和浩特地区政治、经济、民政、司法、工业、文化、教育、社会团体以及民族、宗教等方面的情况。

二是包头市档案馆。包头市档案馆馆藏收藏民国时期历史档案共 23 个全宗、1 891 卷（其中民国档案 18 个全宗、1 741 卷，革命历史档案 5 个全宗、150 卷），形成时间为 1912—1949 年，有包头（县）市政府、包头市警察局、包头市地方法院、包头市税务局、包头市商会、绥远省立包头医院、包头中学、包头面粉公司、包头邮政局、包头电信局、包头红十字会、包头广播电台以及西北回教联合会包头回教分会等机关、团体档案，反映了民国时期包头地区社会、政治、经济、军事以及文化、教育等方面的情况。

三是鄂尔多斯市档案馆。鄂尔多斯市档案馆（原伊克昭盟档案馆）收藏民国时期伊克昭盟政府和杭锦、鄂托克、乌审、准格尔、郡王、札萨克等旗档案全宗共 1 930 卷，大部分为蒙古文档案，形成于 1912—1951 年间，内容涉及伊克昭盟各旗政治、军事、垦牧、民政、教育、宗教、成陵祭典以及人民革命斗争等方面。还有绥远盐务分局、达拉特组训处、东胜县政府、

---

① 各盟市旗县档案馆藏民国时期历史档案全宗和卷数，据内蒙古自治区历史档案资料目录中心编《内蒙古自治区历史档案全宗概览》（远方出版社 1999 年版）所附《民国档案全宗名册》《伪兴安政权档案全宗名册》《伪蒙疆政权档案全宗名册》《革命历史档案全宗名册》统计。

桃力民办事处、国立伊盟中学等全宗，共计 3 460 卷，形成于 1894—1950 年，内容涉及盐池征税产销、盐务工作以及民政、军事、财政税收、贸易、农牧水利、文教、卫生、禁烟禁赌等。该馆还根据馆藏档案内部编印了《鄂尔多斯人民独贵龙运动汇编资料》（蒙古文，共 18 辑）、《席尼喇嘛革命活动资料汇编》（蒙古文，共 10 辑）、《伊盟事件档案汇编》、《清朝、民国时期鄂尔多斯生态环境历史档案资料汇编》等。

四是呼伦贝尔市档案馆。呼伦贝尔市档案馆（原呼伦贝尔盟档案馆）收藏的民国时期历史档案有 2 个全宗（其中旧政权档案 1 个全宗、6 365 卷，革命历史档案 1 个全宗、107 卷），形成时间为 1877—1948 年，以蒙古文档案为主，还有部分汉文、满文档案。其中最重要的是呼伦贝尔副都统衙门档案，共有 6 271 卷，所属年代为 1913—1932 年，以蒙古文档案为主，内容涉及人事任免调动、行政区别、边防关系、农牧及税收、交通运输、文教、卫生防疫以及喇嘛寺庙等方面。革命历史档案为呼伦贝尔地方自治政府、东蒙古人民自治政府、纳文慕仁盟政府的档案，形成时间为 1945—1947 年，内容涉及呼伦贝尔地方自治运动、组织机构、军事、人事任免、行政区划调整、土地、工商业、文化、教育等方面。

五是通辽市档案馆。通辽市档案馆（原哲里木盟档案馆）收藏的民国时期历史档案有 3 个全宗、1 763 卷（其中清代民国档案汇集 1 个全宗、940 卷，伪满时期档案汇集 1 个全宗、199 卷，革命历史档案汇集 1 个全宗、624 卷），形成时间为 1909—1949 年，其中民国时期的档案共计 1 728 卷，内容涉及哲里木盟地区机构设置、官员任免、旗县划界、社会调查、军事、警察、户口、物产、财税、金融、文化、教育等方面。

六是赤峰市档案馆。赤峰市档案馆（原昭乌达盟档案馆）收藏的民国时期历史档案有 12 个全宗、10 718 卷（其中民国档案汇集 9 个全宗、10 446 卷，伪满时期档案汇集 1 个全宗、46 卷，革命历史档案 2 个全宗、226 卷），形成时间为 1912—1949 年，有赤峰县公署、赤峰开埠局、赤峰经界局、全宁设治局、平泉县公署、翁牛特右旗札萨克衙门（公署）、翁牛特左旗公署、中共昭乌达盟地委、昭乌达盟政府等机构团体档案，内容涉及民国时期昭乌达盟和卓索图盟地区政治、军事、行政、司法、外事、贸易、财政、金融、赋税、农垦、划界、牧业、工矿企业、交通、水利、文化、教育、宗教等方面。

七是土默特左旗档案馆。土默特左旗档案馆有归化城土默特副都统衙门、土默特特别旗政府、归绥县政府、萨拉齐县政府等历史档案全宗，共计21 731 卷。其中副都统衙门及土默特政府档案很完整。土默特特别旗公署档案共有 3 522 卷，形成于 1912—1949 年。内容包括旗政府法规条例、人事任免、禁烟禁毒、经费收支、民刑案件、喇嘛、财政、矿产、户口调查、警察、军队及教育等方面。

八是阿拉善左旗档案馆。阿拉善左旗档案馆馆藏阿拉善和硕特旗札萨克衙门全宗档案共 6 774 卷，形成时间为 1865—1949 年，其中民国时期档案有 4 226 卷。这些档案绝大部分为蒙古文，包括民国时期阿拉善旗政治、军事、财政、牧业、文化、教育、外事及宗教方面的内容。此外，阿拉善和硕特旗札萨克衙门档案在内蒙古档案馆也有 28 卷，形成时间为 1719—1931年，大部分为蒙古文，内容涉及该旗官员承袭、征调兵丁军马、民刑案件、畜牧业调查、人丁户口统计、盐税征收及禁止开垦开矿等方面。

四、正式出版的部分历史档案史料汇编

20 世纪 80 年代以后，各级档案部门加快了对历史档案的整理和公布的步伐，相继出版了相当一批专题档案史料汇编。还有一些研究机构和个人也在这方面做了很多的工作。有关民国时期内蒙古地区历史档案史料的整理、出版工作也有了长足的发展。

（一）正式出版的有关民国时期内蒙古地区历史的档案史料

正式出版的有关民国时期内蒙古地区历史档案史料汇编主要有以下几种：

《呼和浩特史蒙古文献资料汇编》 该书为蒙古文，共 6 辑，由金峰主编，1989 年由内蒙古文化出版社出版。这套资料汇编收录的史料绝大多数是蒙古文历史档案，有个别满文档案（均译成蒙古文），是呼和浩特市地区寺庙及个人所收藏的历史档案、活佛传记，日本学者江实编的《巴彦塔拉盟史料集成》（蒙古文照抄、满文译成蒙文），土右旗地方志办收藏的有关土地、交通方面的蒙古文文献以及蒙古文碑铭等。所收文献为 16 世纪 80 年代到民国末年的各种历史文献，其中相当一部分是民国时期的档案史料。这

套资料汇编虽然命名为《呼和浩特史蒙古文献资料汇编》，但所收文献不限于呼和浩特及土默特地区，还包括乌兰察布盟、伊克昭盟各旗，即清代绥远城将军所辖的各盟旗范围，内容相当广泛，是研究清代及民国时期内蒙古西部区历史文化的第一手资料。

《鄂尔多斯人民独贵龙运动资料汇编》（上）　该书为蒙古文，由义都合西格、宝音、道荣嘎编，《鄂尔多斯史稿》编审委员会于 1981 年铅印出版。这是一部蒙古文历史档案资料汇编，内容分为反洋教侵略、反对出卖牧场、反对察克都尔色楞（乌审旗札萨克）的运动、人民革命运动以及有关独贵龙的诗歌的调查报告等。历史档案均为清末及民国时期形成的，而且以乌审旗的历史档案为主。这套资料汇编是研究伊克昭盟地区近代社会政治、经济、宗教以及司法制度方面的第一手资料。

《俄国外交文书选译——关于蒙古问题》　该书由陈春华编译，黑龙江教育出版社于 1991 年出版。该书所收俄国外交文书包括 1911 年 7 月—1916 年 3 月的俄国外交大臣、代理外交大臣给俄国驻华公使、库伦领事及对蒙谈判全权代表、驻蒙古外交代表的训令和来往电报；俄国外交大臣、代理外交大臣与内阁总理大臣、财政大臣及陆军大臣的来往密函；内阁会议记录及外交大臣给沙皇的奏折等，共计 364 件。这些档案文书反映了沙皇俄国侵略蒙古地区的计划、策略，以及与外蒙古签订的《俄蒙协约》、《商务专条》和与中国政府签署的关于蒙古问题的《中俄蒙协约》的有关情况；还有呼伦贝尔独立、乌泰独立事件、外蒙远征军进入内蒙古、巴布扎布军队情况及俄国吞并唐努乌梁海地区的内容；此外，有些文件还反映了这一时期俄日两国关系、美日两国对蒙政策和活动情况。正因为这些档案十分真实地反映了沙俄政府的立场和观点，所以该书对于研究民国时期内蒙古地区历史及中俄关系史具有极为重要的史料价值。

《大青山抗日游击根据地资料选编》　该书已出版上、中两册，其中上册为历史档案部分，由中共内蒙古自治区委员会党史资料征集委员会、中国人民解放军档案馆、内蒙古档案馆合编，内蒙古人民出版社于 1986 年出版。上册收录了中国人民解放军档案馆和内蒙古档案馆馆藏有关大青山抗日游击根据地档案史料 172 件，内容包括 1938 年 3 月—1945 年 9 月间毛泽东、朱德、中共中央派出机构、八路军 120 师和大青山抗日游击根据地各级党政军机关来往的文电及文件等；中册由中共内蒙古自治区委员会党史资料征集委员会、内蒙古档案馆合编，于1987年由内蒙古人民出版社出版。中册收录了内蒙古档案馆馆藏有关大青山抗日游击根据地档案及报刊史料等共149件，其中档案史料内容包括1938年2月—1945年8月间中共中央晋绥分局、八路军120师、大青山抗日游击根据地各级党政军机关来往的文电、文件以及统计资料；报刊和战事报道部分内容包括《抗战中的绥远》一书节选和《八路军军政杂志》、《解放日报》、《抗敌报》、《晋察冀日报》等报刊上的相关报道。

《内蒙古自治运动联合会档案史料选编》 该书由内蒙古档案馆编，档案出版社于1988年出版。该选编由内蒙古档案馆馆藏的内蒙古自治运动联合会（1945年10月—1947年5月）成立前后的相关档案及报刊资料汇编而成。该书内容由三部分组成：①有关内蒙古自治运动联合会的档案，共收历史档案106件，附件9份；②《晋察冀日报》、《内蒙自治报》等报刊资料；③编者撰写的《内蒙古自治运动联合会概述》、《内蒙古自治运动联合会大事记》。这部档案史料选编为研究战后内蒙古自治运动的产生发展过程提供了重要史料。

《额济纳旧土尔扈特旗札萨克郡王塔旺嘉布文电集》 该书为蒙古文，由牧仁整理注释，内蒙古科教技术出版社于1995年出版。该书收录了额济纳旗札萨克塔旺嘉布郡王、额济纳旗防守司令部、旗政府向各方发出电报之蒙古文底稿53件，时间为1939年2月12日—11月18日；还有各地各机关向该旗发来的75份电报的蒙古文译稿，时间为1939年2月14日—10月11日；书末附有《边疆通讯》、《新西北》、《国闻周报》、《西北角》、《大公报》等报刊发表的9篇有关额济纳旗通讯报道资料，反映当时该旗社会政治及与各方面关系。

《绥远"九一九"和平起义档案资料选编》 该书由内蒙古自治区档案馆编，内蒙古人民出版社于1987年出版。该书所收档案史料包括毛泽东、朱德等中共中央领导、中共中央华北局、中共绥蒙区委、中共绥远省委、绥远军政委员会等的指示、来往书信和文电、决议、报告等共45件。还收录《人民日报》、《绥蒙日报》、《绥远日报》的相关报道。另有编者撰写的绥远"九一九"和平起义概述和大事记等。

《民族问题文献汇编（1921. 7—1949. 9）》 该书由中共中央统战部编，中共中央党校出版社于 1991 年出版。该汇编收集了从中国共产党成立到中华人民共和国成立期间的中国共产党和中华苏维埃政府有关我国民族问题的文献资料。这些文献资料主要来源于中央档案馆，也有相当一部分是从其他方面收集的，共有 1 000 多件。该汇编中把收录文献资料分为中国共产党创立和第一次国内革命战争、第二次国内革命战争、抗日战争、解放战争等 4 个时期，每一时期的正文为中共中央及各级党组织有关民族问题的决议、批示和来往文件以及一些领导人的指示、讲话等；每一时期正文后又以"参阅资料"为题，收录了一些报刊、书籍上发表的有关民族问题的文章和个别文件。该书是收录中国共产党有关民族问题的文献资料最多的一部文献汇编，其中多一半的文献涉及蒙古民族和内蒙古地区。该书不仅是研究中国共产党的民族理论和民族政策的主要资料依据，而且也是研究民国时期内蒙古地区历史的重要史料之一。

（二）其他有关民国时期内蒙古地区历史的档案史料

除了以上几部档案史料汇编之外，在中国近代史、民国史、沙俄侵华史、日本侵华史档案史料汇编以及一些其他专题档案史料汇编中，也程度不同地收录公布了相当多的有关民国时期内蒙古地区史的档案史料。例如，《中华民国史资料长编》（共 70 册）、《中华民国史档案资料汇编》〔第 5 辑·第一编·政治 (5)、第 5 辑·第二编·政治 (4)、第 5 辑·第三编·政治 (5)〕、《近代史资料》（总第 88 号）、《国民党政府政治制度档案资料汇编》、《日本帝国主义侵华档案资料选编》（已出版 14 卷）以及《日本外交文书选译——关于辛亥革命》、《德国外交文件有关中国交涉史料选译》（第 3 卷）等。

第二节　汇编史料

一、内蒙古地区汇编史料的分类

汇编史料是专指以某一时期、某一专题、某一地区为对象编成的历史档案以外的其他资料汇编和文集。有关民国时期内蒙古地区历史的史料汇编大致有两种：一种是专门针对民国时期内蒙古地区历史上的某一问题、某一事件或某一地区的史料汇编；另一种是中国近代史、中华民国史、中国革命史以及各种专门史的史料汇编中收录的有关民国时期内蒙古地区史料。

中华民国时期，尤其是辛亥革命以后以及 20 世纪 30 年代初，由于蒙古问题成为边疆危机的热点，所以由政府机关和一些机构团体或个人编辑出版的有关蒙古问题的资料汇编比较多。中华人民共和国成立后，有关民国时期内蒙古地区历史的专题史料汇编出版得更多，包括各地区、各部门编辑出版的史志资料、革命史资料等，数量相当可观。

二、民国时期内蒙古的主要汇编史料

（一）有关民国时期内蒙古历史的重要汇编史料

有关民国时期内蒙古历史的汇编史料中重要的有以下几种：

《西盟会议始末记》 该书由西盟王公招待处蔡江东编，1913 年商务印书馆代印。所谓"西盟会议"是指 1913 年 1 月新任绥远城将军张绍曾主持召开的乌兰察布、伊克昭两盟各旗札萨克王公及代表会议。会议的目的是迫使乌伊两盟拥护中华民国共和政体、防止其响应外蒙古独立。该书内容分为西盟之大势、西盟与库伦之关系、西盟会议之原因、西盟会议之召集、招待西盟王公之状况、会议之情形及议决之结果、爵秩之进封及勋章之授予，并附有与会王公照片等。该书是了解和研究西盟王公会议这一重大历史事件的重要史料。

《蒙藏院召集蒙事会议议事录》 该书为蒙汉合璧，由蒙藏院于 1920 年编印。蒙藏院召集的此次蒙事会议从 1920 年 4 月 9 日到 7 月 8 日共举行 8 次。该书便是这次会议有关资料的汇集。内容包括召集内蒙六盟蒙事会议公文、与会人员名单、议案、记事、会议宣言书、议事录以及照片等。该书所收资料不仅对了解这些会议的过程及内容极有价值，而且从各盟王公所提议案中可以了解当时内蒙古社会、政治等方面的很多情况。此外，由于是蒙汉合璧，对了解当时的一些蒙译名词术语也很有帮助。

《蒙古会议汇编》 该书由蒙藏委员会于 1930 年 6 月编印。蒙古会议是蒙藏委员会于 1930 年 5 月在南京主持召开的一次重要会议，参加会议的有哲里木、昭乌达、卓索图盟和呼伦贝尔、东西布特哈、伊克明安旗以及青海左翼盟的代表，还有国民政府各部、委官员。这部书就是这次会议的各种文件汇编。全书共分三编，第一编为有关本次会议法规、图表、讲演词及照片等；第二编为议程、议事录、审查报告、决议案（分民政、财政、卫生、宗教、司法、实业、特种事务等9类）、原提案（分民政、财政、教育、宗教、司法、卫生、交通、实业、特种事务等9类）；第三编收录了有关召开蒙古会议的14件公文。这部书中最有史料价值的部分是决议案和原提案，尤其从原提案中可以看到当时蒙古人对蒙古的政治、经济、教育、司法、宗教等方面的认识和改革的设想，将原提案与决议案相对照，可以看出国民党当局对蒙政策的某些真实意图。

《总理对于蒙藏之遗训及中央对于蒙藏之法令》 该书由熊耀文编，蒙藏委员会于1934年出版，是该会边政丛书之第4种。该书所收资料截止到1936年6月，内容包括：①孙中山著作、讲演中有关蒙藏问题的部分；②国民党及国民政府正式公布的有关蒙藏之决议案34件；③有关蒙藏之法规、命令29件；④孙科、谭延闿等人讲演报告6件。该书是研究国民党对蒙政策的重要资料汇编。

《修订蒙藏委员会法规汇编》 该书由蒙藏委员会于1938年6月在南京刊印，收录了《修正蒙藏委员会组织法》、《修正蒙藏委员会办事细则》、《北平喇嘛寺庙整理委员会组织规则》等各种法规文件229种。该书是蒙藏委员会所编印的同类汇编中收录资料最多的一部，是研究民国时期蒙古地方制史的最重要的史料之一。

《绥蒙辑要》 该书由陈玉甲编，1937年在归绥铅印出版，内容包括当时绥远省境内蒙旗族系与沿革、行政区划及组织、绥远省县局与盟旗、乌兰察布及伊克昭两盟区域、乌兰察布及伊克昭两盟各旗、交通、矿业、教育、水利、绥境蒙旗组织及军事系统、祭成吉思汗陵寝纪实、西盟会议、百灵庙蒙政会之成立、绥境蒙政会之成立、绥境乌伊两盟13旗调查事实概况、绥境土默特旗及绥东四旗调查事实概况等。这些资料有的是根据其他史料综合叙述，有的是编者自己的实地调查所得，是有关民国时期内蒙古西部地区历史的专题史料汇编。

《蒙古法令辑览》 该书全书共有3卷，汉日对照，由蒙古联合自治政府总务部编，蒙疆行政学会于1940年6月在张家口出版。该书为日本在内蒙古西部扶植成立的蒙古联合自治政府所颁布的法律法规（截止到1940年1月的有效法令）汇编。第1卷为基本法（基本法、法例、公文程式）、官制、官规、服制、文书统计、土地、外事、民政、治安、产业、交通、土木等篇；第2卷为法务篇，内分司法机关、民商事法、刑事法、监狱、军刑审判、诉愿、行政诉讼、诉讼卷宗及统计报告等；第3卷为财务篇，内分会计、审计、国税、地税、专卖、币制、汇总管理、银行及金融、公债证券、预金、保管、提存等。这部书是研究伪蒙疆政权时期政治、经济和法制史的重要史料。

《巴布扎布史料选编》 该书由卢明辉编，中国蒙古史学会于1979年9月刊印，收录的资料分三部分，第一部分收录了国内外有关著述中对巴布扎布的介绍、评论部分；第二部是有关巴布扎布的回忆录、调查访问资料；第三部是有关巴布扎布的北洋政府档案（1912年12月5日—1917年3月5日）。这本史料选编把一些零散的史料汇编在一起，对于了解巴布扎布的生平事迹提供了方便，尤其收录的档案资料，具有很高的史料价值。

《民国以来蒙古史料汇编》 该书由刘序渭编，台湾金兰文化出版社于1976年出版，收录了刘学铫、金兆鸿等人有关外蒙古问题的论文，康有为、程杰、熊希龄、陆军学会、殖边学会、蒙汉联合会有关蒙古问题的政论文章、通告、条陈等，林维刚、白眉初以及蔡江东的有关民国初年内外蒙古独立的单行小册子，袁世凯、哲布尊丹巴之间的来往公文以及孟森的视察郭尔罗斯后旗报告等，共计19篇。编者在汇编这些图书报刊资料时，有6篇注明出处，其余均未注明。这些文章、资料有的是民国初年发表的，有的论文是70年代在台湾报刊上发表的。这本史料汇编对于研究蒙古独立事件前后的有关情况，具有一定的史料价值。

《内蒙古教育史志资料》 该书由《内蒙古教育志》编纂委员会编，内蒙古大学出版社于1995年出版。全书分两辑、第1辑分上下册，第2辑为民族教育资料专辑。这套资料汇编是从各种史籍、档案、文献、奏疏以及其他相关报刊资料中筛选、整理、翻译的，并一一注明出处。从时限上看，上自元代，下迄中华人民共和国成立之前；从体例上看，大体采取分类、编年兼顾地区的方式，这套资料汇编所收资料时限虽说上自元代，但古代部分不及全书的1%，近代的资料占全书的99%。所以这套书是内蒙古地区教育史料之集大成者。该书第 1 辑内容分为综合资料、教育行政、初等教育、中等教育、师范及职业教育、社会教育、教会教育、留学生教育等；第 2 辑是内蒙古地区民族教育资料专辑，内容分为综合资料、教育行政、初等教育、中等教育、职业教育、师范教育、寺庙教育、留学生教育等。该书是研究近代内蒙古地区及蒙古族教育史的最基本的史料，具有很高的史料价值。

（二）有关民国时期内蒙古历史的其他重要汇编史料

除了以上介绍的汇编史料之外，还有蒙藏院的《蒙藏院行政概要》、白云梯的《蒙古民族自决运动》、蒙藏委员会的《中俄关于蒙古中英关于西藏约章汇编》、蒙藏委员会的《蒙藏委员会法规汇编》、蒙藏委员会的《蒙藏委员会法规辑要》、陈健夫的《内蒙自治史料辑要》、奋斗日报社的《盟旗自治问题研究参考资料》、徐正光的《民国以来蒙藏重要政策汇编》以及《中国共产党内蒙古自治区组织史资料（1925 年 3 月—1987 年 12 月）》等有关内蒙古地区历史的专题史料汇编。

此外，在全国性的各种史料汇编中，也有很多涉及民国时期内蒙古地区的重要史料，比如，元寄编的《南满东蒙交涉善后筹备全案》、王铁崖编的《中外旧约章汇编》、复旦大学编的《中国近代对外关系史资料选辑》（上、下卷）、程道德等编的《中华民国外交史资料选编》（4 卷）、荣孟源编的《中国国民党历次代表大会及中央全会资料》（上、下册）、中国第二历史档案馆编的《中国国民党中央执行委员会常务委员会会议录》、杭州大学图书馆等编的《中华民国史史料外编（中文部分）——前日本末次研究所情报资料》、蔡鸿源主编的《民国法规集成》（共 100 册）、中央档案馆编的《伪满洲国的统治与内幕——伪满官员供述》等。

第三节　其他史料

一、地方志史料

地方志是以地区为主，综合记录该地自然和社会方面有关历史与现状的著作。方志是总的名称，还有国志、志要、志略、记、略、乘、概况、概要、事情、调查报告、要览等名称。

　　地方志的内容非常广泛，可以说是某个特定地区的包罗古今万象的"百科全书"，诸如政治、经济、文化、军事、天文、地理、方物、人物、风俗、民情、寺庙、典故、传闻、建筑、风景等无所不载。从史料学的角度看，地方志是研究该地区历史的很有价值的史料，往往被史家所推崇。

　　地方志是记载某一地方自然与社会状况为内容的一种著作，是定居农业文明的产物，是汉族的发明。以游牧为主的蒙古地区向无撰写地方志的传统。到了清代中叶，内地过剩人口大量涌入内蒙古南部地区垦殖、贸易，并不断定居繁衍。这种情况下，清朝政府开始在内蒙古南部汉族人口集中的地区设治，相应地出现了《口北三厅志》《塔子沟记略》等地方志。到了清末及民国时期，出现了大量的记载内蒙古地区现状的调查报告、事情、概况、概览之类的方志。其中，也有以盟或旗县为单位编撰的方志。

　　记载民国时期内蒙古地区历史的地方志，主要有两种类型：一种是以内蒙古地区的省、县或盟、旗为单位的地方志，另一种是有关整个蒙古地区的或邻近省、县的地方志，其中涉及内蒙古地区的历史内容。

　　以内蒙古地区的省、县或盟、旗为单位的地方志主要有：《内蒙古纪要》、《绥远通志稿》、《绥乘》、《绥远志略》、《绥远概况》、《国防前线的绥远》、《绥远省分县调查概要》、《绥远考察纪略》、《河套图志》、《河套新编》、《绥远河套调查记》、《绥远河套治要》、《集宁县志》、《绥远集宁县志略》、《武川县志略》、《萨拉齐县志》、《包头市志》、《厚和特别市概况》、《包头概况》、《巴彦塔拉盟要览》、《多伦诺尔厅调查记》、《察哈尔蒙旗及各县概况》、《多伦县政概要》、《沃野调查记》、《鄂托克富源调查记》、《伊盟右翼四旗调查报告书》、《伊盟左翼三旗调查报告书》、《内蒙伊盟七旗社会调查》、《伊克昭盟志》、《伊克昭盟概况》、《西蒙阿拉善旗社会调查》、《阿拉善蒙古考察记》、《西蒙额济纳旗概况》、《额济纳旧土尔扈特旗调查报告书》、《居延海（额济纳旗）》、《阿拉善旗概况》、《内蒙古地理》（再版名为《漠南蒙古地理》）、《呼伦贝尔纪略》、《呼伦贝尔志略》、《呼伦贝尔概要》、《布特哈志略》、《赤峰县志略》、《林西县志》、《热河省宁城县志》、《扎鲁特旗概况》、《赤峰县事情》、《赤峰县地方事情》、《西科后旗志》、《兴安南省地方情形》，等等。

　　有关整个蒙古地区的或邻近省、县的地方志主要有：《最新蒙古鉴》

（后名为 4 版增订《蒙古鉴》）、《蒙藏状况》、《全蒙盟旗沿革志》、《蒙古通览》、《蒙藏新志》、《蒙旗概况》以及《京直热察绥五省区志》、《满洲三省志》、《黑龙江志稿》、《热河新志》、《察哈尔省通志》、《察哈尔与绥远》等。

此外，一部分有关内蒙古地区的日文方志被翻译出版，其中主要有：《热河概况》、《新兴的兴安省概观》、《兴安东省情况》、《兴安西省林西县情况》、《赤峰事情》、《蒙疆经济》、《兴安北省概观》、《额尔古纳左翼旗（三河地区）情况》、《新巴尔虎右翼旗情况调查》，等等。

二、报刊史料

报纸和杂志是随着中国社会的半殖民地半封建化的进程出现的一种新的史料种类。报刊史料对于当时的历史事件、人物等具有记录及时的特点。有关民国时期内蒙古地区历史的报刊数量也很多，这些报刊大致有 3 种类型：第一类是在内蒙古地区出版的报刊，第二类是主要以蒙古人作为读者的报刊，第三类是全国或区域性报刊。

在内蒙古地区出版的报刊主要有：《归绥日报》、《通俗画报》、《西北实业报》、《绥远通俗画报》、《绥远教育季刊》、《绥远月刊》、《绥远日报》、《绥远社会日报》、《绥远省政府公报》、《绥远建设季刊》、《绥远省政府年刊》、《绥远省政府行政报告》、《绥远教育公报》、《绥远民政刊要》、《绥远省财政周刊》、《绥远财政年刊》、《绥远财政季刊》、《绥远省政府乡村建设委员会会刊》、《绥远民国日报》、《绥远朝报》、《绥远西北日报》、《新绥远》、《绥远实业周报》、《西北实业杂志》、《火坑周刊》、《农工兵》、《赤峰热区民报》、《奋斗日报》、《奋斗半月刊》、《通俗日报》、《动员日报》、《绥远动员》、《工作指导》、《绥远党务》、《绥远团讯》、《绥远教育》、《绥远合作通讯》、《绥远青年》、《前进》、《绥远文讯》、《文艺》、《绥蒙新闻》、《包头民众周报》、《巴彦旗公报》、《赤峰县公报》、《通辽县公报》、《察哈尔省政府公报》、《热河省政府公报》、《兴安南省公报》、《兴安北省公报》、《兴安东省公报》、《兴安西省公报》、《蒙疆联合委员会公报》（蒙古联合自治）、《政府公报》、《蒙古联合自治政府公报》、《绥蒙日报》、《东蒙新报》、《内蒙古周报》、《群众报》、《内蒙自治报》、《呼伦贝尔报》、《自由》、《兴安报》、《内蒙古日报》、《内蒙古画报》、《内蒙古周报》、《牧农报》、《纳文慕仁报》、《内蒙古自治政府公报》等。其中《绥远民国日报》、《绥远日报》、《绥远社会日报》、《绥远朝报》、《奋斗日报》、《民众日报》、《东蒙新报》、《群众报》、《内蒙自治报》、《内蒙古日报》等，在内蒙古地区传布较广，出刊时间较长，影响较大。

　　以蒙古人为对象的报刊主要有：《蒙文白话报》、《蒙文大同报》、《蒙文报》、《蒙古新闻》、《奉天蒙文报》、《蒙古农民》、《内蒙国民旬刊》、《蒙古》、《新蒙古月刊》、《绥远蒙文周刊》、《绥远蒙文半月刊》、《蒙文周报》、《蒙古旬刊》、《蒙古代表团报告》、《蒙古各盟旗联合驻京办事处特别报告》、《蒙古月刊》、《蒙旗旬刊》、《励志月刊》、《蒙古向导》、《蒙古知行月刊》、《醒蒙》、《蒙藏周报》、《蒙藏旬报》、《蒙藏半月刊》、《蒙藏月报》、《蒙藏旬刊》、《蒙藏月刊》、《蒙古前途》、《中央边报》、《兴安总署汇刊》、《蒙政部会刊》、《青旗》、《大青旗》、《丙寅》、《蒙古报》、《蒙古新报》、《新蒙古》、《祖国》、《漠声》、《文化专刊》、《蒙古文化》、《复兴蒙古之声》、《复兴之蒙古》、《新蒙古》、《青旗写真旬刊》、《蒙古画报》、《民众日报》、《蒙文周报》、《新绥蒙》、《蒙声半月刊》、《奋斗日报》（蒙文版）、《蒙古青年》等。这些报刊所记内容均与内蒙古有关。其中《蒙藏月报》是由国民政府蒙藏委员会主办、持续时间最长的一个刊物，共出 20 卷，每期若干卷。内容有调查、论评、专著、边疆时事、公文、法规、边疆新闻等栏目。

　　全国或区域性报刊主要有：《申报》、《晨报》、《民国日报》、《盛京时报》、《大众报》、《中央日报》、《新华日报》、《解放日报》、《东北日报》、《晋察冀日报》、《国闻周报》、《边事日报》、《时事新报》和《东方杂志》、《西北研究》、《新亚西亚》、《开发西北》、《边事研究》、《边疆事情》、《西北问题》、《西北丛刊》、《西北论衡》、《内政消息》等报刊以及（民国政府）《政府公报》、《中华民国国民政府公报》、《蒙藏委员会公报》、《黑龙江省政府公报》、《吉林省政府公报》、《奉天省政府公报》、《辽宁省政府公报》等。

　　这些报刊中对民国时期内蒙古地区历史上的人物、事件等均有程度不同的记载，也有对蒙古的历史和当时现状的评论，而且有些史料在别的文献上还没有相应的记载。

三、游记史料

游记是人们在某一地区进行游历、考察期间或之后所写的一种文体。有的叫做旅行记或考察记。这种文体，有的是按时间顺序记述沿途所见所闻的日记体；有的是按照某一事情的来龙去脉记述的纪事本末体；也有的是描述风光名胜、人情礼俗并抒发感想的散文体。由于撰写游记的人游历、考察的目的和观察角度不同，所以在游记中所记内容各有千秋。从史学的角度看，有的游记具有别的史料无法代替的独特价值，有的则是泛泛描述或个人经历而已。

从 19 世纪下半叶起，随着西方的中亚探险及考察热的兴起和西方传教士进入内蒙古地区，使得很多西方人类学家、地理学家、考古学家等学者和传教士纷纷到蒙古地区进行游历、考察，并相应地出版了一大批游行记、考察记等。从 20 世纪初到 40 年代，日本的一些学者、军人、宗教人士以及新闻记者也纷纷深入内蒙古地区进行游历、考察，并出版了相当多的调查报告、考察记、游行记。

与此同时，由于外国侵略势力也不断向蒙古地区渗透，使得蒙古地区成为中国边疆危机的热点。在这种形势下，中国的一些学者、官员、文人及新闻记者也到内蒙古地区进行游历、考察，并出版了一些游记、考察记等。

这些游记有的较为系统记述作者在内蒙古地区的经历及所见所闻，有的则是有零星片断记载。不管是外国人写的游记，还是中国人写的游记，都是作者在当时当地的调查所得和所见所闻。所以对于了解当时内蒙古地区社会、文化、经济以及自然方面均有很高的史料价值。其中有些记载，生动地反映了当时当地人们的生活画卷和意识形态等。这些内容在其他史料中是很难找到的。

有关民国时期内蒙古地区的中外游记很多，其中主要有以下几种：东方杂志社的《蒙古调查记》，林竞的《西北丛编》（3—4 卷），杨钟健的《西北的剖面》，马鹤天的《内外蒙古考察日记》，黄奋生的《百灵庙巡礼》，范长江的《中国的西北角》、《塞上行》，陈赓雅的《西北视察记》，徐旭生的《徐旭生西游日记》，陈佐华的《蒙古旅行记》等多种。已经汉译的外国人的游记有（瑞典）斯文·赫定的《亚洲腹地探险八年（1927—1935 年）》，（丹麦）亨宁·哈士伦的《蒙古的人和神》，（瑞典）沃尔克·贝格曼的《考古探险手记》等。

四、回忆录史料

回忆录是一个人亲身经历或亲眼目睹、亲耳所闻的历史事件或人物的真实记录，是具有很高价值的一种史料种类，具有思想性、真实性及生动性的特点。回忆录具有其他文献资料难以替代的作用。有些历史事件的来龙去脉、前因后果以及人物的生平事迹等，在档案史料或其他文献资料中反映不出来，或者反映不全，而回忆录在这方面可以补充和说明其他文献资料之不足。所以历史学家对回忆录史料很重视，尤其一些重要人物的回忆录，被视做研究该人物或相关历史事件的重要史料根据。

回忆录史料也有它的不足之处。因为它是一个对自己所经历的事，过了若干年之后才重新回忆并形成文字的史料，其中有的是自己有意识地写出来的，有的则是别人根据当事人的口述整理出来的。由于时间的关系和当事人对其所叙述的人和事的了解程度以及记忆力等原因，回忆录中对一些人和事的记述有时出现很多出入，有的甚至出现很大的误差。这种情况不仅在一般人的回忆录中出现，而且在一些重要人物的回忆录中也时有出现。另外，有的回忆录中还有故意抬高自己、贬低别人，甚至有意歪曲或隐瞒事实真相的情况。

中华人民共和国成立后，为了保存近代史的资料，中国人民政治协商会议根据周恩来总理的指示，开始编辑出版文史资料，其中绝大部分是个人回忆录。"文革"以后，由于各地及各行各业编史修志工作的需要，出版的各种回忆录更多。在这个过程中，政协内蒙古自治区委员会以及各盟市旗县区都相应地出版了很多与民国时期内蒙古历史有关的回忆录。其中政协系统的除了政协内蒙古自治区委员会编辑出版的《内蒙古文史资料》（1—50 辑）之外，主要的还有《呼和浩特文史资料》（1—13 辑）、《包头市文史资料》（1—14 辑）、《乌海文史资料》（1—8 辑）、《赤峰文史资料》（1—10 辑）、《呼伦贝尔文史资料》（1—6 辑）、《哲里木盟文史资料》（1—8 辑）、《兴安文史资料》（1—4 辑）、《锡林郭勒文史资料》（蒙、汉文各 1—3 辑）、《乌兰察布文史资料》（1—12 辑）、《巴彦淖尔文史资料》（1—16 辑）、《伊克昭文史资料》（1—12 辑）、《阿拉善盟文史》（1—9 辑）等。另外，内蒙古各直属机关、团体和企事业单位以及各盟市旗县区编辑出版的一些地方史志、党史、革命史等专题资料汇编中的相当一部分也是回忆录资料。

此外，民国内蒙古历史上的一些重要人物的回忆录相继出版。其中主要有：《乌兰夫回忆录》、《青山足迹——杨植霖回忆录》、《塞上忆往——杨令德回忆录》、《德穆楚克栋鲁普自述》、《李守信自述》以及王铎的《五十春秋——我做民族工作的经历》，王逸伦的《路漫漫》，布特格其的《风雨兼程五十年》，扎奇斯钦的《我所知道的德王和当时的内蒙古》（1—2）、周北峰的《我的回忆》等。其他一些重要人物，如吉雅泰、佛鼎、朋斯克、乌勒吉敖喜尔、特古斯、达瓦敖斯尔、刘春以及吴鹤龄、正珠尔扎布等人的回忆录也以单篇回忆录的形式发表在不同的文史资料、资料汇编或刊物上。上述回忆录中所涉及的人和事绝大部分属于民国时期，而且包括各个地区、各个行业的情况。回忆录史料是研究民国时期内蒙古历史不可缺少的重要史料。

五、外文史料

有关民国时期内蒙古地区历史的外文史料中，日文史料数量最多，且史料价值也最高。这些日文史料大致可分为历史档案、调查报告、汇编史料、地方志、报刊、游记、回忆录等几大类。

（一）历史档案

有关民国时期内蒙古地区历史的日文档案史料，在国内的一些档案馆中有所收藏，比如，内蒙古档案馆收藏伪满及伪蒙疆政权日文档案共 13 个全宗、2 067 卷，另外呼和浩特市档案馆、赤峰市档案馆、哲里木盟档案馆、扎赉特旗档案馆、科右后旗档案馆、奈曼旗档案馆、东乌珠穆沁旗档案馆、西乌珠穆沁旗档案馆、苏尼特右旗档案馆、土默特左旗档案馆、化德县档案馆以及辽宁省档案馆、黑龙江省档案馆、吉林省档案馆、河北省档案馆、张家口市档案馆等均有数量不等的日文档案。

在日本，有关民国时期内蒙古地区的历史档案主要收藏在日本外务省外交史料馆和防卫厅战史研究所图书馆，大约有 100 多卷。有关机构曾经出版了这两个档案（图书）馆馆藏档案汇编，其中涉及内蒙古地区的有《日本外交年表及主要文书》（上、下）、《日本外交文书》（大正二年第1册、大正二年第2册、大正四年第1册）、《现代史资料（7）·满洲事变》、《现代史资料（11）·满洲事变（续）》、《现代史资料（8）·日中战争（一）》、《现代史资料（9）·日中战争（二）》、《现代史资料（12）·日中战争（四）》等。

（二）调查报告

日本在侵略内蒙古地区的过程中，十分注重实地调查。在日本国内和设在中国的一些政府机关、军队、企业、文化团体等均有专门的调查机构，其中涉及内蒙古地区的有关东都督府、伪满兴安局（兴安总署、蒙政部）调查科、兴亚院蒙疆联络部、"满铁"调查部（课）、"满铁"经济调查会、朝鲜银行调查局、满洲中央银行调查课、蒙疆银行调查科、善邻协会调查部等等。这些调查机构大多公开或内部出版了大量的调查报告，还出版定期和不定期出版物，比如，《满铁调查月报》、《善邻协会调查旬报》（后相继改为《善邻协会调查月报》和《蒙古》）以及《蒙疆调查报告》（1—17号）、《蒙疆调查资料》（1—54号）等，刊登各种调查报告。有关民国时期内蒙古地区的日文调查报告大致有几百种之多，内容涉及内蒙古地区的自然、地理、社会、政治、经济、军事、交通、金融、商业贸易、地质矿产、文化、艺术、民族、宗教、风俗习惯、医疗卫生、衣食住行以及体质人类学等无所不包。

有关内蒙古地区的单行调查报告主要有：《东部内蒙古调查报告》（1—7卷）、《东部内外蒙古调查报告》（1—3册）、《东部内外蒙古矿产调查复命书》、《洮南满洲里间蒙古调查报告》（1—6编，别册）、《满洲里畜产资源调查报告》（2册）、《呼伦贝尔地区牧场野生植物调查报告》、《兴安北省牧场及放牧常规的调查报告》、《满洲国各县视察报告》、《锦热蒙地调查报告》（上、中、下）、《热河省主要都市及村落调查书》、《关于热河蒙古地方调查》、《吉林省乾安县开放蒙地调查报告书》、《奉天省梨树县开放蒙地调查报告书》、《郭尔罗斯前旗开放蒙地调查报告书》、《郭尔罗斯后旗、杜尔伯特旗、依克明安旗开放蒙地调查报告书》、《西科中旗、前旗开放蒙地调查报告书》、《西科后旗、扎赉特旗开放蒙地调查报告书》、《郭尔罗斯前旗、郭尔罗斯后旗、杜尔伯特旗、依克明安旗土地调查报告书》、《兴安西省阿鲁科尔沁旗实态调查报告书》、《兴安南省科尔沁左翼中旗实态调查报告书》、《兴安南省扎赉特旗实态调查报告书》、《兴安西省奈曼旗、阿鲁科尔沁旗实态调查统计编》、《兴安南省科尔沁左翼中旗、扎赉特旗实态调查统计编》、《兴安北省新巴尔虎右翼旗、索伦旗、陈巴尔虎旗实态调查统计编》、《达尔汉旗调查》、《王爷庙调查报告书》、《额尔古纳左翼旗调查报告》、《蒙古大巴林旗（右旗）事情调查报告书》、《翁牛特部调查报告》、《敖汉部调查报告》、《蒙疆的自然与文化——京城帝大蒙疆学术探险队报告书》、《蒙疆地区医疗调查》、《以百灵庙为中心的乌兰察布盟的一般状况》、《安北方面一般状况》、《察哈尔盟内煤炭概况》、《蒙疆教育状况》、《贝子庙、东乌珠穆沁、林西方面汽车道路调查》、《察哈尔盟、锡林郭勒盟、巴彦塔拉盟的矿物资源》、《内蒙古布里亚特部落调查报告》、《蒙疆地区天主教调查》、《蒙疆主要喇嘛庙调查》、《蒙古民族生活实态调查报告》（2册）、《浑善达克沙漠调查报告》、《1940年度重要国防资源药材调查报告》、《蒙疆地方衣食住调查报告书》、《蒙疆医疗制度及保健卫生设施现况调查报告书》以及《中国封建社会的构造——归绥（呼和浩特）社会集团的实地调查》（1944年调查，1955年出版）、《中国封建社会的构造》（1944年调查，1978年出版），等等。

（三）汇编史料

有关民国时期内蒙古地区历史的日文汇编史料，主要有《开放蒙地奉上关系记录集成》、《锦热蒙地奉上关系记录集成》、《蒙旗行政制度改革纪念特刊》、《第一回兴安各省省长会议议事录》、《中华民国治蒙法令及决议案集》、《满洲帝国文教关系法规辑览》（上、下）、《土地关系旧法规（奉热两省之部）》、《土地关系旧法规（奉热两省之部追录）》、《蒙地地籍整理关系训令公函指令集》（蒙疆联合委员会）、《法令例规资料集》、《蒙疆政府公文集》（上辑）、《蒙古自治邦建设的沿革及施政之理念（二）》、《蒙古法令辑览》（第1—3卷）、（蒙古联盟自治政府）《法令汇编》、《兴蒙委员会定例委员会会议议事录》。另外《资料·日中战争时期的鸦片政策》、《满蒙终战史》、《满洲开拓史》、《善邻协会史——在内蒙古的文化活动》、《五原事件青史》、《蒙银春秋》、《驻蒙军》、《蒙疆（中央）学院史》等研究性著作中也收录了相当数量的原始史料。

（四）地方志

有关民国时期内蒙古地区历史的日文地方志史料，主要有：《蒙古通志》、《东蒙古》、《东蒙事情》、《蒙古地志》（上、中、下卷）、《蒙古风土记》、《蒙古大观》、《兴安蒙古》、《满蒙都邑全志》（上、下卷）、《满蒙通览》（上、中、下卷）、《郭尔罗斯后旗事情》、《兴安南省概览》、《兴安北分省新巴尔虎右翼旗概览》、《阿荣旗事情》、《莫力达瓦旗事情》、《喜扎嘎尔旗事情》、《扎赉特旗事情》、《兴安西省奈曼旗事情》、《兴安西省扎鲁特旗事情》、《锦州省吐默特左旗事情》、《兴安南省锡埒图库伦旗事情》、《热河省县旗事情》、《热河省县旗事情概观》、《热河蒙旗概要》、《内蒙古——地理、产业、文化》、《跃进蒙疆之全貌》、《蒙古联合自治政府管下地方行政要览·巴彦塔拉盟之部》、《蒙古联合自治政府管下地方行政要览·察哈尔盟之部》、《察哈尔盟概况》、《内蒙察哈尔事情》、《绥远蒙旗事情》、《巴彦塔拉盟要览》、《乌兰察布盟事情概要》、《厚和特别市概况》、《包头市概况》、《萨拉齐县概况》，等等。

（五）报刊史料

有关民国时期内蒙古地区历史的日文报刊，主要有：《满铁调查月报》、《蒙古研究》、《善邻协会调查旬报》、《善邻协会调查月报》、《蒙古》、《蒙古学报》、《蒙古学》、《蒙民厚生会留学生会报》、《蒙疆联合委员会公报》、《蒙银经济月报》、《蒙疆贸易年报》、《蒙疆银行统计月报》、《蒙疆物价年报》、《挺身》、《蒙疆文学》、《协力会月刊》、《海拉尔工商月报》、《海拉尔经济时报》、《满蒙》、《东洋》、《东洋史研究》、《东亚人文学报》、《东亚经济研究》、《东方学报》、《历史公论》、《中国》、《地理学》、《地学杂志》、《地理教育》、《自然与文化》、《同仁》、《外交时报》、《人类学杂志》、《回教圈》、《改造》、《观光东亚》（蒙疆特辑号）、《文艺春秋》和《蒙古时报》、《蒙疆新闻》、《蒙疆通信》、《蒙疆正报》、《满洲日日新闻》、《满洲新闻》、《新京日日新闻》以及战后出版的《日本与蒙古》、《满洲与日本人》、《日本蒙古学会纪要》、《早稻田大学蒙古研究所纪要》、《东北亚的民族与政治》、《东北亚研究》、《亚洲经济》、《亚洲研究》、《东洋史论》、《内陆亚洲史研究》、《现代社会文化研究》、《爱知大学国际问题研究所纪要》、《现代

中国》等。此外，还有《满蒙年鉴》（1922—1932 年版）、《满洲年鉴》
（1933—1945 年版）、《满洲帝国文教年鉴》（1934—1938 年版，共 4 册）、
《北支、蒙疆年鉴》（1940—1944 年版，共 5 册）、《蒙疆年鉴》（1941—
1944 年版，共 4 册）等连续出版物。

（六）游记史料

有关民国时期内蒙古地区历史的日文游记（包括日记）史料，主要有：
《满洲与蒙古》、《从西比利亚到满蒙》、《满蒙之探查》、《再探满蒙》、《踏
破满蒙》、《热河探险记》、《蒙古踏破记》、《蒙古高原横断记》、《蒙古横
断》、《大兴安岭探险——1942 年探险队报告》、《在内蒙古的一年间》、《东
蒙游记》、《蒙古之旅》、《兴安蒙古纪行》、《赤峰旅行》、《从西湖到包头》、
《蒙疆纪行》、《蒙疆漫笔》、《蒙疆之旅》、《蒙古之感觉》、《黄尘风》、《蒙
古族探险记》、《内外蒙古之横颜》以及《冈部直三郎大将日记》等。

（七）回忆录史料

有关民国时期内蒙古地区历史的日文回忆录，主要有：《高原千里——
内蒙古回忆录》、《回忆中的内蒙古——内蒙古回忆录》、《吴鹤龄回忆录》、
《内蒙三国志》、《啊，呼伦贝尔》、《蒙古神仙邂逅记》等。另外，在《满
洲开拓史》、《善邻协会史——在内蒙古的文化活动》、《五原事件青史》、
《蒙银春秋》、《满蒙终战史》等专题史料汇编中，也有相当一部分是有关当
事人在内蒙古经历的回忆录。

第 二 章

研 究 概 况

第一节　国内研究概况

　　民国时期的内蒙古地区，民族矛盾与阶级矛盾空前尖锐，政治风云急剧变幻，社会长期动荡不安。其复杂而深刻的历史原因引起了一些文人、学者的关注，出现了部分以探求真相、钩沉史实为目的的相关著述。例如，华企云的《满蒙问题》（大东书局1929年版）和《满洲与蒙古》（黎明书局1932年版），郭道甫的《蒙古问题》（刊印本，1923年版）和《呼伦贝尔问题》（上海大东书局1931年版），方范九的《蒙古概况与内蒙自治运动》（商务印书馆1934年版），王云五、李圣五的《蒙古与新六省》（商务印书馆1934年版），李泼生的《内蒙自治问题》（民智书局1935年版），贺扬灵的《察绥蒙民经济的解剖》（商务印书馆1935年版），谭惕吾的《内蒙古之今昔》（商务印书馆1935年版），思慕的《中国边疆问题讲话》（生活书店1937年版），丁君匋的《今日的绥远》（三江书店1937年版），黄奋生的《蒙藏新志》（中华书局1938年版），德恒山的《抗日的蒙古》（中国边疆文化促进会编，1940年印刷），西北研究社的《抗战中的绥远》（刊印本，1941年印刷），黎圣伦的《今日之内蒙古》（独立出版社1941年版），等等。

　　这些著作除辑入了许多重要史料外，在一些具体问题的论述和分析方面也有所建树。一些观点也不乏公正、客观，提出了新的见解，对于人们了解当时的内蒙古，起到了一定的作用。但是，其中也有一些内容论述粗疏，囿于传统观念，诠释统治者的治边策略，对民族问题的看法也存在着谬误。总的来看，这一时期的研究尚未形成系统。

中华人民共和国成立后，内蒙古近代史的研究呈现出崭新的面貌。部分学者围绕近代内蒙古的社会性质、人民反封建斗争、反抗帝国主义侵略掠夺、民族运动等内容，进行了开创性的研究，一批学术论文相继发表。20世纪50年代至"文化大革命"前发表的一些文章，有着十分显著的特点，在强调以阶级斗争为主线，把握近代内蒙古历史发展的本质和主流，通过对社会政治经济结构变化的考察，揭示社会发展客观规律的同时，更多地关注人民革命斗争。自20世纪80年代以来，内蒙古近代史的研究领域不断拓展，累积发表了数百篇学术论文。已有的著述除了从理论上论述内蒙古在近代各个历史时期的社会面貌外，还就战争、重大事件、人物以及民族关系、民族政策、民族运动问题作多角度的探讨。进入新世纪后，这一领域展示了更加开阔的视野，随着学术力量的增强，正在向构建系统学科体系的目标稳步发展。

此外，散见于地方史志的相关著作、文章也较多，其中部分著述钩沉史实、臧否人物，不仅有着重要的参考价值，也大大丰富了民国内蒙古史的研究内容。

一、综合研究

20世纪50年代以来，有关内蒙古地区历史的著作相继问世，其中余元盦的《内蒙古历史概要》（上海人民出版社1958年版）是第一部系统论述内蒙古历史的专著。其近代部分论述了外来侵略、开垦蒙地、人民反帝反封建斗争等内容，并以附录形式将"五四"运动至1957年的内蒙古历史作了简明扼要的叙述。

郝维民主编的《内蒙古近代简史》（内蒙古大学出版社1990年版）是第一部较为全面、系统研究内蒙古近代史的专著，其中民国时期的内容占全书的2/3。

郝维民主编的《百年风云内蒙古》（远方出版社2001年版），选取了自1901年至2000年内蒙古地区的百人百事，作了简要的评介，是一部知识性读物。

郝维民、齐木德道尔吉主编的《内蒙古通史纲要》（人民出版社 2006 年版），是汇集内蒙古大学内蒙古地区史研究人员研究成果的第一部系统叙述从远古到 20 世纪末内蒙古地区史的通史著作，其中第六编是民国时期内蒙古地区历史的内容。

周清澍主编的《内蒙古历史地理》（内蒙古大学出版社 1994 年版）一书中，有关民国时期的内容，详述了民国时期内蒙古地区的行政建制沿革以及各盟旗市县的地理位置。

另外，蒙古族通史类著作中大多涉及民国时期内蒙古地区蒙古族历史的内容。其中《蒙古族简史》（民族出版社 1985 年版）近代部分内容，由晚清述至 1956 年内蒙古实现统一的民族区域自治为止，民国时期的内容占了很大比重。

留金锁主编的《蒙古族通史》（民族出版社 2001 年版），下卷为近代部分内容，包括自 1911—1949 年的蒙古族历史。

白拉都格其、金海、赛航的《蒙古民族通史》（内蒙古大学出版社 2002 年版）第 5 卷，较全面地反映了 19 世纪下半叶到 1949 年的蒙古民族的历史面貌，是代表中国学者研究蒙古族近代历史最高水平的一部专著。

乌云毕力格、白拉都格其主编的《蒙古史纲要》（内蒙古人民出版社 2005 年版），其中第 4 卷为民国时期蒙古族的历史。

此外，在内蒙古地区相关民族史、区域史、专题史方面的专著中也包括了民国时期历史的内容。这方面的主要成果有：《赤峰蒙古史》（魏昌友主编，内蒙古人民出版社 1999 年版）、《科尔沁蒙古史略》（胡日查、长命编著，蒙古文，民族出版社 2001 年版）、《布里亚特蒙古简史》（宝敦古德·阿毕德著，边长顺等译，呼伦贝尔历史研究会，1985 年版）、《察哈尔蒙古族史话》（乌兰察布盟、锡林郭勒盟政协文史委员会编，1989 年印刷）、《乌珠穆沁史话》（纳·图布敦等著，蒙古文，内蒙古人民出版社 1999 年版）、《察哈尔商都阿都沁》（毕·贡布扎布主编，蒙古文，内蒙古教育出版社 2000 年版）、《阿拉善和硕特》（孛儿只斤·道尔格编著，蒙古文，内蒙古文化出版社 2002 年版）、《察哈尔正白牛羊群》（布仁毕力格著，蒙古文，政协正蓝旗委员会 2003 年刊印）、《太仆寺右翼牧群（旗）史略》（贡楚克斯楞编著，蒙古文，内蒙古人民出版社 2003 年版）、《阿拉善蒙古研究》（梁丽霞著，民族出版社 2006 年版）、《巴尔虎蒙古史》（孛·蒙赫达赉著，内蒙古人民出版社 2004 年版）、《阿鲁科尔沁三百年》（胡图仁嘎编著，蒙古文，内蒙古人民出版社 2005 年版）、《乌审旗历史》（查干东著，蒙古文，鄂尔多斯市乌审旗蒙古语文办公室 2002 年刊印）、《前郭尔罗斯简史》（刘加续主编，辽宁民族出版社 2005 年版）、《乌兰察布史略》（莫德力图主编，乌盟政协，1997 年）、《蒙古贞史》（暴风雨主编，内蒙古人民出版社 1998 年版）、《鄂伦春族简史》（内蒙古人民出版社 1983 年版）、《鄂温克族简史》（内蒙古人民出版社 1983 年版）、《达斡尔族简史》（内蒙古人民出版社 1986 年版）、《内蒙古的满族》（佟靖仁著，内蒙古大学出版社 1993 年版）、《呼和浩特回族史》（丹国昌主编，内蒙古人民出版社 1994 年版）、《内蒙古回族历史研考》（白慧中编著，内蒙古人民出版社 2002 年版）、《内蒙古朝鲜族》（廉浩主编，内蒙古大学出版社 1995 年版）、《土默特沿革》（荣祥、荣赓麟著，土默特左旗文化局 1981 年刊印）、《鄂尔多斯历史管窥》（梁冰著，内蒙古大学出版社 1989 年版）、《包头史话》（李绍钦主编，内蒙古人民出版社 1994 年版）、《草原史话》（香港天马图书有限公司 2002 年版）、《河套史》（王天顺著，人民出版社 2006 年版）、《鄂尔多斯人民独贵龙运动》（萨·那日松编著，蒙古文，内蒙古人民出版社 1989 年版）、《民国时期中央与地方的关系》（李国忠著，天津人民出版社 2004 年版），等等。

与民国时期内蒙古地区历史相关的专题论文有：阮芳纪的《从清初到"五四"运动前夕呼和浩特地区农业的发展和土地问题中的阶级关系和民族关系》、史筠的《辛亥革命时期内蒙古的民族运动》、署名蒙图素德的《中国旧民主主义革命时期的内蒙古人民的革命斗争》、戴学稷的《辛亥革命时期呼包地区的起义斗争》、赵相璧的《辛亥革命时期蒙古族人民的革命斗争》、刘毅政的《内蒙古辛亥革命纪略》等，这些论文揭示了辛亥革命时期内蒙古发生民族运动的背景和过程，辨析了民族运动中存在的寻求民族解放和图谋民族分裂两种性质不同的类型，叙述了内蒙古人民反侵略、反压迫的斗争，对近代内蒙古的社会矛盾、外来侵略势力的政治渗透、经济掠夺、统治阶级的压迫、剥削等重大问题，均作了论述、分析。

内蒙古大学内蒙古近现代史研究所编辑出版的《内蒙古近代史论丛》

1—4辑（内蒙古人民出版社、内蒙古大学出版社1983年、1984年、1987年、1991年版）也收录了数十篇与民国时期内蒙古地区历史有关的专题论文。

郝维民的《第一、二次国内革命战争时期的内蒙古人民革命党》，论述了该党的革命活动及其结局，并对其性质及在内蒙古革命史上的地位、作用，作了分析和评价；《试论内蒙古革命的道路》，阐述了内蒙古各族人民经长期探索，实现民族解放的奋斗历程。白拉都格其的《关于近代内蒙古民族运动的几个问题》，对内蒙古民族运动的发生、发展及其性质等问题，提出了自己的见解；《清朝覆亡之际驻京蒙古王公的政治活动》、《民国初年响应外蒙古"独立"的内蒙古盟旗、王公》、《袁世凯治蒙政策刍议》等论文在充分辨析史料的基础上，论述了辛亥革命前后、外蒙古"独立"期间内蒙古王公的动态和北洋军阀当政后的对蒙政策。

对历代中央政府对蒙政策的研究，比较有代表性的专题论文有王德胜的《北洋军阀对蒙政策几个问题的初析》、乌兰少布的《中国国民党对蒙政策（1928—1949年）》和《热察绥三省的设置及其对内蒙古政治的影响》、《从宁夏与阿拉善纠纷看近代内蒙古的省旗矛盾》；前者全面分析阐释了北洋政府专权后，通过推行放垦蒙旗土地、羁縻蒙古王公上层等政策，加强对内蒙古的军政统治的实质；后者揭示论证了国民政府在内蒙古设立行省，大肆开垦蒙地，传统盟旗行政体制受到破坏，蒙旗权益被侵夺，导致民族矛盾加剧，从而引起抗争的历史过程。孙宏年的《蒙藏事务局与民国初年的边疆治理论析》和周竞江的《清末民国时期内蒙古地区政区管理体制变迁及对蒙古族的影响》，指出了清末及民国时期大量移民涌入内蒙古地区，使蒙古民族的生产方式向多样性转变，同时，随着盟旗境内府厅州县等行政机构的设立，盟旗管理体制趋于衰落，旗县并置的二元体制成为常态，并由此引发矛盾，对蒙古民族的生存和发展带来了深刻影响。黄时鉴等的《关于"伊盟事变"》，详述了"伊盟事变"的起因、过程和结局；金海的《"伊盟事变"的起因和国共两党的不同政策》，深入分析了国共两党对"伊盟事变"所持的不同政策及其影响。

在涉及中外关系和重大历史事件方面研究的成果有：特布信、郝维民主持编写的《沙俄侵略我国蒙古地区简史》（内蒙古人民出版社1979年版），对沙俄在内蒙古划分势力范围，策动"独立"、"自治"，实行政治、经济、军事侵略作了全面系统的论证介绍；卢明辉根据德王忆述编撰了《蒙古"自治运动"始末》（中华书局1980年版），田志和、冯学忠的《民国初年蒙旗"独立"事件研究》（内蒙古人民出版社1991年版），叙述、分析了乌泰等人发动叛乱的过程和社会历史原因及其灾难性后果。这方面的专题论文有吕一燃的《沙俄与1911年外蒙古"独立"》、涛海的《辛亥革命时期我国蒙古地区的抗俄斗争》、薛衔天的《沙俄政府对乌泰叛乱的态度》、刘存宽的《中俄关系与外蒙古自中国的分离》、哈达的《巴布扎布动乱及其与日本帝国主义的关系》、李国栋等的《清末民初的民族问题与边疆危机——以蒙古、西藏、新疆为例》、刘毅政的《近代外国教会在内蒙古的侵略扩张》、汪炳明的《民国初年乌泰"独立"事件的外援背景再探》、忒莫勒的《民国元年昭乌达盟扎鲁特左旗事变研究》、周太平的《关于博克多汗军队1913年向内蒙古采取的军事行动》和《二十世纪前期蒙古地区政治变迁史研究》、乌力吉陶格套的《近代蒙古司法审判制度的演变》和《〈蒙古待遇条例〉及其相关的几个问题》、许晓光的《清末民初蒙藏地区法制建设的得与失》、金海的《民国时期伊盟王公统治的衰落》等。上述论文大都利用档案文献，对民国时期内蒙古地区所处的内外政治环境、社会变迁、民族运动和"独立""自治"事件兴起缘由及影响等问题进行了探讨。有的文章还对多文种资料进行发掘、利用，作对比研究。

二、内蒙古地区的革命斗争研究

内蒙古地区的革命斗争史是民国时期历史的重要组成部分。自20世纪80年代始，随着地方史志研究的大力开展，在资料的收集、整理等方面得到了较大的充实。研究内容包括辛亥革命、"五四"运动等重大事件对内蒙古的影响，农牧民的反封建、反军阀斗争，中共党组织在内蒙古的组建、发展及活动，抗日斗争，蒙古民族的解放斗争，革命烈士以及大量个案研究。

1997年，郝维民主编的《内蒙古革命史》（内蒙古大学出版社）出版。该书全面系统地论述了中国新民主主义革命时期，内蒙古各族人民的民族民主革命斗争历程，对历史上诸多重大而复杂的问题作了客观的评述，是内蒙古地区革命斗争历史研究的代表性著作。

　　郝维民主持编写的《大青山抗日斗争史》（内蒙古大学出版社 1985 年版），以大量档案和亲历者的回忆记述为依据，全面、系统叙述了大青山抗日游击根据地的开辟、发展和抗战胜利的历史过程，还附有年表、主要烈士名录。

　　相关的研究著述还有：《内蒙古自治区史》（郝维民主编，内蒙古大学出版社 1991 年版）、《内蒙古党的历史和党的工作》（内蒙古党委党史研究室编，内蒙古人民出版社 1994 年版）、《呼和浩特革命史》（郝维民主编，内蒙古大学出版社 1999 年版）、《中国共产党内蒙古地区简史》（内蒙古党委党史研究室编，内蒙古人民出版社 2001 年版）、《解放战争中的内蒙古骑兵》（钱林豹著，内蒙古大学出版社 1989 年版）、《中国人民解放战争时期内蒙古骑兵史》（乌嫩齐主编，辽宁民族出版社 1997 年版）、《蒙古族近代战争史》（巴音图、张成业著，辽宁民族出版社 2002 年版）、《鄂尔多斯革命史》（萨楚日勒图编著，蒙古文，内蒙古人民出版社 2004 年版）等。

　　关于对内蒙古地区革命斗争历史的探讨和史实介绍性的文章较多。有史筠的《试论内蒙古四十年来两条道路的斗争》，郝维民的《李大钊与内蒙古革命》、《内蒙古最早的革命刊物——〈蒙古农民〉》、《民主革命时期毛泽东思想民族理论在内蒙古的实践》、《试论内蒙古革命的道路》，刘占宽的《党在伊盟的早期革命斗争》，王森的《河套地下党斗争概况》，甘旭岚的《京绥铁路工人运动史札记》，裴小燕的《内蒙古地区蒙古民族解放运动初探》，赵敏的《解放战争时期内蒙古的民族运动》，孙兆文的《中国共产党与蒙古民族的解放和发展》，郑之楚的《内蒙古民族解放的历史道路》，张植华的《大青山抗日游击根据地与骑兵战争》，阿腾的《大青山蒙汉人民的抗日斗争》，宋雅岚的《试论绥远抗战时期党在绥远地区的民族（统战）工作》，李鸿的《大青山抗日游击根据地的财政经济工作》、呼和浩特党史办的《绥远省反帝大同盟》，刘毅政的《蒙古族李海山率部武装抗日纪略》，等等。

三、社会与经济史研究

　　内蒙古地区社会史、经济史的研究一直是相对薄弱的环节。20 世纪 60 年代，这方面的主要成果有：何志的《从清初到抗日战争前夕的呼和浩特商业》，以较丰富的史料，对以呼和浩特为中心的内蒙古西部地区农业经济和城镇商业作了深入探讨。史筠在《辛亥革命时期内蒙古的民族运动》一文的前半部分，评价了清末民初内蒙古社会经济的变化。朱风的《近代阿拉善社会初析》，主要依据档案史料分析探讨了阿拉善旗的农牧经济、社会结构、生产关系等方面的状况。

近年来，内蒙古地区社会经济史领域的研究有了长足的发展，内容涉及了畜牧业、工业、农业、商业贸易、金融业、交通运输等各个部门。随着近代史学科范式的逐步多样化，研究范围扩大、考察角度变化，研究内容扩展到城镇、灾荒和救济、衣食住行等社会史各个方面。由于引入了民族学、社会学、经济社会学、文化人类学等理论和研究方法，使得社会史、经济史研究由表象的勾勒，进展到对社会内在结构、社会生活、社会变迁的探索。但是，目前仍以个案和专题研究探讨为主，尚未上升到系统的研究。

沈斌华的《内蒙古经济发展史札记》（内蒙古大学出版社 1982 年版），以系列专题札记形式综述了近代内蒙古社会经济各个方面的状况和事例。

阿岩、乌恩著《蒙古族经济发展史》（远方出版社 2005 年版）是第一部以通史体例研究蒙古族经济史的专著，其近代部分论述了内蒙古地区传统畜牧业经济的变革、外国侵略势力对内蒙古的经济渗透和掠夺等内容。

牛敬忠的《近代绥远地区的社会变迁》（内蒙古大学出版社 2001 年版），叙述分析了绥远地区晚清至民国时期社会的转型和文化嬗变，揭示了各种社会问题的历史原因。

阎天灵的《汉族移民与近代内蒙古社会变迁研究》（民族出版社 2004 年版），围绕内蒙古地区汉族移民及其社会变迁，对晚清及民国时期内蒙古地区的社会问题进行了多方位考察。对移民的原因、方式、类型、过程、分布，移民的定居化与本土化、移民生产方式、土地制度、生活状况与风俗习惯、社会问题等进行了较为全面的疏理和论证。指出汉族移居区的形成，必然会对蒙古族传统社会制度以及内蒙古地区经济、文化格局、生态面貌产生极其深刻的影响。

王建革的《农牧生态与传统蒙古社会》（山东人民出版社 2006 年版），分析了农业对游牧业的渗透及其带来的诸多变化，汉族移民的定居与蒙古族传统生产生活方式的交融与冲突，阐释了农牧业生态问题以及蒙汉民族间的关系。

与民国时期内蒙古地区社会经济史研究相关的专著还有：牧寒编著的《内蒙古盐业史》（内蒙古人民出版社 1987 年版）、林蔚然、郑广智主编的《内蒙古自治区经济发展史》（内蒙古人民出版社 1990 年版）、梁冰的《伊克昭盟的土地开垦》（内蒙古大学出版社 1991 年版）、韦胜章主编的《内蒙古公路交通史·近代公路交通》（人民交通出版社 1993 年版）、高延青主编的《呼和浩特经济史》（华夏出版社 1995 年版）、苏利德的《内蒙古金融机构沿革》（远方出版社 2003 年版）、牧人、袁宪金编著的《鄂尔多斯盐业史》（内蒙古人民出版社 2003 年版）、牧人编著的《锡林郭勒盟盐业史》（内蒙古人民出版社 2006 年版）等。

关于研讨、评介近代内蒙古经济问题的论文还有：杨子斌的《论察绥贸易问题》、刘映元的《归绥城的骆驼贸易》、《归化城皮毛行业的兴衰》、卢明辉的《近代蒙古社会经济变化的几个问题》、汪炳明的《蒙古实业公司始末》、王廷英的《边客旅蒙商在蒙旗的剥削情况》、蓝田玉的《清末民初内蒙古东部地区货币种类》、阎天灵的《论汉族移民影响下的近代蒙旗经济生活变迁》、嘎尔迪的《蒙汉农业文化关系述略》、陶继波的《清代至民国前期河套地区的移民进程与分析》、王建革的《农业渗透与近代蒙古草原游牧业的变化》、乌云格日勒的《十八至二十世纪初内蒙古城镇研究》和《二十世纪初呼伦贝尔与沙俄之间的商业贸易》等。

关于人口问题和灾荒史的研究，有沈斌华的《近代内蒙古人口及人口问题》、张植华的《清代至民国时期内蒙古地区蒙古族人口概况》、牛敬忠的《近代绥远的灾荒》、于永等的《20 世纪 20 年代末绥远旱灾救济中的政府角色分析》、张建军的《20 世纪 20 年代末绥远灾荒中的人口问题述论》、杨惠斌的《近代塞外生态环境退化的人为原因试探》、张敦福的《近代内蒙古地区蒙古族人口下降的文化因素》、王卫东的《鄂尔多斯地区近代移民研究》等。这些成果弥补了前人研究的欠缺或不足，在研究方向、资料的利用及解读等方面取得了新的突破。

此外，《内蒙古垦务研究》（内蒙人民出版社 1990 年版）、梁冰的《伊克昭盟土地开垦》（内蒙古大学出版社 1991 年版）和《伊克昭盟的历代开垦和近现代社会形态之变化》、阿拉腾达来（金海）的《国民党政府在内蒙古的放垦》等著述，研究探讨了清末及民国时期的内蒙古垦务，分析了近代内蒙古社会多方面变化以及开垦草原所造成的恶果。邢亦尘的《近代蒙古族畜牧业生产的商品化趋势》、张植华的《近代内蒙古牧业区生产关系对生产力的束缚》，论述了蒙古族畜牧业生产商品化的缓慢进程，探讨了牧业区生产力和生产关系等问题。

四、关于日本对内蒙古侵略历史的研究

自 20 世纪 90 年代以来，关于日本对内蒙古地区殖民统治的研究取得了丰硕的成果。金海著的《日本与内蒙古》（蒙古文，内蒙古教育出版社 2004年版）和《日本占领时期内蒙古历史研究》（内蒙古人民出版社 2005 年版）两部专著，在充分占有史料的基础上，全面系统地梳理、论述了日本侵略势力对内蒙古的渗透、军事占领、扶持伪政权、实行殖民统治、直至败亡的历史。对日本在内蒙古的殖民统治进行系统的考察，并给予客观的分析。使日本侵华史的研究得到了进一步深化。祁建民的《二十世纪三四十年代的晋察绥地区》（天津人民出版社 2002 年版），内容涉及伪蒙疆政权建立后内蒙古西部地区的社会状况。厉春鹏等编著的《诺门罕战争》（吉林文史出版社1988 年版），以中国、苏联和日本三方面的史料，记述了这场战争的起因、过程和结局。任其怿的《日本帝国主义对内蒙古地区的文化侵略》（内蒙古大学出版社 2006 年版），论述了日本占领内蒙古地区后所推行的文化、教育政策措施的状况，剖析了其侵略实质。

相关专题论文有：黄时鉴的《日本帝国主义的满蒙政策和内蒙古反动封建上层的"自治"、"独立运动"》，刘国新的《"七七事变"前日本的内蒙古工作及其失败》，金海的《1931 年—1945 年间的日本与蒙古喇嘛教》、《"蒙疆政权"与内蒙古西部盟旗制度的变化》、《从地域概念看日本"满蒙政策"的演变及其实质》、《日本在内蒙古确立殖民统治及其对蒙古民族运动的政策》、《日本统治时期的内蒙古盟旗制度》，车霁红的《东北沦陷时期日本在内蒙古施行的特别行政制度》，房建昌的《日本满蒙开拓团及满蒙开拓青少年义勇军在内蒙古东部活动考略》、《从档案看日本兴亚院"蒙疆联络部"及其对蒙古族地区的调查研究》，宝音朝克图的《伪蒙疆政权的物资统制政策》，哈斯木仁等的《关东军的"内蒙工作"和伪蒙疆政权的建立》，张同乐的《日伪的毒品政策与蒙疆烟毒》，王龙耿的《伪蒙疆时期（1937—1945年）经济的殖民地化》，佟佳江的《伪满时期在蒙旗推行"旗制"的过程》，丁晓杰的《伪蒙疆政权时期的鸦片专卖政策——以专卖制度为中心》，等等。

五、文化教育和科技史研究

这方面的成果也不少，主要有：忒莫勒的《建国前内蒙古地方报刊考录》（内蒙古图书馆1987年版）、《建国前内蒙古方志考述》（内蒙古大学出版社1998年版），特古斯朝克图等编著的《蒙古文报刊简史》（蒙古文，内蒙古大学出版社1999年版），宝力格的《蒙古族近现代思想史论》（辽宁民族出版社2005年版），满都麦主编的《乌兰察布蒙古族教育史》（政协乌兰察布盟委员会、乌兰察布盟教育处刊印，1993年版），巴·吉格木德的《蒙古医学简史》（曹都毕力格译，内蒙古教育出版社1997年版），德勒格的《内蒙古喇嘛教史》（内蒙古人民出版社1998年版），德勒格、乌云高娃的《内蒙古喇嘛教近现代史》（远方出版社2004年版），孛·蒙赫达赉的《干珠尔庙喇嘛教史》（内蒙古文化出版社2003年版），李萍、立文秀的《干珠尔庙今昔》（内蒙古文化出版社2003年版）等。专题论文有金海的《日本殖民统治下的内蒙古西部地区教育体系》、《伪蒙疆政权教育方针及政策研究》、《蒙疆政权时期内蒙古西部地区教育述略》，忒莫勒的《伪满喇嘛教宗团成立始末》、《伪满兴安省蒙民厚生会》、《察哈尔盟旗文化福利委员会考述》、《伪蒙疆时期的〈文化专刊〉和〈蒙古文化〉》，房建昌的《伪蒙疆时期蒙古文化馆与蒙古文化研究所》，任其怿的《日伪时期内蒙古西部的日本话教育》和《善邻协会及其对内蒙古地区的文化侵略》等。

六、人物研究

对民国时期内蒙古地区的重要人物，也有不少研究成果。专著有：卢明辉、马汝珩等编的《蒙古族历史人物集》（中国社会科学出版社1981年版），明月等的《近代中国蒙古族人物传》（内蒙古大学出版社1992年版），满都呼、多兰编著的《罗布桑却丹研究》（蒙古文，内蒙古文化出版社2000年版），查干莲花等编著的《沙克都尔扎布王与札萨克旗》（蒙古文，内蒙古人民出版社 2001 年版），纳·布和哈达编的《乌珠穆沁亲王苏德那木拉布登》（蒙古文，东乌珠穆沁旗文史协会，2004 年版），朝·都古尔扎布编的《扎·达木丁苏荣》（蒙古文，内蒙古文化出版社 2005 年版）和《额·额尔钦巴图》（蒙古文，内蒙古文化出版社 2005 年版），侯志编的《贡桑诺尔布研究》（喀喇沁蒙古文化研究会 2005 年版）等。专题论文有赵相璧的《锡尼喇嘛事略》，纳古单夫的《特睦格图传》，卢明辉的《嘎达梅林传记》，武国骥的《民族英雄嘎达梅林》，白拉都格其的《辛亥革命与贡桑诺尔布》、《阜海与清末民初内蒙古东部政局变化》、《德穆楚克栋鲁普生平》，张秀华的《郭道甫对蒙古民族觉醒的作用初探》，李金轲等的《额济纳旗末代郡王塔旺嘉布述评》，忒莫勒的《荣祥先生略传》、《喀喇沁克兴额与蒙文铅字印刷》和《穆特贲阿响应张勋复辟始末》，佟佳江的《卜和克什克事略》，乌·苏古拉的《卜和克什克与蒙古族新文化》（蒙古文），娜琳的《贡桑诺尔布与蒙古族近代教育》，等等。

这些著述大都改变了以往人物评价的范式，在充分发掘史料、进一步厘清其历史面目的基础上，对历史人物进行多角度考察，评述也趋于平实、客观。

第二节 国外研究概况

民国时期的内蒙古地区，交织着各种矛盾，社会生活发生了急剧的动荡和变化。这自然就成为历史研究的重大课题，引起许多国家研究人员的注意。其内容涉及蒙古近代史、中国边疆史、中国近代史、日本近代史、东亚国际关系史等研究领域。

清末以来的内蒙古地区，历经清朝、中华民国等社会体制，同时由于日、俄等列强的介入，使得该地区内外形势日趋复杂，同时也使这段历史研究具有特殊的内容和复杂性。因此，在某种意义上讲，内蒙古地区史研究的内容和性质决定了多语种文献资料和国外研究的独特价值。要查明有些重要历史事件的经过，只依据中国一方的研究是远远不够的，应重视和研究外国档案文献所载有关蒙古问题的史料，以弥补以往我们在这方面的欠缺。同时尽量较多了解国外学术动态，有助于深入认识近代内蒙古历史诸相，对进一步推动该领域的研究具有重要的学术价值和科学意义。

国外相关资料表明，一些国家是从 20 世纪初就开始进行有关内蒙古历史的研究工作，后来在这方面均有不同程度的研究成果。从各国情况看，日本的蒙古史研究具有久远的历史和优秀的传统，在近代内蒙古社会、政治、经济、文化等诸多方面都取得了举世瞩目的成就。欧美国家以近代内蒙古地区为研究对象的研究人员不多，研究成果也较少，但一些主要学术论著在国际学术界具有广泛的影响。至于俄国，尽管具有研究东方学的传统，而且早期的研究水平绝不弱于其他国家，但是第二次世界大战后却未显较大成就。蒙古国、韩国等国家对民国时期内蒙古史研究的历史较短，而近年来所取得的进展引起学界注意。

日本的内蒙古地区史研究开始于日俄战争之后，这大概与近代日本的大陆政策有着重大关系。日本政府或企业曾组织专门研究队伍赴内蒙古地区进行实地考察，出版刊行了许多重要书籍、刊物和调查报告。河原操子的《蒙古土产》、町田笑吉的《蒙古喀喇沁农业调查报告》、鸟居龙藏夫妇的《蒙古旅行》、青木富太郎的《蒙古之民族与历史》、石冢忠的《兴安蒙古》、山川茂雄的《内蒙古：殖民地总览》、江上波夫等的《蒙古高原横断记》、南满洲铁道株式会社的《满洲旧惯调查报告·蒙地》等成果体现了当时日本学界对内蒙古地区的综合研究状况，更重要的是这些文献为后来的相关学科领域提供了很多珍贵的第一手资料。该时期的主要著作还有：松本隽的《东蒙古之真相》、滨田纯一和柏原孝久的《蒙古地志》（上、中、下卷）、矢野仁一的《近代蒙古史研究》、桥本光宝的《蒙古的喇嘛教》、安斋库吉的《清末绥远开垦》、今堀诚二的《中国封建社会的构造——归绥社会集团的实态调查》等。20 世纪前半期，日本人关于内蒙古社会历史宗教文化的调查研究成就远远超过欧美学者。

但是，第二次世界大战后日本的蒙古史研究一度有所削弱。随着国际关系的变化和日本社会经济的发展，蒙古史研究又积极展开。20 世纪 80 年代以前，松井忠雄的《内蒙三国志》（1966 年）、中泽达喜的《大陆风云录——一个谍报员的手记》（1968 年）、田中克彦的《草原革命者们——蒙古独立之路》（1973 年）、坂本是忠的《第一次国共合作时期的内蒙古民族运动》（1964 年）、中见立夫的《海山与乌泰——博格多汗政权下的内蒙古人》（1976年）等著作和长篇论文，对认识清末以来的内蒙古政治变迁史具有重要的科学价值和学术创新意义。进入20世纪80年代后，一些从事近代内蒙古史研究的日本学者以及旅日学者的研究题目越来越深入，陆续发表专题论文和专著等研究成果。

这方面的主要专著和论文集有：毛里和子的《从周缘观察中国——民族问题与国家》，内田勇四郎的《内蒙古的独立运动》，江口圭一的《资料·日中战争时期的鸦片政策》，森久男的《德王研究》，布仁赛音的《近现代蒙古人农耕村落社会的形成》，杨海英的《章嘉呼图克图：为中国奔走的蒙古高僧》（与布拉格合著），广川佐保的《蒙地奉上——"满洲国"的土地政策》，二木博史的《蒙古的历史与文化》，内田知行等的《日本对蒙疆的占领》，早稻田大学蒙古研究所的《近现代内蒙古东部之变容》等；主要论文有：中见立夫的《贡桑诺尔布与内蒙古之命运》、《文书史料中所看到的陶克陶之"真像"》，二木博史的《丹巴道尔吉政权对内蒙古革命的援助》《博彦满都与内蒙古自治运动》，生驹雅则的《内蒙古问题与共产国际的指导强化》《中国革命与内蒙古问题》，寺岛英明的《近代内蒙古民族运动》、《近代内蒙古的两个政党——中国共产党和"蒙古青年结盟党"》，贵志俊彦的《袁世凯政权对内蒙古地域支配体制的形成》，吉田丰子的《中国共产党的少数民族政策——围绕"民族自决权"之内涵》，星野昌裕的《内蒙古自治区成立之历史考察》、《内蒙古人民革命党与中国共产党的地域统合——20世纪中叶为止的政治展开》，吉田顺一的《内蒙古东部的传统农耕与汉式农耕之受容》、《关于兴安四省实态调查——非开放蒙地调查为中心》、《日本人对呼伦贝尔的调查》、《兴安局改编与兴安省各旗实态调查》、《兴安岭以南山地的经济构造——哈拉图克沁的经济分析为线索》，广川佐保的《1940年代日本对内蒙古的政策与〈青旗〉报》、《蒙古人加入满洲国及地域社会变化》，橘诚的《内蒙古的辛亥革命》、《博克多汗政权的内蒙古统合较量——以锡林郭勒盟为事例》，森久男的《蒙疆政权与蒙古独立运动》、《满洲国兴安北省三河地方的满蒙开拓团》，铃木健一的《善邻协会与内蒙古教育》，祁建民的《蒙疆政权的教育政策》，新保敦子的《蒙疆政权的伊斯兰教徒工作及教育——以善邻回民女塾为中心》，柴田善雅的《"蒙疆"的通货金融政策之展开》，斯日古楞的《日本支配下的蒙疆畜产政策》，宝铁梅的《蒙疆政权下的蒙古人教育——以锡林郭勒盟的初等教育为中心》，横田素子的《内蒙古喀喇沁右旗学堂学生的日本留学》，铁山博的《清末内蒙古的"移民实边"政策》，田中刚的《蒙疆政权的留学生事业与蒙古人留学生》，铃木仁丽的《满洲国建国与兴安省自治问题》，呼斯勒的《日文文献中所记载的内蒙古人民革命党》、《中国共产党势力在内蒙古的渗透——对至"四三"会议前的过程的再讨论》，康越的《张学良政权下的"兴安屯垦区"开发事业》，布仁赛音的《喀喇沁、土默特移民与近现代蒙古社会——以蒙郭勒津的海勒图惕氏为事例》等。

　　另一方面，日本学者着力进行近代蒙古史资料的发掘研究工作，对一些公私档案及其他文献材料中保存的有关近代内蒙古地区历史的内容进行重新把握，为学术界提供了可靠的史料。例如，中见立夫的《日本所藏关于蒙古史的史料》，原山煌的《以"满洲国"时代为中心的有关"满蒙"刊行物研究》，二木博史的《关于蒙疆政权时代的蒙古语定期刊行物研究》，森久男，铃木立子的《近现代内蒙古地域史文献研究》，吉田顺一的《关东都督府陆军部的东部内蒙古调查报告书》等论文以及春日行雄的《日本与蒙古一百年》（大事编年及文献目录）等对深入研究民国时期的内蒙古史及其历史文献研究都具有较高的参考价值，也为学界的搜寻利用资料提供了线索。

　　在这样的情况下，无论从发表数量还是从论文质量上看，日本的近代内蒙古史研究的进展可以说是最引人注目的。

　　英、美等国家的少数学者也较早关注内蒙古近代史研究，20 世纪初就出现了关于内蒙古地区的旅行记、考察报告和研究论著。早在 1870—1891 年间，英国传教士詹姆斯（G. James）就开始对内蒙古地区进行考察，并通过他的《在蒙古人当中》（1883 年）、《蒙古考察记》（1886 年）和《再谈蒙古人》（1893 年）等数部著作，对当时蒙古人生活、宗教、文化风俗等方面逐渐加深了研究，可谓是欧洲早期内蒙古研究之先驱。同一时期另一位传教士海德勒（J. Hedley）完成了较有影响的《蒙古人当中的旅行》（上海，1906 年）和《黑暗蒙古旅行记》（伦敦，1910 年）两部著作，翔实叙述了19 世纪至 20 世纪初蒙古人社会变迁状况。

　　除詹姆斯和海德勒以外，20 世纪前半期还有一个主要人物是欧文·拉铁摩尔（O. Lattimore, 1900—1989 年）。欧文·拉铁摩尔是美国著名汉学家、蒙古学家。1929—1933 年间，他在内蒙古地区进行考察研究。1935 年曾参加成吉思汗陵寝的祭祀。他被公认是唯一真正了解内蒙古和新疆的美国人。在蒙古学方面，他主要研究近代蒙古史，著有《满洲——冲突之源》（1932 年）、《满洲的蒙古人》（1934 年）、《中国的亚洲内陆边疆》（1940 年）、《蒙古旅行记》（1941 年）、《亚洲问题的解决》（1941 年）、《现代中国的构成》（1944 年）、《蒙古民族主义与革命》（1955 年）、《游牧者和公社社员》（1962 年）等。其中《满洲的蒙古人》等著作，对于了解民国初年内蒙古民族运动等一些重要历史事件的经过以及在那个时代的内蒙古所面临的矛盾方面具有重要价值，启发意义很大。《满洲的蒙古人》于 1934 年在纽约出版，可称为 20 世纪前半期欧美相关研究方面取得的代表性成果。

第二次世界大战结束后，蒙古学研究在美国逐渐发展，尤其从 20 世纪80 年代后近代内蒙古史方面的研究得到加强，并出现了一些重要成果，曾引起国际学界注意。这里需要重点介绍扎奇斯钦所做的工作。扎奇斯钦（Jagchid Sechen），美国著名学者，1917 年生于内蒙古喀喇沁右旗。在蒙疆政权时期，在蒙古联合自治政府担任锡林郭勒盟总务处长。1949 年赴台湾，先后在"国立"政治大学、"国立"台湾大学任教，1972 年移居美国，在杨伯翰大学担任历史学教授。他前后撰写了 10 多部书和 100 多篇学术论文。有关 20 世纪前半期内蒙古历史的论著有：《末代蒙古王：德穆楚克栋鲁普的一生与他的时代》、《1920 年代内蒙古国民党》、《1930 年代的内蒙古》、《对内蒙古自治运动的考察》、《贡桑诺尔布亲王——蒙古革新运动之先驱》、《内蒙古的革新与民族主义运动》、《近代蒙古之地方政治制度》、《贻谷事件及其影响》、《近代内蒙古社会及文化变迁》、《喀喇沁王贡桑诺尔布与内蒙古现代化》、《论清末民初的〈蒙匪〉》、《日本占领下的内蒙古：1935—1945年目睹记》、《我所知道的德王和当时的内蒙古》等。另外，保罗·海尔（Hyer Paul）的《蒙古独立运动中的内蒙古：1911—1914 年》、《一个活佛的传记——末代甘珠尔瓦·呼图克图的自述》（合著），阿尔凡·科克斯（Alvin Dcoox）的《诺门罕——1939》等论著通过对珍贵的原始资料的仔细研究，进一步揭示了一些重大历史事件的情况。

阿特伍德（C. P. Atwood）博士是在内蒙古近代史研究方面颇有影响的

美国年轻学者，最初他在美国印第安纳大学读硕士期间完成了关于内蒙古人民革命党的研究课题。在此基础上，还发表了两篇关于 20 世纪二三十年代鄂尔多斯民族运动的论文。1994 年他向印第安纳大学欧亚研究中心提交了题为《1925—1929 年内蒙古革命民族主义者的动员》的长篇论文，这篇 800 多页的论文，较为全面地阐明和评述了近代内蒙古民族冲突和民族运动的一些根本性问题，叙述了 20 年代内蒙古西部地区的民族运动的发展过程、内蒙古人民革命党的分裂、巴尔虎革命始末以及这一时期内蒙古民族运动失败的原因等历史内容。该论文所考察的时间跨度小，故所收集的材料可称整齐完备，对史事的考证翔实清楚，填补了国际蒙古史研究中一些空白，为发展美国的近代内蒙古史研究领域作出了积极的努力。还有，阿里西亚·茨培博士撰写了专题论文《美国与内蒙古之间的政治关系：1915—1927 年间张家口大使馆公文书》，在这一领域做了有益的尝试。

有关清—近代蒙古地区贸易史研究方面，有美国学者艾梅霞（Martha Avery）的新著《茶叶之路：跨越大草原的相遇》，用大众历史学的讲述方法，将"茶叶之路"这条随茶叶贸易兴起而开通的从北京伸展到蒙古地区的商路置于欧亚内陆民族、文化和政治的大背景下，对其兴衰及相关历史文化环境的变迁做了细致的考察与全景式的描述。这部著作，对研究蒙古地区贸易史及近代化进程中的经济——社会生活史具有重要参考价值。

在西欧蒙古学界产生的重要成果中，德国学者瓦尔特·海西希（Walther Heissig）在蒙古文资料的收集、整理方面做了许多开创性的工作。他曾到卓索图、哲里木等地方考察，并对民国时期内蒙古地区的历史、社会有独到研究。海西希的代表作之一《蒙古的历史与文化》中有揭示近代蒙古人文化变迁及政治思想史方面的一些重要内容。

1959 年，罗伯特·詹姆斯·密勒尔（Robert James Miller）博士在德国出版了关于近代内蒙古地区各类寺庙形态和社会文化变化情况的专著《内蒙古的寺庙与文化变迁》，利用日本学者桥本光宝所做的先行研究成果和一些珍贵资料，揭示了喇嘛僧侣的种类、寺庙的学校功能等诸多情况，为近代内蒙古宗教文化研究展示了独特的视角。

另一方面，鲍登（C. R. Bawden）等著名学者也为发展近代蒙古史研究领域作出了重要贡献。鲍登的《蒙古近代史》（1968 年）、《论中国与蒙古地区之间的关系》（1974 年）等著作被认为是国外同类研究中具有较高水平的佳作。近年来，年轻一代学者发表了一些新成果，其中不乏独到的新颖见解。如，剑桥大学教授、历史人类学家布拉格（Uradyn E. Bulag）博士的《中国边缘的蒙古人》（2002 年）、《章嘉呼图克图：为中国奔走的蒙古高僧》（合著，2003 年）等论著在近现代内蒙古政治变迁史研究方面具有一定的参考价值。

蒙古国的蒙古近代史研究工作主要集中于蒙古科学院历史研究所和蒙古国立大学历史系。20 世纪 90 年代初随着苏联解体等国际局势的骤变，蒙古社会处于急剧变化的时期，历史研究进入了一个新的发展阶段。在放弃过去的意识形态的过程中诞生了重新认识历史的思想，人们摆脱过去蒙古人民共和国时代的所谓"革命史研究"的窠臼，将视野扩大到近代史研究的广阔领域。在历史人物研究方面，涉及内蒙古关系的有：扎·宝力道巴特尔的《海山公传》、照·伦吉德的《忠诚英雄巴布扎布传》和《勇猛英雄陶格套胡》、勒·扎穆苏隆的《将军芒来巴托达木丁苏隆生平》等专著，每部不论篇幅大小，都能根据史实做考察性研究和叙述，不少还具重要史料价值和原创意义。在带有复杂背景的一些重大历史问题的研究方面，也有新论著发表。策·巴图巴雅尔的《二十世纪上半叶的蒙古与日本》和《蒙古与满洲国边界交涉》（与官布苏荣合著），充分利用原始档案和一些稀见珍贵史料，具体地考证评述了有关日本在内蒙古实行统治以及当时日趋复杂的国际环境的一些重要史事。

从 20 世纪末以来，韩国学界加强研究机构，扩大研究领域，与国际蒙古学界的联系增多，涉及内蒙古问题的研究方面又有新成果面世。朴疆博士的《中日战争与鸦片（1937—1945 年）——以内蒙古地区为中心》一文，系统论述了中日战争期间日本在蒙疆地区所实施的鸦片政策，在剖析日本蒙疆鸦片专卖政策之实施和鸦片生产流通之问题等方面有新意。朴疆还曾发表《抗战时期蒙疆的鸦片贸易与日本对华政策》、《满洲国的鸦片政策》等专题论文。李平来博士发表了《20 世纪初期蒙古王公的政局认识和独立的构想》《20 世纪初期蒙古王公对新政的认识》、《中国学者对 1911 年外蒙古独立的视角》等论文，对清末民初蒙古王公所面临的矛盾和思想变化方面阐述了自己的分析和看法，并从不同角度考察有关这段历史的研究观点问题。

俄罗斯科学院东方学研究所研究员 E. A. 别洛夫教授发表的《1912 年至 1913 年期间喀尔喀军队进犯内蒙古》、《俄国档案史料中的呼伦贝尔问题 (1911—1915 年)》、《俄国与 1911—1919 年期间的泛蒙古运动》、《1915— 1916 年期间的巴布扎布在内蒙古领导的反华起事》、《乌泰公在内蒙古的反华运动（1912 年）》和澳大利亚国立大学历史系教师娜仁高娃（Li Narangowa）博士发表的《日本占领与蒙古佛教》、《日本的地政与蒙古：1915—1945 年》、《蒙疆政权论：傀儡政权的历史意味》等专题论文，均以历史上某一具体事物的实证研究、利用档案等新史料为特征。他们的选题不是很大，但提出了一些具有新颖见解的观点，得到了学术界的肯定和重视。

第二编

概　　述

第　三　章

辛亥革命时期的内蒙古

第一节　清朝覆亡前后内蒙古的政治分野

一、内蒙古西部地区的反清起义

辛亥革命前，革命党人已在内蒙古地区从事活动。活动区域主要在内蒙古西部各厅县。20世纪初，随着出国求学和赴外省读书者的增多、进步书刊的流行，革命思潮逐渐扩散，一批知识青年受到了民主革命思想熏染。1905年前后，山西同盟会会员王建屏、李德懋等人来到内蒙古西部，在土默特旗一带活动，宣传同盟会的主张，秘密发展会员。王建屏先以天主教会学校教师的身份在地方各界人士及清军官兵中开展工作，吸纳蒙汉族青年入会。后因其反清活动暴露，又假扮算命先生在后套、包头等地活动。李德懋则在包头等地以习武的方式与各阶层多方结交，传播反清思想，在下层民众中发展革命力量。

这一时期以不同渠道先后投身革命活动的志士中不仅有汉族，也有蒙古族和回族。其中较为知名者有：王廷选（丰镇人，光绪末年赴日留学，在东京加入同盟会）、李苑林（曾为江苏某县知事，后卸任回到丰镇，从事反清宣传）、王定圻（在山西优级师范学堂就读时即已加入学生军，回到萨拉齐后入同盟会）、韩升泉（原为天主教徒，后加入同盟会）、郭鸿霖（五原富家子弟，反清革命的积极鼓吹者），等等。蒙古族青年云亨（在归绥中学就读时即加入同盟会）、经权（土默特旗乡村塾师，同盟会员）、安祥（仕官，同盟会员）等人与汉族革命者一道，积极投身反清革命。还有一些开明的地方士绅，如阎懋、刘兆瑞、陈孝先、李永清等人，由不满封建统治、同情革命，发展到积极参加反清秘密活动，在本地，或在国外、外省参加了同盟会的组织。

同盟会活动的对象多为青年学生、清军官兵和地方士绅，同时，也在会党中大力发展力量。辛亥革命前，丰镇地区就已活跃着五六支以会党为基础的农民起义武装，其中有张占魁、赵喜泰、武万义（蒙古族）、马有才（回族）等为首的队伍。革命党人弓富魁、王虎臣、李德懋等与这些“绿林豪杰”结交，灌输反清思想，积极准备发动武装起义。

1910 年初，清廷为加强归化、绥远 2 城的防务，任命原吴淞统领周维藩为驻归绥后路外八旗巡防队统领，以整顿军务，编练新军。周维藩在日本游学时即与革命党人多有交往，倾向革命。就职后即大力整肃军容，革除积弊。同时，着意吸收具有革新思想的青年加入军营，将一批青年官兵培养成为新军的骨干力量。

武昌起义爆发后，山西的太原、大同等地也相继发生暴动，内蒙古西部地区随之震动。革命党人杨云阶、云亨、王定圻等人分别由北京、太原赶赴绥远、包头，立即在新军中进行宣传，策动官兵举兵反清。在形势的推动下，11 月 9 日夜，驻归绥的部分新军士兵在哨官张琳、曹富章等人的率领下发动兵变。因事起仓促，城中其他清军已有戒备，并集结兵力欲围剿起义官兵。周维藩遂带领起义新军连夜撤出归绥，进入大青山，在武川县以东大滩驻扎。起义军经休整后，分为东西两路分头行动。东路由周维藩率领，前往兴和、丰镇等地；西路由张琳、曹福章率领向包头方向进发。12 月，东路由周维藩率领进抵兴和，与先期到达的部分新军官兵会合。不久，又转进晋北地区，参加了阎锡山统领的山西革命军。

西路部队转移包头一带时，正逢革命党人杨云阶、郭鸿霖、王鸿文等在包头酝酿起义。归绥新军起义队伍的到来，加速了包头起义的爆发。郭鸿霖等在积极争取驻包头清军管带的同时，谒见驻包头的五原厅同知樊恩庆、东胜厅同知谢锡庆等地方官员，以求得赞同和支持。杨云阶等前往后套大佘太、隆兴昌清军驻地，说服清军官兵响应起义。

在包头行将举事，革命力量不断发展壮大的形势下，驻归化城的清军匆忙集结兵力，布置防御。五原厅同知樊恩庆起初断然拒绝了郭鸿霖等人的劝说，当起义军兵临城下时又佯称同情革命，赞成共和，并假意欢迎起义军入城，借此骗取了革命党人的信任。同时在暗中派员赴归绥向绥远城将军堃岫密报，策划阴谋，伺机镇压革命党人和起义军。12月22日，张琳、曹福章等率起义军200余人进入包头。次日，樊恩庆等以宴请为名设置埋伏，在包镇公行马号将毫无防范的张琳、曹福章等7名起义军首领杀害，并逮捕了郭鸿霖等人，制造了后人称为"马号事件"的惨案。清军又将起义军驻地包围，起义军官兵除少数突围外大多伤亡或被捕。① 事后，樊恩庆残杀了郭鸿霖等革命党人，在城内实行恐怖统治。至此，革命党人在包头发动的起义归于失败。

归绥新军起义后，绥东陶林、宁远（今凉城县）等地也相继爆发了反清起义。1911年11月16日，陶林地区的农民军和乡村会党由赵喜泰等人率领举行暴动，起义军联合百余名陶林厅巡警，杀死陶林厅通判和巡检，占领陶林城，一度形成较大声势。绥远城将军闻讯后急调察哈尔正红旗马队驰往镇压。起义军在作战中失利，被迫放弃陶林，转而南进，攻占宁远城。后在察哈尔右翼各旗马队的合力进攻下，起义军被击溃。赵喜泰等人逃往隆盛庄，投奔了张占魁领导的农民军。

12月1日，山西革命军占领大同，成立军政府。长期在丰镇一带活动的同盟会员王虎臣等闻讯后，立即联络蒙古族民众首领武万义所率"独立队"和附近各支农民军，在隆盛庄附近的孤山村集结，公推张占魁为首领，宣布起义，组成革命军。时值清军围攻大同，为配合山西革命军在大同的战斗，起义军进抵丰镇城下，与清朝守军交火。丰镇厅同知章同一面布防，一面派员出城与革命军"议和"，以拖延时日，等待清军救援。12月13日，起义军在城内革命党人和部分倾向革命的守军官兵策应下，一举攻占丰镇城。入城后，起义军高举写有"革命军"大字的旗帜，以臂缠白毛巾为标志，高呼"推翻满清，建立民国"的口号，捣毁厅署，焚烧了章同的宅邸，

---

① 巴靖远、刘映元、李秉智：《辛亥包、萨革命经过》，见政协内蒙古自治区委员会文史资料研究委员会编：《内蒙古辛亥革命史料》，内蒙古人民出版社1979年版，第32页。

并将官衙财物分发给义军群众和贫民。章同未来得及出城，仓皇逃入一民居，藏于空棺材内，侥幸躲过了起义军的搜捕。

12 月 17 日，大批清军由大同进兵丰镇，起义军在城外与清军展开激战，终因不敌在人数和武器方面都具有较大优势的清军，起义军溃散。清军占领丰镇后，在章同引领下对革命党人进行了残酷报复，并以"通匪"的罪名大肆捕杀同情革命的群众，数十人遭到残杀。王虎臣所率的部分义军在撤退途中遭清军剿灭，张占魁所率残部不得不分散为数股，在一段时期内仍活动于绥东地区。

1912 年 1 月，被推举为山西军政府都督的阎锡山率领山西革命军经陕北进入内蒙古伊克昭盟。随着革命军声威的迅速传播，包头、丰镇等地起义失败后散在各地的革命党人纷纷前来与革命军会合，后套地区的哥老会武装和乡村会党也接连乘势举事。1 月 12 日，山西革命军在革命党人王肯堂、吴金山及地方会党的引领下抵达包头。队伍入城时，受到了当地民众的热烈欢迎。以樊恩庆为首的清朝文武官员仓皇出逃。革命军驻包头期间，建立了"包东州"，作为临时性政权机构，以号令各界，管辖包头、伊盟和后套地区。同时布告安民，稳定社会秩序，招抚清军官兵。为攻取归绥，革命军与包头的革命党人进行了策划，并发动群众参加革命，动员社会各界积极备战。

当绥包等地发生兵变、起义之后，绥远的清朝军政官员都处于惶恐之中，山西革命军的北上，使其面临的形势更为窘迫。绥远城将军堃岫一再向清廷告急："绥远一角孤城，俨有岌岌不可终日之势"；"归绥所属各厅，遍地伏莽，兵力单薄不敷分布……兹则大股匪徒长驱直入，实属无法抵御，危迫情状，势如累卵"。请求清廷"速饬拨得力重兵，星夜驰赴口外分头援剿，以保边疆而固晋直屏障"。① 还派出副都统文哲珲到张家口向察哈尔都统何宗莲求援。在援军无望的情况下，堃岫不得不筹兵布防，以求自保。在整饬原有新军满洲步营、土默特旗步骑 2 个营（贻谷任绥远城将军时为加强归、绥两城防务，以北洋陆军规制足额建立，每营 520 人）和汉族巡防队之外，又召集蒙、回、汉各族地方官绅分别征募、编练武装，扩充军事力量，

① 中国史学会编：《中国近代史资料丛刊·辛亥革命》第 6 册，上海人民出版社 1981 年版，第 190、194 页。

其中还包括土默特蒙古丁壮组成的守卫队。

1月15日，革命军举兵东进，当日进至萨拉齐城北，击溃前来堵截的一营清军炮队及口外巡防队后，即向萨拉齐发起猛攻，于次日攻入城内。占领萨拉齐后，革命军打开监狱，将放出的囚犯编为"敢死队"，经权任管带。为争取土默特旗蒙古族民心，顺利攻占归化、绥远2城，阎锡山还以南京革命政权孙中山、黄兴的名义发表任命云亨为绥远城将军、经权为归化城副都统，任命另一土默特蒙古族同盟会员安祥为归绥兵备道。云亨、经权等随即以新的身份致函土默特旗各参领、管带等军政官员，要求其起义投诚，但遭到拒绝。

1月26日，革命军3 000余人在前敌总指挥、统领王家矩的率领下，由萨拉齐出发，进军归绥。此时，绥远将军堃岫急忙与土默特两翼12参领商议对策，决定兵分3路，共2 000余人前往堵截。新军步一营为上路，绥远城炮兵一连和口外巡防队为中路，土默特骑二营为下路，分别布防于萨拉齐以东的刀什尔村、多尔济村和马群村一带。

28日，革命军行至刀什尔村附近时，已有足够准备的清军在村口石砌矮墙或倚密林构筑了防御工事，向革命军发起阻击，双方遂展开激战。革命军对守敌战斗力估计不足，仓促应战。"敢死队"虽经数次奋力冲锋，但终未能突破清军防线。战斗中革命军伤亡逾百人，王家矩也在阵前督战时中弹身亡。失去指挥的革命军遂停止进攻，向包头方向退却。不久，阎锡山率部移驻托克托城、河口，经短暂休整后返回山西。山西革命军在内蒙古西部地区的活动以东进的受挫而结束。[①]

二、驻京蒙古王公的政治活动

辛亥革命的爆发，结束了长达2 000多年的封建君主制度，开辟了一个新的历史纪元。中华民国的诞生，共和民主新体制的出现，开始了中国历史上具有划时代意义的重大变革。波澜所及，内蒙古地区也进入了空前变动的历史时期。

---

① 任秉钧：《刀什尔战役纪略》，政协内蒙古自治区委员会文史资料研究委员会编：《内蒙古辛亥革命史料》，内蒙古人民出版社1979年版，第61—64页。

　　自清朝传统的对蒙政策彻底转变以来，随着移民垦殖浪潮的冲击，内蒙古地区的阶级矛盾、民族矛盾日趋尖锐。蒙古王公上层也因权益不断受到削夺而对清廷不满，离心倾向逐渐增强，满洲贵族与蒙古封建主原有的特殊"盟友"关系趋于松弛。但是，当清帝国行将崩溃，封建贵族特权将被共和民主体制所取代时，与满洲贵族统治者命运相系的蒙古王公上层，必然对以"驱除鞑虏"为纲领，高倡"恢复中华"的汉族革命势力持有抗拒意识和敌视心理，甚至将"革命"一词视同骚乱、暴行。

　　武昌首义，举国震动，清朝统治濒临全面崩溃。此时，在北京常驻的一批蒙古王公也处于惶恐不安之中。为挽救清朝的灭亡，他们进行了积极的活动。参与者有清廷御前大臣兼领侍卫内大臣、镶黄旗满洲都统、喀尔喀亲王那彦图，御前大臣兼领侍卫内大臣、镶蓝旗满洲都统、科尔沁辅国公博迪苏，总司稽查守卫事宜王大臣兼镶白旗汉军都统、科尔沁亲王阿穆尔灵圭，1909 年进京"入直当差"并在陆军贵胄学堂"随班听讲"、后来又成为资政院钦选议员的喀喇沁郡王贡桑诺尔布，1906 年赴日本留学、回国后"入直当差"、任陆军贵胄学堂蒙旗监学的土尔扈特郡王帕勒塔，资政院钦选议员、外蒙古车臣汗部盟长、札萨克郡王多尔济帕拉穆，理藩部额外侍郎、卓索图盟盟长、土默特左旗札萨克贝勒色棱那木济勒旺保，任京营八旗副都统的土默特右旗札萨克贝子棍布扎布、科尔沁左翼中旗闲散辅国公达赉、毕业于陆军贵胄学堂的科尔沁宾图郡王棍楚克苏隆，以及科尔沁卓里克图亲王色旺瑞鲁布、巴林右旗札萨克郡王扎嘎尔、奈曼旗札萨克郡王苏珠克图巴图尔，那彦图之子祺诚武等人。

　　清廷为挽回败局，也试图利用蒙古王公贵族的地位和影响，为延续自己的统治效力。当东北地区的革命党人积极策动反清起义时，东三省总督赵尔巽一面采取防范措施，一面呈请清政府派科尔沁亲王阿穆尔灵圭赴东北，协同控制局面，以防革命党人的活动在蒙旗蔓延。12 月中旬，阿穆尔灵圭抵奉天，不久返回本旗。他首先征调本旗兵丁，防堵革命党人在蒙旗及邻近地区的活动，并要求赵尔巽拨发军饷、枪械，用以武装蒙旗骑兵，为配合清军镇压革命做准备。此后，他还筹备在辽源召集内蒙古东部 4 盟王公会议，拟派员赴西部的乌兰察布、伊克昭 2 盟，宣谕清廷旨意，安抚蒙古王公，稳定内蒙古的局势。但是由于迟迟得不到枪械、军饷，加之各旗王公态度消极，原定计划均未能实现。

1911 年 12 月 1 日，外蒙古库伦活佛哲布尊丹巴和亲王杭达多尔济等封建上层发动武装政变，宣布“独立”，成立“大蒙古国”。清政府闻变后，于 12 月 21 日任命在京的外蒙古车臣汗部盟长多尔济帕拉穆郡王和新任科布多办事大臣桂芳为“查办库伦事件大臣”，命他们立即赶赴库伦“宣布朝廷德意，以示怀柔，藉消反侧”。[①] 后因俄国驻北京使节的阻挠和库伦方面的拒绝而未能成行。1912 年初，清廷任命驻京的土尔扈特郡王帕勒塔为署科布多办事大臣。然而，这些被委以重任的蒙古王公已不可能为维护清朝在蒙古、边疆地区的统治秩序而有所建树。

1911 年 12 月 24 日，由那彦图、贡桑诺尔布、博迪苏等人牵头，成立了蒙古王公联合会，又称“蒙古同乡联合会”、“旅京蒙古联合会”或“蒙古联合会”。联合会“以开通蒙古风气，改良政治，保存权利，联络全体，互相辑睦为宗旨”；“以蒙古汗、亲王、郡王、贝勒、贝子、公、札萨克、议员及现有任职之台吉、塔布囊、旗员等为会员”；[②] 拟订在北京设总会，并在各盟部设分会。

12 月 26 日，由那彦图、贡桑诺尔布、多尔济帕拉穆、博迪苏 4 人领衔，各盟部的阿穆尔灵圭、杭达多尔济等 24 位王公世爵副署，以全体蒙古代表的名义向内阁总理大臣袁世凯递呈了一件信函。信中在将袁世凯推崇为“只手擎天”“再造中国四万万生灵者”之后，仍表示了蒙古王公对清朝皇帝的忠心，要求袁世凯不要向南方的革命势力妥协退让。信中还替外蒙古哲布尊丹巴集团进行了辩解，声称库伦宣布独立并不是对清朝的背叛，而是抵制民主、共和的举动。信中还要挟袁世凯，表示如果顺从共和，则内蒙古也将难免走库伦的道路。

此外，驻京蒙古王公还以内外蒙古 10 个盟、部及 135 旗名义，由科尔沁土谢图、达尔罕、卓里克图三亲王，喀尔喀三汗和赛音诺颜亲王等联合署名，致电当时的民军代表伍廷芳，表示反对共和、拥戴清朝。蒙古王公还发

---

① 《清实录·附宣统政纪》第 65 卷，影印本，中华书局 1985 年版。

② 《蒙古王公联合会章程》，见沈云龙编：《台湾近代中国史料丛刊》第 42 辑，文海出版社 1969 年版，第 71 页。

出致伍廷芳的信函，指责民军方面"致兵连祸结"，"趋全国于黑暗之天日"；声称"满蒙藏回……只知有君主，不知何所谓共和，更深惧诸君子少数专制之共和"；并声称"如诸君子固持己见，骛虚名、速实祸，以促全国之亡，则我蒙古最后之主张未便为诸君子宣布"。①

清廷在面临危局的情势下，不得不重新起用袁世凯。而工于权谋的袁世凯一面倚仗在握的北洋武力向南方革命势力勒取利益、窃夺政权，一面又利用全国的反清形势，逼迫清帝退位。1912 年 1 月，清隆裕太后被迫召集皇族近支、蒙古王公等举行御前会议，议决是否退位的问题。那彦图、贡桑诺尔布、帕勒塔、棍楚克苏隆和博迪苏等蒙古王公在会议中态度坚决，强烈反对共和，阻止清帝退位。

此次御前会议之后，袁世凯怂恿段祺瑞等众多清军将领一再联衔致电清廷催促退位，全国政局遂急转直下。在其后召开的御前会议上，因溥伟、善耆等宗社党骨干已先后潜逃，其他满洲亲贵不再持强硬态度，蒙古王公们看到清廷已决定顺应共和，遂改变态度，不再坚持原来的立场。当蒙古王公们极力坚持反对共和时，南京方面的孙中山、伍廷芳曾分别致电，呼吁规劝。那彦图和刚由东北返回北京的阿穆尔灵圭等以蒙古王公联合会的名义，于 2 月 1 日复电孙中山和伍廷芳，表达了对共和的忧虑，强调了蒙古地区与内地的诸多不同，并要求中华民国必须考虑到他们的特殊性和原有权益。在清帝正式宣布退位之前，蒙古王公联合会又一再致电伍廷芳和孙中山、黄兴等，附和袁世凯提出的清帝退位条件，并声称代表全蒙古，推举袁世凯为新政府的临时大总统。

三、外蒙古的"独立"、"自治"及对内蒙古的影响

自清末以来，沙俄不断加快对外蒙古的渗透，拉拢煽动蒙古王公。清廷在外蒙古推行新政后，民族矛盾迅速激化，致使外蒙古僧俗上层加快了图谋独立的活动。1911 年 7 月，喀尔喀 4 部王公札萨克和上层活佛喇嘛会集库伦，在博格多乌拉山中秘密举行了会盟。王公上层们认为，中国人施行新政

---

① 郭孝成：《蒙古独立记》，见中国史学会编：《中国近代史资料丛刊·辛亥革命》第 7 册，上海人民出版社 1981 年版，第 126 页。

的目的在于奴役蒙古，遂一致决定谋求"独立"，并拟定了决议书。会后，杭达多尔济率外蒙古代表团抵达俄国首都彼得堡，向俄国政府递交了由哲布尊丹巴和喀尔喀4部封建主致沙皇的信函，请求给予各方面援助。8月，由俄政府总理斯托雷平主持召开了各主要大臣参加的"远东问题特别会议"。会议认为，鉴于当时的国内国际形势，俄国不便公开支持蒙古独立，决定以"调停人"身份通过外交途径支持外蒙古的"独立"。会议还决定派军队进驻库伦。① 俄驻华公使廓索维慈奉俄国政府指令，从8月末起一再向清政府提出交涉，施加种种压力。10月，俄国向外蒙古提供了大批武器弹药，又以保护领事馆的名义，派出800余名俄军携辎重车辆进驻库伦。清政府迫于压力，谕令库伦办事大臣三多停止了在外蒙古推行的各项新政。

　　武昌起义爆发后，外蒙古局势日趋动荡。沙俄政府一面乘机迫使清廷在外蒙古"独立"问题上作出让步，一面又与日本政府对俄日分割中国东北和蒙古地区进行协商，以换取日本对外蒙古"独立"的"谅解"。11月中旬，哲布尊丹巴集团决定乘南方各省纷纷独立之机，组成了杭达多尔济为首的"临时总理蒙古国务衙门"，同时从外蒙古4盟和库伦附近各旗调集数千名兵丁，配以俄国武器装备，陆续开进库伦。11月30日，"临时总理蒙古国务衙门"向清朝库伦办事大臣递交文书，宣布外蒙古脱离中国，实行"独立"。12月4日，库伦办事大臣三多及公署官员、卫队被俄军强行押送出外蒙古。12月28日，库伦集团正式组成"大蒙古帝国政府"，以"共戴"为年号，奉哲布尊丹巴为"日光皇帝"。同时任命大喇嘛车林齐密特为内阁总理大臣，总领外务、内务、财政、兵、刑5部。

　　1912年1月，俄国外交部发表声明，表示将对外蒙古提供支持。随即又向库伦政权提供大量军事援助，在怂恿各地王公参与叛乱的同时，派遣俄军配合叛军举兵占领外蒙古各地。当月，乌里雅苏台的札萨克图汗宣布"独立"，强迫清朝驻乌里雅苏台将军奎芳等官员退离，遭到拒绝后，俄国驻乌里雅苏台领事出面施以威胁，以保护名义派哥萨克骑兵将奎芳等强行押解出境。6月，叛军5 000余人向科布多发动进攻，仅300余人的中国守军在困守数十天后被迫撤离，清朝驻科布多参赞大臣溥润及城内官员、居民全

---

① 陈春华：《俄国外交文书选译——关于蒙古问题》，黑龙江教育出版社1991年版，第3—7页。

部被俄军押解出境。科布多城失陷后，库伦政权已控制了外蒙古全境。

7月，沙俄与日本再次秘密签订协约，将内蒙古划分为东西两部分，俄国以承认日本在东部内蒙古的"特殊利益"为条件，换取日本对其侵略西部内蒙古及外蒙古的支持。9月间，俄、英两国就侵略外蒙古等中国领土问题达成了"谅解"。与此同时，哲布尊丹巴政权也向日、法、英、美等国政府发出"照会"，寻求各国的承认和支持，但均无结果。

沙俄策动库伦叛乱集团宣布"独立"后，即着手将外蒙古置于其"保护"之下，使其脱离中国政府的实际管辖。沙俄先以"调停"的名义要求中国政府承认外蒙古"独立"，力图维持外蒙古现状。在中国国内舆论强烈反对外蒙古"独立"，而袁世凯政府尚无解决外蒙古问题具体方案的情况下，俄政府派遣原驻华公使廓索维茨于1912年9月赴库伦，背着中国政府与库伦政权进行谈判，提出了使外蒙古完全殖民地化的草案。11月3日，双方签订了《俄蒙协约》和附约《商务专条》。《俄蒙协约》的主要内容为："俄国政府扶助蒙古保守现已建立之自治秩序，及蒙古编练国民军，不准中国军队入蒙境及以华人移植蒙地之权利"；外蒙古方面则须准许俄国商民享有附约所订各项特权，并保证其他外国人不得享有比俄国人更多的权利，外蒙古如与其他国家订立条约，须经俄国政府允许。在多达17条的附约中，详细规定了俄国人在外蒙古享有居住、往来、租买及开垦土地、经营商业与各项企事业并免缴课税等权利。① 通过《俄蒙协约》及其附约，沙俄在外蒙古获得了诸多政治、经济特权，攫取了巨大利益。

当杭达多尔济率"代表团"于1911年8月在彼得堡向俄国寻求援助时，俄政府即向杭达多尔济等人建议"不仅要联合喀尔喀，必须将全蒙古一齐联合起来"，并承诺俄国将配合蒙古国的行动。② 哲布尊丹巴集团宣布"独立"，成立"大蒙古帝国"后，先后向内蒙古6盟和呼伦贝尔、归化城土默特、察哈尔等蒙旗发出《致内蒙古各盟王公文》③，通报外蒙古"立国"，公文除强调已"与俄国通好，并请保护一切"外，主旨在于煽动王公起兵

---

① 陈春华：《俄国外交文书选译——关于蒙古问题》，黑龙江教育出版社1991年版，第112—119页。
② 田志和、冯学忠：《民国初年蒙旗"独立"事件研究》，内蒙古人民出版社1991年版，第124页。
③ 王彦威：《清季外交史料》卷17，影印本，书目文献出版社1987年版，第52页。

"独立","率土归降"新成立的蒙古国。嗣后,"内阁衙门"又发出专门针对内蒙古王公的《优待条件》8 条①,劝谕各旗"一体归顺","王公以下诸贵族皆晋升一级",并声明"库伦政府有保护内蒙古的责任,若民国政府施加压力,库伦政府则出兵予以保护"。至 1913 年 11 月,在内蒙古 6 盟 49 旗中,已有 35 个旗以及呼伦贝尔地区索伦、巴尔虎等旗,察哈尔八旗中的镶黄、镶白、正蓝、正白、镶蓝等旗向库伦政权表示归顺,致使"独立"的喧嚣一时在内蒙古泛起。但上书归顺的大多数王公、总管仍处在犹疑观望中,并未付诸实际行动。

1912 年冬,库伦政府举行"大臣会议",决定在俄国的支援下向内蒙古发动武装进攻,意欲一举吞并内蒙古。俄国政府驻库伦的外交代表廓索维慈和伊尔库茨克军区军官到会,并参与了策划。

1913 年初,外蒙古军队兵分数路大举南下。一路 7 000 余人,由在日俄战争时期即已投靠日本的内蒙古骑匪巴布扎布等带领,沿锡林郭勒盟东北部向哲盟进犯;一路 4 000 余人,由那逊阿尔毕吉呼等带领,沿苏尼特旗向张家口方向进犯。进入内蒙古西部地区的外蒙古军队又分为 3 路,分别由察克都尔扎布、海山、陶克陶胡等带领,约 10 000 余人,进犯河套地区及绥、包周边各旗县。各路军中都有俄国军官任军事顾问。

战火从乌兰察布盟西部到锡林郭勒盟东北部迅速燃起,并蔓延到西自包头、归绥以北,东至张家口、多伦、林西一线。各路外蒙古军队先后占据了阴山以北的乌兰察布盟、锡林郭勒盟大部、察哈尔北部及昭乌达盟北部广大地区,北洋军阀政府派驻防堵的军队大都不及应战,纷纷溃败。外蒙古军队在其所到之处大肆掠夺寺庙集镇,残杀居民,焚毁村落,致使大批农牧民逃亡,以致"张库商道,路无行人,沿途台站,悉被撤毁"②,"西苏尼特王府,亦为匪陷,尽掠所有"③。遭受兵燹的民众不仅为汉族,也有大批蒙古族。

在国内舆论的压力下,民国政府下令热河、绥远、山西等地驻军向进犯

---

① ［日］滨田纯一、［日］柏原孝久:《蒙古地志》(日文)上卷,富山房 1919 年版,第 1540—1541 页。

② 陈箓:《止室笔记》,商务印书馆 1917 年版,第 194 页。

③ 绥远通志馆编纂:《绥远通志稿》第 8 册,内蒙古人民出版社 2007 年版,第 142 页。

的外蒙古军队发起全面反击，各类正规军陆续进入内蒙古地区作战。在内蒙古西部，即绥远城将军辖区，除原有新编陆军（即归化城土默特2营、绥远城驻防八旗1营）和口外各路巡防队，以及前北洋陆军第20镇统制张绍曾所率的一个混成营，还有战事爆发后增调的第80混成团，驻晋北山西陆军第1师的两个旅。在内蒙古中部地区，有察哈尔都统兼北洋陆军第1镇统制何宗莲下辖的两个旅及独立骑兵团；由湖北等地调来的北洋第3师第5混成旅及第20师的一个混成团。在内蒙古东南部地区，有多伦镇守使傅良佐所率骑兵第1旅和混成旅，毅军米振标所部9个步兵营和骑、炮各1营，原淮军陈际春部马、步、炮各营以及热河混成旅等部；战争后期新任热河都统姜桂题所率15个营，吴俊升所率2个团，从河南等地增调的陆军第8师师长王汝贤所率1个混成旅和第20师1个混成团。①

1913年夏，集结于热河的政府军出击窜犯昭乌达盟地区的叛军，经数十次激战，10月间收复昭乌达盟。在内蒙古西部，政府军出击阴山北麓，先后在黑沙图庙和百灵庙一带击溃叛军。不久，外蒙古军队再次南犯，一度占领百灵庙。政府军集结力量，最终将其击垮。至年底，政府军相继收复各地，外蒙古军队全部被逐出内蒙古。内蒙古地区一度混乱不堪的局势得到了有效的控制。

第二节 民国初年内蒙古的"独立"、 "自治"运动

一、呼伦贝尔的"独立"和"自治"

自19世纪末中东铁路开始修筑后，大批俄国人陆续涌入呼伦贝尔蒙旗所属地区，肆意圈占土地，砍伐森林，采煤淘金。清政府为此曾与沙俄多次提出交涉，但问题一直未得到解决。1908年，清廷在东北进行官制改革，撤销呼伦贝尔副都统，又于翌年设呼伦贝尔兵备道，蒙旗事务统归道署管

---

① 白拉都格其、金海、赛航：《蒙古民族通史》第5卷（上），内蒙古大学出版社2002年版，第252—253页。

理。同时设府、厅、局。新政推行之后，东北当局推行削夺蒙旗权利的政策，引起呼伦贝尔各蒙旗（包括索伦，即今达斡尔、鄂温克、鄂伦春等族）的强烈不满，离心倾向日渐加重。随着中国政局的动荡，沙俄侵略势力的挑拨、怂恿，局势逐渐趋于恶化。

辛亥革命前，沙俄企图通过会勘中俄边界侵占满洲里。经中俄两国代表交涉，双方于1911年12月在齐齐哈尔订立《中俄满洲里界约》，明确规定满洲里属中国领土。沙俄于施行外交手段的同时，还在哈尔滨专门设立"蒙务机关"，以笼络呼伦贝尔蒙旗上层人物。辛亥革命爆发后，沙俄侵略势力立即借机活动，秘密召开会议，煽惑呼伦贝尔蒙旗上层主动"独立"，响应库伦。哲布尊丹巴"登极"后，也向呼伦贝尔地区施加影响，派员赴呼伦贝尔参与谋划"独立"的活动。

1911年秋，额鲁特总管胜福、新巴尔虎总管车和扎等呼伦贝尔各旗封建上层举行会议，作出了呼伦贝尔"独立"，并加入蒙古国的决议。会后，胜福等人向呼伦贝尔地方当局提出：中国官员和军队撤出呼伦贝尔，将管理权转交蒙古人执掌；停止向呼伦贝尔移民；汉民若不承认新官府，即驱逐出境；海关税及开采矿产资源之税捐等一切入款应移交呼伦贝尔新官府。

12月，额鲁特旗总管胜福、陈巴尔虎旗总管车和扎、索伦旗总管成德等人在沙俄驻海拉尔副领事乌萨蒂的操纵、支持下，调集各旗兵丁千余人，用沙俄援赠的武器装备组成"大清帝国义军"，以反对共和为名，举兵叛乱。1912年1月，叛军向呼伦城发动进攻，呼伦兵备道黄仕福被迫放弃抵抗，率两署官员及军队撤退。胜福集团占领道厅两署后，即致电黑龙江巡抚周树模："我呼伦贝尔旗人亦系满清之一小部分，世受国恩，自应尽一分臣子之义。故大众议定，起大清帝国义军，保守疆土，决不承认共和，亦不受汉官管制……"① 随即成立了隶属于库伦政府的"呼伦贝尔政府"，宣称恢复清时的副都统衙门。

自呼伦贝尔战乱肇始，中国政府即责成东北当局迅速控制局势，一面派员赶往海拉尔，说服、劝谕胜福等人停止叛乱，一面调集军队，准备弹压。

---

① 故宫档案馆：《蒙古起义清方档案》，见中国史学会编：《中国近代史资料丛刊·辛亥革命》第7册，第306页。

1912 年 1 月 20 日，胜福等人接受了黑龙江省官员的劝抚，邀集各旗总管议事，宣布取消"独立"。乌萨蒂得知消息后，对胜福等施以威胁，声言"以后中国欺凌，不再袒助"，并要求立即支付援赠的枪械弹药费用。① 在沙俄的威逼利诱下，胜福等人又推翻取消"独立"的前议。黑龙江官员以呼伦兵备道、呼伦厅等职官由蒙籍官员接任为条件再次劝抚，遭到胜福等人的拒绝。此时，黑龙江当局欲由铁路运送部队，镇压叛军，俄国驻齐齐哈尔、海拉尔领事急忙出面阻挠，称"铁路界内华兵不得与蒙人冲突，铁路运兵，非俄政府特别允许不能照办"，"路界亦不容留道厅官吏居住，限期迫令出站"。②

2 月 2 日，由车和扎带领的蒙旗武装 300 余人和身着蒙古服装的百余名沙俄侵略军突然向驻胪滨府的中国驻军发动进攻。当地驻军在胪滨知府张寿增的率领下奋力还击，经数小时激战，打退进犯敌军，击毙俄国西伯利亚第 15 联队的 1 名军官及 4 名士兵和叛军数十名。2 月 4 日，俄军增调步、炮兵达 800 余人，再次攻打胪滨府。守军因援军不济，兵力众寡悬殊，遂被迫缴械，退出胪滨府。

叛军进兵额尔古纳河上游地区后，沿河各边卡相继失守，呼伦贝尔的局势更趋混乱。3 月，吉拉林一带守军在民众的支持下与叛军作战，曾一度收复吉拉林。4 月，在沙俄的武力威胁下，黑龙江地方当局被迫与叛军达成协议，中国军队撤离额尔古纳河上游地区。至此，呼伦贝尔全境被胜福集团所控制。

胜福集团宣布"独立"之后，即派人前往库伦，呈送表示归附哲布尊丹巴政权的文书。哲布尊丹巴于 1912 年 5 月封授胜福为贝子、呼伦贝尔统辖大臣；封授车和扎为辅国公、呼伦贝尔协办大臣。

对于俄国策动呼伦贝尔"独立"的行径，中国政府多次提出抗议，指斥俄国表面中立，实则怂恿、支持叛军，以致直接出兵与中国驻军交战。俄方宣称其外交官及军队严守中立，反诬中国方面"造谣"。当中国驻俄公使

---

① 程廷恒、张家璠纂：《呼伦贝尔志略·兵事篇》，上海太平洋印刷公司 1923 年版，第 64 页。

② 故宫档案馆：《蒙古起义清方档案》，见中国史学会编：《中国近代史资料丛刊·辛亥革命》第 7 册，第 308 页。

指出俄军伪装蒙兵攻打胪滨府，留有许多证据时，俄国外交官竟以"此事未经查明，尚不能信"为辞，拒不承认。随着俄国支持胜福集团的活动日益公开，俄方态度更为强硬。北洋政府曾筹划出兵收复呼伦贝尔地区，但均因俄方以武力相威胁，强行阻止而未果。俄国驻华公使库朋斯基多次照会中国政府，声称中国政府如若出兵收复呼伦贝尔，俄国则不能漠视不管。1913年11月18日，俄外交大臣沙查诺夫在致库朋斯基的密电中称："如以武力使呼伦贝尔屈服于中国，则过于触犯俄国的利益，我们无论如何不能袖手。"①

呼伦贝尔"独立"后，俄国加紧了对胜福集团的控制，以攫取各种侵略特权。除继续援赠武器，协助训练蒙旗武装外，经乌萨蒂等俄国外交官的活动，俄国道胜银行还借予胜福政权大笔款项。随着呼伦贝尔边界对俄国的自由开放，使得俄国商民享有特殊权益，俄商与胜福政权订立了涉及捕鱼、伐木、采矿、垦殖等多项合同，进一步扩大了俄国对呼伦贝尔地区资源的开发权。

沙俄在胁迫中国北洋军阀政府签署了承认外蒙古"独立"现状的《声明文件》之后，又图谋迫使袁世凯政府承认呼伦贝尔的"独立"。1914年2月，俄国驻华公使向北京政府提出了"恢复中国在呼伦贝尔主权之条件"，主要有"呼伦贝尔仍归蒙官管辖"，须"任命当地人为呼伦贝尔副都统"；"应确认自呼伦贝尔实际独立以来俄国属下之人同呼伦贝尔当局所签各合同"等；并无理重申"我们不容许未经我们参与而决定呼伦贝尔之命运，我们不承认中国政府同呼伦贝尔当局直接缔结之各项协议。"3月，俄国使臣代表胜福政权向北京政府提出了将呼伦贝尔作为"自治区域"；本地长官由当地官吏推举，保留本地军队，本地当局支配"商务及一切进款"；"中国人不得在呼伦贝尔垦地、派驻官吏及驻军"等条件。② 1915年11月，中国政府与俄国政府在北京签订了《中俄关于呼伦贝尔之协定》。其主要内容为：呼伦贝尔为直属中华民国中央政府之特别区域；呼伦贝尔副都统由民国大总统在当地总管等职官中选任，职权相当于行省行政长官巡按使；平时一

---

① 《帝俄与蒙古》，载《国闻周报》第10卷第45期。
② 陈春华：《俄国外交文书选译——关于蒙古问题》，黑龙江教育出版社1991年版，第267—269页。

切军事均由当地旗兵担任；除关税及盐税归中央政府征收外，其他一切税收和各业收入均归本地官府；中国政府承认此前俄国人与胜福政权订立的各种合同。中央政府为维持地方秩序需要派兵进入呼伦贝尔时，必须预先得到俄国的同意。通过这一协定，中国政府虽正式恢复了对呼伦贝尔地区的主权，但实际上仍实行着俄国侵略势力控制下的"自治"。

二、"东蒙古独立"事件

自清末以来，哲里木盟各旗社会矛盾错综复杂，因放垦蒙地、增设地方厅县所引发的民族矛盾日渐严重，局势长期动荡不安。日俄战争后，清廷在恢复对东三省辖制的过程中，果断处理科右前旗札萨克郡王乌泰私借俄款一案，阻断了乌泰与俄国的直接联系。但是，清朝官府代乌泰偿还俄国债务后，要求乌泰援蒙旗出荒办法清偿国债。官府成为科右前旗的新债主后，放垦所得荒银、地租等项收益悉归官府，甚至科右前旗驻洮南、开通、突泉等县治的征租也由县衙直接办理。旗府的收入来源几乎断绝，札萨克的行政权也受到削弱。旗内各阶层都背负着沉重的债务，仅银行利息就使旗民不堪重负，这种状况导致不满情绪的普遍滋长。外蒙古宣布"独立"后不久，乌泰等王公上层即接到以哲布尊丹巴呼图克图名义发布的"劝谕书"，开始了图谋脱离中国"独立"的活动。3月下旬，乌泰委派科右前旗协理台吉色楞旺宝、锡勒图喇嘛布和布彦等3人为"特使"，前往库伦呈递表示归顺的文书。乌泰在该文书中陈述：以哲盟副盟长名义，联合哲盟10旗，举兵响应库伦，归附"大蒙古国"，同时请求给予援助。5月，哲布尊丹巴谕令晋封乌泰为亲王，授色楞旺宝为头等台吉，并拨发俄制步枪1 000余支，子弹50万发。

同一时期，扎赉特旗、科右后旗、郭尔罗斯前旗和郭尔罗斯后旗的王公上层也派出人员赴库伦以示归顺，均得到了库伦方面的封赏和武器援助。

1912年5月，乌泰致函东三省都督赵尔巽，要求减免其所欠大清银行30万两，被赵尔巽严词拒绝。7月，乌泰再次致函赵尔巽，表示愿筹措10万两，请求东北当局代筹20万两，偿还银行本金，免除利息；所欠20万两以放垦旗地，分期偿还。乌泰在信中写道："自国体变更而后，全旗人心异常浮动，兼之库伦独立风潮，到处鼓吹，外人勾引之惯技，不乏虎伥。众旗地产既已尽放，以后之生计毫无希望，虽生犹死，聚众要求，已非一次。"
"况银行之利息日滋日长，将来更无善后之方，甚至产无可破，激则生
变。"① 对于乌泰的请求，东北当局仍未采取积极态度回应。

　　色楞旺宝、布和布彦由库伦返回后，得到库伦方面支持援助的乌泰决意
起兵反叛，遂多次召集旗内僧俗上层密谋起兵"独立"计划。8 月 3 日，乌
泰发布征兵令，派出仕官传令全旗，由旗民中抽取壮丁，自备枪马，定于 8
月 20 日齐集王府，21 日在葛根庙宣布独立。同时，还发文通报科右中旗、
科右后旗、扎赉特旗王公，约期一同举事。

　　8 月 16 日，乌泰正式发布文告，声称奉"大蒙古国皇帝"哲布尊丹巴
的谕旨，勒令"各该地方官以及伍营束装归里"，并致函洮南知府，通告已
归附库伦政府，要求其仿照库伦办事大臣三多"束装回省"。②

　　1912 年 8 月 20 日，乌泰发动数千本旗武装如期起兵，以锡勒图喇嘛布
和布彦、葛根呼图克图、嘎钦喇嘛等为各路叛军统领、指挥，分路向洮南府
城及各县衙、村镇发动进攻。为鼓舞士气，便于指挥崇信黄教的蒙旗兵丁，
乌泰等利用活佛喇嘛进行煽动宣传，宣称有"神佛保佑"、"天兵天将开
道"，还声言外蒙古库伦政府将派兵支援，俄国提供武器援助。同时发布
《告示》，宣布东蒙古"独立"："自中国革命、库伦独立以来，本郡王严守
中立，并不附和活佛，但求保全本旗之权利而已。近察中国情形，既废孔
教，又主张在蒙古殖民。孔教一废，佛教何能保存？蒙人向以畜牧为业，中
国若来殖民，是夺蒙人之生计。以上两事，皆于蒙古有绝大影响，是蒙人未
享共和之福，而先受共和之害。本旗喇嘛及蒙民等一再会议，坚请宣告独
立，万众一心，屡次要求。适值库伦大皇帝派员前来宣布德意，又得某国许
允接济军火，鼎力协助，是以宣告独立，与中国断绝交通。此为保全蒙古权
利起见，别无他意。"③ 科尔沁右翼后旗札萨克喇什敏珠尔，是乌泰发动叛
乱的主要追随者。接到乌泰约期举事的通报后，即在本旗征调兵丁 500 余

---

① 《平定乌泰叛乱往来电文选》，见《近代史资料》总第 88 号，中国社会科学出版社 1996 年版，
第 42 页。

② 内蒙古档案馆：《关于"乌泰事件"档案选录》，载《内蒙古档案史料》1993 年第 3 期，第 10 页。

③ 《盛京时报》1912 年 9 月 10 日。

人，准备进兵镇东。8 月 20 日，在协理台吉乌尔塔指挥下，数百蒙兵向镇东县城发起攻击，城内部分蒙古籍士兵纵火策应，县知事率部分官兵未作抵抗即突围，逃往白城子。

此后，哲里木盟北部各旗随清末新放垦而设治的汉族聚居区相继陷于战乱之中。蒙旗武装在洮南、靖安、开通、醴泉、安广、镇东、大赉等府厅县大肆兴兵，还在葛根庙、瓦房、嘎钦庙等地建立了屯兵据点，一些村屯遭到焚掠，部分无辜商民被杀伤。

乌泰等人开始密谋起兵响应外蒙古"独立"不久，东北当局和北京政府就已得到了探报。后又获知科右前旗和扎赉特旗派代表赴库伦的具体情况。洮南知府受命通知乌泰，要求对私赴库伦者予以惩戒。当乌泰与各旗联络约定举兵日期时，醴泉县和洮南府军政官员还得到了准确情报。7 月初，北京政府密电东三省都督及热河都统，要求增派军队进驻蒙旗境内各府州厅县，随时准备以重兵镇剿。奉天都督赵尔巽、吉林都督陈昭常、黑龙江都督宋小濂及热河都统昆源，均分别部署实施了调兵进驻蒙旗沿边地区的计划。驻辽源的奉天后路巡防队统领吴俊升于 8 月 17 日率部移驻洮南。东三省当局及各有关府县得悉乌泰蓄谋起兵的消息后，在不断派人赴蒙旗了解情况打探确切情报的同时，还一再进行劝抚。乌泰初时否认有"异志"行为，后来则直言归附库伦，严词拒绝劝抚。吴俊升进抵洮南后，又派员会见乌泰，多次说服，但乌泰仍坚持己见。8 月 20 日，战端开启。北京政府国务院致电奉天、吉林、黑龙江 3 都督，正式下达了镇压蒙旗"独立"的命令。

吴俊升部进抵洮南以后，奉天后路巡防队各营、右路巡防队各营和北洋新军第 20 镇一部，约 8 000 余人陆续分路开进科尔沁右翼 3 旗南部各县境内，并立即向蒙旗武装开战。与此同时，吉林、黑龙江两省军队也开进了郭尔罗斯前后 2 旗、杜尔伯特旗和扎赉特旗境内参战。

8 月 25 日，科右后旗蒙兵攻占镇东，吴俊升急命万福麟等率 600 余骑连夜驰往救援，击溃蒙兵。同日，乌泰率众大举围攻洮南城，吴俊升指挥各营分别将其击溃，解除了洮南之围。其他各路政府军先后在洮南以西窑基屯、白虎店，安广境内新庙、包省屯等地击败科右前、科右后两旗蒙兵。

9 月初，吴俊升重新部署兵力，分五路由洮南、安广、醴泉发起全面反攻，并直抵科右前旗。经在瓦房、葛根庙、台力伯屯等地的激烈战斗，乌泰部众不敌政府军，终致四散溃败。科右前旗战事基本结束后，吴俊升主力又开入科右后旗进剿。9月18日，在黑龙江都督宋小濂部的协助下，奉军攻占喇什敏珠尔的镇国公府。喇什敏珠尔、乌尔塔等率残部脱逃。

奉军在科尔沁右翼两旗作战时，驻吉林新军一部打出"征蒙军"旗号，进入郭尔罗斯前旗境内，包围该旗札萨克辅国公、哲里木盟盟长齐默特色木丕勒府邸。曾图谋起兵响应"独立"的齐默特色木丕勒迫于重兵围困，只得表示屈从，并愿以盟长名义劝谕各旗王公归顺民国政府。

乌泰发难后，扎赉特旗也曾下令征调兵丁，组织武装，但并未实际起兵响应，同时也未接受黑龙江省方的劝抚。8月末，宋小濂部进兵包围贝勒府，挟持该旗札萨克贝勒巴德玛拉布坦及其执掌旗政的庶母，还利用杜尔伯特旗阿穆尔沁格勒图喇嘛、伊克明安公巴勒济尼玛等前来规劝。9月初，巴德玛拉布坦等被迫接受劝抚。嗣后，其母子及主要旗内仕官在政府军"护送"下前往省会齐齐哈尔。9月12日，扎赉特旗正式宣告撤销"独立"。

至9月末，乌泰等人发动的"独立"动乱已被基本平定。交火中，双方死伤近千人，死于战乱的各族群众达数千人，被毁房屋无数，10余万人流离失所。参与镇剿的各路部队在蒙旗采取了残酷报复手段，滥杀无辜，大肆抢掠蒙古族各阶层的财物和庙产，一些出身土匪的官兵乘机作恶，造成严重祸患。科右前旗、科右后旗破坏尤为严重，"自乌泰肇乱后秩序荡然，宅舍被毁十之八九，其仅存者又复空无所有。居民避窜，道无行人，种植未收，牲畜靡留。"[①]

乌泰起兵期间，俄国曾计划向蒙旗武装提供武器援助，由满洲里运入各类枪械、弹药。但尚未运到目的地时，乌泰部众大多已经溃散。库伦政府也曾派出以陶克陶胡为首的一支部队支援乌泰，然而到达外蒙古达里冈崖时，战事已基本平息。

乌泰兵败后，偕其亲随家眷乘夜经王爷庙逃入索伦山，为躲避奉军的追

---

① 田志和、冯学忠：《民国初年蒙旗"独立"事件研究》，内蒙古人民出版社1991年版，第160—161页。

剿，辗转抵达呼伦贝尔。11 月，乌泰由俄国军队保护，乘西伯利亚火车到达库伦。后任哲布尊丹巴政权的"刑部副大臣"。[①] 喇什敏珠尔败逃索伦山后，也途经昭乌达盟北部和锡林郭勒盟乌珠穆沁旗境流亡外蒙古。跟随乌泰、喇什敏珠尔逃入索伦山的几万蒙古族难民，除部分北入呼伦贝尔，部分南逃昭乌达盟北部，仅由黑龙江省入山招抚官员遣令回籍者即达 2 万余人。

1912 年 10 月 7 日，北京政府正式革除乌泰、喇什敏珠尔和另一投附库伦的科左后旗闲散辅国公那逊阿尔毕吉呼职爵。

三、开鲁之乱

1912 年 7 月间，昭乌达盟扎鲁特左旗协理台吉棍布扎布、掌印梅林阿呢杨噶、领兵梅林土们乌勒吉等迁往库伦，表示归顺，受到了哲布尊丹巴的封赏，并得到了部分武器援助。此时，已投附库伦的哲里木盟科左后旗辅国公那逊阿尔毕吉呼到昭乌达盟，游说各旗王公、喇嘛，鼓动响应外蒙古"独立"，得到了棍布扎布和土们乌勒吉、阿呢杨噶等人的积极响应。乌泰兵败后，扎鲁特左旗札萨克贝勒、昭盟副盟长林沁诺依鲁布对起兵态度消极，犹豫不决。棍布扎布等则于 11 月 19 日挟持了林沁诺依鲁布及华盛阿等旗府官员，纵火焚烧了王府，宣布"独立"，投附库伦。

此时，哲盟科右 2 旗溃兵和逃难蒙众数百人进入开鲁、绥东 2 县境内，与棍布扎布等人所率的两支队伍会合，邻近各旗蒙古族各阶层也前来附和，聚集了千余人众。他们逐杀汉族官员，抢掠商民。因扎鲁特右旗札萨克郡王多布柴不愿附和，其府邸遭到劫夺。多布柴逃往开鲁县。战乱从扎鲁特 2 旗迅速蔓延，阿鲁科尔沁旗、巴林旗、奈曼旗以至哲盟科左中旗等地都先后陷于动乱之中。11 月 5 日，棍布扎布率众占据开鲁县以东哈拉毛刀，击垮县城防队，包围了县城。城内部分官兵乘危抢掠商铺、难民，秩序大乱。11 月 11 日，知县钟元率亲随卫队出逃，途中残杀无辜蒙古族男女 30 余人。12 日，开鲁城破。棍布扎布入城后，大肆烧杀抢掠，致使县街商铺成为一片焦土，城外许多村屯也陷于极度混乱中。

---

① 1915 年外蒙古撤销"独立"后，乌泰返回内蒙古。袁世凯下令恢复其爵职，并聘为总统府军事顾问。此后，乌泰长居北京，于 1920 年病故。

开鲁被占据后，绥东、建平、朝阳、赤峰等地相继告急。北京政府急令热河都统昆源等调兵平乱。奉天后路巡防队吴俊升所部、驻奉天陆军第28师冯德麟部、毅军米振标部和热河防军等大批政府军开入昭乌达盟境。在各路大兵围剿下，蒙旗武装纷纷败退。11月28日，吴俊升部猛攻棍布扎布根据地扎鲁特左旗嘎海庙，遭蒙兵殊死抵抗。经彻日激战，蒙兵不支，官军乘势进占嘎海庙。12月1日，棍布扎布、土们乌勒吉等见势难以抵挡，遂放弃开鲁，率余部辗转退入外蒙古。

开鲁之乱历时约两个月，使蒙汉民众再次遭受巨大灾难。死难者多达2 000余人。适值当年"岁景歉收，哀鸿遍野……饿毙冻死者指不胜屈"[1]。而军纪弛废的军阀部队肆虐，为害更烈。当年，即有开鲁县汉族居民向民国政府呈文控诉官军"蹂躏之祸，更甚于匪。……故民之痛恨于兵，尤切痛恨于匪。……哀我烝民既遭蒙匪之害，又受大兵之惨，万民何辜，罹此荼毒?"[2]

四、贡桑诺尔布等人谋划的"独立"活动

卓索图盟喀喇沁右旗郡王贡桑诺尔布，与许多颟顸守旧的蒙古贵族不同，是一位有见识的开明王公，具有强烈的民族意识，以追求蒙古的自强复兴为使命。承袭札萨克后，即积极整顿旗务，实行诸多改良措施。首先，禁停了其父生前热衷的戏曲，遣散伶人和奴婢；又在王府内建立学校，招募儿童，延请教师讲习知识。辛亥革命爆发后，贡王为挽救清朝灭亡曾极力奔走，同时也在探索新的出路。

1911年12月，外蒙古宣布"独立"。贡桑诺尔布和哲里木盟科尔沁左翼前旗札萨克棍楚克苏隆等人前往俄国拜访俄国驻华代办谢金，探询俄国对"内蒙古独立"的态度以及可能给予的援助。俄国方面答复称：俄国对内蒙古表示同情，但因地理原因，不能给予援助，俄国的援助只限于外蒙古。贡桑诺尔布等遂转而向早已有较密切联系的日本方面寻求援助。经日本著名浪人川岛浪速牵线，结识了日本外务大臣内田康哉、参谋本部军官福岛安正等

---

① 中华民国国务院编：《中华民国政府公报》1912年12月第258号，"公文"。
② 《盛京时报》1913年2月19日。

军政要员，并以喀喇沁右旗常年租赋做抵押从日本正金银行借款 2 万两。1912 年初，清帝行将退位，贡桑诺尔布向日本方面表示：蒙古成为中国的一部分，只是由于将清朝奉为"正朔"，与中国本身并无关系。如今清朝已灭亡，蒙古当然应脱离中国"独立"。但由于蒙古没有实力，只能在日本的援助下实现独立。

1912 年 1 月 29 日，贡王与川岛浪速在北京秘密订立"契约书"，拟以贡王为首，联合内蒙古各旗，组成一个团体，统一掌管一切军政大事；为此目的，须首先在喀喇沁右旗组建优势兵力，然后逐步将各王公联合起来；川岛将尽全力协助达到这一目的，并负责筹措所需武器和军费；贡王请川岛为"总顾问"，参与协商一切军政要事；该团体组成后，如受到他国"侵逼"而难以自卫，须首先寻求日本帝国的援助，并且须同日本建立"特别良好"的关系，保证维护日本人实业计划在内蒙古的实行。①

3 月初，贡王代表卓索图盟 5 旗，以全盟所有矿产做抵押，得以从天津日本大仓洋行获得 9 万日元贷款。该项贷款名义上用于保卫地方，实际则为从日方购买武器弹药。出于同样目的，宾图王棍楚克苏隆和巴林郡王扎噶尔也分别获得了日方的 10 万和 2 万日元贷款。

贡桑诺尔布等人不惜出让所属盟旗的诸多权益，意在换取日本对"内蒙古独立"的支持和援助，试图通过"独立"，保留和维持原有的贵族领属制度和特权，维护蒙古民族原有的种种权益。而日本侵略势力的目的则是利用和操控贡王等蒙古上层以及清室肃亲王善耆等为首的"宗社党"，在东北和内蒙古发动"满蒙独立运动"，乘中国局势动荡之机吞并东北和内蒙古地区。

1912 年 3 月，贡桑诺尔布由北京返回喀拉沁旗后，立即召集贵族和仕官开会，宣布了起兵发动"内蒙古独立"的主张和计划，但未得到大多数官员的积极响应。不久，贡王又到赤峰召集卓、昭及哲里木 3 盟王公上层及其代表，提出了联合发动"内蒙古独立"，或加入"大蒙古国"哲布尊丹巴政权的动议，但与会者顾虑重重，态度消极，会议未取得任何结果。4 月，贡王委派管旗章京朝克巴达尔呼和商卓特巴喇嘛色尔济扎木苏，前往库伦，向"大蒙古国内务总理衙门"呈递了表示归顺哲布尊丹巴政权的文书。赤

---

① ［日］葛生能久：《东亚先觉志士记传》（日文）中卷，黑龙会出版部 1935 年版，第 325—326 页。

峰会议之后，他又派出达喇嘛罗布桑车珠为代表赴库伦进一步联系。由于贡桑诺尔布在内蒙古的地位和影响，罗布桑车珠受到库伦方面的重视。哲布尊丹巴任命贡桑诺尔布为统管内蒙古 6 盟 49 旗的"内蒙古大臣"。

巴林右旗札萨克郡王扎噶尔于 1912 年初即同贡桑诺尔布相约起事，共谋"内蒙古独立"。同年 4 月，川岛浪速委派日本退役军官木村直人等偕同扎噶尔离开北京，返回巴林右旗。5 月，扎噶尔开始征调本旗丁壮编成军队，由日本教官负责训练，拟在半年内编练 3 个中队，每队 300 人，为起兵"独立"作准备。

6 月间，贡王秘密派遣 2 人按约定的时间、地点接运从日方购买的武器弹药。当他们在南满铁路铁岭车站接货时，负责押运的日本退役军官松井清助等却将武器运到公主岭车站卸下，装入印有"东蒙古开垦用农具"字样的木箱内，分载于 10 余辆牛车，沿西辽河以北运往巴林旗方向。车队行至哲盟科左中旗达尔罕王府（今舍伯吐镇）以北塔库夏堡时，被奉军吴俊升部截获。由于这批武器弹药被政府军截获，贡桑诺尔布等人酝酿"内蒙古独立"的图谋意外败露，起兵计划遂告流产。积极准备兴兵举事的巴林郡王扎噶尔等人也不得不偃旗息鼓。

1912 年 9 月，受挫的贡王不甘失败，又召集热河各旗王公和相邻各县士绅举行联席会议，提出在热河境内实行自治的倡议。热河都统熊希龄得知贡王举动后，立即电告袁世凯请示消弭办法。不久，北京政府任命贡桑诺尔布为新成立的民国政府蒙藏事务局总裁。在袁世凯多次来电催促下，进退维谷的贡王不得不进京赴任。10 月，北京政府又以"效忠民国"名义嘉奖贡王，并由郡王晋封为亲王。此后，贡王长居北京，任蒙藏事务局及蒙藏院总裁达 16 年之久。

棍楚克苏隆于 1912 年初回到本旗后，即召集贵族和仕官商讨起兵"独立"计划，但未能得到积极响应，邻近各旗王公上层也少有附和者。是年 6 月，棍楚克苏隆偕几名亲随，乘火车取道哈尔滨，又经呼伦贝尔前往外蒙古，投附库伦政权。途中受到俄国方面的款待和庇护。棍楚克苏隆虽被哲布尊丹巴政权委任为副总理大臣，但一直情绪低落，对前途甚感失望。他曾从库伦致电东三省屯垦局，申明自己是以"私人资格"赴外蒙古，并表示不久即返回本旗。1915 年春，棍楚克苏隆在库伦突然死亡。

第 四 章

北洋军阀政府统治时期的内蒙古

第一节 北洋政府对内蒙古的政策及措施

一、羁縻笼络王公上层

1912 年 3 月，袁世凯就任中华民国临时大总统，北洋军阀确立了对全国的统治。对于内蒙古，北洋政府出于稳定局势的需要，仍沿袭清朝羁縻抚绥政策，极力笼络蒙古王公上层，通过承诺保留蒙古封建主继续享有特权，维持蒙古地区旧有秩序，消除蒙古封建主对民主共和的恐惧心理和抵牾态度，避免因新旧政权的交替而导致人心浮动，以巩固其统治。

袁世凯就任临时大总统的当天，即致函蒙古王公联合会，对在京蒙古王公给予安抚，并拨款 1 万元，以示慰问。嗣后又发布政令，劝谕蒙藏各族赞助共和，拥护民国。4 月，批准在京设立"蒙藏统一政治改良会"。不久，又支持成立"五大民族共和联合会"，内务部长赵秉钧为该会总理。同时，通过驻京蒙古王公对宣布"独立"的哲布尊丹巴政权进行劝抚。

以那彦图、阿穆尔灵圭等人为代表的驻京蒙古王公在清朝覆亡的情势下，不得不投靠袁世凯，成为第一批拥护民国的蒙古封建主。他们利用自己的身份和地位，开始谋求民国政府以法令的形式正式承认、继续保留蒙古原有贵族特权统治体制和自主权益。1912 年 4 月 6 日，以那彦图、阿穆尔灵圭为首的蒙古王公联合会，拟具了"蒙古特别待遇"11 项要求条件，提请民国政府议决。其内容为：

"一、嗣后各蒙古均不以藩属待遇，应与内地一律，中央对于蒙古行政机关亦不用理藩、殖民、拓殖等字样。

二、各蒙古王公原有之土地统辖治理权，一律照旧。

三、内外蒙古汗、王、公、台吉世爵各位号，应予照旧承袭，其在本旗享有之特权，均照旧无异。

四、唐努乌梁海五旗，阿尔泰乌梁海七旗，原系副都统及总管治理，应就原来副都统及总管承接职任之人，改为世爵。

五、蒙古各地胡图克图、喇嘛等原有封号，概仍其旧。

六、各蒙古外交之国际交涉及边防事务，均归中央政府办理。其交涉、边防，如遇交涉地方重要事件者，随时由中央政府交蒙古该地方行政机关参议，允□然后施行。

七、蒙古王公世爵俸饷应从优支给。

八、从前在蒙古所设之官，如将军、都统、办事大臣、参赞大臣等一律裁撤，凡蒙地由中央政府另设行政之机关，专以蒙古世爵、人民治理，其以下之职掌五族人通用。

九、察哈尔八旗原系游牧之地，及上都牧群、牛羊群地方，可为蒙古王公筹划生计。至已开垦设治之处，除设治照旧外，其所入租赋亦划归筹划王公生计之用。

十、蒙古人通晓汉文者，及入各项学堂毕业者，均得任用内地京外文武各职。

十一、以上各条系属大纲，此外未尽事宜，俟后国会召集再行提议。"①

上述各项"条件"的主旨是：要求民国政府不再将边疆地区视为藩属，同时要保障清时外藩蒙古所享有的特殊地位和待遇，以与内地享有同等地位和待遇；要求维持并增加和扩大蒙古原有自主自治权益，特别提出撤销凌驾于各盟旗之上的将军、都统、大臣；将"内属蒙古"察哈尔的垦地租赋也拨归蒙旗；反对继续在蒙古放垦、设治。

袁世凯接到"要求条件"的呈文后，即交参议院讨论。参议院将原件

---

① 转引自日本外务省外交史料馆藏档案：《蒙古联合会提出蒙古特别待遇要求文件》。

删削修改后，更名为《蒙古待遇条例》，于 8 月予以通过并正式公布。参议院将第二条中的"土地统辖治理权"改为"管辖治理权"；第六条之"中央政府交蒙古该地方行政机关"改为"中央政府交该地方行政机关"，如此改动，表面无关宏旨，实际上意在不承认蒙旗原有的行政权和传统土地所有权，为日后在内蒙古的设治和开垦增添了依据。在全盘保留王公上层封建特权的同时，对于有关撤销将军、都统等封疆大吏、维护蒙古民族自主权益等项要求的内容进行了删除。

当大批政府军奉调镇压乌泰等人的叛乱之际，北洋政府公布了《蒙古待遇条例》。同年 9 月 20 日，袁世凯又颁布了《加进实赞共和之蒙古各札萨克王公封》的"大总统令"，称"……现在边事未靖，凡效忠民国、实赞共和之蒙古各札萨克、王公等均属有功大局，允宜各照原有封爵加进一位。汗、亲王等无爵可进者，封其子若孙一人，以昭荣典……"[①] 而在此前，袁世凯对未追随乌泰叛乱的科右中旗札萨克土谢图亲王业喜海顺等一批王公均加进爵衔。同时还对部分拥护"共和"，不属王公札萨克的贵族上层也封授世袭爵位。这些"恩威并施"的手法，使一些曾经对民国持抵制和观望态度的蒙古王公纷纷投附在袁世凯的旗下。至 1915 年，在外蒙古"独立"时期赴库伦的内蒙古王公除少数外，大都陆续回归，也受到民国政府的优遇。民国政府对黄教上层人物也给予了优厚待遇。是年 10 月，章嘉呼图克图、甘珠尔瓦呼图克图赴京晋见袁世凯，均得到了加封名号和 1 万两银的赏赉。

二、加强军政统治

袁世凯当政后，从中央到地方都加强了统治内蒙古的军政设施。1912 年 5 月，设立蒙藏事务处；7 月，改为隶于内阁总理的蒙藏事务局。1914 年 5 月，援清朝礼藩院建制，将蒙藏事务局升格为蒙藏院，直接隶属大总统，管理边疆事务。此外，还沿用清廷的年班、燕赉制度，以加强对蒙古封建主的笼络和监督。并仿照前清宫廷侍卫制度，专门为在京的蒙古王公设立翊卫处作为总统府内设机构。

1912 年 10 月，哲里木盟 10 旗王公会议在长春召开。在会议中，北京政

---

① 内蒙古自治区档案馆藏北洋政府蒙藏院档案，编号 440—13。

府方面提出了 10 条议案，其主要内容为：各蒙旗须悬挂中华民国国旗，遵守民国法律；各旗施行新政，向外国借贷，须经中央政府批准；不得私购武器，不得将产业抵押给外国；国家派兵驻蒙边要隘。蒙旗方面也提出了保全原属领地、自由练兵；"征蒙军"撤出各蒙旗，并赔偿蒙人在战乱中的损失；承认已放垦之地，但不得再行开垦；不得设立行省等 6 条要求。政府方面仅对赔偿损失一项予以批准。此外，与会王公还签署了《取消库伦独立劝诱书》，发出了拥护共和的通电。① 自此，哲里木盟 10 旗正式归顺民国政府。

同年 10 月，乌兰察布、伊克昭 2 盟王公札萨克在新任绥远城将军张绍曾的武力胁迫下，召开了王公会议。在预备会议上，张绍曾将拟定的《西盟王公会议条件大纲》5 款 18 条提交各王公、代表审议。"条件大纲"的要点为：拥戴共和；不承认外蒙古独立和《俄蒙协约》；请兵保护西盟要地；振兴蒙民教育；开垦、伐木、采矿、筹划蒙民生计等。两盟盟长和大部分札萨克强烈反对开垦、砍伐林木等侵害蒙旗权益的条款，要求删改"条件大纲"，但遭到政府方面严词拒绝。

1913 年 1 月，两盟王公会议正式召开。会上通过了《西盟王公会议条件大纲》，王公联名通电声明"不承认俄库条约"。② 会后，张绍曾依袁世凯意图，安排部分王公前往北京，觐见大总统。

1913 年 10 月，北洋政府为进一步稳定东蒙古局势，在长春再次召集了哲里木盟 10 旗王公会议。政府代表、蒙藏事务局副总裁荣勋在会上传达了袁世凯对蒙古王公的几条要求，即今后绝不允许私借外债，不得受俄国煽惑，保持蒙旗稳定。北洋政府方面提出的议案要点为：改内蒙古为行省，征收通行货物税及家畜税，移民开垦，开采山林和矿产。蒙古王公则提出了改设蒙藏部；蒙境所收税款应拨归蒙旗；蒙汉诉讼时应有蒙员陪审，以防地方官偏袒汉民等项议案。因与会王公在设立行省、移民开垦等涉及蒙旗权益的问题上，与政府代表分歧过大，除进行了激烈争辩外，会议未能解决任何实质性问题。

---

① 中华民国国务院编：《中华民国政府公报》1912 年 12 月 25 日。

② 西盟王公会议招待处编：《西盟会议始末记》，商务印书馆天津印刷局 1913 年印刷，第 41—43 页。

1914 年 7 月，袁世凯颁布政令，正式将原驻防将军都统统辖区绥远、热河、察哈尔改设为准省级的地方行政建制特别行政区。都统下分设热河、兴和、绥远道尹，治理民政，兼理蒙旗事务。同时公布《都统府官制》，明确规定："都统统辖所部军队，管理该管区域内军政、民政事务。"其各自的辖区为："热河都统管辖热河道，及卓索图盟、昭乌达盟"；"绥远都统管辖绥远道，及乌兰察布盟、伊克昭盟"；"察哈尔都统管辖兴和道，锡林郭勒盟，及察哈尔左翼 4 旗、察哈尔右翼 4 旗各旗牧厂，达里冈崖、商都各牧厂地方。"①

热、察、绥 3 特别区的划设，标志着内蒙古各盟旗被分别划入省级地方行政区域之内，由地方军阀辖制。此举使内蒙古统一的民族区域被强行分割，盟旗的地位受到削弱，其传统的自治性权益特别是土地所有权遭到严重削夺。

北洋军阀统治时期的内蒙古，经济凋敝，民不聊生。沉重的赋税、兵差，导致一些破产农民流离失所，纷纷铤而走险，沦落为匪。1915 年，丰镇隆盛庄人卢占奎在绥北啸聚匪众，称"独立队"。自此，绥远匪患泛滥，社会更加动荡不安。潘矩楹、蒋雁行等任都统时，在剿匪方面缺乏有效办法，却对民众中反对军阀统治的言行采取严厉手段。1913 年袁世凯解散国会众、参两院后，同盟会员、北京众议院议员王定圻回到归绥，任归绥中学校长。他创办《一报》，抨击袁世凯的专制独裁，宣传民主思想，并与云亨、经权等人密谋联络革命党人，策划武装反袁。后因计划泄露，王定圻被捕，于 1916 年遭杀害。经权也被逮捕监押。云亨奔走山西，后被阎锡山逮捕，解往北京。袁世凯死后，二人方被释放。

三、大肆开垦蒙旗土地

大兴蒙旗垦务是北洋军阀对内蒙古实行经济掠夺的主要方式。为推进垦务，民国政府于 1914 年公布了《禁止私放蒙荒通则》《垦辟蒙荒奖励办法》。次年，蒙藏院又制订公布《边荒条例》，进一步扩大了清末放垦蒙地政策及有关规定。《边荒条例》规定："凡蒙、藏、青海等处暨热河、察哈

---

① 《中国大事记》，载《东方杂志》第 11 卷第 2 号。

尔、绥远城、东三省、新疆以及陕甘、四川边外开放荒地，均依此条例办理。"其他具体规定主要有：拟开垦区域"如系蒙、藏、回游牧地段，由该札萨克呈请蒙藏院转呈大总统核准开办"，"同时亦须呈该地方长官备案"；"凡放荒之处须责成附近县署办理"。"……所收荒价半归国家、半归该旗，由放荒县署和荒务局征收，分解分交"；"所收大小租应解国库若干，应分给该旗若干，亦照该地向例办理"。①

此类"通则"、"办法"、"条例"的主旨是：蒙旗放荒须报经中央批准，由政府出放；各蒙旗凡愿报垦、招垦、领垦蒙荒者给予各种形式的奖励；蒙古游牧地带亦属放垦范围，所收荒价民国政府与蒙旗均分，等等。自此，北洋政府控制了放垦蒙旗土地的大权，并将放垦蒙荒的范围扩大到所有蒙古族聚居区域。蒙垦方针确定后，内蒙古境内各地方当局、各路军阀、官僚争相开垦蒙荒，通过移民招垦和军队屯垦的方式，扩充实力，聚敛财富，以远远超过清末蒙垦的规模和速度兴起了开垦的浪潮。

在绥远地区，民国政府派驻绥远的历任都统如直系军阀蔡成勋、西北军阀马福祥等，都通过清丈地亩，捞取巨额清丈费，兼并了大量土地。蔡成勋在任职3年多时间内，即清丈放垦土地多达51 600余顷（1顷=6.6667公顷）。马福祥更是"大肆进行搜刮，兼并了大量土地。从昭君坟到陶乐县（属宁夏）将近两千里的地区，马家的土地不计其数，仅后套兰锁一地即有数十万亩。"在其任期内又新放土地19 000余顷。②冯玉祥的国民军驻绥远期间，也以优惠待遇招徕大批移民，将开垦蒙旗土地作为解决军饷的主要途径。在不到两年的时间里，就放垦土地36 000余顷，征收荒价162万元。③1926年，晋系军阀阎锡山占领绥远地区后，更是变本加厉，在大兴蒙垦的同时，制定了《清理积欠荒租办法》和《整顿荒租处分规则》，以土地"归公"胁迫蒙旗，限令缴清民欠荒价岁租。

在东部内蒙古，奉系军阀张作霖、吴俊升等人不仅以威胁利诱的手段迫

① 《边荒条例》，中国第二历史档案馆藏北洋政府蒙藏院档案，编号1045—505。
② 张寄亚、王有禄、刘柏石：《马鸿逵在宁夏》，见政协全国委员会编：《文史资料选集》第27辑，中华书局1962年版，第64页。
③ 绥远通志馆编纂：《绥远通志稿》卷22，1930年成稿，1971年缮清本。

使东蒙王公"放荒"，强行租占、开垦蒙旗大片牧场，还以武力将众多牧民逐出原牧地。1916 年，张作霖强迫哲里木盟科左中旗放垦辽河两岸土地 4 000 余方，[①] 其子张学良及鲍贵卿、冯麟阁等人即圈占了 1 000 余方。1922 年，张作霖已占有通辽以西沃土 2 800 余方。吴俊升于 1924 年强行租占科左后旗土地 4 000 余垧（1 垧≈1 公顷）。杨宇霆、邹作华、孙烈臣等一批军阀头目也在放垦过程中占有了大片蒙旗土地。1924 年，张作霖制定了《内蒙开垦大纲》，拟设立屯垦专局，采取移民招垦或驻军屯垦的方法，进一步对蒙旗土地进行有计划地掠夺。

在官放蒙地过程中，地方军阀往往仗恃强权，滥垦滥放，侵吞按规定应拨归蒙旗的荒价地租，最大限度地攫取利益。奉系军阀在放垦科左中旗土地时，即"越界侵丈"、"任意收价"，将"所有大段荒地竟自倒卖"。[②] 在伊克昭盟达拉特旗的放垦过程中，蒙古王公按规定应得的押荒银及荒租，"概被该地当局（指垦务局）挪用于军费、行政费。据垦务局最近报告，挪用额已达 30 余万元。蒙古王公催收不获，大为懊恼"[③]。

在察哈尔特别区，自 1915 年起陆续增设了宝昌、康保、商都等县，开垦之风随之大盛。与之相邻的锡林郭勒盟，此时因受到放垦浪潮蔓延的威胁，急忙上呈北京政府，申明"本盟向无开荒之地，且不宜辟荒"，要求"请勿将该盟各旗加入院定蒙荒条例内"。[④]

在开垦蒙旗土地的过程中，一些内地移民也得以暴富。如清末即已在河套从事开垦的河北移民王同春，至民国时期已成为占有良田数万顷，并拥有私人武装的豪强巨富。

滥垦狂潮的冲击，使蒙古族再次遭受深重的灾难。"垦地日广，牧场益狭……蒙官之权力渐失，蒙民之生计日蹙。"[⑤] 大批牧民为"避垦"而被迫迁徙，或不得不放弃牧业，转而从事所不擅长的定居农业，导致贫困化的进一步加剧。为抵制开垦，在京蒙古族各阶层人士及学生曾多次示威请愿，均

---

① 方：近代东北地区土地计量单位。每方为 1 平方华里，合 375 亩。
② 内蒙古自治区档案馆藏北洋政府蒙藏院档案，编号 440—33。
③ 《察绥两特区之开发》，《中外经济周刊》1926 年 3 月第 155 号。
④ 中国第二历史档案馆藏北洋政府蒙藏院档案，编号 1045—509。
⑤ 马福祥编：《蒙藏状况》，蒙藏委员会 1931 年印刷，第 13 页。

无结果，各地牧民也不断举械反抗，屡遭军阀武装的残酷镇压。同时，大规模的放垦和移民设治，严重影响了蒙古王公土地所有权和领地治理权的行使，其原有的经济利益遭到侵夺，因而也造成了蒙古封建阶级与北洋军阀集团及汉族地主阶级间的矛盾。

第二节　日本侵略势力在内蒙古的扩张

一、日本在内蒙古权益的扩大

1912 年 7 月，俄国与日本为了进一步调整和确定在中国东北和内蒙古的"特殊利益范围"，两国政府经讨价还价后，又在彼得堡签订了第三次《密约》。《密约》规定，将 1907 年第一次密约确定的势力范围分界线西端，即"洮儿河与东经 122 度相交之点"，向西北展长至"沿黑龙江省与内蒙古之边界直至内外蒙古之边疆"；并进一步沿东经 116 度 27 分（约为北京—多伦—贝子庙一线），将内蒙古划为东、西两部分，明确划分了两国的势力范围。第一次世界大战爆发后，俄日两国又于 1916 年 7 月签订了第三次协定和第四次密约，进一步重申前 3 次密约"所缔结之忠诚友谊关系"，规定双方共同"保卫"彼此在远东、中国的"领土权利或特殊利益"；如果一方的权利和利益受到危害，两国将共同协商、相互协助或合作；若一方为此而与第三国宣战，"一经请求"，另一方"即须援助"，并且"在未得彼此同意之先，不得单独媾和"。[①] 再次确认双方在包括蒙古地区在内的远东、中国划分的势力范围。但此时的俄国因陷于战争泥淖，在中国的侵略势力日渐萎缩。1917 年，俄国爆发十月革命，沙俄对中国的侵略渗透终告结束。

辛亥革命以后，特别是第一次世界大战爆发和俄国十月革命之后，日本已成为头号侵华列强。对所谓"满蒙"即东北和内蒙古地区，日本也效仿沙皇俄国，乘中国政局动荡之机，一方面通过外交途径，胁迫中国政府，极力攫取利益，另一方面，纠合满洲亲贵宗社党和部分蒙古王公上层，从事"独立"、"自治"活动，以此作为扩张其侵略势力的手段之一。

---

① 王芸生：《六十年来中国与日本》第 6 卷，三联书店 1980 年版，第 5—6 页。

1913 年 10 月，日本以承认中华民国为条件，胁迫北京政府签署了《铁路借款预约办法大纲》（又称"满蒙五路借款合同"）。《大纲》规定，中国政府借用日本资本敷设四平经郑家屯至洮南、长春至洮南等 3 条铁路，并承诺将来修筑洮南至承德等 2 条铁路，也首先商借日资。通过这一《大纲》，日本侵略势力以合法面目进入内蒙古，开始其资本输出、控制内蒙古经济命脉的罪恶活动。

1915 年 1 月，日本乘西方列强无暇东顾之机，向袁世凯政府提出了妄图独占中国的"二十一条"要求。在有关内蒙古的条款中规定，日本人可在东部内蒙古经商建厂及耕作，可获得采矿权、土地租借权和所有权；中国政府如准许他国在内蒙古筑铁路或以当地课税作抵押向他国借款时，须经日本同意；中国政府在内蒙古如聘用各类顾问、教习，须与日本商议。[①] 经双方秘密谈判，袁世凯应允了日本的基本要求。由于全国上下的强烈反对，"二十一条"未能付诸实行，但此后日本侵略势力仍以"二十一条"为目标，加快了向东北和内蒙古东部地区的扩张步伐。1915 年 9 月，日本又提出在郑家屯、赤峰设立领事馆，并分别在 1916 年 8 月和 1917 年 2 月正式开设。

1915 年 12 月，中日双方签订了《四（平）郑（家屯）铁路借款合同》。该合同规定，负责贷款用项的总会计师，勘测、施工的总工程师，竣工后行车总管、养路工程师均须由日本人担任，施工设备、材料亦须优先从日本购买。

四郑铁路由日本"满铁"公司即南满洲铁道株式会社负责施工，1918 年 7 月正式通车，[②] 成为由外国控制的伸入内蒙古境内的第二条铁路。段祺瑞执政后，于 1918 年 9 月，与日本签订了《满蒙四路借款预备合同》；次年 9 月又签订了《四洮铁路借款合同》，使日本获得了郑家屯至洮南及四洮路支线郑家屯至白音太来（即通辽）的修筑权。1921 年 11 月，郑家屯至白音太来铁路修通。1923 年 11 月，郑洮线亦通车。

---

① 王铁崖：《中外旧约章汇编》第 2 册，三联书店 1959 年版，第 1100—1108 页。
② 张本政、刘家磊：《东北大事记》（1898—1931 年），政协吉林省委员会 1985 年刊印，第 149—162 页。

1924 年 9 月，东北张作霖当局与日本"满铁"公司签订《承办建造洮（南）昂（昂昂溪）铁路合同》，并于 1926 年 7 月竣工通车。1927 年 10 月，日本又胁迫北京张作霖政府同"满铁"秘密签订了新的《满蒙五路协约》草案，由"满铁"负责贷款并承修长春至大赉、洮南至索伦等 5 条铁路。至此，由日本控制、经营的铁路网已基本覆盖了内蒙古东部清末以来的新开垦地区，为其政治经济势力的进一步伸入和控制提供了重要条件。

二、日本侵略势力支持下的"满蒙独立运动"

袁世凯开始酝酿帝制之后，日本一方面乘机向袁索取更多侵华特权，另一方面却在东北策动满洲宗社党从事反袁复清活动，并利用日俄战争时期即投靠日本的骑匪巴布扎布，编组了"勤王师扶国军"，再次发动"满蒙独立运动"，企图伺机进一步控制整个中国东北和内蒙古东部地区。

1916 年 7 月，得到大批日本武器装备的巴布扎布啸聚 3 000 余人，在数名日本退役军人参与下，兵分两路，由呼伦贝尔大举南下。叛军至突泉、洮南、公主岭一带后，即对当地驻军发动袭击，大肆劫掠商民，焚烧房舍。奉军急调数万兵力前往兜剿，并在公主岭以南郭家店一带将叛军包围。日本驻沈阳领事馆及路界驻军恐叛军遭聚歼，以满铁附属地带不许交战为借口，出兵护送叛军脱出重围。巴布扎布匪部在撤退途中先后在怀德县、长岭县被奉军堵击。日方又接连出动数百日军先后强行进占了长岭、怀德 2 县城，公然进行武装干涉，掩护巴布扎布武装撤退。期间，日本军队在郑家屯与中国驻军挑起冲突，制造了"郑家屯事件"，迫使东北驻军由四平至郑家屯沿线 15 公里内全部撤离。

是年 6 月，袁世凯死。日本政府随即改变了侵华政策，不再支持并下令停止所谓"满蒙独立运动"。但是，日本侵华势力为庇护亲日盟友，仍出面强行干涉、阻止中国军队围剿巴布扎布武装的行动。10 月，叛军窜入昭乌达盟境内，向林西县城发起猛攻。林西镇守使米振标率部奋力守城，付出较大伤亡，击退叛军多次进攻。10 月 8 日，巴布扎布在指挥攻城时中弹殒命。其部众遂丧失斗志，向锡林郭勒盟溃退。

巴布扎布死后，其余部仍有近 3 000 人，还有数十名日本人混杂其中。

叛军在色布精额等人率领下，以乌珠穆沁旗为据点，继续在附近各旗滋扰。各蒙旗无力抵御，遂向察哈尔都统求援。是年冬，政府军由东西两翼开始兜剿叛军。经多次战斗，叛军残部除一部被歼、溃散外，大都逃往呼伦贝尔。

1917 年春，色布精额等人与日本间谍机关取得了联系，派人赴旅大向肃亲王善耆求援。同时，还向呼伦贝尔"自治"当局提出合作的要求，被呼伦贝尔副都统胜福拒绝。6 月，色布精额匪帮大举攻入海拉尔，占据了副都统公署，胜福等上层官员退至铁路站界，后逃往齐齐哈尔避难。色布精额在海拉尔建立"提督府"，对附近各旗巴尔虎、达斡尔、鄂温克等族肆意骚扰，造成了严重祸患。

胜福等逃到齐齐哈尔后，即向黑龙江当局提出派兵剿除叛军的要求。但因中俄《呼伦贝尔协定》对中国政府军进入呼伦贝尔的限制而未能如愿。胜福遂派贵福、凌升等潜回海拉尔，与车和扎等取得联系，联络各旗各翼准备起兵。之后，胜福也返回呼伦贝尔，在满洲里召开副都统公署官员及各旗总管会议，布置反击，并派代表分别向俄方和外蒙古请求援兵。8 月中旬，各旗武装向海拉尔外围同时发起进攻，俄国铁路护路军也出兵助剿。经数日激战，色布精额匪帮力不能支，败退哈拉哈河。此时，外蒙古哲布尊丹巴政权也调集 2 000 余兵力进抵哈拉哈河堵剿围攻，残匪大部被歼。

第三节　各族各界的反帝反封建斗争

一、伊克昭盟"独贵龙"运动的发展

辛亥革命爆发后，伊克昭盟再度掀起了大规模的"独贵龙"反抗斗争浪潮。这些"独贵龙"运动，大都是清末各旗抗垦斗争的延续和发展。随着形势的演变，这一时期各旗"独贵龙"的斗争目标更为明确，组织形式更为严密，斗争手段也更加激烈，而且后来大都汇入了内蒙古以至全国性的大革命洪流。

（一）锡尼喇嘛领导的乌审旗"独贵龙"运动

锡尼喇嘛（1866—1929 年）本名乌勒吉吉尔格勒，字乐天，贫苦牧民出身。早年曾任本旗札萨克衙门笔帖式，参加过清末抗垦"独贵龙"。后因不愿为官，辞去王府官职，出家为僧。因其"半路出家"，故被俗称为锡尼（意为新）喇嘛。

乌审旗贝子（民国后晋为贝勒）察克都尔色楞继任札萨克以来，残酷剥削旗民，肆意放垦牧场，以满足其奢侈生活。因而导致旗内各界的长期不满。辛亥革命爆发后，乌审旗群众再次掀起"独贵龙"反抗斗争，在群众中有很高威望的锡尼喇嘛成为全旗"独贵龙"运动的主要领导人。在锡尼喇嘛领导下，"独贵龙"组织迅速扩大，全旗僧俗民众和中下层官员几乎都参加了进来，并将原有的 12 个"独贵龙"重新编成为 11 个"独贵龙"组织。"独贵龙"还制订了成员们登记名册时要严格按圆形排列、不分前后，以便于掩护领导人并体现成员之间相互平等；同时，为在更大范围内的团结，决定除协理台吉、管旗章京、扎兰章京（参领）等旗衙门的主要仕官外，一般官员、台吉和喇嘛均可参加"独贵龙"。自备或夺取武器，以武装斗争来对付敌人的镇压；大小事务均须经"独贵龙"会议集体讨论，获 2/3 以上通过才能形成决议；以及注重加强团结，严密组织纪律等各项制度。① 声势遍及全旗的"独贵龙"运动使旗府的封建统治陷于瘫痪。察克都尔色楞也因"失政"而被撤销副盟长职务。

1913 年 4 月，察克都尔色楞及其福晋那仁格日勒企图潜逃外蒙古，投奔哲布尊丹巴政权。锡尼喇嘛闻讯后率领 300 余人的"独贵龙"队伍包围王府，并抓捕了王府总管额尔德尼仓。经审讯，额尔德尼仓供出了察克都尔色楞夫妇的种种恶行劣迹。1914 年 2 月，锡尼喇嘛率众包围再次企图外逃的察克都尔色楞夫妇，并拘押福晋，迫使其供认罪状 43 条。其后，锡尼喇嘛等将察克都尔色楞夫妇历年来出卖本旗土地、滥肆征敛摊派、纵容贪官污吏扰乱旗政、败坏风气及"反对民国"、企图"叛国外逃"等罪行诉诸供状，通过倾向"独贵龙"的仕官上呈了盟长和北洋军阀政府蒙藏院。1915 年 5 月，北京政府下令革去察克都尔色楞的爵职，由其子承袭贝勒。但同时下令解散乌审旗"独贵龙"，"严惩"首领锡尼喇嘛，并要求兼辖乌审等旗

---

① 萨·那日松：《鄂尔多斯人民独贵龙运动》（蒙古文），内蒙古人民出版社 1989 年版，第 130—136 页。

的宁夏护军使马福祥协助伊盟盟长具体执行。[①]

　　1915 年冬，伊盟盟长奉北京政府之命派员到乌审旗查办"独贵龙"。"独贵龙"群众以和平斗争手段保存了组织、掩护了锡尼喇嘛，并进一步提出了削减封建特权、不得以旗地偿债、不准加重赋役摊派、清除旗官腐败等12 条要求。1917 年夏，"独贵龙"群众处死了那仁格日勒。

　　1918 年，镇压本旗"独贵龙"运动的达拉特旗札萨克逊博尔巴图继任伊盟盟长。在严峻的形势下，乌审旗部分"独贵龙"组织内部的变节者组成了"六十安达（盟友）"，投靠封建势力，与锡尼喇嘛领导的"独贵龙"相对抗，并控告锡尼喇嘛组织"独贵龙""造反犯上"、杀害"诰命夫人"。1920 年夏，逊博尔巴图派人以突袭手段逮捕了锡尼喇嘛等"独贵龙"领导骨干。经数月的严刑审讯，锡尼喇嘛被处以重枷刑罚，后解送原籍监管，牲畜财产被全部没收。乌审旗"独贵龙"运动至此暂告停息。

　　（二）阿尤尔扎那等领导的达拉特旗"独贵龙"运动

　　1914 年 9 月，伊盟达拉特旗爆发了由梅林阿尤尔札那等人领导的"独贵龙"运动，以反抗该旗札萨克逊博尔巴图的残暴统治。达拉特旗地跨黄河两岸，本是伊克昭盟最富庶的地区。由于滥肆放垦土地招徕汉民耕种和苛重的赋敛负担，使广大蒙古族牧民陷于贫困境地。是年冬，"独贵龙"发布告全旗民众书，得到了旗内贫苦牧民以及部分旗府仕官、衙役的支持。他们还在全旗组成 5 个"独贵龙"组织，建立了数百人的武装，控制了该旗西部 3 个参领区，撤换控制区内的基层官吏，宣布取消一切不合理的赋役负担，减免农民的租税，公开与王府相对抗，一时形成了较大声势。1915 年春，"独贵龙"向盟长递交请愿书，要求停止放垦牧场、租卖旗地；土地公有，地租归旗；废除各种苛税杂捐和差役摊派。同时指陈逊博尔巴图的罪状13 项，要求革除其札萨克爵位。逊博尔巴图迫于形势，召开全旗官员会议，谋求与"独贵龙"和解，遭阿尤尔札那等断然拒绝。同年 5 月，逊博尔巴图派出亲信及其收编的土匪刺杀了阿尤尔札那，并将驻包头的晋军一部请到达拉特旗防卫旗府。阿尤尔札那被害后，激愤的"独贵龙"群众又推举胡

---

　　① 宝·达瓦扎木苏、莎·那日松编：《席尼喇嘛》，博尔吉金·青格勒达来译，内蒙古文化出版社2005 年版，第 149—150 页。

尔嘎为首领，开展了更大规模的武装斗争。年末，"独贵龙"与活动在河套地区的哥老会武装结成联军，聚集2 000余人攻打王府，但几经攻战而未获成功。1916年初，绥远都统和伊盟盟长在展旦召约集旗府与"独贵龙"双方调停议和，逊博尔巴图被迫接受"独贵龙"代表提出的停止开垦牧场、租卖旗地，废除部分官差摊派，禁止王公赠、售奴隶等项要求。这一时期，鄂托克旗牧民群众也组织了8个"独贵龙"，公开抵制官差摊派，反对王府横征暴敛，有力地冲击了王公势力和军阀的统治秩序。①

（三）旺丹尼玛等领导的"独贵龙"运动

旺丹尼玛是札萨克旗喇嘛教召庙中地位最高的活佛，也是该旗清末抗垦"独贵龙"的首领。由于在抗垦斗争中与旗札萨克沙克都尔扎布一再发生矛盾冲突，曾离旗出走，云游于伊盟其他各旗和乌兰察布、察哈尔等地。对蒙古族群众贫苦状况和社会矛盾有着深入的了解，接触了清末各种社会风潮中的新事物。辛亥革命爆发时，旺丹尼玛联合杭锦旗后套地区的抗垦首领，发动贫苦牧民组成"独贵龙"，在黄河两岸广泛开展武装斗争。他们到处打击汉族地商大户和贪官污吏，震动了各盟旗和地方官府的封建统治。1913年，旺丹尼玛、查干宝鲁特（厂汉卜罗）所率"独贵龙"武装与进入河套以北的外蒙古进犯武装遥相呼应，使整个河套地区的统治秩序陷于混乱。同年夏，由于伊盟各旗王公札萨克的指控求援，宁夏总兵马福祥路经河套时，设计将旺丹尼玛邀至船上扣捕。查干宝鲁特闻讯赶来援救，也因寡不敌众被俘。由于旺丹尼玛的活佛身份，马福祥未敢杀害，奉命将他押至北京审讯。查干宝鲁特等则被押送山西服苦役，后来因长期遭受非人折磨身死。旺丹尼玛在北京受审时慷慨陈词、英勇不屈。袁世凯为了利用旺丹尼玛的身份和影响，亲自接见旺丹尼玛，并授予陆军部"兵马顾问"的虚衔。名为重用，实际是将他软禁、控制在北京。②

---

①　白玉山、刘映元：《达拉特旗的"独贵龙"运动》，政协内蒙古自治区委员会文史资料研究委员会编：《内蒙古文史资料》第3辑，内蒙古人民出版社1979年版，第1—26页；乌增德：《达拉特旗阿尧尔色那梅伦领导的"独贵龙"运动》，政协内蒙古自治区委员会文史资料研究委员会编：《内蒙古文史资料》第10辑，内蒙古人民出版社1983年版，第28—42页。

②　萨·那日松：《鄂尔多斯人民独贵龙运动》（蒙古文），内蒙古人民出版社1989年版，第203—211页。

民国初期，鄂托克旗也在汉族哥老会反抗斗争影响下爆发了"独贵龙"运动。牧民群众组成8个"独贵龙"反抗旗府、札萨克的苛政，宣布"对一切摊派拒绝交纳"。旗札萨克派旗府兵丁前去镇压，遭到武装抗拒，"独贵龙"群众进一步搜集民间枪支，开展武装斗争，声势愈来愈大。慑于"独贵龙"运动的打击，旗府、札萨克不得不停止征收畜产，作出一些让步，才使激烈的反抗斗争逐渐缓和。①

二、土默特旗的反军阀斗争

民国初年，北洋军阀张绍曾出任绥远城将军之后，继续实行民族压迫政策，削夺归化城土默特旗原有权益，引起土默特蒙古各阶层的强烈不满。1913年初冬，进犯的外蒙古军队被击退后，张绍曾即借口土默特旗与外蒙古方面有联系，下令将土默特步骑两营大部调到归化城强行缴械遣散，嗣后还将土默特旗的12个参领拘押。驻守后山武川附近的骑兵营三连连长玉禄出于义愤，率部哗变，宣布"独立"。由于不断有被遣散的土默特士兵前来投奔，玉禄的队伍很快发展为上千人的骑兵武装。张绍曾闻变后，急调北洋正规军前往围剿，但屡战屡败，加之隆冬时节士兵不耐荒漠寒苦，只得罢兵。为缓和民族矛盾，避免局势进一步激变，张绍曾不得不释放12个参领，请土默特旗上层官员、乡绅商户出面调停，进行安抚。玉禄在保证部属生命财产安全和不进归化城、移驻包头等条件下接受了"招安"，所部被改编为绥远骑兵游击队，玉禄任司令，负责维持地方治安。②

曾参与领导辛亥绥包反清起义的土默特旗籍同盟会员云亨、经权，于当年随阎锡山革命军到山西省任职。阎锡山确立在山西的军阀统治之后，经权、云亨逐步受到排挤，先后返回家乡。1915年，经权联络土默特旗地方官绅满泰、老同盟会员安祥等人，发动了反对绥远都统潘矩楹放垦清丈蒙地、开禁广种鸦片、加征赋税等黑暗统治的斗争。期间，经权还曾被军阀当

① 邹焕宇：《伊盟视察报告》第14号，见《内蒙古近代史论丛》第1辑，内蒙古人民出版社1983年版，第156—157页。

② 瑞辑五：《我所知道的玉禄》，见政协内蒙古自治区委员会文史资料研究委员会编：《内蒙古文史资料》第18辑，政协内蒙古自治区委员会文史资料研究委员会1985年印刷，第128—129页。

局拘捕，直至潘卸职离开绥远才被释放。1917 年初冬，云亨又与满泰、安祥和汉族地方官员李雨山、刘会文等人，发动警备队、矿巡队、保安团等蒙汉地方武装，举行武装起义，矛头直指军阀当局。但起义军很快就在大青山区万家沟被绥远都统蔡成勋的北洋正规军包围。经激烈抵抗，义军几乎全军覆没，安祥、李雨山在战斗中牺牲，云亨、满泰等突围脱逃。

三、"五四"运动在内蒙古的反响及京绥铁路工人运动

1919 年 5 月 4 日，北京爆发了伟大的"五四"运动，揭开了中国新民主主义的序幕。当时正在北京蒙藏学校就读的部分内蒙古学生积极投入到斗争中。荣耀先、王祥、巴文峻、张良翰等积极分子率领同学冲破校方的阻拦，参加了北京各院校在天安门前举行的集会示威和火烧赵家楼等行动。同时，将反帝爱国的主张及北京的情况及时地传播到归绥。归绥的蒙汉各族学生闻讯后即群起响应，一场反帝反封建斗争迅速兴起。

5 月中旬，归绥中学、土默特高等小学、归绥高等小学 3 所学校的学生成立学生会，相继罢课，走上街头，联合举行游行示威，散发传单，张贴标语，发表演讲，揭露巴黎和会的阴谋，声讨民国政府的卖国行径。并呼吁社会各界抵制日货，声援爱国运动。同时，学生们还宣传提倡白话文、男女平等、创办平民教育等新思想。学生的爱国活动，得到了各阶层民众的支持和同情。受学生爱国热情的感召，绥远总商会也通电全国，以示声援。持续 1个多月的绥远学生反帝爱国斗争，声势和规模虽有限，但在内蒙古西部地区产生了积极而深远的影响。

此后，在学生运动基础上组成的绥远学生联合会成为领导各族青年学生宣传革命思想的团体。每年 5 月，学联必组织集会、示威游行等纪念"五四"运动的活动。受革命思想启蒙的一批蒙汉族青年从此走上革命道路。与此同时，内蒙古东部的赤峰、喀喇沁旗、通辽、郑家屯等地学生也组织起来，发起了响应"五四"运动的活动，并声讨一些蒙旗王公勾结日本侵略势力，出卖东蒙土地的罪行。

1922 年，在中国共产党的领导和推动下，掀起了第一次全国工人运动的高潮。国内五大铁路干线之一的京绥铁路也随之兴起了罢工风潮。京绥铁路始建于 1905 年，分京张、张绥、绥包 3 期修筑，是中国工程技术人员自

行设计、建筑的第一条铁路。1921 年修至归绥，次年展修到包头。营运初期，全路赢利可观，但因路政的日益腐败，经营每况愈下，承负巨额债务。当局为偿还外债，常拖欠工人工资。铁路工人为改善待遇，抗议拖欠工资，多次自发进行斗争。1921 年 5 月，全路机务工人即举行了大罢工。

1922 年 6 月，北京政府交通部与美国太康洋行签订了以京绥铁路抵押债务的《展期合同》，这一出卖路权的行径立即遭到全路工人的强烈反对。中共党员何孟雄、邓中夏等受中国劳动组合书记部派遣，到京绥路开展工作，发动群众改组了由上层员司把持的车务工人同人会。在京绥路各大站设立 8 个分会，其中包括内蒙古的集宁、归绥、包头分会。8 月，车务工人同人会组成"救国护路团"，动员全路工人展开护路斗争，并派出代表赴京请愿，要求废除"丧权亡路"的合同。9 月，全国各界联合会发表通电，声援京绥铁路工人的护路斗争。在全国舆论的强烈谴责下，交通部被迫撤销《展期合同》，将京绥铁路管理权收归国有。

护路斗争结束后，路政当局的欠薪问题并未解决。工人连续数月未领到工资，生活困苦不堪，劳资矛盾日趋激化。10 月，车务工人同人会在张家口召开工人代表大会，决定举行全路车务工人索薪大罢工。10 月 27 日，1 500 多名车务工人同时罢工，导致全线列车停运。机务、机厂工人也起而呼应，实行总同盟罢工。为争取社会各界的同情和支持，罢工工人发出了《告各界同胞书》和《罢工宣言》，并向全国发出了通电。28 日，交通部被迫作出妥协，答应了工人的基本要求，罢工斗争取得胜利。

京绥铁路工运风潮由群众自发斗争发展为中国共产党领导的工人运动，使民主革命理念和马克思主义思想得到了传播，对内蒙古西部地区的革命斗争产生了深远的影响。

第四节　内蒙古革命运动的兴起

一、中国共产党初创时期的民族政策

中国共产党创建之初，在列宁关于民族自决权和殖民地国家民族解放理论的影响下，即已开始关注国内民族问题并探索解决办法。1920 年 12 月，

毛泽东在与蔡和森等探讨建党问题时提出：应"帮助蒙古、新疆、西藏、青海自治自决"①。1922 年 7 月，中共在第二次全国代表大会上通过民主革命基本纲领中规定："蒙古、西藏、回疆三部实行自治，成为民主自治邦"，"用自由联邦制，统一中国本部、蒙古、西藏、回疆，建立中华联邦共和国"。② 中共创始人李大钊、陈独秀也提出了解决国内民族问题的主张。1923 年初，李大钊在其《平民主义》一文中，明确反对民族压迫，主张在实行"个性解放"中形成新的"大同团结"，即国内各民族完全平等和自主联合，同时，他将国内少数民族的解放问题置于诸多民主革命重大问题同等重要的地位。③ 1924 年，陈独秀撰文阐述了民族解放和民族自决权问题。他指出："无产阶级的民族主义，主张一切民族皆有自决权，主张自求解放，不受他族压制，同时也主张解放隶属自己的弱小民族，不去压制他。这可称做'平等的民族主义'"。"主张蒙古人根据民族自决权，有独立反抗的权利"。④ 1925 年，李大钊在对蒙古民族问题考察之后，专门发表文章《蒙古民族的解放运动》，深刻地指出：清朝"对蒙古民族，纯用藩属政策，以笼络其王公及喇嘛，沦蒙古民族于外国的帝国主义、中国的帝国主义、蒙古王公的剥削制度、喇嘛教的愚民剥削四重压迫之下"。民国以来，因军阀政府与帝国主义相勾结，"蒙古民族仍不免受与前日相同的压迫，或且更甚。"他热情赞扬了外蒙古通过革命摆脱民族压迫，并在引述国民党一大宣言中关于承认中国以内各民族之自决权的基本主张之后，指出："中华民国与蒙古民族结合，即以此数语为枢纽。中国国民革命运动与蒙古民族解放运动的潮流，即以此数语为汇归"⑤，深刻分析了蒙古民族遭受压迫的根本原因，阐述了蒙古民族解放运动在全国国民革命中的重要地位及作用。

　　1925 年 9 月，中共中央制定通过了《蒙古问题议决案》，具体分析了内

---

① 毛泽东：《致蔡和森等》，见《毛泽东书信选集》，人民出版社 1983 年版，第 4 页。
② 《中国共产党第二次全国代表大会宣言》，见中共中央统战部编：《民族问题文献汇编》，中共中央党校出版社 1991 年版，第 18 页。
③ 李守常：《平民主义》，见中共中央统战部编：《民族问题文献汇编》，中共中央党校出版社 1991 年版，第 56 页。
④ 陈独秀：《我们的回答》，见《陈独秀文章选编》（中），三联书店 1984 年版，第 7 页。
⑤ 李守常：《蒙古民族的解放运动》，见中共中央统战部编：《民族问题文献汇编》，第 69 页。

蒙古的民族特点、民族关系和阶级关系，提出了中共对内蒙古地区的工作方针：联合蒙古族被压迫人民，反对共同的敌人（大地主、王公、帝国主义和军阀等），"同时却不应当掩没蒙古人的民族利益"；"使蒙古人的民族解放运动与全中国的解放运动结合起来"。① 为了进一步推动内蒙古的民族解放和国民革命运动，《议决案》还提出应当组建内蒙古国民革命党和农工兵大同盟。尚处于幼年时期的中国共产党即已明确地制定了发动、领导内蒙古民族解放运动和国民革命的基本方针。中共北方党组织主要负责人李大钊则直接领导并参与了在蒙古族青年学生中宣传马克思主义的工作。

二、内蒙古第一批共产主义者的产生及革命活动

20 世纪前期的北京，汇聚着一大批来自内蒙古的各族、各阶层人士和青年知识分子。他们在各种新思潮的交汇、碰撞中寻求着知识文化。1923年秋，一批内蒙古各地的蒙古族青年到蒙藏学校求学。李大钊、谭平山、邓中夏、赵世炎等都曾到蒙藏学校发表演讲，在学生中开展工作。向学生了解蒙古民族的现状，介绍俄国十月革命和外蒙古革命，宣传中共"二大"纲领关于解决国内民族问题的主张，阐释马克思列宁主义、社会主义、共产主义的基本理论。在他们的引导下，学生的革命觉悟得到了迅速提高。自1923 年冬开始，来自内蒙古西部的多松年、李裕智、吉雅泰、佛鼎、云泽（乌兰夫）、奎璧等人陆续加入中国社会主义青年团和中国共产党。来自东部各盟旗的王瑞符、纪松龄、特木尔巴根、乌勒吉敖喜尔、白海风、陈镜湖、韩林符、张良翰等蒙汉族青年参加了中国共产党或接受了共产国际的领导。蒙藏学校还先后成立了青年团和中共党支部，多松年、云泽曾任团支部书记，多松年还是第一任党支部书记。

1924 年 1 月，国共合作形成。这一时期中国共产党在北方开展的革命活动，也都以国共合作或主要以国民党的名义出现，组织、发动和领导国民革命运动。在李大钊等人的领导下，北京蒙藏学校的蒙古族党团员和进步分子参加了纪念"二七"大罢工和悼念列宁逝世等大型集会。同年底，孙中

----

① 《蒙古问题议决案》，见中央档案馆编：《中共中央文件选集》第 1 册，中共中央党校出版社1982 年版，第 419 页。

山到达北京后，为筹备召开全国国民会议促成会，吉雅泰、奎璧等奉派返回绥远组织绥远的国民会议促成会。1925 年 3 月国民会议促成会全国代表大会召开时，多松年、佛鼎等参加了筹备工作，吉雅泰、奎璧等则以绥远代表身份出席了大会。同一时期，中共北方党组织在帮助国民党建立各地方党部的同时，也建立了一批中共党组织。吉雅泰、李裕智奉派返回绥远开展工作，吉雅泰在归绥建立了中共绥远特别区工委并任书记，公开名义是中国国民党绥远特别区党部；李裕智组建了中共包头工委并任书记，公开名义则是国民党内蒙党部。这些组织在城镇乡村发动群众，建立基层组织，宣传反帝反封建的革命主张。内蒙古的第一批共产党人在内蒙古各地开展的革命活动，很快就融入了全国性大革命洪流。

1924 年以后，白海风、王瑞符、佛鼎、奎璧、多松年、云润、云泽、贾力更、高布泽博、特木尔巴根、乌勒吉敖喜尔等被中共北方党组织选送到广州黄埔军校、农民运动讲习所，蒙古人民共和国和苏联学习，这些青年在后来内蒙古革命斗争的各个时期中发挥了重要作用。

1925 年 4 月，在中共北方区委的指导下，多松年、云泽、奎璧等人在北京蒙藏学校创办了内蒙古最早的革命刊物——《蒙古农民》。该刊内容丰富，主题鲜明，以宣传中共的反帝反封建民族民主革命纲领为宗旨，揭露军阀王公对内蒙古各族人民的压迫剥削和帝国主义的侵略。在第一期《开篇的话》中一针见血地指出"蒙古农民的仇人是——军阀、帝国主义、王公"，阐述了蒙汉民族关系和共同命运。在《蒙古曲》中写道："从前是穷蛮子（指汉族），富鞑子（指蒙古族），现在穷成一家子。蒙古蛮子一家人，亲亲热热好兄弟，来！来！来！蒙古蛮子成一气，共同打倒大军阀！共同打倒帝国主义！共同打倒王公们！平平安安过日子。"①

三、中共党组织在内蒙古的建立及革命统一战线的形成

1924 年，国共合作实现后，中共北方区委即着手开辟内蒙古地区的工作。协助国民党建立了热河、察哈尔、绥远党部和蒙古党部，中共党员陈镜湖、张良翰、吉雅泰、李裕智分别为负责人。同时组成中共热河工委、察哈

---

① 郝维民主编：《内蒙古革命史》，内蒙古大学出版社 1997 年版，第 94—101 页。

尔工委和绥远工委、包头工委。以国民党的名义，在城镇乡村发动群众，建立基层组织，宣传反帝反封建的革命主张。1925 年 10 月，中共北方区委成立了中共张家口地方委员会，负责开展内蒙古地区工作。地委在京绥铁路沿线开展工人运动，并负责热、察、绥 3 特别区组织建设工作，在归绥、包头等地建立了基层组织。至 1926 年初，热河特别区已建立县市党部 8 个，在册党员 3 500 余人，其中农民占 80%，蒙古族党员占 30%。察哈尔特别区已建县市党部 6 个，在册党员 3 200 余人，其中农民占 80%，工人占 5%，学生占 10%，士兵占 2%。包头建立县市党部 6 个，在册党员 2 100 余人，其中农民占 60%，牧民占 20%，士兵占 10%。1926 年 6 月，中共绥远特别支部在归绥组成；同年 9 月，中共绥远特别区地方委员会成立，下设归绥县委、归绥县西区委员会。国共两党在内蒙古形成了广泛的革命统一战线。

随着全国大革命形势的发展，中共北方区委为广泛发动和组织群众，建立内蒙古民族民主革命统一战线，领导建立了联合蒙汉各族群众的革命组织——内蒙古农工兵大同盟。1925 年冬，内蒙古农工兵大同盟成立大会在张家口召开，热、察、绥各地各界代表 200 余人到会。李大钊主持会议并发表讲话，阐述了中国共产党的民主革命纲领，号召内蒙古蒙汉各族人民联合起来，谋求解放。大会制定了内蒙古农工兵大同盟的任务，即：联合内蒙古各族农工兵，反对帝国主义特别是日本帝国主义的侵略，反对北洋军阀的黑暗统治，反对地主豪绅对农民的压迫剥削。大会选举李大钊、赵世炎、韩麟符、吉雅泰、李裕智、王仲一、陈印潭等为内蒙古农工兵大同盟中央执行委员会委员，李大钊任书记，赵世炎、韩麟符为副书记。内蒙古农工兵大同盟成立后，在内蒙古各地积极发展盟员，建立基层组织，发动各族民众参加反帝反封建斗争。在热河的建平、赤峰、开鲁、林西、围场各县农民和士兵中普遍发展盟员；在察哈尔，除农民外，还发展车夫、警察为盟员；在绥西，争取了地方会党的支持，在"哥老会"中发展了大批盟员。随着统一战线的进一步扩大，内蒙古地区出现了民族民主革命运动蓬勃发展的局面。

1925 年 5 月，上海爆发"五卅"运动，反帝爱国运动迅速向全国发展。消息传到内蒙古后，中共绥远工委及时发动学生和各界群众，开展反帝爱国斗争。此时的绥远学生队伍有所壮大，除了原有的归绥中学、绥远师范学校和土默特高等小学校、归绥高等小学校外，又增加了绥远女子师范学校、绥远五族学院、西北职业学校等中等学校，学生人数发展到 2 000 余人，成为反帝爱国斗争的中坚力量。中共绥远工委通过绥远学生联合会公开发动和组织各学校学生参加这场斗争。

6 月上旬，绥远学联在归绥旧城席力图召大院举行了各族各界声援"五卅"惨案蒙难者、响应"五卅"运动群众大会，学生、工人、商人和市民约 2 000 人参加。学联负责人介绍了上海"五卅"惨案和"五卅"运动的经过，揭露日、英帝国主义者屠杀工人、学生、市民，制造"五卅"惨案的罪行，讲述了上海工人、学生英勇斗争的事迹。大会发出通电，慰问在"五卅"惨案中蒙难工人、学生的家属，声援上海工人、学生、市民的反帝爱国斗争。会后举行了大规模示威游行，广泛宣传"五卅"爱国运动，掀起了群众性的反帝爱国高潮。

在中共绥远工委领导下，绥远学联组织各校学生举行了 3 天总罢课，声援上海工人、学生。学生宣传队深入大街小巷、商号店铺、居民院落，散发传单，张贴标语，发表演讲。还将募捐的 1 000 多元汇往上海市学联，以表达内蒙古各族民众对上海"五卅"惨案中蒙难工人、学生的支援和慰问。同时，学联派人分赴内蒙古西部各城镇，联络进步力量。在归绥学生爱国斗争的影响下，包头、五原、临河等地各界群众也举行了集会或示威游行。

绥远学生的爱国行动得到了上海、济南、天津、北京等地学生联合会的支持。各地学生组织纷纷派代表或宣传队来归绥联络、宣传，推动爱国运动。他们在街头演说，揭露帝国主义的侵华暴行，演出反映"五卅"惨案的话剧和《孔雀东南飞》、《良心》等新剧目。

1925 年初，国民军第 6 师师长李鸣钟奉冯玉祥令率部进驻绥远，并任绥远特别区都统。李鸣钟政治上倾向革命，主绥后即提出反帝反军阀的主张，并采取了一系列革新措施，改革财税制度，整顿吏治，兴办教育，清剿土匪，严禁烟毒，大力整饬社会风气，收到了较好的效果。

1926 年 8 月，冯玉祥所率国民军在与奉、直、晋各系军阀的战争中失利，败退绥远地区。中共北方区委、张家口地委和绥远地委分别派出大批党员到国民军中工作，促使冯玉祥投身国民革命。是年 9 月，冯玉祥赴苏考察归国后，即抵达绥西的五原，与方振武、邓宝珊等将领会合。9 月 17 日，冯玉祥率国民军近万人在五原县举行誓师大会，发表宣言，声讨军阀祸国罪行，抗议帝国主义侵华行径，宣布进行国民革命，组成国民联军，参加北伐战争。誓师后，国民军在中国共产党的支持、帮助下进行了整顿。不久，国民军20万人即分路出师，解西安之围，出潼关，取开封、郑州，与北伐军会师中原。五原誓师促进了北伐战争的胜利发展，同时对内蒙古西部地区的革命斗争也产生了重大影响。

国民军撤离绥远后，奉、晋军阀控制了绥察大部地区。自此，晋系接管了绥远的行政管辖权。商震被阎锡山委派为绥远特别区都统后，将国民军推行不久的一些革新措施予以废止，排挤绥远地方人士，偏任乡党和亲友执掌军政大权，导致政界矛盾复杂，金融紊乱，社会动荡。

商震治绥期间，绥远地区地籍管理混乱，地户所有土地一般多于地照记载亩数。另外，虽经多次放垦土地，但仍有部分所谓夹荒、余荒，供放牧所需。商震看到地利可图，便提出清丈地亩，重发地照，又要放垦夹荒余荒。清丈地亩多于原照记载部分，仍以荒地征收"押荒银"和田赋，而且补发新地照也是一笔不少的收入。至于放垦夹荒余荒自然照收一切放垦费用。因此，清丈地亩和放垦夹荒余荒是商震主绥后开发财源的重要途径。

1926年冬，归绥、萨拉齐、托克托、和林格尔、清水河、武川6县地亩清丈局组成，拟于翌年初春即开始清丈。清丈地亩是对这里的蒙汉各族农民的严重经济搜刮，尤其蒙古族的户口地经过清丈注册为官田。汉族农民租种蒙古族的户口地只交少许"蒙租"，清丈后转纳繁重的官租；汉族地户、地主和绅士在历年扩耕中多占的地亩被清丈出来后，必须重领地照，缴纳押荒银和田赋。因此，实行清丈地亩，触犯了农村各阶级阶层的利益，必然遭到强烈反对。

1927年春，绥远都统署废除禁烟令，成立"善后局"，设卡征收过境烟税，征收烟灯捐，对种植罂粟、开设烟馆和吸食者均不予过问，将开放烟禁作为开发财源的另一条途径。此事也引起了公众的普遍不满。

国民军撤出绥远后，所属西北银行发行的钞票被废弃；中国银行和交通银行的纸币在绥远极其缺乏，货币流通匮乏。应各界要求，阎锡山、商震应允发行"绥远善后流通券"100万元，要各县成立"抵产局"，农民以地契房约抵产借款，暂时解决货币流通困难。然而此时财政厅已批准绥远总商会厅发行"救济市面兑换券"40万元，商震恐引起金融紊乱，遂决定停止发行"善后流通券"。绥远当局在稳定金融秩序方面政出多门，措施失当，致使各界民众怨声载道。

由于军阀连年争战，重兵驻屯，各种捐税繁杂，人民负担沉重，以致年关屠宰家畜，也要征收"割头捐"。1926年底，归绥郊区农民自发抵制"割头捐"。1927年初，归绥、和林格尔两县开始清丈地亩时，爆发了反抗清丈的斗争。清丈局清丈地亩时，和林格尔县36个村的农民暴动，驱赶清丈人员，包围清丈局，阻止了清丈活动。中共绥远地委宣传部长麟祥、农民运动特派员贾力更、中共北方区委交通员孟纯等，适时地发动群众，在毕克齐镇召开大会，揭露都统署衙门以清丈地亩为名，盘剥民众的行为。

经中共绥远地委和国民党绥远党部共同协商，决定发动一场大规模的革命活动。1927年3月26日，国民党绥远党部召开会议，决定召开群众大会，组织农民游行示威，要求当局废除清丈费，释放因抗拒交纳清丈费而遭监禁的农民；捣毁清丈局和县衙门。27日，召开中共党员、国民党员、共青团员以及工会、农民协会、学生联合会的负责人会议，并向归绥县各级农民协会发出了通知，决定在"孤魂滩"举行群众大会。

3月28日上午，归绥周围的蒙汉各族农牧民和城里的工人、学生及部分市民约五六千人，从四面八方汇聚到"孤魂滩"，参加"绥远难民大会"。国民党左派人士、绥远特别区农民协会会长李正乐任大会主席，中共绥远地委派路作霖任副主席。李正乐致开会词后，共青团绥远地委书记杨曙晓发表讲话，声讨军阀的专制统治和经济剥削，揭露绥远当局清丈地亩、开放烟禁等盘剥、渔利的罪行，赞扬农民抵制清丈地亩及苛捐杂税的斗争，号召各界民众团结一致，共同斗争。大会期间，商震派员前来阻挠，被群众驱逐。

大会结束后，各界群众以"绥远难民大会"的横幅为前导，举行示威游行。游行队伍一举捣毁了"归绥县地亩清丈局"，砸烂了清丈局的牌子和办公设施，烧毁了丈地文书档册。之后，又到绥远都统署请愿。商震下令紧闭城门，并派大批军警在城楼布防。翌日，又有群众三四千人汇集新城门外，要求进城请愿。商震恐扩大事态，答应与示威者代表谈判。经李正乐、刘进仁等各方面代表15人与商震的谈判，商震被迫接受了代表们提出的全部要求。

事后，商震发布了停止清丈地亩、严禁种植鸦片、照发善后流通券等

3 项命令，并将归绥县知事、垦务督办冯曦等贪官污吏撤职。群众运动对军阀当局造成了强大压力，最终以绥远当局被迫接受群众的要求而胜利结束。①

第五节 内蒙古人民革命党领导的
民族解放运动

一、内蒙古人民革命党的成立

清末以降，蒙古族社会产生了一批近代新型的知识分子。一些平民或下层贵族出身的青年知识分子开始跻身全国性政治舞台。辛亥革命以后，受到资产阶级民族民主主义思想熏染的一批蒙古族知识分子，如吴恩和（恩和布林）、金永昌（阿拉坦敖其尔）、恩克巴图、白云梯（色楞栋鲁普）、克兴额等人即追随孙中山，投身国民革命，并开始探索民族的前途，积极酝酿筹建蒙古民族的革命政党。

20 世纪 20 年代初期，恩克巴图、白云梯等在北京等地与一批来自内蒙古各地的青年知识分子建立了联系，其中有郭道甫（莫尔色）、福明泰（宝音格日勒）、乐景涛（穆荣嘎）、李丹山（满达拉图）、包悦卿（赛音巴雅尔），还结识了当时在京的伊克昭盟"独贵龙"运动领袖旺丹尼玛、锡尼喇嘛等人。白云梯、郭道甫、福明泰、乐景涛、锡尼喇嘛等人还曾赴外蒙古学习考察。国共合作实现后，一批蒙古族国民党人开始进入国民党中央和地方的领导集体。在 1924 年 1 月的国民党第一次全国代表大会上，恩克巴图与国共两党著名领袖人物胡汉民、汪精卫、廖仲恺、李大钊、谭平山等一起当选为 25 名中央执行委员之一，白云梯则与林伯渠、毛泽东、瞿秋白、张国焘等一起当选为 17 名候补中央执行委员之一。国民党中央设立负责整个华北、西北、内蒙古各省区党务的北京执行部，恩克巴图、白云梯与李大钊、张国焘等同为领导成员。中央党部指定专人负责筹建各省（特别）区党组织（称为"省临时执行委员会筹备员"）时，由恩克巴图负责察哈尔，白云

---

① 《空前未有之绥远市民示威运动》，载《晨报》1927 年 4 月 7 日。

梯、克兴额负责内蒙古工作，乌勒吉负责绥远工作，另有共产党人陈镜湖、韩麟符负责热河工作。在 1926 年 1 月的国民党第二次全国代表大会上，恩克巴图还与汪精卫等一起成为 7 人主席团成员。[1]

国民革命蓬勃兴起后，中国国民党在其第一次全国代表大会宣言中"郑重宣言，承认中国以内各民族之自决权"[2]。孙中山先生也提出："对于国内弱小民族，政府当扶持之，使之能自治自决"[3]，支持蒙古族的民族民主解放。而外蒙古人民革命取得的成功，大批共产党人和国民党人投身内蒙古革命运动，对内蒙古的民族解放运动产生了重大影响，也为蒙古民族革命政党的成立提供了有利的条件。

1924 年 10 月，冯玉祥发动北京政变，宣布支持和拥护孙中山领导的国民革命。同年底，孙中山应邀北上抵京，与李大钊等共同发动全国国民会议运动。在北京革命气氛高涨的形势下，白云梯、郭道甫等也发起了内蒙古国民会议运动和筹建政党的活动。

1925 年 1 月，"中华民国蒙党执行会"在北京成立，郭道甫为发起人，白云梯任会长，福明泰、乐景涛、李丹山、金永昌、包悦卿、阿拉塔以及共产国际负责内蒙古工作的特派代表奥齐罗夫和蒙古人民共和国派遣代表齐庆毕力格图等 8 人为执行会会员。[4] 3 月，他们向民国政府正式提出了召开内蒙古国民代表大会和成立内蒙古地方自治政府的主张，并制定《内蒙国民代表大会议定案大纲》，确定召开内蒙古国民大会，将议定《内蒙古地方自治政府之组织法》《内蒙古地方自治法》等 8 项内容。[5] 此后，白云梯、金永昌等赴外蒙古考察访问并寻求援助，与共产国际和蒙古人民革命党建立了密切联系。与此同时，继李大钊发表《蒙古民族的解放运动》之后，中共中央在《蒙古问题议决案》中也明确提出"应当组织内蒙古国民党，这是

① 李新主编：《国民革命的兴起》(1923—1926)，上海人民出版社 1991 年版，第 80—84、552 页。

② 《中国国民党第一次全国代表大会宣言》，见荣孟源主编：《中国国民党历次代表大会及中央全会资料》(上)，光明日报出版社 1984 年版，第 15 页。

③ 孙中山：《三民主义》，见《孙中山选集》，人民出版社 1981 年版，第 610 页。

④ 《关于内蒙国民大会之文件》(日文)，1926 年 1 月 31 日，见日本外务省外交史料馆档案：《满蒙政治关系杂纂·内蒙古关系》第 1 卷，A—6—1—2—14。

⑤ 白云梯：《蒙古民族自决运动》(日译本)，1925 年 3 月，[日] 水谷国一译，满铁庶务部调查课刊 1926 年版，第 19 页。

蒙古人民的民族上、政治上的责任。"① 李大钊还委派李裕智、吉雅泰、佛鼎及白海风、吴子征等蒙古族共产党员积极参加该党的筹组活动。

1925 年 10 月 13 日，内蒙古人民革命党第一次代表大会在冯玉祥国民军控制下的张家口正式召开，来自内蒙古各地的近百名代表参加了大会。共产国际代表奥齐罗夫、中国共产党代表王仲一和江浩，中国国民党代表李烈钧（另说为于右任）、国民军代表察哈尔都统张之江，以及蒙古人民革命党代表、中央委员会主席丹巴道尔吉等出席大会致贺。

大会选举产生了党的中央执行委员会，由 14 名执行委员和 7 名候补执行委员组成。白云梯、郭道甫、金永昌、福明泰、乐景涛、包悦卿、李丹山等 7 人为执委会常务委员，白云梯当选为中央执行委员会委员长，郭道甫为秘书长，金永昌任代理组织部长。其他执委有旺丹尼玛、锡尼喇嘛、吴子征（中共党员）、于兰斋（巴彦岱）、伊德钦等，候补执委中有共产党员李裕智、吉雅泰。多松年、佛鼎、乌兰夫、王瑞符、奇子俊等中共党员也参加了大会。

大会通过并发表了《内蒙古人民革命党第一次代表大会告全体民众宣言书》②（下简称《宣言书》），明确阐述了党的基本纲领、政治主张和工作方针。《宣言书》称，内蒙古人民革命党的成立，是为了争取民族的独立和解放。

《宣言书》深刻分析了内蒙古的历史与现状，指出蒙古民族长期遭受民族压迫，曾期望推翻清朝，建立民国，实现民族平等和民族振兴，但辛亥革命后民权被军阀窃夺，国家被分割，军阀的专制压迫了民族的自由与解放；中国军阀在英、美、法、日等帝国主义支持下，混战近 15 年。帝国主义是军阀战争的教唆者、挑动者和获利者，而中国人民则是受害者。只有苏联和革命的外蒙古，才是被压迫弱小国家的朋友；汉族人民在军阀专制统治下，饱尝苦难，尤其是军阀混战造成的灾难更加深重。为振兴国家，拯救民众，只有彻底完成 1911 年的革命才有可能。坚信汉族人民必定能够发动真正的革命，实现自由与解放。只有全中国被压迫人民彻底完成革命，中国的五族

---

① 《蒙古问题议决案》，见中央档案馆编：《中共中央文件选集》第 1 册，中共中央出版社 1982 年版，第 419 页。

② 参见《内蒙古人民革命党第一次代表大会告全体民众宣言书》（蒙古文单行本）。

才能实现平等，亲如一家。

《宣言书》指出，由于汉族军阀的专制独裁和分割统治，蒙古人民的灾难比汉族人民更为深重，蒙古地区的分裂状态比汉族地区更为严重。军阀和汉族官僚企图消灭蒙古的盟旗，将蒙古人置于省县管辖之下，剥夺蒙古人的种种权利；汉族奸商吮吸蒙古人的血液，使蒙古人陷入债务的深渊；而蒙古王公贵族则与汉族军阀、官僚和奸商勾结在一起，为维护其权利，不惜出卖蒙古人民的权益。

《宣言书》深刻地分析了蒙汉族人民遭受共同的灾难和面临的共同命运。指出蒙古王公贵族将蒙古的土地出卖给汉族军阀、官僚等专制独裁者，而后者又将土地高价转卖给内地无以安身立命的汉族农民，从中盘剥渔利。获利者是汉族官僚豪绅和蒙古王公贵族，蒙古族人民丧失土地，被迫背井离乡向北方迁徙，汉族人民又落入汉族官僚土豪的圈套而更加贫穷。奸商的高利盘剥和王公贵族、官僚豪绅无休止的掠夺搜刮，使蒙汉族被压迫人民处于灾难、困苦和怨恨之中。

《宣言书》阐述了蒙汉被压迫人民联合起来，共同革命、共求解放的道理。指出蒙古族人民在汉族专制独裁者和蒙古王公压迫下产生的痛苦和怨恨，已经凝聚成反抗压迫的无穷力量。蒙古族人民的革命政党的成立就是标志，她将成为振兴民族，脱离专制，发扬民权的领导者；在蒙古地区的汉族人民不仅遭受汉族军阀、官僚、土豪和盗贼的压迫与掠夺，同样受蒙古专制独裁者的压迫。因此，在中国军阀没有完全被消灭之前，蒙古人民的自由与解放是难以实现的；而且只有蒙汉被压迫人民联合起来，同心协力，才能消灭共同的敌人帝国主义、军阀和一切压迫者。这对中国的大革命和内蒙古的革命事业具有重大意义，人民革命党将致力于建立蒙汉被压迫人民之间的联合，完成共同的革命事业。内蒙古人民是本党存在的基石，汉族被压迫的农民、工人和知识分子及一切拥护革命的志士，是人民革命党事业发展的后盾。

《宣言书》宣示了内蒙古人民革命党的政治主张和宗旨：①中国境内各民族人民，均有自主决定和管理自己事务之权；②中国人民消灭帝国主义和国内独裁者，建立真正民权政府时，内蒙古的蒙古人也要建立民权革命政府；③广大民众不分性别，均有平等参政权。

《宣言书》深刻地揭示了蒙古民族内部社会阶级根源，明确提出要铲除王公札萨克封建特权制度，建立民选政府。在全国性革命目标上，也明确提出要与国民党一道完成反对帝国主义、推翻军阀统治的国民革命。在寻求民族解放的形式和目标上，则明确主张在中华民国之内实现民族平等和自治，把内蒙古民族的解放和革命，视为全中国国民革命的组成部分。内蒙古人民革命党的基本政治纲领，虽然总体上并没有超出资产阶级民主革命的范畴，但更加强调民众利益，主张联合国内汉民族的被压迫阶级。因而它比国民党改组后的政纲更为激进。

内蒙古人民革命党当时汉译又作内蒙古国民革命党、内蒙古国民党。她的宣告成立，标志着蒙古民族的进一步觉醒。内蒙古民族民主解放运动进入了一个新的历史阶段，并迅速汇入了全国大革命的洪流。

二、内蒙古人民革命党领导的民族民主革命斗争

内蒙古人民革命党成立之后，参加成立大会的代表即分赴各地，在蒙古族各阶层中开展党的工作，宣传鼓动，发展组织。内蒙古人民革命党最初成立的 6 个支部有张家口支部、多伦支部、察哈尔支部、北京支部、北京雍和宫支部和鄂尔多斯支部。

1926 年 1 月 13 日，内蒙古人民革命党在北京召开了"内蒙古各盟旗各团体代表大会"（又称"内蒙国民代表大会预备会"），发表《内蒙古各盟旗各团体代表大会宣言》，提出召开内蒙古国民代表大会的倡议，决定大会所讨论的 6 项基本主张，即："一、内蒙地方自治事宜，以讨论内蒙各旗之政治组织，俾适于民治趋势为范围；二、对于内蒙王公，采取和平态度，以立宪之方法，谋各旗政务之折中革新；三、对于内蒙宗教方面，采取信教自由之大义，以保护个人之人格；四、对于居住内蒙古区域内之汉人，竭力合作，以保障其权利；五、拥护五族共和，以巩固中华民国之基础；六、对于国内任何方面，凡表同情于内蒙地方自治事宜者，均可接近之。"[①] 16 日，召开"蒙古在京公民会"，成立内蒙国民大会筹备委员会，白云梯当选为委员长，郭道甫为副委员长。会后，还以该委员会名义发表

---

① 《内蒙古各盟旗各团体代表大会宣言》，见日本外务省外交史料馆档案：《满蒙政治关系杂纂·内蒙古关系》第 1 卷，A—6—1—2—14。

《致内蒙王公书》①，申明了内蒙古人民革命对王公的基本政策，呼吁王公们促成内蒙国民大会的召开。

内蒙古人民革命党成立时即决定建立革命武装。经多方协商，决定由冯玉祥国民军、中国共产党和苏联联合出资，苏联提供武器弹药，组建"内蒙古特别国民军"，编入国民军序列参加反对奉系军阀的战争。第1纵队由蒙古族骑兵组成，乐景涛任司令；2、3纵队由中共热河工委和农工兵大同盟负责人陈镜湖、郑丕烈分任司令。1925年11月，乐景涛回到家乡克什克腾旗，以旗保安队为基础扩建成600余人的蒙古革命武装。与此同时，内蒙古人民革命党还委派中央常委包悦卿赴哲里木盟组建蒙古族武装。同年12月，乐景涛率部在昭乌达盟北部连克奉军驻守的经棚、林西、乌丹3城，并迅速扩大到3 000余人，有力地配合了国民军宋哲元部进占承德、驱逐奉系、控制热河全境。之后，乐景涛又在经棚建立蒙旗军官学校，金永昌任校长。1926年4月，国民军在讨奉战争中失利，陆续西撤，乐景涛也率部辗转撤至多伦。②

伊克昭盟各旗是内蒙古人民革命党建立基层组织、开展革命活动最早的地区之一。1926年2月，锡尼喇嘛回到乌审旗后，首先在"独贵龙"群众中宣读讲解从外蒙古带来的革命书刊和内蒙古人民革命党中央的宣言等文件，受到热烈拥护和赞同，并一致要求加入内蒙古人民革命党。在"独贵龙"组织基础上，乌审旗很快建立起7个党支部，并在嘎鲁图庙召开各支部委员会议，选举产生了旗党部，图门杰尔嘎勒任书记。但当他们准备召开全旗党员大会时，旗札萨克特古斯阿木古郎派兵突然包围袭击了嘎鲁图庙，党的多数骨干被捕，锡尼喇嘛等脱逃。③

同一时期，参加内蒙古人民革命党第一次代表大会后返回准格尔旗的奇子俊（拉布敦）在冯玉祥国民军的支持和武器援助下组建了归国民军指挥的蒙古骑兵团，并任团长。鄂托克旗"独贵龙"领袖、阿拉庙活佛章文轩

---

①　内蒙国民大会筹备委员会：《致内蒙王公书》，见日本外务省外交史料馆档案：《满蒙政治关系杂纂·内蒙古关系》第1卷，A—6—1—2—14。

②　野津彰：《内蒙古赤化运动的变迁》，见《内蒙古近代史译丛》第1辑，内蒙古人民出版社1986年版，第128—129页。

③　义都合西格、宝音、道荣嘎编：《鄂尔多斯人民独贵龙运动资料汇编》（蒙古文）上册，《鄂尔多斯史稿》编审委员会1981年印刷，第278—282页。

（扎木扬什拉布），也与旺丹尼玛、锡尼喇嘛相联络，加入内蒙古人民革命党并在本旗开展活动。

1926 年夏，内蒙古人民革命党中央白云梯、旺丹尼玛、李裕智等来到绥远，以国民军的名义组建蒙古族武装。同年 8 月中旬，国民军败退绥远，内蒙古人民革命党中央也从张家口西迁包头。并在包头建立了内蒙古人民革命军总部，旺丹尼玛任总司令，李裕智任总指挥。同时创办内蒙古军官学校，王瑞符任校长。至年底，由各盟旗新招募的新兵加上原乐景涛"内蒙古特别国民军"第 1 纵队余部，内蒙古人民革命军已组建成近 2 000 人的民族武装。

1926 年秋，旺丹尼玛在包头遭内奸暗杀。为开展伊克昭盟工作，内蒙古人民革命党中央又委派郭道甫、包悦卿等到乌审、鄂托克等旗，与锡尼喇嘛、章文轩等共同开展革命活动。不久，即在各旗建立了 34 个区党部，发展党员至 3 000 余人。加上其他盟旗，内蒙古人民革命党已拥有党员 6 000 余名。这一时期，在乌兰察布盟建立内蒙古人民革命党组织开展革命工作的主要有乌拉特前旗的恩克巴雅尔（金安喜）等人。恩克巴雅尔在本旗梅力更庙创办了内蒙古军官学校分校，并以该校学员为基础组建了一支革命武装。

在内蒙古人民革命党领导开展民族民主革命斗争中，锡尼喇嘛领导的乌审旗牧民革命运动规模和影响最大，并一度获得很大成功。1926 年秋，锡尼喇嘛率领由青年牧民组成的武装队伍，偕同内蒙古人民革命党中央派来的代表包悦卿等人从包头返回乌审旗。慑于革命声势，旗札萨克特古斯阿木古郎与内蒙古人民革命党代表、旗民代表一起举行三方会谈。锡尼喇嘛在会上宣布建立乌审旗内蒙古人民革命党组织、革命武装保安队和民众议事会，并迫使特古斯阿木古郎等接受了 3 条协议：王公札萨克不得违抗民众议事会的规定，不得阻挠、干预群众参加革命活动，解散旗府武装。通过打击封建统治权力，内蒙古人民革命党的声威大震，组织得到了迅速发展。是年末，全旗已有党员 450 人，建立起 8 个党支部并重建了旗党部。旗保安队也正式改编为内蒙古人民革命军第 12 团，锡尼喇嘛任团长。1927 年春，内蒙古人民革命党组织又发展到 17 个支部 700 余名党员。①

---

① 萨·那日松编：《鄂尔多斯人民独贵龙运动》（蒙古文），内蒙古人民出版社 1989 年版，第 300—305 页。

1927 年春，乌审旗札萨克特古斯阿木古郎与驻榆林的陕北军阀井岳秀相勾结，向锡尼喇嘛领导的革命武装发动围剿进攻，均被革命军击退。同年秋，井岳秀又增调兵力，发动了更大规模的进攻。乌审旗革命军与内蒙古人民革命党中央派来增援的部队不畏强敌，多次击败数倍于己的反动军队。同年 10 月，特古斯阿木古郎潜逃到榆林，封建旗府遂告瓦解。锡尼喇嘛领导的乌审旗内蒙古人民革命党组织正式建立了人民革命政权——"公会"。"公会"下设政令、司法、军事、财税 4 部，全面接管了旗政。宣布取消各种封建赋役征敛，拒绝承担盟长衙门和绥远特别区的各种征敛摊派，禁止旗民吸用鸦片和汉商贩卖鸦片，筹办旗民学校等政令措施。

此外，第一批蒙古族共产党员李裕智、奎璧等还参加领导了内蒙古人民革命党和内蒙古人民革命军的活动，多松年参加领导了察哈尔地区的大革命运动，吴子征在赤峰、喀喇沁旗等地进行了宣传革命、发展组织等开辟性工作。其中，李裕智还于 1926 年 1 月奉派赴广州参加了中国国民党第二次代表大会；多松年、吴子征作为热、察、绥 3 特别区代表出席了 1927 年 4 月在武汉召开的中国共产党第五次全国代表大会。①

三、右派集团的叛变

1926 年 11 月，内蒙古人民革命党中央在白云梯、郭道甫等率领下随国民联军西迁银川。1927 年 4 月，张作霖北京政府逮捕并杀害了李大钊等一批中共领导人。5 月，参加中共"五大"归来的多松年，也在张家口被奉系军阀逮捕并残酷杀害。继蒋介石在上海发动"四一二"政变后，同年 6 月，冯玉祥在河南宣布投蒋反共；7 月，汪精卫在武汉也宣布反共，叛变革命。内蒙古地区的革命形势和环境与全国一样急剧恶化。1927 年 7 月，内蒙古人民革命党在银川召开了乌伊两盟代表和中央领导成员特别会议。会议发表《内蒙古人民革命党宣言》，公布了 12 项决议，其要点有：振兴和解放蒙古民族，建立内蒙古人民民主的自治政府，免除各盟旗的一切苛重征敛和奴役、压迫，振兴经济，等等。会议还决定，奉共产国际代表指示，将派代表

---

① 中共内蒙古自治区委员会党史资料征集研究委员会办公室编：《内蒙古英烈传》（一），中共党史资料出版社 1989 年版，第 5 页。

赴乌兰巴托，与共产国际代表、蒙古人民革命党中央及在外蒙古和苏联的内蒙古人民革命党领导成员、学生代表等共同商决党的大政方针。①

　　1927 年 8 月，内蒙古人民革命党特别会议在蒙古人民共和国首都乌兰巴托召开。参加会议的有：此前已在乌兰巴托的中央常委金永昌、福明泰、乐景涛、李丹山和先期抵达的郭道甫，来自银川中央和内蒙古各地的白云梯、于兰斋、孟和乌力吉、吴子征、布尼雅巴色尔、纪松龄、奇子俊、章文轩、恩克巴雅尔、宝音巴特尔，来自苏联东方大学和中山大学的代表白海风、白永伦、乌勒吉敖喜尔、云润，以及共产国际代表阿木嘎耶夫、外蒙古党中央主席丹巴道尔吉等。会议批判了白云梯和郭道甫等人违背党的纲领、搞宗派斗争等严重错误，撤销了白、郭 2 人的中央委员长和秘书长职务，撤销了追随白云梯的金永昌、李丹山、于兰斋等人的中央常委、执委职务；讨论了中国和内蒙古的革命形势，确定了今后的工作方针和任务，改选了中央领导机构：孟和乌力吉、白永伦、福明泰、布尼雅巴色尔、白海风 5 人为中央常委，孟和乌力吉任委员长，白永伦任秘书长。当选中央执行委员的还有宝音巴特尔、纪松龄、奇子俊、恩克巴雅尔、乌勒吉敖喜尔、云润、章文轩等。②

　　在中国国民党公开叛变、中国的革命形势全面逆转的历史背景下，共产国际直接主持的特别会议，使内蒙古人民革命党坚持了代表蒙古族贫苦农牧民利益的宗旨和基本纲领；整顿了中央领导机构，排除了国民党右翼势力；并将其置于共产国际的直接指导和领导之下，使党更接近于以马克思列宁主义为理论指导的人民民主革命政党。但是，白云梯、金永昌、李丹山等人却在丹巴道尔吉的祖护下回到中国，对内蒙古的革命事业造成了严重的后患。

　　1927 年 9 月，白云梯等回到银川以后，以内蒙古人民革命党中央的名义发表了反苏反共的"宣言"，通电全国公开宣布拥护蒋介石国民党。白云梯叛变革命之后，寻找借口杀害了著名蒙古族早期共产党负责人李裕智，并

　　①　义都合西格、宝音、道荣嘎编：《鄂尔多斯人民独贵龙运动资料汇编》（蒙古文）上册，《鄂尔多斯史稿》编审委员会 1981 年印刷，第 42—44 页。
　　②　野津彰：《内蒙古赤化运动的变迁》，见《内蒙古近代史译丛》第 1 辑，内蒙古人民出版社 1986 年版，第 154—156 页。

且扣捕了党中央新领导成员孟和乌力吉、章文轩；还委派李丹山等前往乌审、鄂托克等旗，要求内蒙古人民革命党组织改挂国民党党旗，收缴原由内蒙古人民革命党中央拨发的枪支，实际上解散了各旗革命武装。同年末，白云梯前往南京晋谒蒋介石，正式投靠国民党。此后，又将内蒙古人民革命党名称改为"中国国民党内蒙党部"，实现所谓"两党合并"，将内蒙古人民革命党组织全部解散，并要求全体党员加入国民党。1928 年 2 月，白云梯在国民党二届四中全会上被递补为中央执行委员。① 不久，以白云梯为首的右翼势力又在北京成立了国民党内蒙古党务指导委员会，其成员包括乐景涛、金永昌、包悦卿、李丹山、伊德钦、于兰斋等人。

在白云梯等人叛变、内蒙古大规模民族民主革命运动陷于低潮的不利形势下，锡尼喇嘛继续领导乌审旗的党组织和群众坚持反王公反军阀斗争。李丹山奉白云梯指派前来命令改换旗帜时，被锡尼喇嘛严词拒绝。1928 年春，包悦卿率内蒙古人民革命军一部前来乌审旗增援，不仅改换了所率部队的服装、符号，还要将乌审旗的内蒙古人民革命军第 12 团调往宁夏。经锡尼喇嘛等力争，包悦卿调兵未成，又提出收缴枪支，解散队伍。锡尼喇嘛等忍无可忍，经激烈战斗将包悦卿及其部队逐出了乌审旗。此后，乌审旗革命武装又多次击退井岳秀军阀部队和反动王公武装的围剿，继续维持着旗革命政权。1928 年秋，在内外反动势力的重重包围下，乌审旗的党组织被迫转入地下，将 17 个基层党支部均改称为嘎查。1929 年 2 月 11 日，锡尼喇嘛被隐藏在革命队伍内部的奸细暗杀。此后，乌审旗仍继续坚持斗争，但终因势单力孤，公开斗争的烽火逐渐平息下来。②

---

① 杨天石主编：《中华民国史》（二）第 5 卷，中华书局 1996 年版，第 661 页。

② 义都合西格、宝音、道荣嘎编：《鄂尔多斯人民独贵龙运动资料汇编》（蒙古文）上册，《鄂尔多斯史稿》编审委员会 1981 年印刷，第 465—474 页。

第 五 章

国民政府统治时期的内蒙古

第一节　国民政府在内蒙古地区统治体系的确立

一、蒙藏委员会的组建和在内蒙古地区改省设县

国民党在全国范围内确立其统治体系的过程中，专门设立了主管蒙藏等少数民族事务的机构——蒙藏委员会。

1928 年 3 月，国民党中央政治会议通过了《蒙藏委员会组织法》，送交国民政府公布。12 月，国民政府将蒙藏委员会改为委员长制，任命阎锡山为蒙藏委员会委员长，赵戴文为副委员长并代理会务。1929 年 1 月，国民政府立法院、国民党中央政治会议又修正通过了《蒙藏委员会组织法》，2 月 1 日蒙藏委员会正式成立。

蒙藏委员会隶属于行政院，地位与各部、委同，内设总务、蒙事、藏事等 3 个处，并有秘书室、参事室及专门委员等。[1]

蒙藏委员会的职权范围是处理"一、关于蒙古、西藏之行政事项；二、关于蒙古、西藏之各种兴革事项"[2]。但在具体行使职权时，往往与其他主

---

[1]　熊耀文编：《总理对于蒙藏之遗训及中央对于蒙藏之法令》，蒙藏委员会 1934 年印刷，第 212—215 页。

[2]　熊耀文编：《总理对于蒙藏之遗训及中央对于蒙藏之法令》，第 212 页。

管机关和地方各省政府发生权限不清的问题。所以 1933 年蒙藏委员会曾和内政部商定了《蒙藏委员会与内政部汇办案件之标准》，其中规定："一、关于处理边疆各种事务，以由内政部、蒙藏委员会尽量互相商办为原则。二、蒙藏委员会处理蒙藏事务，凡与内政部职掌有关者（如整理土地、改定礼俗、办理地方自治等事项），均应与内政部会商办理。三、内政部处理边疆各省事务，凡与蒙藏委员会职掌有关者（如蒙藏回曾设治各省之行政计划，及其他行政有关蒙藏人民者），均应与蒙藏委员会会商办理。"① 1934 年，国民政府行政院又通过了《中央及地方主管机关对于处理蒙古盟旗事项权限划分办法》，规定："蒙藏委员会，除依照本会组织法，掌理关于蒙古行政，及各种兴革事项外，前清理藩部则例所载关于蒙古各盟旗、设官、奖惩、铨叙、军政、司法、宗教等事项，历经照例办理者，亦均系蒙藏委员会，对于蒙旗直接主管范围。嗣后遇有此种案件，应仍照向例由蒙藏委员会呈行政院核办。……关于处理盟旗事项，如发生权限问题及其他疑义时，由各主管机关，随时呈请行政院核定施行。"②

事实上，蒙藏委员会的职权及作用主要表现在对蒙藏地方政教上层的联系和监督方面，尤其是在各蒙旗札萨克的任免、承继及盟旗内部纠纷等方面具有决定权。此外，蒙藏委员会还负有向政府各部门及国民党中央提供有关蒙藏事务问题上的咨询和建议的职责。

国民党夺取全国政权以后，对蒙古等边疆少数民族地区采取的一个重要步骤就是改设新省。从 1928 年 9 月起，国民政府先后增设了 6 个省，其中热河、察哈尔、绥远、宁夏 4 省便设在内蒙古地区。

1928 年 9 月 5 日，国民党中央政治会议通过了改省的决议。9 月 17 日，国民政府发表《改热河等区为行省通电》，正式宣布："热河、察哈尔、绥远、青海、西康均改省"；"旧直隶省之口北道十县，划归察哈尔；察哈尔原划绥远丰镇、凉城、兴和、陶林四县及后置之集宁县，仍划还绥远"。③

---

①　黄奋生：《蒙藏新志》（上），中华书局 1938 年版，第 217 页。
②　黄奋生：《蒙藏新志》（上），第 216—217 页。
③　熊耀文编：《总理对于蒙藏之遗训及中央对于蒙之法令》，蒙藏委员会 1934 年印刷，第 275—276 页。

10月，国民党中央政治会议决定："（一）甘肃省旧西宁道属各县划入青海，定西宁为青海省治。（二）设宁夏省，以旧宁夏护军使所辖（即指阿拉善旗和额济纳旗——引者）及旧宁夏道属各县为宁夏省管辖区域，以宁夏为省治。"①

从1928年底到1929年初，热河、察哈尔、绥远及宁夏4省政府相继宣告成立。这样，内蒙古昭乌达盟、卓索图盟划入热河省，锡林郭勒盟、察哈尔部划入察哈尔省，乌兰察布盟、伊克昭盟及土默特特别旗划入绥远省，阿拉善旗和额济纳旗划入宁夏省。加上清末已划入东北三省的哲里木盟和呼伦贝尔部内蒙古地区已全部划入各行省。

至此，清末以来历届中央政府准备在内蒙古地区遍设行省，将各盟旗分别划归各省统辖的计划得以实现，国民政府在蒙古地区的统治体系也正式确立起来。

热、察、绥、宁各省政府成立后，即开始向各盟旗境内移民放垦，纷纷将原来的设治局升格为县，并增设县或设治局。国民党当政后的短短几年内，仅在内蒙古地区就新增设了6个县、局（宁城、全宁、化德、尚义、崇礼、沃野），升6个设治局为县（雅鲁、索伦、天山、林东、鲁北、临河），拟设未设的设治局还有紫泥湖、居延。

内蒙古地区改设行省后，盟旗的法律地位更加模糊不清。国民政府在改省命令中虽未明令取消盟旗，但也没有明确规定盟旗与省县的关系；虽未将盟旗明确置于省政府管辖之下，可是各盟旗所在的地域都被划入省境之内，并且还规定了各省省政府中的蒙古委员名额，委任各省有关盟长或旗总管充任。

在蒙古各盟旗的强烈要求下，国民政府虽然也明令保留盟旗，并规定省政府不能统辖盟旗，但是实际上各省政府都时时干预盟旗事务。

二、放垦蒙旗土地

国民政府在蒙古地区改建行省后，积极推行移民放垦和屯垦政策，再次掀起了大规模放垦蒙旗土地的高潮。

---

① 王云五、李圣五编：《蒙古与新六省》，商务印书馆1934年版，第61页。

1928 年，东北边防军司令长官张学良与哲里木盟科尔沁左翼中旗的达尔汗亲王那木济勒色楞（旗札萨克、副盟长）和温都尔亲王杨仓扎布（帮办盟务）等交涉，通过各种引诱手段，达成了丈放位于该旗境内之辽源县东北部"洮辽站荒"和双山县之间大约 166 500 垧的"东夹荒"的协议。为此奉天省（1929 年 3 月改称辽宁省）政府专门制定《丈放东夹荒章程》，全部予以丈放。1929 年，又将位于上述"洮辽站荒"之西的面积约 234 000 垧的所谓"西夹荒"予以丈放。1930 年 1 月，在科左中旗境内又丈放了与"西夹荒"西端接壤的所谓"辽北荒"。迄"九一八"事变爆发，共丈放 41 万多垧。

同时，张学良还在哲里木盟科尔沁右翼前旗、科尔沁右翼后旗以及扎赉特旗和科尔沁右翼中旗等地实行了大规模的军垦。

1928 年 11 月，张学良等以"开发利源，巩固国防"的名义，在洮安正式成立了"兴安区屯垦公署"，任命原东北军炮兵司令邹作华为屯垦督办。[①] 屯垦公署成立时，将兴安区的范围规定为札萨克图旗（即科右前旗）、镇国公旗（即科右后旗）及扎赉特旗。兴安屯垦区的设立，虽然标榜为"开发利源，巩固国防"，但事实上是东北当局安插裁汰之兵员及编余军官、移民开垦、掠夺蒙旗土地牧场的一个重要措施。

兴安区屯垦公署事先派测量队进入科右前、后两旗，将可耕地全部实地丈量，然后无代价地划拨给屯垦军耕种。屯垦公署将 1929 年定为军垦时期，把 1930 年定为民垦时期，并决定将"屯垦区内之蒙古荒地，一律换发新照"[②]。拟具移民办法，招民开垦。仅 1929 年 5、6 月间，即移来河南、山东灾民 944 户、4 857 人。[③]

1929 年 3 月和 10 月，经东北政务委员会批准，兴安区屯垦公署分别在科右前旗之王爷庙和科右后旗之镇国公府设立了第一垦殖局和第二垦殖局。而所谓"垦殖局即设治局之变名"，"凡招徕民户之司法、行政、教育、交通，与蒙民之治安、保卫、诉讼等皆属之"，甚至"蒙民教育不得不归垦殖

局办理"。①

这样一来，实际上等于将科右前旗和科右后旗改建为两个县，将这两个旗的一切地方行政、司法权力剥夺无遗，使其名存实亡。

热河特别行政区改建为行省后，也首先着手清理蒙地经界，办理蒙地升科，并向西拉木伦河以北地区推行移民开垦。

1929 年 7 月，热河省政府设立经界委员会，同时在各县设立经界事务所，开始清理蒙地经界。所谓清理蒙地经界，就是根据土地质量和面积，征收地价或注册费，发给地照，并保证蒙古人的收租权和收租数量。②

在清理蒙地时，各级官吏将它当做营私舞弊、贪污受贿的机会，搜刮和掠夺蒙汉人民。比如，报领面积与实际面积相差甚多，有的地方甚至出现了将 200 余顷土地当做 4 顷地报领的事。③ 还有的将"活契地"和"白楂地"也都当做"死契地"报领，使一些土豪和包租蒙旗土地的二地主居中大发不义之财。1929 年开始清理时，有的县就不按照章程注明蒙古人的收租数目。到 1930 年，各县已都不考虑蒙古人的收租权了。

经界清理章程中规定，从征收的地价及注册费中劈分若干成给蒙旗。但事实上，有的蒙旗只得到很少一部分，有的旗没有得到分成，等于无偿地失去了土地所有权。

察哈尔改建行省后也同样以推行垦务为主要政务。1929 年，察哈尔省建设厅制定了《蒙旗放垦办法六条》，重申 1927 年放垦章程的有关规定，以延长领垦生荒之升科年限的办法来鼓励放垦蒙旗土地牧场。④ 1930 年 3 月，又制定《察哈尔省奖励蒙民种地办法》⑤，以免缴地价、延长升科年限等措施来鼓励蒙民领地耕种。1931 年 1 月，察哈尔省政府又在全国内政会议上提出《丈放锡林郭勒盟等处生荒以兴垦务而固边防案》，经会议讨论原则通过。⑥

---

① 兴安区屯垦公署编：《兴安区屯垦第一年工作概况》，兴安区屯垦公署 1930 年印刷，第 58—64 页。
② ［日］及川三男：《热河蒙旗概要》（日文），热河省公署 1936 年印刷，第 46 页。
③ ［日］及川三男：《热河蒙旗概要》（日文），第 49 页。
④ 贺扬灵：《察绥蒙民经济的解剖》，商务印书馆 1935 年版，第 117—118 页。
⑤ 《察哈尔省政府公报》第 9 期《法规》。
⑥ 熊耀文编：《总理对于蒙藏之遗训及中央对于蒙藏之法令》，第 191—192 页。

1934 年 3 月，察哈尔省政府在察哈尔左翼 4 旗、4 牧群境内增设了化德、尚义、崇礼等 3 个设治局，管理移民开垦事宜。

绥远省建立后，放垦蒙旗土地也成为省政府的主要工作，首先着手整理垦务，改组垦务总局及所属各分局，制订了《绥远省垦务计划》及各种放垦、征租章程。1928 年 7 月，绥远垦务总局拟订了《办理垦务通则》。1929 年 3 月又制定《各蒙旗征收岁租办法》①，同时派垦务官员分往各旗劝令报垦。

在极短的时间内，绥远省政府即以各种方式迫使乌伊两盟各旗报垦土地 1 万余顷。② 其中"西公旗先后报垦 3 800 余顷，中公旗报垦 80 余顷，达旗报垦 2 000 余顷，准格尔旗报垦 4 000 余顷"③。

1931 年，晋绥当局以"开发西北"、"充实边防"、"寓兵于农"的名义，开始在绥远西部地区推行屯垦。晋军第 70 师师长王靖国率部到绥远驻防时，将编余官兵组成垦殖队，派往五原县购地耕种。

1932 年春，在阎锡山的授意下，王靖国和绥远省主席傅作义、晋军第 72 师师长李生达及绥远垦务总局总办石华严等一起，在包头设立了绥远省垦殖联合办事处，由石华严任处长。不久，即从各师抽调官兵组成屯垦队，到五原、临河等地"觅地"划占垦区。④ 同年 7 月，阎锡山晋绥绥靖公署制定《绥区屯垦计划纲要》。8 月，在包头成立绥区屯垦督办办事处，阎锡山自任督办，并任命傅作义、王靖国等人为会办，石华严为主办。由王靖国代理督办，坐阵包头，全权负责屯垦事宜，同时将第 70 师、73 师的 4 个团作为屯垦军。⑤

据统计，从 1932 年到 1935 年，屯垦军在河套各垦区共占有耕地 168 281 亩（1 亩＝0.0667 公顷），其中屯垦军自种 79 392 亩，伴种 88 889 亩。在包头河西垦区（即第四垦区）占有耕地 5 880 亩，其中自种 2 880

---

① 黄奋生：《蒙藏新志》（下），中华书局 1938 年版，第 872、866 页。

② 樊库主编：《绥远省地方自治讲义》，绥远省政府 1931 年印刷，第 229 页。

③ 黄奋生：《蒙藏新志》（下），第 855 页。

④ 陈玉甲：《绥蒙辑要》，1937 年排印，第 135 页。

⑤ 绥区屯垦督办办事处编：《绥区屯垦第二年工作报告书》，绥区屯垦督办办事处 1934 年印刷，第 357 页。

亩，伴种 3 000 亩。① 所谓伴种，就是将土地出租给农民，按比例收取租粮。阎锡山的屯垦军不仅用多种手段霸占了大片蒙旗土地，而且还经营商业贸易，插手旗县地方事务，在绥西形成强大的经济、政治势力。

1929 年 2 月，刚刚成立的宁夏省政府就在阿拉善旗境内的磴口正式设县，并陆续设置税局、税卡，向过往商旅强行征税，所得各税均入宁夏省库，剥夺了阿拉善旗的征税权。同时，宁夏省还向绥远省境内的伊盟鄂托克旗扩张势力，在黄河东岸的陶乐湖设立了陶乐设治局（后改称沃野设治局）。

三、蒙古会议及《蒙古盟部旗组织法》

由于蒙古族各阶层普遍强烈反对改制设省，要求保障盟旗自主权益，迫使国民党政府予以重视。1929 年 6 月，国民党三届二中全会通过了《关于蒙藏之决议案》，决定于 1930 年 3 月前举行蒙藏会议。② 之后，国民党中央政治会议、国民政府国务会议和行政院又决定于 1929 年 11 月召开蒙古会议，由蒙藏委员会具体负责筹备。不久，国民党中央政治会议还决定"在蒙藏行政制度未经确定以前，所有名称官职，暂准照旧"③。由于推选代表、路途遥远等需时较久，蒙古会议的会期推迟到了 1930 年 5 月。

蒙藏委员会专门组成了蒙藏会议筹备会，并制订了《蒙藏会议提案标准》《蒙古会议代表推选办法》、《蒙古会议代表产生标准及分配名额》等文件。当时，正值蒋介石与冯玉祥、阎锡山的中原大战，北平至南京的铁路运输中断，内蒙古东部各盟、部、旗的代表，只好经沈阳、大连乘船到上海，再转赴南京。内蒙古西部及青海盟部旗代表则中途受阻未能前往参加会议。

1930 年 5 月 21 日至 28 日，蒙古会议召开了预备会议，分组审议了代表们提交的提案，并推选出大会主席团。

5 月 29 日，蒙古会议在南京励志社礼堂正式开幕。来自内蒙古东部盟部旗的 44 名代表，青海右翼盟的 1 名代表，黑吉辽热四省政府代表各 1 名，

---

① 王龙耿：《绥西屯垦与包头》，见政协包头市委员会文史资料研究委员会编：《包头文史资料选编》第 6 辑，政协包头市委员会文史资料研究委员会 1986 年印刷，第 83 页。

② 熊耀文编：《总理对于蒙藏之遗训及中央对于蒙藏之法令》，第 63 页。

③ 黄奋生：《蒙藏新志》（上），中华书局 1938 年版，第 239 页。

连同国民党中央代表、国民政府蒙藏委员会代表等共 57 人出席了大会，另有国民政府各部、院、会代表和新闻记者列席，大会由蒙藏委员会副委员长马福祥主持。

蒙古会议从 1930 年 5 月 29 日开幕到 6 月 12 日闭会，共开大会 8 次，审查会 7 次。与会代表向大会提交提案共 127 件，内容涉及民政、财政、教育、宗教、司法、卫生、实业、特种事务等。经大会审查讨论，将一些内容相同的提案进行归并，将一些不适合蒙地实情或难以推行的提案予以否决。大会最后通过了 60 余项决议案，其中民政类 10 项、财政类 1 项、教育类 10 项、卫生类 12 项、宗教类 6 项、司法类 1 项、交通类 7 项、实业类 9 项、特种事务类 6 项。①

从提案的内容来看，议题主要集中在蒙古地方行政制度、经济文化以及宗教等方面。尤其是蒙古盟旗制度问题，成为会议的最主要议题。几乎所有参加会议的盟旗代表都在各自的提案中提出了保障盟旗制度的要求，并从理论到现实阐明种种理由，认为"蒙古盟旗决不可废，且亦无废止之必要"，盟旗应与省县分治，旗隶于盟，盟直隶于中央。②

蒙古会议历时两周，于 1930 年 6 月 12 日闭幕，并发表了《蒙古会议闭幕宣言》。

蒙古会议通过的决议虽有 60 项之多，但最为重要的就是《蒙古盟旗组织法》。这个组织法须经国民政府核定后颁布施行，但国民党中央却将它搁置了 1 年多。1931 年 10 月，国民政府正式公布了经过修订的《蒙古盟部旗组织法》（加了一个"部"字）。《蒙古盟部旗组织法》③ 共有 37 条（原案 33 条），其要点为：①确定了蒙古各盟、部、旗的法律地位，肯定了盟、部、旗对现有区域和境内蒙民的管辖治理权，与省县平行，不相统属；②将总管制各部、旗的体制和地位与札萨克制盟旗一致起来；③各盟盟长等各官职照旧，各旗札萨克照旧；④各旗新设旗务会议，决定重要旗务；⑤各盟设盟民代表会议，各旗设旗民代表会议。

---

① 蒙藏委员会编：《蒙古会议汇编》（决议案），蒙藏委员会 1930 年印刷，第 1—53 页。
② 蒙藏委员会编：《蒙古会议汇编》（原提案），第 24 页。
③ 熊耀文编：《总理对于蒙藏之遗训及中央对于蒙藏之法令》，第 258—264 页。

《蒙古盟部旗组织法》的正式颁布，使蒙古盟旗制度得以保留，使盟旗在法律上、体制上获得了与省县同等的地位。但是另一方面，它并没有明确规定如何有效保障蒙古各盟旗权益不受省县侵犯。因各盟旗分散在各省区域之内，且没有统一的自治机关，是无法与拥有强大军政实力的省县相抗衡的。国民政府之所以颁布这部组织法，保持盟旗制度的现状，只是迫于对盟旗统治力量的薄弱而采取的一种稳定局面的权宜之计。

该组织法颁布后，内蒙古大多数盟部旗纷纷致电国民政府，表示欢迎，同时要求早日制定该组织法实施细则、条例及办法。

但是对各省当局来说，这个组织法限制了它们干涉蒙旗事务的手脚。因此组织法颁布后，热河省、绥远省及新疆省当局立即向国民政府要求暂缓实行。

此外，蒙旗内部也有人表示反对。如锡盟副盟长德穆楚克栋鲁普（即德王）曾致电蒙藏委员会反对施行《蒙古盟部旗组织法》①。不过，他们反对的动机和理由与各省当局是截然不同的。

国民政府公布《蒙古盟部旗组织法》时，正值"九一八"事变爆发。内蒙古地区的政治形势随之发生重大变化，东部盟旗相继沦陷，已无从施行该组织法。同时，由于沿边各省当局的强烈反对和实际阻挠，该组织法在其他盟旗也无法顺利施行。因此，蒙藏委员会又分别于1932年8月和9月拟定公布了《蒙古盟部旗组织法施行步骤》和《蒙古盟部旗组织法施行条例》。《蒙古盟部旗组织法施行步骤》规定："一、各盟旗对于该组织法有愿实行者，奖励其实行；二、各盟旗有不愿即行者，由本会设法劝导，再行逐渐实行；三、各盟旗有因地方环境关系，不能立刻实行组织法者，暂缓实行，俟环境可办时再实行。"②

《蒙古盟部旗组织法》是国民党统治期间所制定的关于蒙古地方政治制度的唯一正式法令，并成为蒙古盟旗制度得以保留的法律依据。但是由于蒙古地区政治形势连年动荡不安，国民党政府亦已无力顾及，只能让盟旗、省

---

① 中国第二历史档案馆档案，代号141，档号1246。德王在这份电文上还署了乌盟盟长云王、伊盟盟长沙王的名字。

② 熊耀文编：《总理对于蒙藏之遗训及中央对于蒙藏之法令》，第268页。

县并存的状况和盟旗内部的原有制度继续维持下去。所以，各盟旗对该组织法中规定的设立盟民、旗民代表会议等具体内容，也绝大多数没有真正实行过。

第二节　内蒙古自治运动的兴起及其结局

一、反对改省和请愿自治的活动

还在国民政府酝酿改省之际，在北平及南京的蒙古人便已提出反对改省和内蒙古自治的要求，并为此展开了一系列请愿活动。

1928 年 8 月 7 日，国民党中央执行委员恩克巴图在国民党第二届第五次执监委全体会议上提出"将三区分省之议打消"① 的要求，并向会议提交了《内蒙古及青海各盟自治暂行条例》草案。但这次会议并未讨论恩克巴图的这份提案。

8 月，聚集在北平的内蒙古各盟旗代表召开会议，接连向国民政府致电，请求尊重全体蒙民意愿，暂为保留有关蒙古的法案，予蒙旗以自决之机会，暂缓改省，或"取消改省案，自设蒙古地方政治委员会"②。

9 月，察哈尔代表杭锦寿、尼玛鄂特索尔、纪伦等到南京，会见国民政府的各位要人，并向国民政府提出了设立"察哈尔内蒙自治委员会分会"的建议③。

然而，国民党当局根本不理睬蒙古人的这些要求和建议，即接连颁布了改省政令。于是，各地的蒙古人纷纷集会、请愿，要求国民政府保障盟旗制度和蒙古原有的政治、经济权益，停止设县和移民开垦。

1928 年 11 月，聚集在北平的内蒙古各盟、部、旗的 60 多名代表公推原蒙藏院秘书吴鹤龄及戴清廉等 10 人组成蒙古代表团，由吴鹤龄任团长，前往南京向国民政府请愿，向国民政府提交了《革新盟制旗制之办法》《蒙古

---

① 《民国日报》1928 年 8 月 11 日。
② 《最近的内蒙政况》1929 年 2 月，见日本外务省外交史料馆档案，A—6—1—2—1—14。
③ 《最近的内蒙政况》1929 年 2 月，见日本外务省外交史料馆档案，A—6—1—2—1—14。

各盟旗与中央发生密切关系又与新改各省切实合作之办法》等提案要求。

在此背景下，国民党政府于 1929 年 1 月作出如下决定："一、蒙藏委员会分设蒙办事处、藏办事处；二、可设北平办事处；三、盟旗自治事由蒙藏委员会会同各该省政府拟定办法呈核；四、热察绥青各省省委蒙古委员额定为三人，吉林宁夏定为一人。"[1]

至此，蒙古代表团的请愿活动总算有了一定结果。蒙藏委员会委员长阎锡山任命吴鹤龄为蒙藏委员会参事，后来又升任蒙事处处长。代表团中的戴清廉等几个人也就任了蒙藏委员会中下级职位。

蒙古代表团在南京请愿期间，内蒙古各盟也纷纷集会，向国民政府提出保障盟旗制度，反对开垦设县的要求。1929 年 3 月 25 日至 4 月 19 日，哲里木盟各旗王公札萨克、官员代表等 50 多人在长春开会，讨论如何保留和改良盟旗制度等问题。会议通过了致国民政府主席蒋介石决议书，提出"蒙古为五大民族之一，历来政治自成系统，自应本自决自治之原则，所有各盟旗固有之管理土地人民权利，自当一仍其旧，以符民族自治之真谛。""蒙旗土地唯有由盟旗保管，蒙民享用，不得再行强制处分，以符地方自治及保障民生之原则"的要求，同时还拟订了振兴教育、便利交通、提倡实业、改良牧畜、试办新政等具体办法。[2] 这次哲里木盟王公会议，还向东北边防军总司令张学良提出一致反对在哲里木盟放垦土地的决议书。

同年 3 月，锡林郭勒盟各旗王公、仕官也召开会议，讨论改建行省后如何保障蒙古盟旗制度的问题，然后以盟长、副盟长及 10 旗札萨克的名义向国民政府提出了"内蒙对于特区改省请求保障盟旗条陈"（后简称"条陈"）6 条意见。该"条陈"指出："内蒙盟旗制度一律照旧，不得因改省再设县治"，"各盟长直隶于中央政府"，"内蒙各盟因划一地方名称上之关系，得将盟旗地方归省范围，但仅以外交及关于外侮之军事归省办理为限，所有盟旗原有一切地方行政权概仍其旧"，"设于蒙地各省府必有蒙古委员半数，由三四人至五六人，但须经该旗盟公推由中央任命"，"维持蒙民游牧生计，凡内蒙未垦之地不得藉何等名义再行开垦，其已经开垦者，土地所

① 蒙古代表团：《致蒋主席决议书》，载《蒙藏委员会公报》1929 年第 5、6 期合刊。

② 《长春蒙旗会议建议书》，中国第二历史档案馆档案，代号 141，档号 1296。

有权仍由蒙人自主"，"以上各条均请中央明令颁布，永远遵行之"。①

1929 年 5 月，根据国民政府及阎锡山授意，新成立的察哈尔省政府在张家口召集锡林郭勒盟 10 旗、察哈尔部十二旗群王公、总管及其代表，召开察哈尔省蒙务会议，以示拉拢、怀柔。然而参加会议的各旗代表却借机通过省政府向国民政府提出了有关盟旗政治、军事、经济等多项提案和要求。其中，锡盟 10 旗再次提出"请中央将前颁之蒙古待遇条例明令颁布有效，在未经颁布以前由省政府发给正式公文，声明盟旗制度地方利权及世爵一律照旧，以取信于蒙民"，并"请保留盟旗未垦之地永为牧场，俾资养畜以维持蒙民生计"。②

二、内蒙古"高度自治"运动的兴起

国民党统一全国以后，对蒙古民族不仅没有兑现其种种开明、进步的许诺，反而推行大汉族主义的民族压迫政策。对于蒙古人所提出的各种自治要求则采取一概拒绝、不予理睬或拖延推诿的态度。这样，使得蒙古民族从国民政府那里得到的不是平等和"扶助"，而是在政治、经济、文化上的进一步歧视、削弱和压迫。

"九一八"事变后，内蒙古东部盟旗沦陷，西部盟旗也在日本侵略势力步步进逼的势头下，处于风雨飘摇之中。国民党的民族压迫和对日本侵略的不抵抗政策给蒙古族各阶层以极大刺激，激发和催化了一场大规模的内蒙古自治运动。这场自治运动的主要发动者便是锡林郭勒盟苏尼特右旗札萨克亲王德穆楚克栋鲁普（通称德王）。

1932 年，德王应邀赴武汉受到蒋介石接见，又在北平、南京等地广泛会见政界要人，接触蒙古各阶层人士和青年学生。他所到之处极力宣传维护蒙古民族利益，鼓动复兴蒙古，明显提高了政治声望。德王返回本旗时，遂有国民党南京军官学校教官云继先（黄埔军校第 4 期毕业生）等一批青年知识分子和学生随他来到苏尼特右旗，帮助他创办了蒙古干部学生队。其后，德王又多方设法求得锡盟盟长、乌珠穆沁右旗札萨克亲王索特纳木喇布

---

① 《锡盟条陈意见呈文》，见中国第二历史档案馆档案，代号 141，档号 1296。
② 《察省蒙务会议议事录》，见中国第二历史档案馆档案，代号 141，档号 1296。

坦和乌盟盟长、达尔罕旗札萨克郡王（前清为贝勒）云端旺楚克等王公元老的赞同支持，开始具体筹划发动内蒙古自治运动。①

1933 年 7 月 26 日，德王和其他部分蒙旗的代表在乌兰察布盟达尔罕旗百灵庙，与云端旺楚克（云王）一起召开了第一次内蒙古自治会议。会议决定以锡、乌、伊 3 盟所有盟长、札萨克的名义致电南京国民党中央、国民政府行政院、军事委员会和蒙藏委员会，要求中央许可内蒙古自治，成立统一的自治政府；同时邀请各盟旗王公、代表和旅居内地的蒙古族各界人士会集百灵庙，召开大规模的第二次自治会议，研究制订具体方案，正式成立自治政府。8 月 24 日正式发出了由德王主持起草的致南京政府通电，要求国民政府"遵奉孙（中山）总理自治自决之遗训"，允许内蒙古"采用高度自治，建设内蒙自治政府"，"策励其自决自治之精神，促成其发奋图强之苦心，革其固陋，新其治化"。②

自治通电发出后，在国民党中央及社会各界引起极大震动。绥远、察哈尔两省当局乘一时消息不灵、各界不明事实真相之机，极力散布内蒙古自治运动背后有日本人操纵，使得外界从一开始就对它产生种种揣测和臆断。国民党中央和绥、察两省政府还采取各种办法力图阻止自治会议的举行。

蒙藏委员会为阻止自治会议的召开，拟定两项应急对策：①派员赴各盟部旗宣慰、劝阻，并电请阎锡山设法予以消弭；②研究筹建蒙古自治筹备委员会，其意在以国民党的"地方自治"来取代蒙古人方面提出的"高度自治"。

尽管有国民党中央及地方当局极力阻止，百灵庙方面发出的自治要求仍在内蒙古西部各盟旗和旅居南京、北平的蒙古人中得到了广泛响应。各盟旗不顾省方的威胁利诱，陆续派代表前往百灵庙，在北平、南京的蒙古人团体也纷纷给予积极声援。

蒙古自治政府成立会议原定于 9 月 28 日正式召开。由于按时赴会者甚

---

① 德穆楚克栋鲁普：《德穆楚克栋鲁普自述》，陶布新整理，见政协内蒙古自治区委员会文史资料研究委员会编；《内蒙古文史资料》第 13 辑，政协内蒙古自治区委员会文史资料研究委员会 1984 年印刷，第 8 页。

② 卢明辉：《蒙古"自治运动"始末》，中华书局 1980 年版，第 29—31 页。

少，会期改为 10 月上旬，并将会议名义改为"内蒙各盟部旗长官自治会议"。在德王主持下，到会者共同协商成立了自治会议筹备委员会和主席团，起草《内蒙自治政府组织大纲》，拟定并发出了致国民党中央的《要求自治呈文通电》，指出："施行高度自治权责，为实行救亡要图。即组织内蒙自治政府，以资总揽内蒙行政；一意杜绝外来之不良宣传及侵略，谋教育、经济、军事、交通、实业种种事业之平均发展。"[1] 这份通电所指出的蒙古民族面临的危机是符合实际的，同时也反映了蒙古族各阶层的愿望。

10 月 9 日，内蒙各盟部旗长官自治会议（亦被称为第二次自治会议）在百灵庙召开。来自锡盟、乌盟各旗和察哈尔十二旗群以及土默特特别旗、额济纳旗的 53 名代表出席会议。另有来自北平、南京等地的各蒙古人团体的代表和各旗长官随员 34 人列席会议。[2]

10 月 9 日的预备会议上讨论通过了《内蒙各盟部旗长官自治会议组织大纲》，并推选云王、德王等人组成大会主席团。10 月 15 日召开第一次正式会议，由云王主持，讨论通过了《内蒙自治政府组织法》。19 日召开第二次会议，讨论决定在西苏尼特、四子王、达尔罕 3 旗交界处择地设立内蒙自治政府；自治政府第一年预算为 32 万元，由各盟部旗分担；由各旗选送 1 000 骑兵，作为自治政府军队。22 日召开第三次会议，选举乌盟盟长云端旺楚克为内蒙自治政府委员长，锡盟盟长索特纳木喇布坦和伊盟盟长沙克都尔扎布为副委员长。

由于国民政府已决定派内政部部长黄绍竑到百灵庙商谈解决内蒙古自治问题，所以 24 日召开的第四次会议，决定云王、德王等重要代表均在百灵庙等候，派包悦卿等 4 人赴北平迎接黄绍竑，同时宣布暂时休会。[3]

第二次自治会议上讨论决定的最重要的文件便是《内蒙自治政府组织法》（又称《自治政府组织大纲》），它集中体现了这次自治运动的主要纲领和主张。其要点如下：① "内蒙各盟部旗长官应内蒙现实之需要，援国民政府建国大纲内各民族自决自治决定，召开内蒙各盟部旗长官自治会议，决

---

① 卢明辉：《蒙古"自治运动"始末》，中华书局 1980 年版，第 29—31 页。

② 谭惕吾：《内蒙之今昔》，商务印书馆 1935 年版，第 132 页。

③ 谭惕吾：《内蒙之今昔》，第 129—130 页。

议在国民政府领导下，成立内蒙自治政府"；②"内蒙自治政府总揽内蒙各盟、部、旗之治权"；③"内蒙自治政府以原有之内蒙各盟、部、旗之领域为统辖范围"。①

从以上的条款来看，这次自治运动所主张的"高度自治"，无论从统辖地域上还是在自治权限上都是相当广泛的。其中"以原有之内蒙各盟、部、旗之领域为统辖范围"一项，就意味着在内蒙古各地所设之行省将无法存在，同时也隐含着将已并入伪满洲国的东部盟部旗也包括在内。这对于国民党中央和各省当局来说，是绝对不能接受的。但是，鉴于内外大势和自治运动本身的声势，国民党中央也只能在不改变其根本政策的同时，找出某种折中的办法来解决这一重大而棘手的问题。

三、《蒙古自治办法原则》的制定

内蒙古第一次自治会议的通电，已引起了国民党中央的高度重视，决定派大员到内蒙古巡视，并决定如在地方自治范围之内则予以允许。

根据中政会的决议，行政院决定选派内政部部长黄绍竑前往巡视，并派蒙藏委员会副委员长赵丕廉随行协助。行政院于 10 月 17 日召开会议，提出改革蒙政方案 3 种，作为黄、赵等处理蒙古自治问题的准则和依据。其一为《变更蒙藏委员会组织法方案》，将蒙藏委员会改为边务部（或蒙藏部），直隶于行政院，为处理蒙藏行政之中央最高机关；其二为《改革蒙古地方行政系统方案》，已设省县地方的行政区域不变，有蒙古人聚居的省份，分别设置蒙古地方政务委员会，推选有德望及政治学识经验的蒙古人充任委员长、副委员长，负责办理属于蒙古人聚居区域之地方行政事务，并受中央边务部之指挥监督；其三为《蒙古行政之用人标准》，中央或地方之蒙古行政应尽量任用蒙古人。②

黄绍竑接到赴内蒙古巡视的命令后，立即从内政部、参谋本部、蒙藏委员会及中央党部挑选熟悉内蒙古情形或精通蒙语等专长的人组成随行人员办事处，同时征询各方面的意见。11 月 10 日，黄绍竑、赵丕廉等在国民党中

---

① 谭惕吾：《内蒙之今昔》，商务印书馆 1935 年版，第 132—137 页。
② 谭惕吾：《内蒙之今昔》，第 143—145 页。

央调派的第 17 军军长徐廷瑶所率装甲车部队护卫下抵达百灵庙。

云王、德王等首先以内蒙各盟部旗长官自治会议主席团名义，将自治会议通过的《内蒙自治政府组织法》交给黄绍竑，以作为谈判的基础。同时，对国民党中央提出的 3 项方案，表示同意第 1 项、第 3 项，而不同意第 2 项；并坚持要求撤废在内蒙所设各省，以内蒙自治政府作为全内蒙古统一最高行政机关实行高度自治。黄绍竑则表示："这件事是分裂整个国家和民族组织的，中央是绝对不允许的。"① 仍坚持按照国民党中央所定方案为基础进行商谈。德王等又提出可以不废省、县，但要设立内蒙统一最高自治机关，并拟具讨论纲领 11 条。黄绍竑表示在个别具体问题上可以让步，但原则不变，并以停止洽商、返回归绥相威胁。

在谈判即将破裂的情况下，德王等人又向黄绍竑提出甲、乙两种方案。甲种方案有 6 条，主旨为成立蒙古第一、第二自治区政府，各自治区政府直隶于行政院；遇有涉省事件与省政府会商办理；各自治区间设一联席会议，商决共同事宜。乙种方案只有 1 条，即仍坚持"设置蒙古统一最高自治机关，定名为蒙古自治委员会，直隶于行政院，管理各盟部旗一切政务，其经费由中央按月拨给"。黄绍竑认为"甲种办法与中央原则尚无不合"，表示接受，允为转呈国民党中央，并于 11 月 19 日离开百灵庙回南京复命。②

根据黄绍竑等人的报告和建议，国民党中央政治会议于 1934 年 1 月 17 日通过了《内蒙自治办法十一项》。

这个自治办法不仅与双方在百灵庙商定的协议有很大出入，而且将盟旗现有的权利也予削减，立即遭到百灵庙方面和旅京、旅平蒙古人团体以及百灵庙方面派出的晋京代表团的强烈反对。

在这种情况下，行政院院长汪精卫邀请在京蒙古人士、青年学生及晋京请愿代表等 100 余人召开茶话会，听取意见，并要求吴鹤龄等人从速提出一个自治方案，以便交中政会讨论。

会后，吴鹤龄和晋京代表很快拟定了自治方案送交汪精卫。与此同时，国民党中央迫于蒙古各方面的强烈反对，也决定将《内蒙自治办法十一项》

---

① 谭惕吾：《内蒙之今昔》，商务印书馆 1935 年版，第 166 页。
② 谭惕吾：《内蒙之今昔》，第 175—176 页。

收回再议。①

2月28日，国民党中央政治会议通过并公布了由蒋介石、汪精卫名义提出的《蒙古自治办法原则》8项。其全文为："一、在蒙古适宜地点设一蒙古地方自治政务委员会，直隶于行政院，并受中央主管机关之指导，总理各盟旗政务；其委员长、委员以用蒙古人为原则，经费由中央拨给；中央另派大员驻在该委员会所在地指导之，并就近调解盟旗省县之争议。二、各盟公署改称为盟政府，旗公署改称为旗政府，其组织不变更，盟政府经费由中央补助之。三、察哈尔部改称为盟，以昭一律，其系统组织照旧。四、各盟旗管辖治理权一律照旧。五、各盟旗现有牧地停止放垦，以后从改良牧畜并兴办附带工业方面发展地方经济（但盟旗自愿垦殖者听）。六、盟旗原有租税及蒙民原有私租，一律予以保障。七、省县在盟旗地方所征之各项地方税收，须劈给盟旗若干成，以为各项建设费，其劈税办法另定之。八、盟旗地方以后不再增设县治或设治局（但遇必须设置时，亦须征得关系盟旗之同意）。"②

《蒙古自治办法原则》的内容，与内蒙古各方面提出的方案出入不大，晋京请愿的蒙古代表团遂表示接受。至此，内蒙古"高度自治"运动终于获得了重要的成果。

四、蒙政会的成立及其与绥远省当局的冲突

根据《蒙古自治办法原则》8项的规定，国民党中央政治会议通过了由行政院草拟的《蒙古地方自治政务委员会暂行组织大纲》和《蒙古地方自治指导长官公署暂行条例》，并于3月7日以国民政府名义正式公布实施。

同日，国民政府还发布政令，任命何应钦为蒙古地方自治指导长官，赵戴文为副指导长官；任命云端旺楚克（乌盟盟长）为蒙古地方自治政务委员会（以下简称蒙政会）委员长，索特纳木喇布坦（锡盟盟长）、沙克都尔扎布（伊盟盟长）为副委员长。③

---

① 谭惕吾：《内蒙之今昔》，商务印书馆1935年版，第182页。
② 谭惕吾：《内蒙之今昔》，第179—181页。
③ 谭惕吾：《内蒙之今昔》，第186—187页。

4月23日，蒙政会在百灵庙正式成立，24日召开第一次委员大会。根据《蒙古地方自治政务委员会暂行组织大纲》，确定了蒙政会的组织机构，任命了各厅、会、处的负责人。蒙政会下设秘书厅、参事厅、民治处、保安处、实业处、教育处、财政委员会，还讨论通过了《蒙古地方自治二十三年度自治实施计划草案》，内容包括民治及实业、教育、交通、保卫等各个方面，并报国民党中央备案。[①]

蒙政会虽已成立，但对其实际管辖范围却一直没有明确规定。蒙政会与各有关省之间的区域划分、权限划分等问题并没有得到明确的解决，省县与盟旗并存的状况依然如故。在这种情况下，蒙政会与各省政府之间的权责利益冲突，势所难免。

由于蒙政会的成立，绥远省政府直接管辖的地区仅剩下十几个县局的地盘，原来受傅作义控制的乌、伊两盟王公也不像从前那样服从了。因此，绥远省政府与蒙政会之间频频发生纠纷，以致双方的矛盾几乎发展到武装冲突的地步。其中特税问题和西公旗札萨克继承问题以及察哈尔部改盟问题上的冲突最为典型。

所谓特税，即甘肃、宁夏出产的鸦片运经蒙古草地，由绥远省在沿途设卡收取鸦片过境税。此项收入每年"约百余万元，最多可收到二百余万元"[②]，成为绥远省的主要收入来源之一。蒙政会成立后，即按照《蒙古自治办法原则》第7条的规定，要求劈分数成，作为蒙政会经费。为此，蒙政会曾派包悦卿赴北平，要求军分会主持劈分。但当时北平军分会一再推托，不作明确答复。蒙政会又派人与绥远省政府直接交涉，因双方意见相距甚远，亦无结果而返。

1935年，蒙政会派保安队到绥远省设在乌拉特中旗黑沙图的税卡，扣留了绥远省载运鸦片的汽车数辆，绥远省方面又派兵前去抢回。之后，蒙政会便派保安队到黑沙图等地驻扎，并在几个旗的交通要道上设卡征税。绥远省方面立即增派军队，武力阻止蒙政会收税，并将蒙政会设在达拉特旗柴登

---

① 《新蒙古》第1卷第5期。

② 任秉钧：《德穆楚克栋鲁普与傅作义争夺鸦片过境税》，见政协内蒙古自治区委员会文史资料研究委员会编：《内蒙古文史资料》第5辑，内蒙古人民出版社1979年版，第19页。

的税卡捣毁。对此，蒙政会曾发表通电，指责绥远省政府"不但侵夺本会权限，且置中央法令于不顾"，要求北平军分会秉公处理。①

1935 年 2 月，北平军分会派高级参谋萧仁源进行调解。② 后来虽经几次商谈，但总因双方提出的劈分比例相差太大，这一协议并未得到实施。蒙政会成立后，在鸦片过境税收入问题上一直毫无所得。

蒙政会与绥远省政府之间的矛盾冲突，在西公旗（即乌拉旗前旗）札萨克承袭的问题上表现得更为尖锐。该旗札萨克贺喜格德力格尔于 1924 年去世后，因无子嗣，按照惯例，应由其近亲侄辈承袭。其近亲侄辈中有巴图巴雅尔、石拉布多尔济 2 人，当时乌盟盟长云王认为巴图巴雅尔较为近支，主张由巴承袭，并得到该旗公庙大喇嘛伊希达克丹（已故札萨克贺喜格德力格尔的胞弟）的赞同支持，而石拉布多尔济则以答应放垦该旗大片土地为代价取得绥远省政府的支持，于 1931 年承袭了札萨克职位。

1935 年秋，云王便以乌盟盟长和蒙政会委员长名义呈请蒙藏委员会免去石拉布多尔济的札萨克职位，让巴图巴雅尔暂为护理西公旗旗务，并派蒙政会保安队护送巴图巴雅尔返旗就职。石拉布多尔济拒不从命，率领该旗保安队同蒙政会派去的保安队对峙。1936 年春，蒙藏委员会派鄂其光前来调解这一事件。蒙政会方面认为此一事件既归中央处理，就将保安队调回。8 月，石拉布多尔济请王靖国派兵围攻伊希达克丹等踞守的梅力更庙。王靖国派出的两个团士兵均伪装成西公旗保安队，协同西公旗保安队攻陷梅力更庙，杀死了大喇嘛及其侄儿巴图巴雅尔全家。

在察哈尔部改盟的问题上，蒙政会与绥远省又发生了利害冲突。察哈尔部改盟是《蒙古自治办法原则》中明确规定的。蒙政会据此在第二次蒙政会委员大会上，通过了察哈尔部改盟的决议。但是因为察哈尔右翼 4 旗与绥东 5 县并存于一地，牵涉到右翼 4 旗与绥东 5 县的区域划分问题，所以绥远省方面极力阻挠察哈尔部改盟的实现。直到 1936 年 1 月，蒙政会将察哈尔部正式改盟时，也未能将右翼 4 旗划入察哈尔盟。

蒙政会在与绥远省的矛盾冲突中一再吃亏，使得乌、伊两盟对蒙政会的

---

① 《新蒙古》第 3 卷第 4 期。
② 《蒙古前途月刊》1935 年第 21 期。

信心发生了动摇。蒙政会方面也对国民党中央偏袒绥远省政府，拖欠蒙政会经费，限制提供枪械等做法很不满。

五、绥境蒙政会的成立及百灵庙暴动

蒙政会成立之后，绥远省政府方面为了搞垮蒙政会，从 1935 年后半年开始，一面派人到乌、伊两盟各旗王公和土默特旗、察哈尔右翼 4 旗总管处游说进行分化，煽动他们脱离蒙政会；一面向国民党中央提出将蒙政会按省界一分为二，并以伊盟 7 旗及乌盟 5 旗（达尔罕旗除外）王公的名义，分别致电南京政府，要求"另定分设治办法，免予参加蒙古地方自治政务委员会；各盟分区设治，另组自治委员会，以各旗札萨克为委员，并优发经费"①。

国民党中央接到绥远省政府将蒙政会一分为二的建议和乌、伊两盟王公的"电请"后，立即照准。1936 年 1 月，国民党中央政治委员会第三次会议决定另设绥远省境内蒙古各盟旗地方自治政务委员会（以下简称绥境蒙政会）。之后，以国民政府名义发布该会暂行组织大纲及其组成人员名单。2 月，行政院决定成立绥远省境内蒙古各盟旗地方自治指导长官公署，并任命阎锡山为指导长官。同时，任命伊盟盟长沙克都尔扎布为委员长，乌盟盟长巴宝多尔济、伊盟副盟长阿拉坦鄂齐尔、乌盟副盟长潘德恭察布为副委员长，其他各旗札萨克或护理札萨克、土默特旗、绥东 4 旗总管等 20 人被指定为委员。

2 月 23 日，绥境蒙政会在归绥正式成立。24 日至 26 日，绥境蒙政会召开 3 次全体委员会议，讨论通过了各委员所提之提案，并根据该会暂行组织大纲，设立秘书、参事、民治、保安、实业、教育、卫生等 7 处，防共、财务、建设等 3 个委员会。各处处长、各委员会主席和常委均从各旗札萨克或总管中选任。

绥远省方面在策划成立绥境蒙政会的同时，加紧了瓦解百灵庙蒙政会的工作。傅作义特地从南京电邀蒙藏委员会蒙事处处长巴文峻来绥，由其出面策反蒙政会保安队。

---

① 陈玉甲：《绥蒙辑要》，1937 年排印，第 200、208—209 页。

1936 年 1 月，巴文峻通过在蒙政会保安队当兵的巴征玉（巴文竣之侄）将土默特旗出身的云继先（蒙政会保安处科长）、朱实夫（蒙政会保安处科长）、任秉钧（蒙政会财务委员会科长）、苏鲁岱（蒙政会民治处科长）等4 人邀至归绥，同绥远省政府秘书长曾厚载、35 军旅长金中和具体商定了兵变计划和 35 军派汽车队前往百灵庙附近接应及联络方式等。①

经云继先、朱实夫等组织发动，保安队官兵于 2 月 21 日夜间举行了暴动。暴动队伍分 5 路行动，一路由中队长云蔚率领袭击蒙政会稽查处，打死主任李凤诚，打开军械库夺取了武器弹药。其他各路分别行动，打开看守所，释放被关押的士兵；捣毁电台，切断了蒙政会与西苏尼特旗德王府的通讯联系；袭击蒙政会保安处干部训练班，解除教官和学生的武器；包围蒙政会官员住处，打开会计科银柜，焚毁账目等。各路部队完成任务后，到百灵庙南营盘集合，由云继先、朱实夫等人率领向归绥方向进发。

第二天，暴动队伍行至武川县二份子村时，被傅作义派来"接应"的 35 军两个加强营包围。他们被迫交出大部分武器，然后分别移驻毕克齐、察素齐等地。

25 日，云继先、朱实夫、苏鲁岱、任秉钧、康济民 5 人在傅作义的策划下，联名向国民党中央发出通电，报告暴动经过，并声明这次行动"谓之避祸可，谓之爱国反正亦无不可"②。

绥远省政府将暴动队伍改编为归绥县防共大队和萨拉齐县防共大队。不久，国民党中央又授予蒙古保安总队（傅作义将其改为蒙旗保安总队）的番号，并任命云继先为总队长，朱实夫为副总队长。同年 9 月，由于绥远省当局处处刁难、限制，加之德王又派人进行策反，部分士兵哗变，云继先被害。哗变士兵在返回百灵庙途中，被傅作义派出的部队消灭，其余士兵大多自动溃散。

这时，中共地下党员乌兰夫和纪松龄千方百计帮助朱实夫收拢溃散的士兵，并派赵诚、云清等中共党员返回保安队协助工作。纪松龄主动代理总队

---

① 任秉钧：《云继先部百灵庙武装暴动经过》，见政协内蒙古自治区委员会文史资料研究委员会编：《内蒙古文史资料》第 5 辑，内蒙古人民出版社 1979 年版，第 23 页。

② 《蒙政会科长云继先等率众脱离百灵庙》，载《中央日报》1936 年 2 月 26 日。

长职务，使得这支濒临瓦解的蒙古族武装得以保存下来。

由于绥境蒙政会的成立和蒙政会保安队的暴动，百灵庙蒙政会已名存实亡。1936 年 7 月，国民政府废止了 1934 年公布的《蒙古地方自治政务委员会暂行组织大纲》①。至此，内蒙古"高度自治"运动终告失败。

第三节　中国共产党和内蒙古人民的革命斗争

一、中国共产党对蒙古民族政策及在内蒙古的艰苦斗争

全国大革命失败以后，内蒙古地区的革命运动也随之转入低潮。中国共产党在极其困难的条件下，不仅恢复和坚持了内蒙古地区的革命斗争，而且对蒙古民族问题进行了初步的调查研究，制定了领导进行蒙古民族解放运动的基本纲领和方针、政策。

1928 年 7 月，中国共产党在六大政治决议中再次重申"统一中国，承认民族自决权"②。1930 年 11 月，中共中央在《关于内蒙工作计划大纲》中还制订了《内蒙的民族政纲草案》："1. 赶走帝国主义，没收帝国主义一切金融机关、企业、农场、牧场；2. 推翻军阀国民党王公贵族的统治；3. 建立内蒙平民共和国，实行完全民族自决，民族平等，联合外蒙及苏维埃的中国；4. 取消王公贵族的一切特权，取消奴隶制；5. 蒙汉被压迫民众联合起来；6. 实行八小时工作制，工人监督生产；7. 没收王公寺庙的牲畜归牧民分配；8. 取消军阀政府王公贵族的捐税徭役，实行统一的累进税；9. 政教完全分离，信教自由；10. 联合中国苏维埃革命运动，联合外蒙苏联和世界无产阶级。在这一政纲之下内蒙建立蒙汉工农牧民自己的国家，像外蒙的民族独立的平民共和国。内蒙加入外蒙与否，加入苏维埃的中国联邦与否，完全由内蒙民众自决。同时，我们党应当广泛宣传苏维埃制度和苏维埃的联

---

① 黄奋生：《蒙藏新志》（上），中华书局 1938 年版，第 260 页。
② 中共中央书记处编：《六大以来》上，人民出版社 1981 年版，第 3 页。

邦制度。"① 为贯彻上述政纲，《关于内蒙工作计划大纲》还制订了 12 项行动纲领和具体工作安排，并要求将这一政纲译成蒙文在蒙古民族中大力宣传。

1931 年 11 月，中华工农兵苏维埃第一次全国代表大会通过了《关于中国境内少数民族问题的决议案》，发表了《全国苏维埃区域代表大会告国内少数民族书》。大会通过的《中华苏维埃共和国宪法大纲》还专门列入了民族政策的条款，规定："中国苏维埃政权承认中国境内少数民族的自决权，一直承认到各弱小民族有同中国脱离，自己成立独立的国家的权利。蒙、回、藏、苗、黎、高丽人等，凡是居住中国地域内的，他们有完全自决权：加入或脱离中国苏维埃联邦，或建立自己的自治区域。中国苏维埃政权在现在要努力帮助这些弱小民族脱离帝国主义、国民党、军阀、王公、喇嘛、土司等的压迫统治，而得到完全的自由自主。苏维埃政权更要在这些民族中发展他们自己的民族文化和民族语言。"②

"九一八"事变后，内蒙古地区的形势发生了巨大变化，东部地区沦为日本的殖民地，西部地区也成为日本侵略的主要对象之一。"抗日救亡"已成为全国各民族共同关注的主题。中国共产党适时提出了组成全国抗日民族统一战线的方针政策，发出了蒙汉联合抗日的号召。中央红军长征到达陕北以后，毛泽东于 1935 年 12 月 20 日以中华苏维埃人民共和国中央政府主席的名义发表了《中华苏维埃中央政府对内蒙古人民宣言》，即著名的《三五宣言》。

《三五宣言》首先揭露了日本帝国主义侵略中国的阴谋和罪行，以及国民党军阀对蒙古民族的压迫政策，指出蒙古民族正面临着生死存亡的严重关头。为此，宣布："原来内蒙六盟，二十四部，四十九旗，察哈尔土默特二部及宁夏三特别旗之全域，无论是已改县治或为草地，均应归还内蒙人民，作为内蒙古民族之领土，取消热、察、绥三行省之名称与实际行政组织，其他任何民族不得占领或借辞剥夺内蒙古民族之土地。""我们认为内蒙古人

---

① 《中共中央关于内蒙工作计划》，见中共中央统战部编：《民族问题文献汇编》，中共中央党校出版社 1991 年版，第 138 页。

② 《中华苏维埃共和国宪法大纲》，见中共中央统战部编：《民族问题文献汇编》，第 166 页。

民自己才有权利解决自己内部的一切问题，谁也没有权利用暴力去干涉内蒙古民族的生活习惯、宗教道德以及其他的一切权利。同时，内蒙古民族可以从心所欲的组织起来，它有权按自主的原则，组织自己的生活，建立自己的政府，有权与其他的民族结成联邦的关系，也有权完全分立起来。"①

中共中央到达陕北以后，把蒙古民族工作列入重要议事日程，于1936年5月专门成立了蒙古工作委员会，高岗任书记。蒙古工委以陕北三边（即定边、靖边、安边）为基地，向伊盟等地开展蒙古民族工作。同年10月，蒙古工作委员会改为少数民族工作委员会，高岗任书记，杨一木任副书记兼回民部部长，李静波任蒙民部部长，赵通儒任秘书长兼蒙民部副部长。

1936年8月，日本关东军指使伪军进攻绥远，内蒙古西部地区的形势日渐紧张。为此，中共中央于24日发出《关于内蒙工作的指示信》，重申中国共产党支持蒙古民族自治自决的立场，号召蒙汉民族团结一致，抵抗日本帝国主义的侵略；要求蒙古民族内部也要建立统一战线，指出"应当把王公军人喇嘛知识分子也都团结在内"，"必须把反中国军阀的压迫的斗争与抗日斗争联系起来"。②

绥远抗战和"西安事变"之后，中共中央于1937年2月接连发出《关于蒙古工作应以援绥抗日为中心的指示》和《关于内蒙工作给少数民族委员会的信》，明确指出内蒙古工作的方针是"抗日援绥，发动全蒙的人民拥护绥远的抗战"，要求在绥远召开包括王公在内的蒙民会议，提出了"（一）全蒙人民动员，（二）全蒙人民联合，（三）组织蒙民援绥抗日武装，（四）给前线以物质帮助，（五）组织慰劳团去前线"等具体措施。③

大革命失败后，内蒙古地区的共产党人，在极其艰苦的环境中坚持开展了革命斗争。1929年，中国共产党为加强内蒙古地区民族解放运动的领导，决定从苏联选派蒙古族中共党员佛鼎、乌兰夫，苏共党员特木尔巴根、朋斯克，列宁共青团员德勒格尔（宁春发）等到内蒙古地区开展革命斗争。临

---

① 《中华苏维埃中央政府对内蒙古人民宣言》，见中共中央书记处编：《六大以来》（上），第683页。
② 《关于内蒙工作的指示信》，见中共中央统战部编：《民族问题文献汇编》，第416—421页。
③ 《中共中央关于蒙古工作应以援绥抗日为中心的指示》《中共中央关于内蒙工作给少数民族委员会的信》，见中共中央统战部编：《民族问题文献汇编》，第448—452页。

行前，中共中央驻共产国际代表瞿秋白、共产国际东方部书记瓦格涅尔与他们谈话，布置了回国后的工作任务，要求他们深入工农兵群众，进行长期秘密的群众工作，组织农民协会，准备开展土地革命；恢复和组织共产党的组织，设法与国内党组织和中共中央接上关系；培养干部，大力开展蒙古民族群众工作，还要开展联络蒙古上层的工作；开展军运，准备进行武装斗争。

1929 年 6 月，他们途经乌兰巴托时，根据共产国际驻蒙古代表阿木嘎耶夫的安排，决定特木尔巴根、朋斯克和在蒙古的布尼雅巴斯尔为东路，回哲里木盟和热河一带，以内蒙古人民革命党的身份开展工作；德勒格尔为中路，前往北平并担任总联络员；乌兰夫、佛鼎和在乌兰巴托的奎璧、李森、三得胜等组成西路，到绥远以归绥、包头为中心开展工作。其中佛鼎、乌兰夫和奎璧 3 人组成中共西蒙工委，佛鼎任书记（后由乌兰夫继任），乌兰夫负责组织，奎璧负责宣传及交通联络。①

佛鼎、乌兰夫、奎璧等回到绥远地区以后，很快与在土默特旗农村隐蔽的中共党员贾力更、高布泽博、勇夫及先期从苏联回国的中共内蒙特支委员云润取得联系。他们开展群众工作时，在农村用中国共产党的名义，牧区则多用内蒙古人民革命党的名义，建立的革命群众"组织形式是 3 人一小组，9 人以上成立支部"②。在绥远地区共建立支部 30 多个，"全体约有 500 人，游牧区占多数"，③ 并逐步从归绥、包头、土默特旗扩大到伊盟准格尔旗、河套五原及察哈尔各旗。1930 年，中共西蒙工委先后派新参加革命的蒙古族青年、共产党员贾力更、高布泽博、勇夫、高凤英、毕力格巴图尔、张禄等 30 多人到乌兰巴托学习，培养了民族干部，为进一步开展内蒙古革命斗争创造了条件。④

1931 年 7 月，共产国际和中共中央又从苏联委派王若飞、吉合、潘恩普 3 人回国，"到西北成立西北特委，以发展并组织西北的革命运动，尤其

① 乌兰夫革命史料编研室编：《乌兰夫回忆录》，中共党史资料出版社 1989 年版，第 109 页。

② 中央档案馆、内蒙古自治区档案馆编：《内蒙古革命历史文件汇集》（1928—1937 年），中央档案馆、内蒙古自治区档案馆 1988 年印刷，第 106 页。

③ 中央档案馆、内蒙古自治区档案馆编：《内蒙古革命历史文件汇集》（1928—1937 年），中央档案馆、内蒙古自治区档案馆 1988 年印刷，第 106 页。

④ 郝维民主编：《内蒙古革命史》，内蒙古大学出版社 1997 年版，第 209 页。

以民族运动为中心"①。9月，他们分两路进入内蒙古。东路的王若飞、吉合由朱实夫带领到了归绥，随即转包头，并很快与乌兰夫等接上了关系。在乌兰夫、李森、赵诚、三得胜等人的协助下，王若飞到五原及包头附近农村进行调查研究。由于西路的潘恩普在阿拉善旗被捕叛变，王若飞于11月在包头被捕，党的西北特委组织遭到破坏。

伊克昭盟也是中国共产党最早开展蒙古民族工作的地区之一。早在1930年，中共陕北特委就派人到乌审旗开辟工作，吸收一些蒙古族牧民参加了红军游击队。中共中央到达陕北以后，为巩固和扩大陕北苏区，加强了蒙古民族工作，先后派张爱萍、高岗、曹动之、田万生等到乌审旗沿边地区，与该旗蒙古族上层道布庆道尔吉（奇国贤，后任该旗西协理）结拜为兄弟，并通过他结识哈诺墨拉（奇金山）、阿拉宾巴雅尔（王悦丰）、巴图其劳（赵玉山）、阿木郎等，使他们走上了革命道路。

1936年夏，红军在西征的过程中夺取定边、盐池之后，高岗等到鄂托克旗三段地、二道川，派人与该旗实权人物章文轩联系，并将被宁夏省强占的几个盐池归还给鄂托克旗。这一举动在鄂托克旗产生了很大影响，章文轩从此与红军和陕北苏区建立了友好关系。中共蒙古工作委员会还在定边专设蒙民招待所，接待来到苏区的蒙古族各界人士。

1936年8月和10月，中共乌审旗工委和鄂托克旗工委先后成立。鄂托克旗工委还吸收20多名蒙汉农牧民为党员，建立了三段地、二段地、二道川、胡芦素淖等4个支部。②

1937年2月，中共乌审旗工委应该旗蒙民群众的要求，带领45名蒙古牧民到延安参观，受到毛泽东、朱德的接见。此后，不断有伊盟蒙古族各界人士到延安参观。1937年4、5月间，中共鄂托克旗工委和乌审旗工委在调解鄂、乌两旗边界纠纷冲突问题上发挥了重要作用，使两个旗达成了和平相处的协议。

中国共产党在伊盟地区建立蒙古民族统一战线的工作取得了初步成果，为此后创建革命根据地和民族武装，打下了很好的基础。

---

① 中央档案馆、内蒙古自治区档案馆编：《内蒙古革命历史文件汇集》（1928—1937年），第196页。
② 郝维民主编：《内蒙古革命史》，第285页。

二、内蒙古人民革命党的革命斗争

1927 年底，在乌兰巴托特别会议上选出的内蒙古人民革命党新中央委员会领导成员开始分批回到内蒙古各地开展工作。

新当选的内蒙古人民革命党中央委员会委员长孟和乌力吉从乌兰巴托返回乌审旗以后，与锡尼喇嘛等根据中国大革命失败后的严峻形势，于 1928 年夏召集乌审旗第二次党员代表会议，决定清理整顿全旗的党组织，将党的工作转入秘密。在原有的 17 个党支部之外又成立 2 个支部，将 19 个支部全部改为蒙旗固有的行政单位（基层政权）名称"嘎查"，同时仍保留具有政权性质的"公会"，通过各"嘎查"行使行政权力。

1929 年 2 月 11 日（正月初二）晚，内蒙古人民革命军第 12 团团长锡尼喇嘛被害，不仅对乌审旗革命斗争造成了重大损失，同时也是内蒙古民族民主革命运动不可弥补的损失。

锡尼喇嘛被害以后，内蒙古人民革命党在乌审旗的党、政、军工作均由孟和乌力吉主持。1929 年 9 月，内蒙古人民革命党中央常委福明泰等来到乌审旗，与中央委员会委员长孟克乌力吉分析了当时的形势，部署了党的工作。1930 年 1 月，内蒙古人民革命党乌审旗党部改选了领导成员，同时根据中央委员会的指示，重新制定旗党部及各支部的规章制度，以提高 19 个支部的素质，并重新登记了党员；向党员及部队战士散发、讲解内蒙古人民革命党中央的各种图书报刊，宣传党的各项主张，揭露日本帝国主义和国民党反动派在内蒙古推行的政策；还派代表与准格尔旗取得联系，要求各支部通过"嘎查"恢复"独贵龙"组织形式，每月召开 1—2 次会议，以便互通信息，研究斗争对策，加强党的秘密工作。[①]

1930 年 3 月，内蒙古人民革命党中央又派中央执行委员宝音巴特尔、赛兴阿（纪松龄）和孟和吉尔格拉（莫杰）专程到乌审旗，会同孟和乌力吉秘密召集了鄂尔多斯、察哈尔联席特别会议，组成了负责鄂尔多斯、乌兰察布、阿拉善、土默特等地党务工作的委员会，选举孟和乌力吉、拉布敦

---

① 义都合西格、宝音、道荣嘎编：《鄂尔多斯人民独贵龙运动资料汇编》（蒙古文）上册，《鄂尔多斯史稿》编审委员会 1981 年印刷，第 255—256 页。

（奇子俊）、索德那木栋鲁布等 7 人为常委，并通过了迅速开展各地党务工作的决定。但是，由于当时环境恶劣，整个中国革命形势处于低潮，内蒙古人民革命党本身力量弱小，这些地区的党务工作未能有效地开展起来。

西公旗（乌拉特前旗）是内蒙古人民革命党开展工作最早的地区之一。该旗贫苦牧人出身的恩克巴雅尔，最先参加内蒙古人民革命党，并负责西公旗党务工作，组建了一支内蒙古人民革命军部队。1928 年，绥远都统下令该旗协理额尔和道尔吉（额宝斋）缉捕恩克巴雅尔。额尔和道尔吉派代表与恩克巴雅尔谈判，提出只要交出武器、解散部队，就可以保证其生命安全，结果被严词拒绝。8 月 16 日，额尔和道尔吉借旗衙门举行祭旗仪式，派军队向恩克巴雅尔部队驻地乌日宝力格发起突然袭击，经一夜激战被击退。为了保存这支革命武装，恩克巴雅尔打算把部队开到伊盟与锡尼喇嘛的部队会合。因未能与锡尼喇嘛取得联系，遂决定将部队撤到蒙古人民共和国境内。恩克巴雅尔率部队北撤途中，于 9 月 3 日到达乌拉特中旗境内的恩格庙，遭到乌拉特中旗部队 200 多人的突然袭击。恩克巴雅尔在撤退途中牺牲，其部队大部分退入蒙古国境内。①

1929 年，奉派到哲里木盟开展工作的朋斯克和特木尔巴根分别到康平县、科左前旗和洮南一带活动。他们联络了一大批蒙古族进步青年，并将其中的哈丰阿、那钦双合尔等 20 多人发展为内蒙古人民革命党党员。同一时期回国的吉雅泰、毕力格巴图尔、白海风、白永伦等，与先期到达的德力格尔、乌勒吉敖喜尔、纪松龄等取得联系，以北平为中心，沿平绥铁路开展工作。他们在北平建立了秘密联络点，还在察哈尔建立了内蒙古人民革命党的基层组织。

1931 年"九一八"事变以后，内蒙古地区和整个中国的政治形势发生了重大变化。到了 20 世纪 30 年代中期，内蒙古人民革命党设在乌兰巴托的中央机关被共产国际取消，由内蒙古人民革命党中央领导的革命活动遂告结束。

---

① 金宝：《人民的骄子，民族的英雄——恩克巴雅尔烈士生平活动介绍》，见《乌拉特前旗史志资料》第 1 辑，1986 年印刷，第 29 页。

三、阿拉善旗"小三爷"事件和呼伦贝尔青年党暴动

国民党政府统治时期，蒙古族人民反对封建王公和军阀统治的斗争始终没有间断。其中规模和影响较大的有 1928 年的阿拉善旗"小三爷"政变事件和呼伦贝尔青年党暴动。

1926 年，冯玉祥的国民军进驻宁夏和阿拉善旗时，该旗贵族德钦一心诺尔布（汉名德毅忱，俗名"小三爷"）等与国民军建立密切关系，并得到了国民军门致中部的一批武器弹药援助。同年冬，内蒙古人民革命党中央迁到宁夏以后，郭道甫和共产国际代表奥其洛夫曾到阿拉善旗开展党务工作。德钦一心诺尔布很快与郭道甫等成为至交，并加入内蒙古人民革命党，接受了推翻王公制度、实行民族自治的主张。其后，他秘密联络本旗盐务局、税务局、百货统捐局部分税丁和一些蒙古族士兵，开始策划发动武装暴动。

1928 年 4 月 22 日，德钦一心诺尔布与孟雄、罗敖有等在西北军（即原国民军）驻阿拉善旗的军官姚甲三派兵支援下，发动武装暴动，很快攻占了旗衙署和整个定远营城。

暴动成功后，他们立即召开群众大会，宣布推翻代表封建制度的塔王政权，成立阿拉善旗政务委员会，由德钦一心诺尔布任主任委员。同时成立国民革命军蒙兵第二路司令部，由德钦一心诺尔布兼任司令，孟雄任副司令，田协安任参谋长，姚甲三任监督。下辖两个旅，罗敖有任第 1 旅旅长，敖其尔任第 2 旅旅长。新政权还没收塔王府和旗衙门的财产，除截留一部分作为新政权的行政费用外，绝大部分交给了宁夏当局；将捕获的旧政权代表人物管旗章京陈莽哈赖枪决；宣布废除驿站"乌拉"，及今后不准男子留辫子等。①

在北平的阿拉善旗札萨克塔旺布鲁克甲喇得知旗内事变后，立即指示从定远营逃出的协理、梅林等，尽快组织各巴格的士兵和牧民向新政权发动进攻。由于新政权未能在基层广泛宣传和发动群众，加上旧政权人士的种种诽谤和造谣，使一般牧民和士兵产生误解，认为"德毅忱叛变塔王，出卖阿

---

① 卓力克：《关于阿拉善旗"小三爷事件"》，见政协内蒙古自治区委员会文史资料研究委员会编：《内蒙古文史资料》第 4 辑，内蒙古人民出版社 1979 年版，第 12 页。

拉善旗"①。所以不仅不同情德钦一心诺尔布等人的革命行动，反而加入了反对他们的行列。

5月下旬，由原副梅林章京黄·图门巴雅尔指挥的旧政权武装和牧民向定远营发动进攻。经一昼夜战斗未能攻破，遂改为长期围困。定远营被困后，德钦一心诺尔布、姚甲三等请宁夏省主席门致中从河套地区调苏雨生骑兵旅进驻了定远营。塔王得知后要求南京国民政府立即撤走苏雨生的部队，恢复阿拉善旗旧秩序。甘肃省主席刘郁芬遂派代表来到定远营，以门致中的名义扣捕姚甲三，解除新政权的大部分武装，命令苏雨生部撤离，并胁迫德钦一心诺尔布、孟雄、田协安等随军撤走。12月上旬，旧政权重新接管了旗政，轰动一时的"小三爷"武装政变最终失败。

呼伦贝尔青年党暴动，是以内蒙古人民革命党人为主发动的一次推翻蒙古封建上层和东北军阀统治的武装斗争。

1928年6月，东北军阀头子张作霖在皇姑屯被日本人炸死，东北局势发生动荡。在蒙古人民共和国的内蒙古人民革命党中央执行委员郭道甫和中央常委福明泰等决定借此机会发动武装暴动夺取呼伦贝尔政权。他们以呼伦贝尔青年党的名义，在蒙古国与呼伦贝尔交界处的绰克托松布尔地方秘密召集会议，"决议以武装革命，恢复呼伦贝尔的完全自治，并决定向海拉尔、兴安岭、满洲里三路进攻"②。

7月9日，郭道甫派人策动新巴尔虎左翼正蓝旗保卫团起义，成立了呼伦贝尔平民军，乌尔吉任总司令，福明泰任参谋长。正蓝旗保卫团编为骑兵第一路第一团。其后，郭道甫、福明泰等派人到海拉尔，向呼伦贝尔副都统署送交了宣布"统一内蒙古，蒙古人自治"③等通告文书。又致书呼伦贝尔道尹赵仲仁，表明他们"并非搞呼伦贝尔独立和革命，而是为改革旧的蒙旗政治，排除副都统及其一派"的目的。同时提出"一、撤换现副都统；二、左右厅长等重要官吏由呼伦贝尔人民选举产生；三、呼伦贝尔的租税中

---

① 罗永寿：《"小三爷事件"始末》，见政协内蒙古自治区委员会文史资料研究委员会编：《内蒙古文史资料》第4辑，内蒙古人民出版社1979年版，第27页。

② 郭道甫：《呼伦贝尔问题》，上海大东书局1931年版，第27页。

③ 《田中领事致田中外务大臣电》（1928年8月16日），见日本外务省外交史料馆档案：《满蒙政况关系杂纂·呼伦贝尔之部》第1卷，A—6—1—2—1—10。

除关税以外一切由蒙旗方面征收；四、承认领土主权属于中国，但一切地方行政由蒙古人行使，并应将中国军队撤退”等要求，还提出“如 14 日为止得不到满意的答复的话，将采取直接行动”。①

呼伦贝尔副都统贵福接到青年党的通告后，立即与呼伦道尹赵仲仁及当地驻军东北步兵第 15 旅旅长梁忠甲（兼海满警备司令和哈满护路军司令）协商决定，加强海拉尔防务，派部分军队进驻新巴尔虎左旗地区侦察警戒。② 同时，贵福和赵仲仁又委派新巴尔虎左翼总管尼玛扎布等人为代表前去交涉，向郭道甫等提出可以考虑改善行政，但决不允许变革制度，尤其是关系到主权的改革；青年派有何要求，到海拉尔提出；立即解散部队，使之各自归乡；若服从这些要求，则可以不咎其罪责。③

8 月 15 日，平民军派 200 多骑兵袭击了中东铁路乌努尔站的守备队，破坏、切断了铁路运输和通讯。16 日，平民军又在满洲里以东的嵯岗站附近拆掉路轨，切断电话线，并向黑龙江省军务督办万福麟乘坐的专用列车开炮，被万福麟的卫队击退。

为镇压呼伦贝尔青年党暴动，万福麟立即增调两个步兵旅和炮兵、骑兵各一个团进入呼伦贝尔，很快恢复了铁路运输及通讯。④ 呼伦贝尔平民军截断铁路、攻占海拉尔的计划均遭失败，只好退到新巴尔虎左翼南部的将军庙。

8 月 20 日，东北军与平民军的代表在海拉尔郊外会晤，交涉停战事项，但平民军方面仍坚持原来的要求。

9 月 12 日，万福麟命第 2 军军长马占山率部向暴动地区推进，并派飞机在克鲁伦河上空示威飞行，散发宣抚传单，准备大规模军事镇压。

经过多方交涉和疏通，东三省保安总司令张学良认为呼伦贝尔青年党的

---

① ［日］田中文一郎：《呼伦贝尔事件的经过》（1928 年 9 月 5 日），见日本外务省外交史料馆档案：《满蒙政况关系杂纂·呼伦贝尔之部》第 1 卷，A—6—1—2—1—10。

② 《呼伦贝尔自治获得运动》（1928 年 8 月 27 日），见日本外务省外交史料馆档案：《满蒙政况关系杂纂·呼伦贝尔之部》第 1 卷，A—6—1—2—1—10。

③ ［日］田中文一郎：《呼伦贝尔事件的经过》（1928 年 9 月 5 日），见日本外务省外交史料馆档案：《满蒙政况关系杂纂·呼伦贝尔之部》第 1 卷，A—6—1—2—1—10。

④ ［日］田中文一郎：《呼伦贝尔事件的经过》（1928 年 9 月 5 日），见日本外务省外交史料馆档案：《满蒙政况关系杂纂·呼伦贝尔之部》第 1 卷，A—6—1—2—1—10。

举动是政治问题，决定用和平方式解决，派代表同郭道甫等谈判，并请郭道甫的启蒙老师、奉天省长翟文选致函劝说。郭道甫遂决定作出让步，"仅以（副）都统衙内添设参议厅，容纳青年党人物，并以增加常年行政经费、教育经费，及增编蒙旗守备队等"① 作为条件。双方达成协议后，青年党、平民军停止了暴动。拒不接受妥协的福明泰等人撤往蒙古国，郭道甫则于9月末只身前往沈阳，被张学良聘为秘书，后来又受其委托创办了东北蒙旗师范学校。

轰动一时的呼伦贝尔青年党事件宣告结束，但东北当局许诺的在副都统公署内设参议厅，增加行政、教育经费及增编蒙旗守备队等都没有实现。

四、抗垦斗争与嘎达梅林起义

清末以来，放垦蒙旗土地一直是蒙古地区最主要的社会问题之一，由此引发的各种社会矛盾冲突层出不穷。每一次放垦蒙地的浪潮掀起之时，蒙古族各阶层的抗垦斗争便随之而来。

随着热、察、绥、宁、青等行省的建立和移民放垦，蒙古族各阶层的抗垦斗争此起彼伏，有的地方甚至发生了大规模武装抗垦事件。

1928年东北当局在哲里木盟推行大规模军垦，引起了蒙古族各阶层的普遍不满和反对。1929年3月—4月，哲里木盟各旗王公札萨克在长春召开会议，向南京国民政府提出保障盟旗权利和反对放垦牧场等要求的同时，还通过《决议书》，向东北边防军司令张学良提出了停止屯垦的要求。②

但是国民党中央及东北当局，对于蒙旗方面的要求和呼声置之不理，兴安区屯垦公署督办邹作华还于1929年7月把带头反对屯垦的科右后旗（即镇国公旗）协理寿明阿关押到洮安县监狱，并没收其家产。同年12月，又有科右前旗民众700余人到洮安，请求保留蒙民原有住宅和少许生计地。邹作华拘捕了为首的胡永泰，其余民众亦被驱散。

晋绥当局在河套推行的军垦，同样遭到达拉特旗蒙古族牧民的反对。他

---

① 郭道甫：《呼伦贝尔问题》，上海大东书局1931年版，第29页。
② 《长春蒙古王公会议始末》（1929年5月11日），见日本外务省外交史料馆档案：《满蒙政况关系杂纂·内蒙古关系》第1卷，A—6—1—2—1—14。

们曾在祥太魁发动700人参加的"独贵龙"运动，迫使"垦局不得不允拨6万亩分给蒙民，以寝其事"[1]。

在磴口设县问题上，阿拉善旗曾多次同宁夏省政府交涉，要求撤销磴口县及各税局、税卡，均无结果。1933年，马鸿逵任宁夏省主席后，扩大和增设磴口县政府机构，建立乡村基层组织，清查户口，抽拨壮丁，派驻军队，使阿旗与宁夏省的矛盾进一步升级，到了兵戎相见的地步。阿拉善旗方面把官司打到南京政府，强烈要求省方撤县、撤军、撤税局税卡。1935年夏，蒙藏委员会派人到阿拉善旗进行调查、调解。1936年2月，宁夏省和阿拉善旗达成《磴口事件解决办法》，承认磴口等处土地所有权属于阿旗，但磴口县及所属各税局、税卡仍照旧设立，由中央政府责成宁夏省每年给阿旗补贴36 000元。[2]

这一时期蒙古族人民的抗垦斗争，规模和影响最大的是哲里木盟科左中旗嘎达梅林领导的武装起义。

从1928年开始，东北军阀张学良在达尔汗亲王那木济勒色楞同意下，陆续放垦该旗东、西夹荒和辽北荒大片土地，引起广大牧民和各阶层的强烈不满。

1929年初，该旗民众召开大会，决定推选本旗军务梅林嘎达梅林（本名那达木德）等4名代表，与达尔汗王交涉阻止放垦。会后，嘎达梅林等分别到古尔忙哈、哈拉乌苏庙、舍伯吐等地召开了数百人参加的会议，又推举出60名老头（蒙古语称"杰仁乌布根"）代表，组成抗垦请愿代表团。同年7月，嘎达梅林等偕60名长者，赴沈阳向达尔汗王请愿。经嘎达梅林等人再三强烈要求，达尔汗王才接见了请愿代表。但是，达尔汗王不仅拒不接受旗民要求，反而让沈阳警察局逮捕了嘎达梅林等4名代表，押解回旗监禁，并下令其他请愿代表限期离沈返旗。

11月13日夜间，嘎达梅林被妻子牡丹召集亲友营救出狱。反对放垦的牧民群众，在嘎达梅林领导下开始了武装抗垦斗争。在全旗人民的积极支持和拥护下，抗垦武装由最初的20余人很快发展到700多人。嘎达梅林的抗

---

[1]　贺扬灵：《察绥蒙民经济的解剖》，商务印书馆1935年版，第228页。
[2]　《唐柯三解决磴口纠纷办法》，见中国第二历史档案馆档案，代号141，档号1809。

垦队伍转战于哲里木盟达尔汗旗和昭乌达盟扎鲁特左、右旗等地，袭击垦务局和垦务官员，使得测放"辽北荒"、"西夹荒"的垦务无法顺利进行。各地蒙汉军警武装"虽经年兜剿，只以人少、势微，枪弹不济，莫能御制"[1]。

由于抗垦烽火迅速扩大，张学良便派驻洮南的张海鹏部和驻开鲁的第17旅崔兴武部进行围剿。在兵力、武器均占优势的正规军追剿下，嘎达梅林起义军的作战条件愈益艰苦，人员伤亡严重，损耗的武器弹药和物资也无法补充，至1931年初，只剩下200多人。4月9日，嘎达梅林带领四五十人在通辽北舍伯吐附近的洪格尔敖包屯被第17旅李守信部1 000多人包围。经激烈战斗，嘎达梅林等20多人英勇牺牲[2]，余部溃散，起义最终失败。

---

[1] 《匪情汇要》，载《蒙藏周报》1931年第65期。
[2] 李守信：《李守信自述》，刘映元整理，见政协内蒙古自治区委员会文史资料研究委员会编：《内蒙古文史资料》第20辑，政协内蒙古自治区委员会文史资料研究委员会1985年印刷，第97页。

第　六　章

日本殖民统治时期的内蒙古

第一节　日本侵占内蒙古东部地区

一、日本对内蒙古东部地区的政策

1931 年"九一八"事变后，日本关东军侵占了中国东三省，制定了在东北建立"满蒙独立国家"的计划及对内蒙古东部地区的方针和政策。9 月22 日，在其《满蒙问题解决方案》中决定建立由日本支持的"领土包括东北四省及蒙古，以宣统皇帝为元首的中国政权"[①]。所谓"蒙古"，即指内蒙古东部哲里木盟、昭乌达盟、卓索图盟以及呼伦贝尔等地区，这些地区将成为"满蒙独立国家"的一部分。10 月 24 日，关东军参谋部在《解决满蒙问题之根本方策》中提出，"满蒙独立国家""与中国本土断绝关系，表面上由中国人统一管理，其实权掌握在我方手中"[②]。11 月 17 日，又在《满蒙自由国建设方案大纲》中具体提出满蒙独立国"由奉天省、吉林省、黑龙江省、热河省、东省特别区和蒙古自治领六省区组成"，并"组成联省自治形式的中央政府，然后逐渐扩大中央政府的权限，尤其要统一军权、司法权

---

① 复旦大学历史系编译：《日本帝国主义对外侵略史料选编》（1931—1945 年），上海人民出版社1975 年版，第 17 页。

② 关宽治、〔日〕岛田俊彦：《满洲事变》，上海译文出版社 1983 年版，第 431 页。

和税收权，缩小各省区的权力"，其国防由日本负责，包括经济在内的铁路、航空等必须完全在日本的控制之下。这个满蒙独立政权的殖民傀儡性质显而易见。

1932 年 1 月 4 日，关东军司令官本庄繁提出设置满蒙中央政府机构、时间、首都、参议府、管辖区域以及日军兵力部署在满蒙的日本官署等具体方案。其中央政府的管辖区域为奉天省、吉林省、黑龙江省、热河省、内蒙古省。1 月 6 日，陆军省、海军省、外务省在《中国问题的处理方针纲要》中规定，"满蒙目前是独立于中国本部政权之外的另一政权的统治区域，逐步引导其具有作为一个国家的形态。……相机宣布建立新的统一政权"[①]。1月 27 日，关东军制定了《满蒙问题善后处理要纲》和《满蒙自由国建设顺序》，首次提出对内蒙古地区和蒙古人的政策，即"蒙古将来形成特定的蒙古地域，以期从政教两方面进行笼络，并且尽量减少汉人的刺激，采取渐进的态度进行指导"，"蒙古自治区域包括东部内蒙古、呼伦贝尔地区以外，还把内蒙古的察哈尔、锡林郭勒盟的地域也包括在新满蒙独立国圈内"[②]。2月 2 日，关东军参谋部又制定了《伴随满蒙建设之蒙古问题处理要纲》，具体提出："为蒙古人设立一个特定的省，以畜牧业经济为主，并使之实行自治，其他各省蒙古人杂居地带则暂时实行特殊行政。①将东部内蒙古、呼伦贝尔作为一个区划，逐渐将察哈尔省包括在内。②称之为兴安省，建立新国家的同时承认其为自治省。③废除王公制度，参议府里容纳若干蒙古人。④为维持治安，除每旗成立自卫团之外，建立兴安游击队南北两个军（2 500人），由松井清助大佐、磐井文雄少佐指挥。⑤预定郭尔罗斯旗长齐王或海拉尔的贵福为省长候补人选。"[③] 将内蒙古东部地区在"满蒙独立国"中的地位及日本对这里蒙古人的政策确定了下来。

二、日本在内蒙古东部殖民统治行政建制的形成

1932 年 3 月 1 日，伪"满洲国"政府成立时，在其国务院设立了兴安

---

① 关宽治、[日] 岛田俊彦：《满洲事变》，上海人民出版社 1975 年版，第 440—441 页。

② [日] 春日行雄编著：《日本与蒙古一百年》（日文），亚细亚博物馆·蒙古馆 1993 年刊印，第56 页。

③ [日] 春日行雄编著：《日本与蒙古一百年》（日文），第 57 页。

局（后改兴安总署），"隶于国务院，主管兴安省一般行政事务及另定地域之蒙旗事务，协助国务总理"①，内设总务处、政务处、劝业处。原哲里木盟盟长、郭尔罗斯前旗札萨克齐默特色木不勒任兴安局总长、"满铁"郑家屯公所原所长菊竹实藏为次长。8月3日，兴安局改称兴安总署，其组织机构及权限等未变。

在内蒙古东部地区设立了特殊行政区域兴安省，其地域包括原哲里木盟大部分地区和呼伦贝尔副都统所辖区域、西布特哈总管衙门所辖区域。兴安省下分设兴安南分省（原哲里木盟7个旗）、兴安北分省（原呼伦贝尔地区）、兴安东分省（原西路布特哈总管衙门辖区）。兴安省既无省长、省公署，也没有首府，直接归兴安局（兴安总署）总长管辖。

1933年3月，日军侵占热河省全境，在热河省境内分设热河省和以卓索图盟、昭乌达盟为范围的兴安西分省，并将兴安西分省划入兴安省所辖范围之内。

1934年3月1日，"满洲国"实行帝制，溥仪为"满洲国"皇帝，改年号为康德；国务总理改称为国务总理大臣，各部总长均改称大臣，兴安总署长官仍称为总长。12月1日，兴安总署改为蒙政部，齐默特色木不勒任蒙政部大臣，日本人依田四郎任次长。蒙政部内设总务司、民政司、劝业司，其所辖地域包括兴安4分省26旗、3县及吉林省郭尔罗斯前旗、龙江省杜尔伯特旗和依克明安旗、滨江省郭尔罗斯后旗等省外4旗。同时实行地方行政制度改革，将原奉、吉、黑、热4省划分为10个省，将兴安4分省升格为兴安4省，设立省公署。1937年1月1日，热河省及锦州省内各蒙旗实行"旗制"，热河、锦州两省内的8个蒙旗划归蒙政部管辖。同时，在"满洲国"行政机构改革中，废除了中央机构中主管蒙古行政的蒙政部，设立了直属于国务总理大臣的兴安局，是国务总理大臣及各部大臣有关蒙旗行政的咨询联络机构。兴安局内机构有总务科、调查科、第一议事官房、第二议事官房。兴安4省归各部大臣指挥、监督，省外各旗则由各该省公署管辖。这

---

①　《满洲国政府公报》第1号，辽沈书报社1990年影印本。

是"满洲国"所谓"强化国政的综合统制"之举。①

与此同时，对内蒙古东部地区行政建制进行了大幅度的调整。1932 年 6 月 27 日，取消了哲里木盟和呼伦贝尔副都统衙门、西布特哈总管衙门建制，以兴安南、北、东 3 分省代之，确定了兴安 3 分省所辖各旗区划，废除"旗县并存"体制，取消所有县、设治局建制。1933 年 3 月，设兴安西分省后，取消了卓索图盟、昭乌达盟建制，确定了兴安西分省的区划及各旗县之区域。7 月 12 日，对兴安北分省行政区划进行了调整，兴安 4 分省区划与建制基本确定了下来。

在锦州、热河两省蒙旗推行"土地奉上"的同时，废除了"旗县并存"体制，作为对蒙旗"土地奉上"的补偿。1940 年 1 月 1 日，在锦、热两省在"旗县并存"地区实行"废县存旗"措施，撤销了与热河省翁牛特左、翁牛特右、喀喇沁左、喀喇沁中、喀喇沁右、敖汉旗等 6 旗并存的乌丹、赤峰、建昌、宁城、建平、新惠 6 县及与锦州省土默特左、右 2 旗并存的阜新、朝阳 2 县，同时从土默特右旗析置土默特中旗，从而解决了锦、热两省境内"旗县并存"的特殊行政体制。

1943 年 10 月 1 日，将兴安东、西、南、北 4 省合并成立兴安总省。总省公署设在王爷庙街，撤销兴安东、西、南 3 省公署，成立了兴东、兴南、兴西 3 个地区行署，又将原兴安南省北半部划为兴中地区，归总省公署直辖。兴安北省建制和省公署未变。

至此，日本在内蒙古东部殖民统治的建制体系基本形成，成为伪"满洲国"的组成部分。

第二节　日本在内蒙古东部地区的殖民统治

一、社会制度与行政体制变革

内蒙古东部哲里木盟、卓索图盟、昭乌达盟的基本社会制度是盟旗制

---

① ［日］"满洲国"史编纂刊行会编：《满洲国史·各论》（日文），满蒙同胞援护会 1971 年刊印，第 1259 页。

度。盟设盟长、副盟长，署理盟务；旗设世袭札萨克执掌旗务。呼伦贝尔地区是副都统管辖下的总管旗制，西布特哈地区是总管旗制，旗设总管管理旗务，总管是任命而非世袭。

伪"满洲国"在哲里木盟、卓索图盟、昭乌达盟区域建立兴安南分省、兴安西分省以及热河省的时候，这3个盟的建制已不复存在。原属这3个盟的旗，除哲里木盟的郭尔罗斯前旗、郭尔罗斯后旗及杜尔伯特旗外，其余3盟各旗分别划归兴安南、西2分省和热河省。原来的盟无权管辖县的行政事务，而新设的兴安分省则有权管理县的行政事务。

旗的名称和旗一级政权虽然得以保留，但其体制发生了实质的变化。在1932年7月"满洲国"政府公布的《旗制》中规定："旗内有住所者为旗住民，旗住民均以本令规定享受权利负担义务。"[①] 实行"旗县并存"体制时期是旗管蒙人、县管汉人，是谓"属人行政"，原本旗民只是蒙古人，而非其他民族。废除"旗县并存"，实行"存旗去县"后，旗公署对旗内所有居民都有管辖权，旗内所有居民均为旗民，其权利义务同等。旗设旗长，是由国家任命的地方官员，为荐任官，非世袭札萨克；世袭札萨克和总管是旗的行政长官，又是军事长官，而旗长则是单纯行政长官，无军事指挥权。

废除了旗札萨克衙门和总管衙门的组织机构，旗设公署，下设总务科、内务科、警务科；废除了札萨克制旗的札萨克、协理、管旗章京、梅林和总管制旗的总管、副总管、笔帖式等官职，设荐任旗长、理事官、属官、技正、警正及委任的警佐等官职。1933年10月22日兴安总署训令规定，旗公署配备辅佐旗长的日系参事官。从1934年1月起，各旗公署普遍设了日本人参事官。参事官的职权名义上是辅佐旗长，参与旗行政机要工作，而实际上是掌握旗的财物收支、税收、土地管理及社会治安等权力，是旗的实际统治者。

废除盟长和旗札萨克审理案件制度，从行政审判机构判案过渡到法院办

---

① 《满洲国政府公报》第21号，辽沈书报社1990年影印本。此后对《旗制》进行了多次修正。1940年5月1日废止《旗制》，另行制定公布了《旗制》和《旗官制》，载《盛京时报》1940年4月24日。

案，逐步分离行政权与司法权。1933 年 10 月 5 日《兴安省处理司法事务暂行办法》① 规定，第一审由旗县公署行政官员组成的审判所和第二审由省公署审判庭分别判案。从 1937 年 9 月 1 日开始，设立了管辖兴安各省司法的法院，受理原由旗县公署审判机关受理的一审案件，一审审判员由旗长或县长充任；地方高等法院受理原由省公署受理的二审案件。

旗以下的行政组织制度，废除了原来的参领、佐领制，实行"努图克"（相当于区）、"嘎查"（相当于村）制，即每旗划分若干努图克，每努图克又分若干嘎查，每个嘎查又分若干"艾里"（相当于村、屯）。努图克和嘎查设公所，努图克、嘎查的长官均称"达"。人口 5 000 左右的小城镇，则设"街"，相当于努图克。

改变了旗财政收支与王公收支合一的制度，旗公署财政与王公个人收支分离，旗官员由"国库"支给工资，努图克达、嘎查达的工资由旗财政支给，取消王公私自摊派及征租征税特权，征收法律规定之外的旗税、夫役及赋课，则由旗另定。

1932 年 2 月 2 日，关东军在《伴随满蒙建设之蒙古问题处理要纲》中曾提出废除王公制度的主张。但是"满洲国"成立后，对蒙古王公制度一直没有采取急剧的改革措施。直到 1938 年开始，以"特权奉上"的名义正式废除了王公制度。兴安局与有关部局和省公署之间为此进行多次协商后，决定在兴安省外各旗"开放蒙地奉上"的同时，要求兴安南省、兴安西省及省外 4 旗蒙古王公自动将"封建权益全部奉上国家"②，即所谓"特权奉上"。10 月 19 日正式废除了上述地区的王公制度。"满洲国"政府为补偿蒙古王公"特权奉上"，发行 600 万元的"旧蒙古王公裕生公债"，将每年 24 万元利息分 4 次发给被正式认定的 34 名王公。③ 1939 年 9 月 8 日，依照蒙古王公"特权奉上"形式，正式废除了热河省 6 旗及锦州省 2 旗的王公制度。"满洲国"政府又发行 249 万元的登录公债，以"维持旧蒙古王公之生计与体面"④ 的名义，从 1940 年 1 月开始每年将其 99 600 元利息分 4 次发

---

① 《满洲国政府公报》第 230 号，辽沈书报社 1990 年影印本。

② 兴安局编：《开放蒙地奉上关系记录集成》（日文），兴安局 1940 年印刷，第 21 页。

③ 《盛京时报》1938 年 10 月 15 日。

④ 《盛京时报》1939 年 8 月 29 日。

给锦、热蒙旗 15 名王公。至此，彻底废除了内蒙古东部地区延续近 300 年的蒙古王公制度。

二、日伪军军事部署与军事统治

由于兴安北省、兴安南省与苏联和蒙古人民共和国接壤，日本关东军将这两个省作为对苏作战的前沿阵地之一，派重兵防守，进行以军事工程为主的所谓"国防"建设。关东军在兴安北省驻有第 23 师团，承担"满洲国"西北边境的防务。

1939 年 5 月 18 日，"满洲国"政府总务厅发表《关于北边振兴声明》，制定了针对苏联的《北边振兴计划》。所谓"北边"，系指"满洲国"东、北、西部与苏联相毗邻的间岛、东安、牡丹江、三江、北安、黑河、兴安北等 7 个边境省。《北边振兴计划》是"满洲国""三大国策"之一，由两部分构成，一是以军事基地为中心的"国防"设施建设，包括铁路、公路、机场以及通讯、电力、城市等建设；二是把边境地区的殖民统治转向军事体制的行政建设。从 6 月 1 日起实行，为期 3 年。

兴安北省的海拉尔是该计划中的重点建设地区之一。海拉尔位于呼伦贝尔草原中部，是兴安北省的首府，是"满洲国"西北边境地区的重要军事基地和政治、经济、交通中心，战略地位重要，备受日军重视。关东军在海拉尔派驻重兵防守，并建设了庞大的永久性地下军事工程。这一工程在海拉尔的北山与敖包山地下。北山地下工事是屯兵和军用仓库，敖包山地下工事是战斗阵地，并用坑道将两座山相连。

关东军为试探苏联的防御能力，于 1939 年 5 月，在兴安北省与蒙古人民共和国接壤地区挑起了诺门罕战争。关东军在海拉尔成立了第 6 军。在这场战争中，日军损失惨重，被打死 1.8 万多人、伤亡人数超过了 4 万人。[①] 9 月 3 日，日本大本营命令关东军司令部停止在诺门罕的战斗。9 月 9 日，日本驻苏大使与苏联外交部进行停战谈判。15 日，双方在莫斯科签订了停战协定。这样，历时 4 个多月的诺门罕战争，以日军的彻底失败而告终。

诺门罕战争以后，关东军加强了阿尔山、五叉沟及白（城）阿（尔山）

---

① 厉春鹏、徐占江、阿必德，等：《诺门罕战争》，吉林文史出版社 1988 年版，第 353 页。

线一带的军事防御力量及"国防"建设，派第 107 师团驻守五叉沟，第 63 师团和第 117 师团分别驻守白城、洮南、通辽、开鲁等地。

日本利用蒙古人善骑射的特点和尚武的精神，成立了主要由蒙古人组成的骑兵部队，以维护对其殖民统治。1932 年 5 月，"满洲国"政府以内蒙古自治军为基础建立了兴安南警备军；年底，在兴安东分省和兴安北分省分别建立了兴安东警备军和兴安北警备军；1933 年 3 月，又建立了兴安西警备军，统称兴安军。

兴安军属于"满洲国"正规军，受军政部（1937 年改为治安部）指挥，总兵力达 1 万人。兴安军中有很多日本人担任中上层指挥官，并掌握着实权。兴安军主要担负兴安 4 省境内的治安、警备任务。

1937 年，"满洲国"政府决定设立兴安军管区司令部，统一指挥 4 个兴安警备军。1938 年 3 月，兴安军管区司令部在郑家屯正式成立。

1939 年 3 月，依照"满洲国"政府军政部的命令，从兴安东、西、南警备军各抽调一个骑兵团，组成野战性质的兴安师。6 月，兴安师奉命开往诺门罕战场，担任日军主力的右翼。战场上，兴安师官兵伤亡惨重，又有大批士兵自动脱离战场，返回各自的家乡。8 月初，兴安师奉命撤出战场，经阿尔山、王爷庙返回原驻地。10 月，兴安师改称第 2 师，驻防钱家店、郑家屯等地。

1940 年 3 月，撤销兴安军管区，分别设立第 9 军管区和第 10 军管区，同时撤销 4 个兴安警备军司令部。第 9 军管区担负兴安南、西两省的警备，司令部设在通辽，其隶属部队为第 2 师和骑兵第 3、6 团以及独立骑兵连、山炮兵连等，总兵力达 5 500 人。第 10 军管区担负兴安东、兴安北两省的警备，司令部设在海拉尔，所属部队为骑兵第 7、8 团、骑兵独立连、山炮兵连等，总兵力达 1 900 人。[①]

1934 年 7 月 1 日，"满洲国"政府在郑家屯成立了兴安军官学校，1938 年 8 月，迁址王爷庙新校舍。1939 年 10 月，兴安军官学校改称"陆军兴安学校"，增设教育部、研究部。该校共有 9 期学员毕业。

---

① 中央档案馆、中国第二历史档案馆、吉林省社会科学院编：《日本帝国主义侵华档案资料选编·东北"大讨伐"》，中华书局 1991 年版，第 833 页。

"满洲国"政府还曾组织了两支以蒙古人为主的部队。一个是针对蒙古人民共和国成立的"满洲第 868 部队"（又名满洲第 53 部队），另一个是"满洲国"铁石部队所属的"铁血部队"。

三、改革喇嘛教 服务殖民统治

"满洲国"成立后，关东军对蒙政策强调喇嘛教是把握民心的一项重要内容。1933 年 7 月在其《暂行蒙古人指导方针要纲案》中提出，"利用喇嘛教，以便注意把握民族自我意识，对于宗教进行适当的改良"[1]。

1932 年 12 月，兴安总署曾发布《禁止喇嘛干涉政治之件》，严格实行政教分离的基本方针；1934 年又规定蒙古人出家当喇嘛必须得到旗长之核准。

1940 年 8 月 9 日，"满洲国"国务院制定的《喇嘛教整备要纲》，决定成立喇嘛教宗团，作为改革喇嘛教的中心母体。12 月，"满洲国"喇嘛教宗团正式成立，推举阿鲁科尔沁旗罕庙查干呼图克图阿旺业喜拉哈巴僧格为喇嘛教宗团长，选出 70 名代表出席第一次宗团会议。不久召开了喇嘛教宗团第一次会议，通过了宗团章程、宗务院规则及其组织、人事安排。宗务院作为喇嘛教宗团的办事机构，设在阿鲁科尔沁旗罕庙。宗务院设庶务部和教务部，掌管宗团喇嘛教事宜。宗务院院长由宗团长任命，任期 3 年，可连任。同时，在兴安局设宗务院办事。

喇嘛教宗团在"满洲国"境内共设兴安北、兴安南、兴安西、热河、锦州、奉天 6 个地方教区，其下设 30 个分教区，分别成立教务所和教务分所。

派遣青年喇嘛到日本的佛教寺院留学。1935 年从兴安西省、兴安南省派遣第一期蒙古青年喇嘛 15 人赴日本留学，到与喇嘛教因缘最近的净土宗总本山京都智恩院和高野山、比叡山、和歌山等寺院研习日本佛经。1940 年，决定用蒙民厚生会、蒙民裕生会的资金作为喇嘛留学生的补助金，以鼓励青年喇嘛到日本寺院留学。此外，取消喇嘛免除服兵役的成规，征召青年

---

① ［日］岛田俊彦、［日］稻叶正夫编：《现代史资料（8）·日中战争（一）》（日文），美铃书房 1965 年版，第 448 页。

喇嘛入伍，在喇嘛寺庙普遍建立佛教学校，动员喇嘛献铁献铜、参加阜新煤矿的采煤劳动。

四、殖民统治工具"协和会"

1932 年 7 月 25 日，"满洲国"协和会成立，溥仪为名誉总裁，关东军司令官本庄繁任名誉顾问。第一任会长是"满洲国"国务总理郑孝胥。协和会是日本侵略者为了维护和巩固其殖民统治，在武力镇压、控制政权、强化治安的同时，标榜所谓"日满一德一心、共存共荣、民族协和"，实行思想统治和精神麻醉的愚民政策，其重要性不言而喻。

1941 年太平洋战争爆发后，"满洲国"对协和会进行了改组，实行"满洲国"政府与协和会"二位一体制"，即各省省长与次长是各该省协和会本部长和副本部长，旗县市长及旗参事官、副县市长是各该旗县市协和会的正、副本部长。从而使协和会变成了所谓"官民一体"的机构。

在内蒙古东部的兴安 4 省及热河、锦州省也都成立了协和会省本部，部长由各省长兼任，实际工作由日本人所任事务长负责。协和会各旗县市本部，由蒙古人旗长、汉人县长、汉人或日本人所任市长，分别任本部长，日本人旗参事官、日本人副县长、日本人副市长分别任旗县市副部长，实际工作均由日本人专任事务长负责；在各区和努图克、街设置分会，由区长和努图克达、街达任分会长。协和会发展会员，不分民族和职业，服从协和会纲领即可参加。

协和会将各行业最基层人们的言论和行动纳入其中，实行精神控制和监督，所谓"建立思想上的国防"。协和会的工作主要为精神运动、组织工作、青少年运动、联合协议会和特殊工作等，称为"协和运动"。协和会是日本殖民统治的得力工具。

五、内蒙古东部地区经济殖民地化

（一）经济"统制"政策与"配给制"

这是"满洲国"两项重要的经济政策，也是日本殖民统治的重要内容。它给内蒙古东部区的蒙汉各族人民带来了深重的灾难。

1933 年 3 月 1 日公布的《满洲国经济建设纲要》，提出对重要产业进行统一管制的经济"统制"政策。这是日本垄断东北经济命脉的标志，使东北成为日本的殖民地。1937年5月1日，"满洲国"政府公布了《重要产业统制法》，进一步明确了所谓重要产业的种类及经营方式，扩大了"统制"产业范围，将粮食等民众生活必需品也纳入到"统制"范围。

为了强化对农牧产品的掠夺，将粮食、牲畜的购销由"统制"改为强制购销。从1940年开始推行粮谷"出荷"。所谓粮谷"出荷"，即强迫农牧民售粮，每县每年定出"出荷"总量，由县公署摊派到各村，再由村公所摊派到农户；县公署实业科和兴农合作社每年夏初派若干小组配合村公所逐户确定"出荷"数量，秋后按定数"出荷"，并按粮谷"出荷"数量发给少量的布票和线票。1942年开始在兴安4省所属各旗推行牛羊"出荷"。起初，尚未准确掌握各旗存栏牛数，只是估计摊派"出荷"头数。1943年开始普查牛数，登记并给牛佩戴耳钳，户主不能买卖或宰杀。如牛有死亡，须将牛皮和耳钳送旗公署申请注销其登记号；如被窃或丢失，须带嘎查出具的证明向旗公署申报，违反规定则受相应的处罚。

"满洲国"实行配给制，是与生产、消费、"统制"相对应的一项重要经济政策，对人民生活必需品实行定量"配给"，大幅度压低人民衣食住行的消费，日本侵略者榨取更多的战争物资，将战争资源的需求危机转嫁到人民头上，是其殖民统治经济政策的组成部分。

（二）鸦片政策与广种罂粟

日本侵略者占领中国东北之后，实行鸦片毒化政策，以"专卖"、"断禁"等名义制造、贩卖、走私鸦片，牟取暴利。

1932年11月，"满洲国"政府公布了《鸦片法》。1933年成立鸦片专卖公署，下设专卖署和分署共32处，另设奉天鸦片烟膏制造厂和大满号、大东号两个专卖公司，低价收购鸦片，以"专卖"形式高价售给吸食鸦片者，获取巨额利润，补充其财政收入。

从1933年到1937年，罂粟栽种遍及"满洲国"7省30县1旗，总面积达68.5万亩。① 这还不包括秘密栽种面积。"满洲国"推行鸦片垄断政策，从种植、收购、加工制造到销售、缉私等，完全由专卖公署掌控。1937年

---

① 姜念东、尹文成、谢学诗，等：《伪满洲国史》，吉林人民出版社1980年版，第423页。

10 月，"满洲国"政府公布了《鸦片麻药断禁方策要纲》，决定从 1938 年起在 10 年内断禁烟毒。但是，从 1943 年以后，日本为适应其侵略战争的需要，每年都在东京召开有关鸦片会议，要求"满洲国"增加鸦片生产，以满足其需求。因此，罂粟种植面积又开始扩大，伪满锦州、热河两省和兴安西省及兴安南省的一部分，成为最大的鸦片产地。

实行所谓"鸦片专卖"，实际是官卖，是由官方垄断鸦片买卖。所谓"鸦片断禁"，则是掩人耳目，既未断也未禁。随着侵略战争的扩大，日本财源日益枯竭，鸦片生产不仅在东北泛滥，而且大量输入关内，成为日本侵略者的重要财源。

（三）蒙地整理与蒙地奉上

清末、民国放垦蒙旗土地和汉族农民大量涌入内蒙古东部，设县辖汉，形成"旗县并存"或旗县交错的格局，因而在土地问题上产生了旗与县之间、蒙汉民族之间、农牧业之间极其复杂的关系。

"满洲国"建立之初，对如此复杂的问题，没有急于制定处置和解决办法，只是维持原状。1932 年 11 月，发布了《关于保全兴安各分省各旗旗地之件》，规定"兴安各省各旗旗地除已开放之地现有合法权利者或呈经兴安总署总长之核准者外，不准私放或私行租与垦种。但原有蒙古旗民着自行垦种或为放牧其他利用旗地不在此限"①。

日本侵略者面对掠夺蒙旗地权地利的重要性，"满洲国"政府土地局土地制度调查委员会，于 1936 年 4 月至 6 月对蒙旗土地的历史与现状进行了调查。制定了《蒙地整理案》，否认蒙旗及旧王公对开放蒙地所具有的管辖治理权，认定开放蒙地实际占有者为所有权者；将"蒙租"改为国税，废除"蒙租征收局"。所谓开放蒙地系指当时兴安省以外的东北 4 省、锦热 2 省蒙旗的土地。

1938 年初，伪满兴安局提出由蒙旗方面自动将兴安省以外的开放蒙地地理权奉献给"满洲国"，政府方面从这些土地的受益中拿出一部分资金补助蒙旗财政。这就是所谓"蒙地奉上"。10 月 3 日，"满洲国"政府正式公布《开放蒙地处理要纲》和《旧蒙古王公待遇要纲》，溥仪在皇宫接见原哲

---

① 《满洲国政府公报》第 74 号，辽沈书报社 1990 年影印本。

里木盟 10 旗和依克明安旗的旗长及兴安南省、兴安西省及省外 4 旗 25 名王公代表，对蒙旗及蒙古王公将"开放蒙地地理权"和"特权奉上"表示"嘉纳"。所谓开放蒙地的地域为奉天、吉林、滨江、龙江 4 省共计 34 个县、市，约合 12 503 681 垧（其中蒙租赋课面积 7 479 102 垧）。其"地理权"包括蒙租、渔利租、税捐津贴及未开放地的地租劈份额的征收权。

根据《开放蒙地处理要纲》的规定，伪满政府从 1939 年起每年支付 300 万元定额补助金，其中 150 万元作为上述 11 旗财政补助费。根据蒙古人的意见，其余 150 万元作为财团法人蒙民厚生会资金。另外，根据《开放蒙地处理要纲》的规定，从蒙旗方面应收"蒙租"的滞纳金中分出 5 成，共计 50 万元，作为"开放蒙地奉上"纪念事业费，一次性支付各旗。这是第一次"蒙地奉上"。

1939 年 8 月，"满洲国"政府又公布了《锦热蒙地处理要纲》、《锦热蒙地权利整理要纲》，决定依照 1938 年"蒙地奉上"的办法，处理锦热蒙地所有权及征租权等问题。9 月，伪满国务院举行了"锦热蒙地奉上"仪式，锦热蒙旗旗长代表云丹桑布向国务总理大臣张景惠递交了《锦热蒙地特殊权益奉上书》。溥仪还在皇宫接见了云丹桑布等 15 名代表，对他们所奉献的"特殊权益"表示接受。根据《锦热蒙地处理要纲》的规定，由"满洲国"政府从上述 8 个蒙旗的土地收益中，每年分出 150 万元，其中 20 万元作为锦热 8 旗的财政补助费，130 万元作为新成立的财团法人蒙民裕生会资金，用于 8 个旗蒙民的文化教育及卫生等事业。另外，一次性付给"蒙地奉上"纪念事业费 30 万元。作为对"锦热蒙地奉上"的补偿，决定废除热河、锦州 2 省的"旗县并存"制，实行"废县存旗"。这是第二次"蒙地奉上"。

所谓"蒙地奉上"，表面上看是蒙古王公自动所为，实际上是带有很大的强制性。通过"蒙地奉上"，将蒙古人的土地所有权转变为"满洲国"所有，蒙地整理使得"蒙租"等转化为地租，成为"满洲国"政府的收入。因此，"蒙地奉上"是对蒙古民族的一场空前的经济掠夺和政治压迫。

（四）日本移民侵略

1936 年 7 月，关东军司令部制定了《二十年百万户移出计划》，送交日本政府拓务省通过。这样，该计划被广田内阁确定为"七大国策"之一。

与此同时，"满洲国"政府也将这一计划作为与所谓"北边振兴计划"、"产业开发五年计划"并列的"三大国策"之一。

内蒙古东部地区的兴安北、兴安东、兴安南、兴安西省均属于日本政府确定的入殖移民的开拓地带。《二十年百万户移出计划》中指定的洮（南）索（伦）及三河、西辽河上游地区，均在兴安南省、兴安北省、兴安东省及兴安西省境内。与苏联和蒙古人民共和国接壤的兴安北省及兴安南省北部属于"开拓第一线地带"；兴安东省及兴安南省南部属于"开拓第二线地带"；中东铁路线上的扎兰屯和洮（南）索（伦）铁路线上的王爷庙及其周围地区则属于"开拓第三线地带"。

1940 年之前，由于内蒙古东部地区的经济差异和自然条件限制，特别是蒙旗方面的抵制，日本移民很少移入。直到 1945 年 8 月，日本在内蒙古东部地区的各类开拓团共有 47 个，其中兴安北省 4 个，兴安南省 11 个，兴安东省 32 个。以类别计，一般开拓团 31 个，义勇队开拓团 10 个，义勇队训练所 3 个，报国农场 2 个，开拓实验农场 1 个；在籍人数为 10 721 名，其中兴安北省 498 名、兴安南省 3 579 名、兴安东省 6 644 名。[1]

日本侵略者在内蒙古东部地区推行的移民计划，随着中国抗战胜利、日本的失败而破产。虽然移民人数只有万余，但是广布东蒙地区，强占土地，掠夺资源，是对蒙汉各族人民的残酷掠夺。

第三节　日本侵略内蒙古西部地区及建立蒙疆政权

一、关东军向锡盟察北渗透

日本关东军曾计划逐步将锡林郭勒盟和察哈尔部纳入"满洲国"。后来确定"为在热河及内蒙古建成军事缓冲地带，要与蒙古民族相提携"[2] 的方

---

① ［日］满洲开拓史刊行会编：《满洲开拓史》（日文），满洲开拓史刊行会 1980 年印刷，第818—821 页。

② ［日］春日行雄编著：《日本与蒙古一百年》（日文），亚细亚博物馆·蒙古馆 1993 年刊印，第60—61 页。

针，放弃了原计划。

1933 年 3 月，驻守开鲁的原东北军骑兵第 17 旅李守信部投降日军，被改编为"兴安游击师"，并于 4 月间移驻察哈尔省多伦县。5 月，关东军决定"兴安游击师"在察哈尔东部扶植亲日满势力，建成缓冲地带，并逐渐向乌珠穆沁旗扩张势力，以确保"满洲国"西部的安全，并成为向华北和外蒙古扩张的立脚点。9 月，日军又将李守信部改编为察东警备军，多伦县改称察东特别自治区，李守信任行政长官，受关东军多伦特务机关长指挥。

关东军除将李守信和锡林郭勒盟盟长索特纳木喇布坦作为重点培植对象外，对德王在百灵庙倡导内蒙古自治运动也极为重视。1935 年 5 月，关东军在西苏尼特旗设立了特务机关。9 月，关东军副参谋长坂垣征四郎、参谋部第二课长河边虎四郎和参谋田中隆吉等专程赴西乌珠穆沁旗会见索王和德王。11 月末，关东军邀请德王访问"满洲国"。关东军司令官南次郎和参谋长西尾寿造等会见德王，商定"日本帮助西部蒙旗先搞一个'独立局面'，继而建立'蒙古国'，并送给五十万元和五千支枪，作为扩编军队之用"①。德王按照关东军的安排，到多伦与李守信见面，实现了德王与李守信联合的计划。

12 月，关东军以中方不履行《秦土协定》为借口，令李守信的察东警备军向宝昌、沽源进攻，并派飞机轰炸沽源。月底，李守信部以蒙古保安队名义进驻沽源、张北、宝昌等 6 县，接着又占领了崇礼、尚义、化德。

至此，关东军向锡林郭勒盟和察北渗透取得进展，为进一步侵占内蒙古西部地区建立了前沿阵地。

二、蒙古军政府与蒙古军

1934 年 4 月，国民政府批准成立蒙古地方自治政务委员会（蒙政会）后，在第二次委员大会上根据《蒙古自治办法原则》8 项的规定，通过了察哈尔部改盟的决议。由于国民党绥远当局的干扰，直到 1936 年 1 月蒙政会

---

① 德穆楚克栋鲁普：《德穆楚克栋鲁普自述》，陶布新整理，政协内蒙古自治区委员会文史资料研究委员会编：《内蒙古文史资料》第 13 辑，政协内蒙古自治区委员会文史资料研究委员会 1984 年印刷，第 16 页。

正式改盟时，德王已投靠日本，关东军也插手建立察哈尔盟公署。1 月 23 日，察哈尔盟公署在张北县城成立，并任命了各县县长，均派日系顾问掌握实权。另外，在张北设察哈尔盟保安队，配置日本指导官。

2 月 10 日，德王在其王府成立了蒙古军总司令部，并决定改元易帜，以成吉思汗纪年为年号，新制蓝地红、黄、白 3 色竖条旗。蒙古军总司令部最高首脑为总司令，另设副总司令 1 人，下设政务、军务 2 部和 1 个秘书处。另外，特别设立了由日本人组成的顾问部，共有 20 多人。日本顾问负责对蒙古军总司令部的内部指导，均受西苏尼特特务机关长指挥。[1]

同年 4 月，在西乌珠穆沁旗索王府召开了内蒙古西部各盟旗长官会议，通过了建立"蒙古国"、先行成立蒙古军政府案；实行征兵，扩编军队，组织蒙古军案；实行统制经济，开发资源案；成立蒙古生计会，组织救济新村案以及蒙古军政府组织大纲等。会议决定蒙古军政府为蒙古中央政府，察哈尔、绥远、阿拉善、额济纳、青海蒙古均置于军政府管辖之下；推选乌盟盟长云王为蒙古军政府主席，选举锡盟盟长索王和伊盟盟长沙王为副主席。后称这次会议为第一次蒙古大会。

5 月 12 日，在化德正式成立了蒙古军政府。蒙古军政府设办公厅、参议部、参谋部和军事、财政、内务、交通、实业、教育、司法、外交等 8 个署；另设 1 个日本顾问部，各署均派日本顾问，负责内部指导之责。关东军化德特务机关长田中玖指挥军政府中的日系顾问，并负责对蒙古军政府的指导。

蒙古军政府成立后，德王亲自主持招兵买马，整编军队。把李守信的部队和蒙古军总司令部从"满洲国"招募的士兵以及从锡、察两盟征召的士兵整编为两个军，第 1 军是李守信原来所率部队，辖 4 个师、1 个直属炮兵队，官兵大多为汉族，由李守信兼任军长；第 2 军辖 4 个师、1 个炮兵团，官兵大多为蒙古族，由德王兼任军长。蒙古军总兵力达 11 000 余人。1937 年 5 月，在军政府之下设立蒙古军总司令部，德王任总司令，李守信任副总司令，任命乌古廷为参谋长；总司令部下设副官、参谋、军需、军械、军

---

① 关东军参谋部：《关于内蒙古工作现状》（1936 年 4 月 28 日），见日本防卫厅防卫研究所战史室图书馆藏档案：《中央·战争指导·重要国策文书·第 567 号》。

法、军医等 6 个处；取消军政府的军政、参谋 2 部和第 1 军、第 2 军建制，各师均由总司令部直接指挥。为了培训军官，训练士兵，蒙古军政府在西苏尼特旗德王府成立了蒙古军官学校，德王兼校长，从部队及盟旗招收 50 名蒙古青年入校培训。

三、特务渗透、军事侵略与蒙疆政权建立

1936 年初，关东军在阿拉善旗定远营设立了特务机关，4 月又在额济纳旗所在地东庙设立特务机关。7 月中旬，关东军参谋长坂垣征四郎和德化特务机关长田中玖等召开进攻绥远的军事会议。8 月 24 日，坂垣征四郎等乘飞机到阿拉善旗和额济纳旗视察，分别会见阿拉善旗札萨克达理扎雅和额济纳旗札萨克图布新巴雅尔。关东军军人和满洲航空公司人员多次到阿、额两旗，以设立欧亚航线中继站名义在两旗所在地定远营和东庙修建简易机场，并从包头等地用骆驼运送大量汽油到阿、额 2 旗储备，遂开通了德化、百灵庙、定远营、东庙之间的不定期航班。8 月下旬，坂垣征四郎到归绥游说日本与傅作义合作，推举傅作义负责整个华北，阴山以北蒙古地区划归德王管辖，并签订共同防共协定，否则关东军将会支持德王武力解决。但被傅作义断然拒绝。关东军在绥远省归绥、百灵庙设立了特务机关，在包头开始修筑飞机库；并指使汉奸于志谦、王道一部窜扰绥东，但被傅作义部击退。

11 月初，汉奸王英的"大汉义军"为第一线作战部队，蒙古军第 1 军是第二线增援部队，关东军派"满航"13 架飞机和"满铁"150 辆汽车参加作战，并派日本指导官在"大汉义军"和蒙古军指挥并监督作战。11 月 5 日，德王向傅作义发出通电，指责其破坏蒙政会，实际是宣战。8 日，傅作义电复德王，指责其勾结外国人，成立傀儡政权，规劝其不要受外人利用。14 日，王英发表《大汉义军宣言》，提出打倒南京政府。15 日，王英部向绥东红格尔图进攻，遭傅作义部痛击，惨败而归。

11 月 18 日，蒙古军第 7 师及特务机关进驻百灵庙。23 日，傅作义部进攻百灵庙，蒙古军第 7 师不支，退踞锡拉穆伦庙。12 月 2 日，王英"大汉义军"从锡拉穆伦庙西犯百灵庙，在与傅部交战中伤亡惨重，副司令雷中田被击毙，余部退回锡拉穆伦庙。9 日，王英部石玉山旅和金宪章旅在锡拉穆伦庙杀死部队中的 29 名日本人，投归傅作义军，日本关东军指挥的蒙汉

伪军被驱退至化德、商都一线。12 日"西安事变"爆发，国内局势发生急剧变化。13 日，日本军部作出《内蒙时局对策案》，提出"尽快为停止蒙中两军的军事行动而努力，恢复事件前的状态"[①]。18 日，德王等根据关东军的决定，向国民政府发出停战通电。此役史称"绥远抗战"，亦称百灵庙抗战。

1937 年，日军发动"七七"事变，占领了北平、天津等地。8 月 11 日到 29 日，日本关东军协同中国驻屯军占领了张家口以东平绥铁路。9 月 5 日，日军察哈尔派遣兵团沿平绥铁路西进，先后占领大同、丰镇和集宁，14 日占领归绥，17 日占领内蒙古西部重镇包头。内蒙古西部除伊盟及其后套、阿拉善、额济纳两旗以外，大部分沦陷。

在日军侵占察哈尔、晋北及绥远等地的过程中，于 9 月 4 日在张家口成立了察南自治政府，下辖张家口市及察南的宣化、怀来等 10 县；10 月 15 日在大同成立了晋北自治政府，下辖大同市及晋北的浑源、左云等 13 县。10 月 27 日，在归绥召开第二次蒙古大会，通过了《蒙古联盟自治政府组织大纲》《蒙古联盟自治政府暂行组织法》和《第二次蒙古大会宣言》等，成立了"蒙古联盟自治政府"，选举云王为政府主席、德王为副主席。

"蒙古联盟自治政府""以蒙古固有领土为领域，暂以乌兰察布盟、锡林郭勒盟、察哈尔盟、巴彦塔拉盟、伊克昭盟及厚和（即厚和豪特）市、包头市为统治区域"[②]。同时决定仍延用蒙古军政府时期的旗章，以成吉思汗纪元为年号，政府设在厚和豪特市。

"蒙古联盟自治政府"设政务院、蒙古军司令部和参议会。政务院掌理一切行政事务，由德王兼任院长，政务院下设总务部、财政部、保安部。另外设政务最高顾问及军事最高顾问。[③] 金井章二为蒙古联盟自治政府最高顾问，高场损藏为蒙古军最高顾问。关东军还向蒙古联盟自治政府各部、蒙古军总司令部以及各盟公署均派遣顾问。

---

① ［日］岛田俊彦、［日］稻叶正夫编：《现代史资料（8）·日中战争（一）》（日文），第 607 页。

② 满铁调查部编：《蒙疆政府公文集》（日文）上辑，满铁调查部 1939 年印刷，第 34 页。

③ 满铁调查部编：《蒙疆政府公文集》（日文）上辑，第 36 页。

11 月 22 日，在张家口正式成立了蒙疆联合委员会，统一领导察南、晋北、蒙古 3 个自治政府，卓特巴扎普、于品卿、夏恭分别代表蒙古、察南、晋北自治政府签订成立蒙疆联合委员会协定，规定将各政权的部分权力移交蒙疆联合委员会，由其处理有关产业、金融、交通及其他重大事项；金井章二任最高顾问兼总务委员会委员长，成为 3 个伪政权的实际领导者。这是产生蒙疆政权的第一步，实际上标志着日本在内蒙古西部地区殖民统治的确立。

1938 年 8 月，蒙疆联合委员会由原来的总务、产业、金融、交通 4 委员会改组为总务、产业、财政、交通、民生、保安等 6 部，总务委员会名义仍旧保留并代表蒙疆联合委员会。这样使得蒙疆联合委员会更具有政府职能。

蒙古联盟自治政府对政府机构进行了改革。将政务院所辖的 3 个部改为 1 厅 4 部，即总务厅、民政部、财政部、保安部、畜产部。另有政务院直属的地政局、司法局。与政务院平行的还有参议会和政务委员会，作为政府主席的咨询机构。同时将由归绥县改称的巴彦县并入厚和市，并将厚和市升格为特别市，为联盟自治政府首府。

1938 年 12 月，日本政府为了插手中国占领区内政治、经济、文化事务的管理，专门成立了兴亚院。1939 年 3 月，在张家口成立了兴亚院蒙疆联络部，内设总务、经济、文化等课，另外在大同、厚和、包头设联络事务所，原张家口特务机关长酒井隆少将任蒙疆联络部首任长官。这是日本政府派驻蒙疆地区的最高行政指导机关，在日本驻蒙军司令官的指导下，负责蒙疆政务的指导。蒙疆地区的方针、政策，由驻蒙军参谋长、兴亚院蒙疆联络部长官、蒙疆联合委员会最高顾问 3 人组成的蒙疆联络会议审议决定。

1939 年 7 月，兴亚院制定了《设立蒙疆统一政权纲要》，决定："一、合并蒙疆联合委员会和 3 个自治政府，建立政权，称之为蒙古联合自治政府。二、蒙古联合自治政府采取高度的自治制。"[1] 9 月 1 日，蒙古联合自治政府在张家口成立，德王任主席，夏恭和于品卿任副主席，金井章二为最高顾问；采用成吉思汗纪元年号，以黄、蓝、白、赤、白、蓝、黄 4 色 7 条旗

---

[1]　复旦大学历史系编译：《日本帝国主义对外侵略史料选编》（1931—1945 年），上海人民出版社 1975 年版，第 295—296 页。

为政府旗；政府下设政务院、参议府、蒙古军总司令部，另设最高法院和最高检察厅，张家口为政府"首都"。蒙古联合自治政府管辖区域为察南政厅、晋北政厅和锡林郭勒盟、察哈尔盟、乌兰察布盟、巴彦塔拉盟、伊克昭盟。地方各政厅公署设日系次长，各盟公署设日系参与官。1941 年 8 月，根据日本兴亚院和陆军省的决定，蒙古联合自治政府对内改称为蒙古自治邦政府。

第四节　日本在内蒙古西部地区的殖民统治

一、盟旗制度的变化及地方行政建制的调整

内蒙古西部日本占领地区包括锡林郭勒盟 10 旗、乌兰察布盟 6 旗、察哈尔部 8 旗 4 牧群、土默特特别旗、伊克昭盟的达拉特旗和准格尔旗的部分地区、绥远省中东部的 14 个县以及察哈尔省北部地区。

蒙古联盟自治政府成立时，在其政府组织大纲中将以往非行政机构的盟改为一级行政单位，分别设立盟公署，盟公署设官房及民政、畜产、保安厅。《盟公署官制》（1938 年 7 月公布）规定：盟公署设盟长、副盟长、主任、厅长等官员；盟长受政务院院长指挥监督，执行法律命令管理盟行政；将原只管辖旗札萨克改为指挥监督盟内札萨克、总管、县长。

蒙古联合自治政府成立时，其《政厅盟公署官制》中规定，盟公署除盟长、副盟长、厅长之外，增设日本参与官等官员，盟公署设官房及民生厅、警务厅、劝业厅。[①] 此后又修正公布了《盟公署官制》，更详细地制定了盟公署的职官、机构及其职权。

蒙疆政权通过一系列法规，确定盟公署为一级行政机构，并有了固定的办公场所和较为完善的办事机构。盟公署管辖辖区内蒙旗和县、市，改变了盟管旗、省管县的"旗县并存"行政体制。盟长、副盟长是专职行政长官，只管行政，不务军事，盟公署官员可由盟外人员甚至外国人（日本人）担任，改变了只由本盟人员担任的惯例。

---

① 北支那经济通讯社编：《北支·蒙疆年鉴》（日文），北支那经济通信社 1939 年刊印，第 537 页。

内蒙古西部地区锡、乌、伊3盟的旗是札萨克旗制，察哈尔部8旗4牧群和土默特特别旗是总管旗制。蒙疆政府对旗的体制并没有改革，旗札萨克和总管的职务大多由原来的札萨克、总管担任。

1940年8月，蒙古联合自治政府在张家口召集各盟旗的盟长、副盟长、札萨克、总管等举行会议，金井章二提出，对纯蒙区域社会构成、盟旗制度、历史沿革以及喇嘛教等均予尊重，蒙旗的札萨克制度仍应存续。1941年5月，察哈尔盟公署制定了《察哈尔盟旗组织暂行条例》，首次以法规形式确定旗的组织机构、官制以及职员的权限，改革旗一级行政机构。

1943年7月，蒙古自治邦政府制定的《暂行旗官制》规定：①旗仍按旧制分为札萨克旗制与总管旗制；②札萨克旗设札萨克、协理、管旗章京、管旗副章京、属官、视学、技佐；③总管旗设总管、管旗参领、管旗副参领、属官、视学、技佐；④札萨克、总管受盟长之指挥监督，执行法律命令，管理旗内行政事务；⑤旗设顾问1人，参与重要旗务；⑥旗公署设若干科。职官分荐任和委任两种。

在土默特旗、察哈尔右翼4旗及达拉特旗、准格尔旗等蒙汉杂居、"旗县并存"地区，依然实行旗管蒙人、县管汉人的"蒙汉分治"体制。

蒙疆联合委员会成立时，委员会中设置日本最高顾问，并向察南、晋北、蒙古3个自治政府派出最高顾问；在政府各部、局及各盟和市、县公署都配备了顾问。1938年9月，蒙古联盟自治政府公布了《顾问部组织法》，规定蒙古联盟自治政府内设最高顾问之辅佐机关；顾问部设政府顾问、盟主任顾问、盟顾问、市县顾问、辅佐官、指导官等部员；指导官以上部员由驻蒙军司令官推荐，由政府主席聘任；最高顾问指挥统属顾问部员，负其人事直接责任；顾问对于各部主管事务及盟、市县行政负指导之责。从而在政府机构及盟、市、县内形成了一个独立的顾问系统，受最高顾问领导。

蒙古联合自治政府成立时，废除了顾问制，大多数日籍顾问转为政府各部、委、厅、局和盟、市、县公署的实任官员。在政府各机构中均有日本人担任次长，甚至有的机构中担任部长、局长。在市、县，均由日本人担任副市长、副县长。1940年开始向察盟8旗、巴盟5旗和伊盟2旗配备了日籍顾问；1941年又向锡盟10旗及乌盟6旗都配备了日籍顾问。

与此同时，对行政建制进行了相应的调整。蒙古联盟自治政府成立后，取消"归绥"汉语名称，恢复蒙古语固有名称"Huhehota"，汉字拼写为"厚和豪特"。厚和豪特和包头实行"市制"，成为蒙古联盟自治政府的直辖市，设立市公署。1938 年 8 月，撤销巴彦县（即原归绥县）建制，将其辖区并入厚和市，并将厚和市升格为特别市。11 月，撤销包头县建制，将其辖区域并入包头市。1939 年 9 月，蒙古联合自治政府成立时，厚和豪特特别市降为普通市，与包头市一起划归巴彦塔拉盟管辖。

二、对喇嘛教的政策及改革

蒙疆政权建立后，驻蒙军完全沿袭关东军制定的喇嘛教政策，对喇嘛教采取保护、控制、利用及逐步改革的政策。1939 年 9 月蒙古联合自治政府成立后，每年召开一次喇嘛大会，宣传新政权的各项政策，加强同喇嘛教界的联系。

1940 年 12 月 20 日，蒙古联合自治政府制定了《宗教施策》，对喇嘛教的总方针是"将喇嘛教对策的重点，放在养成彻底的对日依存观念，以期人数之限制、素质之改革及组织之结成"[1]，制订了设立喇嘛教训练所、召开第三次喇嘛大会、派青年喇嘛到日本留学、聘请日本僧侣到当地指导，成立印务处等具体计划。

1941 年 10 月，召开了第三次喇嘛大会，成立了蒙古喇嘛教总会。之后，在巴彦塔拉盟土默特旗及察哈尔右翼 4 旗均成立了支会、分会。

1943 年 5 月，在张家口召开了"蒙古佛教复兴会议"，正式成立喇嘛印务处，推举察罕格根为喇嘛印务处掌印达喇嘛、默尔根格根为副掌印达喇嘛，聘请德化日本特务机关长幽经虎岩为顾问。

喇嘛印务处成为管理伪蒙疆区域内喇嘛寺庙和喇嘛的专门机构，主持宗教行政，将各寺庙纳入其管辖之下，同时严格禁止喇嘛干涉盟旗地方行政。

在多伦和席力图召属庙希拉穆仁召（俗称召河庙），分别设立了喇嘛印务处。后来，蒙古自治邦政府将席力图召的属户编为席力图旗，将多伦诺尔的汇宗寺和善因寺属户编为多伦诺尔旗。席力图旗和多伦诺尔旗成为蒙疆政权辖区内"政教合一"的喇嘛旗。

---

[1]　内蒙古自治区档案馆藏：《蒙古自治邦建设的沿革及施策之理念》（二），1940 年日文油印本。

日本侵略者特别注意拉拢喇嘛教上层，与有影响的呼图克图、格根等建立密切关系，邀请有名望的上层喇嘛访问日本，与日本佛教界建立联系，增加其对日本的好感。

从1938年开始，蒙古联盟自治政府即派遣青年喇嘛到日本寺院学习。5月，从内蒙古西部地区派出首批5名喇嘛在日本佛教净土宗总本山智恩院属寺东极乐寺（在神户）住持小林义道的带领下赴日留学。1940年10月，又派20名青年喇嘛随同日本佛僧高锅日统赴日留学。20世纪三四十年代在日本各寺院学习的蒙古喇嘛有100多人，其中近一半来自内蒙古西部地区。

1942年，驻蒙军德化特务机关开办了"喇嘛训练所"，招收20岁以下的青少年喇嘛，向他们灌输"反共亲日"思想，教授特务情报工作的专门知识和技能，学员结业后分配到各寺庙及机关、团体、学校，进行秘密的情报工作。喇嘛印务处顾问幽经具体负责该训练所的工作。显然，这是驻蒙军情报部培养特务人员的秘密机关。此外，日本方面还把从日本寺院留学回来的个别喇嘛，派到特务机关工作。

三、日伪军军事部署及军事统治

（一）日军整编及其部署

1937年9月，关东军以察哈尔派遣兵团独立混成第11旅团为基干成立了第26师团，驻防晋北和集宁、厚和、包头、固阳等地。1938年1月，以第26师团为基础，编组直属日本天皇的驻蒙兵团，兵团司令部设在张家口，担任蒙疆地区的防务，并向外蒙古、宁夏方面警戒，同时担任对于蒙疆政权的政务指导。3月，组成独立混成第2旅团，编入驻蒙兵团序列，旅团司令部设在张家口，担任以张家口为中心的察南地区防务。7月，根据日本大本营命令，驻蒙兵团改编为驻蒙军，划归日本华北方面军指挥，驻蒙军司令官负责指导蒙疆政务。12月，华北方面军骑兵集团被编入驻蒙军，陆续开到包头、固阳、萨拉齐，接管第26师团的警备任务。

1939年3月，兴亚院蒙疆联络部成立。驻蒙军司令部与联络部和蒙疆联合委员会就各自的主管事务和权限的划分交换了备忘录，决定"（驻蒙）军在有关蒙疆国防、军事、警备、治安的事项上，掌握对当地内外所有机关的指导权"，"兴亚院联络部掌管事务中，有关国防、军事、警备、治安事项要接受（驻蒙）军的分别处理"。[①] 蒙疆联络会议要在驻蒙军司令官领导下，由驻蒙军参谋长、兴亚院蒙疆联络部长官、蒙疆联合委员会最高顾问等人员组成。

在蒙疆地区的日军兵力部署大体上保持第26师团、独立第2混成旅团及骑兵集团等3支部队，分别驻防蒙疆各要地。1942年12月，日本大本营为了适应作战需要，将驻蒙军骑兵集团改变为坦克第3师团，仍担任包头及附近地区的守备任务。

日本驻蒙军的职责及其部署，实质上就是日本侵略者掌控蒙疆局势，成为殖民统治的核心力量和实际统治者。

（二）蒙古军的调整及军事职责

1936年成立的蒙古军，是蒙疆政权的武装力量，是协助日军同八路军和国民党军队作战、担任盟旗地方防务的部队。

蒙古联盟自治政府成立时，在政府内设蒙古军总司令部。根据关东军提出的所谓"政务军事分离"的原则，德王不再担任蒙古军总司令，任命李守信为蒙古军总司令。总司令部下设副官、参谋、军械、军需、军医、军法6个处。蒙古军总司令部初设在包头市，1937年底迁到厚和市。当时蒙古军共有9个师、1个炮兵大队，总兵力达18 000多人，其中骑兵12 000多人、炮兵2 000多人。[②]

蒙古军的最高指挥权由日本驻蒙兵团最高指挥官委任。1937年2月，驻蒙兵团司令部设立了直属于兵团司令的蒙古军军事顾问部。顾问部设在蒙古军总司令部内，负责蒙古军的指挥、训练事宜。规定：没有最高顾问联合署名，不能下达命令；蒙古军将校的任命、晋级、补职等也必须得到兵团司令官的认可。所以，蒙古军的指挥权完全掌握在了日军手里。

蒙古军第1、2、3师是李守信旧部，大多由汉人组成；第4、5、6师从"满洲国"招募，大多由原卓盟、昭盟的蒙古人组成；第7、8、9师由锡、

---

① ［日］森松俊夫：《守卫蒙疆八年——驻蒙军的历史》，见骆驼会本部编：《回忆中的内蒙古——内蒙古回忆录》（日文），骆驼会本部1975年印刷，第37页。

② 李守信：《李守信自述》，刘映元整理，见政协内蒙古自治区委员会文史资料研究委员会编：《内蒙古文史资料》第20辑，第294页。

察、乌盟的蒙古人组成。其中第 1 师驻防包头市；第 2 师驻防厚和；第 3 师驻防集宁；第 4 师驻防黄河南岸的达拉特旗大树湾；第 5 师驻防四子王旗；第 6 师驻防张北县；第 7 师驻防正黄旗；第 8 师驻防武川西部的乌兰不浪一带；第 9 师驻防百灵庙一带。由汉人组成的 3 个师均担任铁路沿线的城镇及附近各县的防务；由蒙古人组成的各师担负各盟旗蒙古人聚居地区的防务。

1938 年以后，日本驻蒙兵团开始逐步削弱蒙古军的实力。是年末，驻蒙军从蒙古军第 4、5、6 师抽出 6 000 多人，送回热河遣散。1939 年 9 月，蒙古联合自治政府在张家口成立时仍设蒙古军总司令部，李守信任总司令。但是，蒙古军总司令部仍驻厚和，未迁往张家口。1940 年夏，驻蒙军司令部对蒙古军进行了整编。首先撤销由汉人组成的第 1、2、3 师番号，改编为地方警察性质的靖安警备队第 1、2、3 集团，划归蒙古联合自治政府治安部指挥。

1943 年初，因第 4 师遣返热河及同国民党军队作战中减员，余部并入第 6 师，取消第 4 师番号；第 5 师部分遣返热河后，余部并入第 7、8 师，取消第 5 师番号。同年春，将各盟旗保安队和蒙古军第 6 师统一整编为防卫第 1、2、6、16、12 师，分别由锡、察、巴、乌、伊盟盟长兼任师长，实际由参谋长负责，划入蒙古军序列，由蒙古军总司令部指挥，驻防各盟要地。1944 年春，第 8 师在与国民党军队作战中损失很大，师长札青札布亦被打死，该师余部并入第 9 师。至此，蒙古军总司令部只辖第 7、9 两个正规师和 5 个有名无实的防卫师。

1944 年以后，驻蒙军主力第 26 师团和坦克第 3 师团相继调往菲律宾及河南。1945 年初，驻蒙军军部为了弥补日军防守兵力的空缺，决定扩编蒙古军。4 月，蒙古自治邦政府将蒙古军设在张家口的联络部升格为军事部，由李守信兼任部长，主持军务及警务。同时将靖安警备队 3 个集团和察南警察队改编为蒙古军第 4、5、11、18 师。其中第 4、5、18 师分别驻防包头、厚和、集宁等地，第 11 师驻防宣化。同时将西苏尼特旗保安队、蒙古军第 2 游击队、准格尔旗保安队分别扩编为蒙古军骑兵第 1、2、3 旅。[1] 此建制直到蒙疆政权垮台为止。

---

[1] 政协内蒙古自治区委员会文史资料委员会编：《伪蒙古军史料》，政协内蒙古自治区委员会文史资料委员会 1990 年印刷，第 72 页。

1936 年蒙古军成立之初，曾在西苏尼特旗创办了军官学校，招收两期学员后停办。1940 年 6 月，蒙古联合自治政府和蒙古军总司令部在西苏尼特旗成立了蒙古军幼年学校。1943 年 6 月，在厚和成立了蒙古总军军官学校，第一期学员除现役青年士官之外，都是从蒙古军幼年学校毕业的学生。军官学校有日本顾问，学校的教育训练方法，完全仿照日本士官学校的模式。但是随着蒙疆政权的垮台，没有一期学生毕业就告结束。

四、日本殖民统治下的内蒙古西部地区经济

日本占领时期，内蒙古西部大部分地区沦为日本的殖民地。包括内蒙古西部地区在内的蒙疆地区所产铁、煤等矿产资源和粮食、鸦片以及牛马羊及皮、毛、肉食等畜产品，都是日本国内极为缺少而又是其侵略战争所急需的战略物资。所以日本在政治和军事上把这一地区看做"特殊防共地区"，在经济上则把它当做其掠夺工业原料及军需物资的基地和商品与资本输出的市场。

日本方面为了有效地控制该地区的经济命脉和最大限度地掠取所需要的战略物资，在蒙疆政权所辖地区普遍推行了经济"统制"政策。所谓经济"统制"，包括金融、交通、通信、矿产、粮食、鸦片、畜牧业、盐业、对外贸易及物价、劳动力等所有经济部门。

1937 年 11 月，蒙疆联合委员会中设立金融专门委员会，负责金融"统制"工作。遂由察南、晋北、蒙古联盟 3 个自治政府各出资 400 万元，合并原察南银行、绥远平市官钱局及丰业银行，在张家口成立了"蒙疆银行"，12 月开始营业。该行在厚和、包头、丰镇、集宁、多伦、张北及北京、天津、大同、宣化等地设有分行，在东京设立了办事处。这样，蒙疆银行以蒙疆特殊会社的名义，成为该地区货币发行、外汇管理、国库金交易、银行业务以及制定金融政策的金融"统制"机关。同时，设立了交通专门委员会，管理平绥铁路交通，具体运营由"满铁"华北事务局设在张家口的铁路局操控。1939 年 12 月，蒙古联合自治政府将该铁路以"委托经营"的名义，交由华北交通会社统一管理运营。

1939 年 10 月，蒙古联合自治政府公布《贸易统制法》，指定羊毛、羊皮、粮食、矿产等 15 类物品为"统制"输出品，指定贵重金属、无线电产

品、纺织品、烟草、机械等30类物品为"统制"输入品。进出口上述物品时，必须得到财政部长的许可，并由财政部长指定的人员组成输出输入业"组合"进行。

1939年11月，蒙古联合自治政府公布《物资统制法》，规定：蒙疆政权可以随时指定任何物资为"统制"物资，由政府制定价格，并由其指定的组合进行垄断经营。这是为日本获得工业及军用品生产原料等而制定的法律，是日本在这里推行经济"统制"政策的核心内容。

金、银、铜、铅、锡、铁等金属矿和煤、硫磺、石棉、云母等非金属矿，均属于"统制"范围。其中煤、铁和畜产品是日本在蒙疆地区掠取的"三大国防资源"，对煤矿、铁矿以及盐、碱等矿产资源的开采、运输、销售等均实行了严格的"统制"。内蒙古西部大青山山脉的石拐子煤矿和杨圪楞煤矿，由日本人控制的"大青山煤矿股份有限公司"开采、销售。1939年7月，蒙疆联合委员会公布实施《盐法》。9月，蒙古联合自治政府在其财政部下设立榷运总署，对盐业生产、销售实行了"统制"。榷运总署在张家口、大同、厚和设立了3个榷运署，其下又设立了众多的榷运分局。在内蒙古西部地区锡盟、察盟、巴盟共设有近40个榷运分局。8月，蒙疆联合委员会公布《矿业法》，将经济上具有重要性的37种矿物列为法定矿物，开采、加工、销售等必须获得政府许可，将这些矿产物资委托日本在华北的"兴中公司"销售。1940年12月，蒙古联合自治政府产业部设立蒙疆矿产管理委员会，统一管理矿产物资销售及配给。在张家口成立准特殊会社——"蒙疆矿产贩卖股份有限公司"，统一经营矿产物的销售和配给。

锡林郭勒盟、乌兰察布盟及察哈尔盟北部是纯牧区，畜产资源极其丰富，日本侵略者视"蒙疆是日本共荣圈唯一的畜产品产地"[1]。蒙疆政权的各级政权机构都设立了专门的畜产管理机构。1938年7月，蒙古联盟自治政府在政务院设立畜产部，在各盟公署设立畜产厅。1939年9月，蒙古联合自治政府政务院设牧业总局，各盟公署劝业厅设畜产股，各旗公署行政科设畜产股。1941年6月，蒙古联合自治政府机构改革时，撤销了牧业总局，将其下属的牧业实验场、种畜牧场、家畜防疫处并入新设的兴蒙委员会。该

---

① ［日］中村信：《蒙疆经济》（日文），有光社1941年版，第9页。

委员会是蒙疆政权畜牧业行政之中枢机构，由该委员会实业处负责畜牧业政策的制定，掌管畜产品交易、草场管理、配给等事项。

1937 年 11 月，关东军张家口特务机关拟定了《蒙疆地区绵羊、羊毛及羊毛皮配给统制要纲》，规定对畜产资源的收购地区、数量和收购、贩卖价格等，均由蒙疆联合委员会及军方"统制"，所有畜产品的最终收购、贩卖均由军方指定的日资公司垄断经营，并确保军方需求。据此，蒙古联盟自治政府制定了《牲畜售卖取缔暂行规则》和《畜产物取缔布告》。

1938 年 3 月，蒙疆联合委员会制定《蒙疆产业开发五年计划》，把羊毛等畜产品作为重点开发的范围。10 月，蒙疆联合委员会制定了《蒙疆畜产政策要纲》，为有效掌握畜产资源并防止其外流，规定家畜及畜产品必须由旗里统一贩卖，并与旗民的日用生活品的供应结合起来；必须由政府收购各旗统一贩卖的马、绵羊，并对主要家畜及畜产品的出口进行"统制"；在实施有关畜产政策时，必须考虑日本、"满洲国"及华北、华中的需要。

此外，蒙疆联合委员会还曾先后制定实施了《皮毛类运出取缔令》、《兽毛类输出取缔令》及《母畜运出取缔令》等。

1939 年 10 月，蒙古联合自治政府公布《家畜运出取缔法》及《家畜运出取缔法施行规则》，并从即日起开始施行。根据该法令，实行家畜出口"许可制"，即向蒙疆地区以外运出马、骡、驴、绵羊、山羊、骆驼、牛或猪等家畜，必须获得牧业总局总长允许才可运出。与此同时，公布实施了《贸易统制法》和《根据贸易统制法限制输出之有关事项》，将各种皮、毛类及其制成品的进出口全部纳入到贸易"统制"范围之内，规定向蒙疆地区以外输出此类物品者，必须经财政部长批准。蒙疆政权通过这些法规，对畜产资源实行了严格的"许可制"形式的"统制"。为此，蒙疆政权组织"家畜交易指定贩卖组合"，是具有特殊资格的家畜输出机构。

日本和蒙疆政权的家畜及畜产品的"统制"政策，是以协调日本国内及其占领地区间畜产资源的供求关系、满足日本对外侵略战争的需要为前提的，充分掌握和获得的畜产资源，为其战时经济服务。尤其是将家畜及畜产品的收购与牧民生活必需品的购置相挂钩的"统制"政策，是廉价收购家畜及畜产品，高价销售牧民生活必需品，如此不等价交换，严重侵夺了牧民的经济利益。所以，日本和蒙疆政权对畜产资源的"统制"，实质上是赤裸裸的经济掠夺。

内蒙古西部、特别是绥远省是有名的鸦片产地，是甘肃、宁夏等西北地区鸦片运销平、津的中转站。1937 年 12 月，蒙疆联合委员会公布了《鸦片业务指导纲要》，确定对于鸦片的买卖、交易及运输等采取政府许可制度，实际上是对鸦片收购、制造、运输及交易的间接"统制"。

1939 年，为了满足日本各占领区内的鸦片需要及蒙疆政权财政收入，蒙疆联合委员会变更了鸦片政策，确立了以鸦片增产为目标的"准专卖制度"形式的鸦片清查制度。所谓"清查制度"，就是对鸦片的生产和销售实行完全的"统制"。

1939 年 6 月，蒙疆联合委员会发布《暂行鸦片管理令》、《清查总署官制》等相关法规，成立了清查总署、清查署、蒙疆土药股份有限公司。在张家口成立了由 206 家鸦片商组成的"蒙疆土药股份有限公司"，并在大同、厚和各设一所支店（分公司），从而建立起了烟农—土药公司—清查署—鸦片配给人—烟民的鸦片"统制"体系。

1940 年 4 月，蒙古联合自治政府公布《禁烟特税法》及《禁烟特税法施行规则》，将罂粟种植改为许可制，向烟农征收禁烟特税，从源头上确保鸦片税收的征缴，允许鸦片收购者获取部分利润。6 月，在张家口成立了"蒙疆土业总组合"，管辖各地方"土业组合"的一切业务。12 月 27 日，兴亚院制定了《鸦片及麻药政策指导纲要》，规定 1941 年度蒙疆地区必须完成 700 万两的收纳量。

为提高收纳量，蒙疆政权重新指定了鸦片收纳人，组成新的"土业组合"，规定了罂粟种植地区、面积和最终收纳。1941 年 6 月，蒙古联合自治政府撤销了清查总署，由经济部的盐政烟务科掌管鸦片事务，从而保证种植面积、加强烟地勘察、鼓励和督促烟农出售鸦片、严厉取缔私自交易。当年的鸦片收纳量超过了以往，达 1 120 万两。

从 1942 年开始，蒙疆政府将"土业组合"交纳的鸦片全部买下，再由政府直接经营对外交易，将向管区外贩卖鸦片的收益全部归政府所有。

由于日本国内及东南亚地区鸦片需要量激增，日本兴亚院要求蒙疆地区 1943 年鸦片收纳量最低为 1 000 万两，罂粟种植面积为 95 万—100 万亩。蒙疆政权为了完成兴亚院的鸦片供应计划，鸦片种植、收购是成为其最重要的施政事项。尤其是 1943 年以后，蒙疆地区物价上涨，物资缺乏，蒙疆政权对鸦片的依赖性越来越强。日本投降以前，蒙疆政权以获得更多的鸦片为维持其统治的主要手段之一。蒙疆政权的财政收入及对外贸易等均依赖鸦片，如 1939 年蒙疆政权鸦片出口额为 2 686.6 万元，占出口总额的 27.68%；到 1940 年鸦片出口额达 6 434.5 万元，竟占出口总额的 52.04%。[①]

日伪政权推行的鸦片"统制"政策，不仅为获取巨额利润，也是"以战养战"的重要手段，同时也是企图"毒化"中国人民，削弱抗战力量的罪恶行径。

---

① ［日］江口圭一：《资料·日中战争时期鸦片政策——以蒙疆政权资料为中心》（日文），岩波书店 1985 年版，第 170 页。

第 七 章

国民党统治下的内蒙古西部地区

第一节　国民党在河套地区的统治

一、国民党在河套地区的兵力部署

1939 年初，傅作义率部到河套的五原县城，成立了第 8 战区副司令长官部。9 月，副司令长官部迁到了临河县第 3 区所在地陕坝。当时傅作义从晋西北带来的部队有 35 军的 101 师、独立 211 旅及 73 师的 422 团、炮兵 25 团等。第 8 战区副司令长官部初成立时的内部机构有秘书处、副官处、参谋处和政治部等。

第 8 战区副司令长官部成立以后，立即按照军辖 3 个师的编制将 35 军进行扩编。扩编后的 35 军由傅作义兼军长，下辖 3 个师，101 师由董其武任师长、新 31 师由孙兰峰任师长、新 32 师由袁庆荣任师长，军直属 1 个骑兵团，各师均有 3 个团。同时把李大超于 1937 年秋带到河套的国民兵改编为绥远省游击军，任命马秉仁为司令，下辖 2 个旅共 6 个团。当时，归第 8 战区副司令长官指挥的部队还有骑 6 军、81 军、东北挺进军、新 3 师、五临警备旅、新 5 旅、新 6 旅等部，以上各部队总兵力约有 3 万余人。[①]

---

① 樊真：《傅将军在河套整军经武、励精图治》，政协巴彦淖尔盟委员会文史资料委员会编：《傅作义在河套》（续集），政协巴彦淖尔盟委员会文史资料委员会 1992 年印刷，第 225 页。

1940 年 7 月，傅作义根据国民政府军事委员会所颁发的新番号和编制，对所属部队进行了改编。除原来的 35 军之外，又成立了暂编第 3 军、暂编第 4 军，各师均下辖 3 个师，还有副司令长官部直属骑兵团、炮兵指挥部。① 这样傅作义的直属部队由 1 个军发展为 3 个军，相当于 1 个集团军。

傅作义这次扩编部队的同时，从陕西、甘肃等地接受了 1 万余名新兵。同时补充了大批军械弹药及汽车。为了补充包头、绥西、五原战役中损失的军官和新扩编部队的干部，傅作义在陕坝成立了"第 8 战区副司令长官部干部训练团"，自兼主任，任命李世杰为教育长，负责培训事宜。干训团连续办了几期，培养了一批军事干部和其他专业干部，从而满足了部队与各部门的需要。

1941 年冬，蒋介石派陈长捷为伊盟守备军总司令，辖骑 7 师朱钜林部、新编步兵 26 师何文鼎部。伊盟守备军总司令部所属部队也受第 8 战区副司令长官傅作义指挥。

第 8 战区副司令长官部成立时归傅作义指挥、节制的骑 6 军是 1937 年"七七"事变后以骑 7 师为主组建，由骑 7 师师长门炳岳兼任军长。当时归骑 6 军的部队有骑 4 师石玉山部和新 5 旅安华亭部。1937 年 10 月，骑 6 军撤退到河套，沿乌梁素海、退水渠、西山嘴一线布防，成为河套地区最主要的守备力量，对稳定河套地区的混乱局势起到了重要作用。

1938 年 1 月，第 8 战区又任命门炳岳为伊北守备区总指挥，辖骑 6 军、绥远游击司令部、新 5 旅、游击 1 支队及绥远防守第 5 支队，"担任乌拉山以南至黄河之线之防守任务"。② 同年春，为配合傅作义部在绥南的军事行动，骑 7 师和新骑 4 师由门炳岳军长率领从河套出发，攻打固阳县。不久，该军转进绥南和林格尔一带，与傅作义部协同作战。6 月初，退入晋西北保德县一带休整。秋天，骑 6 军又返回绥西防区。

1940 年五原战役之后，骑 6 军担任包五公路及黄河沿岸防务。同年夏

---

① 樊真：《傅将军在河套整军经武、励精图治》，见政协巴彦淖尔盟委员会文史资料委员会编：《傅作义在河套》（续编），政协巴彦淖尔盟委员会文史资料委员会 1991 年印刷，第 241—242 页。
② 万仁元、方庆秋主编：《抗日战争时期国民党军机密作战日记》（上），中国档案出版社 1995 年版，第 14 页。

天，骑6师番号取消，门炳岳本人亦调离，骑7师副师长朱钜林接任师长，新骑4师石玉山部编入暂4军序列，新5旅安华亭部升编为暂编第10师，亦编入暂4军序列。1941年冬，伊盟守备军总司令部成立后骑7师归该司令部指挥。

1943年3月"伊盟事变"爆发后，骑7师第20、21团参加了镇压札萨克旗、乌审旗起义军民的军事行动。同年秋，骑7师师部由河套的蛮会移驻杭锦旗公尼召，所属3个团全到伊盟驻防。1944年骑7师调离伊盟前往甘肃整训。

东北挺进军是1937年8月初在大同组建的。当时蒋介石任命马占山为东北挺进军总司令，令其负责东北4省招抚事宜，并收编零散部队、策反蒙古军。马占山受命后即在大同组建总司令部。不久，军事委员会将骑兵第2军何柱国部骑6师拨归马占山指挥。[①] 1937年8月，马占山又策动驻守商都的蒙古军第2师井得泉团反正，请准编为新骑3师，任命井得泉为师长，归东北挺进军指挥。9月，马占山部退入包头一带。国民党绥远省军政机构撤离归绥后，马占山曾被地方士绅推举为绥远军政委员会委员长。9月底，马占山率部进入归绥驻防。10月，日军进攻归绥，挺进军从归绥经包头退入五原。11月，东北挺进军又从五原经东胜进驻伊克昭盟准格尔旗。

1939年，东北挺进军辖骑6师、新骑5师、新骑3师、暂骑1旅、暂骑2旅、暂骑3旅、热河先遣军和其他一些游杂部队。1943年以后，马占山将东北挺进军进行整编，取消几个旅的番号，编为新骑5师、新骑6师及特务营。

第81军马鸿宾部原来驻防宁夏。1938年1月，军事委员会委员长天水行营制定的第二期作战指导方针案中提出，"如敌以主力由绥包西犯时，除第2、第8两战区应先期各以有力部队进入绥南、绥西巩固防务外"，"第8战区应加强绥西五临之守备，并控置有力部于临河及宁（安）北、绥西公路附近，相机策应第10、第2两战区之作战。"[②] 根据这一作战指导方针，

---

① 杜海荣：《马占山将军在绥远抗战的前前后后》，政协内蒙古自治区委员会文史资料研究委员会编：《内蒙古文史资料》第22辑，政协内蒙古自治区委员会文史资料研究委员会1987年印刷，第28—29页。

② 万仁元、方庆秋主编：《抗日战争时期国民党军机密作战日记》（上），中国档案出版社1995年版，第2—3页。

还制定了绥西防守计划："以确保五临地区及伊盟各要点，屏障西北，维护国际交通之目的，应以绥西防守军之一部扼守东胜西北经四眼井亘乌拉阴山、狼山之地带，主力集结于临河之南地区，相机求敌而击灭之。"① 为此，第8战区任命81军军长马鸿宾为五（原）临（河）安（北）守备区总指挥，指挥第81军（欠独35旅），第15路军驻绥第1、2旅和绥远蒙边第一防守区司令部、乌拉特前旗及后旗防守司令部、绥远游击第2支队、五临警备旅，"担任狼山各口至宁夏边境之防守任务"②。

1938年5月，马鸿宾率随从人员到临河，其部队亦相继开入河套。马鸿宾81军军部及其直属部队驻在临河县城，马腾蛟的35师师部及其特务连驻五原县城西北30多华里的折桂乡；35师205团分驻于乌镇、万和长、四义堂等处。张海禄的第206团团部及其所属3个营驻乌兰脑包（乌镇东约5华里）；马玉麟的第103旅旅部及其所属部队驻乌镇；马锤的第104旅208团团部及其所属3个营驻乌不浪山口（乌镇北约10华里）。

1940年2月初，日军向河套地区大举进攻时，防守乌不浪口、乌镇及乌兰脑包的81军各部遭受了很大损失，纷纷溃退到宁夏的蹬口、石咀山等处。同年夏，马鸿宾带35师进入伊盟，驻防东胜、桃力民一带。1941年冬，35师调离伊盟返回宁夏中卫等地整训。

新编步兵第3师白海风部是以蒙古人为主的部队，其前身是蒙古地方自治政务委员会保安总队。经过绥远省方面的积极策动，1936年2月22日该总队在保安处科长云继先率领下举行暴动，脱离百灵庙蒙政会。国民政府军政部将这支部队改编为绥远省蒙旗保安总队，1937年春，白海风被任命为总队长，总队下属两个大队和1个特务队，共900多人。③

"七七"事变后，蒙旗保安总队奉命先后驻防百灵庙、固阳等地。10月间，该部归东北挺进军总司令马占山指挥，被编为蒙古混成旅，参加了防守归绥、阻击日军的战斗。日军占领归绥、包头以后，该部经伊盟开赴府谷县

---

① 万仁元、方庆秋主编：《抗日战争时期国民党军机密作战日记》（上），第14页。
② 万仁元、方庆秋主编：《抗日战争时期国民党军机密作战日记》（上），第14页。
③ 陈应权：《新三师编成庆贺的片段》，政协内蒙古自治区委员会文史资料研究委员会编：《内蒙古文史资料》第22辑，政协内蒙古自治区委员会文史资料研究委员会1987年印刷，第47页。

哈拉寨驻防。同年冬，又转赴河曲县驻防。

1938 年春，国民政府军政部下令正式将该部升编为蒙旗独立旅，下属 2 个团。不久，该旅开往神木县整训。秋天，该旅奉命进驻伊盟郡王旗，并派 1 个团驻桃力民。1939 年夏，蒙旗独立旅扩编为新编陆军第 3 师，白海风任师长，划归第 8 战区副司令长官部指挥，下辖 3 个团。1941 年夏，该师奉命开往甘肃省靖远县整训。

除以上部队外，还曾归第 8 战区副司令长官部指挥、节制的有绥东骑兵司令郭希鹏部、晋察绥边区挺进军张励生部以及伊盟各旗和乌盟乌拉特前、后旗的保安司令部、区防司令部等地方游杂部队。

二、绥远省政府及动委会

1937 年底，绥远省政府从归绥撤退到山西省河曲县以后，除部分工作人员自愿返回原籍外，其余一部分随袁庆曾进入太原，与省主席傅作义所率部队会合，参加了太原守城之役；另一部分人员随绥远省财政厅长李居义暂住临汾待命。太原失守后，李居义根据傅作义的指示率这部分人员转移到西安。1938 年夏，傅作义任第 2 战区北路军总司令，驻防河曲时把省政府人员从西安迁移到陕北榆林，组成了"绥远省政府临时办事处"。

1939 年春，傅作义率部从河曲进入河套地区的同时，令李居义率领绥远省政府在榆林的办事处人员迁到河套，先在五原县恢复了省政府建制，4 月又将绥远省政府迁到陕坝。

绥远省政府恢复建制时首先恢复了民政厅、财政厅、建设厅、教育厅和秘书处。1940 年以后，陆续成立了地政局、合作事业管理处、公路整理处、物资管理处、粮政局、田赋处（1942 年以后将粮政局、田赋处合并成立田赋粮食管理处）、会计处、绥西水利局等单位。省政府秘书长先后由曾厚载、阎伟、于纯斋担任；民政厅长先后由袁庆曾、陈炳谦、于纯斋担任；财政厅长一直由李居义担任；建设厅长先后由王国英、曾厚载担任；教育厅长先后由阎伟、潘秀仁担任。此外，省政府还有人事室、视察室、统计室、蒙务组等直属单位。有的是在傅作义直接领导下工作，如人事室、视察室、蒙务组（与蒙旗指导长官公署合署办公，地点在副长官部）。

抗战时期的绥远省政府从 1939 年起就偏居绥西一隅，政令所及范围仅有河套地区和在伊克昭盟的第三行政督察专员管辖下的东胜县、桃力民办事处（相当于县级机构，1941 年设）。河套地区是指西起与宁夏省接界的三盛公，东至西山嘴，南临黄河，北到狼山这一地区而言。1939 年春，绥远省政府进入河套时，这里设有绥西专员公署，管辖五原县、临河县和安北县。五原县下设 4 个区，临河县下设 4 个区，安北设治局下设 2 个区，其第 1 区区公所所在地大佘太被日军占据后，仅剩下第 2 区，所以称为半个县。当时的行政建制是县下设区，区下设乡；区设区公所，设区长 1 人，由省政府委任助理员 1 人，区警 4 人；乡设乡公所，设乡长 1 人，书记 1 人，乡警 2 人。

抗战初期，河套地区约有军民 28 万多人，其中从事农业生产的人口约为 17 万多。抗战期间，由于山东、河北、山西等地农民冲破日军重重封锁，不断前来这一地区从事农业生产，使河套地区人口逐年增加。1944 年 6 月，绥远省政府公布的人口数字为 10 个县、市、处（7 个县，1 个市政筹备处、1 个办事处、1 个组训处）共有 70 482 户，391 308 人，其中蒙民 7 648 人（仅限于县、处境内者，不包括伊盟蒙旗人口数），壮丁 55 402 人。[①]

绥远省政府迁到河套后，撤销了绥西行政督察专员公署，由省政府直接领导五、临、安 3 个县。另外，在伊盟的东胜县城成立了绥远省第三行政督察专员公署。该专署管辖的东胜县、桃力民办事处、达拉特旗组训处都地处伊克昭盟境内。绥远省政府不直接管理这 3 个县、处，而是通过第三专署管理。

绥远省政府迁到河套后，为了适应当时的特殊环境，仿照中国共产党在山西组织的"战地动员委员会"，于 1939 年 5 月 5 日在五原县成立了"绥远省动员委员会"（以下简称动委会）。傅作义任动委会主任委员，绥远省代主席、民政厅长袁庆曾兼任副主任委员，于纯斋任书记长，负责具体事务。

动委会是适应抗日战争需要的临时性的行政机构，又是绥远省为配合战事需要的党、政、军、团的统一联系机构，也是联系当地军民的桥梁。它在组织上与绥远省政府平行，直接受第 8 战区副司令长官部的领导和"全国总

---

① 李福祺：《抗日时期的绥远省政府》，见政协巴彦淖尔盟委员会文史资料委员会编：《傅作义在河套》（续集），政协巴彦淖尔盟委员会文史资料委员会 1992 年印刷，第 124 页。

动员委员会"的领导，但对全国总动员委员会实际上只有很少的公文往来而已。[1] 绥远省动委会下辖省动委会工作队及五原、临河、安北县动委会。绥远省动委会成立后，负责清查户口、编组保甲、组织通讯网、建立盘查所、配合军事供应、组织担架队、设立救护站、发放救济款以及发动人力、物力、财力参加抗战等具体工作。同年 10 月，绥远省动委会迁到陕坝。还在五原、临河、安北 3 县各区乡也普遍建立了动委会组织机构。

民众组训工作是整个动委会的中心工作。动委会成立之初，即由各级动委会负责向群众发放赈款，开展慰问、救济群众等工作，以此来取得群众的信任，为动员工作的开展创造了有利条件。此后，清查户口、组织保甲、填发身份证、训练壮丁、动员新兵入伍、组织通讯网、建立情报站、设立盘查哨等工作均由动委会负责实施。

1942 年 8 月 15 日，傅作义为了加强河套的政治力量、增强行政效能，撤销了各级动委会，开始实行新县制。动委会存在的 3 年间，在抗战动员方面发挥了应有的作用，同时也为下一步推行新县制创造了必要条件。

傅作义率部从晋西北到河套以后，为了统一思想、统一认识、统一行动，加强抗战必胜建国必成的决心和信念，从 1939 年 7 月 1 日起在百川堡（今临河市新华镇）举办了"抗日建国讨论会"，并借此轮训所有党政军干部。傅作义任主任委员，袁庆曾、陈炳谦为副主任委员，抗建讨论会共开办 4 期，每期 1 个月。每期召集 350 人左右，分成 6 个队，每队又分 4 个组。1—3 期均由傅作义亲自主持。[2]

为了达到寓兵于农、奖励农桑，战时又能全民皆兵，支援军事以及节约人力、经费的目的，傅作义亲自主持第 8 战区副司令长官部、绥远省政府、省保安司令部、战区政治部的高级人员联席会议，决定进行特殊形式的预备兵役（国民兵）训练，即对适龄青壮年（18—45 岁）分批进行军事训练。

国民兵训练以 3 个月为一期，春种秋收时不招集，夏锄期间放假返乡中耕。训管区军政干部在不招集国民兵训练期间，集中在第一训管区学习军政

---

① 白震：《傅将军在河套组训国民兵》，见政协巴彦淖尔盟委员会文史资料委员会编：《傅作义在河套》（续集），政协巴彦淖尔盟委员会文史资料委员会 1992 年印刷，第 179 页。

② 樊真：《傅将军在河套整军经武、励精图治》，见政协巴彦淖尔盟委员会文史资料委员会编：《傅作义在河套》（续集），政协巴彦淖尔盟委员会文史资料委员会 1992 年印刷，第 228 页。

业务，总结经验。每年每训管区大体训练两期，每期训练 4 000 人左右。由于第三训管区成立较晚，只训练了两期即行结束。

国民兵训练自 1942 年 11 月开始至 1945 年 8 月日本投降为止，3 个训管区共训练国民兵 10 期，人数达 38 400 多人，成为可以补充傅作义正规部队 7 个师的巨大兵源。

三、地籍整理及新县制的推行

河套地区的土地放垦较早，土地关系极为复杂，而且土地占有情况不同于内地，土地兼并情况相当严重。清朝末年河套地区放垦时，领垦的地主和包租蒙古王公土地的地商们大都占有成千顷及至数千顷土地。比如大汉奸王英的父亲王同春在河套就占有约三四千顷土地。河套到处有他家的牛犋（垦地庄园）。再加上他的垦地代管者和与他有关系的中、小垦户地主或包租蒙古王公土地的大户，布满河套。另外，除了原有的蒙旗王公的土地、召庙地、蒙民户口地以外，还有教堂地、阎锡山的屯垦军霸占的土地等。军阀、官僚、大地主和洋教堂垄断了河套绝大部分土地。这个地区的农民没有建仓库存粮食的习惯，而都是在沙窝中窑埋粮食。那些有粮食的大地主、大户，都把他们所收获的粮食埋藏起来跑到包头及日军占领的城市内，致使绥远、五原战役期间，傅作义的部队到处找不到窑藏的粮食，军粮曾发生极度困难。

1940 年 4 月，日军从五原等地撤回包头以后，绥远省政府在五原成立"战地复兴委员会"和"逆产处理委员会"，分别任命李居义、周北峰为主任委员。

战地复兴委员会和逆产处理委员会首先发布布告，宣布没收投敌汉奸所有的土地及包租蒙古王公土地的垦地庄园。为了调查、整理河套的土地，于 1940 年 9 月 15 日在陕坝成立了绥远省土地整理委员会，周北峰任主任。该委员会内有总务、调查、测绘 3 个组；下设登记室、清丈队及五原办事处等机构。

土地整理委员会成立后，详细研究了河套地区放垦的历史及土地所有权及租佃关系，并接收了河套地区几个垦务局，并在陕坝开办了"土地整理训练班"，招收二三百名青年，经过 1 个多月的分批训练，都分配到各地进行简易测量。又从这批青年中选择 100 多人，作为土地登记员携带垦务局的放垦簿，到各地向地主查对他们的领垦证书及所交的地价。同时，完成粗略的登记手续，于 1940 年秋收前概略地将应留给原领垦的地主土地和佃农租种的土地面积弄清楚，让农民今后按土地所收粮食正产物的 375‰，向县乡的田粮处公粮科交租粮。

1942 年 3 月 20 日，绥远省政府撤销土地整理委员会，恢复了抗战前的绥远省地政局（成立于 1937 年 2 月，"七七"事变后停顿），任命周北峰为局长。地政局负责全省公田管理，土地征用，地权纠纷，土地登记、调查、垦殖处理及地价税征收等地政事宜。

地政局成立后，在各县都成立了土地登记处，全面开展了地籍登记。省政府又因田赋征实，成立了田粮处，征收田赋粮。田粮处附设公田科，专门征收所清理出来的公田地租。同时省政府又成立了粮食局，专门收购农民出卖的余粮。

通过采取这些措施，河套地区的粮食大部分控制在政府手中。除留足军粮外，还以私商名义船运到包头换取布匹、杂货，解决了河套地区物资缺乏的困难。①

从 1940 年到 1945 年，绥远省政府经过艰苦努力，基本上完成了河套各县的地籍整理任务，清丈出万千顷公田，根据辖区分别编出各县的公地册、地亩册，发放了私有土地权状，移交给地方县政府接管。这样，地方政府掌握了大量公田，对充实地方财政提供了可靠保证。

自从 1940 年春五原战役以后，河套地区的国民党军队与驻守包头、大佘太、西山嘴的日伪军形成隔乌梁素海对峙的局面。另外，1939—1940 年傅作义将河套地区的中国共产党人陆续送回了延安。这样，在共产党人参加下建立的动员委员会已不能发挥作用。傅作义便决定改革地方行政体制，从 1942 年初开始推行新县制，并于 1942 年 8 月 15 日正式撤销了动委会。

1942 年 1 月，绥远省政府在陕坝成立了以傅作义为首的"新县制筹备委员会"，由省政府委员及国民党省党部、三青团、法院、动委会等有关机

---

① 周北峰：《傅作义对河套土地的整理》，见政协巴彦淖尔盟委员会文史资料委员会选编：《傅作义在河套》（续集），政协巴彦淖尔盟委员会文史资料委员会 1992 年印刷，第 264 页。

构负责人组成。①

从 1942 年 2 月开始，在绥远省行政干部训练团分批培训推行新县制所需的中下级干部，人数达 1 500 多人。学习的内容包括民政、财政、建设、教育、农林、水利、田粮、地政、保安、司法、合作、交通、民运、党务以及物资有关业务。有关地方自治的内容和民运工作的办法，亦列入学习讨论的范围之内。尤其将傅作义主持制定的"干部条件"和干部 12 项"戒条"作为干部训练班中特别强调和重视的一课，要求每一受训的行政干部，通过反复学习、讨论，都能将干部条件与戒条背熟，作为言行的准则。

6 月，绥远省政府在河套地区正式开始推行新县制。首先各县、乡组织了划界委员会，勘划新的县、乡界线。各县原有区公所一律取消，废除民选乡长制，实行委任制。

绥远省政府为了推行新县制，把原来河套地区的五原、临河两县及安北设治局划为五原、晏江、狼山、临河、米仓、安北 6 个县，并将临河的陕坝镇升格为与县平级的市政筹备处。撤销了区级行政建制，重新划乡分界，缩小乡的范围，加大乡长的权力，以增强基层行政组织。乡以下推行保甲制度，便于屯兵兴农、征粮征兵、控制户口、强化治安。鉴于原来的民选乡长实质上由当地大户轮流坐庄的情况，新县制实施后乡长统一由政府直接委派。新县制的实施突出以"管"字为中心的治理办法。清查户口、编组保甲、训练壮丁、征粮派款等所有政令之贯彻，无不以乡保为基础。

新县制的行政区划的具体情况是：将原安北设治局第二区划为安北县，县政府驻在扒子补隆（今乌拉特前旗新安镇）；五原的二区和三区划为晏江县，县政府驻塔尔湖。"晏江"二字是为纪念五原战役中阵亡的五临警备旅二团团长贾晏如和 35 军的营长赵寿江而取；五原一区和四区划为五原县，县政府驻隆兴长；临河县的二区和三区的一部划为狼山县，县政府设在永安堡（今临河市狼山镇）。狼山县以地处狼山湾而命名；临河县的四区和三区的一部划为米仓县，县政府驻三道桥。米仓县的县名也是为纪

---

① 刘培荣：《傅作义在河套实施"新县制"的忆述》，见政协巴彦淖尔盟委员会文史资料委员会编：《傅作义在河套》，政协巴彦淖尔盟委员会文史资料研究委员会 1987 年印刷，第 95 页。

念山西河曲人杨满仓、杨米仓兄弟俩开挖杨家干渠的功劳而命名；原临河县一区和黄土拉亥河以东、庆乐乡（乌兰加圪素）以南地区划为临河县，县政府仍驻旧县城（永济镇）；原临河县三区区公所所在地陕坝，改为陕坝市政筹备处。

上述 6 个县共辖 92 个乡镇，比原来多 46 个乡镇，增加了 1 倍。

在勘划新的县、乡界时，在省政府统筹规划下，组织了划界委员会，根据原来的乡界和地形、渠道、沙丘等自然状况，确立标志，绘制县乡新地图，分别报省政府备案。

原来的县政府设县长 1 人，秘书 1 人，民、财、建、教 4 科及会计室；另有警察局、司法处。新县制推行后，各县政府组织日渐庞大，到 1945 年初县政府设有县长、助理县政秘书各 1 人；县政府机构有民政科、财政科、建设科、教育科、粮食科、军事科、地政科、合作事业指导室、会计室；还有警察局、司法处、水利局、田赋管理处、国民兵团、税务局、县银行、民教馆等。乡公所设乡长 1 人，每乡辖 5—8 个保，每保设保长 1 人。每保 6—8 甲，每甲 10 户左右，基本上按自然村划为 1 甲。凡征兵、要粮、派差、征款等事务均由保长亲自执行。

各县乡为了强化治安，在清查户口、整顿户籍的基础上，开始填发良民证。良民证用白布印制，正面有姓名、年龄、职业、性别、籍贯、身高、特征等项目，背面有发证年月日。由各乡户籍干事、民政干事下到保甲，按户口挨户逐人对照填写，然后造册登记，经核对无误后加盖印鉴，发给本人，缝在上衣右前襟上，以备不时检查。如无良民证，则寸步难行。在保甲内还实行"连保连坐法"，让保内各户互相监督，一户违法，连保的户要受"连坐"处分。

总之，绥远省政府在河套地区推行的新县制特点是缩小县、乡、保的范围，充实了基层，加强了行政效能。同时，经过编组保甲，实行"连保连坐法"，增强了对劳动人民的直接统治。

第二节　国民党在伊克昭盟和阿拉善旗、额济纳旗的统治

一、国民党在伊克昭盟的军政设施

1937年10月，日军占领归绥、包头以后，伊克昭盟处在抗战的前线，隔河与日伪统治下的蒙疆地区相接，又成为晋西北及陕甘宁边区的屏障，其战略地位变得相当重要。

当时，国民党的大批游杂部队退入伊盟，局势相当混乱，各旗的王公札萨克面对突如其来的中日之间大规模战争，大多处在惶恐不安、茫然不知所措的状态之中。同时在伊盟国民党的大批游杂部队，有可能随时向各旗王府发动进攻。东北挺进军马占山部当时就曾以所谓"通敌"罪名，出兵洗劫达拉特旗王府，扣捕了旗札萨克康达多尔济。

在这种情况下，沙王于11月间曾召集伊盟7旗王公仕官举行会盟，商讨今后的决策。在当时的局势下，根本无法作出一个确定的决策，大多数人处于观望状态，采取对日本和国民党都不得罪的态度。日军驻包头特务机关得知伊盟各旗王公会盟的消息后，立即派内田勇四郎前往郡王旗。他要求盟长、副盟长及各旗代表立即到厚和（即归绥），接受新成立的蒙古联盟自治政府领导，并提议7旗壮丁组成盟保安队，提出由日军方面提供武器的要求。① 经过讨论，参加会议的王公及各旗代表虽然同意了内田的要求，但内田返回后，盟长及各旗代表并未去厚和。

抗日战争时期，伊盟绝大部分一直处在国民党的统治之下。国民党在伊盟的最高行政机构便是绥远省境内内蒙古各盟旗地方自治政务委员会（简称"绥境蒙政会"）。绥境蒙政会是绥远省方面为瓦解蒙古地方自治政务委员会（简称"蒙政会"，会址在百灵庙）而一手策划的，于1936年2月在归绥成立，当时任命伊盟盟长沙王为委员长。绥境蒙政会下设秘书、参事、

---

① ［日］内田勇四郎：《内蒙古独立运动》，巴秉清汉译，见中共伊盟盟委党史资料征集办公室编：《伊盟革命斗争史料》第7辑，中共伊盟盟委党史资料征集办公室1986年印刷，第161页。

民治、教育、实业、保安、卫生等 7 个处，另有防共训练、建设、财务等 3 个委员会分别由乌伊两盟王公任处长、主任；绥境蒙政会管辖范围是伊盟 7 旗、乌盟 6 旗和土默特、绥东察哈尔右翼 4 旗。绥境蒙政会直隶于行政院，同时受中央主管机关和绥远省境内蒙古各盟旗地方自治指导长官公署的指挥。

绥境蒙政会成立后，各盟旗王公、总官都返回各自的旗里，会内只剩下少数下级职员照看门户，成为一个不主事的空架子。抗战爆发后，绥境蒙政会职员各自流散，会务业已处于完全停顿状态。

1938 年春，绥境盟旗指导长官公署参赞石华严从西安到榆林，提出恢复整顿绥境蒙政会的意见，获得国民党中央的批准。于是他进入伊盟，与沙王商定后改组了绥境蒙政会。改组后的绥境蒙政会仍由沙王任委员长，增设 3 名常务委员和秘书长，土默特旗总管荣祥任常务委员兼秘书长。另外，新增补了一些委员，下属机构为秘书、参事、民治、教育、保安、实业、卫生等 7 个处，建设、赈济、财务等 3 个委员会。会址设在沙王府所在地札萨克旗新街。

绥境蒙政会按其性质为绥远省境内各盟旗行政机关，以促进绥远省境内蒙古各盟旗地方事业为目的，办理"盟旗地方自治事务"。[1] 但是在当时的战争环境中，这个机构很少有实际工作，反而成为安置流亡人员和各旗王公"领钱"的机关。尤其是在 1943 年的"伊盟事变"当中该会人员逃散，馆舍、设备被毁。其后，虽然得以恢复，但是越发成为一个徒有虚名的机构。[2]

与绥境蒙政会同时成立的有绥远省境内蒙古各盟旗地方自治指导长官公署。这个公署是根据国民政府行政院决定成立的，阎锡山任指导长官，日常事务由公署参赞石华严在归绥就近处理。该公署按其性质为"承行政院之命，指导该省境内内蒙古各盟旗地方自治事宜，并调解省县与盟旗之争

---

① 黄奋生：《蒙藏新志》（上），中华书局 1938 年版，第 262 页。
② 经革陈：《绥境蒙政会始末记》，见政协内蒙古自治区委员会文史资料研究委员会编：《内蒙古文史资料》第 5 辑，内蒙古人民出版社 1979 年版，第 35 页。

执"① 之机构，下设总务、政治、军事等 3 个处和 1 个参事室。

抗战爆发后，指导长官公署工作也无形中停顿。1938 年春，公署参赞石华严从西安到榆林后，呈请国民党中央恢复公署的工作，并将指导长官公署设在榆林。1939 年夏，阎锡山派自己的参谋长朱授光到榆林，充任绥境盟旗指导长官公署副长官，就近全权处理指导事宜。1943 年，傅作义接替朱授光兼任绥境盟旗指导长官公署副长官，将指导长官公署由榆林迁到河套的陕坝。

指导长官公署的经常工作是转发绥境蒙政会的经费，向行政院有关部门汇报盟旗的情况，或派些人到伊盟各旗视察，派员参加绥境蒙政会的会议而已。该公署的成立，名义上虽系指导盟旗地方自治，但却寓有监督、统治蒙旗之意，所以引起盟旗方面的反感。抗战结束后，该公署被取消。

伊克昭盟公署是伊盟的最高行政机关，盟长是沙王，副盟长阿拉坦鄂其尔于 1938 年投日后由郡王旗札萨克图布新杰尔嘎拉升任，盟务帮办为札萨克旗札萨克鄂其尔胡雅克图。盟公署设在新街，与伊盟保安长官公署（保安长官为沙王）一起办公。盟公署内部组织较为简单，设秘书、总务处、政务处。伊盟下辖郡王、达拉特、准格尔、杭锦、鄂托克、乌审、札萨克等 7 个旗。沙王在当时备受国民党重视，他是国民政府委员、绥远省政府委员，身兼绥境蒙政会委员长、蒙旗宣慰使、伊盟盟长、伊盟保安长官等要职。

国民党设在伊盟的另外一个机构就是"国民党察绥蒙旗党务特派员办事处"。该办事处成立于 1939 年，设在札萨克旗新街。新 3 师师长白海风兼主任委员。1941 年夏，新 3 师调到甘肃后赵诚璧任该办事处主任委员。伊盟各旗的国民党党部均归该办事处领导。该办事处内设有调查统计室，进行特务活动，在乌审、札萨克、鄂托克等旗设立特务据点，搜集中国共产党在伊盟活动的情报，调查伊盟各旗王公上层和各级党、政、军机关内部职员的言论及活动。

另外，蒙藏委员会调查科在伊盟有调查组（即绥蒙调查组，曾驻榆林、陕坝），组长邹焕宇。该调查组在伊盟各旗派驻调查员进行监督和调查，

---

① 黄奋生：《蒙藏新志》（上），中华书局 1938 年版，第 260 页。

1942 年调查员改称派驻各旗协赞专员。

1940 年以后，国民党军队与日伪军沿大佘太、西山嘴、黄河一线形成"西线无战事"的局面。这样，国民党方面就进一步加强了对伊盟的政治、军事统治。绥远省政府在河套推行新县制的同时，为了达到逐步以县制代替旗制的目的，在伊盟先后设立了"桃力民办事处"和"达拉特旗民众组训处"等两个县级机构。

桃力民地区是指鄂、杭 2 旗的桃力民村周围地区。1941 年 3 月，绥远省以"抗日防奸"为名，在没有征得伊盟盟长及鄂、杭 2 旗同意的情况下，在该地区设立了绥远省第三区行政督察专员公署（设在东胜）桃力民办事处。办事处设秘书、民政、财政等科，下辖 3 个区，是一个相当于县级行政机构。

"达拉特旗战时民众组训处"则成立于 1942 年。抗日战争爆发后，包头、萨拉齐 2 县政府曾退入达拉特旗境内借地办公。后因在事权方面与达拉特旗发生纠纷并且日益激化。绥远省政府借口解决这一旗县纠纷，以"编组保甲"、"抗日防奸"的名义，于 1942 年初正式将包头、萨拉齐 2 县政府改组为"达拉特旗战时民众组训处"。该组训处成立后，达拉特旗的征粮征税等很多行政事务被组训处一手包揽。

这两个县级机构成立后，伊盟盟长及鄂、杭、达 3 旗多次向蒙藏委员会和绥远省政府提出取消办事处、组训处的要求。对此，国民党中央政府却一直采取不予理睬的态度，将两个处一直保留到 1949 年绥远和平解放为止。

抗日战争时期，国民党在伊盟的军队按其性质可分为地方部队和国军两个系统。其中先后驻扎伊盟的国军部队有骑 7 师、新 3 师、35 师、86 师、东北挺进军以及后来的新 26 师。

另外，在伊盟还有一些名义上属于国军系统，实际由各旗保安队组成的军队。

"七旗抗日联军总指挥部"，该部原名"伊盟七旗防共联军总指挥部"，成立于 1935 年夏，达拉特旗札萨克康达多尔济任总指挥。1937 年 11 月，康王被东北挺进军捕送西安后，该部便无形中停顿。1939 年康王返旗后将"防共"二字改为"抗日"，恢复了原有机构编制，其所辖部队一直是该旗保安队，没有其他单独的部队。该部由傅作义的副长官部提供经费，名义上归其指挥。

"蒙古游击军第一区司令部"成立于1939年1月。第一区作战范围为伊盟，实际活动区域仅为准格尔旗沿河一带。准格尔旗保安司令奇文英兼任司令，司令部与准格尔旗保安司令部合署办公，所辖部队骑兵大队、步兵大队各1个。实为该旗保安队，对伊盟各旗其他部队无权过问。该司令部是由绥境盟旗指导长官公署主持成立，故该司令部归第2战区指挥，经费由指导长官公署转发。

"蒙古游击军第二区司令部"成立于1939年初。其作战区域为乌兰察布盟，司令一职空缺，由副司令陈玉甲代理。由于乌盟各旗业已沦陷，所以实际活动区域为伊盟西部沿河一带。该司令部所辖部队很少，完全是一个空有其名的机关，归第2战区指挥。

"蒙古游击军第三区司令部"成立于1939年初，其作战区域为土默特旗，由土默特旗总管荣祥任司令。司令部下辖1个骑兵大队，1个步兵大队，共计120多人。该部成立之初归第2战区指挥。由于土默特旗早已沦陷，所以该司令部成立后曾到达拉特旗柴登驻防，并收罗绥远民众抗日自卫第二路刘效贤旧部和一些散兵游勇。1939年冬，蒙古游击军第三区司令部所属部队从达拉特旗撤退到郡王旗。1943年春，该部奉傅作义命令到河套，驻扎在米仓县刘海圪旦村至抗战结束。[①]

"西蒙抗日游击第一支队司令部"成立于1939年9月，是乌审旗特王和东协理奇玉山向第2战区司令长官阎锡山请求成立的。奇玉山任司令，受绥境盟旗指导长官公署指挥，并由该公署派人训练部队。所辖部队名义上有两个大队，约400人，实际上就是乌审旗保安队士兵，一支部队挂两个司令部牌子而已。

"蒙边第一区防司令部"在抗战前就已成立，司令为杭锦旗札萨克、伊盟副盟长阿拉坦敖其尔。1938年阿王投日后，司令一职由副司令徐世明代理。所辖部队有百余人，多为招募来的汉人。该部驻扎在杭锦旗境内，归傅作义指挥。

---

① 巴靖远：《土旗"蒙游三区司令部"的组成及其活动》，见土默特志编纂委员会编：《土默特史料》第7辑，土默特志编纂委员会1981年印刷，第188页。

"伊南游击司令部"是由过去的"宁（夏）鄂（托克）边界巡防司令部"（系由宁夏省所设，章文轩活佛任司令）演变而来。1938年第8战区副司令长官朱绍良把鄂托克旗的"宁鄂边界巡防司令部"改编为伊南游击司令部，任命章文轩为司令。司令部设在鄂托克旗南部的阿拉庙，所属部队4个营，约1 200多人，实际是鄂托克旗保安队。部队实行轮班制，分驻于旗内各要地。该部属第8战区指挥，实际由宁夏省主席马鸿逵节制。

这些名目繁多的部队，大多是以旗保安队的士兵充数，有的甚至只有番号而没有多少兵力，而且分属于不同的指挥系统。实际上这些部队缺乏训练，武器装备也很差，更谈不上有多少战斗力，只是用这些番号来领取一些经费，供流亡、失业之军政官员及青年生活之用，或补贴保安队经费。

伊盟的地方部队有7个旗保安队，各保安队设有司令部，名义上都归伊盟保安长官指挥。1939年9月。傅作义作为绥远省保安司令，为统辖各旗地方武装，派人到各旗点验保安队枪马人数，并进行了2个月的整训。

这些保安部队大多缺乏正规军事训练，武器装备也很差，没有多少战斗力，只能维持旗内治安而已。兵饷大多由旗政府负担，士兵大多实行定期轮班制。

伊盟保安长官公署为伊盟最高军事指挥机关，保安长官由沙王充任。公署下设参谋、副官、军需、秘书4个处，经费由军政部发给。各旗的保安队完全由旗保安司令部指挥调动，保安长官公署只是偶尔派一些联络参谋及督练员而已。

二、成灵西迁及"伊盟事变"

抗战初期，国民党在伊盟所采取的一个重大政治措施便是西迁成灵。伊盟是祭祀成吉思汗的"八白室"所在地，蒙古人称安放"八白室"的地方为"伊金霍洛"（意为圣主之灵寝）。长期以来，在蒙古族人民心中"伊金霍洛"是极为崇高神圣的地方，有几百户专门负责守护和祭祀灵寝的"达尔扈特"人，世代以来每年举行隆重的祭祀活动，并形成了完整的礼仪和制度。

1937年10月，归绥、包头相继沦陷后，驻包头的日军特务机关曾派内田勇四郎到伊盟，要求各旗王公札萨克接受日伪政权管辖的同时，特别提出把成灵迁移到日伪占领区。当时，伊盟盟长沙王及各旗王公以种种借口拒绝了内田的要求。但成灵随时面临着被日伪军劫持的可能性。

鉴于这种形势，1939 年 1 月沙王赴重庆述职时，向蒙藏委员会提出将成灵转移到后方安全地带的要求。同时，绥境盟旗指导长官公署也向蒙藏委员会密报："德逆已得日方同意，派人潜伏，拟乘隙企劫成吉思汗灵寝，藉资号召。"① 蒙藏委员会就此问题向行政院汇报。3 月 13 日，行政院决定必要时将成灵西迁到青海，要求蒙藏委员会与沙王会商，拟订迁灵办法。

蒙藏委员会根据行政院的命令，会同军事委员会制定了《成吉思汗灵榇迁移办法》9 条，计划暂时将成灵迁移到甘肃省榆中县兴隆山。4 月 26 日，行政院向蒙藏委员会发出训令，指定沙王、图王、傅作义、邓宝珊、高双成、荣祥、石华严等 7 人为起灵致祭官，并以沙王为主祭官。同时，任命蒙藏委员会蒙事处处长楚明善、军事委员会少将科长唐井然、郡王旗协理台吉贡布扎布为移灵护送员。

6 月 10 日，在成灵所在地"伊金霍洛"举行隆重的祭典后，成吉思汗灵榇便由蒙旗独立旅骑兵及 22 军的工兵、新一军的步兵护送，途经札萨克旗王府南下，15 日到榆林，21 日抵延安，25 日安全到达西安。沿途在榆林、延安的各机关、学校及市民举行盛大祭典。7 月 1 日，成吉思汗灵榇到达甘肃省榆中县，安放在县城西南的兴隆山大佛殿内。护送成吉思汗灵榇的专员与甘肃省政府联系，成立了成灵办事处，并决定由甘肃省政府方面负责守护和祭祀成灵的达尔扈特人的生活待遇等。

当时，伊盟各旗王公及牧民大多不同意迁移成灵，有的主张请愿挽留，有的主张缓期迁移，甚至有的主张以武力抵制。但是由于国民党政府方面迁灵决心已定，并派高官及重兵参与移灵事宜，故大多数牧民群众在起灵之日，自动到灵榇途经之地焚香跪拜、号泣痛哭。成灵西迁之举，是国民党当局对抗日战争的前途缺乏信心，并随时准备放弃伊盟的一个例证。同时，也是为防止伊盟王公上层归附蒙疆政权而采取的一种政治措施。由此伊盟各旗大部分王公上层及牧民群众对国民党的不满和抵触情绪日益增长。

----

① 中国第二历史档案馆档案，代号 141，档号 21750。

1941 年秋，国民党为了加强对伊盟的军事统治和对陕甘宁边区的包围，同时也为了防止蒙疆政权向伊盟渗透，专门成立了伊盟守备军总司令部，任命阎锡山的部下、原第 6 集团军总司令陈长捷为伊盟守备军总司令。司令部直辖骑 7 师朱钜林部及刚从陕西调来的新编 26 师何文鼎部。守备军总司令部初设在桃力民，于 1942 年初迁到东胜县城。守备军总司令部受第 8 战区副长官傅作义指挥。

陈长捷到达伊盟以后，对伊盟各旗采取高压手段，在政治、军事、经济等方面向各旗进行渗透，加紧了对蒙古人民的民族压迫和经济掠夺。1942 年 11 月，陈长捷以"通共"及种植鸦片的所谓"罪名"，捕杀了乌审旗西协理奇国贤，引起伊盟各旗强烈不满。同年，蒋介石在天水召开军事会议时，陈长捷"以解决驻军粮食为名，建议在伊盟开荒五万顷"①。蒋介石当时允许先试垦 5 000 顷，并要求陈长捷与傅作义商讨决定具体办法。于是，陈长捷向沙盟长提出开垦的要求，遭到沙王的拒绝。开垦的消息传出后，伊盟各旗王公上层及牧民群众都表示坚决反对，并酝酿全盟联合起来，共同武装抵抗。

1943 年 2 月，国民党中央拨给陈长捷 100 万元军垦费。他立即在东胜设立"屯垦督办公署"，将开垦面积扩大到 2 万顷。实际上军队及临时招来的垦民见地即占，等于无限制开垦，甚至将成灵所在的大小"伊金霍洛"地、庙地、敖包等被蒙古人视为神灵禁地的也列为开垦区。陈长捷还下令从伊盟各旗征粮 3 万石、征驼 500 峰、征马 300 匹、征牛马车 200 辆，并加征草料等。这就不仅直接侵犯了伊盟蒙古人民的经济利益和生存条件，而且也极大地伤害了蒙古人的民族自尊心。

1943 年 2 月间，伊盟札萨克旗保安队捕杀了勾结陈长捷擅自答应开垦的绥境蒙政会委员、伊盟保安长官公署副官长白音仓。为此，陈长捷便以"缉拿凶手"为名，调集部队准备向札萨克旗沙王府进攻，于是便发生了震动全国的"伊盟事变"。

1943 年 3 月 26 日，在大军压境的情况下，札萨克旗保安队官兵 500 多

---

① 任秉钧：《伊克昭盟"三二六"事变》，见政协内蒙古自治区委员会文史资料研究委员会编：《内蒙古文史资料》第 2 辑，内蒙古人民出版社 1979 年版，第 15 页。

人在新街发动了武装暴动。他们扣捕了一批国民党官僚和特务，并杀死个别特务。陈长捷立即派骑 7 师的一个团和新 6 师的一个团向新街进攻。4 月 1 日，国民党军队攻占沙王府。札萨克旗保安队和沙王等均向乌审旗境内撤退，并在沙漠中与国民党军队周旋，展开游击战。4 月 15 日，乌审旗保安队为响应札萨克旗的暴动，在旗政府所在地发动武装起义，捕杀了国民党派驻该旗的一部分军政人员。

傅作义和陈长捷立即调集新 26 师两个步兵团和骑 7 师的一个骑兵团向乌审旗发动进攻，并于 5 月 5 日占领乌审旗王府。这时沙王及札萨克旗保安队、乌审旗保安队大部已退入乌审旗西部与陕北交界地区，得到八路军的接应和保护。至此，国民党军队停止军事追剿，开始用谈判的办法解决事变。骑 7 师、新 26 师在这次镇压札、乌 2 旗起义军民的过程中，任意屠杀无辜居民、抢掠财物、烧毁庙宇和王府等行径遭到了国内各方面的谴责。

6 月以后，傅作义、马鸿逵、胡宗南等派出代表，与沙王进行接触、谈判。最后，国民党中央方面答应起义军民提出的各项要求，撤销了陈长捷的职务，宣布暂缓开垦及征粮征畜等。10 月，沙王等率札萨克旗保安队返回新街。12 月，国民政府军事委员会、蒙藏委员会代表及傅作义等到沙王府进行慰问。震动全国的"伊盟事变"至此得到和平解决。

"伊盟事变"后不久，国民党中央取消了伊盟守备军总司令部。但是新 26 师、骑 7 师等一直驻在伊盟各地，准备随时镇压各旗保安队的反抗。1944 年 2 月，国民党方面捕杀了札萨克旗保安队起义领导人劳瑞连长。1945 年 2 月，又暗杀了乌审旗起义领导者奇金山。国民党中央当时只下了"暂缓开垦"的指令，而事实上不仅没有停止开垦，反而扩大了开垦面积。国民党军队在这次事变中的种种暴行，充分暴露了国民党民族压迫政策的真面目。

三、国民党在阿拉善旗和额济纳旗的统治

阿拉善旗和额济纳旗位于内蒙古最西端，北与蒙古人民共和国接壤，南隔贺兰山与宁夏省，东部与伊克昭盟和乌兰察布盟乌拉特后旗相接，西部则与甘肃省和新疆省相毗连。

　　抗日战争爆发前，日本关东军就为打通所谓欧亚航线和阻断中苏交通要道，曾在阿拉善旗定远营和额济纳旗东庙设立特务机关和电台，并修建了简易飞机场，储备了大量军用物资。1936 年 11 月，国民党派第 25 师关麟征部进驻定远营，驱逐关东军特务机关。此后，国民党中央又派第 81 军马鸿宾部的一个步兵团到阿旗定远营驻防。12 月上旬，驻定远营之日本特务机关人员全部撤离。[1] 1936 年 12 月"西安事变"爆发后，第 25 师即撤离阿旗。1937 年 4 月，国民党中央派宁夏省民政厅长李翰园率人取道兰州、酒泉赴额济纳旗，要求"把所有额旗的日本特务保护出境"[2]。7 月 7 日，李翰园带领马步康部一个排及工作人员 50 多人到额济纳旗东庙，抓捕了特务机关 13 名日籍人员，经酒泉返回兰州。9 月，这批日本特务在兰州被处决。[3]

　　抗战爆发后，阿、额 2 旗的战略地位变得十分重要。国民党中央和宁夏省政府就以"抗日"和"国防需要"为名，开始了加强对阿、额 2 旗的直接统治。

　　当时，阿拉善旗札萨克为达理扎雅，其下设东西协理、正副管旗章京以及东梅伦，旗政府办事机构较为完备，设有政务处、秘书处、财政处、教育处、典仪处、理事官厅（司法）、稽查局（税务）等机构，其中政务、秘书、财政、教育 4 处是达理扎雅于 1931 年袭职以后新设机构，[4] 为其他蒙旗所无。1936 年 4 月，阿旗奉国民政府命令，成立区防司令部，由达王兼任少将司令，陈爱尔德尼巴图任少将参谋长，下属部队为阿拉善旗保安总队，由协理任总队长，共分 8 个大队，兵力达 3 000 人左右，分驻该旗各地。1938 年 2 月，国民党宁夏省军队占领定远营，迫使阿旗保安队交出武器后，该区防司令部名存实亡。

　　额济纳旗由于人口很少，旗政府机构也很简单。该旗札萨克为图布新巴

　　① 魏文锦：《回忆三十年代阿拉善旗的社会状况》，见政协阿拉善盟委员会文史资料研究委员会编：《阿拉善盟文史》第 2 辑，政协阿拉善盟委员会文史资料研究委员会 1986 年印刷，第 29 页。
　　② 李翰园：《破获额济纳旗日本特务机关的经过》，见阿拉善盟地方志编纂委员会编：《阿拉善盟史志资料选编》第 4 辑，阿拉善盟地方志编纂委员会 1986 年印刷，第 285 页。
　　③ 李翰园：《破获额济纳旗日本特务机关的经过》，见阿拉善盟地方志编纂委员会编：《阿拉善盟史志资料选编》第 4 辑，第 290 页。
　　④ 陈国钧：《西蒙阿拉善旗社会》，见政协阿拉善盟委员会文史资料研究委员会编：《阿拉善盟旗志史料》，政协阿拉善盟委员会文史资料研究委员会 1987 年印刷，第 14 页。

雅尔，其下设有协理、管辖章京、东西梅伦等官职。1938 年 3 月图王在青海塔尔寺病逝，由其弟塔旺嘉布继任札萨克职。1936 年国民党政府决定成立额济纳旗区防司令部，但司令部机构并未建立起来。1938 年塔王继承札萨克的同时兼任区防司令，正式成立区防司令部机构，并对旗保安队进行整编，将其隶之于区防司令部之下，兵员编制为 110 人。①

1937 年 8 月，国民政府军事委员会为加强对阿拉善旗和额济纳旗的控制，分别在阿拉善旗定远营和额济纳旗老西庙设立军事委员会专员办事处。派驻阿旗第一任专员为郑子献，派驻额旗第一任专员为李才贵。军事专员办事处下设秘书、政工、参谋室及专用电台，有副专员、副官、参谋、秘书、电台台长等职员，并各配备一个班的警卫。军事委员会派驻阿、额 2 旗的军事专员办事处的实际任务是防范日本势力的进入，防范蒙古人民共和国的情报人员，防范和监视阿、额 2 旗官员及保安队的动向，并在阿、额 2 旗北部国境线地带设立防卡和电台。

1938 年 2 月 24 日宁夏省政府以"换防"为名，调集大批步、骑、炮兵，兵分两路并配合原驻定远营的步兵团向定远营发动进攻。同时，从银川派两个骑兵团，袭击阿旗保安队第 8 中队驻守地——沙金套海巴格。

当时，阿旗守城军民与国民党军队激战一夜。第二天，马鸿逵部用迫击炮向城内发射，进行威胁。由于阿旗守军势单力薄，无力与马部抗衡，达理扎雅遂派副协理罗巴图孟柯出城与马鸿宾部攻城部队总指挥马腾蛟师长进行谈判。② 经过几天的往来谈判，达王等与马鸿宾部达成有关解除阿旗武装、达王离旗赴银川及善后事宜的 9 项协议。③

根据此项协议，阿旗共交出枪支 600 多支、电台 1 部。④ 3 月 1 日，达

　　① 巴音吉日格勒：《原额旗军事组织沿革及解放后被改组经过》，见政协阿拉善盟委员会文史资料研究委员会编：《阿拉善盟文史》第 4 辑，政协阿拉善盟委员会文史资料研究委员会 1988 年印刷，第109 页。

　　② 魏文锦：《回忆三十年代阿拉善旗的社会状况》，见政协阿拉善盟委员会文史资料研究委员会编：《阿拉善盟文史》第 2 辑，政协阿拉善盟委员会文史资料研究委员会 1986 年印刷，第 43 页。

　　③ 魏文锦：《回忆三十年代阿拉善旗的社会状况》，见政协阿拉善盟委员会文史资料研究委员会编：《阿拉善盟文史》第 2 辑，第 46 页。

　　④ 罗·阿日斯楞：《国民党军委会在阿旗设军事专员办事处及委派专员的情况》，见政协阿拉善盟委员会文史资料研究委员会编：《阿拉善盟文史》第 4 辑，第 135 页。

理扎雅全家由副协理罗巴图孟柯等陪同乘车到达银川。从此，达王便失去自由，后又被转移到兰州软禁达 7 年之久。

另外，马鸿逵部两个骑兵团袭击阿拉善旗保安队 8 队驻守沙金套海巴格亭子时，该大队在队长杨艾立肯木（汉名杨富存）的指挥下奋起抵抗，并且战且走，撤退到阿拉善旗北部巴音乌拉山、沙拉布隆一带，为阿旗保存了一支武装力量。①

宁夏省马鸿逵部出兵占领定远营、迫使达理扎雅离旗后，立即成立了"宁夏驻定远营办事处"，以武力为后盾开始行使阿旗的行政管辖权。同年秋天，宁夏省政府未经行政院同意，将该办事处更名为"宁夏省政府驻定远营办事处"，任命阿旗协理罗恩凯巴图为主任、副协理罗巴图孟柯为第一副主任，第二副主任由宁夏省政府委派的张朝栋充任。该办事处并非宁夏省政府与阿旗联络办事的机构，而是该省设在阿拉善旗的一个县级行政组织，从而在阿拉善旗又形成"旗县（处）并存"的行政管理体制。该办事处由阿旗两个协理任正、副主任，其目的就是为了缓和阿旗政府和群众的反对，而实际上阿旗方面的两个主任并不主事，实权操于省政府所派之第二副主任之手。1945 年阿旗的两个主任辞职，该办事处成为主任一人负责制，主任由宁夏省政府直接委派。

宁夏省政府驻定远营办事处于 1938 年春成立后，立即开始在定远营地区调查户口、组织保甲，划分保甲区域范围。在定远营及其周围共编 14 个保，每个保 8—12 个甲，每一甲 8—10 户组成，每保选派保长 1 人。保之上设两个联保主任，1942 年改为首席保长 1 人，总揽 14 个保的一切行政事务。②

该办事处编组保甲的同时登记户口、制定门牌。从 1943 年开始，在定远营设国民兵训练团，由省政府驻定远营办事处主任高中第任团长，定远营地区 400 多名 18 岁至 45 岁合格壮丁一律接受军事训练。从 1940 年 12 月到

---

① 魏文锦：《回忆三十年代阿拉善旗的社会状况》，见政协阿拉善盟委员会文史资料研究委员会编：《阿拉善盟文史》第 2 辑，第 48 页。

② 何承梯：《宁夏军阀马鸿逵对阿拉善旗的残酷统治》，见政协阿拉善盟委员会文史资料研究委员会编：《阿拉善盟文史》第 4 辑，第 101 页。

1945 年 8 月，该办事处先后 3 次征兵。第一次征兵 30 名，第二次 40 名，第 3 次 40 名。其中第二次经商会与宁夏省政府方面疏通，改为"以马代丁"，即以 4 匹马顶替兵役 1 名；第三次则是"以驼代丁"，即以 8 峰骆驼顶替兵役 1 名。[①] 这样，征兵实际上变成宁夏省政府方面通过"以马（驼）代丁"的名义搜刮驼马的好机会。

阿旗出产的畜产品历来都靠驼运至包头、归绥（今呼和浩特）交换日用百货。但由于抗战爆发后阿旗与归绥、包头之间的交通中断，阿旗的商业贸易受到很大影响。有些商民为了生存，仍千方百计绕道前往交易。于是宁夏省政府派驻蹬口县税务局便在阿旗北部商民必经的巴音毛都设立税卡，派武装骑巡 40 名，专司查堵和收税。如查获阿旗运往包头、归绥的皮毛等畜产品，货物全部没收，商民治罪；从包头、归绥运进的百货则须征收 50% 的税。如商民不自动报税或有意偷税者，一经查获，没收全部货物，商民治罪。

1941 年宁夏省政府又成立"定远营军警联合督察所"（后改为处），专门检查往来商客行旅和无证无户游民，并在阿旗与宁夏省交界的三关、苏峪口等地设立检查站，拦截由银川、平罗输入阿旗的粮食，一经查获，粮食全部没收，贩运者治罪。宁夏省银行所属的"富宁公司"在定远营设分公司，垄断经营阿旗牲畜、皮毛及其他土特产品的收购和外销贸易。另外，宁夏省政府还在定远营设立 1 个木料厂，专门统制贺兰山木材的采伐和销售。

宁夏省政府通过以上措施，完全控制了阿旗的税收、金融贸易等经济命脉。

1939 年甘肃省驻酒泉的胡宗南部第 42 军 191 师第 18 旅派 1 个团进驻额济纳旗西河老西庙、塞汉桃来（也叫二里河子）等地，建造营房，并将塞汉桃来改称为"建国营"。该部名义上是防守边界、保护额济纳旗，实际上是防止该旗与蒙古人民共和国来往和投向日伪政权。该团千余官兵长期驻扎在该旗，每月旗政府派 6 个牧工，40 峰骆驼，往来于酒泉和额济纳旗之间，为该团运送给养，所有运输费用和牧工工资由旗政府方面负担，给额济纳旗

---

① 何承梯：《宁夏军阀马鸿逵对阿拉善旗的残酷统治》，见政协阿拉善盟委员会文史资料研究委员会编：《阿拉善盟文史》第 4 辑，第 104 页。

政府和牧民造成很大负担。①

　　国民党中央在阿、额 2 旗设立军事委员会专员办事处之外，还有国民党党部、三青团、军统和中统特务组织以及蒙藏委员会所派的协赞专员等。

　　这些组织的任务就是监视阿旗军政人员，既防范中国共产党和蒙古人民共和国情报人员以及日伪特务的活动，同时也监视国民党中央派驻当地的党政军特人员的活动，并在当地发展特务工作人员。

---

　　① 　张宏林：《额济纳旗的和平解放及前后历史概述》，见政协阿拉善盟委员会文史资料研究委员会编：《阿拉善盟文史》第 1 辑，政协阿拉善盟委员会文史资料研究委员会 1986 年印刷，第 40 页。

第 八 章

内蒙古地区的抗日战争

第一节　"七七"事变前内蒙古地区的抗日斗争

一、内蒙古东部地区武装抗日

（一）东北抗日义勇军

在日本侵略军侵占内蒙古东部地区、扶植伪满洲国的过程中，内蒙古东部地区的各族军民奋起展开武装抗日斗争，给日本侵略者以迎头痛击，其中李海山、刘震玉率领的东北抗日义勇军浴血奋战，可歌可泣。

1931 年 10 月，日本侵略势力扶植甘珠尔扎布、正珠尔扎布等人组建"内蒙自治军"，向通辽发动进攻。哲里木盟科尔沁左翼中旗卓里克图亲王府统领李海山（蒙古族）和该旗巡防骑兵统领刘震玉（蒙古族），被张学良任命为辽北蒙边骑兵第 1 路司令和第 2 路司令，受辽北蒙边宣抚专员行署指挥抗日。

李海山、刘震玉统率旧部并招集本旗壮丁，树起武装抗日旗帜。10 月下旬，李海山、刘震玉率部在通辽以北阻击日伪军的进攻达 4 昼夜，迫使日伪军退回舍伯图。抗日武装遂乘胜分东西两路进攻舍伯图，与日伪军激战 3 天，夺回了舍伯图。11 月初，日军羽山支队在装甲车、坦克和飞机的掩护下，大举围攻通辽。李海山、刘震玉部被迫退往开鲁，内蒙古东部地区重镇通辽县城被日军占领。

1932年2月，李海山部和刘震玉部联合驻开鲁的东北军骑兵第9旅共同发动反攻，相继收复了余粮堡、莫力庙、曹家营子、舍伯图等地，击毙日本关东军派驻"内蒙自治军"的顾问松井清助，缴获了大批枪支弹药。此役的胜利，振奋了东北军民的抗日斗志，李海山等受到了张学良的嘉奖。

5月，东三省民众后援会总会将三省义勇军划分为5个军区，辽北蒙边宣抚专员行署辖区被划为第5军区，李海山部编为第5军区第3梯队，刘震玉部为第4梯队。

9月1日，李海山、刘震玉所部在第5军区司令高文彬的率领下，攻入通辽县城，与日伪军激战至傍晚。当敌援军2 000余人赶到后，李、刘所部寡不敌众，遂撤出通辽，至康平休整。10月4日和6日，李海山、刘震玉所部再次进攻通辽县城，日军出动坦克、装甲车反攻。李、刘所部受挫，撤出战斗退回康平。10月27日，李海山、刘震玉所部进攻辽源县城，一度攻占火车站。但日军从四平赶来增援，李、刘所部攻城不克，再次撤回康平。

11月27日，日军出动飞机、坦克、装甲车对康平县城发动猛攻。义勇军第5军区伤亡惨重，司令员高文彬在向开鲁突围途中被俘。李海山、刘震玉所部从康平突围后，向奈曼旗、敖汉旗一带撤退。

1933年春，日军占领热河全境，李海山、刘震玉部退往察哈尔省康保一带。5月，冯玉祥在张家口组建察哈尔民众抗日同盟军，李海山部被编为抗日同盟军蒙古骑兵第1路军，李海山任司令。7月，李海山率部参加了收复多伦的战斗，并付出重大伤亡代价。抗日同盟军失败后，李海山部被国民党当局缴械遣散。

李海山、刘震玉在没有任何给养的困难条件下，带领数千名蒙古人，自备枪马投身抗日阵营。他们率领的"蒙古官兵被日本杀伤两千有余"[1]，以鲜血和生命在蒙古民族抗日斗争的历史上写下了可歌可泣的一页。

（二）东北民众抗日救国军

1932年伪满洲国成立后，在呼伦贝尔和西布特哈地区分设兴安北分省和东分省。由原东北军第2旅苏炳文部驻防满洲里、海拉尔至扎兰屯一线，

---

[1] 李海山：《辽北蒙边骑兵第一路成立之经过及血战之概略》，载《新蒙古》1935年第3卷第1期。

苏炳文兼呼伦贝尔警备司令、中东铁路哈满（哈尔滨至满洲里）护路军总司令；第 1 旅张殿九部驻防扎兰屯至富拉尔基一线，张殿九任驻扎兰屯的哈满护路军副司令兼步兵第 1 旅旅长。

苏炳文暗中招募新兵，扩充部队，等待抗日时机。8 月，日军侦知苏炳文在哈满西线积极备战，屡次要调动其职务或要其赴齐齐哈尔参加会议，均遭到苏炳文的拒绝，日军遂决定先撤换张殿九的职务。张赴海拉尔同苏炳文商议，决定共同抗日。8 月 23 日，苏炳文召集军官会议，决定成立东北民众救国军。9 月 27 日，苏炳文部步兵第 4 团与满洲里站的伪满洲国国境警察队发生激战，战斗中击毙日军 20 余人，余皆缴械投降。10 月 1 日，苏炳文等在海拉尔召开了东北民众救国军成立及誓师大会，苏炳文正式宣誓就任救国军总司令，张殿九任副司令，并向国内外发出抗日救国的通电。①

东北民众救国军通电讨伪抗日之后，准备渡过嫩江，协同马占山、朴炳珊及义勇军李海青等部进攻省城齐齐哈尔。但是，10 月 6 日，日军 500 余人分乘橡皮船强行渡江，救国军因众寡悬殊，退守富拉尔基。7 日开始日军又增兵千余人，向救国军阵地发起进攻，并派飞机参战。战斗中救国军伤亡 400 余人，被迫退守腰库勒一线。12 日，苏炳文致电国民政府，通报救国军与日军作战情况。② 21 日，救国军占领富拉尔基，以配合东线的朴炳珊、邓文部，南线的李海青部，北线的马占山、徐海亭、张竞渡等部会攻齐齐哈尔的战斗。日军增调兵力，双方在富拉尔基一带展开了拉锯式战斗。

从 10 月 28 日开始，日军调集 2 万多兵力，从齐齐哈尔、甘南向救国军发动进攻。同时派日军及兴安军从索伦、阿尔山向海拉尔迂回包围。③ 在日军两路、多兵种联合攻势下，救国军伤亡惨重。

12 月 1 日，日军向海拉尔进攻，战局危急。为避免全军覆没，苏炳文

---

① 苏炳文：《一九三二年海拉尔满洲里抗战始末》，见政协海拉尔市委员会文史资料委员会编：《海拉尔文史资料》第 5 辑，政协海拉尔市委员会文史资料委员会 1995 年印刷，第 15 页。
② 中央档案馆、中国第二历史档案馆、吉林省社会科学院合编：《日本帝国主义侵华档案资料选编·东北"大讨伐"》，中华书局 1991 年版，第 61 页。
③ ［日］春日行雄编著：《日本与蒙古一百年》（日文），亚细亚博物馆·蒙古馆 1993 年刊印，第 60 页。

等召开军事会议，决定暂时退入苏联境内。2 日，铁路员工和路警、官佐眷属等乘火车转移满洲里。救国军司令部及所属部队也都退到满洲里。4 日，集结在满洲里的 2 800 名官兵及铁路员工、路警及民众共计 4 090 人，乘客货列车进入苏联境内。

（三）抗日救国军

伪兴安西省奈曼旗衙门营子区河南杖子村人周荣久，绿林出身，1933 年日军占领奈曼旗后，曾任伪绥东县保安队长。因对日本统治不满，遂遭日本人的忌疑，愤而辞职回乡，拉起了 100 多人的队伍，号称抗日救国军，自任司令，走上了武装抗日的道路。

1935 年 7 月，周荣久与北票县的抗日救国军兰天林部联合，向伪奈曼旗公署所在地八仙筒进发。23 日凌晨，周荣久率部从东、南、西方向猛攻八仙筒。城内 100 多名警察和驻守的 20 名兴安西省警备军，在日本参事官山守英治的指挥下拼死抵抗。上午，救国军攻占了旗公署及炮台。山守英治和警尉中根顺一等从城北门突围时被击毙，[①] 其余 8 名日本人全部被擒。抗日救国军将他们绑缚大街示众后枪决惩处。

抗日救国军占领八仙筒后，张贴安民告示，宣示商民百姓正常营业生活。同时开仓放赈、镇压盗匪，社会秩序很快恢复正常。但是，因抗日救国军裴玉卿部扰害百姓，周荣久率部撤离八仙筒。当驻开鲁日军 400 余人向八仙筒进发时，裴率部弃城出走。27 日，日军占领八仙筒后，遂进兵奈曼旗南部山区追剿周荣久部，抗日救国军官兵、家属及无辜百姓 150 多人惨遭日军杀害。周荣久率部东进，与兰天林抗日救国军会师，部队发展到 1 500 多人。[②] 8 月 8 日，周荣久和兰天林率抗日救国军包围北票县城，攻占矿务局。附近各地日伪军昼夜增援北票，周、兰所部撤出北票。

10 月间，日军在朝阳县大黑山包围抗日救国军，周荣久率部激战，终因寡不敌众，陷入重围，伤亡很大，周、兰所部分别突围。此后，周荣久又与赤峰一带抗日武装会合，继续与日伪军进行游击战。

---

① ［日］"满洲国"史编纂刊行会编：《满洲国史·各论》（日文），满蒙同胞委员会 1971 年刊印，第 1273 页。
② 《盛京时报》1935 年 8 月 17 日。

1936 年 9 月，周荣久部在奈曼旗南部乌鲁木头山与敌激战，伤亡惨重，仅余他和两名部下被敌军围困。在周旋数小时后，周荣久等突围无望，引恨自戕，为抗日献出了生命。这支抗日救国军在奈曼旗一带坚持抗日 1 年有余，史称八仙筒抗日。

二、察绥地区的武装抗日

（一）察哈尔民众抗日同盟军察北抗日

1933 年 3 月，日本关东军占领热河全境。5 月初，关东军又驱策张海鹏等伪军进占察哈尔省多伦、沽源、宝昌及康保等县。在热河、察北相继沦陷、华北面临危机的时刻，爱国将领冯玉祥于 5 月 26 日在张家口成立了"察哈尔民众抗日同盟军"，冯玉祥自任总司令，并通电全国，宣誓保卫察哈尔省，收复失地。6 月 15 日，抗日同盟军在张家口召开第一次军民代表大会，通过有关决议，选举产生了由冯玉祥、吉鸿昌、方振武等 8 人组成的军事委员会常委会，作为察哈尔民众抗日同盟军的领导机构。[①] 6 月 20 日，成立了抗日同盟军北路军前方总指挥部，吉鸿昌任总指挥，随即挥师北上。22 日，同盟军收复康保县城，7 月 1 日，占领宝昌县城，伪军不支，退向多伦。同日，沽源伪军刘桂堂部通电反正，参加抗日同盟军。抗日同盟军初战告捷，军心大振，遂决定攻取察北重镇多伦。

驻多伦伪军李守信部约 6 500 人，另有关东军派驻该部 20 多名日本人组成的"特设队"，配备 3 辆装甲车、6 挺重机枪和四五挺轻机枪，统归关东军承德特务机关指挥。

7 月 7 日，同盟军集中 1 万余兵力，分 3 路围攻多伦。8 日，关东军从承德派飞机轰炸同盟军阵地。9 日，同盟军攻占外围各阵地，伪军退入街市及庙仓固守。自 10 日开始，同盟军开始发起强攻，但因连日大雨，且给养不济，双方形成攻防对峙。于是，抗日同盟军派员与李守信谈判，要求其退出多伦。李守信部被困多伦 3 昼夜，弹尽援绝，加之降雨不止，日本顾问不得不请求承德的特务机关准予撤出多伦。李守信则以同盟军借驻多伦 1 个月

---

① 刘涓迅：《察哈尔民众抗日同盟军大事记》，见政协河北省委员会文史资料研究委员会编：《冯玉祥与抗日同盟军》，河北人民出版社 1985 年版，第 202—203 页。

的名义同意撤出。[①] 12 日，同盟军从南、西、北 3 个方向攻入多伦县城，李守信部从多伦县城东面撤出。

收复多伦后，冯玉祥致电嘉奖参战部队，并任命张凌云为多伦警备司令，调吉鸿昌、邓文 2 部驻守沽源、独石口。13 日，察哈尔民众抗日同盟军在张家口召开庆祝收复多伦大会，全国各抗日团体及知名人士纷纷致电祝贺、慰问，并捐献财物支援抗日同盟军。

国民党政府对抗日同盟军大加指责，并派军队围攻同盟军，冯玉祥被迫下野。8 月 11 日，关东军复派李守信部再度占领多伦。同盟军大部分被宋哲元第 29 军收编，余部于 9 月间在长城沿线被消灭。

（二）国民党傅作义部绥远抗战

1935 年 12 月，伪军李守信部占领察北沽源、宝昌、张北、化德、康保等 6 县，开始向绥远省扩张势力。1936 年 5 月，关东军又在化德扶植成立"蒙古军政府"，组建了蒙古军。另外，关东军化德特务机关组建了以王道一为总司令的"西北防共自治军"和以王英为总司令的"大汉义军"。关东军派出一批顾问及技术人员，控制伪军各部。

1936 年 7、8 月间，日本关东军化德特务机关指使伪"西北防共自治军"先后进犯兴和、红格尔图和土木尔台等地，均被国民党傅作义部击退。10 月 5 日，化德特务机关长田中隆吉召开军事会议，决定对绥远发动军事进攻。从 11 月 13 日开始，伪"大汉义军"向红格尔图进攻，国民党驻军坚守红格尔图，直至 18 日全线反击，迫使伪军退至商都。田中隆吉复派王英部伪军石玉山旅和金宪章旅与伪蒙古军第 7 师坚守百灵庙，并欲从百灵庙向绥远中西部发动进攻。

针对日军企图，傅作义召开军事会议，制定了夺取百灵庙的计划，任命骑 2 师师长孙长胜为总指挥、步兵 211 旅旅长孙兰峰为副总指挥，并派步骑兵各 3 个团及炮兵、装甲车队等，于 11 月 23 日夜，进攻百灵庙，次日凌晨攻占百灵庙。战斗中击毙伪蒙古军第 7 师 300 余人，打伤 600 余人，俘获 400 余人，其他伪军退到大庙（锡拉木伦庙）。12 月 3 日，田中隆吉派"大汉义军"

---

① 李守信：《李守信自述》，刘映元整理，见政协内蒙古自治区委员会文史资料研究委员会编：《内蒙古文史资料》第 20 辑，第 133 页。

副司令雷中田率伪军 4 000 多人反攻百灵庙，与国民党驻军再次激战，伪军被毙伤 500 余名，被俘 200 余名，雷中田被击丧命，伪军退回大庙。

日伪军进攻红格尔图、百灵庙连遭失败，伪军人心浮动。傅作义乘机向伪军发出公告，促其投诚。12 月 7 日和 8 日，"大汉义军"石玉山、金宪章两旅长率部反戈，将日本指导官小滨善大佐以下 20 余人全部处决，又收缴了退守大庙的蒙古军第 7 师残部武器，于 10 日通电起义。石玉山、金宪章两个旅步骑兵 10 个团，开至四子王旗乌兰花一带，傅作义派 35 军副军长曾延毅前往点验，并拨巨款犒赏。12 月 10 日，傅作义部骑兵第 2 师孙长胜率部收复大庙，王英伪军败退商都、化德一带。17 日，王英伪军安华亭、王子修两个旅之 4 个团、约 2 500 余人通电反正，20 日在兴和县榆树乡接受整编。① 至此，日本关东军指挥进犯绥远的战事，以日伪军失败、国民党军队的胜利而告终。此战名震全国，史称绥远抗战，毛泽东称其为"全国抗战之先声"。

第二节　"七七"事变后国民党
军队在察绥地区的抗战

一、国民党军队察绥抗日失利

1937 年，"七七"事变后，日本发动全面侵华战争，中国历史进入了全面抗战的时期。日军占领平、津以后，蒋介石任命傅作义为第 2 战区第 7 集团军总司令，统一指挥驻察哈尔、晋北及绥远的军队，防卫平绥铁路沿线，并指挥绥远驻军第 35 军和骑兵第 7 师门炳岳部等，向察北及张家口挺进。

从 8 月 15 日开始，第 35 军 218 旅董其武部与骑 7 师门炳岳部合力向商都日伪军发起进攻，新编骑兵第 2 旅石玉山部也从陶林向伪蒙古军政府所在地化德进发，相继收复商都、化德及尚义。18 日，国民党驻绥察部队联合围攻张北敌军，但未能克敌。

日本关东军于 8 月 10 日组建察哈尔派遣兵团，关东军参谋长东条英机

---

①　董其武、孙兰峰：《一九三六年绥远抗战始末》，政协内蒙古自治区委员会文史资料研究委员会编：《绥远抗战》，政协内蒙古自治区委员会文史资料研究委员会 1986 年印刷，第 73 页。

任兵团长。19 日，东条英机到达张北，设立战斗指挥所，20 日开始从张北向长城一线发动进攻。① 国民党第 68 军刘汝明部于当日在万全坝与日军接战，沿长城线阻击日军进攻达数日。27 日，刘汝明部撤退，张家口被日军占领。29 日，日军占领平绥路沿线宣化、下花园。9 月 5 日，日军察哈尔派遣兵团本多旅团沿平绥路向大同方向进攻，13 日占领大同。9 月 16 日，日军独立混成第 11 旅团沿平绥路向北进攻，首先占领丰镇县隆盛庄，继而攻击丰镇县城。区防司令张成义、团长马逢辰指挥国民兵，并发动全城青壮年，防守县城一昼夜，与敌展开激烈巷战。守城官兵及居民伤亡惨重，张成义阵亡，马逢辰率余部 300 多人突围。17 日，丰镇失陷。9 月 23 日，日军、伪蒙古军攻占绥东战略要地集宁城。国民党驻军骑 7 师、新 5 旅及骑 2 旅等部西退卓资山、陶林一线。骑 7 师与骑 4 师在二道沟向伪蒙古军发动反击，战斗一昼夜后，撤退到固阳一带。陶林县城和百灵庙也相继失陷。

是时，傅作义遵阎锡山放弃绥远保卫山西的意图，电告绥远省国民兵总司令袁庆曾可相机撤防，军政人员撤至山西省河曲县集结待命。省政府职员遂分批由旱路、水路退往河曲县。东北挺进军司令马占山、绥远省国民兵副总司令李大超以及蒙古混成旅（原绥远省蒙旗保安总队）旅长白海风等，在包头会商抵抗日军，保卫绥远，并成立了绥远军政委员会，推举马占山为委员长，代行集团军司令和省政府主席职权。9 月 30 日，马占山、李大超、白海风等率部进驻归绥，部署归绥及附近地区防务。

10 月初，关东军察哈尔派遣兵团酒井旅团，从晋北朔县北上，占领凉城，经蛮汗山西沟门向归绥逼进。李守信率伪蒙古军主力，从集宁、陶林沿平绥铁路西进；德王率伪蒙古军 4 个师由百灵庙南下，分别向武川、固阳推进，形成侵占归绥之态势。

10 月 11 日，国民党孟文仲骑兵旅在西沟门与由凉城西进之日军遭遇，阻击至天黑撤退。12 日，东北挺进军骑 6 师在旗下营斗金山与伪蒙古军主力激战后撤离归绥。13 日，布防于归绥南郊的蒙古混成旅和国民兵与日军酒井旅团在大黑河防线接火，激战一昼夜，阻止了酒井旅团的进攻。当绥北

武川被伪蒙古军占领后，归绥已处在日伪军的东、南、北3面包围之中。14日，在归绥指挥作战的马占山令守城各部队撤出战斗，向包头、萨拉齐一带转移。当日，日军酒井旅团进占归绥。10月15日，日伪军继续沿铁路西进，16日，全面攻击包头。17日，包头失陷。绥远国民党各部队分别向河套和伊盟撤退。

二、国民党军队反攻归绥

1938年春，日军集结重兵准备向徐州进攻，台儿庄战役即将开始。蒋介石为牵制华北日军南援，命第2战区北路军总司令傅作义指挥所属部队，并配属中央军骑兵第6军门炳岳部、原东北军骑兵第2军何柱国部、东北挺进军马占山部，攻击太原或归绥，牵制敌人，以策应徐州会战。

傅作义受命后，决定攻打归绥。4月23日，傅作义部35军211旅开至清水河县城附近，派422团攻击驻守清水河县城的伪蒙古军门树槐部，攻占了县城，25日又攻占了和林格尔县城。28日傅部向归绥推进，在一间房村、萨尔沁村等地，遭到日军第26师团阻击，损失惨重，被迫撤向清水河县。4月30日，日军派飞机轰炸扫射和林格尔县城，掩护其步骑兵攻击。傅军总司令部和211旅放弃和林格尔县城向清水河县转移，日军复占和林格尔县城。

是时，东北挺进军马占山部为配合傅军反攻归绥，于4月上旬，从准格尔旗北渡黄河，开抵察素齐附近，破坏平绥铁路，并与蒙古军激战两天后，由归绥西北部进入大青山，形成对武川进攻态势，以牵制归绥日军。4月16日，日军第26师团独立步兵第13联队从包头经萨拉齐向大青山后脑包推进；其近森大队由包头经固阳向乌兰不浪一带进攻；26师团独立步兵第12联队从归绥北上武川。22日，马占山率特务营400余人西撤至安北县境黄油杆子村，日军近森大队和冈本大队乘汽车包围该村，骑6师师长刘桂五率部增援，激战中刘桂五阵亡，马占山经奋战突围。

驻河套地区之国民党骑6军，为策应35军主力在归绥作战，军长兼骑7师师长门炳岳率骑7师主力和新骑4师，向固阳进军，与固阳城中日军一个大队和部分伪军相持两天。后奉傅作义电令，骑6军骑7师主力和新骑4师穿越大青山向和林格尔挺进，参加绥南的战斗。

从 5 月 25 日开始，日军从归绥、包头、大同、左云、平鲁等地向清水河发动所谓的"清水河作战"行动。日军分 3 路乘汽车从归绥出动向南突进，日军 26 师团一部从平鲁县北上，夹击清水河县城。30 日，日军在飞机、大炮的掩护下向傅军各部队发起进攻，31 日占领清水河县城，并追击撤向晋西北的傅作义部主力。6 月 3 日，八路军 120 师贺炳炎 716 团在平鲁西坪口伏击日本追兵，傅部得以摆脱日军追击，退至偏关。4 日，日军围攻偏关，傅部败退，偏关失守。6 日，傅部与八路军 120 师协同反攻偏关，经过激战，于 7 日晚收复偏关。[①]

国民党傅作义部反攻绥远的战斗历时近两个月，往返行程 1 000 多公里，大小战斗 10 余次。虽遭受重大损失，但牵制了日军近一个师团的兵力。

三、傅作义部绥西抗战

（一）袭击包头之战

1938 年 12 月 20 日至 24 日，蒋介石在陕西省武功县召开北方各战区军事会议，任命傅作义为第 8 战区副司令长官，组建副司令长官部，要求傅作义率部开赴绥远西部河套，绥远省由第 2 战区划归第 8 战区。1939 年 1 月，傅作义率原第 2 战区北路军总部的部分军官从河曲经伊盟到河套地区的五原县，所属部队也陆续从晋西开抵河套。3 月，在五原正式组建了第 8 战区副司令长官部。是年 9 月，日军攻陷长沙，11 月占领南宁。蒋介石为扭转华南战场的被动局面，准备对日军发起冬季攻势，命令傅作义率部向乌拉山后大佘太一带之敌发动攻击，以牵制华北地区之日军南下支援华南战场。傅作义提出，攻击大佘太之敌作用甚微，进攻日军战略据点包头方能奏效。在得到蒋介石允准后，傅作义遂召开军官会议，部署了进攻包头的作战方案和战略战术。

12 月 18 日，骑 7 师门炳岳部进兵包头以东，破坏铁路和通讯设施，佯攻萨县城。19 日夜，新 101 师 93 团从包头城西北门攻入城内，日军拼死抵抗，在坦克掩护下反扑，形成逐屋逐巷争夺的拉锯战斗。20 日，日军援兵

---

①　中国社会科学院近代史研究所编：《中华民国史资料丛稿·大事记》第 24 辑，中华书局 1990 年版，第 82 页。

从固阳、安北、归绥开抵包头外围，与新 31 师激战。21 日下午，日军大同、张家口援兵抵达包头投入战斗，并用飞机轮番轰炸。21 日晚，傅作义命令部队向河套撤退。

此役激战 3 天 4 夜，毙伤日军 385 人，其中包括日军驻安北之骑兵第 14 联队队长小林一男大佐在内的 29 名军官；傅作义部阵亡 1 960 人，被俘 60 人，丢失山炮 7 门。①

傅作义部袭击包头之战，对驻守包头、固阳、安北及萨拉齐的日军以重大打击，达到了牵制蒙疆地区的日军以配合华南战场"冬季攻势"的目的。

（二）五原抗战大捷

傅作义部队袭击包头之后，日本驻蒙军为防止傅部再次进攻，以"膺惩傅军"为口号，于 1940 年 1 月决定向河套发动军事进攻。日军从驻包头、固阳、萨拉齐、大同、张家口等地驻军以及华北方面军抽调部队，并辅有"蒙古军"和"绥西自治联军"等伪军，总兵力达 3 万余人，汽车近千辆。傅作义得悉日军意图后，于 1 月 15 日在五原召开团长以上部队长会议，商定对策，动员河套军民积极备战。

1 月 30 日，日军从包头分 3 路向河套进军。北路 26 师团乘汽车沿乌拉山后经大佘太向乌镇、乌不浪口发动攻击；南路骑兵集团沿黄河南岸经昭君坟向西进攻；中路混成第 2 旅团一部沿黄河北岸、乌拉山前经西山嘴，在马七渡口与骑兵集团会合，从南路向五原挺进。2 月 3 日，日军骑兵集团和 26 师团进入五原城，4 日占领临河，5 日占领陕坝。同日，伪蒙古军从中公旗越过狼山进入百川堡西北，截击西撤之傅作义部队。傅作义部分别撤到乌加河以北、狼山南麓地区和黄河以南沙漠地带；骑 6 军各部撤到伊盟桃力民；35 师及骑兵旅退到宁夏，河套失守。

2 月 9 日，日本驻蒙军司令官冈部直三郎下令收缩战线，将日军集结于五原附近，蒙古军留守马柜圪旦—新公中—邬家地一线。11 日，傅作义部新 32 师发起反攻，收复临河、陕坝。2 月 13 日，日军主力开始撤离河套，在五原设立特务机关，桑原荒一郎任机关长，指挥伪蒙古军、伪绥西联军、警察队计 1 万余人，占据河套地区。

---

① ［日］冈部直三郎：《冈部直三郎大将日记》（日文），芙蓉书房 1982 年版，第 268、270 页。

3月初，傅作义和董其武、孙兰峰、袁庆荣等高级将领会商决定，乘春分前后黄河解冻流凌时机反攻五原。15日，傅作义部开始反攻，20日夜，突击队进入五原城内，与敌人展开激战，占领了多处重要据点。21日，新32师会同101师援兵猛攻五原，攻占了五原旧城。同时，孙兰峰率部进攻五原城西关和黑头圪旦，歼灭守敌，并与突击队会师，于22日占领了五原新城。

与此同时，傅部101师302团于20日全歼乌加河桥守敌，并炸毁桥梁；同日，骑7师于21日攻占了新公中和西商等处；新6旅王子修部于21日炸开乌拉壕河堤，放水淹没了万和长至五原的公路，破坏了乌拉壕桥梁，占领了万和长；新5旅安华亭部于20日占领西山嘴；绥远游击军第3支队李国栋部于20日向五原以南郝镜桥、蛮可素之敌发起攻击，守敌溃逃。

21日，驻安北的日军两个中队，驰援五原特务机关的日本人，日军骑兵集团主力及驻固阳部队也前往增援。22日，日军增援部队到达万和长以东乌加河左岸，遭到傅部101师的阻击，未能渡河。24日，冈部直三郎亲赴包头，设立前线指挥所，集结兵力，进军五原，意欲重创傅部。但在乌加河北岸遭到傅部101师3个团的顽强抵抗。25日，日军渡过乌加河，进入五原城。29日，日军从五原经万和长撤回安北、包头等地。傅作义部再次进入五原城，收复了乌梁素海、西山嘴一线以西地区。

至此，傅作义绥西抗战获胜，国民党统治区各大报纸称之为"五原大捷"；蒋介石于4月5日发电嘉勉傅作义，[①] 并特向傅作义颁授了青天白日勋章。

第三节　中国共产党在内蒙古领导的抗日斗争

一、八路军开辟大青山抗日游击根据地

1938年春，侵华日军集中兵力进攻徐州、武汉，中共中央决定八路军分兵向华北敌占区挺进，建立抗日根据地，开展敌后游击战争。同时，中共

---

① 方仁元、方庆秋主编：《抗日战争时期国民党军队机密作战日记》（上），中国档案出版社1995年版，第134页。

中央根据毛泽东的意见，作出创建大青山抗日游击根据地的决策。

大青山位于绥远省境内的阴山山脉中段，东西长700余里，南北宽百余里，居绥远省中东部，平绥铁路横贯东西，南有土默特平原，北邻乌兰察布草原，是蒙古族聚居的地区，时为伪蒙疆政权的统治中心。创建大青山抗日游击根据地，对于发动蒙汉各民族、特别是团结蒙古民族抗日，对于牵制日军南渡黄河进攻陕北、西进河套进军大西北，对于打通蒙苏国际路线，具有特别重要的战略意义。

1938年6月，八路军120师由358旅715团和师直骑兵营一个连组建了八路军大青山支队，李井泉任司令员兼政委，姚喆任参谋长，彭德大任政治部主任。

与此同时，第2战区民族革命战争战地总动员委员会（简称战动总会），组建了战动总会晋察绥边区工作委员会（简称总动委会），武新宇任主任，下辖由太原成成中学师生组成的战动总会抗日游击第4支队，随同大青山支队挺进绥远敌占区，参加创建大青山抗日游击根据地。中共晋西北临时区委组建了中共大青山特委，领导绥远敌占区党的工作，武新宇任书记。

7月15日，八路军总司令朱德发出了进军大青山的命令。7月底8月初，八路军大青山支队、总动委会及第4支队约2300余人进军大青山。9月2日部队主力进入大青山腹地陶林县大滩。

9月3日，大青山支队夜袭陶林县城，歼灭伪军一部。9月9日，攻占绥中重镇乌兰花。9月中旬，在归（绥）武（川）公路蜈蚣坝上伏击日伪军，击毁敌军车4辆，毙、伤敌80余人，[①] 从而开辟了归（绥）武（川）公路以东，平绥铁路以北，集宁至土木尔台一线以西的绥中游击区。动委会及其工作人员和总动委会4支队，也先后到达大青山地区。

随后，大青山支队兵分两路，一路挺进绥西，一路挥师绥南。大青山支队3营、2营5连、4支队2连及总动委会部分工作人员，在李井泉指挥下进入武川、萨拉齐、固阳3县交界处的后脑包、官地一带，开辟绥西游击区。在后脑包与日伪军激战1天，首战告捷。接着，又乘夜奇袭陶思浩火车站、智取石拐镇，在绥西三战三捷，形成了以巴总窑子为中心，归武公路以

---

① 郝维民主编：《内蒙古革命史》，内蒙古大学出版社1997年版，第354页。

西，包括武川县、归绥县西部，萨拉齐县、固阳县全部，托克托县部分地区和包头以东地区的绥西游击区。支队1营3连、4支队1连和动委会部分人员，在一营营长邹凤山率领下回师绥南，以蛮汗山为中心，活动于平绥铁路以南，包括凉城县、清水河县、和林格尔县及归绥县、托克托县、丰镇县的部分地区，开辟了绥南游击区。八路军以不到3个月的时间，初步开辟了大青山抗日游击根据地，日伪震惊，人民欢呼。

二、大青山抗日游击根据地的发展

1938年11月22日，中共中央作出《关于绥蒙工作的决定》，对以绥远敌占区为主，包括国民党统治区河套、伊克昭盟的工作作出全面部署，指出："我们党与八路军在绥蒙工作的任务：是要去唤起和团结蒙汉一切力量，一致联合抗日，是要以我们正确的扶助境内少数民族解放政策，去帮助各方消除蒙汉间的对立，是要以我们坚持抗战的模范作用，去提高蒙汉军民王公官吏抗战必胜的信心，是要广大地展开绥蒙抗日游击战争，把绥蒙全境造成敌人不可征服、不能巩固统治的游击区，逐渐在将来敌我力量的变动中，形成坚强的抗日根据地，形成我反攻阶段的前进阵地。"[①] 同时，决定成立中共绥远省委，以大青山支队活动区域为中心，领导绥远敌占区及河套一带的工作。这是全面开展绥远敌占区抗日斗争的纲领性文献。

（一）创建骑兵与开展骑兵游击战争

1938年12月，八路军大青山支队715团主力奉命东进冀中，留1营3连，2营两个排，3营营部及9、10两个连及1个机枪连，连同游击4支队、动委会工作人员，总计不足千人。自1939年开始，在斗争中发展兵员，绥南扩编为1、2两个大队，连同第4支队1连，坚持绥南游击战争。绥中扩编为3、4两个大队，与大青山支队直属骑兵连、特务排、通讯排、教导队、第4支队3、4连，坚持绥中游击战争。在绥西，由3营营部及9连、原10连一部与绥中调去的30人扩编为10连，3营机枪连两个排，连同第4支队2连，坚持绥西游击战争，连同收编的地方武装发展到1 480名，有骑马

---

① 《中共中央关于绥蒙工作的决定》，见中共中央统战部编：《民族问题文献汇编》，第612页。

609 匹，骡子 40 头。①

中共中央指出："在这一地区的战斗，非有骑兵不行"，"应该使自己迅速拥有多数骑兵"。经过继续装备，1939 年夏，组建了大青山骑兵支队，司令员李井泉、副司令员姚喆、政治部主任彭德大，计有 1 500 余人，战马 1 471 匹。是年冬、翌年春，大青山骑兵支队整编为 3 个骑兵营，绥南、绥中、绥西各为 1 个营，每营辖 3 个连。5 月 28 日，改营的建制为团的番号，姚喆任骑兵支队司令员，张达志任政治部主任。1941 年 12 月 5 日，将第 4 支队改编为大青山骑兵支队独立营，下辖两个连。1942 年 10 月，撤销大青山骑兵支队建制，成立塞北军分区。

日寇对大青山抗日游击根据地进行了轮番"扫荡"、袭击，企图消灭抗日武装。1939 年 5 月，日伪军调集兵力，对组建不久的大青山骑兵支队进行了大规模的"扫荡"。

在绥中，日伪军从归绥、旗下营、武川、陶林调集 3 000 多人，3 架飞机侦察助战，分 6 路向武川与陶林之间围攻"扫荡"。骑兵 2 营及地方游击队采用"蘑菇战术"与敌周旋，机警地跳出日伪军包围圈，转向外线，避开敌人的"扫荡"，扩大游击活动区域。日伪军以消耗 200 多桶汽油和损坏 10 余辆汽车为代价，结束了对绥中的"扫荡"。

在绥西，日伪军调集驻包头、固阳、萨拉齐的数千兵力，分 6 路包围绥西万家沟一带八路军游击区，并封锁山口，割断八路军与平川的联系。骑兵 3 营避实就虚，化整为零，隐蔽于山中，伺机袭击，使敌军疲于奔命，对绥西"扫荡"也以失败告终。

在绥南，日伪军分 9 路向蛮汗山游击区"扫荡"，企图切断八路军大青山骑兵支队通往晋西北的交通要道。绥南骑兵 1 营与雁北骑兵大队相配合，避敌锋芒，转战在蛮汗山和右玉东西山之间，使日伪军的"扫荡"一无所获。

1938 年 9 月到 1940 年 1 月期间，八路军大青山抗日游击武装与日伪军进行了大小战斗 120 余次，击毙日军 1 000 余人、伪军 500 余人，俘虏伪军 500 余人，缴获各种枪支 500 余支，击毁敌伪汽车 50 余辆，并破坏敌人电

---

① 《大青山抗日斗争史》编写组：《大青山抗日斗争史》，内蒙古人民出版社 1985 年版，第 87 页。

台、桥梁、铁路等设施，缴获大量战利品。①

1940 年，日伪军继续进行大"扫荡"，在绥南蛮汗山区 3 次，绥中 5 次，绥西 3 次，每次"扫荡"都实行烧、杀、抢"三光"政策。绥西被烧毁的村庄达 370 余处，被残杀的群众 260 多人；绥中被烧毁的村庄 700 余处；绥南被烧毁的村庄 700 多处。② 日伪军在绥中、绥西、绥南还增设了大批据点，强化其统治，企图扼制游击战争。

骑兵支队 1 团在北至平绥铁路，东到丰镇、集宁，西达土默川边沿的广大绥南地区，进行了数十次反"扫荡"战斗，保证了晋西北与大青山交通的畅通。

骑兵支队 2 团在东到集宁，西至武川，南抵平绥铁路，北达乌兰花、土木尔台的广大绥中地区，时而以骑兵快速奔袭薄弱之敌，时而迅速转移避开敌之主力，时而在山地丘陵与敌人兜圈子，时而又声东击西迷惑敌人，战斗多次，在反"扫荡"的斗争中扩大了游击区。

骑兵支队 3 团在绥西战斗多次，并以准确的情报，机警迅速的转移，与敌步骑兵 1 500 余人周旋，有力地粉碎了敌军的 4 路围攻。

1940 年，日军对大青山游击根据地进行了 10 余次"扫荡"。据不完全统计，这一年骑兵支队共与敌进行大小战斗 95 次，毙、伤日伪军 794 人，俘日伪军 193 人，击毁敌军车 7 辆，缴获枪支 586 支、战马 571 匹。骑兵支队指战员共牺牲 180 人，负伤 184 人。③

与此同时，骑兵支队 1 团不断发展绥东游击区。1941 年初，大青山骑兵支队司令部组成绥东工作团，在西起陶林、集宁，东到商都、兴和，南抵丰镇，北达土木尔台广大地区开展活动，全面发展绥东游击战争，骑兵 1 团和 2 团互相配合，建立了 3 支游击队，队员达 200 余人，组建了 3 个区政府，使绥东游击区出现了新的局面。

---

① 中共内蒙古自治区委员会党史资料征集委员会、中国人民解放军档案馆、内蒙古自治区档案馆编：《大青山抗日游击根据地资料选编》中册，内蒙古人民出版社 1987 年版，第 124 页。

② 《大青山抗日斗争史》编写组：《大青山抗日斗争史》，第 104 页。

③ 郝维民主编：《内蒙古革命史》，第 370 页。

8 月 9 日，中共中央发出《对大青山工作的指示》①，指出：大青山游击根据地必须长期坚持，保持大青山游击区，继续做好地方工作、伪军工作及统战工作。绥察边区党委和大青山骑兵支队根据斗争形势，将骑兵支队化整为零，以连队为单位，分散游击活动，机动灵活地打击敌人；在敌人"扫荡"围攻的时候，避开敌人主力，跳出外线，保存实力，扩展游击区。1941 年，骑兵支队与敌交战 108 次，共毙伤日伪军 394 人，击毁汽车 6 辆，炸毁火车 1 列，缴获枪 240 余支、战马 383 匹。骑兵支队牺牲 96 人，负伤 138 人。②

大青山骑兵支队坚持和发展游击战争，不仅壮大了部队，为发展地方党组织，建立抗日民主政权，建立和发展地方游击队，开展统一战线工作创造了良好的条件。

1938 年冬，国民党在大青山地区的"自卫军"共有 8 路，号称 3 万人马，实际不到 1 万人马。另设两个行政区，由督察专员执掌，下辖 11 个县，各设游击县长理事。但是，国民党顽固派不图抗日，专事反共摩擦，限制动委会和八路军的活动，限制建立基层组织和征集粮草和军需物资，收编土匪，争夺地盘，叫嚣"反共第一"、"灭蒙抗日"，袭击八路军，甚至杀害中共党政军工作人员。他们抗日不足，害民有余，反共疯狂。因此，打击顽固派势在必行。

1939 年 9 月，毛主席指示：同"自卫军"顽固派要进行斗争，不能让步；1940 年 2 月 5 日，贺龙、关向应等通知准备反击"自卫军"顽固派。

1940 年 2 月，大青山骑兵支队分别在绥西、绥中、绥南发动了反顽斗争。根据中共中央坚持抗战，反对投降；坚持团结，反对分裂；坚持进步，反对倒退的方针，打击了少数反共顽固派的倒行逆施，鼓舞了蒙汉各族各阶层人民的抗日热情。通过反顽斗争，打击和孤立了顽固势力，争取了抗日力量，加强和扩大了抗日民族统一战线，壮大了抗日阵线；摧垮了国民党顽固派的部分游击政权，为创建抗日民主政权创造了条件；群众热情支援抗

① 《中共中央对大青山工作的指示》，见中共中央统战部编：《民族问题文献汇编》，中共中央党校出版社 1991 年版，第 687 页。

② 郝维民主编：《内蒙古革命史》，第 371 页。

战，青壮年踊跃参加八路军、游击队，促进了大青山抗日游击战争的全面发展。

（二）中共党组织建设及其活动

八路军大青山支队挺进绥远敌占区的同时，中共晋西北临时区委曾组织中共大青山特委，与大青山支队和总动委会共同开展绥远敌占区工作。

1938年11月，中共中央决定建立中共绥远省委，领导绥远敌占区工作，白如冰任省委书记兼蒙民部长，李井泉兼军事部长，武新宇任宣传部长，白成铭任组织部长，刘瑞森仍任河套特委书记。不久，根据中共中央的决定改称中共绥远区委员会。1940年7月24日，根据中共中央决定，山西雁北地区与绥远合组中共晋绥边区委员会，白如冰任书记，刘俊秀任组织部长，王聚德任社会部长兼宣传部长，于占彪任武装部长。1941年3月，将雁北地区又划归晋西北，成立中共绥察边区委员会，领导绥察地区的工作，白如冰任书记，白成铭任组织部长，王聚德任社会部长兼宣传部长，于占彪任武装部长，秘书长王建功。1942年10月24日，中共中央晋绥分局决定绥察边区党委与雁北地委合并成立中共塞北区工委，高克林任书记，胡全任副书记，组织部长白成铭，宣传部长苏谦益，城工部长曹振之。塞北区工委机关驻偏关，领导绥远敌占区的工作。1945年2月17日，中共中央决定成立中共绥蒙区委员会，以高克林、姚喆、张达志、乌兰夫、武开章、杨植霖、苏谦益、白成铭、曹振之、康健民为委员，高克林任书记，领导绥蒙地区的工作，迎接抗日战争的胜利。

1939年3月，中共绥远省委成立以后，党的活动分河套、绥中、归陶、绥东4个区域，下设中共河套特委、绥中特委（后改称绥西地委）、归陶工委（后改称绥中地委）、绥东工委。后中共河套特委划归陕甘宁边区党委领导，绥远区党委下辖绥西地委、绥中地委、绥东工委和归绥工委、土默特旗蒙古工委。1940年撤销绥东工委，1941年3月，成立中共绥南地委。地委之下设数十个县委，县委之下还设区委，中共4级组织遍布绥远敌占区，成为大青山地区抗日斗争的领导核心。1939年3月至11月，绥远敌占区有党员582名，是抗日斗争的核心力量。

中共绥远党组织领导各级抗日民主政权建设，建立了晋绥游击区行政公署驻绥远办事处和绥察行政公署，成立了专区、县、区抗日民主政权和乡级革命两面政权；通过政权动员人力、物力、财力支援抗日游击战争，加强了党与群众的联系。

绥远是蒙古民族聚居的地区，这里有伊克昭盟7旗、乌兰察布盟6旗、土默特旗和绥东察哈尔右翼4旗，蒙古族人口约23.6万。蒙古民族工作是绥远敌占区党的中心工作之一。从省委到基层，乃至抗日民主政权，都有蒙古民族工作的专门机构。从1939年开始，一批又一批蒙古族青年被选送到延安培养，有的就地吸收参加部队和政权的抗日工作。在蒙古族群众中揭露日本帝国主义的"满蒙政策"，揭露国民党大汉族主义民族压迫政策，宣传中国共产党的民族政策，指明蒙古民族解放的道路，使蒙古民族成为绥远敌占区重要的抗日力量。

中国共产党广泛开展抗日民族统一战线工作，使各民族各阶层各党派及各界爱国团体和爱国人士，团结一致，共同抗日，特别是对蒙古族上层统一战线工作，成效显著。对伪军伪政权人员的统一战线工作，使其保持中立，同情抗日。对土匪、哥老会、教会的统一战线工作，扩大了抗日影响，争取其同情抗日，支持抗日，参加抗日。

总之，中国共产党的领导是开辟大青山抗日游击根据地，坚持大青山抗日游击战争的核心力量和根本保证。

（三）抗日游击政权建设及其活动

绥远敌占区的抗日游击政权建设分为动委会时期和抗日游击政权时期。动委会与八路军大青山支队一同挺进绥远敌占区以后，即以部队开辟的游击区为基地，广泛开展抗战动员工作和动委会的组织建设，吸收各族各界各党派团体各阶层爱国人士、开明士绅、社会名流和知识分子参加动委会。1938年10月开始，先后成立了绥西、绥东动委会，总动委会兼管绥东动委会的工作。动委会随部队在游击区开展群众工作，逐步建立了一批县、区、乡动委会组织，吸收包括乡村闾长、有名望的商户、开明地主士绅、农民代表、知识分子、当地驻军代表、少数民族代表、宗教界代表等参加，民主协商选举动委会机构；根据部队的急需，按照有钱出钱，有人出人，有力出力，有马出马，有粮拿粮的原则，动员征集冬衣、粮食、钱款、鞋和马匹等，解决部队的供给；总动委会干部深入乡村，依靠群众，组织群众，武装群众，除奸反特，开展城市与平川工作，密切配合部队的游击战争。

动委会组织群众抗日游击队，保护动委会工作，配合部队打击敌伪，并为八路军扩充兵员；在乡村，组织群众性的抗日救国团体农民救国会、工人救国会、妇女救国会、青年救国会、儿童救国会、蒙民救国会等，进行各种形式的抗日斗争；在城镇，组织抗日救国会，吸收青年学生、小学教师、小职员、店员等参加；在铁路沿线组织铁路工人参加工人救国会。通过爱国商人争取商号店铺为八路军购买或筹集物资。成立统筹统支物资筹备委员会，按政策征集物资，以供军需。

根据中共中央逐步将动委会过渡到抗日民主政权的指示，1940年3月成立了绥西专员公署，下辖武归、固阳、萨拉齐3县；6月成立绥中专员公署，下辖归武、陶林2县；同月成立绥东专员公署，辖兴丰、归凉、托和清3县。8月，在绥西武归县小西梁村召开了绥远敌占区各族各界各党派抗日力量代表会议，即绥察人民代表会议，通称西梁会议。中国共产党代表、国民党左派代表、无党派抗日民主人士代表，蒙古族、回族等少数民族代表，工人、农民、知识分子及抗日部队代表，共计200余人参加会议，成立了晋绥第二游击区行政公署驻绥察行政办事处，行使政权职能，推选姚喆为办事处主任，杨植霖任副主任。会议还批准成立绥西、绥中、绥南3个专员公署，决定撤销动委会组织。

1941年4月15日，成立绥察行政公署，杨植霖任主任，苏谦益任副主任。行署下设民政、财政、秘书、建设、教育、蒙政等6处和军事部，并成立绥察行署党组。10月1日公布了《绥察行政公署施政纲领》，提出了"亲密团结绥察境内抗日的各党各派各民族各社会阶层，消除民族隔阂，集中一切人力、物力、财力、智力，为保卫绥察、保卫西北、保卫中国、驱逐日寇，建立新民主主义共和国而战"的任务，制定了施政方针和一系列政策，特别规定摧毁敌伪政权，建立抗日民主政权；保证绥察境内各民族一律平等，共同参政；发展抗日武装，开展群众游击战争；瓦解敌伪军，优待俘虏；实行减租减息，整理劳资关系；团结宗教、会门、帮派抗日，取缔妨害抗日的会门、帮派；制定财经政策，实行合理负担；发展生产，保证军需民用；优待抗属，抚恤烈属；扶助伤病残废，救济灾民、难民；保证抗日人民的政治权利，严格司法制度；保障妇女的社会地位，实行男女平等；发展教育事业，提高人民的文化水平及民族自尊心；严行廉洁政治，严惩违法乱纪、贪污腐化；制定法令条例，保证抗日政府循章办事，等等。①

绥察行政公署下设绥西、绥中、绥南 3 个专员公署及 10 个县、22 个区抗日民主政府。绥西有武归县、固阳县、萨拉齐县、萨武固包边区联合县等 4 个县政府；绥中有武川县、归武县、陶林县等 3 个县政府；绥南有归凉县、丰凉县、托和清县等 3 个县政府。大部分县下设区政府。中共的方针政策和绥察行署的法令、条例、训令、办法等都要经过县、区政府具体实施。公署、专署和县、区抗日民主政府均为游击政权，县、区政府常无固定驻所，随县长、区长游击移动。抗日民主政府是在高度游击环境中行政施政，其最基层政权是乡政权，是属于革命的"两面派"政权，即利用日寇的伪乡政权，以"合法"的形式为抗日出力办事。

在抗日政权建设的同时，组建了群众性的抗日游击队或游击小组，这是开展广泛的群众性抗日游击斗争的主要形式，是抗日游击政权存在和发展的支柱。

在绥中，1938 年 10 月，将武川县富户郭英所建立的民团改编为武归县 3 区动委会直属游击队，随后组建了归武区游击队、陶武区游击队、陶北区游击队。1940 年以后，组建了陶林县游击队、武川县游击队和归武县游击队，各县还组织了数十个游击小组。在绥西，1938 年 12 月开始，组建了美岱召村、百只户村、孤雁村、白石头沟村、陶思浩等村游击队和固阳 4 边区、武归县 1 区、2 区、萨县 4 区的区级游击队。中共土默特旗蒙古工作委员会组建了蒙古抗日游击队。1940 年 1 月，成立了萨县游击队和武归县游击大队。在绥南，1939 年初，成立了归凉县游击队，随之成立了归凉县 5 区游击队、归凉县 1 区、4 区游击队、丰东游击队以及和林县、托和清县、托县游击队、托和清县 2 区游击队。

游击队在宣传抗日、发动群众、政权建设、搜集敌伪情报，镇压特务汉奸、征集军粮和抗日物资、搜罗枪支、打击小股敌人、配合部队作战、侦察敌情、传送情报、担负联络、破坏公路电线、掩护党政工作人员和地下工厂设施等活动中，发挥了重要作用。

---

① 中共内蒙古自治区委员会党史资料征集委员会、中国人民解放军档案馆、内蒙古自治区档案馆编：《大青山抗日游击根据地资料选编》上册，第 265—268 页。

1941年4月，绥察行政公署成立以后，进行整理财政，制定经济政策和具体措施，实行统筹统支，制定预决算；逐渐实行各种税收制度；破坏敌伪仓库，抵制与打击其挖窖与抢粮，加紧保护秋收，进行藏粮工作；在重要运输路口截夺敌人粮食，补充军需，减轻人民负担。进行各种经济建设，鼓励和支持工业、农业、畜牧业生产，发展商业贸易，实行减租减息，调整劳资关系，建立税收制度，增加财政收入，支持游击战争。

在游击环境的极端困难中，发展适应游击战争所需的小规模生产。在绥南、绥中和绥西各地均创办了小铁匠、毡房、熟皮房、马装具作坊，组织小商贩集中生产，基本上完成了马掌、皮革、马装具、毡鞋、毡套等军用必需品的生产和自给自足。

1940年夏，中共绥远区委成立了绥察独立第2支队，将绥西、绥中、绥南各游击队编为3个大队，以统一领导各地游击队，配合党政机关开展地方工作，配合骑兵支队开展游击战争。1941年8月，绥察区党委决定2支队和地方游击队一律归政府直接指挥调动，绥察行署设立军事部，专署和县政府设军事科，各级党委的武装部长兼任部长或科长，县区长兼任游击队长。同年12月，大青山骑兵支队奉晋西北军政委员会电令，决定取消第2支队番号，所属部队在骑兵支队统一指挥下，坚持与发展大青山抗日游击战争。

三、大青山地区的民族工作与统一战线

（一）蒙古民族工作

1938年11月，中共中央在《关于绥蒙工作的决定》中要求把唤起和团结蒙汉民族一切力量，一致联合抗日作为绥蒙工作的总任务，并提出团结蒙古民族抗日的一系列具体政策。1940年4月，中央在《关于绥远敌占区工作的决定》中更把蒙古民族工作作为绥远敌占区党的中心工作之一，再次强调要特别加强蒙古民族工作。1941年8月，绥察区党委在《关于绥察地区行政工作的决定》中进一步指出："蒙民工作是绥察地区重要的一环。"提出研究蒙古民族问题，调解蒙汉纠纷和蒙汉土地问题，减轻蒙民负担，充实蒙政部门，培训蒙古族青年，争取伪政权和伪组织等项要求。绥察行政公署在其施政纲领中也具体规定了蒙古民族工作的条款，并发布《告蒙古同

胞书》，广泛宣示了上述政策。①

为推动蒙古民族工作的开展，中共绥远省委和地委、县委设立了蒙民部，在蒙古族聚居的土默川设中共土默特旗蒙古工作委员会，在动委会中也设立了蒙民工作委员会，在绥察行政办事处以及绥察行政公署下设蒙政处，在专署和县政府中也分别设立蒙民部或科，具体开展蒙古民族工作。

中国共产党的民族政策和切实诚挚的民族工作，得到了蒙古族各阶层的理解、拥护，各阶层民众纷纷摆脱日伪的桎梏，积极参加抗日阵线。自1939年到1942年，从大青山地区先后动员、组织一批又一批蒙古族青年赴延安学习，连同部分汉族青年，计约100余人，成为抗日和蒙古民族解放的中坚力量；蒙古族人民为抗日捐献马匹、物资，掩护抗日党政军人员，养护伤病员，参加抗日武装；不少蒙古族上层人士和伪军政人员同情抗日，秘密为抗日出力，成为敌伪阵容中的内线。

1939年秋，中共土默特旗蒙古工委组建了蒙古抗日游击队，蒙古族共产党人李森、高凤英先后任队长。这是大青山抗日游击根据地第一支蒙古族抗日武装，在号召蒙古族抗日、争取伪蒙古军、开展游击战争中作出了特殊贡献。1941年，蒙古抗日游击队承担了保卫绥察区党委机关及绥西地委、专署的任务。10月28日，蒙古抗日游击队在万家沟小火烧营地被敌包围，在突围战斗中，绥察区党委社会部长兼绥西地委书记王聚德、蒙古抗日游击队长高凤英等12人壮烈牺牲。

（二）抗日民族统一战线

绥察地区发展抗日民族统一战线，是创建游击根据地，开展游击战争的重要条件，其内容是多方面的，有同国民党的统一战线，有同地方实力派的统一战线；有在农村的统一战线，有在城市的统一战线；有同少数民族的统一战线，有同宗教、会门、社会团体的统一战线；与伪军伪政权也要建立统一战线；要与知识分子建立统一战线。绥察地区统一战线的形式和方法也是多种多样的，有公开的形式，也有秘密的形式；有将统一战线的对象吸收到抗日民主政府中公开进行抗日斗争的，也有将我党政军人员派出进行秘密工

---

① 中共内蒙古自治区委员会党史资料征集委员会、中国人民解放军档案馆、内蒙古自治区档案馆编：《大青山抗日游击根据地资料选编》上册，第265—268页。

作的，还有利用公开身份开展统一战线工作的；有以组织名义建立统一战线的，也有以各种社会关系结成统一战线的。

以傅作义将军为首的国民党军政系统，是建立抗日民族统一战线的主要对象。在傅作义率部反攻归绥、发动绥西抗日、向大青山派军政人员的行动中，中共绥察区党委、绥察行署和大青山骑兵支队都给予积极的支援、配合，协调行动。1939年底，傅作义依从国民党中央发动第一次反共高潮的部署，逐步开始排共反共，特别是"自卫军"中的顽固派，一反常态，疯狂反共。中共绥远区委和八路军大青山骑兵支队，遵照中共中央"坚持抗战，反对投降；坚持团结，反对分裂；坚持进步，反对倒退"的方针，果断地进行了反顽斗争。同时本着有理、有利、有节的原则，重申抗日民族统一战线政策，以抗日大局为重，欢迎愿意抗日的部队和党派、团体及个人，团结起来，共同抗日，争取了抗日派，震慑了顽固派。

农村是大青山抗日游击战争的基地。农村统一战线的主要内容是争取开明地主、士绅和上层人士支援抗战。由于深入细致的统战工作，不少地主热心抗日，资助抗日，出钱、出粮草、出皮毛、衣服、油脂等物资，并掩护抗日人员。农村统一战线还有一项工作内容是争取伪乡政人员抗日，改造伪乡村政权为革命的两面派政权，使其对敌我均采取两面态度，谁来应付谁，两头不得罪，实际为抗日办事出力。同时，也有部分乡政人员追随日寇，表面应付八路军和抗日民主政府，暗中为日寇办事，成为反革命的两面派政权。因此，本着又联合、又斗争的原则，对于反革命的两面派乡政人员进行了坚决打击，以坚定大多数革命两面派乡政人员的抗日信心，争取部分动摇分子，巩固农村统一战线。农民救国会是农村统一战线的主要形式，劳动农民是主力，同时也有不少爱国的开明地主、富农和士绅参加，以此把不同祖籍和宗族的农民维系起来，消除隔阂，增强团结，共商抗日救国。对地主、富农与农民之间的阶级矛盾，也在共同抗日的前提下进行调整，使其趋于缓和。尽可能调动农村一切抗日的积极因素，为坚持游击战争创造条件。

绥远敌占区的工商界爱国知识分子、各界爱国人士，以及教会、会道门中的爱国势力，也深受日本侵略者的压迫、掠夺与限制，他们是抗日统一战线的重要力量。一批爱国商人，为八路军购置布匹、棉花、皮货、药品，甚至枪支弹药等禁止买卖的军需物资；为组建骑兵购买马具，作出了很大贡献。一批知识分子被吸收到各级抗日民主政府工作，发挥其才智和文化知识的作用。青年学生、小学教师、各界知识分子，是抗日救国会的骨干，影响最大，作用突出。天主教、耶稣教教会和"哥老会"、青帮等各类会道门在群众中有一定的影响，争取其参加抗日或保持中立，起了重要作用。

对伪军伪政权的统一战线工作是瓦解敌人的重要途径。绥察行署发布《关于动员伪军反正抗日的布告》和《告伪军暨伪政权同胞书》，[①] 劝导伪军和伪政权人员弃暗投明、反正爱国。大青山骑兵支队在伪蒙军所属部队中建立了联系，订立秘密协定，使其为八路军提供情报及军需用品。通过对伪塞外防共第2师的统战工作，使该师师长韩伍（蒙古族）完全接受了中国共产党和八路军的抗日主张，多次为抗日游击根据地购置军需物资、武器弹药，最后率部起义，投身抗日。在伪蒙古军第9师和第7师以及第18团也都进行了卓有成效的工作。日本投降时，这些部队的官兵掉转枪口，击毙日本教官，举行起义。

四、战胜困难　坚持游击战争

1941—1942年，大青山抗日游击根据地进入了极端困难时期。从1941年6月到1943年初，日寇在蒙疆地区发动了4次"施政跃进运动"，从军事、政治、思想、文化、教育等方面强化在伪蒙疆殖民统治的所谓"一元化"总体战，是以"防共、反共、灭共"为主要目标，围剿八路军及抗日游击队，强化保甲制度，开展清乡活动，严密控制游击区；在大青山、蛮汗山等山口挖掘"封锁沟"，垒砌"封锁墙"，实行经济封锁，拆毁山边村庄，组建"爱路村"；修筑作战公路几十条，增加据点达100多处，对抗日游击区分割包围。

在日寇"扫荡"、围剿大青山抗日游击根据地的形势下，1942年5月，贺龙、关向应电示骑兵支队：大青山环境日趋险恶，当敌军"扫荡"时，我主力可相机转移，以免受损失，待"扫荡"结束后返回；目前敌人着重于袭击战术和反复"扫荡"，我军应机动灵活，大踏步前进，大踏步后退以

---

① 中共内蒙古自治区委员会党史资料征集委员会、中国人民解放军档案馆、内蒙古自治区档案馆编：《大青山抗日游击根据地资料选编》上册，第272页。

保存力量为目的；加强地方武装建设，以长期坚持斗争。骑支 1 团、2 团各一部及支队直属骑兵连，随即奔袭绥东、绥南之敌，与伪靖安军、伪蒙古军交战 3 次，击溃敌伪军 180 余人，俘敌 34 余名，毙伤 30 余名，缴枪 30 余支，力挫其气焰。

1942 年 7 月，日伪军出动多兵种、机械化装备 5 000 余兵力，分 5 路向大青山绥中游击区进攻，试图一举围歼大青山抗日游击根据地党政领导机关和骑兵支队 2 团。骑支司令部及各机关、骑兵 2 团、绥察行署机关及所属游击队，在绥中与敌游击周旋。8 月 2 日，骑支司令部及各机关、骑兵 2 团从旗下营和三道营之间穿越平绥铁路突围；3 日，绥察行署机关及所属游击队也突围成功，转移到晋西北偏关、雁北。

1942 年 10 月，中共绥察边区委员会和雁北地委合并，成立了中共塞北区工作委员会，下辖绥西地委、绥南地委、雁北地委，工委机关驻偏关。同时，撤销了大青山骑兵支队建制，成立塞北军分区，领导大青山武装斗争。1943 年 1 月，绥察行政公署改称塞北行政公署，行署机关亦设在偏关。

在大青山抗日游击根据地领导机关和主力部队转移的情况下，留驻绥西的塞北军分区骑兵第 3 团、教导大队、军分区直属骑兵两个连以及绥西地委、专署和各县区游击队担负起了坚持游击根据地的重任。中共塞北工委采取了一系列措施，恢复大青山抗日游击根据地，陆续派遣骑兵部队、武工队和工作组进入大青山地区，展开多种形式的对敌斗争。

塞北军分区骑兵 1 团从山西右玉挺进绥南蛮汗山，骑兵 2 团自偏关进入绥南，并逐步向绥中发展。在困难环境中坚持绥西斗争的 3 团，其游击活动范围也逐步扩大。

到 1944 年 8 月，大青山抗日游击根据地基本恢复到了 1942 年敌人大"扫荡"之前的局面，同时还开拓了和林、清水河等新的游击区。绥中、绥西和绥南 3 块游击区的联系重新打通，并得到了发展。

1945 年 2 月，晋绥军区八路军发动春季攻势，大青山和雁北地区转入了局部反攻阶段。在为期 70 天的春季攻势中，塞北区八路军在绥西、绥中和平绥路以南连续攻占多处日伪军据点，迫使整个大青山地区日伪军兵力集中到铁路沿线的重点城镇。

6 月中旬，晋绥根据地八路军又发动夏季攻势，塞北军分区部队在平绥路南北两线向敌人展开进攻和围击，在绥中、绥西、绥南相继收复一批据点。7月，敌人被迫从绥中、绥西撤除21个据点，归绥城里只有日军300人，主要依靠1 000余伪蒙军支撑局面。

由于八路军长期坚持大青山抗日游击战争，所以在反攻阶段到来时，绥蒙大青山地区就成为战略反攻和配合苏蒙联军作战的重要阵地。1945年2月，中共中央将中共塞北区工委改组为中共绥蒙区委员会。中共绥蒙区委员会下辖绥中地委、绥西地委、绥南地委。7月，绥蒙政府成立。同时塞北军分区改称为绥蒙军区，所属部队有骑兵旅、骑兵1团、2团、3团、步兵9团、27团、偏清支队、骑兵大队、步兵2营、教导第3队以及一些武工队、游击队等。此外，还加强和充实了绥中、绥西、绥南党政军领导机构。绥蒙军区所属部队已对平绥铁路西段日伪军形成了包围的局面，整个大青山地区已经处在全面反攻的前夜。

五、内蒙古东部地区敌后抗日斗争

（一）东北抗日联军三进呼伦贝尔

1939年日本关东军在诺门罕战争中遭到失败后，加紧了对东北抗日联军的"讨伐"。中共北满省委决定开辟新的游击区，把大兴安岭林区作为抗日联军的大后方。

12月，北满抗日联军第3路军总指挥部组建西北远征军指挥部，由抗联第6军参谋长冯治刚任指挥，王钧任政治部主任，率军直教导队和骑兵12团100多名抗联战士，越过冰封的嫩江，首次挺进大兴安岭，进入伪兴安东省莫力达瓦旗境内。在该旗小库木儿屯，受到达斡尔族老人孟哈苏为代表的全屯百姓热烈欢迎，其子还与冯治刚等结拜为兄弟。1940年2月，抗联部队在阿荣旗五马架屯、任家窝棚与日军接连遭遇激战，冯治刚等5人牺牲，王钧率部突围，袭击日军山林守备队，营救了乌奴尔林场的200名伐木工人，缴获一批物资。3月底，返回嫩江以东抗联营地。

9月，中共北满省委决定开辟大兴安岭及呼伦贝尔草原游击区，并拟从呼伦贝尔打开南下热河的道路，与八路军联系。抗联第3路军总指挥部遂派第3支队再进大兴安岭及呼伦贝尔地区，抗联第6军第3师师长王明贵任支队长，高禹民任政委，王钧任参谋长。第3支队进入阿荣旗后，立即解除了宝泉镇伪警察署武装。11 月 30 日，第 3 支队在阿荣旗鸡冠山与日军遭遇，高禹民等 8 人在战斗中牺牲，5 人被俘。12 月，第 3 支队在阿荣旗金山屯、西靠山屯等地与日军战斗后，穿越大兴安岭返回嫩江以东。

1941 年 7 月，王明贵再率第 3 支队进入莫力达瓦旗及阿荣旗北部格尼河流域活动。10 月，袭击伊列克得附近的"满铁"林业所，缴获大批物资和马匹。之后，进入大兴安岭腹地小二沟、阿里河鄂伦春族聚居区。王明贵等与鄂伦春部落头人盖山结拜为兄弟，一些鄂伦春青年猎民还参加了第 3 支队。盖山的女儿占竹梅为第 3 支队传递情报、护理伤员、送衣送药，结下了深厚的友谊。第 3 支队在盖山等人的协助下，袭击了日本人经营的"义合公司"和日军山林守备队，缴获其全部武器，动员 100 多名伐木工人参加了抗联。年底，第 3 支队在库楚河西山与日军激战，损失惨重。9 月，抗联第 9 支队也奉命进入阿荣旗、莫力达瓦旗一带活动，支队政委郭铁坚、参谋长曹玉奎所率支队一部，在莫力达瓦旗北部郭尼屯被大批日军包围。在激战中，郭铁坚、曹玉奎等大部分指战员牺牲，仅有指导员孙志远带领十余人突围，在阿荣旗山区打游击。1942 年初，第 3 支队被迫退入苏联境内休整；翌年 6 月，第 9 支队余部也退到苏联境内，与李兆麟带领的抗联部队会合。

（二）八路军承平宁敌后抗日

1940 年 8 月，中共冀东地委和八路军冀东军分区曾派工作组到热河南部迁安、青平一带组织游击队。9 月，组成路（锦州至右北口）北工作组，到宁城霍力川活动。10 月，在宁城县霍力川一带组成了游击队，在承［德］平（泉）宁（城）地区开展游击活动。

1942 年 5 月，冀东根据地组织了路北武工队，进入承平宁地区建立了 4 个区级抗日政权。11 月，八路军冀东军分区派主力第 11 团、第 12 团 700 余人越过长城，进入热河南部地区。第 11 团参谋长高桥（苏然）率 200 余人攻占了宁城八里罕警察署、大营子警察分驻所，路北武工队配合攻占了新开坝警察分驻所。伪满第 5 军管区（驻承德）当即调集 7 个伪国兵团和警察"讨伐队"、日本守备队等共 8 000 多兵力，向宁城一带"扫荡"，八路军热南部队于 1943 年 2 月撤回冀东。

5 月，中共冀东地委决定建立承平宁联合县，设立中共承平宁联合县工作委员会和承平宁联合县办事处，任命黄云（杨雨民）为工委书记、周治国为办事处主任。6月，冀东军分区组建分区第3区队，高桥任队长，黄云任政委，辖2个连、1个侦察通讯排以及队部、电台队等，共计500多人。承平宁联合县先后建立了8个区级抗日政权和一批抗日"两面政权"，党政军一体开辟热南敌后游击斗争。

　　8月，第3区队和地方游击队配合，击毙了喀喇沁中旗协和会事务长仁科信夫和宪兵队长夏谷，[①] 袭击了宁城县头道营子和三座店日伪据点。9月，消灭了驻宁城驿马吐川谢杖子据点的山本守备队。随后又在下坡子战斗中俘获伪警察多名，拔掉了驿马吐川敌据点。1944年2月6日夜，第3区队、游击队和群众袭击并攻占了小城子，俘虏伪警察多名，并缴获大量布匹、现钞及军用物资。日伪便调集7个"讨伐队"，对承平宁地区进行反复"扫荡"、经济封锁，形势严峻。第3区队主力遂撤回关内，由高桥带领1个排坚持游击活动，并向围场、赤峰一带发展。

　　1944年3月29日，高桥带领的20多名战士在宁城八素台双庙村附近的老西沟被200多名日军包围，高桥及17名战士在突围时牺牲。4月25日，赵洪武带领的游击队在宁城龙潭沟与日伪军的战斗中18人被俘并遭杀害。中共冀热边区特委遂决定撤销承平宁联合县，所留部队和地方干部撤到关内。

　　1945年2月5日，中共冀热辽边区委员会、冀热辽军区和行政公署为重新开展热河地区的抗日斗争，派3支北进支队挺进热河，逐步恢复了热河南部的抗日游击根据地。5月，成立了宁（城）赤（峰）联合县，夏洪林任中共宁赤联合县工委书记，张立文任联合县办事处主任。6月，郝福鸿率领的中路北进支队进入宁城县八素台、王爷府等地，开展游击活动，直到日本投降。

第四节　内蒙古地区抗日战争的胜利

一、日本投降前内蒙古地区中日双方的军事部署

（一）日军的调整与部署

1944年以后，日军由于在太平洋战场及中国战场连遭失败，驻蒙军兵

---

① 高岳宇：《赤峰地区抗日斗争简述》，载《内蒙古党史通讯》1990年第2期。

力部署也有很大调整。6 月，日军为进行"湘桂作战"，将驻包头及附近地区的坦克第 3 师团调往河南，派 26 师团步兵独立第 11 联队担任该地区警备任务。7 月，驻蒙军主力第 26 师团被调往菲律宾，由独立步兵第 9 旅团为基干编成第 118 师团，担任大同、集宁等地防务，并调华北方面军直辖第 12 野战补充队接防厚和、包头及附近地区。

1945 年 4 月，为加强上海周围的守备，日本驻蒙军第 118 师团接防上海。同时在大同组成第 4 独立警备队，担任大同、集宁、厚和、包头及其附近地区的防务。

在内蒙古西部地区，华北方面军根据日本中国派遣军于 6 月制定的新作战方针，决定缩小作战范围，固守要点，以进行机动灵活、长期的防御作战。[①] 驻蒙军根据这一计划，主动放弃一些据点，集中力量确保张家口、大同及平绥铁路沿线主要城镇。同时，还计划同傅作义进行妥协，通过让出绥远省来缩小警备区域，以便抽出兵力准备对苏作战。

内蒙古东部地区，当时在"满洲国"兴安总省北部地区，有关东军第 119 师团、第 80 混成旅团和第 10 军管区所属部队，分别驻防海拉尔、博克图等地；在兴安总省南部地区，有关东军第 107 师团以及第 9 军管区所属部队、满洲第 2 游击队等分别驻防五叉沟、王爷庙、通辽、开鲁等地。7 月初，日军为了加强对苏作战兵力，又抽调 63 师团、117 师团到通辽、开鲁和白城、洮南等地驻防，同时在郑家屯设立第 44 军司令部，统辖上述地区的日军，以加强在内蒙古东部地区的防守力量。

6 月，兴安（即王爷庙）特务机关与驻五叉沟第 107 师团联手，制定了对苏作战计划，即"兴蒙对策"计划。其主要内容为：一旦与苏联开战，将日本妇女和儿童集中到扎兰屯、扎鲁特旗、科左后旗等地据点内；日本男人以旗、县为单位进行游击战，并发动全体居民参战，统受兴安特务机关长的指挥；禁止粮食外运，积蓄武器弹药等军用物资及生活必需品，在大兴安岭中建立游击战据点；为防纸币流通不畅，向各旗、县发放鸦片，作为活动

---

① ［日］防卫厅防卫研修所战史室编：《华北治安战》（2）（日文），朝云新闻社 1968 年版，第 550—551 页。

经费；派兴安总省参事官驻郑家屯，与第 44 军司令部联络，等等。①

（二）中国军队军事部署

1945 年 5 月，根据德国在欧洲战场上的失败、日本在中国及太平洋战场上失败既定的局势，中国国民党政府在全国范围内进行了一系列军事部署，以适应全面反攻阶段的到来。在内蒙古西部地区，国民党为了能够迅速占领包头、归绥、张家口等战略重镇和平绥铁路沿线地区，于 6 月间成立了辖绥远、察哈尔两省的第 12 战区，傅作义任司令长官。同时，根据军事委员会拟定的《挺进华北准备计划大纲》②，将傅作义部第 35 军编为绥西方面总预备队，配备充足的武器弹药和通讯、运输装备，准备沿平绥铁路向大同、张家口方面挺进。

1945 年 1 月，中共晋绥分局根据中央的指示，确定晋绥边区发展方向主要是雁北和绥远。2 月 27 日，中共中央决定在绥远成立绥蒙区党委，高克林任书记；7 月，中央决定成立绥蒙政府，乌兰夫任主席，杨植霖任副主席；同时，将塞北军分区改为绥蒙军区，司令员姚喆，政委高克林（兼），张达志任副司令员兼副政委。这是绥蒙全面反攻的组织准备和部署。同时，充实了绥中、绥西、绥南的党政军领导机构；并从延安和晋西北派出一大批蒙汉各族干部充实绥蒙地区的领导力量。2 月，晋绥军区派步兵 9 团挺进大青山；4 月间，中央军委从延安派骑兵旅奔赴大青山；7 月，晋绥军区再派步兵 27 团开往大青山。绥蒙军区所辖部队有骑兵旅、骑兵 1 团、2 团、3 团、步兵 9 团、27 团、偏清支队、骑兵大队、步兵 2 营、教导第 3 队等，大青山地区的武工队、游击队也迅速扩大，对日伪形成了包围的局面。同时，发动了夏季攻势，收复了大青山地区一系列日伪据点，大青山抗日游击根据地得到完全恢复。

根据中共中央 8 月 12 日的指示，晋绥军区与晋察冀部队相配合，力争占领太原及其以北之同蒲路，占领归绥及其以东平绥路；并堵截与消灭国民党阎锡山军队北犯和国民党军队傅作义部东进。中共中央军委决定，晋绥军区部队统由贺龙、李井泉指挥，晋绥分局和晋绥军区成立在贺龙、李井泉统

---

① ［日］"满洲国"史编纂刊行会编：《满洲国史·各论》（日文），满蒙同胞授护会 1971 年刊印，第 1286 页。

② 中国人民解放军历史资料编审委员会编：《八路军·参考资料》（1），解放军出版社 1995 年版，第 561 页。

一领导与指挥下的吕梁、雁门、绥蒙 3 个区党委、3 个二级军区。晋绥军区成立了领导南北两线作战的南线与北线指挥部。北线指挥部由吕正操、高克林（此时任雁门军区政委）、许光达、孙志远负责指挥绥蒙军区及 2、5、11 各分区。绥蒙军区以姚喆为司令员，张达志为政治委员。

二、内蒙古地区抗日战争的最后胜利

（一）苏蒙联军出兵内蒙古

1945 年 8 月 8 日和 10 日，苏联和蒙古人民共和国向日本宣战。从 8 月 9 日开始，苏蒙联军分几路进入内蒙古东西部地区，向日本关东军和驻蒙军发动强大攻势。苏蒙联军分别沿满洲里、海拉尔、扎兰屯一线；阿尔山、五叉沟、王爷庙、通辽一线；乌珠穆沁、林西、赤峰、承德一线；西苏尼特、商都、张家口一线迅速推进，消灭了顽抗的日军。在这个过程中，处在日军严密控制下的"满洲国"兴安军及蒙疆政权的蒙古军官兵，掉转枪口，杀死日本军官，或发动起义，或向苏蒙联军投诚。

内蒙古东部的满洲里、海拉尔等地，从 8 月 9 日开始遭到苏军的炮击和空袭。在满洲里的"满洲国"国境警察队等被苏军消灭。在海拉尔的日军盐泽师团则利用永久性防御工事，与苏军展开激战，至 17 日被歼灭。在兴安北省各市、旗的日本行政官员和满蒙开拓团员及其家属等有的乘火车，有的徒步穿越兴安岭，分别向扎兰屯、齐齐哈尔方向撤退。在新巴尔虎右旗、新巴尔虎左旗、额尔古纳右旗的日本人则被苏军俘虏或集体自杀。①

在"满洲国"兴安北省的第 10 军管区司令郭文林及参谋长正珠尔扎布等，于 8 月 11 日奉日军命令，率所属第 47 团、48 团、宪兵团及炮兵营等共计 2 000 余人，从南屯向兴安岭（车站名）撤退。当部队抵达锡尼河（今鄂温克族自治旗境内）后，在郭、正的示意下，由连长玛克思尔等为首，杀死了部队中的 38 名日本军官。② 12 日，他们与苏联红军取得联系，在南屯以南的乌兰哈日嘎那向苏军缴械投降。

驻守在五叉沟及王爷庙等地的日军遭到苏蒙联军的打击后，很快放弃各

---

① ［日］"满洲国"史编纂刊行会编：《满洲国史·各论》（日文），第 1288 页。
② ［日］春日行雄编著：《日本与蒙古一百年》（日文），第 157 页。

自的阵地，乘火车沿白阿线向沈阳、长春等地撤退。在王爷庙的特务机关长
金川耕作及兴安总省公署参与官白滨晴澄等人，根据"兴蒙对策"的计划，
于 10 日开始将特务机关全体及总省公署部分人员向科左后旗吉尔嘎朗转移；
在王爷庙及附近地区的其他日本人则集中起来，分别向扎赉特旗音德尔和葛
根庙方向撤退；由兴安总省警务厅长福地家久为首，抽调总省公署和警务
厅、科右前旗职员以及在乡军人组成游击队，掩护其余人员转移。[①] 在扎兰
屯、扎赉特旗、科右后旗、科右前旗、科右中旗、突泉县等地的日本人则分
别向东、向南方向撤退。在兴安西地区以及热河省北部几个旗、县的日本
人，一部分经通辽向沈阳转移，另一部分经赤峰向锦州等方向撤退。在撤退
途中，遭到苏蒙联军及当地民众的追击，大多被歼或被俘，只有一部分退到
了齐齐哈尔、长春、沈阳等地。

　　正当在内蒙古东部地区的日军及在各省和旗、县各机关任职的日本人仓
皇撤退之际，8 月 10 日夜，伪兴安军第 2 师骑兵 46 团、步兵 38 团官兵，在
团长王海峰、胡克巴图尔带领下，在王爷庙南山倒戈，杀死日本军官，摧毁
王家窝堡日军五三部队指挥机关，回到王爷庙，与苏军取得联系。8 月 11
日，陆军兴安学校生徒队各连的学生，在王海山等人的率领下，杀死日本军
官数十人，举行起义。当天，在兴安总省公署任职的哈丰阿、博彦满都等人
摆脱日本人的控制，相继到达王爷庙欢迎苏蒙联军。与此同时，在唐山附近
的伪满"铁血部队"中的蒙古族官兵，也解除了日本军官的武器，迅速返
回内蒙古东部。

　　（二）八路军在内蒙古西部发动反攻

　　1945 年 8 月 9 日，毛泽东主席发表《对日寇的最后一战》的声明，指
出："由于苏联这一行动，对日战争的时间将大大缩短。对日战争已处在最
后阶段，最后地战胜日本侵略者及其一切走狗的时间已经到来了。"[②] 8 月
10 日，八路军朱德总司令从延安总部发布大反攻的第一号命令；11 日，延
安总部又连续发布 6 道命令，其中有 4 道命令涉及绥蒙地区，命令八路军向
绥察热挺进并配合苏蒙联军作战。

---

① ［日］"满洲国"史编纂刊行会编：《满洲国史·各论》（日文），第 1286 页。
② 毛泽东：《对日寇的最后一战》，见《毛泽东选集》第 3 卷，人民出版社 1966 年版，第 1066 页。

中共中央军委决定，晋绥军区部队由贺龙、李井泉统一指挥，成立南线与北线指挥部。北线指挥部由吕正操、高克林、许光达、孙志远负责，指挥绥蒙军区及晋绥军区第2、5、11分区部队，向平绥铁路进攻，迅速占领归绥。8月12日，以归绥为目标的北线反攻作战全面展开。绥蒙军区司令员姚喆率骑兵旅、第9团、27团挺进平绥铁路以北，骑兵2团当日收复了陶林县城，并向归绥挺进，准备攻占归绥，进占包头、固阳，并阻截绥西国民党军队东进，发动群众彻底破坏归绥以西的铁路、公路。绥蒙军区政委张达志率领27团1营、骑兵1团第2连、骑兵大队、教导第3队等部，从偏关出发，挺进托克托、和林格尔，与路北主力相配合，从东南面对归绥实行包围；许光达率领32团、36团，由晋西北沿黄河北上，直抵萨（拉齐）托（克托）县，会攻归绥。绥中、绥南、绥西各支游击队和教导营、偏清支队等，相机攻占归绥周围各县城；绥蒙政府党政干部，从偏关随军北上，组织地方工作，筹集军需物资，接应部队反攻。

8月14日，日本宣布无条件投降。同日，八路军晋绥部队向平绥铁路沿线日伪军南北猛烈夹击，阻断了平绥路交通。8月15日，骑兵2团收复了武川县城；9团、27团分别攻占了平绥路重要车站察素齐、毕克齐和归绥外围的敌据点兵洲亥；绥中游击队于17日占领旗下营、陶卜齐、白塔火车站。

归绥城内日军奉日本驻蒙军司令部命令，从归绥向大同、张家口撤退，武器装备移交伪蒙古军；而此时驻归绥的伪蒙古军已与国民党取得联系，等待国民党军队受降，拒绝向八路军缴械。

攻打归绥的战役总指挥是绥蒙军区司令员姚喆。他召集各团指挥员及党政负责干部，部署了进攻归绥的方案。攻城主力27团、9团、骑兵3团等部集结于归绥城北坝口子一带，一面向归绥城内日伪军发出通牒，敦促投降，同时派绥蒙军区参谋丁郁民等入城侦察敌情，联络内线，策动伪蒙古军反正，骑兵3团副政委白炳勋和李森等组成归绥支队，在归绥周围争取伪军为攻城让路。

8月18日凌晨，27团团长马仁兴、政委钟生镒率该团2、3营和侦察连，9团副团长李发应和政委曾长久率4个步兵连、1个机枪连及3团的两个连，分路向归绥旧城发起进攻。城郊的民兵与群众纷纷组成救护队、运输队，也进入了阵地参战。部队很快攻入城中，经过激烈巷战，直捣伪蒙古军司令部驻地正丰学校和银行大院，形成南北包围夹击态势。

正当伪蒙古军被迫要求投降而又举棋不定之际，国民党军队 3 000 余人，从归绥旧城南茶房攻入城内，向八路军攻城部队发起猛烈进攻，伪军也乘机配合反攻。在腹背受敌、众寡悬殊情况下，八路军攻城部队撤出阵地，归绥被国民党军队傅作义部抢占。

八路军 27 团、9 团、3 团等所属部队集结于归绥东北哈拉沁一带，破坏归绥城西、城东的铁路，控制归绥以东各县及交通要道。8 月 18 日，许光达率独立第 2 旅 36 团直抵清水河，19 日晨收复清水河县城，全歼日伪军 1 000 余人，生俘伪军 300 余人，缴获战马 400 余匹，汽车 2 辆。吕正操率领 32 团进入绥南。28 日和 31 日收复凉城、和林格尔，歼灭国民党顽军 1 个团。

在平绥铁路沿线的大反攻中，在聂荣臻司令员指挥下，八路军晋察冀军区第 4、第 5 军分区部队，向大同、丰镇、集宁、商都等城进击；第 12、第 13、第 19 军分区部队向张家口、张北、多伦、沽源等城进攻，策应苏蒙联军。8 月 14 日收复兴和县城，22 日攻克了平绥路战略支点集宁、丰镇两县城及车站。8 月 23 日，晋察冀部队解放了张家口，歼灭日伪军 2 000 余人。不久，绥蒙军区政委张达志、绥蒙政府副主席杨植霖到商都，与绥蒙区党委和绥蒙政府会合，并与苏蒙军代表会商协调相关事宜。

与此同时，与大青山抗日游击根据地秘密联系的伪蒙军第 9 师师长乌勒吉敖喜尔，带领所部于 8 月 10 日在乌兰察布盟四子王旗境内举行起义，并与绥蒙政府副主席杨植霖及苏蒙联军联系反正事宜；伪蒙古军第 7 师达密凌苏隆部亦在商都向苏蒙联军缴械投降；8 月 11 日，西苏尼特旗蒙古军幼年学校师生，在日本教官胁迫下向张家口撤退途中，蒙古青年党负责人照日格图等带领杀死日本教官稻永、佐藤、掘内等 3 人，投奔驻西苏尼特旗德王府苏蒙联军。

（三）国民党军队傅作义部出兵绥包

1945 年 8 月 11 日，国民党第 12 战区司令官傅作义按照蒋介石的旨意，在河套陕坝镇召集军政负责人紧急会议，部署进军绥、察敌占区事宜，决定组成由孙兰峰为首的第 12 战区东进接收指挥部，代表傅作义接收绥察地区的日伪军投降，并下达了东进命令。傅作义部 6 万余人当即从河套、伊盟等地出发向包头、归绥进军。8 月 13 日，孙兰峰率接收指挥部人员进入包头，15 日，日本包头特务机关长田中良武和绥西防共自治联军王英部最高顾问儿玉等，代表驻包头日军向孙兰峰正式投降。同日，驻归绥蒙古军最高顾问汤野川龙郎少将带领日籍职员、侨民和日军等全部乘火车撤至大同。8 月 17 日，傅作义部第 35 军暂 17 师第 3 团进驻包头，接管城防，将日军和机关职员以及侨民等 2 700 多人，集中起来，听候处理。8 月 18 日，蒋介石指定傅作义为热河、察哈尔、绥远 3 省受降官，令其"指挥原辖各部，负责接受热、察、绥三省地区"。① 当日，傅作义率第 12 战区司令长官部人员进入包头，成立了包头市政务委员会和警备司令部。

8 月 18 日，傅作义部夺占归绥。次日，孙兰峰率领先遣接收指挥部人员进入归绥市，接受伪军投降。22 日，傅作义率第 12 战区司令长官部和绥远省政府人员抵达归绥，成立了归绥市政务委员会和警备司令部。

傅作义部占据绥、包二城后，新 101 师又沿平绥铁路大举东进，先后夺取了八路军解放的绥东重镇集宁、丰镇。孙兰峰率先遣接收人员同时到达集宁，成立了集宁政务委员会和警备司令部。至 8 月下旬，国民党军队已抢占了平绥铁路沿线的主要城市。

1945 年 9 月 2 日，日本正式在无条件投降书上签字。中国人民抗日民族解放战争胜利结束，被日本帝国主义殖民统治内蒙古东部 14 年、西部 8 年的蒙汉各族人民获得了解放。

---

① 中国人民解放军历史资料丛书编审委员会：《八路军·参考资料》（1），解放军出版社 1995 年版，第 584 页。

第 九 章

抗战胜利后的内蒙古

第一节 国共两党在内蒙古地区的战略部署与措施

一、国民党军队在内蒙古的军事行动

抗战胜利后，中国的政治形势发生了重大变化。国民党为全面恢复和加强其独裁统治，积极准备发动内战，攫取抗战胜利果实。

8月11日，蒋介石连续下达三道命令，要解放区的抗日军队"就地驻防待命"，不得向日伪军"擅自行动"；命国民党军队向解放区"积极推进"，"勿稍松懈"；命伪军"切实维持地方治安"，抵抗人民军队受降。国民党军事委员会于8月13日确定了新的军事部署，命令各战区部队迅速集结，抢占战略要点与交通要道，收缴日伪资财，收编伪军，分割、压缩解放区。同时由西北、西南调集大批军队，进逼华北、华中等解放区，意欲夺取华北，并打开进入东北的通道。

1945年8月10日，日本政府接受《波茨坦公告》，宣布投降。11日，国民党第12战区长官部在绥西陕坝镇召开紧急会议，部署东进事宜。决定组成以孙兰峰为首的东进接收指挥部，代表傅作义接受绥、察两省日伪军投降。同时，令暂3军所属暂17师进占包头、凉城；暂11师进占归绥。令第35军101师、新32师进占集宁、丰镇、大同；新31师进抵归绥，协助暂

11 师接收。令马占山所率东北挺进军进占托克托、和林格尔、清水河、凉城 4 县。8 月 18 日，蒋介石正式指定傅作义为热、察、绥 3 省受降官。

按照上述部署，傅作义所部 6 个军 12 个师近 6 万人由伊克昭盟和河套地区倾巢出动，抢占战略要地和交通要道。8 月 18 日晨，傅部新 31 师及骑兵第 4 师向已被八路军绥蒙军区收复的毕克齐镇发动进攻，八路军部队经顽强阻击，于当晚撤出战斗。同日，八路军绥蒙军区部队在司令员姚喆的指挥下攻入归绥旧城，正当迫令城内的伪蒙古军缴械投降之际，由托克托县开抵归绥南郊的国民党骑兵挺进军第 2 纵队与伪蒙古军取得联系，进入市区，配合伪蒙古军向八路军发动反攻。国民党 35 军一部和新 31 师也抵达城西，对八路军形成夹击之势。八路军绥蒙军区部队在腹背受敌的情况下被迫撤出归绥。傅部占领归绥后，国民党第 12 战区司令长官部和绥远省政府人员陆续到达归绥，成立了归绥市政务委员会和警备司令部。

从 8 月 18 日至 9 月 11 日，傅部共占领八路军从日伪军手中解放的县城 7 座。进而控制了绥远省大部地区。傅作义的作战意图基本实现后，又命各部队于 9 月上旬沿平绥路东进，向察哈尔、热河两省推进，企图夺占张家口，与向北平推进的第 11 战区孙连仲部会合，由南向北分割热、察、绥解放区，对八路军晋察冀、晋绥军区部队构成威胁。同时还以第 22 军、第 67 军各一部进占神木，配合其主力东进作战。傅作义扬言将乘胜攻占察哈尔、热河及雁北解放区，"不让八路军有立足之地"①。

对前伪蒙古军残部、伪满军警、大股土匪以及部分地区在战后组成的武装力量，国民党一律采取了收编、利用的策略，将其作为"军事接收"解放区的先头部队。国民党党、政、军各部门给这些武装授以军队番号或其他各种名义，任命了众多"司令"、"队长"、"总指挥"。1945 年 9 月，国民党第 12 战区将前伪绥西联军改编为暂编骑兵第 1 集团军，任命王英为总司令；将归绥一带的伪蒙古军残部改编为暂编骑兵第 2 集团军（后改番号为第 10 路军），任命李守信为总司令（未到任），宝贵廷为参谋长，代行总司令职权；将伪蒙古军炮兵部队改编为第 12 战区司令长官部直属野炮营，将土

---

① 中国人民解放军总部编：《中国人民解放战争军事文集》第 1 集，中国人民解放军总部 1951 年印刷，第 185 页。

默特旗保安队改编为新编蒙古骑兵第 1 旅。同时在绥东各旗组建保安团，统归第 12 战区辖制。在伊克昭盟，国民党驻军全部东调后，改原伊盟守备军总司令部为伊盟警备司令部，在准格尔旗、乌审旗、郡王旗设立了 3 个警备区，分别组建警备师，同时将原各旗保安团扩编为 7 个保安师及 1 个游击师，共设师级司令部 12 个，任命了一批王公、仕官为高级军官统领各部队，近 20 人先后被授予将官军衔。此外还收编了伊盟与陕西交界地带的大批地主武装和土匪，组成了 6 个"自卫军"及 1 个保安大队。至内战爆发前，国民党扶持组建了伊盟地区地方武装共 36 个团，兵力达 2 万余人。在内蒙古东部地区，由国民党东北党务专员办事处宣抚委员会和"东北蒙旗复员委员会"扶持的地方武装和大股土匪多达数十股。其中有活动在兴安盟和呼伦贝尔、西布特哈地区的以袁师古、马海泉所率的"光复军"、"挺进军"，拥众万余人；在哲里木盟，有包善一、徐邦统为首的"保安大队"及以王华兴为首的"东北保安独立支队"等，仅科尔沁左翼中旗就有号为"金龙"、"九江"、"草上飞"等股匪 3 000 余人被改编为"保安大队"或"独立大队"。

在昭乌达盟、卓索图盟，有张念祖所率的"热河先遣军"、以张桐轩为首的"热北保安总队"和沁布多尔吉所率的"骑兵独立旅"。这一时期，内蒙古中东部地区得到国民党支持或政治上倾向国民党的各类地方武装和土匪名目繁多，系统复杂，各树一帜，时聚时散，都会争相扩充实力。他们阻断交通、劫掠商旅和农牧民财产，在解放区造成严重危害，致使抗战后内蒙古局势急剧恶化。

在内蒙古西部地区，通过"接收"而实力大增的国民党傅作义军事集团出于其一贯的立场，强化省县体制，对盟旗的权益进一步予以侵夺。傅作义部占据绥蒙大部地区后，全面恢复了县、乡、保、甲各级政权组织，蒙旗的行政组织遭到县、乡的公然压制，以致无法行使职能。绥东 4 旗（察哈尔右翼 4 旗）在致蒙藏委员会的一份请愿书中控诉道："县乡把旗府当做眼中钉，不准旗府编制旗境户口，防止旗府征收租粮税收，非法逮捕吊打旗府官兵及人民，解除旗属保安队武器，对旗府之侮蔑视同仇雠，对蒙民之欺辱不及奴隶……"[①] 国民党军队所到之处，招纳日伪残余，收编土匪，委派汉奸

---

① 《正黄等四旗控绥东各县乡政府非法摊派引起纠纷请调查解决有关文书》，见中国第二历史档案馆档案，代号 141，档号 898。

充当地方官员，又以"惩奸"名义杀害抗日干部及家属，仅丰镇、隆盛庄一带，即被屠杀数百人。① 进攻绥东的国军骑兵第 4 师师长刘万春在致傅作义的一份电文中承认："自我军东进以来，部队骚动地方，甚至奸淫抢掠，纪律荡然，以致民怨沸腾。"②

傅作义部占领归绥后不久，将设在归绥小较场的前蒙古军陆军军官学校改为第 12 战区干部学校。1945 年 8 月，八路军绥蒙军区部队攻打归绥时，曾派人争取军校师生起义。因此傅作义部便将该校置于严密控制之下，引起军校师生的强烈不满，与国民党军队官兵间的摩擦事件屡屡发生。10 月，八路军发动绥远战役，绥蒙军区派人潜入归绥，发动军校学生起义，因被国民党情报部门察觉而未果。战事结束后，绥远省当局于 10 月 25 日命暂 11 师第 3 团以搜捕共产党人为由闯入军校，强令学生缴械，致使双方发生激烈冲突。激愤的学生开枪自卫，将第 3 团团长击毙。暂 11 师当即调集兵力，包围军校，并发动连续进攻，军校学生亦奋起反击，打死打伤国民党军士兵多人，军校学生死 9 人，伤 11 人。学生停止抵抗后，全部遭到监禁，其中多人遭到残酷报复，被虐待致死、致残。由国民党军队一手造成的这一流血冲突，被称为"小较场惨案"③，一时在内蒙古西部地区引起较大震动。傅作义部因此受到蒙古族各界人士的强烈谴责，同时也在部分被收编的伪蒙古军和蒙古族地方武装官兵中引起了普遍的不满。

二、恢复省县体制与"蒙旗复员"

抗战胜利后，国民党为加速其军事"接收"的进程，依据日本投降前即已确定的方针，迅速恢复了旧有的统治体制。1945 年 8 月 31 日，国民党在重庆组成了东北行政委员会，宣布恢复热河、察哈尔、绥远 3 省原有建制，又在东北地区划设了 9 个省，以取代伪满洲国行政区划。将内蒙古东部的哲里木盟划入了辽北省；在呼伦贝尔和西布特哈地区划设了兴安省、嫩江

---

① 军事科学院军事历史研究部：《全国解放战争史》第 1 卷，军事科学出版社 1993 年版，第 167 页。

② 中国人民解放军总部编：《中国人民解放战争军事文集》第 1 集，中国人民解放军总部 1951 年印刷，第 144 页。

③ 和希格：《一九四五年小较场事件》，见政协呼和浩特市委员会文史资料工作组编：《呼和浩特文史资料》第 2 辑，政协呼和浩特市委员会文史资料工作组 1983 年印刷，第 55—56 页。

省，并宣布"九一八前原有各县亦一并恢复"。① 这表明，国民党仍将贯彻"以实施省政为中心"的方针，继续对内蒙古采取由各省分割统治的办法。同时，国民党在不得不承认外蒙古独立的情况下，对内蒙古意欲推行更为严厉的政策，甚至试图将内蒙古这一名称予以消泯。在国民党中央宣传部转发行政院的一份公函中称："内蒙早已分别建省，内蒙形字应视为历史名词，不应再作为中国目前之政治、地理名词，当此外蒙实行独立，行将与我划界之今日，此种观念矫正特别重要。公文报纸记载不宜沿用内蒙字样。"② 11月，内政部致函热河省政府称："中华民国人民之籍别只有省县之分，并无蒙汉及其他种族之别。"③

国民党对蒙政策的实施和舆论界的鼓噪，以及盟旗与省县在行政区划、管辖治理权等方面的矛盾再度凸显，引起了国统区蒙古族各界人士的忧虑和不满。抗战结束后，分别来自原抗日后方和日伪统治地区的蒙古族上层人士和知识分子汇聚北平，商议内蒙古的未来及蒙旗权益问题。他们虽因抗战期间的行为屡屡互相攻讦，各自的主张又存在严重分歧，但在维护盟旗体制的认识方面尚能接近。不仅有荣祥、巴文峻、扎奇斯钦等来自地方的蒙古人，也有在国民党党政机关任职的部分蒙籍人士白云梯、白瑞、吴云鹏等人都以不同方式表达了恢复盟旗体制、实行自治的意愿。部分蒙古族青年知识分子也在北平发表文章，召开记者会，在内蒙古自治问题上大造声势。蒙旗复员的动议即在这样的情况下提了出来。

"蒙旗复员"活动，即依照1931年颁布的《蒙古盟部旗组织法》恢复盟旗、恢复伪满时期已废止的王公札萨克制度。为此，一批蒙古族官僚、知识分子被派往内蒙古地区，替国民党招抚流寓各地的蒙古族上层人士和曾在日伪政权任职的官员，扶持王公贵族重建盟旗政权。1945年9月，蒋介石在重庆接见了前去晋谒的德穆楚克栋鲁普、李守信、吴鹤龄、乌古廷等人，对他们的既往表示谅解，要求德王"保持缄然，忍耐一时，徐图未来"。同时指示李守信尽速返回内蒙古，招纳旧部，配合国民党军队"收复失地"。

---

① 傅角今：《东北新省区之划定》，行政院新闻局1947年刊印，第2页。
② 蒙藏委员会：《关于纠正延用内蒙古名词及解释蒙籍疑义文书》，中国第二历史档案馆档案，代号141，档号974。
③ 内政部：《为准热河省政府电请释蒙籍疑义案》，中国第二历史档案馆档案，代号141，档号981。

同月，国民党中央组成"蒙旗宣抚团"，以白云梯为团长，吴云鹏、荣照、何兆麟、刘廉克、达密凌多尔济等为成员。11 月，"宣抚团"在北平成立"蒙旗复员协进会"，办理在平蒙籍失业、失学人员的登记、救济等项事宜。国民党军事委员会也组成了"蒙古宣导团"，任命吴鹤龄为主任，配合国民党东北党政机构，向内蒙古东部各盟旗施加影响。原伪蒙古军参谋长乌古廷被国民党东北行辕任命为少将参事，陈绍武（超克巴图尔）被授以国防部少将专员之职，派往沈阳协助国民党军队对内蒙古东部地区的"接收"。国民党东北行辕政治委员会还设立了"东北蒙旗复员委员会"，以蒙藏委员会蒙事处处长楚明善为主任，贺喜业勒图墨尔根、笃多博、沁布多尔济、乌云廷等为委员，专事推进内蒙古东部盟旗的"复员"活动。10 月间，国民党扶持的哲里木盟、卓索图盟、昭乌达盟政权相继在沈阳、锦州组建，那木济勒色楞任哲盟盟长（未到任，后由贺喜业勒图墨尔根接任），达克丹彭苏克任卓盟盟长，苏达那木达尔扎任昭盟盟长。

国民党对"蒙旗复员"活动给予支持，是欲将其作为与军事行动相配合的一项辅助性政治措施。它一方面迎合了蒙古族各界人士恢复盟旗体制的普遍要求，另一方面又可借此笼络蒙古封建上层和政客，编组蒙旗武装，利用他们从事省县当局在东蒙地区难以进行的"接收"活动。在国民党东北行辕政治委员会制定的《东北蒙旗复员工作方针》规定："本会委员及盟旗长札萨克等之选用，不分地位、年龄，以能忠诚党国、拥护中央、领导地方积极工作者为准。""趁剿匪时期，除尽速编各旗警察队外，并建议本行辕尽量整编蒙古骑兵为国军，以补我军部队缺陷。"[1] 热河省当局在致国民党中央的报告中建议："……庶于顺应蒙民心理之下，始能达釜底抽薪，各个击破之目的。然后再将蒙旗内之汉族予以武装，强化起来，则各县原建制之恢复，定可拭目以待也。"[2] 在国民党有关部会共同拟订的《建设额阿两旗意见》中指出："王公及喇嘛教之崇信已深入蒙民心理，虽属封建落伍之恶势力，有碍政治革新，然当此边政久弛，边情紧急之际，治标之策宜尽量利

---

　① 　东北行辕政治委员会：《东北蒙旗复员工作方针》，中国第二历史档案馆档案，代号 141，档号 1056。

　② 　《热河省处理蒙旗办法转请查照速定决策由》，中国第二历史档案馆档案，代号 141，档号 1061。

用旧有之王公、宗教系统……""至军事方面，政府已有具体办法足以震
（镇）压叛变，如是则蒙民感德畏威，心自内向，再从而教育与建设并进，
自不难促其同化……"①

　　与此同时，国民党加紧在内蒙古地区开展"党务"和与之相配合的特
务活动。10月，国民党内蒙古党务特派员办事处在北平成立，于德纯、何
兆麟、赵诚璧（乌云毕勒格）、薛兴儒、金崇伟、李宗周等为主任特派员。
至11月，国民党绥蒙、热蒙、察蒙、兴安、辽蒙、黑蒙6个以省区划设的
党部及所辖30多个旗县党部陆续恢复或组建。国民党军统局也以北平为中
心，设立了辽北、兴安、热河、西满等工作站，组成了东蒙情报组和蒙旗情
报站；中统局则在热、察、绥3省分别设立专门针对内蒙古地区的情报站及
所属各分室。在锡林郭勒盟、察哈尔盟设立了名为"肃奸委员会"的特务
机关，招纳日伪时期的警、宪人员，结成特务网，从事情报搜集、策反和谋
杀活动，并监视各盟旗王公上层和地方武装首领的动向。

三、中共中央对内蒙古工作的方针与部署

　　中国共产党在力争实现国内和平的同时，在政治和军事方面与国民党进
行了针锋相对的斗争。内蒙古地区横跨东北、华北和西北地区，是晋察冀边
区的屏障，陕甘宁边区的门户，也是通往苏蒙的要道，战略地位十分重要。
随着局势的演变，内蒙古必然成为国共两党展开激烈斗争的重要战场。

　　1945年8月9日，毛泽东就苏联对日宣战发表声明。10日，八路军延
安总部发布对日大反攻命令。随后，中共中央军委发出调整战略区作战行动
的命令。据此，长期在绥远地区坚持抗战的八路军绥蒙军区部队配合晋绥野
战军、晋察冀军区部队，向日伪军占据的城镇发起进攻，相继收复了铁路沿
线的毕克齐、丰镇、集宁，绥西的百灵庙，绥东的兴合、商都，绥南的清水
河、和林格尔、凉城，绥中的武川、陶林等县城，解放了绥东南大部地区。
晋察冀部队配合苏蒙联军，参加了解放锡林郭勒盟各旗和张北、多伦等察北
各县的战斗。

　　为挫败国民党分割、包围解放区的图谋，中国共产党及时调整部署，反

---

① 蒙藏委员会：《建设额阿两旗意见》，见中国第二历史档案馆档案，代号141，档号1771。

击国民党军队的进犯。8月30日，中共中央军委发出《力争绥察热全境》的指示；9月17日，中共中央拟订"关于东北，控制热察之战略计划及部署"，指出："东北为我势所必争，热察两省必须完全控制。"9月19日，中共中央政治局发出《中央关于目前任务和战略部署的指示》，确定了"向北发展，向南防御"的战略方针。要求"继续打击敌伪，完全控制热察两省，发展东北我之力量并争取控制东北，以便依靠东北和热察两省加强全国各解放区及国民党地区人民的斗争，争取和平民主及国共和谈的有利地位"。"晋察冀及晋绥两省以现有力量对付傅作义、马占山向察哈尔张家口之进攻……完全保障察哈尔全境、绥远大部、山西北部及河北一部，使之成为以张家口为中心的基本战略根据地之一"。① 这一战略方针的主旨是把完全控制察哈尔、热河两省，发展东北并争取控制东北，保卫华北、华中作为全党、全军的主要任务。自9月开始，十余万八路军、新四军主力部队和大批干部陆续开赴东北，创建根据地。部分部队和地方工作人员奉派深入内蒙古东部各盟旗开展工作。

根据中共中央的部署，10月18日，八路军绥蒙军区部队配合晋绥、晋察冀军区部队发动绥远战役，向绥东地区之敌发起反攻。晋察纵队和冀中纵队击退了东犯的敌骑兵第4师和新31师，歼灭隆盛庄守敌。晋绥军区部队分别由右玉、商都出击，攻克凉城、八苏木、新堂等地，收复绥东、绥南大部分地区。傅作义部突然遭到猛烈打击，恐被分割歼灭，遂纷纷向西撤退。为阻截西逃的敌军主力，中共中央军委决定集结晋绥、晋察冀和绥蒙军区部队，在卓资山围歼敌67军和新26师。10月24日，晋绥部队向被围的敌军发起攻击。经过彻夜激战，毙伤国民党军副团长以下2 000余人，俘少将副师长以下官兵1 800余人，卓资山战斗结束后，晋察冀、晋绥两区野战军主力胜利会师。10月30日，又分南北两路向西挺进，并迅速完成了对归绥的合围。同时分兵继续西进，攻占毕克齐、萨拉齐等地，包围包头。

12月4—14日，八路军各参战部队先后撤出对包头、归绥的包围，撤至卓资山以南地带。绥远战役遂告结束。绥远战役沉重打击了傅作义部，减轻了敌军对张家口的威胁，有力地扭转了热、察、绥地区遭受国民党军队南

① 刘少奇：《目前任务和战略部署》，见《刘少奇选集》上卷，人民出版社1981年版，第371页。

北夹击的不利局面。

中国共产党经过长期革命斗争的实践，不断探索着解决国内民族问题的道路和方法，在抗战时期即已形成了较为完整的、符合中国实际的民族理论和政策。其基本原则为：通过在少数民族聚居地区建立自治区的方式，实现各少数民族的自决权利并建立统一的国家。[①] 1945 年初，中共中央依据这一原则，制定了在抗战胜利后以绥蒙地区为基地，全面开展内蒙古工作的战略方针。为此，中共中央决定组成绥蒙区党委、绥蒙政府和绥蒙军区，任命乌兰夫为绥蒙政府主席。在中共七大上当选中央候补委员的乌兰夫被确定为中共内蒙古地区党组织主要负责人，领导蒙古民族的解放斗争。日本投降前夕，乌兰夫即奉命率领一批蒙汉各族干部赶赴内蒙古开展工作。但在抗战胜利后的短暂时期内，绥蒙大部地区已被国民党军队抢占，热河、察哈尔两省解放区受到严重威胁。为适应新的形势，中共中央及时调整方针，对内蒙古的工作作出了新的战略部署。

1945 年 10 月 23 日，中共中央向晋察冀中央局发出《关于内蒙工作方针》[②] 指示电（下简称指示电），指出："在目前我党控制热、察，发展东北、取得华北优势的方针下，内蒙在战略上具有极重要的地位。适当地解决内蒙民族问题，不仅关系内蒙民族本身的解放，而且能够建立我党我军巩固的后方及和苏、蒙军取得直接连（联）系的有利地位。""对内蒙的基本方针，在目前是实行区域自治。首先从各旗开始，争取时间，放手发动与组织蒙古人的地方自治运动，建立自治政府，准备建立内蒙自治筹委会的组织，统一各盟旗自治运动的领导，党内亦应有统一领导与政策。"并具体提出：蒙古族聚居地区可建立自治政府，蒙汉族杂居地区可组成蒙汉联合政府。

指示电要求：在制定对内蒙古的各项政策时"必须适时而慎重"，深入调查研究，了解蒙古人民共和国对内蒙古的态度，调查内蒙古地区在日伪统治时期和国民党统治时期的情况及其造成的恶果；掌握蒙古族各阶层的动态。提出"在蒙古族各阶层中揭发历史上国民党及日本欺骗与统治内蒙的

---

① 毛泽东：《论新阶段》，见中共中央统战部编：《民族问题文献汇编》，第 595 页，

② 中共晋察冀中央局：《关于内蒙工作方针》，见中共中央统战部编：《民族问题文献汇编》，第 964 页。

罪行，消除蒙人对国民党的幻想"。对已投向国民党的德王、李守信等人应采取打击、分化、孤立的政策，争取反对德王、不与德王合作的蒙古族上层人士，缩小打击面。对于各盟旗目前的工作，"指示"要求颁布纲领，建立地方武装，培养、任用当地蒙古族干部，创办有利于蒙古族的经济、文化及社会公益等建设事业。中共中央还强调指出："我军必须保持良好纪律，尊重蒙人风俗习惯，绝不随意夺取蒙人的财物、牛、羊和触犯蒙人的禁忌。"要求由乌兰夫负责制定部队纪律，统一颁发，令各部队严格遵守。

指示电对中国共产党在内蒙古西部地区的工作关系作出了明确规定：大政方针由中央决定，实际工作由晋察冀中央局和晋绥分局分别负责处理，乌兰夫负责联系，以筹划共同的工作方案，统一步骤。蒙古族干部的工作由乌兰夫分配，每个地区须有一个主要的民族干部。中央还特别要求晋察冀中央局、晋绥分局、冀热辽分局指定专人负责研究内蒙古问题。

大批八路军、新四军进入东北后，根据中共中央制定的"让开大路，占领两厢"的战略决策，迅即在距离大城市和交通要道较远的城镇、乡村展开了创建根据地的斗争。由于内蒙古东部地区处在八路军、新四军的后方，因此成为西满和冀热辽根据地的重要组成部分。鉴于内蒙古东部地区复杂的民族关系以及战后蒙古民族运动日渐高涨的新情况，中共中央于1945年12月25日向林彪、黄克诚等东北局负责人发出指示，指出："西满及热河的蒙古民族对我态度之好坏，为我在西满及热河成败的决定条件之一，望你们十分注意研究这一问题，并通令全军对蒙古民族采取十分谨慎的政策。""不要侵犯蒙民各阶层任何利益，一切征粮征税均应暂时免除，同时设法给蒙民各种好处，以吸取蒙民对我同情……"指示电要求对内蒙古东部地区进行深入调查研究，根据具体情况制订工作方针。①

为团结蒙古各阶层共同抵御国民党的军事进攻，中共中央及有关各中央局、分局相继制定了组建蒙古民族武装，扩大人民革命力量的方针及具体办法。10月，中共中央在关于《内蒙工作方针》中也指出："内蒙古各盟旗自治政府应组织地方武装。""对伪蒙古军，除最反动者应武力解决外，一般

---

① 《中共中央关于对蒙族政策问题给林彪、黄克诚、李富春、程子华等同志的指示》，见中共中央统战部编：《民族问题文献汇编》，第984页。

采取宽大政策，并予以改编，逐步加以改造。"① 11 月 23 日，中共晋察冀中央局在《目前对内蒙古政策的几个要点》中提出：在各盟旗恢复和编制保安队，维持地方秩序，在民兵和保安队基础上组建内蒙古人民自卫军。将改造旧军队和训练军事干部工作作为各盟旗军事工作中的重要任务。②

根据中共中央关于内蒙古工作的一系列指示精神，各有关分局、各省委和军区陆续派出大批干部分赴东蒙各盟旗开展工作。

1945 年 8 月，中共热中地委派出干部到昭乌达盟赤峰，建立了中共赤峰市委和市政府；10 月，在宁城、乌丹（今赤峰市翁牛特旗）等县建立了县政府。11 月，中共冀热辽中央分局将西拉木伦河以北的林西县、克什克腾旗、巴林左旗、巴林右旗划为热北地区，组成中共热北地委、热北行政督察专员公署和八路军热北军分区，成立了林西、经棚县政府。热北地委和军分区成立后，派出部队清剿土匪，稳定社会秩序，发动群众进行减租减息，清算反霸斗争，同时积极开展与各旗蒙古民族武装统一战线工作。

与此同时，中共辽西省委派出以赵石为团长的蒙古工作团到哲里木盟、派出胡秉权等人到兴安盟开展工作，中共辽北省委派出苏林等人到海拉尔，调查呼伦贝尔地区情况。

1945 年末，新四军第 3 师到达卓索图盟和哲里木盟，先后攻克被国民党地方武装和土匪占据的阜新、库伦、通辽、开鲁等旗县城镇，建立了中共通鲁工委，在库伦旗设立了八路军办事处，成立了通辽、开鲁县政府。为开展哲里木盟地区的蒙古民族工作，组成了以方知达为书记的中共蒙古工作委员会，对外称"蒙族联谊部"。

至 1946 年初，中国共产党在内蒙古东部地区的蒙古民族工作已初步展开。经过广泛、深入的宣传，扩大了中国共产党民族政策的影响，团结争取了大批蒙古族进步青年以及部分上层人士，从而为巩固、发展内蒙古解放区，正确引导蒙古民族运动健康发展创造了有利的条件。

---

① 《中共中央关于内蒙工作方针给晋察冀中央局的指示》，见中共中央统战部编：《民族问题文献汇编》，第 964 页。

② 中共晋察冀中央局：《目前对内蒙古政策的几个要点》，见中共中央统战部编：《民族问题文献汇编》，第 965 页。

第二节　内蒙古民族运动的高涨

一、内蒙古人民革命党的重组与东蒙古人民自治政府的成立

抗日战争行将胜利时，中国国民政府与苏联政府签订了《中苏友好同盟条约》，根据条约规定，蒙古人民共和国成为拥有独立主权的国家。内蒙古蒙古族各阶层在急剧变化的形势下也在关注着内蒙古的前途和命运。各种政治势力也纷纷活跃起来，寻求出路。一些在日伪统治下坚持斗争的革命者和大批具有激进民族主义思想的知识分子，对苏联和蒙古人民共和国所取得的革命和建设成就怀着敬慕和向往的心情，在对《雅尔塔协定》内容及国际局势缺乏了解的情况下，希望在苏蒙两国的支持下实现民族解放的夙愿。部分王公上层或投附了国民党，或对国共双方的角逐持观望态度。还有一些人试图以民族解放的名义进行政治投机。战后的蒙古民族运动，就是在这种错综复杂的情况下勃然兴起并逐渐高涨起来。

苏联和蒙古人民共和国对日开战后，设在王爷庙的伪满兴安总省顿时瓦解。被日军裹胁到葛根庙的博彦满都、哈丰阿、阿思根等部分伪兴安总省军政官员陆续摆脱了控制，与起义官兵在扎赉特旗会合。8月14日，组成了内蒙古人民解放委员会，并与进驻王爷庙的苏联军队取得了联系，向苏军指挥官提出了建立自治政府，组建军队的要求。8月18日，在苏联驻军的支持下，博彦满都、哈丰阿等以内蒙古人民革命党东蒙本部执行委员会名义，在王爷庙发表了《内蒙古人民解放宣言》①（以下简称《宣言》）。《宣言》提出：公开恢复内蒙古人民革命党的活动，在内蒙古人民革命党的领导下建立内蒙古解放军，协助苏蒙联军驱逐日寇、恢复地方秩序；铲除封建势力、保障劳动人民的自由和权利；"领土内之民众，不分种族畛域，一律平等待遇"，"与友邦中国的革命政党紧密提携，长期公平彻底地解决蒙汉民族问题"。《宣言》还提出了内蒙古在苏联和蒙古人民共和国的指导下加入蒙古人民共和国的主张。同日，内蒙古人民解放委员会还发出了《致乔巴山、

---

①　《内蒙古人民解放宣言》，内蒙古自治区档案馆档案，4—1—6。

泽登巴尔书》，向蒙古人民共和国领导人提出"内外蒙合并"的要求。此后，哈丰阿等陆续派出了近百名青年知识分子分赴内蒙古东部各盟旗，宣传《内蒙古人民解放宣言》，组织蒙古族各界群众进行了以"内外蒙合并"为名义的签名活动。部分工作队还进行了建立旗党部和旗政权、吸收新党员，组织地方武装等活动。

8月21日，内蒙古人民革命党东蒙本部在王爷庙召开了首次党员会议。哈丰阿主持会议并作了题为《党的经历》的报告，报告追溯了内蒙古人民革命党自1925年建立以来的活动情况。提出：在日寇被驱逐的形势下，"需要党由秘密转向公开"。正式宣布组建内蒙古人民革命党东蒙本部。会议组成本部执行委员会，博彦满都、哈丰阿、特木尔巴根、阿思根、萨嘎拉扎布等当选执行委员；候补委员有张尼玛、都固尔扎布等。哈丰阿为秘书长。会议还认定了100多名党员的资格并讨论通过了《内蒙古人民革命党党纲》和"临时党章"。

《内蒙古人民革命党党纲》规定："本党在苏维埃联邦和蒙古人民共和国指导下，以解放内蒙古人民及建设民主政府为宗旨"；"经济方面排除资本主义剥削而沿非资本主义的社会主义途径发展"；"增进贫苦劳动者及农牧民之幸福，铲除社会上一切不平等组织，使群众获得参政之机会与权利"；"境内各民族不分种族之区分一律平等待遇"；"与中国共产党取得紧密联络，互相援助，以期达成革命目的"；"普及发展妇女教育，并使其为获得自由而奋斗"。①

"临时党章"规定："革命党以马克思列宁主义为指导思想"，"团结蒙古各界人士，联合中国共产党、蒙古人民革命党、国际共产党及各民主势力，发动与组织蒙古人民，彻底肃清法西斯残余，坚决反对国民党反动派的大汉族主义政策，建立蒙古民族自决民主的政权，从事适合人民利益的政治、经济、军事、文化等的新建设，以求内蒙古彻底解放"。"为在内蒙古实现社会主义与共产主义制度而奋斗，以之编入独立的蒙古人民共和国共为自由和平富强的新兴国家奠基。"

---

① 《内蒙古人民革命党党纲》，内蒙古自治区档案馆档案，6—1—10。

9 月，东蒙本部发布《政治建设时期的暂行党务工作要领》①，在加强党的组织建设，扩大宣传范围等方面作出具体规定，提出"接受苏联和蒙古人民共和国的指导和援助"，"以勤劳人民为对象，使其达到专政的目的，但不排斥贵族和其他上层阶级"。

针对国民党在内蒙古东部地区以"接收"为名目而进行的各种活动，内蒙古人民革命党东蒙本部于 9 月 29 日发布了《致在东北国民党党员书》②，申明内蒙古人民革命党的宗旨，提出与国民党建立"互谅互助"的关系，称两党的活动是"分工合作，殊途同归"，主张互不妨害。但要求国民党在内蒙古地区的活动须与内蒙古人民革命党各级党部取得联系后方可进行，"以免直接工作而致发生误会"。与此同时，东蒙本部在给各地党支部或党员下达的各项指令中，要求严格限制国民党在各盟旗的活动，禁止建立国民党党部。强调："要深刻认识国民党的活动，不陷其阴谋诡计"，"使国民党不致蔓延到我们内蒙古来"。指令还要求各地支部在与国民党的接触中注意策略，"以避免民族间纠纷"。而在这些指令中也明确地阐述了对中国共产党应持的态度。认为："完成中国革命使命的是中国共产党，实际帮助内蒙古的也是共产党"，"内蒙古人民革命党与中国共产党有着同样的目的，将来为进入社会主义道路，主张走非资本主义道路"。指示中称中国共产党为兄弟党，要求各地党支部与中国共产党人"尽力取得紧密联系，取得他们的帮助"。③

10 月 20 日，博彦满都、哈丰阿、那钦双合尔、额尔敦陶克陶、拉克辛毕力格等 10 余人组成东蒙古人民代表团，前往乌兰巴托向蒙古人民共和国最高当局呈递请愿书及签名簿，提出"内外蒙合并"的要求。乔巴山、泽登巴尔等蒙古党政领导人接见了代表团一行。乔巴山在谈话中指出：内蒙古的问题是中国的内部事务，根据国际和中国国内形势的发展，内蒙古问题应在中国共产党的帮助、领导下求得解决。东蒙古人民代表团在"内外蒙合并"的要求被拒绝后即返回了王爷庙。

---

① 《政治建设时期的暂行党务工作要领》，内蒙古自治区档案馆档案，6—1—11。
② 《内蒙古人民革命党东蒙本部致在东北国民党党员书》，内蒙古自治区档案馆档案，6—1—25。
③ 《内蒙古人民革命党东蒙本部指示》，内蒙古自治区档案馆档案，6—1—26。

11 月中旬，内蒙古人民革命党东蒙本部应东北人民政府的邀请，派出以乌力图、协儒布僧格、达瓦敖斯尔、莫德勒图等人组成的东蒙古代表团前往沈阳，参加东北各界人民代表会议。会前，代表团向会议组织机构递交了《内蒙古人民解放宣言》，要求对"内外蒙合并"的主张给予理解和支持。中共中央东北局、辽宁省政府负责人林枫、张学思、吕正操等接见了代表团成员，表明了中国共产党支持蒙古族及其他国内少数民族人民争取民族权利、实行民族自治的立场，并建议尽快与在内蒙古西部地区开辟工作的乌兰夫等取得联系，共同开展自治运动。东蒙古代表团接受了这些意见。乌力图在大会发言中表示：愿在中国共产党的帮助、领导下实行民族自治、争取民族解放。①

博彦满都、哈丰阿、特木尔巴根等由蒙古人民共和国返回王爷庙后，立即停止了以"内外蒙合并"为内容的宣传活动。决定在内蒙古东部地区开展自治运动以统一内蒙古各盟旗。12 月 9 日，在王爷庙召开了东蒙古人民代表会议预备会议，筹备成立东蒙古人民自治政府。为此，哈丰阿等人前往长春、沈阳等地，向当地苏联驻军提出自治要求，同时通过苏军请求国际红十字会向东蒙古地区提供布匹、药品等物资援助。同时还派出包玉琨为代表，携特木尔巴根等人致佛鼎等人的信函前往张家口，与内蒙古自治运动联合会取得联系。

1946 年 1 月 16 日至 19 日，东蒙古人民代表会议在葛根庙召开。内蒙古东部地区各盟 36 个旗的代表和王爷庙各族各界人士共 400 余人参加了会议。会议期间，代表们通过了《东蒙古人民自治法》和《东蒙古人民自治政府施政纲领》；对政府职能、行政区划、财政经济等项问题进行了讨论。经全体代表选举，15 人当选政府委员，博彦满都当选为政府主席，玛尼巴达喇当选为副主席，哈丰阿任秘书长；会议还选举产生了由寿明阿、桑杰扎布、乌云毕力格、郭泽民（汉族）、额尔敦陶克陶、张尼玛等 45 人组成的政府"小呼拉尔"；寿明阿为议长、桑杰扎布为副议长。宣布设立政府职能部门

---

① 达瓦敖斯尔：《我的经历见闻》，见政协内蒙古自治区委员会文史资料研究委员会编：《内蒙古文史资料》第 31 辑，政协内蒙古自治区委员会文史资料研究委员会 1988 年印刷，第 160—161 页；李鸿范：《回忆我在哲盟的工作经历》，见中共哲里木盟党史办公室编：《革命回忆录》第 1 集，中共哲里木盟党史办公室 1986 年印刷，第 53—54 页。

经济、民政、内防、司法4部及参议处、宣传处、秘书处。1月19日，会议通过《东蒙古人民自治政府树立宣言》，宣告正式成立东蒙古人民自治政府，"以哲里木、昭乌达、卓索图三盟、呼伦贝尔、布特哈二部及伊克明安、齐齐哈尔、苏鲁克三旗为自治区域"。"实行高度民族自治"，"建设自由平等的民主政治"。宣布变更内蒙古东部地区行政建制，将原哲里木盟、昭乌达盟、卓索图盟及呼伦贝尔地区改称省，在哲里木盟北部部分地区、呼伦贝尔部部分地区划设兴安省，并将西布特哈地区划设为纳文慕仁省；组建东蒙古人民自治军，统一指挥内蒙古东部地区各支蒙古民族武装。① 12日，全体代表还通过了以东蒙古人民代表会议名义致中共中央主席毛泽东、东北民主联军总司令林彪、国民政府主席蒋介石的电文。通过了组成东蒙古代表团赴北平、重庆要求国民政府准予东蒙古自治的提议。

2月15日，东蒙古人民自治政府召开政府委员会议，任命了政府各部门负责人与各省省长：阿思根任内防部部长，特木尔巴根任经济部部长，达瓦敖斯尔任民政部部长，张铁铮（汉族）任司法部部长，哈丰阿兼任秘书处处长，那木海扎布任参议处处长，桑杰扎布任宣传处处长。乌云达赉任兴安省省长，乌力图任哲里木省省长，哈萨巴特尔任卓索图省省长，萨嘎拉扎布任昭乌达省省长，额尔钦巴图任呼伦贝尔省省长，何布台任纳文慕仁省省长。② 会议还确定以内蒙古人民革命党党旗为东蒙古人民自治政府旗。

东蒙古人民代表会议召开期间，中共中央东北局、西满分局，东北人民政府均致电表示祝贺。中共党员胡秉权、朱继先、黄文飞、王新波等应邀参加了会议。胡秉权以延安代表的身份在会上发表讲话，阐述了中国共产党的民族政策和统一战线政策，受到了大多数与会代表的热烈欢迎。

东蒙古人民自治政府成立后，制定了《经济建设总要》，宣布废除日伪统治时期强加给各盟旗人民的租税负担，实行"合理的、有计划的经济制度"③。对自治政府辖区农、牧业的恢复和发展以及林木、矿产等自然资源的开发利用作出初步规划。1946年2月，东蒙古人民银行、东蒙古人民合

---

① 《东蒙古人民自治政府树立宣言》，内蒙古自治区档案馆档案，5—1—21。
② 《东蒙古人民自治政府委任新职员公报》，内蒙古自治区档案馆档案，6—2—4。
③ 《东蒙古人民自治政府经济建设总要》，内蒙古自治区档案馆档案，5—1—2。

作社相继成立，在对货币和市场进行整顿的同时，采取政府和民众合资的方式，恢复了纺织、制铁、车辆修造、粮谷和皮毛加工等行业的生产；开辟交通运输和与蒙古人民共和国的贸易；调集木材、食盐等物资和农、副产品运往东北解放区，开展易货贸易。商业贸易的初步发展，使当地各族群众在生产、生活上面临的严重困难得到了部分缓解。这一时期还兴办了东蒙古医院，恢复、建立了部分学校；陆续创办了《东蒙新报》、《人民之友》、《经济新刊》等报刊，介绍国际、国内形势和内蒙古现状，宣传自治政府的各项政策，报道地方政治、经济工作动态等。

1946 年 2 月 11 日，东蒙古人民自治政府派出以玛尼巴达喇、桑杰扎布等 7 人组成的东蒙古人民代表团经长春赴北平，并欲前往重庆"请愿"，要求国民党政府承认东蒙古人民自治政府。在国民党兴安省主席吴焕章的陪同下，代表团一行于 2 月 20 日抵达北平。当日，代表团即向国民政府蒙藏委员会官员楚明善、白云梯等递交了《东蒙古人民自治政府树立宣言》。国民党东北行营主任熊式辉分别约见了代表团成员。熊式辉拒绝承认东蒙古人民自治政府及其派出的东蒙代表团，并以"恐贻国际口实"为由阻止代表团前往重庆，称"东北迄未顺利接收，在中央政权尚未到达之处，一切均属徒然"，要求玛尼巴达喇等"隐忍待机，待中央力量伸入之时本其素志"。[①] 在北平期间，玛尼巴达喇等拜会了国民党北平行辕主任李宗仁，还接触了国民党军统局负责人戴笠、郑介民等人。

4 月 8 日，东蒙古代表团接博彦满都、哈丰阿由承德发出撤回代表团的电令后，即由北平抵达长春。4 月 18 日，东北民主联军解放长春，东蒙古代表团受到民主联军领导人彭真、吕正操等的接见。彭真等表示：中国共产党和东北民主联军将支持、帮助蒙古族人民争取民族解放的正义斗争。[②]

1946 年 3 月，内蒙古人民革命党实行改组，对外则宣布解散。[③] 自此，有关内蒙古人民革命党的一切宣传活动以及在各盟旗招收党员的工作停止。

---

① 蒙藏委员会：《熊式辉等为玛尼巴达喇等人过平到渝事给蒙藏委员会的代电》，中国第二历史档案馆档案，代号 141，档号 1059。

② 《玛尼巴达喇报告北平之行》，载《东蒙新报》1946 年 5 月 22 日。

③ 《内蒙古人民革命党已正式解散》，载《东蒙新报》1946 年 3 月 13 日。

同时修改了党的纲领和章程。新的党纲提出：内蒙古人民革命党"建立与蒙古人民共和国人民革命党，中国共产党和苏联共产党的亲密无间的牢不可破的关系"，"为维护内蒙古人民利益，统一内蒙古，为实现蒙古民族的团结，统一和独立，建立民主政权而斗争"。①

内蒙古人民革命党的活动和东蒙古人民自治政府的成立，引起了国内舆论的极大关注。在东北问题上已陷于被动的国民党当局对此深感不安，极力诋毁东蒙古自治运动，并利用这一问题攻击中国共产党和苏联、蒙古人民共和国。1946年2月9日，蒋介石致电蒙藏委员会委员长罗良鉴并转东北行营主任熊式辉，称："查兴安蒙旗酝酿独立，必有共党与外蒙方面之阴谋策动，殊堪注意。应即切实设法……就地分头运动消弭之。"② 2月26日，蒙藏委员会在致行政院的一份公函中称东蒙古人民自治政府"北部结联苏联、西部勾串外蒙"，"与八路军携手，网罗同志，扩大武装，煽动民心，宣扬威势"，"一般蛮横无知之蒙民当然欢呼响应"。③ 国民党中央组织部还电令辽蒙党部迅速派员潜入王爷庙，"策动王爷庙蒙旗首脑倾向中央，勿为中共所用。"④

在国民党辽蒙党部的直接策划下，以贺喜业勒图墨尔根、曹剑章为首的部分原蒙旗王公、仕官共22人在沈阳联名发表《反对兴安独立通电》，指责东蒙古人民自治政府"趁光复接收之日，乘危蹈隙，构衅称兵，破坏统一，甘心携贰，抱国土以与外人，掷民族以飨异域"⑤。一些"边政专家"也为此制造舆论，称东蒙古人民自治政府的成立是中国共产党的"非法举动"，是"有背景的变相割据"，吁请国民党政府"加强武力接收，铲除非法政权"。⑥

二、内蒙古人民共和国临时政府的组成与解体

苏蒙联军进入锡林郭勒、察哈尔盟后，伪蒙疆政权随着日军的败退而崩

---

① 《内蒙古人民革命党纲领》，内蒙古自治区档案馆档案，4—1—12。

② 《蒙藏委员会驻平办事处给罗委员长的代电》，中国第二历史档案馆档案，代号141，档号1058。

③ 《蒙藏委员会关于东蒙自治问题函电及情报》，中国第二历史档案馆档案，代号141，档号1059。

④ 蒙藏委员会：《关于内蒙自治问题有关函电及情报》，中国第二历史档案馆档案，代号141，档号1049。

⑤ 蒙藏委员会：《反对兴安独立通电》，中国第二历史档案馆档案，代号141，档号1060。

⑥ 李士钟：《辟所谓"东蒙自治"》，载《绥远新生》1946年第12期。

溃。除德王、李守信等人逃往北平外，部分伪政权的高、中级官员相继到锡林郭勒盟苏尼特右旗陶高图庙以躲避战火。乌兰察布、巴彦塔拉、锡林郭勒、察哈尔盟各旗一些官吏以及在苏尼特右旗政府、学校任职的蒙古族青年知识分子、军人等也随后纷纷前往会合。

8月16日，聚集在陶高图庙的各方面人员全部移至德王府。经协商，并征得苏蒙驻军的允许，成立了由前伪蒙古自治邦高级官员吉尔嘎朗、穆克登宝、补英达赉、苏尼特右旗札萨克都古尔苏荣和蒙古青年革命党主要负责人德力格尔朝克图等13人组成的"内蒙古人民委员会"，并设立了参议府、参军府及若干分委员会，以此作为临时权力机关，与各盟旗进行联络。随即向苏蒙驻军指挥官正式提出了"内外蒙合并"的主张，要求苏蒙两国在政治、军事、经济方面给予支持。苏蒙军官表示对此重大问题无权作出明确答复，建议内蒙古人民委员会组成代表团，赴乌兰巴托与蒙古人民共和国高层领导人直接洽谈。

8月下旬，内蒙古人民委员会派出由德力格尔朝克图、都古尔苏荣、斯文丹巴3人组成的代表团，前往蒙古人民共和国，谋求"内外蒙合并"。同时，决定召开内蒙古人民代表大会，并在苏蒙驻军的协助下分别向锡林郭勒、察哈尔、乌兰察布盟所属各旗发布通告，同时向内蒙古东部部分盟旗发出信函通知，要求派出代表到会，讨论"内外蒙合并"问题。而此时，代表团的要求已被蒙古人民共和国方面所拒绝。

当内蒙古人民代表大会筹备召开之际，蒙古人民共和国副总理拉木扎布一行以政府代表身份赴内蒙古地区慰问苏蒙联军结束后抵达苏尼特右旗。在德王府，拉木扎布等人会见了各界人士，并对人们提出的各种问题作出了解释，表明了蒙古人民共和国政府的态度。拉木扎布称：由于《雅尔塔协定》的制约，内外蒙古不能合并；内蒙古事情属于中国内政，蒙古人民共和国的独立刚得到中国政府的承认，因此不能越界干涉；有关内蒙古的问题，应由内蒙古各界人士作出决定。

拉木扎布等人所持的立场，使聚集在德王府的各界人士认识到"内外蒙合并"已无实现的可能。于是人们决定改变内蒙古人民代表大会的议事内容，转而商讨内蒙古的独立问题。并决定将独立政体定名为内蒙古人民共和国临时政府。为此组成了文件起草委员会，由吉尔嘎朗、扎奇斯钦负责着手草拟《内蒙古独立宣言》《内蒙古人民共和国临时宪法》。同时将原会议名称改为内蒙古各盟旗人民代表大会。

1945 年 9 月 9 日，内蒙古各盟旗人民代表大会在苏尼特右旗召开。与会者共 80 余人，计有锡林郭勒盟各旗、察哈尔盟 7 个旗，乌兰察布盟四子王旗派出的代表；聚集在苏尼特右旗的东、西部各界人士也以其所属盟旗代表的身份参加了大会。经会议代表选举，组成了大会主席团和秘书处，选定吉尔嘎朗为大会秘书长，扎奇斯钦为副秘书长。在为期 3 天的会议中，代表们讨论并通过了《内蒙古独立宣言》和《内蒙古人民共和国临时宪法》；选举出内蒙古人民共和国临时政府委员 27 人，其中常务委员会委员 11 人。政府委员有补英达赉、达密凌苏隆、穆克登宝、都古尔苏荣、吉尔嘎朗、特克希卜彦、阿拉坦瓦其尔、乌勒吉敖喜尔、道尔吉勇荣、德力格尔朝克图、胡尔沁毕力格、布仁赛因、乌力吉那仁等。选举结束后，召开了全体政府委员会议，选举出临时政府主席、副主席，同时设立了政府职能部门内政、外交、军事、经济、交通、宣传、总务等部、厅。补英达赉（原伪蒙古自治邦最高法院院长、巴彦塔拉盟盟长）任临时政府主席，达密凌苏隆（原伪蒙古军第 7 师师长、察哈尔右翼正黄旗总管）任副主席兼军事部长。吉尔嘎朗、穆克登宝、特克希卜彦、乌勒吉敖喜尔等政府委员分别任各部正副部长。

内蒙古各盟旗人民代表大会结束后，临时政府派出了以达密凌苏隆、吉尔嘎朗、穆克登宝等 6 人组成的代表团前往蒙古人民共和国。代表团此行是代表临时政府感谢苏联和蒙古人民共和国出兵解放内蒙古，更为重要的目的是请求苏、蒙两国政府承认新组成的临时政府，并请求给予军事、经济援助。提出具体要求 5 项："第一项要求苏联代为广播内蒙古成立人民共和国事，第二项要求将来世界和平会议内派代表参加，第三项要求借款五千万元，第四项要求帮助接济成立五个师的机械化武装，第五项要求借贷汽车五十辆，汽油五十万桶及电台和收音机多架。"① 蒙古人民共和国党政领导人在乌兰巴托接见了代表团一行，但对所提各项要求一律予以拒绝。

与此同时，临时政府又派出宣传部长特克希卜彦等人前往张北，代表临

---

① 　中共晋察冀中央局：《察哈尔各盟旗近况及察锡两盟的工作经过》，见中共中央统战部编：《民族问题文献汇编》，北京：中共中央党校出版社 1991 年版，第 966 页。

时政府与中共晋察冀中央局和八路军晋察冀军区取得联系，探寻中国共产党的态度，试图求得承认和支持。中共晋察冀中央局在初步了解到苏尼特右旗出现的情况后，即与乌兰夫等商定了解决办法。10月上旬，乌兰夫率奎璧、克力更、陈炳宇、黄静涛、达成义、旺楚克、田户等蒙汉族干部，由八路军晋察冀军区部队驱车护送，从绥蒙政府驻地商都出发，与特克希卜彦、胡尔沁毕力格等蒙古族青年一道前往苏尼特右旗德王府。

在德王府，乌兰夫一行与临时政府各方面人士进行了广泛接触。通过召开座谈会或个别交谈的方式了解情况，宣传中国共产党解决内蒙古民族问题的主张。乌兰夫在与青年知识分子和部分上层人士的交谈中指出："内外蒙合并"和内蒙古独立是不切实际的错误主张，对内蒙古的民族解放运动将造成不利影响。应将内蒙古人民共和国临时政府改组为蒙古自治政府，改组后的政府仍为临时性机构，须在将来召开广泛代表各界人民意志的内蒙古人民代表会议，产生正式的政府。乌兰夫还指出：补英达赉是八路军、晋察冀行政委员会通缉的战犯，由他任临时政府主席极不合适，应进行改选。经反复宣传、动员，改组临时政府的建议获得了大多数青年知识分子的支持和部分上层人士的接受。

当乌兰夫等将改组临时政府的主张通知驻苏尼特右旗的苏蒙联军后，苏军指挥官对此持强烈反对态度并引起了激烈争论。而此时内蒙古人民共和国临时政府的成立已引起国际舆论的关注，苏联政府委派代表到张家口调查协调。经与中共晋察冀中央局负责人商谈，苏蒙代表最终同意执行中国共产党提出的方针。[1]

10月下旬，临时政府举行改选。选举结果是：补英达赉落选但保留其政府委员职位，乌兰夫当选为临时政府主席兼军事部长，奎璧任内政部长，克力更任经济部长，田户任军事部副部长。部分上层人士原任政府委员之职仍予保留，更多的青年知识分子当选政府各部门负责人。但改组后的政府名称问题经反复讨论仍未达成一致意见。

临时政府改组后，乌兰夫等人提出当地交通不便，粮食、燃料供给困

---

[1]　中共晋察冀中央局：《关于察盟成立"内蒙古人民共和国临时政府"问题向中央的请示》，见中共中央统战部编：《民族问题文献汇编》，第972页。

难，建议将临时政府机构迁往张北。11 月，临时政府机构、人员陆续迁往张北，并停止了以政府名义颁发布告或与各盟旗的联络。至此，内蒙古人民共和国临时政府已告解体。

三、呼伦贝尔地方自治政权的建立

在呼伦贝尔地区，苏军占领海拉尔、满洲里、扎赉诺尔等城镇后，成立了卫戍司令部，陆续建立了当地的临时性机构以维持社会秩序。8 月下旬，在海拉尔成立了"海拉尔自治公署"，傅锦堂任海拉尔市市长，陆然萍、色布精太任副市长。9 月，德春、卓德巴、敖平勋等人士也组建了"呼伦贝尔蒙旗行政公署"，管理呼伦贝尔地区各牧业旗事务。

8 月 19 日，蒙古人民共和国军队一部进驻海拉尔。同日，蒙古人民革命党宣传部副部长哈木苏荣率团进入呼伦贝尔地区慰问苏蒙军队。慰问团沿途在蒙古族、达斡尔族、鄂温克族群众聚居的新巴尔虎左、右旗、索伦旗进行了以"内外蒙合并"为内容的宣传活动。22 日，慰问团在索伦旗三道湾召集数百名各族群众举行庆祝反法西斯战争胜利大会。会上通过了主张呼伦贝尔并入蒙古人民共和国的决议书，并发动群众进行了签名活动。会后，组成了由善吉密图普、功果尔扎布、绰克图等 7 人为成员的呼伦贝尔代表团。8 月 23 日，代表团随哈木苏荣等人前往乌兰巴托，向蒙古人民共和国党政领导人呈递"决议书"，要求实现呼伦贝尔地区与蒙古人民共和国的合并。蒙古人民共和国当即拒绝了这一要求。①

呼伦贝尔代表团一行返回海拉尔后，于 9 月下旬召集数十名蒙古族、达斡尔族、鄂温克族各界人士举行会议，介绍了代表团的乌兰巴托之行，商讨对呼伦贝尔地区实行有效管辖治理的各项问题。会议决定发动民族自治运动，筹备组织权力机关并建立军队。这一决定得到了苏军驻海拉尔城防司令部指挥官和蒙古人民共和国驻军代表的同意和支持。在苏军的协助下，前伪满兴安北省省长额尔钦巴图被请到海拉尔，主持政府筹备工作。10 月 1 日，在海拉尔的部分蒙古族、达斡尔族、鄂温克族人士召开会议，宣布成立呼伦

---

① 呼伦贝尔盟党史资料征集办公室编：《呼伦贝尔地方自治史料大纲》，呼伦贝尔盟党史资料征集办公室 1986 年印刷，第 5—6 页。

贝尔自治省政府，会议推举额尔钦巴图为自治省政府主席，善吉密图普为副主席，德春为秘书长。设置省政府下属机构——政务、财务、实业、公安4处及所属10科。同日，发布政府公告，任命哈达为政务处长、战震寰为财务处长、卓德巴为实业处长、平福为公安处长。同时组建省政府保安队，阿迪雅任大队长。

10月8日，呼伦贝尔自治省成立大会在海拉尔举行，海拉尔、南屯的各族、各界人士近百人参加了大会。大会宣布正式成立呼伦贝尔自治省，以海拉尔为中心，在呼伦贝尔地区实行"高度的民族自治"。自治省管辖区域为新巴尔虎左、右两旗，陈巴尔虎旗，额尔古纳左、右两旗和海拉尔市、满洲里市。驻海拉尔苏军城防司令部、苏联驻满洲里领事馆、蒙古人民共和国驻军等苏蒙军队、机关的代表共20余人以来宾身份到会，苏军军官尼古拉·卡尔洛夫在会上致词祝贺，对呼伦贝尔的自治表示支持。

呼伦贝尔自治省成立后，撤销了以傅锦堂为首的海拉尔自治公署，任命了海拉尔、满洲里、扎赉诺尔等市、街的市长、街长以及各旗旗长。将省政府保安队扩编为保安总队。同时还发行了呼伦贝尔地方流通货币，对市场进行了整顿。组建了巴尔虎蒙古合作社，在所属各牧业旗开展购销业务。一方面在满洲里与苏联进行小范围的边境贸易，另一方面向东北解放区运送牲畜及畜产品、水产品、盐、木材等换取粮食、布匹和日用品。自治省政府成立后在政治、经济等方面所采取的一些措施，使呼伦贝尔地区的局势得到了初步稳定，对于恢复遭到严重破坏的牧业区经济，纾解各族群众生产和生活困难起到了积极的作用。

呼伦贝尔自治省对辖区内国民党势力的活动进行了抵制。1945年10月，国民党黑龙江省党部派出蒙旗特派员李宗周等人到海拉尔，欲召集会议，在各界人士中扩大影响，并企图在海拉尔公开建立国民党党部。自治省领导人得知这一情况后，立即约见李宗周，严令禁止其活动，并限期促其离境。因此，国民党在海拉尔等地的活动被迫转入秘密状态。

在自治运动的发展方向以及领导权等重大问题上，呼伦贝尔自治省内部存在着严重分歧。大多数自治运动的参与者虽强烈反对国民党的大汉族主义政策，主张坚决抵制国民党势力的渗透，但又由于对国际国内形势缺乏了解，因而对中国共产党开展呼伦贝尔地区的工作持有怀疑、抵触态度。部分人强调呼伦贝尔情况特殊，以历史上曾实行过自治为由，希望在苏联和蒙古人民共和国驻军的支持下，实现呼伦贝尔的"独立自治"，并在国内战争中保持呼伦贝尔的"中立"。一些人则主张呼伦贝尔自治须得到国民党政府的认可，应等待"接收"。以青年为主体的进步力量则积极与东北民主联军取得联系，主张在中国共产党的帮助与领导下，联合其他地区的蒙古族革命力量，共同反对国民党，争取民族解放。

1945 年 11 月，呼伦贝尔自治省政府派出政府参事郭文通、哈达、色布精太等人前往长春，探寻国民党东北军政当局对呼伦贝尔自治问题的态度。并试图要求国民党政府承认呼伦贝尔实行"高度自治"。郭文通等在长春受到了国民党东北行营副参谋长董延平的接见，并举行了会谈。在涉及自治问题时，董延平以国家宪法无明确规定为由拒绝承认呼伦贝尔自治省，并对成立政府一事予以严厉指责。因双方发生激烈争论，致使会谈中辍。[1] 郭文通随即前往哈尔滨，与中共中央东北局、东北行政委员会取得了联系。12 月，呼伦贝尔自治省在哈尔滨设立办事处，郭文通为常驻代表。

1946 年 3 月，呼伦贝尔自治省政府改称呼伦贝尔临时地方自治政府。郭文通等人代表自治政府在哈尔滨向东北行政委员会呈递了"请愿书"，要求批准呼伦贝尔地区实行地方自治。中共中央东北局书记彭真接见了郭文通等，并就呼伦贝尔自治问题进行了商谈。4 月 11 日，东北行政委员会批准呼伦贝尔地区维持现状。

在此期间，由于苏、蒙军队的陆续撤离，国民党"光复军"、"挺进军"和土匪再度频繁活动，中长铁路滨洲西线的运行严重受阻。为此，东北民主联军西满军区第 1 旅和中东铁路护路军一部组成铁路警备旅，进入呼伦贝尔地区。莫力达瓦旗、布特哈旗以及齐齐哈尔的各支蒙古民族武装与铁路警备旅配合作战，经 1 个月的追剿，击溃了在铁路沿线袭扰的大股"光复军"，剿除土匪数股。铁路警备旅相继接管了扎兰屯铁路局、海拉尔、满洲里等城镇车站，于 5 月 17 日成立了滨洲西线海拉尔卫戍司令部。

---

[1]　呼伦贝尔盟党史资料征集办公室编：《呼伦贝尔地方自治史料大纲》，呼伦贝尔盟党史资料征集办公室 1986 年印刷，第 16 页。

四、蒙古族青年运动的勃兴

1945 年 8 月 18 日，内蒙古人民解放委员会在王爷庙宣告成立，并以内蒙古人民革命党的名义发表了《内蒙古人民解放宣言》。这一消息随着内蒙古东部地区的解放得到了广泛、迅速的传播。散布在各盟旗和哈尔滨、长春、沈阳等东北各地的大批蒙古族大、中学生闻讯后纷纷赶赴王爷庙，与原伪满兴安学院、育成学院的学生以及兴安陆军军官学校的起义官兵会合。在不到 1 个月的时间内，王爷庙地区已聚集了千余名蒙古族青年，形成了较大的规模和声势。

9 月，由王爷庙起义官兵发起，开始筹备成立统一的蒙古族青年组织。经来自各方面的青年共同蹉商，决定组成内蒙古人民革命青年团，接受内蒙古人民革命党的领导，协助内蒙古人民革命党开展工作。

1945 年 10 月 5 日，内蒙古人民革命青年团成立大会在王爷庙贾家店举行。第一批团员共 300 余人参加了大会。大会选举产生了由 15 人组成的青年团执行委员会，特木尔巴根兼任执委会秘书长。会议通过并发表了《内蒙古人民革命青年团成立宣言》，讨论制订了团的纲领和章程。团纲规定："内蒙古人民革命青年团是内蒙古青年的先锋队，以蒙古的自由解放、民族的统一和独立为奋斗目标；以马克思列宁主义为指导思想，经过非资本主义道路，实现社会主义。"① 会议作出决定，青年团员分别前往内蒙古东部各盟旗开辟工作，大力发展团员，建立团的基层组织，配合内蒙古人民革命党开展以"内外蒙合并"为内容的宣传及征集签名的活动。至 1946 年上半年，内蒙古人民革命青年团组织在内蒙古东部各盟旗，包括郭尔罗斯前旗、郭尔罗斯后旗、杜尔伯特旗和依克明安旗陆续建立了起来，发展团员逾万人。

1945 年 10 月，青年团本部派出旺丹、纪锦涛等人赴白城子，会见中共白城子地委负责人任志远、朱继先等，在发动群众、剿匪、建立地方政权等问题上达成了互相支援、共同行动的协议。青年团为加强合作，在白城子建立了联络站。同时，布特格其等人也在齐齐哈尔与原东北抗日联军王明贵部

---

① 《内蒙古人民革命青年团总纲》，内蒙古自治区档案馆档案，6—1—14。

建立了联系。11 月，八路军嫩江一支队派出部分指战员赴王爷庙地区剿匪。战斗结束后，青年团本部邀请八路军指战员为青年团员作了关于国际、国内形势的报告。

1945 年 12 月 18 日，内蒙古人民革命青年团以蒙汉两种文字刊行了团机关版《黎明》（后改称《群众》），报道国际时事、国内要闻，介绍苏、蒙的革命和建设成就，宣传中国共产党关于时局的主张。该报连载的毛泽东《论联合政府》《新民主主义论》等文章，在青年中产生了较大影响。青年团本部还举办团课，组织学习马克思、列宁关于民族问题的论述以及社会发展史知识，揭露清朝、北洋军阀、国民党的民族压迫政策及其对蒙古民族社会经济、文化造成的恶果。积极主张改造社会，破除封建迷信，号召青年知识分子到农村、牧区发动群众，开展对封建势力的斗争。

1946 年初，大批青年分赴各盟、旗乡村牧区，动员组织农牧民，开展反霸、除奸、护路的斗争。在部分旗内组建了以青年团员为骨干的地方武装，在打击国民党"光复军"、清剿土匪的斗争中发挥了重要作用。3 月，东北民主联军西满军区在王爷庙设立了办事处。张策、胡昭衡等中国共产党人对内蒙古人民革命青年团的活动给予了有力支持。部分蒙古族青年被陆续送往东北民主联军设在北安、齐齐哈尔的东北军政大学学习。

1946 年 4 月，内蒙古东西部的自治运动实现了统一。在新的形势下，内蒙古人民革命青年团于 5 月 29 日召开了第二届团员代表大会。6 月 1 日，颁布了重新修订的《内蒙古人民革命青年团团纲》、《内蒙古人民革命青年团团章》。《内蒙古人民革命青年团团纲》规定："本团以团结内蒙古广大青年，提高政治觉悟，成为民众之先锋，积极参加内蒙古之解放事业，为建设和平民主的、健全繁荣的新蒙古而奋斗。""在自治运动联合会领导之下，联系内蒙古各阶层，反对国民党反动派大汗（汉）族主义，肃清内部的封建及法西斯残余。""与中国各地的进步青年团体密切联系起来，共同建设新民主主义的新中国。"① 会议选举出青年团本部执行委员共 25 人，增选特布信、乌儒喜业勒图、木伦、德力格尔、巴图等人为候补执行委员；推选特

---

① 《内蒙古人民革命青年团纲团纲》《内蒙古人民革命青年团团章》，内蒙古自治区档案馆档案，18—1，32—2。

木尔巴根为内蒙古人民革命青年团书记，特古斯朝克图为副书记。

在这一时期的内蒙古东部地区，还有活跃在哲里木盟郭尔罗斯前旗（今吉林省前郭尔罗斯蒙古族自治县）的蒙古族青年团体"大同会"。"大同会"成立于1945年8月17日，发起人为陶特格其、高万宝扎布、拉西道尔吉等，会员30余人。该会主张联合中国共产党，实行蒙古民族自决自治，抵制国民党的活动。9月，以大同会会员为骨干，组建了有180余人参加的郭尔罗斯蒙古人民革命军。1946年1月，在东北民主联军辽吉军区的支持下，蒙古人民革命军与郭尔罗斯前旗治安队合编为蒙古骑兵团，陈达力为团长，黎晓初为政委。骑兵团辖有3个营1 000余人，后编入东北民主联军辽吉军区第2军分区。

蒙古青年革命党，建于1944年，是一个以反对日本帝国主义殖民统治、联合苏联、蒙古人民共和国，争取民族自决为宗旨的秘密组织。主要活动于张家口、归绥、苏尼特右旗等地，在学校、军队中进行反日宣传，并制定了适时发动兵变等行动计划。1945年8月中旬，蒙古青年革命党主要负责人德力格尔朝克图等人与苏蒙联军驻苏尼特旗部队取得了联系，扣捕了两名日本特务，解送苏蒙联军野战司令部。此前，伪蒙古陆军幼年学校的部分师生在撤往张家口途中，由蒙古青年革命党骨干照日格图、拉希诺尔布等率众暴动，击毙了胁迫军校学生撤退的3名日本教官，返回苏尼特右旗，集体投向苏蒙联军。[①] 蒙古青年革命党在得到苏蒙联军驻苏尼特右旗部队负责人的承认和支持后，立即公开了党的活动，公布了党的纲领和章程，扩大党的组织，号召蒙古族青年投身民族解放运动，提出了"内外蒙合并"的政治主张。不久，青年党又根据形势的变化，转而寻求"独立自治"的道路，积极参与了成立内蒙古人民共和国临时政府的活动。

1945年10月，乌兰夫、奎璧等人到苏尼特右旗解决临时政府的问题时，经乌兰夫等人的说服，蒙古青年革命党大部分成员在蒙古民族解放运动的方向问题上达成了共识，放弃了"内蒙古独立"的错误主张，拥护中国共产党对内蒙古工作的方针。同时，青年们还为改组临时政府进行了积极的

---

① 德力格尔朝克图：《我所了解的"蒙古青年革命党"》，见政协乌兰察布文史资料委员会编：《乌兰察布盟文史资料》第2辑，政协乌兰察布文史资料委员会1984年印刷，第108—109页。

动员、说服工作。临时政府迁往张北后，蒙古青年革命党自行解散，其大部分成员在张家口加入内蒙古自治运动联合会，积极投入到锡察解放区民主建政和清算反霸的斗争中。

　　1945 年 10 月，原伪蒙古陆军军官学校的部分学生在孝顺嘎、金巴扎布等人的率领下，脱离国民党统治区，到察哈尔镶蓝旗与中共领导的绥蒙政府取得了联系。在绥蒙政府的支持下，与当地青年联合发起、组成了青年群众团体——蒙古青年联合会，图门乌力吉为联合会主任委员，金巴扎布、孝顺嘎、巴图尔仓为副主任委员，乌宁巴图、图孟胡、白林阿等 10 余人为委员。蒙古青年联合会的宗旨为：在中国共产党的帮助与领导下，动员各界蒙古族青年，为蒙古民族解放事业而斗争。联合会成立后，以集宁、卓资山为中心，在察哈尔右翼 4 旗农村、牧区和集镇的蒙古族群众中开展了积极的宣传活动，得到了各界群众的响应，产生了较大影响，不久即有 300 余人参与了联合会的各项活动。内蒙古自治运动联合会成立后，蒙古青年联合会立即投入自治运动，在当地开展组织、动员工作，推行内蒙古自治运动联合会的各项方针、政策。

　　1946 年 1 月，国民党军队进占集宁、卓资山。蒙古青年联合会会员分批向张家口转移。联合会组织即行撤销，大部分会员入内蒙古军政学院学习，结业后被陆续输送到内蒙古人民自卫军部队或旗、县政府，成为开展乌兰察布、察哈尔盟自治运动的骨干力量。

　　随着全国解放战争形势的发展，蒙古族青年运动在经历了曲折的发展过程后，最终汇入统一的蒙古民族解放运动的潮流。解放区的蒙古族青年通过与八路军建立团结合作的关系，进而接受中国共产党的领导，逐步抛弃了运动初期曾积极吁求的"内外蒙合并"、"独立自治"的主张，成为内蒙古自治运动的骨干力量。

第 十 章

中国共产党领导的自治运动和自卫解放战争

第一节 内蒙古自治运动的开展与统一

一、内蒙古自治运动联合会的成立

1945 年 8 月 22 日，曾任职于前伪察哈尔盟公署的部分蒙古族青年知识分子发起组建了蒙古人民解放委员会，并以委员会名义联络察哈尔盟各旗，酝酿自治。八路军晋察冀军区驻察哈尔办事处对其给予了支持。9 月 30 日，蒙古人民解放委员会在宝昌县城（今锡林郭勒盟太仆寺旗宝昌镇）召开了察哈尔盟各旗总管和代表联席会议，察哈尔右翼 4 旗（正黄旗、正红旗、镶红旗、镶蓝旗）和明安旗、宝昌县的代表参加了会议。会议一致同意接受中国共产党的领导，并决定成立察哈尔盟各蒙旗联合办事处，以协调处理各旗、县间的关系，恢复稳定社会秩序。

乌兰夫等在解散内蒙古人民共和国临时政府后，在张北约见了部分旗的代表，提出了将察哈尔各蒙旗联合办事处改组为察哈尔盟政府的建议，并参照绥远省政府和八路军绥蒙军区司令部公告所宣布的政策内容，制定了察哈尔盟施政方针。该方针规定："一本中国共产党历来宣布的民族平等自决原则，建立蒙汉回各族人民团结互助、共谋发展的新政权，各族人民得自由决定自己政治经济社会制度与生活方式。""蒙古各盟旗行政组织可由各旗王公台吉人民等共议决定。"同时规定：因察哈尔盟汉族人口多于蒙古族，在政府中须有汉族参加，但蒙古族在政府中须占多数。① 11 月 11 日，《晋察冀日报》发表松津旺楚克、吉尔嘎朗、穆克登宝、特克希卜彦、墨尔根巴图尔等 15 名前伪蒙疆政权官员的联合声明，声讨国民党破坏和平、民主，挑动内战；谴责德王、李守信等人投靠国民党，"自绝于蒙古人民"。表示要"洗雪前耻，重新做人"，"在中国共产党的领导下，为反对国民党的大汉族主义和法西斯主义，为彻底实现蒙古民族的解放而奋斗"。②

11 月 8 日、9 日，中共晋察冀中央局两次致电中共中央，提出建议："先民选成立察盟、锡盟两自治政府受察哈尔省之领导"，"并成立一个群众团体名为蒙古自治运动联合会，带有政府的咨询机关性质，由自治运动联合会办学校，联络各盟旗，团结王公、喇嘛与知识分子，准备将来成立内蒙自治政府。在各盟旗政府下，成立蒙古人的自卫武装。"③ 11 月 10 日，中共中央复电指示："关于内蒙工作，同意你们先成立内蒙古自治运动联合会，宣布纲领、发动广大蒙民，准备将来建立内蒙自治政府的方针。目前在各省内之蒙民可成立地方性质之自治政府，分别归绥、察、热省政府领导。"④ 11 月 23 日，中共晋察冀中央局提出《目前对内蒙古政策的几个要点》。其主要内容为：在各盟旗建立包括各阶层参加的自治政权，以民族自决与自由平等联合的原则接受各省政府的领导；各省政府帮助和改造各盟旗政权，发展经济文化事业，改善蒙民生活，进而建立统一的内蒙古自治政府；发动内蒙古各阶层人民组织内蒙古自治运动联合会，作为群众运动的统一领导机关；准备建立内蒙古人民自卫军，恢复和编制盟旗保安队，组织民兵，改造旧军队，训练军事干部。

1945 年 11 月 6 日，内蒙古自治运动联合会筹备委员会在张家口组成，乌兰夫任主席。筹备委员会设有秘书处和总务处，负责向各盟旗发出会议通知、起草会议文件，进行各项准备工作。各盟旗代表陆续抵达张家口后，筹

① 中共晋察冀中央局：《察哈尔各盟旗近况及察锡两盟的工作经过》，见中共中央统战部编：《民族问题文献汇编》，第 966 页。

② 《前伪兴蒙委员长松津旺楚克等发表声明决洗刷前耻为蒙古人民服务》，见内蒙古自治区档案馆编：《内蒙古自治运动联合会档案史料选编》，中国档案出版社 1989 年版，第 7 页。

③ 《中共晋察冀中央局关于察绥两盟政权问题给中央的报告》，见中共中央统战部编：《民族问题文献汇编》，第 975 页。

④ 《中共中央关于同意成立内蒙古自治运动联合会复晋察冀中央局电》，见中共中央统战部编：《民族问题文献汇编》，第 976 页。

备委员会于 15 日成立了代表资格审查委员会和提案审查委员会。关于参加
会议的代表资格作出规定："一、在内蒙古人民中有声望的；二、对内蒙解
放运动有过贡献的；三、参加过抗战的。"① 11 月 21 日，筹备委员会将出席
大会的代表编为若干小组，研究、讨论拟具的联合会会章草案及提交会议的
议案。25 日，由乌兰夫主持召开了内蒙古自治运动联合会成立大会预备会
议，克力更报告了大会筹备情况，议定了大会规程、会场规则及选举办法，
并讨论通过了出席大会的代表名单。经预备会议选举，乌兰夫、奎璧、克力
更、乌兰、田户、苏剑啸、乌力吉那仁、索德那木扎木绰、阿拉登特古斯等
为大会主席团成员。

　　1945 年 11 月 26 日，内蒙古自治运动联合会成立大会在张家口远来庄礼
堂隆重召开。出席大会的有巴彦塔拉、伊克昭、锡林郭勒、乌兰察布、察哈
尔、昭乌达、卓索图、哲里木 8 个盟所属各旗和阿拉善、额济纳、东布特
哈、西布特哈、索伦等共 36 个旗的代表以及有关军政团体、群众组织和学
校的代表共 74 人。中共晋察冀中央局、八路军晋察冀军区、晋察冀边区参
议会、察哈尔政府代表应邀参加了会议。

　　乌兰夫主持大会并代表大会主席团致开幕词。他说："内蒙古自治运动
联合会的成立，在内蒙古历史上，是一件具有伟大历史意义的政治事件。它
标志着今天的内蒙古，在中国共产党的热忱援助之下，已经开始获得了解
放，并且正在大踏步地向着全内蒙地方自治的方向迈进。""今天内蒙古民
族只有在中国共产党的领导之下，在各民主党派民主人士的赞助之下，才能
求得彻底解放，才有其光明灿烂的前途。"他号召与会代表"把大会的各种
决议带回各个盟旗去，使涣散的蒙古人民组织起来、发动起来，为彻底实现
全内蒙的地方自治而奋斗"②。中共晋察冀中央局、晋察冀军区代表刘澜涛、
晋察冀边区参议会议长成仿吾、察哈尔省政府主席张苏等来宾先后应邀发表
了讲话，向大会的召开表示祝贺。刘澜涛在讲话中追溯了蒙古民族遭受民族
压迫和民族解放斗争的历史，指出："只有与中国共产党八路军及一切民主

---

　　① 《内蒙古自治运动联合会筹备会议》，载《晋察冀日报》1945 年 11 月 27 日。

　　② 《云泽主席开会词》，见内蒙古自治运动联合会宣传部编：《内蒙古自治运动联合会成立大会特
刊》1945 年 12 月 15 日。

进步人士亲密合作，才能求得内蒙古民族的真正自治和民族平等。""这个大会的成立，是内蒙实现地方自治的关键，是内蒙解放的新时期"，"我们中国共产党和八路军愿以最大的可能的力量来帮助内蒙古地方自治运动的成功"。① 来宾们的讲话，受到了与会代表的热烈欢迎。部分盟旗的代表也在大会上发言，表示撤销其临时性组织，在内蒙古自治运动联合会的领导下，共同推进蒙古民族解放事业的发展。

27 日，乌兰夫就《内蒙古自治运动联合会目前工作方针的意见案》向大会作报告，报告明确提出：内蒙古自治运动联合会是内蒙古民族彻底解放的组织者和领导者，是发动内蒙古解放运动的最高统一的领导机关，也是建设内蒙古民主政府必经的桥梁。《内蒙古自治运动联合会目前工作方针的意见案》经大会讨论通过后，正式确定为《内蒙古自治运动联合会目前工作方针》。方针的主要内容为：广泛发动群众，建立各级民主政府，在各省民主政府的领导和帮助下，经过各盟旗区域性自治，进而实现内蒙古的统一自治；建立内蒙古人民自卫军；稳定社会秩序；制定为人民谋福利的经济政策，救济贫苦群众，繁荣内蒙古经济；普及文化教育，创办学校及卫生保健事业；信教自由，保护召庙和喇嘛的财产；广泛宣传中国共产党的民族政策，促进民族团结，坚持民族平等立场，正确解决蒙汉杂居地区的土地问题；改造旧政权工作人员等。

大会还讨论通过了《内蒙古自治运动联合会会章》（以下简称《会章》），《会章》规定：内蒙古自治运动联合会的宗旨是"团结内蒙古各阶层人士，联合中国共产党及各民主党派、各民主人士，发动与组织内蒙古人民，彻底肃清法西斯残余，坚决反对国民党内反动派的大汉族主义政策，建立内蒙古民族平等，包括各个阶层的地方性的民主自治政权。从事适合于人民利益的政治、经济、军事、文化等新建设，以求内蒙彻底解放，并为实现自由的新民主主义的新中国而奋斗"②。《会章》还规定联合会以民主集中制

---

① 《中共晋察冀中央局暨晋察冀军区代表刘澜涛先生讲话》，内蒙古自治运动联合会宣传部编：《内蒙古自治运动联合会成立大会特刊》1945 年 11 月。
② 《内蒙古自治运动联合会会章》，内蒙古自治区档案馆编：《内蒙古自治运动联合会档案史料选编》，中国档案出版社 1989 年版，第 25—27 页。

为组织原则，设立执行委员会和常务委员会，下设组织部、宣传部、军事部、青年部、妇女部、秘书处。各盟设分会，受联合会执委会直接领导；各旗设支会，受盟分会直接领导；各苏木（区）设苏木支会，受旗支会领导。会员3人以上可组织会员小组，受苏木支会领导。《会章》还对联合会代表大会和执委会及各级组织会议的会期、会员的资格、权利与义务作出了明确规定。

同日，大会讨论通过了与会代表提交的11项提案，其中有"关于发展各盟旗经济建设案"，"关于赈济灾民案"，"关于振兴牧业案"，"关于成立内蒙古学院创办训练班并急速创办各盟旗学校案"，"关于普遍推行医疗卫生保健工作案"，"关于组织志愿兵（民兵）案"等，包括了经济、军事、文化、教育、医疗卫生、宗教等多方面内容。

28日，全体与会代表参加了内蒙古自治运动联合会执行委员会委员选举。乌兰夫、奎璧、乌兰、孟子裕、克力更、旺楚克、田户、乌力吉那仁、胡尔沁毕力格、包崇新、苏剑啸、田协安、陈炳宇、丹巴、索德那木扎木绰、才喜雅拉图、松津旺楚克、李海山、萨穆丕勒诺尔布、李新民、索德那木勇荣共21人当选为执行委员会委员。执委来自内蒙古各个盟旗，包括蒙汉各民族的各阶层人士，其中有青年学生、士绅、王公等，并有1名妇女。大会还通过了《内蒙古自治运动联合会成立大会宣言》、《通电全国反对内战》和《给毛主席朱总司令的致敬电》。

11月29日，内蒙古自治运动联合会向全国发表《内蒙古自治运动联合会成立大会公报》（以下简称《公报》）。《公报》感谢苏蒙联军和八路军对内蒙古的解放；揭露国民党大汉族主义民族压迫政策；申明了联合会的宗旨和各项政策。当日，联合会执行委员会召开首次执委会议，增选关起义、包正言、图们巴雅尔、庆格勒图4人为执行委员，增补胡格吉呼、黄静涛为候补委员。经执委会全体委员选举，乌兰夫、奎璧、克力更、关起义、包正言、田户、索德那木扎木绰、乌力吉那仁、胡尔沁毕力格、包崇新、乌兰当选为执委会常务委员，乌兰夫当选为执委会主席兼常委会主席。会议议定了联合会各部门负责人：刘春任秘书长，奎璧任组织部长，克力更任宣传部长，乌兰夫兼任军事部长，索德那木扎木绰任青年部长，乌兰任妇女部长，刘景平任秘书处长。

内蒙古自治运动联合会是在中国共产党领导下开展内蒙古自治运动的革命群众团体，同时也是团结内蒙古各族各界的统一战线性质的组织；在内蒙古自治政府成立之前代行政权职能，因此是一个半群众团体、半政权性质的组织。在战后内蒙古地区纷繁复杂的形势下，内蒙古自治运动联合会的成立，为联合蒙古族各阶层人民共同争取解放、引导蒙古民族运动沿正确方向发展开辟了道路。以乌兰夫为代表的一批蒙汉族共产党人的积极工作，为贯彻中国共产党以民族区域自治解决内蒙古民族问题的方针实现了第一个重大步骤。

二、自治运动在锡察巴乌地区的开展

内蒙古自治运动联合会成立后，陆续派出大批干部分赴察哈尔、锡林郭勒、乌兰察布、巴彦塔拉盟，在蒙古族各界群众中宣传内蒙古自治运动联合会的各项方针、政策，动员群众筹备成立联合会各盟旗分、支会，组建内蒙古人民自卫军；开办各类学校，培养军政干部；创办蒙汉文报刊，宣传报道自治运动在各盟旗的进展情况；设立实业公司，疏通牧业区商品流通渠道。

1946 年初，苏剑啸、陈炳宇等人赴察哈尔盟开展自治运动，筹建自治运动联合会各级组织。在察哈尔盟租银地哈毕日嘎召开了各旗旗长及部分青年知识分子参加的会议，组成了内蒙古自治运动联合会察哈尔盟分会筹备委员会。根据会议决议，各旗旗长和筹委会委员在会后分别到镶黄旗、镶白旗、正白旗、正蓝旗、商都旗、明安旗等地进行调查、宣传，动员蒙古族群众参加自治运动，发展会员，建立各旗、苏木（佐）支会。至 2 月中旬，察哈尔盟已成立了 9 个旗支会、67 个苏木支会和 437 个小组，发展会员达 4 091 名，其中女会员 439 名，喇嘛 536 名。[①] 自 3 月 10 日开始，在全盟范围内进行了普选，选举出各旗政府委员和旗长，同时选举出出席察哈尔盟人民代表大会的代表。3 月 27 日，察哈尔盟人民代表大会在明安旗召开，来自各旗的 156 名代表以及各界人士共 200 余人出席了大会。大会讨论通过了关于地方自治、财政经济、文化教育、政府工作方针等 40 余项提案。经与会代表选举，陈炳宇、苏剑啸、索德那木扎木绰、哈斯瓦其尔、色伯克扎

---

① 《内蒙古自治运动联合会在察盟获巨大发展》，载《晋察冀日报》1946 年 5 月 30 日。

布、拉木扎布、劳布森、伊德玛扎布、布彦就任察哈尔盟政府委员，陈炳宇当选为盟长，色伯克扎布、哈斯瓦其尔当选为副盟长，正式组成察哈尔盟人民政府。同时，内蒙古自治运动联合会察哈尔盟分会也宣布成立，苏剑啸任主任，拉木扎布任副主任。

内蒙古自治运动联合会乌兰察布盟分会成立后，组建了四子王旗支会和土木尔台支会，发展会员 300 余人。通过召开人民代表会议，选举产生了四子王旗旗政府。

1946 年 2 月，内蒙古自治运动联合会东蒙工作团成员孔飞、乌兰、田户等，与受东蒙古人民自治政府委派在卓索图盟工作的白云航、苏赫、阿英嘎等人合作，在赤峰组成了内蒙古自治运动联合会卓索图盟分会。白云航任主任，孔飞任副主任，乌兰、金起铣、田户、陈布仁、乌力吉扎布为委员。

1945 年 12 月，内蒙古自治运动联合会在张家口创办了内蒙古军政学院，以培养蒙古族军政干部。乌兰夫任院长，朱荣任教育长，齐永存任教务处长，寒峰任军事部长。中共晋察冀中央局派朱荣、苏镜、齐永存、梁洪以及来自延安民族学院的蒙、藏、彝等各族干部 10 余人到学院工作。学院设行政部、军事部、中学部，以"提高政治水平，根绝旧社会恶习，为广大蒙古人民服务"[1] 为办学方针。设置课程有：社会发展史、国际政治常识、蒙古族社会历史常识、中国革命与中国共产党概况等专题以及蒙古语文、算术、美术等。办学初期，学院招收了在张家口的原伪蒙疆兴蒙学院的数十名学生及察哈尔、乌兰察布、巴彦塔拉盟等地的青年，后陆续招收了锡林郭勒、昭乌达盟等地的青年入学。至 1946 年 4 月，军政学院学员人数达 250人，其中女学员 20 余人。[2] 学院军事部对内蒙古人民自卫军骑兵独立旅指战员进行了培训，经为期 2—3 个月的军事训练和政治教育后，大部分学员被输送到内蒙古人民自卫军各支队。

同年 12 月，联合会东蒙工作团到达承德。刘春、孔飞等人即与中共冀热辽分局、中共热河省委负责人程子华、胡锡奎等共同商定成立内蒙古自治学院，在卓索图、昭乌达两盟培养蒙古民族干部，推动自治运动。1946 年 3

---

① 《一所新型的学校——内蒙古学院》，载《内蒙古周报》（创刊号）1946 年 3 月 17 日。

② 《张家口内蒙古学院》，载《解放日报》1946 年 4 月 16 日。

月 15 日，内蒙古自治学院在赤峰正式开学，金起铣任院长，王松龄任教务主任。学院采用短期培训方式，从卓、昭盟招收蒙古族中、小学生开办训练班。学院下设行政部和中学部。行政部以培养政治工作干部为主；中学部主要教授文化知识。所开设的理论、文化课程与在张家口创办的内蒙古军政学院基本相同。学员除在校学习外，还参加群众工作队，到农村、牧区开展减租减息、锄奸反霸斗争。经 3—6 个月的培训，大部分学员被分配到卓、昭盟各旗县地方政府和军队工作。1946 年 9 月，国民党军队迫近赤峰，内蒙古自治学院迁至林东。

1946 年初，内蒙古实业公司开始筹备创办。为解决资金问题，联合会机关紧缩开支以应急需，并采取入股分红的办法动员社会集资。在筹备期间，组成了实业公司董事会，乌兰夫任董事长。为充实力量，乌兰夫提请中共中央批准，从派往东北的干部中抽调了 20 多名从事过财政、贸易工作的干部安排在实业公司及分支机构。同时，选调部分蒙古族青年，并从社会上招收部分具有蒙语会话能力、熟悉商务者到实业公司工作。

内蒙古实业公司于 1946 年 3 月在张家口正式成立，赵云驶任总经理，关起义任副总经理。公司设秘书室、营业部、研究室等机构。内蒙古实业公司在宝源（今宝昌）、明安旗、贝子庙设立了 3 个分公司，分别于 4、5 月间成立并开始营业。至 6 月，实业公司已有的经营单位在锡林郭勒盟为 19 处，在察哈尔盟为 5 处。另外在多伦县和张北县也设立了购销分支公司。[①] 在内蒙古实业公司的组织下，贝子庙、岱喇嘛庙煤矿于 3 月恢复了生产，毛织工场也于 4 月开工生产。除经营实业外，针对牧区商业渠道严重阻塞的实际情况，实业公司投入了较大力量发展贸易，向察哈尔盟、锡林郭勒盟牧区运送粮食、布匹及糖、茶等生活必需品和鞍具、刀、剪等牧业生产工具；同时从牧区收购皮毛、牲畜销往华北解放区。内战爆发后，内蒙古实业公司开展的牧区贸易被迫暂时停止，公司机构转移至贝子庙，大部分分公司撤销，其任务改变为保障内蒙古人民自卫军的后勤补给和地方机关的供应。

内蒙古自治运动联合会成立后，接收了原伪蒙古自治邦弃置在张家口的印刷设备，并着手进行蒙、汉文报刊的印刷发行工作。12 月 15 日，以蒙汉

---

① 林蔚然：《内蒙古民族贸易 20 年》，内蒙古人民出版社 1984 年版，第 19—20、25、33 页。

两种文字出版了《内蒙古自治运动联合会成立大会特刊》，刊载联合会的各项方针、政策。1946 年初，内蒙古报社在张家口成立，勇夫任社长，石琳任总编辑。3 月 17 日，内蒙古报社开始出版《内蒙古周报》，在察哈尔、锡林郭勒盟发行。该刊以抨击国民党的民族政策，宣传中国共产党的政治主张，团结内蒙古地区各民族、建设新内蒙古，配合全国解放为宗旨。内容包括评论、各盟旗报道、时事评介、通讯以及文艺作品、卫生常识等。9 月，国民党军队进攻张家口，《内蒙古周报》停刊。

三、内蒙古自治运动的统一

1945 年底，内蒙古人民革命党东蒙本部派出的联络代表包玉琨来到张家口，向乌兰夫等转交了特木尔巴根、哈丰阿等人致乌勒吉敖喜尔、佛鼎等人的信函。信中介绍了日本投降后内蒙古东部地区局势以及组建内蒙古人民革命党东蒙本部，开展自治运动并准备筹组东蒙古人民自治政府等情况。同时希望将中国国内形势及国共两党对内蒙古的政策作一介绍，征询对自治运动的看法。

根据这一情况，乌兰夫提请中共晋察冀中央局同意，立即组成东蒙工作团，前往内蒙古东部地区，了解东蒙古自治运动并拟在东部盟旗建立联合会分、支会，进而促成内蒙古自治运动的统一。东蒙工作团由联合会常委会秘书长刘春任团长，克力更任副团长，成员有包彦、乌兰、孔飞、田户、乌力吉那仁等。刘春作为乌兰夫的代表，负责与东蒙古自治运动领导人商谈自治运动的联合问题。

1945 年 12 月底，东蒙工作团全体成员与包玉琨一道辗转抵达承德。刘春等向中共冀热辽分局、冀热辽军区负责人汇报了东蒙工作团的任务，商讨了内蒙古自治运动联合会在昭乌达盟、卓索图盟设立分支机构，开展自治运动等问题。设立联合会驻承德办事处，田户任主任。1946 年 1 月，东蒙工作团成员分批到达中共热河省委驻地赤峰后，即派出乌力吉那仁随包玉琨先期前往王爷庙，邀请东蒙古自治运动领导人到赤峰共商内蒙古统一自治问题。此后又派出克力更、包彦携乌兰夫的信函赶赴王爷庙。

乌力吉那仁、包玉琨到达王爷庙时，正值东蒙古人民代表会议召开，乌力吉那仁以来宾身份参加了会议。克力更等人于东蒙古人民自治政府成立之后也抵达王爷庙，会见了博彦满都、哈丰阿、特木尔巴根等人，转交了乌兰夫的信函。博彦满都、哈丰阿等赞同东蒙工作团提出的在赤峰共商东西部自治运动统一问题的建议，决定东蒙古人民自治政府主要领导人将全部前往赤峰参加会谈。

　　针对东蒙古人民自治政府成立后出现的复杂情况，中共中央于 2 月 18 日致电东北局、晋察冀中央局，指出："国民党现利用所谓内蒙古独立问题大造谣言，已引起国内外注意，我们对蒙古问题应取慎重态度，根据和平建国纲领要求民族平等自治，但不应提出独立自决口号。"同时还指出："内蒙古人民革命党纲领过左，我们不能赞助该党之纲领及活动。如有可能，应劝告其改变方针。并对国民党谣言设法加以揭破。"① 2 月 24 日，中共中央再次电告东北局："我们研究了东蒙人民自治政府的主张与行动以后，认为在今天整个国内国际形势下，成立这种自治共和国式的政府仍然是过左的，对蒙古民族、中国人民与苏联和外蒙的外交都是不利的，徒然供给反动派一个反苏反共的借口。""东蒙今天应依和平建国纲领第三节第六条实行地方自治……作为普通地方政府出现，而不应与中国形成所谓宗主国与类似自治共和国的关系。"② 2 月 22 日，乌兰夫在答记者问时阐述了中国共产党对内蒙古自治运动的基本方针："内蒙地区是中国领土的一部分，内蒙民族是组成中华民族的一部分，它要求的自治，基本上与内地各省区一样是一种地方自治，但又因为它是一个民族，所以它又是一种民族自治。"③

　　1946 年 2 月，中共中央东北局西满分局派出胡昭衡等人到王爷庙，与东蒙古人民自治政府领导人取得联系，对社会各界的状况进行调查。3 月 28 日，东北民主联军西满军区在王爷庙设立办事处，张策为全权代表，成员有先后到达的胡昭衡、方知达、胡秉权、胡子寿、蒋弼仁等。根据办事处的深入调查、研究，中共中央东北局制定了对东蒙的工作方针意见，认为目前的工作方针是：广泛建立蒙汉民族统一战线，孤立、打击反动势力，争取中间

---

　　① 《中共中央关于内蒙民族问题应取慎重态度的指示电》，见中共中央统战部编：《民族问题文献汇编》，第 1000 页。

　　② 《中共中央关于不宜成立东蒙人民自治政府给东北局的指示》，见中共中央统战部编：《民族问题文献汇编》，第 1011 页。

　　③ 《关于内蒙自治问题云泽主席发表谈话》，载《晋察冀日报》1946 年 2 月 22 日。

势力，发展进步势力，促使内蒙古人民实现地方民主自治，培养蒙古族青年，通过青年掌握军队，发动群众；对内蒙古人民革命党给予思想上、政治上、干部上及武装方面的援助。东北局还严格要求在内蒙古工作的干部"须全心全意为人民服务，不要有大汉族主义的痕迹和残余，应成为蒙古革命青年的参谋，知己的朋友，且不要成为武断一切的太上顾问或钦差大臣。"①

3月3日，中共热河省委书记胡锡奎、西满军区副政委黄克诚就东蒙自治问题及处理意见分别致电东北局和中共中央，报告了东蒙古人民自治政府领导成员的情况，分析了内蒙古人民革命党的纲领；同时对卓索图盟自治问题以及昭乌达盟的复杂局面提出了解决办法，并建议："热河蒙古自治运动缺乏领导核心，最好请云泽同志抽出一定时间来此，以便掌握东蒙古人民正确领导关系。"② 3月10日，中共中央再次发出关于内蒙问题的指示电，要求各有关中央局、分局"对东蒙自治政府政策应慎重，并要相机说服他们接受区域自治，仍应以团结为主，不要操之过急促他们离开，使他们趋向国民党"。3月13日，中共晋察冀中央局致电东北局和冀热辽分局，"提议东北及热河均迅速以一定兵力切断东蒙古与国民党占领区联系的走廊，切断其联络便于我们争取东蒙"。③ 为促成内蒙古自治运动联合会与东蒙古人民自治政府共同召开自治运动统一会议，中共中央东北局、冀热辽分局在组织、联络以及代表的护送等方面作出了妥善安排。

3月中旬，东蒙古人民自治政府主要领导人博彦满都、哈丰阿、特木尔巴根和克力更、包彦、乌力吉那仁等内蒙古自治运动联合会东蒙工作团成员一道，在东北民主联军西满军区部队的护送下由王爷庙抵达赤峰。经中共冀热辽分局提议，会议改在承德举行。3月下旬，乌兰夫等抵达承德，双方代表在融洽的气氛中会合。议定各派7名代表参加会议，内蒙古自治运动联合会的代表为：乌兰夫、刘春、克力更、包彦、田户、乌力吉那仁、庆格勒图；东蒙古人民自治政府的代表为：博彦满都、哈丰阿、特木尔巴根、包玉

①　《中共中央东北局关于东蒙工作方针的意见》，见中共中央统战部编：《民族问题文献汇编》，第1041—1045页。

②　《胡锡奎关于东蒙问题材料及意见》、《黄克诚关于东蒙自治情况的报告》，见中共中央统战部编：《民族问题文献汇编》，第1013—1016页。

③　《中共中央对东蒙问题的指示》，见中共中央统战部编：《民族问题文献汇编》，第1023页。

琨、白云航、义达嘎苏隆、哈萨巴特尔；列席代表4名：黄静涛、常永新、厚和哈达、厚和巴图尔。

3月30日—4月2日，双方代表进行了5次会谈。围绕统一东西部自治运动的一系列实质性问题，乌兰夫、刘春与哈丰阿、特木尔巴根进行了反复、细致的探讨、协商。双方代表都认为：内蒙古自治运动的统一，东、西部革命力量的联合，是蒙古族人民的普遍愿望，是历史发展的必然趋势，应尽快实现统一。但在自治运动的方向、道路和领导权等重大问题上，双方存在着较大的分歧并就此展开了激烈的争论。东蒙古人民自治政府的代表主张在中国共产党的帮助和领导下开展统一的自治运动，但自治运动的最终目的为实现内蒙古的"独立自治"，为此，内蒙古自治运动应由内蒙古人民革命党领导，应在东蒙古人民自治政府的基础上建立统一的自治政府。联合会代表在讨论中深入分析了内蒙古的社会状况和蒙古民族解放运动与中国社会、中国革命的关系，指出：内蒙古自治运动是中国人民民主革命的组成部分，只有全面接受中国共产党的领导，才能取得胜利。坚持"独立自治"的主张，将使内蒙古自治运动陷于孤立而归于失败，因而必须坚持平等自治，即区域自治的方针。为更加广泛地团结人民，集中力量抵御国民党的进攻，应撤销东蒙古人民自治政府，解散内蒙古人民革命党，由内蒙古自治运动联合会统一领导内蒙古东、西部自治运动的各项工作。通过双方代表开诚布公的讨论，最终在关系到内蒙古自治运动前途命运的一系列重大问题上统一了认识。① 东蒙古人民自治政府的代表表示接受中国共产党对内蒙古自治运动的基本方针和解决内蒙古民族问题的各项主张。同时，会议在联合会行政管理、机构设置、人事安排以及与各相邻解放区的关系等具体问题上也取得了基本一致的意见。

1946年4月3日，内蒙古自治运动统一会议，即著名的"四三"会议正式举行。全体与会代表一致通过了《内蒙古自治运动统一会议主要决议》②。

---

① 刘春：《内蒙工作的回忆》，见《中共党史资料》第17辑，中共党史资料出版社1986年版，第130页。

② 《内蒙古自治运动统一会议主要决议》，见内蒙古自治区档案馆编：《内蒙古自治运动联合会档案史料选编》，中国档案出版社1989年版，第51—53页。

决议内容如下：

"一、内蒙古民族运动的方针是平等自治，不是独立自治，并且只有在中共领导帮助下才能得到解放。在目前的形势下以内蒙古自治运动联合会为内蒙古自治运动统一领导机关，东西各盟旗均组织其分会、支会，实现其纲领。应建立各盟旗民选政府，分别接受各解放区民主政府领导及帮助。

"二、东蒙古自治政府成立时曾申明内蒙自治运动有统一机构后即撤废，现东西蒙已统一于联合会，决定东蒙代表回去就召开代表会议，施行解散，今后在东蒙设联合会总分会领导工作。

"三、蒙汉杂居区实行蒙汉分治，盟管旗、专署管县，蒙人优势区或深入蒙人区之汉人区实行民主自治，受民主盟政府领导，盟旗政府按具体情形应有汉人委员。'九一八'以前未设县之地不再设县，设治局废除，不改设县。深入蒙地之汉县，八路军得在该地发动群众、改造政权、维持治安，以防特务活动。

"四、联合会统一领导蒙古军队武装，兼处理关于内蒙古建军、整编、训练、人事等问题。鉴于目前的形势条件，规定各蒙古军队应分别地域，属八路军各军区领导指挥。一切内蒙古军队，必须使之真正为人民服务、保护人民民主自治的人民武装。

"五、扩大原联合会机构为八部一处：组织部、宣传部、总务部、经济建设部、文化教育部、军事部、妇女部、青年部及秘书处。执委由25人增选至63人（名单略），候补执委由2人增选至12人（名单略）。并由执委中推选常委26人：云泽（即乌兰夫）、奎璧、克力更、乌兰、田户、乌力吉那仁、包崇新、胡尔沁毕力格、包彦、索德那木扎木绰、关起义、刘春、乌勒吉敖喜尔、李森、白云航、博彦满都、玛尼巴达喇、特木尔巴根、阿思根、桑杰扎布、哈丰阿、义达嘎苏隆、萨嘎拉扎布、朋斯克、鲍音扎布、旺丹。

"云泽为执委会兼常委会主席，博彦满都为副主席；组织部部长奎璧、副部长朋斯克，宣传部部长哈丰阿、副部长勇夫，文化教育部部长包彦、副部长桑杰扎布，军事部部长云泽、副部长阿思根、田户，经济建设部长特木尔巴根，妇女部部长乌兰，总务部部长玛尼巴达喇、副部长克力更，秘书处处长刘景平、副处长乌力吉那仁、义达嘎苏隆，青年部部长特木尔巴根、副部长鲍音扎布、索德那木扎木绰，秘书处长刘春、副处长哈丰阿。（但在东蒙古自治政府未宣布解散前，不能公布。）

"在联合会下设东蒙总分会，领导东四盟（哲里木、兴安、纳文慕仁、呼伦贝尔盟）工作。卓索图、昭乌达、锡林郭勒、察哈尔四盟受联合会直接领导，西蒙总分会领导西三盟（乌兰察布、巴彦塔拉、伊克昭等）及宁夏蒙古之工作。

"六、各解放区国大代表，应注意蒙古代表问题，并争取选举民族代表，补国民党即指定之蒙古代表中已死或投敌罪大者的名额。

"七、各解放区政府、各军区帮助解决救济蒙民、培养干部、军队训练、给养及机关经费、服装等问题。西满多派干部参加王爷庙蒙古工作。

"八、目前联合会之中心工作为大量放手以发动群众参加民主自治运动，发展会员建立分、支会、改造政权，预防特务破坏活动，给国民党反动派与一切反对内蒙自治运动的行动以打击。

"九、以赤峰为内蒙古临时中心区域地，联合会建此，并在林东准备。"

在会谈中，代表们还商定了下列问题：关于撤销内蒙古人民革命党的问题，待由哈丰阿、特木尔巴根等返回王爷庙，向内蒙古人民革命党东蒙本部全体执行委员说明情况后再行正式宣布，会议对此不作决议；内蒙古自治运动联合会东蒙总分会建立后，由哈丰阿任主任。会议结束后，即组成联合会西蒙总分会，奎璧为主任；以东蒙古人民自治政府旗帜作为内蒙古自治运动联合会会旗。

4月5日，乌兰夫致电中共中央及有关中央局、分局，呈报了《内蒙古自治运动统一会议的主要决议》的内容，报告了会谈情况："此次东蒙代表从外蒙及其实际体验中已知内蒙民族运动是中国革命一部分，中共真能予以帮助，故自愿接受我党领导。他们原计划最低限度成立内蒙临时政府来代替东蒙政府，此次虽未实现，但对会议结果仍满意。"① 会议结束后，根据中共冀热辽分局建议及本人的要求，哈丰阿被批准加入中国共产党，特木尔巴

---

① 《云泽关于承德会议主要内容致中央、中央局、东北局、西满、晋绥分局电》，见内蒙古自治区档案馆编：《内蒙古自治运动联合会档案史料选编》，第54页。

根被批准由苏联共产党员转为中共党员。哈丰阿、特木尔巴根和博彦满都还致电滞留北平的玛尼巴达喇等，令其立即停止与国民党的接触，撤回东蒙古人民代表团。

4月8日，哈丰阿等与中共热河省委、热北地委、专署负责人召开会议，对昭乌达省与热北专署的行政问题进行协商，一致通过了《昭乌达省行政问题蒙汉关系解决办法》。这一协议规定：昭乌达省所属巴林左、右旗、克什克腾旗、阿鲁科尔沁旗和扎鲁特5旗以及开鲁、林西、经棚3县归昭乌达省民主政府领导；实行蒙汉分治；八路军热北军分区司令部设于巴林左旗林东。4月15日，昭乌达省政府领导人萨嘎拉扎布、那苏图等人前往林西，与中共热北地委、八路军热北军分区领导人李望淮、张盘新、俞楚杰等举行会谈，达成了以"互助互爱、协同工作，为蒙汉人民服务"为主旨的协议。协议规定："双方保证不得发生任何冲突"；"组成由双方军政负责人参加的军政委员会，统一领导昭乌达省辖区内的政权建设、军队编组和群众运动等项工作，树立统一的革命堡垒和根据地"。①

"四三"会议的成功召开，结束了内蒙古东西部地区政治上长期分裂、隔绝的状态，初步实现了内蒙古地区蒙古族以及各民族革命与进步力量的统一和团结，为组织、动员解放区各族军民抵御国民党的军事进攻进行了必要而适时的准备，同时也为内蒙古自治运动的全面、深入发展，实现统一的自治局面奠定了基础。

第二节　保卫和发展内蒙古解放区

一、绥蒙地区的国共对峙与斗争

自从1946年1月10日至17日绥蒙军区部队彻底粉碎国民党军队抢占卓资山、集宁、丰镇等军事要地的进攻之后，根据国共和美国3人军调组的协议，八路军绥蒙军区部队遂与绥远国民党军队以卓资山为界形成对峙局

---

① 昭乌达盟地方志办公室编：《昭乌达盟志·总论篇》（初稿），昭乌达盟地方志办公室1986年印刷，第212页。

面，绥蒙地区出现了短暂的"和平"时期。

在发动全面内战之前，国民党军队虽然停止了对绥蒙解放区的大规模进攻，但是战事始终未断。傅作义部与阎锡山部相配合，进攻晋西北根据地，还不断袭扰绥东绥南，对解放区进行"蚕食"。绥蒙军区部队采取积极防御自卫、坚持阵地、寸土必争的方针，进行了激烈的反"蚕食"斗争。在绥南，晋绥军区第 11 军分区步兵 7 团与骑兵 1 团收复了被国民党抢占的村庄 80 多个，并与五分区偏（关）清（水河）支队配合，迫使清水河县城的敌军不敢出动。在绥东陶林一带，绥蒙军区骑兵旅严密监视敌军动态，防止敌军进攻解放区。6 月 4 日骑兵旅与第 9 团各一部驱逐了红旗大庙、白银堂、白雁沟一线的敌军。在反"蚕食"斗争的间隙，绥蒙军区部队开展练兵运动，以提高部队军事素质，准备应付可能发生的大规模战争。同时帮助地方政府建立民兵武装，以保证解放区各项工作的开展。

由于国共双方的军事对峙和争夺，绥蒙地区的大多数农民还没有发动起来，农村的反动封建势力尚未触动。封建剥削和战争摧残，使整个解放区农村经济困难，人民生活极为贫困。因此，动员一切力量粉碎国民党的内战阴谋，保卫解放区，减租和生产便成为非常迫切的任务。1945 年 10 月 1 日，晋绥分局发出《关于普遍深入发动群众的指示》，指出新解放区的发动群众工作要从反奸、清算开始，逐步过渡到减租减息。绥蒙区党委和绥蒙政府从 1945 年 11 月开始，领导绥蒙解放区人民进行了群众性的反奸、清算运动。1946 年 4 月，又从反奸、清算发展为减租减息、增资赎地和发展生产的运动。

绥蒙区党委于 1945 年 10 月 1 日发出的《关于目前形势、任务与群众工作指示》中就提出了发动群众、清算、减租减息的任务。10 月 10 日，绥蒙政府公布了《绥蒙区减租交租保护佃权条例》和《绥蒙区减息交息条例》。1946 年 3 月 15 日，晋绥行署公布了《新解放区特殊土地问题处理办法》，规定凡敌伪组织侵占的私有土地应退还原主，凭借敌伪势力非法抢占的公私土地应归还原土地所有者。1946 年春，绥蒙政府又制订《绥蒙区减租赎地增资暂行办法》，对于减租、赎地、增资等作了具体规定。据与国民党统治区交界的龙胜县（今卓资县）的统计，全县 62 个乡中就有 51 个乡进行了清算、减租和增资运动；组织生产、组织农会、发展民兵的工作，占总乡数的

82.3%。其中"36个乡进行了清算斗争，8 000人参加斗争，在1 100余户基本群众中作了减租增资赎地、减息工作。"[1] 在丰镇地区，绥蒙政府发动群众10万多人，2万多人参加了农会、民兵。

为动员解放区人民大力发展生产，绥蒙政府于1946年春季发放了4 600多万元农业贷款和种子，解决群众困难。其中贷给丰镇县1 500万元，集宁1 100万元，凉城和卓资县各800万元，陶集县200万元，绥东4旗200万元。还利用骡马大会等形式调剂了耕畜和农具。

绥蒙区党委和政府为恢复和发展解放区的工商业、铁路交通及文化教育事业进行了大量的工作。到1946年4月，集宁不仅恢复了原有的200余家商店，而且还增加了10余家店铺；在绥蒙政府所辖平绥铁路西段交通管理处的积极努力下，3月18日恢复了丰镇至卓资山的铁路运输。绥蒙区党委于1946年7月1日在集宁创办了《绥蒙日报》，每天印行2 000份，广泛宣传党的各项政策，介绍国内各地的情况，揭露国民党反动派破坏和平、挑动内战的阴谋。绥蒙政府还制定发展教育计划，恢复原有的学校，举办小学师资训练班，在极其困难的条件下，恢复与发展教育事业。

绥蒙地区蒙汉杂居的历史久远，反映在土地问题上的民族关系较为复杂。1945年12月，绥蒙政府进驻集宁后，即以绥东4旗、土默特旗、四子王旗等地作为开展民族工作的重点，派出李森、云治安、塔拉、李文精等一批蒙古族干部到各旗协调关系，动员群众、建立民族武装。在集宁成立了绥东4旗办事处，由李永年负责，开展民族工作。1946年5月16日，绥蒙政府专门发出了《关于调整蒙汉关系加强民族团结的指示》，对于蒙旗财产管辖、蒙旗汉民籍贯处理、蒙汉人民负担、土地纠纷、减租清算以及蒙汉人民诉讼处理等具体问题作了明确规定。在实践中大力宣传，严格执行，发现问题及时解决。尤其在解决土地纠纷和进行反奸清算中必须事先征询蒙汉族群众的意见，以避免失误。5月20日，绥蒙政府又发布了《绥蒙区各蒙旗政府暂行条例》，对旗和苏木（佐）的组织机构、管理范围、组织程序等作了具体规定。为配合内蒙古自治运动的开展，绥蒙政府派出部分干部在各旗进行广泛的组织、动员，并分批选送蒙古族青年到绥蒙建国学院和内蒙古军政

---

[1]　龙胜县委：《群众工作报告》，内蒙古自治区档案馆档案，3—1—208。

学院培训，培养自治运动的骨干力量。

绥蒙地区西部处于国民党统治之下。国民党接收包头、归绥以后，少数人乘机大发"劫收"财。国民党包头市警备司令部及政务委员会接管日伪物资仓库后，在警备司令兼政务委员会主任马秉仁的指使下，副官处长袁阴浓及原伪蒙疆保商督办蒋辉若的参谋长王华亭、省财政厅科长赵亚民等人盗窃重要物资，还由当地人提供线索，搜集敌伪隐藏和转移的物资，从中贪污肥己。绥远省中统特务组织——党政总队从陕坝迁到归绥后，将日伪时期的特务大多纳于旗下，并派往各地以"调查"为名进行敲诈勒索。一些汉奸为逃避罪责，以重金行贿，"党政总队"的特务则乘机中饱私囊。不久，因受贿不均，一些官员、特务相互攻讦，致使丑行暴露。1946年初，国民党绥远当局迫于民众舆论，羁押了马秉仁和原自卫军第二路参谋长李聚五等，枪决了袁阴浓、王华亭和赵亚民。

国民党绥远当局在其占领的农村全面恢复了保甲制度，实行严酷的统治。同时在乡村广设情报网，钳制各族群众，刺探解放区各方面情报。1946年初，国民党迫于全国争取民主的呼声，撤销了部分特务组织。第12战区党政总队于1月撤销。但在同年5月，绥远国民党当局又在归绥组建了"第12战区民众工作总队"，以绥远调查统计室特务为骨干，编组了3个大队，活动于绥南、绥东、察北、晋北等地，国民党中统局华北地区负责人张庆恩仍任大队长。大批特务在归绥、包头及周边各城镇搜捕中共地下工作者，以"通共"罪名勒索群众。同时还配合国民党军队的"蚕食"行动，招纳反共势力，组织武装，潜入解放区，捕杀地方政权干部和参加清算反霸斗争的群众，策反、瓦解民兵和地方武装。

停战期间，国民党傅作义部着意扩充实力，得到了大批量美式武器装备补给。对所属部队的兵力部署和指挥机构等多方面进行了大幅度调整。同时在各部队中配置了督战官和政工人员，强化军事训练，加紧反共宣传，积极进行着发动内战的各种准备。

二、蒙古民族武装的建立

1945年8月，苏联和蒙古人民共和国对日作战开始后，驻武川县的伪蒙古军第9师所属3个骑兵团及直属骑兵队、第6师骑兵大队及迫击炮连等部队共 2 000 余人在地下革命者乌勒吉敖喜尔的率领下举行起义，击毙了部队中的日本教官野村等人，移驻四子王旗乌兰花镇，宣布组建内蒙古人民革命军。此后起义部队虽多次派出联络人员寻找八路军和中共地方组织，但因国民党军队的阻截而未果。与此同时，中共绥蒙区党委、八路军绥蒙军区在得知情况后，也发出指示，要求"尽一切力量争取起义部队"，并派出杨植霖等人以绥蒙政府主席乌兰夫和绥蒙军区司令员姚喆的名义与乌勒吉敖喜尔取得联系，① 8 月下旬，乌勒吉敖喜尔等与杨植霖和毕力格巴图尔等人在乌兰花东南的韭菜沟会晤，商讨了起义部队的改编问题。根据会议决定，绥蒙政府授予起义部队"绥蒙第 1 军第 1 师"番号，任命乌勒吉敖喜尔为师长。8 月底，起义部队开赴商都县红格尔图休整待命。9 月，乌勒吉敖喜尔等赴张北，与苏联军队取得了联系。经反复交涉，苏军指挥官声称依据苏军最高统帅部战时指令，收缴起义部队的武器，并将起义官兵全部集中到苏尼特右旗德王府进行整训。9 月中旬，乌勒吉敖喜尔、达密凌苏隆等率部前往蒙古人民共和国集训。12 月，在起义部队的基础上组建了由 120 余人组成的内蒙古游击队，乌勒吉敖喜尔任司令员、关保扎布任政委、扎木舍楞任参谋长。蒙古人民共和国为游击队提供了全部武器装备。1946 年 1 月，内蒙古游击队返回内蒙古，驻扎于锡林郭勒盟苏尼特右旗南部的查干宝格都（今乌兰察布市商都县北部吴家村）。游击队回国后，立即与晋察冀军区和内蒙古自治运动联合会取得了联系。经乌兰夫、乌勒吉敖喜尔与八路军晋察冀军区领导人蔡树藩等，以及苏军派驻晋察冀军区代表尼古拉耶夫共同研究决定，将内蒙古游击队改称内蒙古人民游击队，受内蒙古自治运动联合会和晋察冀军区双重领导，武器装备及后勤补给由晋察冀军区第 1 分区提供。规定部队的主要任务为保障晋察冀解放区与苏、蒙之间运输线的畅通；配合内蒙古自治运动联合会在乌兰察布盟、锡林郭勒盟、察哈尔盟的工作，动员、组织群众，开展自治运动。

　　1945 年 10 月至 12 月，在八路军发动的绥远战役过程中，国民党新编第 10 路军第 9 师、第 10 路军伊盟暂编保安第 2 师第 1 团部分蒙古族官兵，绥远国军骑兵第 12 旅陶林县保安团全体蒙古族官兵，在李秀山（巴图）、林

---

①　绥蒙区党委、绥蒙军区：《电报登记》（1945 年 8 月 1 日），内蒙古自治区档案馆档案，3—1—36。

国梁、华林泰等人的带领下，分别在察素齐、包头、陶林地区举行起义。八路军晋绥军区、绥蒙军区将起义部队调至集宁，进行了整训、改编。12 月中旬，在姚喆等人主持下，以起义部队为基础，组成内蒙古人民自卫军，下辖 3 个支队。任命华林泰为第 1 支队司令员、韩宝华为参谋长；荣继珍为第 2 支队司令员、李秀山为参谋长；林国梁为第 3 支队司令员。

绥远战役结束后，由李森、云正旭等率领的大青山蒙古游击队，奇俊山、云德胜等率领的绥西游击大队等部队先后抵达集宁，与内蒙古人民自卫军各支队会合。八路军绥蒙军区、内蒙古自治运动联合会将 3 个支队和各游击队进行了整编，组成内蒙古人民自卫军骑兵独立旅，下辖 3 个团 10 个连队，共 700 余人。任命李秀山为旅长、李森为副旅长、云麟任参谋长，寒峰为政治部主任。同时，从绥蒙军区和延安民族学院派出干部中选调了部分骨干充实部队。骑兵独立旅组建初期归八路军绥蒙军区指挥，1946 年 2 月转归内蒙古自治区运动联合会领导。在绥远国民党军队大举东进的形势下，独立旅由集宁撤至察哈尔右翼前旗玫瑰营子进行整训。3 月，骑兵独立旅奉命开赴锡察地区，在太仆寺旗龙王庙和哈毕日嘎全歼郭崇礼等两股土匪武装，稳定了察哈尔北部地区的局势。4 月，独立旅官兵分批到张家口内蒙古军政学院整训、学习。

1945 年 8 月中旬，起义的伪满陆军兴安学校师生以及部分兴安军官兵陆续聚集于王爷庙一带。当苏军进驻王爷庙后，起义部队即与苏联驻军取得了联系，提出了建立民族武装的要求。9 月，在苏军驻王爷庙城防司令部的支持下，组成了民警中队。10 月，民警中队扩建为民警大队，下设 4 个中队，共 350 余人。都固尔扎布任大队长，王海山、额伯日勒图、单福祥、那达那分别任各中队队长。民警大队组建后，以协助苏联驻军维持王爷庙地区的社会秩序为主要任务，同时全部投入了防治鼠疫的工作。10 月下旬，民警大队由阿思根率领，开赴科尔沁右翼后旗、前旗和索伦、洮北县，取缔了国民党党部及县政府，恢复建立了喜扎嘎尔旗政府，解除了当地国民党"维持队"、"公安队"等武装。随即又沿白城子至阿尔山铁路一线清剿土匪，解放了阿尔山镇，收缴了大批日军溃败时遗弃的武器装备。至 1945 年底，民警大队已有效地控制了兴安盟中部地区的局面。

1945 年 11 月，民警大队与到达西满地区的八路军建立了联系。在葛根庙，王海山等人与八路军嫩江第 1 支队指挥员朱继先、王新波等人订立了共同发动群众和组建军队的协议。应八路军的要求，民警大队向嫩江第 1 支队派出了骑射教练员，并选派部分战士到白城子八路军干部训练班学习。11月中旬，民警大队配合八路军辽北军区部队，消灭了被国民党"光复军"任命为王爷庙保安司令的闫振山匪部。12 月 1 日，民警大队又扩编为民警总队，下辖 3 个大队，都固尔扎布任总队长，王海山、双宝、单福祥分任各大队队长。12 月 5 日，国民党"光复军"第 11 师骑兵旅 700 余人和股匪"草上飞"发动暴乱，占据突泉县城，建立了国民党党部和县政府。八路军辽北军区派到突泉县开展工作的胡秉权、张廷均等 10 余名干部、战士遭到扣押。民警总队闻讯后，立即派出第 2 大队前往营救，八路军嫩江第 1 支队也派出战士配合行动。18 日夜，救援部队向突泉县城发起突袭，"光复军"于次日凌晨弃城溃逃，被监禁的八路军指战员全部获救。[①] 1946 年 1 月 2日，白城子遭到大批"光复军"的围攻，设在该地的八路军辽北军区机关处境险恶。嫩江第 1 支队急电王爷庙求援。民警总队闻讯后立即出动，驰援白城子。1 月 3 日，民警总队与嫩江第 1 支队会合，并组成联合指挥部，集中兵力向"光复军"发起攻击，夺回了白城子，此后经两个月的战斗，相继解放了安广、泰来、开通、镇东和瞻榆等县，歼灭"光复军"600 余人。兴安盟地区蒙古民族武装在这一时期的军事行动，特别是与八路军部队的联合作战，在内蒙古东部地区产生了巨大的政治影响。

东蒙古人民自治政府成立后，组建了东蒙古人民自治军，计划改编、扩充各盟旗蒙古民族武装，由东蒙古人民自治政府统一指挥。为加快建军进程，东蒙古人民自治政府派出干部分赴相邻解放区，与东北民主联军和地方民主政府取得联系，在剿匪、打击国民党地方武装和政权建设等方面建立合作关系。1946 年 1 月 25 日，东蒙古人民自治政府内防部长阿思根、兴南地区主任乌力图在辽源（今辽宁省双辽市）与东北民主联军西满军区司令员吕正操、政委李富春等举行会谈，商定了《东蒙古人民自治政府与西满军区军政关系问题的暂行办法》（时称"吕阿协定"）。其内容为："一、关于

---

① 罗旺扎布：《夜袭突泉》，见中共兴安盟党史办公室编：《兴安盟党史文集》第 2 集，中共兴安盟党史办公室 1993 年印刷，第 218—224 页。

政治方面：在东蒙各地原设县治者，仍保留县治，由汉人负责，原设旗治者，仍保留旗治，由蒙人负责，旗治下设汉人自治科。二、关于军事方面：西满军区驻东蒙各地军队，原则上不驻于蒙人居住区。因军事需要进驻蒙人居住区时，军队需要也不由蒙人负担。在作战时则双方配合，共同作战。关于土匪和反动武装，则不论为蒙人或汉人，也不论在蒙区或汉区，一经察觉，双方均有就近联合剿除消灭之任务。"① 会谈结束后，为协调行动，双方共同组成了军事委员会，阿思根为主任，赵石为副主任。

　　1946 年 1 月末，王爷庙民警总队扩建为东蒙古人民自治军骑兵第 1 师。莫德勒图任师长，都固尔扎布任参谋长。原民警总队第 1、2、3 大队改编为第 1、2、3 团，原科尔沁右翼中旗民警大队改编为第 4 团。各团分别驻扎于白城子、洮南、突泉、科尔沁右翼中旗等地。2 月，骑兵第 1 师设立政治部，都固尔扎布兼任政治部主任，中共西满分局派出胡秉权、黄文飞等干部担任骑兵第 1 师各团政治委员。

　　东蒙古人民自治军骑兵第 2 师由哲里木盟各旗地方武装组建而成。1945 年末，科尔沁左翼中旗独立中队、科尔沁左翼前旗、左翼后旗警备队相继建立。12 月，兴安南地区警备司令部在巴彦塔拉成立，乌力图任司令员。1946 年 1 月，在阿思根、那钦双合尔等人主持下，哲里木盟各武装统一改编为东蒙古人民自治军骑兵第 2 师，乌力图任师长，白音布鲁格任参谋长，协儒布僧格任政治部主任，下辖 5 个团共 2 000 余人，分别驻扎于科尔沁左翼前旗、左翼后旗、左翼中旗、库伦旗和奈曼旗。4 月中旬，骑兵第 2 师第 11、12 团配合东北民主联军在四平的军事行动，开赴辽西战场，承担了掩护梨树至四平交通线任务，多次击退国民党"光复军"的进攻。其他各团与东北民主联军辽西军区保安第 1 旅在哲里木盟东部进行大规模剿匪战斗。

　　在昭乌达盟，各旗县大都处在地方武装控制之下，其中以巴林左旗警备队最具实力。1945 年 9 月，在巴林左旗组成了以和子章（清卓力克图）为委员长的自治委员会，酝酿在昭乌达盟各蒙旗实行自治。1946 年 1 月 3 日，昭乌达盟和卓索图盟所属 9 个旗、县的代表在巴林左旗林东镇举行昭乌达盟

---

　　① 《东蒙古人民自治政府与西满军区军政关系问题的暂行办法》，内蒙古自治区档案馆档案，5—3—2。

各旗联防会议，商讨盟政府机构设置、旗县管辖范围以及与相邻解放区的贸易往来等项议题，制订了各旗县实行共同防卫、联合剿匪的具体方案；明确规定与八路军建立友好合作的关系。会议推举和子章为昭乌达盟8旗共同防卫总指挥，统一指挥各旗、县警备队。3月，东蒙古人民自治政府派出的由萨嘎拉扎布、蒙和舞乐极等组成的工作团抵达昭乌达盟，筹备建立昭乌达省，对各旗武装进行整编。4月1日，东蒙古人民自治军骑兵第4师在林东组成，和子章任师长，仁钦宁布任参谋长；下辖6个骑兵团共3 000余人，分别驻扎于巴林左旗、巴林右旗、阿鲁科尔沁旗、克什克腾旗和扎鲁特旗。

在滨洲铁路沿线纳文慕仁地区，1946年初已先后组建了齐齐哈尔蒙民自卫大队、莫力达瓦阿尔拉蒙古大队（亦称达斡尔大队）和扎兰屯布特哈大队。东北民主联军嫩江军区对上述民族武装在武器装备方面给予了援助，并派出部分干部到各部队从事政治工作。各部队多次配合东北民主联军作战，清剿土匪，打击"光复军"、"自卫队"等国民党扶持的地方武装。先后解放了尼尔基、讷河、嫩江、扎兰屯等地。

2月，齐齐哈尔蒙民自卫大队改称东蒙古人民自治军骑兵第5旅（亦称达斡尔自卫军第5旅），鄂秀峰任旅长，德文斌任政委，下辖两个团共1 000余人。莫力达瓦阿尔拉蒙古大队扩编为东蒙古人民自治军骑兵第8旅，涂长庆任旅长，下辖两个团共500余人。扎兰屯布特哈大队改编为东蒙古人民自治军第2旅，鄂嫩日图任旅长。3月，东蒙古人民自治政府内防部在扎兰屯将第2、5、8旅合编为东蒙古人民自治军骑兵第5师，由鄂嫩日图任师长，中共党员朱子休任政委，鄂秀峰任参谋长，下辖5个团共2 000余人。

除上述武装部队外，在内蒙古东部地区还有几支蒙古民族武装具有较大影响，如兴安支队、6支队、阜新蒙民大队等。这些民族武装在打击国民党"光复军"和土匪、稳定地方秩序等方面发挥了重要作用。

兴安支队的前身为扎赉特旗警备总队，组建于1945年12月，下辖2个大队，共700余人。1946年2月改编为东蒙古人民自治军兴安支队，包启文任支队司令员。

东蒙古人民自治军第6支队是在新四军第3师收编的哲里木盟地方武装的基础上组建而成，于1946年2月移交东蒙古人民自治政府，经改编，组成第6支队，那钦双合尔任支队司令员，胡秉权任政委，下辖3个大队共

500 余人。阜新蒙民大队组建于 1946 年 3 月，大队长为王保山，辖有 3 个中队，共 400 余人。

三、内蒙古自治运动的全面发展

兴安省政府的成立　1946 年 5 月 25 日—28 日，东蒙古人民第二次临时代表会议在王爷庙举行，东蒙古人民自治政府各机关、内蒙古人民革命青年团、东蒙古人民自治军的代表以及各盟旗代表、各界群众代表共 400 多人参加了会议。在第一天的会议中，博彦满都、哈丰阿分别发表讲话，向与会代表传达了《内蒙古自治运动统一会议主要决议》的内容；哈丰阿就解散东蒙古人民自治政府的问题作了说明，他提出："东蒙自治政府的诞生是内蒙古全部统一的第一步，在政治方面是第一个阶段，一方面根据当时的客观条件，我们政府的诞生是非常合理化的，可是由现在的局面，政治协商的决意（议）案看来，东蒙政府这样局部的政治形态的存在，很明显已经是一个过渡的形态。它可以再变一个新的体势，发挥更高度的伟大力量，这就是此次新生的东蒙自治运动联合会……"[①] 5 月 27 日，会议通过并发布了《东蒙古人民临时代表大会宣言》，提出：为了全内蒙自治运动的统一，执行"四三"会议决议，取消东蒙古人民自治政府，撤销所属各省建制；成立兴安省政府和临时参议会，建立内蒙古自治运动联合会东蒙总分会。会议决定：兴安省以呼伦贝尔盟、纳文慕仁盟、哲里木盟和兴安盟的 29 旗、2 市、2 县为管辖区域，省政府受东北行政委员会领导。5 月 28 日，会议宣布了下列决议：

兴安省政府正式成立，特木尔巴根任省政府主席、张策任副主席；方知达任秘书长；组成兴安省参议会，博彦满都任议长，克力更任副议长；成立内蒙古自治运动联合会东蒙总分会，哈丰阿任主任，胡昭衡任秘书长；成立联合会兴安盟分会，特布信任主任；撤销东蒙古人民自治军番号，所属各部队统一编制，改称内蒙古人民自卫军；成立兴安军区，阿思根任司令员，胡克巴特尔任副司令员，哈丰阿任政委，张策任副政委，都固尔扎布任参谋长，胡昭衡任政治部主任。

兴安省政府成立后，中共东蒙工作委员会相应更名为中共兴安省工作委

---

① 《哈丰阿关于解散东蒙自治政府的说明》，载《东蒙新报》1946 年 5 月 30 日。

员会，经中共西满分局审议批准，哈丰阿、特木尔巴根和于"四三"会议后加入中国共产党的阿思根为兴安省工委委员。哈丰阿还当选为东北行政委员会委员，并被东北行委任命为民族事务委员会主任。

根据东蒙古人民第二次临时代表会议决议，原东蒙古人民自治政府所属各省建制相继撤销。6月1日，哲里木省政府由巴彦塔拉迁至通辽，改称哲里木盟，成立哲里木盟政府，乌力图任盟政府主席，吕明仁任副主席；成立内蒙古自治运动联合会哲里木盟分会，协儒布僧格为主任，赵石为副主任。6月5日，昭乌达盟临时行政委员会在林东成立，萨嘎拉扎布任主席，吴广文任副主席。9月3日，昭盟临时行政委员会撤销，组成昭乌达盟政府，义达嘎苏隆任盟长。6月7日，纳文慕仁省改称纳文慕仁盟，额尔登任盟长；成立纳文慕仁盟行政委员会，额尔登任主席，夏辅仁任副主席。

兴安省政府机关迁至海拉尔后，即开始对呼伦贝尔地区实行管辖。兴安省公安总局在嫩江省公安处、齐齐哈尔铁路公安处的配合下，在海拉尔以及呼伦贝尔临时地方自治政府辖区铁路沿线各地开展了打击国民党地下组织的行动，破获海拉尔国民党兴安支部，逮捕国民党党员及"光复军"骨干分子80余人，这一行动在呼伦贝尔地区引起较大震动。

1946年7月，呼伦贝尔临时地方自治政府再次向东北行政委员会呈文，要求在呼伦贝尔实行"高度自治"，并递交了自治条款共21项。7月12日，呼伦贝尔临时地方自治政府应东北行政委员会的邀请，派出以德春、葆定、额尔很巴雅尔、郭文通等人组成的代表团前往哈尔滨，与东北民主联军西满军区政治部主任张平化、铁路警备旅政委苏林等人举行会谈，共同商讨呼伦贝尔自治问题。中共中央东北局书记彭真也参加会谈，听取了意见。在会谈中，呼伦贝尔方面代表提出了"呼伦贝尔不参加内战"的主张，要求东北民主联军部队撤出呼伦贝尔地区，同时要求兴安省政府迁出海拉尔。

会谈经反复协商，最终将呼伦贝尔方面拟具的有关自治问题21项条款归纳为6项，定为《呼伦贝尔地方自治基本原则》，呈报东北行政委员会。其主要内容为："呼伦贝尔在'九一八'日本侵入东北以前，即已享有合法之自治权"，"现国土已全部光复，我呼伦贝尔人民之地方自治权自应完全恢复"；"呼伦贝尔临时地方自治政府在法律上属于兴安省"，"呼伦贝尔临时地方自治政府组成地方自治军与地方保安队"；"为保障呼伦贝尔地区游牧民族之安静生活，它不向任何方面派遣军队或进攻，也不允许任何方面进驻呼伦贝尔或干涉呼伦贝尔之内部生活"；"呼伦贝尔不得设县治，非经呼伦贝尔地方自治政府之许可不得再向呼伦贝尔移民开垦"。[1] 会谈结束后，呼伦贝尔临时地方自治政府拟派代表赴南京，向国民党政府吁请实行呼伦贝尔自治，经东北行政委员会劝阻，遂取消了请愿计划。

1946 年 9 月 20 日，额尔钦巴图等向东北行政委员会正式呈报《呼伦贝尔地方自治基本原则》。10 月 22 日，东北行政委员会主席林枫、副主席张学思签发命令，批准呼伦贝尔地区恢复地方自治。[2] 29 日，东北行政委员会批准《呼伦贝尔地方自治基本原则》。10 月初，根据呼伦贝尔地方自治政府的要求，兴安省政府机关迁至扎兰屯。11 月中旬，又迁至索伦旗。中共兴安省工作委员会部分成员仍留驻海拉尔工作。

11 月 1 日，呼伦贝尔临时地方自治政府发布公告，宣布呼伦贝尔临时地方自治政府改称呼伦贝尔地方自治政府，成立呼伦贝尔行政委员会。额尔钦巴图任自治政府主席、行政委员会主席，功果尔扎布任副主席。自治政府下设秘书处、经济厅、民政厅、保卫厅、林业厅、审判厅，葆定、额尔很巴雅尔、平福、孟和吉雅、色尔森太、达木林扎布、特克希博彦等分别担任各处、厅长，德春、李朝栋、郭文通等为政府参事。同时在地方政府保安总队的基础上组建呼伦贝尔地方自治军，登登泰任司令员，伊士诺尔布任参谋长。自治军下辖 3 个骑兵团，分别驻扎于海拉尔、牙克石和免渡河。11 月中旬，在海拉尔成立了呼伦贝尔保安司令部，登登泰任司令员，郑北辰任副司令员（后任司令员），刘世杰任参谋长。

12 月 21 日，额尔钦巴图率呼伦贝尔地方自治政府代表团到达哈尔滨，向中共中央东北局、东北行政委员会致谢。代表团一行拜会了彭真、高岗、林彪、林枫等东北地区军、政领导人。23 日，额尔钦巴图、功果尔扎布等与彭真、张平化等举行会谈，就呼伦贝尔自治问题进行了充分的讨论和协商。24 日，双方达成协议、共同制定了《关于呼伦贝尔地方自治政府基本

① 《中共中央东北局关于呼伦贝尔自治问题的具体要求向中央的请示》，见中共中央统战部编：《民族问题文献汇编》，第 1077—1078 页。

② 《呼伦贝尔地方自治基本原则》，载《东北日报》1946 年 11 月 1 日。

原则》① 共 5 项。协议涉及呼伦贝尔地方自治政府的政治、经济、公安、司法等问题，规定："为贯彻民主自治方针，必须加强政府与人民的联系，必须加强蒙古内部和蒙汉各民族之间的亲密团结、平等合作。""关于呼伦贝尔与兴安省及内蒙古自治运动联合会关系之事项，另由双方直接商谈。"12 月 28 日，彭真和额尔钦巴图共同签署了《呼伦贝尔地方自治原则会谈纪要》，于 7 月订立的《呼伦贝尔地方自治基本原则》宣告废止。

1947 年 3 月 1 日，呼伦贝尔地方自治政府正式颁布《呼伦贝尔地方自治政府施政纲领》、《呼伦贝尔地方自治政府组织暂行条例》，宣布"根据呼伦贝尔人民之总意及呼伦贝尔自治基本原则施行地方自治"；"打破封建制度，确保人民安静生活，建设全民自由平等之民主政治。"号召"各民族各阶层紧密地团结起来，肃清破坏自治与民族团结的反对势力，为建设自由和平的呼伦贝尔而奋斗。"②

1946 年 6 月，全面内战爆发。国民党调集大批军队向各解放区发动进攻，与东北、华北、西北解放区相毗邻的内蒙古地区也逐渐处于战火之中。7 月，东北国民党军队迫近通辽、郑家屯一带。为适应战时需要，兴安省政府机关于 6 月 21 日由王爷庙迁往海拉尔，内蒙古人民自卫军兴安军区机关撤至阿尔山、索伦。6 月 25 日，中共兴安省工作委员会在海拉尔组成北部分委，特木尔巴根任书记，方知达、苏林、夏辅仁、贾石为委员，统一领导呼伦贝尔、纳文慕仁盟的工作。同时，在海拉尔设立了内蒙古自治运动联合会东蒙总分会呼纳盟办事处，特木尔巴根为主任，成员有克力更、桑杰扎布、方知达等；在王爷庙设立兴安省政府办事处，中共兴安省工作委员会仍驻王爷庙领导开展地方工作和武装斗争。

1946 年 9 月，国民党傅作义部出动其全部主力，由西向东发动大规模军事进攻，相继攻占卓资山、集宁、大同等城镇，占领了绥蒙解放区大部地区，并控制了平绥铁路西段。为避敌锋芒，绥蒙区党政军机关撤往山西省西北部地区，暂与晋绥第 5 分区合并，绥蒙军区部队沿长城一线开展游击战

---

① 《关于呼伦贝尔地方自治政府基本原则》，见中共中央统战部编：《民族问题文献汇编》，第 1322 页。

② 《呼伦贝尔地方自治政府施政纲领》，载《呼伦贝尔报》1947 年 3 月 1 日。

争。1946 年 10 月至年底，绥蒙军区骑兵旅两次北上，打击国民党军队及其扶持的地方武装。经过历时约近一年的战斗，绥蒙军区部队在平绥铁路北部建立了大青山游击区，有力地牵制了国民党军队向晋察冀解放区的进攻。

国民党傅作义部大举东进时，国民党第 11 战区孙连仲部也与其相呼应，由南向北逼近晋察冀解放区，企图对张家口实施合围。9 月中旬，中共晋察冀中央局决定放弃张家口，中央局及晋察冀军区机关撤到河北省阜平县，内蒙古自治运动联合会所属各机关撤往锡林郭勒盟。

自 9 月 22 日起，内蒙古自治运动联合会机关、院校及各军政部门共 2 000 余人分批北撤，至 10 月中旬全部抵达锡林郭勒盟贝子庙。为适应战争形势，晋察冀中央局于 9 月 23 日致电中共中央，建议组成内蒙古党委，不久即得到了中共中央的批准。内蒙古党委由乌兰夫任书记、奎璧、刘春、王铎为委员，管辖范围暂定为察哈尔盟、锡林郭勒盟、乌兰察布盟和巴彦塔拉盟；并决定在党委领导下组成中共察哈尔盟、锡林郭勒盟工作委员会和巴乌盟工作委员会。① 11 月 7 日，内蒙古党委在贝子庙召开执委会议，研究新形势下的工作方针并作出部署。决定对内蒙古自治运动联合会所属各级党、政、军组织机构进行调整。正式组成中共察锡工委和巴乌工委，王铎任察锡工委书记，奎璧任巴乌工委书记，李森、云一立、李文精等为委员。

内蒙古自治运动联合会对执委会机构进行了部分调整，决定在执委会之下设行政、政治、军事、财政经济、社会、总务 6 部；任命奎璧为行政部长，刘春任政治部长，乌兰夫兼军事部长，阿思根、王再天为军事部副部长，特木尔巴根任财政经济部长，吉雅泰任社会部长，哈丰阿任总务部长。会议期间，内蒙古党委发出了关于形势与任务的指示，分析了自卫解放战争的性质及形势，预测了战争的发展趋势和必胜的前景，提出了进行自卫解放战争、争取内蒙古民族彻底解放的方针和任务。号召内蒙古的共产党员与蒙古民族以及各族人民团结起来，反对国民党大汉族主义的民族压迫，粉碎国民党的军事进攻。

11 月 10 日，中共察锡工委召开会议，决定组成察锡行政委员会，作为联合会总部的代表机构，确定贝子庙为察锡行政委员会所在地。在筹备会议

---

① 《晋察冀中央局关于建立内蒙古党委的提议》，内蒙古自治区档案馆档案，10—2—253。

上，中共察锡工委成员与锡、察盟部分民族、宗教上层人士共同商讨了行政委员会机构设置及人事安排等项事宜。25 日，察锡行政委员会成立大会在贝子庙葛根仓召开，乌兰夫主持大会并发表了讲话，宣布察锡行政委员会正式成立。乌兰夫提出，察锡行政委员会的主要任务是贯彻联合会工作方针，管理地方行政工作，组织人民生产，搞好地方治安，做好物资供应，支援军队对敌作战。大会宣布由特克希卜彦、松津旺楚克、王铎、李秀山、刘景平、苏剑啸、奇峻山、寒峰、陈炳宇等组成察锡行政委员会执委会及常委会，任命特克希卜彦为主任，松津旺楚克、王铎为副主任；赛音吉雅、补达巴拉等32 人为委员。察锡行政委员会下设秘书、民政、财经、公安 4 个处，吾勒吉卜林任秘书长，萨木腾任民政处长，丹巴任财经处长，云世英任公安处长。

第三节　内蒙古自治政府的成立

一、中共对内蒙古自治的基本方针

1946 年下半年，全国解放战争的形势发生了重大变化。解放区军民在自卫战争中给进犯的国民党军队以沉重打击，至 1947 年初，已取得歼敌 70余万的战绩。国民党向各解放区发动的全面进攻已呈疲敝、被动之态。中国共产党在军事上的初步胜利和国统区民主运动的日益高涨，预示着中国革命的新高潮行将到来。随着内蒙古自治运动的广泛、深入开展，建立统一的自治政权，已成为蒙古族各界群众的普遍愿望。1946 年 8 月 1 日，乌兰夫致电中共中央，提出："目前，我党在绥察热及东北蒙古所面临的问题，首先是 11 个盟一百七八十万人口的自治问题。过去阶段党已经克服了两次独立运动，承德会议在蒙人中影响极大，但蒙人一般不满目前的分盟自治与归省政府领导，要求统一自治。如何适当地满足蒙族这一要求，这与解决土地问题有同等重要的意义。"[①]

1946 年 10 月 15 日，内蒙古自治运动联合会副主席博彦满都与东北民主

---

① 《云泽关于内蒙土地问题的意见致中央电》，见内蒙古自治区档案馆编：《内蒙古自治运动联合会档案史料选编》，第 106 页。

联军西满军区政委李富春在齐齐哈尔举行会谈，对成立内蒙古自治政府以及有关的政治、经济、军事、交通运输、干部和群众工作等问题进行了协商，提出了初步构想，议定了西满军区对兴安省的援助项目。博彦满都和李富春还共同签署了《关于蒙古问题谈判纪要》①，制定了"以逐步稳健政策，改善蒙民生活，充实民族团结基础，团结全民族力量，反对反动分子"的原则。

同年 11 月，国民党召集的"制宪国大"在南京开幕。会上，国统区各盟旗代表与热、察、绥 3 省代表在内蒙古自治问题上展开激烈争论。在此期间，乌兰夫在巴林左旗林东发表声明，"代表内蒙二百万人民郑重否认伪国民大会，伪国大不能代表内蒙人民意志，没有讨论任何有关内蒙问题的权力"②。12 月 20 日，内蒙古自治运动联合会东蒙总分会、兴安省行政委员会及参议会举行联席扩大会议，声讨国民党对内蒙古解放区的军事进攻，宣布"不承认没有蒙古人民真正代表的'国民大会'"，提议"召开内蒙自治运动联合会执委会或人民代表大会，立即成立内蒙自治政府，坚决对抗国民党反动派之伪中央政府，确立联共反蒋的民族统一战线"。③ 会议通过了《关于成立内蒙最高自治政权案》④ 等项决议，提出："我们所要求的内蒙自治政权是坚决领导民族解放斗争与彻底实行民主的政权，不仅要把蒙古民族从大汉族主义的侵略摧残下解放出来，而且使蒙古民族从数百年来的封建压迫、剥削下解放出来，使封建蒙古进而成为民主的蒙古。"

中共中央及各有关中央局、分局在反复、深入研究的基础上，对内蒙古自治问题采取了积极而审慎的态度。1946 年 11 月 18 日，西满分局在致中共中央及东北局并转乌兰夫的电报中提出："现东蒙无论老年、青年，进步

---

① 《西满军区政治委员李富春和内蒙古自治运动联合会副主席博彦满都关于蒙古问题谈判纪要》，内蒙古自治区档案馆编：《内蒙古自治运动联合会档案史料选编》，第 134—136 页。

② 林西县党史资料征集办公室：《解放战争时期的林西》，林西县党史资料征集办公室 1985 年印刷，第 196 页。

③ 《东蒙总分会参政扩大会议胜利闭幕》，见中共内蒙古自治区委员会统战部、内蒙古自治区档案馆编：《内蒙古统战史档案史料选编》第 1 卷，中共内蒙古自治区统战部、内蒙古自治区档案馆 1987 年印刷，第 357 页。

④ 《内蒙古自治运动联合会东蒙总分会执委扩大会议决议案》，见内蒙古自治区档案馆编：《内蒙古自治运动联合会档案史料选编》，第 150 页。

的、落后的，都主张成立（内）蒙古自治政府。大公报记者亦有要求内蒙自治的呼吁。在此情况下，我们对内蒙自治政府问题应采取如何态度，是否召开内蒙古人民代表会议，准备成立比自治运动联合会更具政权性质的机关。此问题根据全国形势，我们是否可以在国民党之先有一确定之主张。"①11 月 26 日，中共中央向晋察冀中央局、冀热辽分局、晋绥分局、东北局、西满分局和乌兰夫发出关于内蒙古自治问题的指示，指出："前此东蒙自治正值政协初开与东北问题紧张时期，现在政协与东北问题均成过去，国内舆论逐渐同情内蒙自治，而国方（指国民党——引者）亦已逐渐侵入内蒙，故中央以为为了团结内蒙人民共同抵抗蒋介石的军事进攻与政治经济压迫，现在即可联合东蒙西蒙成立一地方性高度自治政府，发布施政纲领，但对蒙汉杂居地区仍容纳汉人合作，并避免采取独立国形式。此事请即考虑，提出具体意见，进行具体准备，以便于最近期内实现。"② 根据中共中央的指示，乌兰夫等人于 12 月 14 日与中共冀热辽分局和热河省委负责人程子华等在林西县召开会议，分析了内蒙古东部地区的形势，对内蒙古自治政权的性质，中国共产党的统一领导，自治政权管辖区域以及与相邻各省解放区的关系等一系列重大问题进行了商讨。分局于 15 日将讨论结果电告中共中央，提出："内蒙政府是内蒙各阶层地区性的高度自治政府……实际上又是蒙汉联合政府性质，但对外名义为内蒙自治政府。""旗县并存，旗归自治政府，县归省政府（省政府不属于自治政府）。""为统一内蒙领导，建议组织内蒙党中央分局，归东北局领导。"③ 1947 年 2 月 3 日，乌兰夫在中共热北地委召开的干部扩大会议上发表关于内蒙古自治问题的讲话，阐述了成立内蒙古自治政府的意义："现在筹备成立自治政府，本质与联合会是一样，但作用是更为团结蒙古人民反对蒋介石。"同时指出："这个自治政府是高度的地方自

① 《中共中央西满分局关于确定内蒙自治主张问题的指示》，见中共中央统战部编：《民族问题文献汇编》，第 1082 页。

② 《中共中央关于考虑成立内蒙自治政府的指示》，见中共中央统战部编：《民族问题文献汇编》，第 1083 页。

③ 《中共中央关于内蒙自治问题电》，见内蒙古自治区档案馆编：《内蒙古自治运动联合会档案史料选编》，第 143 页。

治，但避免独立。"①

1947 年 1 月 1 日，乌兰夫率内蒙古自治运动联合会机关由贝子庙启程东行，途经昭乌达盟、哲里木盟，于 2 月 14 日抵达兴安盟王爷庙。兴安省政府、联合会东蒙总分会及内蒙古人民自卫军兴安军区代表和各族群众数千人前往车站迎接，并召开了盛大的欢迎会。联合会领导机关迁至王爷庙后，立即开始了举行内蒙古人民代表会议、成立自治政府的各项筹备工作。2 月 16 日—20 日，联合会先后发出《关于召开内蒙古自治运动联合会第一次执委扩大会议的通知》和《关于召开内蒙古人民代表会议及代表产生办法的通知》，要求联合会西蒙总分会、东蒙总分会执行委员、候补委员于 3 月 15 日前赴王爷庙报到；各盟分会主任准备工作报告。

二、内蒙古人民代表会议的召开

1947 年 3 月 3 日，乌兰夫、博彦满都、哈丰阿、奎璧、特木尔巴根、王再天、克力更、乌勒吉敖喜尔、吉雅泰、刘春、张策、方知达、王逸伦等内蒙古自治运动联合会主要领导人和中共兴安省工委负责人抵达哈尔滨，向中共中央东北局汇报内蒙古人民代表会议的筹备工作情况。同时在东北局的安排下召开会议，对内蒙古自治政府各项政策、法规的制定，自治政府的组成人员等问题进行了深入的讨论。东北局负责人高岗、罗荣桓、李富春等参加了主要会议。

会议期间，起草了《内蒙古自治政府施政纲领》、《内蒙古自治政府暂行组织大纲》，经讨论后报中共中央东北局审定，并转呈中共中央，请求予以原则批准。会议还初步议定了内蒙古自治政府管辖范围、各组织机构的人事安排等项事宜，共同协商拟定了自治政府委员、参议会参议员名单。同时，组成了以乌兰夫为书记，哈丰阿、奎璧、特木尔巴根、克力更、刘春、张策、胡昭衡、方知达等为成员的会议党团，并决定在各代表团内设立党组，分工负责，组织领导内蒙古人民代表会议。为顺利实现会议制定的各项计划，圆满完成内蒙古人民代表会议议程进行了充分准备。

---

① 《云泽在热北地委扩干会上关于内蒙古自治运动中的几个问题的讲话》，见内蒙古自治区档案馆编：《内蒙古自治运动联合会档案史料选编》，第 157 页。

3月17日，乌兰夫就国内少数民族问题致电中央，提出："承认中国境内各民族的自决权，建立各民族自由联合的平等的民主联邦"，"在目前实行民族的区域自治，各民族在自己的居住区域建立统一的自治政府，并制定地方宪法……各少数民族得在其自治区组织适当数目的地方武装，或国防军中有单独编成的少数民族军队"。① 3月23日，中共中央就内蒙古自治问题再次向有关中央局、分局发出指示："东蒙及热察蒙民久已要求成立统一的自治政府，我们不应再加劝阻，故原则上，我们同意就在这次大会上，产生内蒙统一的民族自治政府。""在大会宣言中应确定内蒙自治政府非独立政府，它承认内蒙民族自治区仍属中国版图，并愿为中国真正民主联合政府之一部分，它所反对的为蒋介石国民党独裁政府及其所制定的取消民族自治权利的伪宪与其卖国内战反动的政策。""在政府组织中，要为西蒙代表留出位置……以期待西蒙盟旗之加入。"指示还对内蒙古自治政府成立后与各相邻解放区的关系、自治政府辖区内的民族关系、军队的管辖和指挥关系等问题也作出了明确、具体的规定："完全盟旗的地方成立各地区的民族自治政府，但在这些地方政府中须有汉人代表；蒙汉杂居、汉人居多数的地方，仍隶属于解放区政府，但在这些地方政府中须组织蒙民委员会，处理蒙民事务。""在军队方面，各自治政府下应建立独立的蒙民武装队伍，在军政上由内蒙民族自治政府统一编制管理，但在指挥作战上，应统一于各人民解放军的军区。"② 中共中央在这一指示中还对内蒙古人民革命党、内蒙古自治运动联合会的问题提出了初步意见。4月20日，中共中央复电东北局，原则同意《内蒙古自治政府施政纲领》、《内蒙古自治政府暂行组织大纲》（草案），并责成东北局与内蒙古自治运动联合会共同商定具体条文。指示要求乌兰夫就内蒙古自治区域的划分、政权组织、人口和经济状况、武装部队、土地问题、宗教情况、中共党员数量以及与各解放区关系等问题作出

①　《云泽对宪法中关于少数民族问题的意见》，见中共中央统战部编：《民族问题文献汇编》，第1324页。

②　《中共中央关于内蒙古自治问题的指示》，见中共中央统战部编：《民族问题文献汇编》，第1094—1096页。

汇报。①

4月3日—4月21日，内蒙古自治运动联合会在王爷庙召开执委扩大会议，总结自治运动开展以来各方面工作情况，安排部署召开内蒙古人民代表会议，成立内蒙古自治政府的有关事项。联合会总会执委、候补执委53人，东蒙总分会执委、候补执委22人以及各盟旗代表共200余人出席了会议。乌兰夫致会议开幕词，并作了《关于目前形势与任务的报告》，分析了内蒙古当前的形势和面临的困难，要求做好军事、生产、教育、民族团结等方面的工作。会议期间，哈丰阿作了《内蒙古自治运动联合会东蒙总分会工作的报告》，特木尔巴根作了《兴安省工作的报告》，奎璧作了《巴、乌盟工作委员会工作的报告》，特克希卜彦作了《锡盟工作的报告》，陈炳宇作了《察盟工作的报告》，白云航作了《卓索图盟工作的报告》。② 这些工作报告对自治运动开展以来各盟的基本情况向会议代表作了详细介绍，在群众工作、政权改造、军队建设及武装斗争、干部培养、经济工作以及与友邻解放区的合作等方面进行了全面、系统的总结。会议对有关成立内蒙古自治政府的一系列具体问题进行了讨论。

4月23日，内蒙古人民代表会议在兴安盟王爷庙隆重召开。出席会议的代表以地区、民族划分为15个代表团，除尚处在国民党统治之下的伊克昭盟、阿拉善、额济纳旗外，共有来自内蒙古大部分盟旗的蒙古（含达斡尔）、汉、满、回、鄂温克、朝鲜等各民族代表共393人。代表包括工人、农民、牧民、知识分子、干部、军人、工商界人士、地方士绅和民族、宗教人士。乌兰夫致开幕词，他指出："自十三世纪以来我们就是一个伟大的民族，是有着极其光辉的历史。成吉思汗在前期为了民族统一和反抗异族侵略，曾经写下了不可磨灭的功绩。""长时期以来，我们的祖先和我们为了自由幸福的生活，为了彻底求得民族的解放是曾经毫不吝惜自己的血肉，前赴后继地作着英勇的斗争。正因为如此，所以我们才能在长期英勇斗争的基础上，而特别是一年多来自治运动的基础上，为这样一次盛大会议的召开，

---

① 《中共中央关于内蒙古自治问题给东北局的复电》，见中共中央统战部编：《民族问题文献汇编》，第1102页。

② 内蒙古自治区档案馆编：《内蒙古自治运动联合会档案史料选编》，第177、189—221页。

提供了充分的条件。这一次会议，可以说是我们的斗争已获得了初步的胜利果实。""由此次会议产生的内蒙古自治政府，将一定能团聚着蒙古民族和境内所有汉回等民族，发挥最大威力，给以重重的一击，加速蒋介石的崩溃。我们有了民族内部和蒙汉间的团结，又有了外部的援助，深信这一目的是一定达到的。蒋介石的进攻一定能粉碎，和平、民主、自由、幸福的新内蒙也一定会出现。"① 博彦满都在致词中说：内蒙古人民代表会议是自成吉思汗以来的一次空前盛会，感谢友邻解放区给予内蒙古自治运动的无私援助。中共西满分局、东北民主联军西满军区代表张平化、辽北省政府主席阎宝航、黑嫩省参议会议长于天放等来宾出席了大会，并应邀发表了讲话，向内蒙古人民代表会议致以祝贺。会议选举出乌兰夫等 25 人组成的大会主席团和哈丰阿等 10 人组成的提案审查委员会。4 月 24 日，乌兰夫代表内蒙古自治运动联合会执委会向会议作政治报告。报告回顾了自大革命以来内蒙古革命斗争的历程，总结了自治运动开展以来的各项工作，在进行自卫战争、加强民族团结、发展经济和文化事业、培养蒙古族青年等方面提出了内蒙古自治政府成立后的主要任务。4 月 25 日至 28 日，会议代表讨论通过了《内蒙古自治政府施政纲领》《内蒙古自治政府暂行组织大纲》《内蒙古人民代表会议宣言》和乌兰夫所作的政治报告；完成了提案审议和临时参议会参议员候选人的资格审查，议定设立办公厅、民政部、公安部、文化教育部、财政经济部、军事部及民族事务委员会、参事厅。对内蒙古自治政府成立后的各项工作作出了全面、具体的规划。

4 月 27 日，内蒙古人民代表会议宣读了给毛泽东主席、朱德总司令致敬电，电文为："毛主席、朱总司令：我们以无比的热情，遥向你们致以衷心的谢意。三百多年来，蒙古民族一直受着大汉族主义的压迫，痛苦是难以尽述的。只有在你们领导下的中国共产党和人民解放军，才完全改变了这种历史的不正常关系，真正以民族平等的精神，来大力协助我蒙古民族的发展（和）求得彻底解放。今天，我们内蒙古人民代表，所以能聚会一堂，商讨并决定着自己民族今后的命运，也完全是由于你们的功劳。深信在你们的英

---

① 《云泽在内蒙古人民代表会议上的开幕词》，见中共中央统战部编：《民族问题文献汇编》，第 1104—1105 页。

明领导下，内蒙民族的前途，必然是无限光明的。我们谨向你们表示，我们一定能遵从你们指示，团结民族内部，并与全国各民族联合起来，彻底粉碎蒋介石进攻，为建设和平民主的新中国与新内蒙而奋斗，不达目的誓不休止。"① 同时，会议还宣读了致斯大林、乔巴山的致敬电。

4月29日，会议选举产生了内蒙古临时参议会。在会前拟定的198名参议员候选人名单中，121人当选。其中蒙古族96人，汉族24人，回族1人，妇女代表5人。

三、内蒙古自治政府的成立

1947年5月1日，内蒙古第一届临时参议会举行了内蒙古自治政府主席、政府委员、参议会议长及驻会参议员的选举。乌兰夫当选为内蒙古自治政府主席，哈丰阿当选为副主席。当选的政府委员有：特木尔巴根、奎璧、阿思根、乌勒吉敖喜尔、胡尔沁毕力格、王再天、那钦双和尔、鄂嫩日图、王海山、哈萨巴特尔、都固尔扎布、高布泽博、旺楚克、包彦、刘春、王铎、胡秉权。博彦满都当选为内蒙古临时参议会议长，吉雅泰当选为副议长。特古斯朝克图、义达嘎苏隆、拉玛扎布、王海峰、克力更、尼玛、旺庆、高万宝扎布、特布信当选为驻会参议员。午后7时，会议宣布内蒙古自治政府正式成立。

5月2日，内蒙古人民代表会议闭幕暨内蒙古自治政府成立典礼隆重举行。内蒙古自治政府主席乌兰夫、副主席哈丰阿及19名政府委员，内蒙古临时参议会议长博彦满都、副议长吉雅泰及9名驻会参议员正式宣誓就职。庆典礼成后，乌兰夫率全体政府委员、参议会议员检阅了内蒙古人民自卫军骑兵第1师部队。当日，聚集于王爷庙街头的数千名各族军民举行了盛大的庆祝活动。

5月3日，内蒙古自治政府召开首届政府委员会议，任命了政府各部门负责人：王再天任办公厅厅长，奎璧任民政部部长，阿思根任军事部部长，特木尔巴根任财政经济部部长，高布泽博任文化教育部部长，朋斯克任公安部部长，松津旺楚克任参事厅厅长。会议决定：将5月1日定为内蒙古自治

---

① 《内蒙人民代表大会致毛主席、朱总司令电》，载《内蒙自治报》1947年5月2日。

政府成立纪念日；以内蒙古自治运动联合会会旗为内蒙古自治政府旗；内蒙古自治政府所在地暂设兴安盟王爷庙。① 5 月 13 日，兴安省政府发布公告，宣布自 5 月 15 日起取消兴安省建制。在 5 月 16 日召开的第二次政府委员会议上，任命刘春为内蒙古自治政府民族事务委员会委员长，胡秉权、胡子寿为副委员长。

5 月 19 日，毛泽东、朱德复电内蒙古人民代表会议，祝贺内蒙古自治政府的成立。贺电全文如下："亲爱的内蒙人民代表大会全体代表们！你们 5 月 17 日来电收到了。曾经饱受困难的内蒙同胞在你们领导之下，正在开始创造自由光明的新历史。我们相信：蒙古民族将与汉族和国内其他民族亲密团结，为着扫除民族压迫与封建压迫，建设新蒙古与新中国而奋斗。庆祝你们的胜利。"② 内蒙古自治政府成立前后，东北、陕甘宁、晋察冀、冀热辽、绥蒙、晋冀鲁豫等解放区中共组织和人民政府也纷纷来电致以祝贺。《新华日报》、《东北日报》、《晋察冀日报》、《冀热辽日报》、《西满日报》和《内蒙自治报》等各解放区报刊都相继发表了关于内蒙古自治政府成立的社论和报道。

《内蒙古自治政府施政纲领》③ 对内蒙古自治政府的性质、任务、施政方针以及各项基本政策作出了明确的规定：

"一、内蒙古自治政府系本内蒙古民族全体人民的公意与要求，根据孙中山先生'中国境内各民族一律平等''承认中国以内各民族之自决权'，中国共产党领袖毛泽东先生《论联合政府》中的少数民族政策的主张及政治协商会议决议的精神而成立。

"二、内蒙古自治政府是内蒙古蒙古民族各阶层联合内蒙古区域内各民族实行高度自治的区域性的民主政府。

"三、内蒙古自治区以内蒙古各盟（包括盟内旗县市）旗为自治区域，是中华民国的组成部分。

---

① 《内蒙古自治政府公告》，载《内蒙自治报》1947 年 5 月 30 日。

② 《毛主席、朱总司令复内蒙人民代表大会电》，见中共中央统战部编：《民族问题文献汇编》，第 1127 页。

③ 《内蒙古自治政府施政纲领》，见内蒙古自治区档案馆编：《内蒙古自治运动联合会档案史料选编》，第 231—233 页。

"四、内蒙古自治区域内的蒙、汉、回等各民族一致团结起来，坚决粉碎帝国主义者及封建买办法西斯大汉族主义者，对内蒙古蒙古民族及各民族人民的侵略压迫，并联合一切赞助内蒙古自治的民主党派及中国境内各民族为实现内蒙古民族彻底解放而奋斗。

"五、内蒙古自治区域内蒙、汉、回等各民族一律平等，建立各民族间的亲密合作团结互助的新民族关系，消除一切民族间的隔阂与成见。各民族互相尊重风俗、习惯、历史、文化、宗教、信仰、语言、文字，各民族自由发扬本民族的优良历史文化与革命传统，自由发展本民族的经济生活，共同建设新内蒙古。

"六、内蒙古自治政府确保人民享有身体、思想、宗教、信仰、言论、出版、集会、结社、居住、迁移、通讯之自由。所有内蒙古人民（农人、牧人、工人、知识分子、军人、公务人员、技术人员、自由职业者、地主、牧主、工商业家、喇嘛以及以前的王公）的人权、财权，均受到自治政府的保障，对蒙汉奸、卖国贼等民族败类，如无悔改诚意则应受到内蒙古自治政府法律之制裁。

"七、凡内蒙古人民，年十八岁以上不分阶级、性别、民族、信仰、文化程度，除剥夺公民权及精神病者外，均有选举权与被选举权。

"八、内蒙古自治政府以民主集中制为组织原则。以内蒙古人民所选举之内蒙古参议会为权力机关。参议会选举内蒙古自治政府委员及政府主席副主席。参议会闭会后，自治政府为最高行政机关。自治政府以下之各级政府，由各级人民代表大会选举之。人民有罢免其代表及参议员之权。任何公务人员，如有不忠于人民利益的行为，人民有控诉之权。

"九、建设与发展内蒙古人民自卫军。军队必须忠于民族、忠于人民、拥护政府、遵守政府法令，加强团结，严整纪律，必须保卫民族与人民的利益，坚决粉碎大汉族主义者侵略，争取自卫战争胜利。政府必须爱护军队，保障兵源与供给，优待军属、烈属、抚恤伤亡，政府与军队协力发展人民自卫武装，共同肃清土匪、奸细，保护交通，安定社会秩序。

"十、保护蒙古民族土地总有权之完整。保护牧场，保护自治区域内其他民族之土地现有权利。对罪大恶极的蒙奸恶霸的土地财产予以没收，分给无地及少地的农民及贫民，合理解决蒙汉土地关系问题，实行减租增资与互助运动，改善人民经济生活。

"十一、提倡劳动，奖励劳动英雄，发展生产，农业区改良农作法，奖励植棉。畜牧区改善饲养法，提倡打井、储草，发展毛织、皮革等手工业，组织运盐采矿，提倡造林，保护森林，施行有计划的采伐，建设道路、通讯、邮电事业，恢复驿站，组织运输及合作社、调剂日用品、保障公务人员、教员、技术人员、医生、文艺工作者等的生活。提倡机关、学校、军队的劳动生产，减轻人民负担，整理财政，建立合理税收制度，废止差役，厉行节约，严惩贪污，建立内蒙古银行，发行货币，发展商业贸易，取缔奸商。

"十二、普及国民教育，增设学校，开办内蒙古军政大学及各种技术学校，培养人才，推广蒙文报纸及书籍，研究蒙古历史，蒙古学校普及蒙文教科书，发展蒙古文化。增进医疗、卫生、防疫及兽医设备，为贫苦人民免费治疗。公布禁止鸦片法，减少疾病与死亡。禁止堕胎，奖励生育，生养子女四人以上者给以各种奖励，增加内蒙古人口。

"十三、实行信教自由与政教分立，保护庙产，提倡喇嘛自愿投资经营农工商业与各种合作事业，奖励喇嘛自愿入学，参加劳动与行医。

"十四、爱护与教育青年，培养青年干部，帮助贫苦青年入学，发展青年组织。

"十五、保护妇女在政治、经济、文化、教育、社会上的平等，提倡婚姻自主及一夫一妻制度，禁止买卖婚姻，蓄奴纳妾、童养媳妇等一切不良制度。

"十六、欢迎一切热心蒙古民族自治解放事业的各民族各阶层人士，参加内蒙古自治工作。

"十七、援助蒋占区蒙古人民，反对大汉族主义民族压迫及蒋家暴政的一切斗争。"

《内蒙古自治政府暂行组织大纲》① 规定：内蒙古参议会为权力机关，由内蒙古各族人民选举产生；内蒙古自治政府为内蒙古最高行政机关。内蒙

---

① 《内蒙古自治政府暂行组织大纲》，见中共中央统战部编：《民族问题文献汇编》，中共中央党校出版社1991年版，第1124—1126页。

古自治政府可在中国民主联合政府法令范围内制定、公布单行法，确定自治政府下辖法院及各部、厅、司等机构的设置；各级地方政府由民选组成，自治政府委任；地方制度划分为3级，即盟、旗（县、市）和努图克（苏木、街、村）。内蒙古自治政府成立时，所辖区域包括呼伦贝尔、纳文慕仁、兴安、锡林郭勒、察哈尔5个盟的34个旗（市），1个县，辖区面积为53.8万平方公里，人口共约200万，其中蒙古族约50万人。

1947年11月初，应内蒙古自治政府的邀请，由额尔钦巴图、功果尔扎布、都嘎尔扎布、哈达等组成的呼伦贝尔地方自治政府代表团到达乌兰浩特，与乌兰夫、特木尔巴根等就呼伦贝尔与内蒙古的统一问题举行会谈。经双方反复协商，达成了一致意见，决定成立呼伦贝尔盟，以海拉尔市、满洲里市、扎赉诺尔市、牙克石街和新巴尔虎左旗、新巴尔虎右旗、额尔古纳旗、陈巴尔虎旗、索伦旗为管辖区域。

1948年1月1日，呼伦贝尔行政委员会召开会议，通过了《呼伦贝尔与全内蒙古实行统一自治宣言》①，正式宣布撤销呼伦贝尔地方自治政府，成立呼伦贝尔盟。1948年1月15日，内蒙古自治政府发布主席令，任命额尔钦巴图、功果尔扎布、包彦毕力格、哈达、都嘎尔扎布、吉雅泰、高锦明、苏林等11人为呼伦贝尔盟政府委员，任命额尔钦巴图为盟长，功果尔扎布、都嘎尔扎布为副盟长，德春任秘书长。2月，呼伦贝尔地方自卫军实行改编，其辖下的3个骑兵团合编为内蒙古人民解放军独立第9团，苏荣任团长，巴图巴根任政委，丹丁扎布任副团长兼参谋长。同时，组成内蒙古人民革命青年团呼伦贝尔盟本部。至此，呼伦贝尔地区完全纳入内蒙古自治政府的管辖范围。

内蒙古自治政府的成立，初步实现了内蒙古地区蒙古族各阶层人民多年来渴求统一与自治的愿望，标志着蒙古民族政治上的彻底解放；是中国共产党运用马克思列宁主义解决国内民族问题的成功范例。对于推动内蒙古地区的社会改革、经济文化事业的发展具有划时代的深远意义。内蒙古自治政府作为中国少数民族第一个实行区域自治的民主政府，她为国内其他少数民族

①　《呼伦贝尔与全内蒙古实行统一自治宣言》，见呼伦贝尔盟党史资料征集办公室编：《呼伦贝尔地方自治史料大纲》（初稿），呼伦贝尔盟党史资料征集办公室1986年印刷，第59页。

的解放斗争树立了成功的典范。

内蒙古自治政府成立后，在中共东北局的领导下，组成了中共在内蒙古的领导机关。为便于开展工作，名称定为内蒙古共产党工作委员会。① 5月26日，东北局作出了《云泽等9同志为内蒙古工委委员的决定》②，任命乌兰夫为内蒙古共产党工作委员会书记，刘春、奎璧、克力更、王再天、王逸伦、哈丰阿、特木尔巴根、王铎为委员，吉雅泰、阿思根为候补委员，方知达为秘书长。中共兴安省工作委员会即行撤销。6月2日，内蒙古共产党工作委员会作出《关于建党问题及党内团结的决议》③。此决议规定："奉中共中央东北局指示，内蒙古共产党工作委员会已经成立，不再建立任何外围党。全体党员要坚决执行党的决议，加强党内团结，严格组织，统一思想、统一步调，迎接伟大而艰巨的革命斗争。"7月1日，举行中共党员大会，纪念中国共产党诞生26周年，会上宣布内蒙古共产党工作委员会于当日组成。7月9日，在王爷庙召开了隆重的群众大会，乌兰夫发表讲话，公开宣布工委成立。

内蒙古共产党工作委员会成立后，进一步建立、健全了内蒙古解放区各盟旗中共各级组织，并不断予以调整、充实。1947年7月，中共巴乌工委与察锡工委合并，称察锡巴乌工委，奎璧任书记，王铎任副书记，刘景平、杨平为委员。同月，中共纳文慕仁盟工作委员会成立，克力更任书记，夏辅仁、陈立新为委员；中共兴安盟中心旗委成立。11月，中共兴安盟中心旗委改称中共兴安盟工作委员会；中共纳（文慕仁）呼（伦贝尔）工委组成，吉雅泰任书记，高锦明、夏辅仁任副书记。中共纳呼工委于1948年12月撤销，分别组成中共纳文慕仁盟工委和中共呼伦贝尔盟工委。

为进一步加强中国共产党对内蒙古地区的领导，充实自治政府及各盟旗干部队伍，提高各级干部的政治素质和工作能力，内蒙古共产党工作委员会和内蒙古自治政府先后开办了内蒙古军政大学、内蒙古党校等院校，以适应军事斗争、地方政权建设、发展经济文化事业的需要。

---

① 《东北局致云泽电》，内蒙古自治区档案馆档案，10—2—5。
② 《云泽等9同志为内蒙古工委委员的决定》，内蒙古自治区档案馆档案，10—2—6。
③ 《关于建党问题及党内团结的决议》，内蒙古自治区档案馆档案，10—2—8。

1947 年 6 月 14 日，内蒙古自治政府作出决定：将原东蒙军政干部学校改为内蒙古军政学校，哈丰阿兼任校长，刘春兼任政委。8 月 7 日，内蒙古共产党工作委员会决定：成立内蒙古军政大学，乌兰夫任校长兼政委，丁士一任教育长；将内蒙古军政学校改为内蒙古军政大学第一院，同时在齐齐哈尔设立内蒙古军政大学第二院。9 月 10 日和 11 月 1 日，两院分别正式开学。

8 月，设在赤峰的内蒙古自治学院与冀热辽解放区创办的建国学院、鲁迅艺术学院合并，共同组成冀察热辽联合大学。

1948 年 9 月 9 日，内蒙古共产党工作委员会决定开办内蒙古党校，乌兰夫任校长。11 月 7 日，内蒙古党校在乌兰浩特市即兴安盟王爷庙正式开学。1947 年 11 月 26 日，内蒙古自治政府决定，自 12 月 1 日起将王爷庙街改称为乌兰浩特市。

第四节　内蒙古解放区的社会改革运动

一、农业区的土地改革

自清末以来，随着内蒙古地区土地开垦面积的日渐扩大，农业在社会经济结构中所占比重愈来愈大，大多数蒙古族人口从事农业或正在转向农业。在内蒙古自治政府管辖的 5 个盟中，兴安盟东部、纳文慕仁盟东南部、察哈尔盟南部以农业为主，哲里木盟、卓索图盟、昭乌达盟的大部分地区已成为较为完全的农业区。

在内蒙古农村，阶级分化较为显著。王公、地主和宗教上层利用封建特权占有了 70%—80% 的土地及大量耕畜、农具等生产资料，对各族农民实行经济剥削和政治压迫。随着农民的破产，土地兼并不断加剧，各族农民不仅在政治上无任何权利，在经济上长期陷于极端贫困的境地。而蒙古族农民因从事农耕的历史较短，经营方式较落后，其境遇比汉族农民更为困顿。蒙古族王公、贵族和大地主除雇佣汉族农民耕种土地，直接收取地租外，还将大片土地出租给地商（俗称"二地主"、"揽头"）。地商则将土地再转租给汉族农民，通过转嫁地租的方式居间剥削。这样不仅加重了汉族农民的负担，还造成了蒙汉民族间的矛盾、隔阂。蒙古族农民一般占有较多土地，但大都由于不擅长农业劳动，缺乏耕作经验和劳动力，通常将所属户口地部分或全部出租给汉族农民，收取一定量的地租，称为"蒙租"，是部分蒙古族农民维持生活的主要经济来源。但由于双方的租佃关系缺乏有效制约，因而往往导致蒙汉族农民间的纠纷。这种状况严重地阻滞着农业生产的发展和社会进步，特别是阶级矛盾与民族矛盾的长期交织、积存以至不断加深，使得内蒙古地区农村的社会状况较内地农村更为复杂。

1946 年 5 月中共中央发出《关于土地问题的指示》后，内蒙古解放区各地农村普遍开展了减租减息、清算反霸运动。中共冀热辽分局、西满分局、辽吉省委派出大批干部分赴内蒙古解放区各盟旗，动员群众打击日伪残余势力，建立基层民主政权，发动对地主的斗争。至 1947 年上半年，昭乌达、卓索图、哲里木盟等地大部分农村已在相邻解放区的影响下，普遍组织了农会，开展平分地主的土地及财产的斗争。通过群众运动，削弱了地主对农民的剥削，触及了封建土地制度，人民生活也有所改善。但是由于缺乏统一的政策依据，加之内战爆发后解放区战事频繁，这一时期的工作大都简单、粗糙，违背了中共中央提出的对内蒙古的各项政策必须"适时慎重"①的指示精神，采取了激烈的斗争方式，因而导致"左"的错误普遍发生。

1946 年 9 月，中共中央东北局、西满分局、辽吉省委分别发出指示，提出："对蒙古工作采取了过左的错误方针，否认民族斗争的特点"，"机械搬运汉人区域群众斗争的经验到蒙古地区去"。② 要求立即停止"对于蒙古地主以暴力没收土地及房产的做法"，"对蒙人地区在发动群众的方针下，也应确定是和缓的、渐进的社会改良方针。"③ "目前在蒙古地区，不是消灭封建剥削，而是削弱封建剥削，不是'耕者有其田'，而是一般减租减息。"④ 指示要求对一年来的群众运动进行复查，纠正"左"倾错误。1947

---

① 《中共中央关于内蒙工作方针给晋察冀中央局的指示》，见中共中央统战部编：《民族问题文献汇编》，第 964 页。

② 《中共中央西满分局关于蒙古工作的总结及几项政策的规定》，见中共中央统战部编：《民族问题文献汇编》，第 1067—1071 页。

③ 《中共辽吉省委关于蒙区工作的意见》，见中共中央统战部编：《民族问题文献汇编》，第 1072 页。

④ 《中共中央西满分局关于蒙古工作的总结及几项政策的规定》，见中共中央统战部编：《民族问题文献汇编》，第 1067 页。

年 3 月 30 日，内蒙古自治运动联合会在王爷庙召开常委会议，总结减租减息斗争开展以来的群众工作，提出："土地问题，不应把汉人一套办法搬到蒙古来。"① 通过复查，内蒙古解放区从带有普遍性的问题入手，着重检查在斗争中忽视内蒙古地区特点、民族特点的问题，将群众运动逐渐纳入正常发展的轨道。

　　1947 年下半年，随着解放战争由战略防御转入战略进攻，内蒙古解放区得到了空前的巩固与发展。除察哈尔盟南部地区仍为国民党军队占据，锡林郭勒盟匪患尚未根除外，大规模军事斗争已基本结束。10 月 10 日，中共中央正式公布了《中国土地法大纲》，宣告废除封建性及半封建性剥削的土地制度，实行耕者有其田的土地制度。同日，内蒙古自治政府颁布了《内蒙古土地制度改革法令（草案）》。11 月 5 日—16 日，内蒙古共产党工作委员会在王爷庙召开了兴安盟群众工作会议，决定立即在内蒙古解放区农村发动彻底的土地改革运动。乌兰夫在会议上宣布了土地改革的方针政策，提出："在农业区要组织力量大举进攻，彻底消灭封建势力。"② 从 1947 年 11 月开始，内蒙古东部地区的兴安盟、纳文慕仁盟、呼伦贝尔盟农村在内蒙古共产党工作委员会的领导下广泛展开了土地改革运动，哲里木盟、卓索图盟、昭乌达盟农村也在中共辽北省委和热河省委的领导下掀起了土改高潮。内蒙古自治政府和相邻解放区为此抽调了大批干部组成工作团、队，深入各盟旗乡村，发动群众平分土地、斗争地主。在贯彻执行土改方针、政策的过程中，为减少阻力，团结各族群众，内蒙古共产党工作委员会还提出了一系列原则，以调整民族关系。这些原则的主要内容是：在发动对蒙古族地主恶霸的斗争时，主要依靠蒙古族农民进行，在发动对汉族地主恶霸的斗争时，由蒙汉农民联合起来共同进行；强调在土地的分配中要照顾蒙古族农民的利益。此外还要求对部分民族上层人士及其家属予以适当的保护。同时，调集内蒙古人民自卫军清剿在解放区滋扰的土匪和叛乱武装，以保证土地改革的顺利进行。

　　至 1948 年 2 月，内蒙古解放区各地农村基本上已完成了发动群众、斗

---

　　① 《联合会常委会记录》，内蒙古自治区档案馆档案，6—1—27。
　　② 《云泽同志在兴安盟群工会议上的讲话》，内蒙古自治区档案馆档案，243—4—10。

争地主、划阶级和平分土地的过程。但在大规模群众运动的高潮中，再度发生了"左"的倾向，致使工作出现严重偏差，运动初期所制定的一系列政策未能得到完全贯彻实施。

各地在划分阶级时盲目搬用了东北解放区的标准，错划了部分蒙古族农民的阶级成分，扩大了打击面，中农的利益普遍受到侵害。一些地区在"群众要怎么办就怎么办"的错误方针指导下，使运动失去了有效控制，对地主、富农采取了"扫地出门"的方式，各地都不同程度地出现了乱打乱杀的现象。在蒙古族聚居的农业区采用汉族农业区的斗争方式，打破了原定的分配原则，忽视了蒙古族转入农业不久、生产力水平较低的特点，平分了出租户口地的蒙古族农民的土地和财产；土地、耕畜、农具普遍分散，绝对平均主义盛行。各地都发生了斗争喇嘛、破坏寺庙的现象。

平分土地阶段出现的"左"倾错误对土地改革运动的发展造成了严重的消极影响，解放区已趋稳定的社会秩序再度出现了动荡不安的局面，在哲里木盟、昭乌达盟，相继发生了多起地方武装和帮会的叛乱。

1948年3月，内蒙古共产党工作委员会对土地改革运动开展以来所取得的经验和教训进行了总结，向干部、群众传达了中共中央1947年12月会议关于纠正"左"倾错误的指示精神，组织干部重新学习土地改革政策，制定了纠偏的具体措施。在工委的领导下，各地迅速展开了纠偏工作。经复查，纠正了部分错划的阶级成分。根据各地生产力状况，严格以剥削量划分阶级；对中农被侵害的部分利益给予了补偿，保障其正当的经济利益，并吸收中农参政；给土地、财产被平分的部分地主、富农以必要的生产和生活资料，对被破坏的工商业给予一定的补偿和扶持。严格规定禁止乱打乱杀，坚决制止一切过激行为，将土改运动置于各级政府的领导之下。

1948年6月，内蒙古东部解放区农村的土地改革运动基本结束。7月，内蒙古共产党工作委员会在哈尔滨召开干部会议，对自治政府成立以来的各项工作进行全面总结，研究了内蒙古东部解放区的土地改革运动，检查了运动中的"左"倾错误，根据"慎重缓进"的方针，补充制定了对农业区的政策。从而形成了一套较为完整的土地改革政策，其基本内容为：①内蒙古境内的土地为蒙古民族所公有；②对汉族地主按照《中国土地法大纲》的规定没收其土地、耕畜和财产；③取消"二地主"，取消蒙租；④将蒙族大中地主的土地、耕畜及财产没收平分给蒙汉农民，除大蒙汉恶霸外，其家属和一般地主均留给与农民相同的份额；⑤出租户口地的小地主的土地不动，其财产也不分；⑥蒙古族富农剥削量不超过其总收入50%的，耕畜和财产一般不动；土地只分其多余部分。中农的土地坚决不动，许进不许出；⑦在斗争果实的分配中适当照顾蒙古族农民的利益，以弥补取消蒙租带给蒙古族农民的部分损失。① 这些规定体现了内蒙古的地区特点和民族特点，对于解决内蒙古农村地主与蒙汉族劳动农民之间的阶级矛盾，处理由土地问题引发的民族矛盾提供了正确的政策依据。

经过土地改革运动，在内蒙古东部解放区、绥蒙解放区农村彻底废除了封建土地制度，农村生产力获得了解放，解放区农村的面貌发生了巨大变化。各族农民在土改运动中都分到了土地、房屋、牲畜和农具，实现了"耕者有其田"的土地制度。据兴安盟和纳文慕仁盟 9 个旗县的不完全统计，蒙汉农民共得到 296.7 万亩土地，15.6 万余头耕畜，房屋 6.5 万余间。② 1948 年下半年，内蒙古解放区农村普遍掀起了"发展生产、支援前线"的丰产运动。内蒙古自治政府在发放大批农业贷款支援农业生产的同时，提倡精耕细作，推广比较先进的农耕技术，使生产力水平有了显著提高。1948 年，内蒙古解放区农业总产量已超过 1947 年总产量的 30%。③ 土地改革运动中组织的农民代表会、人民代表会完全掌握了乡村的政权，民兵和自卫队武装不断壮大，在保卫土改的胜利果实，安定地方秩序的斗争中发挥了重要作用。土地改革后，内蒙古解放区广大农村广泛掀起了参军参战、支援前线的热潮。据不完全统计，哲里木盟有 1.2 万多人参军，组织支前民工 3.6 万多人；昭乌达盟动员了 4 个骑兵师、1 个骑兵旅的兵力，并先后组织了 28 万多名民工支援前线。各地群众还在生活困难、劳动力缺乏的情况下，积极缴纳公粮，捐献财物运往前线。辽沈战役期间，仅兴安盟、纳文慕仁盟、呼伦贝尔盟就缴送公粮 5 500 万公斤，哲里木盟缴送了 1.6 万公斤牛

① 《乌兰夫在内蒙古干部会议上的总结报告提纲》，内蒙古自治区档案馆档案，11—1—3。
② 《乌兰夫在内蒙古干部会议上的总结报告提纲》，内蒙古自治区档案馆档案，11—1—3。
③ 《内蒙古日报》1949 年 2 月 12 日。

羊肉和 4.2 万公斤草料。[1] 内蒙古各族人民全力支援，为人民解放军在东北战场上所取得的胜利作出了巨大贡献。

二、牧业区的民主改革

内蒙古地区的畜牧业有着悠久的历史，在社会经济中占有重要地位。呼伦贝尔盟、纳文慕仁盟、锡林郭勒盟绝大部分是草原，察哈尔盟、兴安盟、哲里木盟、昭乌达盟也有部分牧业区。约有 20 余万蒙古族及其他少数民族人民从事牧业生产。

近代以来，在各牧业区内，王公贵族或总管居于统治地位，他们以其掌握的行政司法权、征税摊派权对牧民实行残酷的压迫、剥削，与宗教上层、大牧主共同构成了牧业区封建统治阶级。牧业区封建所有制的主要标志是占人口少数的牧主拥有大量牲畜，与贫苦牧民在牲畜占有量上形成巨大差异。据呼伦贝尔盟新巴尔虎旗于 1946 年的调查，只占全旗总户数 1% 的大牧主每户都拥有数千头（只）牲畜，而占总户数 1/4 的贫苦牧民则每户牲畜不足 5 头（只），并有相当数量的赤贫户。[2] 据 1948 年对锡林郭勒盟的调查，阿巴哈纳尔旗 538 个牧户中，王公、牧主为 32 户，占总户数的 5.9%，而占有牲畜数量却是全旗牲畜总数的 47.9%；中等以下的劳动牧民为 464 户，占总户数的 86%，占有牲畜仅为全旗牲畜总数的 36.7%。乌珠穆沁右旗的王公、贵族共拥有 15 万头（只）牲畜，占全旗牲畜总数的 1/3。[3] 据昭乌达盟政府对巴林左旗索布日嘎努图克吉必图艾里的调查，全村（艾里）49 个牧户中，7 户牧主占有的牲畜为全村牲畜总数的 1/2，最为贫困的 4 个牧户合计仅有 4 头（只）牲畜。[4] 虽然牧场和其他自然资源一样，依蒙古民族历史传统属全民族所共有，但由于贫苦牧民只拥有少量牲畜，实际上绝大部分优良牧场为封建统治阶级所支配。这种极不合理的生产资料占有状况，造成

---

　① 乌兰夫：《内蒙古各族人民在东北解放战争中的作用和贡献》，见《中共党史资料》第 16 辑，中共党史资料出版社 1985 年版，第 48 页。

　② 《呼伦贝尔盟牧业旗关于若干牧业区畜牧业生产的基本总结执行情况》，载内蒙古党委编：《学习》1955 年第 8 期。

　③ 《中共锡察工委调查报告》，锡林郭勒盟档案馆档案，3—13。

　④ 《巴林左旗蒙民群众运动发展过程及概况》，赤峰档案馆档案，39—4。

了悬殊的贫富差距，形成了贫苦牧民与牧主间的阶级矛盾。

牧主对劳动牧民的剥削主要通过"苏鲁克"方式进行。"苏鲁克"，蒙古语意为畜群，原为封建主征调劳役的一种方式，近代以来一直为王公、牧主所沿袭，庙仓、旅蒙商也大都加以采用。畜主将畜群交由承接的牧民牧放，一般由畜主决定期限，规定畜产品分配比例。承接畜群者多为无畜或少畜的贫苦牧民，在承接期间须保证畜群不受损失并有所增殖，在此基础上按比例得到一定量的奶制品或其他畜产品，收获的羊毛一般以畜主得7成、"苏鲁克"户得3成的定例分配。部分地区须将全年生产的奶制品一半以上交畜主，繁殖的幼畜除一胎产双羔时"苏鲁克"户可得1只外全部归畜主所有。一些畜主对"苏鲁克"户还有其他苛刻的规定，如在牧放期间牲畜有损失，须如数赔偿，无力偿还者须以劳役抵偿。虽然各牧业区因条件各异而在剥削程度上有所不同，但承接"苏鲁克"的牧民生活大都处于贫困之中。在这种对必要劳动进行盘剥的落后生产方式束缚下，牧民终年辛勤劳作却收获甚微，不合理的分配使贫苦牧民对畜群的增殖缺乏兴趣，生产积极性受到压抑。同时畜主的利益也因此受到影响，牧主经济难以得到发展。

庙仓对"苏鲁克"户的盘剥也很严重。上层喇嘛不仅从出放"苏鲁克"中获得利益，还通过各种宗教活动聚敛财富。在喇嘛教的束缚下，牧民每年都要从极其有限的劳动所得中拿出一部分贡奉寺庙，致使承受的负担更加沉重。旅蒙商也通过"苏鲁克"方式为其掠夺式的商业活动服务。他们利用牧业区交通闭塞，牧民商品意识薄弱的状况，以不等价交换和高利贷等手段攫取高额利润，加剧了牧区的贫困化。

雇佣放牧制是封建牧主阶级剥削劳动牧民的另一种形式。随着近代以来原有封建依附关系的逐渐松弛，部分破产牧民为生活所迫离开原籍，到其他旗为牧主雇佣，从事繁重的劳动。在形式上，牧工与牧主是雇佣关系，牧工有选择雇主的自由，定期出卖劳力，但实际上牧工一旦长期受雇于一户牧主，即不得不逐渐依附于牧主。牧工由牧主提供食宿和衣物，为牧主牧放畜群并从事修圈、搭棚、加工畜产品和运输、打井等杂务劳动。牧主向牧工支付的报酬主要是牲畜、粮食等实物，一些地方也以现金支付。但是由于双方商定的报酬缺乏有效制约，故牧主在实际支付报酬时有着较大的随意性。许多牧工处于寄人篱下的境况，不得不承受牧主不断加重的剥削。对打草、挤奶等季节性短工的雇用，牧主同样采取压低工酬的方法剥削牧工。牧工如预支工酬或借用牲畜、车辆，牧主则施以高利贷盘剥。

牧业区落后的生产方式，导致畜牧业经济长期陷于停滞、萎缩的状态，战乱和自然灾害、各种疫病的频繁侵袭使之更加脆弱不堪。据统计，1919年的呼伦贝尔地区有羊120万只，牛40万头。而到1945年，羊的数量下降为40万只，牛不及10万头。[①] 1946年，内蒙古地区的牲畜总数为751万头（只），与1936年相比较减少了19.9%；锡林郭勒盟的牲畜数量比抗日战争前平均下降了48%，其中马下降60%，牛下降58%。[②] 牧业区的社会状况表明：以少数王公贵族、大牧主和宗教上层为代表的封建生产关系以及腐朽的政治、经济制度严重地阻滞着畜牧业经济的发展，是社会进步的巨大障碍。因此，废除一切封建特权，改造落后的封建剥削制度，解放生产力，以带动文化、教育、卫生等项事业的发展，是广大蒙古族人民的迫切愿望，是历史发展的必然趋势。

牧业区的阶级关系和经济形态与农业区相比较有着显著的差别。畜牧业经济是极不稳定的自然经济，表现为经营的分散和流动。畜牧业生产周期较长，牧场和牲畜易遭受自然灾害或人为的破坏，其恢复和发展也须经历较长时间。在各牧业区，除牧主和贫苦牧民外，生产水平居中等的牧民在人数上占较大比例，但其经济地位极不稳定。牧主对牧民的剥削虽有浓厚的封建色彩，但体现雇佣关系的经营方式已具有一定的资本主义因素。因此，保持畜群的基本稳定，并在一定时期内保护、改造和发展牧主经济，是发展畜牧业经济的重要途径。这些特点决定了牧业区的民主改革既要改革束缚生产力发展的旧的生产关系，又必须注意保持畜牧业生产的稳定。

自1946年5月开始，随着内蒙古解放区普遍展开减租减息，清算反霸斗争，各牧业区也逐步进行了废除封建特权的斗争，建立了旗、努图克民主政权，提倡和组织生产自救、互助以减轻牧主对牧民的剥削。这一阶段的斗争虽然还未从根本上动摇封建剥削制度，但通过对旧有的政权组织形式的改造，广大贫苦牧民被初步发动了起来，牧业区的封建势力受到了削弱。

---

① 乌兰夫：《内蒙古自治区畜牧业的恢复发展及经验》，载《内蒙古日报》1953年1月1日。
② 林蔚然、郑广智：《内蒙古自治区经济发展史》，内蒙古人民出版社1990年版，第7页。

1947 年 11 月 4 日，内蒙古共产党工作委员会在王爷庙召开了兴安盟群众工作会议，决定根据《中国土地法大纲》的精神，制定新的工作方针，全面推进内蒙古解放区的社会民主改革进程。乌兰夫在 15 日的会议讲话中提出了牧业区的工作方针："在游牧区提出也要消灭封建势力，就是在消灭封建势力上还要有一个准备的时期。""在游牧地区准备消灭封建，牧主的牲口要分给替他放牧的牧民与奴隶。"① 1948 年 1 月 1 日，《内蒙古日报》发表社论《一九四八年我们的任务》，重申了这一方针。

1947 年底至 1948 年初，与农业区土改全面展开的同时，除呼伦贝尔、纳文慕仁盟外，各盟都组成工作团、队深入牧业区，以农业区土地改革的激烈斗争方式发动了称之为"牧改"的大规模群众性运动。各牧业区大都经历了划分阶级、平分牲畜和财产的过程。大部分牧业区都以牧民占有的牲畜数量划分了阶级，部分富裕牧民被划为牧主，部分一般牧民也被划为牧主或富牧。各牧业区都仿照农业区"耕者有其田"的口号，提出"牧者有其畜"，对牧主的牲畜和财产采取了一律没收、平均分配的办法，将牲畜、财产集中起来，在地方政府或"牧民会"的主持下，由牧民抓阄平分。部分地区还将召庙的牲畜、财产实行平分或没收充公，并强迫喇嘛还俗，还出现了捣毁、焚烧寺庙的现象。斗争方式简单、过火，不仅对大牧主和上层喇嘛"扫地出门"，乱打乱杀的现象也较为严重。

经过分、斗，虽然每个牧户都得到了大体相等数量的牲畜，但由于原来较为稳定的畜群结构被破坏，"苏鲁克"方式被废弃，导致畜群分散、劳动力浪费，出现了管理不善，任意宰杀、转移、出卖牲畜的混乱现象。各牧业区都遭受了不同程度的损失，牲畜数量在一个时期内急剧下降。据昭乌达盟统计，全盟牲畜由 1946 年的 143 万头（只），减少为 1948 年的 93 万头（只），损失 1/3 左右，在部分旗的损失高达 60%—70%。② 察哈尔盟正蓝旗、正白旗在分、斗中损失各类牲畜达 5 万余头（只）。③ 政策的失误，引起了社会秩序的混乱。一些大牧主、上层喇嘛借机煽动叛乱，向旗、努图克

---

① 《云泽同志在兴安盟群工会议上的讲话》，内蒙古自治区档案馆档案，243—4—10。
② 《坚持畜牧业社会主义改造中的积极稳步方针》，载《实践》1958 年第 4 期。
③ 《正白旗、正蓝旗牲畜损失统计表》，锡林郭勒盟档案馆档案，3—39。

民主政府发动袭击，对各盟、旗派出的工作团干部以及参与斗争的牧民实行残酷报复。在"左"倾错误比较严重的昭乌达盟、锡林郭勒盟和察哈尔盟，匪患也较为严重。一些地区还发生了牧主裹胁牧民驱赶牲畜逃往境外的事件。

1948年2月，东北局在了解内蒙古解放区"牧改"的情况后，致电内蒙古共产党工作委员会，要求迅速纠正"左"的偏差，要从内蒙古具体情况出发，不能搬用农村土改方式。3月，内蒙古共产党工作委员会在乌兰浩特召开了兴安盟地区群众工作会议，并召集昭、锡、察盟有关负责人出席会议。会议听取了部分地区平分土地、牲畜的情况汇报，总结了经验、教训。初步确定了稳定牧业区形势，恢复与发展畜牧业生产的有关政策。会议提出了在牧业区不采取农业区土地改革的方式，对牧主及其牲畜、财产不斗、不分，以提高牧工工资的方法保障牧民群众的利益。会后，内蒙古工委向各盟工委发出指示，要求撤回派往牧业区的工作团、队，停止斗争牧主、平分牲畜和乱打乱杀等过火行为。此后，在牧业区蔓延的"左"倾错误逐步得到了遏止。

1948年7月，内蒙古共产党工作委员会在哈尔滨干部会议上，分析了内蒙古地区畜牧业经济发展的历史和特点，在理论和政策上明确了民主改革的任务和应采取的步骤。7月30日，乌兰夫在会议总结报告中指出："游牧区提出1948年也要消灭封建的方针是错误的，这助长了下面工作中'左'的倾向，至于有些游牧区实行平分牲畜更不对"，"上述偏向与错误是很严重的，如不纠正，危险极大。"

报告对牧业区政策作出明确规定："1. 废除封建特权，适当提高牧工工资，改善放牧制度。2. 除罪大恶极的蒙汉恶霸经盟以上政府批准可以没收其牲畜财产由政府处理，一般大牧主一律不斗不分。3. 实行民主改革，有步骤地建立民主政权，发展游牧区经济。"①

乌兰夫的报告和会议制定的各项政策，得到了中共中央东北局的充分肯定，其主要内容被列入东北局负责人所作报告的一部分，②经中共中央批准

---

① 《乌兰夫在内蒙古干部会议上的总结报告提纲》，内蒙古自治区档案馆档案，11—1—3。
② 高岗：《在内蒙古干部会议上的讲话》，中共中央统战部编：《民族问题文献汇编》，第1142页。

后公开发表，在内蒙古地区各族干部中进行了广泛宣传。

　　"不斗、不分、不划阶级"和"牧工牧主两利"（时称"三不两利"）政策作为牧业区民主改革的基本方针正式确定了下来。会后，内蒙古工委发出指示，要求从事牧业区工作的干部认真调查研究牧业区阶级结构和经济特点，贯彻"三不两利"政策，制定适合当地情况的具体办法，促进畜牧业经济发展，特别强调在工作中力戒盲目和急躁情绪，采取措施、纠正错误，消除不良影响。实行"不斗、不分、不划阶级"和"牧工牧主两利"政策，即不采用激烈的方式斗争牧主，对一般牧主的牲畜及其他财产不予没收、平分；不公开划定阶级成分，以比较缓和的方式解决牧业区的阶级矛盾；限制牧主对牧民的剥削，同时保存并适当发展牧主经济，以保证畜牧业生产的稳定发展。这些政策一经实施，牧业区的社会秩序即逐步得到了稳定，牧工和牧主的生产积极性也有了较大提高。在此基础上，内蒙古自治政府还向牧业区发出了"增畜保畜"、"人畜两旺"的号召。自1948年下半年开始，各牧业区都根据"三不两利"政策，对牧主采取了团结、教育、改造的方针，并从当地实际出发，对旧的畜牧业生产经营方式进行了改良，普遍实行了新的"苏鲁克"方式。在地方政府的指导、监督下，订立合同，牧主不得随意收回畜群，压低工酬，以提高"苏鲁克"户的劳动所得，按比例分配繁殖的仔畜，增加"苏鲁克"户对奶制品和皮、毛等畜产品的分配份额。

　　对于喇嘛和庙仓，采取了慎重的方针和比较宽松的政策。在废除庙仓享有的一切封建特权的同时，严格区别宗教信仰和经济剥削的不同情况，其畜群全部实行新的"苏鲁克"方式，并引导喇嘛参加生产。对于自由贸易采取鼓励和扶持政策，提倡公平交易，制定和推行合理的价格政策，严格限制、取缔部分旅蒙商在牧业区从事的不等价交换和重利盘剥。内蒙古自治政府还对牧业区采取减轻税收政策，并拨出部分资金发放牧业贷款，救济贫苦牧民，扶持畜牧业经济；组织牧民劳动互助，进行牲畜疫病的预防和治疗，增强抵御自然灾害的能力。

　　经过民主改革，广大牧民群众摆脱了封建压迫，在政治上获得了彻底解放，生活得到了明显的改善。牧业区的社会生产力得到了显著的恢复和发展，畜牧业经济进入了初步繁荣、稳定的时期。各阶层拥有牲畜的数量都普遍增加，中等牧民迅速增多，牧主经济也有了较大发展。此后，内蒙古自治区人民政府对各牧业区的生产经营方式陆续提出了一系列具体政策和措施，进一步完善了"牧工牧主两利"政策，并将东部区民主改革运动中取得的成功经验向内蒙古西部各牧业区加以推广，取得了预期的效果，避免了可能出现的偏差。

三、半农半牧区的社会改革

内蒙古地区的半农半牧区，大多是清末以来随着牧场的开垦和移民的增加而逐渐形成的。这里呈现着农田和牧场交错分布的格局，农牧业经济互相影响渗透，蒙汉民族杂居。一些汉族官僚、地主通过开垦牧场占据大片土地；部分蒙古族王公、贵族、牧主也以"放荒"、"招垦"的方式将牧场改作农田。牧场的日趋缩小，迫使一批批蒙古族牧民弃牧为农，或不得不兼营农业。部分牧民由于不谙农耕技术而将牧养地招垦耕种，向租种土地的汉族农民收取一定数量的地租。还有一些牧民将户口地作价出典，因而失掉土地。汉族佃农因无地、少地故无能力、也无兴趣向土地投资，耕作技术粗放，单位面积产量低下，地力消耗甚烈。不少地区的自然条件不适于种植业发展，开垦后不久便出现严重的沙化现象。因而导致了一方面耕地不断蚕食牧场，另一方面已开垦的土地相继"撂荒"的恶性循环。不仅严重地破坏了生态环境，使农牧业之间的矛盾激化，并因此常常引起蒙汉族农牧民间的纠纷。与农业区和牧业区相比较，半农半牧区的社会面貌更为复杂，阶级关系、生产方式也有较大差异。

半农半牧区的农业生产经营方式主要是"耪青"雇工制，即地主招来无地的流民或少地的自耕农为其耕种土地，按双方约定比例分配收获物。地主和"耪青"户虽不是租佃关系，雇工不负担税赋，但在分配上仍反映着劳役地租的剥削形式。各地的"耪青"制存在着一定的差别，地主对"耪青"户的剥削程度也有所不同，但是雇工的生活境况大都十分困窘。雇工辛劳一年的所得大部分被地主占有，剩余部分仅能维持生计，遇到灾荒或其他变故时，不得不向地主或高利贷者告贷。同时，与农业区土地租佃关系相比较，"耪青"户多为流民，所耕种的土地一般难以固定，向土地投资的兴趣较佃户更为淡漠。因此，"耪青"雇工制是封建制度所造成的土地使用不合理的产物，其反映出的民族矛盾、农牧矛盾错综复杂。

半农半牧区的农耕历史较短，畜牧业在经济生活中占有较大比重。这些特点决定了半农半牧区的社会改革不能简单地以农业区土地改革的方式进行，必须在解决阶级矛盾的同时，注意调整农牧业间的关系和民族关系。

自 1946 年上半年至 1947 年，内蒙古中、东部地区的半农半牧区普遍开展了减租减息、清算反霸斗争，建立了各旗、县民主政权。群众运动在经历了与农业区、牧业区一样的"左"倾错误后，至 1947 年下半年，半农半牧区的各项改革进入了稳步发展的时期。内蒙古共产党工作委员会在考察分析了半农半牧区社会状况的基础上，决定在半农半牧区不实行土地改革，而相应制定了"发展农业，发展畜牧，适当地提高贫苦农牧民的生活"的方针。明确规定："半农半牧区经济发展，为农业或牧业。依靠群众自愿与自然条件决定，并应保护牧场。"① 同时根据半农半牧区的经济特点、民族关系特点，制定了以解决阶级矛盾、调整农牧关系和民族关系为主要内容的一系列具体政策，即：在农业占优势的地区，大中地主固定的大垄地和耕畜实行平分，"漫撒子"（一种粗放的农耕方式，在新开垦的土地上播种后不加管理，收割后即弃置）地和牧畜一律不分；小地主和富农不动。在牧业占优势的地区，除大地主的耕畜分给农牧民外，牲畜和财产不分。个别恶霸地主的土地、牲畜和财产，经政府批准后没收，土地分给农民和愿从事农业生产的牧民；牲畜由地方政府组织牧民统一经营，严禁分散畜群。通过这些政策的实施，半农半牧区的农牧民摆脱了封建地主的压迫和剥削，"榜青"户普遍分得了属于自己的一份土地，成为自耕农，生活条件有所改善，生产积极性大为提高。

为合理解决农牧业间长期存在的矛盾、冲突，内蒙古自治政府根据半农半牧区群众意愿，经对自然条件的考察后，确定半农半牧区的范围，划分农田、牧场的界限，禁止盲目开荒。对自然条件适宜农牧业经济并存的地区实行"农牧并重"的政策，鼓励农牧业共同发展，缓解以农挤牧或以畜伤农的矛盾。对农业生产经营不善，易引发矛盾纠纷的地区，一般采取封闭耕地的办法，帮助、指导有条件的农牧民逐渐转向各自擅长的生产方式。同时，大力提倡"蒙汉互助，发展生产"，为形成农牧业互相支援、互相补充、促

---

① 《乌兰夫在内蒙古干部会议上的总结报告提纲》，内蒙古自治区档案馆档案，11—1—3。

进的局面创造条件，农业区及时向牧业区运送粮食、饲料，增强抗灾能力，提高牧业生产水平，牧业区向农业区输送耕畜、肉畜和肥料，改变农业生产长期的粗放状况。

从 1949 年开始，内蒙古自治政府对半农半牧区的畜牧业生产采取了着重保护、扶持的政策，将"农牧并重"的方针改为"保护牧场，禁止开荒"，明确提出："半农半牧区的发展前途是牧业经济"，"要有计划、有步骤地提倡发展畜牧业"。① 为贯彻这一方针，工委对部分干部、群众思想上存在的"重农轻牧"、"牧业落后"的错误观念给予了批评、教育，及时地纠正了社会改革中出现的各种偏差。同时，对半农半牧区实行轻税政策，规定以农业为主，或农牧兼营而所占比重基本相等的农户、牧户免征牧业税，给予政策优惠，提倡和鼓励兼营牧业。由于兼营牧业在农民生活中的比重日益增加，牧民的牧业生产得到了保障，农牧民群众的生活水平比改革前有较大改善。

第五节　内蒙古骑兵部队的发展壮大

一、自卫解放战争中的内蒙古骑兵

内蒙古自治运动实现统一后，内蒙古地区蒙古民族武装各部队一律改编为内蒙古人民自卫军。乌兰夫任司令员，阿思根任副司令员。驻锡、察地区的原内蒙古骑兵独立旅改编为内蒙古人民自卫军骑兵旅，李秀山任旅长，云麟任参谋长，寒峰任政治部主任，下辖 3 个团。驻巴、乌地区的内蒙古人民游击队改编为内蒙古人民自卫军第 4 支队，乌勒吉敖喜尔任支队长，关保扎布任政委、武能齐任参谋长、李文精为政治部主任，下辖两个大队，共 700 余人。

1946 年 5 月，内蒙古人民自卫军兴安军区组成后，对内蒙古东部地区各支蒙古民族武装实行统一整编。将原东蒙古人民自治军第 1、2、4、5 师

---

① 内蒙古自治区档案馆：《内蒙古自治区畜牧业政策资料摘编》（1947—1983 年），内蒙古自治区档案馆 1983 年印刷，第 10 页。

及兴安支队、6支队、警卫团、教导团改编为内蒙古人民自卫军部队，同时对部队归属和指挥员进行了部分调整。骑兵第1师，师长莫德勒图（后由王海山接任），政委胡秉权，副师长兼政治部主任都固尔扎布，参谋长额伯日勒图，下辖4个骑兵团。骑兵第2师，师长那钦双合尔，政委赵石、副政委包彦、参谋长白音布鲁格、政治部主任协儒布僧格，下辖5个骑兵团。骑兵第4师，师长和子章，政委乌力吉那仁，副师长阿民布和，政治部主任蒙和舞乐极，政治部副主任刘昌，下辖6个骑兵团。骑兵第5师，师长鄂嫩日图，政委朱子休（后由克力更接任），副师长何忠明，副政委夏辅仁、吴泽民，参谋长鄂秀峰（后由姚凤贤接任），政治部主任沃志文，下辖5个团。兴安支队归骑兵第1师指挥，支队长包启文，政委沙友石，参谋长莫日根。第6支队归骑兵第2师指挥，支队长由白音布鲁格兼任，丹森宁布任参谋长。

各部队完成整编后，为集中力量，适应跨地域作战的需要，统一指挥在兴安盟、哲里木盟的军事行动，内蒙古人民自卫军兴安军区与东北民主联军辽吉军区组成联合司令部，邓华为司令员，阿思根为副司令员，陶铸为政委。阿思根与陶铸还在通辽举行会议，确定了联合司令部的工作方针，即加强蒙古族内部的团结，增进蒙汉各族人民的团结，建立广泛的统一战线，共同抵御国民党军队对内蒙古解放区的进攻。会后，阿思根和陶铸共同签署发布了《告蒙古同胞书》《告蒋管区蒙汉同胞书》，号召各族群众参军参战，支援人民军队。

内蒙古人民自卫军骑兵第2师与东北民主联军辽西军区通鲁警备区于5月中旬共同组成了蒙汉联军，乌力图为司令员，高体乾为副司令员，吕明仁为政委，谭刚任参谋长，包文卿任副参谋长，曾敬烦任政治部主任，协儒布僧格任政治部副主任。同时，巴彦塔拉东蒙军政干部学校与辽西军政干部学校实行合并，成立辽吉军政干部学校，乌力图任校长。

5月底，东蒙古人民自治军骑兵第6师与东北民主联军西满军区铁路警备旅共同组成联合卫戍司令部，功果尔扎布为司令员，王化一为副司令员。6月，第6师改编为内蒙古人民自卫军骑兵第6师，登登泰任师长，王化一任政委，拉一任政治部主任，明善任参谋长。设两个团编制，共300余人。7月，骑兵第6师又改称呼伦贝尔地方自治军，登登泰为司令员，钢苏和为政委，伊士敖力布为参谋长。7 月，内蒙古人民自卫军兴安军区呼纳地区指挥部在海拉尔成立，特木尔巴根兼任司令员，方知达兼任政委。

1946 年 7 月，八路军晋察冀、晋绥军区部队将东进的绥远国民党军队一部围困于大同。国民党东北挺进军第 1 军先遣第 1 旅的蒙古族官兵在旅长海福隆率领下脱离战场，到达阳高县八里台，于 8 月 11 日通电全国，宣布起义。经八路军绥蒙军区和内蒙古自治运动联合会决定，对起义部队进行整训，改编为内蒙古人民自卫军第 5 支队，任命海福隆为司令员，齐广武为副司令员，塔宝福为参谋长，巴音巴图为政治部主任，支队下辖 1 个团 5 个连，共 400 余人。1946 年 9 月 8 日，内蒙古人民自卫军卓索图盟纵队在赤峰组成，白云航任司令员，孔飞任副司令员，金起铣任政治部主任，田户任副参谋长，乌兰任政治部副主任。纵队统一指挥喀喇沁左旗、敖汉旗、土默特右旗（今辽宁省北票县）等旗的地方武装，配合内蒙古人民自卫军骑兵第 4 师，在西拉木伦河南北交通要道开展游击战争，清剿在昭乌达盟解放区袭扰的国民党地方武装及土匪。

11 月 7 日，内蒙古自治运动联合会对察哈尔、锡林郭勒、巴彦塔拉、乌兰察布地区的军事斗争进行统一部署，决定成立内蒙古人民自卫军巴乌军区，任命乌勒吉敖喜尔为司令员，奎璧为政委。在内蒙古人民自卫军第 4 支队、第 1 支队、骑兵旅及第 5 支队基础上分别组建第 11 师、第 12 师、第 16 师、第 17 师，任命乌勒吉敖喜尔兼任第 11 师师长，关保扎布为政委、武能齐任参谋长；李森为第 12 师师长；李秀山为第 16 师师长，王铎为政委；海福隆为第 17 师师长，齐广武为副师长。部队实行改编后，除第 12 师未能按计划组建外，各师分别进入游击区，与进犯解放区的国民党军队和叛乱武装展开战斗。

1946 年 6 月，全面内战爆发，国民党军队出动大批兵力向各解放区发动大规模进攻。东北国民党军队继占领锦州、沈阳、长春、承德等城市后，又以李守信、乌古廷等为首的"热辽边区自卫军"和包善一、包国良等为首的"东北骑兵独立支队"（后编为新编骑兵第 1 军）等地方武装为配属力量，向内蒙古东部解放区发起进攻，相继占领了开鲁、通辽、库伦、吉尔嘎朗、巴彦塔拉以及毗邻地区的彰武、法库、郑家屯等城镇。在内蒙古西部地区，绥远国民党军队占领张家口之后继续北进，占领了张北、宝昌、商都、多伦、康保等地。国民党军队为形成对内蒙古解放区的包围，力图隔断内蒙古解放区与东北、华北解放区的联系。随着战事的加剧，内蒙古中、东部地区局势再度恶化。部分王公上层、地方武装首领纷纷策动叛乱，公开投向国民党，在国民党的支持下，组成地方政权，建立武装，袭击各旗、县民主政权，在解放区大肆袭扰。

1946 年 7 月，哲里木盟库伦旗、奈曼旗相继发生暴乱，由国民党新委任的库伦旗札萨克罗布桑林沁、奈曼旗札萨克苏达那木道尔计率众投向国民党，被驻阜新的国民党军队编入"热河边区保安总队"；7 月下旬，哲里木盟科左中旗发生暴乱，叛匪苏和巴特尔纠集格瓦拉喜、"压八路"等 10 余股土匪，又发动了科左后旗地方武装的叛乱，后被东北国民党军队编为蒙古骑兵第 1 旅。

8 月，国民党东北行营在锦州组建了蒙旗联防指挥部，以策反哲里木、卓索图、昭乌达盟的地方武装，组织收编蒙旗反共势力，配合国民党进犯内蒙古解放区的军事行动。国民党军队占领巴彦塔拉后，国民党扶持的哲里木盟政府及党部也迁至巴彦塔拉，并组成"热河蒙旗自卫军"，以乌古廷为司令，李琰耕为参谋长，刘大光为督导官，招纳各地叛军 2 500 余人。同时在开鲁设立联防司令部，李守信为总司令，设热北、辽北两个防区，贺喜业勒图墨尔根和土默特左旗札萨克云丹桑布分任防区司令。"热河蒙旗自卫军"占领开鲁后，李守信、乌古廷、张念祖、苏达那木道尔计、塔尔巴等合流，以开鲁为据点，向哲、卓、昭盟解放区频繁发动进攻，造成严重危害。

8 月—11 月，昭乌达盟接连发生阿鲁科尔沁旗德布勒庙喇嘛塔尔巴、自卫军骑兵第 4 师第 37 团团长福生嘎，第 34 团副团长韩桑杰，第 35 团团长额勒登格等发动的 10 余起叛乱事件，内蒙古自治运动联合会和自卫军派驻当地的多名干部、战士遭到杀害。9 月，兴安盟喜扎嘎尔旗（今属科尔沁右翼前旗）发生暴乱。内蒙古人民自卫军兴安军区教导团第 2 连连长乌云毕力格与土匪勾结，杀害旗长兼教导团团长唐永琢、副团长吉格木德等 8 名干部，制造了"索伦惨案"。

10 月，锡林郭勒盟发生布利亚特旗的武装叛乱。匪首仁钦道尔吉率部与昭、卓盟叛匪相呼应，在锡察解放区大肆袭扰，残杀近百人。该匪在解放区腹地的活动，引起了国民党华北剿总的重视，仁钦道尔吉先后受到傅作义、蒋介石的接见，并被委以热察蒙边剿匪第 1 路军少将司令之职。

1947 年 3 月，原镶黄旗总管穆克登宝策动镶黄旗、商都旗公安队叛乱，并联合锡、察、乌盟各旗民族宗教上层，组成"脱离内战委员会"，发表了《反对内战宣言》。除穆克登宝外，参加者有太仆寺右旗总管诺尔布扎那、太仆寺左旗总管色楞那木济勒、阿巴嘎旗札萨克雄诺敦都布、四子王旗协理贡扎布、苏尼特左旗札萨克根登丕烈等。穆克登宝一方面宣称"蒙古人不参加国共两党之争"，"蒙古人不互相残杀"；另一方面却投向国民党，在张家口就任了察哈尔盟旗保安司令，率其部众与嘎希、何文瑞等多股叛匪合流，配合国民党军队进犯锡察解放区。

在国民党军队大举进犯、地方反叛势力活动猖獗的严重形势下，内蒙古人民自卫军所属各部队放弃部分城镇，在距离城市和铁路线较远的广大乡村、牧区开展游击战争，抵御国民党军队的北进。同时进行了剿匪和平息暴乱的斗争，与国民党军队及其支持的叛匪对各战略要地展开了反复争夺，积蓄力量，准备收复失地。

1946 年 10 月，内蒙古人民自卫军骑兵第 1 师第 1、3 团及炮兵部队出击喜扎嘎尔旗，击溃占据索伦镇的叛匪，平息了叛乱。12 月，骑兵第 1 师部队南下哲里木盟，与骑兵第 2 师共同向叛军发起反攻，于 31 日击垮苏和巴特尔、格瓦拉喜匪帮，收复了哲盟重镇舍伯吐。1947 年 1 月 1 日，叛军集中 2 000 余人的兵力再度攻占舍伯吐。内蒙古人民自卫军骑兵第 1、2 师部队与东北民主联军部队联合作战，乘敌立足未稳之机，发起迅猛攻势，夺回舍伯吐。

1947 年 1 月，东北民主联军发动了"三下江南、四保临江"战役。内蒙古人民自卫军骑兵第 1、2 师为配合攻势作战，与辽吉军区第 5 军分区共同组成蒙汉联军，由阿思根任司令员，高体乾任副司令员，赵石任政委。蒙汉联军在统一指挥下，向占据哲里木盟及毗邻地区部分城镇的国民党军队和叛匪发起攻击，相继收复哈尔套、后新秋等地。2 月 27 日，蒙汉联军攻克开鲁，毙、俘敌 800 余人。国民党"热河蒙旗自卫军"遭到毁灭性打击。3 月，骑兵第 1 师奔袭吉尔嘎朗，歼敌 300 余人，俘虏保安司令贺喜格。在反攻作战中，兴安军区所属各部队互相配合、连续发动攻势，迫使各地敌军陆续陷于孤立无援的困境。开鲁解放后，国民党新编骑兵第 1 军所属王华兴、洛布等部 1 000 余人被迫向内蒙古人民自卫军部队投诚。

内蒙古人民自卫军骑兵第 2 师配合东北民主联军辽西军区部队在郑家屯一带发动攻势，向哲里木盟以东地区的国民党军队发动突袭，一举攻克通辽，击溃国民党辽北保安第 18 师及骑兵独立旅。骑兵 2 师将撤往康平方向的敌军大部围歼于哈拉乌素庙，生俘第 18 师师长田久安，毙俘敌 400 余人。通辽解放后，2 师对活动在哲盟的小股国民党军队继续展开追击，并全歼土匪"满天红"、"打一面"。6 月 8 日，2 师与东北民主联军辽吉军区部队协同作战，击溃国民党新编骑兵第 1 军包善一部，再次解放通辽。至此，国民党军队与各盟旗叛乱武装结成的"联防"体系彻底瓦解，哲里木盟地区已为内蒙古人民自卫军部队所控制。

1946 年 12 月，国民党第 13 军调集两个师由承德、隆化、围场出动，第 93 军一个师由赤峰出动，向昭卓盟解放区发动大规模围攻，企图摧毁冀热辽根据地后方。达理扎布、额勒登格、塔尔巴、韩桑杰等叛乱武装以国民党军队为后援，乘势深入解放区腹地袭扰。12 月 15 日，叛匪集结 2 000 余骑，袭击阿鲁科尔沁旗天山镇。昭乌达盟蒙汉联军与进犯敌军展开激战，将敌击溃，取得了天山保卫战的胜利。

1946 年 11 月，中共察锡工作委员会调集两个骑兵连，发起追剿仁钦道尔吉匪帮的战斗，将其逐出了锡察地区。1947 年 5 月，仁钦道尔吉部由多伦进入昭乌达盟，与韩桑杰、白金辉等股匪结伙为害。6 月 12 日，内蒙古人民自卫军第 11、16 师协同冀热辽军区蒙汉联军，将该匪合围在察哈尔盟南部正蓝旗境内，经激烈战斗，除仁钦道尔吉及部分匪徒在国民党军队的接应下脱逃外，大部分匪徒被缴械、俘虏。

自 1946 年 10 月至 1947 年 7 月，内蒙古人民自卫军骑兵第 11、16 师配合华北解放军主力积极进行防御作战，先后 3 次击退了国民党军队对锡察解放区的大规模进攻，歼灭、击溃丹巴、何文瑞、嘎希及穆克登宝等多股叛匪，有力地保障了锡察根据地的安全及与相邻解放区的联系。

东北民主联军继取得"三下江南、四保临江"战役的胜利后，为迫使国民党军队收缩战线，彻底扭转根据地被分割的不利局面，自 1947 年 5 月至 1948 年 3 月，连续发动夏、秋、冬季攻势作战。内蒙古人民自卫军骑兵第 1、2、5 师、第 6 支队奉东北民主联军司令部命令开赴辽北、辽西战场，配合主力部队作战。

6月5日，骑兵第1师第1、3团、炮兵团和第6支队开赴辽北前线。6月30日，1师与民主联军辽北第1分区部队在康平县组成蒙汉联军司令部，以赵东环为司令员，都固尔扎布为副司令员，统一指挥所属各部队，执行打击在辽河以北布防的国民党军队及清剿流窜土匪的作战任务。7月1日，东北民主联军向四平守敌发起强攻，国民党新编骑兵第1军第1师前往增援，蒙汉联军在康平县三台子一带设伏阻击，将其大部歼灭。7月4日，骑1师部队击溃了逃往法库县的国民党骑兵第1军残部。在夏季攻势作战中，内蒙古人民自卫军骑兵第1师南下作战10余次，历时两个月，肃清了康平、法库、彰武外围的国民党军队，取得了毙敌151名，俘敌629名，击落敌机一架的战果。

在秋季攻势作战中，骑1师奉命参加破袭东北国民党军队交通补给线——北宁路（北平至沈阳的铁路干线）的战斗，先后3次突入国民党占领区，炸毁白旗堡、中腰堡铁路桥两座，破坏铁路数十里。使北宁路一度完全瘫痪。10月12日，骑1师配属东北民主联军第7纵队，参加了攻打大虎山守敌的战斗，有效地牵制了东进的国民党新编第6军。11月，又配合东北野战军主力攻克了新民、法库、新立屯、黑山、阜新和新丘等城镇。

冬季攻势作战开始后，骑1师参战部队奉命开赴法库县外围执行堵截驻法库国民党军队出逃、监视驻彰武、新立屯国民党军队的战斗任务。同时为配合主力部队对困守孤城的国民党军队实行全面封锁，骑1师对伺机出城抢粮的小股敌军进行追歼，并插入法库与新民之间地带，隔绝各城镇的敌军，使其无法相互救援。11月，骑1师连续进击，歼灭了活动在东辽河流域一带的土匪武装，并与辽北第1军分区部队共同对通江口之敌发起猛攻，全歼敌新6军22师突击大队，毙伤敌200余人，生擒敌大队长以下近百人。

1947年12月至1948年2月，骑1师挺进辽南奔袭作战，先后解放了台安、盘山、辽中3县。在冬季攻势作战的3个月内，骑1师共作战20多次，歼敌1 000余人，缴获武器800余件，圆满地完成了战斗任务。

内蒙古人民自卫军骑兵第2师参加夏季攻势作战后，对所属各部队进行了整编，成立了哲里木盟军分区。由那钦双合尔任司令员，赵石任政委，白音布鲁格任副司令员。11月，昭盟军分区第11、12团奉命到长春、农安、黑山、北镇地区参战，阜新蒙古骑兵团配合行动，打击国民党地方武装，封锁彰武，为民主联军歼灭彰武之敌创造了条件。此后又在新立屯、头台子等地作战，堵截逃敌。

在察哈尔盟、锡林郭勒盟，内蒙古人民自卫军骑兵第11、16师与国民党军及其所支持的叛匪展开了艰苦的游击战。1947年秋，第11、16师与察北分区部队组成察北蒙汉联军及北线指挥所，乌勒吉敖喜尔任总指挥，苏克勤任政委。北线指挥所统一指挥内蒙古人民自卫军第11、16师及察北地区地方武装，受察北蒙汉联军司令部和内蒙古人民自卫军司令部双重领导。自1947年4月至11月，11、16师在运动战中击退了国民党傅作义部发动的3次大规模多兵种重点进攻和"毁灭扫荡"，与敌军进行了上百次战斗。先后歼灭或击溃被国民党军收编的叛匪计有：太仆寺右旗的丹巴部，多伦喇嘛印务处的何文瑞部，苏尼特左旗的仲乃部，布里亚特旗的仁钦道尔吉部，镶黄旗的穆克登宝部以及西乌珠穆沁旗的胡图凌嘎部。

1948年1月26日至29日，乌勒吉敖喜尔率11师和16师第5团长途奔袭，在苏尼特右旗全歼该旗叛匪，取缔了国民党设在陶高图庙的锡林郭勒盟政府，俘获国民党锡林郭勒盟党部书记长那顺巴雅尔。陶克图庙战斗之后，察锡地区的叛匪武装基本被肃清，部分散匪逃入乌兰察布盟。以穆克登宝为首的国民党察哈尔蒙旗第1区保安司令部和以胡图凌嘎为首的国民党蒙边剿匪第1路军司令部被迫南撤，退守宝昌、康保、多伦一带。

1947年11月，内蒙古人民自卫军司令部、政治部正式成立。1948年1月1日，内蒙古人民自卫军改称内蒙古人民解放军，同时组成内蒙古军区。乌兰夫任司令员兼政治委员，阿思根、王再天、那钦双和尔任副司令员。内蒙古军区共辖有骑兵第1、2、3、4师（第4师后改编为第10师）及第11、16师；卓索图盟纵队，独立3、5、9团及军区警卫团等部，兵力约2万余人。

1948年春，骑兵第2师奉东北野战军司令部命令，开赴彰武以南地区，切断新民至大虎山的交通，占领了柳河西岸，执行封锁沈阳、新民国民党军队以及清剿辽西地区土匪武装的战斗任务。自4月至7月，骑2师配合兄弟部队与国民党军队进行了大小10余次战斗，消灭了近千名企图逃越封锁线的敌军官兵。8月8日，骑兵第1师到达新民城下接替骑2师任务。时值秋收季节，被围困于城内的敌军不时派出小股部队出城抢粮。骑1师投入大部分兵力追歼抢粮敌军，保护群众秋收，继续对新民城实行严密的经济封锁。9 月 10 日，参加围困长春之敌的骑兵第 1 师一部配合东北人民解放军嫩江军区、辽北军区部队，一举全歼由长春出逃的国民党保安旅。

二、内蒙古骑兵参加辽沈、平津战役

1948 年 9 月 12 日，东北人民解放军发动辽沈战役，与东北国民党军队展开战略决战，内蒙古人民解放军骑兵第 1 师奉命配属东北野战军第 10 纵队，转战于北宁路和饶阳河两岸，执行战役侦察，运动防御任务，加入打援部队，阻击由沈阳、新民西进、企图增援锦州的国民党廖耀湘兵团。10 月 13 日，骑 1 师击溃突入防区的敌骑兵旅，保障了第 10 纵队右翼阵地的安全，支援了主力部队攻击锦州的作战行动。10 月 15 日，东北野战军攻克锦州。骑 1 师奉命连夜向台安、盘山、沟帮子一带奔袭，阻截由锦州出逃的敌军残部。19 日，骑 1 师在大虎山、黑山一线布防，掩护东北野战军第 10 纵队前沿阵地，阻断企图由锦州东逃的敌军的退路。10 月 22 至 24 日，国民党新编第 6 军大批精锐部队在飞机和地面炮火的援助下，向胡家窝铺、清水泡子两地骑 1 师阵地发起猛烈进攻。骑 1 师顽强应战，与兵力超出我军数倍的敌军展开殊死战斗，在坚守阵地的同时，发挥骑兵勇猛、迅速的优势，不时向敌军发动突袭，予敌重大杀伤，有力地遏制了敌军的攻势。在激战中，1 团 2 连连长布和吉雅、2 团 3 连连长拉木扎布、指导员敖敦满都拉等近百名指战员牺牲。骑 1 师在黑山、大虎山一线的阻击战，为保障兄弟部队阵地侧翼的安全，为东北野战军在辽西包围、全歼国民党廖耀湘兵团的战斗赢得了时间。辽沈战役取得决定性胜利后，骑 1 师又奉命追击残敌；11 月，由辽南北上抵达彰武，追歼由辽西战场脱逃、进入内蒙古解放区的以苏和巴特尔为首的国民党东北蒙骑第 1 旅残部。

骑兵第 2 师于 1948 年 9 月初开赴长春外围，在大黑林子、范家屯等地布防，执行堵截突围敌军的任务。长春解放后，骑 2 师迅速向沈阳进发，配合东北野战军，对逃至辽河北岸的敌军展开合围。10 月 30 日，骑 2 师在阿其堡全歼敌 196 师运输团 1 个营，毙俘敌军官兵 100 余人，缴获大量武器、辎重；11 月 2 日，沈阳解放。骑 2 师圆满完成战斗任务，返回哲里木盟。

1948 年 9 月—11 月，为配合东北野战军发动辽沈战役，牵制企图出关

援救东北国民党军队的傅作义部，华北野战军第2、3兵团发动了察绥战役，以控制平绥铁路中段，解放绥南、绥东广大地区。内蒙古人民解放军第11、16两师奉命参加战役。9月上旬，11、16师进至察北地区，配合晋察冀军区察北骑兵旅向平安堡守敌发起攻击，同时还以"围点打援"战术，在康保至宝源公路截击敌军车队，将高山堡守敌诱出城外予以痛击，并击溃驰援各据点的国民党安恩达骑兵旅。第16师开赴尚义县，配合第3兵团在绥远地区的战役行动，截击由张家口西援绥远的国民党军队。

11月，为适应战略大反攻的形势和解放内蒙古西部地区的需要，经中国人民解放军东北军区批准，成立了内蒙古人民解放军锡察军区，军事上由冀热察军区领导，统一指挥骑兵第11、16师。乌勒吉敖喜尔任司令员，吴广义任副司令员，苏克勤任副政委。

1948年12月5日，东北野战军和华北野战军第2、3兵团联合发动平津战役，骑兵第11、16师奉命参加作战。根据战役部署，骑兵第11、16师与冀热察军区所属察北骑兵第3师协同作战，相继攻克了国民党军队占据的张北、宝昌、康保、商都、化德等8座县城，解放了察北地区，从北面形成了对张家口守敌的包围。

围攻张家口的战役开始后，骑11师控制了张北至张家口的公路，并布防堵截从张家口西逃的敌军。在西梁击退敌数十辆汽车，歼灭敌骑兵第5旅一部，配合北岳军区部队将张北守敌骑兵第12旅一部围歼。12月24日，张家口解放。城内守敌大部被歼，一部突围脱逃。骑11师奉命追歼逃敌，在涕波起山将敌暂4军11师残部全部围歼，毙、俘敌军官兵260余人。随即西进察北地区，清剿国民党散兵和小股残匪。至此，察哈尔盟、锡林郭勒盟全部获得解放。

12月，骑兵第1师、第10师及军区警卫团分别开赴昭乌达盟，展开大规模剿匪斗争。在锡盟贝子庙，组成了以王再天为总指挥、奎璧为政委、包明德为参谋长的临时剿匪指挥部，与冀热辽军区部队配合作战，集中力量堵截、追剿胡图凌嘎、达布苏喇嘛等大股土匪及从辽西逃来的苏和巴特尔残部。至1949年3月，先后消灭温都尔夫、达瓦根登、贡扎布等股匪。5月，剿匪部队在锡林郭勒盟西乌珠穆沁旗北部包围并一举全歼胡图凌嘎匪帮。至此，曾一度在锡、察、昭盟解放区造成严重危害的匪患已基本消除。

1949 年 2 月，内蒙古人民解放军骑兵第 11、16 师奉命进军绥远地区。为集中兵力打击绥远国民党军队，压缩敌占区，形成从东、北两面对敌包围的态势，在西北野战军第 8 纵队（由原绥蒙军区部队改编）指挥下，内蒙古人民解放军锡察军区部队、察哈尔军区骑兵旅和第 8 纵队骑兵旅联合作战，共同发动绥北战役。根据第 8 纵队指示，由各部队主要负责人组成临时蒙汉联军前线党委会及前线指挥部，统一指挥各骑兵部队"配合主力作战，解放绥远全境、随时准备进军大西北，解放全中国"①。

2 月 12 日，绥北战役开始，蒙汉联军兵分 3 路向西河子、乌兰花一带的敌军发起攻击。根据战役部署，骑 11 师、16 师为左翼，由北向南推进，清除各村、镇的敌据点。19 日，各部队将敌骑兵第 12 旅主力包围于武川县二份子一带，经激烈战斗，全歼敌军主力第 204 团，另一个团被迫向蒙汉联军投诚。23 日，国民党军第 11 兵团集结步、骑兵数千人，汽车、装甲车 30 余辆，向蒙联汉军发起反攻，企图消灭已进抵召河庙附近的骑兵 11 师。蒙汉联军前线指挥部立即指挥骑 16 师、察哈尔军区骑兵旅增援 11 师，由西、南两面向敌军发起围攻。在蒙汉联军迅猛的攻势下，敌军各部伤亡惨重，纷纷溃退，于当日晚被迫突围西逃，绥北战役遂告胜利结束。此后，绥远国民党军队已无力向解放区发动进攻，其控制区域日见缩小，归绥、包头等地守军已处于孤立无援的困境。

1949 年 5 月，内蒙古人民解放军正式编入中国人民解放军序列，同时组成中国人民解放军内蒙古军区，乌兰夫任司令员兼政治委员，王再天、那钦双合尔任副司令员。内蒙古军区组成后，对所属各部队进行了整编。除骑兵第 1、第 2 师保持原番号外，骑兵第 10 师与卓索图盟纵队合并整编为骑兵第 3 师，骑兵第 11 师改编为第 4 师，骑兵第 16 师改编为第 5 师。至此，内蒙古军区辖有 5 个骑兵师及一直属警卫团，共计 17 个团，包括军政干部学校和司令部、政治部、后勤部机关，指战员总数为 1.8 万余名。

---

① 《蒙汉联军前线党委会第一次会议决定》，内蒙古自治区档案馆档案，3—1—241·1。

第 十 一 章

内蒙古全境的解放

第一节　绥远地区的解放战争

一、察绥战役

1947年7月，中国人民解放军开始全面战略反攻，绥蒙军区组成前方指挥部，投入反攻作战。至1948年7月，绥蒙军区部队配合晋绥、晋察冀解放军先后出击20余次，恢复了绥东、绥南部分解放区。1948年8月，人民解放军组建华北野战军第2、第3兵团，并由第3兵团统一指挥绥蒙军区部队、内蒙古人民解放军骑兵第11师、第16师以及晋西北地方武装，以配合辽沈战役，联合发动察绥战役，牵制华北傅作义部国民党军主力。9月，绥蒙军区部队奉命改编为陕甘宁晋绥联防军第8纵队，姚喆任纵队司令员。9月12日，第3兵团指挥部在山西朔县召开有绥蒙区党政军及第8纵队负责人参加的扩大会议，研究部署了察绥战役计划，制定了征借粮食、建立乡村政权、组织地方武装等政策。由绥蒙区党政军干部组成随军工作团，负责发动群众，保障部队供给，全力支援各部队军事行动。针对绥蒙地区蒙古族聚居、蒙汉以及回、满等民族杂居的特点，绥蒙区党委制定了若干政策、纪律，要求在新解放区严格执行中共的民族政策，尊重各少数民族的语言、文字、风俗习惯，维护少数民族的利益。

9月5日，察绥战役开始。第3兵团所属各部队向绥东的国民党军队发起强大攻势。8 纵队由雁北出发，与兄弟部队共同作战，攻占敌重兵防守的集宁。第 3 兵团主力部队相继收复丰镇、凉城、和林、清水河、卓资山等城镇。之后，又夺取察素齐、毕克齐等地，完成了对归绥的包围，并进行攻城准备。

解放军进兵绥远后，彻底打乱了华北国民党军队的战略部署。傅作义急调其主力第 35 军、暂 4 军等步骑兵 10 个师，沿平绥路两侧西进驰援绥远。为此，解放军第 3 兵团停止攻打归绥，截击援绥之敌。8 纵队也撤出集宁，担任掩护主力部队集结的任务。此时，解放军第 2 兵团在冀热察军区和内蒙古骑兵第 11、16 师的配合下，对平承铁路、平绥路东段敌军展开猛攻，对张家口形成了威胁。傅作义被迫放弃援绥计划，命西进部队东返，加强张家口防务。解放军随即收复了集宁等地。

10 月中旬，第 3 兵团主力向绥北、绥西进军。8 纵队和骑兵旅攻克陶林、乌兰花、武川等地，再次形成对归绥的包围。第 2 纵队继续西进，迫近包头。22 日夜，驻包头的国民党华北“剿总”副司令邓宝珊偕国民党驻包部队和各机关要员弃城西逃。23 日，解放军进入包头，立即实行军事管制，2 纵队政委李治民任军管会主任，绥蒙政府主席杨植霖为政治委员。次日，成立包头卫戍司令部。10 月 30 日，中共包头市委和包头市政府成立，潘纪文任书记，李维中任市长。11 月初，2 纵队撤离包头，执行攻打归绥的任务。

此时，辽沈战役已胜利结束，为抑制华北国民党军，以便就地将其歼灭，第 3 兵团奉中共中央军委命令撤围归绥，撤离包头、萨拉齐等地，察绥战役遂告结束。

二、绥蒙解放区的巩固

察绥战役的胜利，使绥蒙解放区得到了迅速扩展，完全控制了丰镇、集宁、陶林、兴和、凉城等县和绥东 4 旗，部分控制了和林、武东（新划设）、清水河、归绥 4 县。在绥蒙政府的领导下，解放区广泛开展了剿除土匪、废除乡村保甲制度，建立民主政府和地方武装的群众运动，同时还进行了以减租减息、调剂土地、促进经济发展、改善人民生活为主要内容的社会改革工作。中共绥蒙区党委初步调查了新解放区的社会状况，特别对蒙古族土地关系、文化教育和政权建设、减租减息等问题进行了研究，并制定了相应的政策和措施，确定了绥蒙解放区蒙古民族工作总方针，即："团结蒙古民族各阶层，继续深入贯彻广泛的反蒋美统一战线，发动广大蒙民群众，实行民主自治运动。"① 1949 年 3 月 15 日，绥蒙政府在集宁设立了绥东 4 旗蒙旗办事处和蒙旗保安队队部，以统一领导蒙古民族工作并指挥各旗武装。同时召开了绥东 4 旗蒙古人民代表会议，对各旗、苏木原有政权机构实行改造；开办训练班，培训了 150 余名蒙古族青年干部充实各级地方政府。根据绥东地区蒙古族各阶层的社会状况，绥蒙政府在赋税负担、减租减息等方面制定了一系列政策，规定：照顾蒙古族农民的特殊情况，一般要比汉族农民减轻负担 10%；除蒙古族大地主与汉族地主同样对待外，中小地主酌情少减租或不减租。对畜牧业地区采取"保护牧群、牧场，不分散、不负担"②的方针，同时大力开展牲畜疫病的防治工作，降低牲畜死亡率。通过这些方针、政策的贯彻实施，绥蒙解放区蒙古族群众的生活状况有所改善，反映在土地关系上的民族矛盾也得到了初步解决。为加强绥蒙解放区的蒙古民族工作，中共绥蒙区党委和内蒙古共产党工作委员会研究决定，派奎璧率 120 名蒙古族干部由东部解放区到绥蒙地区工作。

中共中央提出和平解决绥远问题的战略决策后，为适应新形势、逐步统一行政建制，决定从 1949 年 4 月 1 日起将中共绥蒙区党委由晋绥边区划归中共中央华北局和华北人民政府领导。6 月 13 日，华北人民政府又作出决定，将绥蒙区改称绥远省，绥蒙政府改为绥远省人民政府，任命杨植霖为主席，奎璧任副主席。陕甘宁晋绥联防军第 8 纵队于 1949 年 2 月奉命整编为中国人民解放军第 8 军后，又于 5 月 29 日与绥蒙军区合并，成立绥远省军区，姚喆任司令员、高克林任政委。8 月，根据华北人民政府决定，成立绥远省人民政府民族工作委员会，李森为主任。机构调整后的中共绥远省委和绥远省人民政府设在丰镇，绥远省军区驻集宁。根据中共中央的部署，绥蒙前线各部队停止向绥远中、西部地区的军事行动，全面展开巩固解放区、恢

---

① 《绥蒙区蒙民回民人口调查及绥东四旗人口牲畜土地统计表》，内蒙古自治区档案馆档案，2—1—74。

② 《绥东解放区一年来的工作报告》，内蒙古自治区档案馆档案，2—1—58。

复与发展经济的工作，以推动绥远和平解放的进程。

三、国共双方在伊克昭盟的斗争

日本投降前后，国民党傅作义部将驻伊克昭盟的军队全部调往绥东南地区抢占战略要地，同时将伊盟各旗地方武装进行改编，统归国民党第 12 战区辖制。改原伊盟守备军司令部为伊盟警备司令部，在准格尔旗、乌审旗、郡王旗设立 3 个警备区，下辖师级司令部 12 个。另外由东胜、达拉特组训处和桃力民办事处分别组成了 6 个自卫团和 1 个保安大队。在抗战胜利后的短暂时期内，由国民党组建的伊盟地区地方武装计有 11 个蒙古师、7 个汉人团和大队，兵力约 2 万人。国民党还在伊盟大力推进"党务"，先后设立了 8 个旗县党部和三青团团部，至 1947 年，仅国民党准格尔旗党部就辖有 40 个分部。与此同时，国民党特务机关军统、中统，华北"剿总"、国防部情报机构及绥远省军政当局在伊盟都分别设立了情报组或联络站，构成了庞大的特务网络，以刺探陕甘宁解放区情报、挟制各旗王公上层和地方武装。

1946 年 2 月，中共中央西北局为全面推进伊盟工作，制定了"广泛开展上层与下层的统一战线，团结蒙人，巩固和平，统一内部，推动民族自治地方自治运动，反对国民党民族压迫政策"的工作方针和基本政策。[①] 中共伊盟工委先后派出武装工作队在鄂托克旗、伊金霍洛旗、城川、新庙开展工作，发动各界人士组建了"蒙汉自治联合会"和"蒙古自治分会"，通过自治运动，宣传中国共产党的主张，协助各旗地方武装剿匪。

1946 年初，在伊盟南部组成了 3 支蒙古民族革命武装，即由王悦丰（阿尔宾巴雅尔）领导的西乌审（乌审旗西部）保安团；由金汉文（巴图朝格）等率领的城川保安第 4 营和以马富纲（巴彦道尔吉）、马良诚（宝日巴特尔）为首的鄂托克旗起义部队。此外还有中共伊盟工委及鄂托克旗、乌审旗工委领导的 3 支警卫队。不久，在中共城川工委的领导下，组成了蒙汉自卫大队。上述地方武装共计 1 000 余人，由中共伊盟工委指挥，以陕北解放区为依托，采取游击战方式，与国民党扶持的地方反动势力展开斗争。

---

① 《中共中央西北局讨论伊盟工作纪要》，见内蒙古自治区档案馆编：《内蒙古统战史档案史料选编》第 1 卷，内蒙古自治区档案馆 1987 年印刷，第 303—308 页。

1946 年 8 月，中共中央西北局召开专门会议，讨论伊盟工作。会议总结了抗战胜利以来中国共产党在伊盟地区的工作，对内战爆发后的伊盟工作作出了战略部署。会议要求中共伊盟工委以西乌审和鄂托克旗作为开展伊盟工作的中心和基础，"多作建设事业，帮助蒙人把军队、把政治（改良办法）、把经济（发展畜牧等）、把卫生等办好"，"应放手发展党员，建立党的组织，蒙古人中积极分子、进步青年都宜吸收入党"。会议提出："我们的方针是发动与领导群众武装起义，到处点火。对已起来的采取积极办法，派干部去支持和领导之。发动与组织广泛的反蒋反傅的统一战线，蒙汉联合、王公平民联合，驱逐傅作义。""我们的目的是以群众武装起义，发展到使伊盟脱离傅作义，获的（得）自治。"① 是年秋，为保卫陕甘宁边区，陕甘宁晋绥联防军向盘踞在边区北部一线的国民党军队发动攻势作战，相继解放了镇川堡、响水等地。中共伊盟工委奉命率西乌审保安团和游击队配合作战，组成北线东进指挥部，与三边军分区部队共同进抵乌审旗南部，对横山之敌形成包围并孤立了榆林之敌。困守横山县城的国民党第 22 军第 18 团团长王永清迫于形势，诈称起义，与国民党伊盟第 2 警备区奇玉山部相勾结，以"共商解放乌审大计"为名，在乌拉尔林布设圈套，诱捕了中共伊盟工委书记赵通儒、乌审旗工委书记白汉臣等干部战士 10 余人，致使中共伊盟地区党组织遭受重大损失。② 事件发生后，王永清部向海流图庙等地发动进攻，与奇玉山部共同夹击西乌审部队和三边军分区部队。王悦丰等为避免损失，及时率部撤往纳林河一带。

1947 年 3 月，国民党胡宗南部集结重兵，向陕甘宁解放区发动"重点进攻"，占领了延安。马鸿逵部在伊盟地区国民党地方武装的配合下，大举进犯三边及伊盟南部解放区，相继攻占定边、鄂托克旗城川、三段地等地。国民党伊盟第 2 警备区奇玉山部则向西乌审发动突然袭击，占领了红柳河以北地区。中共伊盟工委、鄂托克旗工委被迫撤往靖边，与先期到达的乌审旗

---

① 《中共中央西北局讨论伊盟工作会议纪要》，见中共中央统战部编：《民族问题文献汇编》，第 1060 页。

② 中共伊盟盟委党史资料征集办公室编：《伊盟革命斗争史料》第 5 辑，中共伊盟盟委党史资料征集办公室 1985 年印刷，第 77 页。

工委会合。西乌审保安团等蒙古民族武装也转移到陕北解放区，与三边军分区部队会合。至 4 月中旬，伊盟南部解放区全部被国民党军队占领，伊盟通往陕西的各交通要道也为敌军所控制。为建立封锁区，马鸿逵部大肆驱赶蒙古族牧民离开原住地，焚烧房舍、蒙古包，劫掠各类牲畜达 10 万余头。

1947 年 4 月，为适应战争形势，统一伊盟地区的自卫解放武装力量，经中共中央西北局和陕甘宁晋绥联防军司令部批准，三边军分区和伊盟工委在靖边县张家畔对伊盟南部解放区各部队和全部武装人员实行整编，组建了伊克昭盟蒙汉支队，王悦丰任支队司令员，高增培任政委。支队下辖两个骑兵大队共 8 个连队，1 大队由汉族指战员组成，2 大队为蒙古民族武装。原西乌审保安司令部仍予保留，王悦丰兼任司令员，奇福禄为参谋长。蒙汉支队组成后，奉命驻张家畔一带，监视北线马鸿逵部的动向，并不时突入敌占区袭扰敌军，数次夺回被国民党军队劫掠的部分牲畜和财产。

中共中央机关撤出延安后，仍辗转陕北，于 5 月间到达靖边县小河村、天赐湾一带。马鸿逵部骑兵第 20 旅以胡宗南部第 22 军为后援，兵分两路由北向南进逼，追寻中共中央机关的行踪。5 月中旬，解放军西北野战兵团司令部为确保中共中央机关安全，向三边军分区部队和伊盟蒙汉支队下达命令，要求在红柳河一线布防，堵截南下的国民党军队。蒙汉支队与三边军分区骑兵团为此共同拟定了作战方案，决定利用芦河（红柳河上游支流）易守难攻的地形条件，在张家畔、王家湾渡口布置防御，全力阻止敌军进犯。

5 月 20 日，马鸿逵部第 20 旅一部及靖边县"还乡团"共 500 余骑窜至芦河南岸，向蒙汉支队防守的张家畔中心渡口发起猛攻。蒙汉支队 1 大队坚守阵地，击退敌军 5 次冲锋。支队司令部及时调集 2 大队由战场右翼迅速渡河，向敌军侧后发动突袭，致使敌军大乱，未及调整兵力即全线溃退。蒙汉支队遂乘胜追击 20 余里，重创马鸿逵部 20 旅一部，摧垮靖边县"还乡团"，取得了芦河阻击战的胜利，完成了保卫中共中央机关北线安全的任务。

解放军西北野战部队自获得三战三捷之后，已由守势转为攻势，西北战局发生根本变化。6 月下旬，西北野战军主力北上，收复三边。7 月初，伊盟蒙汉支队配合主力部队，相继解放小桥畔、柠条梁等地，收复城川。7 月中旬，支队与西北野战军第一纵队一部协同作战，击退国民党地方武装对城川的进攻。中共伊盟工委遂向鄂托克旗、乌审旗派出工作人员，大力开展恢复根据地的各项工作。至 7 月下旬，蒙汉支队发动的攻势作战已将国民党地方武装逐出红柳河以南地区，进而收复了伊盟南部解放区大部地区。

8 月，蒙汉支队实行扩编，重新组建了鄂托克旗蒙古族武装，编为蒙汉支队第 3 大队，马良诚任大队长，天宝（藏族）任教导员。为加强对蒙汉支队的领导，中共伊盟工委设立了军事部，统一了各部队的指挥权，建立健全了部队的各项制度，提高了蒙汉支队的政治、军事素质。

8 月初，西北野战军一部由三边东进，向盘踞在榆林等地的国民党军队发动进攻。马鸿逵部骑兵第 20 旅再次进入三边地区，企图援救榆林守敌，并拟伺机消灭蒙汉支队。中共伊盟工委和蒙汉支队为避敌锋芒，撤出城川，转移到乌审旗西部地区。9 月，蒙汉支队第 1、3 大队在红柳河南岸大石砭一带与大批敌军展开激烈战斗，将敌军击溃。

1948 年 1 月，伊盟蒙汉支队实行整编，改称伊盟自治支队，王悦丰任支队司令员，周仁山任政委，马良诚任参谋长。支队下辖 3 个大队，计有 500 余名骑兵。西乌审、鄂托克旗保安司令部仍予保留，王悦丰任西乌审保安司令部司令员，马良诚任鄂托克旗保安司令部司令员。支队完成整编后，第 1、2 大队开赴伊盟东部的准格尔旗、达拉特旗等地，开辟伊东解放区；第 3 大队仍在伊盟西部地区坚持游击战争。

伊盟支队第 1、2 大队经千余里行军，于 4 月抵达陕西省府谷县和准格尔旗。11 日，支队配合陕甘宁晋绥联防军警备第 1 旅一举攻占准格尔旗神山，消灭国民党伊盟第 1 警备区警备师大部，俘虏少将警备司令奇涌泉、少将参谋长陈有明及各级官兵 1 000 余人。神山解放后，伊盟支队、中共伊盟工委发布公告和《对伊盟蒋管区蒙汉人民的口号》，宣布"实行民族平等与民族自治"、"保护牧场禁止开垦"等项政策，号召"蒙汉人民团结起来，不分阶层，不分旗界，建立反蒋统一战线"。[①] 为稳定伊盟东部地区社会秩序，伊盟支队乘胜展开大规模剿匪斗争和地方政权建设，先后歼灭流窜在暖水、坝梁等地的数十股土匪武装及"民团"，建立了准格尔旗自治政务委员会和各区、乡基层人民政府。在扩充支队第 1、2 大队的同时，组建了准格

---

① 高平：《回忆伊盟解放战争》，见中共伊盟盟委党史资料征集办公室编：《伊盟革命斗争史料》第 4 辑，中共伊盟盟委党史资料征集办公室 1984 年印刷，第 101 页。

尔旗第 1 步兵团。支队还以缴获的粮食、物资救济遭受严重旱灾的各族群众，派出部队帮助农牧民开展生产自救运动。伊盟支队开辟伊东根据地的军事斗争和各项工作的开展，在伊盟地区引起了巨大震动，沉重地打击了国民党势力，各旗国民党地方武装纷纷退守一隅以图自保。伊盟的解放战争形势自此发生根本变化。

伊盟支队第 3 大队在中共伊西工委的领导下，巩固、发展鄂托克旗、乌审旗根据地，建立了 7 个区级基层政权。是年夏，中共东郡（东胜县、郡王旗）工委派出云北峰等人率武装工作队赴郡王旗、札萨克旗开展工作，发动群众，组织农会。在新庙成立了以阿文束龙为主任、乌宁扎木苏为副主任的蒙古自治分会，通过开展自治运动宣传中国共产党的民族政策，争取了郡王旗王公、仕官及地方武装，为后来该旗保安团的和平起义打下了基础。

1948 年 9 月，华北解放军进军绥远，发动察绥战役，先后包围归绥，攻占包头，解放了绥蒙大部地区。包头解放后，伊盟达拉特旗札萨克康达道尔计宣布起义，并命令达旗保安师不准与解放军为敌，保持中立，暗中配合。11 月，准格尔旗保安师师长奇致中率 1 900 余名官兵在大树湾起义。奇致中还前往包头谒见解放军指挥员，发表了《脱离国民党军投奔解放军的宣言》。

1949 年春，伊盟支队开赴达拉特旗，乘黄河流凌之机，向活动在两岸的国民党军队及大股土匪发动猛烈攻击，重创邬青云匪部，消灭两个"自卫团"，摧毁达拉特旗、准格尔旗国民党地方政权；继而挥师南下，攻占国民党伊盟统治中心东胜。伊盟支队抵达东胜之前，国民党伊盟党部、伊盟警备司令部、专员公署及各系统特务机关仓皇撤离，伊盟第 1 警备区奇子礼部西逃。伊盟支队在伊盟东部地区取得的军事胜利，大大加快了伊盟解放战争的进程。杭锦旗、达拉特旗、郡王旗等旗的王公、军政人员先后与伊盟支队取得联系，表示愿停止对抗、接受解放军的指挥，伊盟第 3 警备区司令奇全禧迫于形势，也致电中共中央，表示"愿集体反正，参加解放阵营"[1]。7 月，札萨克旗获得解放，伊盟支队所属各部队在札萨克旗新街胜利会师。根

---

① 中共伊盟盟委党史资料征集办公室编：《伊盟革命斗争史料》第 4 辑，第 111 页。

据中共中央西北局和解放军西北军区的指示，成立统一的中共伊盟盟委，高增培为书记，周仁山为副书记。同时对伊盟支队实行整编，组建伊克昭盟军分区，王悦丰任司令员，马富纲、高平任副司令员，高增培任政委，下辖6个支队（后增编为8个支队），总兵力达1万余人。

绥远国民党军政当局和平起义后，郡王旗札萨克奇忠义、准格尔旗札萨克奇福海、准格尔旗保安司令奇子祥（即奇天祥）、达拉特旗保安司令章景文、杭锦旗保安司令色登多尔济等王公、仕官和军政人员相继宣布和平起义，各旗原属国民党第12战区的8个警备师也在和平起义后接受了伊盟军分区的改编。

1949年11月26日，伊克昭盟第一次临时代表会议在札萨克旗新街隆重召开。来自伊盟各旗各族各界的代表116人出席了会议。经大会选举，成立了伊克昭盟自治政务委员会，原盟长鄂其尔呼雅克图为主任，赵诚、马富纲为副主任；王悦丰、高增培、奇忠义等23人为委员。会后，在中共伊盟盟委的统一领导下，各旗相继建立了各级人民政权，清除了国民党、"三青团"及各种特务组织；取消达拉特组训处和桃力民办事处，将其管辖地域正式归还达拉特旗、杭锦旗，将国民党绥远省政府直辖的东胜县划归伊盟。同时废除了王公特权，改世袭的札萨克制为旗长制，并对部分民族上层人士给予了妥善安置。伊盟自治政务委员会先后任命了各旗旗长：鄂其尔雅克图任札萨克旗旗长，奇忠义任郡王旗旗长，色登多尔济任杭锦旗旗长，汪鹏程任达拉特旗旗长。

伊盟解放后，一度仍面临复杂形势。先后发生了奇全禧、奇玉山、刘宝才等人策动的叛乱，陕北国民党残匪张廷之、高怀雄等部数千人也窜犯于伊盟西部地区。叛乱武装与国民党残匪相勾结，阻断交通，烧杀劫掠，袭击地方人民政权，给各族群众的生产、生活以及民主建政工作造成极大祸患。为尽快稳定伊盟的社会秩序，配合解放军在全国范围内的剿匪斗争，内蒙古军区于1950年春调集骑兵第5师等部队开赴伊盟，与伊盟军分区部队协同作战，展开大规模剿匪、平叛战斗，肃清了伊盟地区的大股叛乱武装和国民党残匪，保障了各项工作的全面开展。

第二节　国统区的蒙古民族自治运动

一、请愿活动与"国大"上的交锋

抗战胜利后，国民党迅速恢复了原有省县的建制，在内蒙古地区继续推行"以实施省政为中心"的方针，将各盟、旗分别置于各省县的辖治之下。国民党傅作义部控制内蒙古西部地区后，延续了抗战前即已奉行的对蒙政策，对各盟旗施以高压统治，使摆脱日伪桎梏的蒙古族各阶层人民再次遭受国民党大汉族主义的沉重压迫。国民党地方政权在"复员"过程中，积极扩充实力，无视盟旗权益，任意夺占蒙古族群众的土地、房舍；甚至以"惩奸"的名义，羁押抢掠乃至杀害蒙古族群众，使蒙古族农牧民生命财产的安全受到极大威胁。国民党热河省党部在致中央组织部的报告中称："以盟旗与省县权限并未划清而引起县旗间之冲突"，承认县方官员"不审蒙情，任意侵犯蒙旗权限"，"旗政府徒拥虚名，蒙人赋税统由县府强行征收，稍加分辩者辄被凌辱……"① 这种状况引起了蒙古族各阶层的强烈反对，纷纷起而抗争，导致盟旗与省县之间在行政管辖、土地使用、赋税征收等方面的矛盾和冲突再度发生并日趋激化。国民党统治区的许多蒙古族王公、仕官、知识分子，为维护盟旗合法权益、实行内蒙古自治积极奔走活动，试图与热、察、绥3省相抗衡。在国民党中央、地方各级机构中供职的蒙古族官员也不同程度地参与其中。他们通过请愿、建言或制造舆论等多种方式，向国民党当局再三提出自治要求，吁请撤销设在内蒙古的省县，设立内蒙古统一的最高自治机关。国统区蒙古族各种政治势力在内蒙古自治问题上暂时结合起来，一度形成了较大的声势，成为自20世纪30年代"反改省运动"以来又一次影响较大的政治活动，在一定程度上给国民党当局造成了压力。

从1945年9月开始，一些蒙古人以盟、旗或团体的名义向国民党中央

---

① 《确立东北蒙旗地方自治制度意见》，中国第二历史档案馆档案，内蒙古自治区档案馆复印件，439—45。

请愿，或向各级机关上书建言，称"内蒙风云紧急"，急需"把握人心"。部分蒙古族人士以卓索图盟代表名义向国民党中央呈递请愿书，要求"颁发合理方案，划清盟旗与省县权限"，"确立对蒙方针"。"请愿书"称："无论任何国家、任何时代，未闻在其国内一个地方实行二重政治者，有之则为各侵略国家对于殖民地之政策矣。……或谓移民屯垦，广置省县，使内蒙逐渐内地化，始可相安无事，此为我国数十年来最大之错误。以致省县设置愈多、蒙人之离怨心愈炽……则有效之方法唯有一方宣布中央对蒙最高方针，使其人心安定，一方从速撤废在盟旗之上所设之各省县……"① 时任"蒙旗宣抚团"团长的白云梯与刘廉克等人在向国民党中央提出的一次建议中也提出了"恢复蒙古地方自治政务委员会，以领导蒙古自治"② 的主张。同时，部分蒙古族人士还以内蒙古面临"赤化"危险为由，要求国民党采取积极办法，允许内蒙古实行自治。在向国民党当局积极建言的同时，部分蒙古族知识分子也在酝酿自治。1945 年 11 月，聚集归绥的亢仁、满仓、仓都凌、王大光等人与经天禄、胡克巴图尔（胡凤山）、纪贞甫等人多次召开会议，讨论内蒙古自治问题，提出建立类似蒙古自治邦的组织，实行全内蒙古的自治。

　　1946 年 3 月，国民党六届二中全会通过了关于边疆问题的决议案。其中规定："蒙藏回三族贤能人士，须有充分机会参加各院部会实际工作。""恢复原有之蒙古地方自治政务委员会，并明白划分盟旗政府与省县间之权限。"③ 该决议通过后，部分国统区蒙古族人士对国民党一度寄予极大期望。但是国民党并未按决议恢复蒙政会，而边省当局却加快了侵夺盟旗权益的步伐。热、察、绥 3 省的官员都提出了反对划分省县、盟旗权限，取消盟一级组织，由省政府直接治理蒙旗的强硬主张。对此，国统区各盟旗上层人士及部分蒙古族知识分子由失望而激愤，纷纷催请国民党尽快履行"二中全会"作出的承诺。他们组成各种名义的代表团，前往南京向国民党政府请愿。各代表团于国民党召集的国民代表大会召开前发表了《内蒙旅京各团体联合

① 《卓索图盟代表请愿书》，中国第二历史档案馆档案，代号 141，档号 1083。
② 《蒙藏委员会关于内蒙古自治问题的代电》，中国第二历史档案馆档案，代号 141，档号 164。
③ 《边疆通讯》第 4 卷第 1 期。

宣言》①（后简称《宣言》），提出主要 3 项要求："一，请中央彻底实行二中全会对边疆的决议案；二，请中央依据二中全会决议来恢复整个的蒙政会；三，请中央依据二中全会决议来迅速调整并充实中央边政机构。"《宣言》指责国民党屡屡失信于蒙古族民众，声明："我国民政府如果抛弃了二中全会的决议案，偏循疆吏的片面主张，仍以分省的黑暗统治给予蒙胞，那就是很露骨的要消灭内蒙，我们怎敢轻易接受呢？……我们坚决拥护二中全会决议案……同时也就是要直属于中央，而摆脱分省统治的黑暗宰割。因边疆当局冷酷的压制，我们已经是体验够了。……我们对于上述的黑暗统治和逐渐消灭蒙旗（的）大汉族主义，誓死反对。根据这种作风而给我们以分省自治的办法，我们更是绝对不能接受。倘我中央对二中全会决议案，不惜食言，那么我们曾矢忠拥护党国、抗战建国的蒙古人士，只有一律退归草野，和我们家乡的同胞同甘苦、共生死，以待有力者放手宰割罢了。"这一陈词剀切、充满怨怒的《宣言》，集中地反映了蒙古族各阶层对于国民党对蒙政策的强烈不满。

1946 年 11 月，"制宪国大"开幕。出席大会的蒙古代表共 28 名，分别代表内蒙古卓、昭、哲、乌、伊盟，呼伦贝尔、察哈尔地区，土默特旗和阿拉善、额济纳旗以及新疆、青海各盟旗。这些代表的产生除土默特旗进行了正式选举外，大多是由南京、北平和重庆的蒙古族人士推举充任，乌兰察布、伊克昭盟代表为盟长指定。会议在围绕有关地方制度问题的讨论中，各盟旗代表与省县代表所持截然不同的主张形成了尖锐的对立。当各盟旗代表针对蒙古的现状陈述意见时，立即遭到热、察、绥 3 省国大代表的激烈反对。因讨论集中在盟旗与省县的法律地位以及权利义务方面，双方代表各持己见，争执不下，使讨论屡屡陷于僵局。在会议之外，双方代表在各报刊发表文章，展开论战，召开记者招待会，申明主张。绥远省代表傅作义明确反对内蒙古自治，主张撤销盟旗建制，并提出 6 项解决办法。荣祥、扎奇斯钦等分别发表谈话，对傅作义所提办法逐项予以反驳。在陈述省县当局歧视、压迫盟旗的事实后指出："胜利后，政府对内蒙人民待遇不平，较之抗战时期日本统治之下情况就有过之。""自治运动是少数民族问题，绝不是一部

---

① 《内蒙旅京各团体联合宣言》，中国第二历史档案馆档案，内蒙古自治区档案馆复印件，439—45。

分人所说的地方问题。"指责国民政府"用武力开垦的方法，剥夺蒙人生命所系的牧场，用省县压制，来剥夺蒙人自治权利"。①

盟旗与省县双方针锋相对的辩论因新闻舆论的渲染而引起了前所未有的轰动，部分学者、"边政专家"也参与了这场论战。傅斯年发表题为《内蒙自治问题——驳盟等于省旗等于县说》，"以响应热察绥国大代表招待记者的报告"。指责蒙古代表所持主张是"倒退二百年的工作"；称内蒙古自治"以其事实上办不到，强去办，招致分裂也"。②《西北通讯》发表文章，提出："所谓'内蒙'，仅能作一个历史上令人凭吊的名词，而绝不能代表一般人意识中所指的那块三分之一国土的地方。""蒙胞超范围的自治必致损伤其他民族之权利。"③热河省代表声称："东北蒙民自治呼声虽云汹涌，而其实则虚张声势，仅为畏罪伪官及盲从青年一时结合而已。""若允其自治，是东北九省区划根本推翻，九省行政如横骨截胸、政令难通。"④绥远省代表提出："蒙胞程度除汉人交错杂居者习染汉化程度较优外，其余过游牧生活之蒙胞尚在獉狉之时代中，如以人口稀少，居住星散，物质缺乏，生活简单，做一普通国民尚感不够，高度自治谈何容易。"⑤由于内蒙古各盟旗代表与热、察、绥3省代表的主张形同水火，"国民大会"有关蒙古问题的议案、条文迟迟无法确定。

"制宪国大"结束后，扎奇斯钦、拉希栋多克（席振铎）、胡克巴图尔等人联络部分盟旗上层人士和青年知识分子，于1947年1月组成"蒙古青年同盟"。"同盟"总部设于南京，北平设分部，并在察哈尔、乌兰察布、伊克昭盟等地设立了支部。该组织在决议中规定：以民族复兴、民主自由为宗旨，消除地域观念，寻求国际支援，争取内蒙古政治领导权，最终实现内蒙古独立等。⑥至1949年，"蒙古青年同盟"在北平、张家口和内蒙古各盟

---

① 《热察绥国大代表联谊会报告词》，载《文汇报》1947年1月1日。

② 傅斯年：《内蒙自治问题——驳盟等于省旗等于县说》，载《观察》第1卷第22期。

③ 剑飞：《边疆问题与蒙旗自治》，载《西北通讯》1947年第1期。

④ 中国第二历史档案馆档案，内蒙古档案馆复印件，439—42。

⑤ 中国第二历史档案馆档案，内蒙古档案馆复印件，439—31。

⑥ 内蒙古公安厅公安史研究室：《解放战争时期内蒙古公安史长编》，内蒙古公安厅公安史研究室1990年印刷，第29页；另见扎奇斯钦：《我所知道的德王和当时的内蒙古》（二），日本东京外国语大学亚非语言文化研究所1993年印刷，第166页。

旗已秘密发展盟员 200 余人。随着国民党在大陆的统治崩溃，部分主要盟员逃往台湾和国外，该组织遂自行解体。

"制宪国大"通过的"宪法"颁布后，内蒙古地方制度问题不仅未得到丝毫解决，盟旗与省县因土地、赋税等问题而引发的纠纷、冲突却更加有增无减。各盟旗多次派出请愿代表奔走于南京、北平及各有关省政府之间，向国民党政府控诉省方侵夺盟旗权益的行为，在蒙古族民间政治团体的支持下，反复催促早日制定、颁布自治办法，妥善处理纠纷。1947 年 10 月，在南京的蒙古族各团体联名发表了《对于处理当前蒙古问题建议书》[1]，再次呼吁国民党政府"尊重蒙地历史，确立合乎实际方针，确切保障盟旗之制度与权利"，严厉谴责边省当局"故意抹杀历史，皆由政治之不平，省县压迫盟旗"。

南京政府对于盟旗与省县间纷争的处理，实际上在偏袒省方，对蒙古族各界人士要求自治的呼声一味敷衍、搪塞，致使蒙古各盟旗地方自治方案一事久拖不决。直至 1947 年 5 月，中国共产党领导的内蒙古自治政府宣告成立，内蒙古中、东部地区局势发生重大变化时，蒋介石才匆匆下达指令，要求蒙藏委员会"解决盟旗省县之纠纷"，"早日商决适当办法"[2]。7 月，国民政府行政院作出决定，派遣考察团前往内蒙古西部各盟旗进行实地调查，对蒙藏委员会拟具的《蒙古各盟旗地方自治方案（草案）》加以修正。但由于热、察、绥等省地方当局的阻挠，这一方案仍遭搁置。

1948 年 4 月，国民党把持的国民代表大会在南京召开。53 名"蒙古代表"参加了大会。会议期间，盟旗代表与省县代表再次围绕内蒙古自治问题展开激烈交锋。部分蒙古代表严厉指责国民党不兑现诺言，拖延《蒙古各盟旗地方自治方案》的立法和实施。指出这是对蒙古民族的欺骗，要求"国大体察内蒙古民意，修改宪法，加入有关民族自治的条文"[3]。卓力克图等 31 人在提案中提出："一、蒙古现有荒地不再开垦；二、请设蒙古

① 中国第二历史档案馆档案，代号 141，档号 146。

② 《驻平办事处给蒙藏委员会罗委员长的代电》，中国第二历史档案馆档案，代号 141，档号 1082。

③ 《申报》1948 年 4 月 15 日。

建设机构；三、保障蒙民原有私租，劈分地方税收；四、请设蒙古牧民银行。"①

此时，由傅作义军事集团操纵的热、察、绥3省"国大代表"在会议中态度更为强硬，对各盟旗人士提出的"高度自治"或"地方自治"主张一律大加挞伐，最终使蒙古代表提出的各项意见又一次遭到压制。

蒙古"国大代表"内部对内蒙古自治问题的看法也存在着较大的分歧。国民党中央的白云梯、李永新、刘廉克等人主张实行地方自治，以组成蒙政会和盟公署为基本要求。而拉希栋多克、扎奇斯钦、胡克巴图尔等"蒙古青年同盟"骨干则主张"高度自治"。两种主张的对立，导致了代表间的激烈争论甚至互相攻讦。后经吴鹤龄、陈绍武等人居间斡旋，举行多次会商而达成妥协，拟出一个折中的《蒙古自治实施方案》，经蒙古代表通过，并征得部分"国大代表"的签名，作为议案提交大会审议。该"方案"提出："（一）盟旗固有地位应予保障，盟设盟政府，旗设旗政府。（二）各盟旗之上，设置自治统一机构。""国家对于边疆地区各民族之地位应予合法之保障，并予其地方自治事业，特别予以扶植。"② 议案提出后，大会以提议签署人数不足为由未交立法院审议。

"行宪国大"闭幕不久，国民政府国防部长白崇禧到绥远视察，"宣布中央对蒙旗政策，允许蒙旗作县级地位的自治，但盟不能等于省，蒙政会机构撤销。""绥境蒙政会撤销后，绥境蒙旗当可恢复绥远省政之完整。"③ 此后，行政院在一份题为《关于内蒙地方自治问题之研议》④ 的文件中总结道："中央对蒙政策之最后立场有三：1. 绝对不承认有超越盟旗的蒙古人统一政府……2. 主张将已设治之盟旗纳于省县，未设治之盟旗编为自治区，宁维持省盟、县旗两重政治之现况，但决不撤销省县。3. 为顺应蒙人之意向，原则上承认不再垦荒设治，但仍作若干保留，藉于必要时，得开发蒙民经济及适应国防或政治的需要。""中央对于内蒙自治区问题的表示，宜只

---

① 《行政院关于边疆建设的公函》，中国第二历史档案馆档案，代号141，档号1094。
② 扎奇斯钦：《我所知道的德王和当时的内蒙古》（二），第177页。
③ 《边疆通讯》第4卷第4期。
④ 《关于内蒙地方自治问题之研议》，中国第二历史档案馆档案，内蒙古大学内蒙古近现代史研究所藏抄件2—2044。

谈原则,不谈具体内容为妥。"国民党在蒙古自治问题上不仅未做丝毫让步,而且其明确宣示的对蒙政策较前更为强硬。盟旗制度问题与国民党当局已无商讨余地。至此,国统区蒙古族各界人士为维护盟旗权利,争取自治的种种努力以失败告终。

二、蒙古自治政府的组成与解体

1948年冬,解放军向国统区大举推进,内蒙古中东部地区获得解放,绥蒙地区处于风雨飘摇中。在急剧变化的局势下,内蒙古西部盟旗的王公上层和流落各地的蒙古族政界人士、知识分子以及在国民党中央或地方军政机构中任职的部分蒙古族官员,都在观望中揣测未来,寻找各自的出路。

此时,在国民党方面的监控下"隐居"3年的德王重新步入政坛,试图借国民党的统治陷于严重危机、无暇顾及地方事务之机,积蓄力量,再次发动蒙古自治运动。

1949年1月,在北平和平解放前夕,国民党中央派专机将德王接至南京。在南京,德王晋见了蒋介石,还拜会了李宗仁、孙科以及部分国民党党、政、军各部委要员,提出在内蒙古实行"高度自治"的主张,争取各方面的同情和赞助。白云梯、吴鹤龄等在国民党党政机关任职的部分蒙古族官员也为此奔走,为德王出谋划策,四出联络。德王还前往拜会了美国驻华大使司徒雷登,向其直接提出蒙古独立建国的意向,并请求给予支持和援助。司徒雷登应允将德王的主张报告美国政府,未作明确答复。德王还托人面见苏联驻华大使罗申,试探苏联对"蒙古独立建国"的态度,遭到罗申的回绝。

不久,解放军逼近长江北岸,南京局势日趋紧张。蒙藏委员会拟将德王送往青海塔尔寺居住,而德王则提出到阿拉善旗的要求。4月初,德王在征得阿拉善旗札萨克达理扎雅的同意后,乘专机抵达定远营(今阿拉善左旗巴彦浩特)。不久,内蒙古中、西部盟旗的部分王公和避居兰州、银川等地的部分蒙古人也先后前来会合。经德王、达王、巴文峻、林沁僧格、白海风等人协商,决定召开各盟旗代表会议,成立"蒙古自治筹备委员会",以号令内蒙古西部各盟旗,并联络新疆、青海的蒙古族人士。4月8日,已抵达定远营的各盟旗代表集会交换意见。会议围绕自治形式问题激烈争论,未能形成一致意见。

4 月 13 日，"内蒙古各盟旗代表会议"正式召开，计有 50 余人与会，分别代表乌盟、察盟、锡盟、卓盟、昭盟、哲盟及阿拉善、额济纳 2 旗。宁夏省主席马鸿逵的代表也参加了开幕式。会议选举产生了筹委会，经德王提议，推举未到会的伊克昭盟盟长、杭锦旗札萨克阿拉坦瓦齐尔为筹委会委员长（未到任），德王、达王、林沁僧格、达密凌旺楚克、巴文峻当选为副委员长。会议经 3 天的酝酿、筹划，拟定并通过了《确定内蒙古自治方案》、《成立内蒙自治军》等项议案，其主要内容为：申明实行内蒙古自治的原由；组成内蒙自治军；推举并派出晋京请愿代表，向蒙藏委员会提请转呈国民党中央的请愿书，要求准予自治，等等。会议还制定了《内蒙自治筹备委员会组织大纲》（共 16 条）。4 月 15 日，会议闭幕。会后不久，阿拉坦瓦齐尔病逝，德王继任自治筹委会委员长。

5 月中旬，德王偕林沁僧格、金巴图多尔济、赵那苏图等由定远营启程，经银川、兰州、西安、重庆等地到达广州。德王等向新任国民政府蒙藏委员会委员长白云梯递交了由 48 人签名的《各盟旗代表大会请愿书》①，要求转呈国民党中央。"请愿书"称："鉴于国际与国内大势所趋，我内蒙必须团结一致，研求自救与救国之道……期纾中央北顾之忧。"德王等又先后谒见了李宗仁、何应钦、阎锡山、秦德纯等人，陈述自治主张，希望依据国民党一大宣言的有关规定，准予内蒙古实行"高度自治"。同时，德王还以调动蒙旗地方力量，协助国民党"戡乱"为实行自治的一项理由，试图以此说服国民党要员，求得支持。

李宗仁、秦德纯等国民党高级官员对德王提出的自治要求大都采取了敷衍的态度，不予明确答复。唯有新任行政院长阎锡山强烈反对德王的主张，指责德王酝酿自治是"背离中央的运动"，主张待"戡乱"军事胜利后方可谈及地方自治问题。为此，德王通过国民党海军司令桂永清为其联络，试图亲赴台湾向蒋介石面陈意见，但未获蒋介石的许可。

在广州期间，德王还与美国新闻机构和美驻华使馆人员进行了多次接触，要求美国方面对蒙古自治运动给予各方面援助。美使馆答复称：美国政

---

① 《各盟旗代表大会请愿书》，中国第二历史档案馆档案，代号 141，档号 1097。

府承认德王为蒙古的代表，今后蒙古事情，以德王为对象。美国新闻机构还向德王提供了 5 部电台，并派遣 8 名谍报人员驻阿拉善旗，应允通过联合国救济总署援赠载重汽车数量。经德王的频繁活动，阎锡山等人对内蒙古自治问题在表面上作出了一些让步。6 月 13 日，行政院批复蒙藏委员会，准予成立内蒙各盟旗自治筹备委员会，先行办理人口调查，发展教育、文化事业等项在当时根本无法进行的活动。同时，批准财政部拨款 1 万元，国防部拨发部分长短枪械。

7 月 10 日，德王一行辗转回到定远营。此时阿拉善旗已聚集了一批来自各方面的人士。其中有内蒙古西部盟旗的盟长、札萨克、仕官、地方武装首领和宗教界人士等，还有蒙古青年同盟的部分骨干和在国民党中央及地方机构任职的部分中高级官员。经德王、达王、巴文峻、白海风、何兆麟、吴鹤龄、李守信等人的策划，决定召开各盟旗代表大会，讨论实行自治的有关问题。同时，德王还电请国民党中央有关机构官员到会。

8 月 5 日，"蒙古人民代表会议"在定远营召开，出席大会的代表共计175 人。除乌兰察布、伊克昭、阿拉善、额济纳旗及绥东 4 旗、土默特旗派出代表外，其他各盟旗的代表均以流寓各地的各界人士充任。新任西北军政长官马步芳的代表和国民党军统局驻阿拉善旗的官员以来宾身份参加了开幕典礼。

会议发表了《蒙古人民代表大会宣言》、《蒙古自治法》和致国民政府的通电。在这些文件中，除一再重申"自治自决"、"复兴蒙古民族"的主张外，宣称成立自治政府是"抗共图存，共赴国难"的"应急措施"，同时请求国民党中央"体察实际情况，必能略迹原情，简化程序"，承认蒙古自治政府。对内蒙古盟旗与省县之间的尖锐矛盾，提出"愿在时局彻底稳定之后，再作合理的调整"。[①] 经大会选举，德王当选为"蒙古自治政府"主席，达理扎雅当选为副主席。同时选举出"蒙古议会"议员共 31 人，吴鹤龄为议长，陈那笋巴图为副议长，陶布新为秘书长。

8 月 10 日，举行了"蒙古自治政府"成立典礼，德王、达王宣誓就职。会议结束后，组成了"蒙古自治政府"政务委员会，巴文峻、白海风、何

---

① 《德王在定远营组织蒙古自治政府部分公函材料》，中国第二历史档案馆档案，代号 141，档号1102、1103。

兆麟、吴洛吉伯彦、林沁僧格、雄诺端都布、色楞那木吉赖任政务委员。德王以主席名义宣布自治政府下辖各厅、署主要官员的任命：巴文峻任秘书厅秘书长，何兆麟任内务署署长，吴洛吉博彦任财政署署长，白海风任实业署署长，林沁僧格任教育署署长，同时组成政府保安委员会，达王为委员长，白海风、李守信为副委员长。

8月26日，解放军攻克兰州。9月初，进兵宁夏。消息传到定远营后，引起极大恐慌。吴鹤龄等人相继离开定远营，各盟旗王公仕官也返回本旗。德王遂召集会议，商讨如何应对未来局面的问题。德王主张，无论形势发生任何变化，必须维持自治政府，并提出将政府迁往阿拉善西北部草原或沙漠地带，若仍无法立足，即进入青海、西藏，直至流亡国外。达王、白海风、何兆麟等坚决反对出走，主张将"蒙古自治政府"改称"西蒙自治政府"，以示与乌兰浩特的内蒙古自治政府并无冲突。因与会者坚持己见，自治政府遂告分裂。

9月20日，德王率10余人由定远营撤往阿拉善旗北部。驻宁夏陶乐县的李守信、宝贵廷等人闻讯后，率所部1 000余人西渡黄河，经磴口县进入阿拉善旗，与德王等人在图克木庙一带会合。德王除仍用"蒙古自治政府"的名义外，还组成了"蒙古军总司令部"，自任总司令，任命李守信为副总司令，宝贵廷为参谋长，并将部队编为两个骑兵师，再次改用成吉思汗纪年和蒙疆时期的3色旗，还重新任命了政府各厅、署的职官。

阿拉善旗和平解放后，中国人民解放军宁夏军区通过达理扎雅邀请德王前往银川商谈，劝其投诚。内蒙古自治政府主席乌兰夫也致函德王，希望其归向人民，并表示投诚后一概既往不咎。但德王仍坚持其立场，拒绝投降。

德王曾于1949年5月间派人赴中蒙两国交界处与蒙古人民共和国进行联络，探寻蒙古方面的态度。其后，蒙古方面派人转来其长子都古尔苏荣的亲笔信，但德王未予回复。当德王处于困境时，曾亲赴边境，与蒙古内务部人员会晤，商谈其居留蒙古一事。12月29日，德王越境进入蒙古人民共和国。不久，又写信将李守信等人召至蒙古。[①] 德王、李守信等出境后，在拐子湖一带的残部随即分散，于1950年春先后向解放军缴械投诚。

---

① 1950年2月，蒙古人民共和国以德王犯有依靠日本帝国主义，勾结国民党和美帝国主义，企图颠覆蒙古和苏联的罪名，将其逮捕。同年9月，德王、李守信等人被引渡回国，继续监押。

第三节　绥远和平解放

一、"绥远方式"的提出

辽沈战役胜利结束后，解放军又于1948年11月发动了平津战役，将华北国民党军队60余万人分割包围在北平、天津、唐山、张家口、新保安等城市和绥远地区。根据中共中央提出的"隔而不围"、"围而不打"的战略方针，解放军华北野战军由归绥外围撤离，转而东进，与东北野战军协同作战，向平绥路东段发动进攻，以断绝敌军西逃之路。东北野战军进抵平、津地区，并控制沿海一线，断敌南逃之路。在完成对敌战略包围和战役分割后，解放军于12月23日围歼敌第35军，于24日解放张家口，全歼守敌5万余人，截断了傅作义集团撤向绥远的退路。1949年1月15日，解放军攻克天津。与此同时，华北野战军包围了北平。16日，解放军天津前线司令部通电傅作义集团，发出和平解放北平的通牒。在解放军强大的军事压力和耐心争取下，傅作义最终接受了和平解放北平的主张，1月21日，北平宣告和平解放。

平津战役的胜利和北平的和平解放，使绥远国民党军事集团陷入了欲打不成、欲逃无路的孤立境地。解放军第8纵队乘胜对归绥外围国民党军队发动进攻，迫使敌军收缩到归绥、包头、萨拉齐、托克托、固阳一线布防。由张家口败退绥远的国民党第11兵团残部在绥北的乌兰花、武川一带聚集了数千人马，企图扩充实力，扭转败局，敌我再次以卓资山为界形成对峙局面。在北平和平谈判期间，中共中央就从全国解放战争的战略全局出发，提出了和平解决绥远问题的主张。1月16日，解放军平津前线指挥员聂荣臻向傅作义的谈判代表邓宝珊转达了中共对解决绥远问题的初步构想，即北平和平解放如能顺利实现，绥远问题将采取更为和缓的方式，留待下一步解决。31日，中共中央军委命令晋绥第8纵队停止作战行动。

北平和平解放前后，以国民政府绥远省主席、华北"剿总"归绥指挥所主任董其武为代表的一批将领也在考虑放弃武力对抗，实现绥远地区的和平。傅作义发出北平和平解放通电后，在绥远地区引起巨大震动。董其武当即飞抵北平，向傅作义表示愿走和平道路。绥远地方上层人士张钦、阎肃和土默特旗总管荣祥等人倡导组织了"绥远和平促进会"，联合各界人士，积极吁求和平解决绥远问题，敦促绥远军政当局立即停止征粮、征兵，释放政治犯。董其武接受了这些建议。

2月22日，傅作义、邓宝珊到河北平山县西柏坡，晋见毛泽东、周恩来。在谈到绥远问题时，毛泽东说，有了北平的和平解放，绥远问题就好解决了。3月5日，毛泽东在中共中央七届二中全会的报告中提出了解决残余国民党军队的天津、北平、绥远3种方式。并指出："绥远方式，是有意识地保存一部分国民党军队，让它原封不动，或者大体上不动，就是说向这一部分军队做暂时的让步，以利于这部分军队在政治上站在我们方面，或者保持中立，以便我们集中力量首先解决国民党残余力量的主要部分，在一个相当的时间之后（例如，在几个月，半年，或者1年之后）再去按照人民解放军制度将这部分军队改编为人民解放军。"[1] 绥远方式由此确立。此后，在绥远方式实施过程中，根据形势发展，毛泽东、周恩来等人又做过多次指示。

二、绥远和平起义

绥远方式确定后，中共中央华北局派出代表，在贺龙、李井泉等的参与领导下，与傅作义、董其武谈判绥远问题。3月23日，林彪、罗荣桓、贺龙、李井泉、陶铸等在北平饭店与傅作义、邓宝珊会商，确定谈判代表。解放军方面的代表是：李井泉、潘纪文、张友渔；傅方代表为王克俊、周北峰、阎又文。谈判由贺龙主持，后改由聂荣臻、薄一波负责。双方代表共同组成了绥远问题协商委员会，依据中共提出的8项条件，全面商讨解放绥远的有关问题。

为推进和平解放的进程，实施"绥远方式"，中共晋绥分局于3月20日召开绥蒙区军政干部大会，传达中央关于解决绥远问题的方针和具体部署，组织干部学习，以统一思想。会议决定：停止对绥远国民党军队的策反活

---

① 毛泽东：《在中共七届中央委员会第二次全体会议上的报告》，见《毛泽东选集》第4卷，人民出版社1991年版，第1425页。

动，以友军相待，争取缓和双方的敌对情绪；允许归绥、包头等地的群众在解放区自由往来、经商；停止扩军，将工作重点转向剿匪、减租减息，发展生产。同时，仍须做好战斗准备，并揭露顽固派的阴谋，促使其走和平道路。

经过近 2 个月的谈判，双方就划界、交通、金融、派遣驻绥机构及驻军等问题取得了基本一致的意见。4 月，傅作义派其原第 104 军军长安春山等，携双方拟订的和平协议草案赴归绥征询董其武的意见。5 月，董其武派员带修改意见赴北平。为配合谈判，董其武主持召开了"军政革新大会"，成立了"绥远军政革新委员会"，采取裁并机构、整饬军纪等措施以统一军令、政令，保障社会秩序的稳定。为减少阻力，还解除了国民党绥远省党部头目潘秀仁、张遐民等顽固分子的职务。

5 月 28 日，董必武、董其武分别代表华北人民政府和绥远方面举行协议草签仪式。6 月 8 日，双方正式签订《绥远和平协议》①。其主要内容为：双方以陶卜齐与白塔间之古立板乌素为中点，向南、向北划定界限，停止一切冲突，并尽可能撤退沿线驻军，和平相处；恢复平绥路交通，包头至白塔段之铁路，由中国人民革命军事委员会铁道部统一管理，恢复商业贸易往来；银圆、银圆券与人民币在董部辖区可自由流通；华北人民政府在归绥设立联络处，协同执行协议；解放区书刊得在董之辖区流通，董应对所部进行思想改造，应令特务分子停止活动并离开绥远。当日，毛泽东接见了傅作义、邓宝珊，就绥远问题进行了交谈。

为适应绥远的新形势，中共中央于 6 月作出决定，将中共绥蒙区党委和绥蒙人民政府改名为中共绥远省委和绥远省人民政府，取消解放军第 8 军番号，第 8 军与绥蒙军区合编为绥远省军区；任命高克林为省委书记兼军区政委，杨植霖为省政府主席，姚喆为省军区司令员，统归中共华北局、华北人民政府和华北军区领导。6 月 20 日，华北局、华北人民政府作出关于《执行绥远和平协议的决定》：建立中共归绥工作委员会，潘纪文任书记；成立华北人民政府驻绥联络处以及金融、交通等机构。确定归绥工委的工作方针

---

① 《绥远和平协议》，见内蒙古自治区档案馆编：《绥远"九一九"和平起义档案史料选编》，内蒙古人民出版社 1985 年版，第 32—35 页。

是：扩大党的影响，团结广大群众，以达到对董部争取、教育、团结的目的。据此，中共绥远省委派出了以潘纪文为处长、鲁志浩为主任的由20余人组成的驻归绥联络处。

在实现绥远和平解放的过程中，始终伴随着尖锐复杂的矛盾和斗争。由于绥远国民党军政组织系统庞杂，番号多变，在战与和的问题上存在严重分歧。部分将领持顽固立场，孤注一掷地主张以尚存的数万兵力与解放军相对抗；一些人主张暂时妥协，以"借水养鱼"，伺机卷土重来。也有部分人因对复杂的局势和前途顾虑重重而持观望态度。在此期间，国民党政府、军队以及各系统特务也在积极活动，采取各种手段阻挠和平解放绥远的进程。北平和平解放后，国民党政府强令董其武率部西撤，被董其武拒绝，国民党政府遂停发了董部的军费及一切补给，以施加压力。新任行政院院长阎锡山也利用绥远守军与山西的历史关系，影响绥远军队部分将领，企图通过拉拢分化手段挑起叛乱。国民党中统和军统特务张庆恩、史泓等也先后来绥活动，还在包头建立据点，组成"华北反共救国军"等特务组织，与潘秀仁、张遐民及部队、地方的顽固分子相勾结，进行破坏活动，扰乱局势。《绥远和平协议》签订后，他们不断制造谣言，组织煽动游行示威。华北人民政府驻归绥联络处工作人员进驻归绥后，特务活动更加猖獗，蓄意制造了砸毁宣传进步言论的《奋斗日报》报馆的事件。7月12日，联络处铁路组秘书王士鑫遭暗杀，工作人员陶俊、光棣被击伤。此时，董部有些部队也向解放军防区寻衅袭扰，联络处人员生命安全难以保障。据此，联络处除鲁志浩、曹文玉、和树声3人继续留驻归绥工作外，其他人员暂时撤回丰镇。

国民党利用绥远局势出现的一些变化，试图在绥远军政当局上层制造分裂。7月下旬，蒋介石委派政务委员徐永昌、空军司令王叔铭飞抵绥西陕坝，约董其武、孙兰峰、刘万春分别谈话，劝董奉命西撤。同时采取明升暗降的办法，任命董其武为西北军政副长官兼绥远指挥所主任，组成第9兵团，任命孙兰峰为司令官，指挥董部所有部队。通过此举，欲解除董其武对军队的指挥权。

针对绥远和平解放面临的困难和阻力，中共中央决定请傅作义出面加快解决进程。8月25日，傅作义、邓宝珊到达归绥。在归绥、包头等地会见原下属将领、士兵和各族各界代表，并向部队官兵发放了由中共中央专拨的慰问金。经傅、邓的说服、争取，和平起义最终得到了绥远军政当局大多数高级官员的赞同，一些曾经主战的将领也放弃了顽固立场。

至9月初，绥远和平起义已成定局，然而国民党方面仍未放弃干扰。9月15日，徐永昌携蒋介石、阎锡山的信函飞抵包头，邀傅作义、邓宝珊赴广州"共商大计"。被傅、邓拒绝。

9月19日，以董其武为首的绥远军政官员和地方各族各界代表39人在绥远省银行包头分行礼堂集会，举行绥远和平起义签字仪式，联名通电毛泽东、朱德、聂荣臻、薄一波，宣布正式脱离国民党集团，"在中国共产党的领导之下，努力学习，自我改造，和全国人民一起，来粉碎帝国主义侵华的任何阴谋，消灭反对派一切残余势力，实现新民主主义——革命的三民主义，和平建设新绥远，和平建设新中国。"次日，毛泽东、朱德致电董其武等，嘉勉参加绥远起义的全体部队官兵、政府工作人员和各界人士："希望你们团结一致，力求进步，改造旧制度，实行新政策，为建设人民的新绥远而奋斗。"① 聂荣臻、薄一波也复电，对绥远和平解放致以热烈祝贺。

"九一九"起义后，傅作义被任命为绥远省军政委员会主席，董其武为绥远省主席；起义部队纳入解放军序列，改编为第36军、37军和骑兵第4师。1950年1月，成立了新的绥远省军区，傅作义任司令员，薄一波兼政治委员，乌兰夫、董其武、姚喆、孙兰峰任副司令员，高克林、杨叶澎、王克俊为副政委。

第四节　阿拉善、额济纳旗的和平解放

德王从阿拉善旗定远营出走后，达理扎雅、巴文峻、白海风、何兆麟等立即将"蒙古自治政府"改称为"西蒙自治政府"，开始酝酿和平起义。首先将旗保安总队调集于定远营，以防驻扎在城外的国民党马鸿逵部特务营可能发动的袭击。同时派出陈那笋巴图等人赴中蒙边境，将和平解放意向通知蒙古方面，并拟通过蒙古人民共和国与中国共产党取得联系。还派出罗曹格

---

① 《董其武将军等起义通电》，见内蒙古自治区档案馆编：《绥远"九一九"和平起义档案史料选编》，第64页。

图盖立勒、张光耀等为阿拉善旗代表前往宁夏，迎接解放军。

兰州解放后，阿拉善旗派驻兰州的代表与甘肃各界民主人士和起义人员一同欢迎解放军，还晋见了西北野战军司令员彭德怀，呈递了达理扎雅致解放军指挥员的信函。彭德怀当即对阿拉善旗和平解放的意愿表示欢迎。

9月23日，解放军攻克银川，宁夏获得解放。当日，达理扎雅在定远营主持召开了仕官和保安总队官兵会议，宣布阿拉善旗和平起义，准备迎接解放。达理扎雅于会后致电毛泽东主席，表示"热忱拥护中国人民政治协商会议通过的《共同纲领》"，宣布阿拉善旗"各族人民从此脱离国民党反动政府，接受中国共产党的领导"①。同日，罗曹格图盖立勒一行在宁夏仁存渡会见了中国人民解放军第19兵团司令员杨得志，呈递了达王和协理罗巴图孟柯签署的给西北解放军代表并转呈彭德怀、毛泽东的致敬电。杨得志等赞扬了阿拉善旗和平解放的义举，希望阿拉善旗蒙古民族武装确保地方治安，保障人民生命财产的安全，并邀请达理扎雅在适当时到银川会晤。10月3日，杨得志回电，勉励达理扎雅"努力维持阿拉善旗秩序，共同建立国内各民族一律平等的新中国、新宁夏"②。9月24日，解放军第19兵团一部为追击国民党散兵到达阿拉善旗腰坝一带。达理扎雅派出何兆麟、戚涛、胡爱立佐巴依尔等人前往慰问，并邀请解放军代表赴定远营。翌日，解放军代表到达定远营，阿拉善旗政府举行了欢迎活动。

解放军驻腰坝期间，阿拉善旗政府奉宁夏省军管会指示，对旗境内的国民党军政人员和散兵予以清除。在达理扎雅等人的敦促下，滞留定远营的国民党国防部、军统局派驻阿拉善旗的官员、情报人员陆续前往腰坝，向解放军投诚。

10月1日，中华人民共和国宣告成立。阿拉善旗政府于当日发出了给毛泽东主席的致敬电，致以热烈祝贺。10月11日，达理扎雅偕白海风、何兆麟、巴文峻、戚涛、李文钦等人抵达银川，会见了杨得志、耿飚、潘自力等解放军第19兵团指挥员和宁夏党政部门负责人，并举行了会谈，就阿拉

---

① 内蒙古自治区档案馆：《中国第一个民族自治区诞生档案史料选编》，远方出版社1997年版，第147页。

② 内蒙古自治区档案馆：《中国第一个民族自治区诞生档案史料选编》，第149页。

善旗和平解放的各项问题进行协商。达理扎雅等提出了保留"西蒙自治政府";阿拉善旗脱离宁夏省,归中央人民政府管辖;撤销磴口县制,归属蒙旗等项要求。① 经协商,最终形成决议:阿拉善旗原有行政机构和军队建制暂不变;根据《中国人民政治协商会议共同纲领》的规定,阿拉善旗将逐步实行民主建设;保护阿拉善旗各族人民的财产、牲畜不受侵犯;尊重阿拉善旗的民族风俗习惯和宗教信仰;阿拉善旗原有军政人员一律按革命干部对待;达理扎雅继续主持阿拉善旗军政事务。②

在完成和平起义的各项工作后,阿拉善旗政府即协助宁夏省军事管制委员会以和平方式对德王、李守信等人进行争取。达理扎雅多次派遣代表向德王转达解放军的政策,竭力规劝德王及其追随者向解放军投诚。同时为保护旗民的生命财产,调集旗保安总队并组织民防队,将德王、李守信所率部众包围于阿拉善旗西北部地区,令其"停止抵抗,放下武器"。德王、李守信等人出境后,阿拉善旗代表左甲木英与陶布新等"蒙古自治政府"成员数度往返于定远营和拐子湖进行了多次谈判。1949 年 12 月下旬,双方最终达成协议。在达理扎雅等人的努力下,促成了德、李残部的投诚,阿拉善旗也于 1950 年春全部获得解放。

在阿拉善旗和平起义酝酿时,毗邻的额济纳土尔扈特特别旗,也在积极与解放军联络,为和平解放进行准备。9 月 27 日,旗札萨克塔旺嘉布偕该旗主要军政人员通过阿拉善旗发出了致杨得志并转呈毛泽东、朱德的通电,宣布:"为了迎接新的胜利,为了适应国情,为了促进新中华人民共和国的及早成立,今代表额济纳特别旗全体人民,即日起与广州国民党政府脱离关系,表示愿接受北平人民政府领导……"③

至此,内蒙古全境获得解放。

① 中共宁夏省委秘书处:《省委几个同志对蒙古工作座谈纪要》(1949 年 10 月 20 日),内蒙古大学内蒙古近现代史研究所藏抄件。
② 阿拉善左旗人民政府编:《阿拉善史志资料选编》,阿拉善左旗人民政府 1986 年印刷,第 315 页。
③ 内蒙古自治区档案馆:《中国第一个民族自治区诞生档案史料选编》,第 152 页。

第十二章

民国时期内蒙古地区社会、经济与文化

第一节　社　会

中华民国时期，由于北洋政府和国民政府大力推行设治和放垦政策，内地汉族人口大量流入内蒙古地区，使该地区社会面貌发生了很大的变化。

在行政建制方面，北洋政府于 1914 年先后设立绥远、热河、察哈尔 3 个特别区，各设都统一员，直接管理该管区域内军政、民政事务。这标志着由都统辖区构成的独立的行政区域最终形成。1928 年 9 月，国民党中央政治会议决定将热河、察哈尔、绥远、青海、西康均改为省。[①] 不久，又决定设宁夏省，以旧宁夏道各县为宁夏省管辖区域。热、察、绥、宁改省后，内蒙古 6 个盟 2 个部 4 个特别旗分别被划入辽、吉、黑、热、察、绥、宁等省境，至此，内蒙古各盟旗由各省分割统治的最后一个步骤即告完成。

盟旗制度虽仍为蒙古族地区最基本的社会政治制度，但热、察、绥、宁改省后，蒙旗事实上已被置于省县的控制之下，蒙古王公札萨克原有的支配蒙旗土地、牧场的权力转到了省县当局手中。随着省县的控制和干预的加强，在内蒙古大部分地区，盟旗制度已趋于解体，原有的封建秩序受到了极大的冲击。省县当局不断向蒙旗扩张势力，使得"旗县并存"地区几乎遍及内蒙古各地。由于蒙旗境内设县数量的增多，县的管辖范围越来越大，蒙

---

① 陆为震：《新六省之鸟瞰与西北之边防》，载《东方杂志》第 27 卷第 14 号。

旗的管辖权限日益缩小。

日本占领内蒙古东部地区以后，取消了盟、部名称及建置，以省制代替了盟、部制。对旗制进行改革，废除札萨克制和总管制，代之以旗长制。旗长与过去的札萨克、总管不同，是单纯的地方行政长官，没有军事指挥权，亦不享有世袭特权。还改变了从前旗县并存、蒙汉分治的局面，规定不论任何民族，只要在旗内拥有住所，即为旗民，具有同等的权利和义务。同时，对旗的建置进行大幅度的调整，新建或撤并了一些旗。

日本在内蒙古中西部地区扶植成立伪蒙疆政权之后，对该地区的盟旗制度进行了一定程度的改革。首先将盟确定为一级地方政权，在原来不设盟的察哈尔八旗、4牧群和土默特旗分别设立察哈尔盟和巴彦塔拉盟，并将同一区域内的各旗县、市也划归盟公署管辖。盟长、旗札萨克和总管也由过去的军政合一的性质转变为单纯行政长官。

抗战胜利后，在内蒙古中东部解放区各盟旗均成立了民主政府，盟长及旗长均选举产生，盟政府管理所属之旗、县、市。旗政府管理境内的所有居民。盟、旗作为一种地方行政建置名称被保留下来，但其从前的封建领地性质发生了本质的改变。

王公制度也是蒙古社会的一项重要政治制度，而且与盟旗制度相辅相成。中华民国成立之初，为稳定蒙古地区局势，北洋政府颁布《蒙古待遇条例》，以法律形式承认了蒙古王公世爵名号及其所享有的各种特权。国民政府成立后，曾经计划逐步废除蒙古王公制度。但由于时局变化和蒙古王公上层的反对，始终未取消这一制度。日本占领内蒙古东部地区以后，在改革盟旗制度的过程中，于1938年和1939年通过两次"特权奉上"，[①]正式废除了该地区的封建王公制度。日本投降后，随着内蒙古中东部地区各级民主政权的建立，废除了王公的封建特权，从而使这些地区的王公制度彻底退出了历史舞台。

农业区和半农半牧区的进一步扩大，使内蒙古地区民族成分的比例、人口分布也发生了较大的变化。一方面，汉族移民的数量不断增加，大大超过了蒙古族总人口。民国时期内蒙古汉族人口的增长可分为两个阶段，第一阶

---

① 兴安局编：《开放蒙地奉上关系记录集成》（日文），兴安局1940年刊印，第21页。

段是 1912—1937 年。在这 25 年中，内蒙古汉族人口从 1 550 948 人增长为
3 719 113 人，共增加 2 168 165 人，增长 139.80%，平均每年增加 86 727
人 。第二阶段是 1937—1949 年，在这段时间里，汉族人口从 3 719 113 人
增长到 5 154 000 人，共增加 1 434 887 人，平均每年增加 119 574 人。1949
年的蒙古族人口仅为 83.5 万人。①

　　另一方面，农业区的蒙古族大量迁徙他方，留下来转务农耕的蒙古人在
当地也成了人口中的少数。在半农半牧区，也形成了汉族农民与蒙古族牧民
杂居的局面。牧区的范围尽管比农区大，但从人口的分布来看，农区的蒙古族
人口超过了牧区的蒙古人。蒙汉人口比例、牧区蒙古人与农区蒙古人比例的重
大改变，是推动内蒙古社会由传统游牧社会进一步转向农耕社会的最根本因素。

　　随着蒙旗开垦规模的不断扩大和土地兼并愈演愈烈，新的阶级分化随之
加剧。在农业区和半农半牧区，一部分蒙古王公贵族和有权势者占据了大量
土地，转化为靠剥削农民为生的地主阶级。蒙古族牧民和没落贵族、下层官
吏虽分得一份儿户口地，但由于缺乏经营农业的经验，或垦户的抵赖、愚弄，
常常失掉土地而陷于破产。在牧区，由于牲畜大量地集中于王公贵族手中，
牧民的贫困化也日益加深。在汉族聚居区，大量肥美的土地主要集中于少数
军阀、官僚、大地主、地商手中。由内地迁移而来的广大汉族农民或租佃地
主的土地，或受雇于地主当雇农，其经济地位低下，生活极端贫困。蒙汉各
族中的阶级分化和贫富分化加剧，是民国时期内蒙古社会的一个重要特点。

第二节　经　济

一、畜牧业

　　内蒙古是中国北方游牧民族的故乡，是草原畜牧业的发祥地之一。北方
民族创造了中国北方游牧文明的历史，它同中原的农耕文明一样，是古代中
国两大文明之一。进入 20 世纪后，随着时世的变迁，内蒙古地区传统畜牧
业却迅速走向了衰退。导致这一结局的原因是多方面的，但草场的日趋缩小

---

　　① 宋乃工主编：《中国人口·内蒙古分册》，中国财政经济出版社 1987 年版，第 51—57 页。

是草原畜牧业萎缩、衰退的最根本原因。

自古以来，游动畜牧业与定居农业两种经济之间一直存在着相互调剂、补充的依存关系，这也是中原内地汉族与塞外蒙古民族始终保持紧密关系的根基所在。但是，自清末至民国时期，随着农业区大量侵占草场，二者的关系发生了重大变化。由于农业区不断扩大，草场日渐缩小，清代前期农牧互为依存，渐进、均衡发展的局面被彻底打破了。随之，农民与牧民对有限的土地资源的竞争日趋激烈。在内蒙古，从东到西普遍出现农民争土地，牧民争草场的农牧矛盾。双方竞争的结果，往往是农进牧退，牧民让草场于农民。在有些地方，牧民因失去牧场，不得不远徙他乡或农民看不上眼的荒漠、荒山。察哈尔八旗南部草原的消失，各旗蒙古人不断北移；鄂尔多斯7旗草场的普遍缩小，牧放条件的日益恶化便是最典型的例子。草场的缩小，必然加重草场的载畜量，过度放牧现象随之加剧，破坏草原植被，导致草场退化，结果自然是畜牧业经济的萎缩和衰颓。

当然，内蒙古传统畜牧业走向衰颓的原因，绝不仅仅是草场减少的问题。蒙古地区传统畜牧业经济本身所具有的脆弱性和落后性，也是促使其日渐衰退的重要原因。民国以来，内蒙古地区的畜牧业生产在草场利用、放牧方法、畜种改良、畜病防治等方面虽然有了一些进步，但始终未能突破传统的逐水草而游牧的方式。蒙古传统畜牧业天生的脆弱性，主要表现在对自然灾害的防御能力低，生产过分单一，社会分工不发达等。经营方式的落后、生产技术的低下以及蒙古族内部封建王公上层的剥削、挥霍和汉族商业高利贷者的压榨、掠夺等，也造成劳动牧民贫困、破产，使蒙旗债台高筑，从而严重制约和阻碍了畜牧业经济的发展。畜牧业生产关系中，带有租佃性质的"苏鲁克"剥削方式，虽然比以前有了一定的发展，但仍处于少量的次要地位，而且并没有推动生产技术的改进。此外，喇嘛教的盛行，使牧区劳动力严重不足。牧区喇嘛的人数一般占男性人口的40%左右，不仅削弱了蒙古民族的意志和力量，而且影响了人口的增殖。据1934年的统计，当时绥远省有蒙古族 224 422 人，而挂名当喇嘛的有 27 203 人，占总人口的12.12%。[1] 加之疫病流行，人口死亡率高，生育率低，导致从事畜牧业生

---

[1]　贺扬灵：《察绥蒙民经济的解剖》，商务印书馆1935年版，第5页。

产的劳动力严重不足。这也是直接阻碍畜牧业生产发展的因素之一。

　　帝国主义侵略，特别是日本帝国主义的殖民掠夺，使内蒙古地区已经衰落的畜牧业遭到极大的摧残。内蒙古西部的锡林郭勒盟、乌兰察布盟及察哈尔北部为纯牧区，马、牛、羊、驼及其皮毛等畜产资源非常丰富。这些畜产资源是日本国内所紧缺的，更是其对外侵略战争中所急需的战略物资。1939—1941年，伪蒙疆地区被日本侵略者掠去绒毛800多万公斤，占同期产量的37%；掠去皮张490余万张，占同期产量的60%以上。1939年前后，每年掠走的牲畜约12万头左右。沦陷8年间，日本侵略者从伪蒙疆主要牧区锡林郭勒盟掠走马5.66万匹，牛5.23万头，绵羊26.67万只，山羊4.79万只，骆驼7558峰；掠走察哈尔盟马3066匹，牛2.81万头，羊4.62万只，骆驼420峰。1941年，日本侵略者在内蒙古东部地区施行畜产"出荷"，强迫生产者以官定价格和指定数量出售牲畜和畜产品，官定价格大大低于市价，甚至低于市价的10%。是时出荷的比例，5头牛出荷1头，达到30头牛还需出荷牛皮1张；10匹马出荷3匹；10只羊出荷3只、2张羊皮。[①] 沦陷时期，仅牲畜"出荷"一项，每年就约从东蒙地区掠去各类牲畜近70万头。

　　总之，由于诸多的原因，民国时期内蒙古地区的畜牧业始终未能摆脱严重衰退的趋势，到新中国成立前夕已陷入严重萎缩的境地。

　　据统计，内蒙古地区大小牲畜由1936年的937万头（只）下降到1947年的828万（只），11年下降了11.6%。有些地方下降的幅度更大，如东部的呼伦贝尔地区，1919年有牛40万头，羊120万只，到1945年，只剩下牛10万头，羊40万只。26年间，牛羊分别减少了3/4和2/3。锡林郭勒大草原，1946年和1936年相比，牲畜头数下降48%，其中牛马等大畜分别下降58%和60%。[②] 至1949年，在乌兰察布盟的许多地方，人均占有大畜只有0.48头，小畜1.62只。蒙绥地区1936年有大牲畜和羊937.6万头（只），到1946年减少为751万头，下降20%。而绥远省牲畜连年下降的局面，一

---

　　①　内蒙古自治区畜牧厅修志编史委员会编：《内蒙古自治区志·畜牧志》，内蒙古人民出版社1999年版，第50—51页。

　　②　林蔚然、郑广智主编：《内蒙古自治区经济发展史》，内蒙古人民出版社1990年版，第7—8页。

直延续到 1949 年。[①]

二、农业经济

清中叶前，在内蒙古地区的社会生产中，畜牧业一直占主导地位。到清中叶以后，在汉族移民人数的不断增加、农垦区的日渐扩大以及商业城镇的兴起等多种因素的交织作用下，内蒙古地区昔日浑然一体的游牧风景已悄然消逝。内蒙古南部沿边地区，从东到西形成了狭长的农耕地带，并呈现出不断向蒙旗腹地伸展的态势。清朝覆亡后，由于北洋政府和国民政府大力推行移民放垦政策，汉族农民继续大量移入，这就使内蒙古地区的土地开垦，以更大规模和更快的速度发展起来。

1914 年 2 月 19 日，北洋政府内务、农商、财政部及蒙藏院共同制定了《禁止私放蒙荒通则》和《垦辟蒙荒奖励办法》。《禁止私放蒙荒通则》规定："凡蒙旗放荒地，无论公有私有，一律应由札萨克行文该管地方行政长官报经中央核准，照例由政府出放，否则以私放论。"即使是"准由蒙旗自行开垦"的所谓"照章划留领照之地"，亦"须呈报该管地方长官备案。"还详细规定了对私放蒙荒的惩处办法。《禁止私放蒙荒通则》和《垦辟蒙荒奖励办法》的制定颁布，是清末"放垦蒙地"政策的继续和发展，它明确表明了北洋政府将蒙旗土地的支配权完全收归自己手中，并通过行政法令大肆推行放垦的意图。1915 年北洋政府又颁布了《边荒条例》，其中明文规定可以放垦蒙旗游牧地，荒价银由政府和蒙旗分润，并由放荒县署或垦务局征收，分解分送。

袁世凯死后，军阀分裂混战，争权夺利。内蒙古地区很快成为各派系军阀角逐争夺的场所。从此，蒙地放垦愈演愈烈，大大超过了清末放垦。从清末到 1928 年，仅绥远地区就放垦清丈荒地达 198 492 顷，其中清末放垦 79 560 顷，占 40%；1912—1913 年放垦 1 234 顷，占 0.6%；1914—1928 年放垦 118 932 顷，占 59.4%。[②]

---

① 内蒙古自治区畜牧业厅：《内蒙古畜牧业发展史》，内蒙古人民出版社 2000 年版，第 58 页。
② 王德胜：《北洋军阀对蒙政策几个问题的初析》，见中共内蒙古地区党史研究所：《内蒙古近代史论丛》第 3 辑，内蒙古人民出版社 1999 年版，第 79 页。

随着大规模放垦和汉族移民的不断增加，内蒙古地区的农业经济快速发展起来，农作物品种和产量都有所增加，农业生产亦出现了进一步商品化的趋势。内蒙古除向内地继续输出畜产品外，粮油等农产品也大量外运，对增加华北地区的粮油供应起着十分重要的作用。1926 年，经由归绥用火车向北京、天津、张家口运销的粮食每年都在 50 万石（1 石 = 100 升）以上。由于粮食业的兴起，大大活跃了归绥地区市场，当时粮店林立，比较有名的有德行店、万盛店、西盛店、义丰店、兴和店、大德店等。1933 年，绥远部分县积存的粮食数量相当可观：归绥县积存谷子 413 700 石，萨拉齐积存杂粮 230 557 石，包头积存糜子 29 062 石，清水河县积存谷子 177 592 石。有大量粮食外运并有大量余粮积存，反映了 20 世纪 20—30 年代绥远地区的农业生产确实有了较大的发展。

国民党当政后，对西北边疆地区同样采取了移垦设治的政策。热、察、绥、宁改省后，内蒙古各蒙旗事实上已被置于省县的控制之下。各省政府为扩大县治区域和增加财税收入，积极招徕移民，增设县治，迫使蒙旗放垦牧场，进而加速了农垦区的扩大。以绥远省为例，省政府成立后，立即着手整理垦务，一面改组垦务总局及所属各分局，督促各局积极进行垦殖事宜，一面派员分赴各旗劝令报垦，以辟新荒。至 1931 年，绥远省耕地面积已达 188 269 顷。

1932—1945 年，日本侵略者先后占领了内蒙古东、西部地区。日伪政权在沦陷区进行经济掠夺，成立荒务局，招徕汉族农民和日本移民垦荒种地，征收荒租。1938 年，实行"蒙地奉上"把蒙旗土地所有权收归伪满洲国所有，为其肆行经济掠夺大开方便之门。至 1942 年末，共收买了 2 000 万公顷的"开拓"用地，其中耕地即达 351 万公顷。

自民国以来，由于中央政府和各地方当局大力推行移民放垦政策，交通运输的发展，特别是铁路的修筑，移来的汉族农民与日俱增，内蒙古地区的开垦规模不断扩大，垦殖农业发展迅速。至 20 世纪 40 年代末，除东部的呼伦贝尔盟和西部的锡林郭勒盟以及阿拉善旗、额济纳旗等少部分盟旗尚保持游牧外，其他各盟旗全部或大部分被放垦。在内蒙古西部，集宁至多伦一线以南的察哈尔左右翼南部，适耕地已垦辟殆尽。大青山以北的武川、陶林（今察右中旗）、四子王旗一带也出现了上千顷农田。伊克昭盟的南部边墙沿线和北部河套一带已基本变成农业区。在内蒙古东部，哲盟北部 7 旗的大兴安岭以东地区基本上成了农业区。昭乌达盟西拉木伦河流域，也出现了以林西、开鲁为中心的两块农业区。

随着耕地面积的不断扩大和蒙汉各族农业人口的日益增长，内蒙古地区的农业生产逐步上升到国民经济的首要地位。据统计，"1946 年全区耕地面积已达 5 718 万余亩，农业人口在总人口中已占 88.8%，农业总产值占工农业总产值的 91.4%；而农业总产值中，种植业产值又占 72%。内蒙古的农业，除了生产区内必需的粮食和其他农副产品外，还能向区外输出一部分粮食和农产品。"[①] 随着牧场的放垦和大量人口弃牧务农，一些蒙旗基本农业化，其财政在很大程度上依赖于农业税收。据 1921 年的资料，东蒙农耕带占 5/10，农牧带 3/10，纯牧区只占 2/10，[②] 反映出东部牧区的迅速农耕化。在内蒙古，无论在东部还是在西部，农业生产在国民经济中已占到主导地位。

民国时期内蒙古地区的农业比清代虽有较大的发展，但由于受自然条件的限制和封建生产关系的束缚，农业生产技术十分落后，生产力和生产水平仍很低。到 1947 年，全区粮食总产量只有 184.5 万吨，农业（种植业）产值 4.72 亿元，粮食平均单产 38.5 公斤/亩，人均粮食 328.5 公斤。1946 年，在全部农作物总播种面积中，粮豆作物占 90.2%；在粮豆作物面积中，小麦、稻谷面积只占 7%，其余全是杂粮。经济作物面积只占 7.4%，其中油料面积占 94%。内蒙古东西部种植作物地域性差异大、结构单一，也造成农业经济效益不高，农业商品生产发展缓慢。

农业生产中普遍存在广种薄收、耕作粗放的习惯。汉族农民来到内蒙古以后，受自然条件的限制，不得不变更内地精耕细做法，转向粗放的旱地农业。这可以说是个农业技术上的退步。除城郊农村较多施肥，远郊施肥很少，广大乡村则基本沿袭着"四不"习惯，即不施肥、不深耕、不浇水、不锄地。农业生产完全靠天吃饭，靠扩大耕地面积增加产量，单产水平不高。通过不断扩大耕地面积来换取产量的提高，正是内蒙古农业生产落后的

① 刘景平、郑广智主编：《内蒙古自治区经济发展概论》，内蒙古人民出版社 1979 年版，第 57 页。
② 彭望恕：《内蒙古以东东三省以南之牧羊业》，载《农商公报》1921 年第 82 期。

集中表现。

三、工业及交通

进入民国以后，内蒙古地区的工业有了一定的发展。其中，城镇手工业和城乡贸易的发展较为显著。随着农业区的扩大和农业经济的发展，汉族手工业者不断移来，手工业者人数增加，行业逐步增多。产品的种类和数量也日益增多，手工业作坊与工厂手工业在许多城镇逐渐建立和发展起来。归绥、包头、海拉尔、洮南、通辽、赤峰、多伦、张家口等城镇已成为手工业和商业贸易中心。当时手工业的主要行业有皮革加工、制毡、酿酒、木器加工、打制铁器和其他金属器皿加工等等。1933 年，归绥市手工业有 26 行 408 户，其中皮革行业就有 55 户。

地毯制造也已形成一定规模和鲜明的民族特色和地区特色，如抗战前的归绥、包头、萨拉齐就有地毯作坊 70 余家。所产三兰地毯和蒙古地毯，大批销往北京、天津和国外。到 1946 年，内蒙古地区个体手工业者发展到 1.87 万多户，从业人员已达 3 万多名。

内蒙古地区民族资本主义工业，在艰难中跋涉，有了一定的发展。1914 年，官商合办的"漠南矿业股份有限公司"，开采内蒙古西部石拐矿区的煤炭、云母、石棉等矿产品。到 20 世纪 20 年代后，随着铁路的修筑，一方面加速了经济的殖民地化，另一方面也刺激了民族工业的发展，近代工业在铁路沿线的归绥、包头、通辽、海拉尔等城市里开始有了一定的发展。1929 年，旅蒙商号大盛魁投资兴建绥远电灯股份有限公司；至 1934 年又附设面粉厂，每年可生产 400—450 万公斤面粉，销往集宁、丰镇、大同、张家口、天津、北京等地。[①] 1931 年前后，归绥地区米面加工业达 152 家（兼营销售），全年营业额 70 余万元，面铺业 45 家，资本 22 640 元，从业人员达 675 人。1930 年包头电灯、面粉股份有限公司成立。此外，集宁、丰镇、乌兰浩特、扎兰屯、牙克石等地也相继建立兼营面粉或专营电业的小厂。1933

---

① 呼和浩特市供电局：《绥远电灯公司》，中共呼和浩特市委党史办、呼和浩特市地方志编修办公室编：《呼和浩特史料》第 2 辑，中共呼和浩特市委党史办、呼和浩特市地方志编修办公室 1983 年印刷，第 220—221 页。

年，绥远省建设厅倡建的官商合营的绥远毛制厂是内蒙古第一个使用机械生产的毛纺织厂。

但是，在帝国主义经济侵略下，微弱的民族工业受到外商的排挤，始终不能够获得长足的发展。日本帝国主义侵占内蒙古东西部地区后，民族工业包括传统的手工业更遭到严重的摧残。抗战胜利后，由于国民党发起内战，又给元气尚未恢复的民族工业以沉重的打击。1949 年全区解放时，装机 500 千瓦以上的电厂只有 7 座，总装机容量不过 1.4 万多千瓦，而且都设备陈旧，事故频繁，供电可靠性差。绥远毛织厂，纺锭只有 750 锭，而且只能生产一般的毛毯和呢绒。以农畜产品为原料的加工工业占工业产值的 70% 左右，但这些加工工业也只是一些初步的加工企业，而没有一座像样的综合加工厂。如当时分布于呼和浩特、包头、通辽、海拉尔等地的 8 个粮米加工厂，工人只有 200 多人，产值不过 130 余万元；分布于乌兰浩特、通辽、海拉尔等地的 8 个酿酒厂，工人 210 余人，产值也只有 120 万元左右；海拉尔和包头的皮革厂，工人才 69 个人，产值仅 35 万余元。

内蒙古自治区成立前，全区工业总产值只有 0.53 亿元，仅占工农业总产值的 8.6%；到新中国诞生的 1949 年，也只有 0.69 亿元。工业总产值在工农业总产值中所占比例，只有 10%。[①]

内蒙古地区现代交通运输，是从民国初年兴起的。中国自行设计、自行施工的第一条铁路干线——京张（北京至张家口）铁路，1915 年展修到丰镇，1921 年修到归绥，1922 年又展修到包头，在内蒙古境内有 423 公里。另外除了中东铁路早已通车外，又有洮（南）索（伦）、大（虎山）郑（家屯）、赤（峰）叶（柏寿）等铁路延伸到内蒙古，内蒙古的铁路总里程达 1 798 公里。

公路运输业有了显著的发展。1918 年，商营大成汽车运输公司开办张家口至库伦的长途汽车运输业务。1919 年，绥远商界创办西北汽车公司，开办了丰镇至归绥、归绥至包头的运输业务。1929 年绥远省成立后，将原实业厅改为绥远省建设厅。建设厅受省政府的指挥监督，管理全省农林渔牧、水利、工矿、交通、土地及建设事务。此后，绥远省公路运输业得到了

---

① 林蔚然、郑广智主编：《内蒙古自治区经济发展史》，第 14—15 页。

相应的发展。1933 年新绥长途汽车股份有限公司在归绥开办专营归绥至百灵庙、黑沙土至哈密、迪化（今乌鲁木齐）的长途汽车运输。到抗日战争前夕，内蒙古西部已经形成归绥、包头、集宁 3 个汽车运输中心。

1924 年在开鲁的驻军（奉军 19 旅）开办了兴隆汽车公司；1925 年热河驻军因军运需要开通了北京经热河至北票的汽车运输。随着汽车运输量的增加，内蒙古地区各地也陆续开始对道路进行整修。经数年整治，相继出现了一些由原有大车道经整修而形成的初级公路（当时称汽车路）。

日本占领内蒙古时期，日本侵略军为了侵略战争的目的，制定了详尽的公路修筑计划，并强征中国民工进行修筑。1932 年，伪满洲国国道局发布《满洲国公路建设纲要》，规划了国道 71 条，总长 2 977 700 公里，其中位于内蒙古东部地区的有 24 条。1939 年，伪蒙疆政府设立了交通部，主管公路修建事宜，重点修筑具有重要军事意义的线路，提高通行能力，以加强察绥、绥晋之间的联系。日军占领归绥后，绥远省政府西撤至河套地区，在对原有公路进行整修的同时，还修建了以陕坝为中心的几条公路。1944 年 3—10 月，修筑了绥宁公路三盛公—石嘴山段；同年 7 月起，开工修筑陕坝—米仓县（今巴彦淖尔市杭锦后旗三道桥）。此外还修筑了陕坝—大顺成村（今巴彦淖尔市杭锦后旗光荣乡），陕坝—东乌盖口，陕坝—铁匠圪旦和沿狼山南麓的沿山公路。

20 世纪 30 年代，民用航空这一现代化交通事业，也出现在内蒙古。在归绥、包头、百灵庙、林西、满洲里建起了飞机场，开通了至北平、上海、银川、迪化等航线。

随着交通运输业的发展，内蒙古的畜产品和粮食、油料等农产品已大量进入国内市场，有的还经天津、营口等口岸销往国外。内蒙古地区过去的封闭状态已打破，其经济在很大程度上卷入了国内市场和世界资本主义市场。

四、商业贸易

民国时期，内蒙古的城乡贸易，以归化城、包头、海拉尔、洮南、通辽、赤峰、多伦、张家口等城镇为中心，有了较大的发展。在销往内地或出口的货物，仍以皮毛、牲畜以及粮食为主。来自内地的商品主要有绸缎、大布、装饰品、洋货、砖茶、粮油、糖、烟、杂货等。

民国以后，归化城仍保持着蒙古地区商业重镇的地位。塞外第一商号大盛魁虽受外蒙古独立的影响，失去对外蒙古商业的垄断地位，但它在归绥和其他一些地方的商业活动仍十分活跃。1917 年接办了德亨魁羊马店，经营羊、马生意。这期间，大盛魁又接办了鼎盛新绸缎店、东升长茶布店、通盛远银号，并在张家口接办了宏盛久银号等。其他中、小商号也保持着相当的繁荣景象。

民国初年，随着粮食产量的逐年增长，归绥粮食贸易也恢复和发展起来。1912 年至 1921 年，相继开设的粮店有德盛店、丰隆店、丰泰店、瑞时店、天德店、大益店、源聚店等 10 多家。① 京绥铁路通车后，京津一带的粮商纷纷来到归绥，建起了专为外省采购粮食，并承揽粮运的粮栈。如天享、公记、天成等 10 余家粮栈，将小麦等细粮大部分输往北京、天津等地，粗粮输往无锡、蚌埠等南方城市。

随着外蒙古的独立，归绥的牲畜、皮毛贸易量则呈现出逐年下降的趋势。至抗战前夕，各种牲畜的贸易量不到 1921 年以前的 1/10。② 清末每年从归化城销往内地和经天津出口的羊毛，最高时达 500 万公斤，至 1925 年锐减到 250 多万公斤。不过，皮毛集散虽不及清末时的数量大，但因价高利厚，成交金额比较高，因此仍是支撑归绥商业繁荣的贸易行业。

包头经过了民国初期的萧条期之后，逐渐恢复了往日的兴旺局面。1923 年，京绥铁路通车到包头，与黄河水运连接起来。这样西北地区与京津交通衔接起来，大大提高了包头在西北地区的商业地位，也大大促进了包头的粮食和皮毛贸易等。包头已成为绥西最大的粮食和皮毛的集散地，河套地区的粮食都要经过包头寻找外销市场。"后套灌地大渠，均可通行大船，故装船非常便利，随处均可"，"夏秋之际，包头粮商带大宗款项，向当地粮局及农家接洽购买"。据 20 世纪 20 年代的统计，每年从包头经京绥路输出的粮食估计在 20 万石左右。③ 皮毛市场也十分活跃，有些原来运到归绥、张家

---

① 贾汉卿：《归化城粮店史话》，见政协内蒙古自治区委员会文史资料委员会编：《内蒙古工商史料》，政协内蒙古自治区委员会文史资料委员会 1990 年印刷，第 2 页。
② 《察哈尔和绥远省的工商业》（日文），载《满铁调查月报》1935 年第 15 卷第 12 号。
③ 闫天灵：《汉族移民与近代内蒙古社会变迁研究》，民族出版社 2004 年版，第 369 页。

口集散的皮毛也转到包头倾销。随着市场的繁荣，新的皮毛店不断出现，至民国十四年（1925年），包头的大小商户达1 000余家，成交额突破3.5亿元。此后，包头的商业贸易虽几经波折，但由于地居内地通往西北各省的咽喉要地，兼有黄河航运和京绥铁路交通之便，故宁夏、甘肃、青海、新疆等地以及河套地区出产的绒毛皮张等都云集于包头，再转运到京、津出口。包头成了我国西北地区最主要的皮毛集散地。

从1912年至1920年，张家口的店铺由原来的570余家增加到718家。1918年，徐树铮任西北筹边使，进入外蒙古迫使其撤销自治后，立即以军工完成张库（张家口至库伦）公路的修筑，并采取了军事、经济、政治上使蒙古与民国结成一体的政策。张家口的地位越发显得突出，其对蒙贸易更加显示出前所未有的热闹景象，在大境门外西沟的南北两街，呈现出大小旅蒙商号鳞次栉比的盛况。贸易总额每年达23 481 000两（1两＝50克），内外蒙古不必说，远至乌梁海、新疆、青海一带都成为其主要交易范围。[①]

此外，内蒙古东部的赤峰、通辽、洮南、海拉尔等城镇也成为畜产品、粮食、日用百货和手工业品的集散地，成了当地商贸物资的交流中心。

这一时期，内蒙古牧区商业活动中，旅蒙商仍居垄断地位。他们在草原上进行流动的商业活动外，在归绥、包头、张家口、多伦、经棚、海拉尔等商业城镇有其根据地；在牧区深处或寺庙、王府附近亦设有店铺，各自形成一个行销网络。

1921年，外蒙古爆发革命以后，特别是蒙古人民共和国成立后，大盛魁等旅蒙商号很难进行活动。至1929年，蒙古人民共和国和中国的商业关系基本断绝。同年大盛魁在归绥的总号宣告停业。从此，各旅蒙商号的经营规模大大缩小，逐渐走向衰败。民国初年，归绥经营规模能够加入商会的商号还有1 800余家，到1925年就减少到1 400余家。1926年以后，因军阀混战、连年天灾、金融混乱等原因，到1931年全归绥加入商会的只剩下800多家。[②] 旅蒙商的产生和发展，是蒙汉民族间互通有无的客观需要。但是，

---

① ［日］后藤十三雄：《蒙古游牧社会》，布林译，内蒙古自治区蒙古族经济史研究会1992年刊印，第81页。

② 何志：《从清初到抗日战争前夕的呼和浩特商业》，载《内蒙古大学学报》1961年第1期。

旅蒙商采取不等价交换的手段，对牧民进行高利盘剥，造成了内蒙古牧区资金大量外流，严重地制约了畜牧业生产的正常发展。

在日本帝国主义占领内蒙古期间，本地区商业贸易完全为日资企业所垄断。1938年到1941年，在蒙疆设立的由日资经营的公司就有73家，如"大蒙公司"、"蒙疆畜产股份有限公司"等基本垄断了畜产品的收购或供给牧民需要的物资。日本侵略者还通过其傀儡政权制定各种法令法规，推行了一整套经济"统制"政策，完全掌握了内蒙古地区的经济命脉，使这一地区变成了日本掠夺战略物资、输出商品及资本的殖民地。

第三节　文化教育事业

一、学校教育

内蒙古地区近代教育事业始自清末新式学堂的创办。绥远城武备学堂是内蒙古西部地区最早创办的新式学堂。随后，在废除科举制度，创办新式学堂的热潮中，内蒙古东西部各地相继创办新式学堂，使内蒙古地区教育事业的停滞状态发生了改变。民国建立以后，内蒙古地区的近代教育进入了一个新的历史时期，大体经历了3个阶段：第一阶段，即民国元年（1912年）至1928年国民党主政为止，是初步发展时期；自1928—1945年的抗日战争时期为快速发展的第二个阶段；解放战争时期为发展较为缓慢的第三个阶段。

1912年中华民国确立后，制定了各项改革教育的法令和措施，决定了振兴教育的基本纲领。1912年1月，南京临时政府颁布《普通教育暂行办法》，通令全国各地的学堂一律改称学校，禁用旧教材，废除"忠君"、"尊孔"的教育宗旨，提倡资本主义新教育。9月，教育部颁布"壬子"学制。次年又陆续颁布各种学校令，并对这些规定与"壬子"学制加以调整、综合，制订了一个统一的学制系统，称为"壬子癸丑"学制。"壬子癸丑"学制的颁布和施行，是对封建主义教育的一次重大、全面的改革，也是教育方面的一次巨大进步。它标志着中国采用西方资本主义国家教育制度的形式已正式确立。

在内蒙古东部地区，除原有的学校外，昭乌达盟翁牛特右旗于 1913 年在赤峰创办小学 1 所，克什克腾旗于 1915 年在经棚创设了萃英初级小学，库伦旗、敖汉右旗在 1918 年也各自开办了 1 所初级小学。呼伦贝尔地区有郭道甫、福明泰等人于 1918 年及以后创办的蒙旗官立小学和墨和尔图屯蒙旗女子小学。在哲里木盟科左前旗，克兴额于 1915 年创办了本旗公立蒙汉两等小学校。

在内蒙古西部地区，归化城土默特旗于 1914 年陆续恢复了停办数年的几所小学，并在 1926 年设立了 1 所中学。乌兰察布盟乌拉特中公旗在 1913 年曾创办过一所小学。1926 年乌拉特三公旗共同在包头成立了三公旗公立两级小学校。1916 年，察哈尔特别行政区拨款在察哈尔八旗各创办了 1 所初级小学，两年后又为 4 牧群（太仆寺左右两翼、商都、牛羊群）各创办了初级小学 1 所。1920 年，镶白、正黄两旗的小学改为高级小学，并附设初级 1 班。

除上述地区外，锡林郭勒、乌兰察布、伊克昭各盟不少蒙旗和阿拉善、额济纳等旗，因地处边远，仍处于游牧状态，仅有少数传统的私塾和衙署公塾，尚无近代教育可言。

民国以后，内蒙古地区汉族聚居的各府、厅、州县的学校教育发展尤为显著，其规模和数量远远超过了蒙旗。清末时几乎所有的县份都建立了新式学堂。进入民国后，学校数量不断增加，至 1927 年国民政府成立时，有不少县已建起中小学数十所至近百所。除了县立中小学，很多乡村都建起了小学。以内蒙古西部的几个县为例，凉城县已有学校 80 所，和林县 68 所，萨拉齐县 33 所。东部地区各州县的学校数量亦有显著的增长。例如，到 1920 年，宁城县小学校已发展到 23 所；1921 年赤峰县小学校达 46 所，次年赤峰县还办起了 1 所中学。

1914 年，察哈尔特别区在张家口创设察哈尔区立蒙旗师范讲习所，不久又扩充为察哈尔区立师范学校。以后增添招蒙官子弟 1 班，1922 年后附设蒙古师范讲习科 1 班，学制 2 年。

民国以来，随着受新式教育的青年逐渐增多，国民教育意识的逐步增强，内蒙古各地的学校教育取得了显著的成果。但相对于内地各省，内蒙古地区的教育仍比较落后。

由于军阀混战，政局动荡，经济凋敝，民国初期的内蒙古地区教育在发展过程中也遇到了一系列问题。如经费不足、师资缺乏、生源不稳定等问题严重制约着教育事业的正常发展。1912—1914 年间，萨拉齐县有 120 多个村建立了学校。但到了 1915 年，因经费拮据、师资缺乏以及匪患丛生，各村无力维持而停办者不少。1918 年，归绥中学校"招考寥寥无几，仅得十八人"，经绥远都统批准后，校方规定，凡入学肄业者减免其家中两项地亩差徭，这样才招收学生 71 名。当时只有少数稍富裕者，送其子弟入学而已，农民虽知读书之好处，多因生活困难，无法承担购买书籍及交纳教师薪金之费用。前述乌拉特中公旗、敖汉右旗所设小学和 1926 年伊盟郡王旗所办小学均开办不久，即因战乱或匪患而停办。此外，传统的私塾在这一时期内蒙古地区的教育中仍占有相当的比例。清末创办的巴林右旗公立普励小学，直到 1926 年仍停留在旧式私塾的状态，所学课程还是《四书》、《五经》之类。

1927 年国民党主政后，为了加快边疆地区与内地一体化的进程和强化对边疆的统治，对少数民族的教育颇为重视，开始将其列入议事日程。1929 年 6 月，国民党三届二中全会《关于蒙藏之决议案》中，对边疆地区学校的设置、行政机构的设立、经费的划拨和学生的待遇等作出了规定。还公布了《蒙藏学生待遇条例》、《蒙藏学生就学北平、中央两大学办法》。遂在继续开办北平蒙藏学校的同时，增设南京中央政治学校附设蒙藏学校、中央大学蒙藏班，招收蒙藏学生入学。

1930 年 2 月，教育部设置蒙藏教育司，专门负责蒙藏及其他边疆地方教育的调查、兴办、奖励等事项。1935 年，又颁布了《蒙藏回教育补助费规则》、《蒙藏委员会保送学生办法》、《推进蒙藏回苗教育计划》等，鼓励并资助少数民族学生到内地各学校求学。次年，在归绥设立国立绥远蒙旗师范学校，立即着手编印汉蒙对照的小学课本，为各地小学提供教材。

在这种情形下，内蒙古地区的教育呈现出前所未有的快速发展势头，内蒙古各地相继建立了各类中小学、师范学校和职业学校。当时，仅归绥一地就有归绥中学、绥远师范、归绥女子简易师范、农科职业学校、工科职业学校、五族学院等比较有名的学校。到 1930 年，各盟旗新设立之公立、私立小学计达 60 余所。在教育较为发达的卓索图、昭乌达、哲里木诸盟学校数量大增，1931 年仅喀喇沁左旗已有公立小学 28 所，科右中旗有小学 16 所。1931 年前后，赤峰县、敖汉旗、克什克腾旗、翁牛特右旗和林西县五地统计，共有完全小学 12 所，初级小学 84 所，在校学生 3 053 名。

在内蒙古西部蒙旗，到抗战前，土默特旗计有中学 1 所，完小 1 所，初小 6 所，绥东 4 旗各自在总管所在地设立国民小学 1 所，乌、伊两盟各旗有小学 17 所。僻处西北的阿拉善、额济纳两旗也都有了当地的第 1 所小学。

这些学校大多采用近代教学内容和教学方法，虽然在经费、设施、师资、教材等方面远逊于内地，但也培养出一些有知识的青年，对蒙、汉等各民族文化、教育水平的提高起了积极的作用。但是由于内蒙古地方广远，情形各异，教育事业的发展极不平衡。一般说来，汉族聚居的各县，或处于农业、半农半牧地区的蒙旗，教育相对发达；以游牧为主的蒙旗则因地处偏僻，风气闭塞，教育颇为落后。总之，整个内蒙古地区，由于政治局势缺乏稳定，经济落后，教育虽然较前有相当程度的进步，但仍落后于内地诸省。

1931 年"九一八"事变以后，在短短几年内，内蒙古大部分地区先后沦陷，处在伪满洲国和伪蒙疆政权的统治之下。为了拉拢蒙古族青年和施行奴化教育，日伪当局对蒙旗原有的文化教育设施进行调整，并建立了许多新的学校。

普通教育方面，在伪满地区，1933 年 6 月，整个兴安 4 分省仅有初级小学 24 所，完全小学 6 所。1935 年时小学校已多达 162 所，在校生共 8 326 人，此外还有私塾 143 所，学生 2 345 人。截至 1941 年底，兴安 4 分省和锦州、热河、吉林、滨江、龙江诸省已有蒙古族国民学校 201 所，在校生 23 742 人；国民优级学校 54 所，在校生 4 206 人；国民高等学校（即中学）10 所，在校生 1 475 人。此外还有百余所国民学舍和国民义塾，共有学生 5 000 余人。

在伪蒙疆地区，据 1940 年末的统计，共有蒙古族初等学校 44 所，其中初级 43 所，高级 1 所，在校生共 1 932 人。到 1942 年末，公私立蒙古族初等学校已有 105 所，学生 6 513 人，其中教育素称落后的锡林郭勒盟有 38 所、乌兰察布盟有 18 所。中学有察哈尔盟立张北兴蒙中学、厚和兴蒙中学、锡林郭勒立贝子庙兴蒙中学、巴彦塔拉盟立包头兴蒙中学，共有学生 839 人。此外，在一些盟旗，女子教育和喇嘛教育也普遍发展起来。1943 年，仅锡林郭勒盟各旗就有旗立女子家政学校 10 所，在校生 197 人；喇嘛学校 16 所，学生 501 人。

师范和职业教育方面，在伪满地区，1933 年夏兴安总署将原沈阳东北蒙旗师范学校和齐齐哈尔黑龙江蒙旗师范学校分别改组为兴安第一师范学校和兴安第一职业学校，并以每名学生由本旗公署补助 60 至 100 元的优待条件吸引蒙古青年入学。以后，又逐步在兴安 4 分省各设了 1 所师道学校（初名临时初等教育养成所），学制 2 年，为发展教育培养师资。1935 年，为使蒙人关心产业和培养产业开发人才，促进经济发展，蒙政部劝业司在布西、郑家屯、大板上、海拉尔等地为兴安 4 分省各设了 1 所产业技术传习所（后改称农业学校或畜产学校），学制 2 年，主要教授木工、制革等与农牧林业有关的技术。还在兴安南省王爷庙开办了直属蒙政部的兴安学院，"专门给将从事实业的人授予必要的知识和技能，同时承担以实业为主体的初等学校教员的培训"，学制 5 年，完全官费。此外，兴安南省还设有兴安实业女学校、通辽实业女学校等。一些蒙旗如布特哈旗、西科中旗等还设有旗立的青年学校或农业学校。在王爷庙还有培养蒙古族军官、军士或进行现职军官教育的兴安军官学校（1934 年设）和培养地方医务人员的兴安医学院（1941 年设）。

在内蒙古西部地区，伪蒙疆政权于 1938 年在厚和（今呼和浩特）设立蒙古学院，为各盟旗培养实用人才。该校后与巴彦塔拉、乌兰察布两盟青年学校合并，改为厚和蒙古中学。以后先后设立的有察哈尔盟立师范学校、兴蒙学院、蒙古军幼年学校、蒙古军陆军军官学校、蒙疆喇嘛医养成所等各类学校，专门培养各种人才。其中兴蒙学院是由原蒙旗学校发展而来的，设有预科、本科和师范科，学制均为 3 年，还附设有国民小学。在厚和、德化的兴蒙中学等都设有师范科，为苏木小学培养教师。此外，在专门培训官员的蒙疆学院和培养专业人才的交通学院、中央医学院都收有一些蒙古族学生。

为了进一步培养人才，伪满蒙政部（后改兴安局）与蒙疆当局还大力向辖境外其他地区和日本派遣留学生。1936 年，留日蒙古学生已有 40 余人，到 1941 年底，留日蒙古学生已多达 96 人。

抗日战争爆发后，绥远省西部蒙旗及阿拉善、额济纳旗等未沦陷地区，虽处于战争状态，其教育事业亦因为要适应政治、军事的需要而有了相当的发展。从 1939 年到 1947 年，教育部在伊克昭盟七旗和阿拉善、额济纳旗每旗设立边疆小学 1 所，并设立了国立伊盟中学。与此同时，绥远省当局也开始催令辖下未沦陷蒙旗恢复各学校，并于 1941 年夏于教育厅下成立边地教育委员会，综理全省边地暨各蒙旗教育事宜。1942 年时乌兰察布、伊克昭两盟已有小学 27 所。

抗日战争胜利后，内蒙古地区成为国共两大政治势力进行最后较量的重要战场之一，虽然双方在各自控制的地区对教育的发展做过一些努力，但由于受到局势的影响，发展较为缓慢。

在国民党控制的内蒙古西部地区，绥远省接收了日伪时期留下的学校，并于 1946 年 3 月制订了《蒙旗教育复员实施计划》，开始着手对蒙旗初等教育进行调整、充实，并拟对蒙旗各小学给予经费补助。1947 年 11 月，绥远省政府盟旗文化福利委员会派专人分赴乌盟各旗和绥东察哈尔 4 旗筹办起蒙旗实验小学校 9 所。这时，全省蒙旗共有各级学校 60 所，在校学生近 2 000 人。

在内蒙古中部、东部解放区，在中国共产党的领导下，随着地方的逐步稳定和发展，蒙古族教育也有了相当的进步。从内蒙古自治运动联合会到内蒙古自治政府，始终把普及教育、增设学校、提高民众觉悟和发展蒙古文化作为一项重要任务。在与国民党军队不断战斗的同时，仍发动群众，克服困难，以官费或民办官助的方式恢复和改造原有的学校，并建立新学校。以兴安盟西科后旗为例，伪满时有小学校 13 所，到 1948 年时，已发展到 133 所。

综观民国以来的内蒙古地区的教育，近代教育有了长足的发展，逐渐排挤和取代了传统的喇嘛寺庙教育和衙署公塾及私塾教育，不仅使蒙汉各族平民子弟有了受教育的机会，而且传播了新知识、新思想和新文化，培养出一批新型的知识分子，从而对内蒙古社会、经济、文化等各方面的发展和进步起了积极的作用。但是，由于近代中国政局动荡、战乱频仍，以及蒙古族封建王公大都对新式教育抱有排斥态度等原因，内蒙古地区的近代教育无法正常发展，始终处于较为落后的状态。特别是蒙旗教育，与内地的公立学校教育相比，不仅学校数量发展缓慢，学生不多，而且教学设备差，教育质量低。

二、文化事业

内蒙古地区文化事业一直比较落后，民国以来，随着社会变革的加剧，加之受西方文化和国内新文化现象的刺激和影响，内蒙古文化领域内也出现了一些新的变化。随着受过教育、能写会读的人逐渐增多，蒙古族人民对各类近代知识的渴求日益强烈，各种书刊和教科书的编辑、出版和印刷事业得以迅速发展，各种文化设施、文化团体也应运而生。

民国建立后，巴达尔呼、特克新加布等人于 1912 年 11 月在北京出刊了《蒙文大同报》。内容主要是传达政府的有关命令、法规，报道国内外要闻和蒙古要闻等。20 世纪 20 年代以后，随着革命思想的传播和民族解放意识的增强，蒙古族中出现各种团体或机构，甚至政党。他们纷纷出刊报纸杂志，探讨民族解放的出路，宣传自己的观点和主张。《蒙古农民》（周刊）是我国少数民族历史上第一个革命刊物，1925 年 4 月创刊于北京蒙藏学校。在革命先驱李大钊的提议和关怀下，由内蒙古地区最早的共产党员、北京蒙藏学校绥远土默特籍学生奎璧等人创办。内容主要有论著、译著、文艺、专载、蒙事辑要等。《内蒙国民旬刊》（蒙文），1925 年 11 月 16 日创刊于张家口。该刊系内蒙古人民革命党中央机关刊，也是我国蒙古族第一个政党报刊。内容分政治、党团、优秀作品、要闻等，在牧区有较大的影响。但因政局变化，出刊时间不长。《蒙古前途》（蒙汉合璧月刊），1933 年创刊于南京蒙藏学校，属综合性刊物，但以政论为主，内分时评、论著、记述、转载、文艺、蒙事纪要等栏目。主要分送察绥各盟旗及南京、北平等地的蒙古人士和蒙古学生，在当时有较大的影响。此外，在各地出刊的还有北京蒙文学会的《丙寅》，北平蒙古学生会的《蒙古》、《东北蒙旗师范学校校刊》，北平蒙古青年励志会的《励志月刊》，北平蒙古学生会会刊《新蒙古月刊》，绥远土默特旗旅平学会的《蒙古知行月刊》，绥远蒙古文化促进会的《醒蒙》等。

抗日战争期间，国民党统治区几乎没有蒙古族自己主办的报刊。在伪满洲国兴安省地区和伪蒙疆政府管辖境内，蒙古族的报刊事业有一定的发展。其中较著名的有《蒙古新报》、《蒙古周刊》、《大青旗》等。

抗战胜利以后，蒙古族的报刊事业得到迅速发展，在解放区，大量报刊先后问世，其中尤以内蒙古东部地区为多。如东蒙古人民自治政府的《东蒙新报》、内蒙古自治运动联合会东蒙总分会的《群众报》、《内蒙自治报》，内蒙古日报社的《内蒙古日报》等出刊时间较长，发行量较大，在传播革命思想方面起了巨大的作用。

民国以来，分辖蒙旗的有关各省政府及所属机构创办的报刊则种类繁多、数量大。在西部地区，比较有影响的刊物主要有绥远省政府的《绥远省政府公报》、《绥远蒙文半月刊》、《绥远省政府行政报告》，绥远省教育厅的《绥远教育》、《绥远教育公报》、《绥远省教育会月刊》，绥远省财政厅的《绥远财政年刊》、《绥远财政季刊》，绥远青年月刊社的《绥远青年》，绥远省合作事业管理处的《绥远合作通讯》等。报纸主要有《绥远日报》、《绥远国民日报》、《绥远社会日报》、《绥远西北日报》、《奋斗日报》等。

在东部地区，刊物主要有东北政务委员会蒙旗处机关刊《蒙旗旬刊》，兴安屯垦公署机关刊《屯垦月刊》，吉林蒙旗刊行社的《蒙旗》，沈阳蒙古文化研究社的《蒙古风》等。其中《蒙旗旬刊》（蒙汉合璧）创刊于1924年，该刊"以牖启蒙民知识，促进蒙旗文化为宗旨"，由东蒙古文化闻人克兴额负责翻译审校，东蒙书局印刷。内容有社论、国内外新闻、论著、专载、公牍、附录等。

由于发展文化教育的需要，各类出版机构和文化团体也接连出现。与清代不同，蒙古族的近代出版事业基本由民间私营和地方政府主办，所出图书在内容方面亦较为广泛和丰富，既有《四书》、《圣谕广训》、《忠孝经》、《三字经》等传统读物，又有民族历史、语言文学、外族文学、科学知识、辞书和各种教科书等。在这些出版机构中影响较大的有以下几家：察哈尔牛羊群总管策楞栋鲁普在张家口创办的汉蒙翻译国华书局（1918年），特睦格图主办的北京蒙文书社（1924年），克兴额、诺拉嘎尔扎布、喇锡僧格等募捐创办的东蒙书局（1926年），卜和克什克等人创办的开鲁蒙文学会（1927年），察哈尔十二旗群创办的察哈尔蒙古图书编译馆（1935年），以及蒙疆政府主席府研究室出版处（1939年）、内蒙古日报社（1948年）等。其中，北京蒙文书社的创办人特睦格图创制出我国自己的蒙文铅字和满、藏文铅字，从而使蒙文图书能够迅速而大量地出版。北京蒙文书社在不到10年内，先后出版过各类图书约60余种，10万余册。其中有《元朝历代帝后像》、

《成吉思汗传》（即《黄金史纲》）、《辽史纪事本末》、《金史纪事本末》、《元史演义》等历史文献，《三国演义》、《西汉演义》、《聊斋志异》、《进士缘》等文学著作，还有《蒙文分类词典》、《蒙汉词典》、《公文程式》、《蒙文教科书》等工具书和教科书，推动了蒙古族社会文化教育的发展。

民国以后，内蒙古地区的公共文化设施也有了一些发展。1906 年赤峰县建通俗讲演所，1913 年更名民众教育馆。1920 年呼伦贝尔取消自治后，呼伦县于 1922 年设立图书馆，成为民国时期内蒙古地区第一个公共图书馆。绥远民众教育馆创设于 1924 年。次年，萨拉齐、托克托、包头等地也先后设馆。1925 年，绥远区立图书馆建立，并附设阅报所。同年，绥远教育厅在厅署附近附设的平民图书馆及阅报所也正式开办。此后，萨拉齐县、清水河县亦先后成立图书馆或阅报所。1929—1930 年间，东部的通辽、突泉先后建立了县立通俗图书馆，林西县亦改通俗演讲所为通俗教育馆，增设了图书部。到 1936 年夏，绥远省有公共图书馆 10 余所，除托克托、东胜、沃野、武川等县局外，其他各县局几乎都设有县立图书馆或带有图书部的民众教育馆。抗战时期和解放战争时期，内蒙古地区的公共文化事业虽有一些发展，但由于日本帝国主义的侵略和连年的战乱，始终处于衰败或停顿之中。

三、文学、艺术与史学著述

民国以来，蒙古文学在继承古代蒙古文学丰富遗产的基础上，与社会变化相适应，又有了新的发展。民间文学是蒙古民族文化的重要组成部分，它以广泛的题材，丰富的内容和多种多样的形式，全面反映了蒙古族人民的生产、生活状况和思想感情。其中，民歌、叙事诗、民间故事是流传最广的民间艺术形式。

蒙古民歌始终同民族的历史、人民的生活保持着紧密的联系。20 世纪初以来，由于剧烈变动的社会生活的推动，民歌的创作和流传呈现出十分繁盛的景象。这一时期，民歌所包含的内容和题材极为丰富，有歌颂爱情的情歌，有思念家乡、亲人的思念歌，有用于庆典、聚会和喜庆场合的宴歌和婚礼歌，也有赞美故乡山河与牲畜繁盛的牧歌和赞马歌，还有反映历史事件和人物的历史歌、好汉歌，等等。在内蒙古各地广为传唱、经久不衰的民歌的数量很多，其中具有代表性的有《诺恩吉雅》、《金色的兴安》、《森吉德玛》、《乌琳花》、《黑缎子坎肩》、《送亲歌》，等等。

近代民间叙事诗主要分布于内蒙古东部地区，大多以真实的事件与人物为背景，反映民间的苦难与人民的反抗斗争，讴歌起义领袖的英雄事迹；或反抗封建婚姻制度，追求自由爱情；批判封建礼教，揭露王公贵族和宗教上层的腐化堕落。《陶克陶胡》、《嘎达梅林》、《达那巴拉》、《韩秀英》、《宝音何西格大喇嘛》等堪称叙事诗的杰作。民间故事《巴拉根仓》和《疯子沙格德尔》是流传很广的民间讽刺文学。通过巴拉根仓、沙格德尔戏弄惩罚官吏、财主、上层喇嘛的故事，揭露抨击了社会的黑暗，歌颂了劳动人民的聪明才智。

民国以来，蒙古族的诗歌创作进入了一个新的发展时期，出现了许多诗人。嘎玛拉、阿木尔吉日嘎拉、克兴额、劳瑞仓布、赛春嘎等是这一时期具有代表性的诗人。其中，赛春嘎（纳·赛音朝克图）是近代中国最著名的蒙古族诗人。他是第一批走出国门接受异域文化影响的蒙古族人士中最有代表性的代表人物。赴日留学期间，他大量阅读了欧洲和日本优秀的文学作品，培育了他深厚的语言文学功底和宽广的文化视野。赛春嘎的诗歌充满了以复兴民族大业为己任的坚定信念，贯穿着以科学文化开启民智、拯救民族、改良社会的思想。克兴额、劳瑞仓布等人的民主革命思想更加鲜明，他们诗歌的矛头对准了蒙古僧俗封建势力，深切同情人民的疾苦，甚至公开号召革命起义，推翻反动政权。这一时期出现的知名散文作家有儒勒格日扎布、布和贺西格、赛音宝音、仁钦好日劳等人。

好来宝是蒙古族特有的说唱艺术，其形式多样，内容极为广泛，包括史诗、民间故事、长篇叙事诗，还有从汉族古典小说中编译过来的《三国演义》、《水浒传》、《隋唐演义》，等等。民国以来，出现了绰旺、宝音讷木和、琶杰、毛依罕等著名的说唱艺人。

蒙汉杂居的农业区、半农半牧区的不断扩大，以及小工商业城镇的发展，为蒙汉人民进行直接的文化交往创造了条件。由于生产和生活的需要，蒙汉各族农牧民相互学习对方的语言文化，使内蒙古地区的文化艺术有更加丰富的内容。蒙古族文人把大量的汉族古典文学译为蒙文，大大丰富了蒙古族人民的文化生活。《三国演义》、《水浒》、《封神演义》等演义类小说，以及《红楼梦》、《今古奇观》、《金瓶梅》等言情类小说译本，在民间广为流传。

随着蒙汉文化交流的加深，在内蒙古地区的文学艺术中逐渐形成了蒙汉融合的民间文艺形式，如内蒙古由演唱汉族通俗演义小说而形成的"蒙古说书"，西部地区由山西、陕西的山曲和鄂尔多斯的民歌融合而成的"蒙汉调"。此外，一些内地汉族传统的民间艺术形式在传入内蒙古农村的过程中，也逐渐形成了自己的特色。例如，内蒙古西部地区汉族和蒙古族农民喜闻乐见的晋剧、秧歌等戏曲，虽与晋、陕戏曲有密不可分的关系，但在发展过程中具有了本地的特色。而"二人台"则是土生土长，取材于当地农民的生活，演出简便，风行于广大农村。"二人转"、评书，自清末由东北传入内蒙古东部地区以后，在农村和城镇广为流行，深受汉族群众的喜爱。

民国以后，蒙古语言学和史学研究也有了新的进展，出现了不少颇有影响的著述。语法、辞典类著作主要有：罗卜桑确吉尔的《蒙文要义明鉴》，汪国钧（博彦毕力格图）的《蒙文文法启语》，拉木苏荣的《详解蒙文文法金鉴》，额尔敦陶克陶的《蒙古简明语法》，特睦格图等主编的《蒙文分类词典》、《蒙汉分类词典》等。这一时期史学著述为数不少，主要有：罗布桑却丹的《蒙古风俗鉴》（蒙文），汪国钧的《蒙古纪闻》（汉文），克兴额等编制的《蒙古世袭表》（汉文），福隆阿的《大蒙古元朝史》（蒙文），邢致祥的《蒙古帝国史》（蒙文）和《蒙古元朝史》（蒙文），色伯克札普的《成吉思汗略传》（蒙汉对照）等。此外，蒙古史籍和中外史著的翻译也取得了一些成果。例如，用汉文音写形式保存下来的第一部蒙文史籍《蒙古秘史》，多次被翻译成现行蒙古文；《蒙古源流》直接从蒙文译成汉文；苏联著名蒙古学家符拉基米尔佐夫的《蒙古社会制度》，从日文转译成了汉文。

与清代相比，民国时期内蒙古地区的地方志编纂工作取得了显著的成果，各县及一些蒙旗相继修成志书，以应时代需求。在东部，民国前期主要有赵春芳的《呼伦贝尔纪略》，程廷恒等的《呼伦贝尔志略》，邹尚友、朱枕薪的《呼伦贝尔概要》等简体志书以及《经棚县志》《林西县志》等志书。1931年"九一八"事变爆发，东北三省沦陷，1933年热河省亦为日寇所占领。因统治需要，伪政权饬令各县编送反映地方"一般情况"的简志。于是，《布特哈志略》、《赤峰县志略》、《热河省宁城县志》、《扎鲁特旗概况》、《赤峰地方事情》、《科西后旗志》、《兴安南省地方情形》等先后问世。

在内蒙古西部地区，民国初年修成的志书为数不多，只有《绥乘》、《多伦诺尔厅调查记》、《河套图志》等。1923 年，设治未久的集宁县纂成《集宁县志》。1930 年代以后，随着开发西北、巩固国防的呼声日益高涨，内蒙古西部地区的志书编纂步入了一个新的发展阶段。1930 年春，绥远省政府设立绥远省通志馆，延请国内名学者李泰棻、王森然与地方名儒郭象伋、荣祥等着手编纂省志。绥远省志的编纂几经推延，至 1936 年底最终完成《绥远通志稿》。该志卷帙浩繁、内容丰富，堪称内蒙古旧志之冠。绥远省志方面还有《绥远》（又名《绥远图志》）、《绥远考察纪略》、《绥远概况》等。察哈尔省于 1935 年编纂完成并刊印了《察哈尔省通志》。这一时期，西部各县和盟旗方面的志书主要有：《临河县志》、《清水河概略》、《和林格尔县志草》、《归绥县志》、《绥远集宁县志略》、《伊克昭盟志》、《阿拉善旗小志》，以及《伊盟左翼三旗调查报告书》、《伊盟右翼四旗调查报告书》、《乌兰察布盟调查概况》、《西盟额济纳旗概况》等。在沦陷区，日伪政权也修纂过几部志书，有《武川县志略》、《萨拉旗县志》、《包头市志》等。此外，不少内地人士也编纂了关于全蒙古或内蒙古方面的志书，陆续有花楞的《内蒙古纪要》、马福祥的《蒙藏状况》、包维翰的《全蒙沿革志》、卓宏谋的《蒙古鉴》、黄奋生的《蒙藏新志》、孔祥哲的《蒙旗概况》、许公武的《内蒙古地理》等问世。

第四节 宗　教

一、喇嘛教

喇嘛教（即藏传佛教，亦称黄教）自 16 世纪传入蒙古地区以后，逐渐成为蒙古民族全民信仰的宗教，在清代达到鼎盛。中华民国建立后，蒙古地区社会面貌发生激剧的变化，随着新文化、新思想的迅速传播，喇嘛教最终失去了其昔日的崇高地位。但是，由于一般民众和王公阶层仍普遍信仰喇嘛教，喇嘛教对蒙古地区社会生活各个方面仍发挥着重要作用。

中华民国成立以来，历届中央政府对蒙古地区的喇嘛教都比较重视。北洋政府蒙藏院第二司设有宗教科，掌管"京内外寺庙喇嘛剳付度牒印信升迁调补，京内外寺庙喇嘛册籍、喇嘛封叙、奖给寺庙匾额、喇嘛钱粮费用、呼毕勒罕转世掣瓶"① 等有关喇嘛教事项。南京国民政府成立后，于1928年3月决定成立掌管蒙藏等少数民族事务的蒙藏委员会。1929年2月蒙藏委员会正式成立，国民政府指定的委员中有班禅、章嘉、诺那等喇嘛教上层。蒙藏委员会隶于行政院，地位与各部、委、会相同，是国民政府掌管边疆少数民族及宗教事务的主管机关，下设总务处、蒙事处、藏事处等。由蒙事处第二科负责制定对蒙藏宗教的方针、政策、立法、规则、条例等；还联络各地宗教领袖，负责办理宗教上层人物的晋升、册封、转世、任用等事务。②

北洋军阀政府及国民党南京政府对喇嘛教上层采取了笼络和控制并重的基本方针。民国初年，为了迅速稳定蒙古地区的局势，北洋政府采取了一系列笼络蒙古僧俗封建上层的政策和措施。于1912年8月公布的《蒙古待遇条例》即规定"蒙古各地呼图克图、喇嘛等原有之封号，概仍其旧"③。

由于北洋政府采取笼络、优待喇嘛教上层的政策，加上内蒙古喇嘛教首领章嘉呼图克图首先表示拥护民国，使得内蒙古地区的甘珠尔瓦、察罕、东阔尔等呼图克图、格根相继表示赞助共和，服从民国政府，并纷纷进京觐见大总统袁世凯。民国政府对于这些喇嘛教上层一律授予各种封号、荣典及金钱。南京国民政府成立后，对于喇嘛教同样采取"优待宗教首领"的政策。④

1932年4月，国民政府任命章嘉为"蒙旗宣化使"，并加封"净觉辅教"名号。1934年3月，国民政府派他到内蒙古西部地区进行"宣化"，试图阻止当时的内蒙古"高度自治"运动。1935年，章嘉被选为国民党中央监察委员会委员，1937年又被选为国民政府委员，以后又获得"护国大师"名号。中华民国历届政府对于喇嘛教另一首脑人物班禅也同样大加笼络，给予了优厚的待遇。1925年11月，第九世班禅额尔德尼曲吉尼玛走出西藏，前往内地。班禅到北京后，北洋政府立即给他加封"宣诚济世"名号。南京国民政府成立后，1929年2月班禅被指定为蒙藏委员会委员。1931年5

　①　王德胜：《北洋军阀政府对蒙政策几个问题的初析》，见内蒙古大学内蒙古近现代史研究所编：《内蒙古近代史论丛》第3辑，内蒙古人民出版社1987年版，第126页。

　②　黄奋生：《蒙藏新志》（上），中华书局1938年版，第333页。

　③　《中国大事记》，载《东方杂志》第9卷第4号，第20页。

　④　黄奋生：《蒙藏新志》（上），第314页。

月，国民政府正式邀请班禅到南京参加国民会议，并于6月加封其为"护国宣化广慧大师"。1932年12月，任命班禅为"西陲宣化使"，并在南京和北平分别为其设立了办事处。1934年2月又任命班禅为国民政府委员。

中华民国政府对喇嘛教上层笼络和优待的同时，也采取了一些限制和削弱的政策，以便于控制和利用。

在蒙古各盟旗实行"政教分离"，严禁喇嘛教干涉盟旗地方行政。为此，蒙藏委员会制定各种专门条例、规定等，禁止"宗教首领与外人私订各种契约"，严格划分行政权和宗教权，实行"严定政教分治"的原则。①

1931年9月，蒙藏委员会呈行政院核准，取消了内蒙古锡埒图库伦旗政教合一制度，将该旗"兼管政教之札萨克达喇嘛一缺，划分为锡埒图库伦旗旗札萨克及锡埒图库伦旗兴源达喇嘛两缺"，②任命札萨克达喇嘛罗布生林沁为该旗札萨克，兴源寺达喇嘛一缺由旗札萨克派充。这样，内蒙古地区唯一的政教合一的喇嘛旗被取消，而且使得该旗兴源寺达喇嘛一职的任命权操于旗札萨克之手。

为了加强对喇嘛教上层的监督和管理，国民政府专门制定《喇嘛转世办法》，其中规定：达赖、班禅、哲布尊丹巴以及各地向来转世之呼图克图、诺们汗、班弟达、堪布、绰尔济、呼毕勒罕喇嘛之转世灵童的寻找认定权，由蒙藏委员会掌握，禁止在达赖、班禅、哲布尊丹巴之亲族及蒙古各盟旗现任长官之家属中寻认各呼图克图之呼毕勒罕候选人。还规定：各呼图克图之呼毕勒罕掣定后，必须到京觐见国民政府主席。③同时，对于喇嘛的任用、奖惩以及寺庙财产的管理等方面也作了详细的规定。

除上述政策和措施之外，蒙古地区喇嘛教还采取了不少改革措施。其中，影响较大的是解放寺庙"黑徒"，禁止未成年者充当喇嘛，提倡喇嘛还俗参加生产劳动，各寺庙设立补习学校，令年轻喇嘛学习文化知识，设立寺庙图书馆以及鼓励寺庙兴办慈善公益事业等。

中华民国时期是蒙古社会发生重大变化的历史时期，也是蒙古民族日趋

---

① 黄奋生：《蒙藏新志》（上），中华书局1938年版，第333页。
② 熊耀文编：《总理对于蒙藏之遗训及中央对于蒙藏之法令》，第268—269页。
③ 黄奋生：《蒙藏新志》（上），第734—737页。

贫困、衰弱，危机重重的时期，这一切引起了蒙古族有识之士的极大忧虑。

20世纪20年代，马克思列宁主义开始传入蒙古地区，出现了蒙古族第一批共产主义者。他们以马克思主义的无神论思想对待蒙古人传统宗教信仰，并主张消除迷信思想和改革宗教制度。当时在北京蒙藏学校就读的乌兰夫、李裕智、多松年、奎璧等中国共产党党员创办的《蒙古农民》杂志曾登文指出：蒙古社会所面临的军阀混战、王公贵族的压迫以及帝国主义的侵略等苦难，并非神佛所能保佑和挽救的，喇嘛教对蒙古社会造成的危害匪浅，"喇嘛应该娶媳妇"。① 1925年10月成立的内蒙古人民革命党在其纲领中明确规定，"内蒙古人享有信教自由，但禁止以宗教名义迷惑民众或获得财物"②。

1930年5月在南京召开的蒙古会议上，来自内蒙古各盟旗的代表提出了很多改良社会政治制度，发展经济文化的提案。这些提案中有关改革喇嘛教的内容占相当大的分量，反映了当时蒙古人对喇嘛教的认识和改革的主张。昭乌达盟代表杨荫邨等提出："信教自由，本有定则，应订寺庙保管和监督条例，唯须奖励青年僧众就学以求人口之繁殖，而减酷深之迷信。"③ 卓索图盟代表陈效良、恩和阿木尔等提出："世界各教教徒多有妻室，唯喇嘛教徒抱独身主义，于人口蕃（繁）殖大有阻碍，以后应准喇嘛娶妻生子，自图生存，藉免分利之害。"④ 这些提案中主要反映了喇嘛教对蒙古族人口繁殖所造成的危害，提倡限制喇嘛人数以增加人口，提倡青少年接受国民新式教育。不少蒙旗地方采取了限制喇嘛人数的具体措施。例如，1936年阿拉善旗曾颁布限制当喇嘛办法，"规定二子以上，只许一子出家，独子不得充当喇嘛"⑤。

二、基督教

19世纪末20世纪初，正是汉族人口大量涌入内蒙古的时期，也是西方

①　《喇嘛应该娶媳妇》，载《蒙古农民》1925年第1期。
②　《内蒙古人民革命党第一次代表大会告全体民众宣言书》（蒙古文单行本）。
③　蒙藏委员会编：《蒙古会议汇编》（原提案），蒙藏委员会1930年印刷，第35页。
④　蒙藏委员会编：《蒙古会议汇编》（原提案），第77页。
⑤　陈国钧：《西蒙阿拉善旗之民俗》，见阿拉善盟地方志编纂委员会编：《阿拉善盟史志资料选编》，第1辑，阿拉善盟地方志编纂委员会1986年印刷，第291页。

教会势力由内地向边疆地区加速传播的时期。外国传教士在蒙古地区传教，与中国内地有所不同。他们主要利用蒙古地区地价低廉、土地所有权不分明的特点，从蒙旗大量租、买土地，然后转租给汉族移民，以此来吸引他们入教。在内蒙古的基督教各教派中，天主教（当时亦称罗马公教）的传播最有成效。19 世纪 60 年代以后，天主教很快在众多的汉族移民中广泛传播开来，教堂、教民数量日趋增多。1883 年，罗马教廷将蒙古教区正式划分为东蒙古、中蒙古和西南蒙古 3 个独立教区。至 19 世纪末，天主教已成为内蒙古地区信徒最多、势力最大的洋教。

　　进入民国以后，由于政权的更迭和时局的变迁，天主教会的传教活动和一些特权虽然受到了一定的限制和削弱，但它仍保持着发展的趋势。不过，这时的天主教将传教的重点由乡村转向了城镇。此外，为了扩大其社会影响，教会还加强了教育、医疗以及各种慈善事业的创办。1922 年，罗马教廷将东蒙古教区改为热河教区，将中蒙古教区改为察哈尔教区（西湾子），将西南蒙古教区划分为绥远教区和宁夏教区。

　　天主教会以城镇作为传教重点的同时，也积极致力于在草原深处开辟新的教民区。例如，位于察哈尔右翼 4 旗中部的集宁地区，光绪末年时还是个汉族移民不多见的游牧区。但是，在传教士们的引导和教会的扶持下，后来在这里出现了数十个教民村。其中，红盘、宏格尔图、大脑包 3 个村便是在 20 世纪 20 年代前后出现的 3 个中心村庄。①

　　1928 年热、察、绥 3 特别区和甘肃的宁夏地区改建为热察绥宁 4 省，集宁、兴和等 5 县由察哈尔划归绥远省。于是"圣母圣心会"于 1929 年又从"察哈尔教区"划出"集宁教区"，总堂设在玫瑰营子。1932 年，"圣母圣心会"从"热河教区"划出"赤峰监牧区"。② 至此，天主教在内蒙古地区的发展达到鼎盛。从内蒙古中部几个教区的情况看，至 30 年代末 40 年代初，天主教教民人数仍在不断增加。当时仅内蒙古西部地区教民人数就已达 10 余万人。若加上赤峰、宁夏等其他几个教区，塞外天主教教民总数应当在 20 万人以上。

---

　　①　王守礼：《边疆公教社会事业》，付明渊译，上智编译馆 1950 年版，第 34 页。

　　②　刘映元：《天主教在河套》，见蒙古自治区文史研究馆编：《内蒙古文史丛书·史料忆述》第 1 辑，内蒙古自治区文史研究馆 1986 年印刷，第 28 页。

基督教新教（在中国通称基督教或耶稣教）传入内蒙古地区较晚。1900 年以前，只有个别美国籍耶稣教传教士在内蒙古西部传教。义和团运动中，美国传教士及地方少数信徒遭杀害，耶稣教势力大为衰减。"庚子事件"之后，瑞典国基督教的"协同会"经英国基督教会的同意，取得在内蒙古西部地区的传教权。

瑞典国的基督教会首先在归化城土默特旗内的萨拉齐建立了教堂。此后，瑞典教会在归绥、包头、毕克齐、察素齐、武川、托克托、固阳、丰镇、凉城和察哈尔左翼 4 旗、4 牧群以及阿拉善旗定远营等地相继建立了教堂或传教站。这样，基督教在内蒙古西部农村牧区也有了一定规模的发展。

信奉耶稣教的蒙古人主要集中在察哈尔左翼 4 旗和 4 牧群。20 世纪 20 年代末，商都牧群、牛羊群及镶黄旗等蒙古人聚居地有好几处耶稣教堂及传教站，有瑞典、美国、加拿大的传教士向当地的蒙古人传教。

三、伊斯兰教

除了喇嘛教，伊斯兰教是在蒙古地区很有影响的宗教。在清代，伊斯兰教一向受到统治者的种种压制，所以其发展受到很大的限制。进入民国以后，由于政权的更迭和城镇的繁荣，内蒙古地区的伊斯兰教获得了发展的机会，于是首先在商业贸易较为发达的城镇迅速传布开来。

清代以来，呼和浩特一直是商业最为发达的塞外重镇，对善于经商的回族人自然有很大的吸引力。首先是山西大同和右玉地区的回族来到呼和浩特经商定居。清朝同、光年间，呼和浩特地区回族总人数大约在三四千人左右。进入民国后，回族人口有了显著的增长。据《绥远通志稿》所载，在抗日战争爆发前，归绥（今呼和浩特市区）内有回族穆斯林 3 600 余户，男女 2.4 万余人。[1] 这一数字似有所扩大，但穆斯林总人口至少在 1 万人左右。[2] 随着回族人口的增长，伊斯兰教便在塞外重镇呼和浩特逐渐传播开来，穆斯林群众举行宗教活动的清真寺也随之建立起来。呼和浩特地区自清代康熙年间兴

---

[1]　绥远通志馆编纂：《绥远通志稿》卷 76 之《回族》，1936 年稿本。

[2]　政协呼和浩特市回民区委员会、《呼和浩特回族史》编辑委员会编：《呼和浩特回族史》，内蒙古人民出版社 1994 年版，第 232、233 页。

建了第一座清真寺后，到民国时期，先后兴建了 10 余座清真寺。

包头是塞外第二个重要商业城镇，也是回族穆斯林比较集中居住的地区之一。道光十三年，包头镇回族人口已有 100 多户，约六七百人。后来有甘肃、青海、陕西、宁夏等地回民来到包头定居。到光绪末年包头回族人口增至 786 户，共计 3 148 人。[①] 清末民初，包头回族人口又有了显著的增长，在旧城区北梁一带，由东而西发展，复兴玉巷、东营磐梁、瓦窑沟、真武庙梁、丁家巷以及大仙庙梁、富圣明巷一带已成为回族聚居区。据《绥远通志稿》所载，19 世纪 30 年代，包头回民约 1 500 余户，共计约 2 万余人。[②] 这个数字虽仍有夸大之嫌，但也反映了包头回族人口不断增长的势头。从乾隆初年至 1943 年，经历 200 年，包头地区先后建起 9 座清真寺。

清初以来，多伦诺尔（现锡林郭勒盟多伦县）是佛寺林立、喇嘛云集的内蒙古喇嘛教中心，可以说是活佛、喇嘛的天下。但是在这样"异教"天地之内，回族商人们不仅开辟了经商之道，而且也建起清真寺，将伊斯兰教传播开来。从清朝雍正年间到 1935 年，多伦境内先后建筑 6 座清真寺。进入民国后，因战乱影响，多伦寺庙遭破坏，市面萧条，回民人数亦随之减少。但在 1935 年时，多伦仍有回民 1 900 余人。[③]

在内蒙古东部地区城镇中，赤峰是伊斯兰教较早传入的地方。早在乾隆末年，这里已有回民 300 多户，1 700 余人。[④] 乾隆十二年（1747 年）建成赤峰清真北寺，嘉庆八年（1803 年）建成赤峰清真南寺，从此赤峰成为内蒙古东部地区最主要的伊斯兰教传播基地。1913 年，在赤峰成立了"中国回教俱进会赤峰支会"。1934 年成立伪满伊斯兰教协会赤峰分会，1937 年改称"回教协会赤峰分会"。[⑤] 可见，伊斯兰教和穆斯林民众已成为地方社会所不可忽视的群体。

自清初以来，哲里木盟（现通辽市）是内蒙古 6 个盟中蒙古族人口最多的 1 个盟。清末民初以后，汉、满、回以及朝鲜等其他各民族人口不断迁

① 白慧中：《内蒙古回族历史研考》，内蒙古人民出版社 2002 年版，第 156 页。
② 绥远通志馆编纂：《绥远通志稿》卷 76 之《回族》。
③ 多伦县志编纂委员会编：《多伦县志》，内蒙古文化出版社 2000 年版，第 687—688 页。
④ 白慧中：《内蒙古回族历史研考》，内蒙古人民出版社 2002 年版，第 180 页。
⑤ 赤峰市志编纂委员会编：《赤峰市志》，内蒙古人民出版社 1996 年，第 3035—3036 页。

入，据民国初年的户籍人口资料表明，从 1912 年到 1927 年，哲盟的回族人口不断增加，全盟境内回族人口总数达 680 户，约 4 000 多人。[①] 回族主要分布在通辽县、科左后旗、科左中旗等地。

在呼伦贝尔和西布特哈地区有少量回族定居。1912 年海拉尔有回民 10 余户几十口人。此后，来自山东、河北以及东三省的回族开始在中东铁路沿线的满洲里、扎赉诺尔、牙克石、扎兰屯等城镇定居下来。到 1926 年，海拉尔的回族人口已发展到 100 余户。到 1937 年，扎兰屯亦有回民 40 多户。[②]

民国初年，银川、同心、贺兰、黄渠桥、平罗一带的一些回民来到阿拉善旗定远营，经营店铺，贩卖牲畜，拉骆驼搞运输等。至 1929 年，定远营已有回民 50 多户，在万盛店院内建立了一座清真寺，俗称"下寺"或"老寺"。由于穆斯林人口的不断增加和教派的不同，1941 年回民丁义昌等人提议在南梁顶东沿，增建一座清真寺，俗称"上寺"或"新寺"。

在阿拉善旗还有一部分被称做"蒙古回回"的蒙古人信奉伊斯兰教。这部分蒙古穆斯林是由阿拉善旗第二代札萨克阿宝于清康熙年间西征准噶尔时，从青海西宁一带带来的"缠头回回"的后代。他们初到阿拉善时只有 100 多人，到光绪年间增至 100 多户，[③] 到民国年间发展到 200 余户。[④] 他们主要居住于阿拉善左旗东北部的敖伦布鲁格和巴彦木仁两个苏木。

四、萨满教

萨满教是蒙古人自古以来所信奉的原始宗教。喇嘛教传入蒙古以后，萨满教开始走向衰落，但萨满教的印迹并未完全消失。民国时期，萨满教在蒙古人的思想活动及日常生活中仍有相当程度的遗留。据调查，蒙古萨满教遗

---

① 白慧中：《内蒙古回族历史研考》，第 173 页。

② 白慧中：《内蒙古回族历史研考》，第 199 页。

③ 章秀文、马怀诚：《伊斯兰教在阿拉善旗传播发展概况》，见政协阿拉善盟委员会文史资料研究委员会编：《阿拉善盟文史》第 4 辑，政协阿拉善盟委员会文史资料研究委员会 1988 年印刷，第 184—185 页。

④ 陈国均：《阿拉善经济状况》，见阿拉善盟地方志编纂委员会编：《阿拉善盟史志资料选编》第 1 辑，第 169 页。

教育部人文社会科学百所重点研究基地
内蒙古大学蒙古学研究中心学术著作系列
TOMUS 23

国家社科基金成果文库

SELECTED WORKS OF THE CHINA
NATIONAL FUND FOR SOCIAL SCIENCES

内蒙古通史 第六卷

民国时期的内蒙古（二）

总 主 编　郝维民　齐木德道尔吉
本卷主编　金　海　赛　航

人民出版社

第三编

专　　题

第 十 三 章

中华民国政府对内蒙古的
统治体制及其政策

第一节　北京政府对内蒙古的统治体制

1912 年 1 月 1 日，中华民国临时政府在南京宣告成立，孙中山出任临时大总统。2 月 12 日，清帝下退位诏书。3 月 10 日，袁世凯在北京就任中华民国政府临时大总统，正式开始了北京政府统治中国的历史。

北京政府成立后，从中央到地方建立起一套对内蒙古地区的统治体制。首先，在中央政府成立了管理包括内蒙古地区在内的少数民族事务的专门机构。

中华民国政府成立之初，即废除了清朝所设之理藩部，包括内蒙古地区在内的少数民族事务统由内务部管理。1912 年 4 月 10 日，临时大总统袁世凯派原奉天民政使张元奇为内务部次长，专门分管蒙藏事务。21 日，袁世凯提出："现在五族共和……自不能如帝政时代，再有藩属名称。此后蒙藏回疆等，自应统筹规划，以谋内政之统一，而冀民族之大同。民国政府于理藩不设专部，原系视蒙藏回疆于内地各省平等，将来各旗地方一切政治，俱属内务行政范围，现在统一政府业已成立，其理藩部事务，着即归并内务部接管。"① 5 月 12 日，在内务部下设蒙藏事务处，直隶于国务院，由前归化

---

① 《中国大事记》，载《东方杂志》第 8 卷第 12 号。

副都统文哲辉任总办，另设帮办1名，下设4科。

1912年5月18日，经参议院议决，决定将蒙藏事务处从内务部分离出来，单独设立蒙藏事务局。5月24日公布《蒙藏院事务局官制》，规定"蒙藏事务局直隶于国务总理，管理蒙藏事务"①，设总裁1人，综理局务，还设副总裁、参事、秘书、金事、主事、执事官等职，附设蒙藏研究会，"掌蒙藏一切事宜"②。7月29日，任命姚锡光为蒙藏事务局副总裁暂兼署总裁。8月1日，蒙藏事务局正式成立。9月9日，任命卓索图盟喀喇沁右旗札萨克多罗都楞郡王兼卓索图盟盟长贡桑诺尔布为总裁。10月28日，任命荣勋为副总裁。1913年12月公布了《蒙藏事务局职任暂行规则》，规定局内设总务处及民治、边卫、劝业、封赉、宗教5科。

1914年5月4日，北京政府改蒙藏事务局为蒙藏院，任命贡王为总裁，熙彦为副总裁。17日，公布《蒙藏院官制》，6月5日又公布《蒙藏院办事规程》，规定"蒙藏院直隶于大总统，管理蒙藏事务"③，设总裁1人，综理院务，监督所属职员；设副总裁1人，辅助总裁办理院务。12月5日，公布文官任职令，规定蒙藏院总裁为特任官，地位与各部总长相同。蒙藏院内组织机构有总务厅、秘书厅、第一司、第二司。总务厅下设编纂、统计、文牍、会计、出纳、庶务6科，秘书厅下设机要、翻译、承值3科；第一司下设民治、劝业、边卫3科，其中民治科管理编户审订及选举、警务、教育、疆理、营缮、赋税仓储币制、旌表赈济慈善卫生、颁发历书、蒙藏等处词讼刑法一切禁令、律例监狱等事项；劝业科分管田产垦务森林牧畜牲猎渔业、工业商务矿产、盐业卤业、邮电铁路和其他一切实业；边卫科分管边界卡伦、外人游历及护照、各站驿递、制兵戎防团练屯田各军队及枪械买马军饷并一切军政事项；第二司下设封叙、典礼、宗教3科，其中封叙科分管封爵袭替婚姻继嗣及岁加衔、王公等谱系，蒙古人员升降补放记叙记处、俸禄廪给盘费等事项；宗教科分管京内外寺庙喇嘛剳付度牒印信升迁调补、京内外寺庙喇嘛册籍、喇嘛封叙、奖给寺庙匾额、喇嘛钱粮费用、呼毕勒罕转世掣

---

① 《中国大事记》，载《东方杂志》第9卷第3号。
② 《蒙藏院事务局官制》，中国第二历史档案馆蒙藏院档案，代号1045，档号1。
③ 《蒙藏院办事规程》，中国第二历史档案馆蒙藏院档案，代号1045，档号3、4、5。

瓶、宗教之教育及一切宗教事项；典礼科分管会盟、年班经班、宴赉恤祭、王公喇嘛等一切礼节事项。设参事、秘书、司长、科长、会事、编纂、翻译、主事等官员，分掌各厅、司、科事务。

此后，蒙藏院机构、人事有一些变动。1918 年 5 月，蒙藏院调整下设机构及其职掌，新设参事室，主要负责拟定法制及本院兴蒙事项，将秘书厅改为秘书室。总务厅改设编纂、统计、翻译、会计、出纳、庶务、承值 7 科。第一、第二司仍旧。

蒙藏院总裁一职绝大部分时间由贡王担任，只是 1922 年 4 月 5 日至 4 月 21 日由熙彦任总裁，从 1922 年 4 月 21 日至 1923 年 2 月 9 日由阿拉善旗札萨克亲王塔旺布鲁克甲喇任总裁。熙彦只任职 15 天，塔王任职时间也只有不到 10 个月的时间。此后，贡王重任总裁，直到 1928 年 6 月北京政府垮台为止。蒙藏院副总裁先后由熙彦、治格、达寿、恩华、陈廷杰、易次乾、潘毓桂、沈学范、祺诚武、莫德惠、钱锡宝、王黻伟、恽宝惠等人担任。①

此外，北京政府时期还成立过与内蒙古地区有关的一些临时性军政机构。

1921 年 5 月 30 日，北京政府根据当时白俄恩琴部攻占库伦、外蒙古再次独立的情况，特派东三省巡阅使张作霖为蒙疆经略使，全权负责以武力征讨外蒙古事宜，并指挥、节制热河、察哈尔、绥远特别行政区都统。1922 年 5 月 10 日裁撤蒙疆经略使。此后，北京政府陆军部以蒙疆（指内外蒙古地区）善后关系重要，呈请特设委员会，办理蒙疆善后事宜。10 月 31 日，北京政府公布《蒙疆善后委员会条例》，由陆军总长张绍曾充任委员长。1923 年 1 月 15 日，经大总统黎元洪核准，公布了《修正蒙疆善后委员会条例》。② 条例规定该委员会"直隶于大总统，筹议恢复外蒙及蒙疆善后事宜"，设委员长 1 人，由大总统特派，置委员 20 人，由委员长就各部院署暨熟悉蒙情人员中遴选，呈请大总统简派。委员会还延聘顾问，设置专门调查员。委员会会议主要讨论有关内外蒙古事宜，并将决议事项提交国务院国务

---

① 王德胜：《北洋军阀对蒙政策几个问题的初析》，见内蒙古大学内蒙古近现代史研究所编：《内蒙古近代史论丛》第 3 辑，内蒙古大学出版社 1987 年版，第 53 页。

② 李国忠：《民国时期中央与地方的关系》，天津人民出版社 2004 年版，第 100 页。

会议议决实行。1923 年 5 月 11 日蒙疆善后委员会被裁撤。

1923 年 5 月 11 日，北京政府决定设立西北边防督办公署，特派冯玉祥为西北边防督办。7 月 14 日，公布《西北边防督办公署组织暂行条例》，[①]规定西北边防督办公署暂设于北京，督办直隶于大总统，暂由陆军检阅使兼任，其管辖区域为"内外蒙古及新疆一带地域"，对于这些地区负有行政及军事上的完全责任；督办公署设参谋长 1 人，"秉承督办佐理署内一切事务"，设立参谋、机要、副官、民政、军备、外交 6 个处，各设处长 1 人。此外还设顾问、咨议、参议。1926 年，随着直奉战争中冯玉祥部战败，北京政府免去冯玉祥西北边防督办职务，任命张之江为西北边防督办。此后，由于军阀混战，西北边防督办公署名存实亡。

在地方行政建制方面，北京政府时期主要是在内蒙古中西部地区划设了相当于行省的 3 个特别行政区。

北京政府成立之初，在内蒙古地区行政建制方面仍沿用清代旧制，实行盟旗制度。当时内蒙古地区有哲里木（10 个旗）、卓索图（5 个旗）、昭乌达（11 个旗）、锡林郭勒（10 个旗）、乌兰察布（6 个旗）、伊克昭（7 个旗）6 个盟，各盟设盟长，各旗均设札萨克治理。另有不设盟的依克明安旗、阿拉善旗、额济纳旗 3 个属于"外藩蒙古"的札萨克旗。此外，有呼伦贝尔（17 个旗）、西布特哈（8 个旗）、察哈尔（8 个旗、4 个牧群）、归化城土默特（左右翼 2 旗）等，属于不设盟、不设札萨克的"内属蒙古"旗，各设总管或副都统治理。这些盟、旗分别受当地将军、都统、都督（东三省）的监督、节制或直接管辖。清代以来设在内蒙古地区的各府、厅、州、县分别归各省管辖。其中哲里木盟地区所设立各府、厅、州县，分别归奉天、吉林、黑龙江 3 省；呼伦贝尔及西布特哈地区设立之府、厅、州、县属于黑龙江省；卓索图盟及昭乌达盟地区所设之府、厅、州、县属于直隶省；察哈尔左翼 4 旗及各牧群境内所设之各厅亦属直隶省；乌兰察布盟、伊克昭盟和归化城土默特 2 旗以及察哈尔右翼 4 旗境内设立各厅则隶属于山西省。

1914 年以后，北京政府开始对内蒙古地区行政建制进行较大调整，陆

① 卓宏谋编：《蒙古鉴》（增订 4 版）附录，北京普善印刷局 1935 年印刷，第 48—49 页。

续设立了相当于行省的热河、察哈尔、绥远 3 个特别行政区，并在整个内蒙古地区设立了许多县和设治局。

中华民国政府成立，在政坛重新再起清末曾一度甚嚣尘上的在内蒙古设置行省的议论。1913 年 5 月，北京政府国务院曾经决定在内蒙古设置 3 个行省，并于 8 月向国会提交了"内蒙古设省"案。但是当时由于遭到内蒙古各阶层坚决反对，加之外蒙古独立问题并没有得到解决，该提案未能获得通过。当时分驻内蒙古各地区的将军、都统等为了将各自的辖区改建为行省或特别区，纷纷策划内蒙古地区改省计划。

从 1912 年 4 月起，热河都统熊希龄多次向北京政府呈文，要求将热河改为特别行政区，作为设省的过渡形式。① 北京政府于 1913 年 5 月公布《热河现行官厅组织暂行章程十八条》，规定"都统之职任权限依现行规制兼任军政民政及满蒙各旗事宜"，都统府下设总务处及内务、财政、教育、实业、蒙旗 5 个厅。另外，专设军务厅以及外交专员、司法筹备专员。9 月，设热河警察厅，裁撤教育厅、实业厅以及外交专员、司法筹备专员。1914 年 1 月，北京政府设立热河特别行政区，原都统府所设总务处及内务、财政、蒙旗、军务 4 厅一律裁撤，另设军政厅和民政厅。5 月又设审判处，6 月设财政分厅（1917 年改为财政厅）。② 从此，热河特别行政区与直隶省脱离隶属关系，成为与行省平级的一个行政建制。

1914 年 6 月，北京政府又决定在察哈尔都统所辖区域内设立察哈尔特别行政区，成立总务处等 7 个厅，并决定把设在察哈尔右翼 4 旗境内的原属山西省归绥道的陶林、兴和、丰镇、宁远（凉城）4 县划归察哈尔特别行政区。

在绥远将军辖区内，新上任的绥远城将军张绍曾也从 1913 年起就屡次向北京政府提出要与山西省分治的要求。1914 年 1 月北京政府决定设立绥远特别行政区，绥远城将军府下设民政厅，将原属山西省归绥道及所辖 12 县（6 月以后东部丰镇、兴和、陶林、凉城 4 县划归察哈尔特别行政区）改

---

① ［日］贵志俊彦：《袁世凯政权在内蒙古地区的统治体制之形成》（日文），载《史学研究》（日文）1989 年，第 185 号。

② 佟佳江：《中华民国时期东北职官概述》，载《吉林大学学报》1996 年第 4 期。

归绥远城将军管辖。

1914 年 7 月 6 日，北京政府公布《都统府官制》①，正式宣布热河、察哈尔、绥远特别行政区各设都统 1 人（为统一官称，绥远将军改称绥远都统），统辖所部军队，管理该管区内军政民政事务，同时管辖所属区域内民政各官及巡防警备军队，并受政府之特别委任，监督财政及司法行政，暨其他特别官署之行政事务。三都统之下分设热河道、兴和道、绥远道（由原归绥道改称），各置道尹 1 人，"各该道尹均治理民政，兼受蒙旗事务，以专责成"；"热河都统统辖热河道，及卓索图盟、昭乌达盟"，"察哈尔都统管辖兴和道、锡林郭勒盟及察哈尔左翼四旗、察哈尔右翼四旗、各旗牧厂、达里冈崖、商都各牧厂地方"，"绥远都统管辖绥远道及乌兰察布盟、伊克昭盟"。都统府置参谋长 1 人、参谋 2 人、副官 2 人、书记官 3 人；设军务处和总务处。军务处分设军务、军需、军法等课。察哈尔都统府还设有军牧课。总务处管理民政事务，后改为政务厅。② 热河、绥远都统府设审判处，由都统行使监督司法行政权，主管不服县知事审判的控告案以及蒙旗蒙古人与汉人之间的诉讼案件。审判处设处长 1 人，由司法总长呈请大总统任命各该道尹兼任。7 月 22 日，都统府均改称为都统署。

该《官制》中规定的绥远都统所统辖蒙旗中并未列入原属绥远将军直辖的归化城土默特左右 2 旗。这显然并非一时疏忽，而是当时北京政府方面认为与土默特旗并存于一地的归绥、萨拉齐、和林格尔、清水河、武川 5 县已划入绥远道，所以土默特旗作为行政建制单位不应存在。

1928 年 2 月，北京政府公布《都统公署暂行条例》，规定都统署改称都统公署，都统统辖所部军队，管理该管区内军政民政事务，设秘书长、参谋长、副官长各 1 人。改原军务处为军务厅，以参谋长兼厅长，下设军务、军需、军法、军运 4 课；政务厅下设 4 个课。③

清代呼伦贝尔地区各蒙旗属黑龙江将军管辖，并在海拉尔设有副都统进行直接管理。1907 年设立东三省之时，废除呼伦贝尔副都统衙门，设立呼

---

① 《中国大事记》，载《东方杂志》第 11 卷第 2 号。
② 李国忠：《民国时期中央与地方的关系》，天津人民出版社 2004 年版，第 103 页。
③ 佟佳江：《中华民国时期东北职官概述》，载《吉林大学学报》1996 年第 4 期。

伦兵备道，派汉官治理。1911 年 11 月外蒙古独立之际，呼伦贝尔各蒙旗首先响应，于 1912 年初恢复呼伦贝尔副都统衙门，实行自治，撤销了清末所设之呼伦兵备道及其下属之呼伦直隶厅、胪滨府、吉拉林设治局。1915 年11 月，北京政府与俄国政府签订了《中俄会订呼伦贝尔条件》①，规定呼伦贝尔为直属中华民国中央政府节制之特别区域，并受黑龙江省长官之监督，呼伦贝尔副都统由民国大总统在当地 5 名总管及三等以上职官中选任，享有省长之职权；平时所有军事由本地骑兵执行，除海关及盐税归中央外，其他各项税捐全部留做地方之用。

1920 年 2 月，北京政府宣布取消呼伦贝尔特别区域，归黑龙江省管辖。呼伦贝尔副都统衙门仍旧设立，专辖各蒙旗行政事宜，另设呼伦贝尔督办兼交涉员公署，管理地方（蒙旗除外）行政事务及沿边 18 卡伦及对俄交涉事宜。督办公署内设外交、总务、民治教育、实业 4 科；在呼伦贝尔地区设呼伦、胪滨、室韦 3 县；10 月又增设奇乾设治局（1922 年 4 月改县），这样，在呼伦贝尔地区形成副都统署与督办公署并存，在地方则形成"旗县并存"局面。1920 年 3 月，在呼伦贝尔成立镇守使公署，派黑龙江陆军第二混成旅进驻呼伦贝尔，主要担任边防及保护事宜。②

1925 年 3 月，北京政府发布政令，将呼伦贝尔善后督办兼交涉员公署所辖区域改建为呼伦道，督办兼交涉员改称道尹，设呼伦道尹公署，管理原督办所辖事务。③ 呼伦贝尔副都统公署仍旧保留。

清末，内蒙古西部地区的阿拉善旗和额济纳旗分别受宁夏将军和陕甘总督监督节制。中华民国政府成立，仍沿袭清末旧制。1914 年 3 月 22 日公布《宁夏将军组织行政公署暂行章程》④，规定设立宁夏将军行政公署，"宁夏将军之职权依现行规制兼辖满蒙各旗一应事宜"，使得宁夏将军具有军政及对蒙旗行政管辖的权力。行政公署内设蒙旗、文牍、会计、庶务 4 科，其中蒙旗科管理关于调查、实业、满蒙生计和蒙员招待等事宜。7 月 11 日，宁

① 　程廷恒、张家璠纂：《呼伦贝尔志略》，上海太平洋图书公司 1923 年铅印本，第 328—329 页。
② 　程廷恒、张家璠纂：《呼伦贝尔志略》，第 112—113 页。
③ 　［日］桥本平八：《呼伦贝尔蒙古政治史略》（日文），载《蒙古》1940 年 8 月号。
④ 　《政府公报》1914 年 3 月 23 日第 673 号。

夏将军改称宁夏护军使，管辖阿、额2旗。另外本归绥远都统所辖之伊克昭盟之乌审和鄂托克2旗亦归宁夏护军使兼管。护军使的职权主要是管理辖区内的军政、民政、司法、外交等事务。1921年1月7日，宁夏护军使改为宁夏镇守使。①

中华民国政府成立后，1913年1月8日公布《划一现行各县地方行政官厅组织令》②，改清代省、道、府（直隶厅、直隶州）、县（厅、州）四级地方行政建制为省、道、县三级制。规定所有府、直隶厅、直隶州及各厅、州一律改称为县。这样，清代设在内蒙古地区的各府（直隶厅、直隶州）和厅、州一律改为县。1914年5月公布《县官制》，规定县置知事，为县行政长官，隶属于道尹，县设知事公署，设2—4科。

随着热、察、绥3个特别区的设立和汉族移民的增加，北京政府陆续在内蒙古地区设立一大批县和设治局。

北京政府统治时期，在内蒙古东部和西布特哈地区先后设立了布西（1915年）、索伦（1917年）③、雅鲁（1926年）3个设治局；在呼伦贝尔地区先后设立呼伦（1920年）、胪滨（1920年）、室韦（1920年）、奇乾（1920年设设治局，1922年改县）等4个县；在哲里木盟境内先后设立肇东（1912年设设治局，1914年改县）、泰来（1913年设设治局，1917年改县）、双山（1913年）、林甸（1914年设设治局，1917年改县）、开化（1915年设设治局，1917年改称瞻榆县）、通辽（1918年）、乾安（1926年设设治局，1928年改县）、泰康（1927年设设治局）8个县；在昭乌达盟地区先后设立了经棚县（1914年）和鲁北（1924年）、林东（1925年）、天山（1926年）3个设治局；在察哈尔八旗4牧群境内先后设立商都（1917年设设治局，1918年改县）、宝昌（1917年设设治局，1925年改县）、集宁（1921年设平地泉设治局，1922年改集宁县）、康保（1922年设设治局，1925年改县）4个县；在乌兰察布盟及土默特旗境内先后设立固阳（1919

① 李国忠：《民国时期中央与地方的关系》，天津人民出版社2004年版，第104页。

② 佟佳江：《中华民国时期东北职官概述》，载《吉林大学学报》1996年第4期。

③ 1916年2月1日设立索伦山宣抚局，1917年3月17日改为设治局。黑龙江省档案馆、哈尔滨师范大学历史系编：《黑龙江历史大事记》（1912—1932年），黑龙江人民出版社1984年版，第55、68页。

年设设治局，1926 年改县）、包头（1923 年设设治局，1926 年改县）2 县
及大佘太（1925 年）、临河（1925 年）2 个设治局；在阿拉善旗设立了磴口
县（1926 年）。

这样，北京政府统治时期在内蒙古地区先后设立了至少 20 个县、8 个
设治局，使"旗县并存"和"旗县交错"区域从东到西几乎覆盖了内蒙古
绝大部分盟旗。

北京政府统治时期，对于各蒙旗仍采用盟旗制度。各蒙旗所涉外交和边
防事务，由中央政府直接办理；军事受陆军部和地方军政长官监督；关于疆
理、封爵、喇嘛、入觐、赏赐、俸禄、仪制、盟会、叙勋、任官、捐输等，
均受蒙藏院管理；旗内事务均由札萨克管理，受都统监督；司法权由札萨克
掌握，较大的取决于盟长；涉及蒙旗与省县、蒙民与汉民之间的诉讼归省、
道、县地方官员办理。

中华民国政府成立之初，内蒙古地区由于受到中国政权更替、外蒙古独
立的影响，出现了动荡局面。当时中国国内主要矛盾是北方袁世凯北洋军阀
集团与南方孙中山革命党人争夺中央政府实际领导权的斗争。北京政府对外
蒙古和呼伦贝尔独立及内蒙古各地的动荡局势无暇采取更为实际有效的措
施。从 1912 年 8 月开始，北京政府对乌泰发动的东蒙古独立活动采取了武
力镇压措施。这一军事行动，为北京政府在内蒙古确立其统治提供了重要机
会。与此同时，南北关系明显缓和，孙中山等北上与袁世凯几度商讨解决蒙
古问题的对策，也为北京政府着手稳定内蒙古局势提供了有利条件。

还在乌泰等内蒙古东部王公蓄谋独立时，袁世凯、赵尔巽等就曾指令各
蒙地府县派员劝谕、宣抚。在镇压东蒙古独立活动的战争中，袁世凯又一再
谕令辅以和平方式的慰问、宣抚。随着战争的顺利进展和结束，袁世凯在通
令晋封"实赞共和"的蒙古王公爵位，革去乌泰、喇什敏珠尔等人世爵的
同时，于 9—10 月任命时任直隶都督要职的北洋系官僚张锡銮为东三省西边
宣抚使，蒙藏事务局副总裁姚锡光为口北宣抚使，并向卓、昭、锡、乌、伊
五盟分别派遣慰问员，要求各盟旗归顺民国。

10 月初，哲里木盟盟长齐默特色木丕勒提出召集哲盟 10 旗王公札萨
克，在吉林省与蒙旗交界的交通要衢长春召开会议，协商乌泰"独立"失
败后对民国政府的归顺问题。

　　1912 年 10 月 28 日，第一次哲里木盟 10 旗王公会议（又称东蒙王公会议）在长春召开。出席会议的有盟长齐默特色木丕勒、科左中旗札萨克达尔罕亲王那木济勒色楞、温都尔郡王那兰格埒勒、杜尔伯特旗札萨克贝子什埒布劳丕勒（希拉布丕勒）、郭尔罗斯后旗札萨克一等台吉布彦楚克，以及科左前、科左后、科右中、扎赉特旗的协理台吉、管旗章京等，北京政府代表阿穆尔灵圭亲王，东三省西边宣抚使张锡銮，吉林都督陈昭常，驻吉林第 23 镇统制孟恩远、协统裴其勋，及奉天民政使、黑龙江提学使等。阿穆尔灵圭首先在会上代表中央政府宣读了《蒙古待遇条例》、《加进封爵令》等政令；陈昭常接着作了解释政府优待政策等内容的演说。政府方面在会上提出了 10 条议案，主要内容为：各蒙旗须悬挂中华民国的五色旗，遵守民国法律；各旗举办新政、向外国借债须获中央政府批准；不得私自购运武器，不得将产业抵押给外国；“蒙边要隘地点由国家派兵屯驻”①。

　　为了维护蒙旗原有权利，与会蒙古王公在赞成共和、归顺民国的同时也提出了自己的 6 条要求，要点为：“保全以前所属领土”并有权“自由练兵”；“征蒙军”应迅速撤出蒙地并赔偿蒙人在战乱中的损失；承认已放垦之地，但不得再行开垦，并“不得设立行省”。政府方面对蒙古王公的各项要求，除“赔偿蒙人损失”之外均予批准、承认，蒙古各旗王公札萨克和代表们则以签名方式通过了政府提出的 10 项议案。此外，与会蒙古王公还签署了《取消库伦独立劝诱书》②。

　　历时 4 天的长春会议结束后，齐默特色木丕勒随同阿穆尔灵圭前往北京，向袁世凯大总统汇报会议情况。齐盟长在呈文中代表哲盟 10 旗再次提出“各旗未放荒地留归各旗自行开垦”和反对改设行省要求。北京政府几乎全部认可和满足了蒙旗的要求。同时还以齐默特色木丕勒从优进封为贝勒。齐默特色木丕勒则以全盟各旗王公和代表的名义发出了拥护共和的通电。

　　第一次东蒙王公会议的召开，标志着哲盟 10 旗正式归顺民国政府，北京政府也从此确立在哲里木盟的统治和管辖权。

---

① 日本外务省外交史料馆藏档案，代号 A—1—6—1—4—2—4。
② 《取消库伦独立劝诱书》，日本外务省外交史料馆藏档案，代号 A—1—6—1—4—2—4。

为了确立北洋军阀集团对内蒙古西部地区的有效统治，袁世凯任命北洋系张绍曾为绥远城将军。张绍曾于 1912 年 10 月抵任后，随即照会乌兰察布、伊克昭两盟王公札萨克，谕令限期派代表到绥远城同他会晤。但却遭到两盟王公札萨克的明确拒绝。

张绍曾将内蒙古西 2 盟王公上层不肯归顺民国的态度电呈袁世凯，并请示拟召集乌、伊两盟盟长、札萨克会议，得到批准。但是，张绍曾召集会议的通知发到各旗以后，竟无一旗代表前来赴会。经请示袁世凯同意，以武力胁迫乌盟盟长、四子王旗札萨克郡王勒旺诺尔布和伊盟盟长、杭锦旗札萨克贝子阿尔宾巴雅尔到绥远城。继两位盟长之后，乌伊两盟其他各旗大多数王公札萨克、协理台吉等陆续抵达绥远城。只有伊盟副盟长、乌审旗札萨克贝子察克都尔色楞，因本旗发生大规模"独贵龙"反抗斗争而陷入困境，连召开会议的通知也未能收到。为了使这一次乌伊两盟王公会议（又称西盟王公会议）顺利召开，专门设立西盟会议招待处，每到一位札萨克就请至将军府盛宴款待，并电请袁世凯逐一晋封爵位。张绍曾还召开预备会议，将拟定的《西盟王公会议条件大纲》5 款 18 条提交各王公、代表审议。"条件大纲"的要点为：拥戴共和；不承认外蒙古独立和《俄蒙协约》；请兵保护西盟要地；振兴蒙民教育；开垦、伐木、采矿、筹划蒙民生计等。[1] 前清时即曾坚决反对放垦蒙地的乌、伊两盟盟长、札萨克等，虽然处于被武力胁迫的境地，仍然对开垦、伐木等侵害蒙旗各阶层基本权益的条款表示反对，进行争辩。由于绥远城将军方面严词拒绝删改，诸王公被迫接受。

1913 年 1 月 23 日，两盟王公会议正式召开。绥远城将军张绍曾和山西省归绥道观察使潘礼彦先后致词，乌盟盟长勒旺诺尔布和伊盟盟长阿尔宾巴雅尔也分别讲话，表示拥护共和，反对外蒙古独立。之后，与会王公还正式通过了张绍曾等事先拟订的《条件大纲》和《伊盟各旗札萨克不承认俄库条约之通电》、《乌盟各旗札萨克不承认俄库条约之通电》、《乌伊两盟各札萨克劝告库伦文》。[2]

会议结束后，张绍曾还按照袁世凯的意图，安排乌、伊两盟盟长、副盟

---

[1]　西盟王公会议招待处编：《西盟会议始末记》，1913 年版，第 15 页。

[2]　西盟王公会议招待处编：《西盟会议始末记》，1913 年版，第 39—45 页。

长、帮办盟务勒旺诺尔布、云端旺楚克、阿尔宾巴雅尔、逊博尔巴图前往北京，觐见大总统、呈交会议公文。4 位盟长在北京受到袁世凯的优厚款待和赏赐。

通过这次会议，内蒙古西部王公上层普遍受到民国新政府强硬武力的震慑，同时也尝到种种"优待"的甜头，从此放弃了公开抵触和对抗，北京政府也正式确立了在内蒙古西部地区的统治。

这一时期，北京政府派往卓索图盟、昭乌达盟及锡林郭勒盟的慰问员等，也都顺利说服各盟旗王公拥护共和、归顺民国。

外蒙古宣布独立的同时，曾经向内蒙古各盟旗发布檄文，要求归顺大蒙古国政权。从 1912 年冬天开始，外蒙古政府征集数千武装，其中包括不少从内蒙古投赴库伦的各阶层人员，分路攻入内蒙古中西部地区。战争初期，外蒙古各路军队先后占据了阴山以北的乌兰察布盟大部，锡林郭勒盟、察哈尔北部及昭乌达盟北部广大地区，北京政府派驻防堵的军队纷纷溃败。从 1913 年夏开始，北京政府陆续增调包括大批北洋精锐部队在内的各路军队约七八万人，进行反击。又经几个月的辗转征战，至 1913 年底，终于击退了临时征调来的总数不过数千人的外蒙古军队。

这样，北京政府经过近两年的时间，通过战争与和平的手段，终于控制和稳定了内蒙古地区的局势，确立在内蒙古地区的统治体制。

综观北京政府对内蒙古的统治体制，可以看出，从中央到地方有两个管理系统，即在中央有蒙藏院和内政部系统，在地方上则有盟、旗和省（特别区）、道、县系统。蒙藏院管理盟、旗系统，内政部则管理省（特别区）、道、县系统。在基层则形成"旗县并存，蒙汉分治"，旗管蒙人，县管汉人的"属人行政"管理体系。

第二节　北京政府对内蒙古的法规及政策

中华民国政府成立之初，在内蒙古地区遇到的首要问题是如何平息由于外蒙古独立引起的动乱。身为前清大官僚的中华民国政府临时大总统袁世凯与蒙古王公上层有更多的接触和密切的关系。尤其是在外蒙古宣布独立后，整个蒙古以至西藏、新疆等边疆地区局势动荡的情况下，袁世凯更懂得笼络收买蒙古王公上层对于其维持统治、稳定局势的重要性。所以对蒙古僧俗上层采取笼络优待的政策。

还在南北议和之时，袁世凯即在提出优待清室条件的同时也提出了优待"满、蒙、回、藏各族"的条件，作为清帝退位诏书的附件正式公布。在这个《各族待遇之条件》中，明确提出"保护其原有之私产"、"王公世爵概仍其旧"。①

前清时期世代或几代常驻北京的喀尔喀亲王那彦图、科尔沁亲王阿穆尔灵圭，更是袁世凯重金收买的对象。1912 年 3 月 10 日，袁世凯就任中华民国临时大总统的当天即致函那彦图、阿穆尔灵圭为首的蒙古王公联合会，②请蒙古王公们安心留在北京，并拨发 1 万两银以示慰问。

在袁世凯的笼络收买下，清帝退位后继续留在北京的那彦图、阿穆尔灵圭等人，成为第一批赞成共和、拥护民国的蒙古王公。这些蒙古王公中的头面人物，开始谋求民国政府以法令的形式正式承认、继续保留蒙古贵族特权统治体制和自主权益。

1912 年 4 月 6 日，以那彦图、阿穆尔灵圭为首的蒙古王公联合会，向袁世凯政府提出了"蒙古特别待遇"11 项要求条件。③

袁世凯接到这一"要求条件"后，除认为第 8 条"从前在蒙古所设之官，如将军、都统、办事大臣、参赞大臣等一律裁撤，凡蒙地由中央政府另设行政之机关，专以蒙古世爵、人民治理，其以下之职掌五族人通用"的要求涉及官制，须另议之外，即将其全文批转给参议院。④ 8 月 19 日，参议院将原件第 8、第 11 两条删除，对其余 9 条做部分修改后更名为《蒙古待遇条例》予以通过，21 日正式公布。

《蒙古待遇条例》具体内容为：

---

① 中国第二历史档案馆：《中华民国史档案资料汇编》第 2 辑，江苏人民出版社 1981 年版，第 66—67、72—76 页。

② 蒙古王公联合会成立于 1911 年 12 月 24 日，由当时驻京蒙古王公那彦图、贡桑诺尔布、博迪苏等首创成立。

③ 《蒙古联合会提出蒙古特别待遇要求文件》，日本外务省外交史料馆藏档案，代号 A—1—6—1—4—2—4。

④ 《蒙古联合会提出蒙古特别待遇要求文件》，日本外务省外交史料馆藏档案，代号 A—1—6—1—4—2—4。

"一、嗣后各蒙古，均不得以藩属待遇，应与内地一律。中央对于蒙古行政机关，亦不用理藩、殖民、拓殖字样。

"二、各蒙古王公原有之管辖治理权，一律照旧。

"三、内外蒙古汗、王公、台吉世爵各位号，应予照旧承袭，其在本旗所享有之特权，亦照旧无异。

"四、唐努乌梁海五旗，阿尔泰乌梁海五旗，原系副都统及总管治理，应就原来副都统及总管接职任之人，改为世爵。

"五、蒙古各地胡图克图、喇嘛等原有之封号，概仍其旧。

"六、各蒙古之对外交涉及边防事务，自应归中央政府办理。但中央政府认为关系地方重要事情者，得随时交该地方行政机关参议，然后施行。

"七、蒙古王公世爵俸饷，应从优支给。

"八、察哈尔之上都牧群、牛羊群地方，除已开垦设治之处，仍旧设置外，可为蒙古王公筹划生计之用。

"九、蒙古人通晓汉文并合法定资格者，得任用京外文武各职。"①

北京政府颁布的《蒙古待遇条例》，对原"要求条件"中维护蒙古民族原有自主权益的内容作了明显删改，却几乎全盘保留了王公上层的封建特权。这样，《蒙古待遇条例》就成为整个北京政府统治时期蒙古盟旗制度及王公制度赖以继续存在的法律依据。

为了进一步笼络蒙古王公，北京政府又于9月20日颁布了《加进实赞共和之蒙古各札萨克王公封爵》的"大总统令"，"现在边事未靖，凡效忠民国、实赞共和之蒙古各札萨克、王公等均属有功大局，允宜各照原有封爵加进一位；汗、亲王等无爵可进者，封其子若孙1人，以昭荣典。其著有异常成绩，或首翊赞共和，或力支边局，以及劝谕各旗拒逆助顺者，并应另加优奖，用励殊庸"②。此后又相继公布了《蒙古王公来京特别川资条例》、《驻京及年班来京蒙古王公廪饩条例》等相关法规。

"加进封爵令"颁布前后，内蒙古及其他地方各盟旗的蒙古王公札萨克几乎普遍受到晋封。为了羁縻笼络蒙古王公，北京赏世爵方面比前清还要慷

---

① 《中国大事记》，载《东方杂志》第9卷第4号，第19—20页。

② 《中国大事记》，载《东方杂志》第9卷第5号，第5—6页。

慨大方。如首倡召集东蒙哲盟 10 旗王公会议并首先表示效顺民国的哲盟盟长齐默特色木丕勒，在短短 3 年之内即由六等王公末位的辅国公累进晋封为头等亲王；科尔沁左翼后旗阿穆尔灵圭由于已经拥有亲王爵位，无爵可晋，便以"首赞共和，劝谕蒙旗效顺"的名义，"特奖给一等嘉禾章并支亲王双俸"。①

1914 年 5 月 1 日，袁世凯废弃《中华民国临时约法》，公布了《中华民国约法》，其中规定："满蒙回藏各族待遇条件，永不变更其效力，其与待遇条件有关之蒙古待遇条例，仍继续保有其效力，非依法律不得变更之。"②

1915 年 1 月 30 日，大总统袁世凯令蒙藏院拟订对蒙政策、措施。蒙藏院很快拟订了一份《驭蒙说帖》③，提出了旨在确保蒙古王公特权的"保全利益、优给俸饩、固护治权、联合情谊、因仍习惯、增议优荣"6 个方面的具体意见。但从后来的情况看，其中优待王公的大部分措施得到了实施，但是比如该《驭蒙说帖》中提出的"今拟嗣后凡蒙古地方有汉民耕商者，止设理事员，不得设立郡县，以示固护蒙部治权之意"等涉及蒙古地方权益的意见并没有得到采纳。

在用虚荣、恩赏手段羁縻笼络蒙古王公上层方面，北京政府几乎全套搬用了前清皇帝的做法。在共和、民国的新时代仍然施行"年班"制度，公布《蒙回王公年班事宜》，对年班进京觐见袁大总统的蒙古上层给予赏赉与例行的筵宴和封赏。袁世凯还仿照前清宫廷侍卫制度，于 1915 年 2 月专门为在京的蒙古王公设立翊卫处，作为总统府内设机构，以阿穆尔灵圭为都翊卫使、那彦图为副都翊卫使，下设若干翊卫使、副翊卫使，每月按职级付给优厚的"马夫费"，遇典礼盛仪还派充"侍班"。

5 月 6 日，北京政府公布了《蒙人服官内地办法》④，规定"通晓汉文汉语，年在二十以上之蒙古人"，经本旗札萨克推荐，送京甄试合格者"分别留京试用。俾其练习职事二三年后，或派往各省办事，或仍留京办事"；

---

① 《中国大事记》，载《东方杂志》第 9 卷第 6 号，第 20—24 页。
② 《中国大事记》，载《东方杂志》第 10 卷第 12 号，第 13 页。
③ 中国第二历史档案馆蒙藏院档案，代号 1045，档号 505。
④ 《中国大事记》，载《东方杂志》第 12 卷第 6 号，第 4 页。

5 月 14 日，又制定了蒙古官员冠服制度，仿照清朝旧制，依王公等级规定了严格的冠服款式。9 月 23 日，又制订了《特赏蒙古荣典条目》，分别有服章、荣章、紫授、配剑饰用珠宝、帽章加用珠数、增设护卫等 6 条规定。

北京政府成立后，对于蒙古喇嘛教上层也完全照搬清朝的旧办法，通过加封名号和优厚赏赐等手段来进行笼络。民国政府于 1912 年 8 月公布的《蒙古待遇条例》中就规定"蒙古各地呼图克图、喇嘛等原有之封号，概仍其旧。"① 此后，又颁布《各呼图克图第一次来京川资条例》、《喇嘛等洞礼经班事宜》等，对于进京奉经的喇嘛和驻京喇嘛川资、钱粮等均作了具体规定。

1912 年 10 月，内蒙古喇嘛教首领第六世章嘉呼图克图和常驻多伦淖尔的甘珠尔瓦呼图克图进京谒见大总统袁世凯，首先表示"翊赞共和"。10 月 30 日大总统袁世凯发布命令，认为章嘉呼图克图"此次翊赞共和，厥功尤伟"，"加给年俸一万元，以示优待"。② 11 月 4 日，袁世凯又发布大总统令，给章嘉呼图克图特加封"宏济光明"名号，"赍予银一万元"，并承认清代所授"大国师"封号和金印、金册及各项荣典；加封甘珠尔瓦呼图克图"圆通善慧名号"，"赍予银一万元"。③ 11 月 12 日，袁世凯还发布大总统令，加封章嘉的父、母、弟及师傅等各种名号。④ 1916 年，民国政府又为章嘉"原有灌顶普善广慈弘济光明大国师，加封'昭因阐化'四字名号，并金册一造"，"每年加给年俸一千元"。⑤

由于民国政府采取笼络、优待喇嘛教上层的政策，加上章嘉呼图克图首先表示拥护民国，使得内蒙古地区的各呼图克图、格根等相继表示赞助共和、服从民国政府，并纷纷进京晋见大总统袁世凯。民国政府对于这些喇嘛教上层一律授予各种封号、荣典及金钱。自 1912 年至 1915 年，民国政府授予各种封号的呼图克图、格根及所谓"有功"喇嘛达 240 余人。⑥

---

① 《中国大事记》，载《东方杂志》第 9 卷第 6 号，第 20 页。
② 德勒格编著：《内蒙古喇嘛教史》，内蒙古人民出版社 1998 年版，第 177 页。
③ 《中国大事记》，载《东方杂志》第 9 卷第 6 号，第 20 页。
④ 德勒格编著：《内蒙古喇嘛教史》，第 177—178 页。
⑤ 德勒格编著：《内蒙古喇嘛教史》，第 178 页。
⑥ 德勒格编著：《内蒙古喇嘛教史》，第 180 页。

　　辛亥革命虽然推翻了中国相沿几千年的封建君主制，开创了共和、民主的崭新时代，然而在国内民族关系方面，其历史性的进步却不那么显著。从封建军阀首领袁世凯到当时以孙中山为代表的资产阶级革命党人，其指导思想、执政纲领，均无真正尊重民族基本权益、实现民族平等的实质性内容。虽然孙中山的同盟会已将"驱除鞑虏"改为"五族共和"，袁世凯也一再宣称国内各民族"俨如一家"，但是从改组后的同盟会、国民党到拥袁的统一党、共和统一会，等等，在其党纲、章程中几乎都有"实行种族同化"或"融和民族、齐一文化"、"注重移民开垦"等内容。所以说占据支配地位的汉族统治者和政界、舆论在大的政治主张方面有着不同的观点，但在国内民族问题上的大民族主义倾向却并无质的差别。

　　尽管以袁世凯为首的北洋军阀政府成立初期，对于蒙古僧俗上层采取笼络与优待政策，但蒙古王公们并没有由此得到多少实际的权利和利益。如作为少数民族上层的贡桑诺尔布，虽然首次出任了中央政府专设部门的主官，但并无多少实际权力。袁世凯在大总统府内专门为蒙古王公们设立的翊卫处，也"都是吃干俸不办事的"，"每月给他们几块钱，省得他们搞别的事，出乱子"。[①] 袁世凯也觉得给"翊赞共和"的蒙古王公贵族们晋封的爵位太多过滥，1913 年 12 月的"大总统令"宣布，凡民国元年以来进封的蒙古王公，亡故后只按前清时的封爵位进一位世袭。北京政府又于 1918 年公布，前清无爵位而受民国特封者，辅国公以上王公均依次递降一位承袭，至辅国公后遂原位世袭。从 1917 年起，《蒙古待遇条例》中规定的蒙古王公俸禄也停止发放。直到 1920 年，蒙藏院召集内蒙古 6 盟蒙事会议时，蒙古王公们认为"每年应领俸银业已停止四年之久……且停止发放俸银不但有违定例而前徐大总统在时心存偏见所致也"，"按理论之，吾国系五族共和之国，其共和何在，国家尊重诚信尔订约法其诚心何在"，"民国成立以来关于此项蒙古王公俸饩例经加入预算，乃前任徐大总统偏执不顾，漠视蒙旗，所谓五族一家犹兄弟之亲善云者付如空谈矣"，[②] 并纷纷要求将历年拖欠之年俸

---

　　① 唐在礼：《辛亥前后的袁世凯》，见杜春和、林斌生、丘权政编：《北洋军阀史料选辑》上册，中国社会科学出版社，第 118 页。

　　② 蒙藏院：《蒙藏院召集蒙事会议议事录》（蒙汉合璧），蒙藏院 1920 年刊印，第 69—72 页。

予以补发，但后来仍无下文。

当北京政府针对外蒙古独立问题与俄国政府达成协议，并用武力镇压和派员劝诱等手段稳定了内蒙古地区局势，确立起比较稳固的统治秩序以后，其大民族主义民族歧视、压迫和掠夺的本性开始明显暴露。北京政府在内蒙古地区所采取的基本手段，仍然沿袭自清末"新政"时期的政策、措施，除前面提到的设立特别区及县、局，强化军政直接统治的措施之外，另一个主要方面就是通过放垦蒙地，掠夺蒙旗土地所有权，对蒙古民族实行超经济的剥削政策。

袁世凯在第一次东蒙王公会议之后，曾以大总统身份许诺"各旗未放荒地归各旗自行开垦"。但实际上并没有真正允许各蒙旗自行放垦，获得其收益。绥远地方当局在西盟王公会议上强迫与会王公接受继续开垦，而且第二次东蒙王公会议上政府方面又明确提出要放垦蒙地。

北京政府于1914年2月19日正式颁布了由内务部、农商部、财政部和蒙藏院共同制订的《禁止私放蒙荒通则》和《垦辟蒙荒奖励办法》。[①] 这标志着以袁世凯为首的北洋政权已彻底撕毁其维护和保留蒙古民族原有自主权益的种种伪装，开始全面推行放垦蒙地的政策。

《禁止私放蒙荒通则》规定"凡蒙旗出放荒地，无论公有私有，一律应由札萨克行文该管地方行政长官报经中央核准，照例由政府出放，否则以私放论"；对于所谓私放的荒地，规定"应将该荒撤归政府，另行处分，并缴荒价"，即使是"准由蒙旗自行开垦"的所谓"照章划留领照之地"，亦"须呈报该管地方长官备案"。同时详细规定了对私放土地的蒙旗各阶层予以惩处的具体办法。还规定"本通则未尽事宜，准由兼辖蒙旗之奉天、吉林、黑龙江、甘肃、新疆、热河、绥远、察哈尔、阿尔泰各该巡按使、都统、办事长官，就各处情形另订施行细则，咨部核准进行"，即将具体放垦大权授予了各地方官府。同时颁布的《垦辟蒙荒奖励办法》，则详细规定了给予蒙旗积极报垦者勋章、爵衔和翊卫处各职衔等"荣典"，汉民承垦户领荒"一百方以上者给予奖章"。

---

① 绥远通志馆编纂：《绥远通志稿》卷22之《垦务》，1936年稿本。

1915 年 11 月，北京政府蒙藏院又制订公布《边荒条例》①，将清末放垦蒙地政策及一些有关规定进一步扩大推行于西北、西南边疆民族地区。《边荒条例》规定"凡蒙、藏、青海等处暨热河、察哈尔、绥远城、东三省、新疆以及陕甘、四川边外开放荒地，均依此条例办理"；凡荒区"如系蒙藏回游牧地段，由该札萨克呈请蒙藏院转呈大总统核准开办"，"同时亦须呈该地方长官备案"，并且"凡放荒之处须责成附近县署办理"；凡新垦荒地，"如系蒙、藏、回游牧地段，其所收荒价半归国家半归该旗，由放荒县署或荒务局征收，分解分交"；"每年大小租归该管县署征收，其未设治地方，由地方长官酌委附近县署征收"；"所收大小租应解国库若干，应分给该旗若干，亦照该地向例办理"；"所收镇基屯基之价，仍半归国家半归该旗"；等等。

从以上具体规定可以看出，北京政府将内蒙古地区的放垦及征收荒价、地租大权都委之于各地县署。这样，就给各县署插手蒙旗事务提供了法律依据。

北京政府制定大规模放垦蒙旗土地的方针、政策之后，内蒙古境内的各省、道、县当局遂分别开始了放垦蒙旗土地的具体行动。

在张作霖、吴俊升等奉系军阀统治的内蒙古东部，掠夺蒙旗土地的活动尤为活跃。如张作霖于 1916 年强迫科左中旗放垦西辽河南北沃土 4 000 余方（每方 1 平方里，合 375 亩），其子张学良及鲍贵卿、冯麟阁等人即割占 1 000 余方。1922 年，张作霖已占有通辽县以西沃土 2 800 余方。② 这一时期，仅在通辽一县，张作霖、吴俊升、鲍贵卿、孙烈臣等军阀"就霸占了上千垧的好地"③。1924 年，吴俊升又以 99 年的租期强行租占科左后旗斯卜海地方土地 2 000 垧；同年又与杨宇霆一起侵占该旗松林哈特耕地二千二三百垧。④ 吴俊升于 1921 年出任黑龙江督军兼省长之后，"攫取土地几遍全省"，并且又在洮南一带占有土地 2 万亩。⑤ 这样，使得奉系军阀张作霖及

①　中国第二历史档案馆蒙藏院档案，代号 1045，档号 505。
②　满铁经济调查会编：《满洲经济年报》，第 43 页。
③　章有义编：《中国近代农业史资料》第 2 辑，三联书店 1957 年版，第 19 页。
④　满铁经济调查会编：《满洲经济年报》，改造社 1934 年版，第 43 页。
⑤　章有义编：《中国近代农业史资料》第 2 辑，第 19 页。

其手下的大小军阀、官僚、政客等迅速成为大地主兼资本家。

1924 年，张作霖又拟订《内蒙开垦大纲》，计划设立内蒙古屯垦专局，进一步放垦蒙旗土地，既移民招垦，又裁兵屯垦。[1]

在内蒙古西部的绥远地区，直系军阀蔡成勋任绥远都统的 3 年多时间（1917 年 8 月至 1920 年 12 月）里，即清丈放垦土地多达 51 600 余顷。[2] 西北军阀马福祥任绥远都统期间（1921 年 1 月至 1925 年 1 月），在河套等地新放土地 19 000 余顷。[3] 他本人更是"大肆进行搜刮，兼并了大量土地。从昭君坟到陶乐县将近两千里的地区，马家的土地不计其数，仅后套兰锁一地即有数十万亩"[4]。1925 年初，绥远地区成为冯玉祥国民军的统治地盘，由其部下李鸣钟出任都统（1925 年 1 月—1926 年 9 月）。在冯玉祥控制绥远不到两年的时间里，就放垦土地 36 045 顷，征收荒价 162 万元。[5] 据统计，北京政府时期绥远地区共新放土地 11.6 万余顷，[6] 已明显超过清末新政时期的放垦数字。

在察哈尔特别区，1915 年起也陆续招民放垦，由于荒价低廉，"各处之富商、巨绅、官僚、政客咸争先承领，尽力包购。一人领数顷者寥若晨星，领数十顷至数百顷者乃常事，领数百顷或数千顷者，亦复不少"[7]。这些领垦的富商、官僚等承领大片土地以后，并非自己耕种，而是"把土地弄成小块地割而出租"[8]，坐享地租。北京政府为管理汉族移民，在察哈尔特别区增设了宝昌、康保、商都县。距内地较远的锡林郭勒盟，此时也受到放垦

① 王德胜：《北洋军阀对蒙政策几个问题的初析》，见中共内蒙古地区党史研究所：《内蒙古近代史论丛》第 3 辑，内蒙古人民出版社 1987 年版，第 80 页。

② 王德胜：《北洋军阀对蒙政策几个问题的初析》，见中共内蒙古地区党史研究所：《内蒙古近代史论丛》第 3 辑，第 79 页。

③ 绥远通志馆编纂：《绥远通志稿》卷 22 之《垦务》1930 年稿本。

④ 张寄亚等：《马鸿奎在宁夏》，见政协全国委员会编：《文史资料选集》第 27 辑，中华书局 1962 年版，第 46 页。

⑤ 绥远通志馆编纂：《绥远通志稿》卷 22 之《垦务》，1930 年稿本。

⑥ 王德胜：《北洋军阀对蒙政策几个问题的初析》，见中共内蒙古地区党史研究所：《内蒙古近代史论丛》第 3 辑，第 79 页。

⑦ 《察哈尔建设厅呈送确定人民租借劝草案》，载《农矿公报》1929 年 2 月，第 43—44 页。

⑧ 王德胜：《北洋军阀对蒙政策几个问题的初析》，见中共内蒙古地区党史研究所：《内蒙古近代史论丛》第 3 辑，第 82 页。

的威胁。《边荒条例》公布以后，锡林郭勒盟急忙上呈北京政府，申明"本盟向无开荒之地，且不宜辟荒"，要求不要"将该盟各旗加入院定蒙荒条例内"①。

在官放蒙地过程中，《边荒条例》等虽然规定将放垦所收之荒价、地租等分给蒙旗一半或若干成。但从后来的具体情况看，各地县署和掌握地方军政大权的军阀往往凭借其强大的政治军事权利，以种种理由和借口拖欠或拒交应拨归蒙旗的份额。这样，放垦蒙旗以后得到实际利益的就是各地方掌握军政大权的军阀集团。如奉系军阀在放垦科左中旗土地时，即"越界侵丈"、"任意收价"，将"所有大段荒地竟自倒卖肥己"，致使该旗"至今五载，荒价尚在无着"②。在绥远地区，"包头西达拉特旗开放时，由政府设置之垦务局办理，不许蒙古王公与汉民直接接洽"。放出土地，蒙旗应得之押荒银及地租，"概被该地当局挪用于军费、行政费。据垦务局最近报告，挪用额已达 30 余万元。蒙古王公催收不获，大为懊恼"③。

北京政府在内蒙古地区的大规模放垦，使蒙古民族再次遭受了深重劫难。正如当时有人指出的那样："垦地日广，牧场益狭……蒙官之权力渐失，蒙民之生计日蹙。"④"自入民国，官权愈重，变本加厉。蒙人痛民国之无公理，反甚于前清时代之专制，饮恨吞声，无所控诉。是以蒙人对于官办垦务，皆上下一心，群起反抗"⑤。由于北京政府推行官放蒙地等民族压迫和掠夺政策，进一步加剧了内蒙古地区清末以来本已十分尖锐的民族矛盾。

1916 年，北京政府国务会议和国会参众两院又兴起一股筹划改革蒙旗、全行改设行省，并且要裁撤蒙藏院并入内务部的种种舆论。哲盟盟长等王公札萨克随即呈文表示坚决反对。当北京政府国务院复电称并无此议后，蒙古王公仍表示为免再生此议，要求中央政府"永远消除蒙旗立省之议"⑥。1917 年，察哈尔都统田中玉假冒锡盟盟长和察哈尔八旗总管之名向大总统、

---

① 中国第二历史档案馆蒙藏院档案，代号 1045，档号 509。

② 中国第二历史档案馆蒙藏院档案，代号 1045，档号 550。

③ 《察绥两特区之开发》，载《中外经济周刊》第 155 号，1926 年 6 月。

④ 马福祥：《蒙藏状况》，蒙藏委员会 1931 年刊印，第 13 页。

⑤ 刘仲仁：《垦辟蒙荒议》，载《地学杂志》第 7 年第 8 期，总第 74 号。

⑥ 中国第二历史档案馆蒙藏院档案，代号 1045，档号 152。

总理、蒙藏院致电，请求将察哈尔特别区改为行省。锡盟盟长等闻讯后立即呈文北京政府揭露田中玉冒名之举，表示坚决反对内蒙古地区改省，并要求明令严行禁止。对此，蒙藏院亦表示，因各盟反对改省，"轻议似多未便"①。

此外，各地方当局对蒙旗原有权益的强行剥夺，则更是普遍现象。如热河都统即曾将原属昭乌达盟克什克腾旗征收的旗境河泡渔产捐税强行划归县署；甘肃省在阿拉善旗境内滥设皮毛公买所，强征"子口半税"；等等。②1925 年，绥远都统又下令乌伊两盟限一个月内将往来公文全部改用汉文，强行剥夺使用本民族文字的权利。③

第三节　国民政府统治内蒙古的机构及体制

1928 年 4 月，国民党军队发动第二次北伐，6 月进占北京（后改称北平）、天津，推翻北洋军阀政权。同年 12 月，张学良在东北宣布"易帜"，南京国民政府在形式上统一了全国，确立了国民党新军阀对中国的统治。

国民政府在全国范围内确立其统治体系的过程中，专门设立了主管内蒙古等边疆少数民族事务的机构——蒙藏委员会。1928 年 1 月，国民党中央候补执行委员、原内蒙古人民革命党主要领导人白云梯到南京活动，向国民党中央提议在国民政府下设蒙藏部，以代替原北京政府蒙藏院，负责处理有关蒙藏行政监督及各种改革建设事宜。④ 3 月，国民党中央政治会议通过了《蒙藏委员会组织法》，送交国民政府公布。此后，国民政府又指定白云梯负责组织蒙藏委员会筹备处，着手组建蒙藏委员会。

6 月，国民党军队占领华北各地之后，国民党中央政治会议通过决议，任命张继、刘仆忱、白云梯、李丹山等 7 人为蒙藏委员会委员，指定张继、白云梯、刘仆忱 3 人为常务委员，同时派李丹山、于兰斋等前往北平接收蒙

---

① 中国第二历史档案馆蒙藏院档案，代号 1045，档号 152。

② 白拉都格其、金海、赛航：《蒙古民族通史》第 5 卷（上），内蒙古大学出版社 2002 年版，第 264 页。

③ 中国第二历史档案馆蒙藏院档案，代号 1045，档号 90。

④ 白云梯：《报告内外蒙古之状况》上，载《民国日报》1928 年 2 月 2 日。

藏院。

12 月 19 日，国民党政治会议决定将蒙藏委员会主席制改为委员长制，任命阎锡山为委员长，赵戴文为副委员长并代理会务。增加恩克巴图、班禅额尔德尼等 4 人为蒙藏委员会委员。1929 年 1 月 5 日，蒙藏委员会各委员在南京国民政府宣誓就职。1 月 12 日，国民政府立法院、国民党中央政治会议又修正通过了《蒙藏委员会组织法》，30 日又经国民党中央政治会议通过。2 月 1 日，蒙藏委员会在南京正式成立，开始办公。2 月 17 日，国民政府正式公布了《蒙藏委员会组织法》。

蒙藏委员会隶属于行政院，地位与各部、委同，其职权范围是处理"一、关于蒙古、西藏之行政事项；二、关于蒙古、西藏之各种兴革事项"①。蒙藏委员会成立之初设委员长、副委员长各 1 人，委员 9—15 人，会内设总务、蒙事、藏事 3 个处，并有秘书室、参事室及专门委员等。② 后来，《蒙藏委员会组织法》进行了多次修正，到 1947 年 10 月 4 日最后一次修正时，委员人数增加到 27—35 人，副委员长增加到 2 人，会内仍设总务、蒙事、藏事 3 个处，另有秘书、参事、调查、编译、人事、会计 6 室。其中总务处内设 4 个科，分管文书、庶务、出纳、员工福利事项；蒙事处内设 3 科，第一科掌管蒙古民政财政军事外交及不属于其他各科事项，第二科掌管蒙古教育卫生宗教司法事项，第三科掌管蒙古农矿垦牧工商交通事项；藏事处内也分 3 个科，分别掌管西藏各项事务；参事室办理特交事项及审核蒙藏法律命令。

蒙藏委员会委员长一职最初由阎锡山担任，由赵戴文任副委员长并代理会务。1929 年 9 月，马福祥代替赵戴文任副委员长并代行委员长职务。1930 年 8 月 9 日，马福祥正式被任命为委员长。此后，蒙藏委员会委员长一职先后由石青阳（1932 年 12 月—1935 年 3 月）、黄慕松（1935 年 3 月—1936 年 9 月）、吴忠信（1936 年 9 月—1944 年 9 月）、罗良鉴（1944 年 9 月—1947 年 5 月）、许世英（1947 年 6 月—1948 年 11 月）、白云梯（1948

---

① 熊耀文编：《总理对于蒙藏之遗训及中央对于蒙藏之法令》，蒙藏委员会 1934 年印刷，第 212 页。

② 熊耀文编：《总理对于蒙藏之遗训及中央对于蒙藏之法令》，第 212—215 页。

年 12 月—1949 年 5 月）、关吉玉（1949 年 6 月）担任；副委员长职务先后
由赵戴文（1929 年 2 月—9 月）、马福祥（1929 年 9 月—1930 年 8 月）、王
之觉（1930 年 9 月—1931 年 12 月）、赵丕廉（1932 年 1 月—1947 年 7 月）、
白云梯（1947 年 8 月—1948 年 11 月）、喜饶嘉错（1947 年 8 月）担任。

　　蒙藏委员会直属或监督、指导的机构有蒙藏委员会驻平办事处、北平蒙
藏学校、北平喇嘛寺庙整理委员会、蒙藏招待所、蒙藏政治训练班、蒙藏月
刊社、杀虎口牧场、张家口牧场、察哈尔蒙旗特派员公署、派驻各地调查组
和蒙古各盟旗联合驻京办事处、章嘉呼图克图驻京办事处、绥境蒙政会驻京
办事处、绥远省境内蒙古各盟旗地方自治指导长官公署驻京办事处以及蒙旗
宣化使公署、蒙古地方自治政务委员会、绥远省境内蒙古各盟旗地方自治政
务委员会、绥远省境内蒙古各盟旗地方自治指导长官公署、蒙旗宣慰使公
署等。

　　蒙藏委员会的职权范围是处理有关蒙古、西藏之行政事项及蒙古、西藏
之各种兴革事项。但在具体行使职权时，往往与其他主管机关和地方各省政
府发生权限不清的问题。

　　1933 年，蒙藏委员会曾和内政部商定了《蒙藏委员会与内政部汇办案
件之标准》，其中规定："一、关于处理边疆各种事务，以由内政部、蒙藏
委员会尽量互相商办为原则。二、蒙藏委员会处理蒙藏事务，凡与内政部职
掌有关者（如整理土地、改定礼俗、办理地方自治等事项），均应与内政部
会商办理。三、内政部处理边疆各省事务，凡与蒙藏委员会职掌有关者
（如蒙藏回曾设治各省之行政计划，及其他行政有关蒙藏人民者），均应与
蒙藏委员会会商办理。"①

　　1934 年 9 月，国民政府行政院又通过了《中央及地方主管机关对于处
理蒙古盟旗事项权限划分办法》。其中规定："一、蒙藏委员会，除依照本
会组织法，掌理关于蒙古行政，及各种兴革事项外，前清理藩部则例所载关
于蒙古各盟旗设官、奖惩、铨叙、军政、司法、宗教等事项，历经照例办理
者，亦均系蒙藏委员会对于蒙旗直接主管范围。嗣后遇有此种案件，应仍照
向例由蒙藏委员会呈行政院核办。二、各蒙古地方自治政务委员会依照该会

---

　　①　黄奋生：《蒙藏新志》（上），中华书局 1938 年版，第 217 页。

暂行组织大纲规定办理之事项，除应函中央主管部会者外，得由该会径呈行政院核办。三、关于处理盟旗事项，如发生权限问题及其他疑义时，由各主管机关，随时呈请行政院核定施行。"[1]

事实上，蒙藏委员会的职权及作用主要表现在对蒙藏地方政教上层的联系和监督方面，尤其是在各蒙旗札萨克的任免、承继及盟旗内部纠纷等方面具有决定权。此外，蒙藏委员会还负有向政府各部门及国民党中央提供有关蒙藏事务问题上的咨询和建议的职责。

蒙藏委员会组建之后，曾于1929年制定了《蒙藏委员会施政纲领及进行程序》。提出了"革新蒙藏旧行政制度，改组各盟公署旗札萨克府及土司；废除奴隶制度，规定王公待遇，设立人民参政机关，训练蒙藏自治行政佐治人才，实施全民政治；创办警察，整顿国防，剿办土匪，设立卫生机构；整理外交档案，调查外人之活动情况；整理地方税收，创办蒙藏实业银行；整理台站，修筑公路，修筑铁路，增设邮局，增设有线无线电台；规定留学内地及出洋学生之优待办法，编译蒙藏各种书籍及宣传品，创办各级学校及职业学校，实行普及平民教育，励行识字运动，改善礼俗；规定司法机关之系统，养成司法人材；调查耕地牧地，改良牧畜，奖励合作事业，开发矿产，保护奖励新兴工商业，兴办林垦事业；保护喇嘛庙产，优待宗教首领"[2] 等具体方案、措施，并决定用3年时间分期进行。

此后，蒙藏委员会几乎每年甚至每半年都要制定此类行政计划。但是真正实施的很少，尤其是在蒙古地方兴办各种经济交通等实业的计划，大多成为具文。所以国民政府当局也承认"唯因年来，发生各种特殊困难，以致所有应办事项，间有未办，或已办而未完成者"[3]。

国民政府在中央政府内设立蒙藏委员会之外，还曾成立过一些分管内蒙古地区事务的各种机构，其中主要的有蒙旗宣化使署、蒙古地方自治指导长官公署、绥远省境内蒙古各盟旗地方自治指导长官公署、蒙旗宣慰使公署等。

---

① 黄奋生：《蒙藏新志》（上），第216—217页。
② 黄奋生：《蒙藏新志》（上），第306—314页。
③ 黄奋生：《蒙藏新志》（上），第351页。

　　1931 年"九一八"事变爆发后，日军很快占领东北三省。1932 年 3 月 1 日伪满洲国成立，内蒙古东部大部分地区成为满洲国的组成部分。在内蒙古地区形势发生如此剧烈变动的形势下，国民政府行政院为了安抚尚未纳入日本统治之下的蒙古人，于 1932 年 4 月 9 日决定让章嘉呼图克图出任蒙旗宣化使。19 日，国民政府正式任命章嘉呼图克图为蒙旗宣化使，令其在最短期内"派员赴内外蒙古，宣化中央旨意"①。12 月，章嘉呼图克图到南京，12 月 26 日正式宣誓就任蒙旗宣化使，并由国民政府主席林森授予册封及印信。1933 年 5 月 18 日，国民政府公布《蒙旗宣化使公署组织条例》。9 月，章嘉呼图克图从五台山到北平，在嵩祝寺正式成立了蒙旗宣化使公署。② 蒙旗宣化使公署"直隶于行政院，掌理蒙旗宣化事宜"，宣化使由中央特派，"综理公署事务，监督所属职员"；公署下设总务和宣传 2 个处，分别办理文书、会计、庶务及宣化事宜，设处长、秘书、科长及科员等职员，还可以聘任名誉顾问和名誉咨议；蒙旗宣化使公署办事细则由蒙藏委员会拟订，呈请行政院核定。③

　　1933 年 10 月，正当第二次内蒙古自治会议在百灵庙召开、国民政府派内政部长黄绍竑和蒙藏委员会副委员长赵丕廉到百灵庙解决内蒙古高度自治问题之际，章嘉呼图克图也准备以"蒙旗宣化使"身份到内蒙古西部蒙旗，试图阻止各旗王公上层参加自治运动。但是当时由于在北平的蒙古族知识青年反对章嘉呼图克图干涉政治、反对他前往内蒙古西部进行所谓"宣化"活动，加之第十三世达赖喇嘛圆寂，章嘉便推迟了赴西部蒙旗"宣化"日期。

　　1934 年 3 月 3 日，章嘉呼图克图带着《告蒙古人民书》、《告喇嘛书》、《告青年书》、《告王公书》以及《孙总理遗训》等蒙汉合璧宣传册子从北平出发，6 日到达包头。又从包头进入伊克昭盟杭锦旗进行"宣化"及诵经活动，于 4 月 14 日返回包头，并经归绥及察哈尔等地于 4 月 27 日返回北平。

---

① 妙舟：《蒙藏佛教史》，江苏广陵古籍刻印社 1994 年版，第 120 页。
② 黄奋生：《蒙藏新志》（上），第 452 页。
③ 黄奋生：《蒙藏新志》（上），第 461—462 页。

8 月，章嘉派蒙旗宣化使公署秘书赴南京，汇报入蒙"宣化"经过。① 此后，蒙旗宣化使公署再未进行与内蒙古地区有关的所谓"宣化"活动。

1933 年 7 月起在内蒙古地区发生"高度自治"运动。几经周折，经国民政府批准于 1934 年 4 月在乌兰察布盟达尔罕旗百灵庙成立了蒙古地方自治政务委员会（简称蒙政会）。蒙古地方自治指导长官公署就是国民政府为了以"指导"的名义进行监督蒙古地方自治政务委员会的需要而成立的。

1934 年 2 月 28 日，国民党中央政治会议通过并公布了《蒙古自治办法原则》8 条，决定成立蒙古地方自治政务委员会，同时规定"中央另派大员驻在该委员会所在地指导之"。3 月 7 日，国民政府公布《蒙古地方自治政务委员会暂行组织大纲》的同时，公布了《蒙古地方自治指导长官公署暂行条例》。该《条例》规定："蒙古地方自治指导长官，依国民政府颁布之蒙古地方自治办法原则，承行政院之命指导蒙古地方自治政务委员会，并调解省县与盟旗之争执"；"指导长官一人、副长官一人，由行政院呈请国民政府特派之"；"指导长官公署，设参赞二人，由指导长官呈请行政院简派之"；"蒙古地方自治政务委员会开会时，指导长官副长官得派参赞出席指导"；"蒙古地方自治政务委员会，处理事件及发布命令，如指导长官认为不当时，得纠正及撤销之"；"蒙古地方自治政务委员会经费，由指导长官公署转发"。② 根据这一条例的规定，指导长官不仅对蒙政会的决议具有否决权，而且控制着该会的经费来源。

同日，国民政府任命军事委员会北平分会主任何应钦为蒙古地方自治指导长官，赵戴文为副指导长官。4 月 23 日，蒙古地方自治政务委员会在百灵庙举行成立典礼时，何应钦派军事委员会北平分会委员兼蒙古地方自治指导长官公署参赞何竟武作为其代表到会监督。

1936 年初，国民政府又采纳绥远省政府关于将蒙政会按省界一分为二的建议，于 2 月成立绥远省境内蒙古各盟旗地方自治政务委员会（简称绥境蒙政会）。1936 年 7 月 27 日，国民政府废止了 1934 年 3 月公布的《蒙古各

---

① 妙舟：《蒙藏佛教史》，第 122—123 页。
② 谭惕吾：《内蒙之今昔》，商务印书馆 1935 年版，第 186 页。

盟旗地方自治政务委员会暂行组织大纲》。① 随着蒙政会的撤销，蒙古地方自治指导长官公署也宣告结束。

绥远省境内蒙古各盟旗地方自治指导长官公署是随着成立绥远省境内蒙古各盟旗地方自治政务委员会的同时设立的机构。

绥远省政府方面为了搞垮蒙政会，从 1935 年后半年开始一面派人到乌兰察布盟、伊克昭盟各旗王公和土默特旗、察哈尔右翼四旗总管处进行游说、分化，煽动他们脱离蒙政会；一面向国民党中央提出将蒙政会按省界一分为二，并以伊盟 7 旗及乌盟 5 旗（达尔罕旗除外）王公的名义，分别致电南京政府，要求"另定分设治办法，免予参加蒙古地方自治政务委员会；各盟分区设治，另组自治委员会，以各旗札萨克为委员，并优发经费"②。

国民党中央接到绥远省政府将蒙政会一分为二的建议和乌、伊两盟王公的"电请"后，立即照准。1936 年 1 月 4 日，国民党中央政治委员会第三次会议决定另设绥远省境内蒙古各盟旗地方自治政务委员会和绥远省境内蒙古各盟旗地方自治指导长官公署，并经行政院会议通过了《绥远省境内蒙古各盟旗地方自治政务委员会暂行组织大纲》和《绥远省境内蒙古各盟旗地方自治指导长官公署暂行条例》。1 月 25 日，国民政府发布该《组织大纲》和《条例》以及组成人员名单。2 月，行政院任命阎锡山为绥远省境内蒙古各盟旗地方自治指导长官公署指导长官。

《绥远省境内蒙古各盟旗地方自治指导长官公署暂行条例》规定，该公署设"指导长官一人，由行政院呈请国民政府特派之"，指导长官"承行政院之命，指导该省境内蒙古各蒙旗地方自治事宜，并调解省县与盟旗之争执"，"指导长官公署，设参赞一人，由指导长官呈请行政院特派之"；"绥远省境内蒙古各盟旗地方自治政务委员会开会时，指导长官应出席指导，或派参赞出席指导"；绥境蒙政会"呈报行政院或蒙藏委员会之公文，须同时呈报于指导长官公署"；绥境蒙政会"处理事件，或发布命令，指导长官认为不当时，得纠正或撤销之"；绥境蒙政会的经费，"由指导长官公署转发

---

① 黄奋生：《蒙藏新志》（上），第 260 页。
② 陈玉甲：《绥蒙辑要》，1937 年铅印本，第 200、208—209 页。

之"。① 根据这些规定，该指导长官公署不仅随时可以"纠正和撤销"绥境蒙政会的决定，还把持了国民政府拨给该会的所有经费。指导长官阎锡山任命原绥远垦务督办石华严为公署参赞，在归绥就近处理日常事务。

1936 年 10 月 12 日，绥远省境内蒙古各盟旗地方自治指导长官公署曾经制定《绥远省境内蒙古各盟旗地方自治指导长官公署组织规程》，并报行政院备案。1940 年 9 月，该公署又将其《组织规程》进行修改，并报国民政府核准。据该《组织规程》的规定，绥远省境内蒙古各盟旗地方自治指导长官公署下设第一、第二、第三共 3 个处，其中第一处掌管公署之总务及关于调解盟旗与省县争执、蒙旗自治及户籍、司法事项；第二处负责蒙旗教育、农垦、工矿、水草、私租、赈灾、救济、畜牧、卫生、水利、交通、土地等社会经济建设事业；第三处负责关于保安及蒙旗保安队游击队训练指导以及其他有关军事事项。还规定设副指导长官 1 人，辅助指导长官综理公署一切事务，设参赞 1 人、秘书长 1 人、参事 2 人、参议和咨议各 4 人、处长 3 人。②

1937 年"七七"事变爆发后，日军于 10 月间占领归绥、包头等地，绥境蒙政会人员各奔东西，指导长官公署事务亦停顿。

1938 年春，绥远省境内蒙古各盟旗地方自治指导长官公署参赞石华严从西安到榆林后，始呈请国民党中央恢复公署的工作，并将指导长官公署设在榆林。1939 年夏，阎锡山派自己的参谋长朱授光到榆林，充任绥境盟旗指导长官公署副长官，就近全权处理指导事宜。1943 年，傅作义接替朱授光兼任绥境盟旗指导长官公署副长官，将指导长官公署由榆林迁到河套的陕坝。

整个抗战时期，绥远省境内蒙古各盟旗地方自治指导长官公署的日常工作就是转发绥境蒙政会的经费，向行政院及有关部门汇报盟旗的情况，或派人到伊盟各旗视察，派员参加绥境蒙政会的会议。该公署的成立，名义上虽系指导盟旗地方自治，但却寓有监督、统治蒙旗之意，引起蒙旗方面的反

① 黄奋生：《蒙藏新志》（上），第 260—261 页。
② 中国第二历史档案馆编：《中华民国史档案资料汇编》第 5 辑之《第二编·政治》（四），江苏古籍出版社 1989 年版，第 46—47 页。

感。抗战结束后，该公署被取消。

1937 年 11 月 22 日，国民政府为了安抚内蒙古西部地区蒙古族上层，稳定伊盟局势，决定成立蒙旗宣慰使公署，任命伊盟盟长沙克都尔扎布为正宣慰使，伊盟副盟长、杭锦旗札萨克阿拉坦鄂其尔为副宣慰使，土默特旗总管荣祥为秘书长。[①] 1938 年 5 月，蒙旗宣慰使公署在榆林成立，秘书长荣祥主持公署实际工作。由于该公署属临时机构，直到 1942 年才由该公署制定《蒙旗宣慰使公署组织条例》并经蒙藏委员会核准，规定该公署直隶于行政院，受蒙藏委员会监督指挥，设宣慰使 1 人，秘书长 1 人，政务处长 1 人。公署内设政务处和秘书处，其中政务处下分军事组、特务组、赈济组、交际组。公署主要办理的事项为宣传中央德意，策动沦陷之蒙疆地区敌伪反正，扶助蒙疆流亡青年并赈济难民，破坏敌伪组织并侦察伪情，传送情报，联络蒙疆民众感情以及其他特种交办事件。[②] 该公署成立后，曾派人到沦陷区对当地蒙古人进行过一些策反和联络工作，并出面协调过伊盟各旗与各路驻军的关系。1941 年以后，因受法币贬值的影响，公署经费拮据，工作人员减少。1943 年以后，该公署派驻各旗工作人员大部分撤走，仅留少数人照料公署日常工作，成为一个有名无实的机构。[③]

1945 年 8 月抗战胜利后，该公署迁到归绥，和土默特旗政府一起办公。1948 年，国民政府停止发放该公署经费，机构随之撤销。[④]

国民政府成立以后，在内蒙古地区建立统治体制方面采取的又一个重要步骤就是改设行省。从 1928 年 9 月起，国民政府先后增设 6 个省，其中热河、察哈尔、绥远、宁夏 4 省涉及内蒙古地区。

---

① 中国第二历史档案馆编：《中华民国史档案资料汇编》第 5 辑之《第二编·政治》（四），江苏古籍出版社 1989 年版，第 33 页。

② 中国第二历史档案馆编：《中华民国史档案资料汇编》第 5 辑之《第二编·政治》（四），第 76 页。由于阿王于 1938 年春天被日军强迫带到包头，担任蒙古联盟自治政府设在该地的伊克昭盟公署副盟长，后来升任盟长。所以 1942 年制定该《组织条例》时，没有设副宣慰使一职。

③ 巴靖远：《伊克昭盟"蒙旗宣慰使公署"的成立及其经过》，见政协内蒙古自治区委员会文史资料研究委员会编：《内蒙古文史资料》第 23 辑，政协内蒙古自治区委员会文史资料研究委员会 1986 年印刷，第 73 页。

④ 巴靖远：《伊克昭盟"蒙旗宣慰使公署"的成立及其经过》，见政协内蒙古自治区委员会文史资料研究委员会编：《内蒙古文史资料》第 23 辑，第 79 页。

1928 年 7 月，国民党战地政务委员会主席蒋作宾首先提出将热河、察哈尔、绥远 3 个特别行政区改建为行省的建议。8 月，内政部正式向国民政府提出改省意见，其理由为"《建国大纲》中仅有省治，并无特别区之规定；况值军事结束，训政开始，更应将特别区次第改省，以昭划一"①。

国民党中央政治会议审议后，又获北平政治分会、太原政治分会、河北省政府的一致赞同。同时，内政部又将青海、西康改省意见并入热察绥改省案，具体方案为："甲、名称：热河、绥远、西康、青海名称仍旧，唯因察哈尔三字原系蒙语，于义无取，拟有上谷、口北、开平、兴和四名，呈请择一定为察哈尔之省名。乙、省治：热河定承德，察哈尔定万全，绥远定归绥，西康定康定，青海暂设甘肃之西宁。"②

9 月 5 日，国民党中央政治会议通过了改省决议。9 月 17 日，国民政府发表《改热河等区为行省通电》，正式宣布"热河、察哈尔、绥远、青海、西康均改省"；"旧直隶省之口北道十县，划归察哈尔；察哈尔原划绥远丰镇、凉城、兴和、陶林四县及后置之集宁县，仍划还绥远"。③ 同年，又有甘肃代表请以甘肃省宁夏道属等处，合并阿拉善、额济纳二旗地方设立宁夏省。10 月，国民党中央政治会议决定："（一）甘肃省旧西宁道属各县划入青海，定西宁为青海省治。（二）设宁夏省，以旧宁夏护军使所辖（即包括阿拉善旗和额济纳旗——引者）及旧宁夏道属各县为宁夏省管辖区域，以宁夏为省治。"④

从 1928 年底到 1929 年初，热河、察哈尔、绥远及宁夏四省政府相继宣告成立。这样，内蒙古昭乌达盟、卓索图盟划入热河省；锡林郭勒盟、察哈尔部划入察哈尔省；乌兰察布盟、伊克昭盟及土默特特别旗划入绥远省；阿拉善旗和额济纳旗划入宁夏省。加上清末已划入东北三省的哲里木盟和呼伦贝尔部，内蒙古地区已全部划入各行省。另外，国民政府还撤销了道一级建制，使得地方行政建制由北京政府时期的省、道、县三级制变为省、县两

---

① 纪霭士：《察哈尔与绥远》，上海文化建设月刊社 1936 年铅印本。
② 王云五、李圣五编：《蒙古与新六省》，商务印书馆 1934 年版，第 59 页。
③ 熊耀文编：《总理对于蒙藏之遗训及中央对于蒙藏之法令》，第 275—276 页。
④ 王云五、李圣五编：《蒙古与新六省》，第 61 页。

级制。

至此，清末以来历届中央政府准备在内蒙古地区遍设行省，将各盟旗分别划归各省统辖的计划得以实现，国民政府在内蒙古地区的统治体系也正式确立起来。

热、察、绥、宁各省政府成立后，即开始向各盟旗境内移民放垦，纷纷将原来的设治局升格为县，并增设县或设治局。国民党当政后，在内蒙古地区就新增设了9个县、局（宁城、全宁、化德、尚义、崇礼、沃野、狼山、米仓、晏江），升6个设治局为县（雅鲁、天山、林东、鲁北、安北、临河），拟设未设的设治局还有紫泥湖、居延。

热、察、绥、宁等省政府是国民党统治一方的地方政权，它们首先要维护的是省县的利益。国民党当政之初就无视蒙古族的利益和要求，强行改省，主要是从其统治蒙古民族的长远利益考虑的。其民族压迫性实质在于通过改省设县，将蒙古盟旗置于省县当局的控制之下，最终由省县来直接管理和支配盟旗的土地和人民，使蒙古民族在政治、地域上被分割的状况进一步固定化、永久化，以消除蒙古民族在政治、经济和文化上的联系。

内蒙古地区改设行省后，盟旗的法律地位更加模糊不清。国民政府在改省命令中虽未明令取消盟旗，但也没有明确规定盟旗与省县的关系；虽未将盟旗明确置于省政府管辖之下，可是各盟旗所在的地域都被划入省境之内，并且还规定了各省省政府中的蒙古委员名额，委任各省有关盟长或旗总管充任。

自国民政府改设行省之日起，就遭到蒙古族各阶层的普遍反对。在蒙古各盟旗的强烈要求下，国民政府虽然也明令保留盟旗，并规定省政府不能统辖盟旗。但实际上各省县政府都时时干预盟旗事务，盟旗的权益受到极大的削弱，盟旗与省县之间的纠纷、矛盾与日俱增。这样，建立内蒙古统一的自治政府的呼声日渐高涨，加之1931年"九一八"事变以后内蒙古东部地区沦为日本的殖民地，导致1933年爆发了声势较大的内蒙古"高度自治"运动，要求成立统一的内蒙古自治政府。几经周折，1934年3月，国民政府才勉强同意成立"蒙古地方自治政务委员会"。

蒙古地方自治政务委员会是国民政府在参加内蒙古自治运动的各界人士的要求下，根据1934年2月28日，国民党中央政治会议通过并公布的《蒙古自治办法原则》8 项中"在蒙古适宜地点设一蒙古地方自治政务委员会，直隶于行政院，并受中央主管机关之指导，总理各盟旗政务"的决定成立的。

根据《蒙古自治办法原则》8 项的规定，国民党中央政治会议通过了由行政院草拟的《蒙古地方自治政务委员会暂行组织大纲》和《蒙古地方自治指导长官公署暂行条例》，并于 3 月 7 日以国民政府名义正式公布实施。

《蒙古地方自治政务委员会暂行组织大纲》中规定："本会直隶于行政院，并受中央主管机关及中央指导大员之指导，办理各盟旗地方自治事务，遇有关涉省之事件，应与省政府会商办理"；"本会会址设于百灵庙"；"本会设委员九人至二十四人，由行政院呈请国民政府任命之，并于委员中指定委员长一人，副委员长二人"；"本会委员以用蒙古人为原则"。①

同日，国民政府还发布政令，任命云端旺楚克（乌盟盟长）、索特纳木喇布坦（锡盟盟长）、沙克都尔扎布（伊盟盟长）、德穆楚克栋鲁普（锡盟副盟长）、阿拉坦鄂其尔（伊盟副盟长）、巴宝多尔济（乌盟副盟长）等 24 人为蒙古地方自治政务委员会委员，并指定云端旺楚克为委员长，索特纳木喇布坦、沙克都尔扎布为副委员长。②

根据国民政府命令，云王等人于 4 月 3 日在百灵庙先行宣布就职。4 月 23 日，蒙古地方自治政务委员会在百灵庙正式举行成立典礼。

蒙古地方自治政务委员会委员长处理会务，监督所属职员及机关，副委员长辅助委员长处理会务，委员长不能执行职务时，以副委员长一人代理；委员会下设秘书厅（办理文书、记录、统计、编译、会计、庶务等）、参事厅（审核本会之计划、法案、命令）、民治处（办理民治事项）、保安处（办理保安事项）、实业处（办理实业事项）、教育处（办理教育事项）、财政委员会（办理财政事项）；各厅处会除参事厅均分若干科办事；秘书厅设秘书长 1 人，参事厅设参事长 1 人，各处设处长 1 人，财政委员会设主任 1 人；该会每两周开会 1 次，遇有必要时，得召集临时会议；本会会议规则及办事规程，由本会议定呈请行政院核准执行。

---

① 谭惕吾：《内蒙之今昔》，第 183—185 页。
② 谭惕吾：《内蒙之今昔》，第 186—187 页。

这个类似政府但却不是一级政府的蒙古地方自治政务委员会成立后，由于受到绥远省政府方面的多方阻挠、破坏，使得该会在办理地方税收、蒙旗官员任免、保安队经费等诸多方面并不能行使自己的权力，并没有办理多少蒙古地方自治的具体事务。这样，该会所谓"办理各盟旗地方自治事务"的规定成为具文，成为一个有名无实的机构。

到了 1936 年初，国民政府接受绥远省政府提出的将蒙政会一分为二的建议，决定成立绥远省境内蒙古各盟旗地方自治政务委员会（以下简称绥境蒙政会），并于 2 月 23 日在归绥正式成立绥境蒙政会。这样，设在百灵庙的蒙古地方自治政务委员会已经名存实亡。1936 年 7 月 27 日，国民政府又公布了《察哈尔省境内蒙古各盟旗群地方自治政务委员会暂行组织大纲》，[①]同时废止了 1934 年 3 月公布的《蒙古各盟旗地方自治政务委员会暂行组织大纲》。[②] 至此，蒙古地方自治政务委员会彻底瓦解。

绥境蒙政会是完全由绥远省政府一手策划成立的一个盟旗地方自治机构。自从 1934 年 4 月蒙政会成立之后，绥远省政府认为蒙政会的成立对其行政管辖权力造成威胁，所以处处与蒙政会作对。

1934 年 4 月蒙古地方自治政务委员会成立之后，日本关东军也开始向内蒙古西部地区扩张势力，对于掌握蒙政会实权的德王等人采取各种拉拢手段，与其合作。蒙政会成立之初，在政治上离不开国民党中央的扶持，经费及枪械、物资等亦须依赖国民政府供给。所以德王等与关东军方面一直保持相当的距离，并将关东军在蒙旗地方的各种活动不时向蒋介石及何应钦汇报。[③] 可是，由于南京国民政府在蒙政会与绥远省政府之间发生各种冲突时一直偏袒省政府方面，而在华北却对日本的种种侵略活动步步妥协退让，使德王等人对国民党中央失去信心，从 1935 年 9 月开始逐步与日本关东军接触，并接受其援助。

德王等人与关东军合作的活动正好给绥远省政府搞垮蒙政会提供了绝好

---

① 黄奋生：《蒙藏新志》（上），第 264 页。当时由于德王等在日本关东军支持下，在化德成立了蒙古军政府，所以察哈尔省境内蒙古各盟旗群地方自治政务委员会始终没有成立。

② 黄奋生：《蒙藏新志》（上），第 260 页。

③ 卢明辉：《蒙古"自治运动"始末》，中华书局 1980 年版，第 95 页。

机会。从 1935 年下半年开始，绥远省政府就一面派人到乌、伊两盟各旗王公和土默特旗、察哈尔右翼四旗总管处游说进行分化，煽动他们脱离蒙政会；一面向国民党中央提出将蒙政会按省界一分为二，并以伊盟 7 旗及乌盟 5 旗（达尔罕旗除外）王公的名义，分别致电国民政府，要求"另定分设治办法，免予参加蒙古地方自治政务委员会；各盟分区设治，另组自治委员会，以各旗札萨克为委员，并优发经费"①。

国民党中央接到绥远省政府将蒙政会一分为二的建议和乌、伊两盟王公的"电请"后，立即照准。1936 年 1 月，国民党中央政治委员会第三次会议决定另设绥远省境内蒙古各盟旗地方自治政务委员会（以下简称绥境蒙政会），以国民政府名义发布《绥远省境内蒙古各盟旗地方自治政务委员会暂行组织大纲》及该会组成人员名单。

绥境蒙政会《暂行组织大纲》中规定，该会办理乌兰察布盟和伊克昭盟所属各旗、土默特旗和绥东 4 旗（即察哈尔右翼 4 旗）地方自治事务；该会"直属于行政院，并受中央主管机关，及中央指导大员之指导。遇有关涉省之事件，应与省政府会商办理"；"设委员九人至二十四人，由行政院就绥远省境内各盟旗之盟长、副盟长、札萨克或总管及其他资格相当之人员中遴选，呈请国民政府派充之，并于委员中指定委员长一人，副委员长三人"；其经费由该会"依照会计年度，编制预算书，报请中央主管机关，转呈核定，由中央就国库或地方税收中指拨之"。② 同时，发表绥境蒙政会委员 20 人，从中指定伊盟盟长沙克都尔扎布为委员长，乌盟盟长巴宝多尔济、伊盟副盟长阿拉坦鄂齐尔、乌盟副盟长潘德恭察布为副委员长，其他各旗札萨克或护理札萨克、土默特旗、绥东 4 旗总管都被指定为委员。

2 月 23 日，绥境蒙政会成立大会在归绥召开，委员长沙王，副委员长阿王、潘王等共有 18 名委员宣誓就职。国民党中央指定的监督大员绥远省政府主席傅作义，绥远省境内蒙古各盟旗地方自治指导长官阎锡山的代表、山西省政府主席徐永昌等出席典礼，并分别代表行政院和指导长官讲话。日本驻归绥特务机关长羽山喜郎也以来宾身份参加典礼。

①　陈玉甲：《绥蒙辑要》，1937 年排印，第 200、208—209 页。
②　黄奋生：《蒙藏新志》（上），第 262—263 页。

24—26 日，绥境蒙政会召开 3 次全体委员会议，讨论通过了各委员的提案，并根据该会暂行组织大纲，设立秘书、参事、民治、保安、实业、教育、卫生 7 处，防共、财务、建设 3 个委员会。各处处长、各委员会主席和常委均由各旗札萨克或总管担任。

绥境蒙政会完全是为了搞垮设在百灵庙的蒙政会而设立的，这一目的达到以后，便完成了它的使命。所以绥境蒙政会成立后，各旗王公上层都回到各自的旗里，在各机构中只有土默特旗和察哈尔右翼 4 旗的一些蒙古族失业知识青年照料门面而已。至于各盟旗地方自治事务，更是无从谈起。1937年"七七"事变爆发后，绥境蒙政会职员各自流散，会务处于停顿。

1938 年春，绥境盟旗指导长官公署参赞石华严从西安到榆林，提出恢复整顿绥境蒙政会的意见，获得国民党中央的批准。于是他进入伊盟，与沙王商定后改组了绥境蒙政会。改组后的绥境蒙政会仍由沙王任委员长，伊盟副盟长阿拉坦鄂齐尔仍任副委员长，增设 3 名常务委员和秘书长，新增补了一些委员，土默特旗总管荣祥任常务委员兼秘书长。[①] 绥境蒙政会下设秘书、参事、民治、教育、保安、实业、卫生 7 个处，建设、赈济、财务 3 个委员会，会址设在沙王府所在地札萨克旗新街。

绥境蒙政会性质属于绥远省境内各盟旗行政机关，以促进绥远省境内蒙古各盟旗地方事业为目的，办理盟旗地方自治事务。但是在当时的战争环境中，这个机构很少有实际工作，反而成为安置流亡人员和各旗王公"领钱"的机关。尤其是 1943 年的"伊盟事变"中该会人员逃散，馆舍、设备被毁。其后，虽然得以恢复，但却成为一个徒有虚名的机构。1945 年沙王逝世后，由继任伊盟盟长图布信杰尔格勒兼任绥境蒙政会委员长，秘书长也由巴文峻接任。

1945 年抗战胜利后，经绥境蒙政会秘书长巴文峻建议，将该会会址迁到乌兰察布盟乌拉特前旗公庙子，一直维持到 1949 年 9 月绥远省和平解放为止。[②]

---

① 中国第二历史档案馆蒙藏委员会档案，代号 141，档号 858。
② 经革陈：《绥境蒙政会始末记》，见政协内蒙古自治区委员会文史资料研究委员会编：《内蒙古文史资料》第 5 辑，内蒙古人民出版社 1979 年版，第 35 页。

民国时期国民政府对内蒙古的统治体制，也是从中央到地方有两个管理系统，即在中央有蒙藏委员会和内政部系统；在地方上则有盟、旗和省、县系统，并取消了特别区和道的建制。蒙藏委员会管理盟、旗系统，内政部则管理省、县系统。在基层，仍然是"旗县并存，蒙汉分治"，旗管蒙人，县管汉人的"属人行政"管理体系。

第四节　国民政府对内蒙古的法规及政策

国民政府时期，针对内蒙古地区制定的法规文件最主要的有1931年公布的《蒙古盟部旗组织法》和1934年制定公布的《蒙古自治办法原则》。

1928年国民政府在内蒙古地区设立热河、察哈尔、绥远、宁夏4省后，遭到蒙古族各阶层强烈反对，并要求保障盟旗自主权益。这就迫使国民党政府不得不开始重视蒙古民族问题。1929年6月，国民党三届二中全会通过了《关于蒙藏之决议案》，决定于1930年3月前举行蒙藏会议，"报告蒙藏实际情况，讨论关于推行训政及蒙藏地方之一切兴革事宜"[1]。此后，经国民党中央政治会议、国民政府国务会议和行政院会议议决，决定于1929年11月召开蒙古会议，由蒙藏委员会具体负责筹备。不久，国民党中央政治会议还决定"在蒙藏行政制度未经确定以前，所有名称官职，暂准照旧"[2]。由于推选代表、路途遥远等原因，蒙古会议的会期推迟到1930年5月。

当时，正值蒋介石与冯玉祥、阎锡山的中原大战，北平至南京的铁路运输中断，内蒙古西部及青海各盟、部、旗代表因中途受阻未能前往参加会议，内蒙古东部各盟、部、旗的代表只能经沈阳、大连乘船到上海，再转赴南京。

1930年5月21日至28日，蒙古会议召开了预备会议，分组审议了代表们提交的提案，并推选出大会主席团。主席团由9人组成，其中国民政府指定3人，国民党中央执行委员会指定3人，与会代表推选3人。[3]

---

[1]　熊耀文编：《总理对于蒙藏之遗训及中央对于蒙藏之法令》，第63页。
[2]　黄奋生：《蒙藏新志》（上），第239页。
[3]　《蒙藏周报》1930年第28期。

5月29日，蒙古会议在南京励志社礼堂正式开幕。来自内蒙古东部盟部旗的44名代表，青海右翼盟的1名代表，黑、吉、辽、热4省政府代表各1名，连同国民党中央代表、行政院院长谭延闿和国民政府代表、工商部部长孔祥熙、立法院和铨叙部代表马鹤天以及蒙藏委员会代表等共57人出席了大会，另有国民政府各部、院、会代表和新闻记者列席。

蒙古会议从1930年5月29日开幕到6月12日闭会，共召开大会8次，审查会7次。与会代表向大会提交提案共127件，内容涉及民政、财政、教育、宗教、司法、卫生、实业、特种事务等。经大会审查讨论，将一些内容相同的提案进行归并，将一些不适合蒙地实情或难以推行的提案予以否决。大会最后通过了62项决议案，其中民政类10项、财政类1项、教育类10项、卫生类12项、宗教类6项、司法类1项、交通类7项、实业类9项、特种事务类6项。①

从提案的内容来看，议题主要集中在蒙古地方行政制度、经济文化以及宗教等方面。尤其是蒙古盟旗制度问题，成为会议的最主要议题。几乎所有参加会议的盟旗代表都在各自的提案中提出了保障盟旗制度的要求，并从理论到现实阐明种种理由，认为"蒙古盟旗决不可废，且亦无废止之必要"，盟旗应与省县分治，旗隶于盟，盟直隶于中央。②

会议最后讨论通过了《蒙古盟旗组织法》，确定保留现有的盟旗制度，并采取某些改良措施。

蒙古会议通过的决议虽有60项之多，但最为重要的就是《蒙古盟旗组织法》。这个组织法须经国民政府核定后颁布施行，但国民党中央却将它搁置了1年多。1931年10月，国民政府正式公布了经过修订的《蒙古盟部旗组织法》（加了一个"部"字）。③《蒙古盟部旗组织法》共有37条（原案33条），其要点如下：

（1）确定了蒙古各盟、部、旗的法律地位，肯定了盟、部、旗对现有区域和境内蒙民的管辖治理权，与省县平行，不相统属。具体规定为：

---

① 蒙藏委员会编：《蒙古会议汇编》（决议案），蒙藏委员会1930年印刷，第1—53页。
② 蒙藏委员会编：《蒙古会议汇编》（原提案），第1—53页。
③ 熊耀文编：《总理对于蒙藏之遗训及中央对于蒙藏之法令》，第258—264页。

第二条：蒙古各盟、部、旗以其现有之区域为区域，但于必要时，得依法律变更之。

第三条：蒙古各盟、部、旗境内居住之蒙人，即为各盟、部、旗之人民，权利义务，一律平等。

第五条：蒙古各盟及各特别旗直隶于行政院。

第六条：蒙古各盟及各特别旗，遇有涉省之事件，应商承省政府办理。

第七条：蒙古各旗直隶于现在所属之盟，遇有关涉县之事件，应与县政府会商办理。

第八条：蒙古地方所设之省县，遇有关涉盟旗之事件，应与盟、旗官署妥善办理。

（2）将总管制各部、旗的体制和地位与札萨克制盟旗一致起来。具体规定为：

第四条：等于盟之各部，得适用本法关于盟之规定，其总管制之各旗，得适用本法关于旗之规定。

（3）各盟盟长等各官职照旧，各旗札萨克照旧。具体规定为：

第十条：蒙古各盟盟长，综理盟务，监督所属职员及机关，蒙古各盟备兵札萨克照旧设置。

第十一条：蒙古各盟副盟长，辅佐盟长处理盟务。

第十二条：蒙古各盟得置帮办盟务，帮同盟长、副盟长办理盟务。

第二十二条：蒙古各旗札萨克，总理旗务，监督所属职员及机关。

（4）各旗新设旗务会议，决定重要旗务。具体规定为：

第二十三条：蒙古各旗协理、管旗章京、副章京，均改为旗务委员，佐理旗务。

第二十六条：各旗重要旗务，应由旗务会议决定，旗务会议以札萨克、旗务委员组织之，札萨克为主席。

（5）各盟设盟民代表会议，各旗设旗民代表会议。具体规定为：

第十七条：蒙古各盟各设盟民代表会议，其代表由本盟所属各旗旗民代表会议推选之，名额大旗3人，中旗2人，小旗1人，任期1年。

第三十一条：蒙古各旗各设旗民代表会议，由本旗所属各佐各推代表1人组织之，任期1年。

《蒙古盟部旗组织法》的正式颁布，使蒙古盟旗制度得以保留，使盟旗在法律上、体制获得了与省县同等的地位。但是另一方面，它并没有明确规定如何有效保障蒙古各盟旗权益不受省县侵犯。因各盟旗分散在各省区域之内，且没有统一的自治机关，是无法与拥有强大军政实力的省县相抗衡的。国民政府之所以颁布这部组织法，保持盟旗制度的现状，只是迫于在盟旗的统治力量薄弱而采取的一种稳定局面的权宜之计。

该组织法颁布后，内蒙古大多数盟部旗纷纷致电国民政府，表示欢迎，称"从此盟旗组织、地方治安均有实益保障"①；"盟旗民众莫不踊跃欢迎，从此盟旗制度、军政制度既有法律上之根据，则人心安定，国防益固，将来合群力以御外侮，其利泽无量也，谨竭诚接受遵行"②。同时要求早日制定该组织法实施细则、条例及办法。

但是对各省当局来说，这个组织法限制了它们干涉蒙旗事务的手脚。因此组织法颁布后，热河省、绥远省及新疆省当局立即向国民政府要求暂缓实行。热河省主席汤玉麟致电行政院，称："蒙古盟部旗组织法按之本省实在情形，稍有窒碍难行之点。缘热河各盟旗早经设县分治，一切地方行政司法统归省县政府管辖，相安无事，若一旦舍此而易新制，不啻使省县统治权力无形分裂。"北平政务委员会也认为："该省（指热河——引者）所陈各节确属实在，即察绥等省情形亦复无异。"绥远省政府的电文称："窃以辽吉黑热察绥新宁青等省改建之初，原以各盟旗区域并括在内，故其管辖治理之权无论蒙汉均属之于所在地最高机关，此中运用，别有深意。今如骤以各盟实行委员制，直隶于行政院，则沿边各省原有疆域恐顿形破裂，拟请暂缓施行，以免别生枝节。"③ 新疆省政府呈文中称："今如对蒙民施之以特别法规，对其他各民族又将何如，相形之下易生觊觎，省制等于虚设，前功不几尽弃，利尚未见弊已随之……该组织法施之于其他蒙民则可，施之于新疆之蒙民则不可。"④ 行政院在给蒙藏委员会的训令中也称："该省确有特殊情

---

① 中国第二历史档案馆蒙藏委员会档案，代号141，档号1247。
② 中国第二历史档案馆蒙藏委员会档案，代号141，档号1247。
③ 中国第二历史档案馆蒙藏委员会档案，代号141，档号1245。
④ 中国第二历史档案馆蒙藏委员会档案，代号141，档号1250。

形，所称前项组织法不适用于该省亦尚具有理由。"①

此外，蒙旗内部也有人表示反对。如锡盟副盟长德穆楚克栋鲁普（即德王）曾致电蒙藏委员会反对施行《蒙古盟部旗组织法》。② 不过，他们反对的动机和理由与各省当局截然不同。

国民政府公布《蒙古盟部旗组织法》时，正值"九一八"事变爆发。内蒙古地区的政治形势随之发生重大变化，东部盟旗相继沦陷，已无从施行该组织法。同时，由于沿边各省当局的强烈反对和实际阻挠，该组织法在其他盟旗也无法顺利施行。因此，蒙藏委员会又分别于1932年8月和9月拟定公布了《蒙古盟部旗组织法施行步骤》和《蒙古盟部旗组织法施行条例》。其中《蒙古盟部旗组织法施行步骤》虽然规定："一、各盟旗对于该组织法有愿实行者，奖励其实行；二、各盟旗有不愿即行者，由本会设法劝导，再行逐渐实行；三、各盟旗有因地方环境关系，不能立刻实行组织法者，暂缓实行，俟环境可办时再实行。"③ 这显然给各省政府方面阻挠施行该《组织法》提供了借口。

《蒙古盟部旗组织法》是国民党统治期间所制定的关于蒙古地方政治制度的唯一正式法令，并成为蒙古盟旗制度得以保留的法律依据。但是由于蒙古地区政治形势连年动荡不安，国民党政府已无力顾及，只能让盟旗、省县并存的状况和盟旗内部的原有制度继续维持下去。所以，各盟旗对该组织法中规定的设立盟民、旗民代表会议等具体内容，也没有真正实行过。

1931年"九一八"事变爆发后，内蒙古东部蒙旗相继沦为日本的殖民地。日本关东军从1933年3月占领热河省以后，开始向内蒙古西部蒙旗进行渗透。然而当时的国民政府却执意实行所谓的"攘外必先安内"的政策，对于日本的侵略渗透活动，采取妥协退让政策，使得内蒙古西部地区形势处在岌岌可危的境地。

在这样严峻的形势下，1933年7月内蒙古西部蒙古族各阶层人士联合

① 中国第二历史档案馆蒙藏委员会档案，代号141，档号1250。

② 中国第二历史档案馆蒙藏委员会档案，代号141，档号1246。德王在这份电文上还署有乌盟盟长云王、伊盟盟长沙王的名字。

③ 熊耀文编：《总理对于蒙藏之遗训及中央对于蒙藏之法令》，第268页。

起来，在乌兰察布盟达尔罕旗百灵庙举行"内蒙全体长官会议"，以"自救救国"、"实行救亡"的名义，向国民政府提出"施行高度自治"，"组织内蒙自治政府"的要求。①

内蒙古西部蒙古族各阶层召集自治会议，提出高度自治的要求之举已引起国民党中央的高度重视，并立即决定选派内政部部长黄绍竑前往巡视，并派蒙藏委员会副委员长赵丕廉随行协助。同时，行政院于10月17日召开会议，提出改革蒙政方案3种，作为黄、赵等处理蒙古自治问题的准则和依据。其一为《变更蒙藏委员会组织法方案》，将蒙藏委员会改为边务部（或蒙藏部），直隶于行政院，为处理蒙藏行政之中央最高机关；其二为《改革蒙古地方行政系统方案》，已设省县地方的行政区域不变，有蒙古人聚居的省份，分别设置蒙古地方政务委员会，推选有德望和政治学识经验的蒙古人充任委员长、副委员长，负责办理属于蒙古人聚居区域之地方行政事务，并受中央边务部之指挥监督；其三为《蒙古行政之用人标准》，中央或地方之蒙古行政应尽量容纳蒙古人，在适宜地点设立中央军事政治学校分校，培养蒙古民族政治军事人材，并设法任用。②

黄绍竑接到赴内蒙古巡视的命令后，立即从内政部、参谋本部、蒙藏委员会及中央党部挑选熟悉内蒙古情形或精通蒙语之人组成随行人员办事处，同时征询各方面的意见。

黄绍竑一行经北平、张家口、归绥，于11月10日抵达百灵庙。云王、德王等首先以内蒙各盟部旗长官自治会议主席团名义，将自治会议通过的《内蒙自治政府组织法》交给黄绍竑，以作为谈判的基础。同时，对国民党中央提出的3项方案，表示同意第1、第3项，而不同意第2项，并坚持要求撤废在内蒙所设各省，以内蒙自治政府作为全内蒙古统一最高行政机关实行高度自治。

经过反复谈判，德王等出于无奈，被迫作出让步，同意成立蒙古第一、蒙古第二自治区政府，各自治区政府直隶于行政院；遇有涉省事件与省政府

---

① 《电陈推行自治真相由》《要求自治的呈文通电》，见卢明辉：《蒙古"自治运动"始末》，中华书局1980年版，第29—31、35页。

② 谭惕吾：《内蒙之今昔》，第143—145页。

会商办理；各自治区间设一联席会议，商决共同事宜。对此黄绍竑表示接受，并允为转呈国民党中央。黄绍竑一行于 11 月 19 日离开百灵庙回南京复命。

根据黄绍竑等人的报告和建议，国民党中央政治会议于 1934 年 1 月 17 日通过了《内蒙自治办法十一项》。

这个自治办法不仅与双方在百灵庙商定的协议有很大出入，而且将盟旗现有的权利也予削减。该办法规定："蒙古自治区之编制，应以未设县治地方为范围。察哈尔省、绥远省内各设两区，名称为中华民国蒙古第一自治区政府，第二自治区政府，余类推。……原属宁夏省管辖之阿拉善额济纳两旗地，不列入自治区范围"（第三条）；"自治区为区旗两级制"（第四条）；"蒙古自治区内各种蒙旗行政，由中央授权于省政府者，仍由省政府统筹办理，中央未授权于省政府者，由区政府秉承中央处理；遇有涉省行政范围者，仍须与省政府会商办理。……中央得委托省政府代表中央指导蒙古区政府办理地方自治"（第七条）；"未经开垦与未设县治之蒙旗地方……应不分种族，凡在本区域内继续居住满 1 年以上者，均得享有游牧垦种之权利"（第九条）。[①]

国民党中央政治会议通过的《内蒙古自治办法十一项》一经公布，立即遭到百灵庙方面和旅京、旅平蒙人团体、晋京代表团的强烈反对。

在这种情况下，行政院院长汪精卫为了安定蒙古人心，邀请在京蒙古人士、青年学生及百灵庙派出的晋京请愿代表等 100 余人召开茶话会，听取意见，并指定吴鹤龄等人从速拟订一个自治方案，交中政会讨论。与此同时，国民党中央也决定将"内蒙自治办法十一项"收回再议。[②]

2 月 28 日，国民党中央政治会议通过并公布由蒋介石、汪精卫名义提出的《蒙古自治办法原则》8 项。其全文为："一、在蒙古适宜地点设一蒙古地方自治政务委员会，直隶于行政院，并受中央主管机关之指导，总理各盟旗政务；其委员长、委员以用蒙古人为原则，经费由中央拨给；中央另派大员驻在该委员会所在地指导之，并就近调解盟旗省县之争议。二、各盟公

---

① 《内蒙古自治办法十一项》，载《新蒙古》第 1 卷第 2 期。
② 谭惕吾：《内蒙之今昔》，第 182 页。

署改称为盟政府，旗公署改称为旗政府，其组织不变更，盟政府经费由中央补助之。三、察哈尔部改称为盟，以昭一律，其系统组织照旧。四、各盟旗管辖治理权一律照旧。五、各盟旗现有牧地停止放垦，以后从改良牧畜并兴办附带工业方面发展地方经济（但盟旗自愿垦殖者听）。六、盟旗原有租税及蒙民原有私租，一律予以保障。七、省县在盟旗地方所征之各项地方税收，须劈给盟旗若干成，以为各项建设费，其劈税办法另定之。八、盟旗地方以后不再增设县治或设治局（但遇必须设置时，亦须征得关系盟旗之同意）。"①

《蒙古自治办法原则》的内容，与蒙古各方面提出的方案出入不大，百灵庙方面派出的晋京请愿代表遂表示接受。根据该《蒙古自治办法原则》的规定，1934 年 4 月在百灵庙正式成立了蒙古地方自治政务委员会。至此，内蒙古高度自治运动获得了初步成果。

国民政府时期，除了上述《蒙古盟部旗组织法》和《蒙古自治办法原则》之外，还曾制定过一些有关内蒙古地区的法律、法规文件。其中主要有 1944 年 5 月由蒙藏委员会制定的《战后边疆政制建设计划纲要》和 1946年 11 月制定的《中华民国宪法》中有关蒙古地区的规定。

1937 年全面抗战爆发后，内蒙古中西部地区也沦为日本殖民地，只有西部的河套及伊克昭盟、阿拉善旗、额济纳旗仍处在国民政府的控制之下。所以，国民政府对于内蒙古地区的有效统治大为削弱。1944 年 5 月，国民党中央在《收复沦陷地区政治设施之准备案》②中规定"收复地区蒙旗方面之有关行政工作，由蒙藏委员会参照本案办理"。于是蒙藏委员会便起草了《战后边疆政制建设计划纲要》（草案），详细制定了战后国民党民族政策的目标、原则、策略和具体措施。

《战后边疆政制建设计划纲要》（草案）中提出，"已设省治之区域应一律推行省县制度而不容或否"，"已设省治之蒙古盟旗应以统一地方行政为原则。但在未臻统一之前，可以盟旗制度为过渡"，"暂承认盟旗制度之存

---

① 谭惕吾：《内蒙之今昔》，第 179—181 页。

② 荣孟源主编：《中国国民党历次代表大会及中央全会资料》（下），光明日报出版社 1985 年版，第 879 页。

在（如环境许可即应废盟旗而设县治），以盟政府比照行政督察专员公署为虚设，以旗比照县政府为地方自治单位，旗以下之基层机构比照乡、报、镇、甲组织法组织之。至盟旗首长之任免，须由省政府呈请中央为之。旧有之王公称号应取消，并优予俸给，而去其世袭"；"省政府对于各该省境内之盟旗政府，应有监督指挥之权"，"盟旗政府对于中央有所要求与报告，应依序呈由所在省省政府转呈，中央对盟旗政府之行文，亦令由省政府转达"；"废止蒙古盟部旗组织法，依照上列办法另订边省蒙旗组织法，并限期执行"，"撤销绥远省境内蒙古地方自治政务委员会及其类似机关，而容纳蒙籍代表于省参议会之中。关于蒙旗之自治事项，即由所在省省政府比照县自治办法办理，并一发监督，毋庸另设指导机关，同时废止二十三年公布之蒙古自治办法原则八项"；还提出内蒙古沦陷区"将来收复后，应将所割裂部分，分别归还原辖之省，过去曾设立县治而经其取消者，应一律恢复县治"；"当此战争正在进行之今日，宜取'做而不言'渐次建设之政策，不可对外有显明之表示"，同时认为"武力之准备乃除扫障碍，安定反侧，以及布施文教之必要措置"。

这份《战后边疆政制建设计划纲要》（草案）全面反映了国民政府战后加强对内蒙古地区直接统治的总体设想，即在地方政治制度方面暂时承认盟旗制度的存在，但必须将盟旗政府置于各该省政府的监督、指挥之下，以此作为过渡阶段，最终一律推行省县制度。如果按照这个计划去实行，蒙古民族尚存的政治、经济权利将丧失殆尽。

抗战胜利后，内蒙古中东部大部分盟旗很快成为解放区，并成立了内蒙古自治政府。国民政府忙于内战，上述计划中提出的一部分具体政策只在国民党军队占领的内蒙古部分盟旗得到实施。

1945 年 8 月抗日战争胜利，中华民国国民政府与苏联签订《中苏友好同盟条约》，并正式承认外蒙古的独立。在内蒙古地区，蒙古民族自治运动迅速兴起，很快席卷了整个内蒙古中东部地区。

1946 年 3 月，国民党中央召开六届二中全会，并通过了《对于边疆问题报告之决议案》，提出"宪法中须有明白规定保障边疆民族之自治权利"，"中央对于边疆各地自治制度，须按照各该地实际情形，作合理之规定"，"关于内蒙古部分，恢复原有之蒙古地方自治政务委员会，并明白划分盟旗政府与省县之间的权限"。①

然而，国民政府在此后不仅没有恢复蒙政会，更没有制定出有关内蒙古地区自治制度的规定，只是在 1946 年 11 月召开的"制宪国大"上制定通过的《中华民国宪法》中笼统地规定："蒙古各盟旗地方自治制度，以法律定之"，"国家对于边疆地区各民族之地位，应予合法之保障，并于其地方自治事业，特别予以扶植"。② 此后，国民政府直到 1949 年在大陆的统治结束为止，并没有明白划分盟旗与省县之间的权限，更没有依据其宪法制定出确定内蒙古地区自治制度的法律、法规。

国民政府对内蒙古地区的政策，还体现在移民放垦方面。

国民政府在内蒙古地区改建行省后，积极推行移民放垦和屯垦的政策，再次掀起了大规模放垦蒙旗土地的高潮。

1929 年，国民党即通过《筹备移民殖边办法》，拟定了移殖东三省办法 3 项。1930 年 5 月召开的蒙古会议上，通过了由蒙藏委员会提出的《蒙古农业计划案》和《蒙古垦殖计划案》。③ 1931 年 1 月，全国内政会议又通过《移民实边案》，提出："东北吉、黑、辽宁，西北新疆、蒙古，西南青海、藏、康，均人少物博……为潜消匪共，安抚流亡计，尤有移民实边之必要。"④ 该会议还通过了《丈放锡林郭勒盟等处生荒以兴垦务而固边防案》。1932 年 4 月，民国政府主持召开的国难会议上又通过《移民垦殖案》，规定："（一）移民地点为东北、西北，包含绥远、河套、青海、西康、西藏在内；（二）移民种类为灾民、冗兵、被裁政府官员。"⑤

国民党政府在蒙古地区改建行省和移民放垦的政策受到了汉族地主、投机商和官僚、军阀的欢迎与支持。沿边各省为扩大县治区域和增加财税收入，积极招徕移民，增设县治，强迫放垦蒙旗土地牧场，进而加重了对蒙古族人民的掠夺和压迫。

1928 年，东北边防军司令长官张学良与哲里木盟科尔沁左翼中旗的达

---

① 《对于边疆问题报告之决议案》，载《边疆通讯》第 4 卷第 1 期。
② 转引自耿文田著：《中华民国宪法（释义及表解）》，商务印书馆 1947 年版。
③ 蒙藏委员会编：《蒙古会议汇编》（决议案），蒙藏委员会 1930 年印刷，第 36、40 页。
④ 熊耀文编：《总理对于蒙之遗训及中央对于蒙藏之法令》，第 188 页。
⑤ 熊耀文编：《总理对于蒙之遗训及中央对于蒙藏之法令》，第 93—94 页。

尔罕亲王那木济勒色楞（旗札萨克、副盟长）和温都尔亲王杨仓扎布（帮办盟务）等交涉，通过各种引诱手段，达成了丈放位于该旗境内之辽源县东北部"洮辽站荒"和双山县之间大约 166 500 垧的"东夹荒"的协议。为此奉天省（1929 年 3 月改称辽宁省）政府专门制订《丈放东夹荒章程》，全部予以丈放。1929 年，又将位于上述"洮辽站荒"之西的面积约 234 000 垧的所谓"西夹荒"予以丈放，迄"九一八"事变爆发，共丈放 41 000 多垧。1930 年 1 月，在科左中旗境内又丈放了与"西夹荒"西端接壤的所谓"辽北荒"土地 22 900 垧。这样，在短短两年多时间里，仅科尔沁左翼中旗就共丈放土地 230 4400 垧。①

同时，张学良还在哲里木盟科尔沁右翼前旗、科尔沁右翼后旗以及扎赉特旗和科尔沁右翼中旗等地实行了大规模的军垦。

1928 年 11 月，张学良等以"开发利源，巩固国防"的名义，在洮安正式成立了"兴安区屯垦公署"，任命原东北军炮兵司令邹作华为屯垦督办。②屯垦公署成立时，将兴安区的范围暂时规定为"一、辽宁省之洮安县、黑龙江之索伦县（当时为设治局，尚未改县）为主；二、蒙荒札萨克图旗（即科右前旗）、镇国公旗（即科右后旗）、扎赉特旗等旗副之；三、遇有发达垦务之必要时，得南展入图什业图旗（即科右中旗）之一部。"③ 事实上，屯垦的土地都是在札萨克图旗、镇国公旗及扎赉特旗的境内。兴安屯垦区已经成为独立于辽宁、黑龙江两省的一个特别区域，并计划合呼伦贝尔南部地区改建为一个行省。兴安屯垦区的设立，虽然标榜为"开发利源，巩固国防"，但事实上是东北当局安插裁汰之兵员及编余军官、移民开垦、掠夺蒙旗土地牧场的一个重要措施。

兴安区屯垦公署事先派测量队进入科右前、后两旗，将可耕地全部实地丈量，然后无代价地划拨给屯垦军耕种。屯垦公署将 1929 年定为军垦时期，把 1930 年定为民垦时期，并决定将"屯垦区内之蒙古荒地，一律换发新

---

① ［日］大场辰之助：《东部内蒙古开放通史》（日文），1936 年油印本，第 110—113 页。

② 兴安区屯垦公署编：《兴安屯垦区第一年工作概况》，兴安区屯垦公署 1930 年印刷，第 4、18 页。

③ 兴安区屯垦公署编：《兴安屯垦区第一年工作概况》，第 19 页。

照"①。拟具移民办法，招民开垦。仅 1929 年 5、6 月间，即移来河南、山东灾民 944 户、4 857 人。②

1929 年 3 月和 10 月，经东北政务委员会批准，兴安区屯垦公署分别在科右前旗之王爷庙和科右后旗之镇国公府设立了第一垦殖局和第二垦殖局。而所谓"垦殖局即设治局之变名"，"垦殖局既为县之初步，则县及设治局之职权即为垦殖局之职权"，"凡招徕民户之司法、行政、教育、交通，与蒙民之治安、保卫、诉讼等皆属之"，甚至"蒙民教育不得不归垦殖局办理"。③

这样一来，实际上等于将科右前旗和科右后旗改建为两个县，将这两个旗的一切地方行政、司法权力剥夺无遗，使其名存实亡。

热河特别行政区改建为行省后，也首先着手清理蒙地经界，办理蒙地升科，并向西拉木伦河以北地区推行移民开垦。

1929 年 7 月，热河省政府设立经界委员会，同时在各县设立经界事务所，开始清理蒙地经界。所谓清理蒙地经界，就是根据土地质量和面积，征收地价或注册费，发给地照，并保证蒙古人的收租权和收租数量。④

在清理蒙地时，各级官吏将它当做营私舞弊、贪污受贿的机会，大肆搜刮和掠夺蒙汉人民。比如，报领面积与实际面积相差甚多，有的地方甚至出现了将 200 余顷土地当做 4 顷地报领的事。⑤ 还有的将"活契地"和"白楂地"都也当做"死契地"报领，使一些土豪和包租蒙旗土地的二地主居中大发不义之财。1929 年开始清理时，有的县就不按照章程注明蒙古人的收租数目。到 1930 年，各县已都不考虑蒙古人的收租权了。

经界清理章程中规定，从征收的地价及注册费中劈分若干成给蒙旗。但事实上，有的蒙旗只得到很少一部分，有的旗没有得到分成，等于无偿地失去了土地所有权。

察哈尔改建行省后也同样以推行垦务为主要政务。1929 年，察哈尔省

---

① 兴安区屯垦公署编：《兴安屯垦区第一年工作概况》，第 52—53 页。
② 兴安区屯垦公署编：《兴安屯垦区第一年工作概况》，第 73 页。
③ 兴安区屯垦公署编：《兴安屯垦区第一年工作概况》，第 58—64 页。
④ ［日］及川三男：《热河蒙旗概要》（日文），热河省公署 1936 年印刷，第 46 页。
⑤ ［日］及川三男：《热河蒙旗概要》（日文），第 49 页。

建设厅制定了《蒙旗放垦办法六条》，重申 1927 年放垦章程的有关规定，以延长领垦生荒之升科年限的办法来鼓励放垦蒙旗土地牧场。① 1930 年 3 月，又制定《察哈尔省奖励蒙民种地办法》，规定"蒙民承垦地亩免缴地价"（第四条），"蒙民领地耕种得按旧日放垦章程所定升科年限加倍延长，即上中地满十年后升科，下等地满十五年后升科"（第五条），"蒙民领地耕种，每人以二百亩为限，但遇数人联合耕种，成绩优者，得酌予增加"（第三条）。② 1931 年 1 月，察哈尔省政府又在全国内政会议上提出《丈放锡林郭勒盟等处生荒以兴垦务而固边防案》，经会议讨论原则通过。提案中将锡林郭勒盟十旗及邻近的察哈尔和旗群牧场视为生荒，认为"此大段生荒，任其荒废，殊为可惜"，提出予以全部招垦丈放。③

1934 年 3 月，察哈尔省政府在察哈尔左翼 4 旗、4 牧群境内增设了化德、尚义、崇礼等 3 个设治局，管理移民开垦事宜。

绥远省建立后，放垦蒙旗土地也成为省政府的主要工作，首先着手整理垦务，改组垦务总局及所属各分局，制定了《绥远省垦务计划》及各种放垦、征租章程。1928 年 7 月，绥远垦务总局拟订了《办理垦务通则》。1929 年 3 月又制定《各蒙旗征收岁租办法》，④ 同时派垦务官员分往各旗劝令报垦。

在极短的时间内，绥远省政府即以各种方式迫使乌伊两盟各旗报垦土地一万余顷。⑤ 其中："西公旗先后报垦三千八百余顷，中公旗报垦八十余顷，达旗报垦二千余顷，准格尔旗报垦四千余顷。"⑥

1931 年，晋绥当局以"开发西北"、"充实边防"、"寓兵于农"的名义，开始在绥远西部地区推行屯垦。晋军第 70 师师长王靖国率部到绥远驻防时，将编余官兵组成垦殖队，派往五原县购地耕种。

1932 年春，在阎锡山的授意下，王靖国和绥远省主席傅作义、晋军第 72 师师长李生达及绥远垦务总局总办石华严等一起，在包头设立了绥远省

---

① 贺扬灵：《察绥蒙民经济的解剖》，商务印书馆 1935 年版，第 117—118 页。
② 《察哈尔省政府公报》1930 年第 9 期之《法规》。
③ 熊耀文编：《总理对于蒙藏之遗训及中央对于蒙藏之法令》，第 191—192 页。
④ 黄奋生：《蒙藏新志》（下），中华书局 1938 年版，第 872、866 页。
⑤ 樊库主编：《绥远省地方自治讲义》，绥远省政府 1931 年刊印，第 229 页。
⑥ 黄奋生：《蒙藏新志》（下），第 855 页。

垦殖联合办事处，由石华严任处长。不久，即从各师抽调官兵组成屯垦队，到五原、临河等地"觅地"划占垦区。① 同年 7 月，阎锡山晋绥绥靖公署制定《绥区屯垦计划纲要》。8 月，在包头成立绥区屯垦督办办事处，阎锡山自任督办，并任命傅作义、王靖国等人为会办，石华严为主办。由王靖国代理督办，坐阵包头，全权负责屯垦事宜，同时将第 70 师、73 师的 4 个团作为屯垦军。②

据统计，从 1932 年到 1935 年，屯垦军在河套各垦区共占有耕地 168 281 亩，其中屯垦军自种 79 392 亩，伴种 88 889 亩。在包头河西垦区（即第四垦区）占有耕地 5 880 亩，其中自种 2 880 亩，伴种 3 000 亩。③ 所谓伴种，就是将土地出租给农民，按比例收取租粮。

阎锡山的屯垦军不仅用多种手段霸占了大片蒙旗土地，而且还经营商业贸易，插手旗县地方事务，在绥西形成强大的经济、政治势力。

1929 年 2 月，刚刚成立的宁夏省政府就在阿拉善旗境内的磴口正式设县，并陆续设置税局、税卡，向过往商旅强行征税，所得各税均入宁夏省库，剥夺了阿拉善旗的征税权。同时，宁夏省还向绥远省境内的伊盟鄂托克旗扩张势力，在黄河东岸的陶乐湖设立了陶乐设治局（后改称沃野设治局）。

1941 年秋，国民政府为了加强对伊盟的直接控制，成立伊盟守备军总司令部，任命阎锡山的部下、原第 6 集团军总司令陈长捷为总司令。陈长捷到伊盟后就"以解决驻军粮食为名"，向蒋介石"建议在伊盟开荒五万顷"。④ 蒋介石当时允许先试垦 5 000 顷，并要求陈长捷与傅作义商讨决定具体办法。于是，陈长捷向伊盟盟长沙王提出开垦的要求，遭到拒绝。开垦的消息传出后，伊盟各旗王公上层及牧民群众都表示坚决反对，并酝酿全盟联合起来，共同武装抵抗。

---

① 陈玉甲：《绥蒙辑要》，1937 年排印，第 135 页。

② 绥区屯垦督办办事处编：《绥区屯垦第二年工作报告书》，绥区屯垦督办办事处 1934 年印刷，第 357 页。

③ 王龙耿：《绥西屯垦与包头》，见政协包头市委员会文史资料研究委员会编：《包头文史资料选编》第 6 辑，政协包头市委员会文史资料研究委员会 1984 年印刷，第 83 页。

④ 任秉钧：《伊克昭盟"三二六"事变》，政协内蒙古自治区委员会文史资料研究委员会编：《内蒙古文史资料》第 2 辑。内蒙古人民出版社 1979 年版，第 15 页。

1943 年 2 月，国民政府拨给陈长捷 100 万元军垦费。他立即在东胜设立"屯垦督办公署"，将开垦面积扩大到 2 万顷。实际上军队及临时招来的垦民见地即占，等于无限制地开垦，甚至将成灵所在的大小"伊金霍洛"地、庙地、敖包等被蒙古人视为神灵禁地也列为开垦之区。陈长捷还下令从伊盟各旗征粮 3 万石、征驼 500 峰、征马 300 匹、征牛马车 200 辆，并加征草料等。这就不仅直接侵犯了伊盟蒙古人民的经济利益和生存条件，而且也极大地伤害了蒙古人的民族自尊心，由此引发了震惊全国的"伊盟事变"。

1943 年 2 月间，伊盟札萨克旗保安队捕杀了勾结陈长捷擅自答应开垦的绥境蒙政会委员、伊盟保安长官公署副官长白音仓。为此，陈长捷便以"缉拿凶手"为名，调集部队准备向札萨克旗沙王府进攻。3 月 26 日，在大军压境的情况下，札萨克旗保安队官兵 500 多人在新街发动了武装暴动。他们扣捕了一批国民党官僚和特务，并杀死个别特务。陈长捷立即派骑 7 师的一个团和新 6 师的一个团向新街进攻。4 月 1 日，国民党军队攻占沙王府。札萨克旗保安队和沙王等均向乌审旗境内撤退，并在沙漠中与国民党军队周旋，展开游击战。4 月 15 日，乌审旗保安队为响应札萨克旗的暴动，在旗政府所在地发动武装起义，捕杀了国民党派驻该旗的一部分军政人员。

傅作义和陈长捷立即调集新 26 师两个步兵团和骑 7 师的一个骑兵团向乌审旗发动进攻，并于 5 月 5 日占领乌审旗王府。这时沙王及札萨克旗保安队、乌审旗保安队大部已退入乌审旗西部与陕北交界地区，得到八路军的接应和保护。至此，国民党军队停止军事追剿，开始用谈判的办法解决事变。骑 7 师、新 26 师在这次镇压札、乌 2 旗起义军民的过程中，任意屠杀无辜居民、抢掠财物、烧毁庙宇和王府等行径遭到了国内各方面的谴责。

6 月以后，傅作义、马鸿逵、胡宗南等派出代表，与沙王进行接触、谈判。最后，国民党中央方面答应起义军民提出的各项要求，撤销了陈长捷的职务，宣布暂缓开垦及征粮征畜等。10 月，沙王等率札萨克旗保安队返回新街。12 月，国民政府军事委员会、蒙藏委员会代表及傅作义等到沙王府进行慰问。震动全国的"伊盟事变"至此得到和平解决。

国民政府对内蒙古的政策，同样体现在对内蒙古地区具有重大影响的喇嘛教的政策方面。

国民政府成立后，立即建立了喇嘛教管理机构，并制定有关喇嘛教法律、法规，对于喇嘛教采取"优待宗教首领"① 的同时还要限制的政策。

1929 年 2 月蒙藏委员会正式成立，国民政府指定的委员中有班禅、章嘉、诺那等喇嘛教上层。蒙藏委员会蒙事处第二科负责具体制定对蒙藏宗教的方针、政策、立法、规则、条例，联络宗教领袖，管理对宗教上层人物的晋升、册封、转世、任用等；管理蒙藏宗教的整理、监督、登记、度牒、钱粮、教育、纠纷等；管理各呼图克图驻京、驻平办事处，管理蒙藏宗教领袖和上层人物的接待；调查研究蒙藏宗教情况，提出工作计划和安排等事务。②

蒙藏委员会还先后制定了《蒙古喇嘛寺庙监督条例》、《喇嘛登记办法》、《管理喇嘛寺庙条例》、《喇嘛转世办法》、《喇嘛任用办法》、《喇嘛奖惩办法》、《蒙古喇嘛寺庙登记条例》、《蒙古各旗及平热等处喇嘛庙管理办法》以及《边疆宗教领袖来京展觐办法》、《蒙藏新疆回部来京展觐人员招待规则》等一系列有关喇嘛教的法律、法规，初步建立起有关喇嘛教的法制体系。

1930 年 5 月在蒙古会议上通过的《蒙古各旗及平热等处喇嘛庙管理办法》③ 和 1931 年 6 月 15 日国民政府公布的《蒙古喇嘛寺庙监督条例》④ 中均规定撤销各喇嘛印务处、事务处等机关。

国民政府成立后，内蒙古喇嘛教首领章嘉立即派代表前往祝贺。国民政府表示承认其过去一切荣典和待遇，并任命他为蒙藏委员会委员，为其在南京设立了办事处。1932 年 4 月，国民政府还任命章嘉为"蒙旗宣化使"，并加封"净觉辅教"名号。1934 年 3 月，国民政府派他到内蒙古西部地区进行"宣化"，试图阻止当时的内蒙古"高度自治"运动。1935 年，章嘉被选为国民党中央监察委员会委员，1937 年又被选为国民政府委员，以后又获得"护国大师"名号。

国民政府对喇嘛教上层笼络和优待的同时，还采取了一些限制和削弱的政策。

① 黄奋生：《蒙藏新志》（上），中华书局 1938 年版，第 314 页。
② 黄奋生：《蒙藏新志》（上），第 333 页。
③ 黄奋生：《蒙藏新志》（下），第 764 页。
④ 熊耀文编：《总理对于蒙藏之遗训及中央对于蒙藏之法令》，第 251 页。

首先强调"政教分离"，严禁喇嘛教干涉盟旗地方行政。为此，蒙藏委员会制定各种专门条例、规定等，禁止"宗教首领与外人私订各种契约"，划分行政权和宗教权，"严定政教分治"的原则。[①]

1931 年 9 月，蒙藏委员会呈行政院核准，取消了内蒙古锡埒图库伦旗政教合一制度，将该旗"兼管政教之札萨克达喇嘛一缺，划分为锡埒图库伦旗札萨克及锡埒图库伦旗兴源达喇嘛两缺"[②]，任命札萨克达喇嘛罗布生林沁为该旗札萨克，兴源寺达喇嘛一缺由旗札萨克派充。这样，内蒙古地区唯一的政教合一的喇嘛旗被取消，并且使得该旗兴源寺达喇嘛一职之任命权操之于旗札萨克之手。

1932 年成立北平喇嘛寺庙整理委员会时，蒙藏委员会明确规定该委员会"不得干预蒙古行政，及蒙旗境内各喇嘛寺庙一切事项"[③]。

为了加强对喇嘛教上层的监督和管理，蒙藏委员会于 1936 年 2 月 10 日专门制定公布了《喇嘛转世办法》[④]，对达赖、班禅、哲布尊丹巴以及各地向来转世的呼图克图、诺们汗、班弟达、堪布、绰尔济、呼毕勒罕喇嘛之转世灵童的寻找认定权由蒙藏委员会掌握，禁止在达赖、班禅、哲布尊丹巴之亲族及蒙古各盟旗现任长官之家属中寻认各呼图克图之呼毕勒罕候选人，并规定各呼图克图之呼毕勒罕掣定后，必须到京觐见国民政府主席。同时，对于喇嘛的任用、奖惩以及寺庙财产的管理等方面也作了详细的规定。

除此之外，国民政府还曾制定了一系列改善喇嘛教的政策。诸如解放寺庙"黑徒"，禁止未成年者充当喇嘛，提倡喇嘛还俗参加生产劳动，各寺庙设立补习学校，令年轻喇嘛学习文化知识，设立寺庙图书馆以及鼓励寺庙兴办慈善公益事业等。1940 年 7 月 11 日，蒙藏委员会和教育部制定公布的《改进边疆寺庙教育暂行办法》中就规定，各地"寺庙推进国民教育"，"附设民众教育馆或阅书报室"，"附设小学、民众学校或各种补习学校"，"装

---

① 黄奋生：《蒙藏新志》（上），第 333 页。

② 熊耀文编：《总理对于蒙藏之遗训及中央对于蒙藏之法令》，第 268—269 页。

③ 黄奋生：《蒙藏新志》（上），第 734 页。

④ 中国第二历史档案馆：《中华民国史档案资料汇编》第 5 辑之《第二编·政治》（四），江苏古籍出版社 1994 年版，第 7—9 页。《喇嘛转世办法》于 1938 年 9 月 24 日修正公布。

设无线电收音机"，"举行通俗讲演并在讲经后作精神讲话及识字运动"
等。① 由于国内局势长期动荡不安，外敌入侵，内战频起，这些改善喇嘛教
的政策、措施未能得到真正的落实。

———————————

① 中国第二历史档案馆：《中华民国史档案资料汇编》第 5 辑之《第二编·政治》（四），第
10 页。

第 十 四 章

民国时期内蒙古地区行政建制沿革

第一节　民国时期内蒙古地区行政建制沿革概况

一、北京政府统治时期

1912 年 1 月，中华民国临时政府在南京成立。2 月，清朝皇帝颁布退位诏书，宣告了统治中国 260 多年的清王朝的结束。3 月，袁世凯就任中华民国临时大总统，开始了北洋军阀政府对中国的统治。袁世凯上台后为了集中力量对付南方革命力量及外蒙古独立问题，颁布《蒙古待遇条例》，规定"各蒙古王公原有之管辖治理权，一律照旧"[①]。这样，清代在内蒙古地区所设立的盟旗制度基本原封不动地保留下来了。

7 月，袁世凯政府设立了直属于国务总理的蒙藏事务局，1914 年 5 月改为直隶于大总统的蒙藏院。蒙藏院"承大总统之命，办理蒙藏之行政事务"[②]。

中华民国政府成立后，于 1913 年 1 月 8 日公布《划一现行各县地方行政官厅组织令》[③]，规定所有府、直隶厅、直隶州及各厅、州一律改称为县。

---

① 《中国大事记》，载《东方杂志》第 9 卷第 4 号，第 19—20 页。
② 《蒙藏院办事规程》，中国第二历史档案馆蒙藏院档案，代号 1045，档号 5。
③ 佟佳江：《中华民国时期东北职官概述》，载《吉林大学学报》1996 年第 4 期。

这样，北京政府改清代之省、道、府（直隶厅、直隶州）、县（厅、州）四级地方行政建制为省、道、县三级制。这样，清代设在内蒙古地区的各府（直隶厅、直隶州）厅、州一律改为县。

另外，北京政府为加强对内蒙古地区的控制，承袭清朝政府所采取的分割统治政策，同年又设立了热河、察哈尔、绥远3个特别行政区，各设都统管辖。在此之前，内蒙古地区的哲里木盟和呼伦贝尔、西布特哈地区以及阿拉善旗、额济纳旗已于清末分别划归奉天、吉林、黑龙江、甘肃省监督、节制。设立3个特别区以后，内蒙古地区已全部被划分到各省、区范围。这是北京政府对蒙古民族实行大汉族主义民族压迫政策的一个重要步骤。

自从建立热、察、绥3个特别行政区成立以来，北京政府在内蒙古各盟旗境内陆续增设了20多个县或设治局，使得旗县交错、旗县并存于一地的局面变得更加复杂，旗县之间的矛盾、纠纷也日渐尖锐。

二、国民政府统治时期

1928年6月，国民党军队占领华北各省，不久东北"易帜"，国民党南京政府形式上统一了全国，开始了国民党新军阀对中国的统治。国民政府设立了专管蒙藏地方少数民族事务的机构——蒙藏委员会，隶于行政院，其职权与北京政府的蒙藏院基本相同。9月，国民政府将热、察、绥3个特别行政区改建为热河、察哈尔、绥远3个行省。10月，又将阿拉善旗和额济纳旗划入新设立的宁夏省。[①] 至此，内蒙古地区已全部分属于黑龙江、吉林、辽宁、热河、察哈尔、绥远、宁夏7个省。

国民政府还撤销了道一级建制，使得地方行政建制由北京政府时期的省、道、县三级制变为省、县两级制。

国民党政府在内蒙古地区改建行省以后，各盟旗的法律地位变得模糊不清了。因此，国民党政府的改省之举立即遭到内蒙古各盟旗上下层人士的一致反对。为此，国民党政府蒙藏委员会于1930年5月在南京召开蒙古会议，讨论制定了《蒙古盟旗组织法》，并于1931年10月修正颁布。《内蒙古盟部旗组织法》（修正公布时加一"部"字）规定，盟旗在体制上与省县处于

---

① 王云五、李圣五编：《蒙古与新六省》，商务印书馆1934年版，第60—61页。

同等地位，从而使盟旗有了合法的地位。但是，随着"九一八"事变的爆发，内蒙古地区的局势发生了很大变化，加之各方面的反对，这部《组织法》始终没有真正实行。内蒙古地区的各盟、旗依然分属各省管辖。

1933年，在内蒙古中西部地区由苏尼特右旗札萨克德穆楚克栋鲁普（即德王）等人领导发起了内蒙古"高度自治"运动，提出成立内蒙古自治政府的要求。经过几番周折，国民党政府于1934年2月通过了《内蒙古自治办法原则》8项，决定成立蒙古地方自治政务委员会，总理各盟旗政务。① 4月，蒙古地方自治政务委员会（简称蒙政会或百灵庙蒙政会）在乌兰察布盟百灵庙成立。蒙政会直隶于国民政府行政院，同时受蒙古地方自治指导长官的监督、指导，下辖锡林郭勒盟、乌兰察布盟、伊克昭盟及察哈尔部旗群、土默特特别旗、阿拉善旗、额济纳旗。

1936年1月，国民党中央决定取消蒙政会，另成立绥远省境内蒙古各盟旗地方自治政务委员会（简称绥境蒙政会）和察哈尔省境内蒙古各盟旗地方自治政务委员会（简称察境蒙政会）。这样，内蒙古各盟旗又恢复了分属于各省的局面。2月，绥境蒙政会在归绥（今呼和浩特）成立，下辖绥远省境内的乌兰察布盟、伊克昭盟及土默特特别旗、绥东4旗（即察哈尔右翼4旗）。② 绥境蒙政会直隶于国民政府行政院，同时受绥远省境内蒙古各盟旗地方自治指导长官公署之监督、指导。德王等人则于同年2月在锡林郭勒盟苏尼特右旗成立了蒙古总司令部；5月，在察哈尔盟（1936年2月改为盟）嘉卜寺（即化德）将蒙古军总司令部改组为蒙古军政府，改元易帜，正式投靠了日本帝国主义，所以察境蒙政会始终未成立。

三、日伪政权统治时期

1931年"九一八"事变后，内蒙古东部的哲里木盟、昭乌达盟、卓索图盟及呼伦贝尔、西布特哈地区相继被日军占领，成为伪满洲国的组成部分。在伪满洲国中央政府里，于1932年3月设立了直属于国务院的兴安局，8月改为兴安总署。1934年12月将兴安总署升为蒙政部。1937年7月，撤

---

① 黄奋生：《蒙藏新志》（上），第253—254页。
② 黄奋生：《蒙藏新志》（上），第238页。

销蒙政部，设立了直属于国务总理大臣的兴安局。在地方上，先后在哲里木盟、呼伦贝尔、西布特哈地区及昭乌达盟北部设立兴安南、兴安北、兴安东、兴安西4分省，划归兴安局和后来的兴安总署管辖；1934年12月，兴安4分省改建为兴安南、北、东、西4省，归蒙政部管辖。另外，将哲里木盟、昭乌达盟的部分旗及卓索图盟各旗分别划入吉林、滨江、龙江、热河及锦州等省。1943年撤销了兴安东、南、西3省建制，成立兴安总省，保留了兴安北省建制。① 这种行政建制一直延续到1945年8月日本投降为止。

1937年"七七"事变后，日军很快占领了察哈尔省和绥远省大部。10月，德王等人在日本关东军的支持下，将蒙古军政府改建为蒙古联盟自治政府。11月，在日本侵略者的操纵和策划下，在张家口成立了蒙疆联合委员会，负责处理察南自治政府（9月成立于张家口）、晋北自治政府（10月成立于大同）和蒙古联盟自治政府的有关产业、金融、交通及其他重大事项，为日后3个伪政权的合并打下了基础。

1939年9月，上述3个伪政权正式合并，成立了蒙古联合自治政府，下辖锡林郭勒、察哈尔、巴彦塔拉、乌兰察布、伊克昭等5盟和察南政厅（由察南自治政府改称）、晋北政厅（由晋北自治政府改称）。蒙古联合自治政府首府设在张家口市。日伪统治时期，这一地区一般称之为蒙疆地区。

1941年8月，蒙古联合自治政府改称蒙古自治邦政府，其管辖区域一直到1945年8月日本投降为止基本未变。

1937年10月日军占领归绥、包头之际，国民党绥远省政府转移到晋西北。1939年又转移到绥远西部的河套地区，省政府驻陕坝镇，下辖伊盟及河套地区各县。

阿拉善旗和额济纳旗则一直处在宁夏省政府的管辖下。

1938年下半年，八路军挺进绥远，建立了大青山抗日游击根据地，并逐步和晋西北根据地连成一片，成为晋绥边区抗日根据地的一部分。在大青山抗日游击根据地，初由第二战区民族革命战争战地总动员委员会（简称总动委会）晋察绥边区工作委员会代行政权职能。1940年8月，正式取消

---

① 呼伦贝尔盟地方志办公室编：《呼伦贝尔盟情》，内蒙古人民出版社1986年版，第11页。

总动委会，成立了晋绥游击区行政公署驻绥办事处。① 1941 年，在晋绥游击区行政公署驻绥办事处的基础上成立了绥察行政公署，② 下辖绥西、绥中、绥东、绥南 4 个专署。

1943 年 1 月，绥察行政公署改称塞北区行政公署，归晋绥边区行政公署管辖，下辖绥西、绥中、绥南及第五专员公署。

1945 年 7 月，在塞北区行政公署的基础上成立了绥蒙政府，③ 归晋绥边区行政公署管辖，下辖绥西、绥中、绥南 3 个专员公署。

四、解放战争时期

抗战胜利后，在内蒙古中、东部地区相继成立了内蒙古人民共和国临时政府、呼伦贝尔自治省政府及东蒙古人民自治政府。中国共产党为了领导内蒙古自治运动，于 1945 年 11 月在张家口成立了内蒙古自治运动联合会，解散了内蒙古人民共和国临时政府。又于 1946 年 4 月在承德举行"四三"会议，统一了内蒙古东西部自治运动。5 月，撤销东蒙古人民自治政府，成立兴安省政府，下辖哲里木、兴安、纳文慕仁盟及呼伦贝尔地区。内蒙古中、东部地区的其他盟旗分别归各解放区领导。

1947 年 5 月 1 日，内蒙古自治政府在兴安盟王爷庙（今乌兰浩特市）正式成立。当时，内蒙古自治政府下辖兴安盟、纳文慕仁盟、锡林郭勒盟、察哈尔盟。

呼伦贝尔自治省政府于 1946 年 3 月改称呼伦贝尔临时地方自治政府，10 月，正式成立呼伦贝尔地方自治政府，隶属于兴安省。1948 年 1 月改称呼伦贝尔盟，归内蒙古自治政府管辖。1949 年 4 月呼伦贝尔盟与纳文慕仁盟合并为呼伦贝尔纳文慕仁盟（简称呼纳盟）。

抗战胜利后，内蒙古西部的绥远省大部及阿拉善旗、额济纳旗依然处在

---

① 中共内蒙古自治区委员会党史资料征集委员会、中国人民解放军档案馆、内蒙古自治区档案馆编：《大青山抗日游击根据地资料选编》上册，内蒙古人民出版社 1986 年版，第 239 页。

② 中共内蒙古自治区委员会党史资料征集委员会、中国人民解放军档案馆、内蒙古自治区档案馆编：《大青山抗日游击根据地资料选编》上册，第 239 页。

③ 《绥蒙区党委、绥蒙军区电报登记》（1941 年 7 月 25 日），内蒙古档案馆档案，全宗号 3，案卷号 1，文件号 36。

国民党的统治之下。中国共产党领导的绥蒙政府下辖绥东、绥南各旗县，当时称之为绥蒙解放区。1946 年 6 月，国民党发动全面内战以后，绥蒙解放区被国民党军队占领。

1948 年 9 月，中国人民解放军发动绥远战役，恢复了绥蒙解放区。1949 年 4 月，绥蒙政府由晋绥行政公署划归华北人民政府领导，6 月改称绥远省人民政府。

1949 年 9 月 19 日，绥远省宣告和平解放。阿拉善旗和额济纳旗也于 9 月 23 日和 27 日相继和平解放。这样，在中华人民共和国成立前夕，内蒙古全境已得到解放。

在中华人民共和国成立时，内蒙古地区尚分属于内蒙古自治政府和热河、察哈尔、绥远、宁夏等省。只有内蒙古自治政府管辖地区实现了民族区域自治。内蒙古全境的解放，为内蒙古地区统一的民族区域自治提供了客观条件。

第二节　内蒙古自治政府

1945 年 8 月，苏蒙联军和八路军解放了内蒙古中东部地区。长期遭受日本帝国主义殖民统治的内蒙古地区各族人民和全国人民一道，终于迎来了抗日战争的最后胜利。日本投降后，内蒙古中、东部地区蒙古族人民要求民族解放和实现民族自治的热情空前高涨，并相应成立了各种地方性政权。

1945 年 9 月，伪蒙疆政府的一些高级官员及青年知识分子在锡林郭勒盟苏尼特右旗成立了内蒙古人民共和国临时政府；10 月，呼伦贝尔地区的一些蒙古族、达斡尔族上层人士亦在海拉尔成立了呼伦贝尔自治省政府；1946 年 1 月，东蒙地区的部分蒙古族各阶层人士在兴安盟葛根庙召开东蒙古人民代表会议，决定成立东蒙古人民自治政府。2 月，东蒙古人民自治政府在兴安盟王爷庙正式成立。

抗战胜利后，中国共产党根据蒙古民族各阶层要求民族解放和实现民族自治的愿望以及内蒙古地区民族运动的形势，及时制定了对内蒙古自治问题的基本方针。1945 年 10 月，中共中央提出了内蒙古地区"实行区域自治"

的基本方针①，并确定了先在各盟旗开展自治运动，成立盟旗政权，准备将来建立内蒙古自治政府的步骤。根据这一方针和步骤，中国共产党晋察冀中央局首先派人到苏尼特右旗，改组了内蒙古人民共和国临时政府，并将政府迁到张北后解散；11月，在张家口成立了内蒙古自治运动联合会。联合会作为中国共产党领导下的内蒙古自治运动的统一领导机关，向内蒙古中、东部地区派出大批干部，开展自治运动，建立各盟旗政权。

1946年4月3日，内蒙古自治运动联合会和东蒙古人民自治政府代表在承德召开了著名的"四三"会议，统一了内蒙古东西部的自治运动。会议决定解散东蒙古人民自治政府，成立内蒙古自治运动联合会东蒙总分会；各盟旗政府分别接受各解放区民主政府领导，蒙汉杂居地区实行蒙汉分治，盟管旗、专署管县。② 根据"四三"会议精神和东蒙地区的具体情况，于5月间在王爷庙召开第二次东蒙古人民代表会议，解散东蒙古人民自治政府，成立了兴安省政府和内蒙古自治运动联合会东蒙总分会。兴安省政府隶属于东北行政委员会管辖，下辖兴安盟、哲里木盟（6月，归辽吉省管辖）、纳文慕仁盟及呼伦贝尔地区。与此同时，在内蒙古自治运动联合会及各解放区民主政府的领导下，相继成立了察哈尔盟、锡林郭勒盟、昭乌达盟、哲里木盟及纳文慕仁盟民主政府或行政委员会。

10月，中共东北局及东北行政委员会批准了呼伦贝尔地方实行自治的要求，成立了呼伦贝尔地方自治政府。12月，中共中央根据内蒙古自治运动胜利发展的形势，决定成立内蒙古自治政府。为此，经过一段时间的筹备，于1947年4月23日在王爷庙召开内蒙古人民代表会议，5月1日正式成立了内蒙古自治政府。

内蒙古自治政府是中国共产党领导下成立的我国第一个省级少数民族自治政府，当时下辖兴安盟、纳文慕仁盟、锡林郭勒盟、察哈尔盟，自治政府首府所在地为王爷庙街。

中国共产党为了使内蒙古实现统一民族区域自治，于1948年1月将呼

---

① 内蒙古自治区档案馆编：《内蒙古自治运动联合会档案史料选编》，中国档案出版社1989年版，第1页。

② 内蒙古自治区档案馆编：《内蒙古自治运动联合会档案史料选编》，第51—53页。

伦贝尔盟划归内蒙古自治政府管辖；1949 年 5 月，又将哲里木盟和昭乌达盟分别由辽北省和热河省划归内蒙古自治政府管辖。

内蒙古中、西部地区的相继解放，为实现内蒙古地区统一的民族区域自治提供了客观条件。中华人民共和国成立前夕，内蒙古自治政府下辖呼纳、兴安、哲里木、昭乌达、锡林郭勒、察哈尔 6 个盟。

一、呼伦贝尔纳文慕仁盟

呼伦贝尔纳文慕仁盟（简称呼纳盟）成立于 1949 年 4 月，原为呼伦贝尔盟和纳文慕仁盟。

呼伦贝尔原称部，其地域东至大兴安岭与西布特哈地区毗邻，南与哲里木盟相连，北及西北以额尔古纳河与俄国（苏联）为界，西、西南与蒙古（今蒙古国）接壤。

1912 年中华民国成立之际，呼伦贝尔盟旗上层在沙俄的策动下，响应外蒙古独立，招集呼伦贝尔各旗兵马攻占海拉尔，成立了呼伦贝尔自治政府，同时宣布要加入外蒙古独立后的“大蒙古国”，恢复清末被取消的呼伦贝尔副都统衙门，撤销了清末所设之呼伦兵设备道及呼伦直隶厅、胪滨府、吉拉林设治局等建制。副都统衙门下辖索伦左右翼 8 旗、新巴尔虎左右翼 8 旗及额鲁特旗。

1915 年，中华民国政府同俄国政府签订《中俄会订呼伦贝尔条件》，将呼伦贝尔划为“特别区域”，直接归中华民国中央政府节制，并受黑龙江省监督。

1920 年 2 月，中华民国政府取消了呼伦贝尔特别区域，设立督办呼伦贝尔善后事宜及交涉员公署，管理新设立之呼伦、胪滨、室韦 3 县和奇乾设治局（1922 年改县）及沿边 18 卡伦和对外交涉事务。呼伦贝尔副都统公署仍旧设立，专辖蒙旗事宜，归黑龙江省节制。1925 年 3 月，设立呼伦道，仍隶黑龙江省，改督办呼伦贝尔善后事宜兼交涉员公署为呼伦道尹公署，管理原督办所辖事务。1929 年 2 月，呼伦道尹公署改为呼伦市政筹办处兼交涉员公署，[①]仍辖原呼伦道所属各县及对外交涉事宜。

---

① 　日本外务省外交史料馆藏档案：《呼伦市政筹办处兼交涉员公署公函》（1929 年 2 月 20 日），见《满蒙政况关系杂纂——呼伦贝尔之部》第 3 卷，A—6—1—2—1—16。

1931 年"九一八"事变后，呼伦贝尔地区成为伪满洲国的一部分。1932 年 6 月，伪满洲国在呼伦贝尔地区设立兴安北分省，以海拉尔为省会，并对所辖地区的行政建制及区划进行了较大调整，撤销了呼伦贝尔都统衙门、呼伦贝尔市政筹办处及原有呼伦、胪滨、室韦、奇乾 4 县建制，先后建立了新巴尔虎旗、索伦旗、额尔古纳左旗、额尔古纳右旗及海拉尔市、满洲里市。兴安北分省于 1934 年 12 月改建为兴安北省，先后隶兴安局、兴安总署、蒙政部及兴安总省。

1945 年 8 月，呼伦贝尔地区获得解放。10 月，在海拉尔市成立了呼伦贝尔自治省政府。11 月，呼伦贝尔自治省政府派代表前往长春，向国民政府军事委员会东北行营要求呼伦贝尔实行高度自治，未得允许。1946 年 3 月，呼伦贝尔自治省政府改称呼伦贝尔临时地方自治政府。9 月，向中共东北局及东北行政委员会提出恢复呼伦贝尔地方自治的要求。10 月，中共东北局及东北行政委员会批准成立了呼伦贝尔地方自治政府。

1948 年 1 月，呼伦贝尔地方取消自治，自治政府所辖区域改称呼伦贝尔盟，归内蒙古自治政府管辖。同年，额尔古纳左、右 2 旗合并成立额尔古纳旗。

1949 年 4 月，呼伦贝尔盟与纳文慕仁盟合并成立呼伦贝尔纳文慕仁盟（简称呼纳盟）。

纳文慕仁盟，原称西布特哈地区，即清末所设之西路布特哈总管衙门所辖区域。其地域大体为西至大兴安岭与呼伦贝尔相连，东以嫩江与东路布特哈总管衙门所辖区域为界，南与哲里木盟接壤。中华民国成立后，西布特哈地区属黑龙江省龙江道所辖，总管衙门驻嫩江右岸宜卧奇后屯。①

1915 年，在西布特哈总管衙门辖区设布西设治局。1916 年 2 月，在西布特哈总管衙门辖区设内设索伦山宣抚局，隶黑龙江省龙江道。1917 年 3 月改为索伦设治局。② 1925 年 10 月，单独设立西布特哈总管公署，专门管理旗民事务，布西设治局则管理地方行政事宜。同时，公署及设治局均迁至

---

① 孟定恭编：《布特哈志略》（历代沿革），台湾成文出版社 1986 年影印本。

② 黑龙江省档案馆、哈尔滨师范大学历史系编：《黑龙江历史大事记》（1912—1932 年），黑龙江人民出版社 1984 年版，第 55、68 页。

布西城（今莫力达瓦达斡尔族自治旗政府所在地尼尔基镇）。1926 年 2 月，在西布特哈总管公署辖区内之扎兰屯设雅鲁设治局，隶黑龙江省，1929 年 1 月改为雅鲁县。

1932 年 6 月，伪满洲国在西布特哈地区设立了兴安东分省，归兴安局管辖，同时撤销了西布特哈总管公署及雅鲁县、布西设治局，先后成立莫力达瓦旗、阿荣旗、巴彦旗、布特哈旗；11 月，撤销索伦设治局，成立喜扎嘎尔旗。[①] 兴安分省省会初设在齐齐哈尔，1933 年初迁到扎兰屯。1934 年 12 月，兴安东分省改建为兴安东省，归伪满洲国蒙政部管辖。1941 年 8 月，将喜扎嘎尔旗划归兴安南省管辖。[②] 1943 年 10 月，撤销兴安东省建置，所辖区域称兴安东地区，归新设的兴安总省管辖。

1945 年 8 月，兴安东地区获得解放。1946 年 3 月，在扎兰屯成立了纳文慕仁（蒙古语，意即嫩江）省政府，隶东蒙古人民自治政府。6 月 7 日，纳文慕仁省政府改称纳文慕仁盟，[③] 归新成立的兴安省政府管辖。1947 年 5 月，纳文慕仁盟归内蒙古自治政府管辖。

1949 年 4 月，纳文慕仁盟与呼伦贝尔盟合并成立呼伦贝尔纳文慕仁盟（简称呼纳盟），盟政府驻海拉尔市。1949 年 10 月中华人民共和国建立前夕，呼纳盟下辖 2 市 8 旗。

（1）海拉尔市。清代建城，原称呼伦贝尔城，简称为呼伦城。因该城位于海拉尔河边，又名海拉尔。清末该城已开放为商埠，是呼伦贝尔地区的政治、经济、文化及交通中心。中华民国成立后，为呼伦贝尔副都统衙门所在地。1920 年 2 月所设之呼伦县及督办呼伦贝尔善后事宜兼交涉员公署同治于海拉尔。1925 年 3 月所设立之呼伦道尹公署亦治于此。1932 年伪满洲国政府撤销呼伦县建制。日伪统治时期，海拉尔一直是兴安北省省会，于 1936 年成立海拉尔市政管理处，1940 年 5 月改为海拉尔市。[④] 1945 年 8 月以后，一直是呼伦贝尔自治省政府、呼伦贝尔临时地方自治政府、呼伦贝尔

---

① 《满洲国政府公报》1932 年 11 月 19 日第 67 号，辽沈书报社 1990 年影印本。

② "满洲国"通讯社编：《满洲国现势》（日文），"满洲国"通讯社 1942 年版，第 259 页。

③ 《纳文慕仁盟政府布告》（1946 年 6 月 7 日），呼盟公署民政处档案，内蒙古大学近现代史研究所藏，020005 号。

④ "满洲国"通讯社编：《满洲国现势》（日文），第 261 页。

地方自治政府、呼伦贝尔盟政府及呼纳盟政府所在地。

（2）满洲里市。1901 年修筑东清铁路时在此建火车站，始定名为满洲里。清末在此设胪滨府，故又名胪滨，因胪朐河（即克鲁伦河）而得名。1912 年撤销胪滨府。1920 年 2 月设胪滨县，仍置县治于此。1927 年 3 月设满洲里市政公所。1932 年伪满洲国政府撤销胪滨县建制。1936 年 1 月，兴安北省改满洲里市政公所为市政管理处。1940 年，满洲里市政管理处降为满洲里街，归省长直辖。① 1942 年 8 月，复改满洲里街为满洲里市。② 1945 年 8 月以后，满洲里市隶呼伦贝尔地方自治政府。1948 年 1 月，隶呼伦贝尔盟。1949 年 4 月，隶呼纳盟，并将扎赉诺尔街并入。

（3）新巴尔虎右旗。原为新巴尔虎右翼正黄、正红、镶红、镶蓝 4 旗，隶呼伦贝尔副都统衙门管辖。1932 年，伪满洲国将上述 4 旗合并成立新巴尔虎右翼旗（简称西新巴旗），隶兴安北分省，旗公署驻阿尔坦额莫勒。1934 年 12 月隶兴安北省。1945 年 8 月以后，新巴尔虎右旗先后隶呼伦贝尔自治省政府、呼伦贝尔临时地方自治政府、呼伦贝尔地方自治政府、呼伦贝尔盟及呼纳盟。

（4）新巴尔虎左旗。原为新巴尔虎左翼正白、正蓝、镶白、镶黄 4 旗。1932 年，伪满洲国将该 4 旗合并成立了新巴尔虎左翼旗（简称东新巴旗），旗公署驻阿穆古朗。隶属关系变化与新巴尔虎右旗同。

（5）陈巴尔虎旗。原为索伦八旗之左翼正蓝、镶白 2 旗。1919 年从索伦左翼中分出，成立陈巴尔虎旗。旗公署驻巴彦库仁，隶属关系变化与新巴尔虎右旗同。

（6）索伦旗。原为索伦左翼正白、正蓝、镶黄、镶白 4 旗和右翼正黄、正红、镶红、镶蓝 4 旗以及额鲁特旗地。1919 年从左翼分出正蓝、镶白 2 旗，成立陈巴尔虎旗。1922 年，在其境内锡尼河流域为从苏联迁来之布里亚特蒙古人建立了布里亚特旗。1932 年 6 月，伪满洲国将索伦左翼正白、镶黄 2 旗合并成立索伦左翼旗，索伦右翼 4 旗合并成立索伦右翼旗。③ 1933 年 7 月，又将索伦左翼、索伦右翼、额鲁特、布里亚特等 4 旗合并成立索伦

---

① 《盛京时报》1940 年 4 月 23 日。

② "满洲国"通讯社编：《满洲国现势》（日文），第 261 页。

③ 呼伦贝尔盟地方志办公室编：《呼伦贝尔盟情》，蒙古文化出版社 1999 年版，第 10 页。

旗。旗公署驻南屯。隶属关系变化亦与新巴尔虎右旗同。

（7）额尔古纳旗。清末在今额尔古纳右旗室韦镇所在地吉拉林设吉拉林设治局，隶呼伦兵备道，1912 年撤销。1920 年 2 月，在今额尔古纳右旗南部和额尔古纳左旗南部设立室韦县（治今额尔古纳右旗室韦镇吉拉林）。[①] 8 月，在今额尔古纳右旗北部和额尔古纳左旗北部设立奇乾设治局（治今额尔古纳右旗奇乾）。1922 年 4 月，奇乾设治局改为奇乾县。[②] 1932 年 6 月，伪满洲国撤销了室韦县及奇乾县建制，1933 年 6 月，成立额尔古纳左旗（治奈如穆图，今三河镇）[③] 和额尔古纳右旗（治吉如穆图，系由奇乾改称）。[④] 1948 年额尔古纳左、右 2 旗合并为额尔古纳旗，旗公署所在地为三河镇。隶属关系变化与新巴尔虎右旗同。

（8）布特哈旗。原为西布特哈总管衙门辖地。1916 年 3 月，为管理垦荒农民，在大兴安岭东济沁河流域设济沁河稽垦局。7 月，在扎兰屯设扎兰屯稽垦局。1926 年 2 月，将济沁河、扎兰屯两稽垦局合并，改设雅鲁设治局，隶黑龙江省，局治在扎兰屯。1929 年 1 月，将雅鲁设治局改为雅鲁县。1932 年 6 月，伪满洲国撤销雅鲁县建制，在其原辖区域设布特哈左翼旗于扎兰屯，设布特哈右翼旗于博克图。1933 年 5 月，将上述 2 旗合并为布特哈旗，旗公署设在扎兰屯，隶兴安东分省。[⑤] 1934 年 12 月隶兴安东省。1943 年 10 月隶兴安总省。1945 年 8 月以后布特哈旗先后隶于纳文慕仁省、纳文慕仁盟、呼纳盟。

（9）莫力达瓦旗。原为西布特哈总管衙门辖地。1915 年 7 月设布西设治局，设治员由西布特哈总管兼。1925 年 10 月，单独设立总管公署，专门管理旗民事务，设治局则管理地方行政事宜，同时总管公署及设治局均迁至布西城（今莫力达瓦达斡尔族自治旗政府所在地尼尔基镇）。1932 年 6 月，伪满洲国政府在布西设治局所辖区域内分别设立莫力达瓦旗（旗公署驻尼尔基）、巴彦旗（旗公署驻额尔和），隶兴安东分省，1934 年 12 月隶兴安东

①　程廷恒、张家璠纂：《呼伦贝尔志略》，上海太平洋印刷公司 1923 年版，第 341 页。

②　程廷恒、张家璠纂：《呼伦贝尔志略》，第 362 页。

③　[日] 善邻协会调查部编：《蒙古大观》（日文），改造社 1938 年版，第 252 页。

④　[日] 善邻协会调查部编：《蒙古大观》（日文），第 252 页。

⑤　董联生、徐占江著：《扎兰屯风物志》，内蒙古文化出版社 1989 年版，第 16 页。

省，1943 年 10 月隶兴安总省。1945 年 8 月以后莫力达瓦旗和巴彦旗先后隶于纳文慕仁省、纳文慕仁盟、呼纳盟。1949 年 4 月，撤销巴彦旗建制，其所辖区域并入莫力达瓦旗。

（10）阿荣旗。原为西布特哈总管衙门辖地。1932 年 6 月，伪满洲国设立阿荣旗，旗公署驻红花梁子，1941 年迁那吉屯（今那吉镇）。[①] 隶属关系变化与布特哈旗同。

二、兴安盟

兴安盟成立于 1946 年 2 月，自哲里木盟分出，下辖科尔沁右翼前旗、科尔沁右翼中旗、科尔沁右翼后旗、扎赉特旗、喜扎嘎尔旗，归东蒙古人民自治政府管辖。1946 年 5 月，撤销东蒙古人民自治政府的同时成立兴安省政府，兴安盟归兴安省政府领导。1947 年 5 月，内蒙古自治政府成立，兴安省建制撤销，兴安盟归内蒙古自治政府管辖。12 月，王爷庙街升为乌兰浩特市，由内蒙古自治政府直辖。1948 年 11 月，撤销喜扎嘎尔旗建制，其辖区划归科尔沁右翼前旗。1949 年 5 月，原属辽北省的突泉县划归兴安盟。

中华人民共和国建立前夕，兴安盟下辖 1 市 4 旗 1 县。

一市为：乌兰浩特市。原名王爷庙，属科尔沁右翼前旗，因科尔沁右翼前旗第三代札萨克郡王鄂其尔在此建家庙而得名。1928 年奉系屯垦军进驻王爷庙，改称兴安镇（又称怀远镇）。1932 年复称王爷庙。1935 年 9 月兴安南省省会迁此。1940 年改称兴安街，1943 年又改称王爷庙街。[②] 1945 年 8 月获得解放。1946 年 2 月，东蒙古人民自治政府和兴安盟成立后，成为自治政府和盟政府所在地。1947 年 5 月，内蒙古自治政府成立，成为首府。12 月，王爷庙街升为市，改称乌兰浩特（蒙古语，意为红色的城市）[③]，由内蒙古自治政府直辖。1949 年 3 月，乌兰浩特市改由兴安盟管辖。乌兰浩特市自 30 年代中期以后即成为内蒙古东部地区的政治、文化中心。乌兰浩

---

① 刘殿贵、李彤之主编：《阿荣旗情》，黑龙江人民出版社 1987 年版，第 4 页。

② 兴安盟地方志办公室编：《兴安盟概况》，兴安盟办公室 1987 年印刷，第 287 页。

③ 《内蒙古自治政府布告》（1947 年 12 月 1 日），内蒙古档案馆档案，全宗号 7，案卷号 1，文件号 6。

特市区内有内蒙古自治政府成立时召开内蒙古人民代表会议旧址，1988 年 1 月被命名"五一大会"会址，列为内蒙古自治区重点文物保护单位。

其一旗为：科尔沁右翼前旗。原属哲里木盟，俗称札萨克图旗，旗府所在地为王爷庙。伪满洲国时期，该旗隶兴安南省，并简称为西科前旗。1943 年 10 月隶兴安总省。1946 年 2 月由哲里木盟改隶兴安盟。1947 年 12 月，王爷庙街改称乌兰浩特市，与科尔沁右翼前旗分治。1948 年 11 月，撤销喜扎嘎尔旗建制，辖区划归科尔沁右翼前旗。[①]

其二旗为：科尔沁右翼中旗。原属哲里木盟，俗称图什业图旗，旗府驻代钦塔拉。伪满洲国时期，将该旗简称为西科中旗。隶属关系变化与科尔沁右翼前旗同。

其三旗为：科尔沁右翼后旗。原属哲里木盟，俗称镇国公旗或苏鄂公旗，旗府所在地为察尔森。伪满洲国时期，将该旗简称为西科后旗。隶属关系变化亦与科尔沁右翼前旗同。

其四旗为：扎赉特旗。原属哲里木盟，隶属关系变化与科尔沁右翼前旗同，旗府所在地为音德尔。

一县为：突泉县。原科尔沁右翼中旗地，清末设醴泉县。因与陕西省醴泉县重名，于 1914 年更名为突泉县，隶奉天省洮昌道，县治驻突泉镇。1915 年又析突泉县南部设开化县，1917 年改称瞻榆县，亦隶奉天省洮昌道。1929 年废道制，突泉县直隶于辽宁省。1932 年隶伪满洲国奉天省，1934 年改隶龙江省。1937 年改称醴泉县。1943 年划归兴安总省。1945 年抗战胜利后复改名突泉县，归辽北省管辖。1949 年 5 月，由辽北省划归兴安盟。[②]

三、哲里木盟

1912 年中华民国成立时，哲里木盟仍袭清代旧制，下辖 10 旗，即科尔沁左翼前旗、科尔沁左翼中旗、科尔沁左翼后旗、科尔沁右翼前旗、科尔沁右翼中旗、科尔沁右翼后旗、郭尔罗斯前旗、郭尔罗斯后旗、扎赉特旗、杜尔伯特旗，归北京政府蒙藏院管辖，同时科尔沁左、右翼 6 旗受奉天省监

---

①　兴安盟地方志办公室编：《兴安盟概况》，兴安盟办公室 1987 年印刷，第 12 页。

②　兴安盟地方志办公室编：《兴安盟概况》，第 330 页。

督、节制，郭尔罗斯前旗受吉林省监督、节制，郭尔罗斯后旗、扎赉特旗、杜尔伯特旗受黑龙江省监督、节制。

1913 年，在科尔沁左翼中旗境内设双山县，划归奉天省。1918 年，在科尔沁左翼中旗境内设通辽县，隶奉天省。1926 年，在郭尔罗斯前旗境内设乾安设治局，1928 年改为乾安县，隶吉林省。

1931 年"九一八"事变后，哲里木盟地区成为伪满洲国的一部分。1932 年 3 月，伪满洲国取消了哲里木盟名称及建制，成立兴安南分省，归新设立的兴安局（8 月改称兴安总署）管辖。兴南分省省会驻郑家屯（原名辽源），下辖 7 旗，即科尔沁左、右翼 6 旗及扎赉特旗。原属哲里木盟的郭尔罗斯前旗划归吉林省，郭尔罗斯后旗划归新设的滨江省，杜尔伯特旗划归新设的龙江省。

1934 年 12 月，伪满洲国将兴安南分省改建为兴安南省，归蒙政部（1934 年 12 月，由兴安总署改建）管辖，同时将原属奉天省之通辽县划归兴安南省管辖。

1935 年 3 月，原属热河省之喀尔喀左翼旗、唐古特喀尔喀旗并入库伦旗，划归兴安南省管辖。9 月，兴安南省省会由郑家屯迁至科尔沁右翼前旗王爷庙。[①]

1943 年 10 月，伪满洲国又撤销了兴安南省建制，原所辖地区改称兴安南地区，归新成立的兴安总省管辖，同时将原属兴安西省的奈曼旗、兴安东省的喜扎嘎尔旗、龙江省的醴泉县（即突泉县）划归兴安南地区。

1945 年 8 月，哲里木盟地区获得解放。

1946 年 2 月，东蒙古人民自治政府在哲里木盟北部成立了兴安盟，与哲里木盟分治。4 月，在科尔沁左翼中旗巴彦塔拉成立哲里木省，[②] 隶东蒙古人民自治政府。5 月，哲里木省政府迁至通辽，下辖科尔沁左翼 3 旗、库伦旗、奈曼旗、通辽县、开鲁县（5 月由昭乌达盟划入）。6 月哲里木省政府改称哲里木盟政府，隶兴安省政府，8 月划归辽吉省（由辽西、吉江省合

---

① ［日］善邻协会调查部编：《蒙古大观》，改造社 1938 年版，第 245 页。

② 希儒布：《奈曼的隶属演变》，见政协奈曼旗委员会编：《奈曼旗文史资料》第 3 辑，政协奈曼旗委员会 1989 年印刷，第 24 页。

并所建）管辖。①

1947 年 5 月，原属昭乌达盟之扎鲁特旗划归哲里木盟管辖。

1949 年 3 月，撤销了科尔沁左翼前旗建制，将所辖区域划归库伦旗。② 4 月，哲里木盟由辽北省（1946 年 12 月取消辽吉行政公署，恢复辽北省建制）划归内蒙古自治政府管辖。此时，哲里木盟下辖 5 旗 2 县。

（1）科尔沁左翼中旗。俗称达尔罕旗，清代以来一直隶哲里木盟。1913 年在该旗双山镇设双山县，归奉天省洮昌道管辖。1914 年又在该旗巴林爱新荒之白音太来设通辽镇，1918 年改设通辽县，归奉天省洮昌道管辖。伪满洲国时期将该旗简称为东科中旗，隶兴安南省，旗公署驻巴彦塔拉。抗战胜利后，隶哲里木盟。

（2）科尔沁左翼后旗。俗称博王旗，伪满洲国时期将该旗简称为东科中旗，旗公署驻吉尔嘎朗。隶属关系变化与科尔沁左翼中旗同。

（3）库伦旗。原全称为锡埒图库伦喇嘛旗，属卓索图盟，为内蒙古唯一的政教合一的喇嘛旗。1931 年 3 月，国民政府废止该旗政教合一制度，实行政教分治，称库伦旗。1933 年 3 月，卓索图盟建制取消以后归伪满国热河省管辖。1934 年 12 月，撤销了与库伦旗和奈曼旗并存的绥东县建制，并将喀尔喀左翼旗（原属昭乌达盟）及唐古特喀尔喀旗（原属卓索图盟）并入库伦旗，③ 由热河省划归兴安南省，旗公署驻库伦街。1945 年 8 月以后，隶哲里木盟。1946 年 9 月，由哲里木盟划归辽吉省第一专署（亦称铁岭专署）管辖。1948 年 9 月又划归哲里木盟。1949 年 3 月，将科尔沁左翼前旗所辖区域并入库伦旗。

（4）扎鲁特旗。原属昭乌达盟，分为左、右 2 旗。1924 年在扎鲁特左、右 2 旗境内设鲁北设治局，隶热河道，并在腾格林河右岸海里根图修建了鲁北街。④ 1933 年 5 月，撤销鲁北设治局建制。1935 年 5 月，将扎鲁特左、右 2 旗合并为扎鲁特旗。⑤ 伪满洲国时期，该旗隶兴安西省，旗公署所在地为

① 内蒙古自治区档案馆：《内蒙古自治运动联合会档案史料选编》，第 123 页。
② 舍冷那木吉拉、王士昌：《哲里木盟区域沿革》，载《哲里木史志》1987 年第 1 期。
③ 库伦旗地方志办公室：《库伦旗三百年大事年表》，载《哲里木盟史志通讯》1984 年第 2 期。
④ 都瓦萨主编：《扎鲁特史话》，内蒙古人民出版社 1989 年版，第 28 页。
⑤ 都瓦萨主编：《扎鲁特史话》，内蒙古人民出版社 1989 年版，第 30 页。

鲁北街。1947 年 5 月，由昭乌达盟划归哲里木盟。

（5）奈曼旗。原属昭乌达盟。1933 年 3 月，归伪满洲国热河省管辖，1934 年 12 月，由热河省划归兴安西省。1943 年划归兴安南地区（原兴安南省），隶兴安总省。旗公署驻大沁他拉。1945 年 8 月抗战胜利后，隶属关系变化与库伦旗同。清末以来，该旗一直与绥东县并存于一地，实行蒙汉分治。1934 年 12 月，伪满洲国撤销了绥东县建制，将所辖区域之大部分划归奈曼旗。

（6）开鲁县。清末在扎鲁特左、右 2 旗及阿鲁科尔沁旗放垦地设开鲁县，隶赤峰直隶州，1914 年隶热河道。1928 年隶热河省。1933 年隶兴安西分省。1934 年隶兴安西省。伪满洲国时期，开鲁县城为兴安西省省会所在地。1945 年 8 月抗战胜利后，隶热河省热北专署。1946 后 5 月，划归哲里木盟。

（7）通辽县。原为科尔沁左翼中旗地。1918 年在该旗巴音太来至爱新庙之放垦地设通辽县，隶奉天省洮昌道，1928 年隶辽宁省。1932 年 3 月，通辽县隶伪满洲国奉天省，1934 年划归兴安南省管辖，1943 年 10 月隶兴安总省兴安南地区。1945 年 8 月获得解放。1946 年 6 月隶哲里木盟。通辽县治通辽镇原名白音太来。1914 年设镇，并开放为商埠。此后，通辽镇人口发展，成为一个农畜土特产品集散地。尤其是 1922 年郑（家屯）通（辽）铁路和 1927 年大（虎山）通（辽）铁路建成通车后①，这里的工商业及交通运输迅速繁荣，成为哲里木盟地区的政治、经济、文化、交通及军事重镇。1946 年以后为哲里木盟政府所在地。

四、昭乌达盟

1912 年中华民国成立时，昭乌达盟仍袭清制，归热河都统监督、节制。东接哲里木盟，南与卓索图盟相连，西、北两面分别与察哈尔部和锡林郭勒盟接壤。下辖巴林左旗、巴林右旗、阿鲁科尔沁旗、克什克腾旗、敖汉左旗、敖汉右旗、翁牛特左旗、翁牛特右旗、奈曼旗、扎鲁特左旗、扎鲁特右旗、喀尔喀左翼旗，共 12 旗。

---

① 雷明义：《大郑铁路线修筑史略》，载《哲里木史志》1986 年第 3 期。

1914 年，昭乌达盟划归新设立的热河特别行政区，受热河都统及北京政府蒙藏院管辖。同年 11 月，在克什克腾旗境内设经棚县。1922 年从敖汉左旗析置敖汉南旗。1924 年扎鲁特左、右 2 旗放垦地曾设鲁北设治局。1925 年巴林左旗境内设林东设治局。1926 年在阿鲁科尔沁旗境内增设天山设治局。

1928 年，国民政府将昭乌达盟划归热河省。

1933 年 3 月，昭乌达盟全境被日军占领，成为伪满洲国的一部分。满洲国政府取消了昭乌达盟名称及建制，在西拉木伦河以北地区成立兴安西分省，由满洲国兴安总署辖，分省省会驻开鲁县城，下辖 6 旗 2 县，即克什克腾旗、巴林左旗、巴林右旗、扎鲁特左旗、扎鲁特右旗、阿鲁科尔沁旗、林西县、开鲁县。同时，满洲国政府撤销经棚县和天山、林东、鲁北 3 个设治局，并将原昭乌达盟的敖汉左、敖汉右、敖汉南、翁牛特左、翁牛特右、奈曼、喀尔喀左翼 7 旗划归热河省。

1934 年 12 月，兴安西分省改建为兴安西省，由满洲国蒙政部管辖。翁牛特左旗、奈曼旗由热河省划归兴安西省。1935 年 5 月，扎鲁特左、右 2 旗合并为扎鲁特旗。1937 年，翁牛特左旗又划归热河省。

1943 年 10 月，兴安西省撤销，所辖区域称为兴安西地区，归新成立的兴安总省管辖。同时，奈曼旗划归兴安南地区（原兴安南省）。

1945 年 8 月，昭乌达盟地区获得解放。年底，中国共产党在西拉木伦河以北地区建立热北行政督察专员公署，归热河省政府管辖。1946 年 3 月，东蒙古人民自治政府也在这一地区建立了昭乌达省政府。[①] 这样形成了同一地区同时有两套政权的局面。为解决这一问题，内蒙古自治运动联合会和热河省政府共同商定，于 6 月将热北专署与昭乌达省合并，成立昭乌达盟临时行政委员会，归热河省政府领导。5 月，开鲁县划归哲里木盟。

1947 年 5 月，昭乌达盟临时行政委员会改称昭乌达盟政府，并将扎鲁特旗划归哲里木盟管辖。

1949 年 5 月，昭乌达盟由热河省划归内蒙古自治政府管辖，盟政府驻

---

① 李宝祥：《东蒙古自治政府在林东筹建昭乌达省始末》，见政协巴林左旗委员会编：《巴林左旗文史资料》第 1 辑，政协巴林左旗委员会编 1985 年印刷，第 87—93 页。

林东，下辖 4 旗 1 县。

（1）阿鲁科尔沁旗。该旗清代以来一直隶昭乌达盟。1926 年 7 月在该旗境内设天山设治局，隶热河道，局址在乌力吉木伦河北岸查干浩特（白城子）。① 这样形成了阿鲁科尔沁旗与天山设治局并存的局面。1928 年 9 月，天山设治局隶热河省。1933 年 7 月，伪满洲国政府撤销天山设治局建制。日伪统治时期该旗隶兴安西省。1945 年解放后隶昭乌达盟。旗府驻天山（蒙古语称查布嘎）镇。

（2）巴林左旗。该旗隶属关系与阿鲁科尔沁旗同。1925 年 9 月，在该旗境内设林东设治局，因局址贝子庙在巴林之东，故称林东。② 1928 年 9 月，林东设治局隶属于热河省。1933 年 7 月，伪满洲国政府撤销林东设治局建制。该旗府驻林东，1946 年 6 月以后林东又为昭乌达盟临时行政委员会及盟政府所在地。

（3）巴林右旗。该旗隶属关系变化与阿鲁科尔沁旗同。旗府驻大板。

（4）克什克腾旗。该旗隶属关系变化与阿鲁科尔沁旗同。旗府驻经棚。1914 年 11 月在该旗境内设经棚县③，隶热河道，1928 年隶热河省。1933 年 7 月，伪满洲国政府撤销了经棚县建制。1946 年，恢复经棚县建制，与克什克腾旗并存于一地，实行蒙汉分治。1948 年撤销了经棚县建制。④

（5）林西县。清末在巴林左、右旗境内设林西县，隶赤峰直隶州。1912 年改隶热河都统直辖，1914 年隶热河道，1928 年隶热河省，1933 年隶兴安西分省，1934 年隶兴安西省。1945 年获得解放，隶热河省热北行政督察专员公署。林西县城为热北专署所在地。1946 年 6 月以后该县隶昭乌达盟。

五、锡林郭勒盟

中华民国时期的锡林郭勒盟疆域与清代同，即南与察哈尔八旗接壤，北

---

① 阿拉坦格日勒、石磊：《天山设治局组建始末》，见政协阿鲁科尔沁旗委员会编：《阿鲁科尔沁文史》第 1 辑，政协阿鲁科尔沁旗委员会 1985 年印刷，第 148 页。

② 《巴林左旗志》编辑委员会编：《巴林左旗志》，《巴林左旗志》编辑委员会 1985 年印刷，第 22 页。

③ 康清源纂：《经棚县志》，1929 年抄本。

④ 内蒙古自治区地名委员会：《内蒙古自治区地名志·赤峰市分册》，内蒙古自治区地名委员会 1987 年印刷，第 424 页。

与外蒙古车臣汗部为界，东与昭乌达盟和哲里木盟毗邻，西与乌兰察布盟四子王旗相连。行政建制仍袭清代旧制，下辖 10 个旗，即乌珠穆沁左旗、乌珠穆沁右旗、浩齐特左旗、浩齐特右旗、阿巴哈纳尔左旗、阿巴哈纳尔右旗、阿巴嘎左旗、阿巴嘎右旗、苏尼特左旗、苏尼特右旗。

1914 年 6 月，锡林郭勒盟被划入察哈尔特别行政区，归察哈尔都统和北京政府蒙藏院管辖。

1928 年 9 月，锡林郭勒盟被划入察哈尔省。1934 年 4 月，隶蒙古地方自治政务委员会。1936 年 5 月，隶属于蒙古军政府（在今化德），1937 年10 月隶属于蒙古联盟自治政府（在今呼和浩特市），1939 年 9 月以后隶属于蒙古联合自治政府（在张家口市，1941 年 8 月以后改称蒙古自治邦政府）。

1945 年 8 月，锡林郭勒盟获得解放，重新划归察哈尔省。

1946 年 4 月，锡林郭勒盟政府在贝子庙（今锡林浩特市）正式成立，归察哈尔省政府（1945 年 11 月成立）和内蒙古自治运动联合会双重领导。7 月，察哈尔省政府将锡林郭勒盟划为自治区，归内蒙古自治运动联合会直接领导。11 月，内蒙古自治运动联合会察锡地方行政委员会成立，锡林郭勒盟归该委员会领导。[①]

1947 年 5 月，锡林郭勒盟归内蒙古自治政府管辖。

1948 年 12 月，内蒙古自治政府将乌珠穆沁左、右 2 旗和浩齐特左旗合并成立了东部联合旗，浩齐特右旗、阿巴嘎左旗和阿巴哈纳尔左旗合并成立了中部联合旗，阿巴嘎右旗和阿巴哈纳尔右旗合并成立了西部联合旗。[②]

1949 年 10 月建国前夕，锡林郭勒盟辖 5 个旗，即：东部联合旗、中部联合旗、西部联合旗、苏尼特左旗、苏尼特右旗，盟政府所在地为贝子庙（今锡林浩特市）。

六、察哈尔盟

察哈尔盟成立于 1936 年 1 月，在此之前一般称为察哈尔部，下辖 8 旗，

---

① 内蒙古自治区档案馆编：《内蒙古自治运动联合会档案史料选编》，第 140 页。
② 郭元隆：《锡林郭勒盟公安工作大事记》（1946—1949 年），载《锡林郭勒史料》1986 年第 3 期。

即左翼正蓝、镶黄、正白、镶白4旗，右翼正红、镶红、镶蓝、正黄4旗。在上述8旗境内还有商都牧群、牛羊群、太仆寺左翼牧群、太仆寺右翼牧群等4牧群，合起来称做察哈尔八旗4牧群，或察哈尔十二旗群。中华民国成立后，察哈尔八旗4牧群仍袭清代旧制，归察哈尔都统管辖。1914年划入察哈尔特别行政区，1928年9月隶察哈尔省。这期间，北京政府还在察哈尔左翼4旗及4牧群境内设商都、宝昌、康保3县。

1934年2月，国民党中央讨论通过的《蒙古自治办法原则》8项中，曾规定"察哈尔部改称为盟"①。但由于当时日伪势力加紧向察哈尔八旗4牧群扩张、渗透，加上察哈尔省和绥远省政府的阻挠，察哈尔部改盟之事一直未能实施。

1935年底，日伪军完全占领了察哈尔左翼4旗4牧群及察哈尔省口北各县、设治局。1936年1月，蒙古地方自治政务委员会在日本关东军的支持下将察哈尔部改建为察哈尔盟，盟公署驻张北县城，下辖正蓝、正白、镶白、明安（由牛羊群改建）、商都（由商都牧群改建）、太仆寺左（由太仆寺左翼牧群改建）、太仆寺右（由太仆寺右翼牧群改建）8旗和多伦、宝源（宝昌县和沽源县合并成立）、商都、张北、康保、德化（由1934年设的化德设治局改建）、尚义（由1934年设的尚义设治局改建）、崇礼（由1934年设的崇礼设治局改建）8县。

察哈尔右翼4旗则因地处绥远省境内，根据国民政府于1936年1月公布的《绥远省境内蒙古各盟旗地方自治政务委员会暂行组织大纲》的规定，划归绥远省，由绥境蒙政会管辖。②

1936年5月，察哈尔盟隶属于蒙古军政府（在今化德），1937年10月隶属于蒙古联盟自治政府（在今呼和浩特市），1939年9月以后隶属于蒙古联合自治政府（在张家口市，1941年8月以后改称蒙古自治邦政府）。

1942年，蒙古自治邦政府将多伦诺尔汇宗寺和善因寺属户单独编为多伦诺尔旗，将原喇嘛印务处改建为旗公署。③

---

①　《蒙古自治办法原则》，载《新蒙古》第1卷3期之《专载》。

②　黄奋生：《蒙藏新志》（上），第262页。

③　张玉生：《多伦淖尔喇嘛旗印务处与多伦淖尔旗》，载《内蒙古地方志》2000年第3期。

　　1945 年 8 月，察哈尔盟获得解放，隶察哈尔省。原所辖 8 个县归察哈尔省察北专署管辖。1946 年 4 月，察哈尔盟政府在明安旗多恩海拉汗（原察哈尔盟女子中学校址，亦称女子部）正式成立。① 7 月，察哈尔省政府将察哈尔盟划为自治区，归内蒙古自治运动联合会直接管辖。11 月，内蒙古自治运动联合会察锡地方行政委员会成立，察哈尔盟归该委员会领导。② 1947 年 5 月，察哈尔盟归内蒙古自治政府管辖。1948 年 4 月，察哈尔盟政府撤销了多伦诺尔旗建制。

　　1949 年 3 月，内蒙古自治政府将明安旗和太仆寺右旗合并，成立明安太右联合旗；将商都旗和镶黄旗合并，成立商都镶黄联合旗；将正白旗和镶白旗合并，成立正镶白联合旗。1949 年 10 月中华人民共和国成立时，察哈尔盟下辖 5 旗。

　　（1）正蓝旗。原为察哈尔左翼 4 旗之一。中华民国成立后，仍归察哈尔都统管辖，1914 年划入察哈尔特别行政区。1917 年，析该旗部分土地归新设的宝昌设治局。1928 年隶察哈尔省。1934 年 4 月，隶蒙古地方自治政务委员会。1936 年 1 月以后一直隶察哈尔盟。

　　（2）太仆寺左旗。原为太仆寺左翼牧群。1917 年，析该牧群部分土地归新设之宝昌设治局。1922 年，又析该牧群部分土地归新设的康保设治局。1936 年 1 月改建为太仆寺左旗。隶属关系变化与正蓝旗同。

　　（3）明安太右联合旗。原为牛羊群和太仆寺右翼牧群。1917 年析太仆寺右翼牧群地一部分归新设的宝昌设治局。1936 年 1 月，牛羊群改建为明安旗，太仆寺右翼牧群改建为太仆寺右旗。该 2 旗隶属关系变化与正蓝旗同。1949 年 3 月将该 2 旗合并为明安太右联合旗。

　　（4）商都镶黄联合旗。原为商都牧群（又称商都马群）和察哈尔左翼镶黄旗。1917 年，析商都牧群一部分土地归新设之商都设治局。1922 年，又析镶黄旗一部分土地分别归新设之康保设治局。1934 年，复析镶黄旗一部分土地分别归新设之尚义设治局和化德设治局。1936 年 1 月，商都牧群改建为商都旗。该 2 旗隶属关系变化与正蓝旗同。1949 年 3 月，将该 2 旗合

---

　　① 　内蒙古自治区档案馆编：《内蒙古自治运动联合会档案史料选编》，第 55—57 页。
　　② 　内蒙古自治区档案馆编：《内蒙古自治运动联合会档案史料选编》，第 140 页。

并为商都镶黄联合旗。

（5）正镶白联合旗。原为察哈尔左翼正白旗和镶白旗。1917 年，析镶白旗一部分土地归新设之宝昌设治局。1922 年，又析正白旗一部分土地归新设之康保设治局。1934 年，析正白旗一部分土地归新设之崇礼设治局。该 2 旗隶属关系变化亦与正蓝旗同。1949 年 3 月，合并正白旗和镶白旗为正镶白联合旗。

第三节　热河省

1912 年中华民国政府成立后，承袭清制，仍设热河都统，监督、节制卓索图、昭乌达两盟各旗及旗境内所设府、厅、州、县。卓索图盟辖喀喇沁右、喀喇沁中、喀喇沁左、土默特左、土默特右、唐古特喀尔喀（清代附牧于土默特左旗，1913 年 4 月单独设立）、锡埒图库伦等 7 旗，昭乌达盟辖克什克腾、巴林左、巴林右、阿鲁科尔沁、翁牛特左、翁牛特右、敖汉左、敖汉右、喀尔喀左翼、扎鲁特左、扎鲁特右、奈曼共 12 旗。清代所设立之直隶省热河道下辖朝阳、赤峰、阜新、平泉、绥东、凌源、建平、林西、开鲁、承德、滦平、围场、隆化、丰宁等府、厅、州、县。1913 年 1 月，根据中华民国政府规定，上述各府、厅、州一律改称为县。

1914 年划直隶省热河道所辖各县及卓、昭两盟为热河特别行政区，仍设都统为最高民政、军政长官。热河特别区下仍旧设置热河道，置道尹为行政长官，治理所辖各县民政。以承德为都统及道尹治所。卓、昭两盟建制仍旧，由热河都统和北京政府蒙藏院管辖。

同年 11 月，在克什克腾旗境内设经棚县，归热河道管辖。1922 年从敖汉左旗析置敖汉南旗。1924 年在扎鲁特左、右 2 旗放垦地析置鲁北设治局。1925 年在巴林左旗境内设林东设治局。1926 年在阿鲁科尔沁旗境内设天山设治局。上述 3 设治局均归热河道管辖。

1928 年 9 月，国民政府将热河特别行政区改建为热河省，以承德为省会。裁热河道，成立省政府，设省主席为最高行政长官。卓、昭两盟建制仍旧，属热河省。热河省下属 15 县、3 设治局、20 旗。

1931 年，析翁牛特左旗地一部设全宁设治局，同年改县。又析喀喇沁中旗、喀喇沁右旗、平泉县地各一部设宁城设治局。1932 年撤销全宁县。

1933 年 3 月，热河省全境被日军占领，成为伪满洲国的一部分。5 月，伪满洲国政府取消了卓索图盟、昭乌达盟名称及建制，在原热河省范围内以西拉木伦河为界设立热河省和兴安西分省。将原卓索图盟喀喇沁左旗、喀喇沁中旗、喀喇沁右旗、土默特左旗、土默特右旗、唐古特喀尔喀旗、锡埒图库伦旗和原昭乌达盟的翁牛特左旗、翁牛特右旗、敖汉左旗、敖汉右旗、敖汉南旗、奈曼旗、喀尔喀左翼旗 14 个旗划归新设的热河省。但当时将与上述 14 旗并存的建昌、宁城、建平、阜新、朝阳、绥东、乌丹、赤峰等县作为地方行政单位予以公布，而对上述 14 个蒙旗的行政地位却未正式公布。于是，这些县公署试图接管蒙旗的行政权利，引起这些旗蒙古人的强烈不满，直接向伪满洲国"执政"溥仪提出了"确认蒙旗自治、恢复旧制"的请愿，并在新京设立了 14 旗办事处，各旗设立旗公署，继续行使行政管辖权力。[①]

为了解决这一问题，热河省公署方面对蒙古王公进行安抚的同时，从 1933 年 10 月开始对蒙旗行政状况进行调查。1934 年 9 月，热河公署召集上述 14 旗王公到承德，召开热河各旗蒙古王公代表会议，就有关蒙旗行政等问题，制定《防止县旗纠葛临时办法》6 条，允许各旗公署继续管辖旗内的蒙古人，同时命令省县公署遵照执行这一决定。[②] 1936 年 12 月 17 日，伪满洲国政府公布《锦州及热河省内旗制》、《锦州及热河省旗官制》，[③] 决定从 1937 年 1 月 1 日起，在热河省喀喇沁左旗、喀喇沁中旗、喀喇沁右旗、敖汉旗（由敖汉左、右、南 3 旗合并成立）、翁牛特左翼旗（由兴安西省划入）、翁牛特右旗及锦州省土默特左旗、土默特右旗实行旗制，将上述 8 个旗划归蒙政部管辖；维持原来的"旗县并存"特殊行政体制，即在同一地域内设旗、县两套行政机构。这一措施的推行，实际上是以法律的形式对历来的既成事实加以确认而已。

为了解决锦、热两省内"旗县并存"的特殊行政体制，同时作为对锦、热蒙旗"土地奉上"的补偿，伪满洲国政府于 1939 年 12 月 28 日公布《关

---

① ［日］及川三男：《热河蒙旗概要》，（日文），热河省公署 1936 年刊印，第 74 页。

② ［日］及川三男：《热河蒙旗概要》，第 77—80 页。

③ （"满洲国"）《政府公报》第 823 号。

于废除热河省及锦州省内县之件》和《热河省及锦州省内旗制》，① 决定在锦、热两省"旗县并存"地区实行"废县存旗"措施，即从 1940 年 1 月 1 日起，撤销了与热河省翁牛特左旗、翁牛特右旗、喀喇沁左旗、喀喇沁中旗、喀喇沁右旗、敖汉旗 6 旗并存的乌丹、赤峰、建昌、宁城、建平、新惠 6 县及与锦州省土默特左旗、土默特右旗并存的阜新、朝阳 2 县；② 同时从土默特右旗析置土默特中旗③，划原阜新县所在地及周围矿区 25 个行政村设阜新市。④ 由于采取了这样的"废县存旗"措施，使得锦、热两省境内一直悬而未决的"旗县并存"的特殊行政体制得到了彻底的解决。这样，热河省下辖 7 县、6 旗。

1945 年 8 月抗战胜利后，热河省基本上恢复了 1933 年前的行政区划和赤峰、宁城、乌丹、新惠、平泉、建平等县建制，重新形成"旗县并存"的局面。11 月，中国共产党建立热河省政府，在西拉木伦河以南地区建立热辽行政督察专员公署（治新惠）、热中行政督察专员公署（治赤峰）；在西拉木伦河以北地区建立热北行政督察专员公署（治林西）。⑤

1946 年 3 月，东蒙古人民自治政府在西拉木伦河以北地区建昭乌达省，省政府驻林东。4 月，内蒙古自治运动联合会和东蒙古人民自治政府代表在热河省承德举行了著名的"四三"会议，统一了内蒙古东西部的自治运动，确定"蒙汉杂居区实行蒙汉分治，盟管旗、专署管县，蒙人优势区和深入蒙人区之汉人区实行民主自治，受民主盟政府领导"。⑥

"四三"会议后，热北专署和昭乌达省政府合并，成立了昭乌达盟临时行政委员会，归热河省政府领导。在原卓索图盟地区采取旗县并存、蒙汉分治的办法，建立了翁牛特左旗、翁牛特右旗、敖汉旗、翁敖联合旗、喀喇沁左旗、喀喇沁中旗、喀喇沁右旗等旗政府，受内蒙古自治运动联合会卓索图盟分会（1946 年 2 月在赤峰成立）和热河省政府双重领导。

---

① （"满洲国"）《政府公报》第 1713 号。

② （"满洲国"）《政府公报》第 1713 号。

③ （"满洲国"）《政府公报》第 1713 号。

④ 《盛京时报》1939 年 12 月 20 日。

⑤ 赤峰市民政局编：《赤峰市历代行政区域设置概要》，赤峰市民政局 1984 年印刷，第 64 页。

⑥ 内蒙古自治区档案馆编：《内蒙古自治区运动联合会档案史料选编》，第 52 页。

1946 年 5 月，将开鲁县划归哲里木盟。9 月，在喀喇沁右旗境内设建西县。

1947 年 5 月，将扎鲁特旗由昭乌达盟划归哲里木盟。11 月，根据中共冀热辽分局决定，改热河省境内的旗县并存、蒙汉分治行政体制为旗县联合政府体制，成立喀喇沁右旗建西县联合政府、喀喇沁中旗宁城县联合政府、翁牛特右旗赤峰县联合政府、翁敖联合旗政府，归热中专署管辖；成立敖汉旗新惠县联合政府，归热辽专署管辖。

1948 年底，撤销热中、热辽专署，所辖旗、县、市由热河省政府直接管辖。

1949 年 3 月，改旗县联合政府体制为单一旗、县体制，即喀喇沁右旗建西县联合政府改称喀喇沁旗，喀喇沁中旗宁城县联合政府改称宁城县，敖汉旗新惠县联合政府改称敖汉旗，翁敖联合旗政府改称翁牛特旗，翁牛特右旗赤峰县联合政府改称赤峰县。[①]

1949 年 5 月，昭乌达盟由热河省划归内蒙古自治政府管辖。

中华人民共和国成立后，于 1955 年撤销热河省建制，将热河省原所属承德、围场、隆化、丰宁、滦平、平泉、青龙、兴隆 8 县和承德市划归河北省，设立承德专区；朝阳、建平、凌源、建昌、北票 5 县和喀喇沁左旗划归辽宁省新建的锦州专区；其余喀喇沁、敖汉、翁牛特 3 旗和赤峰、宁城、乌丹 3 县则划归内蒙古自治区昭乌达盟。[②]

1949 年 10 月中华人民共和国成立之际，在上述 3 旗、3 县区域内有 1 市、3 旗、3 县。

（1）赤峰市。原为赤峰县治所在地，为内蒙古东部地区主要商业及交通中心之一，1914 年开放为商埠。1945 年 8 月成立赤峰市政府，与赤峰县分治。1947 年 6 月，赤峰市曾并入赤峰县，1948 年初恢复市的建制。隶属关系变化与赤峰县同。

（2）喀喇沁旗。原为卓索图盟喀喇沁右旗。清末，该旗东半部归新设立的建平县。1931 年该旗西半部划归新成立的宁城设治局（次年改县）。这

---

① 赤峰市民政局编：《赤峰市历代行政区域设置概要》，赤峰市民政局 1984 年印刷，第 66 页。

② 第一届全国人民代表大会第 2 次会议 1955 年 7 月 30 日通过决议。

样，喀喇沁右旗与建平县、宁城县并存于一地，实行蒙汉分治。1933 年以后，该旗隶属于伪满洲国热河省。1940 年 1 月废县存旗，取消建平县和宁城县建制，将建平县所辖区域及宁城县一部划归喀喇沁右旗。1945 年抗战胜利后，喀喇沁右旗改为建平县，隶热河省热中专署。1946 年 2 月，恢复喀喇沁右旗建制，将建平县西部划归喀喇沁右旗管辖。9 月，热河省政府又在喀喇沁右旗设建西县，实行蒙汉分治。1947 年 11 月，取消蒙汉分治，成立喀喇沁右旗建西县联合政府。1949 年 3 月，将喀喇沁右旗建西县联合政府改为喀喇沁旗政府，隶热河省。①

（3）敖汉旗。原属昭乌达盟，清末分为敖汉左、右 2 旗。1922 年又从敖汉左旗析置敖汉南旗。② 1933 年 3 月，该 3 旗由伪满洲国热河省管辖。1937 年 1 月，将敖汉左、右、南 3 旗并为敖汉旗，并在该 3 旗境内设新惠县，实行旗县并存、蒙汉分治的行政体制。1940 年 1 月，取消旗县并存体制，撤销新惠县建制。1945 年 8 月抗战胜利后，恢复了新惠县建制。1946 年“四三”会议后，成立了敖汉旗政府和翁敖联合旗政府，归内蒙古自治运动联合会卓索图盟分会及热河省政府双重领导。1947 年秋成立敖汉旗新惠县联合政府，归热辽专署管辖。翁敖联合旗政府则归热中专署管辖。1949 年 3 月，改敖汉旗新惠县联合政府为敖汉旗政府，归热河省政府管辖。

（4）翁牛特旗。原属昭乌达盟，为翁牛特左旗。1931 年曾在该旗境内设全宁县，1932 年撤销。1933 年 3 月以后翁牛特左旗隶伪满洲国热河省。1934 年 12 月，划归兴安西省管辖，1937 年复划归热河省，并在该旗境内设乌丹县。1940 年 1 月，撤销乌丹县。1945 年 8 月抗战胜利后，恢复乌丹县建制。1946 年“四三”会议后，成立翁牛特左旗政府，受内蒙古自治运动联合会卓索图盟分会及热河省政府双重领导。1947 年秋，翁牛特左旗和敖汉旗一部合并为翁敖联合旗，归热河省热中专署管辖。1949 年 3 月，翁敖联合旗改称翁牛特旗，隶热河省。

（5）赤峰县。清末为赤峰直隶州，下辖林西、开鲁、绥东 3 县。1913

---

① 王甫仁：《喀喇沁旗行政历史沿革》，见政协喀喇沁旗委员会编：《喀喇沁旗文史资料》第 2 辑，政协喀喇沁旗委员会 1985 年印刷，第 1—20 页。

② 徐世明主编：《昭乌达风情》，中国文史出版社 1991 年版，第 141 页。

年 1 月改为赤峰县，1914 年隶热河特别行政区热河道。1928 年隶热河省。1933 年 3 月，隶伪满洲国热河省。1940 年撤销赤峰县，其管辖区域划归翁牛特右旗。1945 年 8 月，恢复赤峰县建制，并成立赤峰市，市、县分治，归热河省热中专署管辖。1947 年赤峰市并入赤峰县。9 月，赤峰县与翁牛特右旗合并成立翁牛特右旗赤峰县联合政府。1948 年初恢复赤峰市建制。1949 年 3 月，翁牛特右旗赤峰县联合政府改为赤峰县，隶热河省。

（6）宁城县。原为喀喇沁中旗、喀喇沁右旗及平泉县属地。1931 年 2 月，设大宁设治局；12 月改称宁城设治局。1932 年 10 月改为宁城县，县治驻小城子。① 隶属关系与赤峰县同。1940 年撤销宁城县，其辖区分别划归喀喇沁中旗和喀喇沁右旗。1946 年 5 月，恢复宁城县建置。1948 年 1 月，与喀喇沁中旗政府合并成立喀喇沁中旗宁城县联合政府。1949 年 3 月，喀喇沁中旗宁城县联合政府改称为宁城县。

（7）乌丹县。原为翁牛特左旗属地。1931 年析翁牛特左旗西部设全宁设治局，同年改为全宁县，治所在乌丹城。1932 年撤销全宁县建制。1937 年 1 月，伪满洲国政府在翁牛特左旗设乌丹县，实行旗县并存、蒙汉分治体制。1940 年 1 月，取消旗县并存体制，撤销乌丹县建制。1945 年 8 月抗战胜利后，恢复乌丹县建制，隶属关系变化与赤峰县同。

第四节　察哈尔省

1912 年北京政府成立后，仍袭清制，设察哈尔都统，统辖察哈尔左、右翼之正蓝、正白、镶白、镶黄、正黄、正红、镶红、镶蓝 8 旗及太仆寺左翼、太仆寺右翼、牛羊群、商都 4 牧群，监督、节制锡林郭勒盟乌珠穆沁左、乌珠穆沁右、阿巴嘎左、阿巴嘎右、浩齐特左、浩齐特右、阿巴哈纳尔左、阿巴哈纳尔右、苏尼特左、苏尼特右 10 旗。

1914 年，察哈尔特别行政区成立，除上述旗、群外，又将原属直隶省口外道之多伦、独石（1915 年改称沽源县）、张北 3 县及原属山西省归绥道

---

① 《宁城县历史沿革》，见政协宁城县委员会编：《宁城文史资料选辑》第 2 辑，政协宁城县委员会 1986 年印刷，第 93—100 页。

之丰镇、凉城、兴和、陶林4县划归察哈尔特别行政区管辖。特别区设都统为最高军政、民政长官，特别区下设兴和道，道置道尹为行政长官，管辖上述7县。

1917年析商都牧群、牛羊群及正黄旗地各一部设商都设治局；析太仆寺左右翼牧群、镶白旗、正蓝旗各一部地设宝昌设治局。1918年，商都设治局改为商都县。1922年，在察哈尔右翼4旗境内增设平地泉设治局，1923年改为集宁县。1922年，析正白旗、镶黄旗及太仆寺左翼牧群各一部分地设康保设治局。1925年，宝昌设治局改为宝昌县；康保设治局改为康保县。上述各县隶属于兴和道。

1928年，国民政府将察哈尔特别行政区改建为察哈尔省，并对其所辖区域进行了调整。将原直隶省口北道所辖之宣化、怀来等10县划归察哈尔省，原兴和道所辖之丰镇、凉城、兴和、陶林及集宁等5县划归新成立的绥远省。① 撤销兴和道建制，成立察哈尔省政府，设省主席为最高行政长官，省会所在地为张家口。察哈尔省共辖16县、18旗、4牧群。

1934年3月，国民政府在察哈尔左翼4旗、4牧群境内设立尚义、崇礼、化德3个设治局。4月，锡林郭勒盟10旗、察哈尔八旗、4牧群由设在乌兰察布盟喀尔喀右翼旗（俗称达尔罕贝勒旗）百灵庙的蒙政会管辖。

1935年底，日伪军占领了察哈尔省北部之察哈尔左翼4旗、4牧群和察北各县及设治局。1936年1月，蒙政会在日本关东军的支持下将察哈尔部改为察哈尔盟，在张北县城成立了盟公署。察哈尔盟下辖察哈尔左翼正蓝、正白、镶白、镶黄等4个旗和太仆寺左翼、太仆寺右翼、牛羊群、商都4牧群以及多伦、张北、宝昌、沽源、商都、康保、尚义（由尚义设治局改为县）、崇礼（由崇礼设治局改为县）、化德（由化德设治局改为县）9个县。5月，在化德成立了蒙古军政府，察哈尔盟隶该政府。7月，将宝昌县和沽源县合并为宝源县。② 10月，4个牧群改为旗制，牛羊群改建为明安旗，商都牧群改建为商都旗，太仆寺左翼牧群改建为太仆寺左旗，太仆寺右翼牧群改建为太仆寺右旗。此时，察哈尔省所辖区域只剩南部的宣化、怀来等10

---

① 熊耀文编：《总理对于蒙藏之遗训及中央对于蒙藏之法令》，第275—276页。
② ［日］铃木清干编：《蒙疆年鉴》（日文版），蒙疆新闻社1941年刊印，第29页。

个县。

1937 年 9 月，日军占领察哈尔省全境。9 月在张家口成立了察南自治政府，下辖宣化、怀来等 10 县。1939 年 9 月，察南自治政府与晋北自治政府、蒙古联盟自治政府合并成立了蒙古联合自治政府，张家口市为首府。原察南自治政府辖区改称察南政厅。1943 年 1 月，察南政厅改称宣化省。

1945 年 8 月，察哈尔省全境获得解放，恢复了原有管辖区域。11 月，中国共产党领导下的察哈尔省政府成立，原察北 8 县归察北专署管辖。1946 年 7 月，察哈尔省政府划察哈尔盟（辖 8 旗）、锡林郭勒盟（辖 10 旗）为自治区，归内蒙古自治运动联合会管辖，1947 年 5 月以后隶内蒙古自治政府。

中华人民共和国成立后，多伦、商都、宝昌、化德 4 个县先后划归内蒙古自治区。

（1）多伦县。清代为多伦诺尔厅。多伦诺尔，蒙古语意为 7 个湖泊，因附近有 7 个小湖泊而得名。1913 年改为多伦县，属直隶省口北道管辖。多伦为多伦诺尔的简称。1914 年划归察哈尔特别行政区，隶兴和道。1928 年 9 月，隶察哈尔省。1933 年 12 月，多伦县被日伪军占领，成立察东特别自治区。1936 年 1 月，划归新成立的察哈尔盟。1937 年 10 月，归蒙古联盟自治政府察哈尔盟管辖。1945 年 8 月抗战胜利后，归察哈尔省政府察北专署管辖。1946 年 10 月多伦县被国民党军队占领，隶国民党察哈尔省政府。1948 年底，多伦县再次解放，隶察哈尔省人民政府管辖。多伦县治所即今多伦县城，1914 年开放为商埠，以商业、手工业著称，且为内外蒙古与张家口、北平交通要冲，有"察北重镇"、"漠南商埠"之称。多伦又是内蒙古地区的喇嘛教中心，有清代所建的汇宗寺、善因寺。

（2）商都县。1917 年析商都牧群、牛羊群及正黄旗地各一部设商都设治局，1918 年改为县，隶察哈尔特别区兴和道。县治即今商都县城，原为七台旧址，1918 年修建。1935 年 12 月，商都县被日伪军占领。其隶属关系变化与多伦县同。

（3）宝昌县。1917 年析太仆寺左翼牧群、太仆寺右翼牧群、镶白旗及正蓝旗地各一部设宝昌设治局，以元代曾设宝昌州命名。1925 年改为宝昌县，县治即今太仆寺旗宝昌镇，修建于 1930 年。1936 年 7 月宝昌县与沽源县合并为宝源县，1948年8月恢复宝昌县建制。宝昌县隶属关系变化与多伦县同。

（4）化德县。1934年3月析商都县、康保县及商都牧群、镶黄旗地各一部设化德设治局，[①]局治即今化德县城，原名嘉卜寺，蒙古语"间隙"之意，因地处山沟口，故名。1936年5月，蒙古军政府在化德成立，改化德设治局为德化市，归军政府直辖。1937年10月，蒙古联盟自治政府成立时将德化市改称德化县，归察哈尔盟管辖。[②]1945年8月抗战胜利后，德化县复改称化德县，隶察哈尔省人民政府管辖。1946年11月国民党军队占领化德县以后，将化德县改称新民县，隶国民党察哈尔省政府。1949年初，新民县获得解放，复改称化德县，[③]隶察哈尔省人民政府管辖。

第五节　绥远省

1912年1月中华民国成立后，北京政府仍袭清制，设绥远城将军，监督、节制清代所设之12抚民厅、乌兰察布盟、伊克昭盟及土默特旗。但12厅仍由山西省归绥道行使行政管辖权。1913年1月，12抚民厅均改为县。1914年，设立绥远特别行政区，改将军为都统，统辖上述盟旗和县，将东部的丰镇等4县划归新设之察哈尔特别行政区管辖。

1928年9月，国民政府将绥远特别行政区改建为绥远省，将东部4县和后增设的集宁县划归绥远省。1934年4月，在乌兰察布盟喀尔喀右翼旗百灵庙成立了蒙政会，绥远省境内各盟、旗均归蒙政会管辖。1936年2月，绥境蒙政会在归绥成立，下辖乌兰察布盟、伊克昭盟及土默特旗、绥东4旗（原察哈尔右翼4旗）。

1937年10月，绥远省大部分地区被日军占领，成立蒙古联盟自治政府，下辖乌兰察布、伊克昭（一小部分）、察哈尔、锡林郭勒、巴彦塔拉等

<hr />

① 宋哲元监修，梁建章总纂：《察哈尔省通志》第1卷（二），1935年印本，第335页。

② （"蒙古联合自治政府"）民政部地方科编：《蒙古联合自治政府管下地方行政要览·察哈尔盟之部》（日文），"蒙古联合自治政府"民政部地方科1941年印刷，第5页。

③ 内蒙古自治区历史档案资料目录中心编：《内蒙古自治区历史档案全宗概览》，远方出版社1999年版，第197页。

5 个盟，首府为厚和豪特市（由归绥改称）。1939 年 9 月，蒙古联盟自治政府与察南自治政府、晋北自治政府合并为蒙古联合自治政府，以张家口为首府。1941 年，蒙古联合自治政府改称为蒙古自治邦政府。绥远省河套以东各旗、县、市皆归该政府管辖。

国民党绥远省政府于 1937 年 10 月迁往晋西北，1939 年初迁到河套地区临河县陕坝镇，管辖河套地区各县。

1938 年 9 月，八路军在绥远敌占区建立了大青山抗日游击根据地，由第二战区民族革命战争战地总动员委员会晋察绥边区委员会代行政权职能。1940 年 8 月，成立晋绥游击区行政公署驻绥办事处。1941 年 4 月成立绥察行政公署。1942 年 1 月改称塞北区行政公署。1945 年 7 月，在塞北区行政公署基础上成立了绥蒙政府。

1945 年 8 月抗战胜利后，国民党绥远省政府基本恢复了抗战前的统治秩序。绥蒙政府管辖的绥东、绥南解放区于 1946 年 9 月被国民党军队占领。1948 年 9 月，中国人民解放军收复了绥蒙解放区。1949 年 4 月，绥蒙政府由晋绥行政公署划归华北人民政府领导。① 6 月，绥蒙政府改称绥远省人民政府。②

1949 年 9 月 19 日，国民党绥远省主席董其武等通电起义，绥远省全境宣告和平解放。

1949 年 10 月中华人民共和国成立时，绥远省共有 2 市、22 县、1 镇（县级）、18 旗（乌伊两盟 13 旗、土默特旗及绥东 4 旗）。

一、绥远省辖各市县

1912 年 1 月中华民国成立，清代归绥道所辖之归化、萨拉齐、托克托、和林格尔、清水河、丰镇、宁远、兴和、陶林、武川、五原、东胜等口外12 抚民厅，仍归山西省管辖。1912 年 11 月，归绥道的行政长官改称观察使。1913 年 1 月，抚民厅一律改称县，原设之同知、通判等官改称知事。

---

① 《华北人民政府通知》（1949 年 3 月 28 日），内蒙古档案馆档案，全宗号 2，案卷号 1，文件号 45。

② 《华北人民政府令》（民政字第 115 号，1949 年 6 月 13 日），内蒙古档案馆档案，全宗号 2，案卷号 1，文件号 45。

绥远城粮饷理事同知厅并入归化县，改称归绥县。1914 年 1 月，裁观察使，置军政、民政两厅，以绥远城将军为最高军政长官，与山西省分县而治；改宁远县名为凉城县。7 月，民国政府正式成立绥远特别行政区，改绥远城将军为绥远都统，任命为绥远特别行政区最高军政长官；绥远特别行政区下设绥远道，置道尹为行政长官，管辖所属各县；将丰镇、凉城、兴和、陶林 4 县划归新设的察哈尔特别行政区管辖，其余 8 县隶绥远道。1919 年设固阳设治局，1926 年改县。1923 年设包头设治局，1926 年改县。1925 年设大佘太设治局、临河设治局。

1928 年 9 月，绥远特别行政区改建为绥远省，撤销绥远道建制，将 1914 年划归察哈尔特别区的丰镇、凉城、陶林、兴和及后增设的集宁县归绥远省管辖。这时，绥远省所辖有 15 县、2 设治局。1929 年，临河设治局改临河县。1930 年，于伊克昭盟鄂托克旗西部黄河东岸报垦地内设沃野设治局。1931 年，大佘太设治局改名安北设治局。

1937 年 10 月，日军占领绥远省大部地区，成立蒙古联盟自治政府，下新设巴彦塔拉盟，辖土默特、镶蓝、镶红、正红、正黄 5 旗及丰镇、兴和、陶林、集宁、凉城、和林格尔、托克托、清水河、巴彦（由归绥县改名）、萨拉齐 10 县。固阳、安北、武川 3 县归乌兰察布盟。[①] 归绥改称厚和豪特市，包头镇改建为包头市，归蒙古联盟自治政府直辖。1938 年，蒙古联盟自治政府将固阳、安北、武川 3 县由乌兰察布盟划归巴彦塔拉盟。8 月，取消巴彦县建制，将其管辖区域并入厚和豪特市。11 月改包头县为包头市。1939 年 9 月又将厚和豪特市、包头市划归巴彦塔拉盟管辖。1943 年 6 月，蒙古自治邦政府在包头设立西部临时行政区，下辖包头市及萨拉齐、固阳、安北 3 县，[②] 与伊克昭盟公署（设在包头市）合署办公。

绥远省大部地区沦陷后，国民党绥远省政府仍保有河套地区的五原县、临河县、安北设治局（西半部）和伊克昭盟各旗及东胜县。1939 年 2 月，绥远省政府从晋西北迁移到临河县陕坝镇。1942 年将陕坝镇改为陕坝市政

① "蒙古联盟自治政府"编：《蒙古联盟自治政府七三三甲年度行政概要》，"蒙古联盟自治政府" 1938 年印刷，第 5—6 页。

② 《盛京时报》1943 年 5 月 22 日。

筹备处，作为临时省会。又在河套地区推行"新县制"，将安北设治局改为安北县，从五原县析置晏江县，从临河县析置狼山县和米仓县。1940 年在伊克昭盟境内的东胜成立了绥远省第三区行政督察专员公署。1941 年在鄂托克旗、杭锦旗交界的桃力民地区设"桃力民办事处"；1942 年在达拉特旗境内设"抗日民众组训处"。这两个处都是相当于县级政权机构，属绥远省第三区行政督察专员公署管辖。由于伊克昭盟各旗的坚决抵制，这两个处一直未能改建为县。

1938 年秋，中国共产党领导的八路军挺进绥远敌占区，建立了大青山抗日游击根据地。其范围东起灰腾梁，西到包头、固阳，南抵黄河、长城，北至喀尔喀右翼、茂明安、四子王旗，形成绥中、绥西、绥南 3 块游击区。以后继续得到巩固和发展，逐步同晋西北根据地连成一片，成为晋绥边区抗日根据地的一部分。

1938 年 7 月，第二战区民族革命战争战地总动员委员会晋察绥边区工作委员会（简称总动委会）成立，代行大青山抗日游击根据地政权职能，下辖绥西动委会、绥中动委会、绥东动委会。1940 年 8 月，晋绥游击区行政公署驻绥行政办事处成立，成为大青山抗日游击根据地的正式政权机构，下辖绥西、绥中、绥南 3 个专员公署。1941 年 4 月晋绥游击区行政公署驻绥行政办事处改建为绥察行政公署，仍下辖 3 个专员公署。1943 年 1 月，绥察行政公署改称塞北区行政公署，除辖原有的 3 个专员公署外，兼辖晋北 5 县的第五专员公署。1945 年 7 月，在塞北区行政公署的基础上成立了隶属晋绥边区行政公署的绥蒙政府，辖 3 个专员公署。

1945 年 8 月抗战胜利后，国民党绥远省政恢复了抗战前的地方行政建制。

同年 10 月，八路军发动第一次绥远战役，解放了绥远省东部和南部几个县，由绥蒙政府管辖。12 月，丰镇、集宁、陶（林）集（宁）及新设之龙胜 4 县由绥蒙政府直辖，绥南专署下辖和林格尔、清水河、托克托、凉城 4 县。

1946 年 9 月，国民党军队占领绥蒙解放区，恢复了绥远省原有各县建制。1948 年 9 月，中国人民解放军发动第二次绥远战役，收复了绥远省东部及南部地区。绥蒙政府辖丰镇、集宁、龙胜、兴和、凉城、陶林等县和正黄、镶红、正红、镶蓝4旗以及和林格尔、清水河、归绥、武东（在武川县东部新设）4县各1部。1949年9月，绥远全省宣告和平解放。

（1）归绥市。归绥市为绥远省省会。1913年合归化城、绥远城称归绥。中华民国成立后，为绥远城将军、绥远都统驻地。绥远特别行政区、绥远道、归绥县及土默特旗均治于此。1928年9月，绥远特别行政区改为绥远省时定为省会。但是1937年10月日军占领前一直无市的建制，地方行政事宜由归绥县管辖。1937年10月，日军占领归绥后设厚和豪特市，作为"蒙古联盟自治政府"和巴彦塔拉盟治所，直属于"蒙古联盟自治政府"。同时改归绥县为巴彦县。1938年8月将巴彦县并入本市，并将厚和豪特市升格为与盟平级的特别市。1939年9月，"蒙古联合自治政府"在张家口成立后将厚和豪特市降为普通市，划归巴彦塔拉盟管辖。① 1945年8月抗战胜利后，国民党绥远省政府将厚和豪特市改称为归绥市，恢复归绥县建制，与归绥市分治。归绥市是内蒙古西部地区最大的政治、经济、军事、交通及文化中心。归绥市内有众多文物古迹，其中归化城区内之巧尔气召为20年代中国共产党绥远特别区工作委员会所在地。1964年10月被命名为巧尔气召革命遗址，成为内蒙古自治区重点文物保护单位。

（2）包头市。原称包头镇，属萨拉齐县。1923年3月，划包头镇及附近土默特旗、乌拉特前、后2旗与伊克昭盟达拉特旗地，设包头设治局。1926年1月改建为包头县。1933年成立包头市政筹备处。1937年10月，"蒙古联盟自治政府"将包头镇改建为包头市，归"蒙古联盟自治政府"直辖。② 1938年11月撤销包头县建制，其所辖区域并入包头市。1939年9月，"蒙古联合自治政府"（在张家口）将包头市划归巴彦塔拉盟管辖。③ 1943年6月，"蒙古自治邦政府"在包头设立西部临时行政区（与设在包头市的伊克昭盟公署合署办公），将包头市划归该行政区管辖。1945年

---

① "蒙古联合自治政府"总务部编纂：《蒙古法令辑览》（汉日对照）第1卷之《民政篇》，蒙疆行政学会1941年刊印，第9页。

② "蒙古联盟自治政府"编：《蒙古联盟自治政府七三三甲年度行政概要》，"蒙古联盟自治政府"1938年印刷，第5—6页。

③ "蒙古联合自治政府"总务部编纂：《蒙古法令辑览》（汉日对照），第1卷《民政篇》，蒙疆行政学会1941年刊印，第9页。

8 月抗战胜利后，绥远省政府恢复了包头县建制，同时保留了包头市建制，隶绥远省。包头市原为一小镇，素以商业贸易著称。民国时期发展成为内蒙古西部地区的一个商业重镇。尤其是 20 年代京绥铁路（今京包线）修至包头以后，成为内地与西北地区商业贸易的重要货物集散地，又有黄河水运之便利条件，故有"水旱码头"之称。包头市内（今包头市东河区）有一个叫做"泰安客栈"的小旅店。30 年代初，中国共产党著名领导人之一——王若飞曾住在该店进行革命活动，并在此被国民党逮捕。1964 年 10 月该处被命名为王若飞同志革命活动旧址，成为内蒙古自治区重点文物保护单位。

（3）归绥县。清代为归化抚民厅，由抚民同知治理，隶山西省归绥道。1913 年民国政府仍袭旧隶属关系，改厅为县。因绥远城粮饷理事同知厅并入归化县，改称归绥县。1914 年，绥远特别行政区及所属绥远道成立，本县由绥远都统和道尹辖治。1937 年 12 月，"蒙古联盟自治政府"改归绥县为巴彦县，属新设之巴彦塔拉盟。1938 年 8 月，将巴彦县并入厚和豪特市。1945 年抗日胜利后，国民党绥远省政府又恢复归绥县建制，与归绥市分治，隶绥远省。

（4）包头县。建置沿革及隶属关系变化见包头市。

（5）和林格尔县。清代为和林格尔抚民通判厅。1913 年 1 月民国政府改厅为和林格尔县（一般简称和林县），隶山西省归绥道。1914 年隶绥远特别行政区绥远道。1928 年 9 月隶绥远省。1937 年 10 月以后隶蒙古联盟自治政府巴彦塔拉盟。1945 年 8 月以后隶绥远省。

（6）清水河县。清代为清水河抚民通判厅。1913 年 1 月改为清水河县。民国时期改隶关系与和林格尔县同。

（7）托克托县。清代为托克托抚民通判厅，1913 年 1 月改为托克托县。民国时期改隶关系与和林格尔县同。

（8）萨拉齐县。清代为萨拉齐抚民同知厅，1913 年 1 月改为萨拉齐县。民国时期改隶关系与和林格尔县同。1943 年 6 月，蒙古自治邦政府在包头设立西部临时行政区（与设在包头市的伊克昭盟公署合署办公）时，将萨拉齐县划归该行政区管辖。1945 年 8 月日本投降后隶绥远省。

（9）武川县。清代为武川抚民同知厅，1913 年 1 月改为武川县，隶属关系与和林格尔县同。1948 年 10 月，绥蒙政府划武川县东部地设武东县。

该县蘑菇窑子乡德胜沟为抗日战争时期八路军大青山支队司令部所在地（1938—1941 年）。1964 年 10 月被命名为武川县德胜沟革命遗址，成为内蒙古自治区重点文物保护单位。

（10）丰镇县。清代为丰镇抚民通判厅，1913 年 1 月改为丰镇县，隶山西省归绥道。1914 年，成立绥远特别行政区和察哈尔特别行政区，丰镇县划归察哈尔特别区。1921 年析该县属地一部归平地泉设治局。1928 年 9 月绥远建省，丰镇县划归绥远省管辖。日伪统治时期，丰镇县隶巴彦塔拉盟管辖。1945 年抗战胜利前后，丰镇县隶属于绥蒙政府。1946 年 9 月被国民党军队占领，隶绥远省。1948 年 9 月再度解放，隶绥蒙政府（1949 年 6 月改称绥远省人民政府）。

（11）兴和县。清代为兴和抚民同知厅，1913 年 1 月改为兴和县。改隶关系与丰镇县同。

（12）陶林县。清代为陶林抚民通判厅，1913 年 1 月改为陶林县。改隶关系与丰镇县同。

（13）凉城县。清代为宁远抚民同知厅，1913 年 1 月改为宁远县，同年改名凉城县。改隶关系与丰镇县同。该县县治原在天家镇（今凉城县永兴乡），1938 年迁到香火地（镶黄地），即今凉城县城所在地。

（14）集宁县。1922 年，察哈尔特别行政区划丰镇、凉城 2 县北境之大部及兴和、陶林 2 县各一隅，于治所平地泉设立平地泉设治局。1923 年 12 月，用元代古名改为集宁县。1928 年 9 月，与丰镇等县一起划归绥远省。以后隶属关系与丰镇县同。

（15）固阳县。1919 年，划萨拉齐县所辖乌拉特后旗垦地和武川县所辖茂明安旗垦地置固阳设治局，属绥远道，1926 年 1 月改建为固阳县。1928 年 9 月以后隶绥远省。1937 年 10 月被日军占领，隶蒙古联盟自治政府乌兰察布盟。1938 年划归巴彦塔拉盟。1943 年 6 月，蒙古自治邦政府在包头设立西部临时行政区（与设在包头市的伊克昭盟公署合署办公）时，将固阳县划归该行政区管辖。1945 年 8 月日本投降后隶绥远省。

（16）五原县。清代为五原抚民同知厅，1913 年 1 月改为五原县。该县辖后套全境东西数百里，隶归绥道。1914 年隶绥远特别区绥远道。1928 年 9 月以后隶绥远省。1925 年，划该县东、西部地置大佘太（后改安北县）

设治局和临河设治局（后改临河县），缩小领域 2/3。1942 年，绥远省政府又从本县析置晏江县。

（17）东胜县。1913 年，改东胜抚民通判厅为东胜县。隶属关系与五原县同。

（18）临河县。1925 年 5 月，冯玉祥国民军划出五原县所属后套西部地，置临河设治局，1929 年 10 月改为县。① 沿汉代古名为临河。1939 年 2 月，绥远省政府以本县陕坝镇为临时省会。1942 年，从本县析地又置狼山、米仓 2 个县。

（19）安北县。1925 年 5 月，冯玉祥国民军划出五原县东界地及包头设治局、固阳设治局各一隅置大佘太设治局，以治所大佘太为名。1931 年 7 月改名为安北设治局。1938 年春日军占安北设治局境东半部后，蒙古联盟自治政府改安北设治局为安北县，县治在大佘太，隶乌兰察布盟。② 1939 年 11 月，划归巴彦塔拉盟管辖。③ 1943 年 6 月，蒙古自治邦政府在包头设立西部临时行政区（与设在包头市的伊克昭盟公署合署办公）时，将安北县划归该行政区管辖。退踞后套的国民党绥远省政府占有该设治局西半部，1942 年 6 月改为安北县，县治在扒子补隆（今乌拉特前旗新安镇），隶绥远省。

（20）晏江县。1942 年 6 月从五原县划地析置，县治在塔尔湖（今五原县塔尔湖镇）。取"晏江"二字，是为纪念五原战役中阵亡的五临警备旅第二团团长贾晏如和第 35 军营长赵寿江。

（21）狼山县。1942 年 6 月从临河县划地析置，县治在永安堡（今临河市狼山镇）。因该县位于狼山湾，故名。

（22）米仓县。1942 年 6 月从临河县划地析置，县治在三道桥（近临河市三道桥镇）。取"米仓"二字，是为纪念山西省河曲县人杨满仓、杨米仓兄弟二人开挖杨家河干渠的功劳。

---

① 李国华：《临河县疆域沿革》，巴彦淖尔盟行政公署地方志编修办公室编：《巴彦淖尔史料》，第 4 辑，巴彦淖尔盟行政公署地方志编修办公室 1984 年印刷，第 174 页。

② "蒙古联盟自治政府"编：《蒙古联盟自治政府七三三甲年度行政概要》，第 5—6 页。

③ "蒙古联合自治政府"总务部编纂：《蒙古法令辑览》（汉日对照）第 1 卷之《民政篇》，第 1 页。

（23）龙胜县。1945年冬，八路军解放绥远东、南部大片地区。绥蒙政府析丰镇、凉城、集宁县各一部于卓资山设龙胜县。因解放卓资山战役由贺龙指挥，故名"龙胜"。1946年9月以后为国民党军攻占，隶绥远省。1948年10月，解放军再次收复龙胜县，由绥蒙政府直辖。

（24）武东县。1948年10月，绥蒙政府划武川县东部地新置。

（25）陕坝。原为临河县第三区公所所在地，1929年命名为太安镇。1939年2月，绥远省政府从晋西北转移至此，定为临时省会。1942年6月，将太安镇改为陕坝市政筹备处，为县级建制，隶绥远省。

二、乌兰察布盟

中华民国成立时，乌兰察布盟仍沿袭清代的疆域，东界锡林郭勒盟苏尼特右旗，南邻归绥道武川、五原等县和土默特旗，西南与伊克昭盟相望，西连阿拉善和硕特旗（又称阿拉善厄鲁特旗），北界外蒙古土谢图汗部，西北界外蒙古三音诺颜汗部。中华民国成立后，乌兰察布盟仍辖清代所设立之6旗，即四子部落旗（俗称四子王旗）、喀尔喀右翼旗（俗称达尔罕贝勒旗）、茂明安旗、乌拉特前旗（俗称西公旗）、乌拉特中旗（俗称中公旗）、乌拉特后旗（俗称东公旗）。

民国北京政府成立后，仍袭清制，设绥远城将军，乌兰察布盟仍受其监督、节制。1914年设绥远特别区，改将军为都统，乌兰察布盟隶属于绥远特别区，受绥远都统监督、节制。1928年9月，国民政府改绥远特别区为绥远省，乌兰察布盟属绥远省。1934年4月，蒙古地方自治政务委员会在乌兰察布盟喀尔喀右翼旗（俗称达尔罕旗）百灵庙成立，乌兰察布盟归该委员会管辖。1936年1月，国民政府撤销蒙政会设立绥境蒙政会。2月，绥境蒙政会在归绥成立，乌兰察布盟随之归该委员会管辖。

1937年10月，日军占领归绥、包头及乌兰察布盟等地。同月，在归绥成立蒙古联盟自治政府，乌兰察布盟属该政府管辖。1939年9月，乌兰察布盟属"蒙古联合自治政府"（1941年改称"蒙古自治邦政府"）。

1945年8月日本投降以后，乌兰察布盟重新隶属绥远省。

民国时期，在乌兰察布盟境内相继成立了一些新的县和旗。1919年7月，析武川县所辖之茂明安旗放垦地及萨拉齐县所辖之乌拉特后旗放垦地设固阳设治局。1923 年 3 月，析乌拉特前、后 2 旗及萨拉齐县地各一部设包头设治局，治原属萨拉齐县的包头镇。1925 年 5 月，析乌拉特前旗地设大佘太设治局。6 月，析乌拉特中旗地之一部设临河设治局。1940 年 12 月，蒙古联合自治政府（成立于 1939 年 9 月，首府在张家口市）将土默特旗席力图召属庙希拉穆仁庙（汉语名称为普会寺，俗称召河庙，位于大青山以北）属地改建为席力图旗，划归乌兰察布盟。[①] 1945 年 8 月日本投降后，席力图旗建制撤销，其属地及属户重新归土默特旗。

1949 年 10 月中华人民共和国成立时，乌兰察布盟仍辖 6 旗建制，盟政府驻喀尔喀右翼（达尔罕）旗之百灵庙。

三、伊克昭盟

中华民国建立时，伊克昭盟疆域仍因清旧制，南抵长城与陕西省接界，东隔黄河与山西省河曲县、偏关县和归化城土默特旗相望，北与五原县、萨拉齐县及乌兰察布盟乌喇特前旗地接壤，西邻阿拉善旗和宁夏以黄河为界。下辖 7 旗，即鄂尔多斯左翼前旗（俗称准格尔旗）、鄂尔多斯左翼中旗（俗称郡王旗）、鄂尔多斯左翼后旗（俗称达拉特旗）、鄂尔多斯右翼前旗（俗称乌审旗）、鄂尔多斯右翼中旗（俗称鄂托克旗）、鄂尔多斯右翼后旗（俗称杭锦旗）、鄂尔多斯右翼前末旗（俗称札萨克旗）。

民国北京政府成立后，仍袭清制，设绥远城将军，伊克昭盟仍受其监督、节制。1914 年设绥远特别区，改将军为都统，伊克昭盟隶属于绥远特别区，受绥远都统监督、节制。1928 年 9 月，国民政府改绥远特别区为绥远省，伊克昭盟属绥远省。1934 年 4 月，蒙古地方自治政务委员会在乌兰察布盟喀尔喀右翼旗（俗称达尔罕旗）百灵庙成立，伊克昭盟归该委员会管辖。1936 年 2 月，绥境蒙政会在归绥成立，伊克昭盟随之归该委员会管辖。

1937 年 10 月，日军占领归绥、包头等地后，又占领伊盟达拉特旗、准格尔旗黄河以北地区。蒙古联盟自治政府在归绥成立后，于 1938 年夏在包头设立伊克昭盟公署，名义上辖伊盟 7 旗及东胜县、五原县、临河县和沃野

---

① ［日］福岛义澄编：《蒙疆年鉴》（日文，1943 年版），蒙疆新闻社 1942 年刊印，第 126 页。

设治局，事实上所辖区域仅限于上述达拉特旗、准格尔旗黄河以北局部地区。这种局面一直延续到1945年8月日本投降为止。1949年8月，伊克昭盟全境解放。伊克昭盟盟政府驻札萨克旗新街（今伊金霍洛旗新街镇）。

在伊克昭盟境内，清末曾设东胜厅，1913年1月改为东胜县。1923年3月，达拉特旗黄河以北部分地区划归新设的包头设治局。

1929年，宁夏省政府曾经在鄂托克旗西南部黄河东岸报垦地设立陶乐设治局，隶宁夏省。1930年2月，绥远省政府认为鄂托克旗属于绥远省，宁夏省无权在此设立行政机构，便在鄂托克旗西南部黄河东岸报垦地设立沃野设治局。沃野本为西汉朔方郡所属县名，疑在局址杨柜庄村附近，因以此为名。1937年抗战爆发后，宁夏省政府又将沃野设治局改名为陶乐设治局，划归宁夏省，1941年改为陶乐县。

1940年绥远省政府于东胜设第三区行政督察专员公署。1941年3月，在鄂托克旗和杭锦旗接壤的桃力民地区设"桃力民办事处"，作为专署派出机构，管辖当地汉族农民。1942年又在达拉特旗境内设"抗日民众组训处"。这两个处都是相当于县级政权机构，属绥远省第三区行政督察专员公署管辖。由于伊克昭盟各旗的坚决抵制，这两个处一直未能改建为县。

在伊克昭盟乌审旗境内的嘎鲁图庙（今乌审旗嘎鲁图苏木所在地，位于该旗所在地达布察克镇北20公里处）有民国时期"独贵龙"运动著名领导人锡尼喇嘛进行革命活动的旧址，1964年10月被列为内蒙古自治区重点文物保护单位。

四、土默特旗

中华民国成立时，本旗仍沿袭清代归化城土默特旗疆域，北与乌兰察布盟乌拉特后、茂明安、喀尔喀右翼、四子部落等旗毗连，东邻察哈尔部镶蓝旗，南隔边墙与晋北右玉、平鲁县接界，西南与鄂尔多斯右翼前、后（准格尔、达拉特）2旗相望，西至包头镇西门外五里鄂博与乌拉特前旗接壤。清代由于该旗陆续开垦，汉族农民日增，先后设归化、萨拉齐、武川、托克托、和林格尔、清水河等6厅治理汉民，土默特旗专管蒙民，所以形成旗县并存于一地，辖境互相重叠的局面。

1912年，归化城副都统仍为专管归化城土默特旗之长官，受绥远城将军节制。1913 年，裁归化城副都统，由绥远城将军兼理旗政。同年，归化县与绥远城粮饷同知厅合并，更名归绥县。1914 年，增设土默特旗总管，专理本旗蒙民事宜。从此，土默特旗成为总管旗，并略去原来的"归化城"冠称，由本年成立的绥远特别行政区直辖，不隶属于盟。1928 年 9 月，土默特旗归绥远省管辖。1931 年 10 月，国民政府公布《蒙古盟部旗组织法》后，该旗被称为土默特特别旗。1934 年 4 月，土默特旗隶属于在百灵庙成立的蒙古地方自治政务委员会；1936 年 2 月，隶属于在归绥成立的绥远省境内蒙古各盟旗地方自治政务委员会。

1937 年 10 月以后，土默特旗属蒙古联盟自治政府新设之巴彦塔拉盟管辖。但仍保留旗县并存、蒙汉分治的特殊行政体制。1940 年 12 月，蒙古联合自治政府（成立于 1939 年 9 月，首府在张家口市）将该旗席力图召属庙希拉穆仁庙（汉语名称为普会寺，俗称召河庙，位于大青山以北）属地及属户改建为席力图旗，隶属于乌兰察布盟。[①] 1945 年 8 月日本投降后，撤销了席力图旗建制，其属地及属户重新划归土默特旗。

1945 年 8 月日本投降后，土默特旗归绥远省政府管辖，直至 1949 年 9 月绥远省和平解放。

在该旗境内之把什村（今土默特左旗把什村）有抗日战争时期牺牲的蒙古族革命家贾力更烈士故居，1988 年 10 月被列为内蒙古自治区重点文物保护单位。

五、察哈尔右翼 4 旗——绥东 4 旗

察哈尔右翼 4 旗，即清代之察哈尔 8 旗中的西边 4 旗。由西而东顺序为镶蓝旗、镶红旗、正红旗、正黄旗。东邻察哈尔左翼镶黄旗，南至边墙与山西省为界，西接和林格尔、归绥、武川县，西北与乌兰察布盟四子部落旗接壤，归察哈尔都统管辖。清末此 4 旗境内已逐渐开垦，南部汉人聚居区设宁远、丰镇、兴和厅，北部则设陶林厅，隶属山西省归绥道。1913 年 1 月将 4 厅改为县。这 4 旗与 4 县辖地互相交错、重叠，形成旗县并存于同一地域的局面，实行蒙汉分治，即旗管蒙古人，县管汉人。1912 年 1 月，中华民国

---

① ［日］福岛义澄编：《蒙疆年鉴》（日文，1943 年版），蒙疆新闻社 1942 年刊印，第 126 页。

成立后，该 4 旗仍归察哈尔都统管辖，与该 4 旗并存的 4 县仍旧归山西省归绥道管辖。

1914 年，察哈尔和绥远特别行政区成立，将察哈尔右翼 4 旗境内之丰、兴、陶、凉 4 县划归察哈尔特别行政区兴和道管辖，解决了该 4 旗地域内旗和县分属于两个系统管辖的局面。

1928 年 9 月，察哈尔、绥远两特别区同时建省，又将丰镇、兴和、陶林、凉城及新设之集宁 5 县划归绥远省管辖，而右翼 4 旗仍隶属察哈尔省。这样，又形成了同一个地域内旗和县分属于两个省的局面。

1934 年 4 月，察哈尔右翼 4 旗归蒙古地方自治政务委员会管辖。

1936 年 1 月，国民政府决定撤销蒙古地方自治政务委员会，成立绥境蒙政会。2 月，绥境蒙政会在归绥成立。与此同时，察哈尔右翼 4 旗划归绥远省，隶绥境蒙政会管辖，解决了该 4 旗地域内旗和县分属于两个省管辖的局面。从此，察哈尔右翼 4 旗一般被称为"绥东 4 旗"。

1937 年 10 月日军占领绥远大部分地区后，绥东 4 旗隶蒙古联盟自治政府（1937 年 10 月，在厚和豪特市）所属之巴彦塔拉盟管辖。

1945 年 8 月日本投降后，绥东 4 旗获得解放，归绥蒙政府管辖。1946 年 9 月，绥东 4 旗被国民党军队占领，归国民党绥远省政府管辖。1948 年 9 月，绥东 4 旗再度解放。1949 年 2 月，绥蒙政府在集宁设绥东蒙旗办事处，统一管辖绥东 4 旗。6 月，办事处和绥东 4 旗属绥远省人民政府（由绥蒙政府改称）管辖。

第六节　阿拉善旗和额济纳旗

中华民国时期，阿拉善和硕特旗（或称阿拉善厄鲁特旗，简称阿拉善旗）和额济纳旧土尔扈特旗（简称额济纳旗）疆域大体与清代相同。阿拉善旗北界外蒙古三音诺颜汗部，东北与乌兰察布盟接壤，正东隔黄河与伊克昭盟为邻，东南与宁夏以贺兰山为界，南与甘肃省山丹县东北部毗连，西接额济纳旗。额济纳旗北界外蒙古札萨克图汗部和三音诺颜汗部，东接阿拉善旗，南和西南与甘肃省张掖县以西地接壤。

民国时期，阿拉善旗和额济纳旗的行政建制沿袭清代旧制，不设盟，各为独立旗，20世纪30年代以后一般称之为"特别旗"。初直属于北京政府蒙藏院，并受宁夏护军使节制。1928年10月，国民政府将这两个旗划归新成立的宁夏省。但从1928年10月到1949年10月中华人民共和国成立为止，这两个旗对宁夏省有较大自治权。1931年10月国民政府公布的《蒙古盟部旗组织法》中规定，不属于盟的特别旗直属于行政院，所以其旗务归国民政府蒙藏委员会管辖。从1934年4月到1936年1月，这两个旗曾一度隶属设在百灵庙的蒙政会管辖。1949年8月，德王、达理扎雅（阿拉善旗札萨克）等人组织的蒙古自治政府在阿拉善旗府所在地定远营（今阿拉善盟公署所在地巴彦浩特镇）成立，并将阿拉善旗和额济纳旗划入其管辖范围之内。但是随着西北地区的解放战争迅速推进，9月23日宁夏省宣告解放，蒙古自治政府随之瓦解。23日和27日，阿拉善旗和额济纳旗分别发表通电，宣布和平解放。

1926年12月，冯玉祥率国民军经过阿拉善旗所属磴口巴格（一级地方行政组织）和沙金陶海巴格时设立了磴口县，归甘肃省宁夏道管辖。1928年10月宁夏建省后，磴口县随之归宁夏省管辖。1932年以后，宁夏省政府逐渐完善了磴口县行政区划及政权机构。但在土地所有权及行政权等问题上，宁夏省与阿拉善旗发生了争执。1936年蒙藏委员会派员进行调解，确定磴口县土地所有权归阿拉善旗，政权归宁夏省，形成了旗县并存的局面。这种局面一直延续到中华人民共和国成立为止。

第 十 五 章

日本对内蒙古地区的侵略及其统治

第一节　日本对内蒙古的侵略及其殖民统治的确立

一、日本侵略势力进入内蒙古

日本经过 19 世纪后半叶的"明治维新"以后，很快发展成为帝国主义列强之一。日本在其发展过程中，为了积极谋求向外扩张，在其统治集团中形成了一个所谓的"大陆政策"。这一政策包括日本对亚洲大陆进行侵略扩张的所有思想和行动，是"明治维新"以来日本资本主义发展道路上的特殊形式与其军国主义传统相结合的产物。"大陆政策"的步骤大致为先吞并邻近的朝鲜，然后以朝鲜为跳板，占领中国的东北和内蒙古地区，继续向亚洲大陆扩张。从 19 世纪末到 20 世纪 40 年代，日本的对外侵略基本上是按照这个"大陆政策"的步骤进行的。

20 世纪初，日本在日俄战争中取得了胜利。这样，日本不仅取得了在朝鲜的统治地位，而且从沙俄手中夺取了旅顺、大连租借地和中东铁路之宽城子（今长春）以南的支线，即所谓的"南满铁路"。1905 年 12 月，日本同中国签订《会议东三省事宜正约》和《附约》，强迫中国政府承认它从俄国手中所取得的一切权益。① 接着，日本便在旅大成立"关东都督府"和

① 王铁崖编：《中外旧约章汇编》第 2 册，三联书店 1982 年版，第 338—342 页。

"南满洲铁道株式会社"，并以此为基地，开始向中国东北及内蒙古地区扩张侵略势力。正是从这个时候起，在日本开始出现"满蒙"这个政治地理名词，在其统治集团中开始形成所谓的"满蒙政策"。这一政策包括日本对中国东北和内蒙古地区所进行的侵略扩张的所有思想、言论、计划和行动。日本吞并朝鲜以后，"满蒙政策"在其"大陆政策"中便占据首要地位。

日本在"南满"取得立脚点以后，为巩固和扩大其所谓的"特殊权益"，反过来和俄国结成联盟，于1907年同俄国签订密约，以珲春—镜泊湖—秀水甸子—松花江—嫩江—洮尔河一线为界，将东北地区划分为"北满"和"南满"。日本承认"北满"和外蒙古地区为俄国的势力范围；俄国承认"南满"和朝鲜为日本的势力范围；同时把"南满"的西界规定为东经122度。① 这样，内蒙古地区的哲里木盟北半部和呼伦贝尔地区包括在"北满"，成为俄国的势力范围，哲里木盟南半部则成为日本的势力范围。1910年，日本与俄国再次签订密约，重申了第一次密约中所规定的势力范围。

日本在向朝鲜及"南满"扩张势力，并将上述地区作为其势力范围的同时，开始了对内蒙古地区的渗透活动。

日本其实早在19世纪末就开始对蒙古地区产生了兴趣。日本军人福岛安正从1883年到1892年曾几次到内外蒙古地区进行调查旅行。日本陆军省从1882年到1887年派桂太郎和佐波武雄、古川诠吉等人到海参崴专门学习蒙古语。此外，横田三郎、岛川毅三郎、寺本婉雅等都曾到内外蒙古地区调查旅行。日本陆军省于1886年出版了西德三郎的《中央亚细亚纪行》，参谋本部还于1893年编写出版了《蒙古地志》一书。② 1900年日本派兵参加"八国联军"镇压义和团。八国联军占领北京期间，日本军队奉命对管区内的满蒙王公贵族宅第、财产不予触犯，以此博取满蒙王公对日本的好感。

在北京的日本公使馆和一些日本军人、浪人则开始策划向内蒙古地区侵略、渗透的计划。为此，他们首先与在京的蒙古王公和喇嘛广泛结交，希望

---

① 王芸生编著：《六十年来中国与日本》第5卷，三联书店1980年版，第67—69页。

② ［日］春日行雄编著：《日本与蒙古一百年》（日文），亚细亚博物馆·蒙古馆1993年刊印，第9—11页。

通过这些人打开向内蒙古地区进行渗透活动的大门。

从 1901 年开始，日本军人伊藤柳太郎、佐佐木安五郎、吉原四郎以及福岛安正等与喀喇沁右旗郡王贡桑诺尔布、科尔沁左翼后旗郡王棍楚克苏隆和奈曼旗郡王苏珠克图巴图尔等结交，并到他们的旗王府访问。1903 年，贡王在旗内举办"新政"、聘请外籍教师的时候，日本方面派伊藤少佐任贡王府武官、教育经济顾问兼喀喇沁右旗武备学堂教习，河原操子任该旗毓正女学堂教师。

1903 年 8 月，吉原四郎任贡王府毓正武学堂教习期间，与卓索图盟土默特右旗、喀喇沁中旗和昭乌达盟奈曼旗签订了枪支、弹药的买卖合同。1904 年日俄战争爆发后，日本军方为了在俄军后方炸断中东铁路富拉尔基和海拉尔的铁桥，组织了由伊藤柳太郎、横川省三等十几人组成的一个特别任务班。伊藤等从北京出发路经喀喇沁右旗贡王府时，就曾受到河原操子的特别关照。日俄战争期间，日本军人桥口永马少佐、井户川辰三大尉等在哲里木盟一带招集当地的土匪武装，组成所谓的"蒙古义军"（或叫做"蒙古马队"），在俄军后方进行骚扰活动。

1906 年又派日本军人桂德次到科尔沁左翼后旗博王府任武备学堂教师。1910 年 11 月，松井清助大尉以自费留学的名义到翁牛特王府学习蒙古语。这些人都负有日本军方的秘密使命，不仅对所在地的政治、经济和文化等方面进行实地调查，更重要的是执行秘密的军事任务。

20 世纪初的 10 多年中，日本参谋本部、日本驻华公使馆、关东都督府、满铁以及日本国内的大财团和新闻机构等派出以各种身份作为掩护的人员，深入内蒙古地区搜集情报，进行政治、经济、地理、矿产、资源、民俗、宗教、文物古迹等方面的调查。

1902 年，日本军人吉原四郎就曾受横滨正金银行委托，对喀喇沁右旗进行过财政调查。1902 年 8 月至 10 月，日本军人横川省三、井深彦二郎、服部贤吉等从北京出发，经古北口、张家口、库伦、车臣汗部到海拉尔，沿途进行了各种调查。1904 年 3 月，佐佐木安五郎在内蒙古东部及辽西地区进行过物产调查。1905 年 8 月，一个叫做本庄波卫的人冒充喇嘛到西辽河上游地区进行调查。1907 年 12 月，日本军人在科尔沁左翼前旗境内进行测绘作业时被杀。同年 12 月，日本参谋本部派井染绿郎少佐和日野操少佐到张家口、多伦、乌里雅苏台、科布多等地进行调查旅行。1907 年，在喀喇沁右旗贡王府任教的鸟居龙藏对喀喇沁右旗、赤峰境内的文物古迹进行了调查。1908 年他又到赤峰、乌丹、巴林右旗、东乌珠穆沁旗、西乌珠穆沁旗、扎鲁特左旗等地进行过考古调查。这些军人、学者、商人、僧侣的足迹遍及内蒙古东部地区的各个角落。他们的各种调查所获得的资料和情报，对日本政界、军界、商界以及学界了解内蒙古地区的历史与现状起到了很大作用。

总之，日本帝国主义的这一系列渗透活动，为日后扩大它在东北及内蒙古东部地区的权益和插手内蒙古地区事务打下了基础。

1911 年 10 月发生的辛亥革命使得中国乃至整个东亚地区的政局发生了重大变化。在中国，延续了 200 多年的大清王朝的专制统治被推翻，成立了"五族共和"的中华民国。当辛亥革命爆发之际，在外蒙古又发生了"独立"事件。外蒙古哲布尊丹巴集团派人到内蒙古各地，要求各盟旗一致响应，共同建立"大蒙古国"。这样，内蒙古各盟旗迅速卷入这一事件当中，使得该地区的政局更加复杂化，社会处在动荡与不安之中。

辛亥革命爆发后，中国的动荡局势为日本实施其"大陆政策"提供了一次良机。1911 年 10 月 24 日，日本西园寺内阁决定了对华政策，其要点就是首先在"满洲"与俄国协调关系，等待时机，以图"根本解决"，"今后应特别致力于在中国内地扶植势力，并设法使列国承认我国在该地区的优势地位"。① 这表明，这一时期日本统治集团的对华政策是首先与俄国重新划分在"满蒙"的势力范围，并与列强一起瓜分中国，以培植各种亲日势力的独立活动为手段。

1912 年 1 月 16 日，日本内阁会议通过了《关于延长南北满洲利益地区日俄分界线的修订以及关于内外蒙古势力范围的分配对俄交涉谈判事项》，决定："内蒙古同我国势力范围南满洲有着密切的关系，在适当的时机，日俄两国对此达成协议。"② 7 月 8 日，日俄两国政府签订了第三次《日俄密约》。该密约中规定：展长第一次《日俄密约》中规定的"南满"和"北满"的界线，即从洮尔河与东经 122 度线相交点起，沿乌龙楚尔河（交流

① ［日］外务省编：《日本外交年表及主要文书》（日文）（上），原书房 1978 年版，第 356—357 页。
② ［日］外务省编：《日本外交年表及主要文书》（日文）（上），第 359 页。

河）及木升匣河（归流河）至哈尔达台河之分水界，由此沿呼伦贝尔与哲里木盟的边界至内外蒙古之边界；规定以北京的经度（东经 116 度 27 分）线为界，将内蒙古划分为东部和西部，日本承认俄国在内蒙古西部的特殊权益，俄国承认日本在内蒙古东部的特殊权益。① 这样，日本利用中国改朝换代的时机，又一次扩大了在内蒙古的势力范围，使得内蒙古东部的哲里木盟、卓索图盟、昭乌达盟以及锡林郭勒盟东部几个旗都成为其势力范围。

辛亥革命爆发后，日本的一些少壮派军人和浪人要求日本政府立刻采取行动，出兵占领"满蒙"，瓜分中国。他们的代表人物川岛浪速认为：日本要想在中国确立优势地位，"就首先得占据满蒙而建立巩固的立脚点为其第一要义"②，"在分割中国的大势中，目前以特殊的方法，把满蒙纳入我实力范围之内，此乃急务"③。他们认为内蒙古王公所酝酿的响应外蒙古"独立"的活动就有可利用之处，便开始了具体的行动。

当时在北京的喀喇沁右旗札萨克贡桑诺尔布、科尔沁左翼前旗札萨克棍楚克苏隆、巴林右旗札萨克扎噶尔等内蒙古王公获悉外蒙古在俄国人的支持下宣布"独立"的消息，便立即着手准备响应，并到俄国驻北京公使馆探询其援助内蒙古加入"大蒙古国"的可能性。1912 年 1 月 29 日，贡桑诺尔布和川岛签订了一份《契约书》，决定以贡王为首脑，联合内蒙古成为一个强有力的团体，设立内蒙古统一的机构，掌理一切文武要政，以川岛为总顾问并策划、商量一切文武事宜。④ 从字面上看，这个"团体"及其"机构"是一个很模糊的概念。从贡王等人的活动来看，大致可以理解为这个"团体"就是联合内蒙古成为一个整体，成立统一的内蒙古政权，加入"大蒙古国"或实行内蒙古"独立"。

为了实施这一计划，川岛等在日本军部的许可和支持下，向贡王、扎王、棍王等提供借款，从日本的一家公司购买了武器、弹药，并派一批日本军人和浪人负责运输工作。同时派高山公通大佐、多贺宗之少佐、松井清助

---

① 王芸生编著：《六十年来中国与日本》，第 6 卷，第 5—6 页。

② ［日］葛生能久：《东亚先觉志士记传》（日文）中卷，黑龙会出版部 1935 年版，第 320 页。

③ ［日］葛生能久：《东亚先觉志士记传》（日文）中卷，第 323 页。

④ ［日］葛生能久：《东亚先觉志士记传》（日文）中卷，第 327—328 页。

大尉等日本军官陪同上述几个王公从北京到东蒙各旗进行具体的组织联络活动。然而，川岛等策划的利用内蒙古"独立"活动的计划很快就破产了。原因是日本方面卖给贡王等人的武器弹药运送到郑家屯附近时被奉军吴俊升部查获；贡王等人倡导的"独立"运动在卓、昭、哲盟各旗未能得到响应和支持；更重要的是日本政府认为川岛的计划没有任何成功的希望，而且给日本将来在中国树立所谓的"优势地位"的计划带来不良影响，所以否决了川岛的所谓"满蒙独立"计划，并要求其立即停止这类活动。

尽管如此，川岛浪速等并未因此偃旗息鼓。1912 年 8 月，川岛在其《对华管见》一文中就认为："今于满蒙民族之头脑中正著著呈现独立之思潮。若利导之，使之与中国本土分离而建设一独立之国，则与中国本土之对抗上，必将日益依赖我之实力，乃势之使然。我若据此渐次布置势力，掌握利权，不难于不数年间使帝国之实力确立于满洲及内蒙方面，而形成一体不可分之联邦关系。"[①] 他和中井喜太郎等人组织"对华联合会"，在东京召开演说会，大肆鼓吹"满蒙独立"，要求日本政府尽快决定对满蒙的处置决策。

当然，日本政府当时之所以否决川岛的计划，并不是说反对占领"满蒙"，而是认为立即发动这种"独立"运动的时机并不像川岛等描述的那样已经成熟了。因为贡桑诺尔布等人所计划的内蒙古作为整体加入"大蒙古国"的行动并不符合日本在"满蒙"的利益和它的"满蒙政策"，而川岛等所设计的所谓"满蒙独立"计划，又势必触犯俄国在这一地区的利益，从而引起日俄两国之间的权利之争。此外，当时帝国主义列强在中国激烈争夺势力范围的形势也不容许日本立刻出兵独占"满蒙"。对于日本政府来说，在这种形势下首要任务就是在"满蒙"的势力范围问题上迅速与俄国达成新的谅解，而且这种交涉正在进行当中。所以日本政府对川岛等人的计划予以否决，也就成为必然了。7 月，日本与俄国签订第三次《日俄密约》，日本在"南满"的权益不仅又一次得到俄国的确认，而且扩大了它在内蒙古的势力范围。这样，日本内阁在 1912 年初制定的关于"满蒙"的计划得以顺利实现，剩下的问题便是等待更好的时机，实现其彻底占领中国东北和内

---

① ［日］本山桂川：《满洲历史讲话》（日文），满铁社员会 1940 年刊印，第 225—226 页。

蒙古地区的所谓"满蒙政策"。

第一次世界大战的爆发，给日本提供了一次侵略中国的极好机会。当时，西方列强忙于战争，无暇东顾；在中国国内，袁世凯意欲复辟帝制，引起政局动荡、军阀混战。日本统治集团认为这是进一步侵略中国的极好机会。1915 年 1 月 18 日，日本政府向北京政府提出了"二十一条"要求，其中涉及内蒙古东部地区的有以下几项内容：日本人在南满及东蒙有土地商租权或所有权、随便往来居住并经营工商业权和开矿权；在南满及东蒙聘用经济政治军事顾问教习时，允许他国人修造铁路或为此需向他国借款时，以各项税课作抵向他国借款时，必须先经日本政府同意之后才能办理。[①] 5 月 9 日，北京政府迫于日本的压力宣布承认"二十一条"要求。5 月 25 日，中日双方签订《关于南满洲及东部内蒙古之条约》[②]，日本所提出的涉及"满蒙"的要求得到了满足。日本通过这一条约的签定，迫使中国政府不仅承认它在"满蒙"的优越地位，而且也默认了日俄两国在"满蒙"所划分的势力范围。

与此同时，日本的一些少壮派军人和浪人又策划了一次所谓的"满蒙独立"活动。他们以前清肃亲王善耆为中心在东北和内蒙古东部组织"宗社党"，并以反对袁世凯称帝的名义，组织所谓的"勤王军"，进行"讨袁"的军事行动。这次"独立"活动的主要军事力量便是巴布扎布的军队。[③] 1915 年 12 月，日本陆军的青柳胜敏大尉、木泽畅大尉、斋藤中尉到哈拉哈河畔巴布扎布的营地，了解他们的实际情况。川岛浪速等人为了将巴布扎布的部队作为"满蒙独立"活动的主要军事力量，决定向巴部提供武器。当时日本政府和军部也出于反对袁世凯的需要，支持川岛等人的计划。川岛等便向巴部提供了所需的武器弹药，并派一部分军人和浪人到巴部协助工作。

---

① 王芸生编著：《六十年来中国与日本》第 6 卷，第 74—75 页。

② 王芸生编著：《六十年来中国与日本》第 6 卷，第 263—265 页。

③ 巴布扎布是卓索图盟土默特左旗人，1911 年外蒙古独立时他投奔库伦，得到重用，其部队驻扎在内外蒙古交界的锡林郭勒盟及达理冈崖一带。1915 年中俄蒙《恰克图条约》签订后，他的部队无法在此驻扎，被迫退到外蒙古与呼伦贝尔交界的哈拉哈河一带。1915 年 6 月，巴布扎布在困迫的处境下派塔萨少布等 2 人由宫里好磨（日本浪人，在海拉尔以药剂师作伪装，专门收集有关蒙古的情报）做向导到日本，请求武器弹药及资金援助，与川岛浪速等建立了联系。

1916 年 6 月，袁世凯突然死去。日本政府和军方根据中国政局发生的变化，对日本浪人援助巴布扎布的活动发出了取缔令。但是巴布扎布周围的日本浪人和军官并未放弃他们的计划。7 月 1 日，巴布扎布的部队从哈拉哈河畔的驻地南下，于 24 日一度攻下突泉，并计划占领洮南一带作为自己的根据地。此后，巴部在郑家屯、洮南、公主岭、郭家店等地窜扰。10 月，巴布扎布在攻打林西的战斗中被打死，其残部与日本军官、浪人等返回哈拉哈河畔。1917 年，他们又攻占了海拉尔。在俄国政府的交涉下，巴布扎布残部中的日本军官和浪人被日本陆军参谋本部强行召回南满。至此，日本浪人川岛等策划的这次所谓"满蒙独立"活动彻底失败。

这一时期，日本不仅在东北地区和内蒙古东部地区策划旨在分裂中国的"满蒙独立"活动，而且对上述地区政治、经济的历史与现状以及各种资源等展开了全面的调查、研究。日本政府、军部以及"满铁"等方面组织的各种名目的调查队、旅行队、考察队等的足迹几乎遍及内蒙古东部地区的各个角落，有关内蒙古地区的各种调查报告、旅行记和地理、产业、交通、资源方面的书籍也大量出版。

1914 年 4 月至 8 月，日本参谋本部、农商务省、外务省、"满铁"等机构组成了以参谋本部石光真臣大佐为首的"东部内蒙古视察团"，在内蒙古东部地区作了一次大规模的调查。旅程结束后，他们立即把调查所得编成《东部内蒙古调查报告》，铅印出版。在该《东部内蒙古调查报告》中明确提出，这次调查的目的就是为了有助于日本在内蒙古东部的"经营"，[①] 认为"设定开放地"、"保证旅行通商自由"以及"获得矿山开采权和铁路修筑权"是经营这一地区的"急务"，[②] 提出应培养"精通蒙古事情的人物"、开展蒙古语教育、普及有关蒙古的知识、接受蒙古人留学生、诱导蒙古人到日本观光以及在内蒙古开设农事实验场、派遣医生和教师、举办博览会、发行蒙文报刊等建议。这些建议被日本统治集团所采纳，后来在其侵略内蒙古的过程中都得到了实施。

1914 年 5、6 月间，日本陆军大尉山县初男和陆军一等主计铃木晟太郎

---

① ［日］石光真臣，等编：《东部内蒙古调查报告》（日文）第 1 卷之《绪言》，1941 年铅印本。
② ［日］石光真臣，等编：《东部内蒙古调查报告》（日文）第 1 卷之第十三篇，1941 年铅印本。

等从四平出发，在哲里木盟、锡林郭勒盟、外蒙古车臣汗部以及呼伦贝尔等地进行了为期40天的"纵断旅行"，收集了上述地区政治、经济、地理、风俗习惯等方面的资料，并于10月出版了《蒙古纵断旅行记》一书。

1915年9月，马场惟明等受"满铁"派遣，对内蒙古东部地区地质矿产进行了调查，并写出了《东部内蒙古矿产调查复命书》。1916年，"满铁"又对洮南、满洲里间的地理、交通等方面进行调查，编写了《洮南满洲里间蒙古调查报告书》。这一时期，诸如此类的调查、研究活动日趋活跃，使日本统治集团对于内蒙古地区的政治、经济、地理、民族、风俗等各方面的历史与现状有更加全面的了解。

二、"九一八"事变前日本对内蒙古地区的侵略渗透

第一次世界大战后，国际上形成了重新瓜分与统治世界的"凡尔赛体系"。英、美、法等列强对日本独占中国的政策非常不满。在俄国十月革命的影响下，东方各国的民族解放运动空前高涨。在中国发生了"五四"反帝爱国运动，中国人民的反帝反封建的斗争进入了一个新阶段。

在这种形势下，日本不得不调整其侵略中国的政策。1921年5月19日，日本内阁通过的《对满政策》中指出："满蒙与我国领土相接，并与我国国防及国民生存关系极为密切。以上述两大利益为着眼点，在满洲扶植我国之势力，此乃我国对满蒙政策之根本也。""必须谋求确保和有效利用我国在满蒙既得的特殊地位和权利，今后更须努力获取我国国防与经济生存上必需的地位和权利。……对于掌握满蒙实权的张作霖给予援助，以此来确保我国在满蒙的特殊地位。"[①] 在这一时期，日本通过扶植和支持张作霖"统一"东北，用"经济的"、"渐进的"、"和平的"侵略方式，在东北三省和内蒙古东部确立了绝对的优势地位，为彻底占领这一地区进行了相当的准备。

这一时期，日本增加了对内蒙古地区的商品输出和资本输出。到了20年代，日本商品在内蒙古东部市场上已经占有显著的地位。日本对内蒙古地区的资本输出，主要表现在铁路投资和以合办公司的名义经营土地及农牧产品加工业、农牧业贸易等。

---

① ［日］外务省编：《日本外交年表及主要文书》（日文）（上），第523—524页。

对铁路的投资是日本在内蒙古地区资本输出的直接形式，同时也是在该地区建立和巩固其特殊权益的重要途径。

早在1913年10月，日本就与中国政府订立了《满蒙五铁路借款预约》，其中预计修筑的由四平经郑家屯至洮南的铁路、由长春至洮南的铁路、由洮南至承德的铁路是通过内蒙古的。1923年10月建成四（平）洮（南）铁路，其中日本投资将近4000万元。① 1925年6月到1926年7月间建成洮（南）昂（昂溪）铁路，其中由"满铁"垫资达1700多万元。② 京包铁路张家口到包头一段的修筑也由日本"东亚兴业公司"借款600万元。③ 此外，"满铁"于1925年9月曾计划用20年时间开发"满蒙"铁路网，共修筑总长8800公里的35条铁路线，其中涉及内蒙古地区的就有洮南—索伦—满洲里、通辽—开鲁—林西—张家口、洮南—突泉—东乌珠穆沁旗等十几条铁路线。④

以"中日合办"的名义主要由日本企业出资开办各种公司，也是日本资本输出的一种主要形式。1919年，日本人薄益三与巴林右旗札萨克扎噶尔合资成立了"蒙古产业公司"，其中日方投资50万元，巴林右旗则以土地、不动产作股金。1919年在扎鲁特右旗设立的"隆育公司"、1921年在通辽设立的"哈番农场"、1923年在奈曼旗设立的"华兴公司"等，都是用"中日合办"的名义，主要由日本资本创办的公司。

日本企业向内蒙古输出资本的另一个形式就是经营土地资源。"三井物产"的"佐佐木农场"在郑家屯钱家店一带拥有土地4800多亩（均为科尔沁左翼中旗土地），"满铁"的"早间农场"在通辽喀拉火烧一带占有土地41000多亩，"华峰公司"在扎鲁特左旗有土地144000亩；"隆育公司"在扎鲁特右旗有土地54万多亩，"哈番农场"在通辽一带有13万多亩土地，"蒙古产业公司"在林西一带有324000多亩土地，"华兴公司"在奈曼旗经营一定规模的水田。⑤

---

① ［日］东亚经济调查局：《满蒙政治经济提要》（日文），改造社会1932年版，第521—522页。

② ［日］东亚经济调查局：《满蒙政治经济提要》（日文），第521—522页。

③ ［日］樋口弘：《日本对华投资》，北京编译社译，商务印书馆1959年版，第126—127页。

④ ［日］松冈洋佑：《谈谈满铁》（日文），第一出版社1937年版，第234—237页。

⑤ ［日］共藤武夫：《在满蒙的日华合办事业》（日文），满铁庶务部调查课1930年刊，第179页。

　　到了 20 世纪 20 年代中期，国共合作发动的反帝反军阀的国民革命运动，对帝国主义列强在中国的统治基础产生了强烈震撼，尤其对日本在中国东北和内蒙古地区取得的各种"权益"产生了直接的威胁。

　　1927 年 3 月日本国内爆发了严重的金融危机。4 月，日本田中义一内阁上台后首先在对中国的外交问题上采取了强硬政策。这样做的目的是既可以在金融危机时将国内的不满情绪引向国外，同时又可以确保日本在中国所获得的各种"权益"。1927 年 6 月 27 日到 7 月 7 日，田中首相在东京主持召开"东方会议"，确定了所谓"积极的"对华政策。田中在会议上所作的《对华政策纲领》中指出："关于满蒙，特别是东三省，我国在国防及国民生存关系上有重大利害关系"；"万一动乱波及满蒙，治安紊乱，我国在该地区的特殊地位权益受到侵害时，则不问动乱来自何方，必须保护这个地区，且须有不失时机地采取适当措施的精神准备"。① 当时，关东军参谋长斋藤恒、外务省政务次官森恪、参谋本部的荒木贞夫等一些所谓"强硬派"人物则强烈主张立即将"满蒙"从中国本土分离出来。②

　　"东方会议"后，日本政府根据这次会议确定的对华方针，开始与张作霖进行谈判，在"满蒙"修筑铁路和商租土地等方面提出更多"权益"要求。但是，张作霖未能完全满足日本的要求，双方产生了一定的冲突。1928 年 6 月 4 日，张作霖从北京返回奉天的途中被关东军的河本大佐等炸死。当时，关东军的少壮派军人还计划乘机占领东北三省和内蒙古东部的全部要地。日本政府认为时机还未成熟，终止了关东军的出兵计划。

　　1929 年发生了资本主义世界经济危机。帝国主义列强之间的各种矛盾急剧尖锐起来。在经济危机威胁下的日本，法西斯势力不断抬头。在日本朝野，都希望用对外的侵略来摆脱经济危机。日本军部及关东军的强硬派则强

---

　　① ［日］外务省编：《日本外交年表及主要文书》（日文）（下），第 102 页。在我国，人们普遍认为田中在"东方会议"后向日本天皇上奏了《帝国对满蒙的积极政策》的奏章（即所谓的《田中奏折》）。日本方面当时就一再否认其存在。第二次世界大战后，对于《田中奏折》的真伪问题一直有争论。但是，无论《田中奏折》的真相究竟如何，日本帝国主义对中国的侵略事实与目前所见到的《田中奏折》所提出的方针、步骤是一致的。

　　② 关宽治、［日］岛田俊彦：《满洲事变》，王振锁、王家骅汉译，上海译文出版社 1983 年版，第 6 页。

调"满蒙"是日本的"生命线"，日本在"满蒙"的"生命线"正在受到威胁，所以主张不惜以武力保护日本的"生命线"，并开始研究占领"满蒙"的具体计划。

1929年7月3日至12日，关东军以加强对苏备战的名义，组织了一次参谋旅行。其起点是长春，终点是满洲里。这一旅行中的研究项目甚至包括袭击哈尔滨和海拉尔防御等具体战术问题。其间，关东军参谋部作战主任参谋石原莞尔委托佐久间亮三大尉就占领东北三省及内蒙古地区之后如何进行统治的问题进行专题研究。这次旅行中石原对随行参谋人员讲授《作为扭转国家命运之根本国策的满蒙问题解决方案》、《关东军占领满蒙计划》等研究报告。他在《满蒙问题解决方案》中认为，只有行使武力才能"占有满蒙"，如果"不得已引起战争"，干脆"连中国本部的要害地方也归我所有"。只有这样才能"排除障碍"，强制性地建立起日中新关系。

1930年9月，佐久间完成了《对占领地区统治的研究》，并于12月由关东军付印出来。该计划对"满蒙"占领地区的统治共分3期，预计第一期用半年到1年时间，将部分地区置于军政统治之下；第二期用1—2年时间，占领全部地区；第三期即军政在整个地区大体稳定时期。总的指导思想就是贯彻"以战养战"的精神，为了将来对外长期作战，要有长期占领"满蒙"的准备。11月，日本参谋本部军事课长永田前往东北视察时，就武力解决"满蒙"问题的善后措施，同关东军石原莞尔和板垣征四郎等参谋进行反复磋商，并确定了3种方案：①"使东三省政府采取亲日政策，然后进行有关权益的交涉"；②"建立亲日政权后进行交涉"；③"诉诸武力解决"。[①]

1931年3月，关东军高级参谋板垣征四郎大佐在他的题为《军事上所见到的满蒙》的报告中指出："满蒙的资源很是丰富，有着作为国防资源所必需的所有资源，是帝国自给自足所绝对必要的地区"，"在对俄作战上，满蒙是主要战场；在对美作战上，满蒙是补给的源泉"。所以他认为"满蒙"问题单用外交的和平手段不可能解决，必须用武力解决。[②] 5月，他又

---

① 关宽治、[日]岛田俊彦：《满洲事变》，王振锁、王家骅译，第121—139页。

② 复旦大学历史系编译：《日本帝国主义对外侵略史料选编》（1931—1945年），上海人民出版社1975年版，第2—12页。

拟定《对满蒙的处理意见》，并在此基础上作了关于满蒙问题的讲演，认为日本从世界经济危机中摆脱出来的政策不外乎是"满蒙问题的根本解决"，也就是说无论如何"也要把满蒙变为日本领土"。① 为此，他曾计划要在东三省策划"反日大暴动"以及"蒙古独立"、"间岛独立"等阴谋活动，以此为关东军行使武力制造机会。其中"蒙古独立"活动，计划由日本浪人川岛浪速和预备役大佐、日本航空大连支所所长麦田平雄负责实施，由大连市市长石本贯太郎提供资金，并由川岛推荐，将巴布扎布之子甘珠尔扎布作为这一阴谋活动的核心人物。②

1931 年 5 月，石原在其《关于满蒙问题的个人意见》中提出，"只要决定时间，按以前日韩合并的要领，向中外宣布满蒙合并"。但又认为日本政府一时难以做到这一点，那就有可能"靠谋略制造机会，军部主动迫使国家实行"。③ 这一点上他的计划和板垣是一致的。

关东军及参谋本部在精心研究占领"满蒙"地区计划的同时，不断派人到实地进行军用地志调查。

1931 年 3 月间，在关东军长期从事占领区统治研究的佐久间亮三带领预备役曹长井杉彦太郎，到洮南、王爷庙等地进行实地调查。佐久间返回时，在洮南将井杉介绍给参谋本部中村震太郎大尉，让井杉协助中村进行大兴安岭地区的军用地志调查。5 月上旬，关东军的长勇大尉曾到呼伦贝尔和外蒙古边界地区实地调查军用地志。6 月，参谋本部的森久大尉也到齐齐哈尔西北地区进行军用地志的实地调查。

中村大尉于 6 月 6 日带领井杉，由 1 名俄国人和 1 名蒙古人做向导，从中东铁路伊列克得车站出发，向南纵穿大兴安岭，做测绘地形地貌等实地调查工作。6 月 27 日，他们一行在科尔沁右翼后旗境内的察尔森地区，被东北屯垦军第三团关玉衡部捕获并被处死。这就是所谓的"中村大尉事件"。

关东军首脑部得知这一事件后，认为这是向"满铁"附属地以外地区出兵的绝好机会。军部的一部分人也赞成关东军的主张，主张以"中村事

---

① 关宽治、〔日〕岛田俊彦：《满洲事变》，王振锁、王家骅译，第 147 页。
② 关宽治、〔日〕岛田俊彦：《满洲事变》，王振锁、王家骅译，第 149 页。
③ 关宽治、〔日〕岛田俊彦：《满洲事变》，王振锁、王家骅译，第 150 页。

件”为借口，在“满蒙”使用武力。陆军省于 8 月 24 日作出决定，在中国方面否认杀害事件，或不能得到满意解决的情况下，有必要断然占领洮（南）索（伦）地区，并把这一决定送交外务省。①

当时，日本政府决定采取外交谈判方式来解决“中村事件”和 7 月 2 日发生的“万宝山事件”，否决了陆军省的计划。在这种情况下，关东军方面就决定按照事先预谋好的计划，开始了故意在柳条沟挑起事端的准备工作。

这一时期，日本还通过各种途径，加强对蒙古人的宣传和联络工作。“满铁”从 1923 年到 1927 年，每年组织巡回诊疗队，到内蒙古东部各旗进行巡回诊疗活动，以增加蒙古人对日本的好感。在日本国内，田中舍身等发起组织的“日蒙佛教联合会”②，通过邀请蒙古喇嘛到日本访问，或派日本僧人到内蒙古访问等形式来做所谓的“日蒙亲善”工作。由笹目恒雄等人创办的“戴天义塾”，专门招收蒙古人到日本学习日语。

此外，日本学术界的一些人为了配合日本帝国主义侵略中国的需要，制造了所谓的“满蒙非中国领土”论及蒙古族和汉族历来就是以长城为界形成南北“对抗”论等。当时在日本就有人认为：“日俄两国已进入第五阶段的农、工、商时代之民族，他们要进出，是当然之趋势，恐怕无论何人，都可想而知的，因此内蒙古之将来，更加了一层重大性。由来民族之衰亡之历史，是悲惨的事。何况内蒙古民族，生了成吉思汗，使西欧人唱起黄祸论的大民族，那竟致如此零落。想起这个时，无论何人，都不禁一掬同情之泪了！但是我们想着那展开新舞台的时候，又感觉了一种异样跃进的痛快的意味。在那处，不是听天由命之感想吗？大和民族对于蒙古之进出，就是由经济学上看来，也是已定的事实。”③

这些都说明，日本在军事上和舆论上已经做好了占领东北及内蒙古东部地区的准备。

---

① 关宽治、〔日〕岛田俊彦：《满洲事变》，王振锁、王家骅译，第 107 页。
② “日蒙佛教联合会”成立于 1914 年 4 月，1919 年改称“亚洲佛教协会”。
③ 〔日〕藤冈启：《满蒙经济大观》，吴自强译，上海民智书局 1929 年版，第 212 页。

三、日本在内蒙古东部地区确立其殖民统治

"九一八"事变后，关东军在立即出兵占领东三省各战略要地的同时，制定了在东北建立"满蒙独立国家"的计划，并按照这一计划指使一批汉奸进行所谓的"独立"、"建国"等活动。在这个过程中，日本关东军相应地制定了对内蒙古东部地区的方针和政策。

1931年9月22日，即在"九一八"事变后的第四天关东军便制定了《满蒙问题解决方案》，决定"建立由我国支持，领土包括东北四省及蒙古，以宣统皇帝为元首的中国政权"，"根据新政权的委托，国防和外交由日本帝国掌管。交通、通讯的主要部分也加以管理"。[①] 这里所说的"蒙古"，实际上指的是包括在东北4省的内蒙古东部哲里木盟、昭乌达盟、卓索图盟以及呼伦贝尔等地区。这样一来，内蒙古东部地区的命运就已经被关东军确定下来了，即这一地区成为即将成立的"满洲国"的一个组成部分。此后，关东军方面制定的各种方针、纲要、计划中对这一点越来越具体化了。

10月24日，关东军参谋部石原莞尔研究拟定了《解决满蒙问题之根本方策》，其中提出"建设一个以东北四省和内蒙古为领土的独立的满蒙新国家，它与中国本土断绝关系，表面上由中国人统一管理，其实权掌握在我方手中"，并要求"建设新国家的运动表面上始终由中国人出面进行，但日本在背后支持促进之"。[②]

10月21日，关东军国际法顾问松木侠根据关东军司令官本庄繁和参谋板垣、石原等关于建立"满蒙新国家"的指示，起草了作为建立"满洲国"的首次具体方案——《满蒙共和国统治大纲草案》（后简称《草案》），其中提出"明确划分满洲与蒙古的行政区域，使蒙古人免除汉族的压迫"。[③] 随后，松木同本庄繁、板垣、石原等进一步交换意见后，于11月17日根据上述"草案"，正式制定了《满蒙自由国建设方案大纲》，认为"将满蒙作为我国领土的一部分是上策，但鉴于以往的情况，目前突然采取这一步骤将

---

① 复旦大学历史系编译：《日本帝国主义对外侵略史料选编》（1931—1945年），第17页。
② 关宽治、［日］岛田俊彦：《满洲事变》，王振锁、王家骅译，第431页。
③ 复旦大学历史系编译：《日本帝国主义对外侵略史料选编》（1931—1945年），第21页。

徒然引起国际上的议论。作为中策，建设满蒙独立国，使其完全脱离中国的行政统治"，并提出满蒙独立国"由奉天省、吉林省、黑龙江省、热河省、东省特别区和蒙古自治领 6 省区组成"，"将以上 6 省区组成联省自治形式的中央政府，然后逐渐扩大中央政府的权限，尤其要统一军权、司法权和税收权，缩小各省区的权力"，"满蒙自由国的国防由帝国负责"，"帝国对该独立国的内政不必干涉过细，但帝国在国防上的干预（包括经济范围）则绝对必要，例如铁路、航空等必须完全在帝国的控制之下"。[①]

1932 年 1 月 4 日，板垣作为关东军的代表应日本陆相荒木贞夫的要求前往东京，具体讨论建立新国家的问题。关东军司令官本庄繁给板垣的指示中，提出了设置满蒙中央政府机构、时间、首都、参议府、管辖区域以及日军兵力部署、在满蒙的日本官署等具体方案。其中计划"设置政府的时间至迟估计在 2 月下旬或 3 月上旬国际联盟派员到达满洲之前"；中央政府的参议府由"满洲人 1 名，内蒙古人 1 名，汉人 3 名，日本人 3 名"组成；中央政府的管辖区域为"奉天省、吉林省、黑龙江省、热河省、内蒙古省"。[②]

经过关东军的精心策划，在中国东北建立"满蒙独立国家"的准备工作正紧锣密鼓地进行。1932 年 1 月 6 日，陆军省、海军省、外务省制定了《中国问题的处理方针纲要》（后简称《纲要》）。该《纲要》中提出："满蒙目前是独立于中国本部政权之外的另一政权的统治区域，逐步引导其具有作为一个国家的形态。为此目的，要迅速成立和稳定满蒙各省政权，比以往更积极地加以援助，使建立的各省政权逐步做到联省合并，并相机宣布建立新的统一政权。""为在当地政治机构中扶植我方势力，通过中央和地方将纯正有为之帝国臣民以顾问等形式参加其政治机构，作为加强我国在满蒙政治统治的一个部分。""目前满蒙治安的维持，主要由帝国负责。""对满蒙的对外防卫，主要由帝国负责，将该地区作为帝国对俄对华的国防第一线。""对满蒙的经济机构加以彻底改善……应使帝国和该地区成为共同的经济体系。""贯彻执行帝国关于满蒙的政策，将来要归属于强有力的国家

① 关宽治、〔日〕岛田俊彦：《满洲事变》，王振锁、王家骅译，上海：上海译文出版社 1983 年版，第 433—435 页。

② 关宽治、〔日〕岛田俊彦：《满洲事变》，王振锁、王家骅译，第 439 页。

机关之统制，但目前应在我军威力之下进行。"① 从"满洲国"的建立及后来发展的过程来看，这是一份具有纲领性的决定。

至此，在东北建立"满蒙独立国"的大体框架已经确定下来了。但是对内蒙古地区以及蒙古人在这一"满蒙独立国家"中的地位问题一直没有提到具体的议事日程上，只是笼络地提出"满蒙独立国"要包括"蒙古"、"内蒙古"或"蒙古自治领"、"内蒙古省"而已。

1932 年 1 月 27 日，关东军制定了《满蒙问题善后处理要纲》和《满蒙自由国建设顺序》。在《满蒙问题善后处理要纲》中首次提出了对内蒙古地区和蒙古人的政策，即"蒙古将来形成特定的蒙古地域，以期从政教两方面进行笼络，并且尽量减少汉人的刺激，采取渐进的态度进行指导"，"蒙古自治区域包括东部内蒙古、呼伦贝尔地区以外，还把内蒙古的察哈尔、锡林郭勒盟的地域也包括在新满蒙独立国圈内。"② 这是关东军对东内蒙古地区及蒙古人问题所提出的第一个具体计划，后来成立的兴安省及向察哈尔部、锡林郭勒盟进行扩张的所谓"内蒙工作"等，都是这一计划的具体实施。

2 月 2 日，关东军参谋部的板垣征四郎、竹下义晴、片仓衷等参谋和菊竹实藏为主，与松井清助、磐井文雄、服部茂树、陬访英武等一起讨论制定了《伴随满蒙建设之蒙古问题处理要纲》。这个要纲更具体地确定了日本殖民统治下的内蒙古东部地区行政体制的框架："为蒙古人设立一个特定的省，以畜牧业经济为主，并使之实行自治，其他各省蒙古人杂居地带则暂时实行特殊行政。1. 将东部内蒙古、呼伦贝尔作为一个区划，逐渐将察哈尔省包括在内。2. 称之为兴安省，建立新国家的同时承认其为自治省。3. 废除王公制度，参议府里容纳若干蒙古人。4. 为维持治安，除每旗成立自卫团之外，建立兴安游击队南北两个军（ 2 500 名），由松井清助大佐、磐井文雄少佐指挥。5. 预定郭尔罗斯旗长齐王或海拉尔的贵福为省长候补人选。"③ 这样，内蒙古东部地区在即将成立的"满蒙独立国"内的地位及日本对这一地区的蒙古人的政策大致确定下来了。

---

① 关宽治、［日］岛田俊彦：《满洲事变》，王振锁、王家骅译，第 440—441 页。
② ［日］春日行雄编著：《日本与蒙古一百年》，第 56 页。
③ ［日］春日行雄编著：《日本与蒙古一百年》，第 57 页。

　　"九一八"事变爆发以后，内蒙古东部地区各盟旗的一些王公、上层人士和青年知识分子等，打算在关东军的支持下达到蒙古独立的目的，并为此进行了一系列独立、自治活动。

　　最初领导这次活动的是巴布扎布的儿子甘珠尔扎布和正珠尔扎布。他们均毕业于日本陆军士官学校，与日本政界、军界的一些要人有很密切的关系。如上所述，"九一八"事变以前，甘珠尔扎布就曾经被关东军指定为"蒙古独立"运动的核心人物。"九一八"事变爆发后，他们立即从大连赶到沈阳，一面召集东北蒙旗师范学校的滕续文（哈丰阿）等青年学生和从日本返回的吉尔嘎朗等青年，共同研究成立蒙古独立军的计划。他们还到关东军司令部面见司令官本庄繁、参谋长三宅光治、参谋板垣征四郎等，要求给予枪支弹药方面的支援。关东军方面也正想利用蒙汉之间的民族矛盾，在东北地区制造混乱，以实现其侵略计划，所以当即答应援助甘珠尔扎布等人的活动。

　　甘珠尔扎布等召集科尔沁左翼后旗的统领包善一（蒙古名额尔敦毕力格）和科尔沁左翼中旗的韩色旺到沈阳，希望他们参加蒙古独立军。甘珠尔扎布又派人与盘踞在通辽一带的土匪天红（本名金昌，苏鲁克旗人）、高山等联络，约其加入独立军。甘珠尔扎布等就用包善一、韩色旺及天红的人马作为蒙古独立军，在沈阳成立了蒙古独立军司令部，甘自任司令，萨嘎拉扎布（巴林右旗人、日本士官学校毕业）任参谋长，正珠尔扎布担任与关东军的联络任务。蒙古独立军总司令部草拟了《蒙古独立宣言文》，提出："内蒙古人民要脱离中华民国的统治而独立，成立独立国，恢复失地，从此不受中华民国和一切军阀的统治。"[①] 同时还编了蒙古独立军军歌《青旗歌》，制作了天蓝色底子上用红色蒙古文书写"蒙古"字样的军旗。[②] 另外，

---

　　① 《甘珠尔扎布笔供》（1954年7月31日），见中央档案馆编：《伪满洲国的统治与内幕——伪满官员供述》，中华书局2000年版，第646页。

　　② 《正珠尔扎布笔供》（1957年7月3日），见中央档案馆编：《伪满洲国的统治与内幕——伪满官员供述》，第762页；片仓进：《"内蒙古独立运动史"备忘录》，载《满洲与日本人》（日文）季刊5，1977年4月。

在沈阳日本租界地内的阿王府设立了办事处。①

10月初，关东军方面派退伍中尉和田劲任蒙古独立军顾问，并拨给东北兵工厂制造的七九步枪 3 000 支，子弹 30 万发。② 甘珠尔扎布等把关东军拨给的枪支弹药运到科左后旗，分发给包善一、韩色旺和天红等所属部队。

当时，甘珠尔扎布等尽管得到了关东军的支持，但并没有制定出"蒙古独立"的具体计划，只是将蒙古独立军建立起来而已。所以他们决定："由科左后旗经过科左中旗占领通辽县整顿队伍，再往北经过高力板、科右中旗到兴安岭索腰勒吉山会合郭道甫的部队，以后再商议下一步的打算。"③

为此，蒙古独立军各部于 10 月中旬集结在郑通线大林站一带，准备攻打通辽县城。他们事先派人要求守备县城的东北军骑兵第 3 旅无条件交出县城。但交涉没有取得成功。10 月 13 日，甘珠尔扎布、和田劲等人率领蒙古独立军一部未遇任何抵抗就进入县城，结果遭到埋伏在城内的守军及商团的里外夹击，被打死 200 多人。④ 蒙古独立军被迫撤出城外，退回大林站。

蒙古独立军攻打通辽失败后，和田劲顾问辞职返回沈阳。关东军方面立即派来退伍大佐松井清助充任顾问。他们还从吉林的熙洽处获得武器、资金的资助。尽管如此，由于包善一、韩色旺只是想扩大自己的势力，保护个人财产，对"蒙古独立"活动并不关心，而且在暗中还接受张学良的委任，⑤

---

①　《满洲事变当时之一部分蒙旗概况》（日文），见［日］防卫厅防卫研究所图书馆藏：《满洲·满蒙》29 号资料。

②　《甘珠尔扎布笔供》（1954 年 7 月 31 日）中说关东军派的和田劲"带来了三千支步枪，每支枪附有二百粒子弹，四十多枚手榴弹"（第 646 页）；正珠尔扎布在《伪内蒙自治军始末》（政协全国委员会文史资料研究委员会编：《文史资料选辑》第 39 辑，中国文史出版社 2000 年版）中认为"60 万发"（第 91 页），但他发表在《内蒙古文史资料》第 19 辑的回忆录中则说"20 万发"（第 26 页），而他在1957 年 7 月 3 日的《笔供》中又说"30 万发"（762 页）；［日］片仓进在《"内蒙古独立运动史"备忘录》（满洲与日本人编辑委员会编：《满洲与日本人》1977 年第 4 期）中则提供了更为具体数字："步枪3 000 挺，步枪子弹 30 万发；机关枪（捷克制造）3 挺，机关枪子弹 6 000；迫击炮 2 门，迫击炮弹200 发；棉冬装及外套。"

③　正珠尔扎布：《伪内蒙自治军始末》，见政协全国委员会文史资料研究委员会编：《文史资料选辑》第 39 辑，中国文史出版社 2000 年版，第 94 页。

④　《东北军第三旅旅长张树森电文》，见姜念东、伊斌、解学诗，等：《伪满洲国史》，吉林人民出版社 1980 年版，第 102 页。

⑤　王欣、刘忱：《辽北蒙边高文彬抗日义勇军抗战始末》，见内蒙古党史研究室编：《"九一八"——"七七"内蒙古抗日救亡运动》，内蒙古人民出版社 1991 年版，第 11 页。

所以内蒙古独立军内部一开始就矛盾重重、互不统属。鉴于这种情况，甘珠尔扎布等决定将内蒙古独立军进行重新改编。10 月 20 日，根据关东军的意见，蒙古独立军改编为内蒙古自治军。① 改编后的内蒙古自治军由包善一任总司令兼第 1 军司令，韩色旺任第 2 军司令，甘珠尔扎布任第 3 军司令兼总参谋长。在此期间，内蒙古自治军第 1 军驻扎在科左后旗，第 2 军驻扎在科左中旗，第 3 军驻扎在科左中旗舍伯图一带。11 月 3 日，关东军派羽山支队攻占了通辽县城。

1932 年 2 月，内蒙古自治军内部在攻打热河省开鲁县的问题上发生意见分歧。松井顾问亲自率第 1 军一部向开鲁进攻时与东北军第 17 旅 57 团李守信部相遇。松井在葛家营子附近的战斗中被打死，内蒙古自治军溃退回科左中旗。

甘珠尔扎布和正珠尔扎布等无法控制部队，便离开了内蒙古自治军。关东军方面派来退役少佐磐井文雄任内蒙古自治军顾问，还派本间诚大尉、服部茂树等协助其指挥。这样，内蒙古自治军成为完全由关东军控制的武装。4 月间，关东军方面将内蒙古自治军改编为兴安南警备军，任命扎赉特旗札萨克巴特玛拉布坦为司令官，甘珠尔扎布为参谋长，金川耕作为顾问。

这样，甘珠尔扎布、正珠尔扎布以及一批青年学生等在关东军的支持下组织蒙古独立军，进行内蒙古独立、自治的活动终于以失败告终。

从"九一八"事变爆发到"满洲国"成立为止，内蒙古东部地区的另外一些王公、上层和知识分子等也搞了一些内蒙古独立、自治的活动，试图在当时的混乱局面中找到出路。

1931 年 10 月 20 日，哲里木盟科尔沁左翼中旗阳森扎布亲王到沈阳，以哲里木盟科尔沁左翼中旗代理札萨克的名义向关东军司令官本庄繁提出《关于援助蒙古自治计划的请愿书》，② 要求成立"蒙旗地方自治保安会"，并征兵 2 000 名，希望关东军提供武器、财政援助，并派教官指导；同时提

---

① ［日］春日行雄编著：《日本与蒙古一百年》，第 55 页。

② ［日］片仓进：《"内蒙古独立运动史"备忘录》之附件，载满洲与日本人编辑委员会编：《满洲与日本人》1977 年第 4 期。

出由其出面联络内蒙古各盟旗之盟长、札萨克、王公等，采取一致行动，立即召集哲、昭、锡 3 盟会议，"以期达到建立君主国之目的"。关东军方面当时由于正在出枪出资支持甘珠尔扎布的内蒙古自治军的军事行动，所以让阳森扎布与内蒙古自治军顾问松井大佐接洽。

10 月 23 日，呼伦贝尔副都统贵福之子凌升和刚从日本陆军士官学校毕业回乡的郭文林一起到沈阳，会见关东军参谋板垣、片仓衷以及奉天特务机关长土肥原贤二等人，要求关东军方面为蒙古民族争取自治权的活动提供援助。[①] 12 月 10 日，片仓衷建议郭文林等返回海拉尔召集 20 名有初中文化程度的蒙古青年，送到沈阳接受 6 个月的军事训练，"作为将来在海拉尔编制军队的骨干"[②]。12 日，凌升和郭文林在海拉尔会见日本派驻满洲里特务机关长上田昌雄，表示"蒙古民族的最后目的在于合并内外蒙古及呼伦贝尔，建设蒙古人的蒙古，而眼下的形势是依靠日本的势威"，"接受以宣统皇帝为中心的奉天新政权"的领导。[③] 24 日，郭文林把从呼伦贝尔召集的 13 名蒙古青年送到日军驻沈阳的铁道守备队第 2 大队第 2 中队接受训练。[④]

12 月 14 日至 15 日，在泰来召开了东部蒙旗王公会议。[⑤] 出席会议的有扎鲁特、科左前、科右中、杜尔伯特、扎赉特、依克明安等旗札萨克和黑龙江各旗总管或其代表巴特玛拉布坦、寿明阿、博彦满都以及那木海扎布、图

[①]　中央档案馆、中国第二历史档案馆、吉林省社会科学院合编：《日本帝国主义侵华档案资料选编·九一八事变》，中华书局 1988 年版，第 325 页。

[②]　郭文林：《郭文林笔供》（1954 年 5 月 11 日），见中央档案馆编：《伪满洲国的统治与内幕——伪满官员供述》，中华书局 2000 年版，第 626 页。

[③]　[日] 外务省编纂：《日本外交文书》（昭和期 II 第 1 部第 5 卷）外务省 2007 年印行，第 980—981 页。

[④]　郭文林：《郭文林笔供》（1954 年 5 月 11 日），中央档案馆编：《伪满洲国的统治与内幕——伪满官员供述》，第 627 页。

[⑤]　关于这次会议召开的时间，各种资料中有不同的记载：那木海扎布在《回忆"泰来会议"前后》（见政协内蒙古自治区委员会编：《伪满兴安史料》，政协内蒙古自治区委员会 1989 年印刷，第 3 页）一文中认为这次会议只开了一天，时间是 12 月 17 日；[日] 井手俊太郎在《回顾蒙政十年民族运动史》（《蒙古研究》第 2 卷第 5 期，1940 年 11 月）中认为召开这次会议的时间是 11 月 20 日，会期为两天；另外，日本驻郑家屯领事大和久郎于 1931 年 12 月 20 日致外务大臣犬养毅的报告——《锦州以北蒙古王会议召开之件》（日本外务省外交史料馆：《满蒙关系杂纂·内蒙古关系》第 1 卷，A—6—1—2—1—14）中所记泰来会议时间为 12 月 12、13 日；此处依据的是片仓进在《"内蒙古独立运动史"备忘录》中公布的《内蒙古泰来会议议决草案》（满洲与日本人编辑委员会编：《满洲与日本人》1977 年第 4 期）。

们满都呼、阿成嘎等。关东军方面派齐齐哈尔特务机关员陬访英武、内蒙古自治军顾问松井、"满铁"郑家屯公所长菊竹实藏3人出席。会上，陬访等传达了关东军方面准备在东北建立"满蒙独立国家"的计划。博彦满都介绍了组织内蒙古自治军的经过情况。各蒙旗的札萨克和代表等讨论了内蒙古东部地区当时的局势及前途，最后讨论通过了16项决议：今后各盟旗脱离中国政府；每旗各派1名全权代表，在辽源成立内蒙自治筹备处，研究有关自治和独立事项；内蒙古自治政府成立之前由该筹备处推举适当人员负责对外交涉任务；蒙古疆域以固有之土地疆域；蒙古疆域内既设之各县均归盟政府管辖，各县之汉民之权利义务与蒙民一律平等；各盟政府在其所在地编成并训练500名自卫军，各旗组建300—1 000名自卫军，负责维持治安；自治政府成立之前暂时使用原有盟长、札萨克印信；内蒙古自治筹备处要与现在的内蒙古自治军协同合作；12月21日为止各旗代表须在辽源到齐等。①

这次会议尽管是在陬访、菊竹、松井等人的斡旋下召开的，但从会议讨论的决议来看，还是反映了参加会议的蒙古人的意愿。诸如决定内蒙古全境独立、成立内蒙古自治筹备处、各旗建立自治军等，都反映了这一时期内蒙古东部地区蒙古人独立、自治活动的真实意图。

根据泰来会议的决定，于12月30日在郑家屯成立了由14旗代表组成的内蒙古自治筹备处。

1932年1月14日，吉尔嘎郎（汉名德古来，达斡尔人）向关东军提交一份《意见书》，提出了成立由"蒙古帝国"和"满洲帝国"组成的、以宣统皇帝为君主的立宪君主制的"满蒙君合国"的设想，并提出作为统辖蒙古的首领要从扎赉特旗的巴王（巴特玛拉布坦）、锡林郭勒盟的德王（德穆楚克栋鲁普）或呼伦贝尔的凌公（凌升）、科尔沁右翼后旗的寿公（寿明

---

① ［日］片仓进：《"内蒙古独立运动史"备忘录》之《附件》（满洲与日本人编辑委员会编：《满洲与日本人》1977年第4期）；日本驻郑家屯领事大和久义郎1931年12月20日致外务大臣犬养毅的报告——《锦州以北蒙古王会议召开之件》（日本外务省外交史料馆：《满蒙关系杂纂·内蒙古关系》第1卷，A—6—1—2—1—14）中所记泰来会议决议事项为："一、各旗乘此机会独立；二、一周之内在郑家屯设立内蒙古自治筹备处，每旗派一名代表并配属若干随员；三、维持费用由派代表之各旗承担；四、独立范围为现内蒙古全境；五、独立后境内不允许汉族军队驻扎；六、独立后各旗组织由蒙古人组成的自治军，专门担任治安之责以防备汉族军队。"

阿）以及包悦卿等人中选任。①

随着关东军制定的关于建立"满蒙独立国家"计划的不断具体化，当时在内蒙古东部地区出现的内蒙古独立、自治活动和要求，就与日本方面所确定的方针不相符合。因此，关东军方面就开始抑制蒙古人的这种独立、自治活动，极力使这些活动向关东军所确定的、只在新国家范围内实行有限度自治的方向发展。他们首先迫使甘珠尔扎布等将蒙古独立军改编为内蒙古自治军。这一举动不仅仅是个改变名称的问题，实际上反映的是关东军对蒙政策的转变。关东军在"九一八"事变之初，支持蒙古人的独立活动是出于在东北制造混乱、迅速占领该地区的需要，而并不希望蒙古人获得独立或自治。接着，关东军又派人参加泰来会议，了解蒙古族上层人士的意见，并向他们透露关东军方面决定将东蒙地区并入将要建立的"满蒙独立国"的计划等，也都说明这一点。

根据日本陆、海、外务 3 省于 1 月 6 日作出的《中国问题的处理方针纲要》②，经过关东军的不断策划，在东北建立溥仪为元首的"满洲国"的计划即将成为现实。为此，张景惠、臧式毅、熙洽等东北三省的一些所谓头面人物于 1932 年 2 月 16 日在沈阳召开"建国会议"，成立"东北行政委员会"，宣布东北地区已脱离中国而"独立"。根据关东军于 1 月 27 日提出的"政务委员会对热河及内蒙古要求派遣代表，使他们参与必要的决议事项，企图使这些地区尽速和新国家合流"③ 的要求，当时没有参加这次会议的哲里木盟盟长齐默特色木丕勒和呼伦贝尔副都统贵福以及热河省主席汤玉麟均被指定为东北行政委员会委员。

根据东蒙王公泰来会议的决定和建立"满洲国"的需要，关东军方面于 1932 年 2 月 20 日—21 日在郑家屯召开了东蒙各旗代表会。

参加这次会议的共 30 余人，其中有哲里木盟盟长兼郭尔罗斯前旗札萨克齐默特色木丕勒、科右中旗札萨克业喜海顺、呼伦贝尔部额鲁特旗总管凌升、科左后旗协理寿明阿等王公、上层和博彦满都、玛尼巴达喇、包色旺、

---

① ［日］片仓迸：《"内蒙古独立运动史"备忘录》之《附件》，载满洲与日本人编辑委员会编：《满洲与日本人》1977 年第 4 期。

② 关宽治、［日］岛田俊彦：《满洲事变》，王振锁、王家骅译，第 440—442 页。

③ 复旦大学历史系编译：《日本帝国主义对外侵略史料选编》（1931—1945 年），第 25 页。

朝克博彦、宋福山等士绅以及那木海扎布、德古来、和音扎布、达瓦敖斯尔、胡风山等知识青年。关东军方面派菊竹实藏出席。会上，菊竹传达日本方面的决定，在即将要建立的"满洲国"内实行蒙汉分治体制，内蒙古东部地区将成为一个单独的行政系统，在中央机构中单独设立专门管理蒙古人事务的机构等。

参加会议的各旗王公及代表等表示接受日本方面有关的决定，同时决定向关东军司令官本庄繁及东北行政委员会提出"建立蒙古自治行政区域，给居住在自治区域外之蒙古人以特别的保障，蒙古人参加新国家，各机关应一样任用蒙古人，禁止开放未垦土地，改善蒙古政治，确定维持治安的方法"① 等几项书面要求。很显然，这些要求已经与泰来会议的精神大不相同，是在关东军2月2日的《伴随满蒙建设之蒙古问题处理要纲》中确定的限度之内提出的。会上推举齐默特色木丕勒和呼伦贝尔副都统贵福（由其子凌升代理）作为代表，将上述书面要求送交东北行政委员会和关东军司令官。

这次郑家屯会议决定了内蒙古东部地区的命运，即该地区作为"满洲国"的组成部分，接受日本的统治。

"九一八"事变以后发生的内蒙古东部地区独立、自治活动至此告一段落。这次独立、自治活动一步一步地向日本关东军所设定的方向发展，最后演变为日本在东北建立"满洲国"的整个过程的一个组成部分。其结果，内蒙古东部地区沦为日本的殖民地，百万蒙古人民在日本的殖民统治下度过了整整14个年头。

日本关东军方面在东北成立"满洲国"的同时，按照其既定的方针，在这一傀儡政府中设立了专管蒙古人事务的机构，并在内蒙古东部地区逐步建立起了一整套的殖民统治体系。

1932年3月1日，"满洲国"政府成立的同时，在其国务院设立了兴安局。该局分管为蒙古人所划定的特殊行政区域兴安省。3月9日，"满洲国"

---

① ［日］小林龙夫、［日］岛田俊彦编：《现代史资料（7）·满洲事变》（日文），美铃书房1964年版；转引自［日］广川佐保：《蒙古人参加满洲国及地区社会的变化》（日文），载《亚细亚经济》2000年第41卷第7号。

政府公布《兴安局官制》，其中规定兴安局"隶于国务院，主管兴安省一般行政事务及另定地域之蒙旗事务，协助国务总理"①。兴安局设总长、次长、参与官、秘书官、事务官、技正、属官等，其中总长为特任官，总理局务，监督管理兴安各分省长。兴安局内设总务处（分调查、秘书、总务3科）、政务处（设教育、警务、蒙务、地方4科）、劝业处（设工商、农矿、畜产3科）。"满洲国"政府任命原哲里木盟盟长、郭尔罗斯前旗札萨克齐默特色木不勒为兴安局总长、"满铁"郑家屯公所原所长菊竹实藏为次长，任命白滨晴澄为总务处长、寿明阿为政务处长、原骧四郎为劝业处长。

6月27日，"满洲国"政府确定原哲里木盟10旗及依克明安旗、东布特哈八旗、齐齐哈尔八旗、墨尔根八旗共14旗为兴安局所管之"另定地域"。② 同时，在兴安局内成立旧蒙务整理委员会，成为兴安局总长监督这些旗的咨询机构。

8月3日，兴安局改称为兴安总署，其组织机构及管辖权限等没有任何改变。

按照预定计划，成立兴安局的同时在内蒙古东部地区设立了特殊行政区域兴安省。最初，兴安省地域包括原哲里木盟大部分地区和呼伦贝尔副都统所辖区域、西布特哈总管衙门所辖区域。兴安省下面则分别成立了兴安南分省（原哲里木盟7个旗）、兴安北分省（原呼伦贝尔地区）、兴安东分省（原西路布特哈总管衙门辖区）。兴安省和其他省不同的是既没有省长和省公署，又没有首府，而是直接归兴安局（后来为兴安总署）总长管辖。1932年4月5日公布了《兴安分省公署官制》③，任命业喜海顺（原科右中旗札萨克亲王）为兴安南分省省长、凌升（原呼伦贝尔额鲁特旗总管）为北分省省长、额勒春（原东特布哈8旗筹办处总办）为东分省省长。同时，各分省公署均配备日本人参与官，中村撰一任兴安东分省和北分省参与官、松冈信夫任兴安南分省参与官。④ 6月，在辽源（郑家屯）设立兴安南分省

---

① 《满洲国政府公报》，辽沈书报社1990年影印本，第1号。

② 《满洲国政府公报》，第18号。

③ 《满洲国政府公报》，第2号。

④ ［日］春日行雄编著：《日本与蒙古一百年》，第58页。

公署，① 在齐齐哈尔成立兴安东分省临时办事处。

"满洲国"成立时，呼伦贝尔和西布特哈地区仍在原东北军第二旅苏炳文和第一旅张殿九部的实际控制之下。苏炳文等当时在名义上接受"满洲国"黑龙江省公署的管辖，但实际上暗中扩充部队，伺机抗日，形成不受命的割据状态。所以，"满洲国"政府成立后，只是任命了兴安北分省和东分省省长并公布了这两个分省所辖区域而已。1932 年 10 月 1 日，苏炳文等在海拉尔成立东北民众抗日救国军，通电抗日，并在富拉尔基、扎兰屯一带与日军展开激战。12 月初，日军攻破救国军的防线，沿中东铁路先后占领了西布特哈及呼伦贝尔地区。随着日军占领呼伦贝尔地区，兴安北分省公署在海拉尔正式成立。1933 年 1 月兴安东分省临时办事处迁到扎兰屯，正式成立了兴安东分省公署。

"满洲国"成立时，热河省及其所属之卓索图盟和昭乌达盟仍处在汤玉麟的控制之下，并未接受满洲国的管辖。1932 年 4 月 4 日，关东军司令部提出《对热河的政策》，决定"对于热河省，暂时以支持汤玉麟，使之从速服从满洲国的统治为首要措施"，"确定在旧热河省内西拉木伦河以北设立兴安省，以渐进主义为原则。又指导省民（特别是蒙古人），使之歌颂兴安省的行政，或其他省份的保护政策，使其自行服从满洲国的统治。为此，要促进以下工作：利用喇嘛，派遣满洲国宣抚使，从锦州、通辽方面发送或发行报纸。"② 1933 年 3 月，日军占领热河省全境。"满洲国"政府取消了卓索图盟和昭乌达盟建制，在原热河省境内分设热河省和兴安西分省，并将兴安西分省划入兴安省所辖范围之内。3 月 10 日公布了《热河地方设治工作条目》，决定在原昭乌达盟西拉木伦河流域以北设兴安西分省，分省公署设在开鲁，③ 归兴安总署管辖。原卓索图盟各旗和原昭乌达盟西拉木伦河以南的各旗则划归热河省管辖。与此同时，兴安西分省公署在开鲁正式成立，原昭乌达盟盟长、巴林右旗札萨克扎噶尔被任命为分省长。

至此，日本在内蒙古东部地区完全确立起了它的殖民统治体系。

----

① 兴安南分省公署于 1935 年 6 月迁到王爷庙。

② ［日］小林龙夫、［日］岛田俊彦、［日］稻叶正夫编：《现代史资料（11）·满洲事变（续）》（日文），美铃书房 1987 年版，第 788 页。

③ 《满洲国政府公报》，辽沈书报社 1990 年影印本，第 105 号。

四、关东军的"内蒙古工作"

"满洲国"建立前，关东军方面就曾提出逐步将锡林郭勒盟和察哈尔部纳入"满洲国"的计划。"满洲国"建立后，关东军参谋部为了专门研究蒙古问题，1932年11月设立了直属于副参谋长冈村宁次少将的蒙古研究员，搜集有关蒙古问题的情报。第一期研究员有中岛万藏、山本信亲、池田秀实、仓永保等。12月，关东军决定了"为在热河及内蒙古建成军事缓冲地带，要与蒙古民族相提携"[1] 的方针，由此改变了将锡林郭勒盟和察哈尔部纳入"满洲国"的计划。

1933年3月，日军侵占热河省的过程中，驻守开鲁的原东北军骑兵第17旅李守信部投降日军，被改编为"兴安游击师"。该师于4月间进驻察哈尔省多伦县，成为一支由关东军指挥的非"满洲国"军系统的部队。5月，关东军提出："今后指导该军，按照既定方针在察哈尔东境一带扶植亲日满势力，建成对抗敌对势力的缓冲地带的同时，逐渐使其向乌珠穆沁方面扩张势力。"[2] 这便是关东军"内蒙古工作"的发端，其最初的目的就是在与"满洲国"接壤的察哈尔东部地区扶植亲日满势力，确保"满洲国"西部国境地带的安全，同时得到向华北和外蒙古扩张的立脚点。

7月16日，关东军参谋部制定的《暂行蒙古人指导方针要纲案》中提出，对内蒙古西部地区"主要以和平的文化工作为主，特别是以经济联系来引导其自发地亲日满……促进成立具有排华色彩的自治政府"[3]。为此，关东军于9月将李守信部改编为察东警备军，将其两个支队改称为师。[4] 同时将多伦县改称为察东特别自治区，任命李守信为行政长官，军事和行政方面均受关东军多伦特务机关长指挥。从此，多伦成为关东军"内蒙古工作"的据点。

---

① ［日］春日行雄编著：《日本与蒙古一百年》，第60—61页。

② ［日］岛田俊彦、［日］稻叶正夫编：《现代史资料（8）·日中战争（一）》（日文），美铃书房1965年版，第444页。

③ ［日］岛田俊彦、［日］稻叶正夫编：《现代史资料（8）·日中战争（一）》（日文），第447页。

④ 李守信：《李守信自述》，刘映元整理，政协内蒙古自治区委员会文史资料研究委员会编：《内蒙古文史资料》第20辑，第136页。

　　关东军"内蒙古工作"的实际负责实施者是日本陆军中被称为"蒙古通"的松室孝良大佐。1933 年 4 月，他被任命为承德特务机关长。在此期间，他派田中玖少佐和金永昌到乌珠穆沁右旗访问锡林郭勒盟盟长索特纳木拉布坦，还在多伦召集锡林郭勒盟各旗王公和察哈尔部各旗总管开会，拉拢该地区蒙古上层，并邀请他们访问"满洲国"。当时，德王等在乌兰察布盟百灵庙发起内蒙古高度自治运动，锡察地区的大多数王公、总管对松室孝良的拉拢采取抵制或疏远的态度。所以，松室孝良于 10 月在多伦召开王公会议时，锡林郭勒盟各旗王公均未出席，只派一些代表应付。[①]

　　松室孝良根据与内蒙古西部一些蒙古王公上层接触的体会和正在兴起的内蒙古高度自治运动的实际情况，认为以建立"蒙古国"作为号召更有利于关东军的"内蒙古工作"。10 月，他向关东军提出了《关于建设蒙古国的意见》[②]。松室认为建立"蒙古国"可以使日本对苏或对华采取军事行动时更为有利；可以使日本的经济圈扩大；可以促进日本"大亚细亚政策"的实施。松室认为建立"蒙古国"的可能性有以下几点，即：蒙古民族意识的复活与对汉族的反感，与清朝的历史关系和对溥仪的敬慕，蒙古人是天生的骑兵，内蒙古西部是完整的蒙古族聚居区，历史上大元帝国的传统和喇嘛教的影响等。对于"蒙古国"领域，松室提出两种方案。第一种方案是以锡林郭勒盟、察哈尔八旗、乌兰察布盟、伊克昭盟、土默特旗为领域；第二种方案是在上述地区之外加上内长城线以北的察哈尔省北口道、山西省雁门道。认为从 1933 年冬开始用 3 年时间可以完成建立"蒙古国"的工作。还提出了聚集蒙古人才、培养蒙古军官、培养优秀的日本人指导官、设立推动各蒙旗奋起的秘密联络机关等具体工作计划。

　　但是，当时关东军认为松室孝良的建立"蒙古国"的急进计划和行动，与关东军参谋部的既定方针不符，会引起"满洲国"境内蒙古人的离反情绪，从而危及"满洲国"的安定。所以，关东军司令部将松室孝良调到齐齐哈尔任特务机关长，不让他继续负责"内蒙古工作"。1934 年 1 月 24 日，

---

　　① 德穆楚克栋鲁普：《抗战前我勾结日寇的罪恶活动》，见政协全国委员会文史资料研究委员会编：《文史资料选编》第 63 辑，文史资料出版社 1979 年版，第 13—14 页。
　　② ［日］岛田俊彦、［日］稻叶正夫编：《现代史资料（8）·日中战争（一）》（日文），第 451 页。

关东军参谋部制定《对察施策》计划，提出"内蒙古工作"的当前目标是将察东（即指察哈尔左翼4旗及4牧群等）、锡林郭勒盟作为在经济上与"满洲国"具有密切关系的行政区域，在实施方法上强调要"力戒无视国际形势的露骨的活动和惹起国内视听的急进措施"①，决定把重点放在经济和文化方面；所有军政工作必须秘密进行；工作的重点是李守信的察东警备军；作为将来的目标，考虑将施策范围向西扩大。

1934年1月，在日本陆军省、外务省和财界及"满铁"的支持下，在东京成立了财团法人善邻协会。该协会标榜"本着人道的观点以期毗邻各民族与蒙古民族的融和亲善，有助于各自文化的发展"②。为此，该协会负责在日本国内出版有关蒙古的图书资料和刊物，成立接受蒙古留学生的善邻学寮及蒙古学生部。从6月开始，善邻协会在察哈尔部和锡林郭勒盟设立多伦支部、阿巴嘎班、西苏尼特班，开设诊疗所、兽医部、小学并派巡回诊疗班到牧区开展诊疗活动等。该协会当初把与"满洲国"西部国境接壤地带作为其事业的主要基地。随着关东军"内蒙古工作"的推进，该协会便将其事业范围逐步向西扩展，甚至扩大到了绥远省境内。

关东军最初开始实施"内蒙古工作"时，把驻多伦的李守信和锡林郭勒盟长索特纳木拉布坦作为重点对象。由于德王在百灵庙倡导内蒙古自治运动，成立蒙古地方自治政务委员会，引起了关东军的重视，1934年秋，关东军阿巴嘎特务机关长盛岛角房和中岛万藏等到西苏尼特旗访问德王，传递了关东军方面可以无偿提供武器的意向，并向关东军提出今后"内蒙古工作"应以德王为主要对象。③ 11月，关东军奉天特务机关长土肥原贤二少将也到西苏尼特旗访问德王。

1935年1月4日，关东军在大连召开会议，讨论有关"华北分离工作"和"内蒙古工作"。这次会议上决定："对内蒙古从来是以扶持发展文化经济为主，指导该地方蒙民依靠日满。随着'满洲国'的发达，这项工作大

① ［日］岛田俊彦、［日］稻叶正夫编：《现代史资料（8）·日中战争（一）》，第468页。
② ［日］春日行雄编著：《日本与蒙古一百年》，第66页。
③ ［日］中岛万藏：《蒙疆回忆录》（日文），见骆驼会本部编：《高原千里——内蒙古回忆录》，骆驼会本部1973年印刷，第45页。

致就绪。确信将来一旦有事之时给予若干的援助和压力，按照我们的希望进行指导。今后也还要进一步充实已有的措施，同时以培养其首脑的实力为直接目的。政治工作上特别要努力把握一般蒙民之心理。为此，除了在通辽蒙古军官学校培养察哈尔的人才、盐业政策等之外，还要给予首脑人物以物资援助，促进对蒙贸易，尤其要努力配备对蒙交通机关和通讯机关，而且实施上述措施时相应地利用喇嘛教，精神上努力把握人心，着重对喇嘛僧徒给予物资实惠，使他们对此感到习以为常。……假如索王成为反满者的话，相信军方一定会采取特殊措施，以德王来取代他。"① 同时提出从"满洲国"边境线上驱逐察哈尔省宋哲元军队，始终确保在多伦的察东特别自治区等。

5月，关东军参谋部第二课课长石本寅三大佐、第二课主任参谋田中隆吉中佐等到西苏尼特旗，向德王提出关东军方面将协助其建立"蒙古国"的意向，并在西苏尼特旗设立了特务机关。

此后，关东军与宋哲元军队之间发生了所谓两次"热西事件"和两次"张北事件"。为此，中日双方先后签订《何梅协定》和《秦土协定》。尤其在1935年6月27日签订的《秦土协定》中规定，中国政府方面"必须承认日满的对蒙工作，援助特务机关的活动，并且停止移民，停止对蒙古人的压迫"②。这样，关东军方面开始将德王作为主要的争取对象，积极推行其"内蒙古工作"。

7月24日，关东军又制定了《对内蒙施策要领》，明确提出"随着华北工作的发展，使内蒙古能摆脱中央而自立，施策的重点放在多伦和西苏尼特方面"③，并提出了让德王、李守信和察哈尔部的卓特巴扎普三者联合起来的构想；在绥远，决定先探明傅作义的态度，"他若没有诚意时将其打倒"④。与此同时，关东军方面向德王赠送了一架飞机。⑤ 从这个时候起，

---

① 陆军省：《昭和十年满受大事记（密）十一册·其一》（国立公文书馆藏），见［日］江口圭一：《资料·日中战争时期的鸦片政策》（日文），岩波书店1985年版，第37页。

② 复旦大学历史系：《中国近代对外关系史资料选辑1840—1949》（下卷）第1分册，上海人民出版社1977年版，第276页。

③ ［日］岛田俊彦、［日］稻叶正夫编：《现代史资料（8）·日中战争（一）》，第492页。

④ ［日］岛田俊彦、［日］稻叶正夫编：《现代史资料（8）·日中战争（一）》，第493页。

⑤ ［日］中岛万藏：《关于德王》（日文），骆驼会本部编：《高原千里——内蒙古回忆录》，1975年印刷，第69页。

对日本关东军一直存有戒心的德王的态度也发生了变化，开始接近关东军。

9 月，根据《对内蒙施策要领》所确定的方针，关东军副参谋长板垣征四郎、参谋部第二课课长河边虎四郎和参谋田中隆吉等在西乌珠穆沁旗王府与索王和德王会见，正式传达了关东军愿意协助德王建立"蒙古国"的意向。但对德王提出的"把东西蒙合并起来，完成蒙古独立建国"① 的要求，则以内蒙古东部地区是"满洲国"的领土为由予以拒绝。这是关东军决策者与德王的第一次正式会见。

11 月末，关东军邀请德王访问"满洲国"。关东军司令官南次郎和参谋长西尾寿造等亲自会见德王。副参谋长板垣与德王进行具体商谈，决定："日本帮助西部蒙旗先搞一个'独立局面'，继而建立'蒙古国'，并送给五十万元和五千支枪，作为扩编军队之用。"② 德王又按照关东军的安排，到多伦与李守信见面，实现了关东军所提出的德王与李守信联合起来的计划。

12 月，关东军以中方不履行《秦土协定》为借口，令李守信的察东警备军向宝昌、沽源进攻，并派飞机轰炸沽源。在关东军的威胁下，中国方面被迫同意由蒙古保安队进驻察北 6 县。12 月底，李守信部即以蒙古保安队名义进驻沽源、张北、宝昌等 6 县。接着又占领了崇礼、尚义、化德。至此，察北地区已完全处在关东军的控制之下。

关东军经过半年的努力，其"内蒙古工作"有了重大进展，不仅让德王下决心接受了日本的武器、金钱援助，开始和李守信合作，达到了《对内蒙施策要领》中提出的初步计划，而且还把整个察北地区完全纳入到自己的控制之下。接着，关东军又制定了向绥远省以及西北地区扩张势力的计划。

五、蒙古军政府的成立及蒙古军的组建

1935 年 11 月，蒙政会第二次全体会议就曾以 1934 年 2 月国民政府颁

① 卢明辉：《蒙古"自治运动"始末》，中华书局 1980 年版，第 92 页。
② 德穆楚克栋鲁普：《德穆楚克栋鲁普自述》，陶布新整理，见政协内蒙古自治区委员会文史资料研究委员会编：《内蒙古文史资料》第 13 辑，政协内蒙古自治区委员会文史资料研究委员会 1984 年印刷，第 16 页。

布的《蒙古自治办法原则》8 项中有关察哈尔部改盟的规定作为依据，决定将察哈尔部改为盟，成立盟公署，任命卓特巴扎普为盟长、特穆尔博罗特为副盟长。① 1935 年底李守信部进驻察北各县之后，需要建立一个统一的地方行政机构，管辖所属旗县。所以由关东军方面派出的 20 多名日本顾问进驻张北及其他各县接收县政权，并开始了成立察哈尔盟公署的准备工作。②

1936 年 1 月 23 日，察哈尔盟公署成立暨盟长就职典礼在张北县城举行，德王、李守信、卓特巴扎普、迪鲁瓦（外蒙古活佛，当时流亡内蒙古）、包悦卿（蒙政会驻北平办事处处长）以及吴鹤龄、尼玛鄂特索尔等出席。关东军方面派参谋田中隆吉、张北特务机关长田中玖以及盟公署、旗县公署日系顾问等参加。典礼上，田中玖以关东军代表身份讲话，强调日蒙亲善，一致行动。这是日本人在内蒙古西部地区第一次公开露面致辞。③ 盟公署设在张北县城。同时，任命各县县长和旗总管，均派日系顾问，掌握其实权。另外，在张北设察哈尔盟保安队，配置日本指导官。

察盟公署成立后，德王为了尽快建立统一的指挥机构以便扩编军队，立即着手组建蒙古军总司令部。2 月 10 日，蒙古军总司令部成立典礼在德王府举行，德王就任蒙古军总司令。开会期间，关东军参谋长西尾寿造乘飞机前来参加典礼，并宣读祝词，强调"日蒙合作"。

蒙古军总司令部成立的同时，决定改元易帜，以成吉思汗纪年为年号（当年为成吉思汗即大汗位的第 731 年），使用新制的蓝地右上角红、黄、白 3 色竖条旗为新政权旗。其中蓝色代表蒙古族，红黄白分别代表火、喇嘛教和纯洁。

蒙古军司令部虽然冠以"总司令部"的名称，但从其组织机构的设置来看是一个兼有政府职能的机构。在名称问题上，德王和关东军方面一直没

---

① 德穆楚克栋鲁普：《德穆楚克栋鲁普自述》，陶布新整理，见政协内蒙古自治区委员会文史资料研究委员会编：《内蒙古文史资料》第 13 辑，第 18 页。

② ［日］简牛耕三郎：《草原的黎明——察哈尔盟成立前后》（日文），见骆驼会本部编：《高原千里——内蒙古回忆录》，第 87 页。

③ 扎奇斯钦：《我所知道的德王和当时的内蒙古》（二），东京外国语大学亚非语言文化研究所 1993 年刊印，第 7 页。

有统一起来，所以西尾在祝辞时依然称为"蒙古军政府"。① 德王等坚持用"总司令部"这个名称的目的，是为掩人耳目，不想与国民政府公开决裂而已。

蒙古军总司令部最高首脑为总司令，另设副总司令1人，下设政务、军务两部和1个秘书处。政务部下设内务、财政、文教3个处，分管民政、礼俗、宗教、文化、教育、财政、交通、实业等事业，德王兼任政务部长；李守信任副总司令兼军务部长。军务部下设3个科，分管军政、军令、军法、军械、军需、参谋、作战等事项。秘书处长由补英达赉担任，下设秘书室和文书、人事、会计、经理4个科。另外，特别设立了由日本人组成的顾问部，村谷彦治郎任政务部顾问、山内源作任军务部顾问。每个处、科均配备日籍顾问，加上翻译、书记等，顾问部共有20多人。日本顾问负责对蒙古军总司令部的内部指导，均受西苏尼特特务机关长指挥。② 蒙古军总司令部的建立，标志着关东军的"内蒙古工作"按照既定方针取得了重大进展。

蒙古军总司令部成立后，首先开始了招募士兵、扩编军队的工作。德王派宝贵廷和乌云飞赴"满洲国"兴安西省、热河省招募蒙古士兵；派包悦卿到兴安南省招兵。其次，为了救济当年遭受大雪灾的锡盟牧民，成立了雪灾救济委员会，任命郭尔卓尔扎布为主任并发出通电，呼吁各界捐款救济灾民。为此，派人到"满洲国"筹集捐款，还通过善邻协会在日本国内募捐。结果在国内募集捐款4万余元，从日本和"满洲国"募集捐款20余万元。③

此外，德王和吴鹤龄商议，决定根据关东军的意见，将蒙古军总司令部改建为蒙古军政府，并由吴鹤龄拟具蒙古军政府组织大纲和将来建立"蒙古国"计划草案。在建立"蒙古国"的计划草案中，"特别强调领土完整，主权独立，要以原有盟旗（包括东、西盟旗）为领域，以葫芦岛为海口"④。

---

① 德穆楚克栋鲁普：《德穆楚克栋鲁普自述》，陶布新整理，见政协内蒙古自治区委员会文史资料研究委员会编：《内蒙古文史资料》第13辑，第23页。

② 关东军参谋部：《关于内蒙古工作现状》（1936年4月28日，日文），见日本防卫厅防卫研究所战史室图书馆藏：《中央·战争指导·重要国策文书·第567号》资料。

③ 德穆楚克栋鲁普：《德穆楚克栋鲁普自述》，陶布新整理，见政协内蒙古自治区委员会文史资料研究委员会编：《内蒙古文史资料》第13辑，第24页。

④ 德穆楚克栋鲁普：《德穆楚克栋鲁普自述》，陶布新整理，见政协内蒙古自治区委员会文史资料研究委员会编：《内蒙古文史资料》第13辑，第27页；《吴鹤龄回忆录》（日文），载《日本与蒙古》1986年第21卷第1号。

德王将此草案交给田中隆吉，请他转交关东军研究并帮助实现。

察哈尔盟公署和蒙古军总司令部在关东军的直接支持下相继成立之际，内蒙古西部地区也发生了重大变故。首先，国民政府采纳绥远省方面的建议，于1936年2月22日在归绥成立了绥境蒙政会；与此同时把察哈尔右翼4旗由察哈尔省划归绥远省管辖；2月21日，蒙政会保安队在绥远省方面的策动和保安队内主张抗日分子的积极组织下，在百灵庙举行暴动，后被傅作义收编。这样，在百灵庙的蒙政会实际上已经彻底瓦解。

其次，蒙古军总司令部虽已成立，但并没有得到锡盟盟长索王以及其他盟旗首脑的同意，所以并不能起到号令各盟旗的统一指挥机构的作用。

在这种形势下，德王和吴鹤龄等人决定召开一次内蒙古西部各盟旗长官及其他代表参加的会议，通报与关东军接洽经过和蒙古军总司令部成立情况，讨论建立"蒙古国"的问题，同时把蒙古军总司令部正式改为蒙古军政府。

于是，德王首先通过吴鹤龄尽力劝说一向反日的索王同意与日本合作并能够亲自参加大会。取得索王同意后，德王就以蒙古军总司令部的名义，下令锡察两盟各旗札萨克和总管亲自参加大会，又以蒙政会名义，通知乌、伊两盟各旗和阿拉善、额济纳、土默特旗以及察哈尔右翼4旗派主要人员参加。会议地点是在西乌珠穆沁旗索王府，会期定在蒙政会成立两周年纪念日，即1936年4月24日。

参加这次会议的有锡盟10旗札萨克、察哈尔盟8旗总管和蒙政会的部分高级职员以及蒙古军总司令部各处、科长等。乌盟方面只派沙拉巴多尔济、葛什克达赖等参加。伊盟各旗、土默特旗、察哈尔右翼4旗和阿拉善、额济纳旗均未派代表。在蒙政会任职的上述各盟旗籍人员，分别被指定为各盟旗的代表。

4月21日开始召开预备会议，审查、讨论各项提案，并推选索王、德王、李守信、卓特巴扎普、沙拉巴多尔济为主席团成员，吴鹤龄为秘书长。大会正式开幕后，索王说明召开此次大会的意义，德王报告与关东军接洽经过和蒙古军总司令部成立以及改元易帜情况。经过几天的会议，与会代表一致通过了关于建立"蒙古国"和先在嘉卜寺（化德）成立蒙古军政府，以资整军经武，收复蒙古固有疆土案；关于实行征兵，扩编军队，组织蒙古军案；关于实行统制经济，开发资源案；关于成立蒙古生计会，组织救济新村案以及蒙古军政府组织大纲等。《蒙古军政府组织大纲》中规定："蒙古为筹备建国，设立蒙古军政府，至蒙古国成立时，改组为蒙古国政府"，"本政府设立主席一人，为政府首领，对全体蒙古负责；并设副主席一人或二人"，"本政府设总裁一人，秉承主席总揽蒙古统治权，率所属机关及军队，掌理关于建国一切事宜，对主席负责任"。① 会议决定以蒙古军政府作为蒙古的中央政府，将来把察哈尔、绥远、阿拉善、额济纳、青海蒙古均置于该政府统治之下。②

大会推选未出席会议的乌盟盟长云王为蒙古军政府主席，选举锡盟盟长索王和未出席会议的伊盟盟长沙王为副主席。出席大会代表都在主席、副主席"选任状"上签名盖章，表示郑重。会议进行期间，关东军的代表田中隆吉、横山顺等乘飞机赶来，向大会致贺辞。这次西乌珠穆沁大会后来被称作第一次蒙古大会。

根据第一次蒙古大会的决议，1936 年 5 月 12 日在化德举行了蒙古军政府成立典礼和升旗仪式。参加典礼的大都是出席第一次蒙古大会的各盟旗代表。关东军方面派副参谋长今村均、参谋田中隆吉、化德特务机关长田中玖以及原蒙古军总司令部的顾问部主任村谷彦治郎等出席。典礼上，由德王说明依据第一次蒙古大会的决议正式成立蒙古军政府和改元易帜的意义。今村致辞祝贺蒙古军政府的成立，强调"日蒙亲善"，完成蒙古军政府所负使命等。③ 另外，"满洲国"政府的代表玉春宣读了溥仪的贺电。

根据《蒙古军政府组织大纲》的规定，由云王和索王、沙王（3 人均未参加此次典礼）以蒙古军政府主席、副主席名义，任命德王为军政府总裁，掌握军政实权。总裁下设办公厅、参议部、参谋部和军事、财政、内务、交通、实业、教育、司法、外交 8 个署；另设一个日本顾问部，村谷彦治郎任主任顾问；各署均派日本顾问，负责内部指导之责。任命李守信、吴鹤龄、补

---

① 日本外务省外交史料馆档案：《满蒙关系杂纂·内蒙古关系》第 3 卷，A—6—1—2—1—14。

② ［日］岛田俊彦、［日］稻叶正夫编：《现代史资料（8）·日中战争（一）》，第 551—552 页。

③ 德穆楚克栋鲁普：《德穆楚克栋鲁普自述》，陶布新整理，见政协内蒙古自治区委员会文史资料研究委员会编：《内蒙古文史资料》第 13 辑，第 31 页。

英达赉、陶克陶4人为总裁帮办，协助总裁处理军政事务。关东军化德特务机关长田中玖指挥军政府中的日系顾问，并负责对蒙古军政府的指导。

6月，德王率李守信、卓特巴扎普、吴鹤龄、金永昌、陶克陶等到"满洲国"访问，会见了关东军参谋长板垣征四郎和"满洲国"皇帝溥仪以及国务总理大臣张景惠以及外交部、军政部、蒙政部、宫内府大臣等。在关东军的指使下，蒙古军政府同"满洲国"政府签订了以"共同防共，军事同盟，互派代表，经济提携"① 为内容的《满蒙协定》。根据这个协定，蒙古军政府派金永昌为驻满代表，"满洲国"政府派玉春为驻蒙代表，"满洲国"中央银行在德化设立办事处，发行"满洲国"货币，在蒙古军政府管辖区域内流通使用。此外，蒙古军政府管辖区内的邮政、电信、交通及航空运输等方面的业务，分别由"满洲国"相应的部、局和公司负责管理和经营。这样，蒙古军政府所辖的锡林郭勒盟、察哈尔盟的经济命脉已经掌握在日本手中。

德王等返回德化后，又根据关东军的安排，派外交署署长陶克陶同"冀东防共自治政府"的殷汝耕举行会谈，缔结了以"政治上共同防共，经济上互相支援"② 为内容的《蒙冀协定》。后来，田中隆吉策划对绥远的进攻时，便根据此项协定从"冀东防共自治政府"走私收入中要来100万元，作为军费。

蒙古军政府成立后进行的最重要的工作就是组建了蒙古军。由于年初成立的蒙古军总司令部仅具虚名，并没有多少武装力量，所以军政府成立后，德王亲自主持招兵买马，整编军队。把李守信的部队和蒙古军总司令部从"满洲国"招募的士兵以及从锡、察两盟征召的士兵整编为两个军，第1军是李守信原来所率部队，辖4个师、1个直属炮兵队，官兵大多为汉族，由李守信兼任军长；第2军辖4个师、1个炮兵团，官兵大多为蒙古族，由德王兼任军长。经过整编，蒙古军总兵力达11 000余人。③

① 德穆楚克栋鲁普：《德穆楚克栋鲁普自述》，陶布新整理，见政协内蒙古自治区委员会文史资料研究委员会：《内蒙古文史资料》第13辑，第36页。

② 德穆楚克栋鲁普：《德穆楚克栋鲁普自述》，陶布新整理，见政协内蒙古自治区委员会文史资料研究委员会：《内蒙古文史资料》第13辑，第36页。

③ ［日］岛田俊彦、［日］稻叶正夫编：《现代史资料（8）·日中战争（一）》，第599页。

蒙古军第 2 军大多属于新征募的士兵，未经任何军事训练，更缺乏中下级军官。为解决这个问题，蒙古军政府在西苏尼特旗德王府东营盘成立了蒙古军官学校，德王兼校长，从各部队及各盟旗招收 50 名蒙古青年，进行培训。[①]

六、关东军向绥远及阿拉善、额济纳等地的侵略、渗透

把绥远省置于自己的势力范围之内是关东军"内蒙古工作"的一个重要目标。1935 年 6 月的《秦土协定》之后不久，关东军就在绥远省首府归绥设立了特务机关，由羽山喜郎任机关长，[②] 并在包头开始修筑飞机库。另外，在蒙政会所在地百灵庙也设立特务机关，由盛岛角房任机关长。关东军在 1934 年 1 月的《对察措施》、1935 年 7 月的《对内蒙措施要领》和 1936 年 5 月的《对蒙（西北）措施要领》中，[③] 都决定将绥远省纳入其势力范围之内，而且制定了越来越具体的计划。

当然，从蒙古军政府的角度来说，由于绥远省方面在征收鸦片特税、西公旗札萨克继承以及察哈尔部改盟等问题上一直与蒙政会作对，并最终搞垮了蒙政会。这样使得德王等人对绥远省政府及傅作义个人怀有强烈不满，希望在关东军的支持下，将绥远省及其所属盟旗和县纳入到军政府的管辖之下，统一内蒙古西部地区，为将来建立独立的"蒙古国"打下基础。所以说，蒙古军政府在攻打绥远的问题上的立场与关东军的计划是一致的。

7 月中旬，关东军参谋长板垣征四郎、第二课课长武藤章、参谋田中隆吉和德化特务机关长田中玖以及松井忠雄大尉等召开进攻绥远的军事会议。由于田中玖反对该项计划而被调回关东军，改由田中隆吉兼任德化特务机关长。[④] 8 月下旬，板垣征四郎到归绥，要求傅作义与日本合作，签订共同防共协定，由日方推举傅作义负整个华北责任；以百灵庙为中心，将阴山以北

---

① ［日］岛田俊彦、［日］稻叶正夫编：《现代史资料（8）·日中战争（一）》，第 551 页。

② 日军在华北各地的派出机构都叫"特务机关"，而在归绥的机关叫做"羽山公馆"。

③ 《现代史资料（8）·日中战争（一）》的编者岛田俊彦、稻叶正夫认为这份计划是 1936 年 1 月制定的（第 540 页）；另据江口圭一考证，这份文件是 1936 年 5 月制定的。（见江口圭一发掘整理的涉及蒙疆政府方面的鸦片资料——《日中战争时期的鸦片政策》，三铃书房 1985 年版，第 52 页）。

④ ［日］松井忠雄：《内蒙三国志》（日文），原书房 1966 年版，第 165 页。

的蒙古地区划归德王管辖。绥远省方面如不同意，德王将以武力解决，关东军将会支持这一行动。① 这些提议遭到了傅作义的拒绝。

日本关东军为了攻打绥远，从 8 月开始，利用汉奸于志谦、王道一部向绥东窜扰。结果被傅作义部击退。接着，关东军又起用绥西大地主王英，招募土匪及原东北军散兵游勇组成"大汉义军"。11 月初开始，王英部作为第一线作战部队，蒙古军第一军作为第二线增援部队，分别进入预定地点。关东军派"满航"13 架飞机和"满铁"150 辆汽车参加作战。另外，向"大汉义军"和蒙古军派日本指导官，指挥和监督作战。11 月 5 日，德王以察境蒙政会委员长名义向傅作义发出通电，指责其对蒙政会的种种刁难和破坏。② 8 日，傅作义向德王发出复电，并指责其勾结外国人，成立傀儡政权，规劝其不要受外人利用。③ 14 日，王英发表《大汉义军宣言》，提出打倒南京政府。15 日，王英部向绥东红格尔图进攻时，遭到傅作义部的迎头痛击，惨败而归。

11 月 18 日，蒙古军第 7 师及特务机关进驻百灵庙。23 日，蒙古军第 7 师在百灵庙遭到傅作义部袭击，退守锡拉穆伦庙（即大庙）。12 月 2 日，王英部从锡拉穆伦庙西进，试图夺回百灵庙。在战斗中"大汉义军"副总司令雷中田被击毙，部队退回锡拉穆伦庙。9 日，在锡拉穆伦庙的王英部石玉山旅和金宪章旅杀死部队中的 29 名日本人，投归傅作义军。蒙古军第 7 师损失惨重，只有师长穆克登宝率少部分人乘汽车逃回德化。

12 月 12 日爆发了"西安事变"，使得国内局势发生急剧变化。13 日，日本军部便作出《内蒙时局对策案》，提出"尽快为停止蒙中两军的军事行动而努力，恢复事件前的状态"的方针，决定"让内蒙军政府发表以锡盟察盟为范围成立自治政府的宣言，日满两军作为其支柱防止其崩溃，而且为强化其政府支给经费、武器"。④ 14 日，日本陆军省制定《西安事变对策纲要》，决定"对内蒙方面，在既定方针的基础上采取措施的同时，从内部政

---

① 刘春方：《我所知道的傅作义先生》，见政协全国委员会文史资料研究委员会编：《傅作义生平》，文史资料出版社 1985 年版，第 129 页；［日］春日行雄编著：《日本与蒙古一百年》，第 87 页。

② 卢明辉：《蒙古"自治运动"始末》，中华书局 1981 年版，第 147—149 页。

③ 卢明辉：《蒙古"自治运动"始末》，第 150—151 页。

④ ［日］岛田俊彦、［日］稻叶正夫编：《现代史资料（8）·日中战争（一）》，第 607 页。

治工作转向引导绥远省政府反共，阻止苏联的潜在策动"①。18 日，德王等根据关东军的决定，向国民政府发出停战通电。

这样，由关东军策划的犯绥之战最终以"大汉义军"和蒙古军的失败而告终。这次军事行动的失败，使关东军的"内蒙古工作"遭到了很大挫折。田中隆吉也因此被召回，武藤章接任德化特务机关长。

1937 年 1 月 25 日，日本陆军省和参谋本部根据"西安事变"后的新形势，制定了《内蒙军整备要领案》，决定"为确保以锡盟察盟为范围（绥东4 旗除外）的内蒙防卫及治安，同时为了在日苏战争之际能成为谋略部队的基干，在帝国军指导下整备团结巩固的内蒙军"，"内蒙军总兵力大致以11 000 名为标准"，"编成内蒙军之时尽量以居住在锡盟察盟蒙人充当，逐渐减少从兴安省募兵"，"为整备强化内蒙军……从本年开始可以使用 350万元（满洲国边防费等）作为永续经费"，"兵器、被服等现品交付则由关东军从前的实施范围内实施之"。② 据此，关东军参谋部又制定《蒙古工作的过去经纬及将来军的方针》，决定"鉴于西安事变后中央的指示及这次事变的实绩，缓和从前的联合全蒙古地区的蒙古民族号召大同团结的泛蒙古运动"，"整顿改编内蒙古军，进行专门的训练，充实其实力，使其成为将来内蒙政策的中心势力，同时成为日苏战争之际日本军谋略部队"；"将内蒙古军移驻平时的位置"，"在内部指导下改组军政府……使其完全依存日满方面"。③

根据日本军部的这一指示，蒙古军政府开始整顿军事指挥机构。1937年 5 月，在军政府之下设立蒙古军总司令部，德王任总司令，李守信任副总司令，任命乌古廷为参谋长；取消军政府的军政、参谋二部和第 1 军、第 2军建制，各师均由总司令部直接指挥。④

这一时期，关东军除在锡、察盟成立蒙古军政府、出动汉奸部队和蒙古军进攻绥远省之外，还向阿拉善旗和额济纳旗等地扩张势力，相继建立了特务机关。

1935 年 12 月，关东军决定在阿拉善旗和额济纳旗设立特务机关，命令

---

① ［日］岛田俊彦、［日］稻叶正夫编：《现代史资料（8）·日中战争（一）》，第 608 页。
② ［日］岛田俊彦、［日］稻叶正夫编：《现代史资料（8）·日中战争（一）》，第 610 页。
③ ［日］岛田俊彦、［日］稻叶正夫编：《现代史资料（8）·日中战争（一）》，第 612—613 页。
④ 政协内蒙古自治区委员会编：《伪蒙古军史料》，政协内蒙古自治区委员会 1990 年印刷，第 42 页。

横田碌郎负责。[①] 同月，原来在德王府冒充喇嘛的关东军特务笹目恒雄潜入阿拉善旗活动。1936 年初，横田碌郎等到阿拉善旗定远营设立特务机关，会见该旗札萨克达理扎雅。4 月，山本光次为班长的一行人从定远营乘骆驼到额济纳旗所在地东庙设立特务机关。此后，关东军的军人和满洲航空公司有关人员多次到阿拉善旗和额济纳旗，以设立欧亚航线中继站名义在这两个旗所在地修建简易机场，开通德化、百灵庙、定远营、东庙之间的不定期航班，并从包头等地用骆驼运送大量汽油到阿、额 2 旗所在地进行储备。8 月，关东军派江崎郁郎为额济纳旗特务机关长。8 月 24 日，关东军参谋长板垣征四郎乘飞机到阿拉善旗和额济纳旗视察，分别会见达理扎雅和图布新巴雅尔（额济纳旗札萨克），就设立特务机关和欧亚直通航线中继站问题等达成谅解。[②] 11 月 20 日，由于绥东及百灵庙战斗打响，阿拉善旗特务机关和"满航"飞机撤回德化。额济纳旗特务机关则保留到 1937 年"七七"事变爆发为止。

此外，这一时期关东军还曾派人到伊克昭盟，拉拢该地的王公上层。1936 年秋天，百灵庙特务机关长派机关员内田勇四郎前往伊克昭盟，访问该盟盟长沙克都尔扎布和副盟长阿拉坦鄂齐尔，向他们宣称："日本进入大陆，其目的不是在于侵略，而在于支援各民族独立自主，建立东亚新秩序。"[③] 但当时这一拉拢措施并未起到多大作用。

七、日军占领内蒙古西部地区及蒙疆政权的建立

1937 年 7 月 7 日，驻华北日军发动"卢沟桥事变"，很快占领了北平、天津等地。从 8 月 11 日到 29 日，日本关东军协同中国驻屯军完全占领了张家口以东平绥铁路东段。9 月 5 日开始日军察哈尔派遣兵团继续沿平绥铁路西进，13 日占领大同，16 日攻克丰镇。9 月 23 日，日军和蒙古军攻占集宁，14 日攻占归绥，17 日又占领内蒙古西部重镇包头。

日本关东军攻占察哈尔、晋北及绥远等地的同时，在其占领区内着手

---

① ［日］春日行雄编著：《日本与蒙古一百年》，第 80 页。

② ［日］春日行雄编著：《日本与蒙古一百年》，第 87 页。

③ ［日］内田勇四郎：《内蒙古独立运动》，巴秉清节译，见中共伊盟盟委党史资料征集办公室编：《伊盟革命斗争史料》第 7 辑，中共伊盟盟委党史资料征集办公室 1986 年印刷，第 155 页。

组织傀儡政权。8 月 13 日，关东军司令部制定《察哈尔方面政治工作紧急处理要纲》，决定"在现察哈尔省内组织察南自治政府"，"扩充张家口特务机关，对察哈尔政府及察南自治政府有关重要军事、涉外、经济等各种事项及内政上的根本方针进行内部指导"。① 16 日，关东军司令部又制定《基于察哈尔方面政治工作紧急处理要纲具体措置案》，在《察哈尔方面政治工作紧急处理要纲》的基础上，进一步详细制定了有关蒙古军政府、察南自治政府、在张家口成立察哈尔政权统辖委员会及其机构、统辖委员会内设置日本人最高顾问以及金融税收、治安维持、宣抚及政治工作等具体计划。

这样，从"满洲国"派出以金井章二为首的日本顾问团进入张家口，一边指导当地维持会，一边开始了组织新政权的工作。9 月 4 日，在张家口成立了察南自治政府，于品卿任最高委员、金井章二任最高顾问；同时成立张家口特务机关，吉冈安直大佐任机关长。察南自治政府下辖张家口市及察南的宣化、怀来等 10 县。

10 月 1 日，关东军司令部又制定《蒙疆方面政治工作指导要纲》②，决定"随着平地泉的占领，将西四旗（指察哈尔右翼四旗——引者）地区划归内蒙军政府统辖，进而接收绥远，成立大青山盟"；"军政府改组为自治政府，政务和军事分离，简化机构，为把乌盟、伊盟、宁夏方面合并到蒙古自治政府，召开蒙古会议，组织蒙古自治联盟"；"各地特务机关长通过各地最高顾问担任内部指导"。同时决定在晋北成立自治政府，在张家口设立统辖察南、晋北、蒙古 3 个自治政府有关事项的蒙疆联合委员会。

根据上述决定，晋北自治政府于 10 月 15 日在大同成立，夏恭任最高委员、前岛升任最高顾问；同时成立大同特务机关，羽山喜郎中佐任机关长。晋北自治政府下辖大同市及晋北的浑源、左云等 13 县。

日军和蒙古军占领归绥以后，随同蒙古军进城的蒙古军政府接收人员，开始接收绥远省的各机关。德王则从百灵庙飞抵归绥，与吴鹤龄、陶克陶等人协商，向绥远特务机关长桑原荒一郎中佐和蒙古军政府顾问村谷彦治郎等

---

① 〔日〕臼井胜美、〔日〕稻叶正夫编：《现代史资料（9）·日中战争（二）》，美铃书房 1966 年版，第 107 页。

② 〔日〕臼井胜美、〔日〕稻叶正夫编：《现代史资料（9）·日中战争（二）》，第 120—126 页。

提出"蒙古独立建国"的问题，并要求关东军方面实践这一诺言。与此同时，他们以蒙古军政府名义向锡、察、乌、伊盟各旗及其他各旗县发出通知，决定于10月27日在归绥召开第二次蒙古大会，讨论建立蒙古新政权的问题。

但是关东军方面根据其于10月1日所制定的《蒙疆方面政治工作指导要纲》，反对建立完全独立的"蒙古国"，只允许将蒙古军政府改组为自治政府。10月25日，关东军参谋部制定《蒙古自治联盟政府大纲》，提出"蒙古自治联盟政府的领域为蒙古全域，目前以锡盟、察盟、乌盟、伊盟、青盟（指计划中的大青山盟——引者）为领域。将绥远和包头作为特别市，行政上与盟相同"；"蒙古自治联盟政府的施政上其领域内以防共及民族协和为根基"；"自治政府的政务和军事要分离，各自与其最高顾问协商决定处理，并用明文规定之"；"在盟旗不进行激进的变革"。① 经过和关东军方面协商，新政权的名称最后确定为"蒙古联盟自治政府"，即联合各盟实行自治之意。②

10月27日，第二次蒙古大会在归绥公共会堂举行，来自锡林郭勒、察哈尔、乌兰察布、伊克昭盟各旗的王公札萨克和土默特旗、察哈尔右翼4旗总管、各县长以及蒙古军政府、蒙古军总司令部代表等出席。关东军方面派参谋长东条英机和绥远特务长桑原以及蒙古军政府顾问村谷彦治等参加。此外，"满洲国"政府、察南自治政府、晋北自治政府均派代表出席。

28日，大会讨论通过了《蒙古联盟自治政府组织大纲》《蒙古联盟自治政府暂行组织法》和《第二次蒙古大会宣言》等，选举云王（未到会）为政府主席、德王为副主席。德王等当即宣誓就职。这样，为期两天的第二次蒙古大会闭幕。

《蒙古联盟自治政府组织大纲》规定："蒙古联盟自治政府置主席及副主席"（第一条），"以蒙古固有领土为领域，暂以乌兰察布盟、锡林郭勒盟、察哈尔盟、巴彦塔拉盟（为新设盟，由土默特旗、察哈尔右翼4旗和与此4个旗并存的各县组成——引者）、伊克昭盟及厚和（全称为厚和豪特，

---

① ［日］白井胜美、［日］稻叶正夫编：《现代史资料（9）·日中战争（二）》，第156—157页。

② 扎奇斯钦：《我所知道的德王和当时的内蒙古》（二），东京外国语大学亚非语言文化研究所1993年刊印，第37页。

由归绥改称——引者）市、包头市（由包头县改称——引者）为统治区域”，“以防共民族协和为基本方针，以生、聚、教、兴、养、卫六事为施政纲领”。① 同时决定仍用蒙古军政府时期的旗章，以成吉思汗纪元为年号，政府设在厚和豪特市。显而易见，这一《蒙古联盟自治政府组织大纲》是以上述《蒙古自治联盟政府大纲》为蓝本的。

“蒙古联盟自治政府”设政务院、蒙古军司令部和参议会。政务院掌理一切行政事务，由德王兼任院长，政务院下设总务部、财政部、保安部。② 根据关东军的意图，李守信任蒙古军总司令，吴鹤龄任参议会议长。

《蒙古联盟自治政府暂行组织法》规定：“蒙古联盟自治政府置政务最高顾问及军事最高顾问。”③ 关东军方面指定金井章二为该自治政府最高顾问，高场损藏为蒙古军最高顾问。金井由于在张家口筹备成立“蒙疆联合委员会”，便指定宇山兵士以次席顾问代其行事。后来，宇山正式升任“蒙古联盟自治政府”最高顾问。④ 此外，关东军方面还向“蒙古联盟自治政府”各部、蒙古军总司令以及各盟公署均派出顾问。这些顾问受绥远特务机关（12月1日改称厚和特务机关）长桑原荒一郎指挥。

关东军在《蒙疆方面政治工作指导要纲》中，就曾决定成立“蒙疆联合委员会”，并由该委员会统一领导察南、晋北、蒙古3自治政府。11月22日，“蒙疆联合委员会”在张家口正式成立，卓特巴扎普、于品卿、夏恭分别代表蒙古、察南、晋北自治政府在成立“蒙疆联合委员会”的协定上签字。协定中规定，各政权将原有的一部分权利移交“蒙疆联合委员会”，由该委员会“处理有关产业、金融、交通及其他重大事项”⑤。根据这一协定，由金井章二任最高顾问兼总务委员会委员长，成为该委员会的权利中心和3个自治政府的实际领导者。

---

① 满铁调查部编：《蒙疆政府公文集》（日文）上辑，满铁调查部1939年刊印，第34页。

② “蒙古联盟自治政府”编：《蒙古联盟自治政府七三三年甲年度行政概要》，第2页；北支那经济通信社编：《北支·蒙疆现势》，北支那经济通信社1938年印刷，第709页。

③ 满铁调查部编：《蒙疆政府公文集》（日文）上辑，满铁调查部1938年刊印，第36页。

④ 1939年6月5日，宇山调任满洲国总务厅参与官，由畜产部顾问泉名英升任最高顾问，载《盛京时报》1939年6月7日。

⑤ ［日］臼井胜美、［日］稻叶正夫编：《现代史资料（9）·日中战争（二）》，第123—124页。

　　"蒙疆联合委员会"成立后，立即与关东军司令官交换了秘密公文，达成了协议。① 此后不久，"蒙疆联合委员会"还与满洲国政府在新京就有关双方国境、共同防共、经济提携以及在司法、行政方面合作等问题签订了《满洲国·蒙疆联合委员会议定书》和《附属协定》。②

　　1938 年 8 月 1 日，"蒙疆联合委员会"由原来的总务、产业、金融、交通 4 委员会改组为总务、产业、财政、交通、民生、保安 6 部，总务委员会名义仍旧保留并代表"蒙疆联合委员会"。这样使得"蒙疆联合委员会"更具有政府职能。

　　随着"蒙疆联合委员会"的成立，便出现了"蒙疆政权"这一新名称和"蒙疆"这一相对固定的政治地理名词。事实上，"蒙疆联合委员会"就是蒙疆政权。因为，它在政治上是 3 个自治政府的上级领导机构，并代表对外的地位；在经济上，它完全控制了 3 个自治政权有关财政、金融、交通、产业等重要命脉。所以说，"蒙疆联合委员会"的成立标志着蒙疆政权的诞生，同时也标志着日本在内蒙古西部地区殖民统治的正式确立。

"蒙疆联合委员会"组织机构及其所辖 3 自治政府

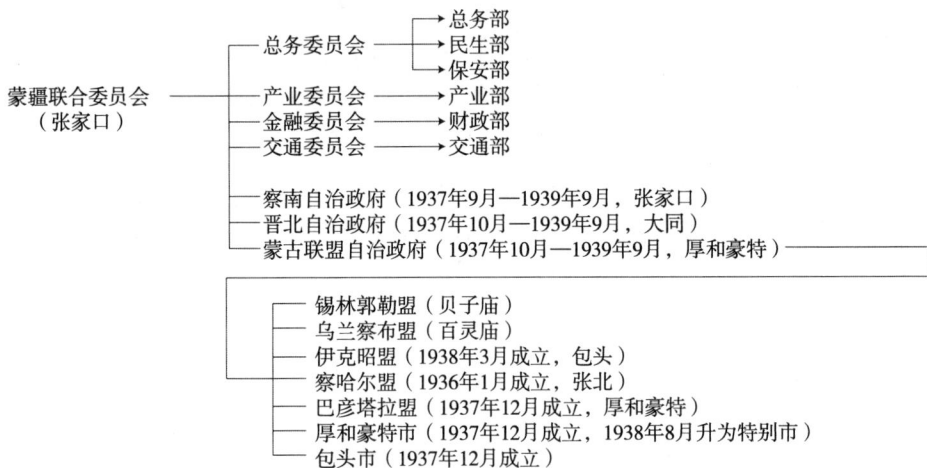

```
                              ┌─→ 总务部
              ┌─ 总务委员会 ──┼─→ 民生部
              │               └─→ 保安部
蒙疆联合委员会 ─┼─ 产业委员会 ──── 产业部
（张家口）     ├─ 金融委员会 ──── 财政部
              ├─ 交通委员会 ──── 交通部
              │
              ├─ 察南自治政府（1937年9月—1939年9月，张家口）
              ├─ 晋北自治政府（1937年10月—1939年9月，大同）
              └─ 蒙古联盟自治政府（1937年10月—1939年9月，厚和豪特）──┐
                                                                    │
              ┌─ 锡林郭勒盟（贝子庙）
              ├─ 乌兰察布盟（百灵庙）
              ├─ 伊克昭盟（1938年3月成立，包头）
              ├─ 察哈尔盟（1936年1月成立，张北）
              ├─ 巴彦塔拉盟（1937年12月成立，厚和豪特）
              ├─ 厚和豪特市（1937年12月成立，1938年8月升为特别市）
              └─ 包头市（1937年12月成立）
```

① ［日］臼井胜美、［日］稻叶正夫编：《现代史资料（9）·日中战争（二）》，第124—125 页。
② ［日］臼井胜美、［日］稻叶正夫编：《现代史资料（9）·日中战争（二）》，第162—164 页。

第二节　日本殖民统治时期内蒙古地区
社会政治制度及其变化

一、伪满治蒙机构的演变及对蒙古人的政策

1934 年 3 月 1 日，"满洲国"实行帝制，溥仪成为"满洲帝国"皇帝，改年号为康德。同时，对"满洲国"中央机构实行改革，国务总理改称国务总理大臣，各部总长均改称大臣，兴安总署长官仍称总长。11 月 29 日公布了《国务院各部官制中修正之件》①，其中增加了《蒙政部》一章（第十章），作为蒙政部官制。该官制中规定："蒙政部大臣掌理施行旗制之地域的地方行政警察、土木、卫生、农、林、畜产（有关马的事项除外）、水产、矿山、商工、教育及宗教事项，监督兴安各省长"；"废止兴安总署官制、旧蒙务整理委员会官制及大同元年教令第四十号"。12 月 1 日，兴安总署正式改为蒙政部，齐默特色木丕勒被任命为大臣、依田四郎任次长。蒙政部内设总务司、民政司、劝业司，关口保、寿明阿、永岛忠道分别任各司司长。蒙政部所管辖的施行旗制之地域包括兴安 4 省 26 旗、3 县及吉林省郭尔罗斯前旗、龙江省杜尔伯特旗和依克明安旗、滨江省郭尔罗斯后旗等省外 4 旗。

12 月 1 日，"满洲国"实行地方行政制度改革，将原奉、吉、黑、热 4 省划分为 10 个省。同时，根据 11 月 29 日公布的《兴安各省公署官制》将兴安 4 分省升格为兴安南、北、东、西 4 省，设立省公署；兴安各省公署设省长、参与官、厅长、理事官、秘书官、事务官、技佐、属官、技士等职员；任命原各分省省长为省长，分别委任中村撰一、白滨晴澄、除野康雄、伊藤喜八郎为兴安 4 省公署参与官；省长承蒙政部大臣之指挥监督，对于各大臣所管事务，承其指挥监督，执行法律、命令，管理省内行政事务；省长指挥监督所属官吏和省内之兴安警察局长、旗长及县长；省公署设总务厅和

---

①　（"满洲国"）《政府公报》第 225 号。1934 年实行帝制后称《政府公报》，此前称《满洲国政府公报》。

民政厅；参与官辅佐省长，参与机要事务，接受其命令掌管事务。①

1937年1月1日，热河省及锦州省内各蒙旗实行"旗制"，规定："各旗着行政第一级由省长监督之，第二级由蒙政部大臣监督之。"② 这样，蒙政部的管辖范围扩大到热河、锦州两省的8个蒙旗。

1937年7月1日，随着"满洲国"政府行政机构的改革，废除了作为中央机构中主管蒙古行政的蒙政部，设立了直属于国务总理大臣的兴安局。该局与蒙政部不同，不直接主管蒙古行政，而是成为国务总理大臣及各部大臣有关蒙古行政的咨询联络机构。兴安局还设日本人参事官，局内机构有总务科、调查科、第一议事官房、第二议事官房。这样兴安4省归各部大臣指挥、监督，省外各旗则由各该省公署管辖，完成了"满洲国"所提出的"强化国政的综合统制"。③

1938年10月，"满洲国"国务院发布训令，决定各部大臣在解决有关蒙地特殊权利、蒙旗原有之权益、喇嘛、处置旧王公、蒙古特殊社会制度等事项时必须取得国务总理大臣的认可。④ 在这些问题上，兴安局则向国务总理大臣提出咨询，并协助和联络各部进行工作。所以，兴安局的权限比蒙政部减少了很多。第一任兴安局总裁是扎噶尔（1937年7月—1940年3月），第二任是巴特玛拉布坦（1940年3月—1945年8月）。

"满洲国"成立后，越来越明确地制定了对"满洲国"内的蒙古人的政策。

1932年5月21日关东军司令部制定《对满蒙方策案（第四次方案）》，提出"鉴于蒙古人在满蒙的特殊地位，应使兴安省实行自治政治，彻底体现民族协和之宗旨。另一方面，从对苏国防及谍报的角度出发，可对该省加以利用，并满足我们不足资源之部分需求"。⑤

---

① （"满洲国"）《政府公报》第225号。1940年5月1日满洲国政府废止该《官制》，援用和其他省一样的《省公署官制》。《盛京时报》1940年4月24日。

② （"满洲国"）《政府公报》第1713号。

③ ［日］"满洲国"编纂刊行会编：《满洲国史·各论》（日文），满蒙同胞援护会1971年刊印，第1259页。

④ （"满洲国"）《政府公报》第1380号。

⑤ 中央档案馆、中国第二历史档案馆、吉林省社会科学院合编：《日本帝国主义侵华档案资料选编·伪满傀儡政权》，中华书局1994年版，第14页。

1933 年 7 月 16 日，关东军根据"满洲国"建立后的具体情况和蒙古人所处的地理位置及其语言、文化、经济特点等，制定了《暂行蒙古人指导方针要纲案》。对"满洲国"内的蒙古人采取的方针是："1. 增强其对日满信赖之心；2. 不能激化民族对抗的观念；3. 利用旧的习惯进行统治，保持以王公为中心的现有制度……6. 生活方式方面，大体上保持现在的方式，逐渐进行文化设施（建设）。为此，（1）慎重解决汉蒙民族间的纠纷，使其不至于成为民族斗争；（2）保护畜牧业，防止无限制地扩大耕地；（3）普及卫生思想，讲究医疗方法；（4）教育方面一般广为普及，但首先对处于领导地位的少数人施以必要的教育，以期提高其素质，为此设立必要的教育设施；（5）注意利用喇嘛教，唤起民族自我意识，并改善喇嘛教；（6）不能急进地进行从畜牧业向农业的改变，而以渐进的方式促使其达到半农半牧的程度；（7）改造兴安总署。"① 这一方针成为日本对"满洲国"境内蒙古人的基本政策基础。

1934 年 1 月 24 日，关东军参谋部制定《对察施策》计划，决定对内蒙古西部地区的工作以经济、文化为主，给当地蒙古人以实惠，同时强调"要严格避免由于过度的恩惠，导致满洲国蒙民离满赴察或酿成蒙古独立运动"②。

1936 年 4 月发生了所谓凌升"反满通苏"事件。4 月 24 日，关东军以"企图蒙古团结独立，阴谋叛乱危害国家"③ 的罪名，对兴安北省省长凌升等四人判处死刑。这一事件给内蒙古东部地区的蒙古人以极大的刺激，他们对日本殖民统治者的真实面目有了新的认识。

关东军方面根据"凌升事件"后的具体情况和为向内蒙古西部地区扩张势力，以"满洲帝国"政府名义于 1936 年 5 月 20 日制定了《国内蒙古人指导方针》。其中提出："对满洲国内蒙古民族指导方针是，使他们牢记自己是满洲国的构成分子之一，举国一致五族协和，以建国精神为基础，在此范围内尊重其民族固有之习俗、历史，并加以渐进式的指导，以期提高。对于有助于国家大政方针的实施以及为实现民族协和所必要的事项等，逐渐融

---

① 〔日〕岛田俊彦、〔日〕稻叶正夫编：《现代史资料（8）·日中战争（一）》，第 447—448 页。

② 〔日〕岛田俊彦、〔日〕稻叶正夫编：《现代史资料（8）·日中战争（一）》，第 468 页。

③ 《军政部发表凌升等通苏案罪行》，载《盛京时报》1936 年 4 月 23 日。

合到全国统一的精神之中，与其他民族享有同样的福利。但是对此的指导上，要与对国外的蒙古民族的指导截然区分开来。……决不能为此允许国内蒙古民族的离满解体运动。"① 1938 年 8 月 9 日，在兴安省及省外蒙旗各旗参事官有关"蒙地奉上"的恳谈会上，总务厅长官星野直树又一次强调满洲国"建国的基础不是联邦主义，而是严格的单一国家主义，所以蒙古民族离满解体运动是绝对不能允许的"②。

这些都说明，"满洲国"成立后日本统治者从理论上开始强调所谓"五族协和"、"建国精神"等，闭口不提"民族自治"。正如最初成立兴安省的时候就曾提出的那样，"不能叫做诸如蒙古省之类的能够唤起民族意识的名称"；③ 不能因为支持内蒙古西部地区蒙古人的自治运动，就允许满洲国内的蒙古民族的"独立运动"或"离满解体运动"，只能让内蒙古东部地区的蒙古人本着"五族协和"、"建国精神"，牢记自己是满洲国的构成分子之一，在此范围内逐渐进行经济、文化建设。

从日本在"满洲国"的整个统治体系看，是从初期的"蒙汉分治"的"二元"体制，转变为后期的"蒙汉合治"的"一元"体制。

这一点，可以从"满洲国"的治蒙机构及其权限的演变过程等看得出来。1932 年 3 月成立的兴安局，是"满洲国"政府主管兴安省行政事务的机构，实际上是代行兴安省公署的权力。这是"蒙汉分治"的第一步。1934 年 12 月蒙政部成立后，其管辖区域不仅包括兴安 4 省，还包括"省外 4 旗"。1937 年 1 月，热河、锦州省内的蒙旗也划入蒙政部管辖范围。这是"蒙汉分治"的"二元"体制全面实行的阶段，也是蒙古人在"满洲国"的政治地位受到重视的时期。

但是，随着日本帝国主义在"满洲国"的统治得到巩固和"凌升事件"的发生，最终取消了这种"二元"体制。其标志就是 1937 年 7 月撤销蒙政部、设立兴安局之举。兴安局与蒙政部不同，它不直接主管蒙古人聚居地区的行政事务，而是成为国务总理及各部大臣有关蒙古行政的咨询、联络机构。兴

---

① ［日］"满洲国"史编纂刊行会编：《满洲国史·各论》（日文），第 1257 页。

② 兴安局编：《开放蒙地奉上关系记录集成》（日文），兴安局刊 1940 年印刷，第 29 页。

③ ［日］小林龙夫、［日］岛田俊彦编：《现代史资料（7）·满洲事变》（日文），第 368 页。

安四省的政治、经济、文化、教育及警察行政等，直接归"满洲国"政府相关各部的直接管理；锦、热蒙旗及"省外4旗"则归所在的省公署管理。

这一措施，被认为是"强化国政的综合统制"①。实际上，这标志着日本对"满洲国"内蒙古民族政策的转变，即由"蒙汉分治"的"二元"体制向"蒙汉合治"的"一元"体制的转变，同时也是抑制蒙古民族自治要求的具体表现。

"满洲国"政府治蒙机构演变表

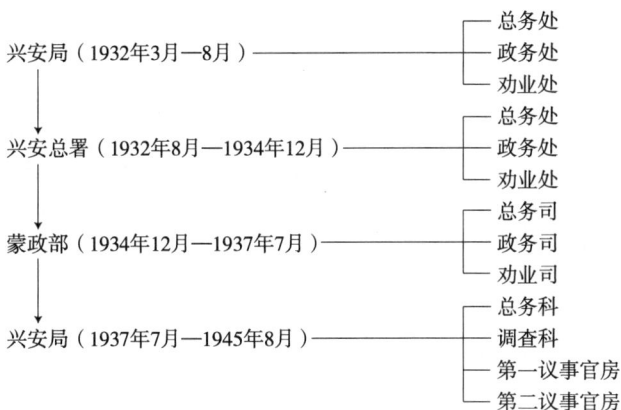

```
兴安局（1932年3月—8月）─────────┬── 总务处
                                 ├── 政务处
                                 └── 劝业处
         │
兴安总署（1932年8月—1934年12月）──┬── 总务处
                                 ├── 政务处
                                 └── 劝业处
         │
蒙政部（1934年12月—1937年7月）────┬── 总务司
                                 ├── 政务司
                                 └── 劝业司
         │
兴安局（1937年7月—1945年8月）─────┬── 总务科
                                 ├── 调查科
                                 ├── 第一议事官房
                                 └── 第二议事官房
```

二、内蒙古东部地区行政建制的调整

"满洲国"政府成立后，对内蒙古东部地区行政建制进行了大幅度的调整。首先取消了哲里木盟和呼伦贝尔副都统衙门、西布特哈总管衙门建制，成立了兴安南分省、兴安北分省和兴安东分省。

1932年6月27日，"满洲国"政府确定了兴安3分省所辖各旗区划，将原哲里木盟的科尔沁左翼3旗、右翼3旗和扎赉特旗划归兴安南分省；原西路布特哈总管所辖的嫩江以西、大兴安岭以东地区设兴安东分省，下辖新设的那文旗、巴彦旗、莫力达瓦旗、阿荣旗、布特哈左翼旗、布特哈右翼旗、喜扎嘎尔旗，② 先后撤销了原来设在该地区的雅鲁县、索伦县（原为设

---

① ［日］"满洲国"史编纂刊行会编：《满洲国史·各论》（日文），第1259页。

② 喜扎嘎尔旗于1941年8月划归兴安南省。

治局，1932 年 10 月 1 日升为县）、布西设治局；① 在原呼伦贝尔副都统所辖地域内设立兴安北分省，下辖索伦左翼旗、索伦右翼旗、新巴尔虎左翼旗、新巴尔虎右翼旗、陈巴尔虎旗、额鲁特旗、布里雅特旗、鄂伦春旗，撤销原来设在该地区之呼伦、胪滨、奇乾、室韦 4 县。②

1933 年 3 月日军占领热河省全境以后，取消了卓索图盟、昭乌达盟建制，以原热河省境内的西拉木伦河为界分别设立了兴安西分省和热河省。5 月 10 日，"满洲国"政府确定兴安西分省的区划及各旗县之区域。其中确定兴安西分省辖原昭乌达盟扎鲁特左翼旗、扎鲁特右翼旗、③ 阿鲁科尔沁旗、巴林左旗、巴林右旗、克什克腾旗和原属热河省的开鲁县、林西县。④ 同时撤销了经棚县和天山、鲁北、林东 3 个设治局。⑤ 同时，还对兴安北分省、兴安东分省所辖的旗作了部分调整，即在北分省增设吉拉林旗（原室韦县），将东分省的那文旗并入巴彦旗，布特哈左右翼 2 旗合并为布特哈旗。

7 月 12 日，"满洲国"政府又对兴安北分省行政区划进行调整，将索伦左右翼 2 旗及额鲁特旗、布里雅特旗改建为索伦旗，将吉拉林旗和鄂伦春旗分别改称为额尔古纳左翼旗和额尔古纳右翼旗，并增设海拉尔市。⑥ 至此，兴安四分省区域及所属旗县大致固定下来。

1934 年 12 月 1 日，"满洲国"实行地方行政制改革的同时，对各省所属旗县建制作了部分调整。其中，将热河省所属之翁牛特左旗和奈曼旗划归兴安西省；将热河省之锡埒图库伦旗、喀尔喀左翼旗、唐古特喀尔喀旗合并为库伦旗，划归兴安南省；将奉天省之通辽县划归兴安南省；喀喇沁左、中、右 3 旗、敖汉左、右、南 3 旗和翁牛特右翼旗仍属热河省；土默特左右翼 2 旗则划归新设立的锦州省。另外，还在未被划入兴安各省的郭尔罗斯前

① 内蒙古地方志编纂委员会总编室编：《内蒙古史志资料选编》第 5 辑，内蒙古地方志编纂委员会总编室 1984 年印刷，第 29 页。

② 内蒙古地方志编纂委员会总编室编：《内蒙古史志资料选编》第 5 辑，第 29 页。

③ 扎鲁特左、右 2 旗于 1935 年 5 月合并为扎鲁特旗。

④ 《满洲国政府公报》，辽沈书报社 1990 年影印本，第 130 号。

⑤ 内蒙古地方志编纂委员会总编室编：《内蒙古史志资料选编》第 5 辑，第 29 页。

⑥ 《满洲国政府公报》，辽沈书报社 1990 年影印本，第 162 号。

旗、郭尔罗斯后旗、杜尔伯特旗和依克明安旗实行旗制，[1] 将郭前旗划入吉林省、郭后旗划入滨江省、杜尔伯特旗和依克明安旗划入龙江省。这 4 个旗被称为（兴安）"省外四旗"，成为蒙政部管辖范围。[2]

1936 年 1 月 1 日撤销北满特别区的同时，将海拉尔乡、满洲里市划归兴安北省，将沿中东铁路各站周边地区及沿线铁路附属地分别划入兴安东省、北省相关的旗、市。

1933 年 5 月，"满洲国"政府在原热河省境内分设兴安西分省和热河的时候，将原卓索图盟喀喇沁左旗、喀喇沁中旗、喀喇沁右旗、土默特左旗、土默特右旗、唐古特喀尔喀旗、锡埒图库伦旗和原昭乌达盟的翁牛特左旗、翁牛特右旗、敖汉左旗、敖汉右旗、敖汉南旗、奈曼旗、喀尔喀左翼旗等 14 个旗划归新设的热河省。同时将与上述 14 旗并存的建昌、宁城、建平、阜新、朝阳、绥东、乌丹、赤峰、新惠等县作为地方行政单位予以公布，而对上述 14 个蒙旗的行政地位却未正式公布。于是，这些县公署试图接管蒙旗的行政权利，[3] 以致引起这些旗蒙古人的强烈不满，直接向"满洲国""执政"溥仪提出了确认蒙旗自治、恢复旧制的请愿，并在新京设立了 14 旗办事处，各旗设立旗公署，继续行使行政管辖权力。[4]

热河省公署为了解决这一问题，于 1934 年 9 月召集上述 14 旗王公到承德，召开热河各旗蒙古王公代表会议，制定《防止县旗纠葛临时办法》6 条，允许各旗公署继续管辖旗内的蒙古人，同时命令省县公署遵照执行这一决定。[5]

1936 年 12 月 17 日，"满洲国"政府公布《热河省及锦州省内旗制》、《热河省及锦州省内旗官制》，[6] 决定从 1937 年 1 月 1 日起，在热河省喀喇沁左、喀喇沁中、喀喇沁右、敖汉旗（由敖汉左、右、南 3 旗合并而成）、

---

① （"满洲国"）国务院总务厅情报处编：《蒙旗行政制度改革纪念特刊》（日文），（"满洲国"）国务院总务厅情报处 1934 年印刷，第 19 页。

② （"满洲国"）国务院总务厅情报处编：《蒙旗行政制度改革纪念特刊》（日文），（"满洲国"）国务院总务厅情报处 1934 年印刷，第 2 页。

③ ［日］及川三男：《热河蒙旗概要》（日文），热河省公署 1936 年刊印，第 74 页。

④ ［日］及川三男：《热河蒙旗概要》（日文），第 74 页。

⑤ ［日］及川三男：《热河蒙旗概要》（日文），第 77—80 页。

⑥ （"满洲国"）《政府公报》第 823 号。

翁牛特右及锦州省土默特旗左、土默特右等 7 个旗实行旗制；同时把已经实行旗制的翁牛特左旗由兴安西省划入热河省，并将上述 8 旗划入蒙政部管辖范围；维持原来的"旗县并存"特殊行政体制，在同一地域内设旗、县两套行政机构，即喀喇沁旗与建昌县、喀喇沁中旗与宁城县、喀喇沁右旗与建平县、敖汉旗与新惠县、翁牛特左旗与乌丹县、翁牛特右旗与赤峰县、土默特左旗与阜新县、土默特右旗与朝阳县并存。当时称这种"旗县并存"体制为"旗县复合制"。①

为了解决锦、热两省内"旗县并存"的特殊体制，同时作为对锦、热蒙旗"土地奉上"的补偿，"满洲国"政府于 1939 年 12 月 28 日公布《关于废除热河省及锦州省内县之件》和《热河省及锦州省内旗制》、《热河省及锦州省内旗官制》，②决定在锦、热两省"旗县并存"地区实行"废县存旗"措施。从 1940 年 1 月 1 日起，撤销了与热河省翁牛特左、翁牛特右、喀喇沁左、喀喇沁中、喀喇沁右、敖汉旗等 6 旗并存的乌丹、赤峰、建昌、宁城、建平、新惠 6 县及与锦州省土默特左、右 2 旗并存的阜新、朝阳 2 县。同时从土默特右旗析置土默特中旗，划原阜新县所在地及周围矿区 25 个行政村设阜新市。③ 由于采取了这样的"废县存旗"措施，使得锦、热两省境内一直悬而未决的"旗县并存"的特殊行政体制得到了彻底的解决。

"满洲国"对内蒙古东部地区行政建制方面进行的又一次重大改革，便是兴安总省的设立。1943 年 10 月 1 日，"满洲国"政府为了加强对苏备战，成立东满总省（原牡丹江、间岛、东安等与苏联接壤的 3 省）的同时，将兴安东、西、南、北 4 省合并成立兴安总省。总省公署设在王爷庙街，撤销原兴安东、西、南 3 省公署，成立兴东（在扎兰屯）、兴南（在开鲁）、兴西（在林西）3 个地区行署，又将原兴安南省北半部划为兴中地区，归总省公署直辖。④ 成立兴安总省的同时，将原属龙江省的鄹泉（即突泉）县划归

①　兴安局编：《锦热蒙地奉上关系记录集成》（日文），兴安局 1940 年刊印，第 17 页。

②　（"满洲国"）《政府公报》，第 1713 号。

③　政协阜新蒙古族自治县委员会文史资料研究委员会编：《蒙古贞文史》，阜新蒙古族自治县民族印刷厂 1988 年印刷，第 285 页。

④　中央档案馆、中国第二历史档案馆、吉林省社会科学院合编：《日本帝国主义侵华档案资料选编·伪满傀儡政权》，第 485 页。

兴安总省。由于兴安北省属于"满洲国"与苏、蒙接壤地带，是对苏备战的第一线筑垒要塞区之一，所以在关东军的强烈要求下保留了兴安北省建制和省公署。①

兴安总省以外的 13 个旗仍旧归各该省公署管辖。这种行政区划一直保留到"满洲国"垮台为止。

兴安省演变表

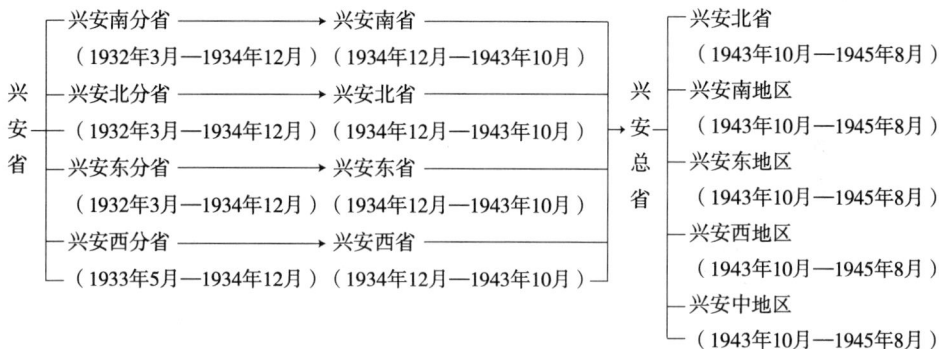

三、内蒙古东部地区盟旗制度的变化及蒙古王公制度的取消

"满洲国"建立之前，在内蒙古东部哲里木、卓索图、昭乌达盟的基本社会制度就是盟旗制度。旗是内蒙古地区最基本的行政单位，每旗设一世袭札萨克，他们均有清朝及中华民国政府所封的亲王、郡王、贝勒、贝子、镇国公、辅国公等爵位。几个旗或十几个旗合为 1 个盟，从各旗札萨克或闲散王公中选任盟长、副盟长。在呼伦贝尔地区推行的是副都统管辖下的总管旗制，副都统和总管不是世袭的。在西布特哈地区实行的是总管制，其居民主要是达斡尔、鄂温克、鄂伦春等少数民族，由西路布特哈总管管辖。当时，内蒙古东部地区分属于东北 4 省，其中哲里木盟分属于辽、吉、黑 3 省，卓、昭两盟属于热河省，呼伦贝尔、西布特哈地区属于黑龙江省。

"满洲国"建立之前，关东军方面就已经决定废除内蒙古东部地区的盟一级建制。"满洲国"建立后，尽管没有明确提出取消盟一级建制及其名

---

① ［日］"满洲国"史编纂刊行会编：《满洲国史·各论》（日文），第 1285 页。

称，但是随着兴安南分省、兴安西分省及热河省的建立，原来的哲里木盟、卓索图盟、昭乌达盟的建制和名称也就无形中被取消，而且新成立的分省并不等于原来的盟。如兴安南分省尽管是以哲里木盟为基础建立的，但哲里木盟的郭尔罗斯前旗、郭尔罗斯后旗及杜尔伯特旗则不包括在兴安南分省范围之内；兴安西分省是以昭乌达盟为基础建立的，但其管辖区域仅及昭乌达盟的北半部 6 个旗，而其南半部的 7 个旗划归了热河省。另外，原来的盟无权管辖县的行政事务，而新成立的兴安各分省则可以管理县的行政事务。

旗的名称和旗一级政权虽得以保留，但已经不是原来意义上的旗了。

1932 年 7 月 5 日"满洲国"政府公布的《旗制》[①] 中规定，"旗为法人，承国之监督，于法令之范围内办理其公共事务及依法令属于旗之事务"，"旗以属于国行政区划之旗为其区域"（第二条）。从旗的属民角度上看，《旗制》中规定："旗内有住所者为旗住民，旗住民均以本令规定享受权利负担义务"。这就意味着旗民可以是蒙古民族，也可以是汉、满、俄及其他任何民族，废除了过去"旗县并存"体制时期的旗管蒙人、县管汉人的所谓"属人行政"，使旗公署对旗内所有居民都具有管辖权。对于旗民的权利和义务的规定，意味着废除了过去的贵族、平民、奴隶之间的阶级差别，使他们具有同等的权利和义务。

从旗的掌权者角度来看，旗设旗长 1 人，为荐任官，"旗长统辖旗之行政，代表本旗"，"旗长指挥监督部下官吏，关于荐任官以上之进退呈由分省长转呈兴安局总长核办，委任官以下则专行之"，"旗长关于其主管事项依职权或特别委任得发旗令"，"旗长遇非常事变需兵力时得向地方驻扎军队司令官请求出兵"。这样，旗长和原来的世袭札萨克、总管在权限方面有了很大区别，即原来的旗札萨克是世袭的，而旗长是由国家任命的地方官员；世袭札萨克和总管不仅是旗的行政长官，而且又是军事长官，旗长则是单纯行政长官，并没有军事指挥权。

从旗公署机构和官制来看，旗公署设"总务科、内务科、警务科"，旗

---

① 《满洲国政府公报》，辽沈书报社 1990 年影印本，第 21 号；另见蔡鸿源主编：《民国法规集成》第 76 册，黄山书社 1999 年版，第 11—15 页。此后对《旗制》进行了多次修正。1940 年 5 月 1 日废止《旗制》，另行制定公布了《旗制》和《旗官制》，载《盛京时报》1940 年 4 月 24 日。

设旗长（荐任）1人、理事官（荐任）2人、技正（荐任）1人、警正（荐任）1—2人、警佐（委任）3人、属官（委任）5人。这不仅意味着改变了过去札萨克衙门和总管衙门的组织机构，而且也废除了原来札萨克制旗的札萨克、协理、管旗章京、梅伦和总管制旗的总管、副总管、笔帖式等官职，代之以荐任的旗长、理事官、属官、技正、警正及委任的警佐等官职。1933年10月22日兴安总署发布训令，向特定的旗公署配备辅佐旗长的日系参事官。从1934年1月起各旗公署普遍设置了日本人参事官1名，属官1—2名，负责产业指导的技士1名，警佐、巡警、警长等警务指导官2—3名。① 参事官的职权在名义上是"辅佐旗长，参与旗行政之机要工作"，②而实际上参事官掌握着旗的"一、预算制度，二、税制整理，三、国库支出之旗职员工资，四、土地整理，五、节约冗费，六、维持治安，七、奖励产业"③ 等权力，成为旗的实际统治者。旗制和参事官制度的推行，是盟旗制度变化的一个主要特征。

从司法制度方面看，改变了过去盟长和旗札萨克审理案件的旧制度，使得行政权与司法权逐步分离。1933年10月5日公布了《兴安省处理司法事务暂行办法》④，决定成立一部分或全体成员由行政官员组成的第一审（旗、县公署审判所）和第二审（省公署审判庭）审判机构。1937年9月1日开始，改变这种行政官员兼理司法的状况，设立了管辖兴安各省司法的法院，即从前分别由旗县公署审判机关受理的案件，改为由与其相当的法院受理（在没有设立相当法院的旗、县，则由原审判署受理）；⑤ 由省公署受理的案件，改为由地方高等法院受理；作为一审审判机构的审判员由旗长或县长充任。这一点虽然没有摆脱行政官员兼理司法的形态，但与从前的审判机关的成员全部或一部分由行政官员充任的状况相比，有了很大改变。⑥

从旗的下级组织制度看，这一时期废除了原来的参领、佐领制，采用了

① 兴安南省公署编：《兴安南省概览》（日文），兴安南省公署1935年印刷，第29页。
② 《满洲国政府公报》，辽沈书社1990年影印本，第277号。
③ ［日］春日行雄编著：《日本与蒙古一百年》，第66页。
④ 《满洲国政府公报》，第230号。
⑤ （"满洲国"）《政府公报》第1029号。
⑥ ［日］善邻协会调查部：《蒙古大观》，改造社1938年版，第255页。

"努图克"、"嘎查"制。每个旗划分为若干努图克（相当于区），每个努图克又分若干嘎查（相当于村），每个嘎查又分若干"艾里"（相当于村、屯）。① 努图克、嘎查的长官均称为"达"，努图克和嘎查均设公所，其经费列入旗公署的预算。人口达到 5 000 左右的小城镇，则实行"街"制，其地位相当于努图克。

从旗的财政收支情况来看，这一时期改变了过去旗的收支与王公的收支合而为一的制度，划分旗公署与王公个人的收支，确立旗财政预算制，"旗之岁出岁入预算须呈请兴安局总长核准"，旗官员统一由国库支给工资，努图克达、嘎查达的工资由旗财政支给，取消王公私自摊派及征租征税特权，规定"关于旗税、夫役及现品之赋课征收除法律规定外得以旗令定之"。②

由此可见，旗的机构、官制、属民、权限、司法制度以及旗的下级行政机构组织和财政收支等方面，均与过去的旗有了很大的区别。

蒙古王公制度确立于清代，中华民国时期仍得以保留。日本统治时期，彻底废除了内蒙古东部地区的蒙古王公制度。

1932 年 2 月 2 日，关东军制定的《伴随满蒙建设之蒙古问题处理要纲》中曾提出了"废除王公制度"的主张。但是"满洲国"成立后，对蒙古王公制度并没有作出明确的规定，仍然保持以往的状态。这也说明，日本方面意识到蒙古王公在蒙旗政治生活中的地位、影响以及把握蒙古人心理方面的作用。所以对蒙古王公制度没有采取急剧的改革措施，任其继续存在。同时，不作出任何明确的规定，以便为日后逐步废除王公制度留下充分的余地。

1933 年 7 月 16 日，关东军方面制定的《暂行蒙古人指导方针要纲案》中，曾提出"利用旧惯例进行统治，保持以王公为中心的现有制度"③ 方针。这实际上反映了关东军方面认识到"满洲国"成立之初，蒙古王公制度一时还不能彻底废除，而保留这种制度，对稳定人心方面也有一定的作用。从实际情况看，"满洲国"政府所任命的兴安南、西分省省长及各旗旗长大多是原来的王公札萨克。可以说，"满洲国"成立之初，其对蒙古人的

---

① 兴安南省公署编：《兴安南省概览》，兴安南省公署 1935 年印刷，第 38 页。
② 《满洲国政府公报》第 21 号；蔡鸿源主编：《民国法规集成》第 75 册，黄山书社 1999 年版，第 14 页。
③ ［日］岛田俊彦、［日］稻叶正夫编：《现代史资料（8）·日中战争（一）》，第 448 页。

统治主要是通过蒙古王公进行的。

尽管这样，废除王公制度是日本方面的既定方针，只是在实行的步骤和方式方法上采取较为缓和的办法而已。1932 年 7 月 5 日公布的《旗制》中，就曾明确规定旗的行政长官为旗长，① 而对于其身份并没有作出明确的规定。事实上，这就是废除王公制度的开始。

内蒙古东部地区的王公制度作为蒙古社会的一种政治制度，是在 1938 年和 1939 年以"特权奉上"的名义正式废除的。

从 1938 年年初开始，兴安局与有关部局和省公署之间为废除王公制度进行了十几次协商，最后决定在兴安省外"开放蒙地奉上"的同时，要求蒙古王公也将"特权奉上"，以兴安南省、兴安西省及省外 4 旗蒙古王公自动"将向存之封建权益全部奉上国家"② 的名义，正式废除王公制度。

1938 年 8 月，兴安局专门制定《开放蒙地处理要纲》和《旧蒙古王公待遇要纲》。9 月 13 日，由国务总理大臣张景惠主持召开"旧蒙古王公代表恳谈会"。出席会议的有相关部门的官员以及兴安南省 8 旗、兴安西省 6 旗、省外 4 旗王公代表 17 人。会上对《开放蒙地处理要纲》和《旧蒙古王公待遇要纲》作了说明。

这次的"特权奉上"、"开放蒙地奉上"，对这些王公来说好处多于坏处。因为他们绝大多数是满洲国的各级官吏，均领取相应的工资，通过"特权奉上"他们不仅可以得到一笔相当丰厚的"生计费"，而且还可以继承。③ 所以对上述两个《要纲》的内容没有提出任何异议。

10 月 3 日，满洲国政府正式公布上述两个《要纲》。《开放蒙地处理要纲》中规定"蒙古王公从来所有之封建特权，亦与处理开放蒙地的同时奉上国家"，"政府为维持王公的生计和体面，发行公债并交付之"。④ 《旧蒙

---

① 《满洲国政府公报》，第 21 号。

② 兴安局编：《开放蒙地奉上关系记录集成》（日文），兴安局 1940 年刊印，第 21 页。

③ 根据后来制定公布的《旧蒙古王公裕生公债利息支给额》，原昭乌达盟盟长、巴林右旗札萨克扎噶尔每年可以获得"生计费"共 14 960 元（其中郡王爵位 7 560 元、世袭札萨克 3 000 元、盟长 4 000 元），这些是在蒙古王公中获得"生计费"最多的人；获得"生计费"最少的是没有其他职务的闲散辅国公，每年的"生计费"也有 2 640 元。见兴安局编：《开放蒙地奉上关系记录集成》（日文），第 87—89 页。

④ 兴安局编：《开放蒙地奉上关系记录集成》（日文），第 19—20 页。

古王公待遇要纲》①共有9条，详细规定了王公待遇的方针和要领，即发行以兴安局总裁为名义人的登录公债，每年将其利息作为生计费，根据王公爵位高低发给不同数额的生计费；对于王公的认定，则限定为现居住在满洲国内且民国以前被封为亲王、郡王、贝勒、贝子、镇国公或辅国公者及其继承者，但承袭者的认定依照从前的习惯。这就说明，不承认民国时期新封的王公和晋升的爵位；对于世袭札萨克（包括锡埒图库伦旗）和满洲国建立时任盟长、副盟长或帮办盟务（限于世袭札萨克及其承袭者）另外发给"特别生计费"。这一规定说明，对当时闲散王公担任上述职务者不予承认；生计费从1939年1月开始每年6月和12月分两次发放。

根据对蒙古王公的认定规定，共有34人被确定为旧蒙古王公。10月12日，在伪满国务院召开蒙古王公会议。会议上，对于修订的《旧蒙古王公待遇要纲》作了说明，推选"特权奉上书"和"蒙地奉上书"起草委员，开始起草这两份文件。

10月17日，旧王公代表原阿鲁科尔沁旗札萨克旺沁帕尔赉和实行"蒙地奉上"的11个旗旗长代表图门满都护（扎赉特旗旗长）、色旺多尔济（杜尔伯特旗旗长）等3人，向国务总理大臣张景惠递交了用蒙（正本）、汉（副本）两种文字写成的《旧王公特殊权奉上书》和《开放蒙地地理权奉上书》，并请其向"满洲帝国皇帝"溥仪代为奏陈。

19日，在"满洲国"皇宫内举行了"特权奉上"和"蒙地奉上"的仪式。兴安南省、兴安西省及省外4旗25名旧王公代表及10名旗长代表觐见溥仪，由蒙古王公代表、参议府参议齐默特色木丕勒递交了34名王公署名的奏折（即《旧王公特殊权益奉上书》）。②溥仪对蒙古王公及蒙旗方面自动将"特权权益"和"开放蒙地地理权奉上"之举表示"嘉纳"，并发给《赐旗长及旧蒙古王公等谕旨》。③

根据《开放蒙地处理要纲》和《旧蒙古王公待遇要纲》的规定，"满洲国"政府正式制定公布《旧蒙古王公裕生公债法》（1938年12月15日）、

---

① 兴安局编：《开放蒙地奉上关系记录集成》（日文），第20—22页。

② 《盛京时报》1938年10月20日。

③ 兴安局编：《开放蒙地奉上关系记录集成》（日文）《谕旨》。

《旧蒙古王公裕生公债发行规程》（1938 年 12 月 12 日）和《旧蒙古王公裕生公债利息支付规则》（1939 年 3 月 8 日）。① 这样，满洲国政府作为对蒙古王公"特权奉上"的补偿，发行 600 万元的"旧蒙古王公裕生公债"，根据被正式认定的 34 名王公的爵位及原任职务，每年将其 24 万元利息分 4 次发给他们。②

1939 年 3 月 8 日，满洲国政府国务院又制定公布《旧蒙古王公审议委员会规程》，③ 成立旧蒙古王公审议委员会，由兴安局总裁任委员长，另设干事长 1 人（由兴安局参与官兼任）和委员、干事若干人。该委员会接受国务总理大臣的监督，应其咨询，审议有关旧蒙古王公的资格及裕生公债利息之处理事项。

1939 年 6 月，为了解决锦热两省蒙古王公"特权奉上"和"蒙地奉上"的问题，以兴安局为主制定《锦热蒙地处理要纲案》、《锦热蒙地权利整理要纲案》，征求各方面的意见。为此，从 6 月 12 日开始相继召开了"锦热蒙旗科长会议"、"锦热蒙旗旗长及旧蒙古王公代表恳谈会"等一系列专门会议。经过与各方面讨论修订后，于 8 月 24 日由满洲国政府参议府会议通过并公布了《锦热蒙地处理要纲》、《锦热蒙地权利整理要纲》。④ 对于王公"特权奉上"问题，在《锦热蒙地处理要纲》中规定"对于锦热两省内之蒙地，蒙旗及旧蒙古王公从来所有之特殊权益一律奉上国家"，"政府为维持旧蒙古王公之生计与体面，发行公债交付之。鉴于蒙旗之特殊性，前项公债以兴安局总裁为名义人作为登录公债，将其利息分配给各旧蒙古王公，其支付额及旧王公之资格，依据旧蒙古王公裕生公债利息支付规则定之"，"政府对奉上有功绩之旗长及旧蒙古王公，给予相当之褒偿，以回报其功劳"。⑤

9 月 6 日，在新京召开锦热两省旗长及旧蒙古王公会议，依照上一年的

---

① 兴安局编：《开放蒙地奉上关系记录集成》（日文），第 81—87 页。

② 《盛京时报》1938 年 10 月 15 日。具体规定为：亲王 8 760 元、郡王 7 560 元、贝勒 5 160 元、贝子 3 840 元、镇国公 3 240 元、辅国公 2 640 元、世袭札萨克台吉 3 000 元、世袭札萨克喇嘛 3 000 元、世袭札萨克 3 000 元，盟长 4 400 元、副盟长 2 400 元、帮办盟务 1 200 元。另见兴安局编：《开放蒙地奉上关系记录集成》（日文），第 86—87 页。

③ 兴安局编：《开放蒙地奉上关系记录集成》（日文），第 83—84 页。

④ 兴安局编：《锦热蒙地奉上关系记录集成》（日文），第 32 页。《盛京时报》1939 年 8 月 24 日公布的《锦热蒙地之处理大纲》共 10 条，基本综合了上述两个《要纲》的内容。

⑤ 兴安局编：《锦热蒙地奉上关系记录集成》（日文），第 21 页。

蒙古王公"特权奉上"和"蒙地奉上"的成例，指定奉上书起草委员，起草奉上书。与此同时，由兴安局总裁主持召开旧蒙古王公资格审查委员会会议。根据《旧蒙古王公裕生公债利息支付规则》的规定，共确定锦热两省8旗云丹桑布（土默特左旗旗长、原土默特左旗札萨克贝勒）、拉沁旺楚克（翁牛特左旗旗长、原翁牛特左旗札萨克贝勒、昭乌达盟盟务帮办）等15人具有王公资格。

9月8日，依照上一年的蒙古王公"特权奉上"和"蒙地奉上"的成例，热河省6旗及锦州省2旗的13名王公汇集满洲国国务院，举行奉上仪式。王公代表拉沁旺楚克和旗长代表云丹桑布分别向国务总理大臣张景惠递交《旧王公特殊权益奉上书》和《锦热蒙地特殊权益奉上书》。① 仪式结束后，张景惠立即进宫向溥仪上奏。9日，溥仪在皇宫接见上述13名王公，并发给所谓的"谕旨"。②

"满洲国"政府又发行249万元的登录公债，以"维持旧蒙古王公之生计与体面"③ 的名义，从1940年1月开始每年将其99 600元利息分四次发给锦热蒙旗15名王公。④

这样，延续了近300年的蒙古王公制度在内蒙古东部地区被彻底废除。

四、"协和会"的组织及其活动

"满洲国"成立后，日本侵略者为了维护和巩固其殖民统治，除了武力镇压、控制政权、强化治安外，还大力推行以思想统治和精神麻醉为目的的愚民政策，标榜所谓"日满一德一心、共存共荣、民族协和"等思想。"满洲国"协和会就是以此为出发点建立起来的。

"满洲国"协和会成立于1932年7月25日，溥仪被推举为名誉总裁，

---

① 《旧王公特殊权益奉上书》和《锦热蒙地特殊权益奉上书》内容与上一年的《旧王公特殊权奉上书》和《开放蒙地地理权奉上书》内容基本一样。见兴安局编：《锦热蒙地奉上关系记录集成》，第111—114页。

② 溥仪此次的"谕旨"与上一年的"谕旨"完全一样。见《锦热蒙地奉上关系记录集成》谕旨。

③ 《盛京时报》1939年8月29日。

④ 兴安局编：《锦热蒙地奉上关系记录集成》（日文），第101—102页。具体发放标准与1938年的规定一样。

关东军司令官本庄繁任名誉顾问。第一任会长为"满洲国"国务总理郑孝胥、关东军参谋长桥本虎之助、高级参谋板垣征四郎、国务院总务厅长官驹井德三任名誉理事，实业部总长张燕卿任理事长，理事33人。协和会在奉天设立了中央事务局，外交总长谢介石任局长，下设总务、组织、宣传、审查4个处。

1937年到1938年，协和会进行了改组和调整，中央本部由伪满参议府副议长桥本虎之助担任。为了扩大协和会影响，还特地制作了协和报，并在新京建起协和会馆，出版协和会的机关报《协和会志》。1941年太平洋战争爆发后，"满洲国"进行所谓国家总动员，协和会又一次改组。这次改组实现了"满洲国"政府与协和会的"二位一体制"，即各省省长与次长是各该省协和会本部长和副本部长，旗县市长及旗参事官、副县市长是各该旗县市协和会的正、副本部长。经过这样的改革，协和会变成了所谓"官民一体"的机构，进而加强了对各族人民的法西斯统治。

协和会成立以后，先后在东北各地普遍建立了各级组织，会员逐年扩大。到1944年末，伪满各地的协和会分会机构有5 185个，会员达到4 285 414人。①

当时在内蒙古东部的兴安4个省及热河、锦州省也都成立了协和会省本部，部长由各省长兼任，实际工作由事务长（均为日本人）负责进行。在各旗县市设立协和会旗县市本部，由旗长（蒙古人）、县长（汉人）、市长（汉人或日本人）任本部长，旗参事官（日本人）、副县长（日本人）、副市长（日本人）任副部长，实际工作由专任事务长（均为日本人）负责；在各区和努图克、街设置分会，由区长和努图克达、街达任分会长。每个分会设专职书记1名。协和会各本部都给会员填发会员证，会员必须要协助完成各项任务。发展会员时，不分民族和职业，只要服从协和会纲领就可以参加。协和会会员中有相当一部分平民是被自然列入或拉入的。

在兴安4省中最早成立协和会组织的是兴安北省。1933年1月在海拉尔成立了协和会的办事处，8月升格为呼伦贝尔地方事务局，掌管兴安北省协和会事务同时成立了协和会满洲里办事处。1936年9月，呼伦贝尔地方

---

① 王承礼主编：《中国东北沦陷十四年史纲要》，中国大百科全书出版社1991年版，第177页。

事务局正式改建为协和会兴安北省本部，成立了海拉尔市本部，满洲里办事处改称满洲里地区本部。1937 年在索伦旗牙克石成立了协和会牙克石街分会。1941 年为了在白城人中开展所谓的"特别工作"，在奈日穆图成立了协和会三河地区本部。协和会在兴安北省的组织及工作，主要集中在铁路沿线和海拉尔、满洲里、牙克石等地，而且其工作对象主要是汉人及白俄人。在牧区，协和会工作并未开展起来。

兴安东省的协和会成立于 1935 年 8 月，最初称为协和会扎兰屯办事处，归协和会兴安北省本部领导。1936 年 7 月，扎兰屯办事处正式组建为协和会兴安东省本部，同时成立了莫力达瓦旗本部。1939 年 8 月，成立了协和会布特哈旗本部，同时在白狼成立了白（城）阿（尔山）线西北地区本部。该本部于 1941 年划归兴安南省本部管辖。1941 年 4 月成立了博克图地区本部，1942 年成立了阿荣旗本部。截止到 1942 年，兴安东省共有 41 个协和会分会，10 816 名会员。[1] 除此之外，从 1937 年到 1940 年在该省扎兰屯、布西、索伦等地设立了协和会青年训练所；在扎兰屯、博克图、布西等地设立了协和会义勇奉公队。

协和会兴安西省本部于 1937 年 12 月在开鲁成立。1938 年 6 月，在开鲁县城内成立了直属于省本部的 3 个分会，会员达到 1 200 余名。[2] 1939 年 6 月，又成立了开鲁县本部和林西县本部。1940 年 3 月，在奈曼旗、克什克腾旗、巴林左旗、巴林右旗、扎鲁特旗、阿鲁科尔沁旗同时成立了 6 个旗本部。与此同时，在各县、旗成立协和青年训练所、青年团、协和义务奉公队以及军人后援会支部、国防妇女会等协和会外围组织。

协和会兴安南省本部于 1939 年 2 月在王爷庙成立。该省本部的宣传、组织工作最初集中在王爷庙及通辽县城两地。由于该省蒙古人占兴安四省蒙古族人口的 7 成，占全"满洲国"蒙古人口的近一半，[3] 而且位于国防要地，所以被指定为协和会运动的重点省份之一。1940 年 4 月，协和会通辽

---

① "满洲帝国"协和会调查部编：《兴安蒙古》（日文），满洲事情指南所 1943 年刊印，第 191—192 页。

② "满洲帝国"协和会调查部编：《兴安蒙古》（日文），第 178 页。

③ 据 1942 年 3 月末统计，该省蒙古族人口为 457 802 人。见"满洲帝国"协和会调查部编：《兴安蒙古》（日文），第 193 页。

县本部和西科前旗本部成立；1942 年 6 月，西科中旗、东科中旗、扎赉特旗、库伦旗均成立协和会旗本部；同年 9 月至 11 月又成立了东科前旗本部筹办处、东科后旗本部筹办处。截止到 1942 年 6 月，兴安南省共有 46 个分会，18 009 名会员，其中蒙古人 1 346 人，汉人 15 700 人。①

协和会的组织及工作重点，在于将各行业最基层人们的言论和行动纳入到这一组织中，从而进行精神控制并加以监督，这种做法被称之为"建立思想上的国防"。协和会的工作主要分为以下几种：精神运动（向民众灌输所谓的"日满一德一心"、"建国精神"、"民族协和"、"王道统治"以及"反共防共"等思想）、组织工作、青少年运动、联合协议会和特殊工作（对蒙古喇嘛教和白俄人的工作）等。协和会将这些工作称为"协和运动"。

有的旗县协和会本部将青年训练班的青年组成协和义勇青年队，搞"反共"宣传活动，担任地方自卫团的工作，或从青年训练班学员中物色情报员，进行情报工作。比如，1939 年 5 月诺门罕战争爆发后，协和会兴安南省本部为了防止当地民心的动摇和掌握各阶层的动向，曾组织协和会旗县本部和分会进行搜集情报、搜查间谍、宣传宣抚等工作。1940 年正值日本纪元 2 600 周年纪念。为此，协和会兴安南省本部于 1 月末专门成立了庆祝委员会，进行了召开庆祝大运动会、纪念植树、建造王爷庙神社等活动。1940 年 4 月"满洲国"政府公布施行《国兵法》。协和会立即在兴安各省组织《国兵法》指导委员事务局，进行宣传和指导。"满洲国"政府推行经济"统制"政策，在农村牧区搞"出荷"粮谷牛羊措施或征召劳工、新兵时，协和会便担任相应的宣传、鼓动工作。协和会还在各地配合"满洲国"政府搞"节约消费"、"奖励储蓄"、"奉献劳力"、"捐献钱物"及"献纳金属"等所谓"国民"运动。

总之，"满洲国"政府推行什么样的政策，协和会就搞相应的宣传，进行配合。协和会成为日本在内蒙古东部地区殖民统治的一个得力工具。

---

① "满洲帝国"协和会调查部编：《兴安蒙古》（日文），第 207 页。

五、蒙疆政权及其演变

1938 年 3 月 24 日，"蒙古联盟自治政府"主席云王病逝。7 月 1 日，第三次蒙古大会在厚和召开，会上推举德王为政府主席兼政务院院长，李守信为副主席兼蒙古军总司令。

德王任主席后，从 8 月 1 日开始改革政府机构，将政务院所辖之 3 个部改为 1 厅 4 部，即总务厅、民政部、财政部、保安部、畜产部。还有政务院直属之地政局、司法局。与政务院平行的还有参议会和政务委员会，作为政府主席的咨询机构。同时将巴彦县（由归绥县改称）并入厚和市，将厚和市升格为特别市，[①] 作为自治政府首府。

1938 年 12 月，日本政府为了管理中国占领区内的政治、经济、文化事务，专门成立了兴亚院。1939 年 2 月，决定在北京、上海、厦门、蒙疆（张家口）四处设立兴亚院的联络部。3 月 11 日，兴亚院蒙疆联络部正式成立，首任长官由原张家口特务机关长酒井隆少将担任。[②] 这样，兴亚院蒙疆联络部成为日本政府派驻蒙疆地区的最高行政指导机关。对于蒙疆的政务指导，在驻蒙军司令官的指导下，主要由兴亚院蒙疆联络部负责进行。对于蒙疆地区的方针、政策，则在驻蒙军司令官的指导下，由驻蒙军参谋长、兴亚院蒙疆联络部长官、"蒙疆联合委员会"最高顾问 3 人组成的蒙疆联络会议审议决定。兴亚院蒙疆联络部内设总务、经济、文化等课，另外在大同、厚和、包头设联络事务所。

1939 年 4 月 2 日，兴亚院蒙疆联络部召开第一次蒙疆联络会议，决定将察南、晋北、蒙古 3 自治政府合并为统一的政权，在承认中华民国宗主权的前提下，实行高度自治，同时决定"坚决避免为迎合蒙古人而煽动其独立之事态"。[③]

7 月 28 日，日本兴亚院正式决定了《设立蒙疆统一政权纲要》，"一、合

---

① 《盛京时报》1938 年 8 月 4 日。

② ［日］铃木清干编：《蒙疆年鉴》（日文，1941 年版），蒙疆新闻社 1941 年刊印，第 1 页。1942 年 12 月 1 日兴亚院蒙疆联络部与日本驻张家口总领事馆合并改组为大东亚省驻张家口大使馆事务所，原兴亚院蒙疆联络部长官岩崎民男被任命为特命全权公使。

③ ［日］森久男：《蒙疆政权与蒙古独立运动》（日文），载（日本）《现代中国》1998 年第 72 号。

并蒙疆联合委员会和3个自治政府，建立政权，称之为蒙古联合自治政府。二、蒙古联合自治政府采取高度的自治制。三、蒙古联合自治政府以民族亲睦为基础，以亲日防共、提高民生为施政纲领。""政务院之下，设政厅或盟公署，作为地方行政组织。政厅及盟公署之下，设市、县、旗公署。"①

8月29日，第四次蒙古大会在厚和召开，讨论通过了蒙古、察南、晋北3政权的合并和取消"蒙古联盟自治政府"的决议。

9月1日，在张家口举行了"蒙古联合自治政府"成立典礼，德王被推举为政府主席，夏恭和于品卿被推选为副主席。接着，由政务院长卓特巴扎普主持召开政务院会议，通过了政务院、参议府和地方行政机构官制，并确定张家口为"首都"，采用成吉思汗纪元年号，使用新的黄、蓝、白、赤、白、蓝、黄4色7条旗为政府旗。② 同时确定"蒙古联合自治政府"管辖区域为察南政厅、晋北政厅和锡林郭勒盟、察哈尔盟、乌兰察布盟、巴彦塔拉盟、伊克昭盟。

"蒙古联合自治政府"除设主席、副主席之外，还设有最高顾问，由金井章二担任这一重要职务。依照《蒙古联合自治政府组织法》规定，在主席、最高顾问之下设立主管政务的政务院、咨询建议性质的参议府以及蒙古军总司令部。卓特巴扎普任政务院长，李守信任蒙古军总司令兼任参议府议长，杨桑被聘任为名誉议长。主席府的办事机构为秘书处，由村谷彦治郎任处长。政务院下设总务、民政、治安、司法、财政、产业、交通等7部和牧业总局。总务部部长一职由日本人担任，其他各部、局中日本人均担任次长。政府的所有重大事项，均由总务部长和各部、局日系次长研究决定后才提交到政务院会议上通过。另外，设有最高法院和最高检察厅。地方各政厅公署设日系次长，各盟公署设有日系参与官。"蒙古联合自治政府"成立后，日本人就以各级政府的正式官吏、职员身份参与政治、经济、文化等事业的管理工作。

---

① 中央档案馆、中国第二历史档案馆、吉林省社会科学院合编：《日本帝国主义对外侵略史料选编》（1931—1945年），中华书局1994年版，第295—296页。

② "蒙古联合自治政府"的旗帜为黄、蓝、白、赤4色7条旗，其颜色排列从上到下依次为黄蓝白赤白蓝黄，4种颜色依次代表汉族、蒙古族、回族和日本，其象征意义为"以日本为中心"，"大同协和汉、蒙、回各族"。见［日］善邻协会：《蒙古》（日文）1939年10月号。

　　1941 年 6 月 1 日，"蒙古联合自治政府"进行政府机构改革，废除牧业总局，设立兴蒙委员会，专管盟旗蒙古族事务；将总务部改为总务厅（与"满洲国"政府总务厅同名），作为政务院的办事机构；将民政部和治安部合并为内政部，专管政厅、盟、县、市汉族事务；财政部和产业部合并为经济部；设直属于政务院的回教委员会，专管回族事务和联络西北回族工作；司法部改称司法委员会；交通部改称为交通总局。

　　8 月 4 日，根据日本兴亚院和陆军省的决定，"蒙古联合自治政府"对内改称为"蒙古自治邦政府"。① 11 月，"蒙古自治邦政府"最高顾问金井章二被日本政府召回，最高顾问一职由大桥忠一担任。② 1942 年 9 月，大桥因与驻蒙军司令官发生矛盾，便以自动辞职为名被调回日本。德王等和驻蒙军协商决定，不再设最高顾问一职。③

蒙疆政权演变表

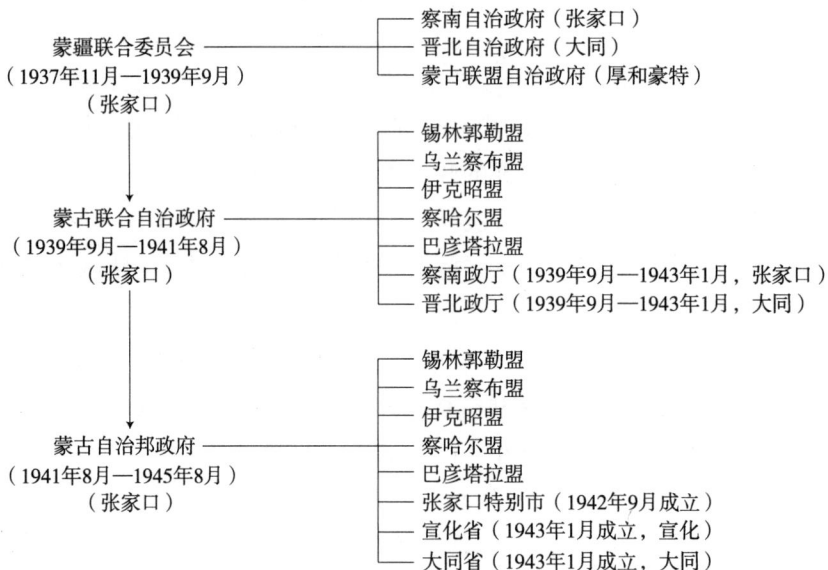

蒙疆联合委员会（1937年11月—1939年9月）（张家口）
- 察南自治政府（张家口）
- 晋北自治政府（大同）
- 蒙古联盟自治政府（厚和豪特）

蒙古联合自治政府（1939年9月—1941年8月）（张家口）
- 锡林郭勒盟
- 乌兰察布盟
- 伊克昭盟
- 察哈尔盟
- 巴彦塔拉盟
- 察南政厅（1939年9月—1943年1月，张家口）
- 晋北政厅（1939年9月—1943年1月，大同）

蒙古自治邦政府（1941年8月—1945年8月）（张家口）
- 锡林郭勒盟
- 乌兰察布盟
- 伊克昭盟
- 察哈尔盟
- 巴彦塔拉盟
- 张家口特别市（1942年9月成立）
- 宣化省（1943年1月成立，宣化）
- 大同省（1943年1月成立，大同）

---

　　① ［日］森久男：《蒙疆政权与蒙古独立运动》（日文），（日本）《现代中国》1998 年第 72 号；德穆楚克栋鲁普：《德穆楚克栋鲁普自述》，陶布新整理，见政协内蒙古自治区委员会文史资料研究委员会编：《内蒙古文史资料》第 13 辑，第 113 页。

　　② ［日］福岛义澄编：《蒙疆年鉴》（日文，1943 年版），蒙疆新闻社 1942 年刊印，第 45 页。

　　③ 扎奇斯钦：《我所知道的德王和当时的内蒙古》（二），第 98 页。

1943 年 1 月，"蒙古自治邦政府"进行地方行政制度改革，将察南政厅改为宣化省、晋北政厅改为大同省。[①] 同年秋，蒙古自治邦政府又进行了一次机构改革，将经济部扩充为经济、产业、财政 3 部。1945 年 4 月，在政务院之下设立军事部，由李守信兼任部长，统一指挥军事及警察事务。

1945 年 8 月，随着日本的无条件投降，依靠日本军事力量来维持的蒙疆政权最终彻底崩溃。

六、内蒙古西部地区盟旗制度的变化及地方行政建制的调整

日本占领下的内蒙古西部地区，包括原锡林郭勒盟 10 旗、乌兰察布盟 6 旗、察哈尔部 8 旗 4 牧群、土默特特别旗、伊克昭盟的达拉特旗和准格尔旗的部分地区以及察哈尔省北部 9 个县、绥远省中东部的 14 个县。在中华民国的行政区划中，这一地区分属于察哈尔省和绥远省。察哈尔省北部 9 个县和绥远省中东部 14 个县基本上是与察哈尔部 8 旗 4 牧群、土默特特别旗以及乌兰察布盟、伊克昭盟各旗并存或交错的，实行"旗县并存"的行政体制。锡、乌、伊盟各旗归各盟公署管辖；察哈尔部左翼 4 旗、4 牧群和察北各县归察哈尔省管辖；绥远各县及土默特特别旗、察哈尔右翼 4 旗归绥远省管辖。

日本占领时期，该地区的社会政治制度方面也发生了一系列的变化。这些变化主要表现在传统的盟旗制度以及行政建制的变化上。

在清代以及民国初年，内蒙古地区的盟一直还不是一级行政机构，也并没有固定的办公场所。盟长一职属于兼职性质，而且只能管辖所属旗，而对县却没有管辖权。

1937 年 11 月 28 日，"蒙古联盟自治政府"成立时公布的《蒙古联盟自治政府组织大纲》中规定，"以蒙古固有的疆土为领域，暂以乌兰察布盟、锡林郭勒盟、察哈尔盟、巴彦塔拉盟、伊克昭盟及厚和市、包头市为统治区域。"[②] 这样，上述 5 盟均被确定为一级行政单位，分别设立盟公署。

1938 年 7 月又公布了《盟公署官制》，规定盟公署设盟长、副盟长、主

① ［日］福岛义澄编：《蒙疆年鉴》（日文，1944 年版），蒙疆新闻社 1943 年刊印，第 109 页。
② 满铁调查部编：《蒙疆政府公文集》（上），满铁调查部 1939 年印刷，第 34 页。

任、厅长等官员；盟长承政务院院长之指挥监督，执行法律命令管理盟行政；指挥监督盟内札萨克、总管、县长；盟长认为必要时，可以停止或取消旗札萨克、总管及县长之命令及处分；盟公署设官房及民政、畜产、保安厅。[①]

1939 年 9 月 1 日，"蒙古联合自治政府"成立的同时，又公布了《政厅盟公署官制》，规定盟公署除盟长、副盟长、厅长之外，增设日本参与官等官员，盟公署设官房及民生厅、警务厅、劝业厅。[②] 11 月 6 日，"蒙古联合自治政府"修正公布了《盟公署官制》。这次公布的《盟公署官制》要比上两次的《官制》详细得多，其中规定盟公署设盟长、副盟长、参与官、厅长、事务官、秘书官、警正、技正、属官、警佐、技佐、警尉等官员、职员；盟长承政务院院长之指挥监督，关于各部长所管事务承其指挥监督。执行法律命令，管理盟内之行政事务；盟长指挥盟内之札萨克、总管、市长、县长及警察局长；盟长为维持安宁秩序起见必需兵力时，应呈请政务院长，但于非常急变之际，得向地方驻扎军队之长请求出兵；副盟长辅佐盟长，盟长有事故时代理其职务；参与官关于重要事务承盟长之协议，监督官房及各厅之事务；盟公署置官房及民政厅、警务厅、劝业厅。[③]

日伪统治时期，蒙疆政权通过这一系列的法规，确定盟公署为一级行政机构，并有了固定的办公场所和较完善的办事机构。同时确定盟公署不仅管辖境内的蒙旗，而且还要管辖境内的县、市。这样，就改变了过去"旗县并存"地区的盟管旗、省管县的行政体制。另外，改变了过去盟长、副盟长职务的兼任性质，成为专任职务。盟公署的官员也由原来的本盟人员担任的惯例，变为可以由本盟以外的人员甚至外国人（日本人）担任。

盟的下级行政机构是旗、县、市。旗是清代以来蒙古固有的行政组织。内蒙古西部地区的旗分为两种类型，一类是札萨克旗，另一类是总管旗。锡、乌、伊盟各旗实行的是札萨克旗制，察哈尔部 8 旗 4 牧群和土默特特别

---

①　扎奇斯钦：《我所知道的德王和当时的内蒙古》（2），第 48 页。

②　［日］北支那经济通讯社编：《北支·蒙疆年鉴》（日文，1940 年版），北支那经济通讯社 1941 年刊印，第 537 页。

③　"蒙古联合自治政府"总务部编：《蒙古法令辑览》第 1 卷之《官制篇》，第 202—206 页。

旗实行的是总管旗制。蒙古联盟自治政府和后来的蒙古联合自治政府对旗并没有改革，旗札萨克和总管的职务大多由原来的札萨克、总管担任。

1940 年 8 月 29 日至 30 日，蒙古联合自治政府在张家口召集各盟旗的盟长、副盟长、札萨克、总管等举行会议，最高顾问金井章二提出，对纯蒙区域社会构成、盟旗制度、历史沿革以及喇嘛教等均予尊重，蒙旗的札萨克制度仍应存续。①

1941 年 5 月 1 日，察哈尔盟公署率先制定公布了《察哈尔盟旗组织暂行条例》，规定"旗设如下职员：总管、顾问、科长、科员"，"总管受盟长指挥监督，执行法律命令，管理旗内行政事务"，"顾问参与旗行政的机务，辅佐总管，监督各科的事务"，"旗设如下科：总务科、民政科"。② 这是在"蒙古联合自治政府"还没有制定有关旗的组织条例和官制的情况下，首次以法规形式确定旗的组织机构、官制以及职员的权限，改革旗一级行政机构。

1943 年 7 月 1 日，"蒙古自治邦政府"公布了《暂行旗官制》，其要点为：一、旗仍按旧制分为札萨克旗制与总管旗制；二、札萨克旗设札萨克（身份另定）、协理、管旗章京、管旗副章京（均荐任）、属官、视学、技佐（均委任）；三、总管旗设总管、管旗参领、管旗副参领（均荐任）、属官、视学、技佐（均委任）；四、札萨克、总管承盟长之指挥监督，执行法律命令，管理旗内行政事务；五、札萨克、总管监督所属职员，及其赏罚进退，并向盟长报备；六、旗设顾问 1 人（荐任），参与重要旗务；七、协理、管旗参领于札萨克、总管有事故时，代理其职；八、旗公署设若干科。③

从盟旗官员的权限上看，过去的盟长、札萨克、总管不仅是行政长官，同时又是军事长官。日本统治时期，这些官员变成单纯的行政长官，没有军事指挥权。

至于像土默特旗、察哈尔右翼 4 旗及达拉特旗、准格尔旗等蒙汉杂居、

---

① ［日］北支那经济通讯社编：《北支·蒙疆年鉴》（日文，1941 年版），北支那经济通信社 1942 年刊印，第 30—31 页。

② ［日］铃木清干编：《蒙疆年鉴》（日文，1942 年版），蒙疆新闻社 1941 年刊印，第 104 页。

③ ［日］福岛义澄编：《蒙疆年鉴》（日文，1944 年版），蒙疆新闻社 1943 年刊印，第 122—123 页。

"旗县并存"地区，依然实行原来的旗管蒙人、县管汉人的"蒙汉分治"体制。

蒙疆政权建立后所推行的日本人充任各级各类机关顾问、次长、参与官的制度，是这一傀儡政权政治制度方面的殖民地特征之一。1937 年 11 月"蒙疆联合委员会"成立时，便设置了日本最高顾问一职，并由其掌握该委员会的一切权力。同时向察南、晋北、蒙古 3 自治政府均派出了最高顾问。政府各部、局之外，各盟及市、县公署都配备了顾问，他们实际成为这些部、局和盟公署的主宰者。

1938 年 9 月，"蒙古联盟自治政府"公布了《顾问部组织法》，规定"蒙古联盟自治政府"内设最高顾问之辅佐机关；顾问部设政府顾问、盟主任顾问、盟顾问、市县顾问、辅佐官、指导官（警务及保安队）等部员；指导官以上之部员由驻蒙军司令官推荐，由政府主席聘任；最高顾问指挥统属顾问部员，负其人事直接责任；顾问对于各部主管事务及盟、市县行政负指导之责。[①] 这样，在政府机构及盟、市、县内形成了一个独立的顾问系统，他们不受政府任何部门的监督和指挥，而是受最高顾问领导。当时旗公署没有配备日本顾问。

1939 年 9 月"蒙古联合自治政府"成立时，废除了顾问制，大多数日籍顾问转为政府各部、委、厅、局和盟、市、县公署的实任官员。在政府各机构中均有日本人担任次长，甚至有的机构中担任部长、局长。比如总务部部长一直由日本人担任，其他如蒙疆银行、中央警察学校、地政局、审计局、蒙疆学院、蒙疆新闻社等机关团体均由日本人担任正职。在市、县，均由日本人担任副市长、副县长。

1940 年开始向察盟 8 旗、巴盟 5 旗和伊盟 2 旗配备了日系顾问；1941年又向锡盟 10 旗及乌盟 6 旗都配备了日系顾问。[②] 根据《察哈尔盟旗组织暂行条例》和《暂行旗官制》，各旗公署内的日本人一直以顾问身份指导旗

[①]　扎奇斯钦：《我所知道的德王和当时的内蒙古》（二），东京外国语大学亚非语言文化研究所 1993 年刊印，第 49 页。

[②]　参见内蒙古自治区档案馆档案：《蒙古自治邦建设的沿革及施政之理念（二）》（日文），内蒙古档案馆藏油印本。

行政。

如上所述，蒙疆政权统治区内，盟旗制度尽管作为一种社会政治制度继续存在，但从其内容、权限以及盟旗公署官员的组成等方面看，的确发生了很大变化。

日伪统治时期，内蒙古西部地区的行政建制方面也发生一些变化。

锡林郭勒盟仍旧管辖乌珠穆沁左右、浩济特左右、阿巴嘎左右、阿巴哈纳尔左右、苏尼特左右等 10 旗。盟公署初设在苏尼特左旗，1940 年 6 月迁到贝子庙。① 盟公署初设总务、保安、畜产 3 厅；1938 年 8 月以后改为官房及民政、警务、劝业 3 厅；1943 年 1 月又改设总务、治安、民政、实业、建设 5 处。

乌兰察布盟于 1937 年 11 月在厚和市设立办公处，开始筹备成立盟公署。1938 年 4 月办公处迁到固阳县城，9 月再迁至百灵庙，并正式成立盟公署。② 乌兰察布盟辖四子王、喀尔喀右翼、茂明安、乌拉特前、乌拉特中、乌拉特后等六旗及固阳县。③ 盟公署初设总务、民政、保安、畜产 4 厅；1938 年 9 月改置官房及民政、警务、劝业 3 厅；1943 年 1 月又改设为总务、治安、民政、实业、建设 5 处。

"蒙古联盟自治政府"成立后，称伊克昭盟为其管辖区域，并规定下辖达拉特、准格尔、郡王、杭锦、札萨克、乌审、鄂托克 7 旗和东胜、五原、临河、安北 4 县以及沃野设治局。但该政权实际控制的只有达拉特旗黄河沿岸地区和准格尔旗黄河以北地区以及安北县之一部。1938 年 3 月，在包头设立伊克昭盟公署，④ 初设总务、民政、保安 3 厅，1939 年 9 月改设官房及民政、警务 2 厅。1943 年 1 月又改为总务、治安、民政、实业、建设 5 处。同年 6 月在包头设立西部临时行政区时，伊盟公署与之合署办公。

察哈尔盟成立于 1936 年 1 月，初下辖张北、多伦、宝昌、沽源、康保、化德、商都、尚义、崇礼等 9 县和察哈尔左翼正蓝、正白、镶白、镶黄 4 旗

---

① 〔日〕铃木清干编：《蒙疆年鉴》（日文，1942 年版），蒙疆新闻社 1941 年刊印，第 108 页。

② 〔日〕铃木清干编：《蒙疆年鉴》（日文，1941 年版），蒙疆新闻社 1941 年刊印，第 35 页。

③ 德穆楚克栋鲁普：《德穆楚克栋鲁普自述》，陶布新整理，见政协内蒙古自治区委员会文史资料研究委员会编：《内蒙古文史资料》第 13 辑，第 69 页。固阳县不久划归巴彦塔拉盟。

④ 〔日〕铃木清干编：《蒙疆年鉴》（日文，1941 年版），第 36 页。

和牛羊群、商都牧群、太仆寺左翼牧群、太仆寺右翼牧群等4牧群，盟公署设在张北县城，公署内设总务厅、保安厅、教育厅。[①] 5月，蒙古军政府在化德成立后，将化德县改称德化市，归军政府直辖。7月，将宝昌县和沽源县合并成立宝源县。10月，4牧群改为旗制，牛羊群改建为明安旗、商都牧群改建为商都旗、太仆寺左翼牧群改建为太仆寺左翼旗、太仆寺右翼牧群改建为太仆寺右翼旗。1937年10月，蒙古联盟自治政府成立时德化市改称德化县，划归察哈尔盟管辖。[②] 同时，盟公署机构调整为官房及民政、警务、劝业3厅。1943年1月又改为总务、治安、民政、实业、建设5处。

巴彦塔拉盟成立于1937年12月。盟公署成立之初，下辖土默特和察哈尔右翼正黄、正红、镶红、镶蓝等5旗及丰镇、兴和、集宁、陶林、凉城、巴彦（由归绥县改称，1938年8月并入厚和市）、萨拉齐、和林格尔、托克托、清水河、武川、包头（1938年11月并入包头市）等12县；不久，固阳县划归该盟。1939年9月，厚和、包头2市划归该盟管辖；1943年6月在包头成立西部临时行政区时，将萨拉齐县、固阳县、安北县和包头市划归该行政区管辖。[③] 盟公署设在厚和市，初设总务、民政、财政、教育4厅；1938年改设官房及民政、警务、劝业3厅；1943年1月改为总务、治安、民政、实业、建设5处。

蒙疆政权建立后，在内蒙古西部地区实行了"市制"。原来绥远省归绥及包头均未实行"市制"。蒙古联盟自治政府成立后，取消"归绥"这一汉语名称，恢复其蒙古语固有名称"Huhehota"（即阿拉坦汗时期的"库库河屯"），用汉字拼写为"厚和豪特"。厚和豪特与包头实行"市制"，成为蒙古联盟自治政府的直辖市，设立市公署。市公署下设总务、财政、财务、警务、司法、保安、特务等科。1938年8月，撤销巴彦县（即原归绥县）建制，将其所属区域并入厚和市，并将厚和市升格为特别市。[④] 11月，撤销包

① 满铁总务部：《内蒙古独立运动概观（极密）》（1936年3月1日，日文），见日本外务省外交史料馆档案《满蒙政况关系杂纂·内蒙古关系》第3卷，A—6—1—2—1—14。

② （"蒙古联合自治政府"）内政部地方科编：《蒙古联合自治政府管下地方行政要览·察哈尔盟之部》（日文），蒙疆新闻社1941年刊印，第5页。

③ 《盛京时报》1943年5月22日。

④ 《盛京时报》1938年8月4日。

头县建制，将其所辖区域并入包头市。1939 年 9 月，"蒙古联合自治政府"成立时，厚和豪特特别市降为普通市，与包头市一起划归巴彦塔拉盟管辖。1943 年 6 月包头市又划归西部临时行政区管辖。

第三节　日本在内蒙古地区的军警统治

一、关东军在内蒙古东部的兵力部署及对"反满抗日"活动的镇压

"满洲国"成立后，日本关东军鉴于兴安北省、兴安南省与苏联和蒙古国接壤的特殊地理位置，将这两个省作为对苏作战的前沿阵地之一，派重兵防守，并在海拉尔、阿尔山及五叉沟等地进行了以军事工程为主的所谓"国防"建设。

关东军在内蒙古东部地区部署了大量兵力。在兴安北省有第 23 师团，负责"满洲国"西北边境的防守任务。1939 年的诺门罕战争期间，关东军在海拉尔成立了第 6 军。诺门罕战争以后，关东军加强了阿尔山、五叉沟及白（城）阿（尔山）线一带的军事防御力量及"国防"建设，派第 107 师团驻守五叉沟，第 63 师团和第 117 师团分别驻守白城、洮南、通辽、开鲁等地。

日本侵占我国东北以后，在加强对"满洲国"的殖民统治，发动全面侵华战争的同时，不断进行侵略苏联的准备和试探。

为此，关东军于 1938 年 2 月制定《关于在国境方面国防建设的要求事项》，提出为了准备对苏作战，加强与苏接壤的国境地带的"国防"建设，确定国境各省的一些主要县、市作为建设的重点，其中包括兴安北省的海拉尔地区。1939 年 5 月 18 日，"满洲国"政府总务厅发表《关于北边振兴声明》，制定了针对苏联的《北边振兴计划》。所谓的"北边"，就是指"满洲国"东、北、西部与苏联相毗邻的间岛、东安、牡丹江、三江、北安、黑河、兴安北等 7 个边境省。"满洲国"将《北边振兴计划》确定为"三大国策"之一。该计划由两部分构成，一是以军事基地为中心的"国防"设施建设，包括铁路、公路、机场以及通讯、电力、城市等建设；另一个是把边境地区的殖民统治转向军事体制的行政建设。该计划决定从 1939 年 6 月 1

日起实行，为期 3 年。

内蒙古东部的兴安北省海拉尔是该计划中确定的重点建设地区之一。海拉尔位于呼伦贝尔草原中部，是当时兴安北省的首府，"满洲国"西北边境地区的重要军事基地和政治、经济、交通中心。从海拉尔向西与满洲里间有铁路相通，西南距蒙古国边境只有 150 公里的距离，是入侵或防御苏、蒙的前沿阵地，战略地位相当重要，备受日军的重视。

为此，关东军在海拉尔派驻重兵防守之外，在海拉尔建成了庞大的永久性地下军事工程。这一军事工程位于海拉尔的北山与敖包山地下。北山地下工事是屯兵和军用仓库，敖包山地下工事是战斗阵地，并用坑道将两座山相连。北山及敖包山的工事均用钢筋混凝土浇铸而成，有很好的防毒、防化、排水、通风、通讯、电力、照明及防守系统，并与地上的碉堡、交通沟、反坦克壕及掩体等紧密相连。

海拉尔这一庞大军事工程的施工，都是由中国劳工进行的。关东军为了保守军事秘密，在工程完工后将劳工全部活埋在海拉尔北山后的"万人坑"中。①

关东军在边境地区进行大规模的"国防"建设的同时，开始对苏联的防御能力进行武力试探。1938 年 7 月，关东军挑起"张鼓峰事件"，并遭到失败。1939 年 5 月，关东军又在兴安北省与蒙古人民共和国接壤地区挑起了诺门罕战争（亦称哈拉哈河战役）。

日本在准备进攻苏联时，把蒙古人民共和国划入它要占领的范围之内。所以"满洲国"成立后，在与蒙古国接壤的哈拉哈庙、诺门罕等地区多次挑起边界纠纷和小规模的武装冲突。为此，"满洲国"与蒙古国之间于 1935 年和 1936 年曾两次在满洲里召开"满蒙国境会议"，但均未达成任何协议。关东军在张鼓峰对苏挑衅失败后，就制定了《满苏（蒙）边境纠纷处理要纲》②，准备以边界不明为由挑起军事冲突，派部队越境进入蒙古人民共和国境内，试探苏、蒙的军事防御能力。

---

① 谷瀛滨：《海拉尔日伪地下工事见闻》，见政协内蒙古自治区委员会文史资料研究委员会编：《伪满兴安史料》（《内蒙古文史资料》第 34 辑），政协内蒙古自治区委员会文史资料研究委员会 1989 年印刷，第 179 页。

② 厉春鹏、徐占江、阿必德等：《诺门罕战争》，吉林文史出版社 1988 年版，第 55 页。

1939 年 5 月初开始，蒙古国国境警备队和"满洲国"兴安北警备军接连发生边境冲突。5 月 13 日，关东军驻海拉尔的第 23 师团小松原道太郎师团长立即下令派出该师团的搜索队和步兵大队进入边境地区。15 日，日军在轻型轰炸机中队的配合下，向蒙古国国境警备队发动进攻。这样，从 5 月 4 日起由日伪军袭击蒙古国国境警备队开始的边境冲突，发展成为关东军大规模入侵蒙古人民共和国的诺门罕战争。

从 5 月 28 日到 8 月底，日"满"军队和苏蒙军队之间展开空前大规模的各军种、兵种联合作战的"诺门罕战争"（或称"哈拉哈河战争"），最后入侵蒙古人民共和国的日本军队遭到毁灭性打击。

由于苏联政府和德国政府于 8 月 23 日正式签订《苏德互不侵犯条约》，使得日本政府不敢在诺门罕地区再打下去。9 月 3 日，日本大本营命令关东军司令部停止在诺门罕的战斗。9 月 9 日，日本驻苏大使与苏联外交部进行停战谈判。15 日，双方在莫斯科签订了停战协定。

这场战争中，日军损失惨重，被打死 18 000 多人、伤亡人数超过了 4 万人。[1] 这样，历时 4 个多月的诺门罕战争，以日军的彻底失败而告终。

1936 年 4 月，驻海拉尔的日本宪兵队逮捕了兴安北省省长凌升为首的 20 多人，不久凌升等 4 人被判处死刑。这就是当时在"满洲国"轰动一时的"凌升通苏事件"。

凌升是呼伦贝尔副都统贵福之子，达斡尔族。"九一八"事变前他任呼伦贝尔副都统公署帮办兼额鲁特旗总管。他还曾任黑龙江省咨议、东三省保安司令部和蒙古宣化使公署顾问等。日本在东北筹备成立"满洲国"时，指定其父为东北行政委员会委员，后又任参议府参议。他本人则被任命为兴安北分省省长，1934 年 12 月任兴安北省省长。

"满洲国"成立后，凌升看到日本人的专横和当地官员有职无权的状况，心中愤愤不平，时有流露。他对日本侵略者统治"满洲国"的各种政策措施多有抵触，与日本人形成既不能令、又不受令的状态。

1932 年 10 月，他与兴安总署总长齐默特色木丕勒等赴日参观期间，曾拒绝参拜天照大神，也没说过一句赞扬日本的话。1935 年 6 月，为了解决

① 厉春鹏、徐占江、阿必德等：《诺门罕战争》，第 353 页。

"满洲国"与蒙古人民共和国之间的边界冲突和哈拉哈庙归属问题，凌升被指派为"满洲国"首席代表，参加了在满洲里召开的"满蒙国境会议"。会谈期间，作为首席代表的凌升并没有自由发言的权力，一切发言内容均由海拉尔特务机关长斋藤正锐决定。凌升对此极为不满，提出异议并与斋藤发生争辩。会议期间，出席伦敦裁军会议的日本代表山本五十六路过满洲里。凌升又为宴会坐席安排问题与日本驻满洲里领事发生争执，最后日本领事只好将主人的座位让给了凌升。1936 年 3 月，"满洲国"政府蒙政部召集兴安各省省长会议。在会上，凌升对"满洲国"的一些重要政策提出了反对意见，如土地国有化，日本人在"满洲国"当官吏，将日语定为"满洲国国语"，并用日文行文，把内蒙古东部地区划分为 4 个省，等等。① 他提出的这些意见都是日本侵略者难以接受的。所以，关东军决定除掉凌升。

当时，驻守海拉尔的骑兵集团长笠井等为了掩盖其在"满"蒙边境冲突中屡遭失败的责任，声称有人通苏通蒙，窃取日军行动情报，致使日军惨败。于是在"满洲国"国境附近逮捕了兴安北警备军上尉团副沙德勒图和警察倭信太等。日本宪兵严刑拷打，逼迫他们供出背后的关系。这样，便制造出了凌升等有间谍活动和反满抗日、通苏通蒙的口供。

4 月 12 日，日军突然宣布海拉尔和索伦旗公署所在地南屯戒严，并逮捕了兴安北省警务厅厅长春德、兴安北警备军上校参谋长福龄（凌升胞弟）。14 日，凌升和华林泰（凌升的秘书兼日语翻译）从新京开完兴安四省省长会议后返回海拉尔时，在火车站被日本宪兵逮捕。先后被拘捕的还有兴安北省公署会计科长葆定、新巴尔虎右旗警务科长拉玛迪、新巴尔虎左旗警务长春海和兴安北省公署总务厅长荣安、总务科长双海、海拉尔市政管理处长德春、索伦旗旗长恩明、索伦旗行政科长额尔很巴雅尔、满洲里办事处处长尤登布以及海拉尔、满洲里、扎赉诺尔警察署长等共 20 多名军警政界各级官员。

日本宪兵队逮捕凌升后，立即搜查他的住宅和旧副都统署，搜出存放在

---

① 正珠尔扎布：《凌升"通苏事件"真相》，见政协内蒙古自治区委员会文史资料研究委员会编：《伪满兴安史料》（《内蒙古文史资料》第 34 辑），政协内蒙古自治区委员会文史资料研究委员会 1989 年印刷，第 109—110 页。

副都统署仓库内的两挺机枪、50 支步枪和数万发子弹。这些枪械子弹是苏炳文退入苏联之前留下的，凌升等尚未正式转交给警务厅，所以成为凌升等通苏的证据之一。

4 月 14 日，"满洲国"政府方面就公开发表了所谓"兴安北省各要人私通苏俄内幕"及"凌升被免职惩戒"的消息。[①]

凌升等从海拉尔被转移到新京关东军司令部接受审讯。不久，关东军又把凌升等移交军法会审。4 月 22 日，"满洲国"政府军政部发表了凌升等人所谓"企图蒙古团结独立，阴谋叛乱危害国家"的"通苏案罪状"。[②] 其中提出"凌升于民国十八年（昭和四年）苏中冲突之际在海拉尔会见苏军司令官奥斯托里希夫，对于蒙古独立，确定将来由苏联给予决定性的援助。后来，通过驻海拉尔的苏联领事和海拉尔火车站站长，收集提供情报，企图伺机内外蒙古独立。（昭和）十年六月作为首席代表出席满洲里会议时，与外蒙代表秘密联络，达成采取行动的协定。还在省公署内的传达室召开秘密会议。尤其是敖兰呼都格事件之后，将日满军国境警备部署事先通知苏、蒙军"[③]。

4 月 24 日，凌升、福龄、春德、华林泰等 4 人被判处死刑，在新京郊外的南岭刑场被枪决。沙德勒图和倭兴太 2 人分别被判处 15 年和 13 年徒刑。他们 2 人后来死于狱中。此外，满洲国军最高顾问佐佐木还以"反满通苏"的嫌疑，盘问和调查兴安北警备军司令乌尔金和兴安东省省长额勒春。经兴安北警备军顾问寺田利光等解释、开脱，才解除了嫌疑。[④]

所谓的"凌升通苏事件"，实际上是关东军方面为了防止内蒙古东部地区蒙古人的"离满独立"倾向，达到"杀一儆百"的目的而制造的一项重大政治阴谋。

1939 年 5 月，日本侵略者在当时的兴安北省南部与蒙古人民共和国接壤的诺门罕、哈拉哈河一带挑起侵略战争。战争中日军接连遭到打击，损失

---

① 《盛京时报》1934 年 4 月 14 日。

② 《盛京时报》1934 年 4 月 23 日。

③ 《凌升通苏案件概要及军法会审判决》，国民资料编汇所 1938 年；日本蒙古友好协会编：《蒙古入门》（日文），三省堂 1993 年版，第 253 页。

④ ［日］春日行雄编著：《日本与蒙古一百年》，第 84 页。

严重。于是，关东军调集大批军队，准备一举攻入蒙古人民共和国境内。当时主要由蒙古人组成的兴安师（军官大多为日本人）和兴安北警备军被调到诺门罕前线投入战斗。

7月初，苏、蒙军发动猛烈反击，给日军和兴安军以沉重打击。由于日军的溃败和战场上日军对兴安师官兵的不平等待遇，加上苏、蒙军提出的"蒙古人不打蒙古人"的政治宣传攻势，使得第一线的兴安师官兵产生严重的厌战情绪。他们不愿为日本侵略者充当炮灰，大批脱离战场。他们有的直接投降蒙古国军队，而大部分则向各自的家乡逃亡。其中由兴安军官学校教导团一个叫小喇嘛的班长带领的一帮多达六七百人。他们经达尔汗山、宝格德敖拉山沿白阿铁路南下。途中部分士兵被兴安军管区派来的人招抚归队。最后剩下的200多人，退到达科尔沁右翼中旗境内的宝石沟、杜列毛特、学田地、六户等地活动。①

根据当时"满洲国"陆军刑法的规定凡是临阵逃亡，属于违抗命令，不论主从，一律判处死刑。但是由于这次兴安师逃亡人数过多，同时又是蒙古人部队，所以为了缓和矛盾，避免扩大事态，解除这些脱离战场的士兵顾虑起见，决定不适用陆军刑法。为此，以兴安军管区司令巴特玛拉布坦的名义发布布告，决定"不叫逃亡兵，而称为归还兵，绝对不用武力讨伐，宣抚其归还原队"②，并通令沿途各地军警不准阻击，尽可能满足这些士兵的各种要求。兴安西省省长也发布告示，保证"兴安军管区绝对不予追究"，并规劝士兵"放心归还原队"。③

小喇嘛部在科右中旗活动期间，兴安南警备军司令部派人到该部招抚。小喇嘛提出"只要不判罪，保证生命，情愿投降"④。10月上旬，小喇嘛部集结在科左中旗舍伯图村，接受兴安南警备军司令部的招抚后被派到通辽驻

① 胡克巴特尔：《诺门罕战争亲历记》，见政协内蒙古自治区委员会文史资料研究委员会编：《伪满兴安史料》（《内蒙古文史资料》第34辑），第267页。

② ［日］"满洲国"史编纂刊行会编：《满洲国史·各论》（日文），第1274页。

③ 内蒙古自治区档案馆编：《中国档案精粹——内蒙古卷》，零至壹出版有限公司1999年版，第151页。

④ 胡克巴特尔：《诺门罕战争亲历记》，见政协内蒙古自治区委员会文史资料研究委员会编：《伪满兴安史料》（《内蒙古文史资料》第34辑），第268页。

防。11 月上旬，小喇嘛部被解除武装，小喇嘛为首的 17 人被提交军法处会审。1940 年 1 月，小喇嘛等 17 人被判处死刑，在通辽被枪决。①

诺门罕战争中日军惨遭失败、兴安军大批逃亡的消息很快传遍各地。在这种形势下，驻防兴安西省巴林左旗林东的兴安骑兵第 6 团第 3 连和机关枪连的 400 余名士兵，不堪忍受日本人连长的打骂虐待，在上等兵聚宝的带领下携带武器哗变。聚宝部经开鲁县双合兴、阿鲁科尔沁旗黄羊洼村到科右中旗北部，与该地警察队遭遇，击毙警察队长。

为了招抚这部分哗变士兵，兴安西省巴林左旗和阿鲁科尔沁旗方面派出宣抚班，向他们提供粮食、香烟和酒肉。兴安军管区司令部先后派人到该部招抚，均未奏效，而且派出的王秀兰上尉被哗变士兵打死。② 最后，派原第 6 团团长、当时任兴安军管区司令部参谋处长的洪景祥中校到聚宝部，利用过去上下级关系，进行劝降。聚宝等提出："（1）将第六团第三连长和机关枪连长（都是日本人）撤职查办；（2）不回第六团，要单独成立部队，并要求在查卜干庙驻防；（3）不咎既往罪名，保证聚宝等几个领头人无事。"③ 洪景祥答应了他们提出的要求。于是，聚宝部于 10 月到科左中旗舍伯图集结受编后，并被派到阿鲁科尔沁旗查卜干庙驻防。

然而，兴安军管区方面对聚宝部的这次招抚，只是暂时稳住对方的一个权宜之计而已。当聚宝部到查卜干庙驻防后不久，兴安南警备军参谋长德永恭助上校率领兴安骑兵第 6 团的两个连和第 3 团的两个连，将聚宝部包围缴械，并立即枪杀了聚宝等 18 人，其余士兵被遣散回原籍，交给当地警察、村长看管监视，或被派到矿井服劳役。

此外，在兴安军中也曾发生过一些自发的携枪投奔蒙古人民共和国或秘密策划暴动等反满抗日活动。

---

① 据胡克巴特尔的回忆，小喇嘛及另外两个人当时并没有被枪毙，而是由通辽特务机关长金川耕作大佐保释出来，充当国际间谍，潜入蒙古人民共和国，进行刺探情报活动。见政协内蒙古自治区委员会文史资料研究委员会编：《伪满兴安史料》（《内蒙古文史资料》第 34 辑），第 272 页。

② 胡克巴特尔：《诺门罕战争亲历记》，政协内蒙古自治区委员会文史资料研究委员会编：《伪满兴安史料》（《内蒙古文史资料》第 34 辑），第 267 页。

③ 胡克巴特尔：《诺门罕战争亲历记》，政协内蒙古自治区委员会文史资料研究委员会编：《伪满兴安史料》（《内蒙古文史资料》，第 34 辑）第 268 页。

　　1935 年 12 月 31 日，兴安军官学校发生一起所谓"校兵队叛变事件"。原来，该校的白音那木拉、小喇嘛、万宝、海柱、乌日滚布等 8 名校兵队士兵和驻王爷庙的兴安骑兵第六团的 1 名士兵共 9 人曾结拜为兄弟，发誓要齐心协力，患难与共。有一天，由于万宝、乌日滚布和小喇嘛 3 人与该校日本军需官田中发生口角，遭到日本人毒打。当日晚，白音那木拉带领其 8 名结拜兄弟，带着武器，乘马向蒙古人民共和国方向而去。1936 年 1 月 4 日，他们一行经归流河、大石寨到科右前旗西北部的满族屯一个蒙古地主家歇脚时，被当地警察抓获。白音那木拉等 9 人被押到王爷庙后遭到屠杀。①

　　1943 年 8 月，驻扎在王爷庙的"满洲国第五三部队"的 20 多名蒙古族士兵，在吴旺布、旭仁宝勒等人的领导下，曾秘密策划武装暴动，准备集体投奔蒙古国。但是这一计划被发现，吴旺布、旭仁宝勒等 4 人以"反满抗日"罪名遭枪杀，其余 20 余名士兵惨遭日本宪兵队毒刑，后被送到罕达盖附近的日军据点服劳役。②

　　日本占领时期，内蒙古东部地区各族各界的反抗活动一个接一个地被镇压下去了。在当时日伪军占绝对优势的环境中，他们或被迫沦为土匪，或被缴械投降也就成为必然。

二、兴安军及其他蒙古人部队

　　日本占领内蒙古东部地区期间，为了有效地维护对其殖民统治，利用蒙古人善于骑射的特点和尚武的精神，专门成立了主要由蒙古人组成的骑兵部队——兴安军。

　　1932 年 5 月，"满洲国"政府以内蒙古自治军为基础在钱家店建立了兴安南警备军，任命扎赉特旗旗长巴特玛拉布坦为少将司令、甘珠尔扎布为参谋长、金川耕作为顾问。兴安南警备军下辖两个骑兵团、1 个独立骑兵大队和由青年学生组成的少年队。司令部设在钱家店，两个团驻扎在通辽及其附

---

　　①　白音图：《王爷庙陆军军官学校部分士兵武装暴动事件》，见图们吉日格拉：《侵华日军在兴安盟罪行录》，中共兴安盟委党史办公室 1995 年印刷，第 174 页。

　　②　拉喜德瓦、齐额尔德：《伪满五三部队士兵吴旺布反满抗日片断》，见图们吉日格拉：《侵华日军在兴安盟罪行录》，中共兴安盟委党史办公室 1995 年印刷，第 176 页。

近地区，独立骑兵大队（后改为骑兵第 6 团）驻扎在王爷庙，少年队在钱家店。

同年底，"满洲国"政府在兴安东分省和兴安北分省分别成立兴安东警备军和兴安北警备军。兴安东警备军以当地的布特哈革命军为主，并收编各旗保卫团等地方武装编成。司令部设在布西，后迁到博克图，绰罗巴图尔任上校司令、志方任顾问，下辖两个骑兵团、一个独立山炮连和一个国境警备大队。兴安北警备军以呼伦贝尔各旗保安队为基础编成，司令部设在海拉尔，乌尔金任上校司令、寺田利光任顾问、福龄任参谋长，下辖两个骑兵团、一个独立山炮连。

1933 年 3 月，日军占领热河省后，以投日的东北军第 17 旅李守信部蒙古族官兵为主，成立了兴安西警备军，任命乌古廷为上校司令、本间诚大尉为顾问，司令部设在林西县城，下辖两个骑兵团。

这样，主要以蒙古人为主组成的 4 个兴安警备军（一般统称为兴安军）正式组建完毕。兴安军属于"满洲国"正规军，受军政部（1937 年改为治安部）指挥，总兵力达 1 万人。[①] 兴安军中有很多日本人担任中上层指挥官，并掌握着实权。兴安军主要担负兴安四省境内的治安、警备任务。

1937 年，"满洲国"政府决定设立兴安军管区司令部，统一指挥 4 个兴安警备军。1938 年 3 月，兴安军管区司令部在郑家屯正式成立。8 月，任命兴安南警备军司令巴特玛拉布坦兼任军管区司令、野田又男任顾问。

兴安军管区成立后，依照"满洲国"政府军政部的命令，开始从兴安东、西、南警备军各抽调 1 个团骑兵组成野战性质的兴安师。1939 年 3 月，兴安师在钱家店正式组建，野村登龟江中将任师长。[②] 兴安师下辖骑兵第 2、4、5、12 团，每团编制为 4 个骑兵连、1 个重机枪连；另配属山炮团、迫击炮团；还有汽车队、通信队等。6 月，刚组建的兴安师奉命开往诺门罕战

① 中央档案馆、中国第二历史档案馆、吉林省社会科学院合编：《日本帝国主义侵华档案资料选编·东北"大讨伐"》，中华书局 1991 年版，第 829 页。

② 中央档案馆、中国第二历史档案馆、吉林省社会科学院合编：《日本帝国主义侵华档案资料选编·东北"大讨伐"》，第 833 页。

场，担任日军主力的右翼。战场上，兴安师官兵伤亡惨重，又有大批士兵自动脱离战场，返回各自的家乡。8 月初，兴安师奉命撤出战场，经阿尔山、王爷庙返回原驻地。10 月，兴安师改称第 2 师，由郭文林接任师长，下辖骑兵第 2、5 团和步兵团、山炮团以及汽车队、通信队，驻防钱家店、郑家屯等地。

1940 年 3 月，"满洲国"政府撤销了兴安军管区，分别设立第 9 军管区和第 10 军管区，同时撤销了 4 个兴安警备军司令部。第 9 军管区担负兴安南、西两省的警备，巴特玛拉布坦任第 9 军管区上将司令官，司令部设在通辽，其隶属部队为第 2 师①和骑兵第 3、6 团以及独立骑兵连、山炮兵连等，总兵力达 5 500 人。② 1941 年 3 月，巴特玛拉布坦调任兴安局总裁，郭文林接任第 9 军管区司令官，林治保升任第 2 师师长。1943 年 3 月，甘珠尔扎布接任第 9 军管区司令官；第 10 军管区担负兴安东、兴安北两省的警备，乌尔金任第 10 军管区中将司令，司令部设在海拉尔，所属部队为骑兵第 7、8 团、骑兵独立连、山炮兵连等，总兵力达 1 900 人。③ 1944 年 12 月，郭文林接任第 10 军管区中将司令官。

1941 年，在林西设立了兴安骑兵旅司令部，由岩田薰任旅长，担负"满洲国"西部国境警备任务。④ 兴安骑兵旅受第 9 军管区司令部指挥。

1943 年 6 月，在通辽成立独立飞行连，军官中日本人和蒙古人各半，士兵均为蒙古人，共约 70 余人。⑤

兴安军组建之时，其士兵多为收编的胡匪、兵痞和无业游民，军官大多是文盲，士兵素质低、来源少。所以，从 1932 年开始效仿日本的征兵制，试行募兵制度，将招募的新兵补充到缺额的连队，同时把有恶习者或病残者逐步清理出去。

---

① 第 2 师于 1942 年划归治安部大臣直辖，1944 年重隶第 9 军管区。
② 中央档案馆、中国第二历史档案馆、吉林省社会科学院合编：《日本帝国主义侵华档案资料选编·东北"大讨伐"》，第 876 页。
③ 中央档案馆、中国第二历史档案馆、吉林省社会科学院合编：《日本帝国主义侵华档案资料选编·东北"大讨伐"》，第 833 页。
④ 孙邦主编：《伪满军事》，吉林人民出版社 1993 年版，第 497 页。
⑤ 中央档案馆、中国第二历史档案馆、吉林省社会科学院合编：《日本帝国主义侵华档案资料选编·东北"大讨伐"》，第 815 页。

1935 年 2 月，关东军曾提出"由满洲国军单独担任国内防卫，加强蒙古骑兵等一部分兵力，使其逐步达到对外征战的实力"[1] 的方针，开始加强兴安军的素质和战斗力，并将其作为将来对苏作战时的一支力量。为此，"满洲国"军政部采取加强兴安军的战斗力的一些措施。

1940 年 4 月，"满洲国"颁布《国兵法》，结束募兵制，推行义务兵役制。第 9、第 10 军管区司令部和兴安西省、兴安东省均设立兵事处，开始征兵，并将新兵补入到各该军管区所属部队内。第 9 军管区每年大约征兵达 2 000 人，第十军管区约征兵 500 人。[2]

兴安军组建以后，为了解决军官培养问题，"满洲国"政府于 1934 年 1 月决定设立兴安军官学校。1934 年 7 月 1 日，兴安军官学校在郑家屯正式成立，第一期共招收了 72 名学生入学。[3] 巴特玛拉布坦兼任校长、金川耕作兼任军事顾问、下永宪次中佐任专职顾问。1938 年 8 月，兴安军官学校迁到王爷庙新建的校舍。

兴安军官学校是由"满洲国"政府军政部（后来是治安部）直接领导的综合性军事院校。该校"不仅是培养服务于满洲国陆军中蒙古人部队的军官和军士，而且还招募满洲国陆军现有的军官、军需，对他们施以必要的教育，普及于各个部队。同时它还是从事编纂陆军、特别是蒙古军的必要的典范条令和各种规则，以及研究、调查各种军事学术的机关。"[4] 该校由本部、教授部、学生队、教导队组成。学生队又分为蒙古预科和日本预科。蒙古预科生是由兴安各省警备司令官推荐，再根据各自的体力、学历条件，从中进行选拔。从 1937 年起分为预科 2 年、本科 2 年。后来又增设少年科，学制 4 年。[5] 预科主要学习文化课；本科则以军事课为主，普通文化课为辅。除蒙语以外，其他课均由日本教师用日语授课。日本预科则从在兴

---

① ［日］"满洲国"史编纂刊行会：《满洲国史·各论》（日文），第 1270 页。

② 中央档案馆、中国第二历史档案馆、吉林省社会科学院合编：《日本帝国主义侵华档案资料选编·东北"大讨伐"》，第 877 页。

③ ［日］善邻协会调查部编：《蒙古大观》，改造社 1938 年版，第 267—268 页。

④ ［日］善邻协会调查部编：《蒙古大观》，第 267 页。

⑤ 包化民：《兴安陆军军官学校》，见政协内蒙古自治区委员会文史资料研究委员会编：《伪满兴安史料》（《内蒙古文史资料》第 34 辑），第 58 页。

安各省警备军服役的日本人中选拔培养。该校本科学生毕业后，分配到兴安军管区或兴安各省警备军充任陆军骑兵少尉军官。另外，该校还对兴安军蒙古族现职军官进行培训，以教授专门军事学再教育为主。该校的训练、课堂教学等一律使用日语。

1939 年 10 月，兴安军官学校正式改称为"陆军兴安学校"，① 增设教育部、研究部，校长以下设干事、副官、校附等职员。1940 年，甘珠尔扎布接任该校第二任校长。第三任校长是郭文林（1943 年），第四任校长是乌尔金（1944 年）。该校共有 9 期学员毕业。②

1945 年 8 月，随着苏联红军进入东北，兴安军官兵大多掉转枪口，杀死日本军官举行起义或是向苏军投诚。这样，日本侵略者在内蒙古东部地区建立起来的兴安军彻底瓦解。

除了兴安军之外，"满洲国"政府在内蒙古东部地区还曾组织了两支以蒙古人为主的部队。一个是满洲第 868 部队（又名满洲第 53 部队），另一个是"满洲国"铁石部队所属的铁血部队。

满洲第 868 部队是一支特殊的部队，它的真实名称是满洲第二游击队，隶属于关东军情报部，接受王爷庙特务机关长的直接指挥。

1941 年德国法西斯大举进攻苏联之际，日本也准备伺机入侵苏联和蒙古人民共和国。为此，积极扩充关东军的兵员、装备的同时，组建了一些能够协同作战的机动小部队。第 868 部队就是属于这种部队。该部队于 1941 年 9 月在昌图县正式成立，士兵全部是蒙古族，军官大多是日本人，成立初期有 400 多人，全部着日军军服。其主要任务是在日军进攻苏联时，挺进蒙古人民共和国境内，截断对方运输线、袭击后方机关、扰乱居民点，以配合正面战场的作战。这支部队成立时的番号是"满洲特务第 868 部队"。因其预定的活动范围是在蒙古人民共和国境内，而日语中"868"的读音又与"喀尔喀"相近，故取名"868 部队"。

这支部队招募的士兵不是现役军人，也不是普通老百姓，而是受过军事

---

① （"满洲国"）《政府公报》第 1640 号。
② 中央档案馆、中国第二历史档案馆、吉林省社会科学院合编：《日本帝国主义侵华档案资料选编·东北"大讨伐"》，第 828 页。

训练和参加过战斗的退役或预备役军人。最初的部队长为矶野实一少校，辖3个中队另2个班。部队成立后，立即进行情报、宣传、爆破、游泳、野营等游击战术训练。

1942年10月，这支部队进行一次调整、增补，人数达到500多名。1943年5月，该部队迁到王爷庙。年底，改称为"满洲第二游击队"，正式番号为"满洲第53部队"。①

随着苏德战争形势的变化，第53部队的任务也发生了变化。其预期的作战范围不再是蒙古人民共和国，而是在内蒙古东部地区，具体活动范围是从王爷庙一带到阿鲁科尔沁旗的罕庙附近；其任务是当苏军进入之时，在其必经之地附近进行袭扰或侧击。

1945年8月苏联对日宣战后，满洲第53部队在松浦秋夫的带领下进入预定战场。但在途中部分士兵将日本军官杀死，自动解散，有的则投降了苏军。至此，满洲第53部队彻底解体。

铁石部队是1944年末由"满洲国"军事部抽调各地伪军编成的部队。所谓"铁石"是按照"满洲国"军训"铁石纪律"和"铁石训练"而取名，并以"铁石"二字作为部队代号。

铁石部队没有司令部，而是由联络部、步兵旅（铁心）、骑兵旅（铁血）组成，总兵力达1万人，相当于1个军。联络部作为"满洲国"军事部的幕僚机构，设在唐山，由南博彦担任部长。铁石部队的任务是在关内的冀东地区配合日军作战，确保日军占领区的安全。

铁石部队中的"铁血部队"（骑兵旅）由兴安骑兵第47团、第40团和朝鲜人步兵支队组成，其中骑兵团士兵均为蒙古族。1944年末，"铁血部队"在通辽集结后进入河北省滦南县。"铁血部队"由岩田薰少将任部队长，总兵力达2 500多人。② 该部队司令部设在滦南县奔城镇内，两个骑兵团分别驻扎在其周围地区，主要担负剿讨冀东地区八路军的任务。

---

① 拉喜德瓦：《伪满洲国第53部队始末》，见政协内蒙古自治区委员会文史资料研究委员会编：《伪满兴安史料》（《内蒙古文史资料》第34辑），第49页。

② 舍旺：《伪满铁石部队见闻》，见政协内蒙古自治区委员会文史资料研究委员会编：《伪满兴安史料》（《内蒙古文史资料》第34辑），第41页。

1945 年 8 月 15 日，日本宣布无条件投降后，铁血部队的蒙古族官兵在骑兵第 49 团团长郭文通等人的率领下，解除日本军官的武器，并拒绝接受国民党军队的收编，迅速返回东北，参加了东蒙古自治运动。

三、在内蒙古东部的警察机构及其统治

日本帝国主义为加强对东北各族人民的殖民统治，在"满洲国"建立了警察机构及其队伍。"满洲国"政府成立初期，在民政部内设立警务司。在地方上的奉、吉、黑、热 4 省公署设警务厅，在北满特区设警务处。在兴安总署的总务处设兴安警务科，在兴安各分省公署民政厅内设警务科，各旗、县公署内设警务科。

1937 年"满洲国"推行中央行政机构改革时，将原来隶属于民政部的警务司与军政部合并成立治安部，统一管辖军事和警务。1943 年 4 月，为了有效地掌握警察部队指挥权，废除治安部，分别成立军事部和警务总局。该局成为国务院总务厅直属的外局，全"满洲国"的警察事务直接归总务厅长官（日本人）指挥。

1932 年 12 月开始在海拉尔、扎兰屯、郑家屯等 3 处设立了兴安警察局。各兴安警察局长接受各该分省长的指挥、监督，掌管管区内的警察、消防以及分省长特别指定的卫生事务。警察局内设警务、特务、督察等 3 科。① 兴安各警察局在各旗、县及重要城镇设警察署，署下设分驻所或派出所。1933 年 8 月又在兴安西分省开鲁设立了兴安警察局。②

1935 年 9 月，撤销了与兴安各省公署并存的各兴安警察局，在兴安南、北、西省公署内设立了警务厅，③ 均由日本人当厅长。兴安东省则由民政厅兼管警务。同时向兴安四省各旗配置了日本人警务指导官，指挥各该旗的警察机构及警察队。

"满洲国"的警察除少数司法警察之外，大部分属于行政警察（或称保安警察）。1939 年 6 月 1 日，将兴安北省（海拉尔警察厅管区除外）及各国

---

① 《满洲国政府公报》，辽沈书报社 1990 年影印本，第 82 号。

② 《满洲国政府公报》，第 197 号。

③ ［日］"满洲国"史编纂刊行会编：《满洲国史·各论》（日文），第 1272 页。

境县、旗、市警察一律改为国境警察队。1940年1月1日，又将海拉尔警察厅、兴安东省喜扎嘎尔旗警察机构也改组为国境警察队，由旗参事官兼任队长，实现了行政与警察一致的体制。1943年开始在离国境线较近的重要旗、县也成立了常设的警察警备队。在有的旗、县还设立了森林警察队。

"满洲国"为了培养警察官，设立了中央警察学校和一些地方警察学校。中央警察学校是"满洲国"警察的最高教育机关，担负着培养中高级警官的任务，归民政部总长直辖。在内蒙古东部地区的扎兰屯和王爷庙设立了兴安地方警察学校。

在王爷庙的兴安地方警察学校建于1937年，分本科、普通科、少年科、警尉候补生班和临时讲习班。本科主要培训在职警察，学期1年。毕业后一般回原单位，并根据成绩和表现提拔任用。普通科招收新学员，学习半年后分配工作。少年班招收具备小学五六年级文化水平的少年，学期2年，毕业后任警士职务。少年科学员学习期间，有半年时间分别到各旗、县警察署、分驻所和派出所实习，主要学习警察业务和进行特务活动的技能。警尉候补生班招收"国高"毕业生或同等学力的在职人员，学期1年，毕业后任警尉职务。临时讲习班是警察短期学习班，学期一般3—5个月。兴安地方警察学校各科、班中学习优秀并积极为日本效劳的人，可保送到中央警察学校学习深造。从中央警察学校毕业的学员中，还挑选一部分到日本警察讲习所学习。这些人回来后任警正或科长。

兴安地方警察学校设校长1人，由省警务厅长（均日本人）兼任；设主事人，由警务厅教养科长（均日本人）兼任；设学监1人，主管教学业务，也是由日本人担任；设教官若干名，负责训练和教学工作。该学校自1937年成立到1945年日本投降为止，共培养出警士、警长、警尉补、警尉、警官约1 000余人。①

"满洲国"警察是日本帝国主义维持其殖民统治的重要工具。在东北沦陷期间，这些警察协助日本军队和宪兵、特务机关等，犯下了大量残害东北各族人民的罪行。一方面他们以种种罪名进行骇人听闻的大搜捕和迫害，尤

---

① 那木斯来扎布：《兴安总省及王爷庙地区的警、宪、特机构》，见政协内蒙古自治区委员会文史资料研究委员会编：《伪满兴安史料》（《内蒙古文史资料》第34辑），第75页。

其是反满抗日爱国志士是他们搜捕、迫害的重点。另一方面，他们经常配合日伪军参加对抗日武装的"围剿"和"讨伐"。

在"满洲国"还有一个日本警察系统。日本警察分属于关东局、外务省领事馆等系统。在大中城市和铁路沿线的一些重要城镇，几乎都设有日本警察署、所。在内蒙古东部地区的满洲里、海拉尔、赤峰等城市均设有日本警察署。这些日本警察是协助日本侵略军镇压东北各族人民的重要力量之一。

四、驻蒙军在内蒙古西部的兵力部署及对各族各界的镇压

日本在察哈尔、绥远、晋北组织傀儡政权的同时，对这些占领地区守备力量作了一系列部署。1937 年 9 月，日本军部决定以独立混成第 11 旅团（原属关东军察哈尔派遣兵团、旅团长铃木重康）为基干成立第 26 师团，配置在蒙疆地区，任命后宫淳为师团长。10 月，第 26 师团在大同组成，下辖步兵团（司令黑田重德少将，辖独立步兵第 11、12、13 联队）、搜索队、独立野炮兵第 26 联队、工兵第 26 联队、辎重兵第 26 联队、通信队、独立山炮兵第 12 联队。第 26 师团编成后，担任了晋北和集宁、厚和、包头、固阳等地的防务。

日本军部为了让关东军专心对苏备战，并阻止其向蒙疆地区深入推进，同时让华北方面军专心对中国作战，决定在这二者中间的蒙疆地区成立一个独立军，担当该地区的防务，并向外蒙古、宁夏方面警戒，同时担任对于蒙疆政权的政务指导。1937 年 12 月 27 日，军部决定成立直属于天皇的驻蒙兵团，任命莲沼蕃中将为兵团司令、石本寅三为参谋长。1938 年 1 月，以第 26 师团为基础编成驻蒙兵团，兵团司令部设在张家口。1 月 4 日，日本军部命令驻蒙兵团担任"内蒙及察南、晋北地方之主要地域"的防务，指示"将所属部队集结配置于铁路沿线及其他要地"，"越过达里诺尔湖（多伦以北约 130 公里）、东苏尼特王府、西苏尼特王府、百灵庙、固阳、包头及黄河一线进行作战（空战除外）时必须取得认可"，"考虑到将来对外蒙古方面的作战，对此进行调查并做其他的准备"。[①]

---

① ［日］臼井胜美、［日］稻叶正夫编：《现代史资料（9）·日中战争（二）》，第 179—180 页。

关东军希望将驻蒙军置于自己的影响下，并能够继续推进关东军的既定战略。1938 年 1 月 1 日，驻蒙军编组之际，关东军司令植田谦吉大将和东条英机参谋长与驻蒙军司令莲沼蕃中将、石本寅三参谋长举行会谈，希望驻蒙兵团在蒙疆地区的政务指导、作战谋略等有关方面继续推行关东军的方针。[①]

日本军部为了加强蒙疆地区的守备力量，于 1938 年 3 月 12 日又决定组成独立混成第 2 旅团，任命常冈宽治中将为旅团长，编入驻蒙兵团序列。该旅团于 3 月 20 日编组完成，下辖独立步兵 1、2、3、4、5 大队以及炮兵队、工兵队、通信队，共计 5 048 名。旅团司令部设在张家口，所辖部队担任以张家口为中心的察南地区防务。

1938 年 7 月 4 日，根据日本大本营命令，驻蒙兵团改编为驻蒙军，划归华北方面军指挥，莲沼蕃中将任驻蒙军司令、石本寅三任参谋长。7 月 6 日，日本陆军大臣给华北方面军司令官下达《蒙疆政务指导要纲》，对于蒙疆的政务指导决定由"华北方面军司令官通过驻蒙军司令官实施之"，"一、蒙疆政务指导方面，承认该地区广泛的自治，并且保持和继续其特殊性；二、蒙疆的行政机构、行政区划要保持现状；三、蒙疆的金融由蒙疆银行担任之，将来进行包括全中国的金融根本改革时亦充分考虑蒙疆地区金融组织的特殊性；四、蒙疆的经济开发（包括交通通信等）由华北统一实施之，但实施时充分考虑蒙疆的特殊事情；五、华北方面军司令官对于蒙疆政务指导依据前记各项之外，对于重要事项要取得陆军大臣的认可，与满洲国有关系的事项要与关东军司令官取得密切联系。"[②]

12 月 29 日，华北方面军骑兵集团被编入驻蒙军。骑兵集团主要有骑兵第 1 旅团（辖骑兵第 13、14 联队）、骑炮兵第 1 联队、机关炮队、坦克队、速射炮队组成，吉田惠中将任集团长。1939 年 1 月下旬至 2 月下旬，骑兵集团陆续开到包头、固阳、萨拉齐，从第 26 师团手中接管了上述地区的警备任务。

1939 年 3 月 11 日，兴亚院蒙疆联络部成立的时候，驻蒙军司令部与联

---

① ［日］臼井胜美、［日］稻叶正夫编：《现代史资料（9）·日中战争（二）》，第 176—178 页。

② ［日］森松俊夫：《驻守蒙疆 8 年——驻蒙军的历史》（日文），见骆驼会本部编：《回忆中的内蒙古——内蒙古回忆录》，骆驼会本部 1975 年印刷，第 36—37 页。

络部和蒙疆联合委员会就各自的主管事务和权限的划分交换了备忘录，决定"（驻蒙）军在有关蒙疆国防、军事、警备、治安的事项上，掌握对当地内外所有机关的指导权"，"兴亚院联络部掌管事务中，有关国防、军事、警备、治安事项要接受（驻蒙）军的分别处理"，"对于主要事项的计划、审议，要提交蒙疆联络会议"。① 蒙疆联络会议要在驻蒙军司令官领导下，由驻蒙军参谋长、兴亚院蒙疆联络部长官、蒙疆联合委员会最高顾问以及其他特别必要的人员组成。

自从 1940 年的五原战役以后，蒙疆地区的日伪军与河套的国民党军队沿乌梁素海、西山嘴一线形成对峙局面，双方都没有举行大规模军事行动。

在蒙疆地区的日军兵力部署大体上保持第 26 师团、独立第 2 混成旅团及骑兵集团等 3 支部队分散驻防在蒙疆各要地的态势。1942 年 12 月，日本大本营为了适应当地作战需要，将驻蒙军骑兵集团改编为坦克第 3 师团，原骑兵集团长西原一策任师团长，仍担任包头及附近地区的守备任务。②

日本占领下的内蒙古西部地区与河套、伊盟的国民党统治区和八路军晋西北根据地接壤。对日伪统治者来说，这是个非常需要重点防守的地区。所以日本在这一地区的一切行政、军事设施上均本着"治安第一主义"③，不仅要"讨伐"、"扫荡"境内的八路军及国民党军队，而且时刻防范其统治区内各族各阶层的反抗活动。

"蒙古联盟自治政府"成立后，在其所属之盟市境内开始推行"保甲制度"及"十家连坐法"。④ 同时在各乡村编练自卫团、灭共青年队等，担负"清乡"及"维持治安"的任务。

1939 年春，中共绥远省委派到厚和市的地下工作者宁德青（化名叶茂，在巴彦塔拉盟公署任教育股督学）、刘洪雄（在宪兵队任少校参谋）、彭光

---

① ［日］森松俊夫：《驻守蒙疆 8 年——驻蒙军的历史》（日文），见骆驼会本部编：《回忆中的内蒙古——内蒙古回忆录》，骆驼会本部 1975 年印刷，第 37 页。

② ［日］森松俊夫：《驻守蒙疆巴年——驻蒙军的历史》（日文），见骆驼会本部编：《回忆中的内蒙古——内蒙古回忆录》，第 35 页。

③ "蒙古自治邦政府"：《政务概况书》（日文，1941 年 9 月），见内蒙古自治区档案馆档案：《蒙古自治邦建设的沿革及施政之理念（二）》（日文），内蒙古档案馆藏油印本。

④ "蒙古联盟自治政府"编：《蒙古联盟自治政府七三三年甲年度行政概要》之《警务》，第 5 页。

华、郝登鸿等人秘密组织了绥蒙各界抗日救国会。该会以"蒙疆道教会"作掩护，以吸收道教会士名义发展救国会会员。到1940年初该会已经有会员200多人，[①] 遍及厚和市的商会、铁路、工厂、学校以及政府机构内。抗日救国会通过会员的社会关系，秘密宣传抗日救国的道理、刻印和散发揭露日本殖民统治的宣传品，为大青山地区的八路军搜集情报和所需物资，还动员一些青年到延安学习。另外，该会组织抗日救国军，以段敬斋（即段履庄，大盛魁经理、市商会会长）为司令、郑同化为副司令。该会会员魏师傅在厚和市以东的白塔、五路、郭家营子等村，以"收家礼徒弟为名，两三个月的时间，联系了七八百人参加抗日救国军"。[②]

1940年2月，中共归绥工委通过抗日救国会，从巴彦塔拉盟师范学校选派周服礼、何树声等6名学生到延安学习。日本特务机关、宪兵队及伪警察以这几名学生的去向为突破口，开始在该校教职工中进行调查。一个叫燕凌云的学生经不住警察的恐吓和诱骗，不仅供出上述6人的去向，还供出了抗日救国会在该校的活动情况。[③]

于是，厚和特务机关、宪兵队和巴彦塔拉盟警务厅、厚和警察局组成"联合搜查部"，于1940年5月16日出动大批军警开进巴彦塔拉盟师范学校，进行搜查，先后"共抓捕师生三十多人"。[④] 几天后，救国会负责人之一中共地下党员魏铭被捕叛变，供出中共地下组织和抗日救国会总部所在地及其他联络、活动地点。这样，刘洪雄、贾恭及抗日救国会190余名会员相继被捕，使得绥蒙各界抗日救国会及中共在厚和市的地下组织遭到严重破坏。魏师傅等在城东白塔一带组织起来的800多名抗日救国军遭到蒙古军包围，被击毙数百人，其余全部溃散。

---

① 呼市公安局征史办：《归绥工委指导下的"绥蒙各界抗日救国会"斗争史略》，中共呼和浩特市委党史资料征集办公室、呼和浩特地方志编修办公室编：《呼和浩特史料》第2辑，中共呼和浩特市委党史资料征集办公室、呼和浩特地方志编修办公室1983年印刷，第111页。

② 阎继傲：《绥远抗日救国会的活动》，见政协内蒙古自治区委员会文史资料研究委员会编：《内蒙古文史资料》第26辑，政协内蒙古自治区委员会文史资料研究委员会1987年印刷，第79页。

③ 《归绥工委指导下的"绥蒙各界抗日救国会"斗争史略》，中共呼和浩特市委党史资料征集办公室、呼和浩特地方志编修办公室编：《呼和浩特史料》第2辑，第116页。

④ 《归绥工委指导下的"绥蒙各界抗日救国会"斗争史略》，中共呼和浩特市委党史资料征集办公室、呼和浩特地方志编修办公室编：《呼和浩特史料》第2辑，第117页。

日伪军警对被捕者逐个进行各种刑讯逼供，先后杀害了刘洪雄、贾恭、张吉敏等 100 多人，又将聂德俊、潘启祥等 28 人分别判处 2—10 年徒刑，送到张家口察南监狱关押。

1943 年 6 月，日伪军警将 1940 年搜捕抗日救国会时逮捕后释放的白国华（巴盟师范学校训导主任）、罗世杰（巴盟师范学校教员）和富养源（巴盟师范学校学生）重新抓起来，进行刑讯逼供。其中白、罗 2 人受刑不过，就把厚和市各中、小学教职员中尽其所知，开列名单，编造说他们都是抗日救国会会员。7 月 12 日，日本宪兵队及厚和市警察局的军警按照这些名单，进行了大搜捕。其中一部分人是 1940 年抗日救国会事件中被捕过的人，而大部分却是与抗日救国会没有关系的人员。这次大搜捕活动从 1943 年 7 月至 1945 年 5 月持续了近两年，先后共逮捕了 170 多人，其中有几十人被杀害，49 人被分别判处 2—10 年徒刑。①

1939 年 12 月，国民党傅作义部袭击包头以后，驻蒙军便开始在该市进行搜捕"通敌者"行动。当时在包头有原国民党绥远地区"民众抗日自卫军"成员王文质（时任伪包头市公署总务科长兼警务科长）、齐寿康（市公署总务科教育主任）、裴会（包头商会秘书）等人以及董世昌（包头商会会长）组织的"抗日救国会"。他们与驻扎在河套的傅作义部取得联系，并利用各种身份，暗中进行抗日活动。当 1939 年 12 月 19 日夜，傅作义部袭击包头并一度攻入市内时，抗日救国会暗中给予策应，市商会还给傅部入城部队送去烙饼做给养。

这些活动被日本特务机关、宪兵队发觉，便开始在市内大搜捕。1940 年 2 月 15 日，逮捕了王文质、董世昌、郜相同（包头市商会副会长）等 30 余人，并从同利成军衣社经理刘定基家中搜出新做的十几面国民党党旗和国旗，从"救国会"会员刘莱家中搜出炸药、手榴弹等。此后，还相继逮捕了史春山（商会秘书）、王道明（城南警察署巡警）、辛寿宸（市公署警务科长）等 40 多人。

日军在这次搜捕行动中先后共逮捕 85 人，分别羁押在日本宪兵队。驻

① 阎继傲：《绥远抗日救国会的活动》，见政协内蒙古自治区委员会文史资料研究委员会编：《内蒙古文史资料》第 28 辑，政协内蒙古自治区委员会文史资料研究委员会 1987 年印刷，第 149 页。

蒙军认为这次破获蒙疆地区一大"间谍团"。所以经过 70 多天的审讯,将王文质、董世昌等 21 人送到张家口,其余 64 人先后被交保释放。① 送到张家口军法处会审的 21 人中,王文质等 9 人于 1940 年 7 月被判处死刑,另外几个人分别被判处 7—20 年徒刑。②

　　1944 年 12 月,日伪警察在丰镇县又制造了一起屠杀当地农民的"九宫道事件"。③

　　当年秋天,丰镇县公署及警察署派员下乡,催交粮食、逼缴烟土,无力缴纳的农民遭到拷打。县城附近第一区"九宫道"道士李伍士等起而抗辩,也遭殴打,因此激起全村民愤。12 月 11 日,这个村庄的 200 余人手持长矛、棍棒、铁锹等,袭击了乡公所及警察派出所。乡公所职员及警察均逃回县城。县公署及警察署立即派由首席指导官出羽时男警正率领的 15 名骑警队,前往出事地点进行调查的同时,严令聚集起来的农民交出武器、立即解散。④ 但是农民不但没有交出武器,还于第二天将前来逼迫农民解散的王翻译官打死并赶跑了日伪警察。13 日,丰镇县次长村田、警察署长熏城内等带领 100 多名警察,与出羽时男所率领的警察会合,向聚集的农民进行武力镇压。农民大多数被打散,约有 100 多人被捕。14 日,丰镇县第五区的农民又聚集起来向该区警察署发动进攻。由于日伪警察事先做好了准备,50 多名农民被打死,并有部分农民被捕。事后,日伪警察又到农民曾聚集的村庄,放火烧毁了农民的房舍,还要农民以未缴纳的粮食、烟土等来交换其亲友的尸体。⑤

　　在这次日伪警察屠杀丰镇农民的事件中,"死难者竟达三百人之多,受

---

　　① 齐寿康:《血泪的会议——日寇捕杀包头抗日救国会纪实》,见政协内蒙古自治区委员会文史资料研究委员会编:《内蒙古文史资料》第 26 辑,政协内蒙古自治区委员会文史资料研究委员会 1987 年印刷,第 74 页。

　　② 《包头间谍团事发破获——处刑》,载《盛京时报》1940 年 7 月 10 日。

　　③ 日文资料中称这次事件为"红枪匪事件"。

　　④ 〔日〕出羽时男:《丰镇红枪匪事件》(日文),见骆驼会本部编:《回忆中的内蒙古——内蒙古回忆录》,骆驼会本部 1975 年印刷,第 165 页。

　　⑤ 〔日〕出羽时男:《丰镇红枪匪事件》(日文),见骆驼会本部编:《回忆中的内蒙古——内蒙古回忆录》,骆驼会本部 1975 年印刷,第 169 页。

害者在一千人以上，烧毁房屋七十六间半"①。这一暴行当时在社会上也引起很大反响，导致民怨沸腾。蒙古自治邦政府主席德王也认为，对此不追究有关人员责任不足以平民愤。结果丰镇县县长、参事官、警察队指导官、警察署长等被免职或调离该地。②

日本占领期间，日伪军警在内蒙古西部地区不仅对当地各族各界民众的抗日活动进行无情的镇压，制造了一起又一起惨案，而且对"蒙疆"政权、蒙古军以及盟市旗县的官员也严加监督和防范，一旦发现他们对日伪统治表现出一些不满情绪或有些异常情况时，就立即以各种名义将其调离、逮捕甚至迫害致死。

1940年4月曾发生一起涉及德王和李守信的"军统电台案"。由于德王对日本设立"蒙疆联合委员会"、合并3个自治政府等措施产生严重不满，便通过"军统"特工人员那木尔（刘建华，时任厚和市警察局长）与蒋介石取得联系，打算出走到国统区。蒋介石当时让德王等"留在当地训练军民，忍辱负重，以待将来"③，还通过"军统"在内蒙古西部地区的负责人马汉三，向德王、李守信以及"蒙古联合自治政府"和蒙古军的有关人员发放了任命状。

1940年春，日本特务机关及宪兵队在厚和、包头搜查"通敌者"期间，厚和市警察局局长那木尔出逃到河套国统区。由此追查到蒙古军总司令部副官处科长武君玉身上。日本宪兵队在其家中搜出小型电台一部，并将其逮捕。武君玉受刑讯拷打，供出德王、李守信以及其他人与国民党的秘密联络及通过"军统"接受任命状的真相。日本宪兵队根据吴君玉的口供，立即逮捕了巴彦塔拉盟公署官房主任贺云章、科长梁芝祥、托克托县县长肖兆庚以及刘长荣、杨金声、李锦章等一批人。

---

① 丰镇县党史办：《日寇残害丰镇县人民史料实录》，见《丰镇史料》编纂委员会编：《丰镇史料》第2辑，《丰镇县志》编纂委员会1983年印刷，第140页。

② 德穆楚克栋鲁普：《德穆楚克栋鲁普自述》，陶布新整理，见政协内蒙古自治区委员会文史资料研究委员会编：《内蒙古文史资料》第13辑，第134页；出羽时男：《丰镇红枪匪事件》（日文），骆驼会本部编：《回忆中的内蒙古——内蒙古回忆录》，第170页。

③ 德穆楚克栋鲁普：《德穆楚克栋鲁普自述》，第98页。

德王、李守信得知"军统"电台暴露后，便主动到驻蒙军司令部坦白。① 当时驻蒙军司令官冈部直三郎和参谋长田中新一等认为，这一事件涉及"蒙古联合自治政府"和蒙古军最高首脑人物，如果继续追究下去，恐怕会危及到整个蒙疆政权的统治，决定对德王、李守信等采取不予追究的方针。当时驻蒙军司令部决定："一、让德王改正其不妥当的做法，对其不予追究，仍然保持其现在的地位。鉴于这次的行为属于对形势认识不足，对日本的真意缺乏信赖，由参谋长与其恳谈取得谅解，并让李守信进一步劝说。二、对蒙古军首脑部的处理，由李守信进行之。"②

驻蒙军司令部对涉及这一事件的德王、李守信虽未予追究，但对吴君玉、刘长荣、杨金声等则处以死刑，将梁芝祥、肖兆庚各判处 8 年徒刑。贺云章在宪兵队受审期间就被拷打致死。③

其实，当时驻蒙军司令部认为"德王目前还没有直接背叛的意思"，李守信"对日本的态度没有任何疑虑，足以信赖"。④ 在这种情况下，德王、李守信等还有继续利用的价值，而且通过这一事件抓住他们的把柄，让他们对日本怀有感激的心情，从而更容易控制他们。所以才对德王、李守信等军政上层人士未予追究。

1939 年，蒙古军第 3 师师长王振华仅仅因为与跑到河套的原伪开鲁县县长蒋金安通信，就被撤销了师长职务。⑤ 1940 年春，日本特务机关在包头搜捕"抗日救国会"人员时，认为当时的包头市市长刘继广有"通敌"嫌疑，准备拘捕。经德王、李守信等求情，驻蒙军司令部才未予追究，但很快将其调到张家口担任蒙古联合自治政府最高检察厅厅长，剥夺了他的实

---

①　德穆楚克栋鲁普：《德穆楚克栋鲁普自述》，陶布新整理，见政协内蒙古自治区委员会文史资料研究委员会编：《内蒙古文史资料》第 13 辑，第 100 页；李守信：《李守信自述》，刘映元整理，见政协内蒙古自治区委员会文史资料研究委员会编：《内蒙古文史资料》第 20 辑，第 275 页。

②　[日] 冈部直三郎：《冈部直三郎大将日记》，芙蓉书屋 1982 年版，第 323 页。

③　德穆楚克栋鲁普：《德穆楚克栋鲁普自述》，陶布新整理，见政协内蒙古自治区委员会文史资料研究委员会编：《内蒙古文史资料》第 13 辑，第 101 页。

④　[日] 冈部直三郎：《冈部直三郎大将日记》，第 324—325 页。

⑤　李守信：《李守信自述》，刘映元整理，见政协内蒙古自治区委员会文史资料研究委员会编：《内蒙古文史资料》第 20 辑，第 266 页。

权。① 张家口日本宪兵队还以"抗日反蒙"嫌疑，扣捕曾任蒙古军第 2 师师长的尹宝山和陈景春。后经李守信花钱买通日本宪兵队长，才将 2 人保释出来。② 1942 年 5 月，百灵庙特务机关以"里通外蒙"的罪名，将茂明安旗札萨克齐木德仁庆毫日劳扣捕并关押在特务机关内。齐札萨克经不住严刑逼供，自杀身死。③ 事后，特务机关还搜查齐王府第，没收了财产。④

这些事例说明，日本统治者为了巩固其殖民统治，不仅对一般民众实行残酷的镇压政策，而且对于伪政权的各级官吏也采取严格的控制和严厉的惩戒措施，使得这些伪军政官员们不敢有丝毫的违抗。

五、蒙古军及其演变

蒙疆地区防务及"蒙疆"政权本身全靠日本驻蒙军来维持。蒙古军作为"蒙疆"政权最重要的武装力量，成为协助日军对八路军和国民党军队作战、担任西部盟旗防务的一支军队。

1937 年 10 月 25 日，即在蒙古联盟自治政府成立前夕关东军司令部作出了《强化内蒙军方案要纲》，决定"随着内蒙的新形势，在其势力范围内为防共和确保安定方面配备足够的兵力，同时考虑到有事之时能够与外蒙军匹敌，以此为根本方针"；蒙古军"兵员数以约二万人为目标，以期增强"；"提高素质，为此裁汰素质不良之汉人部队，征集朴素勇敢的蒙古人。除最高军事顾问之外，向军队内部派适宜日本人"。⑤

蒙古联盟自治政府成立时，在政府内设蒙古军总司令部。根据关东军方面提出的所谓"政务军事分离"的原则，德王不再担任蒙古军总司令，任命李守信为蒙古军总司令、乌古廷为参谋长、刘星寒为副参谋长。总司令部下

---

① 德穆楚克栋鲁普：《德穆楚克栋鲁普自述》，陶布新整理，见政协内蒙古自治区委员会文史资料研究委员会编：《内蒙古文史资料》第 13 辑，第 120 页。

② 李守信：《李守信自述》，刘映元整理，见政协内蒙古自治区委员会文史资料研究委员会编：《内蒙古文史资料》第 20 辑，第 274 页。

③ 莫德力图主编：《乌兰察布史略》，第 216 页；[日] 今村阳辉：《关于茂明安旗》（日文），骆驼会本部编：《回忆中的内蒙古——内蒙古回忆录》，骆驼会本部 1975 年印刷，第 194 页。

④ 额仁庆达赖：《我从茂明安旗出走的经过》，见政协内蒙古自治区委员会编：《内蒙古文史资料》第 10 辑，内蒙古人民出版社 1983 年版，第 119 页。

⑤ [日] 臼井胜美、[日] 稻叶正夫编：《现代史资料（9）·日中战争（二）》，第 156 页。

设副官、参谋、军械、军需、军医、军法 6 个处，还有直属的汽车队、宪兵队、兵器厂、医院以及后来成立的蒙古军幼年学校、蒙古军官学校等。蒙古军总司令部初设在包头市，于 1937 年底迁到厚和市。当时蒙古军共有 9 个师、1 个炮兵大队，总兵力达 18 000 多人，其中骑兵 12 000 多、炮兵 2 000 多人。[①]

1938 年 1 月 14 日，根据日本军方的意见，德王、李守信与驻蒙兵团司令官交换了《关于委任蒙古军统帅权的换文》。其中提出"随着贵兵团（指驻蒙兵团——引者）在蒙疆地区创设……将日军在蒙疆地区作战上运用蒙古军的统帅权委任驻扎在蒙疆的日军最高指挥官"[②]。2 月 14 日，驻蒙兵团司令莲沼蕃决定设立直属于兵团司令的蒙古军军事顾问部，任命厚和特务机关长高场损藏大佐为军事最高顾问。军事顾问部设在蒙古军总司令部，军事最高顾问以下设军事顾问、军事教官及顾问部附。规定顾问部负责蒙古军全部指导、训练事宜；没有最高顾问联合署名，不能下达命令；蒙古军将校的任命、晋级、补职等必须得到兵团司令官的认可。[③] 通过这些措施，蒙古军的指挥权完全掌握在了日军手里。后来三毛逸、盘井文雄、小仓达次、汤野川龙郎等相继担任蒙古军最高顾问。

蒙古军第 1、2、3 师是李守信旧部，大多由汉人组成；第 4、5、6 师是从"满洲国"招募来的，大多由原卓索图盟、昭乌达盟蒙古人组成；7、8、9 师是由锡、察、乌盟蒙古人组成的。其中第 1 师驻防包头市；第 2 师驻防厚和；第 3 师驻防集宁；第 4 师驻防黄河南岸的达拉特旗大树湾；第 5 师驻防四子王旗；第 6 师驻防张北县；第 7 师驻防正黄旗；第 8 师驻防武川西部的乌兰不浪一带；第 9 师驻防百灵庙一带。由汉人组成的 3 个师均担任铁路沿线的城镇及附近各县的防务；由蒙古人组成的各师，担负各盟旗蒙古人聚居地区的防务。

1938 年以后，日本驻蒙兵团就开始采取逐步削弱蒙古军的措施。5 月 24 日驻蒙兵司令部制定《蒙古军改编要领》，决定"目前将蒙古军总兵力减

---

①　李守信：《李守信自述》，刘映元整理，见政协内蒙古自治区委员会文史资料研究委员会编：《内蒙古文史资料》第 20 辑，第 294 页。

②　［日］防卫厅防卫研修所战史室：《华北治安战》（1）（日文），朝云新闻社 1968 年版，第 81 页。

③　［日］防卫厅防卫研修所战史室：《华北治安战》（1）（日文），朝云新闻社 1968 年版，第 82 页。

少为 1 万名"，"汉人部队第 1—3 师配置在铁道沿线地区，逐步改编为保安队"。① 是年底，驻蒙军就以充实"满洲国"兴安军、预防苏联进攻为由，从蒙古军第 4、5、6 师抽出 6 000 多人，② 用客车运到热河后遣散，使得这3 个师成了兵员严重不足的空壳。

1939 年 9 月，"蒙古联合自治政府"在张家口成立时仍设蒙古军总司令部，李守信任总司令。但是蒙古军总司令部并未因此迁到张家口，而是仍旧设在厚和。这意味着驻蒙军对蒙古军仍不放心，有意让政府和军队首脑机关分置于两地，便于分头控制。

1940 年夏，德王、李守信等与蒋介石派出的军统特务联系的"电台案"发生后，根据驻蒙军司令部的命令，对蒙古军进行了整编。首先按照原定的计划撤销了由汉人组成的第 1、2、3 师番号，将其改编为地方警察性质的靖安警备队第 1、2、3 集团，③ 划归蒙古联合自治政府治安部指挥。每个集团辖 4 个大队（相当于团），共计 12 个大队。第 1、2 集团分驻于包头、厚和及附近各县，第 3 集团移防察南。3 个集团的 12 个大队实际由各该驻地日本部队或特务机关指挥，成了各自为政的 12 个小单位。这一措施的真正目的在于削弱李守信在蒙古军中的指挥权。接着，又改组了蒙古军总司令部，在各处之上设立了参谋、教育、总务 3 部。

1943 年初，蒙古军再次进行整编。由于第 4 师团在同国民党军队作战中减员很多，便合并到第 6 师，取消了第 4 师番号，师长宝贵廷任蒙古军总司令部教育部长；取消了第 5 师番号，将该师官兵并入第 7、8 师。同年春，驻蒙军和蒙古自治邦政府将各盟旗保安队和蒙古军第 6 师统一整编为防卫第 1、2、6、16、12 师，分别由锡、察、巴、乌、伊盟盟长兼任师长，实际由参谋长负责，划入蒙古军序列，由蒙古军总司令部指挥，驻防各盟要地。④

---

① ［日］防卫厅防卫研修所战史室：《华北治安战》（1）（日文），朝云新闻社 1968 年版，第 82 页。

② 李守信：《李守信自述》，刘映元整理，见政协内蒙古自治区委员会文史资料研究委员会编：《内蒙古文史资料》第 20 辑，第 242 页。

③ 对于该部队的名称，李守信在《李守信自述》（第 246 页）中称"治安警备队"，而在政协内蒙古自治区委员会编：《伪蒙古军史料》（第 66 页）和中国第二历史档案馆蒙藏委员会档案《派驻绥蒙调查组编送 1941 至 1942 年绥蒙时事旬报》中均称"靖安警备队"。

④ 政协内蒙古自治区委员会文史资料委员会编：《伪蒙古军史料》，政协内蒙古自治委员会文史资料委员会 1990 年印刷，第 70 页。

1944 年春，第 8 师与国民党军队作战中损失很大，师长札青札布亦被打死。于是将第 8 师并入第 9 师。至此，蒙古军总司令部只辖第 7、9 两个正规师和 5 个有名无实的防卫师。

1944 年以后，日军在太平洋及中国战场上连连失败，兵员枯竭。驻蒙军主力第 26 师团和坦克第 3 师团相继调到菲律宾及河南省作战。1945 年年初，驻蒙军军部为了弥补由于日军从蒙疆地区调赴外地所造成的防守兵力空缺，决定扩编蒙古军。4 月，蒙古自治邦政府将蒙古军设在张家口的联络部升格为军事部，由李守信兼任部长，主持军务及警务工作。① 同时将靖安警备队 3 个集团和察南警察队改编为蒙古军第 4、5、11、18 师。其中第 4、5、18 师分别驻防包头、厚和、集宁等地，第 11 师驻防宣化。同时将西苏尼特旗保安队、蒙古军第二游击队、准格尔保安队分别扩编为蒙古军骑兵第 1、2、3 旅。② 这种建制一直持续到 1945 年 8 月蒙疆政权垮台为止。

1936 年蒙古军成立之初，曾在西苏尼特旗创办了军官学校。该校培训两期学员后便告停办。此后，蒙古军军官培训，主要采取派人到日本士官学校和"满洲国"陆军兴安学校进行培养的办法。1937 年 10 月 25 日，关东军司令部制定的《强化内蒙军方案要领》中，就曾提出"特别要提高指挥官的能力，为此扩充和建立军官学校和幼年学校"。③

1939 年下半年，"蒙古联合自治政府"和蒙古军总司令部决定在西苏尼特旗原来的军官学校基础上，开办蒙古军幼年学校，派蒙古军第 8 师 22 团上校团长博彦门都为校长，日本人青木英三郎为主任教官，另派 6 名蒙古人和 2 名日本人为教官。1940 年 6 月 17 日第一学期 60 名学生正式开学。④ 该校学制 3 年，学生除学习普通中学的文化课之外，还进行军事训练。⑤

蒙古军幼年学校每年招收一期学员，人数 40—60 名不等。学生主要是锡、察、巴、乌、伊盟等地的蒙古族青少年和蒙古军中内蒙古东部籍官兵

---

① ［日］防卫厅防卫研修所战史室：《华北治安战》（2）（日文），朝云新闻社 1968 年版，第 78 页。

② 政协内蒙古自治区委员会文史资料委员会编：《伪蒙古军史料》，第 72 页。

③ ［日］臼井胜美、［日］稻叶正夫编：《现代史资料（9）·日中战争（二）》，第 156 页。

④ 博彦们都：《伪蒙疆的军事幼年学校》，见政协内蒙古自治区委员会文史资料研究委员会编：《内蒙古文史资料》第 29 辑，政协内蒙古自治区委员会文史资料研究委员会 1987 年印刷，第 83 页。

⑤ ［日］防卫厅防卫研修所图书馆藏档案：《满洲·满蒙·69 号》。

的子弟。第一期学生于 1943 年 6 月毕业，并升入设在厚和的蒙古军军官学校。1945 年 8 月日本投降前夕，该校学生曾杀死日本教官，集体投奔苏蒙联军。

1943 年 6 月 1 日，蒙古军军官学校在厚和成立，① 第一任校长是蒙古军上校脑门达赖，后来乌云飞、包海明相继任校长。军官学校设在厚和市小铰场，第一期学员除现役的青年士官之外，都是从蒙古军幼年学校毕业的学生。军官学校有日本顾问，第一任顾问是退役中尉柳下。该校校本部之下分别设立生徒队、学生队和教导连。生徒队的学生来源是蒙古军幼年学校毕业生，学生队的学员是来自蒙古军各部队的班长或一些中学生，教导连负责培训各部队的班长和保卫军校安全以及后勤工作等。② 生徒队的学生在校学习3 年，其中预科 1 年，本科 2 年，毕业后到部队先当半年见习军官，然后才能正式担任少尉军官。

蒙古军官学校的课程分为学科和术科两大类，学科中又分为文化课和军事理论课。文化课由文职教员讲述，军事理论课由队长、连长等军事教官任教。生徒队学习文化课、军事理论课，术科是在队长、连长和区队长的指导下，除进行经常性的军事基础技能训练外，还定期开展急行军、夜行军、沙盘战术、现地战术、实弹射击、野营演习、剑术、刺枪、马术和军事体育比赛等活动。③

蒙古军官学校的教育训练方法，完全是仿照日本士官学校的模式进行的。日本顾问及教官向学生灌输日本军人的所谓"武士道"精神和建立"大东亚共荣圈"、"蒙疆乐土"等思想。但是随着蒙疆政权的垮台，这所学校还没有一期学生毕业就告结束。

六、在内蒙古西部的警察及特务机关

日本占领内蒙古西部地区期间，驻蒙军及蒙古军驻扎在铁路沿线及重要

---

① ［日］福岛义澄编：《蒙疆年鉴》（日文，1944 年版），蒙疆新闻社 1943 年刊印，第 52 页。

② 东瀛：《伪蒙古军陆军军官学校》，见中共呼和浩特市委党史资料征集办公室、呼和浩特地方志编修办公室编：《呼和浩特史料》第 7 辑，中共呼和浩特市委党史资料征集办公室、呼和浩特地方志编修办公室 1986 年印刷，第 206—207 页。

③ 东瀛：《伪蒙古军陆军军官学校》，见中共呼和浩特市委党史资料征集办公室、呼和浩特地方志编修办公室编：《呼和浩特史料》第 7 辑，第 206 页。

城镇。在城乡各地，均设有警察机关和警察队，承担协助日伪军作战，维持地方治安的任务。尤其在广大农村，警察机关及警察队成为直接统治当地民众的主要力量。蒙疆政权的警察部队是维护日本在该地区殖民统治的主要支柱之一。

　　蒙疆政权的警察机构及部队，是从日军占领初期的治安维持会和自卫团等演变而来。随着察南、晋北、蒙古联盟自治政府的成立，在各地相应地建立起警察机构，还从日本及"满洲国"派来警察指导官进行警务指导，充实警务机关。

　　"蒙古联盟自治政府"成立时，在保安部下设警务处，掌管治安警察及行政警察事务；① 同时，着手制定了警察服制、权限、礼式以及《采用警士规程》、《警察官吏条例》等；在厚和成立了中央警察学校以培养警官；② 在各盟公署设保安厅，负责警察及保安队事务，并根据治安警察尚未建立起来的实际和各盟旗治安状况，令各盟召集壮丁编练保安队。其中察盟、巴盟各1 000 名，锡盟、乌盟各600 名；③ 在各县成立自卫团，协助军队及警察机关，维持地方治安。④

　　1938 年5 月，"蒙疆联合委员会"为确立整个蒙疆地区的警察制度，专门成立了"警察制度审议会"，在总务委员长金井章二的监督下进行调查审议关于警察制度之事项，其成员由金井在联合委员会及察南、晋北、蒙古联盟自治政府职员中指定。⑤

　　1938 年8 月"蒙疆联合委员会"改组时成立保安部，专门负责有关治安警察、行政警察、保安队以及司法行政事务。⑥ 1939 年9 月"蒙古联合自治政府"成立后，由治安部负责警察事务。同时将自卫团及保安队统一改编为警察队，配置于各地担任防卫及扩大治安区的任务。⑦ 但由于地域辽阔、警力少，不能发挥其武装警察的机动作用，所以于同年11 月10 日

---

① 满铁调查部：《蒙疆政府公文集》（日文）上辑，满铁调查1939 年印刷，第50 页。

② "蒙古联盟自治政府"编：《蒙古联盟自治政府七三三年甲年度行政概要》之《警务》，第3—4 页。

③ "蒙古联盟自治政府"编：《蒙古联盟自治政府七三三年甲年度行政概要》之《警务》，第3 页。

④ "蒙古联盟自治政府"编：《蒙古联盟自治政府七三三年甲年度行政概要》之《警务》，第5 页。

⑤ "蒙古联合自治政府"总务部编：《蒙古法令辑览》（日文）第1 卷之《官制篇》，株式会社满洲行政学会1940 年版，第55 页。

⑥ 满铁调查部：《蒙疆政府公文集》（日文）上辑，满铁调查部1939 年印刷，第15 页。

⑦ ［日］福岛义澄编：《蒙疆年鉴》（日文，1944 年版），蒙疆新闻社1943 年刊印，第134 页。

由"蒙古联合自治政府"发布《警力整备要纲》，在各政厅、盟编成直属于警务厅长的警察队，配合散置在各地方的警察，担任扩大治安圈的任务。

1940年6月，"蒙古联合自治政府"公布《关于警察队之隶属关系之件》，保留警察队一部分作为政厅、盟警务厅的直属，将其余大部分移交各县，恢复了原来的状态。这样，使得各县警察队担负地方行政警务和治安警务的双重任务。

12月，"蒙古联合自治政府"制定《治安施策》，对于治安肃正、整备警务机关、改善待遇、强化训练、充实装备等方面，作出了具体的规定。其中提出"警务机关要以确保第一线接敌地区以内的各地方彻底的治安肃正为主，对于周边地区散处之大匪团的讨伐，则积极协助军队的作战，以确保后方地区"，并决定改革警察活动体制，将"治安部以下所有警察官一律统合为警察队"。①

为此，决定成立统一的警察队总司令部，由治安部部长兼任总司令官，治安部次长（日本人）兼任中央本部长；总司令部下设警务、警备、特务三科及警犬养成所、兵器厂、中央警察学校。在汉族聚居地区设"地区警察队司令部"，由政厅长官及盟长兼任地区司令官，次长、参与官（均日本人）兼任地区本部长，在警务厅长下设"直属警察队本部"，由若干中队组成。地区警察队司令部还直接掌管地方警察学校。在各市县则设"警察队本部"，由县长、市警察局长任队本部长，参事官任队副部长，警务科长任队长，归"地区警察队司令部"指挥。在纯蒙地区的锡林郭勒盟和乌兰察布盟设"特别警察队本部"，由盟长任队司令、参与官任副司令、警务厅长任队长，下设若干中队。旗一级未设警察队本部。② 这样，在整个蒙疆地区从上到下形成一个"警政合一"的庞大的警察系统。

1941年3月，"蒙古联合自治政府"警察队总司令部正式成立，治安部

---

① "蒙古联合自治政府"：《关于蒙疆建设根本方针的意见书》（日文）1940年12月20日，见内蒙古自治区档案馆档案：《蒙古自治邦建设的沿革及施政之理念（二）》（日文），内蒙古档案馆藏油印本。

② "蒙古联合自治政府"：《关于蒙疆建设根本方针的意见书》，见内蒙古自治区档案馆档案：《蒙古自治邦建设的沿革及施政之理念（二）》（日文），内蒙古档案馆藏油印本。

部长丁其昌兼任总司令官。6 月 1 日，治安部和民政部合并为内政部，警察事务及警察队总司令部相应地归该部管辖。内政部下设警备科及特务科，主管警备动员、剿匪及清乡、警务装备、警察官吏之训练、防空及防卫、警备警戒以及思想取缔、民族运动、社会运动、外事警察、防谍、警察情报、经济警察、刑事警察及鉴识、保安警察、特务警察等事项。① 在内政部设立主管警察事务的警监、事务官、教务官、警正、警佐、警尉等官员。② 据统计，截止到 1941 年 9 月，蒙疆地区共有警察官 18 500 名（含日本人警察）、自卫团 6 230 名（只限于发放薪水者）、灭共青年团 74 000 名，③ 其人数远远超出在蒙疆地区的日军及蒙古军的总和。

1945 年 4 月，"蒙古自治邦政府"政务院下设军事部，将警察行政及警察队移交该部掌管。

在地方行政警察方面，厚和市设有警察局，受巴彦塔拉盟长之管理。警察局"掌理管辖区域内警察、消防及民政部长指定卫生事务"④。厚和警察局下设若干警察署。在各县、市设警察署，在乡镇则设派出所及分驻所。

日本占领内蒙古西部地区期间，为了确保在该地区的殖民统治，十分重视警官的培养和教育。"蒙古联盟自治政府"成立后，于 1938 年下半年在厚和创办了"中央警察学校"。⑤

1939 年 6 月，蒙疆联合委员在张家口又创办了一所"中央警察学校"，隶属于保安部。同年 9 月，"蒙古联合自治政府"在张家口成立时，该校隶属于治安部，1941 年 6 月以后归内政部管辖。该校校长一职由治安部（1941 年 6 月以后为内政部）次长（日本人）兼任。中央警察学校教学分高等、普通、讲习 3 科。高等科分为第一部和第二部，第一部招收日系警尉补

---

① "蒙古联合自治政府"总务部编纂：《蒙古法令辑览》（汉日对照），第 1 卷之《官制篇》，蒙疆行政学会 1941 年刊印，第 46—47 页。

② "蒙古联合自治政府"总务部编纂：《蒙古法令辑览》（汉日对照），第 1 卷之《官制篇》，第 44 页。

③ "蒙古自治邦政府"《政务概况书》，见内蒙古自治区档案馆档案：《蒙古自治邦建设的沿革及施政之理念（二）》（日文）。

④ "蒙古联合自治政府"总务部编：《蒙古法令辑览》（汉日对照），第 1 卷之《官制篇》，第 238 页。

⑤ "蒙古联盟自治政府"编：《蒙古联盟自治政府七三三年甲年度行政概要》之《警务》，第 4 页。

生，第二部招收警尉以上者；普通科也分为第一部和第二部。其中第一部招收日系初任警察官吏，第二部招收担任 1 年以上警长职务的日本人；讲习科则招收办理特殊业务者。高等科学习期限为 6 个月，普通科为 4 个月。高等科学习分学科和术科两种。普通科之学科与术科与高等科大致相同。① 高等科和普通科均有临时讲演及实习、参观活动。讲习科之学习科目则由校长随时决定并经治安部（后为内政部）部长之认可。

另外，在察哈尔盟（张北）、巴彦塔拉盟（厚和）各设一所地方警察学校。这些地方警察学校归盟长管理，校长一职由盟长兼任。地方警察学校同样分普通科、高等科、讲习科。普通科第一部招收初任警士，第二部招收担任 3 年以上警上职务者；高等科第一部专门招收警长，第二部招收警尉补生；讲习科则招收现职警察，学习特种科目。各科学习课程与中央警察学校大致相同。普通科第一部学习期限为 6 个月，其余为 4 个月。②

日本占领内蒙古西部地区期间，在该地区部署一个军的兵力之外，还有蒙古军、绥西自治联军、东亚同盟军和警察队等伪军警部队，分别驻扎在铁路沿线主要城镇和广大乡村。日军和伪军警成为维持日本及其傀儡政权统治的最主要力量。除此之外，日本在内蒙古西部地区的贝子庙、西苏尼特、百灵庙、多伦、德化、厚和、包头等地设有特务机关。这些特务机关归驻蒙军司令官指挥，其主要任务就是搜集和调查有关共产党、八路军、国民党军队以及蒙古人民共和国的各种情报，同时代表军方监视当地军政官员及各族各阶层的动向。

1937 年 8 月，关东军占领张家口以后，便成立张家口特务机关，任命松井太久郎为机关长。此后，随着日军占领大同、归绥、包头，相继在这些城市设立特务机关，归张家口特务机关指挥。这些特务机关又在内蒙古西部各地设立分支机构。在前线及边境附近配置 1 至数名机关员，从事搜集情报及"宣抚"、宣传等所谓"谋略"活动。

---

① "蒙古联合自治政府"总务部编：《蒙古法令辑览》（汉日对照），第 1 卷之《官制篇》，第 57—60 页。

② "蒙古联合自治政府"总务部编：《蒙古法令辑览》（汉日对照），第 1 卷之《官制篇》，第 183—186 页。

最初，这些特务机关主要担任成立伪政权及对各该政权的政务指导之责。驻蒙兵团（后改为驻蒙军）编成后，这些特务机关隶属于驻蒙兵团司令部指挥。从 1939 年 3 月开始，这些特务机关不再承担政务指导任务，专门从事情报及宣传工作。①

1943 年 8 月，驻蒙军司令部内设立情报部，驻蒙军参谋长矢野重雄任部长，设在内蒙古西部各地的特务机关作为情报部的支部。②

驻蒙军司令部于 1939 年 11 月在张北县城成立了专门培养特务情报人员的秘密军事学校——"日月寮"。该校每年从中等学校毕业的日本人和蒙古人中选拔招收约 20 名学生，专门学习俄、蒙、汉语和马术、无线电台使用、编译密码等情报业务以及蒙古事情等课程。该学校学生学习年限为 2 年，从 1941 年改为 1 年半。③ 1942 年该学校从张北迁到张家口一个叫做"清和寮"的地方。该校先后共有 4 期学生毕业，其中日本人 111 名、蒙古人约 80 名。④ 该校学员毕业后，分配到各特务机关、驻蒙军参谋部苏蒙班和中国班、蒙古联合自治政府回教委员会以及大蒙公司等机构任职。在政府机构及民间团体任职的这些毕业生都有驻蒙军"嘱托"身份，从事收集情报及调查研究工作。⑤

日军设在各地的特务机关及其安插在各机关团体的各种特务，成为侦察、监视当地军政各界人士动向、镇压民众反抗活动的得力工具。

---

① ［日］森松俊夫：《驻守蒙疆 8 年——驻蒙军的历史》（日文），见骆驼会本部编：《回忆中的内蒙古——内蒙古回忆录》，骆驼会本部 1975 年印刷，第 38 页。

② ［日］森松俊夫：《驻守蒙疆 8 年——驻蒙军的历史》（日文），见骆驼会本部编：《回忆中的内蒙古——内蒙古回忆录》，第 38 页。

③ ［日］栗和田和夫：《张北日月寮记》（日文），见骆驼会本部编：《高原千里——内蒙古回忆录》（日文），骆驼会本部 1973 年印刷，第 272 页。

④ ［日］栗和田和夫：《张北日月寮记》（日文），骆驼会本部编：《高原千里——内蒙古回忆录》（日文），第 273 页。

⑤ ［日］栗和田和夫：《张北日月寮记》（日文），骆驼会本部编：《高原千里——内蒙古回忆录》（日文），第 272 页。

第 十 六 章

内蒙古地区的抗日斗争

第一节　"九一八"后内蒙古抗日救亡斗争

一、内蒙古东部地区武装抗日

1931 年，日本帝国主义发动"九一八"事变，在日本侵略军侵占中国东北，建立伪满洲国的同时，对内蒙古东部地区也进行武装侵略，激起了蒙汉各民族人民的义愤，遂接连爆发抗日义勇军、民众抗日救国军等武装抗日斗争。

（一）蒙古族武装抗日之先声

"九一八"事变后，日本关东军很快占领了东北各重要城镇。1931 年 10 月，在日军的驱策下，甘珠尔扎布、正珠尔扎布等组织的伪蒙古独立军开始攻击通辽，哲里木盟成为日本军事侵略内蒙古的第一站。是时，东北军军事委员会步兵训练组少将组长高文彬急赴北平，与张学良共商在辽北蒙边地区组织蒙汉人民共同抗日的问题。张学良决定组织辽北蒙边宣抚专员行署，指派高文彬为行署专员。哲里木盟科尔沁左翼中旗卓里克图亲王府统领李海山（蒙古族）、巡防骑兵统领刘震玉（蒙古族），应张学良电邀前往北平，会商抗日事宜。李海山清醒地认识到日本侵略内蒙古是"挟其满蒙政策，首先利用蒙古。于是多方利诱，百计威迫，使与中国脱离，而作彼之先驱"。他激愤地表述心情："不忍坐视东北三千万民众沦于暴日铁蹄之下，任其黩武横行，奸杀蹂躏，即欲自行起兵抗日。"① 张学良也当即决定成立辽北蒙边骑兵部队，归辽北蒙边宣抚专员行署指挥，任命李海山为辽北蒙边骑兵第 1 路司令、刘震玉为第 2 路司令。

李海山、刘震玉返回本旗后，统率旧部并招集本旗壮丁，正式树起武装抗日旗帜。10 月下旬，日本顾问松井清助指挥数千日伪军向通辽进犯，李海山率部在通辽以北予以阻击。激战达 4 昼夜，迫使敌军败退舍伯图。数天后，李海山、刘玉震率部分东西两路向舍伯图进攻，经 3 昼夜激战，将敌军赶出舍伯图。11 月初，日军羽山支队在装甲车、坦克和飞机的掩护下，大举围攻通辽。李海山、刘震玉部与敌力战，终因众寡悬殊，被迫经余粮堡退往开鲁，东蒙重镇通辽县城失守。

1932 年 2 月，李海山、刘震玉所部联合驻开鲁的东北军骑兵第 9 旅发动反攻，相继收复了余粮堡、莫力庙、曹家营子、舍伯图等地，歼敌千余人，缴获大批枪支弹药，击毙了关东军驻内蒙自治军顾问松井清助。张学良为此嘉奖了李海山等。

5 月，东三省民众后援会总会将三省义勇军划分为 5 个军区。辽北蒙边宣抚专员行署辖区被划为第 5 军区，高文彬任司令。李海山部编为第 5 军区第 3 梯队，刘震玉部为第 4 梯队。

9 月 1 日，李海山部和刘震玉部在高文彬的率领下，向通辽县城发动攻击。李、刘部攻入县城与敌军展开巷战。激战至傍晚时，敌援军 2 000 余人从钱家店赶到。李、刘部势单力薄，遂撤出通辽经余粮堡到康平休整。10 月 4 日和 6 日，李海山部和刘震玉部向通辽县城又发动了两次进攻，驻守通辽日军出动坦克、装甲车进行反攻，李、刘部义勇军撤出战斗，退回康平。10 月 27 日，李海山、刘震玉部义勇军又在高文彬的指挥下，向辽源县城发起攻击，并一度攻占火车站。由于日军从四平赶来增援，李、刘部义勇军撤退到康平。

11 月 27 日，日军出动飞机、坦克、装甲车向康平县城展开猛攻。高文彬部伤亡惨重，在向开鲁突围途中高文彬被俘。李、刘所率义勇军从康平突围后，撤往奈曼旗、敖汉旗一带。

---

① 李海山：《辽北蒙边骑兵第一路成立之经过及血战之概略》，载《新蒙古》1935 年第 3 卷第 1 期。

1933 年春，日军占领热河全境，李海山、刘震玉部退往察哈尔省康保一带。5 月，冯玉祥在张家口组建民众抗日同盟军后，将李海山部编为抗日同盟军蒙古骑兵第 1 路军，任命李海山为司令。7 月，李海山率部参加了收复多伦的战斗，并付出重大伤亡代价。抗日同盟军失败后，李海山部被国民党当局缴械遣散。

李海山、刘震玉是蒙古族著名的抗日将领。他们在没有任何给养的困难条件下，带领几千名蒙古人，自备枪马参加到抗日阵营中。他们率领的"蒙古官兵被日本杀伤两千有余"①，在蒙古民族抗日斗争史上写下了可歌可泣的一页。

（二）民众救国军呼伦贝尔抗日

1931 年 10 月 16 日，日本侵略者唆使东北军洮辽镇守使张海鹏进攻黑龙江省省会齐齐哈尔，遭到镇守嫩江的马占山部阻击，从而爆发了江桥抗战。年底，日军占领齐齐哈尔，扶植起伪黑龙江省政权。

伪满洲国成立后，日本侵略者又在呼伦贝尔地区建立了兴安北分省，在西布特哈地区建立了兴安东省。当时呼伦贝尔和西布特哈地区驻军是原黑龙江省第 1 旅和第 2 旅。其中第 2 旅苏炳文部下辖 3 个团，分驻于满洲里、海拉尔到扎兰屯一线；第一旅张殿九部下辖 1 个团，驻守扎兰屯到富拉尔基一线。苏炳文兼呼伦贝尔警备司令、中东铁路哈满（哈尔滨至满洲里）护路军总司令。

苏炳文是个具有爱国思想的军人。伪满洲国成立后，他与伪政权虚与委蛇，暗中则招募新兵，扩充部队，制造弹药，以待抗日时机到来。

1932 年 8 月，日军侦知苏炳文在哈满西线积极备战，指使伪黑龙江省公署出面，屡次调动其职务或邀其赴齐齐哈尔参加会议，均遭到苏炳文的拒绝。于是，日伪方面决定先撤换驻扎兰屯的哈满护路军副司令兼步兵第 1 旅旅长张殿九的职务。张殿九到海拉尔同苏炳文商量，决定共同抗日。苏炳文当即调驻免渡河的第 1 旅第 6 团张玉廷部到富拉尔基，沿嫩江西岸布防，以防备昂昂溪方面之敌。

8 月 23 日，苏炳文召集军官会议，商讨起兵抗日事宜。会上决定成立

---

① 李海山：《辽北蒙边骑兵第一路成立之经过及血战之概略》，载《新蒙古》1935 年第 3 卷第 1 期。

东北民众救国军。9月27日，苏炳文将海拉尔、满洲里的600余名日、朝侨民集中到日本驻满洲里领事馆内，派军警看管。同日，步兵第4团与包围满洲里站的伪满洲国国境警察队发生激战，苏炳文部用迫击炮将日军营房击毁，引发大火，日军伤亡20余人，其余缴械投降，被关押在监狱中。同一天，由哈尔滨飞往满洲里的一架飞机，在海拉尔附近遭苏炳文部射击。飞机由于燃料耗尽，迫降于朱家坎附近，机上10余人被击毙。这样，苏炳文、张殿九部完全控制了富拉尔基到满洲里铁路沿线。苏炳文部在海、满两地采取的抗日行动，使当地民众大为振奋，便自动组织救国后援会，筹备军需，慰问官兵。苏炳文也开始筹备成立东北民众救国军总司令部。

10月1日，苏炳文等人在海拉尔召开了东北民众救国军成立及誓师大会，军民各界4000多人参加大会。会上，苏炳文正式宣誓就任东北民众救国军总司令，张殿九任副司令，并向国内外发出抗日救国的通电。[1] 同时委任谢珂为总参谋长，金奎璧为副参谋长，王尔瞻为呼伦贝尔警备司令，张玉廷为步兵第1旅长，吴德林为第2旅旅长。当即调驻海拉尔的第2旅第1团开往朱家坎、腰库勒一带布防；调驻满洲里的第2旅第2团开往碾子山待命。同时为了统一指挥起见，在扎兰屯设立前方总司令部，由张殿九、谢珂、金奎璧主持制订作战计划，任命张玉廷为前敌总指挥。自博克图至满洲里的护路任务由第2旅第9团担任，归总司令部直接指挥。派吴德林担任满洲里警备事宜。

东北民众救国军通电讨伪抗日之后，准备渡过嫩江，协同马占山、朴炳珊及义勇军李海青等部进攻省城齐齐哈尔。日伪方面为了防止救国军进袭，在嫩江东岸增调兵力，加强防守，并把富拉尔基的嫩江大桥炸毁，还不时派飞机到扎兰屯、海拉尔上空侦察。10月3日，日军由齐齐哈尔以北渡江，遭到苏炳文部第6团1营阻击，遂退回东岸。自此，救国军与日军的战斗正式开始。

10月6日，日军500余人分乘橡皮艇强行渡江，救国军不敌，退守富

---

[1]　苏炳文：《一九三二年海拉尔满洲里抗战始末》，政协海拉尔市委员会文史资料委员会编：《海拉尔文史资料》第5辑，政协海拉尔市委员会文史资料委员会1995年印刷，第15页。

拉尔基。7日，日军又增兵千余，向救国军阵地发起进攻，并派飞机参战。战斗中救国军伤亡400余人，被迫退守腰库勒一线。此时苏炳文、张殿九等亲临前线慰问奖励，鼓舞士气。民众救国军抗敌后援会和当地民众也组成慰劳团，到前线向官兵赠送衣物和食品。12日，苏炳文致电国民政府，通报救国军与日军作战情况，并称："我护路军为护路及自卫计，决与周旋。现已激战数日，士气振奋。公理所在，胜券可操。"①

10月21日，救国军占领富拉尔基，以配合东线的朴炳珊、邓文部、南线的李海青部、北线的马占山、徐海亭、张竞渡等部会攻齐齐哈尔的战斗。日军增调兵力，双方在富拉尔基一带展开了拉锯式战斗。

11月初，伪黑龙江省省长韩云阶出面，数次致电苏炳文，要求"解除误会"，放出日侨，并许愿供给第1、第2旅充足的军费和军需。与此同时，关东军也致电苏炳文劝降，还通过苏联驻满洲里领事馆，邀请苏炳文派代表进行和平谈判。对此，苏炳文一概严词拒绝。

11月2日，苏炳文又致电国民政府军事委员会北平分会，要求向国内外及国际联盟通报日军在富拉尔基、齐齐哈尔一带进行烧杀及派飞机轰炸海拉尔的罪行。日伪对苏炳文展开"和平攻势"遭到失败后，决定调集大批军队"讨伐"东北民众救国军。11月28日开始，日军调集2万多兵力，从齐齐哈尔、甘南向抗日救国军发动进攻。同时派日军及兴安军从索伦、阿尔山向海拉尔迂回包围，以切断救国军的退路。在日军步兵骑兵及装甲车、坦克、飞机的联合攻势下，救国军伤亡惨重，被迫相继放弃朱家坎、碾子山以及扎兰屯阵地，留一个营守护兴安岭隧道，余部退回海拉尔。12月1日，日军攻占兴安岭隧道向海拉尔推进。

在日军疯狂进攻、战局不利的情形下，为避免全军覆没，苏炳文等召开军事会议，决定暂时退入苏联境内。

12月2日，大批不愿向日伪屈服的铁路员工和路警、官佐眷属等乘火车到达满洲里。东北民众救国军司令部及所属部队亦退入满洲里。3日，苏炳文等向张学良报告战事情况及撤退决定。4日，集结在满洲里的2 800名

---

① 中央档案馆、中国第二历史档案馆、吉林省社会科学院合编：《日本帝国主义侵华档案资料选编·东北"大讨伐"》，中华书局1991年版，第61页。

官兵及铁路员工、路警及民众共计 4 090 人,[1] 分乘 7 列客货列车进入苏联境内。同行的还有经甘南前来会见苏炳文的黑龙江义勇军首领马占山及其随从人员。

东北民众救国军 2 000 多人在苏联方面的安排下,经托木斯克由新疆的塔城回国。苏炳文等少数高级将领先到莫斯科,后经巴黎、罗马、孟买、新加坡和香港回国。退入苏联境内的民众则由托木斯克到海参崴,转乘轮船由塘沽登陆回国。

苏炳文等领导的东北民众救国军在呼伦贝尔、西布特哈地区的抗日斗争虽然失败,但它在中国人民抗日斗争历史上留下了光辉的一页。

(三)抗日救国军"八仙筒"抗日

1935 年 7 月,在伪满兴安西省奈曼旗爆发了周荣久组织抗日武装起义。周荣久是奈曼旗衙门营子区河南杖子村人,绿林出身。1933 年日军占领奈曼旗后,他曾出任绥东县保安队长。不久,因不满日本人的挟制,愤而弃职回家,拉起了 100 多人的队伍,号称抗日救国军,自任司令,走上了武装抗日的道路。

1935 年 7 月,西辽河泛滥,奈曼旗与开鲁之间的交通阻断。周荣久乘此机会与北票县的抗日救国军兰天林部之一部联合,于 7 月 23 日凌晨,从东、南、西方向同时向八仙筒发起进攻。城内驻守的 100 多名警察和 20 名兴安西省警备军官兵在日本参事官山守英治的指挥下拼死抵抗。抗日救国军割断电话线,切断了城内守军与省城开鲁之间的通讯联系,并向城内喊话,要求伪警察和军人不要为日本人卖命。[2] 城内伪警察等听到喊话,纷纷放下武器停止抵抗。城内外百姓也纷纷出动,协助抗日救国军搬运弹药,救护伤员,送饭送水。上午 9 时,救国军攻占了旗公署及炮台。日本参事官山守英治和警尉中根顺一等从城北门突围时被击毙,其余 8 名日本人全部被抓获。抗日救国军将他们绑缚示众后全部处决。

抗日救国军占领八仙筒后,立即贴出安民告示,让商民百姓正常营业生

---

① 苏炳文:《一九三二年海拉尔满洲里抗战始末》,见政协海拉尔市委员会文史资料委员会编:《海拉尔文史资料》第 5 辑,政协海拉尔市委员会文史资料委员会 1995 年印刷,第 22 页。

② 杨晓春、张文武:《周荣久和奈曼旗抗日救国军》,见内蒙古党史研究室编:《"九一八"——"七七"内蒙古抗日救亡运动》,内蒙古人民出版社 1991 年版,第 39 页。

活，同时开仓放赈、镇压盗匪，很快恢复了当地的社会秩序。但是，救国军裴玉卿部进入八仙筒后，居功自傲，抢劫百姓财物，侮辱妇女，激起群众的强烈不满。周荣久得知后枪决了几名裴的部下。这样，周与裴之间产生了矛盾。周荣久恐裴部有变，只好放弃与兰天林部一起攻打开鲁、通辽的计划，率部撤离八仙筒，回到奈曼旗南部地区。

驻伪兴安西省省会开鲁的日军得知奈曼旗公署被抗日救国军占领的消息后，立即派警察局警务科长盘井文雄带领400余名日军，向八仙筒进发。裴玉卿知难拒敌，遂弃城出走。7月27日日军占领八仙筒后，立即进兵奈曼旗南部山区追剿周荣久部，烧杀抢掠，实行残酷报复。在此后的3个月里，抗日救国军官兵、家属及无辜百姓150多人惨遭日军杀害。8月初，兴安西省公署把奈曼旗公署从八仙筒迁到大沁塔拉，撤换了原旗长苏达那木达尔扎，改任哈斯宝为旗长。

当日军在奈曼旗南部山区搜捕抗日救国军的时候，周荣久已率部东进，与兰天林抗日救国军会师，部队发展到1 500多人。8月8日，周荣久和兰天林率抗日救国军包围北票县城，并攻下矿务局。守城日军急忙向朝阳、锦县等地告急，附近各地日伪军昼夜增援北票。周、兰部于10日撤出北票。

10月间，日军在朝阳县境内的大黑山包围了抗日救国军。周荣久率部经数次激战，终因寡不敌众，陷入重围。在突围战斗中，救国军遭受很大伤亡。突围后，周荣久率残部回到奈曼旗南部山区。不久，与海侠、五龙、文合、大林字等小股抗日武装会合，在奈曼旗、乌丹县、赤峰县等地与日伪军展开游击战。当时，日军方面称周荣久部为"以反满抗日为号召的政治土匪"。[1]

1936年9月，周荣久部在转移途中被日军包围，战斗中大多数牺牲，周带领少数人冲出包围，奔往奈曼旗南部的乌鲁木头山。途中又遭化吉营子（今奈曼旗土城子乡）治安队追击。周荣久率部且战且退，最后只剩下周荣久与两名部下，被敌军追至乌鲁木头山，自戕而死。

周荣久领导的抗日救国军在奈曼旗一带坚持了1年多的抗日斗争，最终以失败而告终。

---

[1]　［日］第二十六师团搜索队战友会编：《第二十六师团搜索队志》（日文），第85页。

二、内蒙古西部地区的抗日救亡斗争

（一）察哈尔民众抗日同盟军察北抗战

1933 年 3 月，日本关东军占领热河全境，并向长城各口进攻。5 月初，关东军又派投日的张海鹏、刘桂堂、崔兴武等伪军部队进占长城线以北察哈尔省的多伦、沽源、宝昌及康保等县。而国民政府与日军代表签订的《塘沽协定》，为日军进一步监视和控制华北地区提供了便利。

在热河沦陷、华北危机的时刻，爱国将领冯玉祥在中国共产党的协助及全国各抗日团体的声援下，召集原西北军部下并收编部分游杂部队，于 5 月 26 日在张家口正式成立"察哈尔民众抗日同盟军"，冯玉祥自任总司令，并向全国发表通电，声明保卫察哈尔省，恢复失地，同时接管察哈尔省政权。6 月 15 日，抗日同盟军在张家口召开第一次军民代表大会，讨论通过有关决议，选举产生了由冯玉祥、吉鸿昌、方振武等 8 人组成的军事委员会常委会，作为察哈尔民众抗日同盟军的领导机构。[①]

6 月 20 日，抗日同盟军为收复察北的多伦、沽源、宝昌、康保 4 县，成立了北路军前方总指挥部，吉鸿昌任总指挥。22 日，同盟军从伪军手中收复康保县城。7 月 1 日，同盟军开始向宝昌进攻，与驻守该县的伪军张海鹏部展开激战，当夜占领宝昌县城，伪军残部向多伦退却。同日，驻守沽源的伪军刘桂堂部通电反正，加入抗日同盟军。

察哈尔民众抗日同盟军初战告捷，接连收复察北 3 县，直逼多伦。当时驻守多伦的伪军李守信部，兵力约有 6 500 人，另有关东军派到该部的"特攻队"（由 20 多名日本人组成），附有 3 辆装甲车并配备 6 挺重机枪和四五挺轻机枪。李守信部伪军及日本"特攻队"均归关东军承德特务机关指挥。7 月 5 日，吉鸿昌召集前线主要将领开会，决定将同盟军 1 万多兵力分 3 路围攻县城。多伦县城无城墙，分街市和两座庙仓，均由伪军分兵据守，在西庙仓以西小孤山上筑有坚固工事，由"特攻队"防守，以保护山下的临时飞机场。7 日，同盟军发起进攻，9 日，攻占外围各阵地，伪军退入街市及

① 刘涓迅：《察哈尔民众抗日同盟军大事记》，见政协河北省委员会文史资料研究委员会编：《冯玉祥与抗日同盟军》，河北人民出版社 1985 年版，第 202—203 页。

庙仓，居高临下，凭险固守。日本关东军从承德派飞机轰炸同盟军的阵地，并运来弹药接济李守信部。从10日开始，同盟军向多伦发起几次强攻，均未能攻入市街，加之连续几日大雨滂沱，后方给养接济不上，双方形成胶着状态。抗日同盟军派人进入多伦与李守信谈判，要求李将多伦让出。李守信部也因孤军困战多伦3昼夜，弹药消耗甚多，加之连日大雨，日军飞机已无法继续运送弹药。驻李部的日本顾问也向承德特务机关请求撤出多伦。李守信为了应付关东军和抗日同盟军双方，同意以被迫撤出的名义将多伦让出并约定同盟军借多伦1个月。① 11日晚，承德特务机关命令李部从多伦向围场县锥子山一带撤退。12日，同盟军从南、西、北3个方向攻入多伦县城，李部则根据双方约定，从城东撤出，同盟军佯追十余里。

抗日同盟军占领多伦以后，冯玉祥立即致电嘉奖，并任命张凌云为多伦警备司令，负责防守多伦，调吉鸿昌、邓文二部防守沽源、独石口，与张部形成犄角之势，以防日伪军反攻。

13日，抗日同盟军在张家口开庆祝收复多伦大会。全国各抗日团体及知名人士纷纷致电祝贺慰问，并捐献财物支援抗日同盟军。27日，察哈尔民众抗日同盟军在张家口成立"收复东北四省计划委员会"，冯玉祥任会长，并通电全国，宣布抗日同盟军乘胜收复东北4省。② 8月11日，李守信部重新占领多伦。

自抗日同盟军成立后，国民政府即以"危害大局"的罪名横加指责，并派军队围攻该部。8月，冯玉祥被迫下野，同盟军大部被宋哲元第29军收编，余部于9月间在长城沿线被缴械。方振武、吉鸿昌等同盟军将领先后被处死。

（二）绥远地区抗日救亡运动

在东三省和内蒙古东部地区相继沦陷的形势下，内蒙古西部绥远地区的蒙汉各族人民特别是爱国青年，逐渐掀起了反帝爱国的抗日救亡运动。1932

---

① 李守信：《李守信自述》，刘映元整理，见政协内蒙古自治区委员会文史资料研究委员会编：《内蒙古文史资料》第20辑，第133页。

② 宋聿修：《抗日同盟军成立前后见闻》，见政协河北省委员会文史资料研究委员会编：《冯玉祥与抗日同盟军》，河北人民出版社1985年版，第58页。

年 6 月，在河北反帝大同盟的影响和建议下，中共地下党员杜如薪、进步青年苏谦益、马麟等在归绥组建了绥远反帝大同盟，受河北反帝大同盟领导，杜如薪任书记、苏谦益任宣传委员、马麟任组织委员，秘密开展宣传活动和发展盟员。在归绥中山学院、绥远师范学校、归绥第 1 中学、省立第 3 小学、第 5 小学、铁路扶轮小学、归绥火车站、绥远农科职业学校以及在包头、固阳等地发展盟员 50 余人。主要以读书会的形式开展活动，阅读高尔基的《母亲》、绥拉菲摩维奇的《铁流》、法捷耶夫的《毁灭》、鲁迅的《彷徨》、《呐喊》等名作，还有部分马克思、恩格斯、列宁、斯大林的著作及其他政治、历史等书籍，以唤起人们反帝救国的热忱。同时，绥远反帝大同盟还建立了以各中学学生会为核心的群众组织"抗日救国会"。

8 月，中共河北省委派巡视员杨一帆和北平文化总同盟的张璋来到归绥，与杜如薪等接上了关系。杨一帆、张璋认为绥远反帝大同盟的工作是有成效的，同时提出要继续扩大工作范围，使各界群众都参加反帝斗争。杨一帆向苏谦益、马麟等介绍中共反帝反封建的民主革命纲领，以及中国革命目前的中心任务是加紧组织领导群众开展广大的反对日本帝国主义的运动，并吸收苏谦益、杨叶澎、马麟加入中国共产党。是年冬，由杜如薪、苏谦益等组织成立了归绥地区第一个业余话剧团"绥远剧社"，杜如薪任社长。剧社借用傅作义部设在小教场的"联谊社"（又名"中山堂"）排练节目。1933年春节，剧社在大观园公演了《无线电急奏》、《英雄与美人》等剧目。为了增强演出效益，扩大抗日影响，演出前特邀《绥远民国日报》编辑、文化界进步人士杨令德致辞，苏谦益也作了富有鼓动性的演讲。这次共演出 3 场，深受各界群众的欢迎。

1933 年 2 月，中共河北省委批准成立了中共归绥中心县委，杜如薪任书记，马麟负责组织工作，苏谦益负责宣传工作，党员有杨叶澎、武达平、杜琏、王炳熨、朱宝光等人。归绥中心县委遂决定建立反帝大同盟绥远省委，由杨一帆、杜如薪、苏谦益、杨叶澎、马麟、杨国兴等组成，由中共归绥中心县委领导。

4 月，河北省反帝大同盟第二次代表大会在北平召开，绥远反帝大同盟派韩燕如出席。根据大会的精神和中共河北省委的指示，归绥中心县委将反帝爱国运动由知识界、爱国学生转到发动与组织工农群众一同抗日，使反帝大同盟的工作在绥远地区广泛、深入地开展起来。在归绥旧城小东街车厂、大有恒地毯厂、归绥火车站、面粉厂、毛织厂开展活动，同时在绥远省府卫队搞策反，在火车上散发传单，往警察背上贴标语等等。但是由于这一阶段的斗争没有注重隐蔽性，活动比较频繁而且暴露，引起了当局的注意。警察局对中山学院、归绥第 1 中学、绥远师范学校、绥远女子师范，乃至邻近县城的学校进行了大搜捕。当杨叶澎、韩燕如在城隍庙旁洋车工人住地宣传时，被便衣警察逮捕，从他们身上搜出《国际歌》歌词和反帝标语。警察在中山学院附属小学逮捕了苏谦益。杨国兴在清水河被捕。杨一帆在包头被捕。在进步人士和群众的掩护下，杜如薪、王炳熨、武达平、任子良、杜琏等反帝大同盟主要成员先后安全转移。中共归绥中心县委和绥远反帝大同盟被破坏。

　　绥远进步思想文化运动，以创办刊物为主要形式宣传抗日救亡。1925年创办了以共产党人蒋听松为社长的《西北民报》，并开辟了文艺副刊《火坑》，直到 1932 年 4 月《火坑》停刊后，"火坑社"在《绥远民国日报》副刊又开辟了《塞风》文艺周刊，继续《火坑》的主旨，直至 1933 年 4 月改名《十字街头》，共出 52 期。1935 年《绥远民国日报》改为《西北日报》后，其副刊《十字街头》又改为《塞风》。这些刊物，登载了大量散文、诗歌、小说及翻译作品，其主题是揭露旧社会的黑暗，倾诉民众的苦难，"九一八"事变以后又发出了抗日的呼声，在绥远影响颇大。杨植霖的长诗《吼声》疾呼："醒来，不愿做亡国奴的人们！爬起来，抖一下，涌一身新的力。暗夜的长翼底下，伏着一个光亮的晨曦，——不久有那么一天。起来，大青山下的人们！这是我们的家乡，是我们吃大长大的地方！我们一定要坚强如钢：坚定着，坚定着，不能退让！"还有刘洪河的《怒吼吧》、马映光的《血潮在沸腾》《怒吼吧，狂风》、苏静贤的《号声》等许多救亡诗篇，都发表在这些刊物上。[①]

　　1932 年初，在绥远省立小学任教的中共地下党员杜如薪、进步青年苏谦益等人自筹资金，创办了革命刊物《血腥》（油印）。绥远反帝大同盟成立后，《血腥》从第 2 期更名为《血星》，寓意红星，象征革命精神，主要

――――――――――

　　① 章叶频编：《20 世纪 30 年内蒙古西部地区文学作品选》，内蒙古教育出版社 2000 年版，第865—866、871 页。

刊登宣传抗日救亡，揭露国民党黑暗统治的政论文、杂感、诗歌，还有一些反映劳动人民生活、介绍国内国际形势和苏联革命的文章。1932 年 5 月，《血星》出刊了《纪念五一》专号。由于发行量增加，后半年由油印改为铅印。铅印后的《血星》从塞外闯入了北平、上海等城市，曾被上海的革命青年赞誉为"艰辛跋涉的沙漠里的骆驼"。当时的《绥远民国日报》副刊《塞风》发文介绍："《血星》是一般为现社会所遗弃的青年办的，他们因为受了社会的压抑，受了时代的鞭策，潜伏在内心的血火，不由得便勃然爆发了起来。由于这种爆发的作用，于是便弄得'血花飞溅'，'满天血星'。所以，这种声音既然爆发了，我很愿意作为一架无线电机，将它传送到一般群众的耳中。"①

这一时期，为针砭社会积弊，呼唤民众觉醒，警示国难当头，倡导抗日救国，各种刊物纷纷问世。1933 年 9 月，中共党员武达平、任双弼以及章叶频、任子良、袁尘影、李穆女等，在上海左翼作家联盟和中国诗歌会的影响下，组织了"塞原社"，在中山学院以墙报的形式创办了《塞原》周刊，提倡进步，反对封建，在民族危亡之际开展以新诗歌为中心的进步思想文化运动，把诗歌当做大众斗争的武器、时代进军的号角，号召人们认识世界，投入到抗日救亡运动之中。12 月 12 日，《绥远社会日报》创办《塞原》文艺旬刊，至 1934 年 5 月停刊，共出刊 16 期；9 月 4 日，《塞原》又在《绥远民国日报》复刊，直至 1937 年 1 月被迫停刊，前后出刊 50 多期。《塞原》文艺旬刊作者注重从社会现实中选取题材，着重反映工农劳动大众的生活，为工农疾呼，为民族而歌，发表反映现实生活，宣传抗日的诗文、小说、短文、书评、翻译文章等。章叶频曾在 1934 年 12 月 1 日《塞原》第 22 期"新诗歌专号"前言中疾呼："在目前，内有天灾人祸以及统治阶级的压迫、剥削与外来帝国主义者的重重压迫、支配下的半殖民地的中国，诗歌是该如何急迫地成为一种强烈的、有力的、作为民众呼声的喉舌了。"1936 年 4 月，"塞原社"创办了"塞原社诗歌研究会"，并出刊了《塞北诗草》旬刊，这是"塞原社诗歌研究会"会员发表诗作的园地。②

---

① 章叶频编：《20 世纪 30 年内蒙古西部地区文学作品选》，第 867—870 页。

② 章叶频编：《三十年代的绥远新诗歌运动》，见中共呼和浩特市委党史办、呼和浩特市地方志编修办公室编：《呼和浩特史料》第 3 集，中共呼和浩特市委党史办、呼和浩特市地方志 1983 年印刷，第 36 页。

　　与此同时，《燕然》、《民众园地》、《新绥远》、《洪荒》、《绥远青年》、《边防文垒》、《新女性》等报纸副刊以及绥远师范学校编辑出版的《心波》、《艺苑》，归绥中学出刊的《三家村》、《沙驼》等诗歌专号，都从不同角度呼号抗日救亡。为当时人们熟知的《雨地行军》、《杀他个斩草除根吧》、《打回三岛去》、《架起太平洋的肉桥》、《决心》、《谁说好人不当兵》、《前进，英勇抗战的弟兄》、《怒吼吧！不愿做亡国奴的人们》、《给敌人阵营里的士兵》等大批诗歌，释放出大众救亡的心声。①

　　在全国人民抗日救亡的浪潮中，绥远地区的抗日救亡团体纷纷建立。1935 年冬，章叶频、袁尘影、凌信之等组织绥远饭店的青年工人创建了"漠南剧团"，排练了宣传抗日救亡的进步剧目，于 1936 年春节在归绥旧城"九一八"纪念堂公演后，受到爱国群众的欢迎。

　　1937 年 5 月 16 日，绥远文艺界在"左联"负责人任白戈的指导下，在绥远新闻社客厅举行了由 50 多人参加的文艺恳谈会，讨论绥远文艺界抗日救亡问题，并决定建立"绥远文艺界抗敌协会"，由燕然社、塞原社、绥中文艺研究会、挺进社、心波社、生活讨论会、小喇叭社 7 个文艺团体组成筹委会。30 日，在土默特中学礼堂举行了"绥远文艺界抗敌协会"成立大会，50 多名文艺界进步人士出席，宣布"绥远文艺界抗敌协会"的宗旨："一、本会以协作之精神，实现绥远文艺界的联合，提高人民抗敌救亡的觉悟，充实救亡力量，推动救亡工作。现阶段的中国，抗敌救亡是我们整个中华民族的总目标，在国防第一线的绥远，我们从事文艺工作的人们，更应集合起来，在抗日救亡的总目标下，团结一切从事文艺工作的人们，作共同的奋斗。二、创办定期的刊物，把边疆抗战救亡的真象与意见传达给内地，同时将内地消息，报道给边疆的人们。三、举行定期座谈会。"② 大会选举霍佩心等 21 人为理事，从中选出 7 人为常务理事。随后，将《燕然》半月刊改为"绥远文艺界抗敌协会"会刊。

　　1935 年 12 月 9 日，北平爱国学生举行声势浩大的抗日救国示威运动

---

　　①　章叶频编：《20 世纪 30 年内蒙古西部地区文学作品选》，内蒙古教育出版社 2000 年版，第 278—480 页。

　　②　章叶频编：《20 世纪 30 年内蒙古西部地区文学作品选》，第 900—904 页。

后，内蒙古各族人民的抗日救亡运动也蓬勃发展。在归绥、包头等地的各界人民要求抗日的集会游行以及抵制日货的风潮，与全国抗日救亡运动融为一体。知识界和学生以各种方式宣传抗日，动员民众。期间，北平"中华民族解放先锋队"（简称"民先"）代表郑天翔、张士珍来绥远发展"民先"组织，在归绥与章叶频、吴殿甲、赵维新、吴秉周、武达平、苗顺栗、郭新清（女）、张和（即张又新）、高德慧（女）、贾鉴秀（女）、张志德等十多名青年聚会。郑天翔讲述了北平"民先"队员在抗日救亡运动中生动感人的事迹，并说明了在绥远建立"民先"组织的意义、要求和任务。与会者一致同意成立中华民族解放先锋队绥远队部，推选章叶频任队长，分别建立了男生队、女生队和青年工人队等基层组织。北平"民先"总部遂与绥远"民先"建立了秘密的通信联系。"民先"绥远队部在各中等学校的进步青年中发展队员，撰写了一批声援绥远抗战和宣传中国共产党抗日救国主张的诗歌和文章，刊登在当时绥远的各种进步刊物上，鼓动民众抗日，发动募捐，组织慰问绥远抗战将士，发挥了"民先"的先锋作用。

1937 年 2 月 4 日，中华民族解放先锋队在北平召开第一次全国代表大会，确定了抗日救亡运动的基本任务。3 月初，"民先"总部派人来绥传达会议精神。"民先"绥远队部根据总部的抗日救亡基本任务，确定了"民先"绥远队部的工作方针："1. 尽量争取公开开展抗日救亡活动；2. 特别抓住绥东抗战这个大好时机，在各阶层中，特别是工农群众中广泛开展抗日救亡的宣传活动；3. 动员民先队员利用各种机会开展国防文化活动；4. 积极在各校进步同学中发展民先队员；5. 学习军事，建立武装，要见机而行，慎重从事。"① 据此开展各种活动，把绥远抗日救亡运动进一步推向高潮。

1936 年 9 月 18 日，中国共产党领导的抗日民主统一战线组织"山西省牺牲救国同盟会"在太原成立后，为了争取进行公开的抗日救亡活动，"民

---

① 章叶频编：《回忆绥远"中华民族解放先锋队"》，见中共呼和浩特市委党史办、呼和浩特市地方志编修办公室：《呼和浩特史料》第 2 集，中共呼和浩特市委党史办、呼和浩特市地方志编修办公室 1983 年印刷，第 77 页。

先"绥远队部组织成立了"绥远牺牲救国同盟会"（即"牺盟会"）。贾润芝为总负责人，武达平负责组织工作，章叶频负责宣传工作。绥远牺盟会在积极开展抗日救国运动的同时，还先后向山西牺盟会输送了36名进步青年，到太原军政训练班学习，抗日战争爆发后，其中大多数参加了决死队，成为坚决抗战的山西新军的骨干，他们中有中共党员杨植霖、苏谦益以及郑庭烈、张志德、吴殿甲、赵维新、段松林等人。"民先"绥远队部还帮助学生联合会开展工作，动员学生利用假期分赴城镇、农村，在各族群众中宣传绥远抗战的胜利，揭露日本侵略者的暴行，激发群众的抗日救亡热情。归绥沦陷前，"民先"队员已发展到100多人。绥远沦陷后，"民先"队员除少数人留在绥中地区隐蔽活动外，大部分随部队撤到绥西后套，坚持抗战，一部分前往晋北参加了八路军，有的到了延安。①

1936年冬，陈介平（陈渔农）、谢汝珍、郭新清、李作栩、屠忠顺等青年，发起成立了绥远妇女会。11月6日，绥远省妇女会成立大会在归绥召开，各界进步妇女30多人参加大会，通过了《绥远省妇女会简章》，确定了以"联络感情，促进妇女解放并唤起妇女解放救国情绪"的宗旨，提出了"拥护政府抗敌救亡，绥远妇女联合起来做抗敌救亡工作，争取言论、出版、结社的自由，争取妇女参加救亡运动的自由，打破夫贵妻荣的旧观念，反对一切压迫妇女的法制与旧礼教"等主张，选举陈介平、谢汝珍、李作栩、赵承芳、卜效夏等为理事，陈介平任常务理事。妇女会下设总务、宣传、交际、救护、劝募等5个股，总部设在绥远省立第4小学。

绥远省妇女会成立以后，在短短的两个月时间里，在蒙汉各族各界妇女中发展会员70多人，并在绥远《西北日报》副刊开辟了"绥远妇女"专栏。至"七七"事变，共出刊9期。在绥远抗战中，妇女会组织会员，在街头巷尾以演唱讲演的形式，宣传抗日救亡，动员人们为救国、救家园，有钱出钱，有力出力，组织募捐，支援抗战；参加救护伤员，护理伤员，鼓励伤员安心养伤，争取早日重返前线；参加接待全国各地援绥抗战慰问团、救护团。1937年3月7日，绥远省妇女会举行了庆祝国际妇女节大会，李月轩介绍了"三八"国际妇女节的来历及世界各国妇女争取自由解放的运动，

---

① 郝维民主编：《内蒙古革命史》，内蒙古大学出版社1997年版，第302—305页。

陈介平作了绥远省妇女会当前和今后的工作任务的报告，发出"坚持抗战到底，妇女要为抗日尽一切力量，脚踏实地地做好每一件工作"的号召。绥远省妇女会是内蒙古西部地区妇女运动史上成立最早的妇女组织，动员妇女走上了抗日救亡第一线，鼓舞了绥远省妇女争取解放的信心，她们中一部分人直接投身于共产党领导的革命斗争，有的献出了生命。

1935 年"九一八"事变后，东北大批义勇军官兵与东北难民流落北平，露宿街头。南京政府遂拨专款，在绥远河套地区安北县乌梁素海边设立了扒子补隆垦区，安置东北难民和义勇军官兵及其家属，另外还有平、津、鲁、冀的学生和少数难民，时称垦民。在垦民中，大部分人有一定文化素养和军事技术，特别具有爱国热情。因此，垦区成为积蓄抗日力量和发展河套地区抗日救亡运动的根据地。

东北义勇军中的共产党员白乙化、陈钟、吴梦久、柴山、乔永昶、秦晓光等人，在垦区组织抗日救亡活动，一面发展抗日力量，为建立抗日组织和武装创造条件，一面积极筹建党的地下组织。1935 年秋，中共北方局派东北特委从事义勇军工作的苏梅到垦区领导垦区党的工作，建立了垦区特别支部。"一二九"运动后，在北平从事学生运动的白乙化委托吴文启（化名吴涛）到垦区协助党组织工作，平、津部分学生响应共产党提出的"青年学生到农村去发动群众开展抗日救亡运动"的号召，陆续来到垦区。1936 年 7 月，中共中央北方局派李衡到垦区组建中共绥西工委，李衡任书记，陈钟、彭达、张文远为委员。中共中央北方局还派李葆华主持组建了中共垦区工委，白乙化任书记，王志成、王方为委员。中共垦区工委建立了党的外围组织"抗日民族先锋队"（简称抗先队），发展了 100 多名队员，并出版了抗先队油印刊物《抗日先锋》，以宣传抗日，唤醒民众。绥远抗战的胜利，极大地鼓舞了垦区人民的抗日斗志，抗先队组织了近 600 多人的游行队伍声援绥远抗战，要求国民党中央政府支持绥远抗战，提出要打回东北老家。垦民们纷纷报名，要求组织起来开赴前线，同时以垦区抗先队的名义组成慰问团，筹集大批钱物到绥东慰劳抗日将士。西安事变后，垦区抗先队召开群众大会，控诉国民党政府的不抵抗政策，支持张学良、杨虎城的爱国行动。白乙化、吴梦久奔波于西安、北平，联络垦区参加抗日事宜，招收东北军学兵队队员和青年学生 80 多人，为建立垦区抗日武装准备了干部队伍，其中多数是共产党员。绥、包沦陷后，爆发了垦区抗日暴动。①

（三）百灵庙军事暴动

百灵庙蒙古地方自治政务委员会（简称"蒙政会"）成立后，"蒙政会"秘书长德王，将其乌（得）漨（江）守备队改建为"蒙政会"保安队，并从察哈尔各旗招募士兵400余名，从乌兰察布盟各旗和土默特旗招募300余名，连同乌漨守备队，组成千余人的一支蒙古族武装部队。由陶克陶任"蒙政会"保安处长，日本士官学校毕业的韩凤林任保安处一科科长兼保安队总队长，黄埔军校第4期毕业的云继先曾被德王聘为教官，时任保安处2科科长，中共党员朱实夫任保安处3科科长兼教官，中共党员白海风也奉派到"蒙政会"保安处任职。时任绥东察哈尔右翼4旗蒙兵游击队参谋长的中共党员纪松龄，密切关注"蒙政会"，其胞弟纪寿山任"蒙政会"保安队中队长，其侄纪贞甫（贾鸿珠）任"蒙政会"教育处科长。另外还有纪明德、巴明孝、马福聚、白福山、巴振玉等不少察哈尔籍蒙古人在保安队任职或当兵。中共西蒙工委书记云泽（乌兰夫）从百灵庙自治运动开始，即关注其发展趋向。"蒙政会"保安队在土默特旗招兵之际，他派中共党员赵诚、云清、赵俊臣等动员一批土默特旗蒙古族青年和被国民党遣散的该旗"老一团"官兵报名入伍。另外，北京蒙藏学校毕业的土默特蒙古人康济民，黄埔军校第4期学生荣崇仁，第9期学生云蔚以及巴文峻、任秉钧等土默特籍社会名流，在"蒙政会"或保安队分别任职。百灵庙成为国共两党、社会各界以及日本人注目的焦点。

1934年秋天，乌兰夫与中共西蒙工委委员奎璧同去百灵庙，了解情况，宣传抗日救国，并在党员中秘密安排争取保安队的工作。翌年春天，乌兰夫再次只身到百灵庙，通过朱实夫引见，以教员身份初会德王。并向云继先和部队中的共产党员说明，如果德王公开投日，就乘机举行暴动，反戈抗日。绥远省主席傅作义为反对内蒙古自治，瓦解百灵庙"蒙政会"，曾通过国民党驻"蒙政会"要员巴文峻争取云继先、朱实夫脱离"蒙政会"，参加绥远当局谋划中的"绥境蒙政会"。1935年10月，工农红军长征到达陕北的消息传到"蒙政会"保安队以后，在党员和进步官兵中产生了重大影响。12

---

① 郝维民主编：《内蒙古革命史》，内蒙古大学出版社1997年版，第307、308页。

月，德王应伪满洲国邀请前往长春访问，云继先、朱实夫、纪贞甫、云蔚等极为震惊。云继先、朱实夫、苏鲁岱等当即专程到归绥会见傅作义，商量对策，表明如德王公开投日就举行起义的态度，傅作义当然赞同。1936 年 1月，云继先、朱实夫、赵诚等回土默特旗过春节时，曾向乌兰夫报告了德王的情况。乌兰夫仍然指出，只要德王在日本操纵下搞起蒙古独立运动，暴动的时机就成熟了。

2 月 18 日，云继先、朱实夫回到百灵庙得悉，德王在日本人操纵下，已于 2 月 12 日在德王府成立了伪"蒙古军总司令部"，公开投降了日本侵略者。"蒙政会"大部分官员不知德王所为的底细，保安队官兵也人心惶惶。云继先、朱实夫决定举行军事暴动，并分别与云蔚、纪贞甫等"蒙政会"、保安队官员进行紧急磋商，得到支持，并决定 2 月 22 日 23 时 30 分举事。云蔚发现"蒙政会"有异常动态，于是决定提前于 21 日 23 时 30 分举行暴动，届时兵分 5 路同时行动。云蔚（中队长）率部，首先袭击了"蒙政会"稽查处，击毙处长、德王亲信李凤诚，接着打开军械库，控制武器弹药，武装了起义部队。其他各路也分别行动，打开看守所，解救了被关押的士兵；捣毁电台，切断了"蒙政会"与西苏旗德王府的通讯联系；袭占"蒙政会"保安处干部训练班，解除了乌滂守备队教官和学生的武器，包围"蒙政会"驻会官员的住地，解除了其武装，说明举事的缘由；而且打开会计科银柜，将 2 万余银圆抛之于地，表明起义者为抗日救国，并非贪图钱财。

暴动成功后，各路齐集南营盘，云继先、朱实夫宣布将起义部队编为 4个中队，任命了中队长，遂连同赞同起义的"蒙政会"文职人员近千人，离开百灵庙，向归绥方向行进。在行军途中，德王的乌滂守备队（俗称"袍子队"）骑兵和汽车尾追而来，经过激烈的交战，击退了"袍子队"。

傅作义派国民党 35 军 421 团两个加强营，在武川县二分子村按约定接应，以保护为名包围了起义部队，而且诡称为避免日机轰炸，要起义部队交出武器，由他们运抵归绥发还。起义领导者虽然明知国民党绥远当局解除起义武装的用意，但是面对与对方强弱悬殊、抗争难敌的局面，只能屈从。起义部队到达归绥近郊以后，被国民党绥远当局编为归绥县和萨拉齐县的"防共保安队"，分别安置在归绥县三两村和萨拉齐县水涧沟门驻防。

2 月 25 日，由云继先、苏鲁岱，贾鸿珠、任秉钧、康济民等 5 人领衔，联名向国民党中央发出通电，① 陈述在德王东去不归，进而组织"军政府"之际，"谣诼繁多，莫衷一是"，"而会中负责者，一切均讳莫如深，甚至有危害生命。继先等不得已，遂率同官兵千余人，并联合职员百余人，于21日离开百灵庙。"声明起义者都是南京、北平各大学和军事学校毕业的内蒙古青年，因德王的情况不明，又感到生命有危险，"在激于爱国热忱及不背叛国家原则下，无所谓斗争，更无所谓叛变。"起义军纪律严明，秋毫无犯，"可反证继先等之所为，谓之避祸可，谓之爱国反正亦无不可。""诚恐远道传闻失实，或会方横加诬陷，谨布经过，尚希垂察。"在没有彻底探明德王的行迹和"蒙政会"的态度之前，基本上表达了暴动是为反对德王投日，主张抗日爱国的立场。

国民政府军政部遂将起义部队正式编为绥远省蒙古保安总队，而傅作义把"蒙古"换成"蒙旗"，即成为蒙旗保安总队。云继先被任命为总队长、朱实夫任副总队长，下分两个大队和一个直属特务队，官兵总计900余人，归傅作义指挥，经费和装备由军政部补给。

中共西蒙工委以及乌兰夫、纪松龄等虽然为争取"蒙政会"保安队抗日做了大量的政治工作，但未料到局势变化如此急促。乌兰夫说："对此，中共西蒙工委当时尚不明了。还有德王搞所谓'独立运动'的具体步骤，也是中共西蒙工委无从深悉的。"② "我当时不在百灵庙。但是既然搞起来了，就要帮助它，就像马克思对待巴黎公社那样。队伍下来了，我立刻去找到了云继先，帮助做政治工作。"③

正值乌兰夫等共产党人帮助云继先、朱实夫开展工作之际，德王也派其心腹章文锦混入蒙旗保安队，百般拉拢下级军官和士兵，培植其势力；国民党绥远省当局也歧视、压制保安总队，致使部队人心浮动。是年秋，章文锦乘机策动部队的部分人哗变，在总队和第2大队驻地毕克齐绑架枪杀了总队长云继先，绑架、软禁了副总队长朱实夫、军需主任孟纯、第1大队附陈应

① 《蒙政会科长云继先等率众脱离百灵庙》，载《中央日报》1936年2月26日。
② 乌兰夫：《纪念百灵庙暴动五十周年》，载《人民日报》1986年6月8日。
③ 《乌兰夫同志对〈内蒙古革命史〉编写组同志的谈话记录》（1962年4月17日于内蒙古党委书记楼会议室，参加人：胡昭衡、周明、云丽文；编写组成员史筠、黄时鉴、郝维民）。

权、第 2 大队长云蔚、大队附纪寿山等人。章文锦随即带哗变士兵开往百灵庙，傅作义派部队尾追，在交战中打死了大批哗变士兵，起义部队遭受惨重损失，部队几近溃散。乌兰夫和纪松龄等在这危急关头，千方百计帮助朱实夫收拾残局，收拢部队。纪松龄主动代理总队长，中共西蒙工委决定让云清、赵诚再归部队工作。

1936 年底，第二次国共合作形成之际，国民政府军政部派白海风收容、整顿该部。1937 年春，经整顿后沿用原部队番号绥远省蒙旗保安总队，任命白海风为总队长，下属两个大队和一个直属特务队，纪松龄任第 1 大队长，朱实夫任第 2 大队长；增设军训处和政训处，纪贞甫任政训处处长，乌兰夫任政训处科长，孟纯仍任军需主任；同时从土默特旗接收了原部队散失的一批士兵，新招了一部分壮丁，总计恢复到 900 余人。8 月间，奉傅作义之命，先后驻防于百灵庙、固阳等地。10 月，蒙旗保安总队受东北挺进军司令马占山指挥，并改称"蒙旗混成旅"，白海风任旅长，两个大队改为团，纪松龄、朱实夫分任团长，准备在绥远迎战日本侵略者。

（四）绥远抗战与援绥抗战运动

1936 年 1 月，日本侵略者占据察北 6 县后便加紧了对绥远地区的侵略步骤。首先在绥远地区设置特务机关，派遣特务，建立特务网，搜集情报，拉拢民族上层，挑拨民族关系，扰乱社会秩序。5 月 12 日，在日本关东军化德特务机关长田中隆吉的策划下，在化德建立了"蒙古军政府"，组成了两个军 8 个师近万余人的伪蒙古军，德穆楚克栋鲁普任总司令兼第 2 军军长，李守信任副总司令兼第 1 军军长。另外组织了以王英为总司令的"大汉义军"和以王道一为总司令的西北防共自治军。关东军派遣一批日本军官担任伪军的训练和作战指挥人员，部署德王所部驻化德，李守信所部驻张北及庙滩，王英所部驻尚义、商都，伪蒙古军第七师驻百灵庙，调集热河伪满骑兵 5 000 人驻多伦、沽源一带。日军飞机不断在集宁、陶林、归绥、包头一线上空侦察，汽车昼夜不停地运送武器弹药等军需物资。

7 月初，化德特务机关派"西北防共自治军"一部进犯兴和，被国民党绥远驻军击退。7 月中旬，关东军参谋长板垣征四郎到化德召开会议，决定拉拢绥远省主席与关东军合作，缔结"防共协定"，并对绥远采取试探性军事行动。7 月 30 日，王道一率 2 000 余伪军进攻绥东红格尔图和土木尔台。

8 月 2 日，国民党集宁驻军奋起反击，毙伤敌人过半，王道一溃退商都后被日军枪决。8 月下旬，板垣征四郎到归绥，会见绥远省主席傅作义，要求傅作义与关东军合作，结果遭到傅的拒绝。①

10 月 5 日，由田中隆吉主持，在化德召开了侵绥军事会议，德王、王英等蒙汉伪军首脑与会，决定分 3 路犯绥，进占集宁、归绥、包头、河套绥远全境，部队发双薪，武器、弹药均由日军补充。当时由日军指挥的伪军有李守信部约万余人，王英部 1.3 万人，卓特巴扎普的伪察盟保安队及金宪章伪军等万余人，连同日军在伪军中的各级指挥官和特工人员，总兵力号称 4 万。

11 月 12 日，日军命令王英为前敌总指挥，率石玉山、杨守诚两个骑兵旅及金宪章一个步兵旅和两个炮兵连，向红格尔图进犯，并用 3 架日机轮番轰炸。当时驻防红格尔图的国民党军队仅有一个步兵连和两个骑兵连以及察哈尔正黄旗蒙古骑兵和当地自卫队百余人。13 日夜，日伪军向红格尔图发起猛烈进攻，双方激战终夜，至 14 日上午日伪军被击退。15 日，日伪军千余人在飞机、大炮的掩护下再度进攻，又被守军击退。当日，国民党增援部队赶到，士气大振。16 日晨，田中隆吉亲自指挥日伪军约 5 000 人，在野炮、装甲车、飞机的掩护下向红格尔图猛烈进攻，但被国民党守军击退。是时，傅作义亲往集宁前线指挥，命令绥东防守副总指挥董其武率部袭击田中隆吉、王英的指挥部。18 日，国民党军队发起反击，日伪军全线崩溃，向商都方向溃逃，国民党骑兵部队一直追击至察哈尔境内。红格尔图战役从 14 日至 18 日，激战 5 个昼夜，毙伤伪军数百名，俘虏 300 余人，缴获一批汽车、大车、电台等物资。绥远抗战首战告捷，重创了日伪军的锐气，鼓舞了绥远各族军民的斗志。

红格尔图之战结束后，田中隆吉派王英部伪军石玉山旅和金宪章旅进驻百灵庙，协助蒙古军第 7 师近 3 000 人固守该地，并积极备战。计划从百灵庙向绥远中西部发动进攻。

傅作义召开军事会议，制订收复百灵庙的行动计划，任命骑 2 师师长孙长胜为收复百灵庙战役正指挥、步兵 211 旅旅长孙兰峰为副指挥，率骑步兵

---

① ［日］春日行雄编著：《日本与蒙古一百年》（日文），第 87 页。

各 3 个团及炮兵、装甲车队等，于 11 月 22 日集结于百灵庙东南 75 公里处二分子、公胡同一带，23 日午夜到达百灵庙，发起猛烈进攻。日军驻百灵庙特务机关长盛岛角芳亲自指挥，拼死阻击，激战至拂晓不克。傅军遂以炮兵集中火力掩护装甲车队及步兵进攻。日伪军外受傅军炮火猛烈攻击以及步、骑兵的勇猛冲击，内遇伪蒙军 20 余名官兵倒戈，终因力不能支而溃败。盛岛角芳及穆克登宝等日伪军分乘汽车夺路而逃。24 日晨 8 时，残余日伪军全部被歼，百灵庙收复。① 傅作义部留少量部队驻守百灵庙，其余各部队立即撤出，回原集结地待命。②

此役毙敌 300 余人，伤敌 600 余人，俘敌 400 余人，缴获炮 9 门、枪 600 余支、无线电台 3 部、汽油 500 多桶、粮食 2 万袋及其他各类军用器材、地图、战马和大量弹药等。傅作义部伤亡 300 余人。日伪军不甘失败，连日派飞机侦察、轰炸。12 月 3 日，盛岛角芳偕王英"大汉义军"副司令雷中田率日伪军 4 000 余人由大庙再犯百灵庙。孙兰峰率部奋起反击，敌军死伤 500 多人，被俘 200 余人，雷中田也中弹丧命，余敌溃逃于大庙，百灵庙战役再度告捷。③

关东军策划的进攻绥远的军事行动在红格尔图、百灵庙两战中均遭失败。于是伪军人心浮动，多数想借机摆脱日军的控制。傅作义乘着军事上的胜利，向伪军发出公告，悬重赏促其投诚。12 月 7 日和 8 日，"大汉义军"旅长石玉山和金宪章率领部下将日本指导官小滨善大佐以下 20 余人全部处决，又将退守大庙的蒙古军第 7 师残部 2 000 余人全部收缴武器，于 10 日正式通电起义。金宪章、石玉山两旅共有步骑兵 10 个团，反正后全部开至四子王旗乌兰花一带，傅作义派 35 军副军长曾延毅前往点验，并拨巨款犒赏反正官兵。

金、石二旅反正的同时，傅作义派骑兵第 2 师孙长胜部围攻驻守大庙

　　① 董其武、孙兰峰：《一九三六年绥远抗战始末》，见政协内蒙古自治区委员会文史资料委员会编：《绥远抗战》，政协内蒙古自治区委员会文史资料研究委员会 1986 年印刷，第 67 页。

　　② 傅作义：《绥战经过详记》，见政协内蒙古自治区委员会文史资料委员会编：《绥远抗战》，第 42 页。

　　③ 董其武、孙兰峰：《一九三六年绥远抗战始末》，见政协内蒙古自治区委员会文史资料委员会编：《绥远抗战》，第 67 页。

（锡拉木伦庙）的伪军，于12月10日占领该庙。驻守该地的伪军王英部全部退回商都、化德一带。17日，驻守南壕堑之王英部伪军安华亭、王子修两旅亦通电反正，至20日部队开到预定地点兴和县榆树乡一带接受整编。该二旅共有4个团、约2 500余人。

傅作义部绥远抗战大捷之际，"西安事变"爆发，国内局势发生急剧变化，国民党中央军第13军汤恩伯部及骑7师门炳岳部先后开抵绥远省，担任绥东防务。关东军司令部被迫结束其在绥远的军事行动，并由德王发表停战通电。

绥远抗战期间，傅作义将军坚决抗日的正义之举受到全国各族各界人民的支持和援助。12月1日，中共中央和中华苏维埃共和国中央政府发出《关于绥远抗战通电》①，号召全国人民援绥抗战，同时宣布红军准备立即开赴晋绥抗日前线，抗击日伪匪军的进攻，为保卫晋绥、保卫华北、保卫中国而奋战到底。毛泽东称绥远抗战为"全国抗战之先声"。② 不久，中共中央特派南汉宸率慰问团来绥远慰问抗日将士，并赠送了"为国御侮"的锦旗。自11月中旬，全国各地掀起援绥运动，各社会团体、港澳同胞、海外华侨均以不同形式声援绥远军民的正义斗争。上海等地组织了救护队、慰劳队、义勇军奔赴前线参加抗战。北平、天津、太原等地的学生为绥远将士赶制棉衣，并赶赴前线慰问官兵、救护伤员。在收复百灵庙的次日，上海各界人士推举黄炎培等7人组成代表团，携10万元捐款飞抵绥远慰问抗日将士。另外，山东齐鲁大学慰问团、南京妇女慰问团、北平学联代表团、山西新生剧院演出队等纷纷赴绥慰问和演出。著名记者范长江亲自到红格尔图实地采访，写下了题为《壮哉，红格尔图》的专题报道。太原西北电影制片厂导演石奇甫特地赶至绥远拍摄了百灵庙抗战纪录片。

绥远抗战的胜利，极大地鼓舞了全国人民的抗日热情，各地各界纷纷来电祝贺。毛泽东、朱德代表中国共产党电贺绥远抗战的胜利，高度赞扬傅作义的爱国之举。1937年1月21日，由上海左联组织的以陈波儿为团长的上

---

① 中共中央书记处编：《六大以来》（上），人民出版社1981年版，第789页。
② 薄一波：《在纪念傅作义将军诞辰九十周年座谈会上的讲话》，载《人民日报》1985年6月28日第4版。

海妇女儿童慰问团一行30人到达绥远，在《上海妇女儿童前线慰问团告前方将士书》中，深情地转达了上海人民声援绥远抗战的爱国热情。为绥远军民演出了《放下你的鞭子》、《张家店》等剧目。由崔嵬指挥演唱了《义勇军进行曲》、《救亡进行曲》、《打回老家去》、《救国军歌》等抗日救亡歌曲。另外，著名音乐家吕骥、著名电影演员张瑞芳、陈强等也先后来绥慰问演出。这些来自大城市的文艺工作者及年轻学生、儿童等不仅在归绥看望伤病员，而且顶风冒雪，翻越大青山、蜈蚣坝，到大庙、乌兰花、百灵庙等地慰问前线抗日将士。北平师范大学四年级学生曹国智，从绥远归来后深情地写下了《从北平到百灵庙》一文。她写道："9日下午，我们去两个伤兵医院慰劳，重伤的弟兄不能起床，我们便挨着病房，一间一间探视。他们有的被炸伤了头，有的被枪弹射穿了胸，有的截去了双脚，有的断了双手，还有的没有了眼珠……10日，我们乘长途汽车到乌兰花慰问了反正部队，……车来到一个山谷里，我们遇见从百灵庙调回来的骑兵部队，一共有两百多人。每人都握着缰绳，他们在风雪中已经走了五天。一身都是沙土，脸色好像烤焦了的橘皮，眼睛深深地陷落，犹如两个红火球。马呼呼地吐着气，有时也发出一声长啸。他们就是夺回百灵庙的战士。我们赶快下车，迎上前去，把慰问品送到每一个战士手里，并向他们表示深深的敬意和热情的慰问……"[①]　当时的塞外绥远成为全国抗日救亡运动瞩目的中心，极大地鼓舞了绥远军民的爱国激情。与此同时，来自全国各界人士、工人、教师、市民、学生捐赠的款物约折合500万元以上，其中仅津、沪两地《大公报》代收的捐款，至1936年年底即达23万元之多。捐献的物品中还有大量的金银珠宝等贵重物品，充分体现了中国人民的爱国精神和对绥远抗战的深切关注。

　　1937年3月15日，在归绥大青山下的烈士公园举行了"绥远抗战阵亡将士追悼大会"，参加大会的有各族军民3万余人。国民党中政会主席汪精卫、太原绥靖公署主任阎锡山等出席大会。著名学者傅增湘、傅斯年，上海商人虞洽卿，文艺界崔嵬、吕骥、张瑞芳，北平学联代表、广西大学学生会

---

　　① 曹国智：《回忆百灵庙劳军》，见政协内蒙古自治区委员会文史资料研究委员会编：《内蒙古文史资料》第25辑，第214页。

代表等也参加了大会。傅作义主持大会并致悼词。会上宣读了蒋介石、汪精卫、阎锡山以及北平学生救国联合会、中华民族解放先锋队等民间团体的祭文。傅作义在悼词中说："这次绥远抗战，敌炮摧残你们的肢体，毒瓦斯遏止你们的呼吸，还加风雪严寒掣裂你们的肌肤。但是凭你们热血的沸腾，终于战胜一切，完成下列使命：一、尽了军人守土的责任。二、保证绥远领土的完整。三、恢复已丧失的民族自信心……你们为国家的生存而奋斗，中华民族的前途，虽不由你们手里完全建筑成功，可是你们的热血来开阔了这一条新的路线。"[1] 17 日，在归绥市小校场举行了阅兵式，参加检阅的步、骑、炮备兵种，军容严整，步伐整齐，使各界人士为之振奋。

绥远抗战具有重要的军事意义和政治意义，反映了全国人民的愿望，打破了国民党反动派压制广大民众抗日要求而形成的沉闷局面，体现了只有坚决抗战才能制止侵略的真理，激励起人民奋起抗日的斗志，为以后的全面抗战起到了积极的推动和促进作用。正如天津《大公报》1937 年 1 月 15 日的社论所说："绥远抗战之役，不仅取得中华民族史上光荣地位，且已作成中华民族史上重要的转折点，史迹昭垂，万世不磨。"[2]

第二节　抗战爆发后国民党军队
在内蒙古地区的抗战

一、"七七"事变爆发后国民党军队在察哈尔、绥远的抗战

1937 年 7 月 7 日，驻华日军发动"卢沟桥事变"，很快占领了北平、天津等地。8 月 13 日，日军又向上海发动进攻。这样，中国的历史进入了全面抗战的新时期。8 月 14 日，国民政府发表《自卫抗战声明书》，表示："中国为日本无止境之侵略所逼迫，兹不得不实行自卫，抵抗暴力。""中国绝不放弃领土之任何部分，遇有侵略，唯有实行天赋之自卫权以应之。"15

---

　　① 靳书科：《大青山下吊忠魂》，见政协内蒙古自治区委员会文史资料研究委员会编：《内蒙古文史资料》第 25 辑，政协内蒙古自治区委员会文史资料研究委员会 1986 年印刷，第 243 页。
　　② 转引自郝维民主编：《内蒙古革命史》，第 299—302 页。

日，蒋介石下达全国总动员，将国民党统治区划分为 4 个战区；20 日，国民政府军事委员会发布战争指导计划，决定以在全局上要避免大兵团作战，对日本侵略军"实行柔性攻击"作为作战指导方针，发表全国军队的战斗序列，将华北、华东、华南划分为 5 个战区，任命了各战区的司令官。其中，第 2 战区辖察哈尔、绥远、山西省，由阎锡山任司令长官。属第 2 战区的主要兵力为杨爱源的第 6 集团军、傅作义的第 7 集团军及赵承绶的骑兵第 1 军等。①

部署在察哈尔省境内的国民党正规部队为第 68 军刘汝明部（原属宋哲元的第 29 军），驻扎在张家口及其附近要地；驻防山西省北部大同、天镇一带的是第 61 军李服膺部（属第 7 集团军，辖第 200 旅刘谭馥部、独立 7 旅马延守部、第 101 师李俊功部）；驻守绥远的有第 35 军傅作义和属于中央军系统的第 13 军汤恩伯部、骑 7 师门炳岳部等。

在察哈尔省北部的察哈尔盟、锡林郭勒盟和长城以北各县境内则没有国民党的正规部队，这些地区处在受日本关东军支持的、以德王为首的蒙古军政府的管辖之下，成为不受国民政府统辖的地区。该地区的防务由以德王为总司令、李守信为副总司令的蒙古军担任。此时的蒙古军共有 9 个师，约 17 000 多人马，② 分别驻扎在商都、化德、尚义、张北、多伦、宝昌、康保等地，其布防状态主要是针对绥东和张家口方面的国民党军队。这种态势不仅可以确保察北以巩固"满洲国"西侧的安全，同时也准备随时进攻绥远。

当日军占领平、津以后，蒋介石任命绥远省主席兼第 35 军军长傅作义为第 2 战区第 7 集团军总司令，任命第 68 军军长刘汝明为副司令，令傅作义统一指挥驻察哈尔、晋北及绥远的军队，加强平绥铁路沿线之防卫。与此同时，蒋介石又任命驻绥东之第 13 军军长汤恩伯为第 7 集团军前敌总指挥，令其立即率部赶赴平绥路东段之南口、居庸关一地布防。驻绥远的第 35 军（辖第 218 旅董其武部、第 211 旅孙兰峰部、第 205 旅田树海部）和骑兵 7 师门炳岳部等在傅作义的指挥下，向察北及张家口挺进。

---

① 龚古今、唐培吉主编：《中国抗日战争史稿》（上），湖北人民出版社 1983 年版，第 79 页。

② 李守信：《李守信自述》，刘映元整理，见政协内蒙古自治区委员会文史资料委员会编：《内蒙古文史资料》第 20 辑，第 262 页。

8 月 13 日，傅作义在集宁召集驻绥部队各师、旅长会议，部署向察北进攻的计划：令 35 军董其武部 218 旅自集宁出发，奔袭商都；令骑 7 师自红格尔图出发，协助 218 旅攻打商都；骑 2 师孙长胜部（属骑 1 军）配合新骑兵第 5 旅安华亭部攻取尚义；新编步兵第 6 旅王子修部攻取南壕堑；新编骑兵第 2 旅石玉山部攻取化德；刘汝明部由张家口进攻张北；第 17 军高桂滋部据守独石口以南察热边界；35 军孙兰峰 211 旅 1 个团随傅作义总部，2个团置于柴沟堡地区；61 军置于大同、阳高、天镇地区作预备队；采取以攻为守，在进攻中歼灭敌人，从而巩固察省各据点的战略。傅作义的指挥部设在一列火车上，在柴沟堡至沙城段上指挥战斗。①

傅作义部在察北的进攻颇为顺利。8 月 15 日，218 旅与骑 7 师门炳岳部合力向商都发起进攻。当时驻守商都的是蒙古军第 2 师尹宝山部。攻城战斗从拂晓开始，持续到傍晚。骑 7 师从西、北、东 3 面包围县城，218 旅步兵从南面攻城，并有炮兵主攻。天黑以后，守城部队在蒙古军第 1 师和第 6 师接应下，向东突围，撤退到尚义。董其武部遂占领商都县城；骑 7 师继续向东挺进。攻城战斗中 218 旅损失近 1 个团的兵力。

8 月 16 日，新编骑兵第 2 旅石玉山部也从陶林方面向蒙古军政府所在地德化（即化德）进攻。驻守德化的蒙古军 9 师包海明（仓都冷）部为了保卫蒙古军政府和蒙古军总司令部人员以及日本德化特务机关的安全，稍事抵抗，就掩护各机关人员和眷属等退往康保、多伦方面，石玉山当即占领化德，并缴获了很多物资。

8 月 16 日晚，骑 7 师进至尚义附近，向县城发动攻击，与蒙古军第 1 师刘继广部和第 4 师宝贵廷部主力发生战斗，时打时停，持续一夜。同晚，骑兵第 1 军（军长赵承绥）第 1 师亦向驻守南壕堑的蒙古军第 1 师的陈生团发动猛攻。第二天拂晓前，守军突围到尚义。17 日，门炳岳部协同新编步兵第 5 旅安华亭部等向尚义进攻，蒙古军第 1 师和第 4 师主力撤出尚义，退到公会。骑 7 师等部乘胜东进，迫近公会。8 月 18 日，骑 7 师、骑 2 师以及从张家口开来的刘汝明部包围了张北，并向张北附近的机场发动袭击。

---

① 王克俊：《回忆傅作义先生》，政协内蒙古自治区委员会文史资料委员会编：《内蒙古文史资料》第 14 辑，政协内蒙古自治区委员会文史资料委员会 1984 年印刷，第 34 页。

正当国民党方面在平绥沿线调集部队之际，日军方面也从"满洲国"、朝鲜及日本国内紧急调运兵力，准备进攻河北、察哈尔、山西和绥远等华北各省。8月9日，日本参谋本部决定进行所谓的"察哈尔作战"，命令中国驻屯军消灭张家口以东的中国军队，令关东军从热河、内蒙方向协同作战。11日，中国驻屯军出动刚从"满洲国"调来的独立混成旅第11旅团（旅团长铃木重康，8月17日隶察哈尔派遣兵团），向平绥铁路东段要塞南口、居庸关发动进攻；以另一部向南口西侧长城线攻击。14日，两路日军分别突破南口附近主阵地，靠近长城线。驻守长城线的第13军汤恩伯部、第72师陈长捷部及独立第7旅马延寿部等据险顽强抵抗，日军进攻受挫，双方呈胶着状态。日军又将第5师团（师团长板垣征四郎）投入进攻南口的战斗。第5师团向南口西侧长城线迂回，切断了南口、居庸关之间的防线。23日，日军突破中国军队在居庸关要塞的防线；25日占领南口。第13军、第72师及独7旅等部撤退到怀来，又从怀来沿桑干河南岸分别向山西、河南方面撤退。27日，日军第5师团占领了延庆、怀来。

关东军为了配合中国驻屯军在平绥路东段的作战行动，于8月10日组成察哈尔派遣兵团，关东军参谋长东条英机出任兵团长。兵团下辖混成第2旅团、独立混成第1旅团、第2飞行集团、堤支队（于8月8日空运到张北）、大泉支队、混成第15旅团以及混成第11旅团等部队。8月17日，关东军指挥所的先遣要员和混成第2旅团（旅团长本多政材，8月1日由关东军第1师团一部编成，隶中国驻屯军，8月12日编入察哈尔派遣兵团）之一部进驻多伦。19日，东条英机到达张北，设立战斗指挥所。察哈尔派遣兵团为配合由南向北进攻的第5师团，未等各部队全部集中，于20日开始由张北向长城一线发动了进攻。东条指挥本多旅团及蒙古军第2、4师经神威台口、万全坝向万全和张家口进攻。同时令李守信率蒙古军3、5、6师挺进到张北西南15公里一带，严密监视洗马林、台路沟等处国民党军队。①23日，本多旅团在万全坝附近击溃国民党军队；堤支队占领孔家庄车站，切断了平绥铁路线。

国民党第68军刘汝明部于20日在万全坝上与日军接战后，沿长城线阻

---

①　政协内蒙古自治区委员会文史资料委员会编：《伪蒙古军史料》，第46页。

击日军的进攻达数日之久。27日，刘汝明部撤出张家口，退到察南蔚县一带。驻守独石口的高桂滋第17军亦自行退走。同日，张家口被本多旅团占领。29日，本多旅团沿平绥路南下占领宣化；堤支队占领下花园。至此，日军完全占领了平绥路东段。

正当日军进攻孔家庄之际，傅作义为了确保平绥线，令刘汝明自张家口向孔家庄派兵增援，令61军自天镇、阳高东进，以配合歼灭进攻孔家庄的日军。但刘汝明只口头应命，并未派兵增援；李服膺部亦行动迟缓，未能尽快到达。结果，驻守孔家庄车站掩护主力部队西撤的211旅421团刘景新部首当其冲，损失很大，该团谢兰思副团长阵亡。傅作义命孙兰峰的另一个团向孔家庄突袭，希望打通平绥线，后因兵力单薄，伤亡惨重，未能夺回孔家庄。①

平绥铁路东段失守之际，为了阻止日军继续沿平绥铁路西进，傅作义奉第2战区司令长官阎锡山电令，率35军主力撤退到大同，令61军李服膺部从柴沟堡等地撤至天镇、阳高、盘山等地，利用原设之国防工事阵地，阻止日军西进，掩护第2战区主力第35军、王靖国第19军、赵承绶第1军等部在大同等地集结，准备在大同以东与日军进行会战。

李服膺接到固守天镇、盘山的任务后，以独立200旅的第400团占据盘山制高点，以第101师占领盘山以北罗家山、李家山、铁路两侧阵地，由师长李俊功统一指挥第一线作战。部署在第一线的兵力有213旅和第401团、第400团，第402团驻守天镇城内。61军军部与独立200旅旅长及其第414团驻阳高县城以北。9月5日，日军本多旅团沿平绥路向天镇发动进攻，其攻击重点则在夺取盘山阵地。战斗相当激烈，在几天的防御战斗中，61军付出了巨大牺牲，官兵伤亡达千余名。7日，日军占领盘山阵地，天镇随即失守。61军经阳高、应县向雁门关一带撤退。由于日军板垣师团经察南向山西进攻，直抄雁门关后方，加以盘山、天镇失守，傅作义部放弃在大同与日军决战的计划，奉阎锡山命令从大同南撤雁门关，参加平型关战役。8日，日军继续沿平绥路占领镇宏堡，13日，日军酒井旅团未受任何抵抗即

<hr />

① 王克俊：《回忆傅作义先生》，政协内蒙古自治区委员会文史资料委员会编：《内蒙古文史资料》第14辑，第34页。

进入大同。

日军占领大同后，立即出兵占领大同附近要地。17 日占领丰镇；24 日占领集宁；至 30 日，日军相继占领代县、朔县、繁峙，晋北地区亦全部沦入日军之手。

当日军沿平绥铁路西进，国民党军队放弃大同转移到雁门关一带后，绥远地区即失去屏障，形势岌岌可危。驻守绥远的国民党军队有 35 军留下的第 218 旅 435 团驻防集宁；在孔家庄车站作战中受损的 421 团驻旗下营以东铁路沿线整补；炮兵 29 团驻集宁。另外，从商都、尚义、化德撤退下来的骑 7 师门炳岳部、新编步兵第 5 旅安华亭部、新编步兵第 2 旅石玉山部等亦分驻集宁、大六号及陶林一带。成立不久的东北挺进军马占山部（辖骑兵第 26 师刘桂五部和由蒙古军第 2 师反正后被编为新编骑兵第 3 师的井得泉部）亦从大同退入绥远境内的包头。绥远蒙旗保安总队白海风部（9 月编为蒙古混成旅）驻守百灵庙、固阳等地。此外，还有抗战爆发前傅作义训练和武装起来的国民兵 6 个团，从各县调到铁路沿线。其中马逢辰第 1 团驻丰镇，王赞臣第 2 团驻集宁，曹子谦第 3 团驻卓资山，范步高第 4 团驻归绥，第 6 团驻包头。

当时驻守绥东的国民党部队在丰镇设有绥东区防司令部，司令张成义，指挥国民兵马逢辰团。在集宁设有守备司令部，曾延毅任司令，指挥 35 军第 435 团许书庭部、国民兵第 2 团王赞臣部、炮兵第 29 团张潜部。

9 月 13 日，日军占领大同后，便派独立混成第 11 旅团一部沿平绥路继续向北进攻。16 日，日军派一部兵力占领丰镇县属隆盛庄。这样，这股日军即可掩护攻击丰镇的主力部队的右翼，又可以威胁集宁。同日，日军主力便向丰镇县城发起攻击，于 17 日占领丰镇。区防司令张成义、团长马逢辰指挥仅有的一团国民兵，依据城防工事顽强抵抗，同时发动全城青壮年一起参加战斗。这时傅作义主力南撤山西境内，投入平型关战役，回援已不可能，而驻绥远的各部队又无力增援，丰镇守军陷入孤军作战境地。守军坚持一昼夜后，敌军突破城垣，展开激烈的巷战。守城官兵及居民伤亡惨重，司令张成义也在巷战中阵亡。团长马逢辰率残部突围出城，全团官兵仅余 300 多人。关于此次战斗，当时参战的一名日军士兵回忆道："19 时才得进入丰镇城，由于敌人抵抗很激烈，入城以后发现到处是敌人战死者遗体，各处发生火灾，连个人影也见不到，成了死街。"①

日军攻陷丰镇以后，继续沿铁路进攻集宁，同时调察北的蒙古军主力前来配合作战。日军在进攻前出动飞机，连日反复侦察，并派便衣队到阵地前扰乱设计，窥探虚实。以炮兵作火力侦察，以掌握守军的兵力部署和炮兵位置。当时，435 团据守铁军山、霸王河等处国防工事阵地，国民兵王赞臣团守卫老虎山、黄家梁阵地，炮兵团的 36 门山炮和 4 门野炮分布于城内各个炮兵阵地。前来增援的王子修旅（新编步兵第 6 旅）的一个营，担任西城防务。

9 月 23 日，伪蒙古军以炮兵掩护步兵，逐渐向集宁阵地推进。当晚，日军已全部推进到老虎山、黄家梁、铁军山等阵地前。次日拂晓，即以步炮联合，空军助战，向各阵地猛攻。激战至上午 7 时，阵地即被日军突破；守军和敌人反复争夺，进入了混战状态。在这紧急关头，守备司令曾延毅托词督战，弃城潜逃。

战斗部队得知守备司令弃职潜逃后军心大乱，各部队即分别寻机脱离战场。其中 435 团和炮兵团等有作战经验的部队，乘烟尘弥漫，边打边退，损失较小。国民兵因为无作战经验，并与敌军胶着，难以脱离战斗，遭受很大损失。团长王赞臣率部突围后，全团仅剩 80 余人。此时，守城的国民党军队及国民兵撤出县城，向西撤退。绥东战略要地——集宁城落入敌手。

集宁失守后，原在集宁以北大六号等地的骑 7 师、新 5 旅及骑 2 旅等部分别退至卓资山、陶林一线。骑 7 师退到陶林后，军事委员会任命门炳岳为骑 6 军军长（兼骑 7 师师长），辖骑 7 师、新编骑兵第 4 师（由新编骑 2 旅石玉山升编，石玉山任师长）、新编骑兵第 5 旅（安华亭任旅长）。骑 7 师到陶林后，门炳岳指挥骑 7 师、骑 4 师向尾追而来的蒙古军第 8 师乌古廷部发动反击，在二道沟附近战斗一昼夜。蒙古军主力前来增援，骑 7 师、骑 4 师向西经武川退到固阳一带。9 月 26 日，陶林县被蒙古军占领。蒙古军继续西进，30 日占领了百灵庙。

绥东丰镇、集宁沦陷后，绥远省会归绥人心惶惶，处在风雨飘摇之中。

① ［日］独立步兵第十三联队志刊行会编：《独立步兵第十三联队志》（日文），独立步兵第十三联队志刊行会 1980 年印刷，第 21 页。

傅作义将阎锡山放弃绥远、保卫山西的战略意图电告绥远省国民兵司令袁庆曾，并指示必要时可相机撤守，军政人员撤往山西省河曲县集结待命。袁庆曾立即进行撤退准备，预定省政府职员分 3 批由旱路、水路退往河曲县。

正当省政府人员开始分批撤退之际，绥远省国民兵副司令李大超于 9 月 29 日带领国民兵司令参谋处、副官处和特务营乘火车抵达包头，提出要留在绥远，守土抗战。李大超将国民兵第 1 团马逢辰残部、第 6 团及其他武装人员加以扩充，将部队编为 3 个旅。任命马逢辰、李英夫（35 军参谋处长）、孟文仲（兴和县县长）为 1、2、3 旅旅长，李大超自任司令。

9 月 29 日，袁庆曾带领省政府人员向河曲撤退。驻旗下营的 421 团刘景新部、国民兵驻武川的李吉祥团、驻卓资山的曹子谦团和驻归绥西茶坊的国民兵第 4 团范步高部以及从集宁撤退下来的炮兵团张潜部等分别从驻地向托县撤退。当日，绥远省国民兵司令袁庆曾、代理省主席赵承绥、绥远宪兵副司令马秉仁、35 军副军长曾延毅、归绥警察局长张公量等分乘几部汽车，由 4 辆装甲车随行掩护，并将由归绥警察编成的保安第 1、2、3 团和宪兵第 7、8、10 队、炮兵 29 团、步兵 421 团等编成行军序列，带领部队离开归绥，直奔托县。

绥远省军政人员从归绥撤退之际，聚集在包头的一些地方首脑、各部队长官共商应敌大计，东北挺进军司令马占山、绥远国民兵副总司令李大超以及蒙古混成旅（原绥远省蒙旗保安总队）旅长白海风等召开会议，成立了绥远军政委员会，推举马占山为委员长，代行集团军司令和省政府主席职权。[①]

9 月 30 日，马占山、李大超、白海风等率部进驻归绥，部署归绥及附近地区防务。马占山派东北挺进军骑 6 师刘桂五部到归绥东山、旗下营布防；令骑 7 师门炳岳部驻守武川、固阳一带，阻止蒙古军沿后山西进；令绥远民众抗日自卫军第 4 路郭怀翰部选挑 399 名精兵，向凉城县得胜窑附近挺进，炮兵到归绥城南大黑河北岸布防，以阻击由凉城开来的日军主力；令孟文仲骑兵旅推进到归绥以南，警戒南隘口，负责搜索、侦察南来之敌；省公

---

① 杜海荣：《马占山将军在绥远抗战的前前后后》，政协内蒙古自治区委员会文史资料研究委员会编：《内蒙古文史资料》第 22 辑，政协内蒙古自治区委员会文史资料研究委员会 1987 年印刷，第 29 页。

安局警察负责警戒火车站。包头市由东北挺进军防守。

10月初，日军酒井旅团从晋北的朔县北上，占领凉城后经西沟门向归绥以南迂回。伪蒙古军主力由李守信率领从集宁、陶林沿平绥铁路西进；德王率伪蒙古军4个师由百灵庙分别向武川、固阳推进。

10月11日下午，孟文仲骑兵旅在西沟门以北与由凉城西进的日军遭遇。孟文仲部以猛烈火力予以阻击，坚持到天黑以后撤退。12日，防守旗下营车站以西斗金山阵地的东北挺进军骑6师与蒙古军主力激战数小时后便向归绥撤退。同日，日军酒井旅团推进到大黑河防线前沿。13日，部署在归绥南郊的蒙古混成旅和国民兵与日军接火，隔河展开炮战。经一昼夜激战，守军阻止了酒井旅团的进攻。但归绥以东的旗下营阵地失守，绥北的武川亦被蒙古军占领。这样，归绥处在日军、蒙古军的东、南、北三面包围之中。于是，马占山令李大超连夜将枪械弹药等重要物资装上火车运往包头。

14日，在归绥指挥作战的马占山令守城的各部队撤出，向包头、萨拉齐一带转移。同时，令新骑3师井得泉部留守萨拉齐，阻敌西进。马占山到包头后一面紧急部署防务，一面向河套抢运各种物资，做撤退准备。当天下午，日军酒井旅团进入归绥。

10月15日，日军酒井旅团和蒙古军继续沿铁路西进，并在萨拉齐与守军井得泉部发生战斗。激战至午后，井得泉部弃城西退。16日，日军又向包头以东的磴口发动攻击，防守部队伤亡很大。下午，磴口阵地被日军突破，守军向包头撤退。此时，大青山北面的蒙古军两个师亦接近包头。马占山令包头所有部队沿大青山南麓和黄河北岸向河套撤退。在撤退过程中，包头城内大乱，一些商号和民居遭到撤退部队的抢劫。

17日，日军进入包头后停止前进，只派蒙古军1个师向安北一带搜索。蒙古军司令部和第1、4师驻防包头，第5师驻托县，第6师驻固阳，第8、9师驻西山咀以东地区，向西山咀方向警戒防范。不久，酒井旅团撤离归、包，绥远地区防务由新成立的26师团后宫淳部接替。

在绥远的国民党部队从包头分别向河套和伊盟撤退。其中东北挺进军马占山部撤到五原后不久，又转移到伊盟准格尔旗大塔以南驻扎；骑6军门炳岳部经乌拉山到西山咀、大佘太一线布防，军司令部及直属部队退入河套，进驻五原、扒子补隆等地。这时，国民党中央任命门炳岳为绥西警备司令，指挥绥西各部队及地方行政机关。① 李大超国民兵两个旅和绥西屯垦军一个旅（旅长徐子珍）均归门炳岳指挥。门炳岳在五原设立了警备司令部，军事方面由骑 6 军司令部兼办，另设一个政务处，管理各县地方行政事务。门炳岳进驻五原后，处决了准备投敌的唐兆明、康三元等人，暂时稳定了河套地区的局势。

日本关东军攻占察哈尔、晋北及绥远等地的同时，在其占领区着手组织傀儡政权。8 月 13 日，关东军制定《察哈尔方面政治工作紧急处理要纲》；16 日，又制定关于察哈尔省占领区内的《具体措置案》，决定在张家口建立统辖察北、察南的察哈尔新政权，通过关东军下属的特务机关来指挥。20 日，日本陆军部针对上述计划，将关东军的内蒙古工作范围限定在长城线以北的察哈尔、锡林郭勒两盟。21 日，关东军参谋长东条英机向陆军部要求派遣政治工作人员，以配合军队在张家口开展工作。

这样，从满洲国派出以金井章二为首的日本顾问团进入张家口，一边指导当地维持会，一边着手组织伪政权。9 月 4 日，在张家口成立了察南自治政府，于品卿任最高委员、金井章二任最高顾问，同时成立张家口特务机关，吉冈安直大佐任机关长（不久由松井久太郎接任）。察南自治政府下辖张家口市及察南宣化、怀来等 10 县。

10 月 1 日，关东军又制定《蒙疆方面政治工作指导要领》，决定在晋北成立自治政府，由蒙古军政府接管绥远并改组为自治政府，在张家口设立统辖察南、晋北、蒙古 3 自治政府相关事宜的蒙疆联合委员会。10 月 15 日，在大同成立了晋北自治政府，夏恭任最高委员，前岛升任最高顾问；同时成立大同特务机关，羽山喜郎中佐任机关长。晋北自治政府下辖大同市及晋北浑源、左云等 13 县。

10 月 27 日，第二次蒙古大会在归绥召开，会议将蒙古军政府改组为蒙古联盟自治政府，推举云王为主席，德王为副主席，宇山兵士任最高顾问；任命李守信为蒙古军总司令，高场损藏任蒙古军最高顾问，桑原荒一郎任绥远特务机关长。蒙古联盟自治政府下辖锡林郭勒、察哈尔、乌兰察布、巴彦塔

---

① 宋聿修：《抗战初期转战察绥经过》，政协内蒙古自治区委员会文史资料研究委员会编：《内蒙古文史资料》第 26 辑，政协内蒙古自治区委员会文史资料研究委员会 1987 年印刷，第 17 页。

拉（新设）、伊克昭（部分）5 个盟和厚和豪特（由归绥改称）、包头 2 市。

11 月 22 日，日本方面在张家口召集上述 3 个伪政权的代表，成立了蒙疆联合委员会，金井章二任最高顾问兼总务委员长。该委员会统一管辖 3 个自治政府的有关产业、金融、交通、总务等重大事项，下设产业、金融、交通、总务 4 部，实际上成为 3 个自治政府的指挥机关。

对于蒙疆政权的管辖范围，关东军和陆军部的意见发生对立。关东军认为蒙古联盟自治政府很难自立，要求将察南、晋北与蒙古联盟自治政府合并，成立一个独立的政权。而陆军部则打算将察南和晋北纳入在北京成立的临时政府管辖范围之内。

日本方面在察哈尔、绥远、晋北扶植傀儡政权的同时，对这些占领地区的守备力量做了一系列布置。9 月 30 日，日本陆军部为了牵制关东军向蒙疆地区深入推进，发布命令，决定以独立混成第 11 旅团（原属关东军察哈尔派遣兵团，旅团长铃木重康）为基干成立第 26 师团，配置在蒙疆地区，任命后宫淳中将为师团长。10 月，第 26 师团在大同编成。第 26 师团辖步兵团、搜索队、独立野炮兵第 26 联队、工兵第 26 联队、辎重兵第 26 联队、通信队、独立山炮兵第 12 联队。第 26 师团编成后，担任晋北和集宁、厚和、包头、固阳等地的防务。

日本陆军部为了让关东军专心对苏备战，让华北方面军专心对中国作战，决定在这二者中间的蒙疆地区成立一个独立军，以担当关东军与华北军之间地区的防务，并向外蒙古、宁夏方面警戒。1937 年 12 月 27 日，陆军部发布命令，决定成立直属于日本天皇的驻蒙兵团，任命莲沼蕃中将为兵团司令、石本寅三为参谋长。1938 年 1 月，驻蒙兵团编组完成，兵团司令部设在张家口，下辖第 26 师团。

关东军希望将主力兵团置于自己的影响下，并能够继续推进关东军的即定战略。为此，1938 年 1 月驻蒙兵团编组之际，关东军司令植田谦吉召集东条英机、莲沼蕃、石本寅三举行会谈，希望驻蒙兵团在蒙疆地区的政治指导、作战谋略等有关方面继续推行关东军的方针。

陆军部为了加强蒙疆地区的守备力量，于 1938 年 3 月又组成了独立混成第 2 旅团，常冈宽治中将为旅团长，编入驻蒙兵团序列。下辖独立步兵 1、2、3、4、5 大队以及炮兵队、工兵队、通信队，共计 5 000 余人。旅团司令部设在张家口，所辖部队担任以张家口为中心的察南地区防务。

1938年7月4日，根据日本大本营《大陆132号》命令，驻蒙兵团改编为驻蒙军，划归华北方面军战斗序列，莲沼蕃任驻蒙军司令，石本寅三任参谋长。

1938年12月，骑兵集团（原驻海拉尔，"七七"事变后转隶华北方面军）被编入驻蒙军。骑兵集团主要由骑兵第1旅团（辖骑兵第13、14联队）、骑炮兵第1联队、机关炮队、坦克队、速射炮队组成，吉田惠中将任集团长。至1939年2月下旬，骑兵集团陆续开到包头、固阳、萨拉齐，由第26师团和蒙古军手中接管了警备任务。

随着驻蒙军划归华北方面军指挥，一直悬而未决的蒙疆政权的归属问题也得到了解决。即蒙疆地区作为具有一定独立性的高度自治区域，成为伪中华民国临时政府管辖下的一个组成部分。1939年9月1日，在蒙疆联合委员会的基础上成立了伪蒙古联合自治政府，德王任主席，金井章二任最高顾问。自治政府辖察南政厅、晋北政厅以及锡、察、乌、巴、伊5盟，首府设在张家口市。

二、反攻绥远之战

1937年9月，第7集团军总司令兼绥远省主席傅作义奉阎锡山之命率部从大同等地撤到雁门关内，继而参加平型关战役、忻口保卫战以及太原守卫战。11月，太原失守后，傅作义到中阳县收容部队，又转到石口地区重新整编部队。傅作义将35军的两个旅扩充为两个师，即73师（师长刘奉滨，下辖孙兰峰旅两个团，王思田两个团）、101师（师长董其武、辖姚丽祥两个团、阎应喜旅两个团），另有军直属炮兵团，傅仍兼35军军长。

1937年底，傅作义被任命为第2战区北路军总司令，总司令部及35军军部均驻在山西省河曲县。傅作义将35军进一步扩编为2个师1个旅，即101师（师长董其武）、73师（师长刘奉滨）、211旅（旅长孙兰峰），师旅各辖3个团。另有军直属炮兵团和王子修旅（仅1个团）。[①]

---

① 刘一平：《傅作义部队的发展及建设概况》，政协全国委员会文史资料研究委员会编：《傅作义生平》，文史资料出版社1985年版，第106页。

1938年1月，国民政府军事委员会委员长天水行营制定《第二期作战指导方案》①，确定各个战区的作战方针，其中指出："如敌主力由绥包进犯时，除第二、第八战区应先期各以有力部队进入绥南、绥西巩固防务外，第二战区应以有力一部由晋北方面向绥侧击牵制，掩护西北国际交通线之安全。"同时要求"第二战区应发动军民展开广大游击战，指向重点于正太、同浦两要线及晋西公路，以有力部队配置于中条山地区与黄河右岸，河防部队协力阻敌渡河，并以有力一部突进绥南游击。"

1938年春，日军集结重兵准备向徐州进攻，台儿庄战役的序幕即将拉开。这时，蒋介石为牵制华北日军南援，命第2战区北路军总司令傅作义指挥所属部队，并配属中央军骑兵第6军门炳岳部、原东北军骑兵第2军何柱国部、东北挺进军马占山部，向日军展开攻势，攻击战略要地太原或归绥，以策应徐州会战，牵制敌人。

傅作义受命之后，即在驻地召开有关部队长会议。会上各部队长认真分析了太原和归绥日军兵力部署情况，认为太原有日军重兵把守，又有坚固防守工事，仅以现有兵力反攻，不易取胜；而归绥守军力量相对薄弱，反攻归绥较为有利，遂决定北上攻打归绥。会后，傅作义派出熟悉绥远各地情况的侦察人员，到绥南清水河、和林格尔以及归绥、包头等地，了解日军驻地、兵力、武器装备、工事构筑等情况，并拟定袭击绥南各县，攻打归绥的作战计划。其要点是：先令各部队分别向东挺进，摆出进攻太原的态势，以迷惑敌人和分散敌人兵力与注意力，并派一部兵力向古交一带进行袭扰，掩护主力部队向绥南挺进，攻占归绥。同时令马占山部由准格尔旗北渡黄河，进入大青山、武川以西进行游击，以牵制归绥日军；令骑6军门炳岳部由河套东进，向包头、固阳守敌发动进攻，以分散敌人兵力。

根据上述计划，傅作义35军第101师、73师分别由驻地出发至临县，并令101师派出部分兵力佯攻太原，以掩护主力部队北上。先头部队到达河曲后，傅作义下达命令：73师所辖179旅归35军副军长陈炳谦直接指挥留驻保德、河曲、偏关一带，建立后方基地，设立后勤补给站；211旅为前

---

① 万仁元、方庆秋主编：《抗日战争时期国民党军机密作战日记》（上），中国档案出版社1995年版，第2页。

卫，先行歼灭清水河之敌，而后向和林格尔之敌发起进攻，占领该县城，掩护主力 101 师向归绥挺进；211 旅 422 团占领和林格尔县城后立即率兵两营迅速进至旗下营，破坏集宁至归绥之间的铁路，阻击增援归绥之敌；令 101 师主攻部队在 211 旅的掩护下，经和林格尔向归绥之敌发起攻击，消灭守敌，占领归绥城。

4 月 23 日，35 军 211 旅挺进至清水河县城附近，派 422 团向驻守清水河县城的蒙古军门树槐部进行攻击。守城的蒙古军受到突然袭击，便很快从北门溃退。211 旅攻占清水河县城后继续前进，该团前卫第 2 营于 25 日进至和林格尔县城以南大红城，从东南及西南方面突入城内，同守敌展开激烈巷战。战斗进行了约 2 个小时，全歼守敌，俘敌百余人，获枪支、弹药、军用物资甚多。

攻占和林格尔县城后，221 旅即作为预备队。第 101 师作为攻打归绥的主攻部队，在 211 旅掩护下向归绥挺进。

4 月 27 日，第 422 团第 1、2 营附山炮连向和林格尔出发，经凉城县西沟门向旗下营挺进。30 日，到达旗下营南山，并一举攻入车站。全歼车站守敌，炸毁旗下营至集宁之间的公路、桥梁，拆毁路轨数段，砍倒电线杆，剪断电话线。此时，由大同方面开来铁甲车一列，载日军 500 多名。由于铁路被破坏，日军便向斗金山阵地发动数次攻击。王雷震部在该山上利用抗战前构筑的国防工事，击退了敌军的攻击。由于日军急于增援归绥，一面集中炮火攻击斗金山阵地，一面抢修铁路、桥梁。日军后续援军逐渐增多，422 团终因众寡悬殊，未能阻敌前进。大批日军陆续开抵归绥。傅作义认为已经起到了牵制和阻击敌军的作用，遂令该团立即撤出战斗，返回清水河。

当时，驻守归绥的日军独立步兵第 13 联队第 3 大队（冈本部）已经向北出动，围攻先期进入大青山的东北挺进军。担任市内守备的只有日军独立野炮兵第 11 联队第 2 大队，守备较空虚。为此，26 师团司令部驻大同的野炮兵联队队长入江大佐率第 3 大队到归绥和第 2 大队组成入江支队，从 28 日开始向归绥以南出动，迎击傅作义部。追击马占山部的第 13 联队于 27 日返回归绥，作为 26 师团右翼，向和林格尔以西出击，以图截断傅军后路。①

---

① ［日］独立步兵第十三联队志刊行会编：《独立步兵第十三联队志》（日文），独立步兵第十三联队志刊行会 1980 年印刷，第 49 页。

4 月 28 日，第 101 师董其武部推进到归绥以南 20 公里的一间房村、萨尔沁村等地，与日军第 26 师团遭遇，展开激战。董其武令 213 旅前卫 436 团郭景云部向日军发起进攻。日军则采用分进合击战术，两路夹击郭景云团。战斗异常激烈，该团伤亡惨重，郭景云亦负重伤。董其武又令 218 旅旅长姚丽祥率部支援郭团，迅速由两侧向敌包抄，破坏大黑河上的公路桥，阻止敌人汽车，断敌后路，协同郭团消灭当面之敌，并向归绥进攻。姚即令该旅 420 团（李思温部）前往增援，并派出 1 个营向敌侧后方迂回攻击，执行炸毁大黑河上的桥梁、阻敌增援的任务。但是该营动作迟缓，作战不力，未能阻止敌人援兵，致使 101 师遭到从归绥出动的大批日军两面夹击。101 师在日军飞机、大炮、坦克协同攻击下，损失惨重，不得不撤出战斗，向清水河方面撤退。

4 月 28 日，当 101 师在归绥以南一间房村附近同日军 26 师团激战时，该师团搜索队绕经托克托县迂回过来，同蒙古军第 5 师一道，拟向设在和林格尔县城的傅作义总部发动进攻。日军先头部队进至和林格尔县城西约 5 公里时，遭到 211 旅 422 团第 3 营（安春山部）的顽强阻击。孙兰峰为确保总指挥部的安全，立即派出该旅 421 团张进修营驰援第 3 营。张进修营迂回侧击敌骑兵，并派第 1 连袭击日军控马桩，战斗持续到黄昏。29 日凌晨，张进修营组织爆破队炸散日军马群，并在安春山部配合下，向敌军发动袭击，打死打伤日军多人，获战马 396 匹。① 这次战斗日军搜索队校官以下 25 人被击毙，伤者甚多，战马全部损失。②

4 月 30 日上午，日军派 3 架飞机向和林格尔县城之守军轰炸扫射，掩护其步骑兵攻击。211 旅与敌人激战达 4 个多小时，伤亡惨重。下午，傅作义的总指挥部和 211 旅放弃和林格尔县城向清水河县转移。

日军随即占领和林格尔县城，并向附近村庄扫荡。5 月 8 日，日军将清本部队（第 11 联队第 1 大队）主力配置在和林格尔县担任警戒任务，其余撤回归绥、包头。

---

① 张进修：《和林厂圪洞争夺战》，《晋绥抗战》编写组：《晋绥抗战》，中国文史出版社 1994 年版，第 574 页。

② ［日］第二十六师团搜索队战友会编：《第二十六师团搜索队志》（日文），第 110 页。

为了配合35军对绥远的反攻，东北挺进军马占山部根据第2战区的部署，于1938年4月上旬由准格尔旗驻地北上渡过黄河，在察素齐附近破坏平绥铁路数处，并与蒙古军激战两天。后由白石头沟进入大青山，对武川形成进攻态势，以吸引和分散归绥的日军兵力。4月16日，从大同开来的日军第26师团独立步兵第13联队从包头出发，经萨拉齐向后脑包推进，其近森大队被编为汽车化部队，由包头经固阳向乌兰不浪一带进攻。另一方面，从张家口开来的原口部队（26师团独立步兵第12联队）也于16日从归绥北上武川，从东面夹击挺进军。挺进军主力第6师在武川一带巧妙地摆脱了日军上述两个联队包围，向西撤退。马占山率特务营抵达后脑包村时，日军近森大队和冈本大队乘汽车包围了村子。护卫马占山的特务营大都战死，在另一村庄宿营的骑6师师长刘桂五率部前来救援。马占山乘机脱出包围圈，刘桂五撤退不及被炸死。由于傅作义部35军占领清水河、和林格尔并开始向归绥推进，尾追马占山部的日军奉26师团司令部命令急忙转入和林格尔方面的战斗。马占山率残部经高台梁，渡过乌加河进入河套，转回伊盟准格尔旗，将总部设在府谷县哈拉寨镇。

这次战斗中马占山部减员过半，其参谋长也被日军俘虏，军需物资损失严重。此后，东北挺进军再没有举行大规模的军事行动，只是偏安一隅。[1]

东北挺进军为配合这次反攻绥远的战斗，除马占山本人亲自率部北上大青山等地作战之外，还于3月初曾派挺进军所辖井得泉的新编骑兵第3师、刘盛五的新编骑兵第2旅等部渡过黄河，攻克托克托县城，缴获了蒙古军数十辆汽车和部分武器弹药，并俘获蒙古军团长门树槐（马占山后将其释放）。挺进军还派员向驻凉城香火地（新堂）蒙古军第3师第7团团长慕新亚进行策反。5月12日，慕新亚率部通电反正。16日，国民政府行政院长孔祥熙复电慰勉。[2]骑2师、骑3师及慕新亚部从清水河县下城湾渡过黄河返回伊盟。6月，马占山请准将慕新亚部改编为新编骑兵第5师，任慕为师

① 奇天祥：《八年抗战中的东北挺进军》，政协内蒙古自治区委员会文史资料研究委员会编：《内蒙古文史资料》第22辑，政协内蒙古自治区委员会文史资料研究委员会1987年印刷，第19页。

② 中国社会科学院近代史研究所中华民国研究室：《中华民国史资料丛稿·大事记》第24辑，中华书局1980年版，第68页。

长，归东北挺进军建制。

傅作义部出兵绥远之际，令驻守在绥西河套的骑 6 军由驻地出发，向包头、固阳之敌进攻，策应 35 军主力作战。骑 6 军军长兼骑 7 师师长门炳岳接到命令后，认为包头方面敌人兵力较强，不易攻下，固阳方面敌人兵力较弱，较易攻取。于是决定以驻西公旗公庙子的新 5 旅安华亭部和骑 7 师第 19团向包头佯攻，以吸引敌人兵力。门炳岳率骑 7 师主力两个团（20 团、21团）和新骑 4 师石玉山部首先进攻固阳，然后再南下进攻包头。河套地方治安由国民兵司令李大超负责维持。

门炳岳率骑 7 师主力和新骑 4 师经大佘太、小佘太等地，向固阳前进。这时日军飞机向门炳岳部轮番扫射，迟滞其前进速度。骑 6 军向固阳城发起进攻时，城内约有日军 1 个大队和部分蒙古军，城墙相当坚固，城内守军有恃无恐，坚守不退。相持两日后，傅作义电令骑 6 军迅速向和林格尔以西地区转进，参加绥南的战斗。

门炳岳接到傅作义电令之后立即率骑 7 师主力离开固阳，经石拐沟穿过大青山口，进至民生渠后东进和林格尔；同时电令新 5 旅和骑 7 师第 19 团，继续在包头以西活动，如遇敌军进攻，立即向河套撤退。新骑 4 师亦从另一个山口穿过大青山向和林格尔前进。门炳岳主力经过两夜行军到达和林格尔西南的黑城一带。

5 月初，傅部第 35 军主力在和林格尔附近受到日军攻击，损失惨重，撤到大红城一带，沿浑河一线布防，准备阻击敌人。傅作义的指挥部已从和林格尔撤到清水河县城内。根据傅作义的命令，骑 6 军和骑 7 师推进到清水河以西地区，新骑 4 师到喇嘛湾附近待命。日军攻占和林格尔后，未立即向清水河进攻，而是留一部兵力驻守和林格尔，将主力撤回归绥、包头等地。傅军和日军隔浑河对峙达 20 天。

自 5 月 25 日开始，日军从归绥、包头、大同、左云、平鲁等地出动，向清水河发动所谓的"清水河作战"行动，企图南北夹击，一举消灭傅作义主力。

从归绥出动的日军分 3 路乘汽车向南突进。其中独立步兵第 13 联队主力作为中路直奔大红城西南一间房村附近；该联队第 3 大队担任右翼，从归绥绕经托克托、喇嘛湾向清水河前进。独立步兵第 12 联队从东边向清水河迂回攻击。另有第26师团从平鲁县北上，意欲阻断傅作义南退之路，配合由归绥南下之日军，夹击清水河县城。

5月30日，几路日军在飞机、大炮的掩护下向傅军各部队发起进攻。从平鲁北上之黑田步兵一部推进到清水河县城东南大小双墩一线，与新编骑6旅王子修部激战1天。黄昏时，日军退至距大小双墩26公里处的韭菜庄，准备次日再战。入夜，傅作义命令211旅一部兵力袭击黑田指挥部。211旅当即派421团张进修营组成突击队，夜袭该敌。拂晓后，日军开始进行反击，该营遭受重大损失，伤亡官兵200多人，营长张进修也负重伤。31日，傅作义指挥的何柱国骑2军一部在韭菜庄附近与日军遭遇，发生激烈战斗。211旅、新骑6旅奉命前往增援，步骑配合，包抄日军后路，始将日军击退。与此同时，董其武101师与骑7师主力在关河口击退由包头来犯之日军。当晚，傅军各部队向偏关一线撤退。31日，日军占领清水河县城。

从归绥、雁北城东的日军紧追傅作义主力不放，意在与傅部进行决战。6月3日，八路军120师贺炳炎716团为掩护傅作义部撤退，在平鲁西坪口伏击日本追兵，毙伤日军多人。傅部始得以退至偏关附近。4日，日军3路围攻偏关，傅部又向南败退。5日，偏关失守。6日，傅作义、何柱国、门炳岳等部队与八路军120师协同反攻偏关，激战甚烈。7日晚，日军不支溃退，傅部得以收复偏关。①

收复偏关以后，傅作义指挥部队经三岔口寻检司移驻河曲县城，将主力部队集中于偏关、河曲休整，派一部兵力驻守在沿长城的阳方口、神池、利民堡、老营一线，向晋北及绥远方向警戒。骑6军之骑7师移驻保德县城附近休整；骑4师则留驻偏关，与35军配合行动。

第2战区北路军傅作义部反攻绥远的战斗从4月上旬开始到6月初结束，历时近2个月，往返行程1000多公里，大小战斗10多次，曾收复了清水河和林格尔等县城。尽管未能攻入归绥，但这次反攻作战产生了一定的政治、军事影响。这次作战虽然牵制了日军近1个师团的兵力，但对整个徐州会战战局所起的配合作用并不大，而且傅作义部遭受了很大损失。

---

① 中国社会科学院近代史研究所中华民国研究室：《中华民国史资料丛稿·大事记》第24辑，第82页。

三、袭击包头之战

1938 年 6 月，傅作义部从绥远撤退到晋西北偏关、河曲等地休整。在此期间，傅作义将部队进行了整编，师属旅一律撤销，改为三三制（即每师、旅各辖 3 个团）。35 军辖 73 师、101 师、211 旅。傅作义又在部队中仿照八路军创立了政治工作制度，团以上设政治部，营以下设政治指导员，各级政治工作机构的主要负责人多由延安来的中共党员和从西安招来的进步青年担任。

1938 年 12 月 20 日至 24 日，蒋介石在陕西省武功召集军事会议，与北方各战区指挥官讨论作战方针。会上，蒋介石任命傅作义为第 8 战区副司令长官，宣布正式组建副司令长官部，要求傅作义率部开赴绥远西部的河套地区指挥该地所有部队。同时将绥远省由第 2 战区划归第 8 战区，并确定了傅部的编制及补给路线（自西安经甘肃平凉、宁夏之线到绥西）。

1939 年 1 月，傅作义率原第 2 战区北路军总部的部分干部从河曲经伊盟到河套地区的五原县。不久，傅作义所部陆续从晋西开抵河套。3 月，傅作义在五原正式组建了第 8 战区副司令长官部。

傅作义开往绥西时，阎锡山规定只准带 35 军的 101 师和 211 旅，属 35 军的 73 师要留在晋西北，归第 2 战区指挥。属 73 师的 422 团（团长王雷震，傅作义旧部）及配附 35 军的炮兵 25 团团长刘振衡、属 73 师的 426 团团长郑海楼不愿留在山西，亦带领部队随傅作义到达河套。

傅作义到河套后，将上述部队按照 1 个军辖 3 个师的编制进行整编，将 35 军（傅仍兼军长）扩编为 3 个师：101 师（师长董其武）、新 31 师（师长孙兰峰）和新 32 师（师长袁庆荣）。另有 35 军直属骑兵团（团长刘春芳）、炮兵 25 团（团长刘振衡）。同时，列入第 8 战区副司令长官部战斗序列的还有：绥远游击军马秉仁部、新 5 旅安华亭部、新 6 旅王子修部、新骑 4 师石玉山部、五（原）临（河）警备旅徐子珍部、新 3 师白海风部、东北挺进军马占山部、骑 7 师门炳岳部和宁夏 81 军 35 师马腾蛟部、骑兵旅马彦部等。以上各部队总兵力共计 3 万余人。①

---

① 樊真：《傅将军在河套整军经武、励精图治》，见政协巴彦淖尔文史资料委员会编：《傅作义在河套》（续集），政协巴彦淖尔文史资料委员会 1992 年印刷，第 224 页。

部队整编后，傅作义立即调整了各部队的防地。其中 35 军所属各师分驻五原、安北（今新安镇）及附近各主要据点。骑 7 师分驻于安北东南马七渡口及前山宿亥滩一带；宁夏马鸿宾部 35 师和骑兵旅分驻五原东北的乌镇、乌不浪口一带；五临警备旅分驻于临河及百川堡一带；绥远游击军第 1 旅和第 2 旅分驻西山咀至公庙子之间地区；新骑 4 师、新 5 旅、新 6 旅分驻河套各地；东北挺进军驻伊盟准格尔旗及哈拉寨一带；新 3 师分驻伊盟郡王旗及杭锦旗一带。

驻守包头等地的日军骑兵集团为了加强蒙疆西部地区的防务，从 4 月 10 日开始进行所谓的"春季反击战"。作战主力为骑兵第 1 旅团和从察南抽调的独立混成第 2 旅团步兵第 1 大队。11 日，日军向驻守大佘太（安北县城）的骑兵第 5 旅安华亭部和绥远游击军第 2 纵队武俊峰部发动进攻，于当日下午攻入城内。守军向河套地区撤退。骑兵集团将骑兵第 14 联队部署在安北县城，向河套方向警戒，成为包头的前卫阵地。

日军于 1939 年 9 月攻陷长沙，11 月又占领南宁。蒋介石为了扭转国民党军队在华南战场上的被动局面，拟对日军发动一次冬季攻势，令傅作义部向乌拉山后大佘太一带之敌发动攻击，以牵制华北地区日军。傅作义接到命令后，认为袭击该地日军对战局影响不大，起不到牵制华北日军的作用，只有进攻日军重点防守的战略据点包头才能收此效果。于是主动向蒋介石提出，愿全力以赴袭取包头，以配合华南战场的冬季攻势。蒋介石同意了这一计划，傅作义便开始了各项战前准备。

为了确保进攻包头战役的胜利，傅作义首先召集团长以上军官会议，详细分析双方的兵力、装备等情况，并听取各部队长的意见，制定了进攻包头的战略战术和各项具体措施。

经过认真研究，攻打包头之战决定采取长途奇袭的战略和强攻的战术，变战略防御为战术进攻。为此采取了以下具体措施：①为取得奇袭的成功，首先制造种种假象，以迷惑欺骗敌人。为此傅作义命令北起狼山南麓经乌梁素海至西山咀一线与日军对峙之各部队，大举构筑防御工事，破坏桥梁，设置障碍，造成国民党军队在冰冻封河之际，赶筑防御工事，无意进攻的假象。同时，让话剧团、京剧团等到前线，以慰劳军民、庆祝新年的名义，大张鼓乐，造成无任何军事行动的假象。②命令攻城部队进行战斗训练和演习，并对攻城时可能发生的情况作充分估计；积极发动民众，作支前准备；事先将大批粮秣弹药埋藏在黄河以南的沙窝和乌加河以北、狼山南麓之间，以备敌进攻河套时可以从容应付。③利用各种关系对包头方面的蒙古军进行策反，使之相机反正或不为日军出力，或暗中牵制日军；令包头等地的秘密情报人员对日军的调动、部署及时侦察汇报。

12月13日，傅作义率作战指挥人员由陕坝进抵五原，召开军事会议，下达作战命令：令骑7师门炳岳部沿黄河南岸运动，由马七渡口渡河，于12月20日前进至包头以东萨拉齐与归绥之间地区，破坏铁路，相机占领萨拉齐县城，阻止敌人向包头增援；新31师孙兰峰部和五临警备旅于霖瑞团及1个山炮营为主攻部队，在新32师掩护下沿乌拉山南麓的包五公路向包头隐蔽前进，至昆都仑召后超越新32师急进，奔袭包头。新2师袁庆荣部附一个山炮营，出发时作为前卫，掩护攻城部队前进；101师董其武部为总预备队，沿乌拉山前红滩隐藏前进，以一部监视固阳、安北回援包头之敌；新6旅王子修部在乌拉山袭扰日军，阻击向包头增援之敌；35师马腾蛟部守备乌镇一带；各部队均于15日开始行动，沿途严密封锁消息，昼宿夜行，务于20日前到达指定位置。

18日，骑7师门炳岳部已进抵萨拉齐县以东地带，破坏了萨县至归绥的铁路桥和通讯线路，并派1个团佯攻萨县城，与守备该地的日军1个中队展开激战。①19日，该师同前来增援的日军激战1天，于20日由萨县南撤，从那令沟渡过黄河，并向新民堡一带转移。

新31师所属91、92、93团和五临警备旅于霖瑞团、炮兵25团等部急行军，于19日凌晨到达指定位置——包头城北黄草洼附近。傅作义当即令孙兰峰率部提前于19日夜间（实为20日凌晨2时）开始攻城。新31师91团和于霖瑞团为主攻部队，由包头北城墙东西两侧分别登城，安春山的93团向包头城东推进，阻击增援之敌，掩护攻城。92团为预备队，置于三和号附近，对固阳及东来之敌严加戒备，炮兵25团迫近城垣，完成对城内据点射击准备。

19日夜，93团1营进抵包头城西北门时，守敌并未察觉，一些碉堡工

---

① ［日］冈部直三郎：《冈部直三郎大将日记》（日文），芙蓉书房1982年版，第265页。

事无人防守。第 1 营果断登城，城墙上的蒙古军哨兵不但没有抵抗，反而为登城部队当向导。第 1 营两个连冲入城内，分别向各自攻击目标前进。

攻城部队突入城内后很快占领了包头城北半部，将日军压缩到城内前街以南地区。但是由于部队未能迅速大量进城，而且相互配合不够，日军拼死抵抗，并多次在坦克的掩护下反扑，致使城内战斗形成逐屋逐巷争夺的拉锯式战斗。

20 日，从固阳、安北、归绥派出的日军援兵开始到达包头外围，与新 31 师发生激战。傅作义于当晚亲自到城北黄草洼 31 师攻城指挥部，要求尽快调整和加强入城部队，扩大战果，指示孙兰峰必要时改"围城打援"为"守城打援"，派有力部队消灭东西两方面增援之敌。同时命令新 32 师和 101 师火速增援。

101 师 302 团进至昆都仑召时，与固阳援敌之一部蒙古军于振瀛团遭遇。302 团居高临下，迅速将该敌歼灭，俘团长于振瀛及其部下近 300 人。21 日拂晓前 101 师进至包头西北 10 余里时，与从大佘太开来的日军相遇。101 师立即占领有利地形予以阻击，歼其大部。敌一部窜至包头城西北门附近时被宋海潮炮兵所歼。由于 101 师与两处敌援兵遭遇，迟滞了向包头城靠拢的速度。

12 月 21 日下午，由大同、张家口开出的日军增援部队到达包头投入战斗，并有飞机轮番轰炸。驻蒙军参谋长田中新一少将也从张家口乘飞机赶到包头指挥战斗。

日军增援部队在炮火掩护下，突破城东 93 团两个营的防线，向城北黄草洼新 1 师师部发动攻击。孙兰峰的指挥所及炮兵团撤退到北山脚下的小村里，丢失了部署在黄草洼上的 7 门山炮。日军占领黄草洼阵地，又集中炮火掩护步兵向包头城西北门攻击，遭到 91 团两个连的顽强阻击。此时，新 32 师师长袁庆荣率 95、96 团进至黄草洼附近，当即向敌人展开攻击。接着 101 师亦赶到，立即投入战斗。在黄草洼展开了异常激烈的争夺战，战斗一直持续到傍晚，双方伤亡都很大。

21 日晚，傅作义看到日军增援部队从归绥、大同和张家口陆续开来，认为奇袭包头、牵制华北日军的目的已经达到，并给敌人以沉重打击，如继续恋战，恐遭惨重损失，遂下令撤退。

参战的傅作义各部队受命后，立即脱离战斗，沿包五南北两条大道向五原转移。攻入包头城内之部分官兵与日军胶着，一时未能顺利撤出，战斗至22日拂晓前始得脱出。傅作义部主力于24日晨陆续到达中滩，并向五原一带分散转移。

傅作义部西撤后，日军骑兵集团派出步兵6中队、骑兵3中队、坦克队、炮兵队等部追击。追至昆都仑河一线便全部撤回包头附近。

傅作义奇袭包头之战经过3天4夜始告结束。是役，傅军共打死打伤日军385名（死187名、伤193名、失踪5名），其中包括日军驻安北之骑兵第14联队队长小林一男大佐在内的29名军官。傅作义部损失也很大，共阵亡1960人，被俘60人，丢失山炮7门。[①]

傅作义部奇袭包头之战，虽然未能完全占领包头，但是给驻守包头、固阳、安北及萨拉齐的日军以很大打击，基本达到了牵制蒙疆地区的日军，配合华南战场"冬季攻势"的目的。

四、收复五原之战

傅作义部队奇袭包头之后，驻蒙军认为傅军的存在是个很大威胁，为防止傅部再次进攻，即以"膺惩傅军"为口号，于1940年1月4日决定向河套发动进攻，并立即着手调动部队进行作战准备。参战部队除有驻守包头、固阳、萨拉齐的骑兵集团外，还有从大同等地抽调的26师团6个步兵大队、1个炮兵大队，从张家口等地抽调的独立第2混成旅团2个步兵大队、1个炮兵大队、工兵队，从华北方面军抽调的3个步兵大队和大批军用汽车，从太原调来1个飞机队，另有蒙古军和王英的绥西自治联军等协同作战，独立第3混成旅团从河曲方面予以策应；总兵力达3万余，汽车近千辆。

傅作义得知日军将要大举进攻河套的战略意图后，于1月15日在五原召开团长以上军官会议。在认真研究作战计划的基础上，提出战略上要避免同日军打阵地战，"避不利、找胜利"，"不失机、不吃亏"，战术上运用"以少牵多、以多打少"的游击消耗战打法，达到"积小胜为大胜"，使敌人无法持久占领的目的。为此，傅作义向各部队下达如下命令：① 骑7师在西山咀、马七渡口阻击由前山向河套进犯之敌，迟滞日军进攻，然后转移到黄河右岸伊盟境内，威胁敌人左侧，相机袭扰敌人后方；② 35 师马腾蛟部和马彦骑兵旅，利用乌镇和乌不浪口阵地，阻击由后山进犯河套之敌后转入狼山山麓，威胁敌之右侧，以狼山为依托机动袭扰、消耗敌人；③ 35 军各师在河套地区与敌军主力作机动战，相机歼击敌人；④ 五临警备旅、绥远省游击军等部在各处防地完成阻击任务后，在五原以北狼山东西地区向敌展开游击，相机打击、消耗敌人；⑤ 各部队后勤留守人员，一律退至蹬口、石咀山地区。积极动员组织民众，配合军队作战；⑥ 五原、临河、安北各县政府发动各级行政人员，组织群众实行空室清野。随后，河套地区的军民立即投入紧张的备战中。

19 日，日本驻蒙军司令官冈部直三郎向骑兵集团、26 师团及独立混成第 2 旅团的迁村支队（第 1、5 大队、炮兵队、工兵队）下达了作战预备令：23 日前击灭包头以南之敌，尔后做好经安北向五原进攻的准备；骑兵集团保持现状，以一部兵力协助 26 师团，准备沿黄河两岸向河套攻击；总预备队集结于厚和（归绥）附近。

22 日，26 师团在萨拉齐以南渡口渡过黄河占领了新民堡等处，国民党守军向东胜及准格尔旗撤退；26 师团于 26 日到包头集结，准备对五原发动进攻，23 日，冈部飞抵厚和，设立前线指挥所。30 日又将指挥所移到包头。

1 月 30 日，集结在包头的日军分 3 路向河套推进。26 师团为北路，乘汽车沿乌拉山后经大余太向乌镇、乌不浪口发动攻击；骑兵集团为南路，从包头出发沿黄河南岸经昭君坟向西进攻；混成第 2 旅团为中路，沿黄河北岸、乌拉山前经西山咀，在马七渡口附近与骑兵集团会合，从南路向五原挺进。

1 月 31 日，日军 26 师团先头部队开始向防守乌不浪口及乌镇之 35 师和骑兵旅阵地发动进攻。于 2 月 1 日晚协同后续部队攻占了上述阵地。35 师及骑兵旅在两天的战斗中伤亡很大，未待增援部队到达，便沿狼山南麓向西全线撤退。

2 月 1 日，骑 7 师主力在马七渡口附近与中路日军发生激烈战斗，双方伤亡均较大。入夜，骑 7 师向西撤退。2 日，在杨高明圪旦附近向敌人进行侧击，苦战 1 日后转移至黄河南岸惠德城一带。

2月2日，前来增援35师的101师在折桂乡一带为阻止日军向五原进攻，与日军激战1天，伤亡惨重。入夜，101师奉命脱离战斗，沿狼山南麓向西转进。

2月1日，日军一部从乌不浪口沿狼山南麓、乌拉壕北岸向西突进。傅部新31师91团、93团在黑石虎、三女店之间，伏击日军，击毁汽车多辆。2日，日军在飞机、坦克的掩护下，向万和长附近之新31师91团、92团阵地猛攻，激战3小时，孙兰峰部不支退入狼山沟内。

2月2日下午，沿包五公路向五原前进之敌在四牛头圪旦附近遭到新32师96团及95团阻击。激战至黄昏，新32师师长袁庆荣亦率部撤离战场向西撤退。当晚，傅作义的指挥部由五原撤到黄河北岸黄家壕；3日，又转移到黄河南岸圣纳格尔庙（即什格那哈尔召）。

2月3日，日军骑兵集团和26师团分别从南、北方面进入五原城，并派出26师团主力向临河、陕坝一带追击傅军，骑兵主力向沙河渠以东地区扫荡。

2月4日，26师团搜索队占领临河，5日晚占领陕坝；6日，骑兵集团片桐支队还突进到黄羊木头、头道桥一带后返回陕坝集结。5日，蒙古军亦从中公旗越过狼山进入百川堡西北，截击西撤之傅作义部队。

日军经过几天的战斗，占领了杨家河干渠以东的河套大部分地区。傅作义部则分别撤到乌加河北、狼山南麓地区和黄河以南沙漠地带；骑6军各部撤到伊盟桃力民一带；35师、骑兵旅则退入宁夏。

2月9日，日军收缩战线，各部集结于五原附近，仅留蒙古军布防马柜圪旦—新公中—邬家地一线。11日，傅作义部新32师向临河、陕坝反攻，蒙古军放弃陕坝和临河，退到丰济渠以东。双方形成隔渠对峙的局面。

自2月13日开始，日军主力撤出河套，返回原驻地。15日，设在包头的驻蒙军前线指挥所撤销。驻蒙军占领河套以后，在是否长久占领这一地区的问题上，司令官冈部直三郎与参谋长田中新一发生意见分歧。冈部认为蒙古军不可信赖，要想长期确保河套，必须增加1个混成旅团的日军，这在当时的情况下难以实现。而田中以及蒙古联合自治政府方面却计划将蒙古军的3个师和绥西自治联军王英部3个师配置在五原及其附近地区，又从察南、晋北抽调几千名警察，以驻守包头、厚和的日军机械化部队为后援，长期占领河套地区，并作为向宁夏回族开展工作的基地。最后，冈部有条件地同意了田中的计划。[①]

以田中新一为主谋制定了长期占领五原的计划后，即在五原设立了特务机关，任命桑原荒一郎为机关长，在其指挥下配置蒙古军、绥西联军、警察队，分驻于五原及其附近地区，总兵力达 1 万余人。[②] 蒙古联盟自治政府方面派出治安部次长水川伊夫为五原警察队指挥官，并调来日籍技术人员多名，开始对狼山进行矿产调查等。

对驻蒙军进攻河套的军事行动（日方称"第一次后套作战"），日本最高军事当局和华北方面军均给予了高度重视。新任中国派遣军总参谋长板垣征四郎、华北方面军总司令多田骏及其参谋长笠原幸一等在此期间分别到厚和、包头、五原进行视察和部署。

对于傅作义部来说，绥西战役制定的战略部署是打机动游击战，不打阵地战，以避免敌人捕捉到主力，即"避不利、找胜利"。但实际上并没有完全执行原定战略。各部队一开始便陷于阵地战，相互配合不够，受到了较大的损失。[③] 对于日军来说，这次作战的主要目的在于捕捉傅作义的主力，并予以歼灭，实际上也没有完全达到目的。这就为日后傅作义集中兵力反攻五原留下了机会。

当日军进占河套后，蒋介石认为绥西战局已无法扭转，拟调傅作义到兰州代理朱绍良任第 8 战区司令长官，将部队调到宁夏休整。傅作义则明确表示不去兰州，与敌人周旋到底。日军、蒙古军退出临河、陕坝后，傅作义的指挥部由圣纳格尔庙移到临河东北之亚麻来村。此时，傅作义部 101 师移驻丰济渠以西地区，新 1 师驻临河以东阿善附近地区；新 32 师移驻百川堡以南地区；绥远游击军驻三道桥附近；五临警备旅驻蛮会附近；骑 7 师驻伊盟境内。

---

① ［日］冈部直三郎：《冈部直三郎大将日记》（日文），第 293 页。

② 王克俊：《回忆傅作义先生》，见政协内蒙古自治区委员会文史资料研究委员会编：《内蒙古文史资料》第 14 辑，第 54 页。

③ 在乌镇、乌不浪口阵地中，仅 35 师和骑兵旅就损失千余人。参见《晋绥抗战》编写组：《晋绥抗战》，第 723 页。另据日方的统计，截至 2 月 3 日日军占领五原，傅作义部弃尸 5 500 具。参见［日］冈部直三郎：《冈部直三郎大将日记》（日文），第 294 页。

2月26日，傅作义在亚麻来村召开团长以上军官及参谋人员会议，总结绥西战役的经验教训，整饬军纪，统一思想，并决定于3月中下旬开河之际反攻五原，收复失地。

亚麻来会议之后，傅作义部各师、旅以反攻五原为目标，积极开展技术练兵，进行夜战、巷战、爆破、防空等训练和演习；从宁夏运来各种军需品补充各部队需要；政工干部和动委会人员深入乡村动员群众，协助侦察敌情、运送弹药、筹集粮秣。

3月初，傅作义和董其武、孙兰峰、袁庆荣等高级将领拟订了反攻五原的作战计划，决定利用春分前后黄河解冻流凌的时机，反攻五原，并在五原东北乌拉壕挖渠放水淹没南北两条大路，以阻滞日军机械化部队向五原增援。

反攻五原的作战方针是：①以主力攻击五原城内之日军。具体方法是编组突击队，用"掏心战术"，突入城内直捣敌人指挥部，主力部队随之蜂拥入城，全歼城内各处敌人；②其他部队对付五原外围各处伪军；③在攻占五原前，不计任何牺牲，有效地阻敌援军于乌加河一线。反攻五原的时间暂定为3月20日。[①]

兵力部署：骑7师由伊盟开抵临河德和泉以南地区待命，总攻开始时进攻五原以西新公中之蒙古军第8师，使该敌不能回援五原；退到石咀山的35师开回河套，守备丰济渠以西地区；以新1师安春山团、绥远游击军曹子谦团和五临警备旅的1个团为主，从各部挑选勇敢精壮、有作战经验的官兵500人，组成主攻突击队，于3月20日从五原东南方向突进城内，猛攻日军指挥部；孙兰峰率新31师两个团和五临警备旅及山炮营作为主攻部队，自五原新城西面攻城，与突击队合力围攻敌指挥部；袁庆荣新2师进攻五原旧城及其附近据点；绥远游击军及安华亭新5旅进至西山咀、马七渡口一带，阻止五原守敌逃窜；石玉山新骑4师进攻义和渠口以西之敌，歼敌后转为追击部队，消灭五原逃敌；101师作为机动部队，于乌加河一线阻击敌援军。该师先派1个团歼灭守护乌加河桥之蒙古军，并破坏乌加河桥。在五原

---

① 董其武：《忆包头绥西五原抗日三战役》，见《晋绥抗战》编写组：《晋绥抗战》，中国文史出版社1994年版，第620页。

攻坚战开始后，全师开往乌加河一线全力阻击敌援兵，攻克五原前不得放过援军。

3月15日，傅作义部开始分别行动，19日各自到达预定地点。20日夜间突击队突入五原城内，与敌人展开激战，占领了几处重要据点。五原守敌集中在据点内，凭借坚固工事及优势装备，死守待援。与此同时，孙兰峰率攻城主力向五原城西关和黑头圪旦守敌发起进攻，于21日午后将义和渠以西守敌全部肃清，并与渠东的突击队会师。入夜后，向日军指挥部发起猛攻，于22日下午攻占了五原新城。

新32师在20日深夜开始向五原旧城、前后补红及广盛西等处的蒙古军发起进攻时，遇到顽强抵抗，双方伤亡很大。21日，101师的增援部队赶到，下午攻占了五原旧城。

在五原外围的各作战部队作战较为顺利。担任总预备队的101师，派出302团于20日夜全歼乌加河守敌，并将桥炸毁。骑7师于20日夜向新公中守敌发起攻击，21日晚攻占了新公中和西商等处；新6旅王子修部于20日晚到达预定地点，开始掘堤放水，21日上午炸开乌拉壕渠口，放水淹没了万和长至五原的公路，并占领万和长，破坏了乌拉壕上的桥梁；新5旅安华亭部于20日占领西山咀；绥远游击军第3支队李国栋部也于20日向五原以南蛮可素等地的日伪军发起攻击，守敌溃逃。

傅作义部向五原发动反攻后，驻蒙军司令官冈部于21日命令驻安北的两个中队立即出动，前去救援五原特务机关的日本人、防止蒙古军及王英的部队叛变；同时命令骑兵集团主力及驻固阳的部队立即出发增援。22日，日军增援部队到达万和长以东乌加河左岸，遭到傅作义部101师的阻击，未能渡河。23日，驻蒙军司令部决定给予傅作义部以歼灭性打击，由骑兵集团担任主攻任务，另从26师团、独立混成第2旅团调集步兵6个大队、1个炮兵大队、1个工兵队、2个汽车中队等，火速派往包头投入战斗。冈部直三郎亲自到包头设立前线指挥所，集结兵力，准备从26日开始发动总攻。

24日，日军增援部队在乌加河北岸遭到傅部101师3个团的顽强抵抗。日军在飞机、大炮的掩护下，发动数次进攻，试图乘橡皮艇强行渡河，均被守军打退，双方伤亡很大。傅作义为了减少伤亡，决定将占领五原及周围据点的各部队撤到丰济渠以西地区，令101师相机脱离战斗，撤到五原西北之梅令庙附近集结待命。

25 日，日军渡过乌加河，于次日进入五原城并开始向附近扫荡。自 29 日开始，日军在飞机的引导下，从五原向北经万和长撤回安北、包头等地。傅作义部再次进入五原城，并恢复了乌梁素海、西山咀一线以西的原有地盘。

五原战役至此结束。在此次反攻作战中，打死日军五原特务机关长桑原荒一郎中佐以下警察、行政、技术等日本人约 300 余名，生俘 50 余人。① 另外缴获大批武器弹药。据日方资料记载，仅在五原的日军即战死 44 名，失踪 129 名。② 傅作义部的损失也很大，仅 35 军，经包头、绥西、五原 3 次战役，"受伤的师长有 1/3、团长将近 1/2"，"部队普遍减员 2/3，除了几乎整连殉国的以外，还有几乎整营殉国的。"③ 国民党傅作义部在这次五原战役中，为了保卫国土付出了巨大的代价。

收复五原战役的胜利，被国统区的各大报纸称为"五原大捷"。1940 年 4 月 5 日，蒋介石发布致傅作义的嘉勉电："五原屏障西北，为内蒙重镇，此次傅副长官督率所部血战月余，三失三得，最后终能摧破强寇、克竟全功，此役不仅保障西北，而且奠定收复失地驱逐敌寇之基础，在抗战大局上关键尤为重要，其功勋彪炳，殊堪矜式。"④ 并特地为傅作义颁授最高荣誉之青天白日勋章。当年 8 月，傅作义在陕坝中山堂举行授勋大会，转发了国民政府授予各级指挥官、参谋人员和战士的勋章。同时以第 8 战区副司令长官部和绥远省政府的名义，向反攻作战作出积极贡献的民众代表颁发了奖章。

五、国民党在内蒙古的游击战和地下工作

抗战时期，在内蒙古西部地区，除国民党的正规部队之外，还有名目繁多的自卫军、游击军部队。他们大多由地方自卫武装及一些散兵游勇甚至土

---

① 靳书科：《袭取包头、会战绥西、五原歼灭战的回忆》，见《晋绥抗战》编写组：《晋绥抗战》，中国文史出版社 1994 年版，第 684 页。

② ［日］冈部直三郎：《冈部直三郎大将日记》（日文），第 319 页。

③ 靳书科：《袭取包头、会战绥西、五原歼灭战的回忆》，《晋绥抗战》编写组：《晋绥抗战》，第 685 页。

④ 万仁元、方庆秋主编：《抗日战争时期国民党军机密作战日记》（上），第 134 页。

匪组成，成分极为复杂，番号变化频繁。

1937 年，归绥、包头沦陷之际，绥远省的一些地方绅士在包头成立了
"绥远省民众抗日自卫军"，绥远省高等法院院长张钦任总司令，国民党绥
远省党部主任委员潘秀仁和地方法院院长于存灏任副司令，司令部设在包头
的绥远省高等法院包头市分院。

绥远省民众抗日自卫军设总指挥部，下设参谋、副官、军需、军械、军
法各处，拟成立 8 路自卫军。第 1 路为凉城县保安团，第 2 路为包头县保安
团，第 3 路为归绥县保安团，第 4 路为武川县保安团，第 5 路为萨拉齐县保
安团，第 6 路为集宁、丰镇、陶林 3 县保安团，第 7 路为托克托、和林格
尔、清水河 3 县保安团，第 8 路为固阳县保安团。其中第 1 路、第 7 路未能
组成，其他 6 路相继编成。第 2 路有 1 700 多人，总指挥刘效贤；第 3 路有
1 200 多人，总指挥由潘秀仁自兼，后由李正才、王有功相继担任；第 4 路
有 1 400 多人，总指挥郭怀翰；第 5 路有 700 多人，总指挥郭长清；第 6 路
有 1 200 多人，总指挥赵励师。[①]

自卫军成立不久，绥包便相继被日军占领，自卫军总部从伊盟准格尔旗
到达晋西北之河曲县。1939 年初夏，总部从河曲转移到河套。

自卫军各路相继成立后，有的留在大青山地区和黄河两岸进行游击，有
的退到伊盟境内。这些部队虽多为乌合之众，"抗日不足，扰民有余"，但
却成为马占山的东北挺进军及邓宝珊、高双成等部扩充人马的对象。在大青
山地区活动的自卫军第 3、4 路时常与八路军作对，有时还攻打八路军和游
击根据地的地方游击政权。

这些自卫军时常也袭击小股日伪军。傅作义的主力部队攻打包头、五原
期间，自卫军也曾配合作战，在敌后袭扰日伪据点，破坏敌交通线。日伪军
进山"扫荡"时，他们有的利用熟悉地理、民情的长处，与日伪军周旋。
当敌人进山"扫荡"时，便退到河套或黄河两岸一带。

1945 年初，傅作义将自卫军各部统一番号为骑兵 5 个纵队，并派军统
特务高荣统一指挥。其中将原自卫军王有功部编为第 1 纵队，郭长清部编为
第 2 纵队，乔翰魁部编为第 3 纵队，邬青云部编为第 4 纵队，鄂友三部编为

---

① 张暇民：《绥远省志书概述》，台湾学生书局 1982 年版，第 143—145 页。

第 5 纵队，分别到绥中、绥南与八路军争夺地盘。

1938 年 6 月，傅作义曾任命一批所谓游击专员、县长去绥远敌占区，欲恢复战争中溃散的沦陷区县政权。他将全绥远划为绥东、绥中、绥西 3 个行政区，任命赵励师、张暇民、陈应道为 3 个区的督察专员兼保安司令，并任命了一批县长。1939 年夏，随着时局的变化，在沦陷区恢复的县政权也随之瓦解。这些"游击县长"假"敌后打游击"之名，伙同游击队、自卫军肆意勒索民众，致使许多商民逃往沦陷区。

抗战爆发后，绥远地区的国民兵在李大超等人的指挥下，从归绥、包头撤退到了河套的五原、临河一带。1939 年，傅作义率部进入河套后，将这些国民兵部队改编为绥远省游击军，任命马秉仁为游击军总司令。① 另外，为在敌后开展游击战争，将乌拉山前划为第 1 游击区，乌拉山后为第 2 游击区。在包头县以北、固阳县以西、安北县大佘太以东的该台梁地区，成立包、固、安游击区（即第 2 游击区）司令部，任命刘万春为司令。游击区司令部下属 3 个骑兵纵队，3 个县政府的步骑保安大队。第 1、第 2 游击纵队下属 3 个骑兵团，第 3 游击纵队下属 2 个骑兵团。包头县政府有 2 个骑兵保安大队，1 个步兵保安大队；固阳县政府有 2 个骑兵保安大队；安北县大佘太区有 1 个骑兵保安大队，1 个步兵保安大队。② 这些游击队官兵多为当地居民，又多系抗战前的县乡保安队、警察队和县政府人员，所以熟悉地形，情报灵通，与当地群众有各种各样联系。但这些游击部队在敌占区很难立足，偶尔到敌后游击几次，多以河套前沿的乌拉山前后为避风港。国民党的正规部队与日伪军作战时，这些游击部队，也能在敌后袭击小股敌人或基层政权，抓捕溃散的日伪军。

曾在蒙疆地区活动的一支较大的国民党游击部队是郭希鹏部。郭希鹏原是东北军骑兵第 3 师师长，1937 年 4 月被任命为骑 2 军副军长。同年冬，该军归第 2 战区司令官阎锡山指挥，赴山西北部参加对日作战。

---

① 潘纪文：《跟上时代的步伐》，见政协全国委员会文史资料研究委员会编：《傅作义生平》，第 55 页。

② 刘万春：《游击军抗日和五原大捷回忆》，见政协巴彦淖尔盟委员会文史资料委员会编：《傅作义在河套》（续集），第 129 页。

1938 年初，郭希鹏仅率李荣春、郭希杨和随从士兵 10 余人，前往晋北的老营堡，收容溃散官兵 5 000 余人，并将其编为 3 个骑兵团，进行严格训练。9 月，郭希鹏率部进入大青山地区，反击日军的"扫荡"，补充了各团人马，一时名声大振。是年末，国民政府军事委员会正式任命郭为绥东骑兵司令，优予经费，归第 8 战区副司令官傅作义指挥。

1939 年春，郭希鹏部曾在白塔、卓资山、集宁一带破坏平绥铁路，袭击敌军。4 月，围攻隆盛庄的日军据点，与守敌激战一昼夜，未能攻破。6 月至 7 月，郭部又在大同以东平绥铁路沿线进行游击，破坏铁路。

1940 年年初，郭希鹏率部挺进到察南的阳原县桑干河一带打游击之际，傅作义电令其向西转移。于是，郭部途经阳高、丰镇、凉城、和林格尔等地到达河套。五原战役后，郭部改归第 1 战区指挥，经伊盟到陕西陇县整训。

抗日战争时期，在蒙疆地区的国民党地下活动很活跃。其活动主要是通过国民党"军统"和"中统"进行的。他们主要以河套为据点，向蒙疆地区进行渗透，安插特工人员，建立情报网，在伪蒙古军、伪绥西自治联军和各级政权中进行策反，甚至与蒙疆政权的最高层人士德王、李守信等人建立了联系。

1939 年，国民党中央与军委会政治部派遣 40 余人，到傅作义部队中进行活动，由第 8 战区副司令长官部政治部主任张彝鼎负责。他们不仅做对蒙疆地区日伪的情报工作，还做对八路军、共产党的情报工作。

傅作义在蒙疆地区也有很多情报关系。1938 年傅作义在晋北驻防时期，就曾办过训练班，称绥蒙工作团，分为 3 个工作队。工作队设队长 1 人，政治主任 1 人。这些人兼任游击县的指导员，负责与县的联络工作。[①] 这些工作队于 1939 年年初分别进入各县工作，动员一批青年从敌占区到后方参加抗日。傅部到河套后，绥蒙工作团附属于傅部动训司令部。国民党中央调查统计局在绥远的特务系统是"国民党绥远省执行委员会调查统计室"（简称"绥室"）。它既受绥远省党部主任委员的指挥和领导，又受"中统"的直接指挥领导，并受省党部书记长的监督。

1940 年，绥远省战地工作委员会（简称战工会）成立，傅作义兼主任

---

① 董然韬：《抗战初期傅将军培训军政干部开展敌后工作的忆述》，见政协巴彦淖尔盟委员会文史资料委员会编：《傅作义在河套》（续集），第 87 页。

委员，具体工作由李英夫主持。战工会的主要任务是派人与伪军秘密联系，进行策反、分化、争取及搜集日军情报；在敌占区成立政权、派遣游击县长开展活动；指挥各游击部队深入敌占区，发展和扩大游击区。1944 年秋，绥远战工会进行改组，增设了常务委员会和几个工作区。常务委员均由主任委员傅作义指定，中统"绥室"主任张庆恩被指定为常委会秘书长。增设的工作区有绥远区（主任赵励师）、平津区（主任苏纪忍）、东北区（主任李大超）。战工会下还设立了绥远省复员委员会（主任张钦）、特工处（由第 8 战区副司令长官部特种工作指导处改称，张庆恩任处长）和秘书室。

1944 年春，张庆恩曾奉傅作义之命成立第 8 战区副司令长官特种工作指导处（简称特指处），并任少将处长。特指处人员完全以中统绥远"调统室"人员组成。"调统室"建立的情报据点的所有人员也完全编入该处。不久，特指处与绥远战地工作委员会合并，改称绥远战工会特工处，其权力、活动范围和经费更大更多了。①

1945 年 2 月，绥远战地工作委员会改为第 8 战区副司令长官部战工处，赵励师任处长。绥远省复员委员会仍单独存在。特工处改为"军事委员会第 8 战区党政总队"，张庆恩任少将总队长。该总队人员就是原战工会特工处班底。其情报据点分布在安边、榆林、神府、麻地沟等地。这些据点大都是针对共产党领导的陕甘宁边区和晋绥边区的。

"党政总队"在蒙疆地区建立了一些情报据点。其中包头据点的负责人为王开运，以经商为掩护，以转送国民党绥东、绥北、绥中、绥南的情报为主要任务。丰镇据点由国民党丰镇县地下党部书记长贺风午任主任，长期潜伏，以侦察绥东日伪军动态及中共晋绥敌后抗日武装的情报为主要任务。察哈尔宣化据点由范宝善任主任，其主要任务是侦察日伪统治蒙疆的情况，策动王英、李守信部队向国民党军队反正。②

①　谢新吾：《绥远地区国民党中统特务组织》，政协内蒙古自治区委员会文史资料研究委员会编：《内蒙古文史资料》第 15 辑，政协内蒙古自治区委员会文史资料研究委员会 1984 年印刷，第 42 页。

②　董叔明：《国民党 CC 中统在绥西等地的罪恶活动》，见政协内蒙古自治区委员会编：《内蒙古文史资料》第 15 辑，第 29—30 页。

由马汉三、高荣等负责的"军统"特务组织，以陕坝为据点，专门从事对蒙疆地区的情报和策反工作。1939 年夏，"军统"通过厚和警察局长刘建华（那木尔），开始对德王、李守信等伪蒙疆政权高级官员进行拉拢、策反。

1939 年，察南、晋北、蒙古联盟 3 个自治政府合并前后，德王对日本方面的种种政策措施感到不满，与驻蒙军及蒙疆联合委员会最高顾问等日籍官员发生多次矛盾冲突。德王主动通过刘建华与蒋介石派来的军统特务高荣见面，提出途经蒙古、苏联到重庆去的打算。高荣对此无法作出决定，便返回重庆向蒋介石请示。高荣走后，德王与"军统"的联络一时中断。不久，"军统"华北区负责人马汉三到厚和活动，与巴彦塔拉盟公署和蒙古军司令部的一些人发生关系，安置秘密电台，与重庆进行联络。马汉三还向德王、李守信等军政高级官员及部分中下层军政人员发了委任状。1939 年年底，德王秘密与马汉三见面，商讨出走的办法，同时与"军统"在张家口的联络机关建立了联系。但蒋介石来电让德王"留在当地训练军民，忍辱负重，以待将来"[1]。

1939 年 2 月的包头战役和 1940 年 3 月的五原战役中，日军遭受重大损失。为此，包头特务机关和厚和特务机关便开始查找所谓"通敌"线索，监听"通敌电台"，并在包头、厚和抓了不少所谓"通敌犯"。厚和警察局长刘建华听到风声后立即逃到陕坝。此时，厚和特务机关和宪兵队逮捕了蒙古军总司令部参谋处情报科长武均玉，并从其家中搜出"军统"电台和加入"军统"的名单。[2] 接着，又逮捕了巴彦塔拉盟公署官房主任贺云章、科长梁芝祥、托克托县长肖兆庚等。于是，德王、李守信等与蒋介石进行联络的秘密完全暴露。

德王、李守信得知秘密电台暴露后，立即前去驻蒙军司令部主动自首，承认与蒋介石方面联络的原因和经过。

---

① 德穆楚克栋鲁普：《德穆楚克栋鲁普自述》，陶布新整理，见政协内蒙古自治区委员会文史资料研究委员会编：《内蒙古文史资料》第 13 辑，政协内蒙古自治区委员会文史资料研究委员会 1984 年印刷，第 98 页。

② 李守信：《李守信自述》，刘映元整理，见政协内蒙古自治区委员会文史资料研究委员会编：《内蒙古文史资料》第 20 辑，政协内蒙古自治区委员会文史资料研究委员会 1985 年印刷，第 295 页。

　　日本驻蒙军司令部在处理"电台案"时，为避免扩大牵涉面，影响到蒙疆政权的统治，采取不扩大的方针，只对一些中下层军政官员分别判处死刑或有期徒刑，对德王、李守信等高层人士未予追究。

　　经过这次事件，"军统"在蒙疆的地下工作遭到了严重损失。但是零星的特务活动并未间断。

　　1944 年 1 月，军统局曾在河套的陕坝建立了"中美特种技术合作所"，由军统局局长戴笠任主任，第 8 战区挺进总队指挥所高荣任少将副主任，负责具体事宜。其教官和工作人员由美国海军特工人员和军统局在重庆、贵州等地的中美合作所培训的特工组成。陕坝中美特种技术合作所成立以后，共举办了 5 期特种技术训练班，每期训练时间为 3 个月左右，共培训学员 900 余人。

　　陕坝中美合作所第 1 期毕业生大多留用，第 2 期学员统编为平绥铁路破坏总队，归军统局直接指挥。1944 年冬，戴笠和梅乐斯（美国海军中校，中美合作所美方负责人）来陕坝视察，经与傅作义协商，将平绥铁路破坏总队改编为别动军绥远第 1 支队，开赴大青山，由绥远骑兵第 5 总队司令鄂友三任支队长，另派 3 名美军特工人员参与部队指挥。这支部队的军费、人事均由军统局负责，服装、粮秣由傅作义部供给，枪械弹药由中美合作所负责补给。第 3 期以后的学员大都编入别动军绥远第 1 支队。

　　陕坝中美合作所的训练内容有情报战、爆破器材的使用、射击、格斗、野外战斗等。其培训目标是培养和提高学员的特工技能，以便完成军统局下达的各项任务。业务技术课由美方教官担任，政训课由军统局教官担任。该合作所于 1945 年 11 月撤销。①

　　另外，国民党中央于 1939 年 7 月在榆林成立了"察哈尔蒙旗特派员公署"，任命马鹤天为特派员。该公署的主要任务就是专门策动德王反正，刺探蒙疆政权的军事、政治、经济、文化情报，随时向行政院及有关部门汇报。公署下设秘书处和总务处，有自备电台，还有自行编制的几十种密码本，供有关单位及分派人员使用。但是该公署在抗战期间只是派一些特务人

---

　　①　刘敏祥、张少翼：《陕坝的中美合作所》，见政协巴彦淖尔盟委员会文史资料委员会编：《巴彦淖尔史料》第 4 辑，政协巴彦淖尔盟委员会文史资料委员会 1984 年印刷，第 227—228 页。

员到伊盟、河套搜集情报，有时也利用一些出入蒙疆地区的商人搞零星情报而已。[①] 1943 年，该公署曾根据各方面情报编印了《伪蒙政治经济概况》一书。事实上，这个公署徒有其名，并没有起到什么作用。

第三节　中国共产党领导的内蒙古的抗战

一、中共对内蒙古抗日斗争的方针

1931 年"九一八"事变以后，中国共产党对内蒙古的形势、蒙古民族问题与抗日救亡斗争，发表了一系列指示。1935 年 11 月 13 日，中共中央以中共西北中央局名义作出《关于开展抗日反蒋运动工作的决定》[②]，其中指出："加强少数民族的工作，特别是蒙古人民的工作，发动他们反对日本帝国主义的侵掠与汉人官僚军阀的奴役，同他们一切的反日反汉奸军阀的武装队伍订立作战协定。"12 月 20 日，毛泽东发表《对内蒙古人民宣言》，向内蒙古人民疾呼："你们还是甘受日本帝国主义及中国军阀的宰割，作他们的炮灰而趋灭亡；还是乘机奋起，努力图强，以争得至尊的蒙古民族在全世界民族中享有完全平等的地位？二者必居其一，望速择之。"明确指出日本侵略者"正在用各种欺骗手段，假借'大蒙古主义'，来达到占领蒙古的整个土地财富，奴役整个内蒙古人民的目的"，"内蒙古民族达到了空前未有的危机"。并郑重声明："中国红军战斗的目的，不仅是把全中华民族从帝国主义与军阀的压迫之下解放出来，同样的要为解放其他的弱小民族而斗争，首先就是要帮助解决内蒙古民族的问题。我们认为只有我们同内蒙古民族共同奋斗，才能很快地打倒我们共同的敌人——日本帝国主义及蒋介石；同时相信，内蒙古民族只有与我们共同战斗，才能保存成吉思汗时代的光荣，避免民族的灭亡，走上民族复兴的道路。""总之，只要你们真正认识到蒙古民族解放的必要，不愿做亡国奴，有反对日本帝国主义与蒋介石等中国军阀

---

① 张中齐：《蒙旗特派员公署的回忆》，见政协内蒙古自治区委员会文史资料研究委员会编：《内蒙古文史资料》第 29 辑，政协内蒙古自治区委员会文史资料研究委员会 1987 年印刷，第 160—162 页。
② 中共中央统战部编：《民族问题文献汇编》，中共中央党校出版社 1991 年版，第 319 页。

的决心，那不管你们的领导者是王公贵族或平民，我们都可以给你们以善意的实力的援助。蒙古民族素以骁勇善战见称于世，我们相信你们若一旦自觉的组织起来，进行民族革命战争，驱逐日本帝国主义与中国军阀于内蒙古领域以外，则谁敢谓成吉思汗之子孙为可欺也。"① 对内蒙古人民特别是对蒙古民族面临的严重形势、抗日的紧迫性、中国共产党的方针以及期望，作了全面、精辟、坦诚的论述，这是对内蒙古抗日斗争的纲领性文献。12 月 23 日，中共中央在《关于军事战略问题的决议》中提出："把蒙回两族（首先蒙古）反日反中国统治者的斗争提到武装斗争的程度，并把他们的斗争同我们的斗争直接结合起来。"② 12 月 27 日，毛泽东在《论反对日本帝国主义的策略》中指出："少数民族，特别是内蒙民族，在日本帝国主义的直接威胁之下，正在起来斗争。其前途，将和华北人民的斗争和红军在西北的活动，汇合在一起。"③ 中国共产党在一个月之内的上述 3 个文件中提出内蒙古和蒙古民族抗日的问题，其意义是不言而喻的。

1938 年 10 月，毛泽东在中共六届六中全会的报告中提出："团结中华各民族（汉、蒙、回、藏、苗、夷、瑶、番等）为统一的力量，共同抗日图存"，并列入了全会决议。这是中共抗战中民族工作的总方针。报告明确提出：少数民族与汉族有平等权利，在共同对日的原则下，有自己管理自己事务之权，同时与汉族联合建立统一的国家；而且按照民族平等的原则提出具体的民族政策。这是针对日本帝国主义利用民族问题分裂中国的企图，主张各民族统一力量，共同抗日，建立统一的国家。

同年 11 月 22 日，中共中央作出《关于绥蒙工作的决定》④，提出工作任务、统一战线策略、蒙古民族工作、友军工作、汉人群众工作、伪军伪组织中工作、部队行动与扩大、党的组织等 8 个方面问题的方针、任务和政策、策略，特别指出："我们党与八路军在绥蒙工作的任务：要唤起和团结蒙汉一切力量，一致联合抗日，以正确的扶助境内少数民族解放的政策，消

---

① 中共中央书记处编：《六大以来》（上），人民出版社 1981 年版，第 732 页。
② 《毛泽东军事文集》第 1 卷，军事科学出版社、中央文献出版社 1993 年版，第 416 页。
③ 《毛泽东选集》第 1 卷，人民出版社 1966 年版，第 128 页。
④ 中共中央统战部编：《民族问题文献汇编》，中共中央党校出版社 1991 年版，第 612 页。

除蒙汉间的对立，以坚持抗战的模范作用，提高蒙汉军民王公官吏抗战必胜的信心；大力开展绥蒙抗日游击战争，把绥蒙全境造成敌人不可征服、不能巩固统治的游击区，逐渐形成坚强的抗日根据地，形成我反攻阶段的前进阵地。"绥蒙地区的统一战线工作是多方面的，"有蒙人间的统一战线，有汉人间的统一战线，有蒙汉间的统一战线，有蒙汉回间的统一战线"，有蒙古族地区的统一战线，还有汉族地区的统一战线，尤其是对蒙古民族上层的统一战线。要求针对日寇分裂破坏民族团结的活动，尽可能地争取团结一切可能争取的力量。要建立坚强的抗日游击区，与晋西北及陕甘宁边区抗日斗争相呼应；绥远游击战争，应该始终坚持，而且可能始终坚持，并要求迅速拥有多数骑兵，进行骑兵游击战争。同时，决定成立中共绥远省委，以大青山支队活动区域为中心，领导绥远敌占区及河套一带的工作。

1940 年 4 月，中共中央再次作出《关于绥远敌占区工作的决定》①，进一步提出：①坚持游击战争的方针，不宜大兵团活动，不能创立巩固的根据地。②坚持建立广泛的抗日民族统一战线，要在国民党和各种地方势力、伪政权伪军人员以及各宗教、社会团体、会门、党派、土匪部队中开展统一战线工作。③加强群众工作，利用一切公开合法的团体进行群众工作，动员群众为坚持游击战争而奋斗。④蒙古民族工作是绥远敌占区党的中心工作之一，要加强蒙古上层工作，要使蒙古族进步知识青年在伪政权伪蒙军和蒙古各阶层中长期隐蔽，秘密工作，说服、劝告亲日或已经投日的分子回头；宣传中国共产党对蒙古民族的政策，批判国民党对蒙古民族的大汉族主义错误政策，揭露日寇及伪蒙政权的欺骗；组织蒙古抗日游击队，成为号召和团结蒙古民族抗日的旗帜；利用合法组织、采取不同的策略和方法，开展蒙古民族工作。⑤加强大城市和铁路沿线城镇工作，秘密开展抗日活动。⑥巩固与发展党的组织，坚持公开的游击战争和秘密合法的群众工作，适应敌占区游击战争环境。

1940 年 7 月，中共中央专门制定了《关于抗战中蒙古民族问题提纲》②，对抗战中蒙古民族问题进行了多方面的分析，提出了团结蒙古民族

---

① 中共中央统战部编：《民族问题文献汇编》，中共中央党校出版社 1991 年版，第 646 页。

② 中共中央书记处编：《六大以来》（上），人民出版社 1981 年版，第 1118—1125 页。

抗日的方针政策和具体措施。

第一，指出蒙古民族在沦陷区受日本帝国主义的殖民统治，在国民党统治区则受大汉族主义的压迫，在政治上处于很少有权利和独立性的附属地位。

第二，概述了日本帝国主义侵略内蒙古的过程。揭露日本侵略者利用大汉族主义对蒙古民族压迫所造成的蒙汉之间的成见，挑拨蒙汉民族关系，拉拢蒙古民族，达到其分裂中国的阴谋；分析了伪蒙政权的傀儡性质及其政权中蒙古王公上层的 3 种不同势力，指出伪蒙政权与日寇存在矛盾，与蒙古人之间也存在矛盾，日寇操纵的伪蒙政府是不巩固的。

第三，分析了国民党大汉族主义政策在蒙古民族中的影响。指出大汉族主义者的统治使蒙古民族陷入极端落后与黑暗痛苦的境地；大汉族主义者与蒙古最黑暗势力相结合，实行专制统治，使蒙古人毫无民主权利；大汉族主义者抑制蒙古民族文化，使蒙古处于文盲和愚昧状态；大汉族主义者激化蒙汉民族矛盾，制造民族仇恨与成见，被日本侵略者所利用；大汉族主义者打击蒙古民族革命力量，破坏民族解放斗争，甚至提出"抗日灭蒙"的口号。国民党的大汉族主义民族政策与动员蒙古民族抗日背道而驰。

第四，分析了蒙古民族对抗战的态度。指出："蒙古民族是中华民族的一部分，它直接受日寇统治、压迫、侵略，并且它居住于中日战争至关重要之战略地带，是中国抗战必须争取的力量，所以蒙古民族在抗战中处于非常重要的地位。"在沦陷区，蒙古族中除甘心附逆者外，原来对日寇心存幻想的王公开始动摇，受日寇压迫的王公开始同情抗战，广大下层蒙古人对日伪的不满与日俱增，且日益同情抗战；部分先进分子团结在八路军周围，投入了抗日运动。在未沦陷区，由于日伪的欺骗宣传在蒙古人中的影响，国民党大汉族主义民族压迫的后果，日伪和国民党在蒙古人中的反共活动，使蒙古人对抗战持冷淡观望和应付的态度，赞助抗战的蒙古王公上层是少数，坚决降日者也不是多数，多数持中立的态度，而坚决抗日者更是少数。因此，"蒙古民族站在中国抗战方面？还是站在日寇方面？这就是现在蒙古民族问题的中心，同时也就是抗战中的严重问题之一。"

第五，分析了团结蒙古民族抗日的可能性。指出日寇是蒙古民族最大的敌人，日伪在蒙人中的欺骗及蒙人对其幻想开始减低；中国坚持抗战特别是共产党、八路军在蒙古人中的政治影响更为扩大；蒙古人民共和国的存在与发展，对内蒙古抗日的解放运动将会有更大的作用与影响；蒙古民族中已有抗日先进分子，广大蒙古人正在觉醒，大多数王公是可以争取的。

为此，提出3条基本政治主张：一是团结蒙古民族抗日并反对伪政府，组织蒙古民族成为一个坚强的抗日力量；二是肃清大汉族主义压迫政策，实行蒙古民族在国内政治上的完全平等；三是实现蒙古民族一切必要与可能的民主改革与民生改善。

据此，对蒙古民族提出对外反对日本帝国主义侵略，对内反对国民党大汉族主义民族压迫的各项政策，以求蒙古民族的彻底解放。

（1）蒙古民族要推翻日本侵略者及其扶植的伪政府的统治。为此，要揭露日本帝国主义、汉奸、蒙奸及其傀儡政权的一切欺骗宣传和阴谋诡计；争取伪蒙古军反正，争取蒙古王公反对日本侵略者及蒙奸。

（2）蒙古民族在政治上应与汉族享有平等的权利。为此，蒙古民族有权组织抗日政权，成立统一的蒙古地方政府；有权管理自己的事务，省县不得干涉其行使政治、经济、文化职权；在蒙古地方设县、治局，必须由蒙古人自愿与自主；设立由蒙古人组成的中央管理蒙古事务委员会，蒙古人有参与从中央政府到地方有关省县政府事务之权；凡有蒙古族的民族杂居地方，当地政府应设由蒙古人组成的委员会，管理和蒙古人有关的事务，调节蒙汉关系。

（3）开放民主，保证蒙古人有抗战建国的言论、出版、集会、结社的自由，并有权组织各界各阶层参加的抗日团体。

（4）尊重蒙古民族的风俗、习惯、宗教、语言、文字，保护喇嘛庙，反对与禁止任何侮辱、蔑视蒙古民族的言论与行动。

（5）帮助蒙古民族改善与提高其人民生活。政府拨款救济蒙民；禁止侵占蒙古人的牧场与土地；蒙地垦荒，必须蒙古人自愿、自主；帮助蒙古人赎回抵押的土地，废除一切苛捐、杂税、派捐、派款、征收马匹及无偿徭役，减轻水草税；禁止高利贷及贱买贵卖，调剂蒙人日常需用的农产品、工艺品。

（6）帮助蒙古人组织抗日武装，开展敌占区游击战争。蒙古民族的抗日军队享有与其他国民革命军平等待遇的权利；帮助蒙古人的军事训练，扶助民众抗日武装。

（7）实施抗战教育，发扬蒙古民族固有的优良文化与光荣的革命传统，培养抗战建国的人才。设立各级完全免费的学校，广招蒙古青年免费入学；成立喇嘛训练班，提高喇嘛的政治文化水平；蒙古人用蒙古语文进行文化教育，有选择语文和选择学校的权利。

（8）扶助蒙古人民改进畜牧生产，发展农业、手工业，建立毛皮工厂，发展交通运输，举办合作事业与信用借款，发展与提高经济生活。

（9）改善蒙、回、藏、汉、维吾尔等各民族间的关系，巩固抗日团结；彻底肃清大汉族主义的传统与狭隘的民族观点，各民族以平等亲爱的态度对待蒙古族人民，尊重其风俗、习惯、宗教、语言、文字；蒙古民族与汉、回、藏、维吾尔等国内各民族，在民族平等的原则下，共同抗日，建立统一联合的三民主义的新共和国。

这是指导蒙古民族解放，取得内蒙古抗日斗争胜利的一个纲领性文献。同时也是根据中共六届六中全会关于国内民族问题的方针，对中国统一多民族国家中以民族自治解决蒙古民族问题的探索。

二、抗战初期伊盟河套地区的抗日斗争

1937 年 10 月归绥、包头相继沦陷后，除伊盟、河套外，绥远省大部分地区被日本侵略者占领。伊盟、河套处于抗日的前沿。10 月，中共三边特委成立，开展伊盟工作是其主要任务之一。1938 年 1 月，中共陕甘宁边区委员会专门研究内蒙古工作，指出内蒙古工作的中心任务是发动蒙汉各族各阶层同全国人民共同抗日，"蒙古平民王公团结一致抗日"、"蒙汉联合抗日"、"一切服从抗日"，发动下层与联络上层相结合，组成广泛的抗日民族统一战线。5 月，在三边成立中共绥蒙工委，白如冰任书记。绥蒙工委与八路军警备骑兵团一同到达伊克昭盟桃力民，骑兵团对外称八路军绥蒙游击司令部，孔令甫任司令，白如冰兼政委，绥蒙工委对外称绥蒙游击司令部政治部，同时成立中共桃力民工委和河套特委。随即派干部深入旗县开展工作，在乌审、鄂托克、杭锦、札萨克、郡王、准格尔、达拉特等旗和东胜县相继建立党组织，在包头以西中滩地区建立了中共包（头）固（阳）工委和中滩游击队。在广泛宣传抗日的基础上，发动群众建立农救会、青救会、妇救

会等群众组织，而后成立了伊克昭盟战地动员委员会，开展各界统一战线工作。1939 年初，绥蒙工委撤销，成立中共伊盟工委；八路军骑兵团撤出伊盟后，组建八路军骑兵第 3 营，继续领导伊盟的抗日斗争。

归绥、包头沦陷后，绥远国民兵撤到河套陕坝，副司令李大超为了安定军心和训练部队，成立了国民兵司令部政训处。中共绥远工委也从包头撤到河套，改称绥西工委，李衡任书记。李衡等及随国民兵西撤的一批共产党员，借此机会开展国民兵的工作，李衡任国民兵政训处副主任，其他人在各团任政训主任，帮助国民兵建立政治工作制度，大力宣传抗日救国，产生了广泛的影响。与此同时，在安北县东北垦区，中共垦区工委于 10 月 19 日发动了垦民抗日暴动，成立抗日民族先锋队，编入马占山挺进军，开赴山西前线参加抗战。1938 年国民兵被改编为游击军，李大超以游击军"赤化"被撤职，政训处被解散，绥西工委大部分人员撤回延安。中共河套特委成立后，建立了中共临河、五原、安北 3 县县委和一批区委及基层党支部，大力发展党员，至 1939 年 11 月，党员人数已达 560 多名。

"七七"事变后，绥远省蒙旗保安总队归属东北挺进军总司令马占山指挥，并改称蒙旗混成旅，白海风任旅长，下设两个团，纪松龄、朱实夫分别任第 1、2 团团长，乌兰夫任该部中共党的负责人。10 月间，在归绥城南大黑河一线与绥远国民兵共同阻击日军。后奉命撤退包头，南渡黄河，经伊盟先后到达陕西省府谷县哈拉寨和晋西北河曲驻防。期间，乌兰夫与晋西北八路军 120 师取得联系，得到了经费和物资援助。1938 年 1 月中共中央发出《关于蒙旗混成旅工作的意见》，要求将半公开的党务委员会改变为"秘密存在"，以抗日救蒙会"团结蒙古王公、平民一致抗日"，并以此争取国民党的援助，"巩固与扩大全蒙抗日的团结及蒙汉抗日的团结"，"要求德王及伪组织内的王公、平民回头抗日"，"须拥护中央政府蒋、阎及北路总司令傅作义"，广泛与蒙汉各方发生关系，注意多培养蒙古干部。不久，国民政府军政部下令改部队番号为蒙旗独立旅，建制人事未变。5 月，白海风、乌兰夫在延安受到毛泽东接见。同时，中共中央决定成立中共绥蒙工作委员会，白海风、乌兰夫为委员。6 月，中共中央决定在蒙旗独立旅成立军政委员会，白海风总负责，乌兰夫为政治委员，纪松龄为军事委员。这是部队的领导核心。秋天，蒙旗独立旅奉命移驻伊盟郡王旗和杭锦旗。1939 年夏，国民政府军政部将该部扩编为新编陆军第3师，划归第8战区副司令长官部指挥，白海风任师长，下辖3个团和1个炮兵营，乌兰夫仍任党务委员会书记和政治部代理主任，纪松龄先后任团长、副师长，朱实夫等一批中共党员分别在各团和各部门任职。

1940年，新3师从各团抽调兵力，由第8团团长朱实夫任前敌指挥，参加了攻打驻达拉特旗境内日伪军的战斗。1941年春，新3师又组成加强营，配合傅作义部第101师，攻克了东胜县境的日伪军据点柴登。驻防伊盟期间，新3师还配合八路军和中共伊盟盟委，在桃力民等地组织抗敌后援会，开展抗日宣传等活动；乌兰夫主持创办抗日军政干部训练班，培养军政干部，特别是培养蒙古族干部，以提高部队素质。1941年国民党发动第二次反共高潮后，已公开中共党员身份的乌兰夫、克力更、寒峰等撤回延安，6月国民党政府将新3师调往甘肃靖远整训。这支蒙古族抗日武装被迫离开了抗日前线。

三、大青山抗日游击根据地的建立

1931"九一八"事变后内蒙古东部地区沦陷，成为满洲国的一部分；1937年"七七"事变以后，内蒙古西部的大部分地区也被日军占领。内蒙古地区跨中国东北、华北、西北，又与蒙古人民共和国及苏联接壤，在国防上具有极其重要的地位。内蒙古又是蒙古民族聚居的地区，争取与团结蒙古族各阶层共同抗日，具有更加特殊的意义。所以，"七七"事变爆发后，中国共产党提出团结蒙古民族共同抗日作为内蒙古地区抗日斗争的总方针。

1937年7月10日，中共中央发出《关于蒙古工作的指示信》[①]，明确指出日本侵略者将大举向内蒙古西部地区进攻，号召绥蒙当局与蒙汉人民动员起来抵抗日军的进攻，强调"一切指导蒙古工作的地方党组织与担任蒙古工作的人员，应当把发动蒙古民族抗日运动高潮，当做今天第一重要的任务和一切工作的中心"，中国共产党在内蒙古地区的最高工作原则是"蒙汉联合抗日"。为此，提出蒙古民族不分盟旗，不分上下，团结一致，抗日援

---

① 中共中央统战部编：《民族问题文献汇编》，中共中央党校出版社1991年版，第545—547页。

绥；保卫绥远，保卫蒙古；驱逐日寇出绥蒙作为蒙古民族抗日的口号。同时，根据抗战爆发后的新形势，要求改变对德王的策略，对德王进行上层统一战线工作。要求领导蒙古地方的党组织，在缓解蒙汉矛盾、促进蒙古民族内部的团结及蒙汉团结方面，向国民党中央及地方当局进行统一战线工作，以团结蒙古各阶层人士到抗日战线上来。

8月12日，中共中央提出，"在民族自决、民族独立、共同抗日的口号之下，组织与武装全体韩民、蒙民、回民参加抗战。应该争取这些少数民族的动摇分子（如德王之类）到抗战中来。汉人的政府与军队，应该同少数民族的上下层建立良好的关系，反对大汉族主义，使他们自愿的同我们亲密的联合"①。

8月25日，中国共产党在《抗日救国十大纲领》② 中提出："动员蒙民、回民及其他少数民族在民族自决和自治的原则下，共同抗日。"

11月16日，毛泽东指示八路军骑兵团进入伊克昭盟，要求该团"以'蒙汉两民族团结一致抗日'、'保卫绥远'的口号，发起与奔走各旗王公的联席会议，做到伊克昭盟各旗上层的抗日统一战线，团结抗日"。③

1938年1月3日，中共陕甘宁特区委员会举行专门会议，讨论内蒙古工作问题，指出内蒙古工作的中心任务是发动蒙汉各民族各阶层与全国人民一道，团结一致、共同抗日；进一步提出了"蒙古平民王公团结一致抗日"，"一切服从于抗日"等口号，④ 并决定采取发动下层与联络上层相结合的方针，组成广泛的民族统一战线。

10月，毛泽东在中国共产党扩大的六届六中全会上，全面具体地阐述了团结各民族抗日的总方针和基本政策。中国共产党团结抗日的总方针是："团结中华各民族（汉、满、蒙、回、藏、苗、瑶、夷、番等）为统一的力量，共同抗日图存。"⑤

---

① 中共中央书记处编：《六大以来》（上），第855页。
② 毛泽东：《抗日救国十大纲领》，见《毛泽东选集》第2卷，人民出版社1991年版，第355页。
③ 中共中央统战部编：《民族问题文献汇编》，第576页。
④ 中共内蒙古自治区委员会统战部、内蒙古自治区档案馆编：《内蒙古统战史档案史料选编》(1)，中共内蒙古自治区委员会统战部、内蒙古自治区档案馆1987年印刷，第143页。
⑤ 中共中央统战部编：《民族问题文献汇编》，第595页。

中共中央的这些决定和指示，成为抗战初期中共在内蒙古地区开展抗日斗争和团结与发动蒙古民族共同抗日的基本方针。

1938 年春，在侵华日军集中兵力进攻徐州、武汉的形势下，中共中央决定八路军各师实行大幅度分兵，向华北敌占区挺进，建立抗日根据地，开展敌后游击战争。根据这一战略需要，同时也为了团结蒙古民族共同抗日，毛泽东从是年 3 月开始，数次电示八路军 120 师师长贺龙、政委关向应等调查大青山以北广大地区能否建立抗日根据地。5 月 14 日，毛泽东电示朱德、彭德怀和贺龙、关向应、萧克等："在平绥路以北沿大青山脉建立游击根据地甚关重要，请你们迅即考虑此事。"① 6 月 10 日，毛泽东接朱、彭等来电后，11 日即复电指出："大青山脉的重要性如来电所述，该地应派何种部队，何人指挥及如何做法，由你们依据情况处理之，唯开始建立根据地时，敌人知其重要意义，必多方破坏，故部队须选精干者，领导人政治军事皆能对付，且能机警耐苦，而有决心在该地创立根据地者。陕北骑团现控制河套蒙古广大区域，在定（边）、盐（池）以北五百里之杭锦旗一带，配合蒙民抗御敌军南下，故不能调动。"② 据此，中共中央作出了在内蒙古西部地区创建大青山抗日游击根据地的决策。

大青山位于原绥远省境内的阴山山脉中段，东西长 350 余公里，南北宽百余里。大青山地区系指大青山脉南北绥远省中东部的广大地区。该地区有平绥铁路横贯东西，成为连接华北和西北的重要纽带。因此，在抗日战争中，大青山地区对敌我双方都具有重要的战略意义。

八路军 120 师根据毛泽东的指示和中共中央的决策，随即着手组建八路军大青山支队。该支队由 120 师 358 旅 715 团和师直骑兵营 1 个连组成，由 358 旅政委李井泉任支队长兼政委，358 旅参谋长姚喆任参谋长，358 旅 715 团政委彭德大任政治部主任。

八路军大青山支队组成后，在山西省五寨县举行誓师大会，随后出发进至平鲁、左云、右玉、怀仁、大同及长城沿线，发动群众，积极准备挺进大

---

① 　中共中央统战部编：《民族问题文献汇编》，第 589 页。

② 　中共内蒙古自治区委员会党史资料征集委员会、中国人民解放军档案馆、内蒙古自治区档案馆编：《大青山抗日游击根据地资料选编》（上），内蒙古人民出版社 1986 年版，第 6 页。

青山。

与此同时，第 2 战区民族革命战争战地总动员委员会（简称战动总会），组建了战动总会晋察绥边区工作委员会（简称总动委会，主任武新宇），下辖由太原成成中学师生组成的战动总会抗日游击第 4 支队（简称 4 支队，支队长刘镛如），准备随八路军大青山支队挺进绥远敌占区，参加创建大青山抗日游击根据地的斗争。为了加强对总动委会工作的领导，中共晋西北临时区委组建了中共大青山特委，领导绥远敌占区动委会的工作，并开展地方工作，任命武新宇为书记。

1938 年 7 月 15 日，八路军总司令朱德发出了进军大青山的命令。7 月底 8 月初，八路军大青山支队、总动委会及第 4 支队约 2 300 余人开始向大青山进军。由于日伪军堵截围攻，主力部队于 9 月初才得以进入大青山腹地陶林县大滩一带。10 月初，担任掩护任务的大青山支队第 1 营也越过平绥路，与主力部队会合。至此，八路军大青山支队及总动委 4 支队完成了挺进大青山的任务。

大青山支队挺进绥远后，在极端困难的环境中，在东起集宁灰腾梁，西到包头、固阳，北起达尔罕旗、四子王旗，南到黄河、长城的广大区域展开了游击活动。9 月 3 日，夜袭陶林县城（今察右中旗政府所在地），歼灭伪军一部。9 月 9 日，攻占绥中重镇乌兰花，俘虏伪蒙军第 7 师 1 个加强连和四子王旗保安队 180 余人。9 月中旬，在归（绥）武（川）公路蜈蚣坝上伏击日伪军，击毁敌军车 4 辆，毙、伤敌 80 余人。[①]

大青山支队进入该地区后，三战三捷，声威大震，深受各族各界群众欢迎，仅 1 个多月时间内就顺利地开辟了归（绥）武（川）公路以东，平绥铁路以北，集宁至土牧尔台一线以西的绥中游击区。

而后，大青山支队又兵分两路，一路挺进绥西，一路挥师绥南。支队 3 营、2 营 5 连、4 支队 2 连及总动委会部分干部，在李井泉指挥下进入武川、萨拉齐、固阳 3 县交界处的后脑包、官地一带，开辟绥西游击区。在后脑包与前来围剿的日伪军激战一天，击退敌人数次进攻，首战告捷。不久，3 营又在王尚荣率领下，先后取得了陶思浩、石拐镇两战的胜利。陶思浩之战消

---

① 　郝维民主编：《内蒙古革命史》，内蒙古大学出版社 1997 年版，第 354 页。

灭日伪军 300 余，毙、伤 100 余。绥西三战后，形成了以巴总窑子为中心，归武公路以西，包括武川县、归绥县西部，萨拉齐县、固阳县全部，托克托县部分地区和包头以东地区的绥西游击区。开赴绥南的支队 1 营 3 连、4 支队 1 连和部分动委会人员，在邹凤山等率领下，以蛮汗山为中心，活动于平绥铁路以南，包括凉城县、清水河县、和林格尔县及归绥县、托克托县、丰镇县的部分地区。

这样，八路军大青山支队相继开辟了绥中、绥西、绥南游击区，初步建立了大青山抗日游击根据地。

四、大青山抗日游击根据地的发展

1938 年 12 月，根据中共中央的指示，大青山支队 715 团主力由王尚荣、朱辉照率领东进冀中，只留部分兵力与 4 支队、动委会工作人员，坚持大青山抗日游击战争。

根据大青山地区的地理环境和对敌斗争的需要，八路军大青山支队通过缴获、购买、群众捐助等多种方式，逐步充实了马匹和鞍具，于 1939 年夏改建为骑兵支队，李井泉任支队长，姚喆任副支队长兼参谋长，彭德大任政治部主任。支队共有 1 500 余人，战马 1 471 匹。

1939 年冬至 1940 年春，骑兵支队将所属部队整编为 3 个营。1940 年 2 月，李井泉调离，姚喆接任支队长。不久，成立骑兵支队司令部，姚喆为司令员，陈刚为副司令员，张成功为参谋长，张达志为政治部主任。1940 年冬天，大青山骑兵支队奉命将 1、2、3 营扩编为骑兵第 1、2、3 团。1941 年 12 月，游击第 4 支队也改建为骑兵，编为大青山骑兵支队独立营，黄厚任营长兼政委。

大青山骑兵支队在环境艰苦、供给困难的条件下，坚持和发展了大青山地区的游击战争。1938 年 9 月至 1940 年 1 月，共与日伪军交战 120 余次，击毙日军 1 000 余人、伪军 500 余人，俘虏伪军 500 余人，缴获枪支 500 余支，击毁敌军车 50 余辆，并多次破坏电台、桥梁、铁路等设施。[①] 1940 年，

---

① 中共内蒙古自治区委员会党史资料征集委员会、中国人民解放军档案馆、内蒙古自治区档案馆编：《大青山抗日游击根据地资料选编》（中），第 124 页。

日军对大青山游击根据地进行了十几次"扫荡"，据不完全统计，这一年骑兵支队共与敌进行大小战斗 95 次，毙、伤日伪军 794 人，俘日伪军 193 人，击毁敌军车 7 辆，缴获枪支 586 支、战马 571 匹，指战员共牺牲 180 人，负伤 184 人。[①]

同时，地方抗日武装不断发展壮大，各县区政权大部建立了游击队，并组织群众成立了游击、锄奸、侦察小组。游击队担负起锄奸、放哨、侦察、袭击日伪军，破坏敌通讯设施，掩护党政工作人员，征收抗日物资等任务。为了加强对各地游击队的统一领导，中共绥远区委于 1940 年夏将各县游击队统编为绥察独立第 2 支队，于占彪任司令员，白如冰兼政委。绥西、绥中、绥南各区游击队分别编组为第 1、2、3 大队。绥察第 2 支队协同主力作战，配合地方政权开展群众工作，保卫党政机关，成为坚持大青山游击战争的一支生力军。

1939 年 3 月，中共绥远省委正式成立。原绥蒙工委和大青山特委随即撤销。中共绥远省委受中共中央北方局领导，白如冰任书记兼蒙民部长，李井泉任军事部长，武新宇任宣传部长，白成铭任组织部长。同月，白如冰率 160 多名干部从陕北到达大青山地区。

中共绥远省委的建立，实现了对绥远地区工作的统一领导，中共组织在大青山地区得到空前的发展壮大。1939 年 3 月至 11 月，中共绥远省委领导河套特委、绥中特委、归（绥）陶（林）工委、绥东工委。

1939 年 12 月，中共绥远省委改称中共绥远区委，书记白如冰，辖绥西地委（原绥中特委）、绥中地委（原归陶工委）、绥东工委和归绥工委、土默特旗蒙古工委。

1940 年 7 月，为使绥远敌占区与晋北连接起来，根据中共中央决定，绥远敌占区与雁北地区合组为中共晋绥边区委员会，白如冰任书记，刘俊秀任组织部长，王聚德任社会部长兼宣传部长，于占彪任武装部长。中共晋绥边区委员会受晋西北军政委员会领导，下辖绥西、绥中和雁北地委。

战动总会晋察绥边区工作委员会同八路军一起挺进绥远敌占区后，积极着手动委会的组织建设工作。动委会的主要任务是代行地方政权职能，动

① 郝维民主编：《内蒙古革命史》，内蒙古大学出版社 1997 年版，第 370 页。

员、组织与武装群众参加抗战，筹集物资支援抗战，为发动群众性的游击战
争、建立抗日政权奠定基础。

1938 年 9 月 21 日，大青山地区第一个区级动委会——武川县三区动委
会在绥中大滩成立。此后，绥西动委会、绥中归武陶县动委会、绥南归凉县
动委会和绥东动委会相继成立。

动委会干部深入各阶层群众，宣传抗日救亡思想，按照合理负担原则，
征集物资、解决军需。由于贯彻了正确的抗日民族统一战线政策，不少开明
士绅、地主、富户，纷纷主动捐献粮食、皮衣和马匹。1939 年 1 月至 4 月，
动委会以春耕生产为号召，普遍组织建立了农民救国会、青年救国会等民众
抗日团体。到 1939 年年底，绥远敌占区已有农救会员 4 000 多人。此外还
在城镇和平川组织了工人救国会、妇女救国会、儿童救国会、蒙民救国
会等。

1939 年 9 月，总动委会改称八路军绥蒙总动委会，王廷弼、武达平先
后任主任。其主要任务是动员、组织、武装民众，以政府名义实行行政领导
并开始政权建设工作，向抗日民主政权过渡。

1939 年 12 月，根据中共中央关于逐步将动委会过渡到抗日民主政权的
指示精神，绥西武（川）归（绥）县、萨（拉齐）固（阳）县、萨（拉
齐）托（克托）县县政府先后成立。1940 年，绥中归武县、陶林县，绥南
归（绥）凉（城）县县政府也相继建立。接着，又成立了绥西、绥中和绥
东专员公署。

在此基础上，1940 年 8 月，绥远敌占区各族各界各党派抗日力量代表
会议在绥西武归县小西梁村召开。这次会议也称"绥察人民代表会议"，会
上成立了晋绥第 2 游击区行政公署驻绥察办事处（简称绥察行政办事处），
姚喆任主任，杨植霖为副主任。会议批准成立绥西、绥中、绥南 3 个专员公
署和萨拉齐、固阳、武归、陶林、归武、托和清、归凉、丰集、丰凉等 9 个
抗日游击民主县政府，正式取消动委会。

绥察行政办事处一方面按照合理负担原则，征收抗日救国公粮、税款和
各种军需物资，以保证主力部队、地方武装的供给和党政机关的经费开支；
一方面积极采取措施，发展生产，减轻人民负担，颁布有关发展农业、手工
业和商业贸易的公告和条例，开办铁匠铺、毡房、熟皮房等小作坊，保证部

队所需物资的生产。此外，根据地军民还把上好的皮衣和数量可观的款项送到晋西北和陕甘宁边区，支援后方的物资供应。

随着游击战争形势的发展，绥察行政办事处于 1941 年 4 月 15 日正式改建为绥察行政公署，杨植霖任主任，苏谦益任副主任。行署下辖 4 个专员公署，其中绥西专署辖武归县、武固县和萨拉齐县，专员李维中；绥中专署辖归凉县、丰凉县、和林县、托和清县，专员杨国兴；绥东游击区专署，专员杨叶澎。在绥察行署的 4 个专员公署之下，又成立了一批县、区基层抗日政权。这些抗日民主政府均为高度游击性质，机构人员变动频繁，在相对稳定的县内设置区政府。

在形成比较完整的政权体系以后，绥察行署于 1941 年 10 月 1 日公布了《绥察行政公署施政纲领》[①]，明确提出了绥察抗日政权的性质和任务，制定了施政方针和一系列政策。

《绥察行政公署施政纲领》的主要内容为：

"一、亲密团结绥察境内抗日的各党各派各民族各社会阶层，消除民族隔阂，集中一切人力、物力、财力、智力，为保卫绥察、保卫西北、保卫中国、驱逐日寇、建立新民主主义共和国而战。

"二、摧毁敌伪政权，建立抗日民主政权，没收日寇汉奸财产充做抗日经费，坚决反对投降妥协分裂倒退等行为。

"三、保证绥察境内各民族一律平等，并与汉族有同等参加政府之权。

"1. 在民族杂居地区，抗日政府可设立蒙、回、满民族行政部，专门处理民族自身问题。

"2. 在纯一民族居住地区，帮助建立抗日政权，该政权之政治、经济、军事、文化诸设施，不随意加以干预。

"3. 不推翻王公制度，而是扶助王公抗日。凡蒙人地区不经蒙人同意不得垦放土地，亦不设县区乡等行政组织。蒙人负担保证用于蒙人事业，（如蒙古建设、成立武装等）。回、满民族负担亦同。

"四、普遍发展绥察抗日子弟兵，扩大地方武装，开展群众游击战争。

① 中共内蒙古自治区委员会党史资料征集委员会、中国人民解放军档案馆、内蒙古自治区档案馆编印：《大青山抗日游击根据地资料选编》（上），第 265—268 页。

"1. 建立蒙、回、满民族抗日武装，保证其给养、人员之经常补充。

"2. 凡绥察境内之抗日武装均一律待遇。

"3. 大量争取伪军反正，改造土匪部队，争取联庄会、保甲团、自卫团。对于无法争取与改造之土匪，在广大群众之要求与支持之下，加以消灭，以靖地方。

"五、瓦解敌伪军，优待俘虏。凡反正之伪军，不编散，不缴械，坚决抗战帮助其壮大，愿回家者给以路费。在战斗中俘获之伪军，不论情况如何或被俘次数多寡，绝不加以杀害或强迫其自首悔过，一律释放。对伪军家属得依社会救济法救济之。

"六、实行合理负担，征收无附加的单一税，严格执行预决算制度。努力进行各种经济建设，经常和日寇作经济斗争，以自力更生达到自给自足为目的。

"1. 维护法币，破坏伪币，制定绥察本位币，禁止原料出境，防止入超。

"2. 奖励工业生产，欢迎投资兴办建设事业，尤欢迎毛织皮革从事者。

"3. 提倡正当自由贸易，反对居奇垄断，保护小商人，对小商人不课税。

"4. 鼓励农业生产，调剂种子农具，兴办水利，救济灾荒，人民无偿可向政府领取公有荒地从事耕种，三年内免去一切负担。

"5. 发展人民合作社，杜绝日货。反对日寇毒化政策，定期禁烟，打击土药贩卖。抵制日寇统制皮毛牲畜。阻止日寇开发资源，开采石棉、云母、煤炭等矿产。

"七、实行减租减息，整理劳资关系。

"1. 地租，一般实行二五减租，再不得超过四六或五五分。取缔高利贷，利息不得超过一分五厘，负债无力偿还，债主不得强索；付利为原本一倍以上者，本利停付，以完债案。

"2. 实行十小时工作制，采取半价工资制。雇主不得违约解雇，地主不得经佃户将土地转租他人，改善牧工生活，禁用童工女工青工从事妨害身体之劳动，女工生产前后例假五星期，工资照发。改良劳动条件及待遇，提高劳动热忱与积极性。

"八、争取各种宗教、会门、帮派进行抗战工作，执行团结教育政策，对妨害抗日的暗藏的秘密会门、宗教、帮派加以取缔。

"九、确实优待抗属，抚恤抗日烈士遗孤及伤痛残废，救济灾、难民，给游民分子予以教育机会及职业介绍，纠正鄙视游民分子的习惯。

"十、保证一切抗日人民之人权、政权、财权及言论、出版、结社、集会、信教、居住、迁移之自由权。改进司法制度，非经司法机关或法定手续不得任意捕讯或处罚人民，严禁私刑，重证据不重口供。严厉镇压汉奸、汪派、托匪及一切危害民族国家利益背叛祖国之分子的活动。对忠于日寇之汉奸的土地财产，经专署以上之机关批准依法没收之。至于汉奸家属之土地财产不得没收。对逃往敌区之汉奸嫌疑犯，其土地财产由政府暂管，低价租与农民抗属或灾难民，待其从（重）归后，发还之。除罪不容赦之汉奸外，一律采取大政策，予以政治上、生活上之种种出路。

"十一、提倡牧畜事业，推广卫生行政。设立畜产事务机关。各盟旗设立兽医所，专事畜种改良、畜病治疗、繁殖牲畜，增加蒙人畜产收入。建立农村公疗所，优待医务人员，减少疾病，强健国民体格，提倡清洁运动。

"十二、保障妇女在政治上、经济上、社会上、法律上及家庭地位之平等。妇女依法有继承权，禁止买卖婚姻，坚持自愿的一夫一妻制，反对童养媳及指腹为婚，禁止早婚，建立男女正确关系，严禁淫乱恶风，禁止妇女缠足、溺女、弃婴。

"十三、提高国民文化水平与民族自尊心，反对奴化教育与复古思想。健全各种学制，实施普遍的免费的义务教育。优待小学教师及一切文化人才。努力发展农村教育，开展识字运动与社会教育，奖励成绩优良之教育人员。设立各民族之学校，采取各民族的语言文字，讲授各民族需要之课程，设备、生活务求适合各民族之风俗习惯。

"十四、严行廉洁政治，严惩贪污浪费分子，裁判假公济私、借端勒索之公务人员、非法之公务人员，任何人均可控诉其罪状。

"十五、凡尊重中国主权与政府法令之外籍人士，前来绥察游历或传教，政府一概加以保护。"

这是根据上述中共中央对绥蒙工作以及蒙古民族工作的方针、政策的精神，结合绥察地区的历史与现状，在总结前3年大青山抗日斗争的基础上制定的施政纲领，为坚持大青山抗日游击战争，为巩固和发展游击根据地，为调动一切力量抗日，进一步明确了方向，使大青山抗日斗争有力地推进了一步。

根据地中共党组织派出大批共产党员，深入归绥、察素齐、陶林、武川、丰镇、集宁、萨拉齐等城镇、乡村和铁路沿线，开展地下抗日活动。其中刘洪雄、郝登鸿、宁德青等进入归绥，成立了中共归绥工委，组织"绥蒙各界抗日救国会"，会员发展到 200 余人。[①] 1940 年 7 月，归绥工委和"绥蒙各界抗日救国会"遭敌破坏，刘洪雄、贾恭等 100 余人牺牲。

1940 年 4 月，中共中央社会部派王聚德前来组建中央社会部绥远站，开展对日伪的情报工作，开辟了途经大青山地区的国际交通线。大青山骑兵支队一个连担负掩护任务，1941 年至 1942 年，多次往返于乌兰巴托、大青山、延安，传递文件，输送物资，护送领导干部。

在大青山抗日游击根据地，对国民党的统一战线工作始终遵循有理、有利、有节的原则展开。大青山支队以抗日大业为重，掩护傅作义派往敌后的督察专员和"游击县长"，协助傅部建立了国民党陶林县办事处和武川县办事处；在 1939 年 4 月的反"扫荡"中，与傅部骑 2 军联合行动，并掩护傅部突围；支队领导与国民党组织的民众抗日自卫军负责人频繁往来，宣传中国共产党的抗日民族统一战线政策，耐心说服自卫军整顿军纪以改善同民众的关系，克服困难支援自卫军弹药、军需物资。同时，对国民党顽固派的"反共摩擦"活动，给予了必要的还击。

在开展对伪蒙古军的统一战线工作方面，绥蒙行署先后发布了《关于动员伪军反正抗日的布告》、《告伪军暨伪政权同胞书》，[②] 劝导伪军和伪政权人员弃暗投明、反正爱国。八路军大青山支队在游击战争中，曾经与伪蒙军各师所属部队取得联系，订立了秘密协定，对方经常为八路军提供情报及军需用品。在绥西，大青山支队和中共党组织积极开展了对伪防共第 2 师的

---

① 呼市公安局征史办：《归绥工委指导下的"绥蒙各界抗日救国会"斗争史略》，见政协呼和浩特市委员会编：《呼和浩特史料》第 2 集，政协呼和浩特市委员会 1983 年印刷，第 111 页。

② 中共内蒙古自治区委员会党史资料征集委员会、中国人民解放军档案馆、内蒙古自治区档案馆编：《大青山抗日游击根据地资料选编》（上），第 281 页。

统战工作，促使该师师长韩伍完全接受了中国共产党和八路军的抗日主张，多次为大青山抗日游击根据地购置军需物资、武器弹药。还通过毕力格巴图尔等中共地下党员，在伪蒙古军第 9 师和第 7 师等部队进行了卓有成效的工作，使这些部队的官兵在日本投降时及时地举行了起义。

为了加强对蒙古民族工作的领导，中共绥远省委设立了蒙民部，绥西地委、绥中地委和各县委亦设立了蒙民部，同时成立了中共土默特旗蒙古工委。绥察行政办事处及绥察行署下设立了蒙政处，作为抗日民主政府的一个部门，专门处理蒙古民族事务。专署和县政府中也分别设立了蒙民部或蒙民科。许多蒙古族先进分子踊跃加入抗日阵营，在各级蒙古民族工作部门担任领导职务。

中国共产党在争取、团结蒙古民族共同抗日的过程中，把培养蒙古民族干部和各方面人才，作为抗战时期内蒙古地区的一项战略工作。随着大青山抗日游击根据地的建立，中共中央和西北工委多次指示从绥蒙地区选送蒙古族青年到延安学习。自 1939 年到 1942 年，大青山地区中共党组织又先后动员、组织了 9 批蒙古族青年赴延安学习，加上部分汉族青年，共有 100 余人。

1939 年秋，中共土默特旗蒙古工委组建了蒙古抗日游击队，李森、高凤英先后任队长。这是大青山抗日游击根据地第一支蒙古族抗日武装。在绥蒙地区中共党组织的帮助下，这支蒙古族抗日武装在游击战争和争取伪蒙古军的工作中作出了贡献。1941 年，蒙古抗日游击队承担了为主力部队筹集军需给养和保卫绥察区党委机关以及绥西地委、专署的任务。10 月 28 日，蒙古抗日游击队在万家沟小火烧营地被敌包围，战斗中绥察区党委社会部长兼绥西地委书记王聚德、蒙古抗日游击队长高凤英等 12 人牺牲。

五、坚持大青山抗日游击根据地

1941 年，全国抗日战争进入困难时期。这一年，日军加紧了对各抗日根据地的扫荡、蚕食。日伪军对华北根据地一翼的大青山抗日游击根据地，实行了军事"扫荡"、经济封锁、治安强化等措施，并在农村实行了残酷的"三光"政策。

为适应新的形势需要，1941 年 3 月中共晋绥边区委员会改组为中共绥察边区委员会，书记白如冰，组织部长白成铭，社会部长兼宣传部长王聚德，武装部长于占彪，秘书长王建功。雁北地区划归晋西北党委领导，绥察边区委员会下辖绥西、绥中、绥南3个地委。

8月9日，中共中央书记处发出《对大青山工作的指示》[1]，指出大青山游击根据地战略意义重大，必须长期坚持，应根据大青山地区的实际，保持大青山为游击区，继续做好地方工作、伪军工作及统战工作。绥察边区委员会根据中共中央的指示，将骑兵支队化整为零，以连为单位开展游击活动。这一年骑兵支队与敌交战108次，共毙伤日伪军394人，击毁汽车6辆，炸毁火车1列，缴获枪240余支、战马383匹。骑兵支队牺牲96人，负伤138人。[2] 同年，还组建了以王瑜山为团长的骑兵支队司令部绥东工作团，开辟绥东游击区。绥东工作团经过一年的艰苦努力，在西起陶林、集宁，东到兴和、商都，南到丰镇，北抵土木尔台的广大区域内分别建立起3支游击队，队员达200余人。在游击队的武装掩护下，建立了3个区政府。

1942年，绥远敌战区对敌斗争形势更加严峻。2月5日，中共晋西区委员会作出了《关于绥远工作的指示》，提出了在困难时期继续坚持游击战争的方针、政策，指出："今天绥远工作的总方针不在于建立巩固的根据地，不在于组织数量庞大的党与骑兵，而在于坚持游击战争，坚决执行隐蔽政策，积蓄力量，以备将来。"[3] 7月25日，日伪军出动优势兵力，分5路向大青山绥中游击区推进，试图一举围歼大青山抗日游击根据地党政领导机关和骑兵2团。

面对强敌，为了保存实力，八路军大青山骑兵支队主力和大青山地区党政军领导机关迁回突围到绥南、右玉一带。大青山抗日游击根据地党政军领导机关及骑兵支队第1、2团，根据晋绥军区指示相继转移到晋西北偏关、雁北。绥西党政军领导机关和骑兵第3团在十分困难的条件下继续坚持斗争。日伪军数次大规模的"扫荡"，使大青山游击根据地的人力、物力、财

---

[1] 中共中央统战部编：《民族问题文献汇编》，第687页。

[2] 郝维民主编：《内蒙古革命史》，内蒙古大学出版社1997年版，第371页。

[3] 中共内蒙古自治区委员会党史资料征集委员会、中国人民解放军档案馆、内蒙古自治区档案馆编：《大青山抗日游击根据地资料选编》（上），第25页。

力受到严重损失，根据地面积大大缩小。

鉴于大青山抗日游击根据地党政军领导机关均被迫转移到晋西北的具体情况，为了更好地以雁北为依托，继续领导绥远敌占区的工作，中共中央和晋绥分局对绥远地区党政军组织机构进行了调整。1942年10月下旬，中共绥察边区委员会和雁北地委合并，成立了中共塞北区工作委员会，高克林任书记，胡全任副书记，白成铭任组织部长，苏谦益任宣传部长，曹振之任城工部长。塞北区工委下辖绥西地委、绥南地委、雁北地委，工委机关驻偏关。同时撤销大青山骑兵支队建制，成立塞北军分区，姚喆任司令员，高克林兼政委。绥察行政公署亦改称塞北行政公署，杨植霖任主任，行署机关亦设在偏关。

在大青山抗日游击根据地领导机关和主力部队转移的情况下，留驻绥西的塞北军分区骑兵第3团、教导大队、军分区直属骑兵两个连以及绥西地委、专署和各县区游击队担负起了坚持游击根据地的重任。到1942年，绥中共有9支游击队，计218人；绥南游击队发展到360多人；在绥西也有几支小游击队。

1943年春，中共塞北工委决定采取一系列措施，恢复大青山抗日游击根据地，陆续派遣骑兵部队、武工队和工作组进入大青山地区，展开多种形式的对敌斗争。

塞北军分区骑兵1团从山西右玉挺进绥南蛮汗山，骑兵2团自偏关进入绥南，并逐步向绥中发展。在困难环境中坚持绥西斗争的骑兵3团，其游击活动范围也逐步扩大。

到1944年8月，大青山抗日游击根据地基本恢复到了1942年敌人大"扫荡"之前的局面，同时还开拓了和林、清水河等新的游击区。绥中、绥西和绥南3块游击区的联系重新打通并得到了发展。

1945年2月，八路军晋绥军区部队发动春季攻势，大青山和雁北地区转入了局部反攻阶段。在为期70天的春季攻势中，塞北军分区在绥西、绥中和平绥路以南连续攻占多处日伪军据点，迫使整个大青山地区日伪军兵力集中到铁路沿线的重点城镇。

6月中旬，晋绥军区部队又发动夏季攻势，塞北军分区部队在平绥路南北两线向敌人展开进攻和围击，在绥中、绥西、绥南相继收复一批据点。7

月，敌人被迫从绥中、绥西撤除 21 个据点，归绥城里只有日军 300 人，主要依靠 1 000 余伪蒙军支撑局面。

由于共产党、八路军长期坚持大青山抗日游击战争，所以在反攻阶段到来时，绥蒙大青山地区就成为战略反攻和配合苏蒙联军作战的重要阵地。2 月，中共中央将中共塞北区工委改组为中共绥蒙区委员会，任命高克林为书记。中共绥蒙区委员会下辖绥中地委、绥西地委、绥南地委。7 月，绥蒙政府成立，乌兰夫任主席，杨植霖任副主席。同时塞北军分区改称为绥蒙军区，姚喆任司令员，高克林兼政委，张达志任副司令员兼副政委。绥蒙军区所属部队有骑兵旅、骑兵 1 团、2 团、3 团、步兵 9 团、27 团、偏清支队、骑兵大队、步兵 2 营、教导第 3 队以及一些武工队、游击队等。此外，还加强和充实了绥中、绥西、绥南党政军领导机构。绥蒙军区所属部队已对平绥铁路西段日伪军形成了包围的局面，整个大青山地区已经处在对日全面反攻作战的前夜。

六、东北抗日联军和八路军在内蒙古东部地区的抗日斗争

1939 年日本关东军在诺门罕战争中遭到失败后，加紧了对东北抗日联军的"讨伐"。中共北满省委根据当时的形势，决定开辟新的游击区，准备把大兴安岭林区作为抗日联军的大后方。12 月，北满抗日联军第 3 路军总指挥部根据北满省委的决定，组成西北远征军指挥部，任命原第 6 军参谋长冯治刚为指挥，王钧为政治部主任，率军直教导队和骑兵 12 团，首次进入大兴安岭。

冯治刚等率领 100 多名抗联战士，越过冰封的嫩江，进入兴安东省莫力达瓦旗境内。抗联队伍到达该旗北部小库木儿屯时，当地达斡尔族老人代表全屯百姓表示热烈欢迎。孟哈苏让他的儿子与冯治刚等成为结拜兄弟。此后，冯治刚部在该旗太平庄曾与一支伪警察队相遇。这些警察都是达斡尔族，为尽量争取这些少数民族，冯治刚让抗联战士喊话。但是喊话的战士被警察开枪打死。于是，抗联部队包围了警察队，将其大部俘虏，经说服教育后全部释放。

1940 年 2 月 3 日傍晚，冯治刚部在阿荣旗三岔河边的五马架屯遭到日军的包围，双方发生激战。天黑后，抗联部队摆脱了敌人的追剿。第二天，

冯部又在附近的任家窝棚与日军遭遇。战斗中冯治刚等 5 人牺牲，王钧率部突出敌人的重围。

冯治刚牺牲后，这支部队在王钧的带领下还曾袭击日军山林守备队，在乌奴尔林场营救了 200 名伐木工人，并缴获一批物资。3 月底，这支抗联西北远征军返回嫩江以东，与军部会合。

1940 年 9 月，中共北满省委决定开辟大兴安岭及呼伦贝尔草原游击区，并尽量从呼伦贝尔打开南下的道路，与热河南部的八路军取得联系。为此，抗联第 3 路军总指挥部派遣第 3 支队进入大兴安岭及呼伦贝尔地区。

第 3 支队由第 6 军第 3 师师长王明贵任支队长，原北满省委委员、下江特委书记高禹民任政委，王钧任参谋长。3 支队进入阿荣旗境内后，首先在宝泉镇解除伪警察署的武装。日军从齐齐哈尔派部队前来"讨伐"。11 月 30 日，3 支队在阿荣旗鸡冠山与日军遭遇。战斗中支队政委高禹民等 8 人为掩护部队突围而牺牲，5 人被俘。3 支队第 7、8 大队分散突围到郭家窑一带集结。12 月，3 支队在阿荣旗的金山屯、西靠山屯等地与日军"讨伐队"发生战斗。该支队边战边向西推进，越过布特哈旗、绰尔河，到达兴安北省索伦旗（今鄂温克族自治旗）境内伊敏河上游的毕鲁图，试图穿越草原到热河与八路军会合。但是呼伦贝尔与热河不仅路途遥远，而且有大批日伪军围追堵截，随时有全军覆没的危险。所以第 3 支队立即掉头向东，穿越大兴安岭返回嫩江以东。

1941 年 6 月，苏德战争爆发后，日本关东军立即举行大规模的"特别大演习"，在与苏联接壤的边境地区部署了数十万大军，准备策应德国法西斯，进攻苏联远东地区。抗联第 3 军指挥部命令第 3 支队再次进入兴安东省、兴安北省大兴安岭山区，扰乱敌人后方，起牵制敌人的作用。

1941 年 7 月，王明贵率第 3 支队又一次进入莫力达瓦旗及阿荣旗北部格尼河流域活动，袭击格尼努图克伪警察所。10 月，3 支队由达斡尔族猎民孟德仁带路，袭击伊列克得附近的"满铁"林业所，缴获大批物资和马匹。之后，3 支队进入大兴安岭腹地小二沟、阿里河鄂伦春族聚居区，并在原始森林中遇到以盖山为首的鄂伦春部落。3 支队很快赢得了部落头人盖山的信任，王明贵等还与盖山结为兄弟。此后，这个部落的鄂伦春人真心诚意地帮助抗联，部分鄂伦春青年猎民还参加了 3 支队。盖山的女儿占竹梅经常给 3

支队传递情报、护理伤员、送衣送药，与 3 支队指战员结下了深厚的友谊。
3 支队在鄂伦春猎民的协助下，袭击了日本人经营的"义合公司"，还在扎
顿河林场工人的带领下，偷袭日军山林守备队，将山林警察队（伪军）全
部缴械，并动员 100 多名伐木工人参加了抗联队伍。1941 年年底，3 支队离
开扎顿河流域向呼玛河一带转移，在库楚河西山与日军遭遇，受到很大损
失。1942 年初，3 支队因供给困难，被迫退入苏联境内休整。

　　1941 年 9 月，中共北满省委和第 3 路军总指挥部派第 9 支队进入阿荣
旗、莫力达瓦旗一带，准备与 3 支队会合。9 支队的 1 个分队在政委郭铁
坚、参谋长曹玉奎等带领下，到莫力达瓦旗北部的郭尼屯时被大批日军包
围。经 1 天的战斗，郭铁坚、曹玉奎等大部分指战员牺牲，仅指导员孙志远
带领 10 余人突围到阿荣旗。这部分抗联战士一直在阿荣旗山区打游击，直
到 1943 年 6 月才退到苏联境内，与李兆麟带领的抗联部队会合。

　　1940 年 8 月，中共冀东地委和八路军冀东军分区负责人李运昌派周治
国等领导的工作组到热河南部迁安、青平一带组织游击队。9 月，周治国派
李青山等组成路（锦州至右北口）北工作组，到宁城霍力川活动。10 月，
在宁城县霍力川一带组成了一支小游击队，由裴文任队长。这支游击队在当
时的承［德］平（泉）宁（城）地区开展游击活动，并得到发展壮大。

　　1942 年 5 月，冀东根据地组织了路北武工队，进入承平宁地区并建立
了 4 个区级抗日政权。11 月，八路军冀东军分区根据中共晋察冀中央局的
指示，派主力第 11 团、第 12 团的 700 余人越过长城，进入热河南部地区。
第 11 团参谋长高桥（苏然）率 200 余人攻占了宁城八里罕警察署、大营子
警察分驻所。路北武工队也配合主力部队作战，打下了新开坝警察分驻所。
伪满第 5 军管区（驻承德）立即调集 7 个伪国兵团和警察"讨伐队"、日本
守备队等共 8 000 多兵力，向宁城一带"扫荡"。为了避敌锋芒，配合冀东
地区开展的"反蚕食"斗争，进入热河南部的主力部队于 1943 年 2 月撤回
冀东，高桥率领第 11 团 2 连，第 12 团 3 营教导员阎汉臣率该团 1 连留在当
地坚持斗争，牵制敌人。

　　1943 年 5 月，中共冀东地委决定正式建立承平宁联合县，分别设立中
共承平宁联合县工作委员会和承平宁联合县办事处，任命黄云（杨雨民）
为工委书记、周治国为办事处主任。为巩固和扩大承平宁抗日游击区，配合

联合县的工作，冀东军分区于6月组建了冀东军分区第3区队（团级建制），开赴承平宁地区。第3区队由高桥任队长，黄云任政委，下辖两个连、1个侦察通讯排以及队部、电台队等，共计500多人，成为这一地区抗日武装的骨干。

承平宁联合县党政军组织机构建立起来后，先后建立起8个区级抗日政权和相当数量的抗日"两面政权"，并积极联络各族各阶层人士参加抗日民族统一战线，抵制日伪政权在热河省南部推行的"集家并村"措施。

1943年8月，第3区队和地方游击队击毙喀喇沁中旗协和会事务长仁科信夫和宪兵队长夏谷，① 袭击了宁城县头道营子和三座店日伪据点。9月，消灭了驻宁城驿马吐川谢杖子据点的山本守备队。随后又在下坡子战斗中俘虏伪警察多名，拔掉了驿马吐川敌据点。1944年年初，为了解决由于日伪实行经济封锁所造成的供给困难，承平宁联合县工委和第3区队攻打宁城县小城子。2月6日夜，第3区队、游击队和群众发动突然袭击，经过1个多小时的战斗，攻占了小城子，俘伪警察多名，并缴获大量布匹、现钞及军用物资。部队和群众连夜将物资转移并撤出了小城子。

袭击小城子战斗以后，日伪调集7个"讨伐队"，对承平宁地区进行反复"扫荡"，经济封锁更加严酷，使得这一地区的抗日斗争进入了极为艰苦的时期。面对严峻的局面，承平宁联合县工委和第3区队决定将部队化整为零，分散活动，坚持游击战。3月下旬，承平宁地区的伪军兵力倍增，第3区队在敌人包围中连续作战，减员严重。因此，第3区队主力撤回关内，由高桥带领一个排留原地坚持，另一部分在围场、赤峰一带活动，以达到牵制敌人的目的。

1944年3月29日，高桥带领的20多名战士在宁城八素台双庙村附近的老西沟被200多名日军"讨伐队"包围，高桥及17名战士在突围时牺牲。4月25日，赵洪武带领的一支小游击队在宁城大双庙龙潭沟与日伪军激战，18人被俘并遭杀害。

由于承平宁联合县党政机构及游击队在反"扫荡"中遭受很大损失，中共冀热边区特委决定撤销承平宁联合县，保留下来的部队和地方干部陆续

---

① 高岳宇：《赤峰地区抗日斗争简述》，载《内蒙古党史通讯》1990年第2期。

撤到关内。

1945 年 2 月 5 日，中共冀热辽边区委员会、冀热辽军区和行政公署按照中共中央关于扩大解放区的战略方针，为重新开展热河地区的抗日斗争，创建进军东北的前进阵地，派 3 支北进支队挺进热河，逐步恢复了热河南部的抗日游击根据地。5 月，成立了宁（城）赤（峰）联合县，由夏洪林任中共宁赤联合县工委书记，张立文任办事处主任。6 月，郝福鸿率领的中路北进支队也进入宁城县八素台、王爷府等地，开展游击活动，直到日本投降。

八路军在热河的抗日斗争，不仅给日本侵略者以有力打击，鼓舞了沦陷区人民对抗战的信心，而且也为日本投降之后八路军、新四军大部队迅速经热河进入东北，建立巩固的东北根据地创造了有利的条件。

第四节　内蒙古地区抗日战争的胜利

一、抗战胜利前中日双方在内蒙古的兵力部署及其措施

自 1940 年的五原战役以后，蒙疆地区的日伪军与河套的国民党军队沿乌梁素海、西山咀一线形成对峙局面，双方都没有举行大规模军事行动进攻对方的统治区。在蒙疆地区的日军兵力部署大体上保持第 26 师团、独立第 2 混成旅团及骑兵集团等 3 支部队分散驻防蒙疆各要地的态势。伪蒙古军则分别驻守锡林郭勒、乌兰察布、巴彦塔拉、察哈尔盟及包头、厚和、集宁等城镇。伪绥西防共自治联军王英部则驻守于西山咀以东乌拉山到黄河沿岸地区，其防区成为日军与河套的国民党军队之间的缓冲地带。1940 年春投降日本方面的热河先遣军白凤翔部被编为"东亚同盟军"，驻守于固阳及附近地区。

1944 年以后，日军由于在太平洋战场及中国战场连遭失败，兵员枯竭，驻蒙军兵力部署也有很大调整。6 月，日军为进行"湘桂作战"，将驻包头及附近地区的坦克第 3 师团调到河南，派 26 师团步兵独立第 11 联队担任该地区警备任务。7 月，驻蒙军主力第 26 师团被调往菲律宾。8 月，为了补充驻蒙军兵力，由独立步兵第 9 旅团为基干编成第 118 师团，下辖独立步兵

第 89 旅团和步兵第 90 旅团，担任大同、集宁等地防务，师团司令部设在大同。同时，调华北方面军直辖第 12 野战补充队接防厚和、包头及附近地区。

1945 年 1 月 22 日，日本大本营根据太平洋战场及中国战场形势的新变化，要求中国派遣军以长江下游重要地区为重点，加强东、西两面的作战准备。29 日，华北方面军召开各军司令官会议，传达大本营的命令，具体部署了各地作战任务，要求"大体上要确保现占领区域……在蒙疆方面，尽可能做好对苏作战准备"。①

4 月，日军为加强上海周围的守备以防备美军在中国东南沿海登陆，调驻蒙军第 118 师团到上海；3 月，又把 2 月间由第 12 野战补充队改编的第 92 旅团调往河南。为了接替上述调出部队的防卫任务，3 月在大同组成第 4 独立警备队，下辖 6 个大队，担任大同、集宁、厚和、包头及其附近地区的防务。6 月，华北方面军根据日本中国派遣军制定的新作战方针，决定缩小作战范围，固守要点，以进行机动灵活、长期的防御作战。驻蒙军根据这一计划，主动放弃一些据点，集中力量确保张家口、大同及平绥铁路沿线主要城镇。同时，还计划同傅作义进行妥协，通过让出绥远省来缩小警备区域，以便抽出兵力准备对苏作战。②

与此同时，驻守"满洲国"境内的关东军和驻守蒙疆地区的驻蒙军也加紧军事部署，收缩战线，以确保重点地区的防守，准备做最后的顽抗。

在伪满兴安总省北部地区，有关东军第 119 师团、第 80 混成旅团和伪满第 10 军管区所属部队，分别驻守在海拉尔、博克图等地；在兴安总省南部地区，有关东军第 107 师团以及第 9 军管区所属部队、满洲第 2 游击队分别驻守于五叉沟、王爷庙、通辽、开鲁等地。7 月初，日本大本营为了加强对苏作战兵力，又从华北等地抽调兵力到通辽、开鲁和白城、洮南等地，同时在郑家屯设立第 44 军司令部，统辖上述地区的日军，从而加强了在内蒙古东部地区的防守力量。

1945 年 6 月，兴安（即王爷庙）特务机关在与驻守五叉沟的第 107 师

---

① 〔日〕防卫厅防卫研修所战史室：《华北治安战》（2），朝云新闻社 1968 年版，第 533 页。
② 〔日〕防卫厅防卫研修所战史室：《华北治安战》（2），第 552 页。

团取得联系的基础上，召集各旗日本参事官和各县副县长（均为日本人），制订了对苏作战的具体计划。

随着欧洲战场上德国法西斯被打败，在中国及太平洋战场上日本法西斯的失败已成定局。在这种情况下，国民党政府在全国范围内进行了一系列军事部署，以适应全面反攻阶段的到来。在内蒙古西部地区，国民党政府为了能够迅速占领包头、归绥、张家口等战略重镇和平绥铁路沿线地区，于6月间成立了辖绥远、察哈尔两省的第12战区，晋升原第8战区副司令长官、绥远省主席傅作义为12战区司令长官。同时，根据军事委员会拟定的《挺进华北准备计划大纲》，① 将傅作义部第35军编为绥西方面总预备队，配备充足的武器弹药和通信、运输装备，准备沿平绥铁路向大同、张家口方面挺进。

二、内蒙古地区抗日战争的最后胜利

1945年8月6日和9日，美国在日本的广岛、长崎投下两颗原子弹。8月8日和10日，苏联和蒙古人民共和国向日本宣战。10日，日本政府向美、英、苏、中四国发出照会，表示接受《波茨坦公告》，请求投降。从8月9日开始，苏蒙联军分几路进入内蒙古东西部地区，向日本关东军和驻蒙军发动强大攻势。苏蒙联军分别沿满洲里、海拉尔、扎兰屯一线；阿尔山、五叉沟、王爷庙、通辽一线；乌珠穆沁、林西、赤峰、承德一线；西苏尼特、商都、张家口一线迅速推进，很快消灭了顽抗的日军。处在日军严密控制下的伪满兴安军及伪蒙疆政权的蒙古军官兵，纷纷掉转枪口，杀死日本军官，或发动起义，或向苏蒙联军投诚。

内蒙古东部的满洲里、海拉尔等地，从8月9日开始遭到苏军的炮击和空袭。在满洲里的"满洲国"国境警察队等被苏军消灭。在海拉尔的日军盐泽师团则利用永久性防御工事，与苏军展开激战，至17日全部被歼。在兴安北省各市、旗的日本行政官员和"满蒙开拓团"成员及其家属等或乘火车，或徒步穿越兴安岭，分别向扎兰屯、齐齐哈尔方向撤退。在新巴尔虎

---

① 中国人民解放军历史资料丛书编审委员会编：《八路军·参考资料》（1），解放军出版社1995年版，第561页。

右旗、新巴尔虎左旗、额尔古纳右旗的日本人或被苏军俘虏，或集体自杀。①

8月11日，驻伪满兴安北省的第10军管区司令郭文林及参谋长正珠尔扎布等人奉日军命令，率所属第47团、48团、宪兵团及炮兵营等，"共计两千多人马"②从南屯向兴安岭（车站名）撤退。部队抵达锡尼河（今鄂温克族自治旗境内）后，在郭、正的示意下，由玛克思尔连长、伊喜诺尔布连长、阿拉木斯连长等为首，发动兵变，杀死了部队中的38名日本军官。③12日，他们与苏联红军取得联系，在南屯以南的乌兰哈日嘎那向苏军缴械投降。

驻守在五叉沟及王爷庙等地的日军遭到苏蒙联军的打击后，奉关东军司令部的命令，很快放弃各自的阵地，乘火车沿白阿线向沈阳、长春等地撤退。

正当在内蒙古东部地区的日军及在各省和旗、县各机关任职的日本人仓皇撤退之际，伪满兴安军的部分青年军官摆脱日军控制，举行了起义。8月11日，陆军兴安学校生徒队各连学生，在日本军官的胁迫下撤退到葛根庙北山时，由王海山等人领导，按预定计划杀死日本军官数十人，举行起义；同一天，兴安军教导团、骑兵第46团、步兵第38团分别由乌力吉陶克陶、王海峰、胡克巴图尔等带领，相继举行起义。在兴安总省公署任职的哈丰阿、博彦满都等人也摆脱日本人的控制，相继到达王爷庙，迎接苏蒙联军。在唐山附近的伪满"铁血部队"中的蒙古族官兵，也解除日本军官的武器，迅速返回内蒙古东部。

在内蒙古西部地区，苏蒙联军机械化部队沿苏尼特右旗、商都一线迅速推进到张北一带，在张家口以北坝上地区与顽抗的日军进行战斗。

在河套、伊盟地区的国民党军队分别向东推进，从日军和蒙古军手中接收了包头、归绥等主要城市，并向绥远中东部地区推进。与此同时，八路军晋绥军区部队从晋西北迅速北上，占领了绥远中、东部广大地区，并向归绥发起进攻；晋察冀军区部队也迅速北上策应苏蒙联军，占领察北各县，并向

① ［日］"满洲国"史编纂刊行会：《满洲国史·各论》（日文），第1288页。

② 正珠尔扎布：《伪满第十军管区投降苏联红军经过》，见政协呼伦贝尔委员会文史研究会编：《呼伦贝尔文史资料》第2辑，政协呼伦贝尔委员会文史研究会1982年印刷，第114页。

③ ［日］春日行雄编著：《日本与蒙古一百年》，第87页。

张家口发动进攻。

8月11日，国民党第12战区司令官傅作义在河套的陕坝镇召集政军负责人紧急会议，部署了进军绥远、察哈尔敌占区，接受包头、归绥、集宁、大同、张家口等地日伪军投降事宜。会上，决定组成由孙兰峰为首的第12战区东进接收指挥部，即刻出发，代表战区司令官傅作义接受上述地区的日伪军投降。与此同时，傅作义向所属各部队下达了东进的命令。这样，国民党傅作义部6万余人从河套、伊盟等地出发，沿平绥铁路及绥南托克托、和林格尔、清水河、凉城一线向东推进。

8月13日，孙兰峰率第12战区东进接收指挥部人员先期进入包头市。15日上午，集中在包头饭店的日本军人都向东方遥拜，聆听天皇裕仁的《停战诏书》。广播结束后，日本包头特务机关长田中良武和绥西防共自治联军王英部最高顾问儿玉等，代表驻包头日军向孙兰峰正式投降。① 孙兰峰令日军暂不必缴出武器，和警察一起继续维持市内治安秩序，并通过日本特务机关电台通知大同、张家口日军，必须向12战区司令官指定的指挥官投降。同日，驻厚和（归绥）市的蒙古军最高顾问汤野川龙郎少将将在厚和的所有日籍职员、侨民和日军集合在顾问部大院，聆听天皇的《停战诏书》。下午，驻守厚和的日军官兵和日籍职员、侨眷等全部乘火车撤至大同。厚和市的防务移交伪蒙古军。

8月17日，傅作义部第35军暂17师第3团进入包头市，正式从日军手中接管城防，派兵驻守重要关卡，将日军所有武器、弹药、粮秣以及其他军用物资仓库等全部查封；同时责令日军管理人员将各库存物品，分别造具清册，听候有关部门派人接管；将日军和在乡军人及日本侨民分别集中在几个地方，令日军特务机关长田中、大队长尾原、在乡军人中队长中村等对其严加管理，听候处理。当时在包头的日军和各机关职员以及侨民共计2 700多人。②

----

① 刘映元：《国民党接收包头前后见闻》，见政协包头市委员会文史资料研究委员会编：《包头文史资料选编》第6辑，政协包头市委员会文史资料研究委员会1984年印刷，第56页。

② 靳书科：《第十二战区接受包头、归绥、大同日伪军投降经过》，见政协内蒙古自治区委员会文史资料研究委员会编：《内蒙古文史资料》第17辑，政协内蒙古自治区委员会文史资料研究委员会1985年印刷，第44页。

8月18日，蒋介石正式指定傅作义为热河、察哈尔、绥远3省受降官，令其"指挥原辖各部，负责接收热、察、绥三省地区"①。当日，傅作义率第12战区司令长官部人员进入包头市，成立了包头市政务委员会和警备司令部，任命马秉仁为包头市政务委员主任兼警备司令；将王英的绥西防共自治联军改编为第12战区暂编骑兵第1集团军，辖暂骑兵第1、2、3师，任命王英为集团军总司令。

同日，八路军绥蒙军区部队进入归绥市内围攻蒙古军之际，从托克托县开到归绥市南郊南茶坊一带的国民党骑兵挺进第2纵队郭长清部、游击支队司令兼归绥县县长乔汉魁部等与市内的伪蒙古军第5师师长门树槐取得联系后，立即进入市区，配合伪蒙古军向八路军发动进攻。傅作义部第35军暂11师先头部队和新31师也从毕克齐赶到归绥市西郊投入战斗。八路军被迫撤出归绥，暂11师和新31师先后进入市区。

19日，孙兰峰率领先遣接收指挥部人员进入归绥市内，代表傅作义接受蒙古军投降。孙兰峰令蒙古军总参谋长宝贵廷严格约束所部官兵，维持治安；将蒙古军改编为第12战区暂编骑兵第2集团军，任命李守信为集团军总司令，宝贵廷为参谋长，代理总司令职务；将蒙古军第2、5、8师改为暂编骑兵第4、5、6师，归第2集团军指挥。不久，傅作义根据蒋介石的命令，将暂编骑兵第2集团军的番号改为新10路军。

22日，傅作义率第12战区司令长官部和绥远省政府人员抵达归绥，成立了归绥市政务委员会和警备司令部，任命李居义为归绥市政务委员会主任，温永栋为归绥市警备司令兼市长。同时任命了归绥、包头、集宁、丰镇、陶林、凉城、清水河、武川、萨拉齐、托克托、和林格尔、固阳等县的县长。

8月23日，傅作义部新101师沿平绥铁路继续东进，并从八路军手中夺取了绥东重镇集宁。孙兰峰率先遣接收人员同时到达，当即成立集宁政务委员会和警备司令部。与此同时，傅部新32师亦进入集宁、丰镇等地。

当天，日军驻大同独立第4警备队奉华北方面司令兼驻蒙军司令根本博的命令，派两个中队乘火车抵达集宁，迎接第12战区受降官等前往大同。

---

① 中国人民解放军历史资料丛书编审委员会：《八路军·参考资料》（1），第584页。

孙兰峰一行立即乘火车到达大同，准备接受日军投降。新101师也随后进驻大同火车站附近，准备接管大同市防务。这时阎锡山的参谋长楚溪春乘飞机到达，向孙兰峰提出：大同属山西省，为第2战区管辖地区，大同日军应由第2战区接收。经傅作义同意，驻守大同的日军各部队向第2战区受降官阎锡山的代表楚溪春投降。此后，在大同的日军奉阎锡山之命，协助国民党军队守卫大同及同蒲铁路线，参加了对八路军的作战。

傅作义率部进入包头以后，曾通过日军包头特务机关的电台，命令驻张家口的驻蒙军司令根本博中将必须向12战区司令长官指定的军队投降，不得向非本战区司令官指定的军队投降。当时，根本博根据傅作义电令和日本中国派遣军司令官冈村宁次的命令，立即通过包头特务机关的电台，表示直接向傅作义部投降，并请求选派大员来张家口，以便进行投降交接事宜。

但是，此时苏蒙联军已经推进到张北一线与日军作战，八路军晋察冀军区部队也已经占领了张家口周边地区并包围了张家口市。由于平绥铁路多处被八路军切断，所以傅作义连一两位接收大员也派不进去。驻蒙军却拒绝向苏蒙联军和八路军缴械投降，开始在张家口以北阵地上抵抗苏蒙联军的进攻，掩护在张的各机关日籍职员和侨民向北京、天津撤退。直至21日晚，驻蒙军主力才开始撤退到北平以北地区，向国民政府军事委员会北平行营主任、北平受降官李宗仁投降。

8月23日，八路军晋察冀军区部队进入张家口市。不久，成立了察哈尔省政府。

随着日本无条件投降，伪蒙疆政权也立即解体。驻守铁路沿线的蒙古军主力大部分投降了国民党军队，而驻守在乌兰察布盟、锡林郭勒盟等纯蒙地带的蒙古军，有的发动起义，有的则被苏蒙联军缴械；各盟的防卫师大多自动溃散。

伪蒙古军第9师在师长乌勒吉敖喜尔带领下，于8月11日在乌兰察布盟四子王旗境内举行起义，并立即和苏蒙联军取得了联系；蒙古军第7师达密凌苏隆部在商都向苏蒙联军缴械投降；同日，在西苏尼特旗的蒙古军幼年学校师生在日本教官胁迫下向张家口撤退。他们到达该旗毕希热勒图庙后，在照日格图等人带领下杀死稻永、佐藤、掘内等3名日本教官，集体北上到苏尼特右旗德王府，投奔设在那里的苏蒙联军野战司令部。

1945 年 9 月 2 日，日本政府代表在无条件投降书上签字。至此，内蒙古地区的抗日战争取得了最后胜利。

第 十 七 章

中国共产党领导的内蒙古革命斗争

第一节　大革命时期的革命斗争

一、中共党组织的建立与革命统一战线的形成

"五四"运动期间，在内蒙古的政治、文化中心归绥，各学校的青年学生们积极响应北京的学生运动，组织学生会，开展学生运动。归绥中学在1919 年 5 月中旬举行罢课，南高北高也紧接着在下旬罢课。学生们经过一番准备之后，冲破学校当局的劝说阻拦，走出校门，奔赴街头，举行游行示威。各校学生和部分教师组织了 10 多个小组，分头出动，游街走巷，散发传单，宣传北京"五四"运动，揭露巴黎和会的阴谋和北京政府的卖国行径，尤其是逐条揭露与内蒙古的命运相关的日本强加给中国的"二十一条"，指出了北洋军阀政府的卖国和日本侵略内蒙古的阴谋，要求废除"二十一条"，号召"抵制日货"、"惩办卖国贼"、"收回权利"等等。

归绥学生的爱国运动就声势和规模而言，与北京等大城市不可相提并论，但在内蒙古地区来说，确属首次，而且跟上了全国"五四"爱国运动反帝斗争的形势。它在内蒙古地区起了启蒙作用，促进了内蒙古各族人民的思想解放。蒙汉各族青年学生在爱国主义的旗帜下，并肩携手，共同反帝反封建，具有重要意义。

这一时期的京绥铁路工人运动，从自发的小规模的斗争发展到中国共产

党领导的震动全国的罢工运动，产生了广泛的影响，成为新民主主义革命时期第一次工人运动高潮的组成部分。京绥铁路线有 2/3 路段在内蒙古或是临近内蒙古，它对内蒙古在政治上、经济上和文化上都具有重大意义，特别是加强了塞外北疆与内地的紧密联系。京绥铁路工人运动在内蒙古传播了革命思想，扩大了中国共产党的影响，直接促进了内蒙古革命运动的发展，它也是内蒙古革命运动的重要内容。

经过"五四"运动的洗礼及京绥铁路工人运动的启蒙，内蒙古青年的思想发生了巨大变化，国家的前途、民族的命运，开始成为他们观察世界、认识事物的出发点。这时期，日本强加给中国的"二十一条"中有 5 条是针对内蒙古的。因此，反对"二十一条"、"抵制日货"是内蒙古蒙汉各族青年反帝斗争的主要内容。这也是内蒙古各族青年反帝爱国运动的特点之一。

毛泽东指出："自从有了中国共产党，中国革命的面貌就焕然一新了。"内蒙古革命作为中国革命的一部分，从此也进入了一个新的历史时期。1922年 7 月，中国共产党举行第二次代表大会，制定了党的最低纲领，即党在民主革命阶段的主要纲领。其主要内容是：消除内乱，打倒军阀，建设国内和平；推翻国际帝国主义的压迫，达到中华民族完全独立；统一中国为真正的民主共和国。然后再实现党的最高纲领："建立劳农专政的政治，铲除私有财产制度，渐次达到一个共产主义的社会。""二大"宣言对中国边疆少数民族问题作了马克思主义分析。中共"二大"在民主革命纲领中提出："蒙古、西藏、回疆三部实行自治，成为民主自治邦"；"用自由联邦制，统一中国本部、蒙古、西藏、回疆，建立中华联邦共和国。"[①]

蒙藏学校是北洋政府蒙藏事务局创办的，成立于 1912 年。意为供蒙藏等少数民族子弟就读的民族学校。李大钊及其领导的中共北方党组织，敏锐地发现了这批来自祖国北疆的蒙古族青年，决定开展蒙藏学校的工作，作为中国共产党进行蒙古民族工作之始。中共在北方的一些著名活动家邓中夏、黄日葵、赵世炎、何孟雄、刘伯庄以及李渤海、韩麟符、朱务善等，先后到蒙藏学校开展革命活动，调查研究内蒙古民族问题。他们以朴实平等的态

---

① 《中共中央文件选集》第 1 册，中共中央党校出版社 1982 年版，第 74、78 页。

度，浅显易懂的革命道理，使许多人思想豁然开朗。

为了尽快开辟内蒙古地区的革命工作，李大钊等首先着手培养干部，尤其是蒙古民族干部。1923 年冬天，在蒙藏学校的蒙古族青年学生中宣传马克思主义革命理论，介绍俄国十月革命和外蒙古革命，启发他们的民族觉悟和阶级觉悟；进而在一部分先进分子中介绍中国共产党的主张，讲解党的民族问题纲领，给他们阅读《向导》、《新青年》、《政治生活》等革命刊物，把一批蒙古族先进青年学生团结起来，走上了革命的道路。

李大钊等成功地把这批蒙古族先进青年团结在了中共的周围，在蒙藏学校建立了蒙古族中的第一个共产党支部，由多松年任书记。蒙古族中的第一批共产主义者在北京诞生了。蒙藏学校的这一批蒙古族革命青年在北京的革命斗争实践中经受了锻炼，他们参加纪念"二七"大罢工 1 周年，纪念列宁逝世 1 周年等活动。不久，他们又参加了北京的五卅运动，并参加组织工作。中共北方区委培养了内蒙古的第一批蒙汉族干部，为开展内蒙古革命创造了干部条件。

1925 年初，中共北京区委决定建立中共热河、察哈尔、绥远 3 个特别行政区和包头 4 个工作委员会（简称"工委会"）。4 个工委会的建立和党的工作的初步开展，标志着中国共产党开辟了内蒙古地区的工作，从组织上领导起了内蒙古的革命斗争。

中国共产党在内蒙古地区建立党的组织，开展革命活动的过程中，积极开展群众工作，逐步建立一批各种类型的革命群众组织，为发动内蒙古地区革命运动创造了条件。以共青团员为骨干的蒙汉各族进步青年，成为促进内蒙古革命运动迅速发展的一支重要力量。中国共产党在内蒙古地区开展革命运动的阶级基础是工农大众，党的群众工作主要是在工农群众中的工作。

农民问题是中国革命的中心问题。李大钊为了从理论上阐明这个问题，曾发表《土地与农民》一文，指出农民在中国革命中的重要地位，如果能组织浩大的农民群众"参加国民革命，中国国民革命的成功就不远了"。1926 年 9 月 1 日，毛泽东著文《国民革命与农民问题》，文章一开头就指出："农民问题乃国民革命的中心问题。"无疑，内蒙古地区的农民问题当然也是内蒙古革命的中心问题。

中国共产党在内蒙古地区的党组织从一开始就把农村工作放在了极其重

要的位置上，深入农村、教育农民、发动农民，组织农民协会，开展农民运动。1926 年，内蒙古地区的农民运动日渐高涨。

内蒙古的一批蒙古族青年，经过"五四"运动以后一次又一次反帝爱国斗争的实践，特别是到北京蒙藏学校求学之际，接触了马克思主义，接受了共产主义思想，懂得了中国革命的道理，不少人加入了中国社会主义青年团和中国共产党，思想得到了升华，对内蒙古革命的认识从感性上升到理性，这是他们革命道路上的一次质的飞跃。这在他们创办的内蒙古最早的革命刊物——《蒙古农民》中得到了充分的反映。

在内蒙古的一批年轻的蒙古族革命者成长起来之后，为了向内蒙古各族人民宣传革命，发动民族民主解放斗争，李大钊及中共北方区委决定创办一个独具风格、以内蒙古的实际为内容的革命刊物。其主办者是多松年、云泽、奎璧等。这个刊物即《蒙古农民》。其办刊宗旨是非常明确的，即结合内蒙古的实际，宣传中国共产党的反帝反封建民族民主革命纲领。

近代以来，特别是 20 世纪以后，蒙古民族问题成为中国社会中的一个突出的问题。帝国主义列强争先恐后地向蒙古地区扩展势力，妄想吞并这一地区。清王朝和北洋军阀对蒙古民族的压迫剥削日益严重，蒙古王公中的一部分人与国内外敌人相勾结，成为他们侵略、压迫、剥削蒙古民族的社会基础。在中国社会大动荡的 20 世纪开始以后，蒙古民族中的有识之士和先觉者，无不考虑民族的出路和前途。

中国新民主主义革命的开始，马列主义在中国的传播，中国共产党的成立及其对国内民族问题的主张，俄国十月革命的胜利和外蒙古人民革命的影响，以及国际国内革命形势的发展，使蒙古民族中的一批有识之士，特别是一大批蒙古族知识青年，重新思考蒙古民族问题和民族的出路，一批蒙古族农牧民运动领导人也卷入了这一潮流。蒙古族要解放，要成立一个领导民族解放的政治组织，成为他们的共同愿望。为此，他们从各自所处的环境和地位出发，进行了各式各样的探索，最后走到了一起，共同建立了内蒙古人民革命党。

当时在内蒙古追求民主解放的政坛上颇有影响的蒙古族人士恩克巴图、白云梯等人，追随孙中山先生参加护法运动，毅然南下广东。他们在中国国民党第一次全国代表大会上分别当选为中央执行委员和候补执行委员，并参加了北京执行部的工作。1924 年底，白云梯随孙中山北上，发动国民会议运动。他在北京又联络了乐景涛、金永昌、李丹山、包悦卿等蒙古族社会人士，并在孙中山先生的支持下，筹组内蒙古国民党，而且专程赴蒙古人民共和国访问考察，也与苏联和共产国际进行了联系。这些人是中国国民党方面支持组织内蒙古人民革命党的一部分蒙古族社会知名人士。郭道甫、福明泰则是呼伦贝尔达斡尔族（当时称达呼尔蒙古）青年知识分子。他们在呼伦贝尔地方发动青年运动，1917 年组织了呼伦贝尔学生会，20 年代在此基础上组织了呼伦贝尔青年党，其主旨是反对民族压迫，要求民族解放。1923年，因黑龙江省和呼伦贝尔当局对他们的不满，郭道甫带领一些青年学生到达北京，福明泰去了蒙古人民共和国。郭道甫在北京外交部俄文专修学校读书，兼做蒙藏学校教员。是年，到蒙古人民共和国，还到苏联进行了考察，与苏蒙方面建立了联系。回国后便与白云梯一起筹组内蒙古人民革命党。伊克昭盟札萨克旗"独贵龙"运动首领旺丹尼玛活佛虽在北京被软禁，但也随时与在北京的蒙古人联系，并密切注视着蒙古人民共和国的动态，甚至派人与蒙古人民共和国联系。隐居在京的乌审旗"独贵龙"运动的首领锡尼喇嘛，决定重整旗鼓，而且与旺丹尼玛不时联络，共商对策。他们也与白云梯、郭道甫等，就发动内蒙古自治运动和组建蒙古民族解放政党问题取得了共识。

1924 年 10 月 23 日，冯玉祥发动北京政变，将所部改称国民军，并电邀孙中山北上。冯玉祥倾向国民革命，并控制了内蒙古中西部地区。这给内蒙古民族民主革命的发展创造了条件。中国共产党和中国国民党同时在内蒙古地区建立了党的组织，开始发动革命运动。国共两党对于组建内蒙古蒙古民族政党的问题给以极大的关注。国共合作形成以后，特别是孙中山先生北上到达北京，在国共合作发动国民会议运动之际，李大钊与孙中山对蒙古民族问题以及组建蒙古民族政党问题也达成了一致的认识。中国共产党在帮助孙中山组建北方国民党组织的同时，也积极支持和指导建立内蒙古人民革命党。李大钊除了发表对蒙古民族解放运动的主张之外，还积极发动和组织蒙藏学校的一批蒙古族青年荣耀先、李裕智、吉雅泰、多松年、奎璧、佛鼎、乌兰夫、王瑞符、特木尔巴根以及在北京的蒙古族中共党员白海风、吴文献等参加内蒙古人民革命党的筹组活动，而且同共产国际协调了行动。

1925 年初，正当孙中山、李大钊在北京发起召开"国民会议促成会全国代表大会"的时候，汇聚在北京的上述蒙古族各方面人士，借国共合作发动国民会议运动之形势，频繁聚会，探讨召开内蒙古国民代表大会和成立内蒙古国民党的问题。最初，由郭道甫发起，白云梯任会长，组织了"中华民国蒙党执行会"①，乐景涛、李丹山、金永昌、包悦卿以及奥齐罗夫等为会员，发出了《中华民国蒙党执行会布告》。

1925 年 7 月间，内蒙国民代表大会筹备委员会的负责人白云梯、郭道甫等，先后从北京到达张家口，筹备成立内蒙古人民革命党。共产国际驻内蒙代表奥齐罗夫，中共北方区委书记、中国国民党北京政治委员会负责人李大钊，相互配合，协调一致，指导组建内蒙古人民革命党。李大钊在是年 3 月专门发表了《蒙古民族的解放运动》一文，9 月中共中央作出《蒙古问题议决案》，特别提出成立内蒙古人民革命党的问题。因此，当时内蒙古地区的环境和形势，共产国际和国共两党的态度，以及对内蒙古社会政治经济状况的认识，宣传组织工作的准备，都为内蒙古人民革命党的成立创造了条件。

10 月 13 日，内蒙古人民革命党第一次代表大会在张家口召开，来自内蒙古哲里木、昭乌达、卓索图、锡林郭勒、乌兰察布、伊克昭等 6 盟，察哈尔、归化土默特、巴尔虎、达斡尔、索伦、阿拉善、额济纳、厄鲁特、青海等盟部旗蒙古民族中有志于民族解放事业的约百名代表出席大会。还有一批来自北京和内蒙古东西部地区的蒙古族青年也列席大会。共产国际驻内蒙古代表奥齐罗夫、中国共产党代表江浩和王仲一、中国国民党代表李烈钧、冯玉祥国民军代表察哈尔都统张之江以及蒙古人民革命党中央书记丹巴道尔计等出席大会并予以祝贺。

内蒙古的蒙古族革命者和有识之士分析、研究了内蒙古的政治、经济状况和蒙古民族的境遇、蒙汉民族的关系以及民族民主革命的任务，同意建立内蒙古人民革命党，并制定了党的纲领，作出了一系列决议和决定，选举产生了党的领导机构，通过并发表了《内蒙古人民革命党第一次代表大会告

---

① 转引自郝维民主编：《内蒙古革命史》，内蒙古大学出版社 1997 年版，第 111 页。

全体民众宣言书》（下简称《宣言书》）。① 这是全面反映内蒙古人民革命党宗旨、纲领和方针政策的文件。

《宣言书》指出，这次大会的召开，使内蒙古大地放射出振兴民族的曙光；内蒙古人民革命党的成立，是为了争取民族的自由与解放。还指出，蒙古族人民在汉族专制独裁者和蒙古王公压迫下产生的痛苦和怨恨，已经凝聚成反抗压迫的无穷力量。蒙古族人民的革命政党的成立就是标志，它将成为振兴民族、脱离专制、发扬民权的领导者。在蒙古地区的汉族人民不仅遭受汉族军阀、官僚、土豪和盗贼的压迫与掠夺，同样受蒙古专制独裁者的压迫。因此，在中国军阀没有完全被消灭之前，蒙古人民的自由与解放是难以实现的；而且只有蒙汉被压迫人民联合起来，同心协力，才能消灭共同的敌人帝国主义、军阀和一切压迫者。这对中国的大革命和内蒙古革命事业具有重大意义，内蒙古人民革命党就是要致力于建立蒙汉被压迫人民之间的联合，完成共同的革命与事业。内蒙古人民是本党存在的基石，汉族被压迫的农民、工人和知识分子及一切倡导革命的志士，是人民革命党事业发展的后盾。

《宣言书》公布了内蒙古人民革命党的政治主张和宗旨：①中国境内的各民族人民，争取自主决定和管理自己事务之权；②中国人民消灭帝国主义和国内贪婪残暴者，建立真正的民权政府之时，我内蒙古的蒙古人也要建立民权革命政府；③广大民众不分男女，均有平等参政之权。

会议提出了当时的政治目标和经济、文化教育、宗教等方面的政策措施。政治上：废除蒙古专制暴虐之旗札萨克的全部权力；旗政之权力移交人民，建立民选制度；建立人民代表会议机构。经济上：将蒙古专制暴虐者所有之土地，移交民选之旗政府所有；汉蒙杂居地区之土地，以协商互利办法解决；蒙古地方之土地事务，由民选机关管理，千方百计消除有害于蒙古地方的事情；禁止由民众偿付汉商和外国人的债务，由欠债者偿债。成立人民互助合作社，注意改善人民生活、文化教育与宗教信仰；创立国立蒙古语高、中、初等人民学校，使贫民子弟免费受教育；保障人民健康，发展医疗卫生，创办各种慈善事业；由国家创立兽医机构，扑灭牛瘟等牲畜疫病；宗

---

① 转引自郝维民主编：《内蒙古革命史》，内蒙古大学出版社 1997 年版，第 114 页。

教信仰自由，禁止以宗教名义向人民摊派官差。

大会选举产生了内蒙古人民革命党第一届中央执行委员会，由 14 名执行委员和 7 名候补执行委员组成。同时又从中选出白云梯、郭道甫、金永昌、福明泰、乐景涛、包悦卿、李丹山等 7 名中央执行委员会常务委员；选举白云梯任中央执行委员会委员长、郭道甫任秘书长、金永昌代理组织部长。中共党员吴子征和旺丹尼玛、锡尼喇嘛两位"独贵龙"运动首领当选为中央执行委员。中共党员佛鼎、多松年、乌兰夫、王瑞符、奇子俊等多人出席了大会。

大会决定创建内蒙古人民革命军，创办内蒙古军官学校，出版《内蒙国民旬刊》和《内蒙画报》。

这次大会制定的纲领和政策，提出要废除蒙古王公贵族独揽旗政的特权，废除王公札萨克制度，旗政权力移交人民，建立民选制度。可以说这是从改良的办法向彻底的民主革命的转变。

内蒙古人民革命党在思想理论上是以马克思列宁主义为指导，在政治上是坚持反帝反封建革命纲领，在组织上是以蒙古族人民为基础，以革命派和共产党人为核心，团结联合各革命党派、各族人民，代表蒙古族人民利益的民族民主革命政党。它是在俄国十月革命和外蒙古人民革命的直接影响，中国共产党民族纲领和孙中山先生新三民主义民族政策的启发与鼓舞，国共合作发动国民革命的大好形势的推动下，蒙古民族空前觉醒和要求民族自由与解放热情高涨的产物。它是内蒙古革命和全国大革命的有机组成部分。

此后，代表们赴各盟旗开展工作，发展党组织，着手建立革命武装。内蒙古人民革命党的活动迅速展开。其最初建立了 6 个支部，即北京支部，有党员 100 余名；雍和宫支部，党员 50 余名；多伦支部，以多伦庙喇嘛为主，其活佛巴彦吉日嘎拉曾是筹组该党期间的中华民国蒙党执行会名誉会长；察哈尔支部，是由察哈尔左翼牧场部管达木林扎布和察哈尔八旗部管卓特巴札普牵头；鄂尔多斯支部，是以伊克昭盟"独贵龙"群众为基础；张家口支部，有党员 50 余名。

1925 年 12 月 14 日，内蒙古人民革命党中央执行委员会致信中国国民党第二次全国代表大会，祝贺大会的召开，并重申内蒙古人民革命党的有关主张，决定派恩克巴图和乌勒吉赴会致贺。

1926 年 1 月 13 日，在北京召开了"内蒙各盟旗各团体代表大会"，也称"内蒙国民代表大会预备会"，① 50 余人出席大会，讨论通过了《内蒙各盟团体代表大会宣言》②。该宣言首先声明"兹于本年 1 月 13 日，我内蒙所有卓索图、昭乌达、哲里木、锡林郭勒、伊克昭、乌兰察布 6 盟，及察哈尔、呼伦贝尔、齐齐哈尔、阿拉善、额济纳、西土默特等处蒙人代表，在北京开内蒙各盟旗各团体代表大会，绝不足以解决此等重大问题，尤以为非议定内蒙自治事宜，绝不足以筹划其善后办法。今将其详细理由，郑重宣言……"接着分 6 个方面阐述了召开内蒙国民代表大会的理由，并宣布了大会所讨论的 6 项基本主张："一、内蒙地方自治事宜，以讨论内蒙各旗之政治组织，俾适于民治趋势为范围；二、对于内蒙王公，采取和平态度，以立宪之方法，谋各旗政务之折中革新；三、对于内蒙宗教方面，采取信教自由之大义，以保护个人之人格；四、对于居住内蒙古区域内之汉人，竭力合作，以保障其权利；五、拥护五族共和，为巩固中华民国之基础；六、对于国内任何方面，凡表同情于内蒙地方自治事宜者，均可接近之。"同时制定了《内蒙国民代表大会组织大纲》。为讨论内蒙古地方自治事宜，决定在 3 月 15 日以前在北京召开内蒙国民代表大会，凡年满 20 岁的内蒙古的蒙古族不分男女均有被选为代表的权利，还分配了代表名额，由 15 名行政委员组成筹备委员会，办理一切行政事宜，推选白云梯为委员长，郭道甫为副委员长。

这次大会以内蒙国民代表大会筹备委员会的名义，发表了《致内蒙王公书》，陈述了召开内蒙国民代表大会的缘由，分析了内蒙古、全中国和世界形势，阐明了民主潮流的趋向和保障"内蒙民族土地权利上"之安全的主张，指出蒙古王公贵族只要赞同和支持召开内蒙国民代表大会，为实现上述政治主张出力，即可恢复他们在蒙古民众中的信用，保存其现有的权势，消减蒙古民众对其怨恨及其将来的危险，要求蒙古王公贵族为召开内蒙国民代表大会设法宣传，设法筹捐经费，设法劝导各盟旗选派代表参加大会。内蒙各盟旗各团体代表大会的召开和内蒙国民代表大会筹备委员会的成立，这

---

① 转引自郝维民主编：《内蒙古革命史》，第 111 页。

② 转引自郝维民主编：《内蒙古革命史》，第 111 页。

是内蒙古民族解放事业迈出的重要的一步。

1926 年下半年，内蒙古人民革命党得到了较快的发展。此时，冯玉祥的国民军完全控制了绥远，内蒙古人民革命党在内蒙古西部乌兰察布、伊克昭两盟的发展较为迅速。当年 8 月间，内蒙古人民革命党中央机关迁到包头。旺丹尼玛、锡尼喇嘛和其他中央执行委员赴伊克昭盟各旗宣传革命，开展党务，建立党组织。锡尼喇嘛在乌审旗大力发展党组织和组建武装，奇子俊在准格尔旗、章文轩（札木杨什拉布）在鄂托克旗也积极开展党务。到 10 月初，伊克昭盟"正式组成了 34 个区党部，党员人数增加到 3 000 余名，合计其他盟旗共约 6 000 余名"①。在鄂托克旗，由各区党部召集了全伊盟第一次党员代表大会和中央执行委员特别会议，有 40 多名代表出席，对伊盟工作作出决议，决定派党员在乌兰察布盟各旗蒙古民众中进行宣传组织工作，并在察哈尔及锡林郭勒开展工作。在伊克昭盟各旗，组织了"独贵龙"。在"独贵龙"内部，组织党支部，召开各旗党支部会议，组织旗党务委员会。中央委员会选派任命驻旗代表。会议还决定向内蒙古军官学校选派学生等。

10 月 20 日到 23 日，在包头召开了伊克昭、乌兰察布两盟联合会议，两盟各旗均派代表参加。内蒙古人民革命党中央委员会负责人和中国国民党、内蒙古农工兵大同盟也派代表列席。会议决定两盟各旗召集党务委员会议，由中央任命各旗的负责人，发展党员；军官学校扩充机构，招生 200名；重新组织各旗防卫军，由党中央任命各旗防卫军官；各旗选派代表参加内蒙古代表团赴蒙古人民共和国和布利雅特蒙古考察访问；委托中央执行委员会组成代表团，与中国国民党谈判两党联合事宜。内蒙古人民革命党在乌伊两盟的工作全面展开，取得了显著的成效。

内蒙古人民革命党成立后，开展了革命武装的建设工作。当时在张家口的冯玉祥国民军提出，以参加国民军、反奉系军阀为条件，帮助组建蒙古骑兵 1 000—1 500 人。经多方协商，冯玉祥国民军出资 3 000 元，苏联出资30 000 元，中国共产党出资 10 000 元，组织"内蒙古特别国民军"第 1、2、3 纵队，编入国民军，由冯玉祥派驻蒙古人民共和国库伦代表张允荣任

---

① 《内蒙古 K. M. T. 致中国 K. M. T. 中央信》，见中共中央统战部编：《民族问题文献汇编》，第 51 页。

总司令，内蒙古人民革命党中央常委乐景涛，中共热河工委和内蒙古农工兵大同盟负责人陈镜湖、郑丕烈分别任纵队司令；由苏联供给步枪 1 000 支，机关枪 20 挺，子弹 50 万发，派内蒙古人民革命党中央常委福明泰前往蒙古人民共和国接运到锡林郭勒盟贝子庙。

1925 年 11 月，乐景涛回到家乡昭乌达盟克什克腾旗，在其父该旗管旗章京乐山贝子和旗札萨克博和吉雅的支持下，以该旗保安队为基础，组成一支 600 余人的蒙古族革命武装，编为"内蒙古特别国民军"第 1 纵队。在昭乌达盟，第 1 纵队配合国民军与奉军作战。该纵队首克经棚，奉军 500 余人弃城逃跑，经棚境内约 200 余奉军投降。当地蒙民纷纷参军，第 1 纵队扩充到 1 200 余人。12 月初，进军林西，攻占林西、乌丹。此后，第 1 纵队在昭乌达盟作战过程中，严惩了一批奉系地方官吏。

内蒙古骑兵在昭乌达盟的反奉战争使奉系军阀惊恐不已。1926 年初，奉军在向关内移动的同时，集中力量反击国民军，国民军节节败退。奉直军阀形成联合攻击国民军之势，国民军被迫于 4 月间撤出北京，退据南口一线。这时奉系、直系、直鲁联军和晋军联合为"讨赤"联军，从四面围攻国民军。8 月 15 日，国民军向西突围，撤往绥远。"内蒙古特别国民军" 3 个纵队与奉军浴血奋战，伤亡很大。

内蒙古人民革命党在绥远特别区，特别是在乌伊两盟发展党务的同时，也着手组建革命武装。1926 年夏天，白云梯、旺丹尼玛、李裕智在内蒙古西部地区筹建了蒙古骑兵。

以中共包头工委和中国国民党内蒙古党部所在地包头为中心，内蒙古人民革命党开展建军工作，正式组建了内蒙古人民革命军，旺丹尼玛任总司令，李裕智任副总指挥。札萨克旗、乌审旗的 300 余名"独贵龙"群众，在旺丹尼玛和锡尼喇嘛的领导下，参加了乌审旗保安队和内蒙古人民革命军。在乌拉特前旗，恩克巴雅尔组织了一支 100 多名蒙古族牧民参加的革命武装。在鄂托克旗，章文轩在"独贵龙"武装的基础上，也组建了革命武装。在冯玉祥的支持下，奇子俊（蒙名拉布敦）回到准格尔旗，革新旗政，组织了 576 名蒙古族青年参加的蒙古骑兵团。奇子俊任团长，归属国民军第一军。冯玉祥拨给该团俄式步枪 500 支。1926 年底，近 2 000 人的内蒙古人民革命军正式组建。

在组建内蒙古人民革命军的过程中，乐景涛还在克什克腾旗成立了蒙旗民兵训练处，招收40余名蒙古族青年入学，以培养蒙古族革命军官。同时期，奇子俊也在准格尔旗组建了蒙旗民兵训练处，自任处长，以培养军事干部。在乌拉特前旗梅力更庙，恩克巴雅尔也成立了类似的军官学校。内蒙古人民革命党还在包头创建了内蒙古军官学校，由中共党员、黄埔军校毕业生王瑞符任校长。

内蒙古人民革命党还在阿拉善旗开展工作，发展组织，扩建军队。在农牧民中发展党员8 000余人，在军队中发展党员5 000人左右。

1925年秋天，中共中央在《蒙古问题议决案》中提出，应成立中国共产党指导下的内蒙古农工兵大同盟，内蒙古农工兵大同盟与内蒙古人民革命党"工作应当密切的联络"。这是蒙汉民族的革命斗争以至内蒙古的"革命工作能够有成效的一种保证"。[①]

1925年冬天，在李大钊及中共北方区委其他主要领导人的主持下，在张家口诚洁旅馆召开了内蒙古农工兵大同盟成立大会。内蒙古的热河、察哈尔、绥远特别区及其他地区的蒙汉各族代表200多人参加了大会，代表中有工人、农民、士兵及内蒙古各地中共党组织和国民党党部的负责人。京绥铁路总工会、张家口铁路分工会、电灯分公司工会代表，冯玉祥的国民军也派代表参加了大会。

李大钊在会上发表了重要讲演。他从内蒙古地区的实际出发，阐述了中国共产党反帝反封建民族民主革命纲领以及内蒙古农工兵大同盟的任务，指出帝国主义，特别是日本帝国主义目前正加紧对内蒙古的侵略；各路军阀也激烈争夺对内蒙古的控制权。针对内蒙古地区的民族问题，他还强调蒙汉民族联合起来谋求解放的重要意义；蒙古族人民必须和汉族人民团结，才能谋求自身的彻底解放。[②] 会议选举李大钊为内蒙古农工兵大同盟中央执行委员会书记，并决定创办农工兵大同盟的机关刊物《农工兵》。

此后，中共热、察、绥、包工委和中国国民党热、察、绥和内蒙古四党

---

① 中共内蒙古自治区委员会统战部、内蒙古自治区档案馆编：《内蒙古统战史档案史料选编》(1)，中共内蒙古自治区委员会统战部、内蒙古自治区档案馆1987年印刷，第5页。

② 吉雅泰：《李大钊同志和内蒙古初期革命活动》，载《民族团结》1961年第7期。

部，积极发展农工兵大同盟的组织，在热河、建平、赤峰、平泉、开鲁、林西、围场、承德等县的农民和士兵中发展了大批盟员。在张家口及察北各县，一批农民、洋车夫和警察加入了大同盟。在绥远，大同盟与工会、农民协会统一行动，联合开展工作，共同发动了农工兵运动。在包头地区，主要是在"哥老会"中发展盟员。当时，这里受大同盟指挥的"哥老会"会众达5万人。内蒙古农工兵大同盟这一具有民族特点、地区特点的蒙汉各族革命群众的联合组织，为掀起内蒙古地区的大革命高潮，发挥了特殊的作用。

内蒙古农工兵大同盟不仅是农工兵大联合的革命组织，而且也是蒙汉各族革命群众大联合的革命组织。

二、响应全国革命与推动内蒙古革命的形势

1925年6月初，"五卅"运动的消息传到了内蒙古。6月上旬，在归绥席力图召大院，绥远学联主持各族各界声援"五卅"惨案蒙难者、响应"五卅"运动的群众大会。2 000多名学生、工人、商人和市民参加了大会。会后，举行了大规模的示威游行。

内蒙古牧民运动主要是在内蒙古人民革命党建立以后发展起来的。郭道甫、福明泰等人在呼伦贝尔地区宣传革命，在牧民中产生了一定影响。在卓索图、昭乌达、哲里木等地，白云梯、李丹山、包悦卿、乐景涛等人在建党过程中，宣传民族解放，传播革命思想，产生了较大影响。这时期，一大批蒙古族青年如特木尔巴根、朋斯克、德勒格尔（宁春发）、乌勒吉敖喜尔、白永伦、海永远、张福恩等人，曾在蒙古人民共和国、苏联学习。他们回到内蒙古以后，成为内蒙古民族革命的重要力量之一。在锡林郭勒盟和察哈尔一带，主要有纪松龄（赛胜阿，当时也译作萧生格）、宝音巴特尔（贺志远）、莫杰（孟克吉尔格勒）等在蒙古族中开展革命活动。中共党员纪松龄还在锡察地区建立中共组织，发展中共党员。乌兰察布盟主要是有恩克巴雅尔、芒来巴特尔在乌拉特前旗开展工作，争取该旗军队参加革命。在土默特旗，主要是吉雅泰、李裕智、奎璧、贾力更、高布泽博等人结合中国共产党、国民党、农工兵大同盟的工作，发展内蒙古人民革命党的活动。

1926年下半年，奉直鲁晋军阀联合攻击国民军，内蒙古东部地区被奉军占领，内蒙古人民革命党在内蒙古东中部地区的活动日益困难。内蒙古人

民革命党的活动重心转到内蒙古西部地区以后，伊克昭盟的党务活动和牧民运动影响较大。鄂托克旗执掌旗政的章文轩在加入内蒙古人民革命党以后，成立旗党部，积极发展党务，组织牧民运动。杭锦旗、达拉特旗、郡王旗也发展了内蒙古人民革命党组织。

在伊克昭盟各旗中，锡尼喇嘛领导的内蒙古人民革命党的工作及牧民运动声势最大，被称为"鄂尔多斯风暴"。乌审旗是伊克昭盟"独贵龙"运动的起源地，锡尼喇嘛是"独贵龙"运动的著名领导人。在内蒙古人民革命党第一次代表大会上，锡尼喇嘛被选为中央执行委员。在他的领导下，乌审旗组织了17个内蒙古人民革命党支部，700余名党员。

在锡尼喇嘛的领导下，1926年秋乌审旗100多名蒙古族牧民在包头建立了武装，之后回到乌审旗发展党务。11月，这支武装整编为内蒙古人民革命军第12团，由锡尼喇嘛任团长。同时，乌审旗还建立了人民革命政权。掌管全旗政务的机关是公会。

蒋介石集团叛变革命后不久，绥远国民党右派纪亮、焦守显、潘秀仁、张遐民和李正才等公开打出反共旗号，组织所谓国民党清党委员会。在绥远都统商震的支持下，派出军警搜捕共产党人和革命者。内蒙古人民革命党中央在迁到宁夏银川以后，很少领导基层的革命运动，甚至反对农牧民组织群众团体，打击进步势力，阻碍革命运动的发展。

1927年7月，在银川召开了内蒙古人民革命党中央委员会特别会议。会议通过了一项宣言，提出要实现蒙古民族的彻底解放，成立内蒙古民主的自治政府；进一步加强与一切革命党派的联系，坚持共同的革命道路；彻底废除一切封建特权制度，废除封建徭役和苛捐杂税；在条件成熟的旗内召开人民代表大会，选举产生参议会；倡办文化军事学校，提高穷苦人民的文化知识水平；各旗要创建革命军队，保障人民居住、工作、学习、出版、言论自由等权利；条件成熟的旗内组织人民互相合作，发展经济，取缔奸商等。[①] 会议期间接到共产国际的指示："内蒙古党务应由蒙古人民革命党中央及共产国际代表、中国各人民党派等几方面，召开一次特别会议，商决各

---

① 《伊克昭乌兰察布两盟代表及全体委员特别大会宣言》（1927年7月10日，蒙古文原件），转引自郝维民主编：《内蒙古革命史》，第154页。

项有关重大事项。"① 并决定在蒙古人民共和国首都乌兰巴托举行这次特别会议。这次大会还选举和决定了出席乌兰巴托会议的代表。

1927 年 8 月 5 日，在乌兰巴托召开了内蒙古人民革命党特别会议。中央常委白云梯、郭道甫、金永昌、李丹山、福明泰、乐景涛出席；伊克昭盟乌审旗的孟和乌力吉、鄂托克旗的章文轩、准格尔旗的奇子俊（即拉布敦）、韩裕如、乌兰察布盟西公旗的芒来巴特尔、察哈尔的纪松龄、正红旗的宝音巴特尔（贺志远）、哲里木盟的布尼雅巴色尔、卓索图盟的吴文献、呼伦贝尔的察干喇嘛等 40 多名内蒙古各盟旗代表参加；共产国际从莫斯科东方大学派乌勒吉敖喜尔、白永伦、白海风，从莫斯科中山大学派云润等参加会议。蒙古人民革命党书记丹巴道尔计也参加了会议。

会议根据共产国际的指示讨论了中国革命，特别是内蒙古地区革命的形势，揭露和批评了白云梯、郭道甫等背离党的纲领、丧失革命时机、延误党的工作的错误，批评他们搞宗派斗争给党造成的恶果。会议较为彻底地清算了白云梯等人的错误，统一了思想，重申了党的纲领，确定了党的工作方针和任务。会议改选了中央领导机构，撤销了白云梯的委员长职务和郭道甫的秘书长职务，保留其中央执行委员；撤销了金永昌、李丹山、巴彦岱（于兰斋）等人的中央领导职务；选举孟和乌力吉为中央委员会委员长、白永伦为秘书长，中央常务委员会由孟和乌力吉、白永伦、福明泰、布尼雅巴色尔、白海风 5 人组成；增选宝音巴特尔、纪松龄、奇子俊、恩克巴雅尔、乌勒吉敖喜尔、云润、章文轩、察干喇嘛等为中央执行委员。乐景涛声明退出了内蒙古人民革命党。鉴于中国革命处于低潮，内蒙古地区的形势严峻，会议决定中央领导机关暂时设在乌兰巴托，会后派工作组分赴内蒙古各地恢复工作。

1927 年 9 月，白云梯等人回到银川，以旧中央名义召开紧急会议，发表《内蒙古国民党反共宣言》②，公开叛变革命。白云梯集团正式宣布，实行反苏反共，投靠蒋介石国民党反动派，致使内蒙古革命全面受挫而转入

① 《伊克昭乌兰察布两盟代表及全体委员特别大会宣言》（1927 年 7 月 10 日，蒙古文原件），转引自郝维民主编：《内蒙古革命史》，第 154 页。

② 白云梯：《内蒙古国民党清共经过》，载《民国日报》1928 年 10 月 26 日。

低潮。

白云梯在策动反革命政变的同时，派其亲信暴子青以莫须有的罪名杀害了李裕智。在宁夏等地活动的共产党员奎璧、王瑞符、吉雅泰、贾力更等人被迫转移到了外蒙古。白云梯叛变革命后，即到南京向蒋介石请功。他表示了彻底投靠国民党反动派的决心："此次云梯代表内蒙党部莅京，为内蒙国民党同志直接受中央之指挥，以巩固革命阵线及统一党权起见，特向中央提议改'内蒙古国民党'为'中国国民党内蒙党部'……此乃云梯之夙愿。"①　在得到蒋介石首肯之后，白云梯于 1927 年 6 月间"电邀包悦卿等 10 余人晋京，令改组本党，荐包悦卿等 9 人为内蒙古党务指导委员。本年 7 月，由宁夏起程，8 月抵京，在中央宣誓就职，9 月底北回，组织党务指导委员会，同时派定热、察、绥各盟旗指导委员 20 余人，同时翻译党义书籍多种，分发各旗宣传。"②　随即白云梯便以国民党中央委员的身份，到张家口召开各盟旗王公代表会议，决定在多伦设立内蒙政府，悬挂青天白日旗。第一次大革命失败以后，国民党加紧确立其在内蒙古地区的统治。国民党南京政府设立蒙藏委员会，并在内蒙古设置热、察、绥 3 个行省。

中国共产党为恢复和发展内蒙古革命，始终坚持领导内蒙古地区的革命斗争，不断派出干部，恢复和重建党组织，进行调查研究，分析内蒙古的政治经济状况和民族问题，制定内蒙古革命的方针政策，完善民族政策，广泛开展群众工作，坚持革命斗争，特别是蒙古民族的解放斗争。

第二节　土地革命时期的革命斗争

在土地革命战争时期，中国共产党对内蒙古的形势与社会状况进行了调查研究和全面分析，进一步确定了内蒙古革命的方针与任务。在中共内蒙古特别支部（简称特支）、特委和中共顺直省委的一系列报告、决定和指示中，对内蒙古的社会经济、阶级压迫与阶级剥削，土地问题与蒙汉民族关系，内蒙古的民族问题与蒙古民族的解放运动，内蒙古革命的性质和任务，

---

① 《白云梯委员对于内蒙议论之声辩》，载《民国日报》1928 年 4 月 13 日。
② 《内蒙古党务报告》，载《民国日报》1929 年 3 月 30 日。

特别是对内蒙古人民革命党，作了初步的调查研究，进行了一定的探讨，对内蒙古革命方针、政策以及工作问题也提出了意见和建议。中共中央在1928年10月23日《致内蒙特支指示信》①，1929年2月30日②《中共中央给蒙委的信》③ 和1930年11月5日《关于内蒙工作计划大纲》④ 中，对上述问题做了细致的分析，正式制定了内蒙古工作的方针、政策，提出了内蒙古的民族政纲，全面部署了内蒙古的工作。

中共内蒙古特支认为："内蒙古的民族问题就是蒙汉两民族的农工兵牧群众，从帝国主义、军阀、王公、喇嘛、土豪劣绅、奸商压迫之下得到解放。用他们自己的力量解决他们自己的问题。"⑤ 中共中央也明确提出："内蒙民族运动在民族运动上说是很有革命意义的，我们应当积极领导"⑥，内蒙工作的对象，"应特别注意于蒙古民族的工作。内蒙民族运动，应确定为蒙委主要工作之一"⑦。

在论证内蒙古的阶级关系和民族关系时，内蒙特支认为："农民所苦的是：战争、苛捐杂税、高利贷，总之是军阀与土豪的压迫。牧民的痛苦是：王公贵族的剥削与军阀的侵略、奸商的商业剥削。牧民中的阶级制度，还是贵族（王公）、僧侣（喇嘛）与奴隶。奴隶的生活最为苦痛。牧民与农民——即蒙汉两民族的平民中毫无冲突，他们并且很和平的在一个村落中生活着，并且蒙古王公贵族同样地压迫汉族农民。农民是王公的佃户，他们有给王公纳租的义务。蒙汉两民族平民的共同要求是：打倒帝国主义、军阀、王公、喇嘛、土豪、劣绅、奸商，建设农工兵牧的民主政府。"⑧ 中共内蒙古特支、特委和中共顺直省委都反复强调蒙汉民族团结斗争的重要性。

中国共产党在这时期对内蒙古社会及内蒙古民族问题的调查、研究，为其制定国内民族问题的纲领、政策提供了宝贵的实践经验和丰富的资料。

---

① 《中共中央致内蒙特支指示信》，见中共中央统战部编：《民族问题文献汇编》，第91页。
② 此处所写的2月30日是根据原资料所标日期，也许是原作者笔误。
③ 《中共中央给蒙委的信》，见中共中央统战部编：《民族问题文献汇编》，第100页。
④ 《中共中央关于内蒙工作大纲》，见中共中央统战部编：《民族问题文献汇编》，第136页。
⑤ 中央档案馆、内蒙古自治区档案馆编：《内蒙古革命历史文件汇集》（馆藏本），第16页。
⑥ 《中共中央致内蒙特支指示信》，见中共中央统战部编：《民族问题文献汇编》，第91页。
⑦ 《中共中央给蒙委的信》，见中共中央统战部编：《民族问题文献汇编》，第100页。
⑧ 中央档案馆、内蒙古自治区档案馆编：《内蒙古革命历史文件汇集》（馆藏本），第21页。

　　大革命失败以后，中国共产党更加关注内蒙古的民族解放斗争，特别强调要帮助内蒙古人民革命党新中央执行委员会在群众中发展组织，"一定要经过以我们的民族政纲影响他们，使之日益变成群众的斗争的民族组织"①。同时，内蒙古人民反封建王公、反军阀的斗争也在继续。1930 年 2 月，哲里木盟的蒙古族群众掀起了撤废蒙古反动王公的运动；1932 年，伊克昭盟达拉特旗蒙古族群众再次组织"独贵龙"，反对该旗札萨克的黑暗统治，反对晋系军阀的大肆屯垦。哲里木盟科左中旗的嘎达梅林起义，是这一时期内蒙古地区蒙古族人民反对封建王公，反对民族压迫，规模最大和最激烈的斗争。1929 年 11 月，嘎达梅林组织大规模的武装抗垦，反对封建王公勾结军阀放垦牧场。这一斗争一直坚持到 1931 年 4 月。

　　"九一八"事变以后，中国共产党坚决主张对日抗战，发动和领导国内各族人民开展抗日救国斗争。1935 年 11 月 13 日，中共中央西北局作出《关于开展抗日反蒋运动工作的决定》，指出："加强少数民族的工作，特别是蒙古人民中的工作，发动他们反对日本帝国主义的侵略与汉人官僚军阀的奴役，同他们一切的反日反汉奸军阀的武装队伍订立作战协定。"② 12 月 20日，中华苏维埃人民共和国中央政府主席毛泽东发表了《对内蒙古人民宣言》。《对内蒙古人民宣言》揭露了日本帝国主义的侵华野心，同时指出内蒙古人民深受其害，日本侵略者"正在用各种欺骗手段，假借'大蒙古主义'，来达到占领蒙古的整个土地财富，奴役整个内蒙古人民"，"最后消灭蒙古民族的目的"。③《对内蒙古人民宣言》还声明："中国红军战斗的目的，不仅是把全中华民族从帝国主义与军阀的压迫之下解放出来，同样的要为解放其他的弱小民族而斗争，首先就是要帮助解决内蒙古民族的问题。我们认为只有我们同内蒙古民族共同奋斗，才能很快的打倒我们共同的敌人——日本帝国主义及蒋介石；同时相信，内蒙古民族只有与我们共同战斗，才能保存成吉思汗时代的光荣，避免民族的灭亡，走上民族复兴的道

---

　　① 《中共中央给蒙委的信》，见中共中央统战部编：《民族问题文献汇编》，第 103 页。

　　② 《中共西北中央局关于开展抗日反蒋运动工作的决定》，见中共中央统战部编：《民族问题文献汇编》，第 319 页。

　　③ 中共中央书记处编：《六大以来：党内秘密文件》（上），人民出版社 1981 年版，第 732 页。

路。""蒙古民族素以骁勇善战见称于世，我们相信，你们若一旦自觉地组织起来，进行民族革命斗争，驱逐日本帝国主义与中国军阀于内蒙古领域以外，则谁敢谓成吉思汗之子孙为可欺也。"①《对内蒙古人民宣言》是中国共产党探索解决内蒙古民族问题的一个纲领性文件。

1935 年 12 月 27 日，毛泽东在《论反对日本帝国主义的策略》的报告中指出："少数民族，特别是内蒙民族，在日本帝国主义的直接威胁之下，正在起来斗争。其前途，将和华北人民的斗争和红军在西北的活动，汇合在一起"。② 1936 年 5 月，中共蒙古工作委员会成立。同时，中共组织了中央巡视团，视察新解放区的工作，宣传中共的各项政策，实行土改建政，开展党、团、农、工、青、妇等各项工作，特别是把伊克昭盟和宁夏的蒙、回民族工作放在重要地位。

1936 年 8 月 24 日，中共中央发出《关于内蒙工作的指示信》，指出："内蒙绥远，形势非常紧急"③，日本制造的伪"蒙古军政府"成立及其向绥东发动的军事进攻，旨在变整个内蒙古为日本的殖民地，进而吞并全中国。

同时期，中共蒙古工作委员会以三边（即靖边、定边、安边）为基础，大力向伊克昭盟乌审旗、鄂托克旗开展工作；神府苏区也向札萨克旗、郡王旗、准格尔旗等地开展工作。中共蒙古工作委员会在定边专设了蒙民招待所，负责接待蒙古族来访者，同时创办了训练班，联系和培养蒙古族干部。1936 年 8 月，中共乌审旗工作委员会成立，一方面派干部深入旗境开展工作，一方面率领蒙汉骑兵游击队参加了红军部队的作战。同年冬天，中共蒙古工委派干部与乌审旗蒙古族上层密切接触，向他们宣传中共的抗日主张，取得了重大进展。这时，许多蒙古族牧民要求到延安参观。1937 年 2 月，第一批蒙古族参观团到达延安。朱德、毛泽东等领导人亲自看望了代表团成员，并向他们讲述了中共有关的民族政策。另外，1936 年 8 月，中共蒙古

---

① 毛泽东：《对内蒙古人民宣言》，见中共中央书记处编：《六大以来：党内秘密文件》（上），第 732—733 页。

② 毛泽东：《论反对日本帝国主义的策略》，见《毛泽东选集》，人民出版社 1991 年版，第 151 页。

③ 《中共中央关于内蒙工作的指示信》，见中共中央统战部编：《民族问题文献汇编》，第 416 页。

工委还在鄂托克旗成立了蒙民招待所，规范联系蒙古族群众，开展统一战线工作；10 月，成立了中共鄂托克旗工作委员会，组建了贫农总会和妇女联合会等群众组织，并建立了游击队。同时，即 1936 年 10 月，中共中央为了加强蒙、回等少数民族工作，将蒙古工作委员会改为中共少数民族工作委员会。

1936 年冬天，绥远抗战爆发，出现了全国性的援绥抗战的高潮。年底，"西安事变"得以和平解决，内战基本结束，给国共两党重新合作建立了必要的前提。绥蒙地区的形势也随之发生了重大变化。1937 年 2 月 3 日，中共中央发出《关于蒙古工作应以援绥抗日为中心的指示》，提出："目前蒙古工作，根据情况之变动，即绥远抗战已在进行，国共合作正在成熟，须改变过去的策略。""应在蒙汉联合抗日的口号之下，化除汉蒙的对立。""在不妨碍抗日援绥之基本方针之下，在不妨碍汉蒙联合抗日援绥之下，在傅作义能够允许的方法之下，取得蒙民之特殊利益，减轻对蒙民之束缚。"①

2 月 7 日，中共中央又发出《关于内蒙工作给少数民族委员会的信》，明确指出："目前蒙古工作的中心，应当是抗日援绥，发动全蒙的人民拥护绥远的抗战"，"我们的策略是帮助抗日派的形成，扩大他的力量，争取中派，巩固左派与中派的联合，对右派应采取孤立分化，批评与打击同时并用。但运用这些办法时，要看抗日的力量来决定，这一部分右派并不就等于亲日派，因为他们与亲日派还有若干距离。"②

6 月，中共少数民族工作委员会蒙民部又作出《目前绥蒙形势与我们的任务和工作》的决定，指出了日军大举进攻绥蒙前的严峻形势，要求彻底转变工作方式和工作作风，推动蒙古族各阶层参加抗日自卫战争，形成蒙汉团结抗日的局面，而且利用一切可能利用的形式和条件，开展抗日宣传活动；要加强蒙古族妇女、青年、儿童的工作，按照不同的时机、季节和方式，开展蒙旗公职人员和蒙古士兵的工作；对汉族干部进行"蒙人化教

---

① 《中共中央关于蒙古工作应以援绥抗日为中心的指示》，见中共中央统战部编：《民族问题文献汇编》，第 448 页。
② 《中共中央关于内蒙工作给少数民族委员会的信》，见中共中央统战部编：《民族问题文献汇编》，第 450—451 页。

育"，对蒙古族干部要进行提高文化政治水平的教育；揭露和打击汉奸、蒙奸，消除他们的影响；创办蒙汉文刊物，编排适合蒙古人的剧目，编辑各种读物，广泛开展抗日宣传；提出蒙汉联合抗日的一些重要口号，如保卫绥蒙、收服热察失地；要求南京及绥蒙当局允许绥蒙人民言论、集会、结社、出版自由和直接选举国民代表大会代表、自动武装缉私；要求救济灾民难民、减免苛捐杂税，实施国难教育、发扬民族精神等。①

1937 年 7 月，中共中央北方局组建了中共绥远省工作委员会。10 月，中共绥远工委在河套东北组成了"抗日民族先锋队"。随后，中共绥远工委改建为中共绥西工委，主要在绥远国民兵（后改称游击军）政训处各部门开展政治工作。这时期，河套地区成为实行国共合作，结成抗日民族统一战线的重要地区。

第三节　抗战时期的革命斗争

一、中共的抗日民族统一战线政策与内蒙古革命的新形势

1937 年 7 月 10 日，中共中央发出《关于蒙古工作的指示信》，明确指出：日本侵略者将大举向内蒙古西部地区进攻，号召绥蒙人民动员起来阻止日寇的进攻，强调指导内蒙古工作的地方党组织和工作人员要把蒙古民族的抗日运动作为头等重要的任务和一切工作的中心，提出蒙古民族团结一致、驱逐日寇出绥蒙和蒙汉联合抗日是目前绥蒙工作的最高原则。② 全面抗战爆发后，绥远地区的抗日救亡运动空前高涨。1937 年 7 月底，绥远民先队、牺盟会、妇女会、学联等抗日救亡团体组织了"绥远民众抗日救亡会"。在绥远的一些中共党员还创办了《绥远抗战日报》。

1937 年秋，日军占领绥包，国民党绥远驻军及军政机关撤退以后，内

---

① 少委蒙民部：《目前绥蒙形势与我们的任务和工作》，见中共中央统战部编：《民族问题文献汇编》，第468—474 页。

② 《中共中央关于蒙古工作的指示信》，见中共中央统战部编：《民族问题文献汇编》，第545—547 页。

蒙古西部沦陷区的各族人民便处于日本侵略者的统治之下。1938 年 6 月，在绥远地区坚持地下斗争的中共党员杨植霖、高凤英等人组建了一支蒙汉抗日游击队。蒙汉抗日游击队举起武装抗日的旗帜，逐步扩大其影响，鼓舞了绥远敌占区蒙汉各族人民的抗日信心。同年 10 月，中共清水河县委和动委会成立，开展抗日活动。另外，1937 年秋冬，八路军 120 师一部活动于山西雁北地区，并时常进入绥远东南部，在绥远敌占区传播了中共和八路军的政治影响。

1938 年 1 月 3 日，中共陕甘宁边区委员会举行专门会议，讨论内蒙古工作问题，决定采取发动下层与联络上层相结合的方针，组成广泛的抗日民族统一战线。4 月，中共中央决定成立蒙古工作委员会。5 月，蒙古工作委员会改称绥蒙工作委员会。中共中央和陕甘宁边区党委同时还决定，八路军警备骑兵团从定边出发，进入伊盟的中心地区桃力民。绥蒙工委对外称八路军绥蒙游击司令部政治部，骑兵团称八路军绥蒙游击司令部。绥蒙工委进驻桃力民后，成立了中共桃力民工委和河套特委。此外，还在包头附近的中滩地区成立中共包（头）固（阳）工委，在乌审旗、鄂托克旗、杭锦旗、札萨克旗、郡王旗、准格尔旗、达拉特旗和东胜县建立、发展了中共党组织。中共河曲县委、偏关县委也先后派干部进入准格尔旗，开展地下工作。通过建立、健全中共党组织，加强了对伊盟等地抗日斗争的领导，促进了抗日斗争的发展。

中共绥蒙工委和八路军骑兵团在伊盟积极开展抗日民族统一战线工作，特别是对蒙古民族的统一战线工作，广泛动员蒙汉各阶层人民参加抗日救国斗争。工委组织宣传队，编印《绥蒙抗战报》，还大量散发蒙汉两种文字的《对内蒙古人民宣言》；他们尊重当地民众的风俗习惯，帮助驻地蒙民解决实际困难。在开展抗日宣传的同时，还把农牧民、青年、妇女组织起来，成立农救会、青救会、妇救会等群众组织。在桃力民建立了伊克昭盟战地动员委员会（亦称抗战后援会），作为中共领导下的统一战线的半政权性质的群众组织。

1938 年 10 月，中国共产党在扩大的六届六中全会上，全面地阐述了团结抗日的民族工作的总方针和基本政策，为团结与发动国内各少数民族共同抗日指明了方向，同时也成为抗战时期在内蒙古地区开展抗日斗争和进行民族工作的基本方针。

　　同年 11 月 22 日，中共中央制定《关于绥蒙工作的决定》，强调了蒙古民族工作的具体方针。① 11 月 24 日，毛泽东等领导人进一步指出："团结蒙汉人民联合抗日"，"对德王仍应采取争取的策略，继续执行要求德王回头抗日的口号。"② 同时指出，必须教育部队尊重蒙古民族的风俗习惯、宗教信仰，不得侵犯蒙民的利益；要吸收蒙古族知识分子抗日，培养蒙古民族干部。

　　1938 年 11 月，绥蒙工委与大青山工委合并，成立了中共绥远省委，并转移到大青山抗日游击根据地。同时，中共伊盟工委成立，负责领导鄂托克旗工委、乌审旗工委及城川工委的工作。年底，中共中央西北工委成立，分管陕、甘、宁、青、绥 5 省的相关工作。蒙古族中共党员乌兰夫、孔飞、克力更、乌兰、关起义等均参加了西北工委的民族工作。西北工委下设民族研究室，专门研究蒙古族、回族问题，向中共中央系统地提供制定有关民族政策的依据。民族研究室先后编写了《抗战中的绥远》、《蒙古民族问题》等有关蒙古民族历史与现状的专著，以及《关于抗战中蒙古民族问题提纲》等重要文献。

　　为了深入研究蒙古民族问题，争取和团结蒙古民族共同抗日，西北工委曾先后派王铎等人到伊克昭盟 7 旗和土默特旗进行政治和社会调查，了解蒙古民族社会生活及经济、文化方面的状况，联络王公上层，宣传中共的民族政策和抗日主张。③

　　1939 年 6 月 21 日，当成吉思汗灵榇为避免日寇破坏由伊克昭盟迁往甘肃而途经延安时，中共中央和延安各界 2 万多人举行了盛大的祭典，中共中央的代表谢觉哉和八路军总部的代表腾代远、王若飞等人前往参加。1940年，在延安成立了陕甘宁边区蒙古文化促进会，由吴玉章任会长。同时还建立了蒙古文化陈列馆和成吉思汗纪念堂，毛泽东亲笔题写了"成吉思汗纪

————————

　　① 《中共中央关于绥蒙工作的决定》，见中共中央统战部编：《民族问题文献汇编》，第 612 页。

　　② 毛泽东、王稼祥、杨尚昆、贺龙、关向应致周士第、甘泗淇、李井泉电：《在大青山坚持长期游击战争》，见《毛泽东军事文集》第 2 卷，军事科学出版社 1993 年版，第 436—437 页。

　　③ 王铎：《五十春秋——我做民族工作的经历》，内蒙古人民出版社 1992 年版，第 58 页。

念堂"。1942 年 5 月 5 日，延安各界举行了成吉思汗公祭大会。

1940 年 7 月，中共中央西北工作委员会在进行充分调查研究的基础上，拟定了《关于抗战中蒙古民族问题提纲》（下简称《提纲》）。《提纲》简述了蒙古民族的历史和社会现状，以及日本帝国主义侵略内蒙古的过程；分析了蒙古民族对抗战的态度和可能性，并提出了中国共产党对蒙古民族的具体政策。这是继 1935 年 12 月的《对内蒙古人民宣言》之后，中国共产党关于内蒙古民族问题的又一个纲领性的文献。《提纲》从蒙古民族的实际出发，按照马克思主义的民族理论，提出了蒙古民族解放的政策。这些政策不仅对抗战时期的民族工作具有指导意义，而且为后来制定解决国内民族问题的基本政策打下了基础。这些政策在陕甘宁边区和大青山抗日游击根据地得到了实施。

1940 年冬至 1941 年春，陕甘宁边区政府民族事务委员会、延安蒙古文化促进会组织一些文化界人士深入伊克昭盟开展蒙古文化考察。考察组在 4 个月时间采集鄂尔多斯民歌 100 多首①，考察了鄂尔多斯蒙古族舞蹈和民风民俗，回到延安还举办了蒙古文化展览和蒙古民歌联唱会。

在加强对蒙古民族的历史、文化进行考察、了解的同时，中国共产党还特别重视对蒙古族干部的培养。早在 1937 年，中共中央党校就开办了两个少数民族班，培训那些随红军长征到延安的少数民族学员。这是中共有计划地培养少数民族干部的开始。同年 8 月，陕北公学在延安成立。随着大青山抗日根据地的建立，中共中央和西北工委多次指示大青山地区党组织，从绥蒙地区选送大批蒙古族青年到延安进行学习。1939 年 8 月 29 日，第一批蒙古族青年从大青山抗日游击根据地来到延安，进入陕北公学学习。这批蒙古族青年多数来自土默特旗，共 20 多人，其中有布赫、云世英、云照光、云曙碧、巴增秀、李文精、奇峻山等人。为了照顾这些蒙古族青年，陕北公学将他们单独编为第 55 队（又称蒙古青年队），根据他们的民族特点进行教学和管理。从 1939 年到 1942 年，大青山地区党组织先后动员、组织了 9 批蒙古族青年来到延安学习，加上部分汉族青年，共有 100 多人。1941 年 6 月 30 日，陕北公学正式组建民族部，共有蒙、回、满、汉等民族的学员 180

---

① 王铎：《五十春秋——我做民族工作的经历》，第 106—107 页。

多人。

为了加快培养少数民族干部，以适应更广泛地动员、组织各民族人民参加抗战的需要，中共中央决定在陕北公学的基础上成立延安民族学院。1941年9月18日，延安民族学院举行开学典礼。学院受中共中央西北局领导，院长是高岗，副院长是高克林；学院下设教育处、干部处、总务处和民族问题研究部。乌兰夫任民族教育处的处长；刘春任民族问题研究部的主任。民族问题研究部设蒙、回、藏3个民族研究室。研究人员有孔飞、克力更、乌兰、马寅、马尔萨（牙含章）等人。学院的教育方针是："对学员进行革命基本知识和文化教育、抗日民族解放战争的教育、马克思主义民族理论和民族政策教育。"① 课程内容大致分为文化课、政治课和蒙、藏等少数民族语文课，学制1—3年不等。学院共有蒙、回、藏、苗、满、彝、汉7个民族的200多名学员；其中蒙古族学员的人数最多，占学员总数的40%。1942年夏天，延安民族学院的学生增加到300多人，编成了7个普通班。1944年夏，民族学院迁到定边，称三边公学民族学院。1945年3月，民族学院又迁到伊盟鄂托克旗境内的城川，称为城川民族学院，并招收了50多名伊盟的蒙古族青年。

延安民族学院以"平等民主、团结友爱、艰苦奋斗"作为各族师生员工学习、生活的共同准则。学院师生参加了延安整风运动和大生产运动，参加了陕甘宁边区的民主选举和各项文娱活动。经过几年的学习，各民族学员普遍提高了文化水平，初步掌握了马克思列宁主义的基本理论、中国革命与社会发展的基本知识，掌握了马克思主义民族理论和中共有关的民族政策，强化了在中国共产党领导下争取民族解放的信念，树立了马克思主义的民族观和人生观。民族学院的创建，使中国共产党培养少数民族干部的工作走向正规化。这所学校培养的蒙古族学员先后达150多人。他们后来大多成为内蒙古地区各级党政军机关的领导骨干和专业人才。

二、抗日游击战争与蒙古民族工作

为了加强蒙古民族工作，中共绥远省委在这时期设立了蒙民部，并且在

---

① 王铎：《五十春秋——我做民族工作的经历》，内蒙古人民出版社1992年版，第126—129页。

蒙古族比较集中的绥西、绥中地委和县委设立了蒙民部；同时成立了中共土默特旗蒙古工委。在动委会设立蒙民工作委员会，在绥察行政办事处及绥察行署下设蒙政处，作为抗日民主政府的一个部门，专门管理蒙古民族事务，专署和县政府中也分别设立蒙民部或蒙民科。许多蒙古族先进分子踊跃加入抗日阵营，在各级蒙古民族工作部门担任领导职务，成为开展民族工作的骨干。从1939年秋到1942年，为了培养蒙古民族干部，八路军骑兵支队和游击队曾多次护送蒙古族青年往返于大青山、晋西北、延安和伊克昭盟等地。在动员和选送蒙古族青年的工作中，中共土默特旗蒙古工委作出了重要贡献。

这时期蒙古民族工作的另一个重要方面是帮助蒙古民族建立抗日武装。1939年秋，在绥蒙地区中共党组织的指导和帮助下，绥西蒙古抗日游击队成立。这是大青山游击根据地第一支蒙古族抗日武装。游击队的领导人是李森、高凤英、贾力更等人。蒙古抗日游击队在游击战争和争取伪蒙军等方面都作出了贡献。这支游击队的广大指战员的抗日行动在蒙古族中产生了较大影响，发挥了号召与团结蒙古民族积极抗日的重要作用。1941年，蒙古抗日游击队还担负为大青山骑兵支队筹集过冬粮食和保护绥察区党委机关、绥西地委专署的任务。1942年10月，绥察行政公署发布文告，进一步揭露日寇宣传所谓的"蒙疆乐土"的实质，号召广大蒙古族人民"团结起来，反对敌人的挑拨离间，组织抗日武装"，"反对一切的蒙奸伪组织，配合全世界人民的反侵略的斗争，争取我们抗日的完全胜利，争取蒙古民族的解放！"① 中共领导下的抗日政府在征集抗日物资时，一般不对蒙古族群众摊派款物，不增加蒙古族群众的负担。在八路军活动的各游击区，蒙古族群众衷心拥护中共的抗日主张和民族政策，以各种方式支援抗日斗争。

抗战期间，中国共产党对蒙古族各阶层反抗国民党民族压迫的斗争给予了有力的支援。1943年2月，国民党伊盟守备军总司令陈长捷设立"屯垦督办公署"，滥肆开垦，甚至将大小伊金霍洛（即成陵）地、庙地、敖包等被蒙古人视为神灵的禁地也列为垦区。这不仅直接侵犯了蒙旗的土地所有权

---

① 中共内蒙古自治区委员会党史资料征集研究委员会、中国人民解放军档案馆、内蒙古自治区档案馆编：《大青山抗日游击根据地资料选编》（上），第301—302页。

和经济利益，而且也极大地伤害了蒙古人民的民族自尊心。国民党驻伊盟党务特派员白音仓被札萨克旗保安队处死后，陈长捷以"缉拿凶手"为名调集部队进逼札萨克旗王府（即伊盟盟长沙克都尔扎布的王府）。3 月 26 日，札萨克旗保安队和当地蒙古族群众被迫举行武装起义。"三二六伊盟事变"爆发后，札萨克旗和乌审旗的起义军民为躲避国民党军队的镇压，派人到陕甘宁边区与八路军和中共党组织联系，寻求帮助。中共中央西北局立即指示三边地委，将伊盟盟长沙克都尔扎布（通常被称为沙王）和起义部队接应到与陕甘宁边区相邻的乌审旗南部，给予妥善安置和保护。毛泽东等中共领导人还接见了沙王派去的代表，并从延安和三边调集了一批服装和枪支，支援起义军民。① 同时，从抗战大局出发，中共呼吁国民党当局和平解决"伊盟事变"。10 月，沙王等率领的札萨克旗起义军民返旗以后，奇金山领导的乌审旗起义部队，在八路军的帮助下改编成一个团，依托陕甘宁边区，在乌审旗西部建立了根据地。

　　1944 年 4 月，乌兰夫在《解放日报》上发表了题为《纪念蒙古民族的祖先——成吉思汗》的文章，提出："当此纪念成吉思汗之日，我们更希望全体成吉思汗的子孙，承继和发扬我们祖先团结御侮、励精图治、百折不挠、誓死不屈的英勇尚武精神，坚决反对日寇，为蒙古民族、中华民族的彻底解放而奋斗。"②

　　1945 年，国际形势和中国人民抗战的局势都发生了重大变化。日本侵略军在各个战场接连失败，其殖民统治即将全面崩溃。1945 年 4 月，中共"七大"的政治报告专门阐述了中共的民族政策。在中共"七大"上，蒙古族共产党员的主要代表乌兰夫当选为中共中央候补委员。7 月，中共中央将塞北行署改建为绥蒙政府，并任命乌兰夫为绥蒙政府主席。

　　同年 8 月 8 日，苏联和蒙古人民共和国对日本宣战。从 8 月 9 日开始，苏蒙联军分几路进入内蒙古，解放了内蒙古中东部的广大地区。与此同时，八路军晋绥军区派主力部队北上，与绥蒙地区的八路军一起发动以夺取归绥为中心的反攻作战；晋察冀军区部队也配合苏蒙联军向张家口地区发动

---

① 金海：《"伊盟事变"的起因及国共两党的不同政策》，载《内蒙古大学学报》1983 年第 3 期。
② 《解放日报》1944 年 4 月 14 日。

进攻。

1945 年 9 月 2 日，日本正式在无条件投降书上签字。内蒙古蒙汉各族人民经过长期浴血奋战，终于在全国抗日战争胜利的时候，也取得了伟大的抗日民族解放战争的最后胜利。抗日战争的胜利不仅为人民民主革命在全国的胜利奠定了坚实的基础，也为内蒙古民族解放和人民革命运动的发展创造了极为有利的条件。

第四节　全国解放战争时期的革命斗争

一、内蒙古工作的战略形势

日本宣布投降后，八路军解放了绥蒙包头以东地区，形成了与冀热辽、晋察冀、晋绥和陕甘宁相连的大片解放区。绥远的国民党驻军从河套、伊盟地区出动，先后接收了包头、归绥以及绥东、绥南的大部分城镇，占据了战略要地和交通要道。在其军队尚难以到达的内蒙古中、东部地区，还利用部分蒙古族政客从事所谓的"复员蒙旗"的活动。

抗日战争结束后，内蒙古地区兴起了空前高涨的蒙古民族解放运动。在民族解放的口号下，蒙古族中不同政治倾向的各种势力暂时结合到一起，在内蒙古中、东部地区分别掀起了以"内外蒙合并"或"独立"、"高度自治"为内容的民族运动。1945 年 8 月，一部分曾在伪满洲国兴安省任职的蒙古族上层人士和一批蒙古族革命者、青年知识分子，成立了"内蒙古人民解放委员会"，宣布恢复内蒙古人民革命党，并成立东蒙党部，发动"内外蒙合并"运动①。在呼伦贝尔地区，一些蒙古族、达斡尔族上层人士也进行"内外蒙合并"的活动，成立呼伦贝尔自治省，宣布实行"高度的民族自治"。在锡林郭勒盟苏尼特右旗，伪蒙疆的少数高级官员和部分上层人士，在蒙古青年革命党及部分青年知识分子的参与下，在德王府成立了"内蒙古人民委员会"，主张"内外蒙合并"，进而成立了"内蒙古人民共和

---

① 裴小燕：《内蒙古地区蒙古民族解放运动初探》，见中共内蒙古地区党史研究所编：《内蒙古近代史论丛》第 4 辑，内蒙古大学出版社 1991 年版，第 102 页。

国临时政府"。在日本投降后，内蒙古中、东部地区出现的"内外蒙合并"的活动以及各种政权、组织的建立，都不同程度地得到了苏蒙联军的支持。

抗战胜利后，中国共产党大力开展内蒙古革命斗争，发动蒙古民族的解放运动。这也是抗战时期的既定方针。在中共"七大"上，乌兰夫当选为中共中央候补委员，随后又担任了绥蒙政府主席。日本投降后，绥蒙大部分地区被国民党军占领。1945 年 8 月 30 日，中共中央军委发出《力争绥察热全境》的指示。9 月 19 日，中共中央制定了"向北发展，向南防御"的战略方针。10 月 23 日，中共中央发出了《关于内蒙古工作方针给晋察冀中央局的指示》，强调了解决内蒙古民族问题的重要性，认为这是建立巩固的后方和联系苏蒙、打通国际通道的关键。中共中央的方针，与国民党建立"热察绥防共隔绝地带"的战略意图针锋相对。

在内蒙古东部地区，由于苏蒙联军的迅速推进，日伪统治迅速崩溃，呼伦贝尔、哲里木、昭乌达、卓索图盟等地区很快成为解放区。但是，在卓索图、哲里木、昭乌达盟和呼伦贝尔以及嫩江流域的部分汉族聚居地区，一些国民党特务、部分伪职人员纷纷利用一时出现的权力真空建立了维持会和国民党党部。同时，国民党方面千方百计拼凑所谓的"光复军"、"挺进军"、"保安队"等。

国民党中央为配合其在内蒙古地区的军事行动，利用国民党政府内的一些蒙古族官僚政客、特务以及刚从伪蒙疆地区投靠到重庆方面的一部分政治势力，给以各种名义，派出所谓的"蒙旗宣抚团"、"蒙古宣导团"等，到北平以及东北地区进行活动，企图确立国民党在整个内蒙古地区的统治。

与此同时，国民党在其已"接收"的地区，全面恢复了旧有的统治秩序。不仅恢复了热河、察哈尔、绥远 3 省原有建制，而且在东北重新设立了辽宁、安东、辽北、吉林、松江、合江、黑龙江、嫩江、兴安等 9 个省，用以取代伪满洲国的行政区划，建立国民党在东北的地方政权。这样，哲里木盟和呼伦贝尔、西布特哈地区被分别划入辽北、吉林、嫩江、兴安等省。国民党又在其占领的蒙旗地方，一面恢复旧有的县治，一面搞所谓"蒙旗复员"活动，规定按照 1931 年颁布的《蒙古蒙部旗组织法》恢复蒙旗。在内蒙东部的哲、卓、昭盟地区，还恢复了伪满洲国时期已废除的封建王公制度。其目的都是要消灭中国共产党及人民军队，在全国范围内恢复其反动统治。

1945 年 8 月 16 日，原伪蒙疆政权中的一些官员和蒙古青年革命党的部分成员在苏尼特右旗的德王府成立了"内蒙古人民委员会"。9 月 9 日，内蒙古人民代表大会在苏尼特右旗召开，到会的有乌盟四子王旗、锡盟各旗及察哈尔盟 7 旗代表 80 余人。会议宣布成立"内蒙古人民共和国临时政府"（简称"临时政府"），并推选委员 27 人，"临时政府"主席为补英达赉，副主席为达密凌苏隆，并通过"临时政府"组织法及相关机构设置。①"内蒙古人民共和国临时政府"成立后，立即组成以"临时政府"副主席达密凌苏隆为首的 6 人代表团，前往乌兰巴托，请求蒙古人民共和国和苏联政府承认"内蒙古人民共和国"及"临时政府"。蒙古人民共和国方面拒绝了他们的要求，提出："目前内蒙应当各党和中国共产党合作，各党在中国共产党领导下求得民族解放。……"②

抗战胜利后，内蒙古东部地区的部分蒙古族革命者、开明上层人士，大批蒙古族青年知识分子以及一些曾在伪满兴安省任职的官吏纷纷汇集在兴安盟王爷庙，在苏蒙军的支持下，酝酿、发动了空前规模的蒙古民族运动。1945 年 8 月 18 日，哈丰阿、博彦满都、特木尔巴根等人在王爷庙发起、组成了"内蒙古人民解放委员会"，以内蒙古人民革命党的名义发表了《内蒙古人民解放宣言》。《内蒙古人民解放宣言》提出要恢复内蒙古人民革命党，建立内蒙古解放军，内蒙古将在苏联和蒙古人民共和国的指导下加入蒙古人民共和国等主张。8 月下旬，组建了内蒙古人民革命党东蒙党部。9 月，动员、组织蒙古族各界群众进行了以"内外蒙合并"为名义的签名运动。10 月下旬，博彦满都、哈丰阿、特木尔巴根、阿思根等 10 余人组成"东蒙古人民代表团"前往蒙古人民共和国，向蒙古人民共和国提出"内外蒙合并"的请求。蒙古党政领导人拒绝了代表团的请求，并提出了在中国共产党的帮助、领导下解决内蒙古民族问题的建议。③

---

① 《中共中央关于内蒙工作方针给晋察冀中央局的指示》，见中共中央统战部编：《民族问题文献汇编》，第 966 页。

② 中共晋察冀中央局：《察哈尔各盟近况及察锡两盟的工作经过》，见中共中央统战部编：《民族问题文献汇编》，第 967 页。

③ 郝维民主编：《内蒙古近代简史》，内蒙古大学出版社 1990 年版，第 220—221 页。

1945 年 11 月，东蒙古代表团应邀参加了在沈阳召开的东北各界人民代表会议。代表团受到了中共中央东北局领导人的接见。中共方面重申了中国共产党支持蒙古族及其他少数民族人民争取民族权利，实行民族自治的立场。赴蒙古人民共和国的"东蒙古人民代表团"返回后，"内外蒙合并"的宣传及签名活动逐渐停止下来。部分民族运动的领导人又决定开展东蒙古自治来寻求内蒙古自治的道路。1946 年 1 月 16 日，东蒙古人民代表会议在兴安盟葛根庙召开。内蒙古东部 36 个旗的代表参加了会议。这次会议宣布东蒙古人民自治政府正式成立，以兴安、哲里木、昭乌达、卓索图盟，呼伦贝尔、布哈特部、伊克明安、齐齐哈尔、苏鲁克旗为管辖领域，"实行高度民族自治"，"建设自由平等的民主政治"，同时组建东蒙古人民自治军。2 月 15 日，选举产生了政府委员，博彦满都当选为政府主席；哈丰阿为秘书长。

1946 年 3 月，哈丰阿、特木尔巴根等部分蒙古族革命者、青年知识分子和进步人士，对内蒙古人民革命党进行了改组，修改并重新制定了党纲和党章，改称为新内蒙古人民革命党。

日本投降后，呼伦贝尔地区处在极其复杂的环境中，局势一度十分混乱。1945 年 8 月 23 日，当地的部分蒙古族、达斡尔族上层人士组成呼伦贝尔代表团前往乌兰巴托，要求呼伦贝尔与蒙古人民共和国合并。蒙古人民共和国拒绝了这一要求。此后，呼伦贝尔地区的一些上层人士筹备成立呼伦贝尔自治省。10 月 8 日，呼伦贝尔自治省政府成立大会在海拉尔举行，近百名蒙古族、达斡尔族、鄂温克族及汉族群众参加了大会。11 月，呼伦贝尔自治省政府派代表赴长春，试图通过国民党东北行营要求国民党当局对呼伦贝尔实行民族自治予以承认，结果遭到拒绝。他们转而前往哈尔滨，与中共中央东北局取得了联系。与此同时，中共嫩江省委派到海拉尔开展工作的人员与呼伦贝尔自治省政府领导人进行了接触。

二、保卫内蒙古解放区的斗争

1945 年秋，绥远地区的国民党军与北平、天津等地的国民党军队互相呼应，逼向张家口，对热河、察哈尔两省解放区形成了严重的威胁。同时，苏联红军即将撤离东北，国民党军队欲大举北进。中共中央指示晋察冀、晋绥两军区的部队，坚决打击傅作义、马占山部的进攻，以巩固华北的战略根据地。10 月至 12 月，晋绥军区和晋察冀军区组织了平绥战役，收复了丰镇、集宁、凉城等县城，解放了绥东、绥南的广大地区，基本上扭转了察、绥地区的形势，为中共建立察、绥根据地创造了极为有利的条件。1946 年 1月，国民党傅作义部与大同的阎锡山部呼应，向绥东、绥南解放区又发动了一次进攻，被绥蒙军区部队配合晋绥军区、晋察冀军区各一部击退。至此，中共军队彻底挫败了国民党军队抢占军事要点的企图，恢复了原有阵地，再次稳定了绥蒙地区的局势。

内蒙古东部的呼伦贝尔、兴安、哲里木、卓索图、昭乌达盟地区，在随着苏蒙联军的进入而成为解放区之后，中共迅速调动主力部队进军东北，创建根据地，同时派部队和地方工作人员进入卓索图、昭乌达、哲里木盟等地，保卫内蒙古东部解放区。

为保卫抗战胜利果实，中国共产党在与国民党针锋相对地开展军事斗争的同时，密切关注内蒙古地区形势的发展，积极开展工作，并制定了内蒙工作的方针。1945 年 10 月 23 日，中共中央致电晋察冀中央局和晋绥分局，指出："在目前我党控制热、察，发展东北，取得华北优势的方针下，内蒙在战略上具有极重要的地位"，解决内蒙古的民族问题，"不仅关系内蒙民族本身的解放，而且能够建立我党我军巩固的后方，及和苏、蒙军取得直接联系的有利地位"。"对内蒙的基本方针，在目前是实行区域自治。"[1] 中共中央将内蒙古的民族问题视为内蒙古革命的中心问题，同时也是当时在华北地区的中心工作之一。

中共中央在研究和制定内蒙古工作方针的过程中，决定由中共中央西北局负责伊克昭盟和阿拉善、额济纳两旗的工作；中共中央东北局、西满分局开展呼伦贝尔地区和兴安盟、哲里木盟的工作；晋察冀中央局和晋绥分局、冀热辽分局领导开辟乌兰察布盟、察哈尔盟、锡林郭勒盟、卓索图盟、昭乌达盟的工作，形成了中央统一领导，各中央局分区负责，全面开展内蒙古工作的格局。同时以张家口为基地，以锡察盟为中心，大力开展内蒙古自治运动。

---

① 内蒙古自治区档案馆编：《内蒙古自治运动联合会档案史料选编》，中国档案出版社 1989 年版，第1—2 页。

八路军进入张北县城以后，一些中共党员将伪察哈尔盟公署的进步分子组织起来，在1945年8月22日成立了蒙古人民解放委员会。这时候，成立不久的"内蒙古人民共和国临时政府"派人与张北地区的中共党人、八路军进行联系。中共晋察冀中央局当即派乌兰夫率奎璧、克力更等10多名干部，以及当时在张家口的一些蒙古族青年知识分子从当时绥蒙政府驻地商都出发，于10月初到达苏尼特右旗。他们同"内蒙古人民共和国临时政府"的各方面人士进行了广泛的接触，特别是在蒙古族青年知识分子中深入了解了情况，通过个别交谈和召开座谈会等形式，宣传中国共产党的民族政策，讲述内蒙古地区的历史与现状，介绍中国共产党目前通过民族区域自治解决内蒙古民族问题的主张，指出"内外蒙合并"、"内蒙古独立"的要求是不现实的，而且对蒙古民族的解放也是不利的；同时还揭露了补英达赉等伪蒙疆高级官吏鼓动"内外蒙合并"和"内蒙古独立"的虚伪性和欺骗性，从而争取了广大蒙古族青年知识分子和一批蒙古族上层人士。这些人接受了中共的主张，同意改组"政府"。乌兰夫提出，"临时政府"应当改名为蒙古自治政府。在改组后的政府中，乌兰夫担任主席兼军事部长，奎璧任内政部长，克力更任经济部长。另外，一部分青年知识分子和蒙古族上层人士也被选入政府。随后，由于当地粮食困难，燃料缺乏，交通不便等原因，蒙古自治政府搬迁到了张北。

在此过程中，"组织蒙民之自卫武装"，"创办蒙文报纸，成立蒙古学院，教育改造蒙古青年。"① 另外，1945年9月30日，蒙古人民解放委员会在宝源（今内蒙古太仆寺旗宝昌镇）召开了察哈尔盟各旗总管和代表联席会议。会议分析了当时国际和国内的形势，宣传了中共的民族政策，讨论了内蒙古民族运动的诸多问题。各旗总管和代表们一致决定要接受中国共产党的领导，并准备成立察哈尔盟各蒙旗联合办事处。"内蒙古人民共和国临时政府"迁到张北后，乌兰夫建议上述办事处改为察哈尔盟政府。② 乌兰夫等人按照中共中央对内蒙工作的基本方针，争取蒙古族进步青年知识分子，团

① 中共晋察冀中央局：《关于察盟成立"内蒙古人民共和国临时政府"问题向中央的请示》，见中共中央统战部编：《民族问题文献汇编》，第973页。

② 郝维民主编：《内蒙古革命史》，第475—477页。

结了一批蒙古族上层人士，成功地解决了"内蒙古人民共和国临时政府"的问题，争取锡察盟一带主张"内外蒙合并"、"内蒙古独立"的势力，走上了由中国共产党领导的内蒙古自治运动的道路。

三、中国共产党领导的内蒙古自治运动

（一）成立内蒙古自治运动联合会

1945 年 10 月 27 日，中共晋察冀中央局向中共中央汇报了开展锡察盟工作和解决"内蒙古人民共和国临时政府"的情况。11 月 8 日，中共晋察冀中央局致电中共中央，提出成立内蒙古自治运动联合会的问题。9 日，晋察冀中央局再次致电中共中央，提出内蒙古自治运动联合会是一个群众团体，又"带有政府的咨询机关性质，由自治运动联合会办学校联络各盟旗，团结王公、喇嘛与知识分子，准备将来成立内蒙自治政府。在各盟旗政府下，成立蒙古人的自卫武装"①。10 日，中共中央复电晋察冀中央局，同意成立内蒙古自治运动联合会，同时作出指示："先成立内蒙自治运动联合会，宣布纲领，发动广大蒙民，准备将来建立自治政府，分别归绥、察、热省政府领导。"② 12 日，乌兰夫（即云泽）在接受新华社记者采访时指出：内蒙古自治运动联合会"在目前的主要任务，就是发动内蒙各阶层的人民，使之组织起来，参加到自治运动中去。……至其最终的目的，则为彻底实现全内蒙的自治，建立一个包括各个阶层的民主的统一的地方政权。摆在内蒙古自治运动联合会面前的这一历史的任务是极为艰巨的，但由于全内蒙人民的共同努力，深信它一定能光荣地、胜利地完成这一任务。"③

11 月 23 日，中共晋察冀中央局提出了开展内蒙古自治运动的具体意见，"首先以盟以旗建立包括各个阶层的自治政府。各盟旗选举代表参加到各个省政府（热、察、绥），在与各族人民自由平等联合的原则下接受各省

---

① 《中共晋察冀中央局关于成立内蒙自治运动联合会的报告》，见中共中央统战部编：《民族问题文献汇编》，第 974 页。

② 《中共晋察冀中央局关于成立内蒙自治运动联合会的报告》，见中共中央统战部编：《民族问题文献汇编》，第 974 页。

③ 《绥蒙政府主席云泽谈内蒙自治问题》，见内蒙古自治区档案馆编：《内蒙古自治运动联合会档案史料选编》，中国档案出版社 1989 年版，第 9—10 页。

政府之领导。这样使各个省政府可以直接帮助和改造各盟旗的上下层的政权，发展各盟旗的经济和文化，改善蒙民大众的生活，以便进到建立内蒙古统一的自治政府。"①

在中共晋察冀中央局的直接领导下，1945 年 11 月 6 日在张家口成立了内蒙古自治运动联合会筹委会，乌兰夫任主席。筹委会下设秘书处和总务处，具体负责召开大会的筹备事宜。15 日，又成立了代表资格审查委员会和提案审查委员会。21 日，筹委会将出席大会的代表编成若干小组，研究提案及讨论自治运动联合会的会章草案。25 日，内蒙古自治运动联合会成立大会预备会议召开。预备会议选举乌兰夫、奎璧、克力更、乌兰、田户、苏剑啸、乌力吉那仁、索德那木扎木绰、阿拉登特古斯等 9 人为大会主席团成员，并通过了大会议事规程、会场规则及选举法。②

1945 年 11 月 26 日，内蒙古自治运动联合会成立大会在张家口市远来庄礼堂召开。当时的伊克昭、乌兰察布、巴彦塔拉、锡林郭勒、察哈尔、昭乌达、卓索图、哲里木等 8 个盟和阿拉善、额济纳、东布特哈、西布特哈、索伦等 36 个旗的代表，以及有关军政团体和学校的代表共计 79 人参加大会。③ 乌兰夫主持了开幕大会，并代表大会主席团致开幕词。他说："内蒙古自治运动联合会的成立，在内蒙古历史上是一件具有伟大历史意义的政治事件。它标志着今天的内蒙古，在中国共产党的热忱援助之下，已经开始获得了解放，并且正在大踏步地向着全内蒙地方自治的方向迈进。""今天内蒙古民族只有在中国共产党的领导之下，在各民主党派、民主人士的赞助之下，才能求得彻底解放，才有其光明灿烂的前途。"④

应邀参加大会的中共晋察冀中央局、晋察冀军区代表刘澜涛在讲话中追溯了蒙古民族遭受民族压迫和进行民族解放斗争的历史，同时指出："内蒙古民族达到解放的唯一道路，只有与中国共产党八路军以及一切民主进步人士亲密合作，才能求得内蒙民族的真正自治和民族平等。""我们中国共产

---

① 内蒙古自治区档案馆编：《内蒙古自治运动联合会档案史料选编》，第 12 页。
② 内蒙古自治区档案馆编：《内蒙古自治运动联合会档案史料选编》，第 31 页。
③ 内蒙古自治区档案馆编：《内蒙古自治运动联合会档案史料选编》，第 14 页。
④ 内蒙古自治区档案馆编：《内蒙古自治运动联合会档案史料选编》，第 17—18 页。

党和八路军愿以最大可能的力量来帮助内蒙古地区自治运动的成功。"① 晋察冀边区参议会议长成仿吾、察哈尔省主席张苏等人也发表了讲话，强调了蒙汉民族团结的重要性。

11 月 27 日，乌兰夫向大会作了《内蒙古自治运动联合会目前工作方针的意见案》的报告。他在报告中指出："内蒙古自治运动联合会是内蒙古民族彻底解放的组织者和领导者，是发动内蒙古群众运动的最高统一的领导机关，也是建设内蒙古民主政府必经之桥梁。"② 当天，全体代表讨论并通过了这一意见案，并正式确定为《内蒙古自治运动联合会目前工作方针》。内蒙古自治运动联合会的工作方针是：①在政治上，通过自治运动首先建立各蒙旗自治政府，在民族平等与民主自由的原则下分别接受热察绥等省政府的领导。在各省政府的帮助下，发展内蒙古各盟旗的政治、经济、军事、文化等事业，逐步实现全内蒙古的自治，建立内蒙古自治政府；②在军事上，建立为人民服务的内蒙人民自卫军，以肃清境内反动派和法西斯残余势力，保卫人民生命财产和民主自由，巩固革命社会的秩序；③在经济上，确立为人民谋福利的经济政策，提倡合作贸易事业，禁止和取缔奸商的不等价交换和欺骗贸易，发展蒙古族人民的畜牧业生产，发展原有的手工业，没收敌伪财产，创办有益于人民的事业和救济贫苦人民；④在文化教育上，采取普及的方针和说服教育的方式，使生产和学习结合起来，尽快恢复各盟旗旧有的学校，并创办 1 所内蒙古学院和短期工作人员训练班，培养蒙古民族干部；⑤在医疗卫生事业上，在各盟旗设立 1 所小型医院，免费为蒙古族人民治病，组织和改造喇嘛医、中医等医疗人员为人民、为生产服务；并适当解决兽医问题，以减少牲畜的死亡率；⑥对于喇嘛，采取信教与不信教自由的政策，用说服教育的方式争取小喇嘛学文化，让一般喇嘛为民族事业服务，并对喇嘛庙的财产加以保护；⑦在民族关系方面，揭露过去大汉族主义者和日本法西斯的挑拨离间阴谋，广泛宣传蒙汉人民紧密团结起来才能使内蒙获得解放的道理，站在民族平等的立场上，以照顾蒙汉人民大众利益为出发点，正确解决蒙汉杂居地区的土地问题；⑧在宣传方面，要利用一切时机向蒙古族人

---

① 内蒙古自治区档案馆编：《内蒙古自治运动联合会档案史料选编》，第 21 页。
② 内蒙古自治区档案馆编：《内蒙古自治运动联合会档案史料选编》，第 25 页。

民宣传中国共产党的民族政策，揭露国民党反动派和日本法西斯的欺骗宣传，使蒙古人民真正认清民族解放的道路；⑨对于旧政权人员方面，要彻底肃清蒙地之法西斯残余势力，改造过去伪政权中之工作人员，使之重新为蒙古民族服务；⑩各盟旗政府可以建议各省政府，与外蒙古交涉通商问题，以繁荣内蒙之经济。

大会还通过了《内蒙古自治运动联合会会章》。《内蒙古自治运动联合会会章》规定内蒙古自治运动联合会的宗旨是"团结内蒙古各阶层人士，联合中国共产党及各民主党派各民主人士，发动与组织内蒙古人民，彻底肃清法西斯残余，坚决反对国民党内反动派的大汉族主义政策，建立内蒙古民族平等、包括各个阶层的地方性的民主自治政权。"① 内蒙古自治运动联合会以民主集中制为组织原则，设执行委员会、常务委员会；联合会下设组织部、宣传部、军事部、妇女部、秘书处；各盟设分会，受联合会执委会直接领导。各旗设支会，受盟分会直接领导。各苏木亦设苏木支会，受旗支会直接领导。

11 月 28 日上午，内蒙古自治运动联合会选举并产生了执行委员会。乌兰夫（云泽）、奎璧、乌兰、孟子裕、克力更、旺楚克、田户、乌力吉那仁、胡尔沁毕力格、包崇新、苏建啸、田协安、陈炳宇、丹巴、索德那木扎木绰、才喜雅拉图、松津旺楚克、李海山、萨穆丕勒诺尔布、李新民、索德那木勇荣等 21 人当选为内蒙古自治运动联合会执行委员会委员。这些委员不仅来自内蒙古大部分盟旗，而且包括蒙汉等民族的各阶层人士，其中有工人、青年学生、士绅、王公等。其中云泽和乌兰并列得票榜首。乌兰是蒙古族妇女代表。② 大会还通过了《内蒙古自治运动联合会成立大会宣言》、《全体代表通电全国反对内战》、《全体代表给毛主席、朱总司令的致敬电》等文件。

在《内蒙古自治运动联合会成立大会宣言》中，强调了内蒙古人民历史命运新时期的开始，声明"为了广泛的发动内蒙人民实现自治，大会代表一致通过成立内蒙古自治运动联合会……它将领导内蒙人民走向民族解放

---

①　内蒙古自治区档案馆编：《内蒙古自治运动联合会档案史料选编》，第 27 页。

②　内蒙古自治区档案馆编：《内蒙古自治运动联合会档案史料选编》，第 44 页。

的大道。大会一致认为欲求内蒙人民全部彻底之解放，唯有拥护中国共产党之领导，舍此即无内蒙人民之解放。"①

11月29日，内蒙古自治运动联合会向全国发表了《内蒙古自治运动联合会成立大会公报》，宣告内蒙古自治运动联合会的成立，并宣布了联合会的宗旨和各项政策、主张。

同日，内蒙古自治运动联合会执行委员会召开执委会议，选举乌兰夫、奎璧、克力更、关起义、包正言、田户、索德那木扎木绰、乌力吉那仁、胡尔沁毕力格、包崇新、乌兰等11人为执委会常务委员；乌兰夫当选为执委会主席兼常委会主席，刘春任秘书长，奎璧任组织部长，克力更任宣传部长，乌兰夫兼军事部长，索德那木扎木绰任青年部长，乌兰任妇女部长，刘景平任秘书处长。②

内蒙古自治运动联合会是在中国共产党的领导下，开展内蒙古自治运动的革命群众团体，同时又是一个团结内蒙古各族各阶层的统一战线性质的组织，在内蒙古自治政府成立之前，还代行政权职能，是一个半群众团体半政权性质的组织，实际是当时内蒙古民族解放斗争的组织者和领导者，是过渡到内蒙古自治政府的一个桥梁。内蒙古自治运动联合会的成立，是中国共产党领导内蒙古民族民主革命的一个创举，在抗战胜利后内蒙古兴起各种形式和不同内容的蒙古民族运动的情况下，联合蒙古民族各阶层，包括联合各种形式的蒙古民族运动，以民族区域自治实现蒙古民族解放，完成内蒙古的民族民主革命。这是内蒙古民族民主革命斗争中的一件大事，同时也是中国共产党以民族区域自治解决内蒙古民族问题伟大实践的开始。

（二）全面开展自治运动

内蒙古自治运动联合会成立后，立即派出大批干部到察哈尔盟、锡林郭勒盟、乌兰察布盟、巴彦塔拉盟和东部的卓索图盟、昭乌达盟、兴安盟等地，积极宣传内蒙古自治运动联合会的各项方针、政策，筹备成立联合会各盟旗分、支会和盟旗政府；组建内蒙古人民自卫武装；开办各类学校，培养军政干部；创办蒙汉文报纸，宣传报道各盟旗状况和自治运动；建立实业公

---

①　内蒙古自治区档案馆编：《内蒙古自治运动联合会档案史料选编》，第33页。

②　内蒙古自治区档案馆编：《内蒙古自治运动联合会档案史料选编》，第39—40页。

司，组织恢复牧区的商品流通。

1946 年初，苏剑啸和陈炳宇带领参加内蒙古自治运动联合会成立大会的察哈尔盟代表，到察哈尔盟开展自治运动，建立自治运动联合会在当地的各级组织。他们召集察哈尔盟各旗旗长及部分青年知识分子举行会议，成立了内蒙古自治运动联合会察哈尔盟分会筹备委员会。会后，各旗旗长和筹委会委员分别深入到镶黄旗、商都旗、明安旗、正白旗、镶白旗、正蓝旗等地调查了解情况，发展会员，筹备建立各旗、苏木（佐）支会。到 2 月中旬，察哈尔盟共成立了 9 个旗支会，67 个苏木支会和 437 个小组，发展会员共达 4 091 名，其中女会员 439 名，喇嘛 536 名。[①] 从 3 月 1 日开始，在全盟范围内进行了由下而上的普选，选举产生了各旗政府委员和旗长，同时选举产生了出席全盟人民代表大会的代表。3 月 27 日，察哈尔盟人民代表大会在明安旗召开，共有 156 名代表出席。大会讨论并通过了关于地方自治、财政经济、文化教育等 40 余件提案[②]，正式成立了察哈尔盟政府，陈炳宇当选为盟长。同时，内蒙古自治运动联合会察哈尔盟分会也宣布成立，苏剑啸任主任。

内蒙古自治运动联合会还先后派潮洛蒙、旺楚克、赛音吉雅、奇峻山、丹巴、云世英等人到锡林郭勒盟开展自治运动，在锡盟各旗成立了联合会支会，发展会员 6 000 多名。[③] 4 月 5 日，内蒙古自治运动联合会锡林郭勒盟分会成立，阿拉坦敖其尔（苏尼特右旗旗长）任锡盟分会主任，赛音吉雅任副主任。5 月，锡盟各旗王公及联合会干部等 200 余人在贝子庙召开大会，宣布要积极参加内蒙古自治运动，促进社会进步，共同维护锡盟的社会秩序，在中国共产党的领导下完成民族区域自治的历史使命。6 月，分会主任阿拉坦敖其尔提出辞职，内蒙古自治运动联合会常委会任命奇峻山为锡盟分会主任。

1946 年 6 月，察哈尔省政府正式划察哈尔盟和锡林郭勒盟为"自治

---

① 内蒙古自治区档案馆编：《内蒙古自治运动联合会档案史料选编》，第 66 页。
② 内蒙古自治区档案馆编：《内蒙古自治运动联合会档案史料选编》，第 56 页。
③ 内蒙古自治区档案馆编：《内蒙古自治运动联合会档案史料选编》，第 210 页。

区"①。内蒙古自治运动联合会在察哈尔、锡林郭勒盟建立民主政权，开展自治运动，广泛宣传中国共产党的民族政策，积极发动群众在农区进行除奸反霸和减租减息，在牧区削弱封建特权，并实行自由放牧，鼓励生产，打击旅蒙商的不等价交换和发展贸易事业，逐步解决群众的生产与生活困难。

1946 年 1 月，内蒙古自治运动联合会派奎璧、李文精等到绥蒙解放区的巴彦塔拉盟和乌兰察布盟开展自治运动。不久，内蒙古自治运动联合会乌兰察布盟分会和巴彦塔拉盟分会成立，奎璧和李文精分别担任巴盟分会和乌盟分会主任。由于巴彦塔拉盟和乌兰察布盟的大部分地区处在国民党统治下，内蒙古自治运动在这一地区的发展受到很大限制。巴盟分会和乌盟分会在绥蒙解放区的蒙古族聚居地区积极宣传内蒙古自治运动联合会的各项方针、政策，发展联合会会员，推动了自治运动的发展。

内蒙古自治运动联合会在巴彦塔拉盟的正黄旗、正红旗、镶红旗和镶蓝旗成立支会，并在这 4 旗的各苏木成立支会，吸收各旗的进步人士为支会委员，发展会员 260 名。② 同时，以联合会会员为骨干，改造 4 旗旧政权，民主选举旗长，旗政府吸收各阶层的进步人士参加。随着新的旗政权建立，对各旗保安队也进行了改造。为发展该地区自治运动的需要，巴盟分会挑选 200 余名青年到张家口的内蒙古军政学院学习；还就地培养了 90 多名军政干部。在这 4 个旗内建立 5 所小学校，实行公费入学。③

内蒙古自治运动联合会乌兰察布盟分会于 1946 年 1 月成立后，在四子王旗等地进行自治运动的宣传工作。联合会四子王旗支会和土木尔台支会成立后，在乌盟分会的领导下，发展会员约 300 名，民主选举产生了四子王旗旗政府，成立了合作社。④

1945 年 12 月，内蒙古自治运动联合会在张家口创办内蒙古军政学院。晋察冀中央局派朱荣、苏镜、齐永存等人以及延安民族学院的蒙、藏、彝等各族干部 10 余人到学院工作。乌兰夫任军政学院院长，朱荣任教育长，齐永存任教务处长，寒峰任军事部长。军政学院下设行政部、军事部、中学

---

① 《察省推进民族自治，划察锡两盟为自治区》，载《解放日报》1946 年 7 月 3 日。

② 内蒙古自治区档案馆编：《内蒙古自治运动联合会档案史料选编》，第 205 页。

③ 内蒙古自治区档案馆编：《内蒙古自治运动联合会档案史料选编》，第 207 页。

④ 内蒙古自治区档案馆编：《内蒙古自治运动联合会档案史料选编》，第 208 页。

部。学院的教育方针是以"提高政治水平，根绝旧社会恶习，为广大蒙古人民服务为目的"。学院招收了在张家口的原伪蒙疆兴蒙学院的几十名学生和乌兰察布盟、巴彦塔拉盟、锡林郭勒盟、察哈尔盟以及昭乌达盟一带的蒙古族知识青年入学。[①] 军政学院组织学生学习毛泽东的《中国革命与中国共产党》、《新民主主义论》、《论联合政府》等著作，反复讲解中国共产党的性质、任务和作用以及中国革命的动力、对象、性质和前途，同时还进行中国共产党的民族政策、内蒙古民族解放道路的教育。在学习的过程中，不少学生加入了中国共产党。到1946年4月，学院学生人数达到了250人。[②] 军政学院军事部的学员主要来自内蒙古骑兵独立旅。经过一段时间的学习和训练，他们的思想觉悟、军事素质有了显著提高，其中大部分成员后来成为内蒙古人民自卫军第16师的骨干力量。

内蒙古自治运动联合会的工作方针中明确规定："应当确定为人民谋福利之经济政策"，"提倡合作事业，禁止和取缔过去奸商在蒙地之不等价交换和欺骗的贸易。在贸易上，基本上应当是公平交易，互利互惠并以有利于蒙民生计为原则。……创办有益于蒙古人民之事业和救济各盟旗的贫苦人民。"[③] 根据这一方针，内蒙古自治运动联合会从1946年初开始筹备成立内蒙古实业公司。乌兰夫任公司董事会的董事长。经乌兰夫提请，中共中央批准从派往东北的干部中截留20多名做过财贸工作，或者愿意从事民族贸易工作的蒙古族青年充实到内蒙古实业公司。另外，内蒙古实业公司还从社会上招收了一批"具有蒙语会话和商业技术知识的人员"[④]。

内蒙古实业公司于1946年3月在张家口正式成立，赵云驶任总经理，关起义任副总经理。公司设秘书室、营业部、研究室等机构。内蒙古实业公司下设宝源、明安旗、贝子庙等3个分公司。内蒙古实业公司是在内蒙古自治运动联合会领导下的开发资源、发展生产、改良畜牧、组织合作事业和土特产加工的新民主主义的经济实体，同时又是输入牧民生活必需品、输出畜

---

① 梁洪、庄昆：《一所新型的学校——内蒙古学院》，载《内蒙古周报》（创刊号）1946年3月17日。

② 《张家口内蒙古学院》，载《解放日报》1946年4月16日。

③ 内蒙古自治区档案馆编：《内蒙古自治运动联合会档案史料选编》，第26页。

④ 林蔚然：《我在内蒙古地区民贸战线的经历》，见政协内蒙古自治区委员会编：《内蒙古文史资料》第41辑，政协内蒙古自治区委员会1990年印刷，第86页。

牧土特产品的商业机构。实业公司的贸易活动，受到了牧民群众的热烈欢迎。内战爆发以后，内蒙古实业公司转移到了贝子庙，其任务改为对地方机关的后勤供应，在牧区的民族贸易暂时停顿。

内蒙古自治运动联合会还在张家口成立了内蒙古报社，勇夫任社长，石琳任总编辑。内蒙古报社出版了内蒙古自治运动联合会的机关刊物《内蒙古周报》（蒙汉合璧）。《内蒙古周报》创刊于 1946 年 3 月 15 日。[①] 该刊"以揭露蒋介石反动派的实质，宣传中国共产党的各项政策（尤其是民族政策），团结内蒙古地区各民族，努力建设新内蒙古，配合全国解放为宗旨。"[②] 限于当时的局势和交通条件，《内蒙古周报》主要发行于张家口、锡林郭勒盟、察哈尔盟等地，总共约出刊 20 余期。1946 年 9 月，由于国民党军队进攻张家口，自治运动联合会转移到贝子庙，《内蒙古周报》被迫停刊。[③]

为了适应国共停战后的新形势，推进伊克昭盟地区的民族自治运动，1946 年 2 月 21 日，中共中央西北局召开专门会议，讨论关于伊克昭盟的工作，指出伊盟地区是陕甘宁"边区北方门户，对巩固边区上，具有战略地位"[④]，蒙古民族反对国民党统治、争取民族自治的要求，并不会因为和平时期的到来而改变或减弱。会议确立了关于伊盟工作的方针是："广泛开展上层与下层的统一战线，团结蒙人，巩固和平，统一内部，推动民族自治、地方自治运动，反对国民党民族压迫政策。"[⑤] 会议还决定中共伊克昭盟工作委员会仍直接受西北局领导，专门领导伊盟工作；同时决定成立中共乌审旗工委和鄂托克旗工委，并向东胜县、准格尔旗、达拉特旗及桃力民等地派出干部开展工作，吸收蒙古人中的先进分子入党。

---

① 忒莫勒：《建国前内蒙古地方报刊考录》，内蒙古图书馆 1987 年印刷，第 9 页。
② 忒莫勒：《建国前内蒙古地方报刊考录》，第 10 页。
③ 忒莫勒：《建国前内蒙古地方报刊考录》，第 10 页。
④ 中共内蒙古自治区委员会统战部、内蒙古自治区档案馆编：《内蒙古统战史档案史料选编》（1），中共内蒙古自治区委员会统战部、内蒙古自治区档案馆 1987 年印刷，第 303 页。
⑤ 中共内蒙古自治区委员会统战部、内蒙古自治区档案馆编：《内蒙古统战史档案史料选编》（1），第 304 页。

四、内蒙古自治运动的统一及内蒙古自治政府的成立

（一）内蒙古自治运动统一会议

1945 年 11 月，东北各界人民代表会议在沈阳召开，东蒙古代表团应邀参加会议。代表团一行受到中共中央东北局、辽宁省政府领导人林枫、张学思、吕正操、高崇民等人的接见。林枫等人在谈话中重申了中国共产党支持蒙古族及其他少数民族人民争取民族权利，实行民族自治的一贯立场；同时指出：内蒙古人民的当务之急，是在维护国家统一的前提下争取民族解放；"内外蒙合并"的主张不仅是错误的，也是不现实的；建议他们尽快与在内蒙古西部地区开展工作的乌兰夫等人取得联系，共同开展自治运动。东蒙古代表团接受了这些意见。代表们表示：希望在中国共产党的帮助、领导下，争取蒙古民族的解放。代表团回到王爷庙后，将会议情况向各界进行了传达。

内蒙古自治运动联合会的方针就是要联合内蒙古的一切民族解放力量，统一内蒙古自治运动。联合会成立后不久，内蒙古人民革命党东蒙党部的代表包玉琨来到了张家口，与内蒙古自治运动联合会取得联系。经乌兰夫提请，中共晋察冀中央局同意内蒙古自治运动联合会组成东蒙工作团，开展东蒙工作，准备在东部的几个盟建立联合会的分、支会机构。内蒙古自治运动联合会常务委员会秘书长刘春担任东蒙工作团的团长，克力更任副团长，成员有包彦、乌兰、孔飞、田户、庆格勒图等。[①]

东蒙工作团于 1945 年 12 月底抵达承德，向中共冀热辽分局汇报了工作团的任务，商谈了在卓索图、昭乌达盟建立自治运动联合会的分、支会等问题。此后，东蒙工作团经围场分批到达中共热河省委所在地赤峰。乌力吉那仁、克力更等代表前往王爷庙，与东蒙古人民自治政府的领导人进行接触。

东蒙古人民自治政府成立后，组建了东蒙古人民自治军。为加快建军进程，东蒙古人民自治政府派出干部前往相邻解放区，与东北民主联军和地方民主政府取得联系，在打击土匪武装、地方政权建设等方面建立合作关系。1946 年 1 月 25 日，东蒙古人民自治政府内防部长阿思根等人在辽源（今辽

---

① 王铎：《五十春秋——我做民族工作的经历》，内蒙古人民出版社 1992 年版，第 201 页。

宁省双辽市）与东北民主联军西满军区司令员吕正操等人举行会谈，就东蒙古人民自治军与东北民主联军西满军区的关系问题进行了磋商，签订了协定（时称《吕阿协定》）。根据协定，东北民主联军西满军区与东蒙古人民自治军共同打击反动武装，西满军区向东蒙军派驻政治工作人员，并提供武器弹药及部分给养。《吕阿协定》的签订，产生了较大的政治影响。

1946 年 2 月底，在中共冀热辽分局和热河省委的积极帮助下，内蒙古自治运动联合会卓索图盟分会在赤峰成立。白云航任主任，孔飞任副主任，委员有乌兰、金起铣、田户、陈布仁、乌力吉扎布等。1946 年 3 月 1 日，内蒙古自治学院在赤峰成立，金起铣任院长。3 月 15 日，自治学院正式开学。学员多数是来自卓、昭盟的蒙古族中、小学生。他们在学习理论文化课程期间，还参加工作组，分赴农村、牧区开展群众运动，参加减租减息和反霸斗争等。1946 年 9 月，国民党军队进逼赤峰，内蒙古自治学院迁到林东。

东蒙古人民自治政府的成立及其进行的一系列活动，引起了国内舆论的极大关注。在东北问题上陷入被动局面的国民党利用这一问题混淆视听，大肆攻击中国共产党。1946 年 2 月 9 日，蒋介石在给蒙藏委员会委员长罗良鉴的电文中提出：“查兴安蒙旗酝酿独立，必有共党与外蒙方面之阴谋策动，殊堪注意。应即切实设法，就地消弭……”[①] 同时，国民党的各级宣传部门也极力在东蒙古自治问题上制造舆论。另外，如前文所述，由于东蒙古人民政府自治政府的领导成员及自治运动的参与者成分较为复杂，所持立场不同，在主张中反映出不同的倾向，使得东蒙古自治运动自身也呈现出进步与反动、正确与错误并存的复杂局面。

针对这种复杂的情况，中共中央在 1946 年 2 月 18 日致电东北局、晋察冀中央局，指出：“国民党现利用所谓内蒙独立问题大造谣言，已引起国内外注意，我们对蒙古民族问题应采取慎重态度，根据和平建国纲领要求民族平等自治，但不应提出独立自决口号。”“内蒙人民革命党纲领过左，我们不能赞助。该党之纲领及活动如有可能，并应劝告其改变方针。并对国民党

---

① 《关于拟办内蒙领土及主权完整等对策的密电》，见中国第二历史档案馆档案，代号 141，档号 1058。

谣言加以揭破。"① 2 月 24 日，中共中央再次电告东北局："我们研究了东蒙人民自治政府的主张与行动以后，认为在今天整个国内国际形势下，成立这种自治共和国式的政府仍然是过左的，对蒙古民族、中国人民与苏联和外蒙的外交都是不利的，徒然供给反动派一个反苏反共的借口。""东蒙今天应依和平建国纲领第三节第六条实行地方自治……作为普通地方政府出现，而不应与中国形成所谓宗主国与类似自治共和国的关系。"②

1946 年 2 月，中共中央东北局西满分局派出胡昭衡等人到兴安盟王爷庙，与东蒙古人民自治政府领导人进行联系，了解当地的有关情况。3 月 28 日，西满军区驻王爷庙办事处成立，张策为西满军区全权代表，成员有方知达、胡秉权、胡昭衡、胡子寿、蒋弼仁等。

3 月 3 日，中共中央冀热辽分局、中共热河省委书记胡锡奎、西满军区副政委黄克诚就东蒙自治的情况向中共中央报告，分析了东蒙古人民自治政府的纲领、主张以及领导成员，提出："热河蒙古自治运动缺乏领导核心，最好请云泽同志抽出一定时间来此，以便掌握东蒙古人民正确领导关系。"③ 3 月 10 日，中共中央再次发出关于内蒙问题的指示电，要求："对东蒙自治政府应慎重，并要相机说服他们接受区域自治，但仍应以团结为主，不要操之过急促他们离开，使他们趋向国民党。"④ 在进行深入的调查和研究的基础上，中共中央东北局提出了关于东蒙工作的基本方针："应建立广泛的蒙汉民族统一战线及蒙汉人民之团结。这统一战线应该把一切蒙古人民甚至上层动摇投机分子团结在内，再以进步的蒙古青年知识分子为骨干……孤立、打击反动势力，争取中间势力，发展进步势力。……目前工作中心是建立广泛的蒙古人民统一战线，掌握蒙古民族军队（还有政权）与发动农民牧民……形成强大的革命力量。"⑤ 随后，根据中共中央的相关指示精神，中

---

① 《中共中央关于内蒙民族问题应取慎重态度的指示电》，见中共中央统战部编：《民族问题文献汇编》，第 1000 页。

② 《中共中央关于不宜成立东蒙人民自治政府给东北局的指示》，见中共中央统战部编：《民族问题文献汇编》，第 1011 页。

③ 《胡锡奎关于东蒙问题材料及意见》，见中共中央统战部编：《民族问题文献汇编》，第 1014 页。

④ 《中共中央对东蒙问题的指示》，见中共中央统战部编：《民族问题文献汇编》，第 1023 页。

⑤ 《中共中央东北局关于东蒙工作方针的意见》，见中共中央统战部编：《民族问题文献汇编》，第 1042—1043 页。

共中央东北局、冀热辽分局为促成内蒙古自治运动联合会与东蒙古人民自治政府共同召开内蒙古自治运动统一会议，在组织、联络、护送代表等方面进行了妥善安排。

1946年3月中旬，内蒙古自治运动联合会东蒙工作团成员克力更、包彦、乌力吉那仁等，与东蒙古人民自治政府的领导人博彦满都、哈丰阿、特木尔巴根等一道由王爷庙抵达赤峰。经中共冀热辽分局提议，内蒙古自治运动统一会议的地点改在承德举行。3月下旬，双方代表转赴承德。双方商定各派7名代表参加会议。内蒙古自治运动联合会的代表为：乌兰夫、刘春、克力更、包彦、田户、乌力吉那仁、庆格勒图；东蒙古人民自治政府的代表为：博彦满都、哈丰阿、特木尔巴根、包玉琨、白云航、义达嘎苏隆、哈萨巴特尔。列席代表4名：黄静涛、常永新、厚和哈达、厚和巴图尔。①

3月30日至4月2日，内蒙古自治运动统一会议共召开了5次预备会议。会上，双方代表各自介绍了自治运动开展以来的情况，交换了意见，对统一自治运动的一些实质性问题进行了反复、细致的探讨、协商。双方代表都认为：内蒙古自治运动的统一，内蒙古东、西部地区的共同解放，是蒙古族人民的普遍愿望，是历史发展的必然趋势，应尽快实现统一。但是在自治运动的方向、道路和领导权等重大问题上，双方代表存在着很大的分歧，进行了激烈的争论。东蒙古人民自治政府的代表虽赞同自治运动的统一，接受中国共产党的帮助和领导，但不愿放弃最终实行内蒙古"独立自治"的主张，提出了自治运动统一于东蒙古人民自治政府，由内蒙古人民革命党领导的主张，以乌兰夫为首的内蒙古自治运动联合会代表旗帜鲜明地反对上述主张，坚持平等自治，即区域自治的方针。在讨论中，通过深入分析内蒙古的社会情况和民族解放运动与中国社会、中国革命的关系，展望了两种不同性质自治运动的前途，指出内蒙古自治运动是中国人民民主革命的组成部分，必须全面接受中国共产党的领导。

最终，双方在关系到内蒙古自治运动前途的一系列重大问题上统一了认识，在行政管理、行政设置、人事安排以及与各解放区的关系等具体问题上

---

① 郝维民主编：《内蒙古自治区史》，内蒙古大学出版社1991年版，第10页。

也取得了基本一致的意见，为内蒙古自治运动统一会议的正式召开创造了良好的条件。

1946年4月3日，内蒙古自治运动统一会议，即著名的"四三"会议正式举行。乌兰夫在致词中指出："内蒙古的解放只有在中国共产党的领导之下去争取奋斗的一点上，意见是一致的，不约而同。"① 博彦满都在致词中说："我们认为中共是为解放民族，为民主主义而努力的，中共的目的和我们的要求是一样的。因为一样的关系，我们跟随中共，在中共领导下而迈进，这就是我们的途径打开了。更有我们作中心的云泽主席从来为蒙古民族自由奋斗到今天，他又曾在中共中心的延安研究过多年民族问题，我们有这样理想的中心人物，实在说可以放心的。"②

经全体与会代表的讨论，会议通过了《内蒙古自治运动统一会议的主要决议》（以下简称《决议》）。《决议》的内容为：

"一、内蒙古民族运动的方针是平等自治，不是独立自治，并且只有在中共领导帮助下才能得到解放。在目前的形势下以内蒙古自治运动联合会为内蒙古自治运动统一领导机关，东西各盟旗均组织其分会、支会，实现其纲领。应建立各盟旗民选政府，分别接受各解放区民主政府领导及帮助。

"二、东蒙古自治政府成立时曾申明内蒙古自治运动有统一机构后即撤废，现东西蒙已统一于联合会，决定东蒙代表回去就召开代表会议，施行解散，今后在东蒙设联合会总分会领导工作。

"三、蒙汉杂居区施行蒙汉分治，盟管旗，专署管县，蒙人优势区或深入蒙人区之汉人区实行民主自治，受民主盟政府领导，盟旗政府按具体情形应有汉人委员。"九一八"以前未设县之地不再设县，设治局废除，不改设县。深入蒙地之汉县，八路军得在该地发动群众，改造政权，维持治安，以防特务活动。

"四、联合会统一领导蒙古军队武装，并处理关于内蒙古建军、整编、训练、人事等问题。鉴于目前的形势条件，规定各蒙古军队应分别地域，属八路军各军区领导指挥。一切内蒙古军队必须使之真正为人民服务，（成

---

① 内蒙古自治区档案馆编：《内蒙古自治运动联合会档案史料选编》，第49页。
② 内蒙古自治区档案馆编：《内蒙古自治运动联合会档案史料选编》，第50—51页。

为）保护人民民主自治的人民武装。

"五、扩大原联合会机构为八部一处：组织部、宣传部、总务部、经济建设部、文化教育部、军事部、妇女部、青年部及秘书处。

执委由 25 人增选至 63 人（著者按：名单略，见附录），候补执委，由 2 人增选至 12 人（著者按：名单略，见附录），并由执委中推选常委 26 人：云泽（乌兰夫）、奎璧、克力更、乌兰、田户、乌力吉那仁、包崇新、胡尔沁毕力格、包彦、索德那木扎木绰、关起义、刘春、乌勒吉敖喜尔、李森、白云航、博彦满都、玛尼巴达拉、特木尔巴根、阿思根、桑杰扎布、哈丰阿、义达嘎苏隆、萨嘎拉扎布、朋斯克、宝音扎布、旺丹。

云泽为执委会兼常委会主席，博彦满都为副主席；组织部长奎璧、副朋斯克；宣传部长哈丰阿、副勇夫；文化教育部长包彦、副桑杰扎布；军事部长云泽、副阿思根、田户；经济建设部长特木尔巴根；妇女部长乌兰；总务部长玛尼巴达拉、副克力更；秘书处长刘景平、副乌力吉那仁、义达嘎苏隆；青年部长特木尔巴根、副宝音扎布、索德那木扎木绰；秘书长刘春、副哈丰阿。（但在东蒙古自治政府未宣布解散前，不能公布。）

在联合会下设东蒙总分会，领导东 4 盟（哲里木、兴安、纳文慕仁、呼伦贝尔盟）工作。

卓索图、昭乌达、锡林郭勒、察哈尔 4 盟受联合会直接领导，西蒙总分会领导西 3 盟（乌兰察布、巴彦塔拉、伊克昭等）及宁夏蒙古之工作。

"六、各解放区国大代表，应注意蒙古代表中已死或投敌、罪大者的名额。

"七、各解放区政府、各军区帮助解决救济蒙民、培养干部、军队训练、给养及机关经费、服装等问题。西满多派干部参加王爷庙蒙古工作。

"八、目前联合会之中心工作为大量放手以发动群众参加民主自治运动，发展会员建立分、支会，改选政权，预防特务破坏活动，给国民党反动派与一切反对内蒙古自治运动的行动以打击。

"九、以赤峰为内蒙古临时中心区域地，联合会建此，并在林东准备。"①

---

① 内蒙古自治区档案馆编：《内蒙古自治运动联合会档案史料选编》，第 50—51 页。

《决议》通过后，中共冀热辽分局将其上报晋察冀中央局，并转呈了中共中央。会议期间，根据本人申请，经中共冀热辽分局的批准，哈丰阿被吸收加入中国共产党，特木尔巴根由苏联共产党员转为中共党员。[①]

"四三"会议是内蒙古近代历史上的一次极其重要的会议。《内蒙古自治运动统一会议的主要决议》的形成，结束了内蒙古东、西部地区长期分裂、隔绝的状态，实现了蒙古族以及内蒙古各民族革命力量的统一和团结，为内蒙古自治运动的全面、深入发展以及内蒙古自治政府的建立奠定了重要基础。《决议》从理论上、思想上解决了内蒙古自治运动的方向、道路问题，确定了中国共产党对自治运动的领导地位，进一步统一、明确了中国共产党对内蒙古自治运动的方针、政策。以"四三"会议为标志，内蒙古地区的蒙古民族解放运动进入了一个新的历史时期。

（二）自治运动的发展

根据"四三"会议的精神，1946 年 5 月 26 日，东蒙古人民第二次临时代表大会在王爷庙举行。5 月 27 日，会议通过并发布了《东蒙古人民临时代表大会宣言》，决定取消东蒙古人民自治政府，撤销所属各省建制，成立兴安省政府，建立内蒙古自治运动联合会东蒙总分会；兴安省以呼伦贝尔盟、纳文慕仁盟、哲里木盟和兴安盟为管辖区域，省政府受东北行政委员会和内蒙古自治运动联合会双重领导。[②] 经大会选举，特木尔巴根当选为兴安省政府主席，博彦满都任兴安省参议会议长。同时成立内蒙古自治运动联合会东蒙总分会，哈丰阿为主任。会议宣布撤销东蒙古人民自卫军番号，所属各部队以统一编制，改称内蒙古人民自卫军；成立兴安军区，由内蒙古人民自卫军副司令员阿思根兼任兴安军区司令员，哈丰阿任政委。成立内蒙古自治运动联合会兴安盟分会，乌云达赉任主任（后由特布信接任）。中共西满分局决定将中共东蒙工作委员会改称中共兴安工作委员会。

东蒙古人民自治政府的撤销以及兴安省政府的建立，标志着内蒙古东部地区的蒙古民族运动在经过曲折的发展过程之后，最终汇入了中国共产党领

---

① 刘春：《内蒙工作的回忆》，见政协内蒙古自治区委员会编：《内蒙古自治政府成立前后》，政协内蒙古自治区委员会 1997 年印刷，第 58 页。

② 周清澍主编：《内蒙古历史地理》，内蒙古大学出版社 1994 年版，第 245 页。

导的内蒙古自治运动。在内蒙古自治运动联合会的领导下，东部地区各盟、旗都相继成立了联合会分、支会，建立了民主政府。

1946 年 4 月上旬，内蒙古自治运动联合会卓索图盟分会成立，孔飞、白云航分别任正、副主任；5 月 1 日，昭乌达盟分会成立，乌力吉那仁任主任，那苏图任副主任；5 月下旬，内蒙古自治运动联合会分机构——呼伦贝尔文化促进会在海拉尔成立，哈萨克达为主任；6 月 1 日，哲里木省建制撤销，哲里木盟民主政府在通辽成立；6 月 5 日，昭乌达省建制撤销，昭乌达盟行政委员会成立，萨嘎拉扎布任主席，吴广文任副主席；6 月 7 日，纳文慕仁省政府改组为纳文慕仁盟行政委员会，额尔敦任主席，夏辅仁任副主席。

1946 年 5 月，东北民主联军西满军区与呼伦贝尔、纳文慕仁盟的蒙古民族武装互相配合，消灭了数股活动在铁路沿线的国民党"光复军"、"保安队"。呼伦贝尔地区的局势得到了稳定。在此期间，呼伦贝尔临时地方自治政府与中共中央东北局联系，要求恢复呼伦贝尔自治。中共中央东北局对此立即作出了积极的反应。6 月，东北局邀请呼伦贝尔临时地方自治政府派代表到哈尔滨，共同商讨呼伦贝尔自治问题。7 月，以德春等人组成的代表团抵达哈尔滨，与东北民主联军副政治委员张平化等人对自治条款进行讨论。10 月 29 日，东北行政委员会批准呼伦贝尔实行地方自治，成立地方自治政府。额尔钦巴图担任自治政府主席。12 月 28 日，彭真和额尔钦巴图共同签署了《关于呼伦贝尔地方自治政府基本原则》，强调："必须加强蒙古内部和蒙汉各民族之间的亲密团结、平等合作。"[①] 同时，宣布呼伦贝尔临时地方自治政府改为呼伦贝尔地方自治政府。内蒙古自治政府成立后，呼伦贝尔地方自治政府归属内蒙古自治政府管辖。1948 年 1 月 1 日，呼伦贝尔地方自治政府撤销，改称呼伦贝尔盟政府。

1945 年 11 月 9 日，内蒙古自治运动联合会执行委员会召开第七次常务会议。为了适应自卫解放战争的需要，调整联合会执委会机构，决定执委会下设行政、政治、军事、财政经济、社会、总务等 6 个部。奎璧任行政部长，刘春任政治部长，乌兰夫兼军事部长，阿思根、王再天任军事部副部

---

① 《关于呼伦贝尔地方自治政府基本原则》，见中共中央统战部编：《民族问题文献汇编》，第 1322 页。

长；特木尔巴根任财政经济部长，吉雅泰任社会部长，哈丰阿任总务部长。①

　　中共察锡工委于 11 月 10 日召开会议，拟定了察锡行政委员会的组织条例，确定贝子庙为察锡行政委员会所在地。22 日，召开察锡行政委员会筹备会议，与党外人士及民族上层人士商讨决定行政委员会机构设置及人事安排等问题。25 日，察锡行政委员会成立大会在贝子庙葛根仓召开，乌兰夫主持大会，宣布察锡行政委员会正式成立，并指出察锡行政委员会的主要任务是"贯彻联合会工作方针，管理地方行政工作，组织人民生产，搞好地方治安，做好物资供应，支援军队对敌作战"。会议宣布由特克希卜彦、松津旺楚克、王铎、李秀山、刘景平、苏剑啸、奇峻山、寒峰、陈炳宇组成察锡行政委员会执委会及常委会；任命特克希卜彦为主任，赛音吉雅等 32 人为委员。察锡行政委员会是内蒙古自治运动联合会在察锡地区的代表机关，同时又是统一领导察锡两盟行政工作的地方行政机关。察锡行政委员会下设秘书、民政、财经、公安等 4 个处。②

　　（三）内蒙古自治政府的成立

　　1946 年下半年，全国解放区战场的形势开始发生重大变化，国民党军队向各解放区发动的全面进攻已陷入了被动局面。随着自治运动在内蒙古解放区的广泛、深入开展，建立统一的代表蒙古族及其他各民族人民共同意志的人民政权，已成为内蒙古地区各族各界群众的普遍愿望。1946 年 8 月 1 日，乌兰夫在关于内蒙古土地问题致中共中央的电文中提出："目前，我党在绥察热及北蒙古所面临的问题，首先是 11 个盟一百七十八十万人口的自治问题。过去阶段党已经克服了两次独立运动，承德会议在蒙人中影响极大，但蒙人一般不满目前的分盟自治与归省政府领导，要求统一自治。如何适当的满足蒙族这一要求，这与解决土地问题有同等重要的意义。"③ 10 月 15 日，内蒙古自治运动联合会副主席博彦满都与东北民主联军西满军区政委李

　　① 内蒙古自治区档案馆编：《内蒙古自治运动联合会档案史料选编》，第 141 页。
　　② 王铎：《五十春秋——我做民族工作的经历》，第 219—221 页。
　　③ 《云泽关于内蒙土地问题的意见致中央电》，见内蒙古自治区档案馆编：《内蒙古自治运动联合会档案史料选编》，第 106 页。

富春在齐齐哈尔举行会谈，议定了《关于蒙古问题谈判纪要》①，对成立内蒙古自治政府以及有关的政治、经济、军事、交通等问题提出了初步构想。

如前文所述，1946 年 11 月 15 日，在国民党一手操纵下，"国民代表大会"在南京召开。会议期间，出席伪国大的部分蒙古族封建上层和知识分子再次向国民党政府提出了关于内蒙古自治的要求，国民党却继续玩弄政治手腕，致使蒙古族"国大"代表在内蒙古自治问题上一无所获。

12 月 20 日，内蒙古自治运动联合会东蒙总分会、兴安省政府行政委员会及参议会举行联席扩大会议，宣布不承认没有蒙古人民真正代表的"国民大会"，提议"召开内蒙自治运动联合会执委会或人民代表大会，立即成立内蒙自治政府，坚决对抗国民党反动派之伪中央政府，确立联共反蒋的民族统一战线"②，并讨论、通过了《关于成立内蒙最高自治政权案》③ 等项决议。

中共中央及有关中央局、分局对内蒙古自治问题采取了积极而审慎的态度。1946 年 11 月 26 日，中共中央向晋察冀中央局、冀热辽分局、晋绥分局、东北局、西满分局发出关于内蒙古自治问题的指示，指出："为了团结内蒙人民共同抵抗蒋介石的军事进攻与政治经济压迫，现在即可联合东蒙西蒙成立一地方性的高度自治政府，发布施政纲领。"④

12 月 14 日，根据中共中央的指示，乌兰夫、刘春等人与中共冀热辽分局、热河省委负责人程子华、胡锡奎等人在林西召开会议，对内蒙古自治政府的性质、管辖区域、党的统一领导以及自治政府与相邻解放区的关系等一系列重大问题进行商讨；15 日，将讨论结果电告中共中央："为统一内蒙领导，建议组织内蒙党中央分局，归东北局领导。"⑤

1947 年 2 月 3 日，乌兰夫在中共热北地委干部扩大会议上发表了关于内蒙古自治运动问题的讲话，阐述了成立内蒙古自治政府的重大意义。2 月

---

① 内蒙古自治区档案馆编：《内蒙古自治运动联合会档案史料选编》，第 135 页。

② 中共内蒙古自治区委员会统战部、内蒙古自治区档案馆编：《内蒙古统战史档案史料选编》（1），第 357 页。

③ 内蒙古自治区档案馆编：《内蒙古自治运动联合会档案史料选编》，第 150 页。

④ 《中共中央关于考虑成立内蒙自治政府的指示》，见中共中央统战部编：《民族问题文献汇编》，第 1083 页。

⑤ 内蒙古自治区档案馆编：《内蒙古自治运动联合会档案史料选编》，第 143 页。

14 日，内蒙古自治运动联合会机关共 40 余人抵达兴安盟王爷庙。联合会领导机关将中共中央的指示精神向各族各界群众进行了广泛宣传，为召开内蒙古人民代表会议、成立内蒙古自治政府开始进行了紧张的筹备工作。2 月 20 日，内蒙古自治运动联合会向各盟、旗分支会发出举行执委扩大会议的通知，要求各地组织出席会议人员，准备工作报告，搜集群众意见。

3 月 23 日，中共中央向有关中央局、分局发出指示："同意就在这次代表大会，产生内蒙统一的民族自治政府。""在政府组织中，要为西蒙代表留出位置……以期待西蒙盟旗之加入。"① 4 月 20 日，中共中央复电东北局，原则上同意《内蒙古自治政府施政纲领》和《内蒙古自治政府暂行组织大纲》的草案，指示各中央局、分局安排各解放区向内蒙古自治政府成立致贺，布置新闻报道等。

1947 年 3 月初，在中共中央东北局的安排下，内蒙古自治运动联合会、中共兴安省工作委员会负责人召开了会议。会议期间，起草了《内蒙古自治政府施政纲领》《内蒙古自治政府暂行组织大纲》，初步商定了内蒙古自治政府的组织机构、人事安排等项事宜，拟定了自治政府委员、参议会参议员名单。

4 月 3 日至 21 日，内蒙古自治运动联合会在王爷庙召开执委扩大会议，总结自治运动开展以来所取得的成绩和经验，安排部署召开内蒙古人民代表会议及成立内蒙古自治政府的有关事项。联合会总会执委、候补执委 53 人，东蒙总分会执委、候补执委 22 人以及各盟旗代表共 200 余人出席了会议。② 乌兰夫致会议开幕词，他指出："这个大会的胜利开幕，是说明全内蒙古人民在自求解放的自治运动中，有了很大的成就，所以才能在这里开幕了这样一个空前的大会议。同时也说明了，从去年'四三'（即 4 月 3 日承德会议）以后，我们在内蒙古自治运动的解放事业上有了很大的发展，有了很大的贡献。""我们把几百年来在大汉族主义压迫下的分裂局面改变了，我们从大汉族主义压迫统治下解放出来了，从前不统一的东西蒙也统一起来了。我们今天的团结统一，不仅表现在去年'四三'承德会议上的会议统

---

① 《中共中央关于内蒙古自治问题的指示》，见中共中央统战部编：《民族问题文献汇编》，第 1094 页。

② 内蒙古自治区档案馆编：《内蒙古自治运动联合会档案史料选编》，第 176 页。

一、领导统一；更重要的是在思想意志上表现了统一、一致。这种团结和统一就奠定了内蒙古人民在自求解放事业上的必然胜利的基础和保障。这次大会的召开将成为内蒙历史上一件重要的政治事件。""这次会议将研讨和通过内蒙人民代表会议的召开以及在人民代表会议上的正式组织——内蒙古人民自治政府，实现内蒙古人民的高度组织。"① 4 月 9 日，乌兰夫在会议中作了《关于目前形势与任务的报告》，深刻分析了内蒙古革命的形势以及所面临的困难，在军事、生产、教育、民族团结等方面提出了奋斗目标。② 刘春在题为《内蒙古自治运动联合会总会工作的报告》中总结了内蒙古自治运动联合会的各项方针、政策。③ 会议期间，哈丰阿作了《内蒙古自治运动联合会东蒙总分会工作的报告》；特木尔巴根作了《兴安省工作的报告》；奎璧作了《巴、乌盟工作委员会工作的报告》；王宗洛作了《锡盟工作的报告》，陈炳宇作了《察盟工作的报告》；白云航作了《卓索图盟工作的报告》。④ 这些工作报告将自治运动开展以来各盟的基本情况向会议代表作了详细介绍，对群众工作、政权改造、军队建设、对敌斗争、干部培养、经济发展以及与相邻解放区团结合作等方面进行了全面、系统的总结。会议还对有关成立内蒙古自治政府的一系列具体问题展开了讨论。

4 月 23 日，内蒙古人民代表会议在王爷庙隆重开幕。出席大会的代表共 393 人，来自内蒙古除伊克昭盟、阿拉善、额济纳旗⑤之外的大部分盟旗，包括蒙古、达斡尔、鄂温克、汉、满、回、朝鲜等各民族。会议代表包括工人、农民、牧民、知识分子、革命干部和军人，以及部分工商界人士、地方士绅和民族、宗教界的上层人士。⑥ 乌兰夫致大会开幕词，指出："自 13 世纪以来我们就是一个伟大的民族，是有着极其光辉的历史。成吉思汗在前期为了民族统一和反抗异族侵略，曾经立下了不可磨灭的功绩。""长时期以来，我们的祖先和我们，为了自由幸福的生活，为了彻底求得民族的

①　内蒙古自治区档案馆编：《内蒙古自治运动联合会档案史料选编》，第 173 页。
②　内蒙古自治区档案馆编：《内蒙古自治运动联合会档案史料选编》，第 177—179 页。
③　内蒙古自治区档案馆编：《内蒙古自治运动联合会档案史料选编》，第 180—188 页。
④　内蒙古自治区档案馆编：《内蒙古自治运动联合会档案史料选编》，第 189—223 页。
⑤　当时这些地区还处于国民党政权的控制之下。
⑥　内蒙古自治区档案馆编：《内蒙古自治运动联合会档案史料选编》，第 226 页。

解放是曾经毫不吝惜自己的血肉，前赴后继地作着英勇的斗争。正因为如此，所以我们才能在长期英勇斗争的基础上，而特别是在1年多来自治运动的基础上，为这样一次盛大会议的召开，提供了充分的条件。这一次会议，可以说是我们的斗争已获得了初步的胜利果实。""由此次会议产生的内蒙古自治政府，将一定能团聚着蒙古民族和境内所有的汉回等民族，发挥最大的威力，给予重重的一击，加速蒋介石的崩溃。我们有了民族内部和蒙汉间的团结，又有了外部的援助，深信这一目的是一定达到的，蒋介石的进攻一定能粉碎，和平、民主、自由、幸福的新内蒙也一定会出现。"① 中共西满分局、东北民主联军西满军区代表张平化、辽北省政府主席阎宝航、黑嫩省参议长于天放等来宾出席了大会。② 博彦满都也在开幕式的讲话中表示对中国共产党和友邻解放区给予内蒙古人民的无私援助表示感谢。会议还选举产生了大会主席团成员以及提案审查委员会。

4月24日，乌兰夫代表内蒙古自治运动联合会执委会向大会作政治报告，对内蒙古自治运动联合会的工作进行了总结；在开展自卫战争，加强民族团结，发展经济、文化事业等方面提出了内蒙古自治政府成立后的主要任务。③ 4月25日至28日，大会讨论并通过了乌兰夫所作的政治报告和《内蒙古自治政府施政纲领》、《内蒙古自治政府暂行组织大纲》、《内蒙古人民代表会议宣言》，完成了提案审议和临时参议会参议员候选人的资格审查，并对内蒙古自治政府成立后的各项工作进行了全面、细致的规划。

27日，内蒙古人民代表会议向中共领导人毛泽东、朱德发出了致敬电，提出："三百多年来，蒙古民族一直受着大汉族主义的压迫，痛苦是难以尽述的。只有你们领导下的中国共产党和人民解放军，才完全改变了这种历史的不正常关系，真正以民族平等的精神，来大力协助我蒙古民族的发展求得彻底解放。今天，我们内蒙古人民代表，所以能聚会一堂，商讨并决定自己民族今后的命运，也完全是由于你们的功劳。深信在你们的英明领导下，内

① 云泽：《在内蒙人民代表会议上的讲话》，见中共中央统战部编：《民族问题文献汇编》，第1104—1105页。

② 《内蒙人民代表会议开幕典礼空前盛大》，载《内蒙自治报》1947年4月20日。

③ 云泽：《在内蒙人民代表会议上所作政治报告的摘要》，见中共中央统战部编：《民族问题文献汇编》，第1107页。

蒙民族的前途，必然是无限光明的。我们谨向你们表示，我们一定能遵从你们指示，团结民族内部，并与全国各民族联合起来，彻底粉碎蒋介石进攻，为建设和平民主的新中国与新内蒙而奋斗。"①

29 日到 30 日，内蒙古人民代表会议进行选举议程。大会通过了《内蒙古自治政府参议员选举条例》，规定："赞成自治运动联合会方针政策，积极参加反美蒋侵略的民族统一战线，并具有下列条件之一者，得为参议员候选人。一、能代表人民利益并与群众有联系者。二、对于民族自治运动有具体贡献者。三、赞成民主改革者。"② 其中还制定了选举方法，"先由联合会执委会须将候选人名单提交大会，再经各代表团讨论提交大会主席团综合整理提出之。选举时可受候选人名单之约束。选举方法用无记名投票方式，多数当选。"③ 在内蒙古临时参议会参议员的选举过程中，曾出现了一些波折。少数代表私下提出了所谓"三不选"主张，即不选延安来的干部，不选抗战胜利后参加革命的青年，不选汉族代表。④ 多数与会代表抵制并反对这些错误主张和活动，积极做争取工作，确保了选举工作得以顺利进行。4 月 30 日，会议宣布了临时参议会参议员的选举结果，当选参议员 121 人，其中蒙古族、达翰尔族 96 人，汉族 24 人，回族 1 人，妇女代表 5 人。⑤ 他们具有极大的代表性，这一选举结果符合绝大多数代表的意愿。内蒙古第一届临时参议会宣告诞生。

1947 年 5 月 1 日，内蒙古第一届临时参议会举行了内蒙古自治政府主席、政府委员、参议会议长及驻会参议员的选举。乌兰夫当选为内蒙古自治政府主席，哈丰阿当选为副主席。当选的政府委员有：特木尔巴根、奎璧、阿思根、朋斯克、乌勒吉敖喜尔、乌兰、胡尔沁毕力格、王再天、那钦双和尔、鄂嫩日图、王海山、哈萨巴特尔、都固尔扎布、高布泽博、旺楚克、巴

①　内蒙古自治区档案馆编：《中国第一个民族自治区诞生档案史料选编》，远方出版社 1997 年版，第 59 页。

②　内蒙古自治区档案馆编：《中国第一个民族自治区诞生档案史料选编》，第 60 页。

③　内蒙古自治区档案馆编：《中国第一个民族自治区诞生档案史料选编》，第 60 页。

④　刘春：《内蒙工作的回忆》，见政协内蒙古自治区委员会编：《内蒙古自治政府成立前后》，政协内蒙古自治区委员会 1997 年印刷，第 79 页。

⑤　内蒙古自治区档案馆编：《中国第一个民族自治区诞生档案史料选编》，第 61 页。

彦、刘春、王铎、胡秉权。博彦满都当选为内蒙古自治政府临时参议会议
长，吉雅泰当选为副议长。特古斯朝克图、义达嘎苏隆、拉玛扎布、王海
峰、克力更、尼玛、旺庆、高万宝扎布、图布信当选为驻会参议员。① 同
日，会议宣布内蒙古自治政府正式成立。

　　5月2日，内蒙古人民代表会议闭幕暨内蒙古自治政府成立典礼举行。②
全体政府委员及临时参议会参议员宣誓就职，誓词如下："余等誓以至诚，
为内蒙古人民服务，并为坚决争取自卫战争与解放战争之胜利，与彻底解放
内蒙古而奋斗！"③ 乌兰夫还在大会上发出号召："全体人民应一致亲密地团
结在自治政府的周围，为彻底粉碎蒋介石的进攻而努力！"④ 在闭幕式的致
词中，乌兰夫指出："在会议上根据内蒙古人民的要求，根据今天的革命要
求，产生了空前的历史上没有过的内蒙古自治政府，选举了临时参议会。"
"它一方面表现了蒙古民族内部的团结，一方面表现了蒙汉更需要团结起
来，争取蒙古人民解放的成功。"⑤ 乌兰夫与政府委员、参议会议员还检阅
了内蒙古人民自卫军一部。当日，聚集在王爷庙的数千名各族军民举行了庆
祝活动。

　　5月3日，内蒙古自治政府召开了首届政府委员会议，任命了政府各部
门负责人：王再天任办公厅厅长，奎璧任民政部部长，阿思根任军事部部
长，特木尔巴根任财政经济部部长，高布泽博任文化教育部部长，朋斯克任
公安部部长，松津旺楚克任参事厅厅长。⑥ 会议决定：将5月1日定为内蒙
古自治政府成立纪念日；原内蒙古自治运动联合会旗作为内蒙古自治政府
旗；内蒙古自治政府所在地暂设兴安盟王爷庙。5月30日，内蒙古自治政
府发布第一号布告，公布了会议决定。⑦ 5月13日，兴安省政府发布公告，
宣布自5月15日起，取消兴安省建制。在5月16日召开的第二次政府委员

　　① 内蒙古自治区档案馆编：《中国第一个民族自治区诞生档案史料选编》，第69页。
　　② 郝维民主编：《内蒙古革命史》，第556页。
　　③ 内蒙古自治区档案馆编：《内蒙古自治运动联合会档案史料选编》，第238页。
　　④ 内蒙古自治区档案馆编：《内蒙古自治运动联合会档案史料选编》，第238页。
　　⑤ 内蒙古自治区档案馆编：《中国第一个民族自治区诞生档案史料选编》，第67页。
　　⑥ 内蒙古自治区档案馆编：《中国第一个民族自治区诞生档案史料选编》，第70页。
　　⑦ 内蒙古自治区档案馆编：《中国第一个民族自治区诞生档案史料选编》，第73页。

会议上，任命刘春担任内蒙古自治政府民族事务委员会委员长。11 月 26 日，内蒙古自治政府决定：从 12 月 1 日起，王爷庙街改称乌兰浩特，① 任命章泽为市长。内蒙古自治政府的各项组建工作逐渐完成，内蒙古中、东部地区的大部分盟旗纳入了自治政府的统一领导之下。

5 月 19 日，中共领导人毛泽东、朱德复电内蒙古人民代表会议，提出"曾经饱受困难的内蒙同胞在你们领导之下，正在开始创造自由光明的新历史。我们相信蒙古民族将与汉族和国内其他民族亲密团结，为着扫除民族压迫与封建压迫，建设新蒙古与新中国而奋斗。"② 东北、陕甘宁、晋察冀、晋冀鲁豫、冀热辽、绥蒙等解放区的中共组织及人民政府也在内蒙古自治政府成立前后纷纷致以贺电。③《新华日报》、《东北日报》、《晋察冀日报》、《冀热辽日报》、《西满日报》和《内蒙自治报》等各解放区报刊都相继发表通讯或社论，④ 报道内蒙古自治政府成立的盛况，高度评价其深远的历史意义。

（四）内蒙古自治政府的施政

《内蒙古自治政府施政纲领》对内蒙古自治政府的性质、任务、施政方针和各项基本政策，作出了明确的规定：

"一、内蒙古自治政府系本内蒙古民族全体人民的公意与要求，根据孙中山先生'中国境内各民族一律平等'，'承认中国国内各民族之自决权'，中国共产党领袖毛泽东先生《论联合政府》中的少数民族政策的主张及政治协商会议决议的精神而成立。

"二、内蒙古自治政府是由内蒙古民族各阶层、内蒙古区域内各民族实行高度自治的区域性的民主政府。

"三、内蒙古自治政府，以内蒙古各盟（包括盟内旗、县、市）、旗为自治区域，是中华民国的组成部分。

---

① 周清澍主编：《内蒙古历史地理》，内蒙古大学出版社 1993 年版，第 252 页。乌兰浩特，蒙语意为"红色的城市"。

② 《毛主席、朱总司令复内蒙人民代表大会电》，见中共中央统战部编：《民族问题文献汇编》，第 1127 页。

③ 内蒙古自治区档案馆编：《中国第一个民族自治区诞生档案史料选编》，第 82—95 页。

④ 内蒙古自治区档案馆编：《中国第一个民族自治区诞生档案史料选编》，第 280—293 页。

"四、内蒙自治区域内的蒙、汉、回等各民族，一致团结起来，坚决粉碎帝国主义者及封建买办法西斯大汉族主义者对内蒙古民族及各民族人民的侵略压迫，并联合全国一切赞助内蒙古自治的民主党派及各民族各阶层人民为实现内蒙古民族彻底解放而奋斗。

"五、内蒙古自治区域内蒙汉回等各民族一律平等，建立各民族间的亲密合作团结互助的新民族关系，消除一切民族间的隔阂与成见。各民族互相尊重风俗习惯、历史文化、宗教信仰、语言文字；各民族自由发扬本民族的优良历史文化与革命传统，自由发展本民族的经济生活，共同建设新内蒙古。

"六、内蒙自治政府确保人民享有身体、思想、宗教、信仰、言论、出版、集会、结社、居住、迁移、通讯之自由，所有内蒙古人民（农人、牧人、工人、军人、公务人员、技术人员、自由职业者、地主、牧主、工商业家、喇嘛以及以前的王公等）的人权财权，均受到自治政府的保障。对蒙汉奸、卖国贼等民族败类，如无悔改诚意，则应受到内蒙古自治政府法律之制裁。

"七、凡内蒙古人民，年18岁以上，不分阶级、性别、民族、信仰、文化程度，除剥夺公民权及精神病者外，均有选举权与被选举权。

"八、内蒙古自治政府以民主集中制为组织原则，以内蒙古人民所选举之内蒙古参议会为权力机关，参议会选举内蒙古自治政府委员及政府主席副主席，参谋（议）会闭幕后，自治政府为最高行政机关。自治政府以下之各级政府，由各级人民代表大会选举之。人民有罢免其代表及参议员之权，任何公务人员如有不忠于人民利益的行为，人民有控诉之权。

"九、建设与发展内蒙古人民自卫军。人民自卫军必须忠于民族，忠于人民，拥护政府，遵守政府法令，加强团结，提高觉悟严整纪律，保卫民族与人民的利益，坚决粉碎大汉族主义者的侵略，争取自卫战争胜利。政府必须爱护军队，保障兵源与供给，优待军属烈属，抚恤伤亡。政府与军队协力发展人民自卫武装，共同肃清土匪奸细，保护交通，安定社会秩序。

"十、保护蒙古民族土地总有权之完整。保护牧场，保护自治区域内其他民族之土地现有权利。对罪大恶极的蒙奸、恶霸的土地财产予以没收，分给无地及少地的农民及贫民。合理解决蒙汉土地关系问题，实行减租增资与互助运动，减轻剥削，改善人民经济生活。

"十一、提倡劳动，奖励劳动英雄，发展生产。农业区改良农作法，奖励植棉。畜牧区应改善饲养法，提倡打井储草，发展毛织、皮革等手工业。组织运盐采矿，提倡造林，保护森林，施行有计划的采伐。建设道路、通讯、邮电事业，恢复驿站。组织运输合作社，调剂日用品，保障公务人员、教员、技术人员、学生、文艺工作者等必须（需）物资生活。提倡机关学校军队的劳动生产，减轻人民负担。整理财政，建立合理税收制度，废止差役，厉行节约，严惩贪污。建立内蒙古银行，发行货币，发展商业贸易，取缔奸商。

"十二、普及国民教育、增设学校，改善教师待遇，培养人才。开办内蒙古军政大学及各种技术学校，推广蒙文报纸及书籍，研究蒙古历史，各蒙古学校普及蒙文教科书，发展蒙古文化。增进医疗卫生防疫及兽医设备，免费为贫苦人民治疗。公布禁止种吸鸦片法，减少疾病与死亡。禁止堕胎，奖励生育，生养子女 4 人以上者给以各种奖励，增加内蒙古人口。

"十三、实行信教自由与政教分立，保护庙产，提倡喇嘛自愿投资经营农工商业与各种合作事业，奖励喇嘛自愿入学与参加劳动、行医、识字。

"十四、爱护与教育青年，培养青年干部，帮助贫苦青年入学，发展青年组织。

"十五、保证妇女在政治、经济、文化、教育、社会上的平等，提倡婚姻自主及一夫一妻制度，禁止买卖婚姻、蓄奴、纳妾、童养媳妇等一切不良制度。

"十六、欢迎一切热心蒙古民族解放事业的各民族各阶层人士参加内蒙古自治工作。

"十七、援助蒋占区蒙古人民反对大汉族主义民族压迫及蒋家暴政一切斗争。"①

《内蒙古自治政府施政纲领》强调：内蒙古自治政府是根据孙中山先生提出的"中国境内各民族一律平等"，"承认中国国内各民族之自决权"的原则和中国共产党的民族政策成立的；蒙古族联合内蒙古境内其他民族实行自治，同样体现蒙古民族在内蒙古自治中的主体地位；内蒙古自治是在中国版图内的民族区域自治；内蒙古自治政府是代表广大人民群众利益的民主政府；内蒙

---

① 《内蒙古自治政府施政纲领》，见中共中央统战部编：《民族问题文献汇编》，第 1111—1113 页。

古自治区域内的各民族一律平等，建立亲密合作、团结一致、共同对敌，共求解放的关系。

《内蒙古自治政府暂行组织大纲》明确规定了自治政府的职能和权力，即内蒙古自治政府为内蒙古最高行政机关；自治政府可在中国民主联合政府法令范围内制定、公布单行法。《内蒙古自治政府暂行组织大纲》规定自治政府下设最高法院分院和 8 个厅、部、委员会，即办公厅、民政厅、军事部、财政经济部、文化教育部、公安部、民族委员会和参事厅。另外，"自治政府以下地方行政区划为三级制。一盟，二旗、县、市，三努图克、苏木、街、村，其名称及区制另定之。"①

内蒙古自治政府成立之初，所辖区域包括兴安盟、纳文慕仁盟、锡林郭勒盟、察哈尔盟。② 当时自治政府不仅面临着国民党军事进攻和地方反动势力骚扰破坏的严峻形势，还担负着复杂环境中进行社会改革和发展经济文化事业的历史重任。

在中国人民解放战争胜利推进的形势下，内蒙古自治政府的成立，产生了重大的社会影响，具有深远的历史意义。自治政府的成立，初步实现了内蒙古地区蒙古族各阶层人民多年来渴求统一与自治的愿望，标志着蒙古民族政治上的彻底解放，极大地鼓舞了各族人民团结一致、共求解放的革命热情；对于推动内蒙古地区的社会改革、经济文化事业的发展具有划时代的深远意义。中国共产党在民主革命的实践中，创造性地提出了民族区域自治的基本政策，不仅引导蒙古民族解放运动走上了正确的发展道路，也为正确解决国内的民族问题提供了理论和实践的依据。内蒙古自治政府作为中国少数民族第一个实行民族区域自治的民主政府，为国内其他少数民族的解放斗争树立了成功的典范。

五、加强中共的领导与社会民主改革

（一）内蒙古共产党工作委员会的成立

解放战争初期，在中共中央的统一部署下，中共中央东北局、西北局、

---

① 内蒙古自治区档案馆编：《中国第一个民族自治区诞生档案史料选编》，第56—57 页。
② 周清澍主编：《内蒙古历史地理》，第246 页。

晋察冀中央局及各有关分局、省、地市委在所属区域内领导、支援内蒙古地区的民主革命斗争和根据地的建设，与内蒙古解放区的中共组织共同推动内蒙古自治运动的发展。内蒙古自治政府成立前，内蒙古中、东部地区各盟都先后组建了中国共产党的工作委员会，中共的队伍也得到了迅速的扩大。蒙古族党员人数已由1946年初的100余名发展到1100余名，其中绝大部分是抗战胜利后投身民主革命的青年。①

中共中央对重建内蒙古人民革命党的主张采取了极其慎重的态度，多次下达指示，与中共中央东北局、西满分局和内蒙古地区党组织反复讨论、研究，寻求解决办法。1947年3月14日，乌兰夫在致中共中央的请示电中提出："关于党的领导问题，我们提议成立内蒙分局或内蒙古党委员会，受东北局领导，现在管东蒙、察蒙及绥北蒙古地方的工作。"②3月23日，中共中央指出："如果内蒙人民中积极分子主张解散内蒙自治运动联合会而组织内蒙人民革命党，我们应予以赞助，并以中共分子加入成为领导核心，如果时机尚未成熟，亦不妨暂时保存内蒙自运会，作为向西蒙活动的人民团体。""内蒙人民中进步分子，应多多吸收加入中共，并给以党的教育，准备到相当人数后，宣布成立内蒙共产党。目前内蒙党的领导机关，可成立内蒙工作委员会，即以云泽同志为书记，受东北局或西满分局领导。"③4月1日，中共中央东北局致电中共中央，提出建议："组织内蒙人民革命党问题应慎重考虑，待内蒙共产党及群众有相当基础，东蒙领导分子经过考验进一步靠近我党时，看清情况是否需要再定。""目前是首先成立内蒙临时自治政府，组党问题以时机未达慢慢考虑不提出，内蒙自治联合会不取消，作为群众性的蒙民团体，并以它向西蒙活动……"④

关于内蒙古人民革命党的问题，在内蒙古自治运动联合会执委会扩大会议和内蒙古人民代表会议上曾引起了激烈的争论。为此，乌兰夫主持召开了中共党内的专门会议，听取哈丰阿等人的意见，针对错误的论点展开严肃、

①　郝维民主编：《内蒙古革命史》，第564页。

②　内蒙古自治区档案馆编：《内蒙古自治运动联合会档案史料选编》，第169页。

③　《中共中央关于内蒙古自治问题的指示》，中共中央统战部编：《民族问题文献汇编》，第1095页。

④　《中共中央东北局关于对内蒙自治问题的意见向中央的请示》，见中共中央统战部编：《民族问题文献汇编》，第1097—1098页。

认真的讨论。乌兰夫、刘春等人指出，同一国家、同一社会不可能在各个民族中分别产生和形成自己民族的无产阶级；中国共产党是中国无产阶级的政党，代表着全国各民族人民的利益，并非哪一个民族的党；事实证明，只有在中国共产党的领导下，内蒙古的革命斗争和蒙古民族解放运动才能走向胜利。哈丰阿等人表示同意上述主张，但又提出：在内蒙古地区可以成立中国共产党工作委员会，但不建立各级组织，不发展党员，内蒙古人民革命党在中国共产党的领导下直接领导内蒙古的各项工作。①

上述争论的情况报告中共西满分局后，西满分局于 4 月 10 日致函中共东北局负责人，提议"立即同意组织人民革命党，在自治政府成立后，即由云泽等发起筹备组党工作，并同意哈、特等所提出 3 条：（一）接受中共领导，（二）为内蒙民族与人民服务，（三）反对法西斯大汉族主义，作为基本纲领。"② 4 月 18 日，中共东北局向中共中央提出请示报告，建议："原则上同意内蒙建立实际上是各革命党派联合的政党，但因'八一五'以后在东蒙组织的人民革命党参加的成分复杂，在蒙古进步群众中影响不好，且遭外蒙解散，故其名称可叫民主党或民主革命党。""对……非组织的活动，采取诚恳的态度，在党内进行批评，并经过蒙古进步青年广泛宣传中共对内蒙的主张和政策。"③ 4 月 20 日，中共中央致电中共东北局，指出："不组织内蒙人民革命党而保留内蒙自治联合会，此意甚好。""内蒙工作委员会应即成立，直受东北局领导。"④ 23 日，中共中央又致电东北局和乌兰夫："关于内蒙人民革命党问题，如照东北局主张，能以内蒙自治联合会代替人民革命党为内蒙人民群众组织，吸收一切赞成内蒙组织的积极分子参加从事政治活动，而以我党从中领导，自为上策。如人民革命党既未宣布解散，而这些人又极力主张恢复，我们党员亦一时难以说服，则不如采取积极

---

① 刘春：《内蒙工作的回忆》，见政协内蒙古自治区委员会编：《内蒙古自治政府成立前后》，政协内蒙古自治区委员会 1997 年印刷，第 83—85 页。

② 《中共中央西满分局关于内蒙人民革命党问题的信》，见中共中央统战部编：《民族问题文献汇编》，第 1099 页。

③ 《中共中央东北局关于内蒙组织人民革命党问题的请示报告》，见中共中央统战部编：《民族问题文献汇编》，第 1100—1101 页。

④ 《中共中央关于内蒙古自治问题给东北局的复示》，见中共中央统战部编：《民族问题文献汇编》，第 1102 页。

态度以我党为中心来建立人民革命党，领导其向革命发展，而不必预存废止之意。同时，仍保持内蒙共产党的独立组织与发展。""但两者，究以何者为好，并行得通，仍望东北局根据实际商定之。"①

内蒙古自治政府成立后，在乌兰夫的主持下召开了多次中共党内的会议，主要参加人有哈丰阿、刘春、张策、特木尔巴根、方知达、阿思根、胡昭衡、朋斯克等。他们就党内的意见、分歧进行了坦率的交谈，充分发表了意见。通过耐心细致的思想工作，在建立党组织问题上的一些错误主张最终被放弃了。② 1947 年 5 月下旬，中共中央东北局发出指示，决定成立内蒙古共产党工作委员会，工委委员是云泽、奎璧、刘春、克力更、王再天、王逸伦、哈丰阿、特木尔巴根、王铎，候补委员是吉雅泰、阿思根；任命乌兰夫为内蒙古共产党工作委员会书记，奎璧为组织部长，刘春为宣传部长，王再天为社会部长，王逸伦为财经委员会主任，方知达为秘书长。③ 中共兴安省工作委员会随即撤销。6 月 2 日，内蒙古共产党工作委员会作出《关于建党问题及党内团结的决议》，指出："奉中共中央东北局指示，内蒙古共产党委员会已经成立，不再建立任何外围党。全体党员要坚决执行党的决议，加强党内团结，严格组织，统一思想，统一步调，迎接伟大而艰巨的革命斗争。"④

7 月 1 日，内蒙古共产党工作委员会在王爷庙召开中共党员大会，庆祝中国共产党建党 26 周年。乌兰夫在会上发表讲话，宣布内蒙古共产党工作委员会成立。7 月 9 日，在王爷庙举行了隆重的群众大会，乌兰夫在会上公开宣布了内蒙古共产党工作委员会成立。⑤ 内蒙古的中共党组织从此开始形成了坚强、统一的集体。内蒙古共产党工作委员会的成立，为内蒙古民主革命及各项事业的胜利发展奠定了坚实的基础。

---

① 《中共中央关于对内蒙人民革命党的对策给东北局的指示》，见中共中央统战部编：《民族问题文献汇编》，第 1103 页。

② 刘春：《内蒙工作的回忆》，见政协内蒙古自治区委员会编：《内蒙古自治政府成立前后》，第 84—86 页。

③ 内蒙古自治区档案馆编：《中国第一个民族自治区诞生档案史料选编》，第 76 页。

④ 内蒙古自治区档案局、内蒙古自治区档案馆编：《内蒙古自治区大事记》，内蒙古人民出版社 1988 年版，第 5 页。

⑤ 白拉都格其、金海、赛航：《蒙古民族通史》第 5 卷，内蒙古大学出版社 2002 年版，第 630 页。

内蒙古共产党工作委员会成立后，在中共中央东北局的直接领导下，与各相邻解放区的中共党组织密切配合，进一步建立、健全了内蒙古解放区各盟、旗的中共党组织，并不断予以调整、充实。1947 年 7 月，中共巴乌工委与察锡工委合并，称察锡巴乌工委，奎璧任书记，王铎任副书记，刘景平、杨平为委员；中共纳文慕仁盟工委成立，克力更任书记，夏辅仁、陈立新为委员；中共兴安盟中心旗委成立，宋振鼎任书记，吉雅泰、高布泽博、杰尔格勒等为委员。11 月，中共兴安盟中心旗委改称中共兴安盟工作委员会；中共纳（文慕仁）呼（伦贝尔）工委组成，吉雅泰任书记，高锦明、夏辅仁任副书记；1948 年 12 月，纳呼工委撤销，分别组成中共纳文慕仁盟工委和中共呼伦贝尔盟工委。①

为了进一步加强中国共产党对内蒙古地区的领导，充实自治政府及各盟旗的干部队伍，提高各级干部的政治素质与工作能力，内蒙古共产党工作委员会和内蒙古自治政府又先后开办了内蒙古军政大学、内蒙古党校等院校，以适应军事斗争、地方政权建设、发展经济文化事业的需要。1947 年 6 月 14 日，内蒙古自治政府作出决定：将原东蒙军政干部学校改为内蒙古军政干部学校，哈丰阿兼任校长，阿思根兼任副校长，刘春兼任政治委员，乌如喜业勒图任副教育长，兼教育科长。内蒙古军政干部学校直接受自治政府领导。② 8 月 7 日，内蒙古共产党工作委员会决定：成立内蒙古军政大学，乌兰夫兼任校长、政委，丁士一任教育长；将内蒙古军政学校改为内蒙古军政大学第一院，同时在齐齐哈尔设立内蒙古军政大学第二院。9 月 10 日和 11 月 1 日，两院分别正式开学。8 月，设在赤峰的内蒙古自治学院与冀热辽解放区创办的建国学院、鲁迅艺术学院合并，组成察冀热辽联合大学。1948 年 9 月 9 日，内蒙古共产党工作委员会作出《关于开办内蒙古党校的决定》。11 月 7 日，内蒙古党校在乌兰浩特正式开学，乌兰夫任校长，刘春任

---

① 中共内蒙古自治区委员会组织部、中共内蒙古自治区委员会党史研究室、内蒙古自治区档案馆编：《中国共产党内蒙古自治区组织史资料》（1925 年 3 月—1987 年 12 月），内蒙古人民出版社 1995 年版，第 82、85、86、87 页。

② 内蒙古自治区档案馆编：《中国第一个民族自治区诞生档案史料选编》，第 77 页。

副校长，丁士一任教育长。①

　　大批地方政府的在职干部、内蒙古人民解放军部队指战员和青年学生在各院校接受了政治、军事和财经等方面的培养、教育，结业后被陆续充实到各级工作岗位，造就了大批各项事业所急需的专门人才，使内蒙古地区的干部队伍得到了迅速扩充。

　　（二）各项社会民主改革的开展

　　1947 年 10 月 10 日，中国共产党正式公布了《中国土地法大纲》，宣布"废除封建性及半封建性剥削的土地制度，实行耕者有其田的土地制度"②，以动员广大农民的革命积极性，解放农村生产力，加速解放战争的胜利进程。

　　内蒙古解放区不断得到巩固和发展。在部分与东北解放区和晋察冀解放区相邻的农村中，有些群众在土地改革运动的影响下，开始组织农会，展开平分土地的斗争。在内蒙古自治政府管辖的 5 个盟中，农业在社会中占有很大比重，约有 3/4 的人口从事着农业或正在转向农业。纳文慕仁盟的东南部、兴安盟东部以及察哈尔盟南部地区以农业为主；哲里木盟和卓索图、昭乌达盟的大部分地区已成为较完全的农业区。这些地区由于经营土地的历史不尽相同，各地的情况也有较大差异。已开展起来的减租和清算反霸运动虽然打击了农村的地主阶级势力，在一定程度减轻了剥削，但是封建土地制度并没有从根本上受到冲击，与封建制度同时存在的原有政权组织形式，包括某些王公上层的特权世袭制度，还没有得到完全的改造。这种状况严重地压抑着广大蒙汉农民的生产积极性，阻碍着社会生产力的发展。各族劳动群众迫切要求摧毁封建土地制度，实行土地改革。内蒙古解放区农村与全国各解放区农村一样，面临着一场伟大的社会变革。

　　1947 年 11 月 5 日至 16 日，内蒙古共产党工作委员会召开了兴安盟群众工作会议，总结了过去一年多的群众工作。会议根据《中国土地法大纲》规定，决定立即在内蒙古解放区广大农村发动彻底的土地改革运动。乌兰夫

---

　　①　中共内蒙古自治区委员会组织部、中共内蒙古自治区委员会党史研究室、内蒙古自治区档案馆编：《中国共产党内蒙古自治区组织史资料》（1925 年 3 月—1987 年 12 月），第 82、85、86 页。

　　②　中共中央党校党史教研室选编：《中共党史参考资料》（6），人民出版社 1979 年版，第 328 页。

在会议上阐明了土地改革的方针政策，提出："在农业区要组织力量大举进攻，彻底消灭封建势力……在农业区要实现耕者有其田，地主的土地要分给无地少地的农民，并征收富农多余的土地，中农缺少地的可以补进，达到平分土地。要消灭赤贫，团结中农，建立雇贫农的优势……"[①] 这次会议对于内蒙古解放区农村展开全面土地革命运动，做好了干部上和思想上的准备。

　　1947 年 11 月底，土地改革运动在内蒙古东部的兴安盟、纳文慕仁盟和呼伦贝尔盟的农村中开展起来。中共辽北省委和中共热河省委也领导了哲里木盟、卓索图盟和昭乌达盟的农村土地改革运动。内蒙古自治政府和各相邻解放区都抽调了大批干部组成工作团（队），奔赴农村，发动群众。[②]

　　在贯彻执行土改方针、政策的过程中，为减少阻力，团结各族群众，内蒙古共产党工作委员会还提出了一系列调整民族关系的原则。其主要内容是：在发动对蒙古族地主恶霸的斗争时，主要依靠蒙古农民进行，在发动对汉族地主恶霸的斗争时，由蒙汉农民联合起来共同进行；强调在土地的分配中要照顾蒙古族农民的利益。此外还要求对部分民族上层人士及其家属予以适当的保护。同时，调集内蒙古人民自卫军清剿在解放区进行滋扰的土匪和叛乱武装，以保证土地改革的顺利进行。

　　至 1948 年 2 月，内蒙古解放区各地区的农村基本上进行了发动群众、斗争地主、划分阶级和平分土地的运动。在划分阶级的过程中，曾盲目搬用了东北解放区的标准，错划了部分蒙古族农民的阶级成分，被划为地主、富农的户数占 20.8%，占人口的 25.6%，[③] 扩大了打击面；中农的利益也普遍受到侵害，对土地改革运动的健康发展造成了消极影响，挫伤了当地群众的积极性，解放区已趋于稳定的社会秩序再度出现了动荡不安的局面。3 月，内蒙古共产党工作委员会对土地改革运动开展以来所取得的经验和教训进行了总结，向干部、群众传达了中共中央 1947 年 12 月会议上关于纠正"左"倾错误的指示精神，组织干部重新学习土地改革政策，制定了纠偏的具体措

---

　　① 　中共内蒙古自治区委员会统战部、内蒙古自治区档案馆编：《内蒙古统战史档案史料选编》(1)，中共内蒙古自治区委员会统战部、内蒙古自治区档案馆 1987 年印刷，第 476 页。

　　② 　庆格勒图：《内蒙古东部区的土地改革》，载《内蒙古大学学报》1998 年第 1 期。

　　③ 　乌兰夫革命史料编研室编：《乌兰夫论牧区工作》，内蒙古人民出版社 1990 年版，第 9 页。

施。工委随即领导各地展开了纠偏工作。

1948年6月，内蒙古东部解放区农村的土地改革运动基本结束。7月，内蒙古共产党工作委员会在哈尔滨召开干部会议，对自治政府成立以来的各项工作进行全面总结，研究了内蒙古东部解放区的土地改革运动，检查了运动中的"左"倾错误，根据"慎重缓进"的方针，补充制定了对农业区的政策，从而形成了一套较为完整的土地改革政策。其基本内容为：①内蒙古境内的土地为蒙古民族所公有。②对汉族地主按照《中国土地法大纲》的规定没收其土地、耕畜和财产。③取消"二地主"，取消蒙租。④将蒙族大中地主的土地、耕畜及财产没收平分给蒙汉农民，除大蒙奸恶霸外，其家属和一般地主均留给与农民相同的一份。⑤出租户口地的小地主的土地不动，其财产也不分。⑥蒙古族富农剥削量不超过其总收入50%的，耕畜和财产一般不动，土地只分其多余部分；中农的土地坚决不动，许进不许出。⑦在斗争果实的分配中适当照顾蒙古族农民的利益，以弥补取消蒙租带给蒙古族农民的部分损失。① 这些规定体现了内蒙古的地区特点和民族特点，对于解决内蒙古农村的地主与蒙汉族劳动农民之间的阶级矛盾，处理由土地问题引发的民族矛盾提供了正确的政策依据。

哈尔滨干部会议以后，遵照中共中央的指示，内蒙古地区的土改运动由平分土地的斗争转入发展生产、建立稳定秩序的阶段。至1949年4月，各盟旗政府在已实行了土改的农村不断进行复查和纠偏，总结经验，及时发现和解决问题，纠正错误，巩固成果，使农村和各项工作得以在正确的政策指导下有计划、有步骤地发展。

经过土地改革运动，在内蒙古各解放区农村废除了封建土地制度，农村生产力获得了解放，解放区农村的面貌发生了巨大变化。各族农民在土改运动中都分到了土地、房屋、牲畜和农具，实现了"耕者有其田"的土地制度。据兴安盟和纳文慕仁盟9个旗县的不完全统计，蒙汉农民共得到296.7万亩土地，15.6万余头耕畜，房屋6.5万余间。②

土地改革后，内蒙古解放区广大农村广泛掀起了参军参战、支援前线的

---

① 内蒙古自治区档案馆编：《中国第一个民族自治区诞生档案史料选编》，第112—117页。
② 内蒙古自治区档案馆编：《中国第一个民族自治区诞生档案史料选编》，第113页。

热潮。内蒙古各族人民全力支援解放战争，特别是为人民解放军在东北战场上所取得的胜利作出了巨大贡献。在各级政府的积极倡导下，各农业区还普遍建立了生产互助组。在土地改革基础上普遍展开的互助、增产运动，将内蒙古东部地区的农业生产推向了繁荣发展的新时期。

内蒙古地区的畜牧业有着悠久的历史，在社会经济中占有重要地位。呼伦贝尔盟、纳文慕仁盟、锡林郭勒盟绝大部分为广袤的草原；察哈尔盟、兴安盟、哲里木盟、昭乌达盟也有部分牧业区。自近代以来，内蒙古地区的王公札萨克制度已呈衰落趋势，但王公贵族在其管辖的地域内仍居于统治地位。在总管制旗内，总管和各级官吏行使着与王公相似的封建特权。他们以其掌握的行政司法权、征税摊派权对牧民实行残酷的压迫、剥削，与宗教上层、大牧主共同构成了牧业区封建统治阶级。

牧业区封建所有制的主要标志是占人口少数的封建统治阶级拥有大量牲畜，与贫苦牧民在牲畜占有量上形成巨大差异。虽然牧场和其他自然资源一样，依蒙古民族历史传统属全民族所共有，但由于贫苦牧民拥有少量牲畜，实际上绝大部分优良牧场为封建统治阶级所支配。这种极不合理的生产资料占有状况，造成了悬殊的贫富差距，形成了牧业区贫苦牧民与封建牧主之间严重的阶级对立。

牧主对劳动牧民的剥削主要通过"苏鲁克"方式进行。"苏鲁克"，蒙古语中的含义是"畜群"，原属封建主征调劳役的一种方式，近代以来一直为王公、牧主所沿袭，庙仓、旅蒙商也大都加以采用。畜主将畜群交由承接的牧民牧放，一般由畜主决定期限，规定畜产品分配比例。承接"苏鲁克"的牧民生活大都处于贫困之中。庙仓对"苏鲁克"户剥削较其他剥削者更为严重。上层喇嘛不仅从放"苏鲁克"中获得利益，还通过各种宗教活动聚敛财富。雇佣放牧制是封建牧主阶级剥削劳动牧民的另一种形式。随着近代以来原有的封建依附关系的逐渐松弛，部分破产牧民为生活所迫离开原籍，到其他旗为牧主雇佣，从事繁重的劳动。许多牧工处于寄人篱下的境况，不得不承受牧主不断加重的剥削。

牧业区落后的生产方式，导致畜牧业经济长期陷于停滞、萎缩的状态，战乱和自然灾害、各种疫病的频繁侵袭使之更加脆弱不堪。据统计，1919年的呼伦贝尔地区有羊120万只，牛40万头；到1945年，羊的数量下降为

40 万只，牛不及 10 万头。在 20 余年中，羊减少了 2/3，牛减少了 3/4。[①]
牧业区的社会状况表明：以少数王公贵族、大牧主和宗教上层为代表的封建
生产关系以及腐朽的政治、经济制度严重地阻滞着畜牧业经济的发展，是社
会进步的巨大障碍。因此，废除一切封建特权，改造落后的封建剥削制度，
解放生产力，以带动文化、教育、卫生等各项事业的发展，是广大蒙古族人
民的迫切愿望，是历史发展的必然趋势。

　　牧业区的阶级关系和经济形态与农业区相比较有着显著的差别。畜牧业
经济是极不稳定的自然经济，表现为经营的分散性和流动性。畜牧业生产周
期较长，牧场和牲畜易遭受自然灾害或人为的破坏，其恢复和发展也须经历
较长的时间。在各牧业区，除牧主和贫苦牧民外，生产水平居中等的牧民在
人数上占较大比例，但其经济地位极不稳定。牧主对牧民的剥削虽有浓厚的
封建色彩，但体现雇佣关系的经营方式已具有一定的资本主义因素。因此，
保持畜群的基本稳定，并在一定时期内保护、改造和发展牧主经济，是发展
畜牧业经济的重要途径。这就决定了牧业区的民主改革必须从牧业区阶级关
系的特点、畜牧业经济的特点出发，既要改革束缚生产力发展的旧的生产关
系，又要注意保持畜牧业生产的稳定性。

　　从 1946 年 5 月开始，随着内蒙古中、东部农业区和半农半牧业区普遍
展开减租减息，清算反霸斗争，各牧业区也逐步进行了废除封建特权的斗
争，这一阶段的斗争虽然还未从根本上动摇封建剥削制度，但通过对旧有的
政权组织形式的改造，广大贫苦牧民初步发动了起来，牧业区的封建势力受
到了削弱。1947 年 11 月 4 日，内蒙古共产党工作委员会在王爷庙召开了兴
安盟群众工作会议，决定根据《中国土地法大纲》的精神，制定新的工作
方针，全面推进内蒙古解放区的社会民主改革进程。乌兰夫在 15 日的会议
讲话中提出了牧业区的工作方针："在游牧区提出也要消灭封建势力，就是
在消灭封建势力上还要有一个准备的时期。""在游牧地区准备消灭封建，
牧主的牲口要分给替他放牧的牧民与奴隶，对大牧民可提出互助，应当叫他

---

① 《乌兰夫文选》上册，中央文献出版社 1999 年版，第 242—243 页。

拿出一部分东西交给牧民和奴隶。"①

1947年底至1948年初，除呼伦贝尔、纳文慕仁盟外，内蒙古解放区的各盟都组成工作团、队深入牧业区，以农业区土地改革的激烈斗争方式发动了称之为"牧改"或"畜改"的大规模群众性运动。各牧业区大都经历了划分阶级、平分牲畜和财产的过程。大部分牧业区都以牧民占有牲畜数量划分了阶级，部分富裕牧民被划为牧主，部分一般牧民也被划为牧主或富牧。各牧业区都依照农业区"耕者有其田"的口号，提出"牧者有其畜"，对牧主的牲畜和财产采取了一律没收、平均分配的办法。虽然每个牧户都得到了大体相等数量的牲畜，但由于原来较为稳定的畜群结构被破坏，"苏鲁克"方式被废弃，导致畜群分散、劳动力浪费，出现了管理不善、任意宰杀、转移、出卖牲畜的混乱现象。②

牧业区民主改革运动过程中出现的"左"倾错误及其带来的一系列消极影响引起了中共中央东北局和内蒙古共产党工作委员会的重视。1948年2月，东北局在了解各地"牧改"的情况后，致电内蒙古共产党工作委员会，要求迅速纠正"左"的偏差。3月，内蒙古共产党工作委员会在乌兰浩特召开了兴安盟地区群众工作会议，昭、锡、察盟有关负责人也出席了这次会议。会议针对牧业区出现的问题，初步确定了稳定牧业区形势，恢复与发展畜牧业生产的有关政策；同时提出了在牧业区不采取农业区土地改革的方式，对牧主及其牲畜、财产不斗、不分，以提高牧工工资的方法保障牧民群众的利益。此后，在牧业区蔓延的"左"倾错误得到了遏止。

1948年7月，内蒙古共产党工作委员会在哈尔滨干部会议上，分析了内蒙古地区畜牧业经济发展的历史和特点，在理论和政策上明确了民主改革的任务和应采取的步骤。7月30日，乌兰夫在会议总结报告中指出："游牧区提出1948年也要消灭封建的方针是错误的，这助长了下面工作中'左'的倾向，至于有些游牧区实行平分牲畜更不对。""上述偏向与错误是很严重的，如不纠正，危险极大。"③《报告》对牧业区的政策作出明确规定：

① 中共内蒙古自治区委员会统战部、内蒙古自治区档案馆编：《内蒙古统战史档案史料选编》（1），第476页。

② 郝维民主编：《内蒙古自治区史》，第40页。

③ 乌兰夫革命史料编研室编：《乌兰夫论牧区工作》，内蒙古人民出版社1990年版，第7、10页。

"1. 废除封建特权，适当提高牧工工资，改善放牧制度。2. 除罪大恶极的蒙汉恶霸经盟以上政府批准可以没收其牲畜财产由政府处理，一般大牧主一律不斗不分。3. 实行民主改革，有步骤地建立民主政权，发展游牧区经济。"① 乌兰夫的报告和会议制定的各项政策，得到了中共中央东北局的充分肯定，其主要内容被列入东北局负责人所作报告的一部分②，经中共中央批准后公开发表，在内蒙古地区各族干部中进行了广泛宣传。"不斗、不分、不划阶级"和"牧工牧主两利"（时称"三不两利"）政策作为牧业民主改革的基本方针被正式确定了下来。会后，内蒙古工委发出批示，要求从事牧业区工作的干部认真调查研究牧业区阶级结构和经济特点，贯彻"三不两利"政策，制定适合当地情况的具体办法，促进畜牧业经济发展，特别强调在工作中力戒盲目和急躁情绪，采取措施、纠正错误，消除不良影响。

实行"不斗、不分、不划阶级"和"牧工牧主两利"政策，即不采用激烈的方式斗争牧主，对一般牧主的牲畜及其他财产不予没收、平分；不公开划定阶级成分，以比较缓和的方式解决牧业区的阶级矛盾；促进牧业生产的稳定发展。这些政策一经实施，牧业区的社会秩序便逐步得到了稳定，牧工和牧主的生产积极性也有了较大提高。自1948年下半年开始，各牧业区都根据"三不两利"政策，对牧主采取了团结、教育和改造的方针，并从当地实际出发，对旧的畜牧业生产经营方式进行了改良，普遍实行了新的"苏鲁克"方式。新的"苏鲁克"方式采取由牧工和牧主协商确定经营畜群的劳动报酬或分益标准，在地方政府的指导、监督下执行，改变了过去由牧主专权的状况。双方订立合同后，牧主不得随意收回畜群，压低工酬。这样可以提高"苏鲁克"户的劳动所得；同时，实行按比例分配繁殖的仔畜，也增加"苏鲁克"户对奶制品和皮、毛等畜产品的分配份额。新方式的实行，大大减轻了牧主对牧民的剥削。各盟、旗都根据实际情况制订了新的工资标准，改变了过去牧工收入偏低的状况。对于喇嘛和庙仓，采取了慎重的方针和比较宽松的政策。在废除庙仓享有的一切封建特权的同时，严格区别

---

① 乌兰夫革命史料编研室编：《乌兰夫论牧区工作》，第7—8页。

② 高岗：《在内蒙干部会议上的讲话》，见中共中央统战部编：《民族问题文献汇编》，第1142页。

宗教信仰和经济剥削的不同情况，其畜群全部实行新的"苏鲁克"方式，并引导喇嘛参加生产。

此外，在牧业区还采取鼓励和扶持自由贸易的政策，提倡公平交易，制定和推行合理的价格政策，严格限制、取缔部分旅蒙商在牧业区从事不等价交换和重利盘剥；同时实施减轻税收的政策，并拨出部分资金发放牧业贷款，救济贫苦牧民，扶持畜牧业经济；组织牧民劳动互助，进行牲畜疫病的预防和治疗，增强抵御自然灾害的能力。①

经过民主改革，广大牧民群众摆脱了封建压迫，在政治上获得了解放，牧业区的社会生产力得到了显著的恢复和发展，畜牧业经济进入了初步繁荣、稳定的时期。畜牧业经济的恢复与发展，为当地进行经济建设和以后的社会主义改造准备了必要的条件。

在内蒙古许多地区，农田和牧场呈交错分布的格局，有着面积较大的半农半牧区。这里既有农牧业经济的互相影响和渗透，也存在蒙汉民族杂居的局面，同时大都实行"旗县并存"、"蒙汉分治"。与农业区和牧业区相比较，半农半牧区的社会面貌更为复杂，阶级关系、生产方式也有较大差异。因此，半农半牧区的社会改革不能简单地以农业区的土地改革或牧业区的社会改革的方式进行，必须在解决阶级矛盾的同时，注意调整农牧业之间的关系和民族关系。

从1946年上半年到1947年，内蒙古中、东部地区的半农半牧区普遍开展了减租减息、清算反霸斗争，建立了各旗、县民主政权，使封建剥削制度受到了猛烈的冲击。其中的群众运动也曾经历了"左"倾错误。到1947年下半年，半农半牧区的各项改革进入了稳步发展的时期。内蒙古共产党工作委员会在考察、分析半农半牧区社会状况的基础上，决定在其中不实行土地改革，而是制定了"发展农业，发展畜牧，适当地提高贫苦农牧民的生活"的方针；并且规定："半农半牧区经济发展方向，依靠群众自愿和依据自然条件发展农牧业，并须保护牧场。"② 同时根据半农半牧区的经济特点、民族关系特点，制定了以解决阶级矛盾、调整农牧关系和民族关系为主要内容

---

①　白拉都格其、金海、赛航：《蒙古民族通史》第5卷，内蒙古大学出版社2002年版，第657页。

②　内蒙古自治区档案馆编：《中国第一个民族自治区诞生档案史料选编》，第115页。

的一系列具体政策，即：在农业占优势的地区，大中地主固定的大垄地①和耕畜分给贫苦农民，小地主和富农不动；在牧业占优势的地区，大牧主的役畜分给贫苦农牧民，但牧群不分；个别蒙奸恶霸的土地、牲畜和财产，经政府批准后可分给农牧民。②

通过贯彻、实施上述政策，半农半牧区的农牧民摆脱了封建地主的压迫和剥削。为合理解决农牧业之间长期存在的矛盾、冲突，内蒙古自治政府根据半农半牧区群众的意愿，经过对自然条件的考察，确定半农半牧区的范围，划分农田、牧场的界限，特别是禁止盲目开荒；对自然条件适宜农牧业经济并存的地区实行"农牧并重"的政策，鼓励农牧业共同发展，缓解以农挤牧或以畜伤农的矛盾。同时，大力提倡"蒙汉互助，发展生产"，农牧业互相支援、互相补充和促进。从1949年开始，内蒙古共产党工作委员会和内蒙古自治政府对半农半牧区的畜牧业生产采取了着重保护、扶持的政策。同时，对半农半牧区实行轻税政策。

随着农牧矛盾的逐步缓解，蒙汉各族农牧民在共同的生产、生活基础上开始形成团结互助的新型的民族关系。

六、保卫自治运动的斗争与内蒙古全境的解放

（一）内蒙古的人民武装与保卫自治运动的斗争

抗日战争胜利前夕，毛泽东在中共七大的政治报告《论联合政府》中明确提出："必须帮助各少数民族的广大人民群众……争取他们在政治上、经济上、文化上的解放和发展，并成立维护群众利益的少数民族自己的军队。"③ 1945年8月11日，绥蒙政府在讨论绥蒙地区蒙古民族工作时就决定："建立蒙古军，以团结蒙古人民……军事上决定成立蒙古军队，先按各地方分别成立。"④ 11月23日，中共晋察冀中央局在《目前对内蒙古政策

---

① 大垅（垄）地，东北和内蒙古东部地区比较农业化的一种常年固定耕种的土地。

② 乌兰夫：《在内蒙古干部会议上的总结报告提纲》，见《乌兰夫文选》上册，中央文献出版社1999年版，第92页。

③ 毛泽东：《论联合政府》，见《毛泽东选集》，人民出版社1991年版，第1084页。

④ 中共内蒙古自治区委员会党史资料征集研究委员会、中国人民解放军档案馆、内蒙古自治区档案馆编：《大青山抗日游击根据地资料选编》（中），第292页。

的几个要点》中提出："准备建立内蒙古人民自卫军。"① 关于在内蒙古地区建立蒙古民族武装，不仅是对敌斗争的需要，同时也是蒙古民族自治运动取得胜利的一个基本保证。

1945 年 10 月至 12 月，八路军发动了平绥战役。国民党新编第 10 路军第 9 师和伊盟暂编保安师的部分官兵以及陶林县保安团的全体官兵，分别在察素齐、包头和集宁举行起义。八路军将这 3 支蒙古族起义部队分别编为内蒙古人民自卫军第 1、2、3 支队。平绥战役结束后，绥蒙军区和绥蒙政府以这 3 个支队、大青山蒙古游击队、绥东游击队和绥西游击队为基础，同时吸收了一批农牧民和青年学生，组建了内蒙古人民自卫军骑兵独立旅，李秀山任旅长。在组建初期，独立旅归属绥蒙军区指挥；1946 年 2 月，改由内蒙古自治运动联合会领导。3 月，独立旅参加了察哈尔盟的剿匪斗争。4 月，独立旅的官兵分批到张家口的内蒙古军政学院进行整训和学习。

1946 年 1 月，组建内蒙古人民游击队，乌勒吉敖喜尔任司令。这支游击队归内蒙古自治运动联合会和晋察冀军区双重领导，其主要任务是："保卫晋察冀军区和苏蒙之间的运输线，即化德到（今）二连浩特的交通孔道。"② 内蒙古人民游击队还参加了内蒙古自治运动联合会乌兰察布盟分会组织的剿匪斗争和减租减息工作。

"四三"会议后，根据会议决议精神，内蒙古地区蒙古民族武装各部队统一改编为内蒙古人民自卫军。乌兰夫任司令员，阿思根任副司令员。驻锡、察地区的原内蒙古骑兵独立旅改编为内蒙古人民自卫军骑兵旅，李秀山任旅长。驻巴、乌地区的内蒙古人民游击队改编为内蒙古人民自卫军第 4 支队，乌勒吉敖喜尔任支队长。1946 年 5 月，内蒙古人民自卫军兴安军区组成后，对内蒙东部地区各支蒙古民族武装实行了统一整编：将原东蒙古人民自治军第 1 师、第 2 师、第 4 师、第 5 师以及兴安支队、第 6 支队、警卫团和教导团一律改编为内蒙古人民自卫军部队，同时对部队归属和指挥员进行了部分调整。③

---

① 内蒙古自治区档案馆编：《内蒙古自治运动联合会档案史料选编》，第 12 页。

② 钱林豹：《解放战争时期内蒙古骑兵》，内蒙古大学出版社 1989 年版，第 25 页。

③ 中共内蒙古自治区委员会组织部、中共内蒙古自治区委员会党史研究室、内蒙古自治区档案馆编：《中国共产党内蒙古自治区组织史资料》（1925 年 3 月—1987 年 12 月），第 102—103 页。

各部队完成整编后，为集中力量，适应跨地域作战，内蒙古人民自卫军兴安军区与东北民主联军辽吉军区组成联合司令部，统一指挥在兴安盟、哲里木盟的军事行动。邓华为司令员，阿思根为副司令员，陶铸为政委。阿思根与陶铸还在通辽举行会议，确定了联合司令部的工作方针，即加强蒙古族内部的团结，增进蒙汉各族人民的团结，建立广泛的统一战线，共同抵御国民党军队对内蒙古解放区的进攻。会后，阿思根和陶铸共同签署、发布了《告蒙古同胞书》、《告蒋管区蒙汉同胞书》，号召各族群众参军参战，支援人民军队。5 月 17 日，内蒙古人民自卫军骑兵第 2 师与东北民主联军辽西军区通鲁警备区共同组建了蒙汉联军。5 月底，东蒙古人民自治军骑兵第 6 师与东北民主联军西满军区铁路警备旅共同组成联合卫戍司令部。6 月 29 日，东蒙古人民自治军骑兵第 6 师改编为内蒙古人民自卫军骑兵第 6 师。7 月 1 日，内蒙古人民自卫军兴安军区呼纳地区指挥部在海拉尔成立，特木尔巴根兼任司令员，方知达兼任政委。①

1946 年 7 月，八路军晋察冀、晋绥军区部队将东进的绥远国民党军队一部围困于大同。国民党东北挺进军一部在旅长海福龙的率领下脱离战场，于 8 月 11 日通电全国，宣布起义。经八路军绥蒙军区和内蒙古自治运动联合会会议决定，对起义部队进行整训，改编为内蒙古人民自卫军第 5 支队，任命海福龙为司令员。②

1946 年 9 月 8 日，内蒙古人民自卫军卓索图盟纵队在赤峰组成，孔飞任司令员。卓索图盟纵队同时指挥喀喇沁左旗、敖汉旗等地的地方武装，配合内蒙古人民自卫军骑兵第 4 师，在昭乌达盟解放区开展了清剿国民党地方武装及土匪的斗争。11 月 7 日，内蒙古自治运动联合会在贝子庙（今锡林浩特市）召开第六次常委会议，根据全面内战爆发后的新形势，对察哈尔、锡林郭勒、巴彦塔拉、乌兰察布地区的军事斗争和地方工作进行了统一部署。会议决定在内蒙古人民自卫军骑兵旅的基础上组建内蒙古人民自卫军第 16 师，任命李秀山为师长，王铎为政委，刘景平为副政委，寒峰为政治部

① 白拉都格其、金海、赛航：《蒙古民族通史》第 5 卷，第 602—603 页。
② 中共内蒙古自治区委员会组织部、中共内蒙古自治区委员会党史研究室、内蒙古自治区档案馆编：《中国共产党内蒙古自治区组织史资料》（1925 年 3 月—1987 年 12 月），第 103 页。

主任。"以察、锡两盟为其防区……执行坚持察、锡自卫战争的任务。"① 同时决定在巴彦塔拉、乌兰察布地区成立内蒙古人民自卫军巴乌军区，任命乌勒吉敖喜尔（即乌献文）② 为司令员，奎璧为政委；在内蒙古人民自卫军第4支队、第1支队、骑兵旅及第5支队的基础上分别组建第11师、第12师、第16师、第17师，任命乌勒吉敖喜尔兼任第11师师长；李森为第12师师长，李秀山为第16师师长、王铎为政委；海福龙为第17师师长、齐广武为副师长。③ 部队实行改编后，除第12师未能按计划组建外，各师分别进入指定游击区，与进犯解放区的国民党民队和叛乱武装展开战斗。

1946年8月，国民党东北行营在锦州组建了蒙旗联防指挥部，组织收编哲里木盟、卓索图盟和昭乌达盟的反共的地方武装。国民党军队占领巴彦塔拉后，随即组成"热河蒙旗自卫军"。11月，在国民党蒙旗联防指挥部的策动下，"热河蒙旗自卫军"占领开鲁，并以开鲁为据点，向哲、卓、昭盟解放区频繁发动进攻。内蒙古人民自卫军所属各部队在这时期放弃了部分城镇，在距离城市和铁路线较远的广大乡村、牧区开展游击战争，抵御国民党军队的北进；同时进行了剿匪和平息暴乱的斗争。

1947年1月，东北民主联军发动了"三下江南、四保临江"战役。内蒙古人民自卫军骑兵第1师、第2师与辽吉军区第5军分区共同组成蒙汉联军，由阿思根任司令员，向占据哲里木盟及毗邻地区部分城镇的国民党军队和匪军发起攻击，相继收复开鲁等地。2月底，蒙汉联军给予"热河蒙旗自卫军"毁灭性的打击。内蒙古人民自卫军骑兵第2师配合东北民主联军辽西军区的部队，向哲里木盟以东地区的国民党军队发动突袭，一举攻克通辽；通辽解放后，骑兵第2师对活动在哲盟的小股国民党军队继续展开追击。6月初，哲里木盟地区被内蒙古人民自卫军所属部队控制，国军党军队与各盟旗叛乱武装结成的所谓"联防"体系被彻底瓦解。1946年12月，国民党第14军一部和一些叛乱武装，向昭、卓盟解放区发动大规模围攻。昭乌达盟蒙汉联军与之展开激战，将其击溃。1947年5月到6月，内蒙古人民自卫军第

---

① 内蒙古自治区档案馆编：《内蒙古自治运动联合会档案史料选编》，第140页。

② 中共内蒙古自治区委员会组织部、中共内蒙古自治区委员会党史研究室、内蒙古自治区档案馆编：《中国共产党内蒙古自治区组织史资料》（1925年3月—1987年12月），第103页。

③ 内蒙古自治区档案馆编：《内蒙古自治运动联合会档案史料选编》，第139页。

11 师、第 16 师还协同冀热辽军区蒙汉联军，在察哈尔盟南部开展了大规模的剿匪斗争。此外，从 1946 年 10 月至 1947 年 7 月，内蒙古人民自卫军骑兵第 11 师、第 16 师还配合华北解放军先后 3 次击退了国民党军队对锡察解放区的大规模进攻，歼灭、击溃多股叛匪，有力地保障了锡察根据地的安全。

东北民主联军自 1947 年 5 月至 1948 年 3 月，连续发动夏、秋、冬季攻势作战。内蒙古人民自卫军骑兵第 1 师、第 2 师、第 5 师、第 6 支队奉东北民主联军司令部命令，开赴辽北、辽西战场，配合主力部队作战。1947 年秋，内蒙古人民自卫军第 11 师、第 16 师与察北分区部队组成察北蒙汉联军及北线指挥所，乌勒吉敖喜尔任总指挥。从 1947 年 4 月到 11 月，第 11 师和第 16 师在运动战中击退了国民党傅作义部发动的三次大规模多兵种的重点进攻。1948 年 1 月底，乌勒吉敖喜尔还率第 11 师和第 16 师一部全歼了苏尼特右旗的叛匪。①

为了加强对内蒙古自卫军各部队的统一指挥，内蒙古共产党工作委员会在 1947 年 11 月 26 日正式成立内蒙古人民自卫军司令部及政治部。乌兰夫任司令员兼政治委员，阿思根、王再天任副司令员；同时决定取消兴安军区和内蒙古自治政府军事部，其工作合并于内蒙古人民自卫军司令部及政治部。② 1948 年 1 月 1 日，内蒙古人民自卫军改称内蒙古人民解放军，同时组成内蒙古军区。乌兰夫任司令员兼政治委员，阿思根、王再天、那钦双和尔任副司令员。③ 根据中共中央军委的指示，内蒙古人民解放军在所属各部队中广泛开展了新式整军运动。通过整军运动，加速了各部队的建设，广大指战员的政治、军事素质得到了显著提高。

为适应战略大反攻的形势和解放内蒙古西部地区的需要，1948 年 11 月，经中国人民解放军东北军区批准，成立了内蒙古人民解放军锡察军区，军事上由冀热察军区领导，统一指挥第 11 师、第 16 师；乌勒吉敖喜尔任司令员。12 月 5 日，东北野战军和华北野战军第 2、第 3 兵团联合发动平津战

---

① 王铎：《五十春秋——我做民族工作的经历》，第 250 页。
② 内蒙古自治区档案馆编：《中国第一个民族自治区诞生档案史料选编》，第 78 页。
③ 中共内蒙古自治区委员会组织部、中共内蒙古自治区委员会党史研究室、内蒙古自治区档案馆编：《中国共产党内蒙古自治区组织史资料》（1925 年 3 月—1987 年 12 月），第 105 页。

役，内蒙古人民解放军锡察军区所属第 11 师、第 16 师奉命参加作战。根据战役部署，第 11 师、第 16 师与冀热察军区所属察北骑兵第 3 师协同作战，相继攻克了国民党军队占据的张北、宝昌、康保、商都、化德等八座县城，解放了察北地区，从北面形成了对张家口的包围。12 月 24 日，张家口解放。骑兵第 11 师奉命追击国民党军队，随即西进察北地区，清剿国民党散兵和小股土匪。至此，察哈尔盟、锡林郭勒盟全部成为解放区。12 月，内蒙古人民解放军骑兵第 1 师、第 10 师和军区警卫团还分别开赴昭乌达盟，展开大规模的剿匪斗争。至 1949 年 5 月，锡、察、昭盟解放区的匪患已基本消除，解放区得到了空前的巩固。①

（二）内蒙古全境的解放

1946 年 1 月以后，绥远地区的国民党军队曾配合阎锡山部向晋西北根据地发动进攻，同时向绥东、绥南解放区不断进行"蚕食"。绥蒙军区部队为了保卫解放区，从 1946 年 2 月至 7 月采取了积极自卫的方针，进行了激烈的反"蚕食"斗争。在绥蒙解放区，由于国共的军事对峙，大多数农民还没有发动起来。封建剥削和战争创伤，使整个解放区农村经济十分困难，人民生活相当贫困。因此，减租和生产这两项工作便成为非常迫切的任务。1945 年 10 月 1 日，晋绥分局发出《关于普遍深入发动群众的指示》，指出新解放区的发动群众工作要从反奸、清算开始，逐步过渡到减租减息。中共绥蒙区党委和绥蒙政府从 1945 年 11 月开始，领导绥蒙解放区人民进行了群众性的反奸、清算运动。1946 年 4 月，又从反奸、清算发展为减租减息、增资赎地和发展生产的运动。②

绥蒙解放区是蒙汉杂居的地区，由于国内统治者长期以来实行的民族压迫制度以及日伪统治时期的反动宣传，这里的民族关系较为复杂，以土地问题为中心的民族纠纷和民族矛盾也较为突出。中共绥蒙区党委和绥蒙政府十分重视正确解决这里的民族问题，严格执行中共中央的有关民族政策。绥蒙政府进驻集宁以后，成立了绥东四旗，即镶蓝旗、正黄旗、正红旗和镶红旗

---

① 白拉都格其、金海、赛航：《蒙古民族通史》第 5 卷，第 637—638 页。
② 中共内蒙古自治区委员会统战部、内蒙古自治区档案馆编：《内蒙古统战史档案史料选编》(1)，第 267—272 页。

的"东四旗办事处"，组织开展当地的民族工作。① 1946 年 5 月 16 日，绥蒙政府专门发出了《关于调整蒙汉关系加强民族团结的指示》，对于蒙旗财产管辖、蒙旗汉民籍贯处理、蒙汉人民负担、土地纠纷、减租清算以及蒙汉人民诉讼处理等具体问题作了明确规定。在实践中大力宣传，严格执行，发现问题及时解决。② 5 月 20 日，绥蒙政府颁布《绥蒙区各蒙旗政府暂行条例》，对旗、苏木的组织机构、管理事务及管辖范围等作出具体规定。③

1947 年 7 月，中国人民解放军开始全面战略反攻，绥蒙军区组成前方指挥部，投入反攻作战。至 1948 年 7 月，绥蒙军区部队配合晋绥、晋察冀解放军先后出击 20 余次，恢复了绥东、绥南部分解放区。在此期间，绥南解放区进行了土地改革，建立、健全了各级民主政府。针对绥蒙地区蒙古族聚居、蒙汉以及回满等民族杂居的特点，绥蒙地区的中共党组织制定了若干政策、纪律，以利于在新的解放区严格执行中共的民族政策，尊重各少数民族的语言、文字和风俗习惯，维护少数民族的利益。其中有关蒙古族的主要政策是："在蒙民自愿原则下，动员其协助我方支援战争"，"蒙古民族原有之行政组织，得照常行使职权，其管辖之地区，维持原状，不予变更"；"蒙古地区一切社会改革，须俟战役结束、地区巩固后，由内蒙古人民自治政府派员协助进行之。"④

经过 9 月 5 日至 11 月初的察绥战役，绥蒙解放区得到了迅速扩展，人民军队完全控制了丰镇、集宁、陶林、兴和、凉城等县和绥东 4 旗，部分控制了和林、武东、清水河、归绥 4 县。在绥蒙政府的领导下，解放区广泛开展了剿除土匪、废除乡村保甲制度、建立民主政府和地方武装的群众运动；同时还进行了社会改革，以减租减息、调剂土地、促进经济发展和改善人民生活为主要内容。中共绥蒙区党委初步调查了新解放区的社会状况，特别对蒙古族土地关系、文化教育和政权建设、减租减息等问题进行了研究，并制

---

① 王铎：《五十春秋——我做民族工作的经历》，第 182 页。
② 中共内蒙古自治区委员会统战部、内蒙古自治区档案馆编：《内蒙古统战史档案史料选编》（1），第 321—324 页。
③ 杨利民主编：《中国共产党内蒙古地区简史》，内蒙古人民出版社 2001 年版，第 197 页。
④ 中共内蒙古自治区委员会统战部、内蒙古自治区档案馆编：《内蒙古统战史档案史料选编》（1），第 440—441 页。

定了相应的政策和措施，确定了绥蒙解放区蒙古民族工作的总方针。通过在绥蒙解放区广泛开展民族工作，当地蒙古族群众的社会状况得到了较大改善，在土地关系中的民族矛盾也得到了初步解决。①

1949 年 2 月，内蒙古人民解放军骑兵第 11 师、第 16 师奉命进军绥远地区。在西北野战军第 8 纵队的指挥下，内蒙古人民解放军锡察军区部队、察哈尔军区骑兵旅和第 8 纵队骑兵旅联合作战，共同发动了绥北战役。经过绥北战役的打击，绥远国民党军队已无力向解放区发动进攻，其控制区域日见缩小，归绥、包头等地的国民党守军已处于孤立无援的困境。1949 年 5 月，内蒙古人民解放军正式编入中国人民解放军序列，同时组成中国人民解放军内蒙古军区，乌兰夫任司令员兼政治委员。内蒙古军区组成后，对所属各部队进行了整编。②

中共中央从全国解放战争的战略全局出发，在解决天津、北平的解放问题时开始酝酿和平解放绥远。绥蒙政府也根据中共中央的指示精神，电告绥远国民党当局，应通过谈判解决问题。1949 年 3 月 5 日，毛泽东在中国共产党七届二中全会的报告中正式提出了"绥远方式"，即"有意识地保存一部分国民党军队，让它原封不动，或大体上不动，就是说向这一部分军队做暂时的让步，以利于争取这部分军队在政治上站在我们方面，或者保持中立，以便我们集中力量首先解决国民党残余力量中的主要部分，在一个相当时间之后（例如，在几个月、半年、或者 1 年之后），再去按照人民解放军制度将这部分军队改编为人民解放军。"③"绥远方式"是中共解决绥远问题的重要策略，对于和平解放绥远地区以及顺利推进全国解放战争具有重要的意义。

6 月 8 日，在北平举行《绥远问题协商委员会关于绥远划界、交通、金融、贸易、派遣驻归绥联络机构等具体问题的协议》（简称《绥远协议》）的签字仪式。《绥远协议》规定了人民解放军与绥远国民党军队的临时分界

---

① 　白拉都格其、金海、赛航：《蒙古民族通史》，第 5 卷，第 685—686 页。
② 　中共内蒙古自治区委员会组织部、中共内蒙古自治区委员会党史研究室、内蒙古自治区档案馆：《中国共产党内蒙古自治区组织史资料》（1925 年 3 月—1987 年 12 月），第 107 页。
③ 　毛泽东：《在中国共产党第七届中央委员会第二次全体会议上的报告》，见《毛泽东选集》第 2 版，人民出版社 1991 年版，第 1425 页。

线以及双方在一个时期内关于交通、贸易等具体问题的处理办法。① 这一协议的签订标志着在绥远和平解放道路上迈出了关键性的一步。

由于国民党中央的破坏及其特务组织的猖獗活动，绥远和平解放的进程一再受阻。绥远省主席董其武邀请傅作义亲赴绥远，促成和平起义。经中共中央批准，8 月 24 日，傅作义从北平出发赴归绥。他到归绥以后，给绥远地区的国民党军队官兵发放了慰问金和慰问品，接见了政府官员和当地的蒙、汉、回族知名人士以及工农代表，并针对个别人员和个别情况，进行了说服和争取。此后，绥远军政当局的绝大多数高级官员赞同绥远和平起义。

9 月 19 日上午，以国民党西北军政长官公署副长官兼绥远省主席董其武为首的绥远省军政官员和地方各族各界代表 39 人，在绥远省银行包头分行礼堂举行集会，宣布起义。会上发出起义通电，宣布："正式脱离依靠美帝国主义的蒋介石、李宗仁、阎锡山等反动残余集团，坚决走到人民方面来。……在中国共产党的领导之下，努力学习，自我改造，和全国人民一起，来粉碎帝国主义侵华的任何阴谋，消灭反动派一切残余势力，实行新三民主义——革命的三民主义，和平建设新绥远，和平建设新中国。"② 9 月 20 日，中共领导人毛泽东、朱德复电董其武等起义人员，提出："希望你们团结一致，力求进步，改革旧制度，实行新政策，为建设人民的新绥远而奋斗。"③ 9 月 25 日，董其武发布《为绥远军民起义告全省人民书》④，更详尽地说明了绥远军民起义的意义和绥远的前途，鼓励绥远人民要为建设新绥远而奋斗。至此，绥远省全境宣告解放。

日本投降前后，国民党傅作义部将驻伊盟各旗的地方武装进行改编，统归国民党第 12 战区管辖，同时将伊盟守备军司令部改为伊盟警备司令部，在准格尔旗、乌审旗和郡王旗设立了 3 个警备区；还组成一些自卫团和保安队。国民党在伊盟大力推进"党务"，先后设立了 8 个旗县党部和三青团团部。同时，国民党特务机关军统、中统、华北"剿总"、国防部情报机构及

① 内蒙古自治区档案馆编：《绥远"九一九"和平起义档案史料选编》，内蒙古人民出版社 1986 年版，第 32—35 页。

② 内蒙古自治区档案馆编：《绥远"九一九"和平起义档案史料选编》，第 64—66 页。

③ 内蒙古自治区档案馆编：《绥远"九一九"和平起义档案史料选编》，第 67 页。

④ 内蒙古自治区档案馆编：《绥远"九一九"和平起义档案史料选编》，第 69—73 页。

绥远省军政当局在伊盟都分别设立了情报组或联络站，构成了庞大的特务网络；其目的是刺探陕甘宁解放区的情报、挟制各旗王公上层和地方武装。

1946 年 2 月，中共中央西北局为全面推进伊盟工作，制定了新时期的工作方针和基本政策，提出："广泛开展上层与下层的统一战线，团结蒙人，巩固和平、统一内部，推动民族自治地方自治运动，反对国民党民族压迫政策。"① 中共伊盟工委先后派出武装工作队在鄂托克旗、伊金霍洛旗、城川等地开展工作，发动各界人士组建了"蒙汉自治联合会"和"蒙古自治分会"，通过自治运动，宣传中国共产党的主张，协助各旗的地方武装进行剿匪斗争。

1946 年初，在伊盟南部组成了 3 支蒙古民族革命武装。此外还有中共伊盟工委及鄂托克旗、乌审旗工委领导的 3 支警卫队。不久，在中共城川工委的领导下，组成了蒙汉自卫大队。上述地方武装由中共伊盟工委指挥，以陕北解放区为依托，采取游击战方式，与国民党挟持的地方反动势力展开斗争。8 月，中共中央西北局召开专门会议，讨论伊盟工作。会议总结了抗战胜利以来中国共产党在伊盟地区的工作，对内战爆发后的伊盟工作作出了战略部署。会议要求中共伊盟工委以西乌审旗和鄂托克旗作为开展伊盟工作的中心和基础，"多作建设事业，帮助蒙人把军队，把政治（改良办法），把经济（发展畜牧等），把卫生等办好。""应放手发展党员，建立党的组织，蒙人中积极分子、进步青年都宜吸收入党。""我们的方针是发动与领导群众武装起义，到处点火。对已起来的采取积极办法，派干部去支持和领导之。发动与组织广泛的反蒋傅的统一战线，蒙汉联合、王公平民联合……""我们的目的是以群众武装起义，发展到使伊盟脱离傅作义，获得自治。"②

1947 年 3 月，国民党胡宗南部集结重兵，向陕甘宁解放区发动"重点进攻"，占领了延安。马鸿逵部在伊盟地区的国民党地方武装的配合下，大举进犯三边及伊盟南部解放区。4 月中旬，伊盟南部解放区全部被国民党军队占领，伊盟通往陕西的各交通要道也被国民党军控制。同年 4 月，经中共中央西

---

① 中共内蒙古自治区委员会统战部、内蒙古自治区档案馆编：《内蒙古统战史档案史料选编》（1），第 304 页。

② 《中共中央西北局讨论伊盟工作会议纪要》，见中共中央统战部编：《民族问题文献汇编》，第 1060 页。

北局和陕甘宁晋绥联防军司令部批准，三边军分区和伊盟工委在靖边县对伊盟南部解放区各部队和全部武装人员实行整编，组建了伊克昭盟蒙汉支队。

从1947年3月底到5月初，西北野战军经过青化砭、羊马河、蟠龙战役三战三捷，使西北战局发生了根本变化。6月下旬，西北野战军主力北上，收复三边。7月初，伊盟蒙汉支队配合主力部队，收复城川；到7月下旬，收复了伊盟南部解放区的大部地区。

1947年8月，蒙汉支队实行扩编。为加强对蒙汉支队的领导，中共伊盟工委设立了军事部，统一各部队的指挥权，建立健全了部队的各项制度，提高了蒙汉支队的政治、军事素质。1948年1月，伊盟蒙汉支队实行整编，改称伊盟自治支队。为稳定伊盟东部地区的社会秩序，伊盟支队乘胜展开大规模的剿匪斗争和地方政权建设，先后歼灭数十股土匪武装及"民团"，建立了准格尔旗自治政务委员会和各区、乡基层人民政府。支队还以缴获的粮食、物资救济遭受严重旱灾的各族群众，派出部队帮助农牧民开展生产自救运动。伊盟支队开辟伊东根据地的军事斗争和各项工作的开展，在伊盟地区引起了巨大震动。伊盟支队第3大队在中共伊西工委的领导下，巩固、发展鄂托克旗、乌审旗根据地，建立了7个区级基层政权。

1949年春，伊盟支队开赴达拉特旗，乘黄河流凌之机，向活动在两岸的国民党军队及大股土匪发动猛烈攻击，消灭两个"自卫团"，摧毁达拉特旗、准格尔旗的国民党地方政权；继而挥师南下，攻占国民党在伊盟的统治中心东胜。伊盟支队在伊盟东部地区取得的军事胜利，大大加快了伊盟解放战争的进程。杭锦旗、达拉特旗、郡王旗等地的王公、军政人员先后与伊盟支队取得联系，表示愿意停止对抗、接受解放军的指挥。7月，札萨克旗获得解放，伊盟支队所属各部队在札萨克旗会师。根据中共中央西北局和解放军西北军区的指示，成立统一的中共伊盟盟委，高增培为书记，周仁山为副书记。[①] 同时对伊盟支队实行整编，组建伊克昭盟军分区，王悦丰任司令员。绥远国民党军政当局和平起义后，郡王旗札萨克奇忠义、准格尔旗札萨克奇福海、准格尔旗保安司令奇子祥、达拉特旗保安司令章景文、杭锦旗保安司令色登多

---

① 中共内蒙古自治区委员会组织部、中共内蒙古自治区委员会党史研究室、内蒙古自治区档案馆：《中国共产党内蒙古自治区组织史资料》（1925年3月—1987年12月），第72页。

尔济等王公、仕官和军政人员相继宣布和平起义，各旗原属国民党第 12 战区的 8 个警备师也在和平起义后接受了伊盟军分区的改编。

1949 年 11 月 26 日，伊克昭盟第一次临时代表会议在札萨克旗新街召开，来自伊盟各旗各族各界的代表 116 人出席了会议。经大会选举，成立了伊克昭盟自治政务委员会，原盟长鄂其尔呼雅克图为主任，赵诚、马富纲为副主任，王悦丰、高增培、奇忠义等 23 人为委员。会后，在中共伊盟盟委的统一领导下，各旗相继建立了各级人民政权，清除了国民党、"三青团"及各种特务组织。将国民党绥远省政府直辖的东胜县划归伊盟，同时废除了王公特权，改世袭的札萨克制为旗长制，并对部分民族上层人士给予了妥善安置。伊盟自治政务委员会先后任命了各旗旗长，色登多尔济任杭锦旗旗长，汪鹏程任达拉特旗旗长。①

1949 年 8 月 26 日，兰州解放。阿拉善旗派驻兰州的代表向西北野战军司令员彭德怀表达了关于和平解放的意愿。如前文所述，德王从阿拉善旗定远营出走后，达理扎雅、白海风等人立即将"蒙古自治政府"改称为"西蒙自治政府"，开始酝酿和平起义。

9 月 23 日，解放军攻克银川，宁夏获得解放。当日，达理扎雅在定远营主持召开了仕官和保安总队官兵会议，宣布阿拉善旗和平起义，准备迎接解放军。达理扎雅致电中共领导人毛泽东，表示"热忱拥护中国人民政治协商会议通过的《共同纲领》"，宣布阿拉善旗"各族人民从此脱离国民党反动政府，接受中国共产党的领导"。② 同日，阿拉善旗的代表向中国人民解放军第 19 兵团司令员杨得志呈递了达理扎雅给西北解放军代表并转呈彭德怀、毛泽东的致敬电。10 月 3 日，杨得志回电，高度赞扬阿拉善旗实行和平解放，并希望当地蒙古族武装"努力维持阿拉善旗秩序，共同建立国内各民族一律平等的新中国、新宁夏"③。

9 月 24 日，解放军第 19 兵团一部为追击国民党散兵到达阿拉善旗。达理扎雅派出何兆麟等人前往慰问，并邀请解放军代表赴定远营。翌日，解放

---

① 白拉都格其、金海、赛航：《蒙古民族通史》第 5 卷，第 695 页。
② 内蒙古自治区档案馆编：《中国第一个民族自治区诞生档案史料选编》，第 147 页。
③ 内蒙古自治区档案馆编：《中国第一个民族自治区诞生档案史料选编》，第 149 页。

军代表到达定远营。10 月 1 日，中华人民共和国宣告成立；阿拉善旗政府于当日发出给毛泽东主席的致敬电，表示热烈祝贺。10 月 11 日，达理扎雅偕白海风、何兆麟、巴文峻等人抵达银川，会见了杨得志、耿飚等解放军第19 兵团指挥员；双方举行了会谈，就阿拉善旗和平解放的各项问题进行了协商，最后形成决议：阿拉善旗原行政机构和军队建制暂时不变；根据《中国人民政治协商会议共同纲领》的规定，阿拉善旗将逐步实行民主建设；达理扎雅继续主持阿拉善旗的军政事务等。[①]

　　与阿拉善旗相邻的额济纳土尔扈特特别旗的札萨克塔旺嘉布以及该旗主要军政人员始终密切关注阿拉善旗的和平起义的进程。1949 年 9 月 27 日，塔旺嘉布通过阿拉善旗发出了致杨得志并转呈毛泽东、朱德的通电，宣布："为了迎接新的胜利，为了适应国情，为了促进新中华人民共和国的及早成立，今代表额济纳旗全体人民，即日起与广州国民党政府脱离关系，表示愿接受北平人民政府领导……"[②] 额济纳旗随即宣布和平解放。随着阿拉善旗和额济纳旗的和平解放，内蒙古全境获得解放。内蒙古各族人民在中国共产党的领导下，同全国人民一道开始投入了建设新中国的伟大事业之中。

---

① 白拉都格其、金海、赛航：《蒙古民族通史》第 5 卷，第 698 页。
② 内蒙古自治区档案馆编：《中国第一个民族自治区诞生档案史料选编》，第 152 页。

第 十 八 章

民国时期内蒙古地区的经济

第一节 东北军在兴安区的屯垦

一、东北军在兴安区屯垦的历史背景

（一）哲里木盟土地开垦历史沿革和国民政府的对蒙政策

1928 年 6 月，国民党完成第二次北伐，推翻北洋军阀政府统治，形式上统一了全国。当时，东北军阀张作霖在皇姑屯被日本关东军埋设的炸弹炸死。张学良执掌东北政权后，即与南京国民政府谈判，准备东北"易帜"。与此同时，东北军炮兵司令邹作华率所部 3 个炮兵团及编余军官组成的军官队，进驻哲里木盟北部的洮儿河和归流河一带实施屯垦。历史上称此次屯垦为"兴安区屯垦"①，是民国时期内蒙古地区历史上规模较大的一次屯垦。

自清末以来，放垦蒙地是清朝政府、北京政府以及国民政府对蒙古地区所实行的一贯政策。尤其是从清末到民国年间，张作霖、吴俊升等奉系军阀

---

① 这里所说的"兴安区"并非现在的兴安盟或某个行政区域名称，而是 1928 年东北当局在当时的哲里木盟西北部札萨克图旗（科右前旗）、镇国公旗（科右后旗）、图喜业图旗（即科右中旗）、扎赉特旗和辽宁省的洮安县、黑龙江省的索伦设治局一带进行屯垦时，将这一地区命名为"兴安区"。盖因该地区位于兴安岭南麓，故有此命名。本书为行文方便，采用"兴安区"这一名称。

在哲里木盟大肆掠夺蒙旗土地，实施放垦。1916 年张作霖强迫科左中旗放垦（西）辽河北沃土 4 000 余方（每方为 1 平方里，合 375 亩），其子张学良及鲍贵卿、冯鳞阁等人也相继割占了 1 000 余方。至 1922 年，张作霖已占有通辽以西沃土 2 800 余方。① 张作霖、吴俊升、鲍贵卿、孙烈臣等军阀仅在通辽一县，"就霸占了上千晌的好地"。1924 年，吴俊升又强行租占（租期 99 年）科左后旗"斯卜海"地方土地 2 000 晌；同年又与杨宇霆合伙侵占该旗"松林哈特耕地二千二三百晌"。吴俊升于 1921 年出任黑龙江督军兼省长之后，"攫取土地几遍全省"，并且又在洮南一带占有土地 2 万亩。1925 年，张作霖又拟定《内蒙开垦大纲》，指定东蒙及东北 30 余县为先行试垦地方，出台优惠措施，招徕移民。"对凡愿移往开垦的农民，将发给资费、种子、农具，新垦土地将免租免赋 3 年"。② 当年开春后，仅从山东、河北两省，就有 22 172 人前来领地垦种。

国民党南京政府掌握全国政权之后，继承了北洋军阀的衣钵，变本加厉地推行大汉族主义民族压迫和民族同化政策。大肆放垦蒙地，是其最突出的表现之一。1928 年，东北边防司令张学良与哲里木盟科尔沁左翼中旗的达尔罕亲王那木济勒色楞和温都尔亲王杨仓扎布等交涉，达成了丈放位于该旗境内的辽源县东北部"洮辽站荒"和双山县之间大约 166 500 晌"东夹荒"的协议，为此奉天省政府专门制订《丈放东夹荒章程》③，并开始丈放。

当时国民政府虽名义上统一了中国，各省大小军阀却争权夺利、相互厮杀，百姓涂炭、社会动荡。饥民、军员过剩、散兵游勇等成为严重的社会问题。另外，日本帝国主义觊觎中国东北，从政治、经济各方面加紧进行渗透和侵略，造成东北局势日趋紧张。当时有人指出，"设不再急速从事开拓，兼固国防，则他日中国可耕之土壤，将任人宰割，不复我有；而我国之民食问题，以及经济之富源，亦将永无解决之希望……"若能实行屯垦，即"为以兵固防守，以农奠国基，以地安国人，虽他人以优越之政治力与经济

①　白拉都格其、金海、赛航：《蒙古民族通史》第 5 卷，第 261 页。
②　闫天灵：《汉族移民与近代内蒙古社会变迁研究》，民族出版社 2004 年版，第 46 页。
③　白拉都格其、金海、赛航：《蒙古民族通史》第 5 卷，第 336 页。

为临我，前途亦必乐观。固移民成边，开发富源，实为长治久远之计也。"①

二次北伐后，各方面裁兵的呼声日渐高涨。蒋介石为打击异己，也筹划裁兵。他在致各总司令、总指挥的通电中称："今日非裁兵无可以救国，非厉行军政、财政之统一无以裁兵。我们同志以真正之觉悟与全国人民切实合作，以完成此重大之职责。"②

1928 年 6 月，"皇姑屯事件"中张作霖被日本人炸死以后，东北三省形势顿趋动荡。张学良被任命为东北保安总司令，掌握了东三省的军政大权。他主政东北以后，在军事、经济、文化等方面采取了一些新的方针、措施，力求加强内部团结，提倡排除派系斗争，反对内战，一致对外。为此，张学良当时积极响应"裁兵"主张，提出在东北首先实行裁兵。1928 年 6 月，张学良就任奉天军务督办时发出的通电中指出："东省为国防地带，整饬戎政固职责所当然，然古有明言，兵在精不在多，比年因战事发生，编制不无冗滥。自今以后，当取精兵主义，为谋收缩，一面厉行兵农政策，节以过剩军队从事农垦，期于开发地利，为国实边，但使畎亩中多一耕农，即社会上少一游惰，彼时生产之力日增，军费亦因之自然日缩，袍泽同感生存之乐，而饷需亦无竭蹶之忧。"③

当时，东三省军队虽号称 60 万，实际只有 40 万，张学良计划裁军 25 万人，只留 15 万人，并欲将被裁之官兵均送到内蒙古各地，实施屯垦，以保障他们的生计。显然，张学良在东北军实施裁军的直接举措便是实施大规模的兴安区屯垦。

（二）呼伦贝尔青年党事件的影响

张学良在兴安区实行屯垦的另一重要背景是当时在呼伦贝尔发生的青年党暴动。呼伦贝尔青年党暴动，是内蒙古人民革命党领导人郭道甫在当时的共产国际和苏联以及蒙古人民共和国支持下，组织发动的一次反抗蒙旗封建上层和东北军阀统治的武装斗争。

郭道甫是一个具有进步思想的青年，早年曾在北京法政专门学校读书，

---

① 安汉：《西北垦殖论》，转引自祁美琴：《伊克昭盟的蒙地放垦》，见《内蒙古近代史论丛》第 4 辑，内蒙古大学出版社 1991 年版，第 27 页。

② 郑率：《蒋介石石沉大海——1928 年统一前后政治运筹评议》，载《史学集刊》2003 年第 4 期。

③ 毕万闻：《张学良文集》，载《国闻周报》第 5 卷第 25 期，第 94—95 页。

后来还曾到苏联考察。他认为："一般蒙旗当局都是官僚阶级，不仅没有政治常识和世界眼光，连保境安民、坚持到底的观念也没有。他们唯一的信仰是满清皇帝要复活。他们不知道维新政治，也不想振兴社会，一味地保存满清的亡国制度，并且推行满清腐败的各种毒瘤。呼伦贝尔每天朝着自然淘汰和自取灭亡的地域里走下去。"① 为改善蒙旗政治，郭道甫曾组织呼伦贝尔学生会，创立蒙旗中学，以期唤醒广大蒙古民众。1921 年，外蒙古爆发了人民革命，其影响很快传到呼伦贝尔地区，以郭道甫为首的一批知识青年受到极大的鼓舞，遂于 1923 年建立了呼伦贝尔青年党。1925 年 10 月，他和内蒙古地区的一部分先进青年联合，在张家口成立了内蒙古地区蒙古民族第一个革命政党——内蒙古人民革命党，并出任秘书长。从 1926 年到 1927 年春，他随内蒙古人民革命党中央机关从张家口到包头、鄂尔多斯、银川、阿拉善等地，后来又转移到蒙古人民共和国首都乌兰巴托。

1928 年 7 月，郭道甫在蒙古国与呼伦贝尔交界处的绰克图松布尔，主持召开了呼伦贝尔青年党会议，"决议以武装革命，恢复呼伦贝尔的完全自治"②。郭道甫到离中蒙国境线不远的罕达盖时，这里驻有呼伦贝尔新巴尔虎左翼旗的兵士 80 人，还有驻守阿尔山的守兵数十人，共计 100 多人。这些士兵听从郭道甫指挥，开始起事，首先在乌奴尔车站和察岗车站附近拆毁滨洲铁路的路轨，并向海拉尔发起进攻。青年党武装暴动发生后，张学良认为"呼伦贝尔蒙党作乱，其他蒙民受其彼此响应"③，一方面尽量以和平谈判的方式来解决问题，另一方面又派马占山等部准备讨伐。双方谈判未能达成协议，发生了武装冲突，战斗中呼伦贝尔青年党人寡不敌众，连遭失败。

1928 年 8 月 27 日，西藏活佛班禅额尔德尼自科尔沁右翼前旗葛根庙抵达奉天。30 日，张学良会见并宴请班禅，讨论应付呼伦贝尔青年党暴动方策。班禅表示愿充当专使，前赴东蒙各地宣抚蒙旗。9 月 10 日，班禅即赴通辽，转赴各蒙旗进行宣抚。④ 此时，郭道甫等人亦由于军事上失利，感到

---

① 郭道甫：《呼伦贝尔问题》，大东书局 1931 年版，第 23 页。
② 郭道甫：《呼伦贝尔问题》，第 27 页；日本外务省外交史料馆档案：《呼伦贝尔自治获得运动》（1928 年 8 月 27 日）及《满蒙政治状况杂纂·呼伦贝尔部》第 1 卷，A—6—1—2—1—16。
③ 《盛京时报》1928 年 8 月 24 日。
④ 乌日吉图主编：《内蒙古大事记》，内蒙古人民出版社 1997 年版，第 199 页。

"争持日久，必酿成内外交困，地方秩序更不堪收拾"，不但不能争取到"自治"权利，而且极有可能损失更多的权利，遂决定作出让步。① 9 月 27 日，郭道甫与东三省保安总司令部蒙旗处委员金寿有等人会晤商谈，和平解决了呼伦贝尔青年党事件。9 月 30 日，郭道甫前往奉天会见张学良，并接受了在东北政务委员会任秘书的邀请。呼伦贝尔青年党暴动事件，宣告结束。

呼伦贝尔青年党暴动事件给东北当局以很大的刺激。因为当时的呼伦贝尔青年党暴动事件的背后就有共产国际和苏联、蒙古人民共和国的支持。哲里木盟北部几个旗与呼伦贝尔地区相邻，呼伦贝尔地区又与蒙古人民共和国及苏联接壤，近代民族、民主主义及共产主义思想已经悄然进入这一地区并传播开来。一旦有人带头，整个东蒙地区很有可能爆发更大规模的民族、民主运动乃至武装暴动，并波及其他蒙旗地方，从而严重冲击张学良在东北的统治。当时兴安区屯垦公署督办邹作华就认为："外蒙赤化，俄人惑祟其间，难保不无连类及于内蒙之虞"，"海拉尔呼伦贝尔一带，密迩俄边，我虽无严重之防，而彼则有周密之备"，"海拉尔民风剽悍，内蒙各属以该处居民最难驯服。自经清末宣布独立，直至民九始行内附。比及近兹，郭道甫复有甘珠尔庙之变。随幸告底定，而根本解决之道，迄无所闻"；"兴安一区，不独牵涉三省腹心，亦实关系东北门户"。② 所以，东北当局便打着"巩固国防"的旗号在兴安区实行屯垦。这里所说的"巩固国防"，其实就是为了防止所谓的苏联和蒙古国"赤化"势力进入该地区。

二、东北军在兴安区实施的屯垦

（一）兴安屯垦公署的设立

1928 年 6 月，张学良就任东三省保安总司令。他就任之初，在东北政务委员会之下设立"屯垦委员会"，任命孙烈臣为委员长，拟以该委员会统筹东北军屯垦事宜。时任东北军炮兵司令的邹作华被委任为该委员会委员之一。

7 月，邹作华根据张学良的旨意，拟订以内兴安岭山脉南麓为中心实施大规模屯垦的宏大计划。他在该计划中提出了东北军屯垦的宗旨、地点及方

---

① 郭道甫：《呼伦贝尔问题》，第 29 页。

② 兴安区屯垦公署编：《兴安区屯垦第一年工作概况》，第 12—13 页。

法等。他提出："屯垦宗旨，在于开发利源、巩固国防。"屯垦地点选定在当时位于内蒙古哲里木盟北部与呼伦贝尔地区交界处之黑龙江省索伦设治局所在地索伦一带。他认为，就战略地位而言，"能控制中东、南满各已成势力，并对国防作提纲挈领之势者，厥为索伦山一带，最为适宜。其地南抵热河，西接察区外蒙，北枕中东路，东衔吉林，又有洮昂铁路贯穿其侧，半为奉省所属札萨克图（即科尔沁右翼前旗——引者）、镇国公（即科尔沁右翼后旗——引者）、图什业图（即科尔沁右翼中旗——引者）等旗，半为江省扎赉特旗与索伦设治局旧属，延袤千余里，位于内外蒙及东三省之中心，形势重要，富于宝藏，且土地肥沃，河流绵贯，于移兵屯垦，最为适合"①。后来，他又提出把屯垦区域"暂定南以热河为界，西以察哈尔外蒙古为界，北以东省铁路为界，东北以雅鲁嫩江为界。东南以吉林界，内包括奉天管辖之洮南、洮安、镇东、突泉、安广与黑省之泰来、景星、大赉、索伦设治局等县治"②。

张学良十分赞赏邹作华的这一计划，表示"此系清苦之事，汝若有志，吾愿罄全力援助，俾观厥成"③，并立即批准这一计划，并决定由邹作华负责统一筹划东北军屯垦事宜，令其率部在兴安岭南麓索伦山一带先行试办屯垦。于是，东北政务委员会决定将"屯垦委员会"也相应改称"东北垦殖浚河委员会"，不再负责屯垦事宜。

随后，张学良正式确定将邹作华部炮兵补充第1团、补充第2团及补充第1大队改编为屯垦军步兵第1、第2、第3团，移驻索伦一带，担任屯垦任务。

8月下旬，邹作华的屯垦计划被正式批准，各项开办经费也得落实。于是，他召集垦务调查人员及炮兵官佐之一部在沈阳召开会议，决定先在沈阳大南关成立屯垦筹备处。该筹备处下设军务处、秘书处、财务处及专门委员会，分头筹备屯垦之准备工作。经过一段时间的紧张筹备，于11月1日在沈阳正式成立"兴安区屯垦公署"④，并拟定《兴安区屯垦公署组织大纲》及屯垦军编制表，呈交东北政务委员会。东北政务委员会特派邹作华为兴安

---

① 兴安区屯垦公署编：《兴安区屯垦第一年工作概况》，第1页。
② 兴安区屯垦公署编：《兴安区屯垦第一年工作概况》，第11页。
③ 兴安区屯垦公署编：《兴安区屯垦第一年工作概况》，第2页。
④ 该公署于1929年6月7日迁到洮安县城，10月20日又迁到洮安县城东门外新建馆舍，另在沈阳设立"兴安区屯垦公署驻辽办公处"。见兴安区屯垦公署编：《兴安区屯垦第一年工作概况》，第30页。

区屯垦公署督办，任命高仁钹为总办。

对于屯垦区域，最初张学良和东北政务委员会只指定为索伦一带，并没有明确划定具体区域。邹作华提出，兴安区屯垦区域应包括"奉省之镇东、突泉、安广、洮安、洮南等五县，与札萨克图、镇国公、图什业图三旗荒地，并划黑省之泰来、景星、大赉、索伦四属，为其经营范围"①。东北政务委员会几经讨论，于1929年2月2日确定了屯垦区域的具体范围，决定"此系试办时期，范围无妨缩小，遇有必要，再事扩充。暂准以奉之洮安、黑之索伦两县治为主，札萨克图、镇国公、图什业图及扎赉特等蒙旗附之。在此区域，先事经营"②。

东北政务委员会于1929年4月11日正式批准公布了《兴安区屯垦公署组织大纲》③。该《兴安区屯垦公署组织大纲》共有9章27条，规定兴安屯垦公署隶属东北政务委员会管辖，屯垦公署暂设于洮安，如有异常情况，再迁移他处。屯垦公署实施屯垦的范围，以辽宁省洮安县，黑龙江省索伦县为主，还包括札萨克图旗（即科右前旗）、镇国公旗（即科右后旗）、扎赉特旗副之。如有必要扩大垦务，向南进入图什业图旗（即科右中旗）之一部。根据需要，本署可随时呈请东北政务委员会，在蒙旗适当地点增设垦殖局一处或若干处。屯垦区内一切建设费用及屯垦公署经费、屯垦军经费均呈请东北政务委员会指拨。屯垦军暂以炮兵补充第1、2、3团组成。除开垦外，屯垦军还须担任全区警务及剿匪任务。屯垦区内的一切优待办法，非有中华民国国籍之人不得享受。屯垦公署设督办1人，由东北政务委员会特派；设总办1人，秘书长1人，处长4人。督办总理全区军事、民政以及兴利、生产、交通、国防、警备等事宜，指挥屯垦军，督率各职员处理对内外一切事务，并以不抵触法令范围内得宣布区内单行法。总办承督办之命，处理全区对内对外各事宜。屯垦公署设下列5处：秘书处、军务处、财务处、农政处、建设处，并明确了各处的具体职能。

此后，兴安区屯垦公署内部组织机构有所变动，所属单位亦有所增加，

① 兴安区屯垦公署编：《兴安区屯垦第一年工作概况》，第14页。
② 兴安区屯垦公署编：《兴安区屯垦第一年工作概况》，第16页。
③ 兴安区屯垦公署编：《兴安区屯垦第一年工作概况》，第19—23页。

成为一个相当于省公署的庞大机构。到 1929 年 4 月，该公署内部机构及所属单位如下:①（见表18—1、18—2）

表18－1　兴安区屯垦公署组织机构一览表

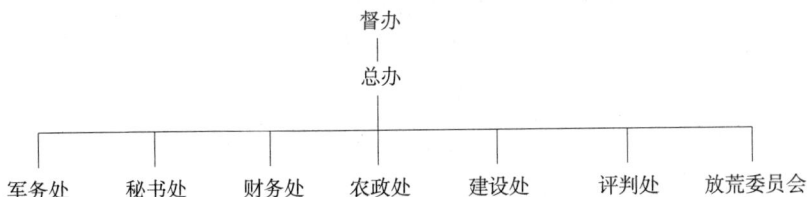

表18－2　兴安区屯垦公署所属机关、部队

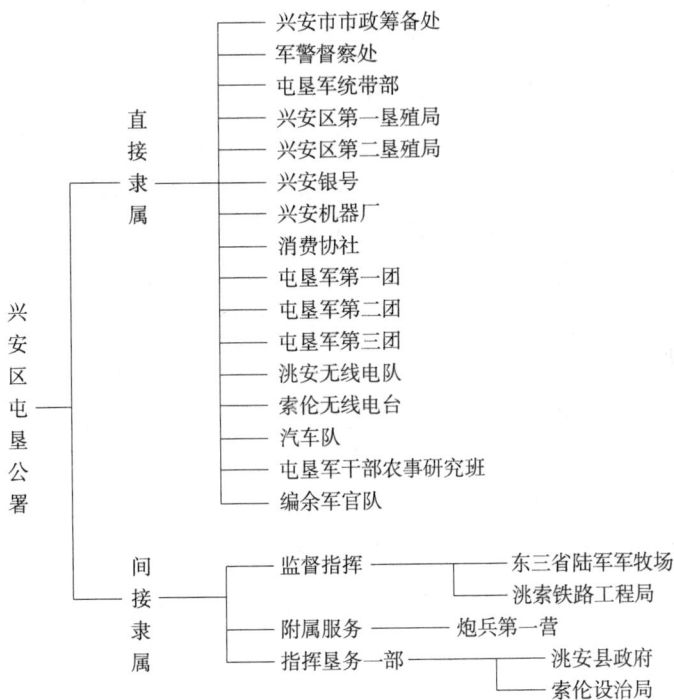

（二）东北军进驻兴安区屯垦

兴安区屯垦，基本上是分为 3 个时期实施的，从 1929 年 9 月至 12 月底

---

① 兴安区屯垦公署编:《兴安区屯垦第一年工作概况》，第31—32 页。

为筹备及调查时期，从 1929 年 1 月至 12 月为建设及军垦时期，自 1930 年以后为民垦时期。

为了进行兴安区屯垦的前期各项准备工作，兴安屯垦公署专门成立了由气候、地质、矿产、农牧、水利、交通等专业人士组成的屯垦调查团。张学良专门召见调查团成员，说："屯垦事业为最辛苦之事，诸君抱此志愿，余甚嘉许。将来屯垦成功，诸君名垂史册，余亦有荣。"[①]

10 月 6 日，该调查团从沈阳出发，经洮安县的白土岗、葛根庙、札萨克图王府、镇国公府、阿古营子、二十家子、下木局子（即索伦设治局所在地），又从该地经扎赉特旗界北行，经杨树沟、火龙沟、好山沟至蛤蟆店。从此处南返至下木局子，再从此西北行，经上木局子、金银扣、胡素台、刀棱台、俄木司台、五叉沟，对沿途气候、地质、矿产、农牧、水利、交通等进行了初步调查。这期间，邹作华于 11 月 17 日率屯垦公署全体人员组成视察团，从沈阳出发，经洮安到达葛根庙，会见该庙活佛喇嘛，并将其行营设在该庙内。在札萨克图王府和镇国公府，邹作华又分别会见该 2 旗札萨克巴雅斯固郎和巴彦那木尔及旗内主要官员。之后，视察团到索伦与调查团会合。这次调查历时两个月，对于该地区的各项基本情况有了比较深入的了解。调查团返回沈阳后，根据各自的调查所得，写出了《兴安屯垦区第一期调查报告》[②]。

根据张学良的决定，参加兴安区屯垦的部队除由东北军炮兵补充第 1 团、补充第 2 团及补充第一大队改编组成的屯垦军步兵第 1、2、3 团外，还有编余军官队和炮兵营等 5 个单位。屯垦公署决定，第 1 团驻索伦，第二团驻葛根庙，第三团驻镇国公府，编余军官队驻王爷庙，在王爷庙附近开垦；炮兵营主要是为屯垦提供后勤服务，驻洮安 30 户地方后，为其拨给少部分土地，供学习耕种。

1928 年 9 月开始，屯垦军的各支部队相继开赴各自的屯垦地点。屯垦军步兵第 1 团北宁路青堆子车站出发，经洮安县城，抵达索伦；第 2 团从打虎山出发，经洮安县城，抵达札萨克图旗葛根庙；第 3 团从打虎山出发，经

①　兴安区屯垦公署编：《兴安区屯垦第一年工作概况》，第 3 页。

②　满铁庶务部调查课：《兴安屯垦区事情》（日文），满铁庶务部调查课 1929 年印刷，第 1 页。

洮安县城，抵达镇国公旗佘公府，并在各自驻地修建营房等设施。编余军官队组建于 1928 年冬。当年秋季东北军实行裁军编遣时，由各军裁减下来的校尉官约有数万。张学良将其中部分愿意从事屯垦的军官，交由兴安区屯垦公署负责安置、授地、屯垦。1929 年 4 月，该队到达洮安，等待拨地安置。兴安区屯垦公署原来计划在札萨克图旗葛根庙附近拨 2 000 垧土地，安置这些军官，从事屯垦。但是，由于葛根庙附近没有这么大的整块荒地，所以又将军官屯垦队的屯垦地改在札萨克图旗王爷庙附近。6 月 27 日，该队 200多人到达王爷庙，实际领地的有 197 名。①

1929 年春，兴安区屯垦公署制订了《兴安区屯垦军开垦章程》②。该章程共有"授地"、"开垦"、"收益"等 3 章 18 条，其具体规定为：上至上校，下至士兵，均授予不同数量的土地，军官授地数量根据垦区土地勘丈完毕之后再确定，③ 士兵每人授地 10 垧；另外屯垦军 3 个团每团授地 2 000垧，为士兵所共有，根据以后历年的开垦状况，陆续补拨不足之数；若有官兵除所得授地之外还欲多领土地，则依照普通土地放领章程办理；如果屯垦军要自行开垦，应尽力事先经营，待军官授地章程颁布后，按其多开之地补交荒价；士兵家属前来请求自行开垦者，由各团长指拨其个人应得之土地，唯须服务 3 年者，始能取得土地所有权；凡士兵因过撤革或犯罪潜逃，其所应得之土地均由屯垦公署收回；屯垦军及编余军官分别授予土地后，各就其范围裁立标桩；其所领之土地，须于开垦 5 年后，一律升科纳税；屯垦官兵如果有特别事故他适者，其所垦熟之土地不能任意让与普通农民，只许兑给本区官兵，同时须报官立案或由屯垦公署酌量给价收归公有；士兵土地，其家属不能前来经营者，由各该团公共管理之；凡各团士兵本属自己开垦而已由各团为之开垦者，每垧须交开垦费 8 元；公共土地的开垦及管理由团指派专员负责办理，其所得之利归士兵均分；凡士兵因过撤革或犯罪潜逃者，其所得之利益作为各团公积金；每年 5 月到 7 月入伍士兵，应分得每人应得之

---

① 兴安区屯垦公署编：《兴安区屯垦第一年工作概况》，第 124—125 页。

② 兴安区屯垦公署编：《兴安区屯垦第一年工作概况》，第 121 页。

③ 据兴安区屯垦公署后来制订的《农村组织大纲》的规定，军官按级别分为六级，即上校、中校、少校、上尉、中少尉、准尉，分别授地 100、80、60、50、30、20 垧。见兴安区屯垦公署编：《兴安区屯垦第一年工作概况》，第 86—87 页。

利益之半数，7 月以后得由公议，酌予劳力酬劳费。另外，对于编余军官队的屯垦，专门制订《编余军官队授地办法》①，规定准尉至上校级军官分别授予 20—100 垧不等的土地，不收取任何费用，以事耕种；欲多领土地，则以普通土地放领章程办理。

屯垦军各团根据上述章程，计划 3 年内开发荒地 6 万垧，分 3 期完成。第一期开垦 6 000 垧，先于各团驻地各拨土地 2 000 垧，限于当年之内，如数开垦完成，并令将已垦土地按播种季节种植五谷。同时发给牛、马、农具及各应用物资，并派员随行指导。

上述开垦指标下达后，第一年，第一团在下木局子西沿洮儿河两岸开地 1 800 余垧，第 2 团在葛根庙附近之水泉、王爷庙等处开地 1 600 余垧，第 3 团开地 1 600 余垧，开垦总面积为 5 000 余垧，② 显然未能达到预期的目标。另有史料记载，第一年，第 1 团开垦 1 580 垧，种谷子 240 垧、荞麦 150 垧、稷子 440 垧；第 2 团开垦 1 565 垧，种谷子 240 垧、荞麦 150 垧、稷子 175 垧；第 3 团在察尔森附近之佘公府、好屯营子、巴达嘎、五棵树、克新等地开垦 1 797 垧，种谷子 60 垧、荞麦 70 垧、包米 55 垧、小豆 45 垧、稷子 350 垧；编余军官队开垦地在王爷庙附近，开垦 476 垧，建营房 60 余间，播种荞麦 40 余垧。由于该队人员均穷困潦倒，屯垦公署对该队官员除按规定拨给土地外，发给火犁机 1 架，牛车 20 辆以便耕种和运输，还发给建筑费 3 000 元以及枪支、子弹等，用以建村和保护衙府。③

第一年开垦面积未能达到预期的计划，其原因主要在于各团驻地交通不便，人烟稀少，除屯垦官兵以外，很难找到劳力参加屯垦。屯垦军所需物资皆由洮南、洮安运送，但因交通工具落后，往返时间过长，物资供应未能满足要求，影响了效率。由于各方面条件恶劣，很多人情绪低落，无心从事屯垦，精神及体力上的过度劳累影响了屯垦的进行。加之屯垦军官以前从未参加过如此艰苦的生产活动，平时专职行伍，所以无法以身作则，带领士兵投

　　① 兴安区屯垦公署编：《兴安区屯垦第一年工作概况》，第 119 页。

　　② 兴安区屯垦公署编：《兴安区屯垦第一年工作概况》，第 126 页。

　　③ 巴图巴雅尔：《东北军阀兴安屯垦侧记》，见政协乌兰浩特市委员会编：《乌兰浩特文史资料》，第 1 辑，政协乌兰浩特市委员会 1989 年印刷，第 86 页。

入生产。此外，各团驻地过去大都是土匪、马贼经常出没的区域，屯垦军队不但从事土地开垦，而且常常投入剿匪战斗。总之，第一年的屯垦进行得并不顺利。

（三）垦殖局的设立及民垦

东北当局在兴安区的屯垦，除了无偿为屯垦军划拨军垦地和为蒙民划拨生计地外，其他的土地均以作价出放的办法，移民开垦。且东北当局建立兴安区屯垦公署的同时，就决定要建立地方行政机构性质的垦殖局，负责当地行政、司法及教育、交通、治安以及土地勘丈、划拨、放垦等事务，并以此作为将来正式建立县治的基础。

1929年2月20日，兴安区屯垦公署向东北边防军司令长官公署递交呈文及《蒙荒扎镇两旗设立垦殖局简章》，请求在扎萨克图旗和镇国公旗成立兴安区第一垦殖局。3月7日，此项呈文及简章获得东北政务委员会批准，并将局址确定在扎萨克图旗王爷庙。①

3月12日，兴安区第一垦殖局在洮安县城正式成立，4月17日迁到王爷庙，借一处喇嘛庙仓办公。兴安区第一垦殖局设局长1名，由兴安区屯垦公署督办荐任，负责全局事务；局内分3科，分别负责行政、司法、教育、公安、庶务、会计、文牍、勘丈土地、移民、垦牧、建设等事务。

9月23日，兴安区屯垦公署又向东北政务委员会提出："该局（指第一垦殖局——引者）管辖区域，未免过广，对于移民垦荒及办理地方行政诸端，诚有鞭长莫及、兼顾难周之势，拟再添设一处，定名为兴安区第二垦殖局，以资治理。"②10月16日，东北政务委员会批准设立兴安区第二垦殖局。28日，兴安区第二垦殖局在镇国公旗佘公府附近新修小学校舍正式成立。

垦殖局的设置，实际上是东北地方当局在屯垦区设县的过渡性措施，垦殖局的所在地就是将来县公署所在地。但是，垦殖局设立之后，势必与蒙旗的管辖权力发生抵触，所以必须划清垦殖局与旗公署的职权范围。当时兴安区屯垦公署认为，"垦殖局既为县之初步，则县及设治局之职权，即为垦殖

①　兴安区屯垦公署编：《兴安区屯垦第一年工作概况》，第56页。
②　兴安区屯垦公署编：《兴安区屯垦第一年工作概况》，第57页。

局之职权。故修桥、浚河，以及户籍之清理、连庄保甲之筹设，一并其他种种事业，皆归垦殖局办理"，决定"凡王公与蒙民间宗法之关系，如指挥平民，征役奴婢，与夫任用记录文卷之类似官吏，正当防卫之保护人员，以及经理已放荒地赋税特权，如札旗之天恩地局、镇旗之中和地局，一并出入威仪，宗教信仰，皆依其惯"，除此之外"凡招徕民户之司法、行政、教育、交通，与蒙民之治安、保卫、诉讼等"，"概属垦殖局范围"。① 这些规定，实际上除保留了蒙旗王公的一些特权之外，蒙旗的所有行政管辖权被剥夺无遗。

兴安区屯垦公署为了安抚蒙旗王公和防止蒙民的反抗，成立兴安区第一垦殖局之初，即由屯垦公署派人向札萨克图旗和镇国公旗札萨克送达相关公文并进行联络、接洽。同时发布布告，说明设立垦殖局之理由，称"本区屯垦确于土著蒙民有百利而无一弊"②，并承诺"于相当范围内，酌予蒙民及王公留出生计地，以资自养"③。

为札、镇两旗蒙民拨留生计地是屯垦公署放垦措施的一个组成部分。兴安区屯垦公署认为，札萨克图旗之"平川可耕之地不下四五千方，可供林牧之地，更不下万方。而全旗人口，据该旗自称，亦仅 12 000 人，嗣经调查，土著蒙民不过七八千，以此少数人口，占偌大广漠地带，不事开发，本亦有未合。考本国内地各行省，每人只能均摊可耕地一二亩，而蒙旗内每人则占可耕地三四百亩，同一国家，同一人民，是蒙民之享受太优厚矣，当此内地各省人口过剩，灾难频仍，哀鸿遍野，民不聊生之时，若不设法移来，以实边荒，亦非调剂之道"。"欲提携蒙民，开发生产，必先自垦荒作起。为免除外来勤劳者之自然侵夺，必令其皆有土地，而自习农作。故拨给相当土地，授予地权，实为当务之急"。④ 显然，屯垦公署把蒙旗所有的土地、牧场都看做无主荒地。

于是，屯垦公署分别与蒙旗王公、蒙民代表几经协商，于 1929 年末作

① 兴安区屯垦公署编：《兴安区屯垦第一年工作概况》，第 63—64 页。
② 兴安区屯垦公署编：《兴安区屯垦第一年工作概况》，第 60 页。
③ 兴安区屯垦公署编：《兴安区屯垦第一年工作概况》，第 63 页。
④ 兴安区屯垦公署编：《兴安区屯垦第一年工作概况》，第 92 页。

出如下规定：札萨克图旗不分性别老幼，按人口计算，每 4 口人予地 1 方（450 亩）；镇国公旗则按能耕作的壮丁计算，每一壮丁授地 2 方。① 为札、镇两旗蒙民划留生计地的工作，不是由札、镇两旗方面负责进行，而是由屯垦公署具体负责勘丈、授地、拨给地照等事宜。

兴安区屯垦公署为了划拨军垦地、蒙民生计地和一般出放地，于 1929 年 8 月 31 日专门成立放荒委员会，制定《兴安区扎镇两旗土地勘丈施行细则》，组织勘丈队，对札、镇两旗土地进行全面勘丈。

该细则规定土地勘丈以兴安区所属札、镇两旗的土地为限，以营造尺 5 尺为 1 弓，2 880 弓为 1 垧，45 垧为 1 方，以 1 方为 1 号，36 方为 1 井，进行勘丈。勘丈机关备置了勘丈土地登记簿，将勘丈的方数、每方坐落、号数、地质等分别详记，以备查阅。每方 4 界，埋立标牌。如果勘丈土地时遇沙子、水塘、坟墓、庙宇等地，依勘丈标志，并记其地形状况于土地登记簿。在勘丈荒界内居住的本旗台吉、壮丁及原垦户（不分蒙满），须将户数、姓名、住址等准确查报，以备考察。勘丈机关在勘丈完毕后，勘丈委员将所勘丈的土地方数、号数，上报备案。

兴安区屯垦公署又制定了《兴安区荒地放领及催垦章程》②。该章程规定的荒地放领办法，适用于以下两种荒地：一是在本区蒙旗留界地内已经指定出放者，二是洮安、索伦两县的已放未垦荒地。荒地等级分为上、中、下 3 等。

土地的出放办法，勘丈荒地以垦殖局所在地为起点，预留街基 9 方，从四周丈起，埋立标桩，编定字号，分别等级然后出放。每荒 16 方，预留村基 1 方，除去道路及排泄积水的沟渠外，编定房基若干号，而且凡领荒者至少要领房基一号。除指定为军垦的特别地点外，民垦荒地，在同一等级内，以申请的先后，依次在所勘丈荒地内指拨。勘丈荒地时，如遇已开或熟地，该垦户有优先承领权。在勘丈之荒地内，划定若干区域为军垦区。

土地的承领办法是凡承领荒地者，均须出具请愿书，述明姓名、年龄、籍贯、住址及愿领地数，并依限垦期切结，经本署核准后，发给开垦执照。

① 兴安区屯垦公署编：《兴安区屯垦第一年工作概况》，第 93 页。
② 兴安区屯垦公署编：《兴安区屯垦第一年工作概况》，第 96—99 页。

垦民领得开垦执照后，应迅赴指拨地所在的垦殖局报到注册，由该局指段开垦。

上、中、下 3 等荒地中，上等地的每垧荒价为现大洋 8 元，中等地的每垧荒价为现大洋 6 元，下等地的每垧荒价为现大洋 4 元。除特别规定以外，凡承领者必须将荒价依次交清。垦户承领荒地，第一年要开垦 2/10，第二年要开垦 2/5，第三年要开齐，由第五年开始升科。逾期如未完垦，除将已开熟地按规定升科外，其余荒撤佃另放，其已交的荒价一概不给发还。承领荒地者如有不可避免的障碍，而不能如期完垦，须预先向垦殖局声明，经本署核准后，可酌予延期。承领荒地者由第一年起，每届年终，须将本年开成熟地的数目，报到垦殖局复查，并转报屯垦署核实。垦期年限之计算，从领荒之日起满 12 月为 1 年。二重国籍的中国人及外国人没有承领权。

已放未垦荒地的处理办法是凡在洮安等处已领有荒地尚未竣垦者，限公告之日起，于 6 个月内到各该县局呈报，仍补具请愿书及依限垦齐切结者，可换取开垦执照。逾期不能竣垦者，一律撤佃另放，将原交荒价退还。索伦境内，依照黑龙江放垦办法放垦，以 1929 年 4 月底到境着手者为有效，逾期依本章程办理。

东北当局很清楚，在兴安区实施如此大规模的屯垦，仅仅靠几个团的屯垦军显然是不够的，而且在经济上也得不到相应的收益，必须依靠大量移民来领垦这些土地，采用收取荒价和升科以后的田赋、租税的办法，才能收到经济上的效益。故移民开垦成为这次屯垦中亟需解决的一个问题。

兴安区屯垦公署成立之初，就明确确定 1930 年以后为民垦时期，制定《移民办法》，并从 1929 年起着手移民事宜。该《移民办法》规定，"为屯垦事业易于发展，拟由各省选择有劳动能力者，移民若干户。在洮安设移民事务所一处，必要地点设移民事务分所"；"被移民户，须系正当农民，一家内无 18 岁至 40 岁之壮丁者，一概不收。被移民户，于到达洮安后，即赴移民事务所报到，填写志愿书，领取入境执照，分赴指定地点"，同时规定了相应的具体优待办法等。

兴安区屯垦公署制定移民具体办法的同时，把移民分为两个部分，即移东北各省农户和移内地灾民。屯垦公署的放垦办法规定，不限阶级、民族及土地面积，凡是愿意按照放荒办法，在规定的期限内开垦者，均可购买荒地。所谓的"东北各省农户"，实际上就是临近兴安区之各县大小地主，他们认领的荒地一般都比较多，而且大多不是亲自耕种，需要招佃为其耕种。另外，从实际领垦土地的情况看，大量的土地被东北各级军政官员和屯垦军官报领垦，他们更需要大量的雇农和佃农。内地灾民则都穷困、潦倒，根本无力购买荒地，只能成为当地地主及富裕农民的佃农或雇工。所以，迁移内地灾民，正是为在屯垦区购买土地的这些各级军政官员和大小地主提供所需的廉价劳动力。

兴安区屯垦公署移民工作从1929年春天就已开始，其中东北各省农户则以自然前来陆续领垦，而灾民的迁移是从年初就已经开始办理。1月，经"旅平河南赈灾委员会"与兴安区屯垦公署接洽，决定迁移河南省灾民到兴安屯垦区。内地灾民的迁移从5月12日开始办理，6月20日结束。其中第四批灾民是由"洮南山东同乡会"负责接洽、运送山东灾民。这一年共迁移河南、山东灾民6次、944户、4 857人（其中山东灾民1 026人），[①] 其中一部分留在洮安县城乡打工外，其余绝大部分送到屯垦军驻地，分拨给各团充当劳工，其中分给第1团1124人、第2团796人、第3团1 026人。[②] 除此之外，还有相当数量的内地农民自动前来领垦或打工。

兴安区第一垦殖局成立后，即无视蒙旗原有的放荒章程和蒙旗意愿，自1929年9月23日开始强行实施放荒。截至1929年底，共出放荒地19 686垧，出放街基地981号。[③] 但此后发放的荒地及街基地数量，目前尚不清楚。

镇国公旗的屯垦（见表18-3），始于1928年10月。当时屯垦军第3团来到这里后，从第二年（1929年）春天开始领地开荒，具体位置在佘公府东北部的25公里长的一段地方，即从东边的好坦扎拉嘎开始延伸到西边的小五棵树和苏金扎拉嘎。当时，屯垦军把这些地方以千字文的顺序划分为14段，大致把每一号地定为1方地（45垧），并按地质的优劣分为3级。这些地段中，大部分地段为军垦单位、官兵乃至一些大军阀所占据，成为他们

---

① 兴安区屯垦公署编：《兴安区屯垦第一年工作概况》，第73页。
② 兴安区屯垦公署编：《兴安区屯垦第一年工作概况》，第74页。
③ 兴安区屯垦公署编：《兴安区屯垦第一年工作概况》，第99页。

的私有地，其剩余的地方才被允许移民开垦。据统计，当时被军队所占据的土地为 1 277 方，折算荒价为 332 100 元。[①]

1930 年和 1931 年，在全旗范围内再次进行勘丈，但是目前还没有确切的数字记录。下面只列出 1929 年勘丈土地的数据（见表 18-4）。

表 18-3　镇国公旗屯垦户数及耕地面积调查表[②]

调查 屯落名	户　数				地　主	耕地面积	备　注
	本旗人	外旗人	汉　人	合　计			
窑洪硕		6		6	2	30	天字段内
小五棵树		12		12	7	119	天字段内
合勒哈达		6		6	1	20	天字段内
胡家窑		23	1	24	10	200	天字段内
关家窑		10		10	1	108	天字段内
胡儿嘎儿	1	19		20	12	156	天字段内
苏金扎拉嘎	4	12		16	11	150	地字段内
玛厅长窝堡		5		5	1	60	地字段内
好坦扎拉嘎	1	79	5	85	45	950	明字段内
顺永泉		4		4	4	24	辰字段内
赛拉和硕	2	12		14	10	100	宿字段内
东巴达嘎	12	15		27	13	150	新字段内
西巴达嘎	11	17		28	17	149	新字段内
前二十家子	18	102	35	155	62	838	方字段内
后二十家子	3	19		22	7	150	字段不明
前沙拉嘎	4	31		35	11	250	字段不明
后沙拉嘎	2	18		20	11	240	字段不明
哈丹苏		11		11	2	60	字段不明
海力图	4	12		16	5	70	未开放内
好坦营子	10	10		20	4	70	未开放内

---

① ［日］井手俊太郎：《关于兴安屯垦公署开放蒙地实况》（日文），载《蒙古研究》第 2 卷第 1 期。
② ［日］井手俊太郎：《关于兴安屯垦公署开放蒙地实况》（日文），载《蒙古研究》第 2 卷第 1 期。

（续表）

调查 屯落名	户 数				地 主	耕地面积	备 注
	本旗人	外旗人	汉 人	合 计			
奔地扎嘎拉	6	6	1	13	2	35	未开放内
合计	78	429	42	549	238	3 929	

（说明：旗内大部分土地为外来移民所领，他们多为锦州、热河两省的蒙民和汉民。本旗原住民几乎没有领荒的，说明当地蒙民不愿意耕种。）

表18－4 1929年勘丈镇国公旗土地数据表①

字段名	勘丈面积					荒 价	备 注
	上等地	中等地	下等地	山地及其他	总 计		
天字段	75 方	17 方	26 方	0 方	118 方	36 270 元	军垦区、农事试验场、胡局长、一般
地字段	41 方	8 方	3 方	0 方	52 方	17 460 元	一般放荒
元字段	19 方	36 方	35 方	6 方	96 方	22 860 元	军官个人放荒（不详）
黄字段	37 方	30 方	27.5 方	1.5 方	96 方	26 370 元	鲍贵卿报领
宇字段	42 方	41 方	36 方	8 方	127 方	32 670 元	怡信公司报领
宙字段	27 方	35 方	26 方	12 方	100 方	23 850 元	鲍贵卿报领
洪字段	12 方	32 方	22 方	14 方	80 方	16 920 元	怡信公司报领
盈地段	47 方	31 方	52 方	0 方	130 方	34 650 元	华农公司报领
昃字段	53.5 方	31 方	47 方	4.5 方	136 方	36 090 元	邹作华报领
辰字段	26 方	21 方	30 方	3 方	80 方	20 430 元	不详
宿字段	46 方	38 方	38 方	8 方	130 方	33 660 元	镇国公旗生计地
列字段	0 方	5 方	4 方	6 方	15 方	2 070 元	不详
暑字段	20 方	31 方	57 方	0 方	106 方	25 830 元	一般放荒（不详）
树字段	3 方	3 方	6 方	0 方	12 方	2 970 元	第一年未能出放
计	448 方	359 方	409.5 方	63 方	1 277 方	332 100 元	

---

① ［日］井手俊太郎：《关于兴安屯垦公署开放蒙地实况》（日文），载《蒙古研究》第 2 卷第 1 期。

　　兴安区屯垦公署所规定的一般放荒，是要向内地及东北地区的移民出放，并收取荒价，即所谓的民垦。所以，该垦公署不仅丈放札、镇二旗的未垦土地，还把洮安县和索伦设治局境内的已放而未垦之地也列入了这次屯垦计划当中。洮安县自光绪二十九年（1903年）开始先后已放出荒地近20万垧。全县可耕土地22.6万余垧，而升科者仅8.7万余垧。索伦自1917年设设治局放荒以来，虽放出荒地9万余垧，但因交通不便、气候寒冷、移民少等原因，变为垦熟地者仅百垧，其余仍未垦种。所以，兴安区屯垦公署为使领垦户能尽快如数开垦，对于已经放垦而未垦之土地，还专门制定了《兴安区垦户怠垦罚则》，规定4年之内不按《兴安区荒地放领及催垦章程》完成开垦面积的话，"将其未垦荒地撤佃另放，其已交荒价没收之"①。兴安区屯垦公署从1929年4、5月开始以整理洮、索两县局已放未垦荒地的名义，分别让洮安、索伦两县局相继办理报垦手续。截至1929年底，洮安县报垦荒地4.5万余垧，索伦设治局报垦荒地4.8万余垧。②

　　兴安区屯垦公署开始实施上述规定后，大肆开垦蒙地之举速见成效。放领荒地的各种规章，为外来移民前来抢垦蒙地提供了法律依据，同时也使不善农耕的当地蒙民丧失了对原有土地的占有权和自由使用权。1931年4月2日，兴安区屯垦督办邹作华抵南京，向蒋介石报告东北军垦务情况时声称，东北军在两年中开垦荒地30余万亩。③

　　（四）垦殖以外的各种设施

　　1. 建设兴安镇

　　1929年4月17日，兴安区第一垦殖局正式迁到王爷庙办公。兴安区屯垦公署最初计划将来把屯垦公署设在王爷庙或镇国公旗之二十家子。后来，兴安区屯垦公署认为王爷庙地理位置处于"洮尔归流两河交汇之处，亦山岳地带开始之地，从此北上以抵索伦，山峦叠翠，连亘无既，从此南来，则尽属平原，诚所谓山水交汇、四通八达之区，而洮索路又将在此设一大

　　① 兴安区屯垦公署编：《兴安区屯垦第一年工作概况》，第91页。
　　② 兴安区屯垦公署编：《兴安区屯垦第一年工作概况》，第90页。
　　③ 胡玉海、李蓉主编：《奉系军阀大事记》，辽宁大学出版社2005年版，第598页。

站"，所以决定"在此规划街基，自由招垦，延户发展"①，将王爷庙改称为兴安镇，并制订了相应的城建计划，以备将来把兴安区屯垦公署迁移到此。

兴安镇的建设是按照兴安屯垦公署的城建计划进行的。1929年7月10日，兴安区第一垦殖局拟定兴安市街出放计划图并附说明及各种表格呈交兴安区屯垦公署。8月2日，兴安区屯垦公署正式修订批准了兴安市街出放计划。第一垦殖局即按照这一计划，将王爷庙市街中心马路为最北端，南北长约75丈〔1丈＝（10/3）米＝3.3米〕、东西宽长约880丈地区作为市区范围。在市区中心，建直径为50丈的圆形广场，四面建40丈宽防护林；以北边的防护林为界，分市内和市外两区。规定纵横大道的道宽6丈，市区内外各条小马路路宽为4丈。中心广场周围为行政区，除划出部分公用地外，其余地方，即市区内规划116个小方，每小方分为8个街基号，每号长20丈、宽10丈，共928个街基号；在市区外又规划出放的街基地97个小方，每小方仍为8个号，共776个街基号。在市区内外共勘丈、规划了准备出放的1 704个街基地号。②

兴安镇街基地号按照所处地段分为特、一、二、三、四等5个级别，收取不同数量的地价（见表18－5）。到1929年末已出放981个街基号，每个号并由兴安区屯垦公署出具街基执照。③ 此后，出放街基号的工作一直持续到1931年7月。

根据兴安区屯垦公署的兴安市街城建计划，从1929年夏天开始了大规模的城市建设。经过5个月的建设，初步建成兴安镇。

表18－5　兴安镇出放街基价表④

等　　级	街基数	单　价	小　计	备　注
特等地	108号	250元	27 000元	行政区内附近防护林内十字路
一等地	432号	175元	75 600元	防护林内各大街
二等地	300号	100元	30 000元	防护林外各大街

① 兴安区屯垦公署编：《兴安区屯垦第一年工作概况》，第56页。
② 兴安区屯垦公署编：《兴安区屯垦第一年工作概况》，第217页。
③ ［日］井手俊太郎：《关于兴安屯垦公署开放蒙地实况》（日文），载《蒙古研究》第2卷第1期。
④ ［日］井手俊太郎：《关于兴安屯垦公署开放蒙地实况》（日文），载《蒙古研究》第2卷第1期。

（续表）

等　　级	街基数	单　价	小　　计	备　　注
三等地	388 号	75 元	29 100 元	防护林内各小路
四等地	476 号	50 元	23 800 元	防护林外各小路
总　　计	1704 号		185 300 元	

2. 筹办国民学校

兴安区屯垦公署明确规定，凡招徕移民的教育和当地蒙民教育等权力皆由垦殖局管辖。屯垦军驻进兴安区之后，为到此屯垦的军人及移民子弟提供教育设施成为一个亟待解决的问题。比如，1929 年 5、6 月间迁来的河南、山东灾民进驻兴安区时，其中就有 4 857 名儿童。因此在垦殖局所设地方设立学校也就成了屯垦工作的一个重要内容。

1929 年 5 月，兴安区第一垦殖局在王爷庙成立的第一国民小学，有教师 3 名，学生 40 名。[①] 10 月 25 日，兴安区第二垦殖局在察尔森设立了兴安区第二国民小学。[②] 这个学校的学生中垦民子弟居多。

在索伦设治局所辖地区，于 1927 年 10 月曾设立索伦第一初级小学，学生 10 余人。但后来由于经费问题，于 1928 年 10 月停办。1929 年 4 月，索伦设治局召集地方绅商会商，并呈请屯垦公署重新恢复学校。该小学有教员 1 名，校长由设治局科员兼任，学生 28 人，分为 3 个年级。这所学校给贫寒子弟入学提供方便，8 岁以上 14 岁以下的男女学童都可入学。[③]

3. 修筑洮索铁路及开采矿藏

修筑铁路、铺设公路，发展交通，是兴安区屯垦事业发展所必需的基础设施。故屯垦公署对此更为重视，认为兴安区位于内外蒙古、东三省的交界处，在此建设铁路，不仅有利于开拓札萨克图及图什业图两旗和洮儿河、归流河流域出产数十万吨谷物的向外输出以及为沿线辐射区域，如内蒙古畜产中心之地——东西乌珠穆沁旗等地畜产品的输出、瓦房店附近黑顶山煤矿的

---

① 兴安盟地方志编纂委员会：《兴安盟志》（上），内蒙古人民出版社 1997 年版，第 25 页。
② 兴安区屯垦公署编：《兴安区屯垦第一年工作概况》，第 62 页。
③ 兴安区屯垦公署编：《兴安区屯垦第一年工作概况》，第 199—200 页。

开采、兴安岭森林的采伐等提供极大的便利，将会产生巨大的经济效益，而且"东北国防长治久安之道，莫过于先修洮索路，继修索满路（索伦达满洲里）"①。

屯垦军进驻兴安区后不久，东北当局就开始筹划修筑自洮安至索伦的铁路（即洮索路）。该线路的修筑，当时有 3 条线路可供选择：一是所谓西线，由洮安（白城子）起经瓦房店、巴拉各歹、陈蒙古店、船房子到达索伦；二是所谓中线，由洮南沿洮儿河岸，西达索伦；三是所谓东线，以洮安起点，经缸窑、葛根庙、王爷庙、佘公府、二十家子到达索伦。屯垦公署将 3 条线路进行比较后，决定选择东线。1928 年 8 月 15 日，洮索铁路建设开工，工程所需资金约 900 万元。② 于 1931 年 2 月 1 日竣工通车，全线长 200 公里。③

兴安区矿产资源蕴藏丰富，不仅有砂、石材等建筑原料，还有煤、铁等矿藏。如兴安屯垦区洮安六区界内的二龙锁口地方，有无烟煤矿一处，面积约 50 平方公里。此处煤矿如能开采，可供应兴安区及四洮、洮昂、齐齐哈尔及各路沿线各处的煤炭需要。④ 此外，马鞍山（位于科右前旗巴拉格歹乡马鞍村境内）的铁矿，经屯垦公署派人查验，较本溪、鞍山两铁矿均好。兴安区屯垦军对上述各处矿藏进行不同程度的开采。1931 年，邹作华在给蒋介石的报告中称，该地煤矿业已开采，日产煤 500 吨。⑤

4. 承担边防任务及设立警察

洮、索两地战略位置十分重要。1929 年 7 月，中苏之间发生中东路冲突后，兴安区屯垦督办邹作华即奉张学良的命令负责兴安岭的边防事务。为加强防务，他派炮兵一团赴该区兴安岭险要地带架炮布防，又命令农事研究班的学生一律停课赴边境协助防堵苏军。⑥ 1929 年 9 月 13 日，张学良又为邹作华添编重炮两旅。同时，决定编制防俄预备军 53 人，军官由东北讲武

①　兴安区屯垦公署编：《兴安区屯垦第一年工作概况》，第 16 页。
②　1930 年 4 月 1 日《盛京时报》。
③　胡玉海、李蓉主编：《奉系军阀大事记》，辽宁大学出版社 2005 年版，第 591 页。
④　1929 年 5 月 21 日《盛京时报》。
⑤　胡玉海、李蓉主编：《奉系军阀大事记》，第 598 页。
⑥　兴安区屯垦公署编：《兴安区屯垦第一年工作概况》，第 152 页。

堂选用，并起用老将领，以驻防索伦西界为第一线，以驻防哈玛溪、杨树沟为第二线，以驻防扎赉特旗王府绰尔河岸为第三线，以驻防雅鲁河桥为第四线。兴安屯垦军担任索伦以北通往大兴安岭、海拉尔、甘珠尔庙及外蒙古各条道路的警戒任务。索伦警备军担任索伦以南经东西乌珠穆沁旗通外蒙古要道的警戒任务。其左翼与骑兵一旅联络警备葛根庙、镇国公府、索伦之线。此外，张学良为加强边防军通讯联络，于 1928 年 10 月在索伦设立了无线电台。①

1929 年 11 月 9 日，兴安区屯垦公署在兴安镇设立警察，负责捕盗、缉匪和维持地方秩序。兴安镇内警察直属市政筹备处，共分 4 区，每一区设勤务长、勤务员 4 名及警兵若干名。警察驻进兴安区后，承担了调查户口、指挥交通、疏通道路、巡访市场、夜间巡查、防范盗贼等任务。

东北军的兴安区屯垦，自从 1928 年 8 月正式开始，一直持续到 1931 年秋天，整整进行了 3 年。"九一八"事变爆发后，屯垦军匆匆离开垦区，大规模的兴安区屯垦宣告结束。

三、东北军在兴安区屯垦的社会影响

（一）屯垦激化了社会矛盾

清末以前，内蒙古地区的牧业与农业的互补因素大于相互排斥的因素。但是，清末新政以后，逐渐形成了一股放垦蒙地的浪潮。特别是进入民国以后，中央政府大力提倡、鼓励放垦蒙地，为其提供法规和政策上的保证和优待，这使得内蒙古地区土地开垦迅速加快，原先农牧并存发展的自然机制受到严重破坏。

所谓"兴安区"是蒙古人聚居的地方，蒙旗对其内部事务一向拥有自主管辖权。屯垦军进驻兴安区以后，设立垦殖局，对蒙旗土地进行开垦，显然对蒙旗固有的权利造成冲击乃至损害。因而必须和蒙旗方面进行协调，划分权限，尤其对于王公等给予相当程度的优遇，屯垦计划才可以顺利实施。

东北屯垦军进驻札、镇两旗之初，于 1928 年 9 月就曾发布布告，冠冕堂皇地称"本军进行屯垦，完全为提进蒙族同胞之生产能力及其安宁幸福

---

① 兴安区屯垦公署编：《兴安区屯垦第一年工作概况》，第 270 页。

而来"，并在致各旗王公的公函和《敬告蒙古父老兄弟书》中称"变荒芜无用之地，成为谷粮繁盛物产丰足之区，足以为贵王公及我蒙民无穷之利"，"蒙族在元朝时代，论战功疆域，都可以说是空前绝后了。而今为老守游牧，不思从耕稼上求进步，所以不能和西洋各强大民族竞争"，"蒙族既无生产能力，汉族因（应）本共存共荣的道理，帮助蒙人开发富源"，并认为"蒙民习垦，为维持蒙民生计之唯一要道"。①

兴安区屯垦公署成立后，曾专门确定了《治蒙方针及其办法》②，其最基本方针就是让蒙古人"由游牧之生活变为农工生活"，具体办法是选择适当地点，先设垦殖局，以促进开垦。给屯垦区的蒙民以荒地，一律换发新执照；垦殖局所在地设立蒙民参议会；筹办国民学校，提倡教育，设通俗教育馆及博物馆；组织巡行讲演团、影剧及各项展览会；设工艺传习所及各种工厂；设各种生产合作社；修建铁路及乡村道路；提倡卫生，奖励耕作；提倡用机器耕作田地；改良种畜及放养方法；创设警察，维持治安；组织团体赴各地参观。屯垦当局还曾表示，避免触犯蒙旗王公的传统特权，遵从蒙民与王公之间的人身依附关系，蒙旗王公可照旧统治自己的属民、征收赋税。同时还允许保留从前蒙旗荒地内所设立之征收地租的专门机构，继续收取地租，如清末札萨克图旗在洮安县境内所设立之天恩地局和镇国公旗在镇东县境内所设立之中和地局。

东北当局的对蒙方针促使蒙古族牧民改变传统的生产方式，弃牧转农。当屯垦受到蒙旗方面的阻挠时，立刻表现出其强硬的一面，以强制手段推行其屯垦措施。如开始放荒时，札、镇两旗方面就主张旗内所有荒地均予以保留，并自己主持出放。但是，屯垦公署对于这些要求根本不予理睬，强行把蒙旗的土地全部无偿占有，除拨给军队屯垦之外，其余土地均作为民垦地，作价出放，所获利益均归屯垦公署所有。兴安区屯垦公署及其下属的兴安屯垦区内设立第一和第二垦殖局，包办蒙旗的行政、司法、赋税等行政权力，使得蒙旗固有之管理人民、土地、政治的自主权被剥夺无遗。这就势必导致蒙旗与屯垦当局之间、蒙旗民众与屯垦军之间、蒙汉民族之间的纠纷和矛

---

① 兴安区屯垦公署编：《兴安区屯垦第一年工作概况》，第41—42页。
② 兴安区屯垦公署编：《兴安区屯垦第一年工作概况》，第52—53页。

盾。从出放荒地的结果看，蒙旗的土地，实际上绝大部分都落入了屯垦军官员及东北当局的一些官僚和商业资本之手。正因为如此，军屯的实施，制造和加深了民族矛盾。

东北军的大规模屯垦，引起了蒙旗各阶层的普遍反对。当时蒙古人认为，东北军的屯垦是"张学良败归东北，感兵多地窄之患，又存军阀野心，不旨裁遣以损势力，于是派遣惨无人道之邹作华率兵数万，占据札扎镇（指札萨克图旗、扎赉特旗、镇国公旗——引者）等三旗全境，更其名曰屯垦，以掩人耳目，而实则驱逐三旗蒙人夺据三旗蒙地，以为安置大军消灭蒙旗之计耳。""逐其民而据其地，夺其政而犁其野，名为屯垦，所垦者何号为开荒，所开者何比之鹊巢鸠占曾不为过也。"①

1929年3月至4月，哲里木盟各旗王公札萨克在长春召开会议，向南京政府提出了停止放垦牧场的要求，严正提出"蒙旗土地唯有盟旗保管，蒙民享用，不得再行强制处分"，"凡内蒙未垦之地，不得藉何等名义再行开垦，已开垦者，土地所有权仍由蒙人自主"。② 他们还通过《决议书》，向东北边防军总司令张学良提出了停止屯垦的要求，认为兴安屯垦"妨害了旗权与蒙民生计……土地狭窄，尚不足蒙民生计之用，然若将其开垦，则蒙民等受其压迫，流离失所，成为游民……为图国家之大利，而使该二旗，受到致命打击，亦为不仁也。……以上各项，完全违背长官之保护国民之宗旨，或妨害旗权，或侵夺民产，致使公私怒泣，今已达其极点"③。对此，东北屯垦军方面也不得不承认"自昨秋屯垦军开至扎镇界内屯驻以来，由于王公之煽惑，一般蒙民，即以屯垦军行将侵占其土地，逐其出境。至尽犹忐忑其心，感怀不安"④。1929年，科尔沁右翼后旗协理寿明阿偕同邻旗代表等，向张学良、邹作华提出，给当地蒙古人保留原有住宅及原垦熟田以维

　　① 蒙古自治区筹备委员会：《蒙古代表对国联调查团陈述之意见》（1932年5月1日，抄本），内蒙古大学内蒙古近现代史研究所资料室藏。
　　② 《长春蒙旗会议建议书》，中国第二历史档案馆档案，代号141，档号1296。
　　③ 《长春蒙古王公会议始末》（1929年5月11日），见日本外务省外交史料馆档案：《各国政治关系杂纂·内蒙古关系》第1卷，A—6—1—2—1—14号。
　　④ 兴安区屯垦公署编：《兴安区屯垦第一年工作概况》，第211页。

生计的要求。①

但国民党政府及东北当局对于蒙旗方面的正当要求和呼声置之不理，反而拘捕反抗屯垦的蒙旗官员和民众。1929 年 7 月，兴安屯垦公署给寿明阿戴上"抗阻屯垦"的罪名，将其逮捕入狱，关押 6 个月之久。与此同时，兴安屯垦公署派兵没收寿明阿的家产，并"诬其邻近二村五十余蒙民与寿明阿同谋一律剿没，以致二村荡然、流徙无贻并戕害蒙民那兰满都、孟合二人"。② 后经班禅大师及哲里木盟多数王公协力恳求，寿明阿才得以被释放。同年 12 月，科尔沁右翼前旗 700 余人到洮安县城，向兴安屯垦公署提出保留蒙民原有住宅及少许生计地的要求。兴安屯垦公署方面当即拘捕了为首的胡永泰，其余民众被驱散。③

可以说，东北军在兴安区的屯垦引发了当地农牧矛盾以及其背后的蒙旗各阶层与屯垦军之间、当地蒙民与外来汉族移民之间的许多矛盾，并且这种矛盾日趋尖锐，纠纷、冲突时有发生。农牧业生产上的矛盾与蒙汉民族矛盾交织在一起，导致当地社会秩序的不稳定。

（二）屯垦加剧了蒙民的贫困化

东北军实行屯垦的土地，大都是水草丰美的天然草场，宜于发展畜牧业。对大多数蒙民来说，草场就是牧民最基本的生产资料，是牧民赖以生存的根基。据兴安区第一垦殖局的调查，东北军实行屯垦时，札萨克图、镇国公两旗的多数蒙民都过着游牧生活，在两旗境内农田面积仅占 10%，而游牧草场占 68%，④ 畜牧业经济占主导地位。

东北地方当局和一般官绅出于农本意识，完全忽略蒙旗的特殊性和当地自然环境的差异，认为蒙古人占据大片土地，只从事游牧，而不去耕作，是在浪费土地资源。所以应该招徕内地农民，大力开垦蒙地。以张学良为首的东北当局显然也是以这种思维模式，在兴安地区大肆实行屯垦的。

屯垦军进驻兴安区后，即以国防需要为名，无偿占有蒙民土地，除一小部分由招徕的内地汉民耕种外，其膏腴之地均由东北当局的高官及屯垦军的

---

① 蒙古自治筹备委员会：《蒙古代表对国联调查团陈述之意见》（1932 年 5 月 1 日，抄本）。
② 蒙古自治筹备委员会：《蒙古代表对国联调查团陈述之意见》（1932 年 5 月 1 日，抄本）。
③ 白拉都格其、金海、赛航：《蒙古民族通史》第 5 卷，第 403 页。
④ 兴安区屯垦公署编：《兴安区屯垦第一年工作概况》，第 226 页。

团营连长、垦殖局的局处科长等瓜分，占为私产，并将其出租给内地灾民耕种。据史料记载，1929 年 8 月，兴安屯垦公署第一垦殖局勘丈放垦王爷庙及其附近土地时，霸占了王爷庙（普惠寺）所属香火地 60 垧。经该庙住持大喇嘛罗卜桑萨勒吉德等 6 名代表多次交涉，仍未得到解决。① 1929 年，邹作华一人就在镇国公旗领地 136 垧，② 位居当年在该旗所有报领者之首。"张学良、顾维钧等合伙而设之'华农公司'即系驱逐镇旗（指镇国公旗——引者）'乌尼叶希'一带蒙民而夺其地者也"；"顾维钧一人之地即有二万五千垧之多"；另外，东北军将领黄显声报领的土地"即系驱逐扎赉特旗'吉噶苏台'、'乌达'两村蒙人而占其原垦者也"，"札萨克图旗'胡鲁斯台屯'之民地被黄显声一人占据"；"又'朱勒图'、'保齐'两屯之民田，则被铁路局长张云斋、团长苑崇古二人占据"。③ 由此可见，通过屯垦，东北军政当局的一些高官和屯垦军的各级军官等乘机大肆圈占蒙旗土地，很快成了大土地占有者。

东北军进驻兴安区后，虽然标榜"提携蒙民，开发生产"④，但屯垦并没有使当地蒙民富裕起来，反而使当地蒙民失去大片草场，不善于从事农耕的大批牧民背井离乡，生计日趋艰难，陷入了极端困苦的境地。

据史料记载，屯垦军进驻蒙地后，"屯垦官兵往来行走及所招徕关内佃户一切饮食车马悉责蒙民供应。此外军用草料车辆等项亦莫不取之蒙民。故三年以来各旗蒙民之车辆牛马被军征用无算，一经征去永不发还。至若宰吃牛羊或抢掠财物，尤其余事耳。即此次事变（指"九一八"事变——引者）该军临行之际逐屯搜觅车马悉数带走。目下镇札（指镇国公旗和札萨克图旗——引者）各旗已无车踪马影辙迹蹄声矣。"⑤ 还有一首科尔沁民歌《赶走屯垦军》⑥ 中唱道：

早年出名的札萨克图旗，

---

① 兴安区屯垦公署编：《兴安区屯垦第一年工作概况》，第 217—218 页。
② ［日］井手俊太郎：《关于兴安屯垦公署开放蒙地实况》（日文），载《蒙古研究》第 2 卷第 1 期。
③ 蒙古自治筹备委员会：《蒙古代表对国联调查团陈述之意见》（1932 年 5 月 1 日，抄本）。
④ 兴安区屯垦公署编：《兴安区屯垦第一年工作概况》，第 92 页。
⑤ 蒙古自治筹备委员会：《蒙古代表对国联调查团陈述之意见》（1932 年 5 月 1 日，抄本）。
⑥ 诺敏编译：《科尔沁民歌选》，内蒙古人民出版社 2003 年版，第 192 页。

　本是朝廷封的郡王。
　只因为相信了破落的乌公爷①，
　水草丰美的牧场开了荒。

　世代居住的札萨克图旗，
　本是皇家封的郡王。
　只因为相信了协理乌伦岱，
　水草丰茂的牧场被卖光。

　狐狸本是山野的兽，
　乌伦岱是旗公爷大人。
　只因相信了狐狸般狡猾的乌伦岱，
　草原驻满了穆格顿②屯垦军。

　银子本是一种货币，
　孟县长狗屁不如心忒狠。
　只因为相信了诡计多端的孟县长，
　草原驻满了穆格顿的屯垦军。

　铜本是一种金属，
　屯垦军只是一种兵。
　自从来了凶残的屯垦军，
　祖居的札萨克图旗被占领。

　火本是一种自然现象，

---

　　① 乌公爷，本名乌伦岱，又写做武林泰，是科尔沁右翼前旗闲散辅国公，曾任该旗协理、蒙藏院议员，时任该旗设在洮安县的征租机构——天恩地局局长。见兴安区屯垦公署编：《兴安区屯垦第一年工作概况》，第229页。
　　② 沈阳的满语名。

　　火犁是一种翻地的犁杖。

　　自从来了轰轰响的火犁，

　　牧场的土地被翻个光。

　　羊本是一种家畜，

　　洋犁是用火做动力的犁杖。

　　自从来了快走的洋犁，

　　放牧的草原被翻了个光。

　　自从来了凶恶的屯垦军，

　　十户联保村联村。

　　牛羊土地就被赶走，

　　蒙古人生活无路难存身。

　　自从来了祸害人的屯垦军，

　　养牛养羊也派税银。

　　家家门上钉了木牌，

　　摇篮中的婴儿也摊税银。

　　这首歌生动地表达了蒙民对屯垦军的不满和对草原牧场的热爱，如实地反映了屯垦给蒙古民族所带来的深重灾难。

　　东北军把草原当成取之不尽的资源，实施大规模的开垦，沉重打击了当地的畜牧业。而盲目迁移外来人口的做法，更加剧了人口与土地资源之间的矛盾。兴安区的屯垦使得当地蒙民丧失了大片的牧场，进一步导致了蒙旗牧场的缩小、蒙旗权利的丧失和蒙民生活的贫困。正所谓"垦地日广，牧场益狭……蒙官之权利渐失，蒙民之生计日蹙"①。所以说，东北军所实施的兴安区屯垦，不但没有给当地的蒙古人带来文明与进步，反而使蒙古人普遍陷入日益贫困化的境地。

　　总之，东北军在兴安区的屯垦，是民国时期内蒙古地区历史上颇有影响

　　　① 马福祥：《蒙藏状况》，蒙藏委员会 1931 年印行，第 13 页。

的事件。1928 年，东北当局以"开发利源，巩固国防"[1] 名义，派屯垦军到兴安区实施屯垦。屯垦军开垦蒙地，使大片蒙旗牧场变成了农田，并设立垦殖局对地方行政实行管理，成为变相的县治。屯垦的实施，又引起当地蒙古族各阶层的普遍不满，加剧了蒙汉民族矛盾。当日本关东军出兵侵占东北时，屯垦军却立即溃散。这也从另一个方面说明，东北军的屯垦并未起到"巩固国防"的作用，其目的并不像东北当局所标榜的那样"巩固国防"和对蒙古民族"诚意提携，改良其物质生活"，[2] 而在于掠夺蒙古人的土地。

第二节　晋绥军在河套地区的屯垦

一、晋绥军在河套实行屯垦的历史背景

河套地区屯垦最早由阎锡山倡议，在"寓兵于农、开发西北、巩固边疆"的口号下，由晋绥两省军队、政府、垦务局 3 方合办，于旧绥远省西部地区（即东至包头，西至宁夏，南至黄河，北至狼山，俗称"后套"的地区和包头河西一部分垦地）进行的一次有计划的大规模屯垦。这是民国时期由官方直接办的最大的垦区。从 1932 年至 1937 年，阎锡山在绥西设立屯垦机构，派遣部队从事垦殖，成为闻名全国的一件大事。

（一）"九一八"事变前后的内蒙古形势及国民政府对蒙政策

20 世纪 20 年代末到 30 年代初的中国，外受帝国主义侵略，内受封建军阀的统治，经济发展缓慢，人民生活异常困苦。反帝、反军阀问题成为中国最主要的社会问题。

1928 年，南京国民政府在形式上统一全国后，确立了国民党新军阀在中国的统治。各派新军阀为争夺地盘，不断发生混战。内蒙古地区也成为各派军阀角逐争夺的场所之一，社会动荡，战乱频仍，给人民带来极大的灾难。

---

[1]　兴安区屯垦公署编：《兴安区屯垦第一年工作概况》，第 4 页。
[2]　内蒙古经济发展史研究组：《内蒙古经济发展史研究》第 1 辑，内蒙古文化出版社 1987 年版，第 121 页。

"九一八"事变后，内蒙古的局势发生了巨大变化。内蒙古东部地区沦为日本的殖民地，西部地区也成为日本侵略的主要对象之一。为挽救民族危亡，国内社会各界人士纷纷倡导"开发西北"，视经营边疆为挽救危亡之要图。认为"现在国防问题中，西北已成不可忽视之势"①，而内蒙古地区"在国防上之重要性，更日益加甚。近日内蒙各蒙旗之兵力，合而计之，尚不足万人，自不能担负国防之任务"②。甚至还有人提出"非移民开垦不足以根除外患"③ 的主张，试图以移民开垦来充实西北的国防，以移民开垦作为抵御外来侵略之唯一途径。在此期间，国民党政府也屡派专员频繁视察西北，大谈"开发西北"的重要性，把"开发西北"的声势推向了高潮。阎锡山提出"寓兵于农、开发西北、巩固边疆"的口号，组织军队开往内蒙古西部地区实行屯垦。

随着南京国民政府在全国统治的确立，为剥夺蒙古盟旗自主自治的权利，完全无视蒙古民族的切身利益和民族要求，大力推行大汉族主义的民族压迫和民族同化政策，加紧了对内蒙古的政治压迫和经济掠夺。1928 年 9 月 5 日，国民党中央政治会议决定将热、察、绥 3 个特别区改为行省，并于 9 月 17 日发表《改热河等区为行省通电》，正式宣布"热河、察哈尔、绥远、青海、西康均为改省"。④ 同年 10 月，又将内蒙古阿拉善、额济纳两旗并入新建的宁夏省。至此，国民党政府通过改省设县，将蒙古盟旗置于省县当局的控制之下，使得蒙古各盟旗的地位变得模糊不清。

国民政府下达改省令后，得到了汉族地主、投机商和官僚、军阀们的拥护和支持。当内政部向国民政府正式提出改省的建议后，国民党中央政治会议电询阎锡山意见。阎表示"三区属县无多，地方岁入，每区每年不过数百万元，骤行改省，资力恐有未逮，倘为将来开发计，实行改省，亦极赞成……"⑤ 表明一些地方军阀极力想把蒙旗直接置于省政府管辖之下。因为

① 庸盦：《河套农业概观》，载《西北实业杂志》1934 年创刊号。
② 黄奋生：《蒙藏新志》（上），第 189 页。
③ 朱霁青：《移垦西北之先决问题》，载《西北问题季刊》1934 年第 2 期。
④ 熊耀文编：《总理对于蒙藏之遗训及中央对于蒙藏之法令》，第 275 页。
⑤ 乌兰少布：《中国国民党对蒙政策》（1928—1949 年），见《内蒙古近代史论丛》第 3 辑，内蒙古人民出版社 1987 年版，第 221 页。

他们很清楚，改省将使其政治、经济势力在内蒙古各地得到加强和巩固，既可以提高其政治地位，又可极大地满足其私欲，他们将会是这一政策的最大受益者。

放垦蒙地是国民党新军阀贯彻始终的对蒙政策。国民政府在内蒙古地区改省设县的同时，为扩大县治的区域，大肆推行移民放垦和军队屯垦政策，从而掀起了新一轮的放垦蒙地的高潮。

国民政府为了解决由于政治腐败、军阀混战以及剥削而造成的灾荒、流民、军员过剩等社会问题，勒逼蒙旗放垦土地，加强了对蒙旗的经济掠夺。从1929年到1932年，国民政府相继通过《筹备移民垦殖办法》《蒙古农业计划案》《蒙古垦殖计划案》《移民实边案》《丈放锡林郭勒盟等处生荒以兴垦务而固边方案》《移民垦殖案》等议案，大力推行移民放垦政策。①1932年4月，在国民政府召集的国难会议上通过的《移民垦殖案》规定："（一）移民地点为东北、西北，包含绥远、河套、青海、西康、西藏在内；（二）移民种类为灾民、冗兵、被裁政府官员。"②

1928年绥远省政府成立后，为扩大县治区域和增加财税收入，立即着手整理垦务。首先整顿和扩大垦务部门，在绥远建立垦务总局，萨拉齐、武川、包头、固阳、五原、临河等县分别设置第一至第六垦务分局，制定了《绥远省垦务计划》《办理垦务通则》《各蒙旗征收岁租办法》等，并强迫蒙旗继续报垦。蒙垦方针确定后，内蒙古境内各地方当局、各路军阀官僚争相开垦蒙地，通过移民开垦和军队屯垦方式，扩充实力、聚敛财富。

绥远省政府建设厅于1929年向蒙藏委员会提交的《建议划定蒙旗区内垦牧范围案》中直言："绥远素称地大物博，而民生迄未发展者，皆由蒙荒闭塞之故也，现值训政建设之期，自应觅图开发。开发之首要是在蒙荒。"③此外，1932年，绥远省主席傅作义在国民党第四次全国代表会议上明确阐述官垦的宗旨："绥远幅员辽阔，水草丰茂，全省人口不足二百万。利弃于

①　李玉伟：《民国时期国民党政府的民族政策及内蒙古的民族问题》，载《中央民族大学学报》2004年第1期。

②　白拉都格其、金海、赛航：《蒙古民族通史》第5卷，第336页。

③　闫天灵：《汉族移民与近代内蒙古变迁研究》，民族出版社2004年版，第161页。

地，举世共知。北邻苏俄，尤为历年来内地人口既有过剩之势，加以灾情奇重，民复流离失所。为救灾计，为国防计，为开发西北计，移民实边，实为当今急务……"①《绥远建设季刊》首期也刊文指出："未来开发西北者，莫不先之以劝蒙报垦，继之以建局丈放招徕垦民，渐次村落星布，地成阡陌，民皆安土重迁。上则设官置吏，然后实业教育，凡百庶克以举。"②

（二）在河套地区实行屯垦的自然条件及历史基础

晋绥军屯垦的土地大部分在绥远省西部的后套五原、临河两县。

阎锡山选择这一地区进行屯垦，是以当地优越的自然条件为前提的。号称"塞上谷仓"的后套，"位居绥远西陲，南界黄河，北界狼山，东起乌拉山，西至阿拉善蒙古东境，东西长约四百里，南北广约百里，面积约为四万方里。地势西南高东北下，决渠饮水，亦得自然之利。即汉临县地是也。为杭锦、达拉特二旗西境及乌拉特旗之南境，属五原县管辖"③，是典型的黄河冲积平原，地势平坦，土地肥沃。河套地区有得天独厚的引黄灌溉条件。由于引黄灌溉，河套地区渠道纵横交错使得河套地区土壤肥沃，微带碱性，"得水灌溉则酥如鸡粪，生殖力甚强"④。当时后套盛传这样一首民谣："上后套，后套好，后套养畜不用草，庄稼不靠天雨能长好，穷人揽工受苦也能过得了。"⑤在内蒙古西部地区丰肥的区域中以"河套平原的面积最广，其经济蕴力亦最大"⑥，"为西北之一大米粮川，其农产品为西北之冠"⑦。故俗有"黄河百害，独富一套"之谚。由于土壤肥沃，通渠又易，因此该地区成为历代以来屯田养兵移民开垦的理想区域。

除了丰厚的自然条件外，河套地区的开发有着悠久的历史。历代对河套地区的开发大致可分为3个时期。秦汉时期发端至东汉为第1期。北魏时期又重新开垦，为第2期。第3期从清中叶开始，由民垦开始，继之以官垦，

---

① 绥远通志馆编纂：《绥远通志稿》卷20，内蒙古图书馆手抄本，第36—37页。

② 《绥远省建设季刊》1929年第1期。

③ 金天翮、冯际隆：《河套新编》卷1之《河套地理志》，1921年稿本。

④ 韩梅圃：《绥远省河套调查记》（上），绥远省民众教育馆1934年铅印本，第12页。

⑤ 苏希贤：《王同春——河套水利开发的杰出人才》，见政协内蒙古自治区委员会文史资料委员会编：《内蒙古文史资料》第36辑，政协内蒙古自治区委员会文史资料委员会1989年印刷，第70页。

⑥ 李秀洁：《后套冲积地的自然环境概况》，载《禹贡》（半月刊）1936年第6卷第5期。

⑦ 韩梅圃：《绥远省河套调查记》，第11页。

广辟土地，大兴水利，成为蒙地放垦的重中之重。进入民国后，河套地区的垦务由政府组织进行大规模的移民开垦，是内蒙古地区农业发展的重点地区。[①]

随着历代对河套农田的开辟，引黄灌溉及水利兴修的发展，促进了河套地区土地开垦。由于战乱及灾荒，内地的农民迫于生计纷纷向塞外移民，河套一带成为他们投奔的主要目标。这些移民的到来，为开发河套农田兴修水利提供了必要的劳动力。这些都极大地刺激了阎锡山开垦蒙地以获得厚利的积极性。

由于绥远地区与山西接壤，双方在政治及经济上均有密切联系。[②] 清初，严禁内地汉人到口外移垦，后来禁令渐弛，临近河套地区的山、陕贫民不断涌入河套地区。清廷为加强对该地区汉民的统治，陆续增设了管理蒙汉交涉事务的机构。清中叶以后，随着口内农民赴后套人数的高速增长，光绪二十五年（1903年）析萨拉齐厅西境，增设五原厅同属于归绥道，隶山西行省，[③] 专门管理伊克昭盟之达拉特旗、杭锦旗，乌兰察布盟之乌拉特3旗蒙汉交涉事务。清政府的政令通过山西省直达各厅，以此来加强对内蒙古地区的控制。

1912年中华民国成立后，北京政府基本沿袭旧制，清代归绥道所辖萨拉齐、五原等12个抚民厅仍归山西省管辖。1913年1月将厅改为县。1914年1月裁归绥道建制。7月，民国政府成立绥远特别行政区，实行"晋绥分家"，任命都统为长官，将萨拉齐、五原等县隶新设立之绥远道。1925年在河套地区设大佘太设治局和临河设治局。

1926年8月，晋系军阀阎锡山占据绥远以后，实行所谓"晋绥一家"政策，[④] 由晋军总司令商震代理绥远都统职务。由此阎锡山的地盘遂由山西扩充到绥远。

从1928年国民政府改建绥远省一直到抗战前，绥远省始终是阎锡山的

---

① 蒙思明：《河套农垦水利开发的沿革》，载《禹贡》（半月刊）1936年第6卷第5期。

② 廖兆骏：《绥远志略》，正中书局1937年版，第7页。

③ 金天翮、冯际隆：《河套新编》卷2之《河套沿革志》，1921年稿本。

④ 郝维民主编：《内蒙古近代简史》，内蒙古大学出版社1990年版，第117页。

统治范围。历任省主席（前两任省主席为徐永昌和李培基，第三任主席为傅作义）、省府各厅长多半是由阎锡山委派的晋籍官僚所担任。1932 年阎锡山为加强在绥远的军阀统治，派赵承绶任绥远骑兵司令，派王靖国任绥西警备司令，在绥远形成了强大的政治、军事势力。

（三）编遣全国军队及阎锡山的"造产救国"主张

蒋介石掌握了全国的统治权以后，为达到打击异己、消除隐患的目的，采纳了谋士杨永泰的所谓"削藩"之策，于 1929 年 8 月 1 日在南京召开国民党编遣实施会议，进行裁兵。

当时，国民党应裁军队人数已达百万之众，这些军人多年行伍，并无生活技能。① 如果不能妥善安排，将会带来很多社会问题。于是国民党各派为寻求安置被裁军人，提出了各自的观点。

有人主张："当于应遣散之兵士，开往西北，从事开辟荒原，浚凿沟渠，播种谷类，广植树木，既可保护地方，又兼收开发之实效，再者移民垦荒，易受民怨，故不若屯垦军与灾难人民垦殖有效后，再行强制移民为愈也。"② 也有人认为："夫兵可以千日不用，不可一日不备。故寓兵于农，以辟土地，裕国库、敛盗寇，国家省养兵之费，得练兵之实。国防有警亦有备而无患，至兵亦有室家之乐无行武之苦。所谓作内政寄军令诚一举而数备一劳而永逸。"③ 还有人提出将所裁之兵移垦到绥远，"利用遣散兵士垦荒化兵为农，是总理的主张。现在中国的军队太多，弄得连年内乱，所以国民政府实施编遣。但是编遣以后，如果没有适当的办法，被遣散的军队衣食一定不能解决，结果使得社会上不安宁。绥远荒地很多，要是把遣散的兵士移来垦荒，一方面荒地也能开垦了，一方面兵士也有安插的地方了，一举两得，真是很好的办法。"④ 在《绥远垦务计划》里提到："军队屡经编遣，在公家既无安插办法，而兵士无恒产可恃。一经遣散生计立断，残弱者衣食无着流为饿殍，强装者铤而走险变为盗匪。或三五成群明抢暗夺，或啸聚搅扰虏人

---

① 张人鉴：《开发西北实业计划》，北平震东印书馆 1934 年版，第 222 页。

② 张人鉴：《开发西北实业计划》，第 223 页。

③ 赵伯屏：《兵屯热察绥》，北平文岚社 1929 年版，第 8 页。

④ 绥远省政府编：《绥远省地方自治讲义》，绥远省政府 1931 年印刷，第 239 页。

勒赎。年来各省匪气之未息地方受其蹂躏者，此为一大原因。绥远荒地甚多，苟以若干军队作屯垦之用，既可减少人民之担负又可增加国家之生产，且寓兵于农边防得其捍卫而各处盗匪亦必因之绝迹。实一举而数善备焉，是兵垦乃当务之急有不容视为援图者也。"①《蒙藏新志》的作者也认为："中国现时应裁之兵，数过百万，生齿之多，需地以养，殖民政策，于斯两者，故最善之解决方法也……"②

面临编遣军队后将出现的诸多问题及时人舆论的普遍呼吁，蒋介石最终决定以"减少军队开支，从事经济建设"为名，提出并实施"兵工垦殖"政策。所谓"兵工垦殖"政策，"即总理之遗教，以国家大患首在兵多，裁兵之举，实为要图。唯裁余之官兵，无地消纳，失业者必众。多因迫于生计铤而走险，或受邪说诐辞之煽惑，以致国家社会呈不安之现象。励行兵工政策，即所以解决军人职业问题也。"③

国民党统治时期，由于军阀割据，派系纷争，形成了各种势力。山西军阀阎锡山统治山西多年，并治绥远，称雄华北。1930 年的中原大战，以阎锡山、冯玉祥失败而告终。阎锡山因形势所迫，宣布下野，逃往大连。蒋介石委派张学良负责华北军事善后事宜。1931 年，张学良正着手整编晋军之际，"九一八"事变爆发，中国人民一致要求抗日救国，在全国范围内掀起了轰轰烈烈的抗日救国运动。此时，蒋介石提出"捐弃前嫌，团结御侮"的口号，于 1932 年 2 月让阎锡山就任太原绥靖公署主任。阎锡山再次控制了山西、绥远两省军政大权。

阎锡山复职后，一则感到日寇侵略势力已威胁到山西，二则看到刘志丹在陕北建立起革命根据地，"内忧"和外患都不利于巩固他的割据地盘。鉴于此，阎锡山提出"唯有造产是救国的根本办法"④。他表示："国家正在内忧外患交相煎迫之时，东北既已失陷，西北幅员广阔人烟稀少，又时在赤白帝国主义者鹰瞵虎视之中，我不图存国亡无日。为今之计我辈之人处在西

---

① 绥远垦务总局编：《绥远垦务计划》（下编），绥远垦务总局 1932 年印刷，第 3 页。

② 黄奋生：《蒙藏新志》（上），第 170 页。

③ 安汉：《西北垦殖论》，见《中国西北文献丛刊丛书续编·西北史地文献》卷 7，兰州古籍书店 1990 年版，第 44 页。

④ 绥远省政府秘书处编：《阎主任最近的主张——造产救国》，载《出巡汇刊》1931 年。

北，唯有本总理垦荒遗教，实行屯垦尚可进一分报国之责。因为屯垦一事消极方面可以化兵为农减轻人民负担；积极方面可以增加人口，御侮实边，还可维持地方秩序发展生产事业。"①阎锡山还在勉励屯垦军队的手谕里指出："查西北地广人稀实藏未启。际此国困民穷，外患日亟，为裕国利民实边御侮，计开垦西北，实为当务之急。各该员等既毅然前往屯垦之先锋应以造成富裕安乐之新社会，为后来者开一条谋生大道为任务……"②在《绥区屯垦第一年报告书》中也提到"阎主任就任之初，即决心造产救国，并遵孙总理垦荒遗教，实行屯垦"③。

阎锡山提出屯垦目的是实现"生产合理化、农业机器化、农村工业化、农人军人化、农村建设都市化、农村组织民主化、农村经济平等化"④，并标榜其屯垦意义为："（一）屯垦可以繁荣边陲巩固国防。（二）屯垦可以增加生产解决民生问题。（三）屯垦可以安定边陲秩序，诱起内地人民移殖兴趣而调剂内地人口过剩。（四）屯垦可以增进财源，充裕国库。（五）屯垦可以化兵为农，消弭社会隐忧于未然。"⑤在《绥区屯垦第二年工作报告书》中说："屯垦就是以军人来开垦荒地使变成沃田的意思。由经济的意义说，使完全消费的军人变为生产者，可以厚殖民生解决好多的社会问题。由政治的意义说，可使财政教育水利交通乃至一切建设事业均易推进。再由军事的意义说，对外可以充实边防巩固国土，对内可以永清匪患，安定秩序。我们此次实行屯垦实为全国倡开发西北论者之先导，意义至为重大，关系尤非浅显，绝不仅为图谋、个人利益、解决个人生计已也。"⑥阎锡山用这些冠冕堂皇的理由来掩饰其在绥远建立雄厚经济基础，巩固和扩大其统治晋绥实力的目的。

在阎锡山"造产救国"主张的指引下，绥远省主席傅作义、陆军第70

---

①　绥区屯垦督办办事处编：《绥区屯垦第三年工作报告书》，绥区屯垦督办办事处1935年印刷，第239页。

②　绥区屯垦督办办事处编：《绥区屯垦第一年工作报告书》，第4页。

③　绥区屯垦督办办事处编：《绥区屯垦第三年工作报告书》，第4页。

④　绥区屯垦督办办事处编：《绥区屯垦第一年工作报告书》，第239页。

⑤　绥区屯垦督办办事处编：《绥区屯垦第三年工作报告书》，第238—239页。

⑥　绥区屯垦督办办事处编：《绥区屯垦第二年工作报告书》，绥区屯垦督办办事处1934年印刷，第357—358页。

师师长王靖国、第 72 师师长李生达、绥远垦务总办石华严等成立绥远省垦
务委员会，1932 年晋绥绥靖公署制定《绥区屯垦计划纲要》，在绥西设立屯
垦机构，组织军队在绥西河套地区进行屯垦。阎锡山经营绥远已久，而且他
本人在绥远拥有大量土地，深知"开发"内蒙古的好处，所以对在绥西进
行屯垦，拥有十足的兴趣与决心。①

二、晋绥军在绥西的屯垦机构及其设置

1931 年春，阎锡山派由编余军官组成的垦殖队进入绥西购地，开始实
施屯垦计划。此后，正式设置绥西屯垦机构，并陆续组成各种名目的屯垦队
进入绥西屯垦。绥西屯垦机构及屯垦部队的编成可分为 3 个时期：①绥远垦
殖联合办事处统辖时期，组织 3 个师垦队，即由陆军第 70 师、第 72 师、第
73 师各拨一连组成。②晋绥兵垦试办处统辖时期，组织 3 个军官屯垦队，
即由晋绥编余军官组成。③绥区屯垦督办办事处统辖时期，组织 4 个团的屯
垦队，即由 407 团、409 团、410 团及 419 团士兵组成。在建立各级屯垦组
织的同时，组建了总数达 4 000 多人的"化兵为农"的生产部队，先后进入
河套进行屯垦。

（一）绥远垦殖联合办事处的成立及师垦队之编成

1931 年春，晋军第 70 师师长王靖国率编余官兵 80 余人编成垦殖队，在
五原出资购地数十顷，让垦殖队耕种，这是晋绥军在绥西试办屯垦第一步。
由于当地土地肥沃，水利方便，所以垦殖试验一举成功。"一年耕种所得，
维持生活有余，官兵对此工作，益感兴趣。"②

1932 年 2 月，绥远省主席傅作义偕王靖国、李生达和石华严电呈太原
绥靖公署，倡议组建屯垦军队在绥西地区进行屯垦。其原文为："窃查绥
远沃野千里……从事屯垦俾军人有所归宿，则不特能增加社会生产并可减
轻人民负担……职等于去年十月间对其事即行筹划，及今已稍有端倪，拟
先从作义、靖国、生达三师每师先拨一小队一百一十名，随带服装枪械饷

---

① 乌兰少布：《中国国民党对蒙政策》（1928—1949 年），见《内蒙古近代史论丛》第 3 辑，内蒙
古人民出版社 1987 年版，第 221 页。

② 陈庚雅：《西北视察记》（上），上海申报馆 1936 年版，第 56 页。

项等即在包西一带，先行试办……"① 这一建议立即获阎锡山批准后，遂于1932年5月12日由绥远省政府各机关单位抽调有关人员，在包头（包头西街振业里）组成"绥远垦殖联合办事处"。该办事处由绥远垦务总办石华严任处长，70师交际处长石焕然任副处长，各处组长暂由绥远省参议周剑吾、72师军械处长王增藩、73师中校副官卫树屏分别担任。办事处下设总务、机要、经济、垦殖、水利5组，进行大规模屯垦事宜的准备工作。

"绥远省垦殖联合办事处"组成后，由陆军第70师、第72师、第73师各拨一个连，组织起3个师垦队。每队设队长副队长各1人，分队长4人，垦目（小队长）8人，垦丁（垦兵）96人。屯垦部队在未开赴垦地之前，先召集各屯垦队长，进行为期1个月的短期培训。所授科目有："（一）精神讲话，（二）土木建筑，（三）新农村办法及农村大要，（四）新农村军事训练。"② 短期培训结束后，3个师垦队在各队长率领下，带原薪饷及应携带的枪械服装，立即到达各自的屯垦地点进行垦殖。第70师屯垦队驻冯家圪旦，第72师屯垦队驻同元成，第73师屯垦队驻祥泰魁。③ 原设在包头的"绥远垦殖联合办事处"也从包头移到临河县的祥泰魁办公。

（二）晋绥兵垦试办处的成立及军官屯垦队之编成

1932年，太原绥靖公署正式公布《失业军官垦殖优待办法》，以"御侮实边"为号召，决定将军队中空名予以剔除，一批裁汰失业的闲散军官编为军官屯垦队，派到绥西从事开垦。

《失业军官垦殖优待办法》规定："本办法主旨在救急失业军兼为开发西北荒地之先导；凡在本军服务五年以上之军官，阶级在上尉以下准尉以上，因缩编编余者、因作战被俘离职者、因正当事故请假离职者均得享受本办法之优待；前往垦殖地区，省到大同之火车由公家预备，由包头到五原用大车支差办法办理，至所需旅费每人日发四角，由起点到目的地约计六日共需一千二百元，随带家属概不支给旅费；应缴地价由第三年起，分三年交还，交足即归私有；所有购买耕牛、农具、种子、肥料以及建筑住舍，修挖

---

① 绥区屯垦督办办事处编：《绥区屯垦第一年工作报告书》，第10页。
② 绥远省政府编：《绥远概况》，绥远省政府1933年印刷，第38页。
③ 绥区屯垦督办办事处编：《绥区屯垦第一年工作报告书》，第23页。

渠道等款项以所种之地为抵押，由公家代为介绍银行用最低利息贷与之；每人领种之地以一百五十亩为限，如有本人父兄子弟愿随同耕种者每多一人得多领五十亩，但至多不得多过三百亩；对公家应缴纳之粮赋得豁免二年，由第二年起与普通人民同；为维持生活计，第一年每人发维持费一百元分四季发给，第二年发维持费六十元分春夏秋三季发给，第三年发给维持费四十元分春夏两季发给。"①

该项优待办法颁布后，晋绥失业军官陆续报名屯垦者有 500 余人。为监督指导这批失业军官在绥西进行领地、贷款等事项，同年 5 月在包头成立了由太原绥靖公署、绥远省政府、绥远垦务总局各派委员组成的"晋绥兵垦试办处"。该试办处设有处长、副处长及处员、书记员等。处长、副处长由"绥远垦殖联合办事处"处长石华严、副处长石焕然分别兼任，负责筹办军官屯垦事宜。

这批失业军官由太原绥靖公署审查合格后，发给执照，于 7 月先后到达包头者，共计 376 名。② 这些军官被编成 3 个大队，30 个组，每组 12 人。军官屯垦队编成后，军官第一、第二屯垦队即开赴后套临河县的祥泰裕，军官第三屯垦队开赴五原县董国隆圪堵。

（三）绥区屯垦督办办事处的设立及屯垦队之编成

随着兵垦范围的不断扩大，为了加强领导、促进屯垦的顺利进行，1932年 8 月 5 日在包头成立了"绥区屯垦督办办事处"，作为绥西屯垦最高领导机关。根据《绥区屯垦督办办事处组织大纲》之规定：绥区屯垦督办办事处直辖于太原绥靖公署。阎锡山亲任督办，王靖国、傅作义、张荫梧任会办，石华严任坐办，并由阎锡山的亲信王靖国代行督办职权。公署下设总务处、垦务处和办公室。总务处内设庶务、经理二科；垦务处内设工程、农作二科；办公室则设文书、技术二科，各处科都有专人司职。屯垦督办办事处的主要任务是：①规划垦区荒地、二荒地的开辟；②水渠、道路开挖修筑的实施；③新村和园林的建设；④对农具、肥料、农事、副产品的计划筹备；

---

① 绥区屯垦督办办事处编：《绥区屯垦第一年工作报告书》，第 23—24 页。
② 绥区屯垦督办办事处编：《绥区屯垦第一年工作报告书》，第 24 页。

⑤绥西地形的测量等事宜。① 屯垦办事处成立后，"绥远垦殖联合办事处"及"晋绥兵垦试办处"均归并于屯垦办事处。

由于屯垦区域远在五原、临河两县，屯垦办事处为办事敏捷便于指挥起见，于1932年9月9日又在五原设立了"屯垦驻五办事处"。办事处设有正、副处长，首任处长周剑吾，继任处长郭维藩，副处长吴象山。办事处下设工程、农作、水利、测量、经理、庶务、文书、军事、交际等科股。

五原办事处的职员很多是国内外知名大学的毕业生，如留学法国的张立范，北洋大学毕业生吴象山，燕京大学毕业生李纪，北平大学毕业生李子文等。1933年12月又在临河设立"屯垦驻临办事处"，组织机构与五原办事处一样，职员多从五原办事处派去。

屯垦办事处直辖的部队，除3个师垦队和军官屯垦队外，还有4个团的屯垦队，即王靖国部第70师梁九州之407团第2营，编为4个屯垦队；徐世光之410团全部改为屯垦军，编为12个屯垦队；侯振清之409团亦加入屯垦，编为12个屯垦队。傅作义部第73师张成义之419团第3营，编为3个屯垦队。各团机炮连除拨屯垦队外，各抽一部分并配少数步兵组成一混合连，担任垦地警戒及辅助各队工作等项任务。屯垦团为4个团，共编成31个屯垦队，分别驻在五原、临河、包头境内指定的垦区，所有各团、营部人员分任指挥、管理之责（绥西屯垦部队分布见表18-6）。

到1934年，"按垦地区域之广狭，屯垦部队之多寡"②，参加绥西屯垦部队的编制和驻地被划分为4个垦区。屯垦区域东至包头，西至宁夏省，南至黄河，北到狼山，还有包头县所属之黄河西东大社垦地，南北平均约50公里，东西约150余公里。③

---

① 绥区屯垦督办办事处编：《绥区屯垦第一年工作报告书》，第29—31页。
② 绥区屯垦督办办事处编：《绥区屯垦第二年工作报告书》，绥区屯垦督办办事处1934年印刷，第199页。
③ 绥区屯垦督办办事处编：《绥区屯垦第一年工作报告书》，第23页。

表 18－6　绥西屯垦部队分布略表

屯垦队所在县、旗	屯垦区	屯垦部队	分布地点（驻地）	后建新村
五原县 安北县	第一区	419 团 3 营 10、11 连	五原城南 15 千米南牛犋	敬生乡
		419 团 3 营 9 连	五原城南 30 千米同兴堂	占元乡
	第二区	409 团 1 营 1、3、4 连	五原城西 20 千米新公中	负暄乡
		409 团 3 营 9 连	五原城西 12.5 千米红柳圪堵	乐善乡
		409 团 3 营 10 连	五原城西南 15 千米三柜圪堵	子厚乡
		409 团 2 营 11、12 连	五原正南 15 千米任保圪堵	觉民乡
		409 团 2 营 5、6、7 连	五原城北 15 千米刘硕圪堵	折桂乡
		409 团 2 营 8 连	五原城东北 10 千米白头圪堵	道五乡
临河县	第三区	410 团 1 营 1、2、3 连	五原城西 20 千米呼乐苏图	良忱乡
		410 团 3 营 8 连	五原城正西 70 千米祥太裕	宪智乡
		410 团 3 营 5、7 连	临河城西 20 千米八岱滩村	广盛乡
		410 团 3 营 6 连	临河城南 32.5 千米那直亥村	贵生乡
		410 团 3 营 8 连	临河城西 25 千米苏台庙村	寿轩乡
		410 团 3 营 9 连	临河城西北 25 千米公产地	通三乡
		410 团 3 营 12 连	陕坝东北 12.5 千米崇发公	可言乡
达拉特旗	第四区	407 团 2 营	包头所属黄河西之东大社	同兴东
五原县 临河县	军官屯垦队	军官屯垦 1、2 队	临河城北 17 千米祥太裕	永安堡
		军官屯垦 3 队	五原城 10 千米董国隆	威远乡
临河县	师垦队	师垦队 70、71、73 队	临河城北偏东 21.5 千米祥泰魁	百川堡

（注：表中所列"后建新村"是指屯垦部队建立新村后，将原地名撤销，以营部、连部所在地的营、连长的名字命名。）

三、晋绥军在绥西屯垦经过

晋绥军屯垦部队在绥西进行大规模垦殖以后，不但圈占大量的土地，创建屯垦新村，还建立了农事试验场，试种农作物，引进农机，改良畜种；创立农事训练所，设农产合作社，修筑干渠，改善水利条件；修筑公路干线，设学校，办医院等。

（一）土地分配及其经营

1. 屯垦部队土地的来源

屯垦部队进入屯垦区以后，当务之急是选定与分配土地问题。当时绥西的土地大部分掌握在蒙旗王公和汉族地主、外国教堂手中。据屯垦当局的规定，屯垦队之土地由下列 3 种方式取得，即：“（一）由垦务局依章领得；（二）向蒙人包租得；（三）由公家拨给。”① 这只是屯垦督办办事处用冠冕堂皇的语言来掩饰其霸占蒙旗土地、欺压剥削蒙汉民众的行为而已。考察其事实，屯垦队土地的来源大致有以下几个方面：

（1）开垦二荒地。如包头县河西东大社（即同兴东）之土地，原系伊克昭盟王爱召膳召地。清末，由达拉特旗王府白通达所经营的天成泰承包耕种，积欠“岁租”过巨。贻谷筹办垦务后，该召遂报垦。初时总面积为 700 顷，后因屡受洪水侵袭，淤沙深至数尺，大多荒芜。故该地实为二荒地。②

（2）与蒙旗王公交涉放垦一部分牧场地。当时，蒙旗的土地有报垦与未报垦之别，已报垦的土地允许垦种，垦务局有权丈放。未报垦的土地，须经蒙旗同意，议定租金，才能丈放垦种。一些蒙古王公贵族为维持其舒适尊荣的生活，将蒙民共同使用的牧地丈放给屯垦军，以谋取利益。如折桂乡、占元乡、敬生乡、负暄乡等地区的垦地均由蒙旗租垦。③ 这也是后来引起蒙古族牧民强烈反抗以至引发“独贵龙”运动的主要原因。

（3）强占祥太魁、祥太裕山东移民地。祥泰魁本为在河套的山东移民地，1925 年由王鸿一经手办理。后因管理不善欠债很多，无法维持，遂由地方将一部分土地收回，另放与师垦队耕种。④ 1932 年屯垦队到达祥泰魁、祥泰裕后，依仗政权与军队势力强迫移民缴回一部分垦地，由屯垦队耕种，引起移民极大不满。几经交涉，最终从移民经营数年的土地中拨出一部分划归屯垦队耕种。这造成了屯垦队与山东移民间的矛盾，双方因开渠、灌溉等问题屡屡发生纠纷。

（4）利用水利灌溉作为交换条件，换拨农民的耕地。如在五原地区开挖川惠渠和华惠渠时，占用了南牛犋和锦秀堂两地。当初议定利用水利灌溉

---

① 绥区屯垦督办办事处编：《绥区屯垦第二年工作报告书》，第 215 页。
② 贺扬灵：《察绥蒙民经济的解剖》，商务印书馆 1935 年版，第 134 页。
③ 绥区屯垦督办办事处编：《绥区屯垦第二年工作报告书》，第 219 页。
④ 绥区屯垦督办办事处编：《绥区屯垦第一年工作报告书》，第 137 页。

作为交换条件，换拨这两处的耕地。但后来屯垦军倚仗其势力，未给该地的
民众作任何补偿，使"农民无地可种，坐守困城"①，影响生计，激化了
矛盾。

（5）占用大地主王同春之子王英的一些公中和牛犋的耕地。屯垦队来
到河套之后，动用武力，以"逆产"之名没收了王英的新公中、南牛犋、
锦秀堂3处土地。原来种于此地的农民无地可种，失去了生活来源。

2. 对屯垦部队土地的分配

经屯垦督办办事处划定垦区后，按照《绥区屯垦计划纲要》及各组进
行的垦地调查报告，将垦区土地进行了分配。初定每一官兵授地1顷，一连
人授地100顷，每团除机关枪连及迫击炮连不参加屯垦外，其余12个步兵
连共授可耕地1 200顷。军官屯垦队则每人授地1顷50亩。授予土地的办
法是：凡已报垦的土地，由垦务局丈量数目，根据屯垦办事处决定，授给连
队；其未报垦的土地，由屯垦办事处会同蒙旗丈量，并由垦务局随同办理，
应纳地租仍交蒙旗。土地由屯垦办事处丈拨，再经五原县垦务第五分局和临
河垦务第六分局颁发土地执照。②

按照授予土地的办法授予各垦区连队的土地数量是：

（1）3个师垦队的垦地。陆军70师、72师、73师3个师垦队驻地在临
河祥太魁（后称百川堡）。此地本为山东移民垦地。师垦队到该地后，接受
山东移民地560余顷，地界在永济渠和刚目渠之间，大部分是荒地，一部分
是熟地。

（2）3个军官屯垦队的垦地。临河祥太裕（后称永安堡）的旧移民地
拨与军官屯垦1、2队。1932年9月，由永安堡往北约二三里南端丈起，沿
东界西大渠往北约15公里之那林河止，向西约4公里沿乐善堂东面南行至
原地起点，共丈地约540顷。内有民地约120顷。③ 五原董国隆地拨与军官
屯垦3队。1932年8月，从五原县东约10公里之蒙古圪坦起，共丈地175
顷。除董国隆圪坦边界有少数农民的垦地外，全为官荒，土质较好，加之北

---

① 《河套屯垦概况》，载《农业周报》1933年第2卷第31期。
② 绥区屯垦督办办事处编：《绥区屯垦第二年工作报告书》，第239页。
③ 贺扬灵：《察绥蒙民经济的解剖》，商务印书馆1935年版，第133页。

有义和支渠，南有通济渠（即老郭渠），灌溉便利。

（3）4 个团的垦地。409 团第 1 营的垦区在五原新公中（负暄乡），授予没收王英的土地 313 顷，垦界东临沙河渠粮地，西接达拉旗旧灶火地，南界曹柜地；409 团第 2 营的垦区在五原正北刘硕圪堵（折桂乡），授予土地 231 顷，在五原白头圪堵（道五乡）授予土地 180 顷，垦界南临乌加河，背负沙梁地，地势平坦，土质有碱；419 团第 3 营的垦区在同兴堂（占元乡），授予土地 100 顷，在南牛犋（敬生乡）授予土地 200 顷。

409 团第 3 营的垦区在五原正南的任保圪堵（觉民乡），授予没收自王英的"逆产"地 176 顷，五原城西红柳圪堵（乐善乡）、三柜圪堵（子厚乡）授予土地 193 顷，垦界南临通济渠，西界义和渠，土地肥沃。

410 团第 1 营的垦区在五原正西 40 公里的呼乐苏图（良忱乡），授予土地 400 顷，垦界东邻达拉特旗旧灶火地，西界丰济渠，南至察汉脑包，北至拉僧庙和宝屹岱庙，土地平坦肥沃。410 团第 2 营的垦区在临河正西八岱滩（广盛乡），授予土地 201 顷，在黄土拉亥河西岸，是未曾开垦的荒地。410 团第 3 营的垦区在临河的苏台庙（寿轩乡）、那直亥（贵生乡）授予土地 217 顷，公产地（通三乡）授予土地 108 顷，崇发公（可言乡）授予土地 63 顷。

407 团的垦区在黄河西的包头县所属东大社（同兴东），授予土地 700 顷，由该团第 2 营垦种，东界乌梁素海七分子，西界乌拉沟，南界沙河梁，北界西大社。该团驻防黄河以西（伊盟境内），戍守兼事垦殖。

1933 年后套屯垦部队占有土地来源及分配情况见表 18－7。

表 18－7　1933 年后套屯垦部队占有土地来源及分配表

屯垦部队	乡　名	土地来源	土地属性	可耕地面积
第一区	419 团 3 营 9 连	占元乡	包租地	100 顷
	419 团 3 营 10、11 连	敬生乡	包租地	200 顷
第二区	409 团 1 营 1、3、4 连	负暄乡	王英的逆产地	313 顷 20 亩 3 分 7 厘
	409 团 2 营 5、6、7 连	折桂乡	达拉特旗永租地	231 顷 33 亩 1 分
	409 团 2 营 8 连	道五乡	达拉特旗永租地	411 顷 35 亩 1 分
	409 团 3 营 9、10 连	乐善乡、子厚乡	达拉特旗永租地	193 顷 54 亩 7 分
	409 团 3 营 2、11、12 连	觉民乡	王英的逆产地	176 顷 76 亩 4 分

（续表）

屯垦部队	乡　名	土地来源	土地属性	可耕地面积
第三区	410 团 1 营 1、2、3、4 连	良忱乡	达拉特旗永租地	400 顷
	410 团 2 营 5、7 连	广盛乡	荒地	201 顷 53 亩 1 分 6 厘
	410 团 3 营 6、8 连	寿轩乡、贵生乡	召庙地	217 顷 42 亩 8 分 7 厘
	410 团 3 营 11 连	靖远乡	公家地	100 顷
	410 团 3 营 12 连	可言乡	荒地	63 顷 42 亩 4 分 1 厘
	410 团 3 营 9 连	通三乡	公产地余荒	108 顷 83 亩 3 分
第四区	407 团 2 营	同兴东	公家地	700 顷
军官屯垦队	1、2 队	永安堡	公家地	390 顷 68 亩 2 分
	3 队	威远乡	公家地	175 顷
师垦队	70、72、73 师	百川堡	移民地	560 顷
五原农事试验场		五原东门外	公家地	5 顷 26 亩 1 分
合计				454 顷 532 亩 35 分 21 厘

（资料来源：《绥区屯垦第二年报告书》。注："永租地"即租而不放，主权仍归蒙旗所有，仅允垦务局任便开渠招户承租，不征售价。"包租地"即私垦地内有租种蒙民之地现为公家所包租。"召庙地"是指"庚子赔款"抵赔期早于 1925 年届满，因教会拖延不还，遂经绥远省政府批准，无条件收回，丈拨于屯垦队。）

　　按照绥区屯垦督办办事处拟定的屯垦工作实施计划，屯垦工作的开展约分为 3 个时期：1932 年 7 月至 10 月为调查期，凡土地之履勘，地势之测量，即土壤、物产、农事习惯之调查等，分组实施。1932 年 10 月至 1933 年 2 月为筹备期，即办理疏通河渠、购置农具、采制牛具、种子、建筑材料等事。1932 年春，以 3 团士兵开始耕作，至秋后收获为试办期。同时，开始成立新村，提倡合作，以及牧畜、造林、筑路等工作。①

　　绥区屯垦办事处为整理规划及充分利用土地，在各垦区设立土地经营监督委员会。该委员会由各垦区农事指导员及团营长组成，掌握各连土地经营情况，规定租金保管，统筹道路、渠道、村庄、牧场、森林各项规划。该委员会出租垦地，期限为 1—5 年。租地户，每户承租地至多不得超过 3 顷。

――――――――――

① 陈庚雅：《西北视察记》（上），上海申报馆 1936 年版，第 56 页。

屯垦区土地除屯垦队自种部分外，其余均由屯垦区土地经营监督委员会招人租种。

百川堡屯垦地对于租地户种植收获暂行办法：①垦地各因工作繁多，对于地亩一时难以普遍种植，得临时雇用租地户以免荒芜废弃。②用租地户时，如种子、牛犋完全由租地户自备，由屯垦队完粮纳税者，得按收获之多寡屯垦队抽得5成，租地户抽得5成，水租亦按各5成分担。①

为推进屯垦事业的发展，屯垦办事处组建了农事试验场。农事试验场原未列入屯垦计划中，待屯垦督办办事处在包头成立后，技术人员认为："河套农作物种子恶劣、经营粗放、农具简陋、功效微弱、畜种不良、饲养无方、树木稀少、木材缺乏，种种现象，已成后套农产欠丰、品质恶劣之重要原因。屯垦部队若仍循旧范不图改进，未来之命运势将与后套一般农民今日所遭受者相同，影响事业之成败。"② 1932年冬，择定五原县前西北军旧营盘地址为场址，设立农事试验场。试验场所有开办、流动、购地、购具及员役薪工各项费用，由阎锡山捐资的6万元经费内开支。"农事试验场拟试行机器生产，用极经济之法，经营西北垦务，所有场务进行，完全依照农家习惯进行，不沾机关习气。"③ 该场聘请南京金陵大学农林科教授李映惠、任建三从事农、林、牧业的试验，进行改良和推广工作。场内设场长、主任各1人，技士5人，工人10余名，分农务、牧畜、建设、农务、教育、事务6股。④

农事试验场建立后，在农业方面注重农作物试验与农具改良，使农产品种类增加，工具得到改善，并加强了管理事宜。试种的农作物优良品种有德国狼豆、苏联大玉豌豆和莜麦、日本黑砂糖、玉米、燕麦、山西无芒小麦、河北牛尾谷子、山东高粱、东北高粱和大豆等。推广和应用双柄步犁、中耕机、圆盘耙、单马锄、钉齿耙、人力水车、畜力水车、条播耧、割捆机、打谷机等各种新式农具，改进了生产方式，促进了农业生产的发展。但是一些

① 绥区屯垦督办办事处编：《绥区屯垦第一年工作报告书》，第130页。
② 绥区屯垦督办办事处编：《绥区屯垦第二年工作报告书》，第385页。
③ 绥区屯垦督办办事处编：《绥区屯垦第二年工作报告书》，第385页。
④ 侯仁之：《萨县新农试验场及其新村》，载《禹贡》（半月刊）1936年第6卷第5期。

机器虽节时省工，便利殊多，但由于燃料消耗与当地人工及所需畜力价值相较，在二三倍以上。所以后来开荒不得不以人工、牲畜为主，以机器补人工之不足。

为解决屯垦队播种无种子、栽植无苗的困难，农事试验场建立苗圃，进行了杨树、柳树、榆树的育苗，并从山西运来杨槐、中槐、松柏杏、臭椿等进行栽培。此外，还对椿树、中槐、刺槐、马尾松及白骨松等进行试种，以增加后套的树种。为供给屯垦队所需的大量畜力，农事试验场注意马牛羊等之孳生繁殖。先用美利奴羊、宁夏滩羊饲养作为改良羊种之基础，从国外引进英国种马、荷兰乳牛、巴西猪、美利奴羊、西班牙的"来格红"鸡和德国家兔等进行繁殖改良。同时还试种了烟草、甜菜、亚麻、黄豆等经济作物，使部分农产品成为工业原料。

农事试验场创办的同时，在试验场内附设了一所农事训练所。其目的是为垦区各连队培养技术人员，以提高垦区农、林、牧业的生产水平。所长由张立范兼任，学员来自垦区连队具有高小文化程度的军士，学制2年，每期50多人。课程有语文、数学、作物概论、土壤、肥料、化学、水利、植物、园艺、林业等。学员毕业后，仍回原垦区连队担任农牧林业指导工作。从1932至1937年，该训练所共办过两期，培训出100多名懂农业科学的人才，对垦区各种苗木的栽培及各种农作物优良品种的试种推广、家畜的繁殖改良、新式农具的推广应用起到了一定作用。

屯垦队进行垦殖期间，扩大了垦地。据《绥区屯垦第四年工作报告书》的统计，从1932年到1935年，屯垦军在河套各垦区共占有耕地168 281亩，其中屯垦军自种79 392亩，伴种88 889亩。在包头河西垦区占耕土地5 880亩，其中自种2 880亩，伴种3 000亩。[①] 所谓伴种，就是将土地出租给农民，"收获农军各半，害（河套农民谓官赋为害）由军方负之，有四六分担者，颇不一律"[②]。屯垦队自行种植作物，以糜子为主，次为胡麻、豌豆、小麦等。生产的粮食除自给外，还能向外出售。此外，屯垦队还大量种

---

　　① 王龙耿：《绥西屯垦与包头》，见政协包头市委员会文史资料研究委员会编：《包头文史资料选编》第6辑，第83页。

　　② 《河套屯垦概况》，载《农业周报》1933年第2卷第31期。

植鸦片，其收入占相当比重。

（二）屯垦新村及其组织

1. 屯垦新村的建立

阎锡山本人是新村建设的先锋，由他倡导的绥西屯垦自然贯穿了其村治思想。阎锡山标榜其倡导绥西屯垦"目的不止于开荒辟，尤在建树新农村，以改善人民之社会生活"，"各垦区分建新村，意在使农村都市化，以军队为主体，实行集团生活制，渐次扩张至就近居民与其他村落"。① 在《绥区屯垦第一年工作报告书》中的"新村组织计划大纲"里也提到："19 世纪以来，都市发达一日千里，文化、经济藉人口集中之力得以畸形发展，突飞猛进，农民受都市之引诱及农村经济崩溃之煎迫，相率舍其田园奔赴密集于都市，形成农村衰弱之联兆。屯垦区域为挽救上述之危险，计在调和农村设施的简陋含蓄都市生活的要素原则下，建设醇美的新村，增加垦民的幸福……"② 并计划在垦区建立新村，"以此作为示范，渐次影响居农村落，以期在农村普遍地扩展、推广新农村建立，并逐渐使农村趋于城市化"③。

在阎锡山村治思想的指引下，绥区屯垦督办办事处根据《绥远垦务计划》中的"新村组织大纲"之要求，于 1932 年开始在河套屯垦区营盘所在地建立屯垦新村。

《绥远垦务计划》规定新村创设办法为："凡垦民（兵）经指定区域后，为便于团结起见在耕地适中或地形适宜处设立新农村。每村以百户至百六十户为标准……"④ 绥区屯垦督办办事处在屯垦部队选定新村地址时强调注意："一、高燥免受水患并排水便利。二、近泉井避沙险忌山阴址之利用或适中之点以便耕种。三、邻村状况与距离。四、近渠道或大道。五、利用地形便于防匪实边。就地势随时变化毋庸拘泥。"⑤

按《屯垦计划纲要》本拟以 1 个团建成 13 个新村，即 1 个连建 1 村。其后改变为 1 个营建成 1 个新村。在计划未改变前按 1 个连建成新村的有 8

---

① 张玮瑛：《后套兵屯概况》，载《禹贡》（半月刊）1936 年第 6 卷第 5 期。
② 绥区屯垦督办办事处编：《绥区屯垦第一年工作报告书》，第 269 页。
③ 绥区屯垦督办办事处编：《绥区屯垦第三年工作报告书》，1935 年印刷，第 14 页。
④ 绥远垦务总局编：《绥远垦务计划》下编，绥远垦务总局 1932 年印刷，第 15 页。
⑤ 绥区屯垦督办办事处编：《绥区屯垦第一年工作报告书》，第 70—71 页。

个，即五原同兴堂的占元乡、白头圪堵的道五乡、红柳圪堵的乐善乡、三柜圪堵的子厚乡、临河苏台庙的寿轩乡、那直亥的贵生乡、公产地的通三乡、崇发公的可言乡。计划变更后，以 1 个营另附 1 个连建成新村的有临河祥泰裕（永安堡）宪智乡。以 1 个营部另附 2 个连建成新村的有五原仁宝圪堵的敬生乡、临河八岱滩的广盛乡。以 1 个营另附 3 个连建成新村的有五原新公中的负暄乡、刘蛇圪堵的折桂乡、南牛犋的觉民乡。以 1 个营另附 4 个连建成新村的有五原西 70 里呼勒苏图的良忱乡。[1] 每一新村面积为 370 亩，公用面积为 40 亩，位于村中心，以备建筑营团房屋及学校、医院、工厂等公用建筑之用。新农村按照新村组织法规定，每村以 100 至 150 户为限，但为将来人口增加预留宅地 194 方。[2] 为表彰创业而留作纪念，新村名绝大多数以屯垦连队的营、连长名字命名。新村建设的经费，均由阎锡山和绥远省政府拨发，于新村建设完成之后，分期偿还。

从"百川堡"新村建设可看出屯垦部队建立新村的大致情况。

师垦队在祥太魁东北建筑"百川堡"新村，南北长 150 丈，东西 130 丈，围墙底宽 1.3 丈，顶宽 7 尺，高 1.5 丈。堡四角皆筑有最新式角楼炮台。[3] 屯垦官兵为了纪念阎锡山举办屯垦的"德政"，在新村建立起后，以阎锡山的别号"百川"为名，改祥太魁为"百川堡"，以示对阎锡山的尊敬。堡者，塞上堡垒之意。堡内有砖瓦房百余间，花卉温室各一所。城井四周和马路两旁都栽种杨柳树。堡内有办公室、会议室、库房、食堂、宿舍等设施。

"百川堡"除建有村公所、学校、医院等建筑物外，还建有"百川公园"。建筑费共计 4 050 元，由阎锡山负担。公园位于堡子中心，面积 17 亩。公园内的行道是按"百"、"川"二字设计排建的，以示对阎锡山办屯垦的纪念。此公园设计为：①百川公园就百川堡中心预留之公共运动场及公园地址布置之。②百川公园所占面积东西宽 34 丈南北长 30 丈计地 17 亩。③全园大道路取百川二字形开辟。④百川道之两旁均界以柏垣川字。⑤道中

---

① 张玮瑛：《后套兵屯概况》，载《禹贡》（半月刊）1936 年第 6 卷第 5 期。
② 绥区屯垦督办办事处编：《绥区屯垦第一年工作报告书》，第 235 页。
③ 绥区屯垦督办办事处编：《绥区屯垦第一年工作报告书》，第 306 页。

夹两个圆形花坛，花坛中央植有枝干直立之意大利白杨于四围，绕植柳树或榆，俾成长为圆锥形树丛。⑥百川道外空地则辟为三角形花坛，配植若干适宜花木并筑草厅 2 所，博物陈列室 1 所，观赏动物饲养室 1 所，儿童游艺室 1 所，工人住宅 1 所，温室及花洞 1 所。⑦在百字中心建筑中国式院落 1 所及水榭 1 所，配以假山水池。在公园旁设 1 所很雅致的图书馆，藏书颇多，有专人司职，供官兵们阅览。堡子外边，分东西南北四大马路。开设商场，铺面颇多，是周围数十里内繁华贸易中心。①

2. 屯垦新村组织的建立

随着屯垦新村的不断增加，屯垦军人接家眷同来者日益增多，村中组织也日益复杂。为便于对屯垦新村的管理，绥区屯垦督办办事处特组织新村组织研究委员会，参照国民政府自治法规及山西省政府十年建设计划，制定了《新农村政治组织计划大纲》、《新农村经济组织计划大纲》、《新农村教育计划大纲》、《新农村公益计划大纲》、《新农村卫生计划大纲》、《新农村公安计划大纲》。

根据以上大纲的规定，屯垦新村内部建立了一套完整的管理组织，主要有：

（1）政治组织。新农村的编制为：每 5 户为一邻，有邻长；5 邻为一间，有间长；4 间为一村，有村长。新村内部机构有村民会议（为全村之最高权力机关）、村公所（为执行村务之机关）、调解委员会（为调解村中争议机关）、监察委员会（为全村监督机关）、经济建设委员会（为全村经济建设机关）。

（2）经济组织。新农村经济组织的原则有三：第一，平均发展，实行"均户制"；第二，生产、消费、分配合理化；第三，创兴合作事业。新农村经济组织的实施事项有 4 项：第一，建立信用合作社，主持全村的金融、信贷，为谋取全村金融活动，废除高利贷之盘剥；第二，建立公营贸易所，购置、供应村中的消费品，销售村中的生产品，谋生产者与消费者之接近，免除中间人之剥削与中饱；第三，组织农业经济合作社，安排农具供应和种植计划及生产品保管，为求分工专业合作，为谋生产效率增进，为图充分利

---

① 绥区屯垦督办办事处编：《绥区屯垦第一年工作报告书》，第 125 页。

用人力物力机械力，须采取有计划有规律之合作方式经营；第四，联合邻村合组试验场，以发展农业生产。

（3）教育计划。新农村教育的特点为：推行全民教育，终身教育，互相教育，以及国防教育。根据上述教育目标，新农村实施的教育内容为：基本教育、公民教育、健康教育、生计教育、休闲教育。

（4）公益计划。为增加地方生产之效率，促进农村整个利益的发展，在新村设置公园，筑村内外道路，开修渠道，培植森林，抚养孤寡，老幼公共医院等。

（5）卫生组织。为增进全民之健康，拟具个人及公共卫生应注意事项；组织卫生会分期检查卫生情况；联合数村设公共医院；聘请高明医生担任医疗及防疫工作等。

（6）公安组织。军民团结起来共组人民公安团。公安团辅助地方军警维持农村治安。公安团编制为：以每邻为1组，每间为1分团，每村为1团。凡村中居住20岁至40岁的壮丁，一律接受军事训练，以担任清查户口，守望巡逻，剿匪和防御水火灾害等职。①

从其各组织及计划大纲，可以看出阎锡山试图摆脱内地所谓"乡村建设"的窠臼以自开途径，直接从生产入手创建新的屯垦新村。

（三）垦殖以外的各种建设

1. 经济贸易活动的开展

1932年春，王靖国在五原县成立了资金雄厚、建筑规模较大的绥区屯垦合作总社，并在五原及各屯垦团部设立分社。建立该合作社的目的是："提倡购用国货；减轻社员及消费者经济上的负担，供给适宜之消费品；养成社员在经济方面团结互助之精神。"② 该社资金来源主要由阎锡山拨给，少数是由垦区各团营连官兵入股。

合作社经营范围很广，不但运销当地所产的粮食、皮毛、药材、油脂、甲青（屯垦办事处向山西阎锡山呈交鸦片烟土时，以"甲青"字样封箱装运，避免外界人注意）等农副土特产品，而且大量运销平、津、沪等外地

①　绥区屯垦督办办事处编：《绥区屯垦第一年工作报告书》，第734—735页。

②　绥区屯垦督办办事处编：《绥区屯垦第一年工作报告书》，第203页。

百货，上至绸缎，下至葱蒜，无所不有。屯垦合作总社不但直接领导各团营连消费合作社，而且对五原各大商号兼营消费、信用、供给、运销等业务。当时五原最大的私营商号义盛昌、协记号、福义隆、信德恒等以及县城内小商小贩都向合作总社借款或承销百货，[①] 就连垦区各团营连官兵的饷银的关发存取，也都由合作总社办理。为了充实资金扩大经营，还发行了"合作流通券"纸币，票面金额分1角、5角、1元3种，价值与"绥远省平市官钱局"发行的"塞北关"纸币相等。"流通券"与绥远平市官钱局的钞票相提并论，毫不逊色，城市乡村、行商旅客，都十分信任地使用，可见"绥西屯垦合作社"的经济在河套地区取得了垄断地位。

"绥区屯垦合作总社"成立以来，对沟通河套城乡物资交流，供给农民生产生活资料提供了方便。但是与民争利，也是不容否认的。当时，"绥西屯垦合作总社"所经营的商品，偷漏税非常严重，所以出售货物，价钱较为便宜，人们都乐于买合作社的商品。合作总社在五原以压倒一切商号的姿态居于领导地位，使五原、临河商民的营业受到排挤。

随着屯垦工作的逐步深入和发展，垦区的经济力量不断充实。1936年，在归绥创办了仁发公银号并在包头市、五原县、太原市分别成立了分号。阎锡山是这家银号的后台，在包头、五原两地金融界，仁发公银号与当地官办"平市官钱局"并驾齐驱。该银号以大量资金支持绥区屯垦合作总社的商业活动，使合作社能够大量地收销河套农副土特产品，如粮食、皮毛、油料、药材以及鸦片等，牟取暴利。该银号还对五原、临河两县商号和垦区连队，开展信贷业务，也开展通往全国各地的汇兑，逐步垄断了后套地区的金融业。

2. 水利建设

河套地区的雨水稀少，农田以渠水为命脉。只有开渠灌溉，作物才能种植收获。因此，开发绥西农业，必以水利为先决条件。1932年屯垦队进入垦区后，就着手兴办水利，开挖新渠。截至1935年底，垦区共开新渠有百川渠、川惠渠、华惠渠、义惠渠、寿轩渠、清惠渠、光惠渠、安惠渠、诗惠

---

① 王福田：《阎锡山河套屯垦》，见政协内蒙古自治区委员会文史资料研究委员会编：《内蒙古文史资料》第23辑，政协内蒙古自治区委员会文史资料研究委员会1986年印刷，第112—113页。

渠、润惠渠等。

（1）开挖百川渠：1932 年，3 个师垦队于祥太魁附近实行垦荒。"此项垦地，介于永济刚目两渠之间；屯垦队以该地村落稀少，永刚支子各渠，均已淤澄失修，附近之地，无法耕种，乃决定开挖屯垦渠；即于 7 月 1 日开工，由二喜渡口以下挖起，至武殿臣圪堵，分为两梢；东梢退入刚目渠，西梢（即正梢）退入祥太魁东侧之天生壕，历 3 月而工成，渠长 30 余公里，费洋 15 000 余元，可灌地 1 000 余顷。渠工完成后，命名为百川堡屯垦渠。由绥区屯垦督办办事处委任经理、副经理暨渠道委员、董事长、董事等 1 职，并组该渠水利公社以司其事"。[①] 还从百川渠引水，开挖了 7 道支渠，以达垦区，总长度 20 余公里，与刚目渠接通，北到乌加河归尾，为二喜渡口闸厢所管制。

（2）开挖川惠渠和华惠渠：五原县的义和渠原为王同春在清光绪十八年间（1892 年）开挖，其后多年失修，进水不畅，上游灌溉，尤为困难。特别是南牛犋和锦秀堂两地，受影响更大。鉴于此，屯垦驻五办事处派技士测绘新渠线，开挖了川惠渠和华惠渠。该渠从黄河引水，经福泰昌南，一分东西两道支渠，东支梢达义贞吉海子，另一梢达六分子，渠长度 80 余华里，施工人数日达 5 000 余人，施工费用 14 000 余元（银洋），两月竣工。

（3）开挖义惠渠：此渠在临河八岱滩（广盛乡）。由于地处黄土拉亥河西，地势很高，南北界又遇沙梁阻拦，引水不畅。后于 1933 年新开挖，自黄土拉亥河引水，从义惠渠开口，又开挖 3 道支渠，18 道子渠。渠成后，八岱滩均可河水灌溉。

（4）开挖寿轩渠：此渠在临河苏台庙，于 1932 年开工，从杨家河引水，渠长 10 余里。寿轩渠经过沙沟一段时水流小，影响及时灌溉，水流大时，渠小易决口。所以又开挖了一条老谢渠，重新疏通了苏台庙一带的渠道。

（5）开挖清惠渠：此渠为军民合作开挖，所用款项均按两方浇水面积摊出。

（6）开挖光惠渠：此渠在临河西蛮会，从黄土拉亥河蛮会坝引水，中

---

① 绥远民众教育馆编：《绥远省分县调查概要》，绥远民众教育馆 1934 年印刷，第 423—424 页。

段接入5大股渠，渠长11.5公里。又开4道支渠，还开挖了一道退水渠，有灌有排。

（7）开挖安惠渠：此渠位于包头以南的东大社。引沙梁南的山洪水，以灌梁北的沙碱地。1931年山洪暴发，东大社的城堡全被冲毁。后于1934年开挖安惠渠，渠长37里，又开五道支渠，总长35里。这几道渠，分别灌溉东西两大社的土地。还建筑了一座蓄水坝，以防山洪。又建筑一处天然分洪水库，以延长渠水流灌期。此项工程较大，工程费达4万多元（银洋）。

（8）诗惠渠：该渠灌溉之垦地旧名崇发公，由杨柜渠及移民渠引水。杨柜渠原系刘三红渠的支流，自永济渠二闸损坏后，刘三红渠即改建为移民渠。

（9）润惠渠（脑包濠渠）：脑包濠垦地原系共和堂地，原由魏家渠浇灌。由于乐善堂渠将魏家渠从中打断，开挖退水渠一道，使得水源断绝。1934年春，410团第9连因垦地不敷应用，遂将此段地接收并修筑润惠渠。

除开修上述渠道以外，小型支渠工程及洗渠、加背、做闸等工程，年年都按时进行。

屯垦办事处为了自身运输的方便，也利于垦区军民的交通，于1934年修建了一条从五原到陕坝的公路，长约220华里。其路线为：从五原经沙河桥、新公中、乃马召、二楞圪堵、塔尔呼、五分桥、七股地、百川堡、祥太裕、店圪梁、世成到陕坝园子渠。这条公路又从陕坝向西北延伸，终点修至太阳庙，全长达300余华里。公路沿途架设大中小桥梁200余座，大大便利了五原到陕坝交通运输，并在沿路两旁栽植了树木。另外，还将包头至五原的公路，分开两段进行了补修。包头到张油房梁为一段，扒子补隆至五原为另一段。这两条公路的修建，为河套地区军民的出行提供了极大的方便。

3. 教育卫生事业的创办

为发展垦区教育事业，屯垦督办办事处制定了《新农村教育计划大纲》。其教育目标，是为"造成健全的进步的国民，养成健全的生活能力，培养组织的能力，养成尚武的精神，培植创造的精神，养成生活艺术化的情趣"[①]。新农村教育的实施内容为："在小学实施基本教育，在村民大会、村

---

① 绥区屯垦督办办事处编：《绥区屯垦第一年工作报告书》，第276页。

公所会议中进行公民教育，在国民军事训练中进行健康教育，在农民教育馆及各种学校讲习所进行生计教育，通过游艺会对农民进行休闲教育。"①

为实现上述教育目标，屯垦督办办事处于 1935 年在五原县城南门里创办了一所六年制的完全小学，命名为"实行小学"，校长由王靖国兼任。"此小学课内写、算、读、解并重，课外男生则偏重于农牧实习，女生则偏重于纺织训练"②。与此同时，在包头也成立一所"实行小学"，由北京师大毕业生刘超一任校长。这两所完全小学入学儿童，90% 以上均系屯垦部队的官佐子弟。教职人员多山西省所派人员充任，外籍人员很少参与教学工作。此外，在各屯垦营连部驻扎的屯垦新村，也都设立了初级小学，所需经费由屯垦办事处支付，专门培养屯垦军队官佐军士子弟，附近农民的子弟则不能入校读书。

成人教育方面，规定凡在 16 岁至 45 岁能工作的男子，皆须入夜班轮流受教。各种自卫训练，则在白天实施。

屯垦部队官兵的农事教育方面，就屯垦有重要关系的农事、森林、畜牧、水利工程、自卫、卫生知识，用通俗文字编成《屯垦士兵初期训练纲要》小册子，发给各屯垦区官兵，利用休闲时间，由官长给士兵详细讲解。

为实现《新农村卫生计划大纲》所定"为增进全民之健康而达享受幸福之目的"，③ 1935 年王靖国在包头创办了一所"安惠医院"，由北京医专毕业生康阜岭任院长。此外，在屯垦各团营部所在地的县乡，联合新村集资修建了公共医院或诊疗所，专为垦区官兵及其家属治疗疾病。这在当时河套地区缺医少药的情况下，对附近农民患病求医，多少有些帮助。

（四）屯垦队的结局

1937 年"七七"事变后，抗日战争全面爆发。9 月间，日军侵占大同逼近太原。阎锡山为了应急，命傅作义放弃绥远，率所部开赴山西，保卫太原；命王靖国从屯垦部队中，每连抽拨一个排的精壮士兵，在包头编成补充 1 团和 2 团待命；调 409 团团长侯振清、410 团团长石焕然率团开赴太原。

---

①　绥区屯垦督办办事处编：《绥区屯垦第一年工作报告书》，第 277 页。

②　绥区屯垦督办办事处编：《绥区屯垦第二年工作报告书》，第 211 页。

③　绥区屯垦督办办事处编：《绥区屯垦第一年工作报告书》，第 282 页。

屯垦办事处的职员也多有东调。

归绥、包头被日军侵占后，河套地区社会秩序一片混乱。徐子珍通过当时主持后套地区军政大权的骑6军军长兼骑7师师长门炳岳的关系，将留守在河套一带的屯垦部队改编为"五临警备旅"，并任旅长。这样屯垦部队为适应抗战需要，完全脱离垦区，成为一支战斗部队。"屯垦五原办事处"转移到百川堡，改称"百川堡垦殖联合办事处"，由田树梅坐办负责。各垦队仅留连副1人、上士1人、老弱士兵数十人看守门户，所经营的大部分土地租给农民，生产规模大大缩减。

1940年1月，日军侵入河套，占据五原。3月，傅作义指挥所属部队收复五原，命孙兰峰和徐子珍为攻城的正副指挥。五临警备旅的贾晏如和白贵元两个团受傅作义直接指挥，协同35军等部队作战。五原战役中，五临警备旅的官兵奋勇攻坚，立下了不朽战功。

五原战役后，屯垦区留守人员在百川堡垦殖联合办事处的领导下，掌管着土地的出租、收租、经营事宜。但是，这期间一些屯垦留守人员趁机浑水摸鱼，将留存的资产，除部队动用外大都中饱私囊，发了国难财，成为大地主，直到1949年全国解放为止。[①]

四、晋绥军在绥西屯垦的影响

放垦蒙地是国民党政府贯彻始终的对蒙政策。晋绥军在绥西进行的屯垦，是国民政府实施放垦蒙地政策链条中的一个重要环节。晋绥军在绥西进行的屯垦规模大，人数多，持续时间长，对当地社会、经济以及民族关系方面都产生了比较深刻的影响。

（一）土地收益分配的改变

蒙旗土地之主权为蒙旗所有。清初，清廷为拉拢蒙古王公对其利益多加以维护，由理藩院订立专条，严禁开垦蒙地。清中叶以后，清廷迫于内地人口压力和灾荒威胁，以借地养民的方式向塞外移民进行开垦。在蒙地私放阶段，地租收入均为蒙旗所得，国家概不分割，也不加征税收。"凡奏准开垦

---

①　王福田：《阎锡山河套屯垦》，见政协内蒙古自治区委员会文史资料研究委员会编：《内蒙古文史资料》第23辑，第127—128页。

地亩，毋庸官征丁赋所出租银，蒙古自行征收，毋庸官为经理"①。因此，
"自清代中叶以后，因环境变迁，虽已逐渐改革，然蒙古之权利毫无所损，
利益反较增多"②。蒙古王公也自认为经营租佃蒙地与卖畜牧赚钱相比获利
更大。到了清末，蒙旗土地由"私租私放"变为大面积的官垦。蒙旗土地
由官方出面招垦放地、收价。当时出现了"押荒"（即地价）与"地租"
两种土地价格。"押荒"与"地租"在国家与蒙旗之间实行分割。"押荒"
归蒙旗的部分叫"蒙款"，"地租"属蒙旗的部分叫"蒙租"（也称"岁
租"）。③ 由此可见，从晚清时期蒙旗土地利益分配较前已发生了明显的
变化。

　　民国时期，北洋军阀和国民党政府继续推行开垦蒙地政策。1928 年 9
月，南京国民政府公布了设置行省的命令后，随着设省置县范围的不断扩
大，放垦蒙地的速度也加快了。"自热察绥成立行省后，各省当局利用劝导
协商的政策放垦蒙荒，使蒙旗土地变为蒙古王公贵族与汉人地主军阀、外国
教堂地主所三分天下的局面。"④ 在开垦蒙地政策的背景下，蒙旗王公贵族
也逐渐失去对原有土地的支配权。在绥远设省置县地区地价征收规定为：
"未垦地方之收入，亦由区政府征收之。已垦地方之税收，全归省政府征。
故其结果，使已垦地方蒙旗原有各项收益，为省所兼并。"⑤ 致使蒙旗在经
济上蒙受很大损失，行政经费倍感困难。当时的蒙古各盟旗联合驻京办事处
的通电中也指出："蒙古自建省设县，移民开垦以来，蒙旗权利、蒙民生计
均为剥夺殆尽，蒙人深苦无法生存。"⑥

　　阎锡山作为国民党政府放垦蒙地政策的实施者，从 1932—1937 年组织
屯垦军在绥西进行了大规模屯垦。据统计，绥西屯垦办事处从 1932—1935

① 马福祥：《蒙藏状况》，蒙藏委员会 1931 年印行，第 86 页。
② 马福祥：《蒙藏状况》，第 87 页。
③ 闫天灵：《汉族移民与近代内蒙古社会变迁研究》，民族出版社 2004 年版，第 289 页。
④ 丁君匋：《今日的绥远》，上海三江书店 1937 年版，第 49 页。
⑤ 黄奋生：《内蒙盟旗自治运动纪实》，中华书局 1935 年版，第 195 页。
⑥ 祁美琴：《伊克昭盟的蒙地开垦》，见《内蒙古近代史论丛》第 4 辑，内蒙古大学出版社 1991
年版，第 29 页。

年在绥西地区共丈拨 16 828 亩之多。①

随着屯垦队开垦面积的不断扩大，蒙旗的土地支配权及蒙旗经济利益受到更大的损失。按照《绥远垦务计划》规定："垦旗地所得的押荒成数，拟照各蒙旗划分成案办理，除提三成经费外，下余七成归公，三成归蒙。"②蒙旗原有土地，当初放地给汉民开垦时，蒙古王公贵族自为租地性质，蒙人仍有土地所有权。然而在晋绥军屯垦时期，蒙旗的土地支配权及收益权被随垦而来的军阀、地商剥夺的同时，属于蒙旗应得的"蒙款"与每年应分之"蒙租"收益部分，也往往被垦务局或地方军阀借端拖欠或移作他用。这就造成了蒙旗与屯垦军、汉族地主之间的直接矛盾。

地方军阀对蒙旗利益的侵害，引起了蒙旗各阶层对省县地方政府和军阀的不满。蒙旗方面认为，河套的土地原为蒙旗所有，应该由"蒙旗自行耕种或再行租垦"③。达拉特旗札萨克康达多尔济表示，河套地区"八渠之外，又永租者，又新公中地一大段。昔年为大地户首创套渠之王同春所强租，其子王英袭乃父余威，竟充会匪魁首，祸绥十有余年，失败后被公家没收财产，垦殖队即机耕其地；本旗受王氏之压迫至深，何幸得有今日，亟思收回旗有，自行耕种。但屯垦办事处未闻有退归之表示……又本旗财政拮据，拟于临垦内划留二百顷地以作旗署基金，垦局则谓须回领另倍荒价。由应分临垦中之押荒而扣除之，与他民之领地者同；试思地原我有，蒙自酌留，有何不可？而必须倍加回领，天下事之奇特，犹过于此乎！"④ 由此，可以看出蒙古王公贵族对于放垦蒙地的不满。

另外，按照 1929 年 3 月 9 日呈准的《各蒙旗征收岁租办法》规定，"归蒙岁租由各蒙旗自行征收；按土地腴瘠规定，每顷地由农民向蒙旗年纳二元至五角之租金。"⑤ 但因领垦的人多是商人、大地主或屯垦官兵，他们互相勾结，对于"岁租"的缴纳，往往拖延不交，甚至辗转推脱，竟致化归乌

---

① 王龙耿：《绥西屯垦与包头》，见政协包头市委员会编：《包头文史资料选编》第 6 辑，政协包头市委员会 1984 年印刷，第 83 页。

② 绥远垦务总局编：《绥远垦务计划》（附编），绥远垦务总局 1932 年印刷，第 24 页。

③ 贺扬灵：《察绥蒙民经济的解剖》，第 138 页。

④ 贺扬灵：《察绥蒙民经济的解剖》，第 110 页。

⑤ 绥远垦务总局编：《绥远垦务辑要》，绥远垦务总局 1942 年版，第 39 页。

有。对此，蒙旗方面只能叫苦连天，毫无办法。由于晋绥军的大规模屯垦，河套地区的蒙旗土地支配权及经济利益的分配机制发生了很大变化。

（二）加剧社会矛盾

蒙古人向来以游牧为主业，需要广袤的牧场为生息的场所。自晋绥军在绥西进行大规模屯垦，垦区日益扩大，农田不断挤占草原，使当地蒙古人的牧场受到侵蚀，对蒙古族的传统畜牧业生活造成了冲击。加之民国以来，天气每多亢旱，水草不丰，畜牧无以繁殖，致使蒙民生活陷入困境。

对于放垦土地导致蒙古族人民生活恶化，当时内地一些汉族开明人士也表示同情。如黄奋生在《蒙藏新志》里写道："近年以来，垦区日广，牧场日狭，蒙民习于故常，不能改牧为农，因而生计日蹙。故其诟病垦殖，亦日以加剧。究其原因，并非蒙民反对垦殖，实因垦殖，足以夺其生计也。假令对于蒙民生计兼筹并顾，则不独为蒙民之幸，并可减少垦殖之置疑。否则垦殖所至之处，即蒙民生计断绝之地。愈逼愈促，必至铤而走险。"[1] 他在《内蒙盟旗自治运动纪实》一书中又提道："蒙古地方，原为蒙民之天然牧场。内地人民自由移垦，及蒙边省县强制放垦以来，不能遽改为农之蒙民，其生计已大受影响故停垦蒙古牧地，及整理已垦土地，实已成为今日蒙边之紧要问题。"[2] 贺扬灵也认为："蒙古人民的生活，在现阶段的状态中，是日趋于低减而恶化。在生产方面，因受着移住民农业经济发展的侵蚀，牧场日渐缩小，使游牧经济的基础，加速的崩溃。"[3] 著名记者范长江曾经尖锐地提出："关于蒙古地方放垦问题，是蒙汉间重要纠纷之一。……内蒙同胞要求自治，而反对放垦，似为违反社会进化之原则，为开倒车之行为。殊不知问题关键并不在此；蒙人所要求者，乃以蒙古民族利益为中心，自我进化，而不同意于汉族之膨胀式的放垦也，正如中国并不反对由农业经济进入工商业社会；中国所争执者为中国之工商业化，只能在中国自己支配之下进行之，盖不如此，中国之工商业化，适成为殖民地化；而中国人将不能得工商业化之利益，而反蒙其灾害。故在民族界限尚未完全打破之时，一切经济文

---

① 黄奋生：《蒙藏新志》（上），第417—418页。
② 黄奋生：《内蒙盟旗自治运动纪实》，第198页。
③ 贺扬灵：《察绥蒙民经济的解剖》，第227页。

化的建设，皆不应超越民族而存在，否则不为欺骗，即为迂谈。"①

　　屯垦军开垦的土地并不都是所谓的"荒地"，而是蒙古牧民世代赖以生存的牧场。绥区屯垦督办办事处也承认："本处此次划定屯垦地固然大半为大草原。"② 屯垦区所占用的土地原分属于达拉特旗和杭锦旗。该二旗王公让出了一些牧场和熟荒地，允许屯垦队垦殖，甚至把整片的牧场地租给汉人耕种。

　　由于大量的牧地被放垦，畜牧业生产严重受阻，使牧民生产生活陷入困境，因而引起了部分牧民的激烈反抗。1933 年 8 月，达拉特旗牧民掀起了反对屯垦的"独贵龙"运动。据史料记载："绥西之达拉特旗之旗民，住居于临河县属之祥太魁地方。该地蒙旗于民国报垦时，曾留有若干土地，允按蒙民人数，每人给地 2 顷；该旗王爷每事迁延，推诿不发……近年该旗王爷且横征暴敛；蒙民所有牲畜十征其一……近自屯垦实施以来，祥太魁地方，已垦未垦各地，多被屯军垦种，对蒙民颇事压迫，蒙民感于谋生无术，致铤而走险，百年罕见之'督贵'（即独贵龙——引者）潮突然爆发……此事酝酿将近两月……初由临河祥太魁起事，有蒙众三四十人，蒙民游击队……行抵拉僧庙，盘踞三数日，增众至 300 余人，又向东行，经各蒙地而抵五原之西商地，时已增至七八百人。……在这种风雨欲来的暴乱形势，遂使垦局不得不允拨 6 万亩分给蒙民，以寝其事。"③

　　晋绥军在绥西屯垦期间，不仅用多种手段霸占了大片蒙旗土地，而且还经营商业贸易，插手旗县地方事务，在绥西形成强大的经济、政治势力。④屯垦队在垦殖过程中，对蒙旗王公采取软硬兼施、恩威并济的办法，以达到霸占地盘的目的。军阀和豪绅地主的盘剥和蒙古王公贵族的封建压迫，致使河套地区的阶级矛盾空前激化。

　　到绥西进行屯垦的官兵各抱有不同目的。较为富裕的携带眷属财产，以备购置土地租予佃农，坐收渔利；为贫困所惑者，借屯垦名目可获得贷款，

　　① 长江：《沉静了的绥远》，载《大公报》1937 年 1 月 17 日；转引自丁君匋：《今日的绥远》，上海三江书店 1937 年版，第 270 页。
　　② 绥区屯垦督办办事处编：《绥区屯垦第一年工作报告书》，第 243 页。
　　③ 贺扬灵：《察绥蒙民经济的解剖》，第 228 页。
　　④ 白拉都格其、金海、赛航：《蒙古民族通史》第 5 卷，第 340—341 页。

以改善生活状况。这些屯垦官兵到达垦区后，利用屯垦队的权势，包揽大量土地，将其转租予贫苦农民耕租，取得加倍的佃利。一些初来时还赤贫如洗的屯垦官兵，不久即变成大地主。"屯垦队对农民殊苛，尤以军官队为甚，出入民家，无丝毫介意，饺子大烟，竭力供之，而妇女仍不免为一二恶赖所侮。彼辈不事种植，多佃诸农民以收利。屯垦队于渠水尤极尽霸道之能事，每不依渠规，强自筑坝浇水，人民未敢奈谁何，诉之水利社，社又诉之水管理局，管理局向之交涉，则以共事向上申请示以推托，共事往返旬日，彼辈业已浇毕矣。如农民有强放水口浇地者，或且施以毒打，故人民之视屯垦若尤蛇蝎。"① 此外屯垦军官"假借招兵为名，强迫行旅当兵，受贿即放，更有军队驻地附近发生身着军服之匪徒"②。对于屯垦队的欺压行为，当地人民的怨愤之气无以发泄，编了一首顺口溜："肥了大户，饿死小户，出差出害（指税收）的是中常户，屯垦队的官员是大肚。"③

晋绥军不仅霸地霸水与民争利，而且还经营商业贸易，发行"流通券"，向人民劫财。王靖国女婿张圣兴所经营的屯垦合作总社的商品，上至绸缎，下至葱蒜，无所不有，且大量批发与小商贩出售。一方面，由于合作社买卖物品时偷税、漏税，甚至不纳捐税的现象非常严重，也影响了绥远省当局的税收。另一方面，因其物价较廉，致使五原、临河商民的营业大受影响。王日蔚在《绥远旅行记》里提到，"屯垦合作社"的经营"政府货捐收入也大减于前……与民争利，民疲而政府收入反减，乃尽饱贪官污吏囊中"。④ 1935 年，屯垦队为扩大商业经营获得更高额利润，由绥西屯垦合作总社发行"流通券"，强迫商民使用。名义上出 30 万，实际约 120 万之数。⑤ 在绥远市面的他种货币，尽为合作社"流通券"所代替。1936 年，国民政府中央银行统一发行"法币"为全国通用货币，翌年抗日战争爆发，

① 《河套屯垦概况》，载《农业周报》1933 年第 2 卷第 31 期。
② 《实行》（月刊）第 51 期，陆军第 70 师司令部、绥区屯垦督办办事处 1934 年刊印。
③ 苏希贤：《阎锡山在河套的屯垦概况》，见巴彦淖尔盟行政公署地方志编修办公室编：《巴彦淖尔史料》第 5 辑，巴彦淖尔盟行政公署地方志编修办公室 1985 年印刷，第 55 页。
④ 王日蔚：《绥远旅行记》，载《禹贡》（半月刊）1936 年第 6 卷，第 5 期。
⑤ 苏希贤：《阎锡山在河套的屯垦概况》，见巴彦淖尔盟行政公署地方志编修办公室：《巴彦淖尔史料》第 5 辑，第 57 页。

合作总社"流通券"的价值暴跌，1 元"流通券"仅值 5 分钱法币兑换使用。对广大人民群众来说，因受到"流通券"贬值的祸害，劳动果实受到剥削，许多人倾家荡产，无法生活。

此外，屯垦军还插手旗县地方事务。屯垦队在各营部建立村公所，"村公所老百姓常称之为最高权府，村长多由各董事指派，县府加委，此辈多系豪劣，一字不识，理政无方……"① 农民与垦区官兵发生纠纷必须到村公所进行处理，就是垦区附近的农民之间的纠纷也都由屯垦村公所包办过问。这使原有的行政基层组织失去作用。②

屯垦队还在绥西种植鸦片，大做鸦片生意，牟取暴利。根据史料记载："屯垦队在熟地均行种植作物，尤以小麦大烟为多。"③ 绥区屯垦督办办事处原计划种 3 万亩，第一年种了 6 000 亩，预计产烟土 60 万两。以后逐年增加。④ 据《绥区屯垦第三年工作报告书》记载，1934 年全垦区各项收获折价总额计 86 700 余元，其中以特种作物烟草售价为最高，计 28 500 余元，占总额 2/3。⑤ 1932 年，阎锡山以修筑同蒲路筹措巨款为借口，推销在绥西所种的鸦片。阎锡山为了掩盖其搜刮民财、毒害人民的虐政，把卖烟的机关命名为"禁烟考核处"，用禁烟的招牌，制发药饼，攫取厚利。据统计，"禁烟考核处"在 1932 年 8 月间开始发售药饼的时候，每月约销售 20 余万两。以后逐年增加，到 1937 年，每月销售增至 30 余万两。前后销售 6 年，共获利达 2 000 余万。⑥

在县治覆盖的绥西地区，当地人民除受汉人军阀地主的征派差款外，还要缴纳蒙古王公贵族的税捐差款。"河套之税捐，名目繁多，如田赋、印花、地亩附加、牲畜捐、田房学捐、戏院学捐、菜园学捐、驼捐、附加学捐、随粮代征学捐、公益捐、烟馆捐、禁烟特捐、烟亩罚款……连同村款，

---

① 《临河风土志》，载《包头日报》1932 年 6 月 22 日—30 日。

② 夏励秋：《阎锡山经营的绥西屯垦队》，见巴彦淖尔盟行政公署地方志编修办公室编：《巴彦淖尔史料》第 1 辑，巴彦淖尔盟行政公署地方志编修办公室 1981 年印刷，第 218 页。

③ 《河套屯垦概况》，载《农业周报》1933 年第 2 卷第 31 期。

④ 政协山西省委员会编：《阎锡山统治山西史实》，山西人民出版社 1984 年版，第 191 页。

⑤ 绥区屯垦督办办事处编：《绥区屯垦第三年工作报告书》，第 135 页。

⑥ 政协山西省委员会编：《阎锡山统治山西史实》，第 193 页。

每顷年纳杂捐，当在二三十元左右。此外尚有垦务水利各局之岁租、官租、水租，各税关之税务等，无不加重农村负担。"① 据史料记载，1934 年绥远临河每顷地农民应缴官税 3 元、官租 3 元、岁租 1.1 元、水租 12 元、差役行政费 15 元、村公所 11 元、乡村学校费 2 元，共 47.1 元；五原农民每顷地应缴官租 4.3 元、岁租 1.2 元、水租 11 元、官粮 2 石、囚粮 5 斗、官草 500 斤、差役行政费 14.2 元、村公所摊款 30 余元，共 60 余元；安北农民每顷地应缴官租 6.1 元、岁租 1.44 元、水租 12 元、差徭费 20 元、粮 1 石、村费 20 元、粮 2 石，共 60 余元。② 当地人民在苛重的税捐差徭的剥削下，不堪其苦，生活日益贫困化。许多贫苦农民都被苛捐杂税所迫，"不得不卖妻鬻子，逃亡流离"③。

由此可见，在地方军阀和大地主的封建剥削与压迫下，河套地区的人民长年辛劳，竟不得温饱。无止境的苛捐杂税，大肆盘剥，使社会矛盾日益尖锐。30 年代，当地人民反对军阀，反对放垦的斗争不断发生。继达拉特旗蒙古族牧民掀起反对屯垦队侵占蒙民土地的"独贵龙"运动之后，1936 年，在西公旗又发生了武力抗拒官方丈青、收款事件。④

晋绥军在绥西进行的屯垦，在当地修公路、浚渠道、引进农艺、设学校、办医院、建新村、组织物资供应，客观上曾一度给绥西地区带来了暂时的繁荣。特别是平息了河套地区多年来的匪患，稳定了社会秩序。从这一点上看无疑具有一定的积极意义。但从晋绥军在绥西进行屯垦的实质和整个过程来看，可以说是以阎锡山为代表的晋绥新军阀势力以"开发西北"、"充实边防"、"寓兵于农"的名义，利用其强大的政治、军事力量和雄厚的财力、物力为后盾，对当地人民进行的一次大规模掠夺。

第三节　民国时期内蒙古地区金融事业

内蒙古地区因地处偏远，信息闭塞，金融业的发展较内地迟缓，商业贸

---

① 韩梅圃：《绥远省河套调查记》，绥远华北印刷局 1934 年印刷，第 25 页。
② 丁君匋：《今日的绥远》，上海立江书店 1937 年版，第 53 页。
③ 丁君匋：《今日的绥远》，第 54 页。
④ 闫天灵：《汉族移民与近代内蒙古社会变迁研究》，第 292 页。

易长期采用以货易货的传统方式进行。随着旅蒙商在内蒙古地区的商业活动，一些引入的旧式金融行业和信用机构成为融通市场的主要组织。在为经济带来活力的同时，金融市场也呈现着分散和混乱的景象。自晚清和民国之后，近代意义上的金融业在内蒙古逐渐繁衍，并在动荡的社会环境中经历了曲折发展的历程。

一、银行业的发展

（一）民国前期的银行业

1905 年（清光绪三十一年），清廷为整顿币制，在北京成立户部银行。翌年，即在归化城设立支行，隶属山西太原分行。1908 年户部银行改称大清银行，辛亥革命爆发后关闭。1912 年，大清银行改组为中国银行，履行国家银行职能。1914 年，中国银行在归绥设立支行，经营各项金融业务，包括发行中国银行银元、兑换券、汇兑等。1915 年，交通银行在归绥、赤峰开设汇兑所，办理汇兑业务，并发行了该行的银元兑换券。同年，山西晋胜银行也在萨拉齐、包头设立了分支机构。自此开启了本国银行在内蒙古经营的先河。

1919 年，中国银行总行为统一管理内外蒙古的金融业务，将设在归绥、包头、丰镇、大同、库伦、恰克图等城镇的分支机构，一并划归张家口分行统辖，归绥分行改为支行。

1921 年，外蒙古宣布独立，废除以往所欠中国商家一切债务。以大盛魁、元盛德、天义德为代表的一批商号分支机构因此而大伤元气，先后倒闭。内蒙古通往外蒙古的商路被迫中断，经济衰退导致金融业受到严重影响，一度出现混乱和低迷。1922 年，中国银行归绥支行因主营的汇兑业务萧条，不得不缩编机构，降为办事处。

这一时期，还有一些金融机构和企业先后在内蒙古地区设立办事处或支行，经营各种金融业务。其中有中央银行、东三省官银号、中国农业银行、中央储蓄会、西北银行、宁夏省银行、热河兴业银行、天津官银号、天津中法储蓄会、上海万国储蓄会、晋绥地方铁路银号、黑龙江广信公司、金城银行，等等。此外，在呼伦贝尔地区的海拉尔、满洲里等地，还有美国信济银行、朝鲜银行、俄国远东银行、露亚银行、华俄道盛银行等外国金融机构设立的分支机构。

这些金融机构在内蒙古地区大小城镇设立分支机构并开展各项业务，为内蒙古的金融业带来了新的活力，引入了新的金融机制和秩序。其中，交通银行在多伦诺尔、包头等城镇增设分行；东三省官银号在海拉尔、通辽设有分号；黑龙江广信公司在海拉尔、满洲里设有分行，热河兴业银行在赤峰、开鲁设有分行。各银行的业务为汇兑、贷款、存款等，部分银行还发行货币，中国银行设在满洲里的分号还专门代收海关税款。

在相邻省市的影响下，内蒙古地方金融机构也应运而生。

1919 年，天津商人沈文炳等人和归绥地方官绅共同筹建了丰业银行，翌年开始营业，在包头、五原设立分行，天津、太原设立办事处。同年，由呼伦贝尔各旗筹集资本，在海拉尔创设了蒙旗商业钱局（俗称蒙古银行），发行纸币，以利市面货币流通。

1920 年，绥远平市官钱局开业，股东为绥远财政厅，目的是平市价、资流通、持有货币发行权，代理地方金库。初时为官办官督性质，资本为 5 万元，发行货币总额为 50 万元。平市官钱局总局设在归绥，在西部各城镇，如包头、萨拉齐、丰镇、托克托、清水河等地均设有分局。同年，北京政府陆军部次长兼西北筹边使徐树铮、晋北镇守使张树帜等人共同投资 20 万元，由归绥通盛远钱庄经理邢克让主持，筹建了乾丰银行。总行设归绥城，库伦设分行。经营存款、放款、汇兑等项业务，也发行货币。初创时，该行恃官僚的权威，承揽发行绥远省短期公债，以牟取厚利。次年，因在钱盘投机买卖中投资失误，造成严重亏损，导致银行的经营难以为继，于 1925 年歇业。[①]

1920 年，海拉尔兴盛银行成立。1924 年，满洲里东盛银行成立。1924 年，通辽地方储蓄会成立。但是，无论全国性银行，还是地方银行，尚还不能统领金融市场，只能与旧有金融机构并存。如归绥新旧金融机构并存时期的情况，在《绥远通志稿》有较为客观的记载："官钱局成立以后，具有发行代币券之权。而钱行以历史悠久，一切习惯、商例，积重难返。银钱行市

---

① 董化南主编：《内蒙古金融志》上卷，内蒙古人民出版社 2007 年版，第 319 页。

涨落，均随宝丰社为转移。官钱局在金融上略尽调剂之责而已。"①

1925 年，冯玉祥所率国民军驻绥远期间设立了随军银行，并在归绥成立西北银行绥远分行，同时在包头、丰镇设立办事机构，办理国库拨款，发行货币，吸纳军人和部队、机关存款等项业务。国民军在驻绥的短短 1 年间，发行了大量的纸币。1926 年，国民军在与奉军的战争中败北，向西北撤退。其设在绥远地区的金融机构即行撤销，各项业务遂告中止。而西北银行发行的钞票此时已充斥绥、包等地市面，骤然停止流通，形同废纸。而中国银行和交通银行发行的纸币在绥远极其缺乏，货币流通突遭阻滞。晋军占据绥远后，应各界要求，阎锡山和时任绥远都统的商震应允发行"绥远善后流通券"100 万元，要各县成立"抵产局"，农民以地契房约抵产借款，暂时解决货币流通困难。然而此时财政厅已批准绥远总商会厅发行"救济市面兑换券"40 万元。商震恐引起金融紊乱，遂决定停止发行"善后流通券"。各界民众的损失无法得到补偿，以致怨声载道，引发了大规模抗议活动。

1926 年，奉军击败晋军，进驻绥远。奉军将领汲金纯就任绥远都统后，为筹集军饷，不遗余力地搜刮地方财物，以各种摊派、借款名义压榨绥远各金融机构。奉军撤离绥远时，竟强行提走绥远平市官钱局的发行保证金数十万元，造成该局资金欠缺、周转困难。为摆脱危难，官钱局不得不加大货币发行量。至 1930 年，发行货币已达 1921 年发行量的 10 倍。② 此举一度造成金融市场的混乱，致使钞票无法兑现，商民损失无算。1931 年，绥远当局改发新钞，旧钞以面额折半兑换，以尽可能减少民众损失。

山西省银行绥远分行于 1928 年即已在归绥成立。但是，因"中原大战"的影响，直至 1933 年，该分行才得以正常营业。得益于山西对内蒙古地区的影响，该行业务量大于其他金融机构。据 1936 年的统计，绥远分行近 3 年平均存款 60 余万元，年放款额达 150 余万元，汇兑年平均达 400 万元左右。而中国银行归绥办事处的汇兑年平均不到 200 万。③

① 绥远通志馆编纂：《绥远通志稿》第 4 册，内蒙古人民出版社 2007 年版，第 692 页。

② 土默特旗《土默特志》编纂委员会编：《土默特志》上卷，内蒙古人民出版社 1997 年版，第 302 页。

③ 董化南主编：《内蒙古金融志》上卷，内蒙古人民出版社 2007 年版，第 306、320 页。

自 1928 年开始，国民党在全国范围内确立统制体系的过程中，即着手整顿金融秩序。至 30 年代中期，国民政府基本实现了币制的统一，并在一段时期内维持了币值的相对稳定。1934—1935 年的金融危机，一方面使国民政府得以加强其金融垄断，另一方面导致中国银本位制的崩溃和法币政策的实行。

1931 年，傅作义就任绥远省政府代主席后，即组成专门机构，采取措施，整顿金融秩序。为稳定币值，逐步统一货币，绥远省财政厅规定发行绥远平市官钱局新钞，收兑旧钞和银元。但因准备不足，引起争兑风潮，并由此出现了专事倒卖旧钞的黑市。至 1933 年，旧钞收兑结束。"七七"事变爆发前，绥远平市官钱局新钞发行额约达 570 万元。1939 年，绥远平市官钱局迁往绥西。为发展战区经济，适应战时需要，绥远省先后拨款 50 万元，以维持其正常运营。

（二）日伪统治时期的银行业

抗日战争爆发后不久，日本侵略军即占领了内蒙古大部地区。内蒙古东、西部地区被分别置于伪满洲国和伪蒙疆政权的统治之下。在内蒙古西部，日本方面为有效控制该地区的经济命脉，掠取侵略战争所需物资，在蒙疆政权辖区推行了经济"统制"政策，金融业首当其冲，被强行"统制"。

1937 年 8 月，日军占领张家口后，即以关东军司令官名义发布了"紧急通货防卫令"和"纸币类证券取缔令"，开始接收金融机关。9 月，改组察哈尔商业钱局为察南银行，发行银行券，兑换旧纸币。11 月，在新组成的蒙疆联合委员会内设立金融专门委员会，负责推行金融"统制"。当月末，察南、晋北和蒙古联盟三政府各出资 400 万元，合并原察南银行、绥远平市官钱局及丰业银行，组建蒙疆银行，总行设于张家口，由日本人任总裁。该行在厚和豪特（呼和浩特）、包头、丰镇、多伦、张北以及北京、天津、大同、宣化等地设分行，还在日本东京设立了办事处。蒙疆银行作为特殊会社，成为从事货币发行、外汇管理、国库金交易、银行业务以及制定相关政策的金融统制机构。1938 年 3 月，蒙疆联合委员会又没收了张家口、大同、归绥的 44 家私营钱庄、票号的资金，将各钱庄合并，分别在厚和豪特、张家口、大同成立了蒙古联盟、察南、晋北 3 个实业银行，在蒙疆银行指导下营业。通过一系列吞并和改组，蒙疆银行完成了对所辖地区的金融垄断。

　　蒙古联盟自治政府的军政开支大多依赖蒙疆银行的贷款供给。以1939年为例，贷出总额为500万元，其中政府贷款占58%；1941年贷款总额为近2亿元，政府贷款占76%。该行有控制金融和发行货币之权，1937年发行货币1 400万元，1941年1月发行11 000万元，5年内增长7倍，至日本投降前，共发行35亿元。滥发钞票，致使绥远地区8年内物价上涨10倍之多。

　　1942年5月，3个实业银行实行合并，组成同和实业银行。蒙古联盟实业银行改组为实业银行厚和分行，同时并入分散在各城市的47家私人当铺和4家日本当铺，总共资本500万元（其中私资171万元），经营一般银行业务，无货币经营权。

　　处于伪满洲国管辖之下的内蒙古东部地区，满洲中央银行居金融业统治地位。该行成立后，立即着手进行金融统制，统一币制，安定通货价值，整顿强化金融机关。在整顿、合并东三省官银号等行号后，即发行法定货币。兴安4省市场流通的货币是满洲中央银行发行的纸币。该行还在赤峰、林西、通辽、开鲁、海拉尔、满洲里、扎兰屯设立了支行，满洲兴业银行在通辽、开鲁、赤峰等地也设立了支行。通过这些金融分支机构，内蒙古东部地区的金融市场被纳入了日本殖民统治体系。

　　1933年11月9日，伪满洲国政府颁布《银行法》。原有的银行、钱庄、钱铺限期补办许可手续。同时对新设银行采取了严格控制的方针。原有的银行在资本金额上要达到规定的标准，达不到标准者即行淘汰。经过这样的整顿，内蒙古东部脆弱的金融业受到了沉重打击。伪满的统一货币政策，一方面用伪币以很大折扣收回旧奉票，而使下层民众遭受很大损失；另一方面，货币稳定以后，日商可以安心向东北贸易和投资，而不会受到汇价涨落的损失。在清理旧纸币的同时，伪满还对黄金和白银实行垄断。1934年，伪满财政部宣布清理镇平银，禁止其流通，并以伪满币100元换镇平银70.2两（1两=50克）的比价强制收买。1942年，伪满洲国制定国民储蓄法，实行全民义务储蓄。兴安4省各地都设立了地方储蓄会，开办的储蓄种类有不动产储蓄、"鸦片病者"储蓄、小学生储蓄等。购买日用品、娱乐和饮宴等消费，均须按价格比例储蓄。① 处于伪满统治之下的东蒙古地区各族、各阶层

---

① 董化南主编：《内蒙古金融志》上卷，内蒙古人民出版社2007年版，第417页。

人民也饱尝了经济统制的苦果。

二、货币种类和流通

晚清时期，随着内蒙古各城镇商业活动的繁盛，流通市场的货币种类越来越多，流通范围日益扩大。从西部地区的包头、归化城至东北部的海拉尔、满洲里，内蒙古各城镇与山西、京津、直隶、东北三省在商业方面的联系不断加强，与此同时，受相邻地区货币流通的影响也愈来愈大。各种银元、纸币和钱庄、银号、粮栈、烧锅等商号发行的具有货币功能的凭帖，同时在不同地域流通。

民国初年，内蒙古地区币制仍较为混乱，各家银行发行的纸币与种类繁多的银物交杂使用。市面上既有墨西哥银元（俗称"鹰洋"）、俄国白银和卢布，也有晚清所铸银元和元宝。仅元宝一项，就有北京、天津、黑龙江、奉天、吉林、张家口等地铸造的几十种。其成色（含银量）虽有不同，但不足色则是通病。其中，民国肇制后铸造的"袁大头"和孙中山像银元流通较广。

在辛亥革命后较长的一段时期内，内蒙古东部地区还有部分外国纸币流通。有日本横滨正金银行的金圆券、朝鲜银行发行的"金票"、西伯利亚临时政府流通券、鄂木斯克政府债券、华俄道盛银行纸币、帝俄国家银行纸币。其中，帝俄国家银行发行的金卢布纸币、银元纸币（俗称"额帖"、"羌帖"）和华俄道胜银行的兑换券在内蒙古东北地区有很大势力，流通较广。十月革命后，卢布急剧贬值，几乎成为废纸，引起流通地区市场的混乱。"人民通用俄币由来已久，以前金价高时，俄币值华银8两有余。自欧战以来，俄银行停止兑现俄币，价日渐低落，至今每张不足华银一钱……商民损失不堪。"[①] 道胜银行于1926年倒闭，北洋政府派员清理债务，虽限期收兑该行纸币，但仍有大量散于各地的纸币未能兑换。实际上，各阶层民众无端承担了该行的数万两债务。

民国初年，内蒙古西部地区市面主要通用银元、小角、铜元、制钱和中国银行、交通银行发行的纸币。绥远平市官钱局成立之后，该局发行的银元

---

① 沈斌华：《内蒙古经济发展史札记》，内蒙古人民出版社1982年版，第141页。

票和铜元票逐渐通用于市场。民众普遍愿使用铜钱，"商号发出凭帖，常以巨额现钱贮存本号，准备兑收，积数百吊为一垛，俗曰钱锭。各商堂前室内，钱锭累累，固以昭示信用"①。20世纪20年代左右，物价上涨，市面上制钱逐渐减少，铜元增多。一些实力雄厚的商号仍以其发出的凭帖赢得信誉，特别在农村乡镇充当货币，长期流通。

在内蒙古中东部各城镇中，多伦的流通货币种类较多。主要有"银块、银圆、老钱（1厘钱）、钱票"4种。② 以赤峰为中心的热北地区，主要流通京津、直隶货币，也有被称为铜货、银货的多种货币。其中有制钱，也有银行发行的新币。此外，还有当地发行的钱票，称哈达票（又称街帖），其流通范围主要是喀喇沁旗以北地区。

在哲里木盟和呼伦贝尔地区，主要流通奉天、吉林、黑龙江3省的各种货币，另有部分外国银行发行的纸币。东三省银钱种类流通较广的有吉林永衡官银号发行的官帖、奉天小银元票和东三省官银号、黑龙江广信公司发行的各种钱币。

内蒙古地区各城镇的货币有着显著的特点。其一是种类繁多，同时流通。因受相邻地区金融市场和商业贸易的影响较大，大批外地货币流入，融入当地市场，与其他货币和旧式的凭帖共存。其二是具有地方性。内地银行在部分城镇设立分支机构后，大都发行该行的货币，逐渐成为当地的主要流通货币。这种状况一直延续到20世纪30年代。

民国时期，战事频仍。一些军用钞票也在内蒙古流通。其中有东三省军用票、西北银行券、国民军金融流通券等。抗战时期，大青山抗日根据地也发行过货币。在伊克昭盟部分地区，还流通陕甘宁边区货币。

伪满洲国成立后，在内蒙古东部地区流通的货币是伪满洲中央银行发行的货币。在伪蒙疆政权统治下的内蒙古西部地区，流通蒙疆银行和察南银行发行的货币。

抗战胜利后，法币逐渐占领内蒙古西部地区金融市场。在东部地区，流通国民政府中央银行发行的特制钞券——东北临时流通券。1948年，国民

---

① 绥远通志馆编纂：《绥远通志稿》第4册，第702页。
② 剑虹生：《多伦诺尔记》，载《东方杂志》第5卷第10号。

政府实行币制改革，发行金圆券以取代法币和东北临时流通券，引起物价飞涨，市场混乱。翌年，又发行了银元券，在内蒙古西部地区有少量流通。①

三、典当业的兴衰

典当在内蒙古经营的历史可上溯辽代，清时可谓遍布各城镇。民国以降，内蒙古地区战乱不息，典当业普遍衰落，一向依赖钱庄的信用贷款断绝，影响当商经营，以致多数歇业。清朝末年，归化城有当铺66家，而1921年仅余11家。②因军阀混战，城镇经济凋敝，农村更趋贫困，民众所当之物往往无力赎取，当物又难以卖出，成为死当，典当资金呆滞，亏损严重。同时，经过几次币制风潮的冲击，典当业难以经营。热河兴业银行设在内蒙古的当铺即因大洋票的暴跌而不得不停业。据不完全统计，至1934年，内蒙古剩余的当铺计有归绥8家，包头3家，丰镇6家，通辽4家，赤峰1家。期间，典当业也曾有短暂的兴盛。商家以缩短当期，提高利率，降低当值的方法获利，以维持经营。

典当业的经营者多为富商大贾、地主豪绅。在内蒙古地区，典当业资本可分为两类：一为自有资本，即当铺股东所出股金；一为外来资本，即银行借款或私人存款。因除股东所出资本外，还有票号或银行的放款及私人的存款，故贷放资本的总额往往超出自有资金。资本额差距在业界较大，数百元至数万元不等，店铺、人员等规模因素不一定反映其实力。典当业兴盛时，一般为独资经营，非殷实之家难以维持，经营者大多为富商和大地主。独资经营者骤减，多为合资经营。北洋政府时期银行还没有票据交换所，金融业款项的清算掌握在钱庄的汇划总会手中。不但银行和钱庄的收解要假手于钱庄，就是银行之间的收解也要委托钱庄办理。这就使银行不得不在钱庄预存款项作为清算划拨之用。

当铺的内部分工明确，组织较为完备，从业人员一般在10人左右。大掌柜（后称经理）为决策者，执掌当铺人事、投资等主要事务；二掌柜负责处理对外联络，解决与其他商号间业务问题等日常事务；三掌柜总管柜台

---

① 董化南主编：《内蒙古金融志》上卷，内蒙古人民出版社2007年版，第105—115页。
② 董化南主编：《内蒙古金融志》上卷，第238页。

业务。另有管账先生，兼管文书、出纳以及贵重抵押品的保管。柜员经办收当、赎当、开票据等业务。抵押物的鉴定与定价由3位掌柜把握。

西部地区典当业的抵押期限一般由1—18个月不等，月息一般为1.5—3分不等。东部地区抵押期最长可达24个月，月息一般为3—5分。

因内蒙古地处边陲，经济较内地落后，当铺收当一般以衣物、器具为主，金银、珠玉首饰次之，古瓷名画少见。偶有珍贵古玩出现，也因辨识者少而不敢收当。其他如有价证券、皮毛、农具等杂物均可抵押。遇灾年时，不仅一般生活用品，连箩筐、犁耙锹锄等皆可抵押，当额微小。日伪统治时期，内蒙古东部的典当物品中，皮毛、衣物类约占总量的55％，金银首饰以及其他类占45％。① 因经济凋敝，当铺也以贫民为放款对象，赚取微利，然而，随着城乡经济的普遍衰颓，平民日益贫困化，以致往往无力赎当。典当虽可变卖押品，但常常得不偿失，反不及一般高利贷资本的获利。这些都是典当被不断淘汰的原因。

社会动荡不安，对典当业影响巨大。连年内战，遍地盗匪，败军悍匪莫不以当铺为劫掠目标。1913年外蒙古军队进入内蒙古，引起大规模战乱。内蒙古西部地区遭兵灾匪患交相危害，时局陷于长期动荡，导致归绥、包头等战火所及地区的典当业全部歇业。1924年爆发的第二次直奉战争期间，使内蒙古地区的典当业再次受到重创。一些资本较厚实的当铺于战乱后尚能得到恢复，而资本微弱者，经历一次洗劫，即无恢复能力，不得不关门歇业。

典当业的衰落除客观原因外，还由于本身存在的种种弊端。首先，当商大多缺乏新的经营意识。无论社会环境发生何种变化，一味墨守成规，沿袭传统的经营方式，故而丧失市场的适应能力和竞争能力。其次，行业形象不佳。一些商家唯利是图，重利盘剥，常常与送当者发生争执。再次，扼杀人才的升级制度。典当业的人事管理按照人员进当的时间先后为升迁的唯一标准，不得破格提升。庸劣无能者只要没有重大过失，仍可久居要职。功过不分，勤懒无别的氛围，使职工积极性受到打击，造成人才寥落的结果。

典当业日趋式微，但仍未灭绝，尚能在银行、钱庄的缝隙中生存、牟

---

① 霍龙：《内蒙古典当业述略》，载内蒙古档案馆：《内蒙古档案史料》1993年第3期。

利。典当的放款对象主要是处于下层社会的贫民，有着一定的基础。而银行、钱庄一般不办理小额贷款，典当却能满足部分人的一时之需。在下层民众生活水平十分低下的情况下，典当业同他们的生计有着密切联系，当遇到生活困难时，不得不依赖典当应付燃眉之急。调剂资金的灵活性，是典当业为人称道的显著特点，但是对送当者不遗余力的榨取也被人们常常诟病。

20世纪初，随着日本侵华势力的迅速扩张，日资也在中国经营典当业和贷金业，在东北地区占有很大的势力。日本人在海拉尔、通辽等地所开当铺采取现当现赎的方式，一般为月利10分，以2个月为期，具有一定的吸引力。部分当地商人也仿效日本人的做法，提高月利，缩短当期。伪满洲国建立后，日本商人又在内蒙古东部的满洲里、扎赉诺尔、王爷庙、赤峰、林西等地开设了当铺。

内蒙古西部地区沦陷后，归绥的"八大当"被日伪改组为蒙疆新亚有限公司，包头的3家当铺被并入新亚公司包头分公司。1942年5月，蒙疆自治政府将辖下各盟市旗县的47家典当业商家和日本人开办的4家并入同和实业银行。至此，私营典当业在内蒙古西部地区已不复存在。

在内蒙古东部地区，伪满大兴公司属下的大兴当吞并了338个典当业。据1938年的调查，伪兴安总省下辖各盟市旗县共有当铺25家，营业额为347 990元。其中通辽10家，赤峰11家，呼伦贝尔地区4家。①

抗战胜利后，经济萧条，民力羸弱，典当业更趋衰落。多数当铺资本损失殆尽，典当这一古老的信用机构遂逐渐消失。

四、票号的没落

票号是以经营银钱汇兑为主要业务的金融行业，也称票庄、汇票庄或汇兑庄。经营票号的商人统称为票商。票号由清中期起步，初始阶段经营者几乎全系山西人，总号均设于山西，所以通称山西票号。主要经营汇兑，并兼营存款、放款业务。晚清时期，票号由晋商推及内蒙古，在归化城、包头率先设立分号。在内蒙古各城镇当中，归绥、多伦、赤峰等少数城镇的票号实力较强。

---

①　董化南主编：《内蒙古金融志》上卷，第247—254页。

票号的资本分独资、合资两种，在内蒙古地区，后者为多数。无论何种方式，财东均属无限责任。票号实行分号与总号连锁，数十号形成一个系统。票号创办时都有固定资本，决定其实力及信用。初时，票号附设于货号内，经营兴盛后即可设立专庄。由财东出资，延聘经理，订立合同，注明资本数额、盈亏均担等项内容。票号的主营业务是办理汇兑，同时也兼营存款、放款等业务。

进入民国以后，内蒙古地区的票号遭到了致命的打击。首先，外蒙古宣布独立，使内蒙古的贸易受到极大影响。在"牛年之乱"中，各地票号大多遭到了兵匪的劫掠，损失严重。其次，票号的存放款业务受到战争的影响，军阀部队任意摊派、借款，而且不得拖延，故放款无法收回，票号无力承担。

1914年之后，银行在内蒙古出现，并产生越来越大的影响。银行承办汇兑业务，手续简便，费用低廉。原属于票号的业务逐渐被银行或钱庄所取代。经营官款收解存放业务的有地方银行，经营汇兑业务的有中外银行、邮局，票号无论资本运营，还是经营方式，均无力与之竞争。同时，面对局势的变化，票号的经营者大多故步自封，抱残守缺，故而难以适应变幻莫测的局面。兵荒马乱期间，运往各埠的资金往往遭受意外损失。许多票号账面上虽然外欠超过欠外，终因死账或周转不灵而难以维持。因而票号只能在夹缝中勉强生存。至1918年，内蒙古地区的票号尚存20余家，1924年只剩4家。至1940年，最后的两家也改组为银号，票号的历史遂告结束。

五、钱庄、银号的经营

钱庄也称银号，其前身为银铺和钱铺。内蒙古西部的钱铺多设在商埠重镇，代商家兑换生银或制钱，多为私人出资经营，也有多人合伙经营的形式。其主要功能为吸收民间和商铺的游资，经营各种商业放款并办理埠际汇兑，也代商人保管闲置的钱款。在内蒙古东部，钱铺则在定期举行的庙会集市上办理零星的货币兑换业务。晚清时期，银价上涨，钱价跌落，银钱业借机攫取厚利，因而从业者人数大大增加，仅归化城钱铺即达50余家之多。随着西北贸易的扩大，资本需求增加，资本流动加快，一些经营货币买卖的殷实钱铺逐渐发展为可兼营存、放款业务的钱庄。由皮毛、药材集散地而形成的新型商埠——包头亦有钱庄42家。

清末，俄、英、法、美、德、日等国在归化城、包头、海拉尔、满洲里等城镇均设有规模较大的洋行。仅归化城一地专门收购羊毛的外国洋行就有7家。到19世纪末，在内蒙古开设的外国洋行著名者已有21家。这些洋行通过钱庄融通资金，使钱庄呈现出一种畸形的繁荣。辛亥革命后，内蒙古票号衰落，银号兴起，主要集中在归绥、包头、赤峰、满洲里等地。

银钱业不仅进一步发展了存、放、汇以及银钱交换业务，同时还办理票据承兑和贴现，发行银钱票及庄票，代理收付款项和仓库业务，金融功能更加齐备。分庄、分号等分支机构向更多的城镇发展。内蒙古的银钱业主要有归绥的28家、包头的21家、丰镇的10家、萨拉齐的29家、临河的1家、集宁的4家、多伦的7家、赤峰的21家。银行业务虽逐渐扩大，但其触角尚未深入到社会各个角落，并未从根本上动摇钱庄的地位。钱庄遍布各省大小城镇，穷乡僻壤也可以通汇。

钱庄还经办仓储业务。在每年的春耕期农民急需用款时，钱庄即向农民发放无担保信用贷款。农民则在秋收后，以收获的粮谷、豆类或毛皮等实物偿还贷款。收抵的粮谷、豆类或皮毛储存于仓库，待上市时再卖出。以此方式可获较丰厚的利润，其年利率可达5%。用货币还债，其年利率则一般为3%。

辛亥革命以后，内蒙古局势动荡，旅蒙商受到很大影响，换取的皮毛、牲畜无法南运，放款、欠债难以追讨。祁县、太谷、平遥等地的资本集团，对在内、外蒙古各地开设的钱铺采取了收庄的应对措施。1913年，内蒙古地区陷于战乱，归绥仅留存义丰祥、晋丰祥、云集祥与义聚昌，大同帮的丰盛隆、和成钱庄，大盛魁的通盛远等钱庄开市。经数年的恢复，至1917年，归绥公私钱庄银号已达44家，办理存款、放债、汇兑、代收公司股票等项业务。

20世纪20年代后，随着西北贸易的不断扩大，资本需求日益增加，由经营货币买卖的钱铺中逐渐产生一批资本雄厚的商家。1923年京绥铁路通达包头，黄河航运也随之兴盛。水路交通运输空前便利，物资交易日益繁盛。牲畜、皮毛、药材等土特产以及日用百货的进出，包头成为聚散地。钱行调剂各行各业资金缓急，掌握地方金融。钱庄数量大为增加，1919年之前，仅有七八家，此后增至 20 余家。多为山西祁县人经营。各钱庄除垫支行业贷款外，每年所做汇兑款项多达 2 000 多万元。① 这一时期，归化城钱庄户数又增至 10 家，营业情况亦较前大为扩展。"蒙路畅通时，市面活动，每年经由绥省输出货物，贸易总额不下 2 000 余万两，汇兑频繁，金融流通，钱市发达，称为最盛。"②

20 年代，由于军阀混战，军队向钱庄强行摊派、借支，用军用票、金库券、加印官票、军需兑换券等种种名目搜刮市面，使银钱业不堪重负。1926 年，冯玉祥所率国民军退向西北之前，强令各商家和钱庄供应粮饷军需，致使市面损失 3 000 多万元。军队欠款无法追讨，钱商损失惨重。从此，绥远地区银根日渐紧张，各种纸币充斥市面。归化城、包头的商业大为萎缩，兵燹、自然灾害交相肆虐；又因战事影响，商路阻塞，各城镇的商号、当铺难以维持经营，多有倒闭，银钱业也随之衰退。

1930 年，中原大战爆发。冯玉祥、阎锡山败于蒋介石，晋钞再次迅速贬值，内蒙古西部各行业再次遭受沉重打击，钱行损失尤甚，呈下滑之势。一些资金较少、组织不够健全的钱庄随着大众购买力的下降而日趋衰落，以致倒闭。

在新式的官商银行相继成立，业务逐渐扩展的形式下，银钱业必然走向衰败。以往，设在内蒙古各地的各大银行只经营吸纳公款，发行纸币的业务。自 20 世纪 30 年代，开始直接承揽地方各行业的汇兑、放贷等项业务。在激烈竞争中，一些艰难维持的钱庄又失去了诸多大宗业务。1930 年至1931 年间，中国银行、交通银行、绥远平市官钱局开始承办汇兑和存放业务，多种行业直接与银行进行业务往来。钱庄业不仅受到排挤，且又失去了虎盘投机的生意。

1932—1936 年，开发西北之风大盛，伴随着移民垦殖的热潮，许多商贾到内蒙古投资办厂或进行垦殖，使得钱庄银号再度出现了一线生计。但为时不久，全国币制实行统一，废两改元，钱庄生意骤减，仅在银元与纸币的

兑换交易中获取微利。1934—1935 年的金融危机使钱庄的处境更趋困难，尚存的钱庄也处于风雨飘摇中。放款难以收回，而存款者对钱业信心动摇，纷纷提款，钱庄资金周转不灵。因此，大多数钱庄不得不转向经营牲畜、皮毛、粮油等物资的投机买卖。

1933 年，晋军组成垦殖队，开始在绥西进行屯垦。翌年，设立绥西屯垦合作社，办理存贷业务，并发行纸币。嗣后，又创办了屯垦银号、仁发公银号五原分号。前者的股东为阎锡山，后者的股东为陆军 70 师师长王靖国及营长以上军官。两银号实力雄厚，以大量资金支持绥西合作社的商业活动，从河套地区农副产品和鸦片的购销买卖中获取厚利。

1937 年"七七"事变后，时局日趋纷乱，人心浮动，交通阻塞。各钱庄前途暗淡，纷纷宣告歇业。日伪统治时期，各地钱庄连人带资一并"归公"，被纳入严格的"统制"体系。

1945 年日本投降后，在内蒙古西部地区，同和实业银行被绥远省银行接收，原属同和实业银行的 8 家钱庄、银号其全部业务也由绥远省银行清理接收。1946 年初，原已停业的和被日伪吞并的钱庄都纷纷提出复业申请。经绥远省政府审核批准，有天亨永、裕盛厚、日升元、义丰祥、义震昌等 5 家钱庄于 1947—1948 年先后恢复营业。但因内战的影响，国民党统治区经济凋敝，金融紊乱，物价暴涨，银钱业无法正常开展业务，大多只能从事油粮虎盘、黄金买卖等投机生意。1948 年，绥远省政府向归绥的天亨水、义丰祥、日升元、义聚昌，包头的广恒源、晋兴久和丰镇的义源通等较大的钱庄投入部分官股，以示扶持。但随着时局的变化，至 1949 年下半年，内蒙古西部地区的钱庄绝大部分歇业。

在昭乌达盟，民国初年，相邻各省的钱业机构就向赤峰地区派驻人员。其中多由山西的钱庄、银号委派。如山西的汇通银号、长胜银号、晋逢德银号等都曾派员驻在赤峰，除与本地钱业交往以外，还办理存款、放款业务。他们与当地钱业同行联系，相互支持，互为调剂。因办店严谨，经营有方，业务熟练，深得商民信赖。但与交通银行、热河兴业银行相比，毕竟资力单薄，竞争乏力。

为便于经营，赤峰的钱庄也派出人员常驻外省。因天津金融市场相对稳定，与天津金融业关系密切。各商号多以津洋为基础进行交易。在镖行停业，天津与赤峰通汇后，各钱庄大多数派员驻在天津，办理收付货款和汇兑业务。无驻津人员的钱庄，也委托天津的钱庄或银号代办业务。当时天津借款利率较低，月息在1分左右，而赤峰月息2分5厘左右。因此，赤峰钱庄多以利差牟利。这样，既刺激了钱庄业发展，也推动了赤峰地区的经济发展。

日本占领赤峰后，随着伪满洲国中央银行、兴业银行、金融合作社及兴农合作社等金融分支机构的相继设立开业，在伪满洲国严厉的金融"统制"桎梏下，各钱庄被迫先后关闭，只余蔚兴和、协裕兴两家勉强维持到日本投降。

在哲里木盟，库伦旗商业贸易较为繁荣，以牛马市场为主要经营内容。许多商家以牛马市场为根据地，向活动在大兴安岭以东各蒙旗的行商拨款，以此作为与蒙旗进行贸易的一种方式。牛马市场于每年春秋两次开市，商贾云集，买卖交易十分兴盛。随着商贸的繁荣，银钱市场应运而生。库伦旗的银钱市场参照奉天（今沈阳市）、锦州等地的行情交易，不仅借此获利，而且与各地交易市场保持联系。开鲁、通辽均有颇具实力的钱庄，除经营分内业务外，还兼营粮栈、烧锅（酒坊）、盐栈、磨坊等产业，并设有支店、分庄。

伪满统治时期，哲里木盟各城镇钱庄的活动范围被迫缩小，经营不景气。伪满政府在其公布的《银行法》中虽鼓励钱庄的经营，提出更新经营方针，改善业务等项倡议，但并无扶持钱庄的具体办法。不久，开鲁、通辽的钱庄、银号大都难以经营，相继倒闭或转行。

在呼伦贝尔地区，银钱等民间金融业经营也始于清末。伴随着商业往来和对外贸易的发展及银两、制钱等相互兑换的需要，钱庄、银号等银钱兑换业也开始出现。在海拉尔、满洲里两地，主要有山东、直隶、山西人创办的以银两兑换和异地汇兑为主业的钱庄、银号等。民国初年，海拉尔、满洲里两地的交通、商业逐渐兴盛，所设银行、钱庄日益增多，大都与当铺、钱铺等业一同经营。至伪满初期，呼伦贝尔地区的钱庄、银号等30余家。其中，银钱业资本最雄厚者，有海拉尔的兴盛昌、久安，满洲里的兴盛昌、东盛银号等。这些钱铺、银号除兑换金属币外，还吸收存款、发放贷款、代人汇兑等项业务。一些钱庄开展的汇兑业务远达南方省市，同时还经营期票透支，因而获利较为丰厚。"九一八"事变后，呼伦贝尔地区被纳入伪满洲国，处于日伪金融势力统制下的民间金融业几经"整顿",元气大伤,钱庄、银号所剩无几。

在察哈尔地区,多伦有各类钱庄、票号、钱铺20多家,规模较大的有永巨川钱庄、万兴成钱铺。这些钱庄银号主要对各大商号及外地商人办理存放款及汇兑业务。据1929年的统计,多伦城内银钱铺号还有晋川达、万兴成、源顺发、裕和魁等11家银号。这些钱庄资本较为雄厚,重信用,存款无利,贷款月息2分。规模较大的还在北京、天津、张家口、河北阳原、枣强、围场、山西代县等地派有办事人员。

1920年以后,察哈尔地区社会动荡不安,多伦的商业日渐衰落。大部分商号被迫倒闭或迁移,钱庄、钱铺也相继歇业。数年后,局势稍显平靖,多伦的工商业渐趋繁荣,行会组织发展迅速,由最初畜、皮、斗(粮米)、货四大行发展到以后的钱行、当行等13行,鼎盛时期有63个行业。行业的增多又出现了保证行。凡参加保证行的钱庄、银号、商号,交纳一定金额,则由保证其正常营业,负责钱庄、商号安全。同业间的一般往来事务,行内纠纷由行会负责调节、调处。多伦商会还3次发行货币,调控市场。

1933年,日军侵占多伦后,设立了经济监视所,禁止私人办钱庄汇兑业务。是年,惨淡经营至最后的一家钱庄裕和魁改为主营绸缎、布匹、日用百货的杂货铺,但仍兼营钱庄业务。

在乌兰察布地区,丰镇县在清朝初年即设有钱庄。此后,隆盛庄、兴和、集宁等县也陆续设立。民国初期,丰镇商业繁荣,商会较为活跃。在商会的支持下,金融被少数经营钱、粮、布行的大商户所控制。这些商户发行的凭帖因其信用较好,曾在市面上流通了较长时间。此后,丰镇成立了官办银行,经营钱庄的主要营业项目,导致私营钱业逐渐萎缩。20世纪20年代初,因银行发行的币值不稳,部分钱庄乘机扩大业务,对各商行实行借贷优惠办法,以便利商家,吸引客户存贷。同时,钱庄对粮店发行凭帖条件更为宽松,取得了商家的赞助,钱业又得以兴盛。1931年,独资和集股两种形式的钱庄增至20多家,其中集股的两家,资本均在3万元左右,余者为独资经营,资本在六七千元至1万元左右。①

---

① 董化南主编:《内蒙古金融志》上卷,内蒙古人民出版社2007年版,第300页。

日本占领时期，丰镇的金融业完全控制在日本人手中。由于伪蒙疆银行丰镇支行独家操办银、钱、钞票的兑换与存贷，丰镇钱庄业无法生存，全部倒闭。

六、高利贷盘剥

民国时期，内蒙古地区私人借款一般是通过当铺进行的。另外还有一种信用借贷，其利息很高，即人们所称的高利贷。经济凋敝，民不聊生，借贷度日几乎成为大多数农民维持生计的必要手段，导致高利贷的盛行。据1933年的调查，原绥远省耕地在50亩以下的农户占总农户的59.4%，但占有的耕地却只占全部耕地的8.23%，约有81%以上的贫苦农民常年负债，借款户占总农户数的48%，借粮户占总农户数的33%。在内蒙古东部地区，有60%以上的农民没有土地。在1934年绥远省农村的借贷总额中，向地主、富农借款的占11.7%，向银行、合作社借款的占8.7%。在内蒙古东部地区的高利贷资本中，来自地主、富农的占58.7%，来自银行的占27%。[1]

出贷者以农村地主和城市粮商为主，借贷者一般是贫苦的农民、市民。其利率以农村为高，农村的最低利率为月息2分5厘，4分的居多，有个别地方月息竟高达1成。内蒙古地区农村高利贷的活动有以下特点：

乘人之危，并活跃于贫困地区。春耕期间，农村正处于青黄不接，是贫苦农民最为困难的时期，高利贷者借机放贷；因家庭突然变故等原因而不得不借贷者，也是高利贷者盘剥的对象。

利率高。据1935年对归绥县和归绥市郊的16个乡借贷情况的调查，靠近城市，生活稍好者借贷者较少，利息也较低，一般为2—3分。在农民尚能温饱的地方，告贷者少，月息一般最高为3分。贫困地区的农民借贷，月息一般为5分。甚至达到月息1成，即每元每月1角。赤峰、林西、乌丹等地普遍实行"一米三谷"和"春一秋三"，实际利率已达1倍以上。

"贷实还实"和"借款还实"。由于农村货币流通少，一半以上的借债户要用高利贷解决生活需求。抗日战争以前，内蒙古农村的实物借贷占到1/3以上。当农民收入减少时，实物借贷即有更大的发展空间。这种借贷方

---

① 苏利德：《内蒙古金融机构沿革》，远方出版社2003年版，第412页。

式，便于高利贷者辗转盘剥，即在不同季节里可对实物借贷任意标价，粮贵则贷钱收粮，粮贱则贷粮收钱。

借贷期限短。为保障自身利益，高利贷者往往缩短借贷期。据 1934 年的调查，绥远省各地借贷期限在 6 个月以下的占 26.6%，1 年以下的占 60.2%；社会动荡时期，借贷期限愈加缩短。

抵押贷款成为高利贷的主要形式。1934 年原绥远省农村抵押贷款占到 52%，个人信用贷款只占 12%。日伪时期和国民政府的官僚金融组织则完全采取抵押方式，抵押贷款迫使农户变卖田产，预售青苗，加重了农民的破产风险。内蒙古地区的高利贷种类繁多，归纳起来有以下几种：

斗债。也叫放粮债，一般是春借 1 斗，秋还 1 斗半至 2 斗，也有的是春借 1 斗粗粮，秋后还 1 斗细粮。

青苗债。即以未成熟的农作物作抵押借贷，利息一般为月息 3—5 分，作物成熟后如不能归还本息，作物就归放贷者所有。还有一种叫"买树梢"，是将未成熟的庄稼出卖，议定极低的价格，到收获粮食后，照议定的价格交粮抵借款。

房地抵押。借贷时以房屋、土地作抵，此种借款利率较低，一般月息不超过 3 分，到期无力偿还本息，则以产业相抵。

"驴打滚"。也叫"金牛翻"、"双脚跳"，一般是借一还二，过期计算复利，期限较长，不以月计息。到期如不能归还，则以利滚利计算。

本子利。借 10 元到期连本带利还 20 元。还有一本二利的，到期须还本金的 3 倍。

印子利。也叫"日夜忙"，一昼夜即记利 2 天，借款 1 月按 2 个月计息。

死契粘单。借钱时以房地契约作抵押，月息为 2—3 分，并出具绝卖死契，死契上粘附借款纸据。到期如无力偿还，债主即撕去死契上粘附的借据，房地即归债主所有。

此外，还有所谓谷利、三三制、倍倍钱、搂搂利、大加一等多种方式，其目的不外乎借少还多，层层加利。

商业高利贷在农村高利贷中占有相当比重，以粮行最为典型。绥远省的粮商买青苗的活动曾一度非常活跃。一些地主也加入其中。抗战爆发前，归绥就有 736 户地主投资于粮店作为高利贷资本。1933 年至 1941 年间，归绥与平地泉的粮商即采取买青苗的方式，共向 8 500 户农民放款 15.5 万元。如遇丰年，农民尚可糊口，一旦歉收，农民不得不以高价向粮商购买口粮，粮商居间牟利，农民则遭受借款额 3—4 倍的损失。在丰镇乡间，"……重利盘剥之风甚盛，凡贫民向富户贷款者，月利 2 分至 5 分，且须殷实之担保，并以田地作抵，而所贷又半系现款，半系粮粟或货物"①。在河套地区，"高利贷利率之高，骇人听闻。普通每月 3 分 5 分或 6 分，亦有大 1 分者月 10 元即取利 1 元……"② 许多地主以放斗债起家，通过高利贷，以小斗出大斗进的手段大发横财。贫民向富农告借，不仅须有人担保、土地作抵押，而且，所贷半系现款，半系粮食和货物，粮食和货物均以高价折算。

财力雄厚的高利贷者往往都是大地主、有权势的官绅。为确保其利益，他们蓄养打手，甚至以私人武装讨债催欠，如有欠贷不还者，则动以私刑，摧残折磨。一些高利贷者不仅是社会的寄生阶层，而且成为残害百姓的恶势力。

在各蒙旗牧区，高利贷主要通过日用消费品与畜产品间的不等价交换进行盘剥。春夏之际，商人将首饰、布料、砖茶、烟酒等商品贷出，到秋冬时节或来年，要收回比原价高出数倍的畜产品。1 斤酒换取 1 只羊、1 支普通玉石烟嘴要换取 1 匹马的情况在各蒙旗普遍出现。此外，蒙旗王公、仕官、上层喇嘛为满足享乐的需求，除对属民征收的传统实物贡赋外为获得更多现银，还向旅蒙商号钱庄票号等借贷大量钱款，付以高利，将债务全部转嫁在旗民身上。广大牧民为缴纳贡赋税银，被迫将其牲畜、皮毛等畜产品以低价出售于旅蒙商，或以牲畜等财产做抵押，高利借贷。旅蒙商人以蒙古农牧民的牲畜、土地、作物等做抵押，赊销商品，定期讨债。在此期间，如牲畜、在田农作物等均需加倍生利。由于旅蒙商赊销商品持有王府和旗衙门的印票，全旗的债务即可一笔转账，旅蒙商可由此将生产物资大部分占有。这种掠夺式的商业活动，是造成近代内蒙古地区日趋贫困的主要原因之一。旅蒙商在掠取畜产品后，又以高价换给农牧民日用商品及粮食等。因复利账逐年

---

① 绥远省政府编：《绥远概况》，绥远省政府 1933 年印刷，第 49 页。
② 韩梅圃：《绥远省河套调查记》（上），绥远华北印刷局 1934 年印刷，第 65 页。

增加，有时高达年息50%。一些商品的利润和利息相加，可超过原价的30倍之多。[①] 1910—1929年间，张家口的640家旅蒙商运往牧区的物资价值约600万—900万元，而每年平均要收回积欠本息和当年交换的畜产品价值达3300万元。受商业高利贷者的影响，一些王公、牧主和上层喇嘛也放高利贷，牧民向牧主借车、马、钱粮要付很高的利息。如借1匹4岁马，次年偿还时须带马驹1匹；借1头奶牛，第三年归还时，须带2只牛犊；借1只母羊，一年后须带1只羔羊。据1940年对陈巴尔虎、索伦旗的调查，47户有11户是高利贷者，10个牧主中有6个牧主兼放高利贷，放贷比重占放贷额的62%。牧区流行的高利贷形式主要有：实物、现金借贷；贷现还实，借小还大，押劳力（为放贷者无偿放牧）、押青（押幼畜，到期还成年牲畜），等等。

七、内蒙古金融机构的逐步统一

抗日战争时期，中国共产党创建的大青山抗日游击根据地的金融工作由西北贸易公司兼办。绥察行政公署在1941年10月1日公布的《绥察行政公署施政纲领》中重申了当时中国共产党的金融方针，即"努力各种经济建设，经常和日寇作经济斗争"、"维护法币，破坏伪币，制定绥察本位币"。[②] 大青山根据地以晋西北根据地西北农民银行发行的西北农民币为本位币，兼与其他友邻根据地发行的钞票混合流通。绥蒙政府为迎接绥远解放，于1948年在丰镇创办了银贸短训班，吸收晋北等新解放区100余名青年参加学习，毕业后很多人被派到银行和商业部门工作。

抗战胜利后，内蒙古的金融市场呈现出混乱的局面。在国民党统治区，一些战时歇业或迁出的金融机构恢复了营业。1945年8月，中国银行、中国农业银行、交通银行、中央合作金库等陆续在归绥、包头等地重新建立分支机构。此外，部分地方士绅、商贾也筹措资金，建立金融机构，如西蒙实业银行有限公司、包头市县联合银行等。

与此同时，随着内蒙古民族解放斗争的蓬勃开展和解放区的创建与巩

---

① 沈斌华：《内蒙古经济发展史札记》，内蒙古人民出版社1982年版，第26页。
② 苏利德：《内蒙古金融机构沿革》，远方出版社2003年版，第412—416页。

固，内蒙古解放区的金融机构也相继建立并逐步发展起来。

1945 年 8 月，内蒙古东部地区的大批革命者聚集于王爷庙（今乌兰浩特市），组成内蒙古人民解放委员会，并宣布成立新的兴安总省，以取代原伪兴安总省，接收日伪产业，稳定地方市场。9 月 1 日，关闭伪满洲中央银行兴安支店，撤销兴农金库兴安支库等金融机构，成立东蒙地方流通券印刷厂。10 月，开始发行第一期"兴安总省政府暂行流通券"。至 1946 年 1 月，东蒙地方流通券印刷厂代理地方政府发行货币，行使了部分银行的职能。

1946 年 1 月，东蒙古人民自治政府成立。在自治政府制定的《经济建设总要》中，宣布废除日伪统治时期强加给各盟旗人民的租税负担，实行"合理的、有计划的经济制度"；规定："建立东蒙古银行，发行货币，整顿金融。"① 3 月，东蒙古银行成立。银行内设秘书、业务、会计、出纳 4 股，下辖扎兰屯分行、白城子办事处和东蒙地方流通券印刷厂。主要业务为发行货币、代理金库业务、存款、放款、汇兑、收购金银，等等。为解决财政困难，恢复和发展经济，从 1946 年 3 月至 1947 年 3 月，东蒙古银行共发行东蒙古人民自治政府暂行流通券（俗称"东蒙币"）7.3 亿元，部分地解决了交易手段短缺、商品流通滞塞等问题，在一定程度上遏制了战后货币流通的混乱状况。

同年 5 月，随着内蒙古自治运动的深入开展，东蒙古人民自治政府宣布解散，受东北人民政府和内蒙古自治运动联合会双重领导的兴安省政府宣告成立。7 月，东蒙古人民自治政府暂行流通券改称兴安省暂行流通券。② 东蒙古银行发行的流通券面额有 5 元、10 元、50 元、100 元。为方便内蒙古东部地区各盟旗的商品流通，扩大影响，东蒙古银行于 1946 年 9 月还在海拉尔发行了东蒙古各旗县通用地方流通券，面额为 50、100 元，共发行了 2.5 亿元。

除上述几种临时性货币外，市面上还有数种货币在一段时间内混杂流通。其中，"满洲国币"、"蒙疆币"至 1947 年内蒙古自治政府成立后方彻底废止。相邻解放区发行的纸币，如晋察冀边区币、晋冀鲁豫币、热河币和

---

① 《东蒙古人民自治政府经济建设总要》，内蒙古自治区档案馆档案，档号 5—1—2。
② 姜宏业主编：《中国地方银行史》，湖南人民出版社 1991 年版，第 887 页。

国民政府中央银行发行的"东北九省流通券"、西北农民银行发行的纸币也在流通。同时，还有数种因特殊情况发行的临时性地方货币。如：伪蒙疆银行纸币印鉴票（1945 年 8 月，由昭乌达盟巴林左旗地方维持会将蒙疆银行纸币加盖维持会印鉴，共发行 120 万元）；通辽县地方临时救济券（通辽县维持会于战后发行，面额 100 元，共发行 2 500 万元）；开鲁地方流通券（开鲁县治安维持会发行，共发行 880 万元）；三旗流通券（哲里木盟科尔沁左翼前、中、后 3 个旗联合发行）；苏联红军票（苏军驻扎东北和内蒙古地区期间，由苏军司令部发行的不可兑换的纸币。面额有 1、5、10、100 元）；纳文慕仁盟政府地方流通券（1946 年 6 月，兴安省政府迁至纳文慕仁盟政府所在地扎兰屯后发行的货币，面额 100 元，共发行 3 亿元）。这些货币的发行，大多是临时性地方政权为应对战后混乱的货币流通状况，解决交易困难和筹措政权组织、军队经费开支所采取的措施，流通时间较为短暂。

　　1947 年 5 月 1 日，内蒙古自治政府成立。6 月 1 日，东蒙古银行正式改组为内蒙古银行，隶属于内蒙古自治政府财政经济部。银行内部机构设置由 4 个股升格为 4 个科，职工人数为 33 人。扎兰屯分行改组为办事处，同时增设突泉县、扎赉特旗、齐齐哈尔市 3 个办事处，内蒙古银行成立后即发行内蒙古各旗县公私款通用地方流通券（俗称旧蒙币），至 1948 年 5 月，共发行 548 810 万元。内蒙古银行的成立，标志着内蒙古金融事业进入了新的发展时期。随着解放战争的节节胜利，内蒙古的金融市场开始向稳定有序的方向发展，为后来内蒙古自治区建立相对独立的地方性金融体系和货币制度创造了有利的条件。

　　1948 年初，内蒙古东部解放区基本完成了农村土地改革和牧区民主改革，对城镇工商业的改革也在稳步进行。这标志着内蒙古东部解放区已先于国内其他地区步入国民经济恢复和发展的新时期。但是，此时内蒙古自治政府的财政经济制度尚不健全，财政收支还不统一。其表现为：盟、旗是一级预算单位，兴安总省政府、兴安省政府、东蒙古人民自治政府、东蒙银行、内蒙古银行发行的各种地方流通券在市场上混合流通。为此，内蒙古自治政府与同年 6 月发布《关于币制改革改组内蒙古银行》① 的公告，宣布将内蒙

---

① 《内蒙古自治政府公报》（1948 年 10 月）第 1 卷第 1 期。

古银行改组为内蒙古人民银行，发行新货币。内蒙古人民银行设业务、秘书2 处 5 科及 1 印刷厂。至年底，已辖有海拉尔支行、扎兰屯支行、突泉县支行、扎赉特旗支行 4 个分支机构，职工人数达 127 人。

这一时期，相邻的解放区金融机构也在内蒙古解放区部分城镇设立分支机构，开展金融业务。其中有晋察冀边区银行（1938 年成立，1945 年在张家口重建）、冀察热辽长城银行（1947 年在赤峰成立）、东北银行（1945 年在沈阳成立）、热河省银行（1947 年在承德成立）等。

1949 年 5 月，原属辽北省政府管辖的哲里木盟和热河省管辖的昭乌达盟划回内蒙古版图，归内蒙古自治政府领导。原属东北银行和冀察热辽长城银行领导的通辽、林东、林西、天山和经棚 5 个支行、办事处由内蒙古人民银行接管，哲、昭两盟货币流通，以内蒙古人民银行钞券为本位币，与东北银行钞券等值使用。① 至是年末，内蒙古人民银行已辖有分、支行及办事处11 个，职工人数达 296 人。

1949 年 12 月，内蒙古自治区政府由乌兰浩特市迁往张家口办公。内蒙古人民银行也于 1950 年 5 月在张家口设立支行。7 月，锡林郭勒盟贝子庙支行、察哈尔盟宝昌支行成立；同时设乌兰浩特分行，办理除总金库事务之外的对外事宜。8 月，原察哈尔省宝昌、多伦、化德 3 县划回内蒙古自治区管辖，其银行机构亦由内蒙古人民银行领导。

在绥蒙地区，1946 年 7 月，属西北农民银行贸易总局管辖的绥蒙区贸易分局改为绥蒙区贸易公司，下辖 6 个分公司和集宁、丰镇两个分公司的 5个商店，另有计划编制中包头、陕坝两个分公司的 8 个商店。贸易公司的主要业务为农业生产贷款、存款、汇兑、收兑各解放区货币。据当年 9 月的统计，绥蒙贸易公司春耕贷款 1 900 万元；耕牛贷款 7 800 万元；存款 25 419万元，汇入汇出款 20 963 万元。② 是年秋，国民党军队向绥蒙解放区发动大规模进攻，中共绥蒙区委、绥蒙政府撤往山西雁北地区，绥蒙贸易公司各分支机构的业务均暂时停顿。1947 年秋，人民解放军转入战略进攻。为解放战争胜利发展的需要，中共中央开始筹划组建中央银行，并准备发行统一的

---

① 《内蒙古自治政府公报》（1949 年 6 月）第 1 卷第 5 期。
② 苏利德：《内蒙古金融机构沿革》，第 175 页。

货币。1948 年 12 月，中国人民银行正式成立，同时发行人民币。

1948 年 9 月，人民解放军发动察绥战役，相继收复丰镇、集宁等 6 个城市。12 月，原西北农民银行绥蒙贸易公司改称中国人民银行绥蒙分行，全面开展绥蒙解放区的银行业务。1949 年 4 月，绥蒙政府发布《关于非本位币及外汇管理办法》，确定以人民币为本位币，西北农民币为辅币，其他边币停止流通。5 月，绥蒙分行在丰镇正式挂牌营业，同时发布公告，收回流通的各种边区币，绥蒙地区金融市场遂逐步统一。6 月，绥蒙分行改称中国人民银行绥远省分行，内设秘书、人事、会计、出纳等 7 科。绥远"九一九"和平解放后，绥远省分行由丰镇迁至归绥，于 11 月正式接收国民党绥远省银行。经全面清理，原绥远省银行移交了资产。自接收之日起至 1950 年 1 月，绥远省分行收兑了原绥远省银行发行的银圆券数十万元，比价为 4 000 元人民币：1 元银圆券，占发行总额的绝大比重，基本保障了各阶层群众的利益。自此，人民币逐步占领了内蒙古西部地区的货币市场。

新中国成立后，为尽早恢复生产，稳定市场，免受相邻地区物价波动的影响，内蒙古自治区人民政府辖区内仍继续保留了东北和内蒙古地区的币制和银行体系。内蒙古地方性币制的建立，不仅改善了财政供给，也促进了战后内蒙古地区社会经济的恢复。随着国民经济的恢复和发展，全国金融实现了统一。1951 年 4 月，内蒙古人民银行改组为中国人民银行内蒙古自治区分行。至此，内蒙古地区的金融机构进入了全国统一的金融体系。

第四节 民国时期呼伦贝尔地区的商业贸易

一、呼伦贝尔地区商业贸易的兴起

（一）清朝对呼伦贝尔的经营和民国初年的呼伦贝尔

呼伦贝尔地处大兴安岭以西，东接大兴安岭分水岭，与西布特哈地区相连，南与哲里木盟毗邻，西及西南与外蒙古（今蒙古国）接壤，北及西北隔额尔古纳河与俄国为界。

1689 年（清康熙二十八年），清朝政府与俄国签订《中俄尼布楚条约》，规定中俄东段边界。1727 年（清雍正五年）中俄两国又签订《恰克图条约》，确定中俄中段边界。1732 年（清雍正十年），清政府从嫩江流域的索伦、达斡尔、鄂伦春和编入盛京、吉林等地驻防八旗的巴尔虎人当中选拔 3 000 人移驻呼伦贝尔地区游牧、守边。同年，又从阿尔泰移来厄鲁特人 100 名。1734 年（清雍正十二年），从喀尔喀车臣汗部移来新巴尔虎（原移来者称为陈巴尔虎）人 3 700 余户。设索伦左、右翼 8 旗、新巴尔虎左、右翼 8 旗和厄鲁特 1 旗，派统领管理。1743 年（清乾隆八年），统领改为副都统衔总管，其下增设管旗总管，隶黑龙江将军。至此，呼伦贝尔八旗驻防体制形成。[①]

1896—1903 年间，俄国在中国东北修铺铁路，呼伦贝尔地区遂有大量内地汉人及俄罗斯人进驻，成为中外杂居之地。

1907 年（清光绪三十三年）东三省改设行省，次年，裁撤呼伦贝尔副都统，设呼伦贝尔兵备道，"办理交涉关税，调遣境内巡防各军，还要考核所承辖府厅州县，兼理蒙旗一切事务"[②]。在海拉尔添设呼伦直隶厅，管理境内各旗牧场；在西北边境满洲里设胪滨府，在额尔古纳流域要地吉拉林设吉拉林设治局，管理地方事务。在不触及驻防八旗基本利益的情况下，采取逐步推进民制的方式，形成旗制与民制并存的行政建制。

1911 年（清宣统元年）10 月，正当武昌起义爆发之时，受外蒙古独立运动的影响，呼伦贝尔各旗总管和官员举行会议，作出独立决议，并于 1912 年 1 月宣布独立。同时，呼伦贝尔蒙旗武装进攻海拉尔、满洲里、吉拉林等地，控制了整个呼伦贝尔。外蒙古独立政权首脑哲布尊丹巴呼图克图封额鲁特旗总管胜福为贝子，并任命其为呼伦贝尔总督。

1915 年 11 月，北京政府与俄国签订了《中俄呼伦条约》，规定呼伦贝尔为直属中华民国中央政府之特别区域；呼伦贝尔副都统由民国大总统在当地总管等职官中选任，职权相当于行省行政长官巡按使；平时一切军事均由

---

　　① 柳泽明：《关于呼伦贝尔八旗的设立》，见《庆祝王钟翰先生八十寿辰学术论文集》，辽宁大学出版社 1993 年版；奇文瑛：《清代呼伦贝尔地区的两次移民与得失》，载《中国边疆史地研究》2001 年第 1 期。

　　② 万福麟监修，张伯英总纂：《黑龙江志稿》卷 45 之《职官志》，台湾《中国边疆丛书》影印本1965 年版。

当地旗兵担任；除关税及盐税外，境内一切税收及其他收入均归呼伦贝尔官府；中国政府承认此前俄人与呼伦贝尔官府订立的各种合同。从此，呼伦贝尔地区取消独立，成为实行自治的特别区域，中国政府恢复了名义上的主权，而实际上该地区仍在俄国的控制之下。1920 年 1 月，北京政府宣布废除《中俄呼伦条约》，取消呼伦贝尔"特别区域"。

呼伦贝尔特别区域取消之后，呼伦贝尔副都统专辖蒙旗事宜，归黑龙江省节制。同时，设呼伦贝尔善后督办交涉员公署，在清末所设呼伦厅、胪滨府、吉拉林设治局的基础上，设呼伦、胪滨、室韦和奇乾①等 4 县。1925 年，改呼伦贝尔善后督办交涉员公署为呼伦贝尔道尹公署。

（二）清末民初的呼伦贝尔居民及其生产、生活

据 19 世纪末呼伦贝尔副都统衙门的统计，呼伦贝尔包括索伦、巴尔虎、达斡尔、额鲁特、鄂伦春 5 部人口共有 2 万。② 到了 20 世纪 20 年代，呼伦贝尔地区总人口达 7 万之多。③ 以当今的民族分类来看，这里不仅包括蒙古、达斡尔、鄂温克、鄂伦春等土著民族，还有为数众多的汉族和少数满族，另外还有相当数量的俄国人。

因呼伦贝尔各地地理、气候条件的差异，居住者的生活和生产方式各不相同。呼伦贝尔的东北部山岭多，森林覆盖率高，因此这里的人们多以狩猎为生。而西南部河流多，地势平坦，草场连绵，人们多以畜牧业为生。

经过清末改制，呼伦贝尔地方经济形态尽管没有发生显著的变化，但已不是游牧、狩猎民族的乐土。民国初期，"呼伦贝尔地广人稀，平均每 2 方里不过 1 人。其居民之生活，悉依地理及气候之关系而定。""近十年来，在牙克石站以西铁路线往北之地域内，农业渐形发达。"④ 1920 年以后，"不数年间，耕种面积，日益扩充"⑤。铁路线以北，不仅有汉族移民耕种，

---

① 奇乾县，1920 年设设治局，1921 年改为县，其位置大体在额尔古纳河支流珠尔干河流域。见程廷恒、张家璠纂：《呼伦贝尔志略》，上海太平洋印刷公司 1923 年印刷，第 58 页。

② 金峰整理：《蒙古文献资料九种》（蒙古文），呼和浩特市蒙古语文历史学会 1983 年编印，第 66 页。该统计数字中似乎没有包括喇嘛、儿童以及商人。

③ ［俄］库尔玛措夫著：《巴尔虎的经济概观》（日译本），［日］高桥克己译，大阪每日新闻社 1930 年刊，第 66 页。

④ 邹尚友、朱枕薪编：《呼伦贝尔概要》，东北文化社 1930 年版，第 97 页。

⑤ 邹尚友、朱枕薪编：《呼伦贝尔概要》，第 97 页。

也有迁入呼伦贝尔的俄国移民从事耕种，农作物以麦类为主，其中多为小麦。农产品几乎全部依靠外地输入的呼伦贝尔，随着农耕面积的不断扩大，也变成了产粮之地。

在铁路修通之前，呼伦贝尔境内的交通基本依靠连接各游牧旗的陆路驿站交通。驿站是清朝政府普遍设于全国各地的通讯、联络的交通机构，政令传达、官吏来往、朝贡觐见均通过驿站来进行。清代在黑龙江所设驿站官道主要有3条，其中一条"自省城而西过兴安岭而至呼伦贝尔"①，这便是18世纪前期开通的西北驿站。这条驿站路线沿途设21台，将黑龙江政治中心齐齐哈尔同呼伦贝尔连接起来。除了官方驿站交通外，在呼伦贝尔境内以海拉尔为中心又形成了通往四面八方的陆路交通。这些道路，北通额尔古纳河、三河、吉拉林，南达甘珠尔庙、阿尔山等地。

陆路交通以外，呼伦贝尔境内的河流从20世纪初开始被用来运输物资。随着俄国势力的渗透，俄国人首先注意到了河流的利用。他们在林场临近河流处，设法利用河运来节省木材运资。海拉尔河及其支流伊敏河、额尔古纳河及其支流牛尔河，当时均被用来运输木材。②

1896年（清光绪二十二年），清朝政府与俄国签订密约开始修筑中东铁路。③ 1898年滨州线破土动工，工程历时5年，1903年全线通车。该条铁路由西入境，横贯呼伦贝尔，其境内设10余站。主要有满洲里、扎赉诺尔、海拉尔、牙克石和兴安等，大大改善了呼伦贝尔的交通条件。

20世纪初以来，呼伦贝尔的商业贸易因为铁路修通、人口增多以及政局变动等因素，呈现出了空前繁荣的景象。

① 万福麟监修，张伯英总纂：《黑龙江志稿》卷42之《交通·路政》，此处呼伦贝尔似乎指海拉尔。

② ［俄］库尔玛措夫著：《巴尔虎的经济概观》（日译本），［日］高桥克已译，大阪每日新闻社1930年刊，第111页。

③ 中东铁路原名东省铁路或东清铁路。《清德宗实录》卷404，光绪二十三年四月戊子条记载，"署吉林将军延茂奏，华俄银行承造东省铁路，现将勘地兴工，照约派员保护。"该记载为有关东省铁路名称在《实录》中的首次出现。东清铁路记载则出现于光绪末年，《清德宗实录·宣统政纪》卷4，光绪三十四年十二月丙寅条记载，"邮传部奏，派员收回东清全路日俄电报，先与俄人商订合同。所有铁路界外电报，皆归还中国所有。"此后，东省铁路名称被东清铁路所代替。日本人所著书籍又常名东支铁路，所以正式改名为中东铁路之前，上述三名通常被混用。

（三）甘珠尔庙及其集市贸易

甘珠尔庙位于呼伦贝尔西南新巴尔虎八旗地布彦图布日都，1784 年（清乾隆四十九年）由清廷敕建，名寿宁寺，因收藏 108 卷《甘珠尔经》而得名。该庙地理位置具有一定优势，从西南方向绕过贝尔湖可到外蒙古的桑贝子旗、大库伦；向南经内蒙古乌珠穆沁右旗到多伦诺尔和张家口。西南还有一条路到将军庙（名德孚寺，建于清光绪年间），经外蒙古东部，往南折入内蒙古乌珠穆沁左旗、巴林右旗，可到赤峰。从将军庙东南可达科尔沁右翼中旗王爷庙等地。多伦诺尔、赤峰均为清代以来内蒙古地区有名的商业贸易中心，连接南部农耕地区和北部游牧地区，两地具备调剂和集散南北物资的市场功能。甘珠尔庙以连接内外蒙古各旗和商贸中心的有利地理位置而远近闻名。从建庙起，庙会活动渐盛，寺庙也逐渐扩大，成为呼伦贝尔境内最大的寺庙，喇嘛人数曾达千人。①

甘珠尔庙庙会于农历八月六日至十五日之间举行，历时 10 天。对游牧民来说，一年一度的庙会具有极大的吸引力。前来拜佛烧香的蒙古人，除呼伦贝尔境内的游牧蒙古人之外，还有内蒙古邻近各盟旗以及外蒙古车臣汗部各旗人。呼伦贝尔地方当局也十分重视庙会相关活动，"庙会为呼伦贝尔各部人民之重要礼节，每届会期均由各翼总管委派佐领以上官员 1 人，专司其事。"②

随着甘珠尔庙会声名远播，利用庙会进行交易，便成为该地区一项不可缺少的经济活动。甘珠尔庙会集市贸易形成于 18 世纪末 19 世纪初，19 世纪末 20 世纪初则达到鼎盛时期。庙会集市贸易于庙会开始之前的 5 日进行，即农历八月一日至五日，历时 5 天。起初，集市就在寺庙近处举行，后因集市贸易规模日益扩大，随后迁至寺庙正北 10 里之外。这样，不仅可以避免影响庙会活动，而且庙会期间集市贸易仍可以继续进行。来自东三省、直隶、山西等省和多伦诺尔、赤峰、张家口、北京、天津等各地的汉商和俄国、日本等国外商人云集此处，列肆陈货。这些商人专程从各地运来大量的日用品，参加集市贸易，采购畜产品，其中大部分是在海拉尔设有店铺的

---

① 程廷恒、张家璠纂：《呼伦贝尔志略》，上海太平洋印刷公司 1923 年铅印本，第 209 页。
② 程廷恒、张家璠纂：《呼伦贝尔志略》，第 205 页。

商人。

　　无论是游牧民还是商人，对交易双方而言，甘珠尔庙会集市都具有重大意义。对游牧民来说，一方面他们参加庙会，拜佛烧香，满足精神需要。另一方面通过与商人之间的交易，获得日用必需品，满足物质需要。对商人来说，更是以较低价格获得大量畜产品，同时以高价出售日用品的大好时机。根据货物的不同，甘珠尔庙会集市贸易大体可分为牲畜交易、皮毛交易、粮食和布匹、百货交易。牲畜交易从集市贸易的第 1 天即开始，因此可以称之为集市贸易的起点。游牧民赶来牲畜，必先将自己的牲畜交换成钱币或者货物。这一起点的顺利与否，数量的多与少，影响着整个集市贸易。牲畜交易从集市贸易的第 1 天持续到第 2、3 天，其交易额占总交易额的 3/5。① 以 1912 年甘珠尔庙会集市牲畜出售为例，其出售额见表 18 - 8。

　　牲畜交易数额与当地生产及其季节性特点有关。农历八月，牲畜臕情好，是夏秋季牲畜肉和皮张出产的最佳季节，庙会集市为游牧民及时出售畜产品提供了便利。皮毛交易也与牲畜交易同时进行，但是其数量远不如牲畜。粮食、布匹和百货交易是集市贸易最重要的组成部分之一，从集市贸易的第 1 天即零星开始，第 2、3 天逐渐活跃起来，第 4 天达到高潮。交易商品包括粮食、茶叶、布匹、宗教用品、马具、日用品等。

表 18 - 8　1912 年甘珠尔庙会集市牲畜出售额②

牲　畜	马	牛	羊	骆　驼
头（只）数	1 500	6 000	15 000	90
价值（两）	45 000	300 000	60 000	6 300

　　甘珠尔庙集市在呼伦贝尔商业贸易中占据独特的地位。这一地位的确立

---

　　① ［日］阿部武志编：《甘珠尔庙会定期市场——巴尔虎流通机构的集中形态》（日文），南满洲铁道株式会社北满经济调查所 1939 年刊，第 59 页。

　　② 《1912 年的甘珠尔蒙古集市——中东铁路商业区代办 П. Н. 斯莫尔尼克夫报告》，逯武华译，见《甘珠尔庙》，内蒙古文化出版社 2002 年版，第 289～310 页。1912 年，外蒙古独立运动和呼伦贝尔动荡局势，影响了甘珠尔庙集市，据报告者反映牲畜交易大大减少。

有以下几种原因：首先，清朝在蒙古各地广建寺庙、推崇和利用佛教，使得呼伦贝尔于18世纪末出现了寿宁寺，该寺开始举行庙会之日，集市便已开始；其次，呼伦贝尔地处边疆，居民多以游牧业为生。牧民要获得游牧生产方式不能提供的生产、生活用品，需要一处固定而长期的交易场所。18世纪中叶，海拉尔开始发展，但其商业还无法满足当地居民的需要。此外，寿宁寺西、南连接内、外蒙古其他市场和游牧业产区，东、北可达比较广的国内外市场。由于上述国家政策、人们生活方式以及地理条件等各种原因的推动，使甘珠尔庙集市能够年复一年地举行，也使其获得了重要的商业贸易地位。

1903年，横贯呼伦贝尔的中东铁路对庙会集市贸易造成了一定的影响，导致庙会集市贸易的萎缩。一方面，铁路交通刺激和带动了交通中心和地方市场的出现和发展。在铁路沿线，除了海拉尔之外，又出现了满洲里、扎赉诺尔等较大的城镇。这些城镇具备较为便捷的交通运输条件和功能，吸引着各地的物资通过铁路进入流通领域。另一方面，庙会集市本身的局限性也决定了集市的萎缩。因为庙会集市1年只举行1次，无法满足人们日常生活所需。

二、呼伦贝尔与俄国之间的商业贸易

（一）俄国商人之进入呼伦贝尔

20世纪初，在呼伦贝尔地区修筑中东铁路，引来了为数众多的铁路工人和技术员工。这些工人大多来自中国内地，而技术员工多数为俄国人。外来人口的大增，不仅影响了以往的行政管理，也改变了呼伦贝尔的经济生活和风俗习惯。尤其在铁路沿线地方，这种变化更为明显。体现在商业贸易的变化，首先是商人数量的增多，不仅有清代以来进入呼伦贝尔的汉族行商，还有不断趋利而来的俄国商人。

俄商进入呼伦贝尔，并非一开始就站稳脚跟。对俄商来说，了解呼伦贝尔游牧民的生活、生产以及风俗习惯、日用所需，都属于新的挑战。从18世纪前半叶即已开始经营呼伦贝尔商业贸易的汉商，掌控这里的市场已有百余年的历史。所以，通过与汉商的竞争，拓展新的商业领域，占领新的商贸市场，无疑是俄国商人在呼伦贝尔所面临的最大困难。20世纪初，俄商仅仅活动在铁路沿线，他们的势力未能进入距城镇较远的游牧地方。①

　　1912 年，呼伦贝尔发生的"独立"运动，给俄国商人带来了良机。这一时期，汉商在呼伦贝尔的商业活动一度受到排斥和干扰，不少商人在战乱中倾家荡产，一些商号被迫退出呼伦贝尔。② 与之相反，未遭受损失的俄商则乘机大力经营呼伦贝尔商业贸易。俄国商人改变了以往主要销售俄罗斯商品的经营方式，批量采购中国内地商品，再返销到呼伦贝尔各地。不仅迎合了当地人的需求，而且减少了加工、运输环节的消耗。作为重要商品之一的砖茶，从中国出口之后被俄国商人再返销到呼伦贝尔。③ 这一商贸过程，一方面可确保利益，另一方面，为俄国商人提供了直接接触呼伦贝尔游牧民的机会，使其进一步了解游牧民的日常需要，可直接承揽预订、制作所需产品的业务。到 1913 和 1914 年时，俄国制造的商品开始大量销售于市场，使用于牧民生活中。资料记载："俄国人在胪滨县中俄交界处偷运货物，输入中国境内，廉价行销。致使俄货充斥呼伦等地方市场。"④ 经过海关批准进入呼伦贝尔境内的俄国商品也为数不少，其总数难以统计。

　　表 18－9 所列商品和统计数字所反映的仅仅是通过海关进入呼伦贝尔境内的商品概况。其中，纺织品和金银首饰等总价格数目最大，占总额的60% 以上。未经过海关，走私进入呼伦贝尔境内的俄国商品也为数不少，其总数难以统计。在游牧民的生活中，游牧经济尽管能够满足衣、食生活的大部分需求，但是农业经济的产品，如粮食以及纺织品等仍然必不可缺。因此，当俄国商人活跃于呼伦贝尔市场时，依然根据游牧民的生活需要运入大量的纺织品。金银首饰是游牧民喜爱的一种商品，历来由汉商及其手工作坊供应。俄国商人了解游牧民的这一需求后，也制造出各类金银器，将其投入市场。表 18－9 相关数字正是反映了这一情况。除了上述两大类商品之外，

　　① ［俄］阔尔玛佐夫（即：库尔玛措夫）著，东省铁路经济调查局编：《呼伦贝尔》（汉译本），东省铁路经济调查局 1929 年印刷，第 201 页。

　　② 黑龙江省档案馆、黑龙江师范大学历史系编：《黑龙江历史大事记》（1912—1932 年），黑龙江人民出版社 1984 年版，第 1—6 页。

　　③ 孟宪章主编：《中苏贸易史资料》，中国外交经济贸易出版社 1991 年版，第 328 页。

　　④ 黑龙江省档案馆、黑龙江师范大学历史系编：《黑龙江历史大事记》（1912—1932 年），黑龙江人民出版社 1984 年版，第 21 页。

皮革制品和鞋等位居第二，总额达 18%，酒和杂货合计达 22%。

表 18 - 9　1913—1914 年从俄国输入海拉尔市场的商品①

（货币单位：卢布）

商　品	总　额
纺织品、金银首饰	500 000
俄罗斯酒	80 000
百货	100 000
皮革制品以及鞋	150 000
总计	830 000

同一时期，俄国商人从呼伦贝尔境内出口各种畜产品，其中包括各种皮张和肉类产品（见表 18 - 10）。

表 18 - 10　1913—1914 年经海拉尔出口俄国的畜产品②

（货币单位：卢布）

畜产品	总　额
牛皮	500 000
马皮	50 000
羊皮	60 000
旱獭皮	60 000
各类兽皮	50 000
牛羊肉	200 000
牛	240 000
绵羊	40 000
羊毛	400 000

① ［俄］库尔玛措夫：《巴尔虎的经济概观》（日译本），［日］高桥克已译，第 381 页。
② ［俄］库尔玛措夫：《巴尔虎的经济概观》（日译本），［日］高桥克已译，第 381—382 页。

（续表）

畜产品	总　额
骆驼毛	25 000
总计	162 5000

　　游牧业是呼伦贝尔最重要的产业，畜产品是游牧民不可或缺的生产、生活资料。在外来工业商品的诱惑之下，呼伦贝尔的游牧民必须不断地出售牲畜和畜产品，才能换得所需商品。据表18－10所反映的情况，牛皮和羊毛在出口方面占据前两位，其次为牛和牛羊肉。除了牲畜和畜产品之外，售往俄国市场的各类兽皮为数不少。其中，旱獭皮的总额达6万卢布之多。经过1910年的由旱獭传染的鼠疫风波，呼伦贝尔地区对旱獭的捕猎虽然有所减少，但作为特色物产的旱獭皮，仍源源不断地出售到俄国商人之手。

　　俄国商人深入游牧地，使得呼伦贝尔与俄国之间的商品贸易大幅度增长。俄商在游牧地附近设立了临时商铺，以便于进行旺季的交易活动。此外，锡尼河畔的布日亚斯锦商铺、甘珠尔庙附近的布鲁鲜措夫商铺以及罕达盖的数家俄罗斯商铺均为常年驻扎当地进行交易的商铺。

　　（二）呼伦贝尔与俄国之间的商贸特点

　　俄国与呼伦贝尔之间的商业贸易具有明显的不平等性质。

　　中国在与西方列强的较量中，丧失海关自主权，所规定的海关进口税额极低，而在这一低额关税基础上，俄国又获取免税和减税特权，获得非常有利的国际贸易地位。俄国商人通过经销商品，获得了丰厚的利润。俄国由于工业落后，产品质劣价高，无力与其他列强竞争。而俄国依靠它在中国东北北部形成的政治、军事侵略优势，利用其领土与中国东北北部接壤的条件，凭借把持中东铁路和松花江航运两大运输动脉，把中国东北北部变成了它理想的商品推销市场。从呼伦贝尔出口的牲畜和畜产品运至俄国远东地区，不仅补充或满足那里居住者的日常需求，还支持了这一地区加工工业的发展。与之相反，在呼伦贝尔与俄国间的贸易中，呼伦贝尔处于弱势地位。俄国商人销售本国商品和采购呼伦贝尔畜产品的商贸活动，全部可以在呼伦贝尔当地完成。他们抬高商品价格，或者以低于国际市场的价格采购呼伦贝尔的牲畜和畜产品，掌握着商业活动的主动权。而呼伦贝尔民众在当地采购俄国商品，或将畜产品出售给俄国商人，都处于被动地位。

铁路开通之后，尽管一部分呼伦贝尔资源可以通过铁路运销到其他国际市场，但是由于俄国控制着铁路管理和经营权，仍遭受俄国的居间盘剥。此外，1895 年（清光绪二十一年）开办的道胜银行是俄国和法国等列强的金融资本相结合的产物，由俄国政府控制。俄国在对中国东北的侵略、渗透活动中，道胜银行以经营存款、贷款、股票交易和发行货币（卢布）等业务，充当了金融侵略工具。1898 年，道胜银行在哈尔滨设立分行，直接经营在中国东北的金融业务。1903 年，铁路开通时，道胜银行在中国东北发行的纸币已经达到相当的数量，而俄国控制之下的中东铁路管理局又规定，购买客票、支付运费、缴纳木植税，一律只收卢布。[1] 这样，又促使卢布流通量和流通面积的扩大。在中东铁路附属地，卢布甚至成为本位货币。但是，第一次世界大战爆发后，卢布缺乏后备基金，严重贬值，因而导致战前俄商在呼伦贝尔购买畜产品所付卢布价值也随之大为"缩水"。

第一次世界大战爆发后，俄国陷于欧洲战场而无力顾及东方。从 1914 年开始，俄国商品的输出量逐年减少。据统计，1914 年到 1917 年之间，通过铁路输入中国东北北部的俄国商品重量分别为 1 897 000、1 889 000、1 613 000、821 000 普特。[2] 在通过铁路输入中国东北北部的所有外国商品总量中所占比重分别为 17%、18%、13% 和 6%，呈逐年下降的趋势。且这些商品大部分来自俄国远东地区，如鱼类和毛皮等，工业产品的数量已明显减少。

三、海拉尔、满洲里商业贸易的发展

（一）海拉尔和满洲里的发展

海拉尔和满洲里作为中东铁路滨洲线的重要火车站点和呼伦贝尔境内最重要的城镇，变化很大。

1. 海拉尔的发展

---

[1] 孔经纬主编：《东北经济史》，四川人民出版社 1986 年版，第 113 页。

[2] 张凤鸣：《日俄战后帝俄与中国东北北部的贸易》，载《求是学刊》1987 年第 3 期。

20 世纪初，中东铁路通车，海拉尔作为该条铁路重要的车站之一，首先在城镇面貌方面发生了巨大变化。铁路线将海拉尔分为两部分，形成铁路以南的新、旧两街和铁路以北的铁道北村。新、旧两街位于铁路以南，新街在北，旧街在南。两街沿伊敏河右岸沿展。其中，旧街即清雍正年间建起的老城，名呼伦城或安本浩特。新街则是修建铁路时始建，逐渐与旧街连成一体。新、旧两街中聚集官衙、商家和居民，是海拉尔最繁荣的地方。由海拉尔通往各地的道路始于这里，牲畜和畜产品的交易也在这里进行。每到羊毛和旱獭皮等当地物产上市的季节，车马和商人咸集于此，熙熙攘攘，热闹非凡。相形之下，位居铁路线以北的铁道北村则范围小，人口少。早期的铁道村主要是铁路职工的住宅区。①

20 世纪 30 年代，海拉尔新街的南北向大街被称做中央大街，是新街最繁华的街区。中央大街左侧为向阳街，右侧为消防街，也是新街的主要街道。东西向街道以中央大街为中心被分为东、西两个部分。东部由北向南分别为东头道街、二道街、三道街和四道街，西部从北向南分别为西头道街、二道街、三道街、四道街。其中，东头道街多为木造房屋，呈俄罗斯建筑风格。由北向南通过中央大街，就可以进入海拉尔旧街。旧街仍以三条南北向街道为主要街道，正阳街居中，其左侧为东大街，右侧为西大街。正阳街不仅是海拉尔最重要的商业街道之一，也驻有重要行政机关，如清代以来的呼伦贝尔地方最高行政管理机构——副都统衙门就在这里，伪满洲国时期被改为兴安北分省公署。②

1920 年，北京政府取消呼伦贝尔特别区域，以呼伦贝尔副都统统辖蒙旗事宜，同年设呼伦县和呼伦贝尔善后督办兼交涉员。副都统、县知事以及交涉员同治于海拉尔。1923 年，中东铁路海拉尔交涉分局改为海拉尔市政分局，接管市政管理权。1925 年交涉员改为呼伦贝尔道尹公署，1929 年，道尹公署又改为市政筹备处。1932 年，在呼伦贝尔设立伪满洲国兴安北分

---

① ［俄］阔尔玛佐夫著，东省铁路经济调查局编：《呼伦贝尔》（汉译本），第 71 页。

② 《海拉尔事情》（日文），朝鲜银行调查课 1933 年刊，第 6—9 页。该书又称，虽然副都统衙门被改为兴安北省公署，但是人们仍然习称为"蒙古政厅"，在该书所附"海拉尔市街图"中也标以"蒙古政厅"。

省，以海拉尔为分省省会。此后，先后撤销呼伦贝尔副都统衙门、市政筹备
处和呼伦县，成立海拉尔市政管理处。海拉尔市政管理处于 1940 年改为海
拉尔市。[①]

海拉尔规模的扩大，与人口数量的大幅度增加有着密切关系。20 世
纪 20 年代，海拉尔的人口达 1.4 万人，其中苏俄人占 1/3，汉族人占
2/3。而以蒙古人为主的呼伦贝尔土著人在海拉尔旧城只有数十人。[②] 海拉
尔的居民，多数以经商为主业。少数人经营种植蔬菜、放牧、大车运输以及
被雇于林场和洗毛厂。还有一部分人专门从事捕猎旱獭和采购，但受季节限
制，每到狩猎季节，大批捕猎者和采购者聚集在海拉尔等城镇，旺季一过则
顿显萧条。

海拉尔旧街还有为数不少的手工业作坊，以制作游牧生活所需用品为
主。其中有马具铺、制靴铺和铁、铜、木器店等。

铁路的开通，为海拉尔引进了机器加工工业。工厂大都以呼伦贝尔地方
的资源为原料进行加工。20 世纪 20 年代，著名的工厂有沃库洛夫皮毛厂、
中东铁路洗毛厂、广信公司的面粉厂和沃伦措夫公司酒厂等。

2. 满洲里的发展

满洲里的历史始于边疆危机日益加剧的 19 世纪末。1898—1903 年，修
筑中东铁路，经过中国东北边境的首站就设在地处呼伦贝尔西北的满洲里。
这里原为游牧草原的一部分，本无满洲里这一地名。铁路修至中国境内，设
立首站在此，名满洲里，意由此进入中国领土。

满洲里的地理位置具有相当优势。周围是广袤的草原，有着丰富的水资
源。扎赉诺尔煤矿在修筑铁路期间被发现和挖掘，为满洲里的发展提供了能
源。20 世纪初，满洲里发展迅速，很快成为初具规模的城镇。铁路线把新
兴的满洲里分成南北两个部分，北部是满洲里的主要部分，商家林立，人口
密集。南部则是铁路员工及家属的住宅区，统一修建的住房为这座新城镇增
添了前所未有的景象。满洲里的街道和建筑，多受俄罗斯建筑风格的影响，
俄式房屋、公园、旅店、教堂随处可见。和内蒙古其他城镇相比，满洲里不

---

① "满洲国"通讯社编：《满洲国现势》（日文），"满洲国"通讯社 1942 年印刷，第 261 页。
② ［俄］库尔玛措夫：《巴尔虎的经济概观》（日译本），［日］高桥克已译，第 130 页。

仅风格独特，而且街道整齐，道路平坦，属于一座规划性城镇。①

1908 年（清光绪三十四年），在满洲里设胪滨府，府衙设在距火车站 6 里之外，"围以城墙，墙系石造"。② 1912 年撤销胪滨府后，1920 年设胪滨县。1927 年，设满洲里市，建立市政公所。1936 年，伪满洲国将满洲里市政公所改为市政管理处，1940 年改为满洲里街，1942 年满洲里街复改为满洲里市。

1923 年，满洲里的人口增至 183 00 人。1924 年减至 13 600 人，1925 年又减至 12 000 人。1925 年的 12 000 人当中，俄国人占多数，达 8 500 余人，汉族 3 000 余人、其他外国人 500 余人。③

满洲里的居民仍以畜产品交易为主要业务。以捕猎旱獭、打捞水产品、挖煤和大车运输为其副业。20 世纪初随着国际市场对旱獭皮需要的增多，呼伦贝尔市场上旱獭皮价格持续上涨，旱獭皮贸易的利益刺激众多人到呼伦贝尔。满洲里这座新兴城镇也吸引了来自各地的旱獭捕猎者和采购者。1910 年，满洲里聚集了大批来自山东、直隶等地的捕獭人，人口从平日的 7 000 余人突增至 15 000 人。④ 正是这一年，由旱獭传染的鼠疫流行于俄国和中国东北，对满洲里的商业贸易造成了很大的负面影响。

20 世纪 20 年代，满洲里较大的工厂有 22 家，以皮革厂、制靴厂、酒厂、面粉厂为主，著名的有喀塔耶夫和谷里雅耶夫的皮革厂、苏里诺夫啤酒厂、玉丹诺夫面粉厂等。

（二）海拉尔和满洲里的商业贸易

中东铁路的开通，不仅改变了海拉尔和满洲里的外貌，而且使这两个城市成为重要的交通中心。铁路运输使呼伦贝尔的游牧经济同国内外市场产生更密切的关系，加快了游牧经济的不断商品化。20 世纪初，呼伦贝尔的游牧业仍是最大最重要的产业，也是最重要的资源。

丰富的牲畜和畜产品是保持呼伦贝尔市场活力的保障（见表 18－11）。

---

① ［俄］库尔玛措夫：《巴尔虎的经济概观》（日译本），［日］高桥克已译，第 138 页。
② ［俄］阔尔玛佐夫著，东省铁路经济调查局编：《呼伦贝尔》（汉译本），第 75 页。
③ ［俄］库尔玛措夫：《巴尔虎的经济概观》（日译本），［日］高桥克已译，第 140 页。
④ ［日］饭岛涉：《鼠疫与近代中国——卫生的"制度化"和社会变迁》（日文），研文出版社 2000 年版，第 138 页。

此外，铁路的开通，海拉尔、满洲里市场拥有了便捷的交通工具，市场范围大大扩展，能够吸收呼伦贝尔地区以外蒙古各地的畜产品资源。内蒙古的哲里木、昭乌达、锡林郭勒等盟各旗、外蒙古喀尔喀车臣汗部各旗的一些畜产品被运至海拉尔、满洲里市场，再从这里运往其他地方。另一方面，进入20世纪以后，除了中国内地传统商品之外，外国商品大量进入呼伦贝尔市场。大量中外商品的涌入，使呼伦贝尔自给自足的自然经济基础不断遭受冲击，广大牧民被卷入市场。游牧民的交易活动，大多是"为买而卖"①。因为游牧民要购买所需日用品，必须先卖出自己的牲畜和畜产品，然后才能够达到购买目的。

表 18-11　20 世纪前 30 年呼伦贝尔牲畜头（只）数

年代 ＼ 牲畜	牛	马	骆驼	绵羊	山羊	总计
20 世纪初②	124 398	170 172	9 011	1407 586	53 290	1764 457
20 世纪 20 年代前期③	140 000	170 000	7 000	1500 000		1817 000
20 世纪 20 年代后期④	170 688	180 896	8 495	159 795（含山羊）		1958 074

20 世纪初在呼伦贝尔以海拉尔、满洲里为中心、以畜产品集散为主要内容的商业贸易活动得到了较大发展。

1. 交易货物及交易类型

交易货物包括畜产品和粮食、布匹、日用百货等两大种类（见表 18-12、表 18-13）。

---

①　[日] 阿部武志编：《甘珠尔庙定期市——巴尔虎流通机构的集中形态》（日文），南满洲铁道株式会社北满经济调查所 1939 年刊，第 31 页。

②　内蒙古呼伦贝尔盟历史研究会编：《苏都护呼伦贝尔调查八旗风俗各事务咨部报告书》，内蒙古呼伦贝尔盟历史研究会 1986 年印刷，第 4—7 页。该调查大约进行于 1906 年。

③　邹尚友、朱枕薪编：《呼伦贝尔概要》，东北文化社 1930 年版，第 98 页。该调查由呼伦贝尔副都统衙门进行于 1925 年。

④　哈尔滨商品陈列馆编：《海拉尔一般事情和经济状况以及呼伦贝尔概况》（日文），哈尔滨商品陈列馆 1933 年印刷，第 70—71 页。该调查由中东铁路调查课进行于 1927 年。

表 18 - 12　畜产品的种类、产地及用途①

种　类	产地及用途
羊皮、山羊皮、羔羊皮	产于呼伦贝尔中西部草原地带，被广泛用于皮衣原料。半加工产品出口美国、德国等外国市场
牛皮	出于屠宰厂和游牧民之手，制作鞋类
马皮	大部分取自自然死亡的马，制作皮靴等
野兽皮（包括熊皮、狼皮、鹿皮、黄羊皮、旱獭皮等）	产于呼伦贝尔的山区，旱獭皮占很大比例
羊毛	产量最大，所产羊毛的 20%—40% 游牧民自用，剩余出售。用于地毯、毛织品和毡子等的制作
驼毛和驼绒	制作防寒衣物
马鬃	用于毛刷等原料
鹿茸	用于医药
牛羊肠子	食用和工业原料
牛羊肉	食用
黄油	食用

表 18 - 13　集散贸易中的粮食、布匹和日用百货②

种　类	备　注
粮食	以面粉和炒米为主
布匹	以棉布为主，包括褡裢布、中尺布、花旗布、套布等
糖	以红糖为主，蒙古上层阶级多食用
茶	以砖茶为主，也有叶茶
烟草	分为旱烟和鼻烟，鼻烟为蒙古人嗜好之物
酒	即白酒，经发酵、蒸馏等程序加工而成的粮食酒，农耕地区有常设烧锅，产量较丰
铁器	铁锅、铁锹等生活、生产用品以及马具所用部件
宗教用品	包括佛像、供香等
百货	包括妇女化妆品、儿童玩具等

---

① ［日］阿部武志编：《海拉尔市及其畜产贸易》（日文），哈尔滨日本商工会议所 1935 年刊，第25—34 页。

② 日蒙贸易协会编：《蒙古贸易及资源调查》（日文），日蒙贸易协会 1930 年印刷，第 53—57 页。

在海拉尔、满洲里进行牲畜和畜产品商贸活动的商人可分为国内和国外商人。国外商人有俄国、英国、德国、美国等人，其中俄国商人占多数，并享受豁免关税和运输优惠等特殊权益，资本也相当雄厚。相比之下，汉商虽然人数多，但是资本较薄弱。根据这些商人经营手段和方式的不同，商贸活动可分为以下4类：

（1）以采购皮毛等畜产品为主的商贸活动。海拉尔市场上的畜产品大致为牛、马、羊的皮张和各种兽皮、羊毛、驼绒和肉类、羊肠等。其中羊毛、羊肠和兽皮几乎全部出口。经营此类商贸活动的汉商为数众多，比较大的有20余家。国外商家中，在海拉尔设立分公司的英国产品出口公司（Produce Export Company）是经营此类贸易的大公司之一。该公司在海拉尔设立代理机构，采购畜产品。然后向本国（英国）、俄国和中国东北地区输出，20年代前期其商贸活动比较活跃（见表18-14）。

表18-14　英国产品出口公司1924—1926年向本国运送的畜产品概况①

输出品 \ 年份	1924年	1925年	1926年
羊皮（张）	146 790	32 690	28 200
羊毛（吨）	1 715	2 235	486
牛肉（屠宰腔体）②	3 759	3 487	
羊肉（屠宰腔体）	135 743	47 858	

英国公司还有毕迪尔曼和罗伯特·史密斯两家股份公司。两者经营收购旱獭皮、羊毛以及其他畜产品业务。其中以羊毛收购为主，年收购量分别达到400吨和200吨。与上述两个公司经营同类业务的还有德国加鲁罗维茨商贸公司。该公司1924年进入呼伦贝尔市场，1927年与英国罗伯特·史密斯公司一同活跃于锡林郭勒盟乌珠穆沁左右2旗畜产品采购市场。

---

①　［俄］库尔玛措夫：《巴尔虎的经济概观》（日译本），［日］高桥克已译，第431—432页。

②　游牧民秋后屠宰牲畜以备冬天食用，将屠宰牲畜的内脏取出后，使四肢弯曲。对此蒙古游牧各地叫法不一，有说qabsuray-a、qabsurai、uhuce等。但是在屠宰场屠宰的牲畜，不一定和游牧民的称呼一样。

此外，加布兰·瓦日黠夫斯基商贸公司主要采购羊毛，一年采购量达320—400吨。①

（2）以出售食品和杂货为主的商贸活动。这类商贸队伍以汉商和俄国商人为主，其中汉商不仅人数众多，实力也较雄厚。主要有长聚源、大利号、天增合等，所销售的商品，包括粮食、茶叶、酒类、布匹以及各种日常生活用品，所以销售对象很广泛，从贫困游牧民到富有的上层，几乎都依赖这类商贸活动。这类商贸活动在呼伦贝尔的固定市场（主要是城市等定居点）上只占一小部分，而大部分则在各旗游牧草原上进行。汉商从18世纪前半期开始进入呼伦贝尔市场，在百余年的经营过程中，了解市场特点和市场需要，占据了主动地位。在和游牧民的交易过程中，常常是以货易货，从而收购到大量的畜产品和牲畜。

（3）专门经营牲畜交易的商贸活动。这类商贸活动主要收购牲畜，专门性较强。除了呼伦贝尔各游牧旗之外，他们的商贸活动扩及锡林郭勒盟乌珠穆沁等蒙旗和喀尔喀车臣汗部各旗。

（4）中介商人。这类商人充当牲畜和畜产品交易双方的中介人，其经营场所通常称车马店，汉人经营者占多数。牲畜和畜产品交易双方入住车马店时，该店成为交易双方的证明者。如果只有单方入住车马店，车马店则出面了解市场情况提供信息，或者寻找合适的交易对象。如果入住的单方是收购牲畜和畜产品的商人，不能直接从当地市场获得所需产品时，往往由车马店提供向导，引商人直接到产地采购。由于能够提供方便的服务，所以牲畜和畜产品的交易双方经常选择车马店，生意较为活跃。

2. 交易地点及交易方式

牲畜和畜产品的出产，具有较强的季节性。因而交易双方均需把握时机，否则双方利益都会遭受损失。在当时的条件下，形成了两种比较普遍的交易地点，一是市场交易，另一个是产地交易。

（1）市场交易。牲畜和畜产品在的市场交易大体通过3个渠道。一是游牧民；二是与游牧民进行以货易货交易的商人；三是中介商人。其中游牧

_____

① ［俄］库尔玛措夫：《巴尔虎的经济概观》（日译本），［日］高桥克己译，第432—433页。

民常常赶着牲畜、运载皮张到市场，交易数额占据总交易额的 1/5。[①]

（2）产地交易。这类交易多依靠经营牲畜和畜产品贸易的商人经手完成。大体也通过 3 个渠道。一是采购皮毛等畜产品的商人；二是专门经营牲畜交易的商人；三是出售食品和杂货的商人。产地上的交易始于初春。这时气候转暖，冬雪融化，便于行车。各路商人储备货物或钱款，纷纷上路。

产地上的交易对象大部分为游牧民，交易直接进行在游牧民的牧场上。除此之外，还有一部分交易来自于将杂货店铺开设在游牧草原的汉商。这些商铺通过以货易货的销售途径，收购部分牲畜和畜产品，再转卖给专门的采购商。交易品种主要为牛、马、羊和野兽的皮张和羊毛。其中羊毛交易几乎全部在产地上完成，从每年的 6—7 月份进入交易旺期。游牧民还没开始剪羊毛，交易商人却早已把帐篷搭建在游牧民牧场一侧，走访周围的游牧民，同游牧民签订交易的口头合同。外商和汉商收购羊毛的渠道和形式有所不同。外商通常派专人到产地进行现金交易，还通过汉商、小额经营的外商和中介商人采购羊毛。汉商也通常到产地，利用游牧民不计算羊只数量的习惯，通常粗略地将一群羊以百只为一单元进行价格计算。还通过擀毡子的流动性手工业者收购羊毛。擀毡子的工匠为游牧民制作毡子时，通常以羊毛为工费。如将羊毛的 5/6 作为原料，其余 1/6 则作为工费。

20 世纪以来，呼伦贝尔以海拉尔、满洲里为中心的牲畜和畜产品贸易有几种交易方式。其一为以货易货。这是游牧草原商贸活动最为普遍的方式。商人们利用游牧民的价值观念淡薄、货币和商品认识甚微等弱点，采用这一交易方式，以期达到贱买贵卖目的。常常以一只烟嘴交换一匹骏马，或者以一瓶兑水的酒交换一车羊毛等近乎欺骗的手段实现不等价交易。其二为货物和钱币兼用。在游牧民和商人之间的交易中，由于对货物的不同需求，不得不采取货物和钱币兼用的形式。其三为赊买。这一形式常被交易双方采用。游牧民一方如果没有足够的钱币和畜产品，暂时以赊买的形式获得所需商品，等下一次交易时补还所欠。商人为了加快货币流通，也将游牧民的牲畜和畜产品以赊买的形式买下，卖出之后才付钱给游牧民。其四是钱币交

① 满铁哈尔滨事务所编：《从经济方面看呼伦贝尔事情》（日文），满铁哈尔滨事务所 1929 年印刷，第 44 页。

易。这一交易通常在城镇、铁路沿线各地被采用。

四、20 年代呼伦贝尔进出口贸易

1920 年 1 月，北京政府废除《中俄呼伦条约》，取消呼伦贝尔"特别区域"。这一时期，苏联政府与中国政府签订有关协约，取消沙俄时期的不平等协约和规定。比如：取消两国边界贸易在百里内不纳税规定，取消经由中东铁路进口的俄国货物照海关所定税则三分减一征税规定；取消设立在满洲里、绥芬河的俄国海关，等等。尽管原有不平等协定被废除，但是苏联在中国境内的铁路交通、金融等领域仍然拥有较大实力。据 1931 年的统计，苏联控制之下的中国东北铁路长达 1788.8 公里；华俄道胜银行虽在 1919 年由苏维埃政府收归国有，但在国外的分行仍以巴黎为总行所在地，照操旧业，直至 1926 年停业为止。[1]

20 世纪 20 年代前后，国际国内局势发生了重大变化，呼伦贝尔商业贸易也呈现出许多变化。

（一）铁路与进出口货物

表 18-15 中所示由东输入呼伦贝尔的货物，大致来自中东铁路沿线的中国东北各地；由西输入的货物则来自苏联后贝加尔等地。在 1922、1923 两年中，由东输入者多于由西输入者；到 1924 年由西输入者则大为增加；1926 年有所下降。相反，由东输入货物在 1922 年显示最高纪录，而在 1923 年骤减，此后几年增减无太大变化。

表 18-15　1922—1926 年由铁路输入呼伦贝尔的货物重量统计[2]

年　份 输入（吨）	1922 年	1923 年	1924 年	1925 年	1926 年
总额	135 115	55 309	78 092	90 663	67 169
由东输入	99 312	34 870	23 464	23 963	32 569
由西输入	35 803	20 439	54 628	66 700	34 600

---

[1] 孔经纬主编：《东北经济史》，四川人民出版社 1986 年版，第 321—322 页。

[2] ［俄］库尔玛措夫：《巴尔虎的经济概观》（日译本），［日］高桥克已译，第 398—401 页。

表 18 - 16 中所示向西输出货物是指通过铁路运输由东输入呼伦贝尔，再向西输出之物资；向东输出货物是指由西输入呼伦贝尔再向东输出之物资。统计数据显示，1922 年的输出总额在 5 年当中遥遥领先，其中向西输出者占总额的 93%。这与当年苏俄后贝加尔地区对外来粮食需求量增加有关。此后，输出总量骤减，一直没有超过 16 000 吨。表 18 - 16 输出总额中不包括呼伦贝尔当地货物。

表 18 - 16 1922—1926 年由呼伦贝尔输出的货物重量统计①

输出（吨） 年 份	1922 年	1923 年	1924 年	1925 年	1926 年
总额	71 682	13 944	4 155	15 224	8 359
向东输出	5 014	2 854	2 222	11 824	7 059
向西输出	66 668	11 090	1 933	3 400	1 300

从呼伦贝尔向西输出，即向苏俄后贝加尔地区输出的货物以肉类产品为主，1922 年与"1922—1926 年间由呼伦贝尔输出的货物重量统计"表一样，呈现数年当中的最高额度（见表 18 - 17），这同样表明了苏俄后贝加尔地区当年对外来肉食品的需求。

表 18 - 17 1922—1926 年向西输出的呼伦贝尔当地货物②

年 份	1922 年	1923 年	1924 年	1925 年	1926 年
输出额（吨）	1490	588	393		600

表 18 - 18 表明，通过铁路输入呼伦贝尔的货物，除了再运输出境以外，一部分则被消费在当地或者与当地有商业贸易来往的其他蒙古地方。在 5 年当中，差额在 41 365 — 75 439 之间。

---

① ［俄］库尔玛措夫：《巴尔虎的经济概观》（日译本），［日］高桥克已译，第 399—401 页。
② ［俄］库尔玛措夫：《巴尔虎的经济概观》（日译本），［日］高桥克已译，第 399—401 页。

表 18 - 18　1922—1926 年间呼伦贝尔输出输入货物对比

年份 输出入（吨）	1922 年	1923 年	1924 年	1925 年	1926 年
输入货物总额	135 115	55 309	78 092	90 663	67 169
输出货物总额	71 682	13 944	4 155	15 224	8 359
差额	63 433	41 365	73 937	75 439	58 810

（二）边境走私贸易

从呼伦贝尔输往苏俄后贝加尔等地的货物，通过两种途径：铁路运输和大车运输。大车（即指马车）运输在当时比较活跃。因马车不仅能够到达铁路所不能到达的地方，而且在短途运输中，具有相当的灵活性。

1917 年十月革命之后的数年当中，受动荡局势的影响，苏俄境内的铁路交通常常受阻。这使马车运输显示出灵活便捷的优势。在海拉尔、满洲里、吉拉林等地装载货物的马车，首先将货物运至额尔古纳河沿岸汉人经营的商铺，然后再走私运入苏俄境内。在额尔古纳河沿岸经营此类商贸活动的商铺总数达 150 多家。[①] 走私进入苏俄境内的货物包括纺织品、茶叶、砂糖、酒精、肉类、蜡烛和小百货等多种商品，从苏俄境内交换获得粮食、沙金等。走私贸易逃避关税，影响正常的海关贸易和国家及地方税收，因此一经查获，即受到官方的严厉惩罚。1925 年苏维埃联邦海关针对后贝加尔等远东地区频繁的走私贸易，制定了明确的惩治措施，要求相关地方海关严格执行，[②] 以图遏制此类走私贸易。

五、呼伦贝尔的商会和金融机构

（一）商会

商会是以保护商业、联络众商家为宗旨的商人社团。1903 年（清光绪二十九年），清廷设立商部之后，将设立商会作为振兴实业的重要一环。商部制定颁布了《商会简明章程》，动员各地商人尽快组织商会。此后，各地

---

① ［俄］库尔玛措夫：《巴尔虎的经济概观》（日译本），［日］高桥克已译，第 315—416 页。
② ［俄］库尔玛措夫：《巴尔虎的经济概观》（日译本），［日］高桥克已译，第 416 页。

纷纷设立商会，呼伦贝尔地方也照章组织了商会（见表 18－19）。呼伦贝尔地区最早的商会于清光绪末年在海拉尔设立，名呼伦商会。此后，在满洲里、吉拉林等地也相继设立。在俄人阔尔玛佐夫著，东省铁路经济调查局编：《呼伦贝尔》一书中，对呼伦贝尔各城镇商会业绩作了如下肯定："考中国商人，克在呼伦贝尔获得优厚之势力者，因各该地商会，富有联结之能力，而各县县城亦皆有之。彼此互相提携，声应气求，虽成立之历史初不甚久，多在欧洲大战以后，但其成绩，则皆斐然可观。"①

表 18－19　呼伦贝尔各城镇商会一览表②

商会 事别	呼伦商会	胪滨商会	室韦商会	奇乾商会	海拉尔特别区商会
成立时间	1907 年	1912 年	1920 年	1921 年	1919 年
地点	海拉尔	满洲里	室韦	奇乾	海拉尔

（二）金融机构

金融机构是伴随着商品经济的发展而产生发展的。在近代意义的金融机构——银行出现以前，在呼伦贝尔经济生活中具有汇兑、借贷功能的是旧金融机构，即票号、钱铺和当铺等。票号主要经营汇兑，并兼营存款、放款业务。钱铺经营贷款、存款、汇兑和发放钱票等业务。海拉尔和满洲里由于地理位置偏远，钱铺的汇兑范围大，海拉尔的兴盛昌、九安两大钱铺的汇兑可远达其他省区。③清代当铺以经营高利贷性质的抵押放款为主，抵押品大多为实物，诸如金银饰物等。此外当铺还经营信用放款、存款、货币兑换等业务，甚至发行银票和钱票，并兼营其他买卖。海拉尔和满洲里的当铺"外形均系高墙厚壁，内设之柜台较任何商号为高"。在海拉尔和满洲里经营汇兑、存贷款业务的银号、当铺共有 33 家之多，其中海拉尔有 18 家，满洲里有 15 家。④

---

① ［俄］阔尔马佐夫著，东省铁路经济调查局编：《呼伦贝尔》（汉译本），第 206 页。
② 程廷恒、张家璠纂：《呼伦贝尔志略》（汉译本），第 233—234 页。
③ ［俄］阔尔玛佐夫著，东省铁路经济调查局编：《呼伦贝尔》（汉译本），第 230—231 页。
④ ［俄］阔尔玛佐夫著，东省铁路经济调查局编：《呼伦贝尔》（汉译本），第 230—231 页。

1897 年（清光绪二十三年），清朝创办了中国第一家新式银行中国通商银行。此后各地陆续创办了许多银行，形成了新旧金融机构并存的局面。呼伦贝尔各城镇从民国初年开始出现银行。

海拉尔有中国银行分行、东三省官银号分号、黑龙江广信公司分行、哈尔滨远东银行分行、中俄道胜银行支行、海拉尔蒙古银行等。满洲里有中国银行收税处、黑龙江广信公司分行、哈尔滨远东银行分行、中俄道胜银行支行、满洲里商业银行等。其中，黑龙江广信公司设立于 1905 年，总行设于齐齐哈尔，1917、1918 年分别在满洲里、海拉尔设立分行。1919 年，黑龙江广信公司与黑龙江官银号合并，改名为黑龙江省广信公司。东三省官银号，于 1908 年由奉天官银号改设，总行设在哈尔滨，1921 年首先在满洲里设立分号，此后该分号迁至海拉尔。海拉尔蒙古银行创办于 1917 年，向各蒙旗发放纸币；满洲里商业银行成立于 1925 年，经营存款、汇兑等业务；哈尔滨远东银行前身为伯力远东银行哈尔滨支行，创立于 1922 年。1924 年改为哈尔滨远东银行，并在上海、北京、天津、张家口、海拉尔、满洲里等城市设有分行。

这些新兴银行及其分支机构，为海拉尔、满洲里的金融领域引入了新的管理方式和秩序。各银行的业务大体包括普通银行的各种业务，即汇兑、贷款、存款等。此外，部分银行还发行货币。满洲里的中国银行收税处专门代收海关税款。① 无论是全国性大银行，还是地方小银行，给当地金融业带来了新的活力，对当地工商业的发展起到了促进作用。

（三）货币

随着呼伦贝尔商业活动的繁盛，流通市场的货币种类越来越多，流通范围日益扩大。由于呼伦贝尔地处东北边疆，受东北三省以及俄国货币流通的影响较大。

20 世纪 20 年代，呼伦贝尔商业贸易中常用的钱币有银币、铜币和纸币。银币可分为银锭、银块和银币。银锭和银块因重量和成色而价格不一。在呼伦贝尔流通领域中，有吉林银和黑龙江银、天津银和上海银之别。其中，吉林银成色 98.6，黑龙江银成色为 98.2，因而吉林银的价格略高，信

---

① 万福麟监修，张伯英总纂：《黑龙江志稿》卷 21 之《财赋·钱币》。

用较好。银币有大洋、小洋两种，大洋多指"袁大头"，小洋为各地发行银币，大洋成色比小洋高。在呼伦贝尔流通的铜币为铜元，被称为"铜子儿"，有 1 文、2 文、5 文、10 文、20 文等。纸币有东三省官银号、中国银行、中国交通银行、广信公司、海拉尔蒙古银行等银行所发行的纸币，面额从 5 分至百元，其流通仅限在铁路沿线各地。此外，苏俄和蒙古国货币常流通于边境地带。俄国卢布于 20 世纪初 10 余年间广为使用；20 年代，蒙古人民共和国银币和纸币进入流通领域，其中银币价值"几与大洋及俄国新币卢布同"，正面铸蒙古人民共和国 1 元字样，背面铸纯银 18 克等字样。纸币背面印蒙古商工银行，正面左侧为各种说明文字，右侧标发行年代。[①]

六、20 世纪三四十年代的呼伦贝尔商业贸易

1931 年"九一八"事变后，日本占领中国东北；1932 年 3 月建立伪满洲国，将内蒙古东部地区纳入其统治范围之内。伪满洲国在呼伦贝尔设立兴安北分省，以海拉尔为省会，全省包括 6 旗、2 市。[②]

日本在全面实行殖民统治政策的同时，在商贸方面采取了统制政策。其具体措施为：①吞并东三省官银号、吉林永衡官银钱号、黑龙江省官银号、边业银行等 4 个行号，设立伪满洲中央银行，从 1932 年 7 月 1 日起，总行和分支行正式开始营业，发行伪币，收缴各种旧币。②1932 年宣布所谓海关关税自主权，控制海关商贸活动。③1935 年 3 月强迫苏联索取中东铁路及其附属资产，控制中国东北铁路经营和管理权。④排斥其他国家资本。

日本侵略势力很早就垂涎于呼伦贝尔的畜牧业资源（见表 18 - 20）。伪满洲国建立之后，立即投入大量的人力和物力，对呼伦贝尔畜产情况进行调查，进一步确认畜产业在呼伦贝尔经济生活中的重要地位。日伪政权也认为"兴安北分省 6 万人口的大约 7 成依靠牲畜、毛、皮交易生活。畜产品在当地所发挥的作用如同大豆在北满各地那样重要"[③]。

---

①　[俄] 阔尔玛佐夫著，东省铁路经济调查局编：《呼伦贝尔》（汉译本），第 230—231 页。

②　6 旗分别为新巴尔虎左、右 2 旗，索伦旗，陈巴尔虎旗，额尔古纳左、右 2 旗；2 市为海拉尔、满洲里。

③　[日] 阿部武志编：《海拉尔市及其畜产贸易》（日文），哈尔滨日本工商会议所 1935 年刊，第 23 页。

表 18 - 20　1934 年兴安北省牲畜调查表①

旗 市 牲 畜	海拉尔市	索伦旗	新巴尔 虎左旗	新巴尔 虎右旗	陈巴尔 虎旗	额尔古 纳左旗	额尔古 纳右旗	合 计
马	1 740	153 63	39 471	26 146	30 577	4 725	531	118 553
牛	216	20 586	34 954	23 647	16 307	14 662	118	110 490
羊（绵羊和山羊）	690	60 876	277 977	253 367	92 524	13 814	61	699 309
骆驼	183	476	2 330	2 110	330	0	0	5 429
其他家畜	817	34 386	3 138	2 178	2 010	20 384	612	63 525
合计	3 346	131 687	357 870	307 448	141 748	53 585	1 322	7 306

　　30 年代前期，日本的商贸势力在呼伦贝尔畜产商贸中尚未占据主导地位。从牲畜和畜产品、狩猎品贸易到洗毛、皮革等加工厂，汉商和部分外商仍占多数份额。当时，在海拉尔开设店铺的日商，最著名者为昭和盛。该店开设于"九一八"事变之前，总店在哈尔滨，名松浦洋行。其余商铺主要是经营以入驻当地的日本人（包括驻军和相关人员）为对象的饮食店等。通过昭和盛，以纺织品和茶叶为主的日本工业产品不断输入呼伦贝尔。有史料记载当时日本所制砖茶不甚适合当地人口味。② 1933 年，日本驻海拉尔领事馆开馆，入驻日本人与日俱增，日本人开设的各种店铺纷纷营业。据1934 年统计，日本人在海拉尔开设的各种店铺达 246 家，其中 170 家以日本人为服务对象，占总数的69.1％，其余76 家经营百货、医药、银行、当铺、摄影印刷、旅店服务等，占总数的30.9％。③

　　在日伪统治时期，粮食输入数量一直最大（见表 18 - 21），畜产品输出却很不景气（见表 18 - 22）。这显然是当时国内政局不稳、国外经济危机影响在畜产品输出贸易上的反映。

---

① ［日］阿部武志编：《海拉尔市及其畜产贸易》（日文），第 24 页。
② 满铁哈尔滨事务所编：《从经济方面看海拉尔》（日文），哈尔滨商品陈列馆 1934 年刊印，第 76 页。
③ 满铁哈尔滨事务所编：《从经济方面看海拉尔》（日文），第 12—15 页。

表 18 - 21　1931—1934 年海拉尔输入货物概况①

货物（吨）\年份	1931 年	1932 年	1933 年	1934 年
粮食	12 234	7 186	12 615	10 955
烟草	197	147	2 147	250
茶叶	153	80	229	209
砂糖	164	96	269	401
鲜果	250	65	153	331
羊草	253	154	516	1 797

表 18 - 22　1931—1934 年海拉尔输出货物概况②

货物（吨）\年份	1931 年	1932 年	1933 年	1934 年
肉类	244	268	232	124
毛类	1 323	530	1 124	90
皮张	398	153	439	322
粮食	1 551	824	516	1 172

1934 年 6 月，日满制粉股份有限公司从伪满中央银行收购了广信公司在呼伦贝尔的面粉厂。③ 这是当时唯一由日本资本控制的产业，意味着日本工商势力在呼伦贝尔的快速渗透。1935 年日本收购中东铁路之后，日本人在呼伦贝尔的经济、商贸势力迅速扩大。满蒙股份有限公司、满蒙畜产股份有限公司等商贸企业迅速介入这里的畜产品贸易活动，其中满蒙畜产股份有限公司几乎垄断了马匹贸易。1936 年 3 月，在长春创办"满洲国"法人东蒙贸易股份有限公司，分店设海拉尔。该公司主要业务为"兴安省畜产及其加工品的收购和蒙古人物资的供给"④，其目的显然是控制和垄断东蒙畜

---

① 《北满主要都市的经济动向》（日文），哈尔滨铁路局北满经济调查所 1937 年刊印，第 53—54 页。
② 《北满主要都市的经济动向》（日文），第 52—53 页。
③ 满铁哈尔滨事务所编：《从经济方面看海拉尔》（日文），第 11—12 页。
④ 《北满主要都市的经济动向》（日文），第 71 页。

产品贸易。

1937年5月，伪满洲国宣布《重要产业统制法》，将"统制"范围扩大到各个经济领域，将伪满洲国作为日本侵略战争的物资保障之地，对东北地区的资源进行肆无忌惮的掠夺。日本在中国东北实行殖民统治时期，以所谓的"经济统制"名义，取缔任何形式的自由贸易，完全控制了呼伦贝尔地区畜产品在内的所有商业贸易活动，使该地区成为日本商品输出和掠夺工业原料的基地之一。

1945年8月日本无条件投降以后，呼伦贝尔地区的商业贸易由呼伦贝尔自治省政府（1946年3月改称呼伦贝尔临时地方自治政府，10月又改称为呼伦贝尔地方自治政府）统一管理。该政府对于呼伦贝尔地区的市场进行了初步的整顿，组建巴尔虎蒙古合作社，发行地方流通券，并在各旗开展商品购销业务。在满洲里与苏联开展小规模的边境贸易，同时利用铁路向东北解放区出售牲畜及畜产品、食盐、木材等，换取粮食、布匹和日用品，以解决当地人民群众的生产、生活需要。① 呼伦贝尔地方自治政府在经济贸易方面所采取的这些措施，使当地的社会秩序得到稳定，受日伪统治及战争破坏的经济贸易得到恢复，各族群众的生产、生活困难得到了改善。1948年1月，撤销呼伦贝尔地方自治政府，成立呼伦贝尔盟政府，正式归内蒙古自治政府管辖。呼伦贝尔地区的商业贸易进入了一个新的发展阶段。

自从20世纪初中东铁路修通以后，随着俄国商人及其商业资本的大量进入，改变了18世纪中叶以来汉族商人垄断该地区商业贸易的状况，形成汉商、俄商并存的局面。俄商凭借中俄两国之间签订的众多不平等条约中所规定的一些特权和雄厚的资本作为后盾，很快掌握了呼伦贝尔地区商业贸易的主导权。进入30年代以后，随着伪满洲国的建立，日本殖民统治者完全掌握了呼伦贝尔地区的商业贸易在内的所有经济命脉，使该地区变成日本商品输出和掠夺工业原料的殖民地。1945年8月日本投降后，呼伦贝尔地区实行民族自治，该地区的商业贸易迎来了新的发展时期。

民国时期呼伦贝尔地区商业贸易的发展历程，就是呼伦贝尔地区一步一步沦为帝国主义殖民地的过程，是近代以来整个内蒙古地区社会变迁的一个

---

① 白拉都格其、金海、赛航：《蒙古民族通史》第5卷（下），第552—553页。

典型和缩影。

第五节　日本殖民统治时期内蒙古
地区的社会经济

日本占领内蒙古地区以后，推行了一整套殖民地化的经济政策和措施。在内蒙古东西部地区普遍推行经济"统制"政策，由日本各大财团和"满洲国"、"蒙疆"政权的一些特殊公司垄断了金融、财政、交通、通讯、工商业、农牧业、对外贸易及资源开发等重要经济部门。在内蒙古东部地区实行"出荷"粮谷、牛羊和"配给制"；组织日本人"满蒙开拓团"，向一些战略要地大量移民；为获取日本移民所需的土地，以所谓"蒙地奉上"的名义剥夺蒙旗土地所有权。在内蒙古西部地区大量掠夺畜产及矿产资源，以供其侵略战争之需。在内蒙古东西部地区普遍推行鸦片毒化政策。尤其在内蒙古西部地区鼓励农民大量种植罂粟，以"专卖"的名义贩卖鸦片，牟取暴利，犯下了违反国际公法的战争罪行。日本统治时期，内蒙古地区完全变成了日本输出资本和商品、掠夺工业原料及战略物资的殖民地。

一、伪满时期的内蒙古东部地区社会经济

（一）伪满洲国在内蒙古东部推行的经济"统制"及鸦片政策

日本侵略者在"满洲国"推行的经济"统制"政策，给内蒙古东部区的蒙汉各族人民带来了深重的灾难。尤其是粮谷、牛羊"出荷"[①] 政策的推行，对蒙汉人民来说是一场空前浩劫。

"满洲国"成立后，在关东军和"满铁"的策划下，于1933年3月1日公布了《满洲国经济建设纲要》，提出对重要产业进行统一管制的经济"统制"政策。《满洲国经济建设纲要》规定"统制"的产业有银行、邮政、电报、电话、采金、矿业、钢铁、冶炼、电业、火药制造等22种；必须经许可的有普通银行、保险、地方铁路、海运、渔业、汽车、硫铵、烟草等24种；可以自由经营的只有农业加工业、制糖、制粉、纺织、皮革、机

---

① "出荷"一词是日语名词，意思是上市、出售。

械加工业等20种。① 经济"统制"政策的规定，标志着日本资本已开始垄断东北的经济命脉，整个东北成为日本的殖民地。

为了加强经济"统制"政策，1937年5月1日，"满洲国"政府公布了《重要产业统制法》，进一步明确了所谓重要产业的种类及经营方式，还把"统制"的产业范围加以扩大。1938年8月22日，"满洲国"政府公布《粮谷管理制度要纲》，开始对稻米和高粱米、包米、谷子、小米等实行"统制"。此后，又陆续将小麦、面粉、高粱面、包米面以及大米苏子、大麻子、小麻子等油料作物和豆油、豆饼也列入"统制"范围。

日本侵略者为了加强对东北农牧产品的掠夺，将粮食、牲畜的购销由严格的"统制"改为强制购销，即从1940年开始推行粮谷"出荷"、牛羊"出荷"和"配给"制度。

"粮谷出荷"、"牛羊出荷"就是强迫农牧民售粮售畜。"粮谷出荷"的具体做法是每年定出每县"出荷"总量，由县公署摊派到各村，村公所又摊派到各农户。每年农历五六月间，由各县公署实业科和兴农合作社抽调人员，组成若干小组到各村，配合村公所到各屯逐户订"出荷"量，列出粮谷"出荷"数量表。秋收后按预定数"出荷"，多"出荷"不限，然后按粮谷"出荷"数量发给少量的布票和线票。

为了保证"出荷"粮谷的数量，各县组成"出荷"督促班，由县长、副县长（日本人）任总指挥，按警察署所管辖区域，把各县又分成若干片，由兴农合作社理事、实业科长等出任片长负各片粮谷"出荷"之责。各村公所、警察分驻所等在收粮时，都把督促、催迫农民交"出荷"粮作为其工作的重点。"出荷"粮谷的价格压得很低，远远不能补偿生产费用。农民"出荷"的粮谷价格要比拿到市场上出售的价格低一半还多，② 而且完不成粮谷"出荷"数量，就不能到市场上去出售粮谷。

"满洲国"政府为了满足日本侵略军的肉食供应，从1942年开始在兴安4省所属各旗实行了"出荷"牛政策。起先，"满洲国"政府尚未掌握兴

---

① 王承礼主编：《中国东北沦陷十四年史纲要》，中国大百科全书出版社1991年版，第132页。

② 吴庆鳞：《日本对突泉县的"粮谷出荷"》，见政协内蒙古自治区委员会文史资料研究委员会编：《伪满兴安史料》（《内蒙古文史资料》第34辑），第170页。

安 4 省所属各旗存栏牛的准确数，只是根据估计的数字，向各旗摊派"出荷"头数。1943 年开始对各旗牛进行普查。具体做法是由兴安各省制作铝制耳钳发给各旗，每个旗一个统一的顺序号码，并刻有某某旗字样。各旗在普查时，并把铝制钳夹在牛的右耳上，进行对号登记。经过普查登记戴上耳钳的牛，户主不能随便买卖或宰杀。如果牛病死或因其他缘故死掉，牛主须将牛皮和耳钳送到旗公署申请注销其登记号码。牛被窃或丢失时，牛主须带"嘎查达"证明向旗公署申报。如违反上述规定，牛主要受到相应的处罚。

经过 1943 年的普查工作，兴安各省公署掌握了各旗存栏牛的准确头数。这便成了日伪统治者掠夺牧民的数字根据。从这一年开始，各旗"出荷"牛数量比头一年翻了几番。比如兴安南省科左后旗当时共有 10 万头牛。1942 年摊派时"出荷"2 000 多头。1943 年一下子上升到 1 万头，而且都要大牛、好牛。[①] 该旗虽有 10 万头牛，但其中大牛、好牛不及 1/3。所以"出荷"1 万头牛，使得该旗牧民的耕牛及奶牛被掠夺殆尽，严重影响了牧民的生产和生活。收购"出荷"牛时又不按市场行情收购，而是半价收购。当时一头好牛市场价约 100 元，而给"出荷"牛只付半价，[②] 使牧民在经济上受到很大损失。

日本侵略者在"满洲国"所实行的所谓"配给制"，是与生产、消费、"统制"相对应的一项重要经济政策，即对人民生活必需品实行定量"配给"，从而大幅度压低人民衣食住行上的消耗，榨取更多的战争物资，把战争资源的需求危机转嫁到人民头上。"配给制"不仅对粮食进行"配给"，而且对食盐、酱油、面碱、煤炭、棉花、棉布、衣服、鞋袜乃至火柴、蜡烛、灯泡、纸张、食糖、烟草等均实行定量供应，即发给用户"通帐"（供应本），凭"通帐"在指定配给所（店）购买粮食等生活用品。

日伪政权所推行的"配给制"，同样给各族人民带来了灾难。据史料记载，兴安北省从 1942 年起每人每月粮食"配给"量逐月递减，2 月份为 9

①　达瓦敖斯尔：《东科后旗出荷万头牛纪实》，见政协内蒙古自治区委员会文史资料研究委员会编：《伪满兴安史料》（《内蒙古文史资料》第 34 辑），第 168 页。

②　达瓦敖斯尔：《东科后旗出荷万头牛纪实》，见政协内蒙古自治区委员会文史资料研究委员会编：《伪满兴安史料》（《内蒙古文史资料》第 34 辑），第 168 页。

公斤，4月份减为5公斤，5月份在5公斤的配给量中掺进3.5公斤发霉的玉米面，从7月份起停止30—35天的配给。① 至于大米、白面等细粮，则完全用于军需或供应日籍人员，普通百姓根本得不到。如果想设法找到一点米、面，被查出的话则作为"经济犯"，予以处罚。

利用鸦片进行毒化和剥削殖民地人民，是英国等老牌帝国主义早已使用的侵略手段。日本侵略者占领中国东北之后，也实行了恶毒的鸦片毒化制政策，以"专卖"、"断禁"等名义制造、贩卖、走私鸦片，牟取暴利，犯下了违反国际公法的战争罪行。

日本侵略者在"满洲国"推行的鸦片毒化政策，最初是在"专卖"的伪装之下进行的。1932年9月，"满洲国"政府成立鸦片专卖筹备委员会，同年11月30日公布了《鸦片法》。1933年成立鸦片专卖公署，下设专卖署和分署共32处，另设奉天鸦片烟膏制造厂和大满号、大东号两家专卖公司。"满洲国"政府通过上述机构低价收购鸦片，再以"专卖"形式高价售给吸食鸦片者，从中获取巨额利润，以此来补助其财政收入。

从1933年到1937年，罂粟栽种遍及"满洲国"7省30县1旗，总面积达685 000亩。② 这个统计数字并不包括秘密栽种面积。"满洲国"所推行的鸦片政策是从种植、收购、加工制造到销售、缉私等完全掌握在专卖公署手中的垄断政策。

1937年10月12日，"满洲国"政府又公布《鸦片麻药断禁方策要纲》，提出从1938年起10年内断禁烟毒。此后，由于采取了一些禁烟措施，使得吸食鸦片的人数和罂粟种植面积有所减少。③ 与"断禁"措施相适应，"满洲国"政府于1940年在民生部内成立禁烟总局，以取代从前的专卖局。种植罂粟的省及市县旗则设烟政科、禁烟股，将各地管烟所改为官营，把戒烟所改称为康生院。

但是从1943年以后，日本为适应其侵略战争的需要，每年在东京召开有关鸦片会议，要求"满洲国"增加鸦片生产，以满足其获取战争物资的

---

①　王承礼主编：《中国东北沦陷十四年史纲要》，中国大百科全书出版社1991年版，第508页。

②　姜念东、伊文成、解学诗，等：《伪满洲国史》，吉林人民出版社1980年版，第423页。

③　王承礼主编：《中国东北沦陷十四年史纲要》，第524页。

需求。所以，"满洲国"境内的罂粟种植面积又开始扩大，所谓的 10 年内"断禁鸦片"的政策也不得不半途而废。

原热河省（包括"满洲国"热河、锦州、兴安西省及兴安南省的一部分）是东北鸦片的重要产地。日伪统治时期，这一地区作为"满洲国"最大的鸦片产地，备受重视。在热河省、锦州省的各县旗公署均设有烟政科，兴安西省的林西县、开鲁县公署内设有烟政股。在基层组织大烟"组合"。比如，兴安西省开鲁县当时就有 6 个大烟"组合"，种植罂粟 2 000 余亩，年产鸦片约达 2 万多两。[①] 在上述旗县，每年春天以村为单位，根据农户申报，由烟政科或村公所发给种烟许可证，注明姓名、亩数、地段及产量。到了罂粟割浆期，种烟户持许可证到大烟"组合"去出售生烟，由"组合"按烟土的成色折合成等级、两数，填写在种烟许可证上。为了搜刮更多的鸦片，各省及旗县公署经常组成缴土工作组，分头到各村催交烟土。

日本侵略者在"满洲国"实行的"鸦片专卖"政策，实质上是将私卖变为官卖，由官方名义贩毒，牟取暴利，毒化和摧残中国人民身心健康的政策。而所谓"鸦片断禁"政策的实施，既不坚决，更不彻底。尤其是太平洋战争爆发后，日本侵略者为了弥补日益枯竭的财源，又开始扩大鸦片生产，以至于造成鸦片烟毒不仅在东北泛滥，而且为大量输入关内大开方便之门。所以说"满洲国"的鸦片政策的本质是贩烟掠夺，禁止则是不彻底的和虚伪的。

（二）日本"满蒙开拓团"进入内蒙古东部地区

向中国东北及内蒙古东部地区移民，是日本帝国主义者侵华政策的重要组成部分。"九一八"事变以前，日本侵略势力就不断鼓吹向中国东北移民的重要性，并开始向关东租借地以及满铁附属地进行农业移民。

"满洲国"成立后，掀起了向东北及内蒙古东部地区进行移民侵略的高潮。从 1932 年 10 月到 1936 年 7 月为止，从日本向东北移植武装移民 5 次，人数达 7 296 人。[②] 1936 年 4 月，关东军司令部召开第二次移民会议，制定了《满洲农业移民百万户移住计划案》和《暂行甲种移民实施要领案》。7

---

① 李志武、周义：《开鲁的"大烟组合"》，见政协内蒙古自治区委员会文史资料委员会编：《伪满兴安史料》（《内蒙古文史资料》第 34 辑），第 143—144 页。

② 姜念东、伊文成、解学诗，等：《伪满洲国史》，吉林人民出版社 1980 年版，第 341 页。

月，关东军司令部将这一计划重新加以整理，制成《二十年百万户移出计划》，送交日本政府拓务省，并获原案通过。这样，《二十年百万户移民计划》被广田内阁确定为"七大国策"之一。与此同时，"满洲国"政府也将这一计划作为与所谓"北边振兴计划"、"产业开发五年计划"并列的"三大国策"之一。

根据这一庞大的计划，日本政府准备从 1937 年到 1956 年，分 4 期移民 100 万户 500 万人。即计划第 1 期（1937—1941 年）移入 10 万户，第 2 期（1942—1946 年）移入 20 万户，第 3 期（1947—1951 年）移入 30 万户，第 4 期（1952—1956 年）移入 40 万户。[①] 这 100 万户 500 万日本人准备占用土地 1 000 万町步（每町步等于 0.991 74 公顷）。移民的移入地是三江省、齐齐哈尔以北松花江上游地区以及小兴安岭南麓地带、黑河省瑷珲、原中东铁路东部线、京图线及拉滨线、大郑线、洮索线、辽河下游、西辽河上游、三河等地带。[②]

为了推行这一计划，日本拓务省于 1937 年 5 月制定了《满洲移民第一期实施要领》，对第一期 10 万户移民的各项事宜作出了具体规定。

1939 年 12 月，日本政府又制定《满洲开拓政策基本要纲》。其后根据这一基本要纲的要求，相继制定公布了《开拓团法》、《开拓协同组合法》、《开拓农场法》等。

1942 年 1 月，日本政府公布《满洲开拓第二期五年计划》，提出 5 年内移民 22 万户的目标。

太平洋战争爆发后，日本国内劳动力不足，很难保证大规模的移民数量，所以不得不对移民计划进行了调整。1943 年 9 月，日本政府根据关东军的意见，制定了《战时紧急开拓政策》。其中规定移民移入的重点地区为"国防上特别重要的地点"[③]，即"（一）牡丹江、东安省，（二）间岛省、三江省、黑河省、兴安南省"[④] 等同苏联接近的国境地带以及"第一线军队

---

①　王承礼主编：《中国东北沦陷十四年史纲要》，中国大百科全书出版社 1991 年版，第 345 页。

②　王承礼主编：《中国东北沦陷十四年史纲要》，中国大百科全书出版社 1991 年版，第 345 页。

③　［日］满洲开拓史刊行会编：《满洲开拓史》（日文），满洲开拓史刊行会 1980 年刊印，第 453 页。

④　［日］满洲开拓史刊行会编：《满洲开拓史》（日文），第 453—454 页。

驻地附近，主要铁路线和军用道路沿线"①。

日本政府曾把移民移入地区划分为 3 个地带。其中"开拓第一线地带"是从间岛省起，经牡丹江、东安、三江、黑河至兴安北省，即与苏联和蒙古接壤地区；"开拓第二线地区"是通化、吉林、滨江、北安、龙江、兴安东、兴安南等省，即沿长白山、哈尔巴岭、老爷岭、小兴安岭、大兴安岭里侧及松辽平原外侧地区；"开拓第三线地带"是铁路沿线、重要城镇周围和重要河流沿岸，即包括扎兰屯、齐齐哈尔、北安、佳木斯、牡丹江、哈尔滨、吉林、长春、王爷庙、公主岭、四平、沈阳、抚顺、鞍山、阜新、锦州等地。②

内蒙古东部地区的兴安北、兴安东、兴安南、兴安西省均属于日本政府确定的入植移民的开拓地带。日本政府公布的 20 年 100 万户移民计划中指定的洮（南）索（伦）及三河、西辽河上游地区，均在兴安南省、兴安北省、兴安东省及兴安西省境内。与苏联和蒙古人民共和国接壤的兴安北省及兴安南省北部属于"开拓第一线地带"；兴安东省及兴安南省南部属于"开拓第二线地带"；中东铁路线上的扎兰屯和洮索铁路线上的王爷庙及其周围地区则属于"开拓第三线地带"。

内蒙古东部地区大多是以畜牧业为主，兼有农业。由于受到自然条件限制加上蒙旗方面的抵制，直到 1940 年以前移入该地区的日本移民人数很少，只有在兴安北省有两个"开拓团"。

1936 年 3 月，镜泊学院的几名日本毕业生到兴安北省额尔古纳左翼旗三河地区，向定居在那里的白俄人学习高寒地带的农作法及生活方式，建立了"三河共同农村组合"。该开拓团到 1941 年末共有 19 户、31 人。③ 这是向内蒙古东部地区移入的第一个开拓团。

1937 年 4 月，镜泊学院的有关人员和驻海拉尔的笠井部队的除队兵等组成"呼伦贝尔开拓组合"，进入兴安北省索伦旗境内的免渡河，经营畜牧

---

① ［日］满洲开拓史刊行会编：《满洲开拓史》（日文），满洲开拓史刊行会 1980 年刊印，第 454 页。

② 姜念东、伊文成、解学诗，等：《伪满洲国史》（日文），第 345 页。

③ ［日］森久男：《满洲兴安北省三河地方的满蒙开拓团》（日文），载（日本）《现代中国》1997 年 7 月第 71 号。

业，并承担向关东军提供军马的任务。[①]

随着"满蒙开拓团"的移入地区的扩大和日本及"满洲国"移民"国策"的积极推进，进入兴安东、南、北省的开拓团及人数逐渐递增。尤其"满洲国"政府在内蒙古东部地区采取两次"蒙地奉上"措施，将该地区大部分已垦土地收归国有，为向这些地区大量移入日本移民创造了条件。

1940 年 4 月，在额尔古纳左翼旗境内的"三河共同农村组合"附近，又成立了"兴安义勇队训练所"。[②] 1942 年 10 月该训练所正式改建为"兴安义勇队开拓团"。在索伦旗，1940 年 4 月成立了"乌努尔义勇队训练所"。后来该训练所迁到兴安东省布特哈旗。1940 年 7 月，在索伦旗成立了"牙克石义勇队训练所"，1942 年 10 月改建为"牙克石义勇队开拓团"。

在兴安省南部的通辽县，1941 年 7 月移入"一棵树开拓团"。1943 年 10 月和 1945 年 6 月，分别向该县移入"第三次—德义勇队开拓团"和"第五次—德义勇队开拓团"。在兴安南省北部的科右前旗、科右后旗、扎赉特旗和喜扎嘎尔旗分别移入 8 个开拓团、训练所。其中在科右前旗有"兴安东京开拓团"、"仁义佛立开拓团"、"归流河义勇队训练所"；在扎赉特旗有"大蒙义勇队开拓团"、"万宝义勇队开拓团"、"五洲义勇队开拓团"；在喜扎嘎尔旗有"满铁义勇队大和训练所"。以上共计一般开拓团 3 个、义勇队开拓团 5 个、义勇队训练所 3 个。

在内蒙古东部地区，兴安东省是移入开拓团和人数最多的一个省份，而且大多集中在布特哈旗。该旗境内有"十津川开拓团"、"聚宝美马乡开拓团"、"麒麟河茨城开拓团"、"粟栖川开拓团"、"壬生川开拓团"、"沙里佛立开拓团"、"关家三户开拓团"、"秀峰增穗开拓团"、"永和三峰开拓团"、"上大河菊鹿开拓团"、"下大河益南开拓团"、"兴山会津开拓团"、"水佃沟美方开拓团"、"加茂川开拓团"、"熊本乡开拓团"、"大本德岛乡开拓团"、"丰春义勇队开拓团"、"丰秋义勇队开拓团"、"成吉思汗义勇队开拓

　　[①] ［日］森久男：《满洲兴安北省三河地方的满蒙开拓团》（日文），载（日本）《现代中国》1997 年 7 月第 71 号。

　　[②] 所谓"义勇队"，原名为"满蒙开拓青少年义勇军"，均由 16—19 岁的日本青少年组成。后来，关东军为了掩盖其所具有的军事性质，改称为"满洲开拓青少年义勇队"，实际上是具有军事性质的一种移民形式。

团"；还有"千叶报国农场"、"成吉思汗报国农场"、"扎兰屯实验农场"。以上共计16个一般开拓团、3个义勇队开拓团、2个报国农场和1个实验农场。

在兴安东省的阿荣旗有"那吉宫畸开拓团"、"那吉高北开拓团"、"那吉天草开拓团"、"那吉杵岛开拓团"、"上兴发大阪开拓团"、"那吉东松浦开拓团"、"南地伊南开拓团"、"太平沟富贵原开拓团"、"下兴发求磨川开拓团"等9个一般开拓团；在莫力达瓦旗有"布西鸣泽开拓团"。

到1945年8月为止，在内蒙古东部地区的各类开拓团共有47个，其中兴安北省4个，兴安南省11个，兴安东省32个。按种类分为一般开拓团31个，义勇队开拓团10个，义勇队训练所3个，报国农场2个，开拓实验农场1个。在籍人数为10 271名（应征入伍的有1 659名），其中兴安北省498名（入伍280名），兴安南省3 579名（入伍527名）、兴安东省6 644名（入伍852名）。①

从移入内蒙古东部地区的"满蒙开拓团"的种类和分布情况来看，在兴安东省的开拓团大多属于一般农业移民，而在兴安南省北部的则是义勇队开拓团占多数。这是因为义勇队开拓团、训练所不仅具有一般农业移民的作用之外，而且更多是具有军事作用。青少年义勇队员一直被认为是"作为关东军的预备军存在的"②，多数被移入到第一线部队驻地附近和主要铁路沿线。兴安南省北部的五叉沟是日军107师团驻地，而且直达蒙古国边境附近的白（城）阿（尔山）线正好贯穿其全境。所以在这一地区义勇队开拓团相对集中。到了战争末期，大部分青少年义勇队员或应征入伍，或担负起守卫军火库、军事工厂和铁路交通的任务。苏联对日宣战后，关东军曾命令所有青少年义勇队训练生全部加入战斗部队，使他们成了日本侵略战争的无辜牺牲品。

在移民用地问题上，日本政府起先还打着利用未开垦土地的幌子，到后来将已垦地也正式作为移民用地。在兴安各省中，兴安东省和兴安南省的开拓团所占用的土地，几乎全是已垦地。移入上述地区的日本移民，绝大部分

---

① ［日］满洲开拓史刊行会编：《满洲开拓史》（日文），满洲开拓史刊行会1980年刊印，第818—821页。

② ［日］满洲开拓史刊行会编：《满洲开拓史》（日文），第322页。

以长工、短工形式雇佣中国农民为其耕种土地，有的干脆将土地转租给汉族农民，成为新兴的地主阶层。

日本侵略者推行大规模移民侵略，不仅强行占有了内蒙古东部地区的土地，而且对蒙汉各族人民也是一场空前的大掠夺。

二、蒙疆政权统治下的内蒙古西部地区经济

（一）蒙疆政权推行的经济"统制"政策

日本占领时期，内蒙古西部之大部分地区沦为日本的殖民地。包括内蒙古西部地区在内的蒙疆地区所产铁、煤等矿产资源和粮食、鸦片以及牛马羊及皮、毛、肉食等畜产品，都是日本国内极为缺少而又是其侵略战争所急需的战略物资。所以日本在政治和军事方面把这一地区看做"特殊防共地区"[①]，在经济方面则把它当做其掠夺工业原料及军需物资的基地和商品及资本输出的市场。对此，日本方面明确认为，蒙疆"作为矿产资源及羊毛资源的供给地，在大东亚广域经济圈里，确实占有重要地位"[②]。

日本方面为了有效地控制该地区的经济命脉和最大限度地获取所需要的战略物资，在蒙疆政权所辖地区普遍推行了经济"统制"政策。所谓的经济"统制"，包括了金融、交通、通信、矿产、粮食、鸦片、畜牧业、盐业、对外贸易及物价、劳动力等所有经济部门。

1937年8月日军占领张家口以后，关东军派出以金井章二为首的接收班子，在张家口开始接收金融机关，以关东军司令官名义发布《紧急通货防卫令》《纸币类证券取缔令》等。9月27日，改组察哈尔商业钱局为察南银行，发行银行券，兑换旧纸币。11月22日，随着"蒙疆联合委员会"成立，设立了金融专门委员会，负责金融"统制"工作。11月23日，由察南、晋北、蒙古联盟三自治政府各出资400万元，合并原察南银行、绥远平市官钱局及丰业银行，在张家口成立了"蒙疆银行"，从12月1日开始营

---

①　复旦大学历史系编译：《日本帝国主义对华侵略史料选编》（1931—1945年），上海人民出版社1975年版，第287页。

②　［日］山田武夫、［日］关谷阳一：《蒙疆农业经济论》，宋雅岚译，见内蒙古大学中共内蒙古地区党史内蒙古近现代史研究所编：《内蒙古近代史译丛》第3辑，内蒙古大学出版社1992年版，第168页。

业。该行在厚和、包头、丰镇、集宁、多伦、张北及北京、天津、大同、宣化等地设有分行，在东京设立了办事处。这样，蒙疆银行以蒙疆特殊会社的名义，成为该地区货币发行、外汇管理、国库金交易、银行业务以及制定金融政策的金融"统制"机关。

1938年3月1日，"蒙疆联合委员会"又将蒙疆地区的各钱庄合并成立了蒙古联盟（厚和）、察南（张家口）、晋北（大同）等3个实业银行。这3个银行作为普通银行，接受蒙疆银行指导。至此，日本通过"蒙疆联合委员会"完成了对蒙疆地区的金融"统制"。

1938年10月25日，"蒙疆联合委员会"发布实施了《通货取缔令》，规定"向蒙疆地区以外输出金、银或金、银合金或以金、银为主要材料的物品时，须经蒙疆联合委员会许可"，"向蒙疆地区以外带出相当于1 000元以上的通货、支票以及期票时，须经蒙疆联合委员会许可"。① 1939年12月，对于向蒙疆地区以外携带现金支票、期票的数额由1 000元降为500元，1940年7月又修正为200元。②

平绥铁路是蒙疆地区最主要的交通运输线路，在军事及政治、经济方面占有特殊地位。所以，日本十分重视对交通运输的"统制"。1937年11月"蒙疆联合委员会"成立时，成立了交通专门委员会，管理平绥铁路之交通，具体运营交给"满铁"华北事务局，由该局在张家口设铁路局进行运营。③ 1939年12月，根据日本方面确定的方针，"蒙古联合自治政府"将该铁路以"委托经营"的名义，交由华北交通会社统一管理运营。④ 对于汽车运输，主要由蒙疆汽车股份有限公司统一经营。该公司前身为"满铁"华北汽车公司张家口营业所，1938年1月改称"蒙疆汽车公司"，1939年5月改组为蒙疆特殊会社，其资本均为日本资本，主要经营客运、货运以及军品

---

① 北支那经济通讯社编：《北支·蒙疆年鉴》（日文，1940年版），北支那经济通讯社1939年刊印，第617页。

② 北支那经济通讯社编：《北支·蒙疆年鉴》（日文，1942年版），北支那经济通讯社1941年刊印，第94页。

③ ［日］岛田俊彦、［日］稻叶正夫编：《现代史资料（9）·日中战争（二）》（日文），美铃书房1966年版，第121页。

④ 北支那经济通讯社编：《北支·蒙疆年鉴》（日文，1941年版），北支那经济通讯社1940年刊印，第139页。

运输等。此外，还有蒙疆运输股份有限公司（准特殊会社，75% 为日本资本），参与运输业。

1937 年 12 月，在张家口成立了"蒙疆联合委员会"所辖之邮电局，1938 年 2 月改组为邮电总局，统一掌管邮政、电报、电话、无线电报、无线电话以及广播无线电话事务。[①] 1938 年 3 月，以日蒙合办形式（日本和蒙疆方面资本各占 50%），成立蒙疆电气通信设备株式会社，作为特殊会社，统一经营电话、电报设备的安装、施工事业。[②]

日本将蒙疆地区的煤、铁和畜产品视为该地区"三大国防资源"，对煤矿、铁矿以及盐、碱等矿产资源的开采、运输、销售等均实行了严格的"统制"。

内蒙古西部地区的大青山山脉的石拐子煤矿和杨圪楞煤矿，由 1939 年 9 月成立的"大青山煤矿股份有限公司"负责开采、销售。这几家大公司均由日本人任董事长或实际负责人。

内蒙古西部地区盛产食盐。盐不仅是民用必需品，而且也是重要的化工原料。1939 年 7 月 1 日，"蒙疆联合委员会"公布实施了《盐法》。[③] 1939 年 9 月 1 日，"蒙古联合自治政府"成立时，在财政部下设立榷运总署，对盐业生产、销售实行了"统制"。榷运总署下分别又设立张家口、大同、厚和 3 个榷运署。榷运署下设立众多榷运分局。在当时的内蒙古西部地区锡林郭勒盟、察哈尔盟、巴彦塔拉盟共设有近 40 处榷运分局。[④]

金、银、铜、铅、锡、铁等金属矿和煤、硫磺、石棉、云母等非金属矿均属于"统制"范围。1939 年 8 月 1 日，"蒙疆联合委员会"公布《矿业法》，并从 12 月 1 日起施行。该法中将经济上具有重要性的 37 种矿物定为法定矿物，对其开采、加工、销售等必须获得政府许可。对于该地区矿产物的销售，一直委托日本在华北的"兴中公司"来进行。1940 年 12 月 1 日，蒙古联合自治政府产业部之下设立蒙疆矿产管理委员会，统一管理矿产物资

---

① 北支那经济通讯社编：《北支·蒙疆年鉴》（日文，1940 年版），第 611 页。
② 北支那经济通讯社编：《北支·蒙疆年鉴》（日文，1940 年版），1939 年刊印，第 615 页。
③ 北支那经济通讯社编：《北支·蒙疆年鉴》（日文，1940 年版），第 560—562 页。
④ 北支那经济通讯社编：《北支·蒙疆年鉴》（日文，1942 年版），第 81 页。

销售及配给。① 12 月 20 日，在张家口专门成立准特殊会社——"蒙疆矿产贩卖股份有限公司"，统一经营矿产物的销售和配给。②

1939 年 10 月 10 日，"蒙古联合自治政府"公布《贸易统制法》。③ 根据该法，1940 年 8 月 26 日由财政部指定羊毛、羊皮、粮食、矿产等 15 类物品为"统制"输出品，指定贵重金属、无线电产品、纺织品、烟草、机械等 30 类物品为"统制"输入品。进出口上述物品时，必须得到财政部长的许可。④ 此后，进出口贸易由财政部长指定的人员组成相应的输出输入业"组合"进行。

1939 年 11 月 20 日，"蒙古联合自治政府"又公布了《物资统制法》。⑤ 通过这一法律，蒙疆政权可以随时指定任何物资为有必要"统制"的物资，由政府制定其价格，并由其指定的组合进行垄断经营。这实际上就是为日本获得工业及军品生产原料等需要而制定的法律，是日本在这一地区推行的经济"统制"政策的核心部分。

日本方面为了廉价获得蒙疆地区战略物资，对该地区物价实行了"统制"。1939 年 11 月成立物价委员会，公布《物价统制令》，开始对粮食等农产品实行"公定价格"政策，并确定各地区粮食的"最高标准价"。⑥

由于在物价"统制"上实行所谓低物价政策，使得进口产品批发物价指数和出口产品批发物价指数之间产生了巨大反差。到 1940 年 6 月时，进口产品批发物价指数比 1938 年 8 月上涨了 360.1%，而同期出口商品批发物价指数却只上涨 147.1%。⑦ 蒙疆地区的出口贸易中，粮食出口占 37%，位居第一，牲畜及畜产品占 12%，位居第二。⑧ 所以推行"低物价"政策的直接受害者便是广大农牧民。当时就有人认为，"导致出口原材料、进口必

---

① "蒙古联合自治政府"总务部编纂：《蒙古法令辑览》（汉日对照）第 1 卷之《产业篇》，第 178 页。
② 北支那经济通讯社编：《北支・蒙疆年鉴》（日文，1942 年版），北支那经济通讯社，第 28 页。
③ "蒙古联合自治政府"总务部编纂：《蒙古法令辑览》（汉日对照）第 1 卷之《产业篇》，第 1 页。
④ "蒙古联合自治政府"总务部编纂：《蒙古法令辑览》（汉日对照）第 1 卷之《产业篇》，第 3—4 页。
⑤ "蒙古联合自治政府"总务部编纂：《蒙古法令辑览》（汉日对照）第 1 卷之《产业篇》，第 8 页。
⑥ "蒙古联合自治政府"总务部编纂：《蒙古法令辑览》（汉日对照）第 1 卷之《产业篇》，第 18 页。
⑦ ［日］中村信：《蒙疆经济》（日文），有光社 1941 年版，第 159 页。
⑧ ［日］中村信：《蒙疆经济》（日文），第 162 页。

需的制成品的蒙疆经济包括蒙古人生活困难的主要原因"①，就是推行这一政策的结果。

日本侵略者在包括内蒙古西部地区在内的蒙疆地区，通过其傀儡政权制定各种法令法规，推行了一整套经济"统制"政策，从而完全掌握了该地区的经济命脉，将这一地区变成了掠夺战略物资、输出商品及资本的殖民地。

（二）蒙疆政权的鸦片政策及鸦片贸易

内蒙古西部地区，尤其绥远省是有名的鸦片产地，同时又是甘肃、宁夏等西北地区所产鸦片运往平、津的中转站。这样，禁烟特别税成为该省的大笔收入之一。日本关东军在没有占领绥远省以前，就曾注意到了这一巨大财源。

1937 年 10 月 1 日，关东军总司令部在《蒙疆方面政治工作指导要纲》中明确规定："盐务、鸦片、烟草等与各政权有很大关系，要由联合委员会统制。"② 10 月 4 日，关东军司令官植田谦吉指示张家口特务机关长松井太久郎，"在确定鸦片盐务政策时，要特别注意筹划蒙疆方面的财源，并注意防止财源及粮食流往我管辖区以外的中国地方"③。察南、晋北及蒙古联盟 3 个自治政府成立后，分别成立清查处、禁烟稽查处等，开始征收禁烟税。

"蒙疆联合委员会"成立后，于 1937 年 12 月公布了《鸦片业务指导纲要》，确定"政府在相当的时间内不进行直接收购"，"各自治政府内组织鸦片公会，不许公会会员以外的人买卖和进出口鸦片"。④ 1938 年 5、6 月间，该委员会又相继制定了《对蒙疆地区内之鸦片商人的鸦片买卖认可要领》、《京津鸦片商人入蒙收购鸦片许可要领》以及《关于铁路运输鸦片之件》等具体规定，对于鸦片的买卖、交易及运输等采取政府许可制度，从而开始了对鸦片收购、制造、运输及交易的间接"统制"。

日本兴亚院认为，"从（一）鸦片在财政经济上具有的重要性，（二）随着日中事变的爆发，在占领区内缺乏鸦片，（三）防止由于外国鸦片的输

---

① ［日］中村信:《蒙疆经济》（日文），第 159 页。
② ［日］臼井胜美、［日］稻叶正夫编:《现代史资料（9）·日中战争（二）》（日文），第 121 页。
③ ［日］臼井胜美、［日］稻叶正夫编:《现代史资料（9）·日中战争（二）》（日文），第 127 页。
④ 满铁调查部编:《蒙疆政府公文集》（日文）上辑，第 115—119 页。

入而引起日元货币圈资金外流等角度看，其经营好坏对内对外都具有重大影响"①。1939 年 7 月开始，为了满足日本各占领区内的鸦片需要及蒙疆政权财政收入，"蒙疆联合委员会"根据兴亚院的指示，对鸦片政策进行了大的变更，即以增产鸦片为目标的"准专卖制度"形式的鸦片清查制度。所谓"清查制度"，就是对鸦片的生产和配给（即销售）实行完全的"统制"。

为此，"蒙疆联合委员会"于 1939 年 6 月 6 日公布了《暂行鸦片管理令》、《清查总署官制》、《清查署官制》、《蒙疆土药股份有限公司法》、《清查工厂官制》等一系列相关法规，决定从 7 月 1 日起施行；6 月 15 日公布《暂行鸦片管理令实施规则》，6 月 30 日又公布了《暂行鸦片稽查令》、《暂行鸦片稽查提成规则》。

根据这些法规，相应地成立了清查总署、清查署、蒙疆土药股份有限公司及清查工厂。清查总署设在张家口，"掌管有关鸦片、罂粟种子及麻药事项"②；在张家口、大同、厚和各设一所清查署。在张家口清查署下设立 5 个清查局、18 个清查分局；在大同清查总署下设 5 个清查局、12 个清查分局；在厚和清查署设 8 个清查局、18 个清查分局。还成立了"掌管有关鸦片及麻药制造及实验事项"③ 的清查工厂。

1939 年 6 月 26 日，在张家口成立了由从前 206 名鸦片商组成的"蒙疆土药股份有限公司"，并在大同、厚和各设一所支店（分公司）。该公司作为蒙疆的特殊公司，负责"收购鸦片，并向委员会（指"蒙疆联合委员会"——引者）、清查官署缴纳鸦片"④。实际上该公司成为代表官方垄断鸦片收购的机构。

这样，建立起了烟农→土药公司→清查署→鸦片配给人→烟民的鸦片"统制"体系。

由于蒙疆土药股份有限公司以所谓"公定价格"垄断收购鸦片业务，造成蒙疆地区的鸦片价格与京津地区的市价之间产生了很大的差距，从而使

---

① ［日］江口圭一：《资料·日中战争时期鸦片政策——以蒙疆政权资料为中心》（日文），岩波书店 1985 年版，第 553 页。

② ［日］江口圭一：《资料·日中战争时期鸦片政策——以蒙疆政权资料为中心》（日文），第 404 页。

③ ［日］江口圭一：《资料·日中战争时期鸦片政策——以蒙疆政权资料为中心》（日文），第 416 页。

④ ［日］江口圭一：《资料·日中战争时期鸦片政策——以蒙疆政权资料为中心》（日文），第 402 页。

鸦片收购量未能达到预计的 700 万两，只收购了预计量的 12.7%。尽管如此，蒙疆政权将土药公司每两以 3.2—3.5 元收购的鸦片，付给该公司 9% 的收购手续费之后，向管区外每两以 9.55—10.55 元，在管区内则平均以 5.51 元价格销售出去，从中获得由价格差产生的巨额暴利。①

1940 年初，"蒙古联合自治政府"制定《改革鸦片收纳机关实施纲要》，解散了蒙疆土药股份有限公司，组织由从前的土商组成的收纳人"组合"，采取了以适应京津地区市价的价格来收购、销售的方针。

1940 年 2 月 29 日，"蒙古联合自治政府"制定了《罂粟种植交易规定》。4 月 1 日，公布《禁烟特税法》及《禁烟特税法施行规则》，将罂粟种植改为许可制的同时，向烟农征收禁烟特税。这一改革的基本意图就是从源头上确保鸦片税收的征缴，同时允许鸦片收购者的相当利润，以保证收购计划的完成。

6 月，在张家口正式成立了"蒙疆土业总组合"。该"总组合""按照清查总署长的指示管辖各地方组合一切业务，担任指导统制之责"②，负责鸦片收纳、出口事务。另外，在蒙疆地区成立了"由清查总长指定的鸦片收纳人组成"的 10 个"土业组合"，负责"收纳蒙疆地区所产鸦片"事务。③

由于蒙疆政权改变以土药公司垄断鸦片收购、销售的直接"统制"方式，用"土业组合"的形式，允许土商的相当利润，而自己则以"寄生在其中，从中获利的间接统制方式"，④ 很顺利地完成了收购计划。"土业组合"从烟农手中每两以 6—8 元收购鸦片，将其以 8 元价格缴纳"蒙疆政权"；"政府"方面每两加上 2.5 元的课征金，再以 10.5 元的价格批发给"土业组合"。土商则将其以 15—16 元的价格通过"蒙疆政权"的"配给"途径销售。这样，收购和销售价之间产生的 7—8 元的利润，政府方面得 1/3，"土业组合"约得 2/3。

由于日本侵华战争的持久化，使得日本国内医药用鸦片需要量急增，产

---

① 〔日〕江口圭一：《资料·日中战争时期鸦片政策——以蒙疆政权资料为中心》（日文），第402页。
② 〔日〕江口圭一：《资料·日中战争时期鸦片政策——以蒙疆政权资料为中心》（日文），第273页。
③ 〔日〕江口圭一：《资料·日中战争时期鸦片政策——以蒙疆政权资料为中心》（日文），第275页。
④ 〔日〕江口圭一：《资料·日中战争时期鸦片政策——以蒙疆政权资料为中心》（日文），第124页。

生了鸦片供应不足的问题。另外，日本占领下的华北、华中地区的鸦片也需要由蒙疆地区供应。1940 年 12 月 27 日，兴亚院制定了《鸦片及麻药政策指导纲要》，规定 1941 年度蒙疆地区必须完成 700 万两的收纳量。① 蒙疆地区作为向日本及日本占领区供应鸦片的基地，就必须采取努力增产鸦片的政策，以满足上述需求。

为此，蒙疆政权重新指定了鸦片收纳人，组成新的"土业组合"，规定了罂粟种植地区及面积，强化实际种植面积的勘察及最终收纳。1941 年 6 月 1 日，"蒙古联合自治政府"进行机构改革时，撤销了清查总署，有关鸦片事务由经济部（由财政部、经济部合并而成）的盐政烟务科掌管，同时保留了设在各地的清查署及清查局、清查分局。

这一年由于采取了保证种植面积、加强烟地勘察、鼓励和督促烟农出售鸦片、严厉取缔私自交易等措施，加上风调雨顺，使得鸦片收纳量超过了以往任何一年，达到了 1 120 万两。② "蒙古联合自治政府"将每两以 8 元收购的鸦片，加上 2.5 元课征金，以 10.5 元的价格批发给"土业组合"，并根据兴亚院的"配给"计划，将 15% 销售到管区内，85% 则贩卖到管区外。向管区外贩卖的鸦片数量比 1940 年增加 1.4 倍，金额增加了 1.25 倍。③

1941 年 12 月 10 日，兴亚院又制订了《中国鸦片供需计划》，规定 1942 年蒙疆地区保证出口 1 000 万两鸦片。由于这年罂粟严重歉收，兴亚院于 1942 年 8 月不得不决定将蒙疆鸦片收纳量由 1 000 万两减少为 700 万两。④ 蒙疆政权为了完成这一计划，采取提高收购价、提高稽查奖励金、延长收购期、强化取缔网、发行彩票等措施，引诱烟农缴纳手头的鸦片。另外，将鸦片收集作为"第三次施政跃进运动"的主要内容之一，动用县、乡的行政及警察力量，以分配定额、督促缴纳、强制收购，严厉惩罚隐匿者等手段来完成收购计划。

从这一年开始，改变了"土业组合"根据政府指示将鸦片贩卖到管区

---

① ［日］江口圭一：《资料·日中战争时期鸦片政策——以蒙疆政权资料为中心》（日文），第 596—597 页。

② ［日］江口圭一：《资料·日中战争时期鸦片政策——以蒙疆政权资料为中心》（日文），第 597 页。

③ ［日］江口圭一：《资料·日中战争时期鸦片政策——以蒙疆政权资料为中心》（日文），第 140 页。

④ ［日］江口圭一：《资料·日中战争时期鸦片政策——以蒙疆政权资料为中心》（日文），第 547 页。

外的体制，由政府方面将"土业组合"交纳的鸦片全部买下，再由政府方面直接经营对外的交易。也就是说，不再将鸦片批发给"土业组合"，而是将向管区外贩卖中获得的收益全部归政府所有。

由于日本发动太平洋战争，使得日本国内及东南亚地区鸦片需要量激增。为此，日本兴亚院要求蒙疆方面生产更多的鸦片，将1943年的收纳量最低目标规定为1 000万两。[①] 为此，指定了95万—100万亩罂粟种植面积。蒙疆政权从1943年开始废除政府购买制，又恢复将鸦片批发给"土业组合"，由"土业组合"经营鸦片销售业务的旧体制。同时解散所有的"土业组合"，重新指定收纳人，组成新的"土业组合"。

蒙疆政权为了完成兴亚院的鸦片供应计划，将鸦片种植、收购作为在农村的一项最重要的工作来推行。尤其1943年以后，在蒙疆地区物价上涨、物资缺乏的情况下，蒙疆政权对鸦片的依赖性越来越强。直到日本投降为止，蒙疆政权仍以获得更多的鸦片作为维持其统治的主要手段之一。

日本在蒙疆地区推行的鸦片"统制"政策，使得蒙疆政权的财政收入及对外贸易等均依赖鸦片。比如1939年蒙疆政权鸦片出口额为2 686.6万元，占出口总额的27.68%；到了1940年鸦片出口额达6 434.5万元，竟占出口总额的52.04%。[②]

蒙疆地区的鸦片生产及贩卖由兴亚院作出决策和计划，由蒙疆政权具体实施外，驻蒙军也参与其中，并掌握着大量的鸦片现货。比如，日本投降前夕，驻蒙军司令部曾拨给李守信11万两鸦片，让他到包头换成皮毛、药材等物资，运到天津套购黄金，再到上海购买枪械弹药，作为扩充蒙古军之用。[③] 另外，日本宣布无条件投降后，驻蒙军司令部还拨给德王15万两鸦片，结果被德王拒绝。[④]

日本占领内蒙古西部地区期间所推行的大量生产、贩卖鸦片的"统制"

---

① ［日］江口圭一：《资料·日中战争时期鸦片政策——以蒙疆政权资料为中心》（日文），第620页。

② ［日］江口圭一：《资料·日中战争时期鸦片政策——以蒙疆政权资料为中心》（日文），第170页。

③ 李守信：《李守信自述》，刘映元整理，见政协内蒙古自治区委员会文史资料研究委员会 编：《内蒙古文史资料》第20辑，第337页。

④ 德穆楚克栋鲁普：《德穆楚克栋鲁普自述》，陶布新整理，见政协内蒙古自治区委员会文史资料研究委员会编：《内蒙古文史资料》第13辑，第136页。

政策，不仅是他们获取巨额利润，达到"以战养战"目的的重要手段，而且也是用来"毒化"中国人民、削弱抗战力量的罪恶阴谋。日本占领区内的中国人民深受日本鸦片"毒化"政策之害。

（三）日本对内蒙古西部地区畜产资源的"统制"与掠夺

内蒙古西部的锡林郭勒盟、乌兰察布盟及察哈尔盟北部为纯牧区，马、牛、羊、驼及其皮毛等畜产资源相当丰富。畜牧业是当地蒙古人最主要的经济部门，是他们赖以生存的物质基础。畜产品又是他们得以换取粮食、布匹及其他生产、生活必需品的唯一来源。马匹是骑兵部队最基本的骑乘工具，羊毛、牛毛、驼毛等是毛纺工业的基本原料，牛马羊肉是民用及军用主要食物之一。这些畜产资源是日本国内所紧缺的，更是其对外侵略战争中所亟需的战略物资。日本方面认为"蒙疆是日本共荣圈唯一的畜产品产地"[1]，畜产资源为该地区"三大国防资源"[2] 之一。所以，日本占领内蒙古地区期间，自始至终十分重视对畜产资源的获得。

鉴于内蒙古西部地区畜产资源的重要性，蒙疆政权的各级政权机构都设立了专门的畜产管理机构。"蒙古联盟自治政府"于1938年7月在政务院内设立了畜产部，下设畜牧处和牧野处；在各盟公署设立了畜产厅。[3] 1939年9月，"蒙古联合自治政府"成立时，在政务院内设立牧业总局，下设牧业实验场、种畜牧场和家畜防疫处；各盟公署劝业厅内设畜产股，各旗公署行政科内设畜产股。1941年6月，蒙古联合自治政府机构改革时，撤销了牧业总局，将其下属的牧业实验场、种畜牧场、家畜防疫处并入新设的兴蒙委员会。该委员会成为蒙疆政权畜牧业行政之中枢机构。有关畜牧业政策的制定、草场管理、牲畜等畜产品交易、配给等事项，则由该会实业处负责实施。

日本为了掌握和获得内蒙古西部地区的畜产资源，通过张家口特务机关、"蒙疆联合委员会"、兴亚院蒙疆联络部、驻蒙军以及蒙疆政权，制定一系列法规法则及政策、计划，对畜产资源进行了严格的"统制"。

1937年11月2日，负有指导蒙疆地区各自治政府政务指导之责的张家

---

① ［日］中村信：《蒙疆经济》（日文），有光社1941年版，第9页。

② 北支那经济通讯社编：《北支·蒙疆现势》（日文），北支那经济通信社1938年刊印，第515页。

③ 北支那经济通讯社编：《北支·蒙疆现势》（日文），第515页。

口特务机关长松井久太郎拟定了《蒙疆地区绵羊、羊毛及羊毛皮配给统制要纲》,[1] 提出"鉴于确保羊毛工业原料资源在国防上乃至产业上的重要性,对蒙疆地区内的绵羊、羊毛及羊毛皮的配给（收集和贩卖）进行一元化的统制,以资强化日、满、华北集团经济,确立羊毛工业原料政策","目前原则上由钟纺、满蒙毛织、大蒙公司、满洲畜产会社（三井物产）及其他由蒙疆联合委员会指定者共同担当绵羊、羊毛及羊毛皮配给之责"。《蒙疆地区绵羊、羊毛及羊毛皮配给统制要纲》的基本方针,就是对该地区畜产资源的收购地区、数量和收购、贩卖价格等,均由"蒙疆联合委员会"及军方"统制",所有畜产品的最终收购、贩卖均由军方指定的主要由日本资本组成的公司垄断经营,并确保军方的需求。

11 月 15 日,关东军参谋长批准了松井拟订的《蒙疆地区绵羊、羊毛及羊毛皮配给统制要纲》[2],并于 12 月 9 日指示"蒙疆联合委员会",为配给、"统制"羊毛等成立"组合"时,"要对军用羊毛等优先供给军方","对军方购买的羊毛等的价格,由军方及蒙疆联合委员会协议决定","组合决定和变更收集区域、收集数量、收集价格、贩卖价格等时,须向军方有关机关通报"。[3]

《蒙疆地区绵羊、羊毛及羊毛皮配给统制要纲》实际上成为日本在内蒙古西部地区推行的畜产资源"统制"政策的蓝本。此后,"蒙疆联合委员会"、兴亚院蒙疆联络部以及蒙疆政权所制定的所有法律法规、政策、计划等,都是以此《要纲》为基础,并加以充实和具体化而已。

根据《蒙疆地区绵羊、羊毛及羊毛皮配给统制要纲》,"蒙古联盟自治政府"成立后不久就制定颁布《牲畜售卖取缔暂行规则》和《畜产物取缔布告》等,[4] 并着手进行畜产资源的各项调查。

1938 年 3 月,"蒙疆联合委员会"制订《蒙疆产业开发五年计划》,把羊毛等畜产品作为重点开发的范围。10 月 8 日,"蒙疆联合委员会"又专门制定了《蒙疆畜产政策要纲》。

《蒙疆畜产政策要纲》中提出的畜产方针是,"鉴于蒙疆地区的畜产在

---

① ［日］臼井胜美、［日］稻叶正夫编:《现代史资料（9）·日中战争（二）》（日文）,第 158 页。

② ［日］臼井胜美、［日］稻叶正夫编:《现代史资料（9）·日中战争（二）》（日文）,第 159 页。

③ ［日］臼井胜美、［日］稻叶正夫编:《现代史资料（9）·日中战争（二）》（日文）,第 160 页。

④ "蒙古联盟自治政府"编:《蒙古联盟自治政府七三三年甲午年度行政概要》之《建设》,第 6 页。

国防及产业上的特殊重要性，决定力求振兴畜产，尤其要把重点放在马及绵羊上，以适应军事上的需求并提高民生"①。为此，决定把依靠增加头数、改良品种作为振兴畜产的主要方向；繁殖和改良马、绵羊和骆驼的品种；加强防疫，保护和改良牧场等工作；采取打井、设立打草场、汉人地区未开垦地内有计划地保留必要的牧场、已垦地区鼓动种植牧草和其他饲料作物、培养兽医及畜产技术人员等措施；为了有效掌握畜产资源并防止其外流，决定家畜及畜产品必须由旗里统一贩卖，并与旗民的日用生活品的供应结合起来；必须由政府方面收购各旗统一贩卖的马、绵羊，并对主要家畜及畜产品的出口进行"统制"；在实施有关畜产政策时，必须考虑日本、"满洲国"及华北、华中的需要。

此外，"蒙疆联合委员会"还曾先后制定实施了《皮毛类运出取缔令》《兽毛类输出取缔令》及《母畜运出取缔令》等。

1939年10月，"蒙古联合自治政府"公布《家畜运出取缔法》及《家畜运出取缔法施行规则》，并从即日起开始施行。② 根据该法令，对于家畜的出口实行了"许可制"，即向蒙疆地区以外运出马、骡、驴、绵羊、山羊、骆驼、牛或猪等家畜，必须提交《家畜运出申请书》，填写家畜种类、数量、价格和运出时间、方式和买主具体情况等相关内容，获得牧业总局总长之许可才可运出。与此同时，公布实施了《贸易统制法》和《根据贸易统制法限制输出之有关事项》，③ 废止了《毛皮类运出取缔令》《兽毛类运出取缔令》等，将各种皮、毛类及其制成品的进出口全部纳入贸易"统制"范围之内，规定向蒙疆地区以外输出这些物品者，必须得到财政部长之批准。蒙疆政权通过这些法规，对畜产资源实行了严格的"许可制"形式的"统制"。

1939年9月，蒙古联合自治政府成立以后，为适应日本及"满洲国"的生产力扩充计划，将蒙疆联合委员制订的《蒙疆产业开发五年计划》修

---

① ［日］铃木清干编：《蒙疆年鉴》（日文，1941年版），蒙疆新闻社1941年刊印，第162页。

② "蒙古联合自治政府"总务部编：《蒙古法令辑览》（汉日对照）第1卷之《产业篇》，第47—48页。施行该法的同时，废止了《母畜运出取缔令》。

③ ［日］中村信：《蒙疆经济》（日文），有光社1941年版，第172—175页。

改为 3 年计划（1939—1941 年）。①

1940 年秋，兴亚院蒙疆联络部重新制订了包括矿产、农产、畜产、财政、电力、劳务、运输、道路等八个部门的蒙疆地区产业开发 5 年计划，并决定从 1941 年开始实施该计划。其中畜产资源开发的方针，就是确保日本及"满洲国"、华北等日本占领区对绵羊和羊毛的需要，"发挥牧业王国的作用"。② 根据这一计划，又制订了《家畜改良增殖五年计划》。③

为了落实这些政策及计划，日本占领时期在内蒙古西部地区的家畜改良、增殖等方面采取了一系列措施。

在家畜改良方面，从日本引进考力代种羊或选择当地原有优良种羊改良绵羊品种。1941 年 10 月，蒙古自治邦政府和日本东洋绵羊协会投资成立了财团法人"蒙古绵羊协会"，"专门掌管绵羊的改良增殖事业"。④ 该协会在平地泉、公会设立种羊场，在宝源县、尚义县及太仆寺左旗设立种羊管理所。对于马，选择当地优良品种进行繁殖，并相应地建立了官马牧场、种马牧场等，"以繁殖军用小个马为目标"⑤，还对种牡马进行登记、烙印。⑥ 对于牛，则以繁殖役牛、奶牛以及肉牛为主，从日本、"满洲国"及其他地区引进优良品种进行改良。

在家畜及畜产品交易、收购方面，在张家口设置中央家畜交易场，在贝子庙、多伦设置家畜交易场，在包头等地设家畜交易市场等，禁止在交易场外交易；各旗内，由蒙疆政权指定的几家大公司和各该旗"豪利希亚"（蒙古语，即合作、合伙之意）统一收购各种家畜及畜产品，并把畜产品的收购与牧民生活必需品的"配给"挂钩，迫使牧民把畜产品卖给指定的收购者。

在家畜及畜产品输出方面，组织"家畜交易指定贩卖组合"，授予家畜

---

① 北支那经济通讯社编：《北支·蒙疆年鉴》（日文，1940 年版），第 540 页。

② ［日］铃木清干编：《蒙疆年鉴》（日文，1941 年版），蒙疆新闻社 1941 年刊印，第 141 页。

③ ［日］铃木清干编：《蒙疆年鉴》（日文，1942 年版），蒙疆新闻社 1941 年刊印，第 241 页。

④ ［日］福岛义澄编：《蒙疆年鉴》（日文，1943 年版），蒙疆新闻社 1942 年刊印，第 251 页；"蒙古联合自治政府"总务部编：《蒙古法令辑览》（汉日对照），第 1 卷《产业篇》，第 50 页。

⑤ ［日］铃木清干编：《蒙疆年鉴》（日文，1941 年版），蒙疆新闻社 1941 年刊印，第 162 页。

⑥ "蒙古联合自治政府"总务部编：《蒙古法令辑览》（汉日对照）第 1 卷之《产业篇》，蒙疆行政学会 1941 年刊印，第 50 页。

输出特殊资格，使其成为蒙疆政权指定的家畜输出机构。同时，为保证蒙疆地区的家畜能够输出到日本及"满洲国"、华北方面，家畜交易对方（即外地买主）也由蒙疆政权指定。对于"家畜交易指定贩卖组合"的资格也有严格的限定，并制定各种法规，对其加强监督、管理。

为确保对家畜及畜产品输出方面的"统制"，设立了各种机构，预防和监督私下交易和走私活动。1938年10月，在康庄设立家畜监视署，专门负责检查从蒙疆地区输出的家畜及畜产品，揭发和处罚走私活动。在蒙疆政权机构内设署经济监视署（1942年7月与税务监督署合并成立了财务监督署），在张家口、大同、厚和设立经济监督署，形成比较周密的监督网，监督、检查畜产品等有关法令所禁止或限制进出口的物品，取缔其走私活动。

此外，蒙疆政权还采取了一些为控制草场退化划定放牧区域、由政府方面指导援助设立牲畜冬营盘和防疫设施、奖励挖井、储存干草、栽培饲料作物、普及兽医和有关畜产技术、防止狼害及雪灾等措施。

日本及蒙疆政权在内蒙古西部地区推行的家畜及畜产品的"统制"政策，是以协调日本国内及其占领地区间畜产资源的供求关系，满足日本对外侵略战争的需要为前提的，其根本目的还是充分掌握和获得该地区的畜产资源，为其战时经济服务。尤其是日本及蒙疆政权所推行的将家畜及畜产品的收购与牧民生活必需品的获得相挂钩的"统制"政策，其结果是廉价收购家畜及畜产品，高价销售牧民生活必需品，从而导致不等价交换，牧民的生活并未能得到提高。所以说，日本及蒙疆政权对畜产资源的"统制"，无疑是一场经济掠夺。

国家社科基金成果文库

SELECTED WORKS OF THE CHINA
NATIONAL FUND FOR SOCIAL SCIENCES

内蒙古通史 第六卷

民国时期的内蒙古（三）

总 主 编　郝维民　齐木德道尔吉
本卷主编　金　海　赛　航

人民出版社

第 十 九 章

民国时期内蒙古地区的社会问题

第一节　民国时期绥远地区的鸦片问题

一、绥远地区鸦片种植及民国初期的状况

（一）绥远地区鸦片种植的由来

鸦片自 19 世纪初期传入中国以来，鸦片毒害给中国的政治、经济及社会发展等各方面都带来了很大的灾难，成为近代中国严重的社会问题之一。当时，中国西南诸省与东南沿海地区鸦片危害已很严重。清朝政府虽再三颁布法令，实施鸦片禁令，但效果甚微，咸丰末年不得不采取鸦片重征税银的政策，给种植鸦片者施压，同时增加国家税收收入。[①] 但是，这种办法仍未能控制鸦片烟毒进一步扩散的趋势，反而在征税的名义下，使国外鸦片贸易与国内鸦片种植合法化。从咸丰八年（1858 年）鸦片弛禁至光绪三十二年（1906 年）再次实施禁烟，清朝政府在禁烟方面没有采取过任何有效的措施。结果，全国的鸦片流毒泛滥成灾。

早在道光年间，绥远地区的一些人已有吸食鸦片的恶习。[②] 至于该地究

---

① ［日］江口圭一：《资料·日中战争时期鸦片政策——以蒙疆政权资料为中心》（日文），第 305 页。
② 吴英禄：《绥远的烟土行》，见政协内蒙古自治区委员会文史资料研究委员会编：《内蒙古文史资料》第 19 辑，政协内蒙古自治区委员会文史资料研究委员会 1985 年印刷，第 201 页。

竟从何时开始种植鸦片，众说不一。据咸丰九年（1859 年）写成的《古丰识略》记载，当时的归绥道种植罂粟者已很多。① 咸丰十一年（1861 年）成书的《归绥识略》中也记载，几年来种植鸦片者日益增多，农民贪图其利，五谷日益减少。② 据说清朝咸丰十一年（1861 年）托克托厅最初从广东引进罂粟种子种植。③ 绥远地区民歌中也有咸丰十一年（1861 年）口内外均已种植鸦片的内容。④ 说明到咸丰初年时，绥远部分地区已开始种植鸦片。

绥远地区地处边陲，交通阻塞，外来文化不易直接传入，唯独"鸦片之一经输入，人民即学得种植之法，且种烟技术之精良不在他省之下"⑤。另外该地区还与国内鸦片生产地之一的陕、甘、宁地区相邻，加上天高皇帝远的地理位置和独特的社会环境，成为国内有名的鸦片种植、贩运基地之一。

起初绥远地区除了贪官污吏与富商大贾吸食鸦片外，其他工农群众"因价格昂贵，尚不敢尝试问津"⑥。但随着外地价廉而容易弄到手的鸦片大量进入市场，吸食鸦片者迅速增多，鸦片烟毒也向社会下层渗透。到后来鸦片吸食者已遍及社会各阶层，这就为该地区鸦片生产规模的扩大起了很大的作用。到同治末年，绥远地区烟毒蔓延，遍及城乡，有些烟民为了牟取厚利，"将所熬烟膏，挑成棍儿烟、片儿烟、疙瘩烟等形状，并和以面筋膏子掺假，外裹苇叶，零星出售"⑦。这就是绥远地区大烟馆的前身。到光绪年间，在绥远各城镇街头到处可以见到大的烟馆。⑧ 在烟民激增的情况下，年

---

①　［清］张曾：《古丰识略》卷 39《物部》（咸丰九年），内蒙古图书馆藏抄本。

②　［清］张曾：《归绥识略》卷 35《物部》（咸丰十一年），内蒙古图书馆藏抄本。

③　［日］江口圭一：《资料·日中战争时期鸦片政策——以蒙疆政权资料为中心》，第 305 页。

④　王再平：《鸦片在归绥》，见政协呼和浩特市文史资料委员会编：《呼和浩特文史资料》第 6 辑，政协呼和浩特市文史资料委员会 1988 年印刷，第 150 页。

⑤　李琳：《绥远禁烟前途之展望》，载《开发西北》第 3 卷第 6 期。

⑥　吴英禄：《绥远的烟土行》，见政协内蒙古自治区委员会文史资料研究委员会编：《内蒙古文史资料》第 19 辑，第 201 页。

⑦　吴英禄：《绥远的烟土行》，见政协内蒙古自治区委员会文史资料研究委员会编：《内蒙古文史资料》第 19 辑，第 201 页。

⑧　吴英禄：《绥远的烟土行》，见政协内蒙古自治区委员会文史资料研究委员会编：《内蒙古文史资料》第 19 辑，第 202 页。

产鸦片已不敷消耗。因此每当货源紧张，供不应求的时候，有许多唯利是图的奸商和瘾君子，竟以"面筋、羊角、牛角、羊蹄、猪皮熬做膏子，掺和在洋烟里，在大烟馆零星出售，后因相沿成风，荞麦皮巷出现了不少的膏子铺"[1]。

当时，清朝政府设立统一税局，以道为单位，收取鸦片种植税。值得注意的是，政府在实施鸦片税收政策十几年来，只向绥远地区的汉族农民征税，而蒙古人自种罂粟向不纳税。光绪三十一年（1905年），绥远城将军贻谷等奏蒙旗自种罂粟向不纳税，奸民冒混，拟援照山西土捐办法一律征收。原奏称："洋药流毒中国，晋民沾染最深，故栽种土药无地无之，历任疆臣定以重征为严禁之法，其有民租蒙地种罂粟者，亦按民地纳税。独土默特蒙人自种洋烟，地方官向不过问。土默特本产烟之地，蒙种居十之二三，民种居十之七八。一经官查，蒙人辄挺出冒认抗税免征，互为狼狈，不能不亟思整顿，仿照山西查亩之法土药就地之捐，使蒙地种烟与汉民一体纳税，即绥远左卫旗人有前项情弊，亦应一律办理。唯此项土捐出自蒙地，若试办有成效，自应归土默特练兵兴学之需。"对此户部议奏："鸦片流毒最广，民间始而吸食，继而种植，虽严刑峻法，不足以遏其流。于是内外臣工始有以征为禁之议。光绪十七年六月间，总理衙门会同臣部核议，各直省征收土药税厘数目均就各省原拟办法酌加厘定，奏准通行，遵办在案。土默特系属蒙部，附近晋边，使其不失蒙旗旧俗，唯以耕牧谋生，朝廷原不利其租税，今既广种罂粟，自应仿照山西土捐之法一律办理，岂容自居化外，抗阻税捐。臣等悉心商酌，该将军等所奏各节系为裕课绥边，挽回痼习起见，应请准如所奏办理。唯开办之初，应以查亩为扼要之法，亩数既确，则已种者无所容其欺蒙，未种者可以严定限制方舆，以征为禁之意，隐相符合。至此项土捐将来收有确数，据实奏报，听候拨用，所请留归土默特练兵兴学之处，俟收数报部之后，再行核办，相应请旨，饬下绥远城将军等，即将试办一切章程，并开征日期，先行专折奏报，嗣后仍按照山西省定章，每届一年，将征

---

① 吴英禄：《绥远的烟土行》，见政协内蒙古自治区委员会文史资料研究委员会编：《内蒙古文史资料》第19辑，第202页。

收土药税捐数目奏报一次，并造具逐日征收细数清册，送部查核，以防弊混。"①

自此绥远各蒙旗也开始缴纳鸦片种植税。是年12月，贻谷照令派人到归绥、萨拉齐、清水河、托克托、和林格尔等5厅，稽查种植鸦片情况。但因雨水不调，该地鸦片产量大大减少。②

清朝政府在鸦片弛禁近半个世纪后，因社会舆论的压力、禁烟运动的兴起、传教士们的禁烟活动以及中英鸦片禁止问题的讨论、世界禁烟大会的召开等原因，③ 决心再次加强鸦片禁令。光绪三十二年（1906年）九月，清政府颁布了禁烟办法10条，计划在10年内净绝中国境内的鸦片烟毒。④ 主要采取禁止种植鸦片与输入国外洋药的办法，企图杜绝鸦片的来源。还采取关闭烟馆，禁止吸食鸦片等措施。经这次禁烟，虽鸦片之售吸未能完全禁绝，而罂粟之种植确告肃清。⑤ 在清朝末年全国范围内禁止鸦片运动的影响下，绥远地区的鸦片烟毒也得到了一定程度的缓解。

（二）民国初期鸦片烟毒的进一步扩散

1912年民国成立后，对鸦片实行完全禁绝之制，不仅继续推行前清时代颁发的鸦片禁令，还进一步加大了禁烟力度。结果，全国范围内禁止鸦片的活动得以顺利进行。

绥远地区因地处偏僻，交通不便，禁烟工作很难顺利进行。其原因就是向来出产鸦片之新疆、甘肃、宁夏等省份鸦片种植未能完全净绝。这些地方仍然是土店林立，大肆种植鸦片，无人阻拦。另外，因当局者向未严禁鸦片运输，所以对鸦片的输入非常有利。每年收割的鸦片，由各地驼户与皮毛商夹带在绒毛和干果里，秘密运输到绥远地区，委托较大的毛店如集生祥、谦

① 《户部奏遵议绥远城将军奏请将蒙旗自种罂粟援照山西土捐办法折》，载《东方杂志》第2卷第8号。

② 《贻谷奏为土默特罂粟亩捐所收无多，拟留该旗自用举办要政案》；《绥远奏议》，内蒙古大学抄本。

③ 于恩德：《中国禁烟法令变迁史》，文海出版社1973年版，第115—124页。

④ 周宪文：《中国之烟祸及其救济策》，载《东方杂志》第23卷第20号；于恩德：《中国禁烟法令变迁史》，第124页。

⑤ 于恩德：《中国禁烟法令变迁史》，第246页。

和昌等代为销售，获取厚利。① 有的还自备武器，骑着骡马，携带烟土，轻装出动，白天入山，深夜疾行，间道东来，潜抵包头、归绥出卖。有些烟贩土客，还与土匪勾结，以便护送。

西北地区鸦片的输入，妨碍了绥远地区禁烟工作的顺利进行。针对这种情况，1914年11月归绥财政分厅在绥远各县相继设立清源局。清源局是特别区重要税收机关，每县都设有清源局，又因五原地方辽阔，还设有西北清源局。每局都附设有土药罚款稽核所，② 专门向西来鸦片征税。这是因为，西北地区每年所产大烟以及往年存土多由包头转运，因此正好利于收缴罚款。这使西北鸦片只要缴纳少许罚款即可随意通过绥远地区。其结果，绥远地区成为西北鸦片向北京、天津等地转运的市场。

1916年初，以卢占魁为首的千余名土匪占领萨拉齐、托克托两县后，社会动荡，给百姓带来了不少的祸害。于是当地人种植鸦片的欲望再次萌发，打破了清朝末年以来10余年间该地区鸦片种植完全停止的状况。当时，托克托县约种5 000余亩，萨拉齐县也种了不少。③ 在这种情况下，当时的绥远特别行政区都统潘矩楹采取了默认态度，甚至试图以种植鸦片来筹集官军粮饷。其后任都统蒋雁行未改变潘矩楹的政策，反而与土匪头目卢占魁勾结，令老百姓继续种植鸦片。④ 于是，绥远地区出现了土匪、鸦片同时为患的情况。

1916年6月袁世凯死后，中国进入了军阀割据状态，各省军阀多拥兵自立，全国政局极不稳定。当时，民国政府虽颁布禁烟法令，但因鸦片收入巨大，各地大小军阀多视鸦片为自己庞大的军费来源。因此，他们袒护鸦片运输，征收税银，甚至强迫百姓种植鸦片。于是，军阀统治与鸦片税收已不可分割，鸦片税收成了各路军阀的经济基础。1919年，绥远地区竟然开始

---

① 吴英禄：《绥远的烟土行》，见政协内蒙古自治区委员会文史资料研究委员会编：《内蒙古文史资料》第19辑，第203页。

② 屠义源：《绥远政坛见闻琐记》，见政协内蒙古自治区委员会文史资料研究委员会编：《内蒙古文史资料》第31辑，政协内蒙古自治区委员会文史资料研究委员会1988年印刷，第9页。

③ ［日］江口圭一：《资料·日中战争时期鸦片政策——以蒙疆政权资料为中心》，（日文），第306页。

④ 关钟麟：《记蒋雁行任绥远都统期间的几件事》，见政协内蒙古自治区委员会文史资料研究委员会编：《内蒙古文史资料》第5辑，内蒙古人民出版社1979年版，第170页。

实施所谓的"寓禁于征"的政策，首先在归绥南茶房设立了稽核所，进行稽征。凡是西来的骆驼，一律检查，"每两烟土上税2角"，① 各县设有分卡，给检查人员造成了贪污受贿的机会。这样鸦片成了违禁公卖的产品。

民国初期，绥远地区政局动荡不安。在短短的十几年间竟替换了八九位执政者。他们分别代表不同军阀利益进行统治。特别需要指出的是，这些执政者大都为了养活军队，向人民加征赋役之外，还令广泛种植鸦片或公开贩卖鸦片。军队纪律极差，有些官兵在乡，"总不免有囤粮、贩烟、诱赌抽头之事。稍不遂意，则捕风捉影，贻害乡愚"②。这些均为民国初期绥远地区鸦片烟毒进一步扩散的重要原因。

1917年8月，直隶军阀蔡成勋任绥远都统。他执政后，虽屡次颁布法令，严禁鸦片种植，声称违者严惩。但自己为了筹措军费，断然解除了历来作为禁区的绥远地区烟禁，从陕北购进罂粟种子，颁令各县种植。③ 尔后，绥远地区的鸦片种植一年比一年扩大。因该地区气候适宜，加之山西军阀的鼓励，更加速了鸦片种植业的发展。仅仅20年间，绥远地区的鸦片"产量仅次于四川、云南、甘肃等地，作为中国为数不多的产地之一为世人所知"④。

自1912年民国政府明令禁烟以来，蔡成勋之前的绥远地区历届主政者都是明禁实不禁，收税罚款了事。所以每一位下台的都统，在绥远绅商代表赴京告状时，几乎都有一条开烟禁的罪状。⑤ 蔡成勋上任伊始，就曾贴出布告，并三令五申，严禁种烟，声称违者重惩，绝不姑宽。但暗地里却派心腹分赴各县，向知事面授机宜。各县知事深知种烟之利，更何况按规定每亩烟地除征收烟浆若干成外，还收所谓罚款若干成。于是明禁暗纵，鸦片越种越多。结果，"烟农所收的烟浆几乎全部归官。因此，种烟的

---

① 吴英禄：《绥远的烟土行》，见政协内蒙古自治区委员会文史资料研究委员会编：《内蒙古文史资料》第19辑，第204页。

② 《绥垦总档》卷1037，转引自牛敬忠：《近代绥远地区的社会变迁》，内蒙古大学出版社2001年版，第165页。

③ ［日］江口圭一：《资料·日中战争时期鸦片政策——以蒙疆政权资料为中心》，第306页。

④ ［日］江口圭一：《资料·日中战争时期鸦片政策——以蒙疆政权资料为中心》，第204页。

⑤ 张尔杰：《民国时期绥远历届执政者》，见政协呼和浩特市文史资料委员会编：《呼和浩特文史资料》第10辑，政协呼和浩特文史资料委员会1995年印刷，第11页。

人个个呼天喊地，后悔莫及，而大小官吏，人人私囊肥满，其手法之'高妙'，实为历任所不及。"① 当时按亩收取鸦片税，水地每亩 10 元，旱地每亩 6 元。②

　　1920 年，烟税的课征改由清源局办理。当时绥远财政来源，大抵依靠该清源局税收。此外，全仗稽核所所收鸦片罚款。③

　　蔡成勋之后马福祥任绥远都统。此时，北京政府很少给补充给养，而是让他自己筹划。所以马福祥到绥远执政的四五年间，以解决军饷、给养为名，不但不禁种鸦片，而且还成立了一个"禁烟善后局"，征收烟税，官卖烟土。所谓禁烟善后总局，则是一所"笼络、收买、豢养土豪劣绅与食客的牟利机构，让一些地方闻人坐领干薪"④。"每年在鸦片收割之后，按照他所制定的单行条例，必须计成交税，并由各地的善后分局，无遗漏地尽量收购，一俟汇集成数，解送善后总局，仍由马家军护送运往京津出售"⑤。据统计，仅在 1923 年一年，绥远地区鸦片税收至少超过 50 万元。⑥

　　马福祥曾以筹饷为名，将贩卖鸦片作为发横财的手段。他上任伊始，允许各地乡农种植鸦片，进一步加剧了绥远地区鸦片的泛滥。当时"种烟者虽仅在三数僻远之区，而贩运之盛，殆无其匹"，"唯吸烟者即因征收烟馆捐，故日见其众"，⑦ "仅归绥一隅，烟土就堆积如山，交易兴隆，膏店林立"⑧，"旧城街头巷尾挑幌子的烟馆，就多达 30 余家"⑨，到了"鸦片充

---

　　① 屠义源：《绥远政坛见闻琐记》，见政协内蒙古自治区委员会文史资料研究委员会编：《内蒙古文史资料》第 31 辑，第 12 页。

　　② ［日］江口圭一：《资料·日中战争时期鸦片政策——以蒙疆政权资料为中心》，第 228 页。

　　③ 屠义源：《绥远政坛见闻琐记》，政协内蒙古自治区委员会文史资料研究委员会编：《内蒙古文史资料》第 31 辑，第 13 页。

　　④ 张尔杰：《民国时期绥远历届执政者》，见呼和浩特市政协文史资料委员会编：《呼和浩特文史资料》第 10 辑，呼和浩特市政协文史资料委员会 1995 年印刷，第 15 页。

　　⑤ 关钟麟：《绥远都统马福祥》，见政协内蒙古自治区委员会文史资料研究委员会编：《内蒙古文史资料》第 19 辑，政协内蒙古自治区委员会文史资料研究委员会 1985 年印刷，第 57—58 页。

　　⑥ 《马福祥收鸦片过境税》，《申报》1924 年 5 月 11 日。

　　⑦ 《马福祥收鸦片过境税》，《申报》1924 年 5 月 11 日。

　　⑧ 关钟麟：《绥远都统马福祥》，见政协内蒙古自治区委员会文史资料研究委员会编：《内蒙古文史资料》第 19 辑，第 57—58 页。

　　⑨ 张尔杰：《民国时期绥远历届执政者》，见呼和浩特市政协文史资料委员会编：《呼和浩特文史资料》第 10 辑，第 15 页。

斥，几乎无人不吸"① 的程度。

马福祥还以筹饷为名，让警务处长余鼎铭有组织、有计划地武装贩毒。由甘肃、宁夏两省鸦片产区大量采购烟土，派部队护运到归绥。因京绥铁路已经修通，再转运京、津出售，然后从京、津采购沪广洋杂百货，返运绥、包、甘、宁营利，来回倒卖，大发横财。

当时的《申报》曾载文称绥远地区"警察查获私土，不复销毁，径送三禁局发卖，官厅对于鸦片用途，亦无所谓限制，是故绥远今日之藐视法律与命令，证据确凿，马都统阳假维持军饷之名，阴以自肥，唯尚未致如热河都统之假称禁绝，故政府犹有可以直接处分之望也"②。

1924 年第二次直奉战争爆发后，冯玉祥就任西北边防督办，任命其部下李鸣钟为绥远都统。当时鸦片在绥远地区蔓延十分广泛，几乎左右了各个行业，严重影响了绥远的生产建设。对此，冯玉祥所率领的国民军在进驻绥远的 1 年多时间内，在禁烟方面作出了一定的努力。他们不仅禁止种植鸦片，还对民众开展了免费的禁烟活动。广泛成立戒烟所，派员四处宣传，为民众免费戒烟。结果"有数万人在戒烟所根除了恶习"。③ 绥远本是屡禁屡种之区，冯玉祥不独禁种，还要禁吸。当然，禁吸必先禁售，一时烟禁森严，令行禁止。李鸣钟下令加强鸦片烟禁，规定若有吸食及偷贩鸦片者一经查觉立即惩办。④ 还下令各局，凡在职人员不准沾染鸦片，若被查出依法惩治。并在各地发布公告，大力宣传。仅在 3 个月内禁烟工作即取得了很好的成效。⑤ 然而，此次禁烟虽然严厉，但是"一方面由于人民嗜烟者太多，一方面因为绥远的烟土，本是该省主要的'出口特产'，所以结果弄得大家还要从甘宁一带去购烟，以致人民手中的现款都落到别省的'烟亩罚款'项

---

① 吴国栋：《绥远游记》，见内蒙古自治区地方志编纂委员会总编室编：《内蒙古史志资料选编》第 2 辑，内蒙古自治区地方志编纂委员会总编室印刷，第 200 页。

② 《马福祥收鸦片过境税》，载《申报》1924 年 5 月 11 日。

③ 刘映元、张静元：《国民军进驻绥远时期——纪念五原誓师六十周年》，见内蒙古自治区文史研究馆：《史料忆述》第 1 辑，内蒙古自治区文史研究馆 1986 年印刷，第 20 页。

④ 《训令各局奉都统令鸦片烟禁令森严，若有吸食及偷贩者一经查觉立即惩办文》，见绥远财政厅编辑处：《绥远财政公牍分类辑要》第 1 期（上），绥远财政厅编辑处 1925 年印刷，第 40 页。

⑤ 《训令各县局奉都统令凡在职人员不准沾染鸦片若被查出依法惩治仰知照文》，绥远财政厅编辑处编：《绥远财政公牍分类辑要》第 1 期（上），第 90 页。

下了。而本省的财富外流，省库的收入拮据，以致绥远的'元气'大损，从此，历届的执政者，都不敢再去妄试禁烟了"[1]。

1926年8月，山西军阀阎锡山乘国民军西退之际，将其割据势力由山西扩充到绥远，其军队也改为晋绥军，令晋军主将商震代理绥远都统职务。当时的绥远地区匪患严重，自然灾害频仍，经济凋敝。当地一些人乘西北军撤退、地方秩序混乱之际，又偷种大烟。虽照例严禁，但人们照种不误。到了夏季收割烟浆时，绥远特别区成立禁烟总局，但并没有具体措施，结果"禁者自禁，种者还是不铲"[2]，于是只好责成税务局加重税收。不久，阎锡山派人来绥远专门办理烟税。在此情况下，都统署从增加捐税、种植鸦片和清理余荒、夹荒土地的收入着手，以解决2万多官兵（包括收编的地方武装）的粮、饷和被服问题。救济会曾向都统署请求拨款赈灾，筹借牛犋和种子，呼吁肃清土匪，建议暂缓加税，要求停止种植鸦片及清丈土地。对此，都统署均置之不理，从而引起绅、商、工、农、学各界的强烈不满。

1927年3月28日，中共绥远地委和国民党绥远区党部组织归绥蒙汉农民、学生、工人、教职员5 000多人，在旧城南孤魂滩召开绥远难民请愿大会，揭露当局清丈土地、开放烟禁、强加捐税、不恤灾民的暴政。会后，群众队伍浩浩荡荡开进归绥旧城游行示威，砸烂清丈局，捣毁县衙门及知事公馆，终于迫使商震答应了群众提出的条件。[3]

二、国民党统治时期绥远地区鸦片的泛滥

（一）鸦片种植与禁止

1927年南京国民政府成立后，再行禁烟。但为筹集军饷计，采用3年递减之"寓禁于征"的政策。政府禁烟之目的不在于真正禁烟，而在于抽税，因此根本不可能施禁。其所定之禁烟条例亦完全为抽税之条例。后财政

---

① 方大会：《绥远的鸦片问题》，载《申报周刊》第1卷，（1936年10月18日）第41期。

② 计魁元：《商震在绥远的几件事》，见中共呼和浩特市委党史办、呼和浩特市地方志编修办公室编：《呼和浩特史料》第3辑，中共呼和浩特市委党史办、呼和浩特市地方志编修办公室1983年印刷，第150页。

③ 计魁元：《商震在绥远的几件事》，见《呼和浩特史料》第3辑，第150页。

部试行之结果，不仅款不易筹，而烟祸愈盛，且破坏司法，扰乱治安。国民政府遂明令取消各省禁烟局，并于 1928 年 8 月，组织全国禁烟委员会，责令执行禁绝鸦片政策。9 月又公布禁烟法。11 月 1 日至 10 日，举行全国禁烟会议，决定实施彻底禁绝鸦片的政策，议决禁烟案 44 件。① 此次会议之后，禁烟委员会遂拟定各种禁烟实施条例，并重新实施各种禁烟章则。1929 年 7 月，国民政府重颁修订禁烟法，加重了刑法所定之鸦片罪，以厉行完全禁绝的政策。②

当时，绥远地区政治不稳定，执政者频繁更换，各任都统执政时间都不太长，因此在禁烟方面未能采取彻底有效的办法。另一方面，绥远地区连年灾害，百姓负担加重，农村经济濒临崩溃。因此，鸦片烟毒仍很严重。1928 年 9 月，国民政府把热、察、绥 3 个特别行政区改为省，都统改称省主席。山西军官李培基于当月由代理都统实授绥远省主席，统治绥远 4 个月。1929 年 10 月，李培基再次统治绥远 20 个月。他在任期间针对鸦片弛禁，对百姓生活带来很大祸害的情况，屡次颁布法令，制定章程，采取禁止鸦片种植、贩运、吸食的各种办法。③ 在《绥省禁种鸦片之通令》中指出："百业凋敝民受困，病根要在阿芙蓉，恐仍贪利蹈法纲，重申禁令饬严查"④，命令各县对偷种烟苗者予以严查，已种烟苗者，令其尽速犁毁，改种其他作物。

1931 年 3 月绥远省政府发布《布告》指出："当此春融解冻，农作方兴的时候，虽免没有偷种的情事，要知今年实行禁烟，本府已下决心，必从严禁种植入手，以收根本铲除毒卉之效，凡我人民都应尽力耕耘，依时播种五谷，绝对不许再种毒苗，万勿轻加尝试，致遭拔毁的损害，本府不日就要派员分赴各处实地查勘，如有希图小利，不顾大害，偷种烟苗者，一经查出，不但要将烟苗铲毁，还要依法从重治罪不稍宽贷。"⑤ 但因各地方官员藐视法令，禁烟的各项措施难以落实，种植鸦片者贪图利益，无视政府法令。因此鸦片种植、贩卖与吸食者仍未断绝。

---

① 于恩德：《中国禁烟法令变迁史》，第 236—237、241 页。
② 于恩德：《中国禁烟法令变迁史》，第 241 页。
③ 《绥省重颁禁烟令》，载《蒙藏周报》第 75 期。
④ 《绥省禁种鸦片之通令》，载《蒙藏周报》第 71 期。
⑤ 《绥远省政府布告禁种烟苗由》，载《绥远省政府公报》第 39 期。

　　1931 年"九一八"事变后，蒋介石任命阎锡山为太原绥靖公署主任。阎锡山上任之初，就制定《山西省政府十年规划》，提出工业山西、农业绥远的方针，"特别让绥远大种鸦片，用禁烟罚款的手段征收烟税，以发展山西的工业。"① 还令绥远省傅作义和王靖国、赵承绶等出兵，把蒋介石委任的东北义勇军总司令王英驱逐出后套，没收了他在后套从其父王同春手里继承的遗产——土地、渠道、牛犋，将晋绥军编余的官兵组成屯垦队和军官屯垦队，在绥远西部地区屯垦。垦荒队虽声称造产救国，但实际上要在绥西地区广种鸦片。② 绥西屯垦队打算要种植 3 万亩鸦片。第一年要种 6 000 亩，生产 60 万两鸦片，并逐年增加。③ 屯垦队在河套各县开始生产后，在播种鸦片的季节里，屯垦办事处令各连队大量播种鸦片以盈利。垦区的官兵除了种植经营集体的烟苗外，还与当地的绅商大户合作，共同经营。士兵们为了发财，也在垦区附近播种少量鸦片，或者以现款买青苗，有的还直接在烟市季节里买烟储存，到第二年春天高价出售，获取暴利。因此，每当烟市季节，垦区官兵熙熙攘攘，均热衷于鸦片交易，多数官兵依赖鸦片烟土在农村放高利贷，获取暴利。许多垦区官兵靠此买房置地。④ 阎锡山除了令屯垦队种植鸦片之外，还派人在归绥开设"仁发公银号"，专做鸦片生意。与宁夏、青海的马步芳等勾结往来，以制造枪炮，换取烟土。不久，由该银号投资，开办了"晋益祥"商号，凡绥南各县的鸦片多由该号收购。⑤ 1935 年，又由营记、亨记合资开设了业记公司，也是以贩运烟土为业。这些鸦片企业，操纵了绥远的烟土市场。

　　绥远的鸦片运至山西后，制造成药饼，配售给烟民。因供不应求，遂又在绥远设立购买鸦片办事处，派专人管理鸦片收购事务。据统计，自 1932

---

　　① 张尔杰：《民国时期绥远历届执政者》，见呼和浩特市政协文史资料委员会编：《呼和浩特文史资料》第 10 辑，第 36 页。

　　② 政协山西省委员会编：《阎锡山统治山西史实》，山西人民出版社 1984 年版，第 161 页。

　　③ 政协山西省委员会编：《阎锡山统治山西史实》，第 177 页。

　　④ 王福田：《阎锡山河套屯垦》，见政协内蒙古自治区委员会文史资料委员会编：《内蒙古文史资料》第 23 辑，政协内蒙古自治区委员会文史资料研究委员会 1986 年印刷，第 118 页。

　　⑤ 吴英禄：《绥远的烟土行》，见政协内蒙古自治区委员会文史资料委员会编：《内蒙古文史资料》第 19 辑，第 205 页。

年屯垦至 1936 年的几年内，由绥远运往山西的鸦片共达 570 万两。① 由于禁烟考核处大量收购，各土店即串通以抬高烟土价。为避免土店把持，山西省在绥远设立"敬业祥"土店，命令驻绥特派员专买存入"敬业土店"的烟土，同时命令稽查处暂勿予土客往天津保运烟土。结果"烟土都集中到'敬业祥'"。②

早在 1929 年 6 月 29 日，绥远省政府公布的《绥远省修正禁烟实施办法》中明确提出了禁种、禁运、禁售、禁吸的具体办法共 14 条。为了防止外来鸦片及其他麻醉品之输入，还特设稽查处，"分派专员驻扎水陆最初入省运输要道各地严密检查，如有抗拒情事得会同当地军警协助办理"③。而阎锡山为了控制该地鸦片税收收入，派专人管理该禁烟稽查处，"凡甘肃等省来绥的和绥远本地所产烟土集中绥远的均经由土店送该处查验，贴印花，每两收印花税三角，始准自由销售，无印花出卖者没收。如欲运往天津，由该处专车保运，每两收保运费一角"④。这样，阎锡山几乎完全控制了山西、绥远地区的鸦片贸易，从中并获取巨大利益。这种以鸦片税收填补财政收入的做法，使绥远地区鸦片烟毒更加扩散，鸦片吸食者的比例达到了国内少有的高度。

当时，绥远省很多县民众都有吸食鸦片的习惯。⑤ 据 1934 年 3、4 月在绥远省归绥、包头、丰镇、萨拉齐、集宁、武川、兴和、和林格尔、凉城等 9 县所做的调查报告，在该 9 县 127 个村落内，一百一十几个村落中有鸦片吸食者。⑥ 其中每村鸦片吸食者比例不一，有的只有几人，有的则有几百人。如武川县五和乡村 505 人中，200 余人都在吸食鸦片，占总人口的一半以上。⑦ 大树湾平安堡，居民十余家，是包头第四区公所所在地，"区分八

① 吴英禄：《绥远的烟土行》，见政协内蒙古自治区委员会文史资料委员会编：《内蒙古文史资料》第 19 辑，第 206 页。

② 政协山西省委员会编：《阎锡山统治山西史实》，第 177 页。

③ 《绥远省修正禁烟实施办法》，载《绥远省政府年刊》1929 年。

④ 政协山西省委员会编：《阎锡山统治山西史实》，第 177 页。

⑤ 《三十年代绥远省各县风俗调查概要》（上），载内蒙古档案馆：《内蒙古档案史料》1993 年第 3、4 期；参见绥远省民众教育馆编：《绥远省分县调查概要》（内蒙古图书馆藏 1934 年铅印本）中的各县社会状况、风俗习惯部分。

⑥ 绥远省民众教育馆编：《绥远省各县乡村调查纪实》第 1 辑，绥远省民众教育馆 1935 年印刷。

⑦ 绥远省民众教育馆编：《绥远省各县乡村调查纪实》第 1 辑，绥远省民众教育馆 1935 年印刷。

乡十四闾七十邻，占地约四百方里，原属内蒙伊克昭盟之达拉特土司辖境，地价每顷数十元，开垦者未及十之一、二。区民约有一万二千人，蒙人占十分之七，染有烟癖者，亦十分之七"，"购食小铺，多遇烟窟，一炕之上，群聚村人，非吸鸦片，即赌纸牌，烟气喧声，充溢满室"。① 河套地区鸦片烟毒更加严重。该地长年以来遭遇军匪扰乱，缺乏食粮，赋税加重，百姓生活极其困窘，"农民除种鸦片可以侥幸获利，种农产物，尚不足苛税之征"②。尤其是阎锡山屯垦队长期广种鸦片，使该地鸦片烟毒达到了极点。当时河套地区，"三五龄之孩提，已染烟瘾"，"女多为娼，男皆抽烟（河套所谓抽烟悉指大烟）"。③ 此外，一些自耕农"嗜好亦仅止抽大烟而已。为农民中之最有发展希望者"④。农村地区终年无娱乐可言，"恋爱、赌博、吸大烟为农余三事"⑤。1935 年，该地区吸食鸦片者"占十分之六七，无业游民多为匪或以卖鸦片为生"⑥。

据《三十年代绥远省各县风俗调查概要》载，当时的归绥地区，"人民嗜好鸦片者居多，卷烟亦颇吸尚"，"住户则吸食鸦片者，早十点起，夜间十二点息，乃为常事"。在兴和县，"嗜鸦片者甚多，纸烟为普遍应酬品"，"至于吸食鸦片者，俾昼作夜，另当别论"。在丰镇县，人们嗜好旱烟、水烟，"近年又多鸦片"。在五原县，"男女嗜鸦片烟"。⑦

20 世纪 30 年代，绥远地区的鸦片更加泛滥。据调查，当时的绥远省，"每年产烟约四百八十余万两，消耗量为一千四百四十万元"，"烟民达六十万"，竟占全省人口之五分之一，"此六十万烟民匪特身体柔弱，精神萎靡，且为农村破产之绥远社会上之蟊贼"。⑧ 而且，"富人家之吸食，自不用说，就连苦力们也有很多的瘾君子"，"在极穷陋的小店里，也可遇到那些连鞋都穿不起的同胞们，也二三其群的围着烟灯而为'烟亩罚款'尽着义务"，

---

① 陈庚雅：《西北视察记》（上），上海申报馆 1936 年版，第 67 页。
② 陈庚雅：《西北视察记》（上），第 67 页。
③ 韩梅圃：《绥远省河套调查记》（上），第 15、17 页。
④ 韩梅圃：《绥远省河套调查记》（上），第 16 页。
⑤ 韩梅圃：《绥远省河套调查记》（上），第 14 页。
⑥ 朱霁青：《绥西政治经济鸟瞰》，《西北问题季刊》第 1 卷第 2 期。
⑦ 《三十年代绥远省各县风俗调查概要》（上），载内蒙古档案馆：《内蒙古档案史料》1993 年第 3 期。
⑧ 李琳：《绥远禁烟前途之展望》，载《开发西北》第 3 卷第 6 期。

"绥远的劳动本就低贱，苦力劳动一日的工资只有两三角钱，幸而他们吃的
莜面是很便宜，每天一角多钱的饭食，即已对付，所剩下的微数，则都消耗
在鸦片上"。① 甚至"鸦片已成敬客上品"。②

　　1934年6月，国民政府颁发《禁烟督察处章程》和《严禁烈性毒品暂
行条例》。数月之中，全国各地烟案之破获及运毒犯吸毒犯之枪决者，几无
日不见于报端。而绥远省则"公开种烟，自由吸食"③。1935年4月4日，
国民政府再次颁布禁烟禁毒两项实施办法，"限令各省、市县立即成立禁烟
委员会与戒毒所，务期六年之内，戒绝鸦片。两年之内扫除毒犯"④。其中
云南、贵州、四川、陕西、甘肃、宁夏、绥远等7省分期禁止罂粟种植，其
他省份务于1935年一年内完全戒绝。⑤ 为了解决禁止鸦片种植地区鸦片吸
食者之问题，还采取了统一掌管运销办法，在汉口设立禁烟督察处，在各省
区也设立禁烟督察分所等，令严格管理鸦片贩运销售，禁止个人贩卖。

　　国民政府在此次禁烟工作中，非常重视绥远省鸦片问题。在其颁布的
《禁烟禁毒五年进度表》中对绥远地区禁烟工作做了详细的计划。自1935
年春开始，"绥远省之归绥等十七县局，仍就原分五区中，照案各禁种第四
区，责成各特派员会同各该省政府办理"⑥，计划至1940年为止禁绝鸦片
种植。

　　在此次全国范围内禁烟运动的推动下，绥远省政府也采取了比以往更为
积极的态度。1935年4月，省政府决心彻底禁止鸦片，在严格遵守中央政
府各种禁烟章程的同时，根据本省具体情况，制定了绥远省禁烟总纲。制定
了有关鸦片禁种、禁吸、禁运、禁销方面的各种办法措施。⑦ 此外还制定了
《绥远省禁种烟苗办法》《绥远省禁吸鸦片办法》《绥远省禁烟委员服务简
则》以及《绥远省禁烟惩处暂行办法》《绥远省办理禁烟案件充奖暂行办

---

① 方大会：《绥远的鸦片问题》，载《申报周刊》第1卷第41期。
② 《绥远各县概况》，载《西北问题季刊》第1卷第2期。
③ 李琳：《绥远禁烟前途之展望》，载《开发西北》第3卷第6期。
④ 李琳：《绥远禁烟前途之展望》，载《开发西北》第3卷第6期。
⑤ 王金香：《近代中国的禁毒运动》，载《光明日报》1998年3月13日。
⑥ 《禁烟禁毒五年进度表》，载《绥远省政府公报》第40卷第4—16号。
⑦ 《训令各县本省禁烟办法》，绥远省财政厅档案，全宗号405，案卷号232。

法》等各种法规、法令。①

1937 年 8 月，绥远省政府根据中央政府指令，设立禁烟督察分处，替代山西禁烟考核处驻绥办事处，② 令其专门负责鸦片收购工作。此次绥远省禁烟工作比起往年更为具体。省当局的禁烟计划，先从铁路沿线做起，第一步先令沿铁路线附近 2.5 公里内禁绝种烟，以后再逐年推广，直到"绥远无烟"的理想之实现。③ 但在禁烟过程中仍有很多需要解决的难题。当时，绥远地区水旱成灾于前，盗贼扰乱于后，官吏贪污其中，致使农村破产程度日趋严重，人民生活日益困难，加上军教等费有增无减。在此情况下，如果禁种鸦片，不仅地方财政难以支撑。还由于农村粮价极其低廉，若禁止农民种烟，则所获粮食除赋税杂捐外，不足以充其口食。这些问题在短期内无法得以解决，给绥远地区禁烟工作带来了很多困难。因此，"当此呼天不应，叫地无门之时，人民趁国家多事，政局未定之际，遂找得一'饮鸩止渴'之法，以种烟"④，而当局一则迫于内忧外患，无暇顾及禁令，一则利用大量烟税，以解决其财政问题。于是，绥远地区鸦片种植更加普遍。

绥远省禁烟计划实施一年后，其效果仍然不佳。据史料记载，1936 年绥东一带"走出铁路一里多地，还是烟花遍地"，而在绥西则"一如往昔，火车仍旧穿行于罂粟花的花园里"。⑤ 而该计划实施不到两年，抗日战争爆发，绥远大部分地区被日军占领，因此绥远省禁烟工作也没有取得任何显著效果而夭折。

（二）绥远地区土药业的发展

绥远地区土药业比较发达。早在民国初年时，该地区已有专门经营鸦片贸易的土药店。鸦片大多从甘肃、宁夏等地用驼载运来。此外，自种鸦片也少许上市。后来随着鸦片的进一步扩散，该地土药业有了更大的发展。当时的绥远省中心、商业贸易集散地归绥的情形更为典型。

20 世纪 20 年代末，归绥的土药店有茂盛隆、和盛祥、兴泰厚、源记、

---

① 绥远省财政厅档案，全宗号 405，案卷号 232。
② ［日］江口圭一：《资料·日中战争时期鸦片政策——以蒙疆政权资料为中心》，第 235 页。
③ 方大会：《绥远的鸦片问题》，载《申报周刊》第 1 卷第 41 期。
④ 李琳：《绥远禁烟前途之展望》，载《开发西北》第 3 卷第 6 期。
⑤ 方大会：《绥远的鸦片问题》，载《申报周刊》第 1 卷第 41 期。

福义泉、晋华玉等 10 余家。① 20 世纪 30 年代初期，在归绥的商业贸易中土药业最为活跃。土药业与烟膏业的不同之处在于土药业以收售甘州、肃州、凉州、宁夏及本地大宗货品，并以代客售货抽收佣金为主要业务。据 1934 年的调查，这样的土药店在归绥共有 18 家，散布于旧城大南街、石头街、兴隆巷、水渠巷各处，② 以茂盛甡、天甡长、德中和、濬兴长、和盛祥、蔚顺魁、福和永、晋和玉各家为最著。其团体称客店同业公会，"各家资本最多者五千九百四十元，最少者一百元。全业资本约计二万六千六百余元"，营业额最多者，"二十一年前季为五十一万四千六百余元。自一十万二千四百余元至四十六万九千一百余元者八家，最少者一万三千余元，普通均三五万元"，"全业全年营业总数，约计六百六十八万八千余元，客店同业公会，会员一百一十二人，职员七人"。③ 20 世纪 30 年代中期，归绥百业凋零，唯有烟土业仍繁荣如旧，"小的零卖商姑且不计，只讲专以运销及批发为主的'货庄'（烟土庄的表面，均写"货庄"二字）就有十五家。他们所做的生意，除收买本省的烟产之外，并且还由甘肃宁夏批购大量的'货'，再转卖给内地客商"④。"货庄"业在归绥商业界还处于领袖的地位，而这里总商会的商长，即是某"货庄"的经理。这些货庄不仅购买绥远省产鸦片，还要从甘肃、宁夏等地大量购买鸦片，再转卖给内地客商，从中获取利润。

土药业外还有烟膏业，"此为绥远特有之营业"⑤，专以零售烟膏为业。在 1932 年的归绥县，这样的烟膏店共有 93 家，其中，"在旧城内外者七十七家，在新城内者十家。在车站者六家"⑥。其资本额最多者 500 元，最少者 30 元，普通以 50 元至 100 元居多数。全业资本总额 5 830 元。全年营业数最多者 78 000 余元（如大召前涌玉泉便是），最少者 50 元。各家全年营业总额约为 339 300 余元。⑦

---

　　① 吴英禄：《绥远的烟土行》，见政协内蒙古自治区委员会文史资料研究委员会编：《内蒙古文史资料》第 19 辑，第 205 页。

　　② 绥远省民众教育馆编：《绥远省分县调查概要》，绥远民众教育馆 1934 年印刷，第 120 页。

　　③ 绥远省民众教育馆编：《绥远省分县调查概要》，第 120 页。

　　④ 方大会：《绥远的鸦片问题》，载《申报周刊》第 1 卷第 41 期。

　　⑤ 方大会：《绥远的鸦片问题》，载《申报周刊》第 1 卷第 41 期。

　　⑥ 方大会：《绥远的鸦片问题》，载《申报周刊》第 1 卷第 41 期。

　　⑦ 方大会：《绥远的鸦片问题》，载《申报周刊》第 1 卷第 41 期。

包头土药业也比较发达。据1934年4月8日边闻社报道，当时的包头"出售熟烟膏之烟馆，计一百一十家，每日每家可平均销烟二十两，共计二千二百两，每两价以一元五角计，共洋三千二百余元。以每月计，约售烟土值十万元。到解放时，全市八万人口，吸毒的就有12 000多人，制毒贩毒分子在一千户以上"。[1]　当时，包头市街中店铺招牌，兼用汉蒙文字，就地设肆者，非卖侠义四书，必为抽烟灯具，"开灯烟馆"、"收买烟灰"之纸灯笼尤散见各处，"实比饭馆多数倍。城内西南隅之空地，刻已罂粟下种，每夏红白花开，游人络绎不绝，勿怪市民二万余，瘾君子几达其半也。"[2]　再据1936年的调查，当时的包头土药业虽不属于任何公会，但其商户数竟达56家，数量上仅次于杂货店。[3]　1935年，集宁县仅在城里"即有五十多家这种铺子，它们一方面是零售膏土，一方面还'开灯'"，"门前都挂着一个淋烟用的竹圈子，作为招牌，并贴着'清水净烟'等类的'标语'"[4]。

甘肃、宁夏两省是近代中国主要产烟区。多年以来，这些地方的鸦片销往内地时，先汇集在绥远市场上。当时鸦片主要用骆驼运，每家"货庄"常常用100个左右的骆驼，每驼载"货"1石，等于320斤，折合5 120两。那么100个骆驼就是512 000两。一个"货庄"一次来"货"就有这么多，可知是一个惊人的数目。据估算，"七七"事变前，甘肃、宁夏两省每年上绥远市场上的鸦片量分别达700万两与200万两，[5]　其中归绥成了绥远地区最大的鸦片集散地方。

另外包头位于西北水陆交通要道，为当时西北地区商业贸易中心之一。平时输入包头之鸦片可折合1 000万元。1936年包头主要货物汇集表中，鸦片共有550万两，达1 100万元。其中，自甘肃、宁夏、青海等3省运入者约有500万两。[6]　这些鸦片，于每年10月至翌年四五月间上绥远市场。其

① 李绍钦主编：《包头史话》，内蒙古人民出版社1994年版，第175页。

② 陈庚雅：《西北视察记》（上），第63页。

③ 孙斌纂：《包头市志》卷9《工商志》，内蒙古图书馆藏复印本，1943年印刷。

④ 方大会：《绥远的鸦片问题》，载《申报周刊》第1卷第41期。

⑤ ［日］中村信：《蒙疆经济》（日文），第92页。

⑥ ［日］川村得三：《蒙疆经济地理》（日文），丛文阁1941年版，第149、169页。

中，甘肃凉州及宁夏鸦片在绥远地区上市线路见表 19 - 1、表 19 - 2。①

表 19 - 1 甘肃（凉州）鸦片上市线路

甘肃（凉州）鸦片	经由地	所用时间
一路	山丹庙—黑沙图—包头	30 天
二路	太阳庙—黄羊木头—临河—五原—安北—包头	30 天
三路	山丹庙—黑沙图—百灵庙—武川—绥远	40 天

表 19 - 2 宁夏鸦片上市路线

宁夏鸦片	经由地	所用时间
陆路	黄羊木头—五原—安北—包头	15 天
水路	宁夏—包头	4 天

甘肃省甘州、凉州两地鸦片均经过宁夏和蒙古地方到绥远、察哈尔市场，而兰州鸦片则经过西安直接销往南京等地。② 从表中我们可以看出，水路运输所用日期最短，且最为方便。但因有些河段水流湍急，有一定风险，因此鸦片大多还是用陆路运输，水路运输还不到输出量的 1/10。③

输入绥远的鸦片，一部分在本地销售之外，其余均与该地鸦片一同转销内地。据《蒙疆经济》记载，一般销往北京、天津等地 700 万两，太原 200 万两。④ 日本外务省档案还记载，绥远的鸦片还销往张家口。当时，张家口地区汇集的鸦片年约有 40 万袋（每袋一般为 60 两，有的达 100 两），其中，由甘肃、宁夏、绥远来的鸦片分别达 20 万袋、10 万袋、10 万袋。⑤ 也就是说，仅销往张家口地区的绥远产鸦片至少达 600 万两。

鸦片运往外地，大体上有两种方式，行内话则名为"'走大路'与'走

---

① ［日］中村信：《蒙疆经济》，第 92—93 页。

② ［日］桥本正康：《西北鸦片概况调查之件》，日本外务省外交史料馆藏档案，代号 A—6—1—2—1—14。

③ ［日］中村信：《蒙疆经济》，第 93 页。

④ ［日］中村信：《蒙疆经济》，第 91 页。

⑤ 日本外务省外交史料馆藏档案，代号 A—6—1—2—1—14。

小路'"①。前者即以火车装运。这种运法很安全，绝不会有被贼匪抢劫的危险。但路上须缴纳很多的税款。如以运到天津的花费计算，把沿途经过各地之税款缴纳完毕，则"每两约合六角左右"②。所谓"走小路"的方法就是私运，用北方特有的载重大骡车运输。这种运输方式比较省钱，"总计脚费及各地的'买路钱'一共只有四角左右"③。装箱外运的"货"都贴着"稽查处"、"绥靖公署"及"绥远垦业商行"的3种封条。其中，稽查处是专门征收鸦片的运销税，绥靖公署多少带点保护的性质。垦业商行本为半官式的营业机关，系晋绥最高当权者所办，贴上它的封条，亦即是"负责运输"之意。

（三）绥远省财政与鸦片税收

鸦片税在绥远省财政收入中占有非常重要的地位，是该省军政费用的主要来源。绥远偏处西北，本属边瘠之区，人口仅200万，销场甚少，出产无多，所恃税捐"向以抽收经过货物之厘金为大宗收入"④。自1931年裁厘⑤实行后，绥远财政益感困难，"虽以营业税抵补，年收仅二十万元，收支相抵，不敷约五十余万元，军费则有增无减。省库收入，田赋全年不过收三十余万元，牲捐各款五十余万元，屠宰营业二十余万元，总计收入一百零九万余元。政教各费开支一百四十余万元，每年亏四十余万元，军费尚不在内，因有禁烟稽查处可资挹注也"⑥。绥远改省后历任财政厅长均为筹措该省行政开支费尽心机，但仍无济于事，只好向山西省借款维持。

1931年，新任财政厅长李居义，被委任为绥远禁烟稽查处总办。他决定凡是西来烟土，必须在黑沙图、百灵庙分卡先行登记，然后再由保商团解送到归绥，经过贴花完税手续，才能向各家土店分配。如继续东运，仍由稽查处负责护送。据史料记载，绥远省"欠太原款约五十余万元，欠绥平市官钱局数十万元。此百万债款，实属无法偿还。惟李为禁烟稽查处总办，此

①　方大会：《绥远的鸦片问题》，载《申报周刊》第1卷第41期。
②　方大会：《绥远的鸦片问题》，载《申报周刊》第1卷第41期。
③　方大会：《绥远的鸦片问题》，载《申报周刊》第1卷第41期。
④　《苏厅长招待新闻界之谈话二》，载《绥远财政厅年刊》1932年第1期。
⑤　厘金，泛指商业税。1931年，国民政府为改变各地税收混乱的状况，裁撤厘金，开征统税及营业税。
⑥　绥远省政府编：《绥省财政概况》，载《开发西北》第3卷第1、2期。

一席阎锡山仍拟借重李氏，故须其兼任。此种特殊机关，向为军费之来源地，绥财政厅方面，虽减轻一笔军费，但稽查处则不得不多加负担，此一笔款仍须由稽查处筹拨"①。

而经济方面绥远省大宗出产为皮毛、粮食、牲畜 3 项。乃因"皮毛以各国均不景气，金融滞塞，工厂倒闭，比比皆是"，所以"向来输销之货物完全不能输出，往年价值百两以上之毛货本年已落为四五十两。粮食以本年到处丰收，供过于求，无法外运。牲畜以地方不靖，灾荒频仍，输出亦见减少。往年仅马匹一项约可售得十数万匹。两年以来仅售五六万匹计，减三分之二"②。这些使本不富裕的绥远省财政受到了很大的影响，其财政来源几至一落千丈。

此外，绥远省军政费用较多也是导致该省财政困难的重要原因之一。当时，山西和绥远的军政费用一部分由绥远省承担。1931 年以前，每月为 20 万元，每年承担 240 万元。到 1932 年，裁去中央补助，每月仍亏 40 万元，因此绥远省也每月加负 6 万元。③ 此项巨款主要由绥远省财政厅、塞北关、绥远垦务局以及稽查处等 4 个机关分担。④ 其中，稽查处要承担 95 000 元，塞北关承担 39 000 元，垦务局承担 10 000 元，财政厅承担 116 000 元。但因绥远省财政厅国家款收入总共不过 71 000 元，因此省军费每月尚短45 000 元。⑤ 历届绥远省当局曾向平市官钱局挪借款项拨发军政费，以致平市实力渐渐不能充足。所以，绥远省政府"思以禁烟罚款整理金融"⑥。此项鸦片税收，据 1932 年的调查，绥远地区种植鸦片之地亩约在 1 000 顷左右，每亩鸦片地税合正捐、附捐、特捐 3 种计之，水地税洋 17 元 5 角，旱地 10 元 7 角 5 分，故此项之收入每年约在 100 万余元。⑦

上述禁烟稽查处为绥远省鸦片税收之机关，专稽查省内来往之烟土，凡

---

① 《绥省财政概况》，载《开发西北》第 3 卷第 1、2 期。

② 《绥省财政概况》，载《开发西北》第 3 卷第 1、2 期。

③ 绥远通志馆编纂：《绥远通志稿》卷 34 之《岁计》，1936 年稿本。

④ 绥远通志馆编纂：《绥远通志稿》卷 34 之《岁计》，1936 年稿本。

⑤ 日本外务省外交史料馆藏档案，代号 A—6—1—2—1—14。

⑥ 《苏厅长招待新闻界之谈话二》，载《绥远财政厅年刊》1932 年第 1 期。

⑦ 《苏厅长招待新闻界之谈话二》，载《绥远财政厅年刊》1932 年第 1 期。

烟土出卖，均须送经此处查验，加盖印章，否则即以私货论。除将货物没收，尚科以犯法之罪名。每两沿途须纳税洋 3 角 5 分，计每年收入约在 200 万元上下。该处每月虽有 10 万元之进款，但仍不足抵补所负军费之额，省库尚须负担大部，结果只有向晋省借债或拖欠了事。① 该稽查处直属于阎锡山统治下的山西绥远财政整理处。但此项巨款并非全部归绥远省，其税收主要部分为山西省收入，只有附加款（教育附加款、赈款）才是绥远省财政收入。

该稽查处总处设在归绥，其下设有和林格尔、百灵庙、兴和、托克托、五原、武川、萨拉齐、归绥、丰镇、临河、包头、清水河、集宁（查）等 17 个分局以及 14 个分卡，给山西省每年提供大量的收入。这些分局、分卡多设于蒙古地方。其中百灵庙之局卡，最为肥富，"因西来之烟土，皆须经此"②。但自内蒙地方自治政委会成立后，蒙古地方之局卡多受打击，收数锐减。

当时的绥远省烟务机构，除了上述禁烟稽查处外，还有禁烟办事处。该办事处早在 1927 年商震执政时期就已建立，主要负责各县烟亩罚款工作。当时，征收烟亩罚款，实施以钱数分配制度，即每年给各县分配一定数量的烟亩罚款，令县、乡、镇长负责征收。其中，县长与乡长等分别将所收罚款之 3.5% 与 1.5% 留做手续费外，其余均交给禁烟办事处。每年平均收入一般为 120 万—140 万元，③ 其中一部分作为附税，通过禁烟稽查处，交给晋绥财政整理处。

绥远省鸦片收入大部分用于补贴军用之外，"政薪以及教育费，都出在鸦片税上"④。该省教育经费来源，"除斗捐学款约计年以 2 万余元，禁烟罚款二五附加约计年收七八万元，向由育教厅经管，统收统支，专作各种临时经费"⑤。所谓的"禁烟罚款二五附加"税是指一种教育补贴费。早在 1927 年 2 月，绥远教育厅以"学校及社会教育较往年用款日增，收支不敷甚

---

① 廖兆骏：《绥远志略》，正中书局 1937 年版，第 92 页。
② 《绥省财政概况》，《开发西北》第 3 卷第 1、2 期。
③ ［日］江口圭一：《资料·日中战争时期鸦片政策——以蒙疆政权资料为中心》，第 230 页。
④ 魏东明：《从归绥到武川——绥行报告文学》，载《申报周刊》第 2 卷第 1 期。
⑤ 《绥省教育之今昔》，载《绥远在历史上的经营过程》（报纸剪贴）。

巨"，同时"兵灾救济会亦以筹拨赈款为请"，呈准在禁烟善后罚款内加抽五分，"以二分五厘办赈，二分五厘拨作教育基金。"[1] 这部分税银，初由善后总局呈解都统署转发，后改为直接交给教育厅，呈报省府备案。此款为教育厅收入之大宗，一切办学用款，多取自其中。[2]

1936 年，绥远省国家岁入及地方特别税收共达 433 万元。其中禁烟稽查处收入就达 270 万元。[3] 省地方收入达 405 万元，其中，禁烟办事处之收入就达 100 万元。[4] 也就是说，绥远省全部收入 838 万元内，鸦片收入即达 370 万元，约占总收入的 44%。

此外，在绥远省一些县、局地方的收入中鸦片税收也占很大比重。据《绥远通志稿》载，在萨拉齐、包头、丰镇、五原、集宁、托克托、沃野等县、局地方税收内，均有不同名称的鸦片税收。如烟膏公益费、烟灯捐、禁烟特捐、烟馆捐以及烟亩罚款等。[5] 在和林格尔县，吸鸦片者有"百分之五六。吸者多贫，病人吸之，较胜医药。当今粟贱民穷，尤以此为要务。官家税收，亦以此为大宗"[6]。另外，各蒙旗亦与省政府分收鸦片过境税。[7] 由此说明，鸦片税收入在该省财政收入中占非常重要的地位。

绥远省鸦片行政与财政工作照例都应由省政府财政厅掌管。但如上所述，绥远省政府直辖的禁烟办事处，只管所辖各县鸦片行政工作，即收取各县烟亩罚款工作，而全省鸦片税收工作主要由晋绥财政整理处直辖的禁烟稽查处负责。部分税收还交给山西省。这说明，日本占领前的绥远省，没能够实施独立的鸦片政策，而且在山西军阀的高压政策下，绥远省财政受到了很大的限制。

另一方面，因当时的绥远省烟务行政与征税等工作由绥远省政府与晋绥财政整理处分别管理，所以缺乏一个统一的管理机构。这成为绥远省鸦片行

---

① 绥远通志馆编纂：《绥远通志稿》卷 37 之《税捐》，1936 年稿本。
② 绥远通志馆编纂：《绥远通志稿》卷 37 之《税捐》，1936 年稿本。
③ 北支那经济通讯社编：《北支・蒙疆现势》（日文），北支那经济通讯社 1938 年印刷，第 727 页。
④ 北支那经济通信社编：《北支・蒙疆现势》（日文），北支那经济通讯社 1938 年印刷，第 727 页。
⑤ 绥远通志馆编纂：《绥远通志稿》卷 37 之《税捐》，1936 年稿本。
⑥ 刘汉鼎：《和林格尔县志草》，内蒙古图书馆藏复印本 1934 年版，第 108 页。
⑦ 贺扬灵：《察绥蒙民经济的解剖》，商务印书馆 1935 年版，第 200 页。

政最大弊端。由此，国民政府禁烟法令在地方得不到很好的实施，反而被地方军阀所利用，禁烟机构则成为他们从中渔利的工具。

绥远省政府虽在禁烟工作方面还采取过一些积极的态度，但其政策的实施难免与山西军阀控制下的财政工作产生矛盾与冲突，给绥远省禁烟工作带来了一定的困难。

（四）蒙绥税收纠纷

如前所述，甘肃、宁夏两省鸦片销往内地，其大部分先经过绥远。其中，甘肃鸦片主要经过阿拉善旗，进入乌兰察布盟境内。鸦片商人为了货运安全，一般不走各县，而是经过乌兰察布盟的乌拉特中旗、茂明安旗、达尔罕旗到达百灵庙，再由达尔罕旗保商团护送至归绥，装上火车，运往天津。宁夏鸦片经过河套，抵达包头，再由平绥铁路，汇集归绥。在百灵庙汇集之鸦片一部分被送往归绥之外，一部分则经过蒙旗抵达张家口。①

在傅作义统治绥远时期，正遇财政困难，军政费用大多依赖鸦片税收。尤其是在农村农民负担能力薄弱，工商业又不发达，生产收入鲜少，军队费用庞大的情况下，绥远省解决收支不均的唯一补救办法就是增加鸦片税收。晋绥财政整理处针对这种情况，设立了一个禁烟善后局，后又改为禁烟稽查处，专门征收西来鸦片过境税。稽查处属下分局、分卡多设于蒙古地方，而蒙旗方面对于巨额鸦片税却无权过问，对此乌兰察布盟各旗王公极为不满。他们认为，鸦片一入绥远境内即进入牧区，各旗军队负有保护责任，到归绥后只不过是装上火车，绥远省府不费吹灰之力，反收巨利，各旗王公出了气力，反而得不到好处。这成为其后蒙政会与绥远省政府间的鸦片税收纠纷发生的根源。

1934年2月28日国民党中央政治会议通过的《蒙古自治办法原则》中明确指出："在蒙古适宜地点设一蒙古自治政务委员会……经费由中央发给"，"省县在盟旗地方所征之各项地方税收，须劈给盟旗若干成，以为各项建设费，其劈税办法另定之"。② 对于蒙古地方自治政务委员会（简称蒙政会）来说，控制或劈分经过绥远省境内的鸦片过境税收入是解决其财政

---

① 日本外务省外交史料馆藏档案，代号 A—6—1—2—1—14。
② 《新蒙古》第1卷第3期。

困难的极好办法。所以蒙政会就以国民党中央关于"省县在盟旗地方所征之各项地方税收，须劈给盟旗若干成"的明文规定，强烈要求绥远省政府劈分鸦片过境税。

1934年蒙政会成立后，首先向绥远省政府提出要由蒙政会派一个"帮办"到禁烟善后局工作，并请由鸦片过境税内每年分给蒙政会10万元。但此两项要求均遭到绥远省政府主席傅作义的拒绝。蒙政会成立后1年多，绥远省政府以各种借口，在盟旗地方所征之各项地方税收中并未给蒙旗分文。另外，南京政府也未能及时拨给蒙政会经费，致使蒙政会已无法维持日常开支，各项自治事务也未能按原计划进行，"其内部财政短少，经费困窘之情形，有过于绥省政府而无不及之处乎"①。

此后，蒙政会和绥远省政府双方又派员商谈，始终相持不下，没有结果。蒙政会派蒙政会财政委员会主任包悦卿、帮办敖云章，除继续和傅作义谈判外，还到北平请求"军事委员会北平分会"代委员长何应钦出面解决劈分鸦片过境税的问题。1935年2月，当大量的鸦片西来之际，蒙政会派保安队在乌拉特中旗等几个旗的交通要道上设立税卡，强行征收鸦片税。绥远省政府立即派出3个团军队，保护黑沙图之禁烟分局，②还派兵将蒙政会设在伊克昭盟达拉特旗柴登的税卡捣毁。蒙政会保安队300余名，进驻乌拉特中旗政府附近，该旗也自动供给保安队马匹骆驼和军粮，以示支持。于是，绥远省军与蒙政会保安队在黑沙图河等地形成了对峙的局面。

蒙绥税收纠纷发生后，北平军分会派高级参谋萧仁源赴绥远、百灵庙调处。1935年2月27日，萧仁源等与蒙政会在百灵庙签署有关鸦片税收协定，规定："（一）关于绥远省政府稽查处在百灵庙、善丹庙、哈沙图、太阳庙所设支分税卡，应改称为驻某地绥远省政府、蒙古地方自治政务委员会联合稽查处，由双方派员会同查验挂号，以资稽核。（二）关于各税卡所收税金，蒙古拟征一角五分（指每两烟土——引者），绥方同意四分，由萧参谋仁源斟酌事实，拆中处理。将绥方曾经减去七分三厘外，外加四分，共计八

---

① 《蒙绥税收纠纷亟应早日解决》，载《新蒙古》1935年第3卷第4期。
② 张景韩：《蒙绥税收纠纷经过》，载《新蒙古》1935年第3卷第3期。

分，归蒙政会征收，以后绥方对于蒙古各旗不抽费，均由蒙政会担任。"①对于此项协定，蒙政会方面又提出附件声明，要求"（一）蒙政会、察省张甘（张家口至甘肃汽车——引者）汽车公司，业经呈准蒙政会保护通行有案，嗣后蒙政会对于该汽车往来负责保护，绥方不得过问。（二）绥省府凡西来货物（土药——引者）经过本处（稽查处——引者）在蒙旗所设各卡无论如何运输，须查验挂号后，并须一律运至归化，以便商人交易，并征收税款。（三）凡西来土药经过稽查处，在蒙旗所设各卡，除骆驼所运土药一律运到归化外，其由汽车运输者，应将绥省府应收税款一律缴清始可放行"，并致电蒙政会驻绥办事处主任亢仁表示最后态度，声明"附件不接受，上两项亦作为无效"。②

原来，甘肃鸦片经过百灵庙时，为了逃避绥远省重税而经过苏尼特右旗德王府抵达张家口。因此，张家口汽车公司主任李锡源建立张甘汽车公司，专门用汽车运输甘肃土药。③当时，察哈尔省主席宋哲元为筹备军费，德王也为解决蒙政会及旗内财政困难问题，都曾表示给该公司以保护。④但因张家口成立甘张汽车公司，往来于甘张间，专运鸦片，察哈尔省与蒙政会订立保护办法，鸦片可不经绥远省，致影响绥远省税收。因此，绥远省政府方面不接受此附件声明，拒绝签字。于是，双方谈判遂告破裂，萧仁源也不得已离绥返平。

军分会得萧仁源报告后，向国民党中央请示办法。中央复电表示勿使事件扩大，令北平军分会就近处理。复经萧仁源竭力疏解与蒙方代表包悦卿、绥远代表石华严、察省代表萧振瀛等继续谈判，"迭次商洽，均愿推诚相见。嗣由何委员长秉公处理，拟定具体办法，双方均无异议，始获圆满解决"。其解决内容，除维持原定之两原则外，"张甘汽车决予取消，以后往返之运货，一律以骆驼运输，由察省运输者，今后不再取道张甘路，蒙绥间运输者，每担决提出八成，归于蒙方"。也就是说，省方收取 3/4，蒙政会收取 1/4。至此两月以来的税收纠纷终获解决。驻黑沙图等地之王靖国部队撤回原防，蒙古骑兵及蒙政会保安队等亦奉调回百灵庙。然而在此后的具体

① 张景韩：《蒙绥税收纠纷经过》，载《新蒙古》1935 年第 3 卷第 3 期。
② 张景韩：《蒙绥税收纠纷经过》，载《新蒙古》1935 年第 3 卷第 3 期。
③ 日本外务省外交史料馆藏档案，代号 A—6—1—2—1—14。
④ 日本外务省外交史料馆藏档案，代号 A—6—1—2—1—14。

实施过程中，绥远省政府以各种借口，未给蒙政会一分钱，所以这一协定并未得到真正实行。①

此次税收纠纷，实际上是绥远省政府与蒙政会间利益冲突的表现。正如时人所言，蒙政会与绥远省政府，其有税收纠纷，"在事实上虽发端于最近，但其因子，当早种于已往"，"当已种因于西三盟之要求高度自治，与蒙古自治政委会的成立之初"。②

三、日本占领时期的绥远地区鸦片毒害

（一）日本在绥远地区实施的毒化政策

1937 年 7 年 7 日驻华北日军发动"卢沟桥事变"后，很快占领了北平、天津等地。从 8 月 11 日到 29 日，日本关东军协同中国驻屯军完全占领了张家口以东平绥铁路东段。9 月初，日军察哈尔派遣兵团继续沿平绥铁路西进，绥远大部分领土被日军所占领。与此同时，日军在其占领区内着手组织傀偏政权。9 月 4 日，在张家口成立了"察南自治政府"。10 月 5 日，在大同成立"晋北自治政府"。10 月 27 日，在归绥成立"蒙古联盟自治政府"。11 月，由察南、晋北、蒙古 3 个自治政府各派代表，在张家口成立了"蒙疆联合委员会"，金井章二任最高顾问兼总务委员会委员长，成为该委员会的权力中心和 3 个自治政府的实际领导者。1939 年 9 月 1 日，将察南、晋北、蒙古 3 个政权合并，在张家口成立"蒙古联合自治政府"。1941 年 8 月，根据日本兴亚院和陆军省的决定，"蒙古联合自治政府"改称蒙古自治邦政府，其行政辖区包括察南 10 县、晋北 13 县与绥远省大部分地区。

日本帝国主义在占领区内除了进行军事、政治、经济侵略之外，还利用鸦片毒化政策，有计划、有组织地进行鸦片种植、生产和运输，牟取暴利，同时毒化中国人民，削弱其抗日意志。③ 当时，日军虽占领了中国华北、华

---

① 《蒙绥税收争执圆满解决》，载《新蒙古》1935 年第 3 卷第 4 期。

② 《蒙绥税收纠纷亟应早日解决》，载《新蒙古》1935 年第 3 卷第 4 期。

③ ［日］江口圭一著：《1931—1945 日本十五年侵略战争史》，杨栋梁译，天津人民出版社 1995 年版，第 192 页；［日］江口圭一著：《日中鸦片战争》，宋志勇译，天津人民出版社 1995 年版，第 127—128 页。

中以及华南很多地区，但作为鸦片种植基地而出名的只有蒙疆政权所辖地区。[①] 也就是说，"蒙古联盟自治政府"所管辖的绥远地区成为蒙疆政权的主要鸦片生产地。

如上所述，内蒙古西部地区，尤其绥远省是有名的鸦片产地，同时又是甘肃、宁夏等西北地区鸦片运往平、津的中转站。这样，禁烟特别税成为该省的大笔收入。日本关东军在没有占领绥远省以前，就注意到该地区鸦片的巨大财源。

"满洲国"成立后，日本关东军针对内蒙古西部所推进的所谓"内蒙古工作"，就与鸦片有着密切关系。[②] 1936 年末，日本关东军指使伪蒙古军发动对绥远的战争，其主要目的之一就是为了控制绥远省鸦片收入。[③] 日本关东军方面当时认为，"要缓和内蒙古的财政困难问题，且将来要进一步推进本工作，务必要控制绥远包头方面鸦片收入。因此，第一阶段的目标就在于长城线黄河以北的绥远"[④]。但因绥远省傅作义军队的奋力抵抗，关东军的这一目的未能实现。

1937 年，日军占领绥远大部分地区之后，"对于绥远年产约一千万两之鸦片，尤视为大宗财源"[⑤]。但是当时由于绥远省政府大批旧职员业已逃散，并将现金、重要账簿销毁或带走，因此为尽快恢复旧的财政机关费了很多时间和努力。"蒙古联盟自治政府"首先对鸦片事务管理进行整顿。1937 年10 月，原绥远省范围内的烟政由新成立的"蒙古联盟自治政府"统制，并沿袭了绥远省旧有的鸦片税收制度。[⑥] 当时，原绥远省烟务机构内，除了禁烟稽查处外其余都已解散。针对这种情况，新政府对禁烟稽查处进行一些整顿，暂时令其掌管绥远地区鸦片善后事宜。从 1937 年 11 月 1 日起开始了一般征税事务，到 1938 年 1 月 5 日，收取税款 599 456 元，其中禁烟稽查处收入达 413 254 元，占总税收的 68.9%。[⑦]

---

① ［日］江口圭一：《日中鸦片战争》，宋志勇译，天津人民出版社 1995 年版，第 38 页。
② ［日］江口圭一：《资料·日中战争时期鸦片政策——以蒙疆政权资料为中心》，第 52 页。
③ ［日］江口圭一：《日中鸦片战争》，宋志勇译，第 30 页。
④ ［日］岛田俊彦、［日］稻叶正夫编：《现代史资料（8）日中战争（一）》（日文），第 621 页。
⑤ 黎圣伦：《今日之内蒙》，独立出版社 1941 年版，第 31 页。
⑥ ［日］江口圭一：《日中鸦片战争》，宋志勇译，第 40 页。
⑦ ［日］江口圭一：《资料·日中战争时期鸦片政策——以蒙疆政权资料为中心》，第 86 页。

1938 年 3 月，"蒙古联盟自治政府"为了统一财政管理，将原绥远省禁烟稽查处、塞北关监督公署等征税机关合并后，在归绥设立统税管理局，令其管理包括鸦片税收在内的各种税务。① 但它仍以鸦片税收为最主要的财政收入。② 于是，绥远地区年产 1 000 万两的鸦片完全落入日本控制之下。③

是年 8 月 1 日，"蒙古联盟自治政府"颁布了鸦片种植税暂行规则、鸦片印花税暂行规则等各种针对鸦片的法令、法规。其要点是"鉴于事变后农村萧条和确保新政权财政的需要，以增产为目标"④。其中包括：鸦片种植税的赋课和禁止向政府许可生产鸦片者以外的人贩卖；对于鸦片的收藏、贩卖、运送的印花税的赋课，对鸦片土商的鸦片公会组织和鸦片公会的鸦片贩卖、收购以及贩卖业者的牌照税的赋课，对鸦片零售业的许可制和牌照税的赋课，对铁路运送鸦片的官运和出境税的赋课以及吸食鸦片的许可制和禁止制造、贩卖、吸用鸦片以外的毒品等内容。⑤ 禁烟措施之重点在于以县为单位征税，以此实现所谓的财政稳定与民生安稳。

"蒙古联盟自治政府"1938 年度最初制定的岁入预算为 7 549 476 元，其中鸦片税收收入为 60 万元（占岁入的 7.9%）。但这个数字比起绥远省时代，是"极其保守的估计"⑥。其后，修正预算总额为 9 300 万元，鸦片税收增加到 256 万元（占岁入的 27.5%）。是年，绥远地区鸦片生产出现了极不平衡的状态，市场上的鸦片数量大大减少，其价格也比过去涨了三四倍。这主要与"七七"事变后西来鸦片贸易被割断，以及宁夏执政者为了生产军粮，采取严禁鸦片种植的贸易政策有关。⑦ 这对绥远地区对鸦片收入抱有极大希望的"蒙古联盟自治政府"来说，无疑是个重大的打击。在此情况

---

① 西北研究社：《抗战中的绥远》，见中共内蒙古自治区委员会党史资料征集办公室、中国人民解放军档案馆、内蒙古自治区档案馆编：《大青山抗日游击根据地资料选编》（中），内蒙古人民出版社 1987 年版，第 338 页。

② 西北研究社：《抗战中的绥远》，见中共内蒙古自治区委员会党史资料征集办公室、中国人民解放军档案馆、内蒙古自治区档案馆编：《大青山抗日游击根据地资料选编》（中），第 338 页。

③ 西北研究社：《抗战中的绥远》，见中共内蒙古自治区委员会党史资料征集办公室、中国人民解放军档案馆、内蒙古自治区档案馆编：《大青山抗日游击根据地资料选编》（中），第 338 页。

④ ［日］江口圭一：《资料·日中战争时期鸦片政策——以蒙疆政权资料为中心》，第 248 页。

⑤ ［日］江口圭一：《资料·日中战争时期鸦片政策——以蒙疆政权资料为中心》，第 248 页。

⑥ 北支那经济通讯社：《北支·蒙疆现势》（日文），第 727—728 页。

⑦ ［日］中村信：《蒙疆经济》（日文），有光社 1941 年版，第 93 页。

下，该政府以实施鸦片自给政策为基本方针，试图增加统治区内的鸦片产量。于是强迫农民广泛种植鸦片，不断扩大鸦片种植面积。

1938 年，巴彦塔拉盟公署用飞机散发传单，大力宣传种植鸦片的好处。[1] 当年巴彦塔拉盟所辖 11 县，除清水河县以外都种植了鸦片，面积达 93 226 亩。[2] 1939 年 2 月 1 日，包头市公署发布告示，呼吁农民种植鸦片，提出鸦片不仅为增加国税收入，保证建设之资源，而且是发展经济，活跃市场之关键。同时又是医药上不可缺少的特效药材，是人民致富捷径。[3] 各级伪政权除大力宣传鸦片种植外，还制定了不少有关鸦片种植的规定，即居民不分民族，不分城乡，都有种植鸦片的权利，且政府给予支持与保护，任何人不得进行破坏；烟苗成熟时，烟务工作人员与相关地方人士一同稽查丈量烟地，以亩数交税，由烟务社负责征收；收割烟苗后的 1 个月内务必交清税款；不能以任何理由拒绝交税；在收烟时防止非法偷盗，若有犯法者务必严惩。[4]

在伪政权的鼓励与保护下，旧绥远地区的鸦片种植面积大大扩大。在包头市，1938 年该市所辖 21 乡鸦片种植面积水地达 14 676 亩，旱地 8 600 亩，共 23 276 亩，产量 37 952 两。[5] 1939 年，该市所辖 22 乡鸦片种植面积水地 44 907 亩，旱地 24 012 亩，共 68 919 亩，产量达 641 230 两。其中还不包括土黑麻淖乡以及哈令沟等 5 乡产量数。[6] 到 1939 年时，"蒙古联盟自治政府"统税管理局鸦片税收已达 423 万元。[7]

1939 年，蒙疆地区鸦片政策发生了很大变化。是年，日本政府为了解决占领区内鸦片严重不足问题，保证伪政权财政来源，同时防止资本外流，决定实施蒙疆地区鸦片增产政策。于是，"察南自治政府"、"晋北自治政

①　《血泪八年——日寇铁蹄蹂躏下的集宁》，见集宁市政协文史资料研究委员会编：《集宁文史资料》第 3 辑，集宁市政协文史资料研究委员会 1990 年，第 56 页。

②　"蒙古联盟自治政府"巴彦塔拉盟公署官房编：《巴彦塔拉盟要览》（日文），蒙疆新闻社厚和支社 1939 年版，第 148 页。

③　张贵：《包头史稿》（下），内蒙古大学出版社 1997 年版，第 171 页。

④　张贵：《包头史稿》（下），第 172 页。

⑤　孙斌纂：《包头市志》卷 3《农业》，内蒙古图书馆藏 1943 年复印本。

⑥　孙斌纂：《包头市志》卷 3《农业》。

⑦　《蒙古》（日文），1939 年 7 月号，第 216 页。

府"以及"蒙古联盟自治政府"等 3 个政权均改变一直沿袭的鸦片旧制，对鸦片事务实现统一管理。[1] 为此，1939 年 6 月 6 日在张家口成立清查总署，作为整个蒙疆政权所辖地区鸦片事务管理机构。

清查总署分别在张家口、大同与厚和市（原归绥）设立了 3 个清查署。[2] 其中，厚和市清查署专门管理厚和市、包头市、巴彦塔拉盟、乌兰察布盟以及伊克昭盟所辖区内鸦片事务，其下设有丰镇、兴和、集宁、包头、萨拉齐、托克托、五原、临河等 8 个清查局之外，还要管辖归绥、旗下营、武川、和林格尔、察素齐、清水河等 6 个分局。[3]

1939 年 6 月 26 日，在张家口成立了由 206 名鸦片商组成的"蒙疆土药股份有限公司"，并在大同、厚和各设一所支店。[4] 该公司作为蒙疆的特殊公司，负责收购鸦片，并向"蒙疆联合委员会"、清查总署缴纳鸦片。实际上该公司成为代表官方垄断鸦片收购的机构。

该公司为了在清查总署之下与政府合作实施鸦片政策，以有一定资本的地方鸦片商人为负责人，并制定统一收购价格。在张家口成立总公司的同时，还成立了 11 个分公司，其中厚和、兴和、集宁、托克托、萨拉齐、包头、丰镇等 7 个分公司均在原绥远省境内。[5] 该公司的成立，改变了过去鸦片自由贸易的状况，建立起了烟农—土药公司—清查署—鸦片配给人—烟民的鸦片"统制"体系。蒙疆政权通过这样的清查制度，将鸦片收购至售出为止的全部过程都控制在自己手中，以图保证政府财政收入。

1939 年，"蒙疆联合委员会"进一步扩大了鸦片种植面积，改变了原来只有在"蒙古联盟自治政府"辖区内才允许种植鸦片的状况，在"察南自治政府"和"晋北自治政府"辖区内也都允许种植鸦片。尽管如此，原绥远地区仍是整个蒙疆地区主要鸦片种植基地，其中萨拉齐、察素齐、毕克齐、丰镇、托克托、固阳、包头、武川、和林格尔、清水河、凉城、兴和、

---

① ［日］江口圭一：《日中鸦片战争》，宋志勇译，第 43 页。
② ［日］江口圭一：《资料·日中战争时期鸦片政策——以蒙疆政权资料为中心》（日文），第 408 页。
③ ［日］江口圭一：《资料·日中战争时期鸦片政策——以蒙疆政权资料为中心》（日文），第 408 页。
④ ［日］江口圭一：《资料·日中战争时期鸦片政策——以蒙疆政权资料为中心》（日文），第 264 页。
⑤ ［日］江口圭一：《资料·日中战争时期鸦片政策——以蒙疆政权资料为中心》（日文），第 264 页。

集宁等地区成为主要鸦片产地。① 从鸦片种植面积来看，1939 年，蒙疆地区鸦片种植面积预定为 1 011 000 亩，预算收获 7 583 000 两鸦片。其中原绥远地区种植 846 000 亩，预算收获 6 345 000 两。② 说明原绥远地区鸦片在整个蒙疆地区鸦片生产中处于绝对优势地位。

是年，整个蒙疆地区鸦片产量并未达到预期的效果，所收鸦片只达到原定计划的 11.7%。③ "蒙疆联合委员会"最初预算绥远地区鸦片收获量为 600 万两，后减少至 400 万两。自 8 月开始收购鸦片，因鸦片产量不高，不得不再次将鸦片收购预算减少至 200 万两。但最终所收鸦片还不到 100 万两。④ 其原因虽有天灾的影响，但主要还是在于上述清查制度本身以及所规定的收购价远低于市价。⑤ 在此情况下，蒙疆政权对其辖区内的鸦片收购机构进行了改革。

1940 年，蒙古联合自治政府制定《改革鸦片收纳机关实施纲要》，解散了"蒙疆土药股份有限公司"，组织由从前的土商组成的收纳人合作社，采取了以适应京津地区市价的价格来收购、销售的方针。⑥ 该合作社为专门以鸦片收购为主要目的的鸦片收购人组织，总社设在张家口，下设 11 个分社。其中，设在原绥远省境内的有丰镇、托克托、包头、厚和、萨拉齐等 5 个分社。⑦

1940 年，绥远地区多数农民由于食物不足，欲种植粮食。但蒙疆政权"用飞机散发小册子，奖励种植罂粟，免费分给种子，就连归化城里也为搬运鸦片乐于提供方便"⑧，土地肥沃且交通便利之处的农民如不愿种植鸦片，则要求其将土地交与政府种植；土地贫瘠或交通困难之处的农民，如不种鸦

---

① ［日］中村信：《蒙疆经济》（日文），第 90 页。

② ［日］江口圭一：《日中鸦片战争》，宋志勇译，第 45 页。

③ ［日］江口圭一：《日中鸦片战争》，宋志勇译，第 48 页。

④ ［日］江口圭一：《资料·日中战争时期鸦片政策——以蒙疆政权资料为中心》（日文），第 270 页。

⑤ ［日］江口圭一：《资料·日中战争时期鸦片政策——以蒙疆政权资料为中心》（日文），第 269 页。

⑥ ［日］江口圭一：《资料·日中战争时期鸦片政策——以蒙疆政权资料为中心》（日文），第 270 页。

⑦ ［日］江口圭一：《资料·日中战争时期鸦片政策——以蒙疆政权资料为中心》（日文），第 278—282 页。

⑧ 《远东国际军事审判记录》（一）（日文），雄松堂书店 1968 年版；转引自［日］江口圭一：《资料·日中战争时期鸦片政策——以蒙疆政权资料为中心》（日文），第 118 页。

片，亦须按头一年之数目交烟。① 夏季鸦片长到一定程度后，土业合作社派人下乡，统计各村鸦片种植户数，丈量各户鸦片种植亩数，作为其后收购鸦片的依据。当时，每亩产量为旱田每亩最少出售 20 两，水田则最少出售 30 两。② 鸦片烟商们则以此标准收购，要求种植者务必于限期内以此标准交售。③

蒙疆政权为了加大普及绥远地区鸦片种植力度，还采取了种种奖励政策。如种植鸦片，并按规定交出鸦片者都视为良民，多交者还发给布料、纸烟等日常用品，以资鼓励。这在当时物资统制情况下，对一般公民有很大的诱惑力。

日本帝国主义推行的毒化政策，使绥远地区鸦片种植面积大大增加，到 1940 年时，其产量已代替了甘肃省的主产区地位。④ 1940 年，包头市所辖的 25 乡鸦片种植面积是水地 40 655 亩，旱地 19 632 亩，共 60 287 亩，产量达 787 420 两。⑤

1941 年 2 月，蒙疆政权指定该年度鸦片种植面积的同时，预计鸦片收购量为 755 万两。其中厚和清查署境内预计收购 3 406 000 两鸦片。⑥ 是年，因蒙疆地区年成较好，清查制度进一步完善以及华北地区亦种植罂粟，鸦片价格下跌和私自买卖急剧减少等原因，该地区鸦片种植与收购工作都很顺利。到 10 月底，鸦片收购量终于突破 1 000 万两，其中厚和清查署共收购鸦片 4 398 490 两，⑦ 以空前的好成绩完成收购计划。

1941 年太平洋战争爆发后，日本兴亚院召开会议，为确保日本占领区的鸦片供应，1942 年预计蒙疆鸦片收购量为 1 000 万两，其中厚和清查署辖区为 4 719 000 两。⑧

---

① 李松如：《敌人侵占绥远后的毒化政策》，载《西北论衡》第 8 卷第 5 期。
② 李松如：《敌人侵占绥远后的毒化政策》，载《西北论衡》第 8 卷第 5 期。
③ 西北研究社：《抗战中的绥远》，见中共内蒙自治区委员会党史资料征集委员会、中国人民解放军档案馆、内蒙古自治区档案馆编：《大青山抗日游击根据地资料选编》（中），第 328 页。
④ 《远东国际军事审判记录》（一）（日文），雄松堂书店 1968 年版；转引自江口圭一：《资料·日中战争时期鸦片政策——以蒙疆政权资料为中心》（日文），第 118 页。
⑤ 孙斌纂：《包头市志》卷 3《农业》内蒙古图书馆馆藏 1934 年复印本。
⑥ ［日］江口圭一：《日中鸦片战争》，宋志勇译，第 80 页。
⑦ ［日］江口圭一：《日中鸦片战争》，宋志勇译，第 80 页。
⑧ ［日］江口圭一：《日中鸦片战争》，宋志勇译，第 92 页。

但因几年来上等地都用来种植鸦片及劳动力不足等原因，导致各地粮食收获量大大减少。鉴于此，蒙疆政权方面不得不缩小鸦片种植面积。作为对缩小种植面积的补偿，尽可能在容易管理的地区种植鸦片，另一方面改良品种，改善灌溉设施，改良耕种办法，以期提高单位面积产量。但出乎意料的是，是年鸦片严重歉收。究其原因，除当地受灾，鸦片产量急剧减少外，还由于京津地区市价上涨，私自买卖者潜入并暗中活动，哄抬价格，农民看涨舍不得卖以及由于粮食提价和丰收，提前卖掉粮谷，隐匿鸦片等。因此鸦片收购不顺，只完成了预定计划的 35.8%。[①] 厚和清查署实际收购量为 1 488 669 两，完成了预定计划的 31.6%。[②]

日本占领时期的巴彦塔拉盟所辖原绥远省部分县、局 1940—1942 年间鸦片种植情况见表 19－3。[③]

表 19－3　1940—1942 年间巴彦塔拉盟所辖原绥远省部分县、局鸦片种植情况

（单位：亩）

年份／地区	1940 年	1941 年	1942 年
厚和	100 000	70 000	65 000
包头	20 000	13 000	13 000
陶林	10 000	7 000	7 000
和林格尔	30 000	35 000	35 000
清水河	10 000	12 500	10 000
托克托	100 000	50 000	55 000
武川	20 000	21 000	20 000
萨拉齐	100 000	60 000	60 000
固阳	15 000	19 000	15 000
集宁	15 000	12 500	12 500
凉城	25 000	25 000	50 000

①　［日］江口圭一：《日中鸦片战争》，宋志勇译，第 92 页。

②　［日］江口圭一：《日中鸦片战争》，宋志勇译，第 92 页。

③　［日］江口圭一：《资料·日中战争时期鸦片政策——以蒙疆政权资料为中心》（日文），第 307—311 页。

（续表）

年份 地区	1940 年	1941 年	1942 年
兴和	40 000	30 000	40 000
丰镇	80 000	80 000	80 000
土默特旗	1 500	2 000	2 500
安北		500	

1943 年，蒙古自治邦政府预计种植 95 万—100 万亩鸦片，预计收购 1 000 万两，且对其鸦片购买制进行一定的改革。这说明 1943 年以后，蒙疆地区鸦片生产仍在积极进行。后来政府方面将该年度鸦片收购量减少到 500 万两。[1] 该计划的具体实施情况不详。

1943 年 12 月，南京及其他城市的学生举行了反鸦片示威运动，砸毁鸦片商店及鸦片烟馆。日本为磋商此事向南京派去顾问，要汪精卫政权考虑鸦片是蒙疆政权的主要财源，以此为条件，约定援助汪伪政权恢复战前的禁烟措施。日本当局同意从 1944 年开始先减少罂粟种植面积，然后再禁止，从蒙疆的进口要减半。遵守战前的规则，日本援助中国的禁止走私贸易工作。随着日本鸦片政策的调整，以增产鸦片为使命并以此作为自己生存条件的蒙疆政权的鸦片政策，走向破产。

尽管如此，蒙疆政权直至瓦解对鸦片仍一直非常重视。据 1944 年 10 月就任的托克托县首席警务指导官回忆："到了这个时期，建国精神等被束之高阁，只要有助于增强日本战争能力的，就是至高的命令……县里的职员在警备队、警察队的保护下，拼命地、竭尽全力收缴鸦片、谷物。"[2] 日本战败之时，用卡车装载数百公斤鸦片和 500 多万日元的蒙疆银行券，逃出县城。途中将卡车和蒙银券烧毁，但鸦片却被装上一架两匹马拉的车运走。1945 年 8 月，日本政府宣布无条件投降后，日本驻蒙军司令部还将收藏在张家口的一部分鸦片移交给蒙古自治邦政府。

---

① ［日］江口圭一：《日中鸦片战争》，宋志勇译，第 94 页。
② ［日］江口圭一：《日中鸦片战争》，宋志勇译，第 123 页。

（二）日本占领下的绥远地区鸦片业

战前绥远地区的鸦片收售，各县均有大小土店，自由交易。自蒙疆政权统制鸦片后，所有烟馆售卖之货，均须向该土药公司购买，不准从别处购买。开设烟馆的手续是先填写申请，递呈该公司，请求营业。申请获准后，出具保证书和交纳保证金，即可开设烟馆营业。因此有些人为了趁机获利，开设多处烟馆。结果，绥远地区烟馆数量迅速增加。

当时，厚和成为整个蒙疆地区最大的鸦片市场，[1]开业的土店有德中和、世义成、天和永、和盛香、公和祥、晋华玉、宝盛祥等。[2]该地自 1938年 7 月至 12 月的半年里，新开张的烟土店就达 58 家，烟馆更是布满街道。在包头市，早在 1937 年时就已组织鸦片公会，到 1941 年，该会所辖鸦片商户多达 37 户。1 年后，增加到 43 户。[3]在萨拉齐县，1937 年，鸦片贸易户达 45 户，其中新增 35 户，在该地整个贸易行业中居第一位。[4]

蒙疆政权对鸦片吸食者不但毫不限制，而且还大力劝说人民吸食鸦片，[5]并主动提供鸦片。当时人们只要登记名字，每月交纳 2 角灯捐，领取吸食证，即可随意吸食鸦片。以 6 个月为期，期满后再换新证。每期届满换领新证时，必将逐渐加征灯捐。[6]吸食鸦片者必须购买日本人所生产的烟膏，且须到日本人经营的烟馆吸食，严禁在家中开设烟馆。[7]此外，吸食鸦片者登记名字，确定所需鸦片数量后，不得随意更改，增加或减少鸦片数量者均予严惩。甚至已在吸食鸦片者档册内登记姓名者，想戒掉鸦片烟瘾也被禁止。[8]

日本帝国主义实施鸦片毒化政策的结果，使绥远地区鸦片吸食者数量迅

---

①　［日］川村得三：《蒙疆经济地理》（日文），丛文阁 1941 年版，第 167 页。

②　吴英禄：《绥远的烟土行》，见政协内蒙古自治区委员会文史资料研究委员会编：《内蒙古文史资料》第 19 辑，第 206 页。

③　张贵：《包头史稿》（下），第 174 页。

④　韩绍祖、张树培纂修：《萨拉齐县志》卷 8 之《产业·商业》，1941 年铅印本。

⑤　《伪蒙古自治政府之成立经过及其现况》，见中国第二历史档案馆档案，代号 141，档号 1197。

⑥　李松如：《敌人侵占绥远后的毒化政策》，载《西北论衡》第 8 卷第 5 期。

⑦　西北研究社：《抗战中的绥远》，中共内蒙古自治区委员会党史资料征集委员会、中国人民解放军档案馆、内蒙古自治区档案馆编：《大青山抗日游击根据地资料选编》（中），第 328 页。

⑧　《伪蒙古自治政府之成立经过及其现况》，见中国第二历史档案馆档案，代号 141，档号 1197。

速增加。据 1940 年的统计，在包头地区 14 万余人口中吸烟者多达 56 960 人，约占总人口的 40%。[1] 1939 年时的武川县，全县 33 175 户农户中种植鸦片者有 9 998 户，人口有 164 650 人，其中吸食鸦片者有 51 000 人，[2] 约占总人口 1/3。

蒙疆政权还严禁民众私自收藏或交易鸦片，规定私藏 10 两鸦片者处 10 年监禁，没收鸦片；私藏 10 两以上者处以死刑；甚至有的地方每天派人下乡，指使当地警察与地方团体，搜查百姓所藏鸦片。[3] 尽管如此，贪图鸦片高利润，私自出售现象仍然存在。人们一般从绥远地区农村收购鸦片，集中到京包铁路各站，运往包头，再以各种手段销售到各地，获取利润。[4]

当时根据烟土之品质，分为 5 等，每等收购价格都不同。其中，丈量烟亩与制定鸦片等级等都由当地商人负责，这与鸦片种植者们的利益关系很大，因此有时还用贿赂的手段获利。但从当时绥远地区鸦片平均产量来看，一般鸦片种植者即使将所收鸦片全部交售也达不到官方制定的最低量。日本占领时期，各县烟亩罚款与事变前相比多得多，如过去萨拉齐县每年烟亩罚款最多不过 15 万元。而 1939 年已达 21 万元，[5] 比过去增长 1/3。1942 年，该县禁烟特税增至 42 万元，其中水田每亩收取 10 元，旱田每亩收取 6 元。[6] 因此，很多农民虽然贪图眼前利益，广种鸦片，但实际上并不能够获取很多利益，遇到歉收之年还会赔本。

四、绥远地区鸦片问题的彻底解决

（一）国民党统治区内的禁烟努力

在抗日战争期间，绥远西部地区，即河套临河县、五原县与安北局一部

　　[1]　李绍钦主编：《包头史话》，内蒙古人民出版社 1994 年版，第 175 页。
　　[2]　文炳勋纂：《武川县志略》，1940 年铅印本，第 111 页。
　　[3]　西北研究社：《抗战中的绥远》，中共内蒙古自治区委员会党史资料征集委员会、中国人民解放军档案馆、内蒙古自治区档案馆：《大青山抗日游击根据地资料选编》（中），第 410 页。
　　[4]　牟克菲：《日伪时期鸦片走私见闻》，《包头文史资料》第 8 辑，第 107 页。
　　[5]　李松如：《敌人侵占绥远后的毒化政策》，《西北论衡》第 8 卷第 5 期。
　　[6]　韩绍祖、张树培纂修：《萨拉齐县志》卷 6 之《政治·财政》、卷 8 之《产业·农业》，1941 年铅印本；文炳勋纂：《武川县志略》，1940 年版，第 83 页。

分以及伊克昭盟大部分地区均在国民党控制之下。当时这些地方虽然没有继续种植鸦片，但鸦片吸食现象仍很严重。在河套地区，男女老幼不论农民还是商人，不是吸食鸦片就是赌博。① 伊克昭盟各旗札萨克诺颜大多吸食鸦片，有的已有很大的烟瘾，鸦片成了那些王公生活中不可或缺的生活必需品。②

1939 年傅作义率部入驻河套地区后，在动员全民抗战的同时，决心完全禁止该地区鸦片，并采取了一些措施。他设立军警稽查处，将鸦片事务作为该稽查处工作的一项重要任务。但当时因宁夏和绥远日本占领区内鸦片被秘密运入河套地区，给禁烟工作带来了很大的难度。另外，绥远西部的国民党正规军和地方团体以及自卫军等与地方官吏勾结，收取烟款，或暗中贩卖鸦片。据当时五原县县长汇报，五原县街上或防御区内就有自卫军贩卖鸦片现象。③ 针对这种情况，绥远省政府于 1940 年 10 月 12 日下禁止令，规定若再有此事发生，立即由军警查处没收外，还由县长将贩卖鸦片的士兵交给稽查处严惩。④ 1941 年，傅作义利用河套地区相对稳定的局面，在禁止鸦片种植、贩运、销售与吸食等方面都采取了一些措施。1943 年 6 月 3 日，陕坝军政各机关在中山堂隆重召开了"纪念虎门海滩焚烟大会"，⑤ 动员各界积极投身到禁烟的行动中。1943 年还在临河县设立戒烟所，该所从成立到抗战胜利前夕，共进行了 10 期戒烟训练，总计人数达 458 人。⑥ 其中大多数人彻底戒掉烟瘾，恢复健康。该戒烟所虽然在当时的环境中未能长期坚持，但它却成为绥远地区鸦片烟毒泛滥以来的首次戒毒尝试。

当时，绥远中东部被占领区内的鸦片商人与绥远西部官吏、地主、王公

---

① 吴辉生：《禁烟禁毒亲历记》，见政协巴彦淖尔盟委员会编：《巴彦淖尔文史资料》第 6 辑，第 215 页。

② 边疆通讯社：《伊克昭盟志》（1939 年），见伊克昭盟地方志编：《鄂尔多斯史志研究文稿》第 6 辑，伊克昭盟地方志编纂委员会 1984 年刊，第 257 页。

③ 《严禁行使伪钞及售鸦片》，绥远省财政厅档案，全宗号 405，案卷号 544。

④ 《严禁行使伪钞及售鸦片》，绥远省财政厅档案，全宗号 405，案卷号 544。

⑤ 张振耀、殷华生：《傅将军在河套惩治烟赌赃的部分见闻》，见政协巴彦淖尔盟委员会编：《巴彦淖尔文史资料》第 13 辑，第 210 页。

⑥ 王延英：《临河戒烟所始末》，见政协巴彦淖尔盟委员会编：《巴彦淖尔文史资料》第 6 辑，第 213 页。

与奸商们相互勾结，秘密贩运鸦片。1943 年 10 月，绥远省政府 3 次下令严查来往商人、旅客，限期彻底禁止鸦片输入。[①] 在此之前，伊克昭盟札萨克旗保安队还颁布禁毒公告，严禁鸦片种植、贩卖与吸食，以期在短期内彻底禁止鸦片。该公告指出，自抗日战争爆发以来，日本帝国主义者在被占领区内传播毒化主义，无知人民将被占领区内的鸦片偷偷运出境外，甚至在旗衙门附近地方公开贩卖。今后务必严格检查，依法严惩。[②]

如上所述，抗战时期，绥远省政府与地方政府都比较重视绥远西部地区的禁烟工作，还采取过一定的措施。但因当时的地方官吏办事不力以及被占领区的鸦片烟毒渗入等种种原因，未能得到彻底禁止。

抗战胜利后，国民党控制了绥远大部分地区。为了彻底铲除被占领区内的鸦片烟毒，绥远省政府根据国民党中央的规定，专门颁布公告，规定绥远省原沦陷区内的鸦片吸食者务必于 1946 年 8 月前自觉停止吸食鸦片。但在这些地方，种植与吸食鸦片的历史很长，再加上日本帝国主义已实施了八年的毒化政策，鸦片烟毒非常严重，在此限期内不可能彻底解决鸦片种植、贩卖及吸食等问题。1946 年 10 月，绥远省政府与第 12 战区司令部再次颁布公告，规定鸦片吸食者至 12 月末为止务必到各该乡镇公所处登记，且限期内务必戒掉烟瘾。期满后要考查，仍未戒掉烟瘾者照再次吸食鸦片例判死刑或无期徒刑，绝不饶恕。[③]

从表面上看，绥远省政府下决心要严禁鸦片，但实际上因忙于内战，在鸦片禁止方面并没有作出有效努力。直到绥远地区国民党统治结束为止，未能彻底禁止鸦片烟毒。这一重任落在了中国共产党新政权肩上。

（二）绥远省和平解放及全面禁止鸦片

1949 年 8 月 20 日，绥远省人民政府颁布《关于执行华北区禁烟禁毒办法及省府戒吸毒品暂行办法的指示》，指出："烟毒之害在绥远有深远历史根源并也相当普遍，续（且）有发展。为了挽救颓风，保持国民健康，加

---

① 《严防奸伪鸦片输入》，见绥远省财政厅档案，全宗号 405，案卷号 860。

② 《派驻绥蒙调查组编送 1941 年—1942 年绥蒙时事旬报》，见中国第二历史档案馆档案（内蒙古大学抄本），代号 141，档号 846。

③ 《第十二战区司令长官司令部、绥远省政府布告》，见内蒙古自治区档案馆编：《中国档案精粹·内蒙古卷》，香港零至壹出版公司 1999 年版，第 128 页。

强生产，各县从即时起应即根据华北区禁烟禁毒暂行办法之精神及规定，具体讨论定出方案，贯彻执行。在方针上，应深刻认识此为一社会问题，必须切实掌握与贯彻华府规定之'着重宣传教育'，'动员群众协助办理'两大原则。放任态度是不对的，但操之过急、单纯行政命令的观点和做法也是不对的，工作进程中应有一定步骤，并须抓住重点，不能普遍下手，分散力量，具体做法应在烟毒较重城镇地方开展工作，借以取得经验，然后逐渐伸引到较次村庄，然后再及于全面的推广，达到彻底全部消灭的阶段。"① 为具体执行华北区禁烟禁毒暂行办法第六条规定，还特别制定《绥远省人民政府戒吸毒品暂行办法》，② 明确规定"严禁毒品、鸦片、料面等之吸食，违者毒品及吸食毒品之用具等悉数没收，并分别处罚之"。对染有毒瘾者明确规定"在本办法施行前染有毒品嗜好者，统限于 3 个月以内向当地公安机关或区人民政府履行自报登记，如有不依限报告登记，经检举查获属实者，依第二条之规定处理之。报告登记之手续由县制定之"，并规定了对染有毒瘾者采取强制戒除及处罚的具体办法。

　　1949 年 9 月 19 日，绥远省宣告和平解放，从此揭开了绥远历史新的篇章。中共绥远省委和省人民政府领导全省各族人民医治战争创伤，恢复国民经济，进行社会民主改革，巩固新生的人民政权。这给该地区彻底解决鸦片问题创造了有利环境。但由于解放前绥远各地广种鸦片，很多群众对中国共产党的政策还不了解。因此，在许多有种烟历史的地区仍在大面积种植鸦片，严重地影响着国民经济的恢复和社会的安定。据绥远省人民政府的不完全统计，1950 年全省种植鸦片在 20 万亩左右。其中，伊克昭盟种植鸦片面积约在 8 万亩以上。萨拉齐县共种植鸦片 9 138 亩，种植户达 1 169 户；河套地区的安北县种植鸦片 4 676 亩，五原县种植 2 158.9 亩，③ 而且占用的都是土质很好的水浇地，因而给粮食生产造成严重影响。

　　随着鸦片的种植，加工、贩卖毒品的人也很多，其活动非常猖獗，几乎

　　① 绥远省人民政府：《关于执行华北区禁烟禁毒办法及省府戒吸毒品暂行办法的指示》，载内蒙古档案馆：《内蒙古档案史料》1993 年第 1 期。

　　② 绥远省人民政府：《戒吸毒品暂行办法》，载内蒙古档案馆：《内蒙古档案史料》1993 年第 1 期。

　　③ 庆格勒图：《建国初期内蒙古西部地区的禁烟禁毒斗争》，载《内蒙古大学学报》1998 年第 4 期。

遍及绥远大部分地区。如包头市，1950 年有 1 000 多人从事制贩毒品活动，① 吸食鸦片等毒品的烟民人数更多。据绥远省人民政府统计，1950 年，该地区烟民共有 25 万人左右，约占全省人口总数的 9%。② 其中，包头市烟民达 12 000 余人，占全市人口的 10%；归绥市烟民约 10 000 多人；丰镇县烟民 6 000 多人，③ 个别地区问题更加严重。如萨拉齐县县城内有居民 20 000 多人，而烟民就达 4 000 余人；鄂尔格逊地方 800 户居民中，烟民占 30%；④ 归绥市南柴火市的 4 个间（巷），共有居民 8 000 余人，其中烟民就达 1 500 人。⑤

鸦片烟毒的流行给绥远地区的社会安定和经济恢复以及人民群众的身体健康均造成了严重威胁。因此，中共绥远省委和省人民政府十分重视禁烟禁毒工作，将其作为当时社会改革的一项十分重要的内容，决心在全社会开展一场大规模的禁烟禁毒斗争，以彻底杜绝烟毒的危害。

1950 年，绥远省为贯彻执行中共中央严禁烟毒的政策，陆续颁布了一些办法、指示和布告，并以城市为重点逐步开展了禁烟禁毒工作。

从 1950 年初到 1952 年底，经过 3 年的艰苦努力，绥远地区的禁烟禁毒斗争胜利宣告结束。在全省范围内彻底禁绝了鸦片的种植及各种毒品的制造、贩卖和吸食现象，并通过法律手段严厉打击了制贩毒品者。危害绥远各族人民长达 100 多年的鸦片烟毒，在新中国诞生后的 3 年时间内被彻底铲除。禁绝了烟毒，众多的吸食毒品者戒除了毒瘾，从而改善了社会风气，安定了社会秩序，为绥远地区政治、经济、文化等各项建设事业的发展提供了良好的社会环境。

五、绥远地区鸦片问题之分析

（一）绥远地区鸦片泛滥的根源

鸦片是一种毒品，对人体的危害相当严重，不仅如此，对整个社会经济

---

① 庆格勒图：《建国初期内蒙古西部地区的禁烟禁毒斗争》，载《内蒙古大学学报》1998 年第 4 期。
② 《绥远省禁烟禁毒工作报告》，载内蒙古档案馆：《内蒙古档案史料》1993 年第 1 期。
③ 庆格勒图：《建国初期内蒙古西部地区的禁烟禁毒斗争》，载《内蒙古大学学报》1998 年第 4 期。
④ 《绥远省禁烟禁毒工作报告》，载内蒙古档案馆：《内蒙古档案史料》1993 年第 1 期。
⑤ 庆格勒图：《建国初期内蒙古西部地区的禁烟禁毒斗争》，载《内蒙古大学学报》1998 年第 4 期。

发展与社会的安全稳定都有很大影响。鸦片之所以流毒如此之广，其原因是十分复杂的。绥远地区鸦片烟毒泛滥成灾，与当地社会经济环境有着密切的关系。究其原因主要有经济、社会与政治等几个方面。

1. 经济原因

鸦片高额利润的刺激与诱惑是长期以来未能彻底杜绝鸦片种植的根本原因。众所周知，鸦片重量轻，价格高，利润巨大。人们通过鸦片种植与贩卖可获得暴利。一般情况下，与普通粮食作物及经济作物相比，鸦片在经济方面给种植者带来的利润远远高于前两者。这成了促进农民大规模种植鸦片的内在动力。

20 世纪 30 年代，绥远主要的农作物为麻子与莜麦，麻子还是出口之大宗。在绥东之丰镇、平地泉等处，有十几家粮栈，专门经营麻子海外出口。然而，这种麻田，每亩钱粮只不过六七分钱，而收成亦只值 3 元左右。反之，如种鸦片，每亩平均可得 50 两烟土，每两地价——即在当地售与烟贩之价，可合到 1 元左右。虽然种烟的工本及"罚款"都很大，即使这样对农家亦是很划算，况且烟地从种到收只需 100 天的时间，资金流转快，给种植者以莫大的利益。所以"良田都种了毒品，劣田才去种粮食"[1]。鸦片的这些特点，对于农民具有很大的诱惑力。尤其是在自然条件适宜的地方，很多农民都是通过种植鸦片来弥补收入。鸦片最初在绥远地区开始种植时就是农民贪图利润而广泛种植的。[2]

与鸦片种植一样，鸦片贩卖具有巨大的利益。在绥远地区各种产业都很萧条的情况下，鸦片贸易在整个经济发展中起着润滑油的作用，成为绥远各县镇最为活跃的产业，其发展变化左右着绥远地区商业贸易总的趋势。到20 世纪 30 年代，这种现象更为突出。在当时商业贸易最为活跃的归绥城内，各行各业竟全靠鸦片来周转维持。[3] 鸦片的这种高额利润的刺激，使人们不顾一切法令、法规去种植或贩卖鸦片。这是绥远地区鸦片烟毒长期未能

---

① 方大会：《绥远的鸦片问题》，载《申报周刊》第 1 卷第 41 期。

② ［清］张曾：《古丰识略》卷 39 之《物部》，内蒙古馆藏抄本，咸丰十一年（1861 年）版；［清］张曾：《归绥识略》卷 35 之《物部》，内蒙古大学抄本，光绪三十一年（1905 年）版。

③ 王再平：《鸦片在归绥》，见编：《呼和浩特文史资料》第 6 辑，呼和浩特市政协文史资料委员会 1988 年印刷，第 153 页。

彻底肃清的重要原因之一。

2. 社会原因

长期以来，绥远地区自然灾害频仍，社会祸患不断，农村萧条，农民生活贫困。因此，种植鸦片成了农民维持生计的出路之一。自民国以后，该地区灾祸交迫，水旱成灾于前，盗匪扰乱于后，官吏贪污其中，致使农村破产之程度，日趋严重。人民之生活日益困难。

当时，绥远地区农民所负担的捐税种类繁多，也很繁重。以 20 世纪 30 年代的五原县为例，该县某一户农民一年"所纳之害（五原、临河农民称捐税曰害，如云地亩害、屠宰害等是），计地租六十元，县府摊款二十五元，狱粮（俗称白粮，给犯人吃）二石，值三元六角，军粮二石七斗，值四元八角六分，军草五十斤，暂不计价，县政府费三元七角，区公所费二元五角，水利局水租十六元，共计一百一十五元六角六分。入出两抵，已不敷七元六角六分；……牲畜害，牛马驼赢，每头年纳六角六分，驴三角三分，猪收屠宰害，每头五角五分，猪鬃害四角六分"，还有鸦片烟捐，其征收办法是"六七月间，县长会同区村长，勘察烟苗，评定优劣，上地每亩收十二元，中地八元，下地四元，下下地二元。"① 尤其是由于粮价低落，"农民深感非种烟则不足维持生活之困难"，"此后种者由少种变为大种而特种。吸者亦以烟价之低廉，更增其吸食量，全省人民，几至完全黑化"。②

另外，因为鸦片具有药用功能，医学上用做止痛、止咳、止泻之药物。对于农村中广为流行的肌肉劳损、关节炎、肠胃病等，鸦片具有明显的缓解作用。民国时期绥远地区医疗条件差，广大的农村居民的教育、卫生与知识落后，对毒品的认识不充分，遇到常见疾病时往往用鸦片来治疗。另外，在农村人们的文化生活不丰富，缺乏业余娱乐活动，人们精神空虚、苦闷，吸食鸦片成为一种娱乐。因此，久而久之吸食成瘾。所以说，吸食鸦片是一种社会文化现象，它与整个社会的精神生活也息息相关。这些都是绥远地区鸦片问题日益严重的客观原因。

3. 政治原因

---

① 陈庚雅：《西北视察记》（上），第 73 页。

② 李琳：《绥远禁烟前途之展望》，载《开发西北》第 3 卷第 6 期。

民国以来绥远地区的历届执政者实施"寓禁于征"的政策，是未能彻底禁绝鸦片烟毒的主要原因。绥远地区鸦片烟毒长期未能禁绝，不但与国内社会政治局势有关，而且与该地区政治不稳定，政令不一、政府官员的腐败，以及只是形式上禁烟而实则放纵或鼓励种植鸦片的政策有关。

长期以来，历届绥远当局并未努力从根本上解决鸦片烟毒问题，其禁烟"非自根本着想，徒加重各县烟亩罚款之数量（种者愈多，则其税愈轻。种者愈少，其税反重）。当局以为加重其税，可使农民少种，殊不知种户日益增多"，"此种办法，正为间接奖励种烟"。① 不但没能够达到禁烟的目的，而且成为历届当局在"寓禁于征"的名义下弥补各自军政费用的一个手段。也就是说，他们只重视"征"，而向未真"禁"，以此间接鼓励种植鸦片，收取税收。这给人们种植与贩卖鸦片提供了条件，因为只要交纳罚款就可合法地种植和贩卖鸦片。

民国建立以后，由于军阀割据，全国陷入一片混乱之中。这样的政治形势，使绥远地区的社会状况进一步恶化。自 1912 年张绍曾首任新体制的绥远将军，到 1931 年傅作义接任绥远省主席为止，相继统治绥远者计 17 任，组建过 19 届政府。这期间，统治绥远时间最短的晋系都统商震主绥仅 4 个月，时间最长的宁夏护军使马福祥也仅 4 年。他们大都以搜括金钱为目的，出于自身利益的考虑，没有长久打算，因而不可能对绥远地区的社会秩序加以彻底整顿，对鸦片种植普遍采取放纵的态度，使鸦片种植合法化。马福祥任绥远都统时，名义上也设有禁烟督察处，但其所谓的禁烟实际上是收税。这种政策导致绥远境内鸦片种植泛滥。绥远地区的统治者不但对禁烟没有采取过认真的态度，有的还曾亲自参与种植或贩卖鸦片，获取利益。因此，在民国初年被革职的绥远执政者中均有弛禁鸦片的一条罪状。② 尤其是在日本占领时期，伪政权实施鸦片专卖制度，更推动了绥远地区鸦片的广泛种植和生产，其中最大的受益者为日本，而受到毒害的则是作为鸦片种植者和吸食者的广大中国人民。

---

① 李琳：《绥远禁烟前途之展望》，载《开发西北》第 3 卷第 6 期。
② 张尔杰：《民国时期绥远历届执政者》，见呼和浩特市政协文史资料委员会编：《呼和浩特文史资料》第 10 辑，第 11 页。

（二）绥远地区鸦片毒害

鸦片泛滥是民国时期绥远地区最为普遍、最为严重的社会问题之一。鸦片给当地军阀与鸦片贩卖者带来了巨大的暴利，却阻碍了绥远地区政治、经济以及社会发展，给广大的劳动人民造成了巨大的灾难，甚至毒化了整个社会。

首先，因鸦片的种植，耕地被占用，劳动力减少，严重影响了社会生产。绥远地区以农业为主，因长期以来广泛种植鸦片，造成了粮食生产严重不足。鸦片是一种很不稳定的作物，其自然条件依赖性很强，若雨水不调会影响其产量。因此，农民都在灌溉条件最好的地方种植鸦片①，这就造成"以养人之土地培害人之毒品"，"多产一分鸦片，即少产一分嘉谷"。② 早在绥远地区开始种植鸦片时，就有农民贪鸦片之利，减少五谷生产的情况。③ 河套地区土地肥沃，向来是产粮富饶之区，而种植鸦片以后"斗麦涨至六七元"。推其原因"种烟颇多，亦产粮顿减之一大原因。毒卉之害嘉禾，理无可逃。而鸦片之流毒，非唯使吸之者富有惰性，兼使种之者失其常性"④。20 世纪 20 年代末，绥远地区发生的民生危机，究其原因还是在于鸦片烟禁的松弛。⑤ 到了 20 世纪 30 年代，绥远地区情况更加严重，广泛种植鸦片的结果，膏腴的土地大部用于种植鸦片，其毒害无法应付。⑥ 日本投降前的兴和县，约 5 万亩好地均种植鸦片，鸦片贩卖吸食者遍布全县，其结果是产业萧条，土地荒废。⑦

由于鸦片泛滥，很多人因烟毒丧失了劳动能力，因而经济秩序被打乱，影响了资本运转以及工商业的发展。另外，很多人因吸食鸦片变得懒惰，缺少进取心，使生产者日益减少。河套地区向为土地膏腴，粮食产量较高的地方。但该地自从种植鸦片以来，鸦片吸食者数量逐渐增多，严重影响了生产发展。20 世纪 20 年代的河套地区，"男女均嗜好于鸦片。一般劳动家所得

---

① ［日］川村得三：《蒙疆经济地理》（日文），第 33 页。
② 孙斌纂：《包头市志》卷 3 之《农业》。
③ ［清］张曾：《归绥识略》卷 35 之《物部》。
④ 《归绥现状与将来》，载《东方杂志》第 12 卷第 2 号。
⑤ 《归绥重颁禁烟令》，载《蒙藏周报》第 75 期。
⑥ 瑛梦：《甘宁青绥农村经济背景的特点》，载《西北论衡》第 5 卷第 1 期。
⑦ 李永贵：《第一次解放后的兴和》，载《兴和县文史资料》第 1 辑，第 42—43 页。

之资，莫不牺牲于此，以故鸦片产量最富。积习难除。其一切之不能发达，以及风俗之恶劣，实原于是。是河套鸦片一日不能禁绝净尽，则永无振兴之日也"①。但直到中华人民共和国成立前，该地区鸦片毒害仍很严重，有的人穷困潦倒，即使无法维持生计，也要吸食鸦片。②

其次，由于鸦片吸食者的增多，无业游民增加，败坏了社会风气。鸦片问题是绥远地区农村一大弊病，人们吸食鸦片成瘾，不仅其自身身心健康受到影响，给其家庭甚至整个社会都带来灾难。吸食鸦片者，为了满足自己的烟瘾，想方设法获取鸦片，不惜倾家荡产，甚至鬻妻卖子。在凉城县，民国年间曾流传抽烟十大不好歌："一不好，初吃鸦片最兴高，那是我的罪头来到了。二不好，面黄皮瘦精神少，那是我抽得瘾大了。三不好，妻打子骂心不恼，那是我自觉理短了。四不好，二老爹娘下世早，那是叫我气死了。五不好，身穿一件破小袄，那是我躺烟磨破了。六不好，手提裤子当铺跑，那是我的家产变卖了。七不好，亲朋见了躲着跑，那是叫我骗怕了。八不好，手拉棍子怀抱瓢，那是我落到乞丐了。九不好，初起床来往厕所跑，那是我得了烟后痢了。十不好，一张芦席三道腰，那是我抽烟得最末了。"③ 在鄂尔多斯民歌④、呼和浩特地区的二人台⑤以及绥远地区民歌⑥中揭示鸦片毒害的歌曲也不少。20 世纪 30 年代，在谈到绥远地区鸦片问题时就有人指出，鸦片之害"小则使吸者之身体损坏，家产尽没。大则非陷于亡国灭种而不止"⑦。

再次，鸦片吸食者也是社会上土匪的重要来源。民国时期，绥远地区土匪猖獗，给广大劳动人民带来了很大的灾难，很重要的一个原因就是绥远地区鸦片的泛滥。⑧ 许多人就是由吸毒而走上抢劫之路，吸食鸦片以致"倾家荡

①　周晋熙：《绥远河套治要》，1924 年铅印本，第 77 页。

②　刘熊飞：《解放前临河县永和乡农村经济情况见闻》，见政协巴彦淖尔盟委员会编：《巴彦淖尔文史资料》第 10 辑，政协巴彦淖尔盟委员会 1989 年印刷，第 110 页。

③　绥远通志馆编纂：《绥远通志稿》卷 73 之《民族（汉）》，1936 年稿本。

④　政协伊克昭盟委员会编：《伊克昭盟文史资料》第 8 辑（蒙古文），政协伊克昭盟委员会 1997 年印刷，第 50 页。

⑤　戴学稷编著：《呼和浩特简史》，中华书局 1981 年版，第 66 页。

⑥　《绥远的山歌》，载《西北论衡》第 5 卷第 1 期。

⑦　李琳：《绥远禁烟前途之展望》，载《开发西北》第 3 卷第 6 期。

⑧　牛敬忠：《近代绥远地区的社会变迁》，内蒙古大学出版社 2001 年版，第 166 页。

产，被生计逼迫流为匪类者，数见不鲜"①。据调查估算，1935 年时绥远"烟民高达六十万，竟占全省人口五分之一"②。这些烟民成为"绥远社会上产生匪特、蟊贼之根源"③。日本占领时期，武川县 3/10 以上的人都有鸦片嗜好，在鸦片价格过高时有些烟瘾很深的人则无法戒瘾而成为土匪。④ 有人形容绥远地区的人民是在"政治黑暗、土匪骚扰、嫖赌无忌、烟土充斥的环境中过着流离颠沛的生活"，造成"土匪成群结队四乡骚扰，贩烟土客充斥市场"⑤ 的局面。

这些都说明，鸦片烟毒给绥远地区社会生活、物质生活，甚至是精神生活都带来了巨大灾难。

第二节　民国时期内蒙古地区的匪患问题

在 20 世纪前期的中国政治舞台上，政权急剧更迭，地方局势复杂混乱。北洋政府统治时期，中央权力失控，中国大部分地区都处于兵匪交替危害的境况，匪患成为各地普遍面临的重大社会问题。内蒙古地区受军阀统治及连年战乱的影响尤为严重。热、察、绥地区因匪患猖獗而长期动荡不安，特别是绥远地区备受荼毒。人民不仅饱受战乱和灾荒之苦，还长期遭受土匪的蹂躏。一些统治者的怠忽失职与巧取豪夺，土匪残暴蛮悍、烧杀掳掠的斑斑劣迹，成为民国时期内蒙古历史上黑暗的一页。

一、土匪的形成及其活动特点

（一）土匪的类型及特点

根据内蒙古地区土匪的来源以及活动特点，大致可将其分为下述几种类型：其一为零散匪徒。3—5 人结伙，身份较隐蔽，平时仍以务农为主业，抢劫只是"兼职"。这类匪徒在绥远地区称为"不浪"（内蒙古西部汉语方

---

① 《绥远省各县乡村调查纪实》（萨拉齐县），1934 年抄本。

② 李琳：《绥远禁烟前途之展望》，载《开发西北》第 3 卷第 6 期。

③ 李绍钦主编：《包头史话》，第 176 页。

④ 文炳勋纂：《武川县志略》，1940 年铅印本，第 10 页。

⑤ 吴英禄：《绥远的烟土行》，见政协内蒙古自治区委员会文史资料研究委员会编：《内蒙古文史资料》第 19 辑，第 201 页。

言，意为棍棒）队，在热河地区、哲里木盟等地被称为"地蹦子"、"穿帐子的"；在察哈尔地区称之为"二棒手"。他们主要以棍棒或自制枪械为凶器行劫，一般预伏在山林隘口、峡谷窄道、庄稼地等偏僻地方，待行旅商驮路经时突然出击，抢夺财物。其规模、活动范围、活动方式都受到很大的限制。其二是数十人、数百人结成的匪伙，东南部地区称为"杆子"、"绺子"，西部称为"独立队"。此类土匪拥众较多，势力较大，有时可达上千人或更多。如巨匪卢占魁就曾聚集匪众逾万人。因作乱时间长，往往由小股集成大股。同时也具有时聚时散的特点，部分匪徒的行止也呈季节性，即农闲时行抢，农忙时脱离匪队，回乡务农。

所谓职业土匪主要来自社会底层的流浪汉、乞丐、走私者，但不是全部。除市井无赖、乡镇泼皮伺机作乱外，还有大批劳动者为生活所迫，加入到匪伙中。这类土匪专事绑票、抢劫，以会道门结成较为固定的团伙。

"红胡子"、"胡匪"、"马贼"，是东北地区对土匪的俗称。匪徒多乘马，精于骑术和射击。常备有较多随行马匹，途中遇到马群还要劫夺。乘马疲乏时即换乘一匹，人可不停地行进，因此行动迅速。马匹不仅是乘骑，遇食物紧缺时还可将羸弱的马杀掉充饥。不仅男性土匪精于骑射，也有女匪如土默特的"金翅雕"、"漏风猪"等，皆能"率伙抢掠，驰马发枪，迅捷如风"。[①]此类土匪行劫多用奇袭，攻击迅猛，令人猝不及防。劫掠财物后即呼啸而去，待官军整顿人马，准备进击时，匪众早已远遁。土匪熟悉当地的地理民风，具有较大流动性，官军追剿时往往陷于被动，兵力、武器方面的优势无从发挥。

一般来说，匪伙的规模和其所拥有武器的先进与否是成比例的。在其他条件相同的情况下，拥有较先进的、大量武器装备的匪伙具有较强的生存能力，规模也比较大。同时，匪伙具有聚散无定，行踪漂泊的特点，其数量难有较为准确的统计，仅限于官府的大致估计或道听途说。土匪为张扬声势，也往往夸大拥众数量。

匪伙与进剿官兵周旋时，往往联合许多"杆子"，集中强有力的人马，壮大声势。有时还要请一个有名气的头目出面，统一指挥各股，称为"请

---

① 绥远通志馆编纂：《绥远通志稿》第 9 册，内蒙古人民出版社 2007 年版，第 436 页。

当家的"。合伙之后，各股仍保持原有组织，"大当家的"直接掌握本股匪众，作为机动部队。当一股土匪被政府军围追时，便去救援，助其脱逃。

为了生存，土匪也尽量与商人、地主、士绅或地方有权势者搞好关系，甚至为他们办事。匪徒遭缉捕时，除匿身于军队外，还会潜藏到"大家儿"（内蒙古西部称"大户"）"避风"。周旋于地方政治势力和土匪之间的"大户"，对于土匪分为交匪、吃匪两类。前者因惧怕土匪而不得不与之交往，以妥协保障身家无虞；后者则利用土匪而发财。他们不仅窝藏土匪，供给土匪枪马弹药，还窝赃、销赃，甚至藏匿绑架的"肉票"，居间分肥。热北大地主陈子祥、王子文不仅窝藏土匪，收取"保护费"，还驱使土匪抢劫。他们与张连同的热河游击马队营以上军官都磕头结拜，故结交土匪几近明目张胆。当地匪徒必须看其眼色行事，否则将有性命之虞。[①] 萨拉齐大地主史祺，在绥远匪患泛滥的十余年间，"与地痞土棍勾结"，"藉匪牟利，为虎作伥，身为匪之媒介，家作匪之渊薮，被害者相顾不敢举发，恐招报复之祸"。[②] 对于生存艰难的小股土匪来说，一方面要逃避官军的搜剿，另一方面还要防备大股土匪的吞并；更惧怕百姓的报复，因而随着恶行的累积，匪徒更加丧心病狂，破坏更为严重，在不归路上越走越远，直至灭亡。内蒙古地区的知名匪首，尽管其猖獗一时，但善终者寥寥，多被"正法"，或在与剿匪武装交战时被击毙。1923 年冬，已投附在张作霖旗下的卢占魁，被奉军将领阚朝玺在辽宁黑山子诱杀，其党羽武耀威、何全孝等数十人也同时丧命。卢匪极盛时期的手下干将巴音豹、景福、张仲衡、张顺义等人都客死他乡且身首异处。

（二）兵匪不分

民国以来，内蒙古地区兵连祸结，军阀穷兵黩武、征战不休是主要原因之一。内蒙古接连东北、西北、华北，战略地位十分重要，是军阀争城夺地、进退往来的军旅热线。许多军阀部队扰害民众，形同土匪，名声极坏，与土匪的袭扰一样，为民众所憎恶。由于兵匪不分，一些军队难以确定其是匪还是兵。赤峰县公署在一份呈文中对兵匪交替为害的情景做了细致的叙

---

① 李守信：《李守信自述》，刘映元整理，见政协内蒙古自治区委员会文史资料研究委员会编：《内蒙古文史资料》第 20 辑，第 39 页。

② 绥远通志馆编纂：《绥远通志稿》第 9 册，第 497—498 页。

述："匪扰于前，兵扰于后。匪之扰犹有已时，兵之扰几无宁日，人民之畏兵甚于畏匪。""凡官军路过县城、集镇，莫不强住商家。人非大米、白面、酒肉不食，马非麸子、料豆缺一不可，应酬稍缓，打骂随之。枪声乱放，鸡犬不安。购买货物多不给价，此去彼来，源源不断，不分昼夜，莫敢宁居。"① 在"匪如梳，兵如篦"的状况下，军队对地方的苛扰有时甚于匪祸，特别是商家遭受军队的侵害往往比土匪的抢掠有过之而无不及。军队为发军饷而向商户、钱庄强行摊派，甚至掠夺的事例数不胜数。对于广大民众而言，他们不仅须无偿地承担军队食粮、物资等沉重负担，还不得不面临土匪无休止的抢劫勒索。军队的烧杀抢掠，有时是以堂皇的名义在光天化日之下进行的。1913 年，北洋政府调集军队进入内蒙古东部蒙旗镇压乌泰等王公发动的叛乱，所到之处军纪荡然，滥杀无辜，焚烧寺庙和房舍毡包。官兵随意以通匪罪名扣捕牧民，严刑逼供。不仅蒙古族民众备受其害，大批汉族商民也遭到杀掠，蒙汉族民众数千人死于战乱。嗣后开鲁县呈文指控官军道："兵无纪律，贪酷残忍"，"故民之痛恨于兵，尤切痛恨于匪"。②

1928 年，东北军在哲里木盟西北部地区开始进行大规模移民开垦，大肆掠夺蒙旗土地牧场，引发了农牧矛盾及其他诸多社会矛盾、冲突，当地蒙古族牧民的生存面临前所未有的窘境。有东蒙民歌唱到："自从来了凶恶的屯垦军，十户联保村连村，牛羊土地被赶走，蒙古人生活无路难存身。"③部分失去土地的牧民因生计困顿，被迫流落为"马贼"。1932 年，晋绥军在绥西进行大规模屯垦，强占了大片蒙旗土地。屯垦官兵纪律弛废，形同土匪。"假借招兵为名，强迫行旅当兵，受贿即放，更有军队驻地附近发生身着军服之匪徒。"④

军阀军队哗变后流为土匪，给地方带来危害更为严重。这样形成的匪伙一般有较好的装备，同时带有一定的政治投机性，因而也被称为"官匪"。当形势有所变化时，匪众即发生分化。这种亦兵亦匪的状况是由地方当局对

---

① 赤峰市档案馆藏：《赤峰县公署民国档案》卷 6122。
② 《开鲁县民第二次呈文》，载《盛京时报》1913 年 2 月 19 日。
③ 诺敏编译：《科尔沁民歌选》，内蒙古人民出版社 2003 年版，第 192 页。
④ 《实行月刊》第 51 期，陆军第 70 师司令部、绥西屯垦督办办事处 1934 年刊印。

土匪的招抚形成的。军队低微的兵饷，难以满足部分官兵的享乐欲求，使得许多人寻机行抢。1925 年至 1927 年，国民军与奉军交战，热、察、绥地区大部陷于战火。奉军 31 军郑泽生部所属暂编师，是由收编的惯匪拼凑而成的乌合之众，匪性难改，无恶不作。官兵对百姓非打即骂，随意敲诈勒索。其中由悍匪"赵半吊子"（赵青山）匪伙改编的暂编第 2 旅，更是残害民众的"劲旅"，给驻地百姓造成了极大的祸患。又如热北匪首李守信，在加入热河游击马队"吃饷"、担任"差官"的同时，还以"信"字为号聚匪为害，常常结伙"出摊子"（土匪行话，即抢劫作案）。一遇风吹草动，即躲入兵营。① 有时，数十人的土匪"杆子"竟穿上军装，混迹军营，以躲避风头。期间，"或私出路劫，得财后依然归队。或伙匪肆抢，缉捕紧则藏入营，受害之家无敢指告。"② 1917 年，察哈尔特别区处决盗匪 106 人，其中 19 人是士兵，占 17.9% ,③ 由此可知其危害的严重程度。

军队与土匪相通相识，甚至暗通信息。当不同地区的军队集结兵力联合围剿匪股时，与土匪有关系的军队往往于出发前即设法将剿匪部署通知匪首。在进剿中不仅虚张声势，还要让出逃逸路径。土匪为得到保护，须经一定的社会关系与军队官兵结交，预先"投资"，送礼送钱。此外，军官通过窝匪、纵匪以达到肥己的目的。以高价向土匪出售武器弹药，强索财物。据李守信回忆，官兵的一粒子弹竟卖到 1 块银圆。土匪对此类勒索也无可奈何，只能曲意逢迎。"军队吃喝胡匪，已经成了风气。"④

二、土匪的危害

（一）抢掠杀伐

内蒙古地区的大规模匪患始自 1913 年被称为"牛年之乱"的社会大动

---

① 李守信：《李守信自述》，刘映元整理，见政协内蒙古自治区委员会文史资料研究委员会编：《内蒙古文史资料》第 20 辑，第 36 页。

② 赤峰市档案馆藏：《赤峰县公署民国档案》卷 6122。

③ 其他为：无业游民 38 人，占 35%；苦力 21 人，占 19%。蔡少卿主编：《民国时期的土匪》，中国人民大学出版社 1993 年版，第 329 页。

④ 李守信：《李守信自述》，刘映元整理，见政协内蒙古自治区委员会文史资料研究委员会编：《内蒙古文史资料》第 20 辑，第 46 页。

荡，1915 年前后形成泛滥的局面，直至 1930 年代初方得以基本平息。据《绥远通志稿》的统计，在民国初年的 20 多年中，绥远地区的著名匪首多达 265 人。[①] 据 1921 年热河特别区的统计，横行热河境内的大匪股就有 18 支。[②]

土匪肆虐，受害最深的是广大劳动群众。在内蒙古地区各类史料中，关于土匪残害民众的记载不可胜数，数以万计的无辜生命丧失于土匪之手。绅商富户、官吏等大多居住在城镇，有驻军保护，基督教堂内也多有武装护卫。而毫无防卫能力的农民就成为土匪蹂躏的主要对象。《绥远通志稿》即历数了数百个土匪残害民众的事例，并从中择出最为惨烈的 10 例称为绥远 10 大惨案。

土匪残害百姓的手段可谓无所不用其极，除以刀枪等凶器的戕害外，还有活埋、勒颈、淹溺，甚至活剥人皮等手段。此外，还有许多丧心病狂的花样：用烧红的铁丝穿耳，谓之"打电话"；令被害人裸体置于烧红的铁锹上，称为"坐火车"。对妇女的凌辱和残害更是耸人听闻。"众匪围赌，令妇女仰卧，以为'宝毡'，赌之胜者，妇即归其奸宿。或有贞节抗拒者，即以沸油灌入各窍，立毙。"[③]

土匪所到之处，除抢掠之外，还大肆烧杀奸淫。不仅杀害反抗者，毫无抵抗能力的老幼病弱也难以幸免。1916 年，巴布扎布匪众攻掠林西城，焚烧房屋千余间，残杀无辜商民 300 余人，抢劫财物不计其数。1923 年，惯匪陈德胜、张耀攻打萨拉齐县于家营子，两度被武装的村民打退。陈匪恼羞成怒，勾结王元挠匪伙共 400 余人再度围攻。得手后，枪杀于姓村民 10 余人，然后纵火烧村，许多躲藏的妇孺葬身火海。不久，陈匪又窜到托县常家营行抢，村民马板头持火枪抵抗，招致全家被屠杀，房屋被焚毁。1928 年 5 月，奉军东退，晋军再次入主绥远。8 月，被奉军收编的匪首赵青山、郭秃子、戴海源、徐文彪等相继再次呼啸为匪。各路土匪肆意蹂躏，"全绥几无一处净土，以致商停于市，农辍于野。妇女稍具姿色者，或难幸免，民户略

---

① 绥远通志馆编纂：《绥远通志稿》第 9 册，第 499—529 页。
② 蔡少卿主编：《民国时期的土匪》，中国人民大学出版社 1993 年版，第 331 页。
③ 绥远通志馆编纂：《绥远通志稿》第 9 册，第 478 页。

有积蓄者，咸遭横祸。"① 赵半吊子匪伙由凉城至宁夏，往返窜扰，历时 5
个月，残杀逾千人，掳掠妇女二三百人，造成经济损失达数百万之巨。仅在
萨拉齐县善岱镇和大岱村就打死 40 余人，伤近百人。周昌旺、杨三秃匪伙
在哈素村、二里半村肆虐，"挨户奸淫抢劫"，"妇女多被轮奸致死，奸后动
辄以一弹了其性命"。1930 年，马侉子、周昌旺匪伙围攻和林县巧尔什营
村，保卫团坚守半日后围堡被攻破。男女老幼 70 余人惨遭杀害，全村被搜
抢一空。②

巴布扎布匪众的大小首领，除部分蒙古贵族、仕官和喇嘛外，许多人有
当"马贼"的经历。而被驱使的大批从众是普通农牧民。为驱驰匪徒用命，
巴布扎布以允许"自由活动"作为攻城略地的赏赐，因而具有较大破坏力。
被裹胁加入匪伙的牧民背井离乡，因随时面临死亡，故将烧杀作儿戏，以奸
淫为享乐。对于这样的武装而言，毫无纪律可言。同时，他们因惧怕惩罚而
不敢回旗，大多终生为匪。③

民国时期，热河北部地区"战乱频仍，边防不密……各地土匪蜂起，
占领邮局、电局，掠夺邮件及现款，势颇横决"④。热河匪首"白三阎王"
（白凤翔）、"徐老耗子"（徐成圣）等惯匪长期在赤峰地区肆虐，"抢绑勒
捐肆意横行"，⑤ 拦路抢掠、洗劫村镇，奸淫烧杀，无恶不作，其残暴行径
令民众闻之色变。

（二）绑票勒索

土匪为害的手段五花八门，绑票是其重要活动之一。匪伙无论众寡，都
以绑票为敛财的主要手段。"票"，意为钱，因绑架的是人，故称"肉票"。
绑票也称"请财神"，热河地区称"勒秧儿"。

土匪在绑票和勒索过程中，常以各种残酷手段折磨"肉票"，拷问其家
庭财产情况，便于勒索财物。至于其他方式的人身迫害和侮辱更是寻常之

---

① 绥远通志馆编纂：《绥远通志稿》第 9 册，第 473 页。
② 绥远通志馆编纂：《绥远通志稿》第 9 册，第 496 页。
③ 李守信：《李守信自述》，刘映元整理，见政协内蒙古自治区委员会文史资料研究委员会编：
《内蒙古文史资料》第 20 辑，第 20 页。
④ 《盛京时报》1926 年 1 月 14 日。
⑤ 赤峰市档案馆藏：《赤峰县公署民国档案》卷 6547。

事。对土匪的勒索，被绑者家属不得不为保命而舍财，凑齐赎金到指定地点交付。许多受害者因此而倾家荡产。

1916年，巨匪卢占魁、王廷桂攻陷榆林城，绑扣道尹、县长及警备营长，向当局勒索快枪200支、银2万两、大洋1万元、大米100石。不仅如此，卢匪还纵匪"放抢"，城内民户多被掠劫。① 1917年2月，卢占魁匪众在后山地方掳去地主曹官银之子等6人，勒索5万元。同年12月，武川县秦达木村煤窑窑主陈掌柜被绑票，后以1万元、快枪10支赎回。1927年，土匪抢劫五原县大商号隆兴长，抢去物品、银洋等合计2 400元左右。

1922年5月，固阳县黑窑洋堂神甫被土匪绑架，被勒索2万元。次年，"斧头刘"匪伙洗劫固阳合教地教堂，杀死神父（比利时籍），酿成民国以来第一桩教案。"驻京外使屡向中央严重交涉，指斥军队保护不周"。1924年1月，土匪闯入萨拉齐24顷地教堂绑架彭松寿司铎未果，几日后又洗劫了五犋牛营子教堂。②

当土匪势力强大时，官府衙署及其工作人员也会成为抢劫和勒索的对象。在卢占魁大股匪伙横行时期，绥远各县府衙大多遭到抢掠，各地垦务分局受损尤甚。但总的看来，土匪绑票的目的是图财，所以一些家境殷实的中、小户人家、小商人、手工业者便成为匪徒绑票的首选目标。官署及其工作人员因有军队保护，一般不易得手。对于小股土匪来说，抢劫官府需冒极大风险，若无丰厚利益，绝不轻易出手。

无特殊情况时，土匪循"兔子不吃窝边草"的惯例，对活动区域内的村屯乡镇一般不予骚扰。绑票要到数十里甚至数百里以外的地方。行动力求迅速，得手后立即转移，以避免官军追踪围捕。如行动迟缓，则有被包围、剿灭的危险。1922年，热河土匪张子元、邢占元带匪众数十人，由建平潜往赤峰，将元宝山煤矿经理绑架。得手后数日内未离开赤峰即大肆勒索。煤矿和被绑者家属先行交付了少许赎金以拖延时日，同时联络官军前来兜剿。匪徒贪图"肥秧"（土匪黑话，指被绑者为富户）厚利，仍滞留原地等待更

---

① 冉光海：《中国土匪》，重庆出版社2004年版，第82页。
② 绥远通志馆编纂：《绥远通志稿》第9册，第451页。

多的赎金。不料很快就被毅军游击马队包围，除张子元等侥幸脱逃外，数十名匪徒皆在围剿中被俘或毙命。[①] 1923 年 3 月，郭德胜、金双喜匪伙绑架美岱召村民 10 余人后，亦滞留原地，勒索钞票 50 斤。玉禄率补充团乘夜奔袭，将匪伙打散，"肉票"多数被救回。[②]

但是，在匪势极为猖獗、政府军无所作为时，绑票也会成为肆无忌惮的公然勒索。1923 年夏，悍匪苏雨生结伙千余人横行萨、托、包各县，10 日内竟绑扣上百人，指定地点收取赎金。一时间，"变易田产，凑资往赎者不绝于途，匪徒皆坐拥厚资，囊橐累累"。1930 年，马侉子匪伙在萨县乡间掳男女 20 多人后，沿村向被绑者家属送信，坐待赎金，"送款稍迟，横遭杀害者甚多"。[③]

（三）匪患对各业的影响

民国时期的内蒙古，几乎无处不灾。各地百姓歉年遭饥荒，丰年受匪扰。当大股土匪横行乡里时，许多农民无法从事耕种，不得不举家迁往城镇避祸。秋收时节，土匪更为活跃，绑架勒索，奸淫烧杀。以致民户四散逃亡。1928 年，绥远连年旱灾更趋严重，"……唯因数年饥馑，城中匪既不得大举攻入，乡村则早十室九空，亦几无容匪活动之处。巨匪因之远扬，其余亦皆星散，出没无常者不过三数百之股匪而已。及去岁秋收，乡民有生机……大股土匪竟出现矣"[④]。绥西地区匪患频生，绥远中东部地区的匪伙遭政府军打击后，往往窜到绥西，大肆劫掠，以致"垦户望风逃避，千里为墟"[⑤]。

由于匪患猖獗，内蒙古地区商业受到严重影响。一些重要商业城镇屡遭抢掠，以致商路断绝。武川、清水河、丰镇、兴和、托克托、萨拉齐等商业城镇经土匪一再抢掠，大都走向衰落。武川县是归绥通往新疆、外蒙的必经之路，汉蒙商人云集，粮食、皮毛、牲畜以及烟酒糖茶等日用百货的贸易曾

① 李守信：《李守信自述》，刘映元整理，见政协内蒙古自治区委员会文史资料研究委员会编：《内蒙古文史资料》第 20 辑，第 35—36 页。

② 绥远通志馆编纂：《绥远通志稿》第 9 册，第 449 页。

③ 绥远通志馆编纂：《绥远通志稿》第 9 册，第 496 页。

④ 《蒙藏周报》1931 年第 60 期。

⑤ 《西北垦殖计划、调查河套报告书》卷 5，1930 年版，第 43 页。

相当繁盛，清末时即有商号100余家。民国以来，兵匪为患，商家多倒闭或迁移，至1920年代，仅余70余家。1917年，清水河县有殷实商号50余家，经营粮、当、商各行。经卢占魁"独立队"的多次抢掠，元气大伤。1926年郑泽生部占据清水河县期间，"民间盖藏，罗掘俱进，商业遂一蹶不振"。① 萨拉齐自清初以来即为商业重镇，以货、粮、钱、当4行为主打行当，带动其他各业的经营。至民国初年，除钱庄、银号10余家外，尚有粮店10家，马店两家，杂货、饭馆等200多家。② 后经土匪多次洗劫，加之军队求索无度，各商号均相继撤庄，仅余少数几家小本经营者勉强支撑。

1916年，为了保障绥远地区商路的畅通，由大盛魁为代表的各大旅蒙商号发起成立了保商团。大盛魁掌柜段履庄任团董，普惠寺喇嘛银海任团总，团部驻地设召河。分段负责由归化城至外蒙古商路的安全，配合政府军剿匪。但是，随着旅蒙商业日渐萧条，保商团经费拮据，装备不足，在防匪、打匪方面所起作用日渐式微。

（四）土匪与会社

民国年间，内蒙古的地方秘密会社极为活跃，大都是土匪的保护伞。主要有哥老会、青帮、"家理教"（内蒙古西部称"在理儿"）、一贯道，等等，其中哥老会势力最大。清朝咸、同年间，镇压陕甘回民起义的清军将士在战事结束后，部分士卒即落户河套地区，逐渐形成哥老会群体。民国初年，局势动荡，哥老会乘机扩展蔓延，从者逐渐增多。辛亥革命时期，哥老会在革命党人发动起义时起过一定的积极作用。因其建立武装，公然与北洋政府相对抗，故被称为"会匪"。绥远地区哥老会内部有"清水"、"浑水"两派，前者又称"球子行"，系劣绅、赃官；后者又称"杆子上"，即土匪。入会者须严格遵守"会规"——"一人犯法，大众营救，一人有钱，大众使用。有触犯会规者，众起除灭之"。其帮会的组织性较强，不仅"土匪无赖辈争先入会"，还有许多地方军政官员和绅商也是其成员，或与之有着密

---

① 绥远通志馆编纂：《绥远通志稿》第9册，第431页。
② 土默特左旗《土默特志》编纂委员会编：《土默特志》（上），内蒙古人民出版社1997年版，第284页。

切关系。① 据统计，民国初年，绥西地区哥老会成员约有 60 余万人，占人口的 8/10。② 1915 年，仅五原县西区即有哥老会成员 4 000 余人。由于"蔓延各县，传染甚速"，拥众数量多，对社会各方面都产生着巨大影响。"随处密布机关，耳目遍地，侦伺官军动静。朝有警报，夕达匪中。"③ 一些地方"保卫团"，名义上接受政府指挥，暗地里却受哥老会调遣。在河套地区，大地主王同春的"公中"和牛犋都是哥老会的营盘。绥西土匪"老龙头"杨万祯（"小五杨"）在包头秘密设立"码头"，时常坐镇萨拉齐，发号施令，指挥徒众。卢占魁旧部苏雨生、赵有禄等股匪也听命于哥老会的调遣。萧吉原、张洪、李三河、王英等匪首都是哥老会的大小"龙头"。马福祥任绥远都统时，归化城以西至后套的广大区域皆处在哥老会势力的控制之下。

1921 年，马福祥决意剿除哥老会武装，遂派出刘实甫、马子材、马鸿逵、玉禄所率步骑兵由东西两面进剿。然而，因东路部队官兵多出自绥远地方，同"会匪"大都有着千丝万缕的联系，不愿与其结怨，只是往返后套一行即各自收兵。政府军的让步，更加助长了哥老会的气焰。1923 年，哥老会在绥西发起"海水大潮"④，聚集徒众号称 5 000 人，大举围攻包头。玉禄率补充团分路出击，激战彻夜方得以解围。⑤ 1925 年初，绥远都统李鸣钟在大力剿匪的同时，严厉镇压哥老会势力。所部石友三旅捕获"老龙头"杨万祯，押赴归绥处死。嗣后，又捕杀萧吉原、张洪等哥老会头目及随众数十人。经此打击，哥老会气焰虽暂时有所收敛，但与国民军的矛盾更趋尖锐。1926 年，国民军在与奉军的战争中失利，被迫撤往西北地区。官兵于沿途屡遭哥老会武装匪徒的抢劫，损失大批武器、被服。为使部队顺利通过哥老会控制区域，冯玉祥不得不前往五原，拜见哥老会"山主"马福元，并举行"拜山"仪式——加入哥老会，以示妥协。同时发表《告哥老会书》，宣布"除哥老会中流为土匪者外，一律予以保护"⑥。然而劫夺国民军

① 绥远通志馆编纂：《绥远通志稿》第 9 册，第 442 页。
② 宣侠父：《西北远征记》，文史资料出版社 1982 年版，第 67 页。
③ 绥远通志馆编纂：《绥远通志稿》第 9 册，第 448 页。
④ 哥老会黑话，意为大规模武装暴动。
⑤ 张尔杰：《"老一团"始末》，呼和浩特市政协文史资料委员会编：《呼和浩特文史资料》第 9 辑，呼和浩特市政协文史资料委员会 1994 年印刷，第 87 页。
⑥ 土默特左旗《土默特志》编纂委员会编：《土默特志》（上），第 1184 页。

枪械的事件仍未杜绝，在冯军撤退过程中，竟有数千件枪械被哥老会劫夺。①

（五）卢占魁祸绥

民国时期，内蒙古地区规模最大、为害时间最长的匪股当属以卢占魁为首的"独立队"。卢占魁，字耀宸，丰镇县隆盛庄人。出身于贫苦农家，曾以贩运为生。辛亥丰镇起义时追随义军首领"小状元"张占魁，因作战时常常奋勇争先，颇受张的赏识。此后卢弃商投身绿林，成为小头目。民国成立后，张占魁以反清起义有功，被山西都督阎锡山擢为陆军营长，驻防丰镇。1912年张占魁被以军纪弛废、纵兵扰民之罪处死后，卢占魁遂投向土匪"蓝四眼"。不久，被察西镇守使陈希仪收抚，编入巡防马队。

1913年，外蒙古库伦政权宣布"独立"后，派兵越境南下，向内蒙古发动武装进攻。内蒙古部分蒙旗亦起而响应。卢占魁宣布接受哲布尊丹巴活佛指挥，很快即被库伦方面任命为"将军"，并得到了库伦政权支援的武器装备及粮秣。另有土默特旗的龙图、察哈尔右翼"格尔计老五"（武德功）、察北的"野猫张"（张德承）相继举事。1915年，卢占魁及其数十名追随者抢劫了隆盛庄地方兵勇的武器和马匹，自此打出"独立队"旗号。当年，卢匪聚集各支匪伙，两次围攻包头，一度阻断了绥远交通。

卢占魁起事后，以《水浒传》中的晁盖自居，广招党羽，扩充实力。他还善于利用哥老会势力，将陕北哥老会"大龙头"高石秀所属"小五杨"（杨万祯）匪伙纳入旗下，另招徕外蒙古"独立"时期的一支蒙古武装。此外，陆续有庞三通、邢得胜、陈二虎、刘希宸、苏雨生、马有财等众多小股土匪闻风投效。除一些身负重案的亡命徒外，还有部分宦途失意、生活潦倒者也纷纷入伙，以致其"独立队"陡然崛起，"不数月间招聚千余人，势遂大张"。②卢占魁曾率3 000骑匪，从绥东丰镇、集宁、凉城、陶林、兴和等县流窜于绥中萨拉齐、包头、托县、清水河一带，与官军周旋。后又窜到大青山后的武川、固阳。1915年冬，绥远陆军混成旅郑金生团在包头附近

①　韩祥符：《王英一生的罪恶活动》，见政协内蒙古自治区委员会文史资料研究委员会编：《内蒙古文史资料》第6辑，内蒙古人民出版社1979年版，第108页。

②　绥远通志馆编纂：《绥远通志稿》第9册，第427页。

被卢匪包围，险遭围歼。北洋政府派出冯占元部驰援，郑团才得以解脱。至翌年初，包头归绥两地之间再次为卢匪所控制，商路断绝。不久，卢匪万余人攻朔州（今山西省朔州市），遭到顽强抵抗，退至清水河，将县城洗劫一空。不久，又攻陷萨拉齐县城，窜犯托克托、河口，以致绥西大乱。各县官员纷纷避匿，民众大批逃离乡镇。绥远当局遂派出归绥驻军混成旅骑兵进剿，卢匪不敌官军，渡过黄河西窜。

1916 年秋，卢占魁率匪众由陇东返回绥远，盘踞武川及乌拉特三公旗一带。众多匪股纷纷归其旗下。1917 年初，绥远都统蒋雁行鉴于剿匪兵力不足，决意收抚卢占魁。经基督教神甫南怀义（比利时籍）和固阳县地方士绅出面斡旋，几经谈判，卢占魁接受招抚。部众被编为绥远骑兵第 5 旅（又称游击骑兵旅），卢任旅长，并授少将军衔。所部编制 1 500 人，余皆遣散。北洋政府为此特拨 20 万元裁遣费。裁编完成后，奉调开往河套，旅部驻五原隆兴长。卢部虽改旗易帜，但匪性不改，仍不时为害地方。挖粮窖，抢牲畜，五原县府所收税款竟被匪众截夺。

是年秋，卢占魁率众由后套渡过黄河，进入陕西。不久即被于佑任所率靖国军收编，卢任第六路司令。因大部分随众不愿远离家乡，纷纷逃离，致使其实力大减。1919 年，靖国军解体，卢占魁随滇军叶荃部南下。赵有禄、苏雨生等哗变，卢无法控制，遂潜往北京，投附张作霖。被任命为东北骑兵第 5 旅旅长。翌年，被张作霖诱杀。

（六）日本侵略势力对"马贼"的利用

近代以来，内蒙古地区先后沦为俄、日两国的殖民地。清末放垦蒙地的肆行，导致大批蒙古族牧民因失去土地而"出旗"。汉族移民的涌入，使蒙旗原有相对稳定的状态受到破坏。如哲里木盟，自民国初年即多次陷于战乱，社会动荡，民不聊生，以致匪盗蜂起，所属 10 旗无一幸免，东北部与吉林相邻地区匪患尤甚。土匪结伙多则几百人，少则数十人、10 余人，甚至三五人结伙为害。匪伙多为蒙汉族结成，其中汉人为多数；流动性大，往往跨几个旗县窜扰。除抢劫商家外，还抢夺牲畜，到邻近省县倒卖牟利。

日本取代沙皇俄国获得在中国东北和内蒙古的权益后，十分注重对中国民间社会团体、武装力量的研究和利用。日本军界、政界重要人物怂恿、支持一批日本军官、浪人潜入农村牧区，勘测调查，搜集情报。同时还在长春、沈阳、锦州等城镇从事非法武器交易，向马贼贩卖军火，加剧了社会的动荡。欧文·拉铁摩尔认为，"满蒙地区的拓荒史与土匪活动复杂地交织在一起。"[①] 俄、日列强对中国的殖民侵略给内蒙古带来了巨大影响，是造成匪患的一个特殊原因。

第一次世界大战爆发后，西方列强穷于应付战争而无暇东顾。日本乘机加快了侵略中国的步伐。日本参谋部和关东都督公开支持浪人川岛浪速等人，扶持蒙匪巴布扎布，以倒袁的名义，拥护肃亲王"正清室大位"，建立由日本操纵的"满蒙帝国"。

巴布扎布，1875 年出生于内蒙古卓索图盟土默特左旗的一个平民家庭。日俄战争时参加了日本间谍松冈胜彦招募的所谓"洋队"，配合日军在辽西地区袭扰俄军后方，颇受日本侵略势力的青睐。战后曾出任彰武县警察队长。1913 年，在外蒙古军队侵扰内蒙古的战争中，巴布扎布被哲布尊丹巴政权委任为"东南边界官"，率众在张家口一带和多伦诺尔以北的锡林郭勒、察哈尔草原活动。同年秋，进兵昭乌达盟北部，占领经棚（克什克腾旗），进而围攻林西，威胁赤峰。10 月，政府军集结万余人由东、南方向进剿。经多次激战，巴布扎布匪众向北败逃。此后，仍拥众 2 000 余人，盘踞于乌珠穆沁旗、浩济特旗和贝子庙一带。武器弹药及部分军饷从外蒙古获得补给，马匹、粮食、肉食则由附近蒙汉民户征敛、掠夺。

1915 年《中俄蒙协约》签订。根据《中俄蒙协约》规定，巴布扎布匪众被强令解散。数千人在返籍途中大肆骚扰，"沿途劫掠商民货物、牲畜不计其数"，"且敢于以兵力抗拒官军"。[②] 在此期间，巴布扎布派出代表赴日本寻求援助，得到了川岛浪速等人的热情接待。1916 年初，日本军官青柳胜敏到呼伦贝尔南部哈拉哈河沿岸巴布扎布营地，具体商定了起兵计划。川岛浪速和满洲宗社党在旅大招募 2 000 余人组成"讨袁军"，同时联络辽西散匪，以期起事时呼应。计划巴布扎布率部沿洮南、科左中旗达尔罕王府一线南下，"讨袁军"北上，两部会合后夹攻奉天。为叛乱作准备，日本方面向巴布扎布提供了武器弹药，木泽畅、斋藤元宏、八江种矩等数十名日本浪

---

① ［美］欧文·拉铁摩尔：《满洲：冲突的摇篮》（英文），纽约 Macmillan 1923 年版，第 67 页。

② 陈篆：《止室笔记》，商务印书馆 1917 年版，第 79 页。

人和退役军人以"志愿者"身份加入匪军。

1916 年 6 月 27 日，巴布扎布在哈拉哈河畔誓师起兵，打出"勤王师护国军"旗号。7 月 1 日，巴布扎布率 3 000 余人，在日本顾问的指挥下举事。匪军自乌珠穆沁左旗南下，越过兴安岭，进犯突泉、洮南。途中遭到奉军吴俊升部的堵截，经两昼夜激战，匪军一度攻占突泉，并与宗社党组织的"讨袁军"会合。8 月，巴布扎布继续南下，进占四平以北铁路沿线的郭家店，威胁奉天。奉军集结优势兵力，对巴布扎布武装展开围攻，经连日鏖战，匪军大败，退入日本控制的路界。10 月 8 日，巴布扎布猛攻林西，政府军仓促接仗，虽受重创，但仍坚守城池。次日，巴布扎布在攻城前沿督战时中弹身亡，匪众遂放弃夺城，纷纷溃退。

巴布扎布死后，色布精额、齐达拉巴拉、本巴扎布等人又纠合余部，退至锡林郭勒盟东部，在附近各旗骚扰。各蒙旗难于抵御，纷纷向察哈尔都统紧急求援。同年 11 月，政府军由多伦、林西两路进入乌珠穆沁旗追剿匪部。经数次战斗，匪众除部分被歼灭外，大多逃往呼伦贝尔南部的哈拉哈河畔。如果说巴布扎布统领的匪军还具有些许政治色彩的话，其余部则完全是一伙无恶不作的乌合之众。他们联络日本浪人，试图得到日本间谍机关的支持。然而，对于日本侵略势力来说，这帮匪徒已失去利用价值，故未予理睬。色布精额等还派人到海拉尔，要求得到呼伦贝尔副都统公署的承认，并提出合作举事的意向，被都统胜福拒绝。匪众不仅劫夺物资，滋扰各旗牧民，还沿边境挑起事端，给呼伦贝尔地区造成了严重的祸患。呼伦贝尔方面在自身军事力量不足以剿除匪患的情况下，不得不采取缓和的策略。派出帮办凌升等人运载粮食、衣物等物资前往匪帮在哈拉哈河的驻地，表示"慰问"。双方还约定不以武力相对。①

1917 年 6 月，色布精额匪帮向海拉尔发起进攻，防卫部队力不能支，纷纷溃退。混乱中，公署右厅厅长成善被杀，胜福等官员退至铁路站界，后又逃往齐齐哈尔。南屯、西屯的各族居民也被迫逃到铁路管辖区及沿线各站避难。大批难民在逃亡地生活无着，困于病馁，许多人抛尸异乡。

---

① 政协呼伦贝尔盟委员会编：《呼伦贝尔文史资料》第 2 辑，政协呼伦贝尔盟委员会 1985 年印刷，第 42—57 页。

匪军占领海拉尔后，设立"提督府"，挟持原巴尔虎总管车和扎为"提督"（车称病未就任），以图掌控局面。大批匪徒不仅在海拉尔劫掠商民财物，奸淫烧杀，还到各旗各翼抢夺牲畜，杀人越货，洗劫召庙。新巴尔虎两翼牧民不堪蹂躏，纷纷出逃外蒙古，陈巴尔虎牧民逃往三河一带，伊敏、辉河的部分鄂温克、额鲁特牧民也迁到乌奴尔一带避乱。

胜福等人退至齐齐哈尔后，即请黑龙江当局出兵平乱。黑龙江当局答复称：因受中俄《呼伦贝尔协定》中关于政府军不得进入呼伦贝尔条款的制约，无法派兵。胜福遂派贵福等潜回海拉尔，与车和扎相约，并联络各旗各翼发兵反击。9月，各路武装从海拉尔外围同时发起进攻，俄国铁路护卫队也出兵助战。色布精额匪帮无力抵挡，纷纷向哈拉哈河畔的老巢逃窜。此时，外蒙古军队 2 000 余人进抵哈拉哈河阻截围剿，残匪在多重打击下，"半归歼灭，余皆星散"。至此，长期肆虐呼伦贝尔地区的匪患终告平息。①

三、匪患泛滥的原因

（一）政治腐败、经济凋敝

匪患是民国时期困扰中国各省的一个严重的社会问题，其根本原因在于军阀混战造成的地方政局失控，乱象丛生。在内蒙古，从 1911 年设立特别行政区至 1928 年国民政府改设热、察、绥 3 行省，各派军阀、各种政治势力往来穿梭，交替掌控。特别是绥远，都统频繁更替，历经不同军阀派系的 8 位都统的统治。统治时间最短的晋系都统商震在绥仅 4 个月，治绥历时最长的宁夏军阀马福祥也只有 4 年。历届政府在民生和社会稳定方面没有长远规划，从都统到下级官吏，只关注派系争斗，官场沉浮，中饱私囊，无视民间疾苦和地方安危。此外，各级军政官员处事因循苟且、敷衍塞责，以致匪患得不到及时遏制而大肆蔓延。因打击不力，打家劫舍的小股土匪经数年生存，往往膨胀为杀伐屠掳、攻城略地的大匪股。卢占魁匪伙祸绥数年，气焰嚣张，从数十人扩张为万人之众，历任都统均无力彻底剿除，因而被时人指

---

① 阿·恩和巴图：《色布精额匪帮侵入海拉尔始末》，见内蒙古自治区委员会文史资料研究委员会编：《内蒙古文史资料》第 19 辑；程廷恒、张家璠纂：《呼伦贝尔志略》之《兵事》，第 103 页。

斥为"姑息养奸"。①

军阀统治时期，军力膨胀，军费陡增，各级军政当局有如冷酷的压榨机器。税收、田赋以及无休止的摊派，使地方经济长期陷于萧条。兵差负担和地主豪绅的剥削，加剧了广大民众的贫困化，大批农牧民纷纷破产。许多人无以为生，将土匪视为一种谋生手段。而社会动乱、经济凋敝，为土匪的产生、泛滥创造了条件。

官吏腐败，世道不公，地方官吏的苛刻暴虐，各界民众生活都缺乏保障，导致社会矛盾激化。此外，军阀武装欺压百姓、借机搜刮，或以剿匪之名行害民之实，都引起民众的怨愤甚至仇视，由此部分人产生报复性反社会心理，进而转化为以暴力相抗。

萨拉齐中学生张炳到包头探望朋友，被守城士兵诬指为匪，无辜被拘禁，遭严刑拷打。后经乡绅具保，方得以获释。他在遭受冤屈后不久即奔往武川，投入卢占魁匪伙，成为卢匪手下的"司书"。② 察哈尔正蓝旗牧民贡布被人诬陷，无端被责打。为报复官府，贡布组织人马，出没于丰宁、多伦一带，劫夺富户和旅蒙商号的驼队，流为察北知名土匪。③ 卢占魁与北洋政府公然作对，也博得部分不满于现实者的同情。一些知识分子和失意官吏视卢占魁为乱世英雄，前往投效，追随卢"打天下"。其中有张仲衡、李明轩、史华甫、冀天高、何全孝、李子才、张静山，等等。他们中有青年学生、教师、商人，也有曾在潘矩楹主绥时期的科长和部门主任。那些丧失话语权的底层民众，从默默承受到铤而走险，由安分守己的顺民沦落为匪，其以暴易暴的过程有其令人同情的一面。对于卢占魁等大土匪，后世也有人认为其行为具有反抗压迫、动摇军阀统治的特征。称卢占魁所率的"民族联军"，"在反对旧传统，打击旧势力和讨伐北洋军阀的斗争中，旗帜鲜明，不计成败，一直奋斗了十几年"。④

---

① 绥远通志馆编纂：《绥远通志稿》第 9 册，第 434 页。

② 绥远通志馆编纂：《绥远通志稿》第 9 册，第 438 页。

③ 政协乌兰察布盟、锡林郭勒盟文史资料工作委员会编：《察哈尔蒙古族史话》，政协乌兰察布盟、锡林郭勒盟文史资料工作委员会 1989 年印刷，第 471 页。

④ 张尔杰：《卢占魁与北洋军阀的斗争》，见中共呼和浩特市党史办、呼和浩特市地方志编修办公室编：《呼和浩特史料》第 8 辑，中共呼和浩特市党史办、呼和浩特市地方志编修办公室 1989 年印刷，第 156 页。

（二）社会原因

晚清及民国初年是汉族移民社会的转型期。在热河、察哈尔右翼以及归化城土默特等老移民区，人口激增，土地、牧场资源日趋紧张，各种社会矛盾凸显；在哲里木盟、察哈尔左翼和后套等新移民区，不安定因素增加，民族矛盾随之日渐突出。流民被迫铤而走险，啸聚一方，打家劫舍，蹂躏乡里，公然与官府为敌。在牧业和农业交汇地带，往往是匪伙格外活跃的地方。

内蒙古各地的土匪中有相当部分是蒙古族。清末以降，在封建领主制占统治地位的蒙旗内，旗民与王公贵族的封建依附关系逐渐松弛，部分破产牧民为生活所迫离开原籍，到其他旗为牧主雇佣。因地域辽阔，对流动人口无法有效控制。流动人口远离家乡和传统社会，生活没有保障，随着牧场的不断开垦，大批蒙古族牧民失却土地牧场，流离失所，生活困顿。一些人不得不铤而走险，打家劫舍。进入民国后，蒙古族受害尤甚。军阀混战，在蒙旗烧杀抢掠，一些牧民的畜群悉数被抢，一夜间即沦为赤贫，被迫流离。时人指出：“满蒙汉交界处的盗匪，其特征是盗匪中有许多蒙古人。蒙人的盗匪，仅以汉人移植地的边境上有之。这种地方，有许多蒙古人牧地被夺，而垦殖长官或蒙古王公又不曾预备适当的地方给他们，因此他们遂突然流而为匪了。”① 在内蒙古西部，“牛年之乱”结束后，一批加入蒙旗武装的牧民已无法回归本业，又遭到外蒙古方面的排拒，遂成群加入卢占魁匪部；另有部分绥西、绥中的蒙古族农牧民为贫困所累，集于卢占魁旗下。在傅增湘先生统计的绥远265个知名匪首中，即有45人是蒙古族。如白彦公、巴音豹、龙图、白虎臣、奎奎、成成、龙四子、武耀威，等等。

鸦片的吸食贩卖泛滥成灾也是匪患加剧的原因之一。民国时期，无论内蒙古东部或西部地区，都大量种植罂粟，绥远和热河地区是鸦片为害的重灾区。吸食鸦片在各阶层中十分普遍，成为极为严重的社会问题。一些人为吸毒所害，“以致倾家荡产，被生计逼迫流为匪类者，数见不鲜”。② “烟赌盛

---

① 《新亚西亚》1932年第4卷第5期。
② 《绥远省各县乡村调查纪实》（萨拉齐县），1934年。

行，以为生计，加入匪类，故破烂什物亦掠而换烟。"① 一首"爬山歌"唱道："洋烟好抽瘾难退，因此当了个独立队。"② 因长期处于流动中，患病、受伤的匪徒难以得到正常医治，故而土匪将令人精神亢奋、可解除一时痛苦的鸦片视为灵丹妙药。吸食鸦片后，可在短期内精力充沛，并产生幻觉。所以，鸦片不仅用来治病，也为土匪在作战中提神壮胆。此外，鸦片还是土匪重要的经济支柱。卢占魁、王英占据后套时，即强迫乡民毁青苗，种植罂粟、加工鸦片。东蒙地区的盗匪"常受产鸦片村落的资助，产鸦片的村落，也靠盗匪保护，使国法不能施诸此地"③。

流散于民间的大量枪支弹药，为土匪的纠集、发展提供了有利的条件。掌握武器的土匪所造成的危害更趋严重。据统计，日俄战争中散失于民间的枪械，以及日本侵略势力为加剧中国内乱，向各种武装提供的枪支就达 200 万件之多。④ 在东蒙古地区，枪支是许多家庭必备之器。这使得凶案频发，抢劫成风，秩序混乱。1921 年，一商家由赤峰赴锦县运货，途中遭小股土匪抢劫。匪徒"大小枪支每人各一，甚为整齐。将驮户枪弹、货物均行掳去，损失约现洋一万余元。"⑤ 由此可见，一些土匪掌握的武器竟比官军还要优良。在内蒙古西部地区，京绥铁路开通后，"奸人贩运枪弹，匪徒购买较易。"⑥ 走私武器的买家大多是土匪。

1934 年春，军阀孙殿英所率第 41 军大败于宁夏，几近溃散的部队经河套退往内地。官兵在途中为饥饿所困，竟用枪械向百姓换取食物。"从石嘴山到上江大腾格里沙漠中，沿途到处是士兵们遗弃的枪支"。⑦ 这种状况无疑为土匪的产生提供了条件。

————————

　① 《蒙藏周报》1931 年第 71 期。

　② 毓灵：《绥远的山歌》，载《西北论衡》1937 年第 5 卷第 1 期。

　③ 《新亚西亚》1932 年第 4 卷第 5 期。

　④ 冉光海：《中国土匪》，重庆出版社 2004 年版，第 6 页。

　⑤ 《盛京时报》1926 年 6 月 3 日。

　⑥ 绥远通志馆编纂：《绥远通志稿》第 9 册，第 442 页。

　⑦ 刘映元：《四十一军进攻宁夏的经过》，见政协内蒙古自治区委员会文史资料研究委员会编：《内蒙古文史资料》第 19 辑，第 90 页。

四、剿除匪患的艰难历程

（一）历届政府的剿匪

军阀统治时期，各派政治势力、军事集团互争雄长，历任执政者皆苦于匪患长期不靖。历次剿匪行动虽对匪势有所遏制，但因始终没有长远规划，无法根除积年匪患，只是采取"急则收抚，缓则不问"的政策。"政局一有变化，对方即利用匪首或无聊军官收抚土匪，以增势力。及政局稳固，即取消极主义，置却不问，因是连匪带兵，同时化而为匪。"① 剿抚手段使用不得当，必然呈现出土匪越剿越多的怪现象。

招抚兼施是地方政府平息匪患采用的策略和手段，但难以达到长期稳定的目的。收编、受编双方完全依各自利益行事，利益一致则暂时相安无事，利益相左即兵戎相见。地方当局因无力剿除土匪，不得不采取招抚策略，以暂时妥协，求得一时的安宁。而土匪也以武力要挟地方政府，以期获取更大的利益。政府方面招抚匪队后，对招编的土匪无法进行彻底整肃改造，仅委以名义，土匪照旧在各自地盘活动，受编而不受调。土匪受编之初行为有所收敛，一般不挑起大的事端使官方陷于难堪，与政府军达成井水不犯河水的默契。同时，政府方面唯恐养虎遗患，无时不在设法剪除其首领。而受抚后的匪首，对于部队的直接掌控权则绝不让步，出于戒心，对政府的调派往往延宕或抵制。土匪受抚后变为军队，虽改变了四处流窜的状况，但仍可横行乡里，"对于民众视同鱼肉，虽间施以训饬，终难以改其匪性"②。当时局变化时便旧态复萌，叛而为匪。这种匪变兵或兵变匪的恶性循环现象，在民国时期的内蒙古地区多次重演，为害甚烈。

在动荡不安的战乱年代里，土匪——这个拥有独立武装的集团受益最大，发展最快。部分匪首视受抚为政治投机的契机，以改变土匪低下的社会地位和不合法性，一些地痞、恶棍借此而发迹。如青年时期混迹于兵匪两道的"地蹦子"李守信，在不到20年的时间内，即由"马贼"混到了伪蒙古军总司令、伪蒙古自治邦副主席；热北悍匪"荣三点"（鲍振荣），由一个

---

① 《热河匪患易起之原因》，载《蒙藏周报》1931年第71期。
② 绥远通志馆编纂：《绥远通志稿》第9册，第474页。

好勇斗狠的匪徒，逐步拉起了数千人的"杆子"，后来被冯玉祥收编，充任了国民军的将领；王英①，从一个不甘寂寞的财主恶少，成为恶名昭彰的匪首，时而为匪倡乱，时而厕身政坛，投机取巧，在内蒙古西部为害40余年；曾流窜于察哈尔地区的匪首"白三阎王"，从打家劫舍的"二棒手"，到奉军的骑兵师长、张作霖的爱将，后又投附日寇。其为匪作乱的目的简单而明确——"拉大杆，做大官"。② 赤峰县公署在致热河省府的一份公函中将这一荒诞现象归结为："贼愈降愈多，匪愈剿愈盛，地方无赖见匪可以得官，人人垂涎欲为匪。"③

民国初年，外蒙古军队进犯内蒙古。热、察、绥大部地区相继陷于战火，地方人心浮动，大小匪股乘机蜂起窜扰，清末所设捕盗营（东部称巡警营）已不足应付变局。为此，绥远特设塞北执法营务处，以警戒地面。规定每县划3—5区，每百户出丁40人为民警，清查户口。所需经费由地方摊派。民警队伍的建立虽对稳定地方秩序有所作用，但由于武器装备的缺乏以及从警人员素质较低等原因，终究难以应对土匪武装的袭扰，所持枪械也多被匪徒夺去。此后，绥远地区又组成警察厅马巡队，"为稽查、游击、临时戒备之用"④。经费主要依靠向民间摊派的"警捐"。

1913年末，外蒙古军队虽被击退，而匪患仍难以消除。张绍曾出任绥远将军后，首先解除了已编入官军的土默特旗武装，随后又与察西镇守使陈希仪密谋剪除官军中的绿林势力，以绝后患。1914年春，陈希仪以点验官兵、枪械为由，令巡防马队集合，同时分别在隆盛庄、兴和设下埋伏，将马队大小首领悉数枪杀。

1915年，卢占魁匪帮肆行察绥一带，绑架勒索之风大开。自此，大小匪股此起彼伏，绥察地区陷入动荡不安的局面。时任绥远都统的潘矩楹屡屡急电北京求援。是年底，北京政府任命冯占元为剿匪司令，带中央陆军第2师10个营的兵力，开赴绥远进剿卢占魁匪部。冯骄恣自大，率部追剿卢匪

---

① 王英，字杰臣，绰号"三财主"、"三没底据"。其父王同春，是后套地区最大的豪强地主。
② 王绳武：《白凤翔轶事片段》，见政协内蒙古自治区委员会文史资料研究委员会编：《内蒙古文史资料》第27辑，政协内蒙古自治区委员会文史资料研究委员会1987年印刷，第206页。
③ 赤峰市档案馆藏：《赤峰县公署民国档案》卷6122。
④ 绥远通志馆编纂：《绥远通志稿》第9册，第619页。

时，竟乘"四抬红围小轿"督战。冯部在武川县银号地方与匪部遭遇后，竟一触即溃，损失数十门大炮和部分枪械。冯占元弃轿乘马狼狈逃脱，躲入包头城内避战。卢占魁击败官军后，"心意愈大，几有目无全绥之慨"。随即攻占萨拉齐，"全城数千户，横被罹掠，无一幸免者。繁荣城市，顿成丘墟"。[①]

在潘矩楹任绥远都统的两年内，卢占魁势力大张，政府军因没有足够兵力剿匪，只能任由土匪肆虐。1916年10月，潘矩楹以剿匪不力被免职。北洋政府任命多伦镇守使萧汉杰为剿匪会办，率800名骑兵到绥远剿匪。经数次激战，卢占魁不敌，大部逃往陕北。然而，当萧部撤离后，卢匪又卷土重来，在绥西恣意横行。

1917年初，新任绥远都统蔡成勋以会议为名，派员约请卢占魁到归绥。卢知有诈，当即拒绝。蔡成勋见诱杀不成，遂派出所部陆军第一师开赴河套，与地方武装合力围剿卢匪。匪众分3路逃出河套地区，向察哈尔境方向流窜。逃窜途中，匪首"豁牙老五"崔永胜被绥远陆军混成旅王培涣部击毙。陆军第1师一个营孤军深入，不料陷入卢匪伏击圈，遭到重创。不久，卢匪数千人又分路窜至陶林、双脑包、大六号一带，烧杀抢掠。察哈尔都统田中玉立即调集军队，部署防堵。卢匪东去无路，转而西窜。

驻内蒙古各地的部队各自为政，不相统属，难以统一指挥，是匪患难以遏制的重要原因。在热、察、绥地区，历任都统所率部队大都是客军，且数量有限。蒋雁行、汲金纯、李鸣钟任都统时，都锐意平息匪乱，但常常因部队间协调不够，又缺乏整体规划，虽兴师动众围堵，但往往被匪股轻易突破。1923年，匪首刘喇嘛、苏雨生、赵有禄率匪众近2 000人，由包头窜入五原行抢，地方商号、民众损失惨重。翌年初，宁夏马腾蛟部到河套剿匪，几经围剿，未能清除。绥远都统马福祥遂采取招抚之策，将刘喇嘛匪众收编在驻五原的宁夏军队中。是年秋，刘匪煽动部分宁军官兵，再次啸聚为匪。

据北京政府1924年的统计，在绥远地区的驻军有：绥远第1混成旅郑金生部3 000余人，驻包头；第5混成旅马鸿逵部3 000余人，驻绥西；第1、第2混成团各1 000人，分驻武川、托克托、萨拉齐等地；暂编步兵营

---

① 绥远通志馆编纂：《绥远通志稿》第9册，第428页。

600 人，补充第 1、第 2 营共千余人驻绥东。在热河地区的驻军有：热河游击马队张连同部 2 000 余人，驻开鲁、绥东县；毅军米振标、张殿如部共 7 000 人，驻承德、围场、林西；中央第 13 师王怀庆部 8 000 余人，驻朝阳、凌源；直隶第 4 路巡防队龚汉治部 3 000 余人，驻朝阳。在察哈尔地区的驻军有：第 1、第 4 混成旅魏福生、张金标部共 7 000 余人，驻张家口；骑兵第 1 旅乔建才部 1 000 余人，驻丰镇，第 2 旅丁长发部 1 000 余人，驻多伦。[①] 热河北部的昭乌达盟、卓索图盟因属奉系军阀所控制，距奉军重兵驻地较近，大股土匪已难存在。而绥、察地区虽驻有 2 万余军队，但彼此在剿匪方面极少协同动作，根本无法遏制匪势的蔓延，只是采取驱赶的办法，将匪股逐出防区了事。而部队中还有收抚的土匪武装，如补充第 1、第 2 营就是由土匪苏雨生、赵有禄的匪伙改编而成，当年即复叛为匪。

1925 年初，李鸣钟接任绥远都统。时值苏雨生、赵有禄、刘喇嘛匪众骚扰萨拉齐、归绥、和林格尔 4 县，引起社会动荡，大批乡民趋走避祸，纷纷躲入铁路沿线城镇。李鸣钟决意采取严厉镇压措施，集中兵力剿匪。令孙元良旅驻萨拉齐、田金凯旅驻察素齐、石友三旅驻包头、石敬亭旅驻归化，并与玉禄、刘会文、李春秀等地方武装协同行动。同时任命吉鸿昌为绥远警务处处长，整肃警务，加强地方治安。还颁发《清乡办法十条及剿匪条例》，通令各县严格执行。在国民军的突然打击下，各路股匪闻风逃匿。然而不久，匪众即化整为零，窜到黄河以西地带袭扰。"匪极狡黠，漫散各地，此出彼没，声东击西。官军被牵制，彼失联络"。[②] 玉禄在与土匪作战中殉职，剿匪行动受挫。匪众乘势渡过黄河，追击官军至萨拉齐。是时正值李鸣钟乘火车巡视返回归绥，土匪竟乘马追车，直逼归绥城下。"远近乡民逃入绥垣者，街衢为满"。[③] 匪伙虽未敢攻城，但在城郊茂林太、大黑河一带放火焚烧民房以示威，火光冲天，全城震惊。土匪气焰之嚣张，由此可见一斑。

1926 年春夏间，国民军主力东进，与晋军作战。匪首杨猴小、冯六套、苏八音等乘地方空虚之机在绥西大肆袭扰。接替玉禄的满泰率绥远第一骑兵

① 章伯峰、李宗一主编：《北洋军阀》第 1 卷，武汉出版社 1989 年版，第 17 页。
② 绥远通志馆编纂：《绥远通志稿》第 9 册，第 291 页。
③ 绥远通志馆编纂：《绥远通志稿》第 9 册，第 457 页。

旅，刘会文、陈玉甲率两路警备队与各县乡保卫团联络配合，防堵土匪。8月，国民军败退包头，不久又退向陕、甘。散兵游勇和土匪在绥西达 2 万多人，兵灾匪患交相为害，社会秩序大乱。

晋系掌控绥远地区后，商震就任绥远都统，即部署剿匪。任命满泰为骑兵第 5 师师长；招抚匪首王英，将其部众改编为绥西护路队，王英任包（头）五（原）护路司令，石杰为骑兵师长，与满泰部分兵布防。嗣后，满泰部收编郭秃子、赵半吊子、烂脸高等股匪；王英部收编金宝山、李三河等股匪；石杰部收编陈得胜、康存良、小万万等匪众。

1926 年末，晋、奉交恶。奉军大举入绥，晋军全部南退。翌年初，奉军将领汲金纯就任绥远都统后，即大力搜剿土匪，并严令禁止招抚。马占山所率骑兵旅与刘会文的警备队合力剿匪，重创苏八音、孔老旦匪伙，毙匪百余人，生擒匪首邬大个。归绥、萨拉齐、托克托一带暂告平靖。但为时不久，匪焰复燃，剿匪呈虎头蛇尾之势，虽兴师动众而收效不大。参与剿匪的各路武装纪律松弛，扰民之事迭出，百姓怨声载道。1928 年，赵半吊子匪伙复叛，疯狂窜扰。赵承绥受阎锡山委派，任绥远剿匪司令，率部来绥，会同地方武装，在绥西展开对赵半吊子匪伙的围剿。与此同时，驻绥西的晋军第 70 师王靖国部也与宁夏军队联合行动，堵截、夹击流窜的各路股匪。1929 年秋，赵半吊子被击毙于五原正集圪堵，其手下大小匪首 10 余人先后伏法。苏雨生匪伙被赵承绥收编，后在山西被晋军全部缴械。至此，绥远地区的匪患大为缓解。

1930 年，绥远省境内大股土匪仅余王英、杨猴小匪部活动。王英乘绥远驻军东调之机，率匪众进逼归绥。晋军赵承绥部急驰绥远，迫使匪众退据后套。1931 年，王英占据临河，“广种烟亩，收其亩税”，并在黄河沿岸设卡，向过往商船强征税款。当时，每年经黄河运输的商船达 600 多只，每只船即征得 70 块银元。商家在缴纳地方政府所设税款外，还要遭到王英匪部的勒索。是年秋，王英、苏雨生两股匪伙为争夺地盘开启战端。几度拉锯，民众不堪其苦，纷纷逃亡，“王去苏来，疲于奔命，牛羊鸡米，供应殆尽”，“四乡不胜其蹂躏”。①

---

① 绥远通志馆编纂：《绥远通志稿》第 9 册，第 494 页。

1932 年，绥远驻军配合晋军大举进剿王英。王英不得已逃往北平，其部众交惯匪杨猴小带领。杨匪千余人大掠五原，后经固阳、武川等地窜往察哈尔。遭察哈尔驻军迎头堵击后，匪众由丰镇、凉城、萨拉齐逃往伊克昭盟。是年冬，杨匪投附驻包头的孙殿英所率第 41 军，编为骑兵旅。1934 年初，孙殿英部西进受挫，部队瓦解。杨猴小招纳旧部东窜察哈尔，被察哈尔省主席宋哲元收编。是年秋，杨猴小部哗变，由察南窜往绥西，意欲渡过黄河，进入陕北。11 月，晋、绥军队与陕、宁军队相配合，对杨匪展开围追堵截。匪众大多逃散，部分被击毙或俘虏。杨猴小走投无路，被击毙于靖边县九里滩地方。

傅作义主绥时期，逐步加强了对乡镇的权力掌控，将"盗匪窃扰"、"金融紊乱"、"吏治腐败"视为绥远三大害。把剿匪清乡列为"除弊"工作之首。除调集军队围剿土匪外，还增加城镇乡村的公务人员，广泛展开清查户口、联保、发动民众检举等活动。要求"人必归户，户必归甲"。[1] 通过推行保甲制和乡村自治活动，建立和强化乡村行政网络，使土匪无法在乡间立足。规定各县保卫团总团长由县长兼任，并完善编制，配备武器，增强剿匪的战斗力，使之成为正规军的后备队。同时严厉约束官兵的行为，改善军队在民众心目中的形象。孙兰峰部驻武川剿匪时的布告写道："士兵碰倒老乡，重责军棍二十，老乡打倒士兵，拍拍尘土走起"。[2] 经过 1 年多围剿、追歼，歼灭大小匪伙 40 余股。为巩固成果，绥远省政府加强了乡村建设，设立乡训所，组织自卫武装。有效地遏制了匪患，[3] 至 1930 年代中期，危害绥远多年的匪患基本得以肃清。

（二）地方武装的剿匪

1916 年，绥远都统潘矩楹为对付日益猖獗的匪患，成立警备队，以加强各县防务。警备队分为 3 路，由绥远地方武装组成，直接归都统指挥。此后，随着不同派系的军阀治绥，警备队均听从调遣。其人数因时而异，部分

---

① 余纯斋：《傅作义在河套组织的"动委会"及所谓"新县制"的设施》，见政协内蒙古自治区委员会文史资料研究委员会编：《内蒙古文史资料》第 7 辑，内蒙古人民出版社 1982 年版，第 289 页。

② 张尔杰：《一张布告》，见政协武川县委员会文史资料委员会编：《武川文史》第 7 辑，政协武川县委员会文史资料委员会 1994 年印刷，第 97 页。

③ 蒋暑晨：《傅作义传略》，中国青年出版社 1990 年版，第 67 页。

为招抚收编的土匪。警备队的剿匪，以土默特蒙古族玉禄所率第 3 路最为得力。第 3 路的前身是清末组建的土默特陆军第 2 营，改编后分为 4 队，共300 余人。该部官兵作战勇猛，不仅担负土默特旗的防剿任务，还多次出击绥西和伊克昭盟，打垮数倍于己的匪伙。1921 年，改编为绥远补充团（俗称"老一团"），属宁海军（马福祥部）统辖。1925 年，玉禄率土默特补充团前往伊克昭盟，配合国民军石友三部追剿苏雨生、刘喇嘛等匪股。玉禄追匪深入，失去后援，在杨二虎圪卜被设伏的土匪包围。玉禄率众奋力突围未果，受伤被俘后，"骂贼不绝口，旋引枪自毙"①。

1927 年，奉军入绥，将警备队编为两个警备师，第 1 师师长刘会文，下辖 3 个团；第 2 师师长陈玉甲，下辖两个团，受刘会文节制。警备队是绥远地区剿匪的一支重要力量，"平日防守地区，剿除匪类，至为奋勇"、"剿匪尤多奇绩"。② 1928 年初，刘会文及团长马骥等人以"纵兵殃民、蹂躏地方"的罪名被绥远都统汲金纯下令处决。警备师被改编为骑兵第 11 师，黎明任师长。嗣后，该部又缩编为两个团，归晋军指挥。

保卫团、自卫队是半官方的地方武装，由各县乡绅筹措经费，为防匪自卫创设的民警，每区十余人，故又称"区兵"，分常备、守望两种，驻扎于较大的村镇。因战斗力较弱，防匪作用有限，一些保卫团实际上成为各区乡催粮要款的差遣队。"平日优游无事，坐领薪饷，恒舞酣歌。"③ 1917 年 10月，卢占魁匪众在集宁县公沟区一带肆虐，围攻当地富户陈英的宅院。驻扎仅数里之远的保卫团虽早已得知匪情，但仍坐视不救，以致陈家 7 人被残杀，遭灭门之祸。地方商会为抵御土匪的袭扰，自行组织保卫团和警察。如多伦商会，于民国初年即自办警务，警察局长由商会会长任命，保卫团分马队和步队两部分，共 400 余人，曾两次成功击退围攻县城的大股土匪。④

当匪势难抑而政府军剿匪不力时，一些地方绅商、地主携财带眷外避他

①　绥远通志馆编纂：《绥远通志稿》第 9 册，第 465 页。

②　绥远通志馆编纂：《绥远通志稿》第 9 册，第 294 页。

③　彭继先、白葆庄修，王文墀总纂：《临河县志》（中），1931 年铅印本，第 59 页。

④　任月海编译：《多伦文史资料》第 1 辑，内蒙古大学出版社 2006 年版，第 169 页。

乡。而许多富户不甘坐待土匪抢掠勒索，自发地组织民间武力，在村镇周边垒高墙，宅院筑碉堡，购置武器，养练"炮手"（护卫、保镖），联团、联庄以防匪打匪。相邻数村共同订立防匪公约，规定一村发现匪警，即点火为号，邻村闻警，青壮村民迅速集中，或前往援救，或持械以待。一村预警，数村皆防。1930 年，马侉子、杨三秃匪伙围攻托县三间房村，村民倚高墙，仅以 8 支枪奋力抵抗，匪众终未能得逞。在内蒙古中东部地区，王公、大地主的宅邸大都筑有围堡，并蓄养着私人武装，因而小股土匪极少发动进攻，对有着强悍"炮手"的围堡，还要绕道而行。

联庄在护财保命、防匪打匪方面虽能起到一定的作用，但往往只限于对付小股匪伙，无力抵御成百上千的匪帮。对于村民的反抗，土匪必施以残酷报复。1926 年 6 月，悍匪苏八音、邬大个数百人围攻萨拉齐朝号尔村。全村居民蹲土堡，以火枪土炮竭力抵抗。终因寡不敌众，弹尽援绝，被匪攻陷。匪徒进村后，不论男女老幼肆行屠杀，72 人惨死，房屋尽被烧毁。1929 年夏，丰镇老官儿坟、官屯堡等村联庄并组成红枪会，声言能行法术防匪。赵半吊子匪伙攻陷该村后，兽性大发，大肆捕杀村民，350 多人惨遭屠戮。①

一些地方绅商虽组织团练乡勇，但因实力不足，往往不得不与土匪建立一种特殊的关系。东部农业区即有许多商绅与土匪相结合的所谓"保险队"。通过这一形式，一些土匪不再靠劫掠为生，而是以地方豪门大户为后台，得到地方政府的认可，向地方民众摊派，获取固定收入。这些半官方的部队被赋予剿匪、防匪和维护地方治安的使命，而同时又与土匪有着千丝万缕的联系。

也有一些地方豪强以防匪的名义建立私人武装，经营"独立王国"。如地处萨拉齐、武川和固阳接壤地带的巴总窑子，大地主李海龙收罗散匪，建立了一支 500 余人武装，利用山村特殊的地理条件，修筑围墙碉堡，强迫村民种植罂粟、加工鸦片，形成了由他发号施令的势力范围，俨然成为"土皇帝"。土匪数次攻打都未能得手，日伪统治时期也未受到日

① 绥远通志馆编纂：《绥远通志稿》第 9 册，第 462、480 页。

伪军队的侵扰。①

（三）大青山抗日根据地的剿匪斗争

"九一八"事变爆发后，侵华日军逐渐控制东北三省及内蒙古东部地区。1933 年，日军又进犯热河，华北告急。曾活跃在各地的土匪纷纷寻找出路，依傍新的靠山。匪首李守信于热河沦陷后即投附日军，任热河游击司令、察东警备军司令。其"拉杆子"时的旧部也多来投效追随，人数达 4 000 余。不久，李守信部在日军驱驰下进犯察北和绥东，与抗日武装作战。同年，匪首"刘黑七"（刘桂堂）投日，所部大多为山东土匪，被改编为"东亚同盟第 2 军"，由热北调至察北，参与日军所谓"热河圣战"。这两只匪军在察北地区"横冲直撞，无恶不作"，以致民众纷纷出逃避难，商家多遭勒索、抢掠。刘桂堂部对地方百般蹂躏，撤退之时，竟强掳妇女 170 多人。②

1935 年，绥西匪首王英及其追随者先后投敌，编为"防共自治军"。不久，又在日本关东军的策划下，在张北改编为"大汉义军"，王英任司令，悍匪石玉山、苏雨生等人在军中担任高级将领，充当为日寇驱驰的马前卒，当年即向绥东发起进攻。

"七七"事变后，绥远国民党军队西撤，内蒙古西部城镇和铁路沿线大部地区处于日伪统治之下，乡村则成为土匪横行的地区，社会秩序更趋混乱。当时活动在日伪占领区的鄂友三、郭长青、王有功等部，打着"绥远民众抗日自卫军"的旗号，吞并小股匪伙，控制地盘，以抗日名义拉夫勒索，抢劫强奸。自卫军的一些头目本身就是土匪。其中较知名者有：鄂友三，萨拉齐人，毕业于黄埔军校第 9 期。抗战爆发后招纳部分散兵和土匪，组成别动队。后策划组织自卫军，任参谋长。1937 年底被绥远国民党军编为游击第 4 师；郭长青，萨拉齐人。日军进占绥远后，郭长青聚集大小土匪 10 余股在大青山一带活动。辖下较大股匪有"三拐子"、"红蚂蚁"、"花公鸡"、"干豌豆"、张亮、苟子臣等。不久即被国民党军收抚，编为"自卫

---

① 刘映元：《旧绥远省的三个"独立王国"》，见包头地方史志编修办公室编：《包头史料荟要》第 4 辑，包头地方史志编修办公室 1980 年印刷，第 148—152 页。

② ［日］佐藤晴雄：《多伦事情》，见政协多伦县委员会编：《多伦文史资料》第 1 辑，内蒙古大学出版社 2006 年版，第 36 页。

军"，郭任自卫军第 5 路司令；王有功，察素齐人。"七七"事变后在武川、陶林一带招纳土匪，被编为自卫军第 3 路，王任参谋长，后被编为骑兵挺进第 1 纵队。这些面目复杂的土匪既是抗击日寇侵略的武装，又是残害民众的恶势力。例如：1945 年初，王有功部 500 余人攻克土默特旗寒盖村日伪军据点，同时却对村民施暴，奸淫抢掠，将全村洗劫一空。①

1938 年 7 月，八路军 120 师一部组成大青山支队，挺进大青山，创建抗日游击根据地。初期，支队根据中共中央指示，对"绥远民众抗日自卫军"等打着抗日旗号的土匪武装以友军相待，实行统一战线政策。为推动其抗日，还曾派人与其首领谈判，要求其停止危害百姓。但是，部分惯匪作恶成性，依旧横行乡里，骚扰地方。在国民党的支持下，土匪制造摩擦，捕杀中共地方干部，抢截八路军运输队。另外还有部分土匪投向日寇，被编入伪军，变本加厉地欺压民众，给绥远敌占区各族人民造成了极其严重的祸患。匪徒虽大多出自农村，但对农民却恣意欺凌。他们一进村，就迫令男子和儿童遛马、喂马，妇女做饭烧茶；酒足饭饱后，或抽大烟，或开局设赌。白天是兵，夜间为匪，无耻扬言："天天过大年，夜夜入洞房。""人吃饺子马喂料，没有姑娘不睡觉"。②

11 月，中共中央发出《关于绥蒙工作的决定》，指出："对绥远一般的土匪及哥老会，都应争取他们联合抗日，避免与之对立，使为日寇利用。但在他损害群众利益，不能争取，在群众的要求与支持下，可以消灭他。"③在绥中、绥西和绥南，对各游击区内的土匪展开清剿。

在绥中地区，有康德胜、苏美龙、郭田基、夏军川等 10 余股土匪。这些匪伙反复无常，时而打出抗日旗号，时而投靠日寇，充当伪军，流窜乡里。八路军进入绥中地区后，对各股土匪采取了联合抗日的政策，奉劝其停止劫掠百姓的恶行。匪首阳奉阴违，谎称等待时机起义，而当日伪军发动"扫荡"时，却投降了日军。因此，大青山支队绥中部队决定对各股土匪予以坚决消灭。首先解除了苏美龙匪部的武装，除部分编为游击队外，遣散大

①　土默特左旗《土默特志》编纂委员会编：《土默特志》（上），第 961 页。

②　《大青山抗日斗争史》编写组：《大青山抗日斗争史》，内蒙古人民出版社 1985 年版，第 59 页。

③　《中共中央关于绥蒙工作的决定》，见中共中央统战部编：《民族问题文献汇编》，第 612 页。

多数匪徒。不久，抓捕匪首郭田基；打垮康德胜、夏军川匪伙，其他小股土匪也被迫销声匿迹。经数月的战斗，绥中地区的匪患基本消除。

绥西地区土匪主要活动于萨拉齐和托克托县的平川地带，稍遇风险即窜入大青山中。与绥中匪股动辄数百人的规模不同，绥西匪股常以10余人或数十人为害。因人数少，行动灵活，且匪伙极多，百姓时有被抢劫、绑票之虞，稍有资财者不得不以挖夹墙和地窖避祸。为求自保，这些匪股多与日伪的地方保安队有着联系。1939年初，10余股土匪麇集在萨拉齐县以北的明沙淖村，搞"赛美人"——从抢来的妇女中比赛美貌者。在将军窑子、二十四顷地一带活动的八路军大青山抗日支队第3营部队乘夜出击，歼灭土匪12股近百人，缴获步枪百余支，解救了一批被掳妇女。处决匪首后，将大部分匪徒押送八路军根据地，经教育后遣散。

在绥西的匪股中，惯匪"红蚂蚁"最为凶残。骑兵支队化装设伏，将其捕获，召开群众大会公审后当场处决，为当地百姓除了一害。

绥南的土匪主要活动于蛮汗山地区，其中危害最大的是以"干豌豆"（肖顺义）为首的匪股。该匪凶狠残暴，啸聚100余人，不仅活动于蛮汗山区，有时也窜到绥中作乱。此外，还有其他匪伙，如：杜永胜，凉城山区人，曾任伪警察长，后拉伙当了土匪，有100余人；王兰根，隆盛庄人，有匪徒200余人；"红公鸡"，河北人，带百余人在大青山、蛮汗山抢劫；"花公鸡"，女，丰镇县人，带三四十人，在隆盛庄、集宁一带为害。这些匪伙对蛮汗山区人民穷凶极恶，为当地各族各阶层民众所憎恨。

1939年夏，八路军大青山支队进入蛮汗山并在碾房窑子一带开展工作。时值"干豌豆"股匪从牛角川窜到蛮汗山老赞窑子。当地群众为避横祸，纷纷外出逃亡。支队1营3连闻讯后，迅速包围了老赞窑子，向匪徒发动进攻，击溃匪股。除部分匪徒脱逃外，活捉20余人，缴获被抢的驴、骡、马共计300余匹，土布200余匹，烟土数十斤，解救被土匪绑架的"肉票"40余人，解救年轻妇女近百人。八路军将缴获的财物设法归还原主；将解救的"肉票"和妇女护送回家；被俘获的匪徒经教育后释放。

1938年末，"干豌豆"匪伙近300人向日伪军投降，被编为骑兵旅。八路军大青山支队急行军90余里，在什犋窑子包围并全歼了该股土匪，俘虏"干豌豆"及大小土匪头目24人，缴获枪械70余支，马匹百余匹。1940年初，骑兵支队歼灭自卫军总指挥部，俘 300 余人，缴枪 600 余支。

通过剿匪斗争，八路军大青山支队基本清除了严重的匪患，得到了各族各阶层人民的信任和支持，为建立、发展抗日根据地创造了必要的条件。

（四）解放战争时期消除匪患的斗争

抗战胜利之初，内蒙古各盟旗大都处在动荡不安的局面中。国共双方军事力量一时还未进入内蒙古，部分惯匪和地方利用日伪军溃退时散落的枪械，乘机纠集匪众，再次活跃起来。当时在内蒙古中、东部地区的土匪武装多达数十股。一些大地主、地方豪强也以"自卫"、"保境安民"的名义组织武装，等待国民党的接收。这些土匪在政治上倾向国民党，反对共产党、八路军。一些大股土匪武装已不满足于一般的劫掠行径，着力扩充实力，以待国民党的收编。因此，解放战争时期的土匪充当了国民党军队马前卒的角色，大多具有政治倾向，有组织、有预谋，且有突发性，对新生的革命政权和解放区的稳定造成了严重危害。

国民党为了加速其接收内蒙古的进程，采取了大量收编武装土匪的策略。在长春、沈阳、锦州等地设立了"招抚办事处"，派遣人员招纳、收编各地股匪，冠以各种番号，委任了众多的"司令"、"总指挥"、"队长"。在兴安盟地区，有马海泉为首的"光复军"，宋桐山为首的"挺进军"；在呼伦贝尔地区，有袁师古、李桂萱为首的"先遣军"。活动在兴安岭以东地区的各路匪帮多达 90 多股，"四季好"、"壁垒"、"扫北"等匪股近 4 000人，时聚时散。在哲里木盟，有包善一、王华兴的"东北保安独立支队"，仅科尔沁左翼中旗就有"金龙"、"九江"、"菊红"、"草上飞"等大小匪绺42 股，约 3 000 多人。

在热河境内，一些地方匪众被国民党授以"地下军"、"别动军"等番号。计有 140 余股，匪众达 1.5 万余人。一度被八路军收编后又叛变为匪的各类武装 3 200 余人。[1] 以白金辉为首的骑匪数百人，流窜于经棚、赤峰、乌丹、围场一带。"小王子"沁布多尔吉被国民党热蒙党部委任为"热冀保安司令"，纠集"小白龙"、"老来好"等股匪千余人，占据北票等地。此

---

① 中国人民解放军历史资料丛书编审委员会：《剿匪斗争·华北地区》，解放军出版社 2001 年版，第 21 页。

外，还有张桐轩、伊相臣、郭九江等多股土匪争相占地为王。拥众较多的土匪被国民党收编后，行动更加有恃无恐，充当了国民党接收的先头部队。他们攻城略地，阻断交通，窜犯于内蒙古解放区和东北解放区的中间地带，给各族群众造成了严重的祸患，加剧了战后局势的混乱和复杂。1945 年 12 月，土匪"九江"、"老好"、"北海"在通辽城内发动暴乱，残杀中共辽北省委派到通辽开展工作的县长徐永清、公安科长黄朔金等干部战士 29 人；同年 12 月，昭乌达盟克什克腾旗匪首张桐轩纠集匪众 300 余人，攻占土城子、经棚镇，该旗 5 区支队政委秦荣未能突围，被匪徒以铁丝穿透肩胛，用马拖行，折磨致死。[①] 此外，如包善一、张念祖、曹凯等地方豪强，以"自卫"、"保家"的名目，组织"联庄"、"自卫队"等地主武装。当中共地方党组织发动群众，开展清算反霸、减租减息、土地改革斗争之后，这些地主武装即与土匪相勾结，公开投向国民党，演化为政治土匪。

八路军、新四军进入内蒙古地区后，与蒙古族革命武装一道，对土匪进行大力清剿。对愿放下武器、改恶从善的匪徒采取了既往不咎的政策，对国民党支持的顽匪则坚决予以剿除。1945 年 11 月，八路军嫩江军区第一支队配合兴安盟民警大队，消灭了号为"快马神枪长江浩"、横行王爷庙地区的惯匪阎振山及其匪众。至 1946 年上半年，八路军与东蒙古人民自卫第一师部队协同作战，在白城子、洮北、突泉、科右前旗和呼伦贝尔南部地区先后消灭了"草上飞"、"钢子"、"江边好"等多股土匪。1946 年 1 月，新四军一部开进哲里木盟，将包善一匪部逐出通辽地区，并与东蒙古自治军第 2 师部队配合行动，围歼了"金龙"、"野狼"等股匪，击溃张念祖匪部。

随着国共双方在东北军事行动的加剧，内蒙古的匪患也愈加猖獗起来。1946 年 6 月内战爆发后，土匪出身的李守信受蒋介石亲自指派，在昭乌达盟、卓索图盟网罗旧部，招纳匪股，组成"热辽边区自卫军"，在解放区大肆袭扰。国民党辽蒙党部也招纳部分逃亡地主和流散土匪，建立"东北蒙旗自卫军"；驻锦州的国民党东北蒙旗联防指挥部频频派遣特务潜入解放

---

　① 陆棣：《回忆经棚县的开辟工作》，见政协内蒙古自治区委员会文史资料研究委员会编：《内蒙古文史资料》第 41 辑，政协内蒙古自治区委员会文史资料研究委员会 1990 年印刷，第 116 页。

区，煽动、策划暴乱。同年 8 月，叛匪苏和巴特尔配合国民党第 71 军，向哲盟解放区发动进攻；在锡林郭勒、察哈尔盟，穆克登宝、丹巴、何文瑞、嘎西等大股叛匪配合国民党机械化部队，进犯锡察解放区。9 月，国民党军队占领张家口后，以仁钦道尔吉为首的反动势力发动叛乱，在锡察解放区造成严重祸患。仅在 9、10 两月间，即残杀中共自治运动联合会干部及无辜群众近百人。内蒙古自治运动联合会执委会委员包玉琨及两名战士在前往锡林郭勒盟途中，被该股叛匪截杀。内蒙古自卫军骑兵第 16 师连指导员云晨光带队执行侦察任务时，误投匪帮驻地，12 名指战员被害。仁钦道尔吉以其暴行受到了国民党第 12 战区的重视，在张家口被任命为"察哈尔蒙边剿匪第一路军"少将司令。1947 年初，内蒙古人民自卫军部队对仁钦道尔吉匪帮进行追剿，将其逐出锡察根据地。不久，该匪又由多伦窜往昭乌达盟，与白金辉、韩桑杰等匪股结伙为害。6 月，内蒙古人民自卫军骑兵第 11、16 师协同冀热辽军区部队，将该匪合围于察哈尔南部正蓝旗境内，战斗中，匪首仁钦道尔吉及部分匪徒在驻多伦的国民党军接应下脱逃，大部分匪徒和家属被俘虏。战斗结束后，被送往呼伦贝尔地区安置。

1946 年初，内蒙古解放区普遍开展了减租减息、清算反霸运动。驻巴林右旗的内蒙古人民自卫军第 4 师 34 团大部在叛匪韩桑杰、乌日塔的煽动下发动叛乱。在昭乌达盟北部旗县疯狂窜扰，袭击地方政府，残害干部和进步群众。叫嚣"打八路，灭共党，抓住干部听个响"。残杀自卫军骑兵第 4 师政治部主任蒙和舞乐吉、连指导员赛音乌日图。至 1948 年 10 月，该匪帮已杀害解放军战士及地方干部 60 余人。劫夺财物难以数计。

1947 年 1 月，在国民党东北蒙旗联防指挥部的调遣下，塔尔巴喇嘛、韩桑杰、白金辉等大股土匪啸聚 2 000 余人，由三面进兵，猛攻昭盟东部重镇天山（阿鲁科尔沁），企图一举夺取战略要地，阻断解放区之间的联系。内蒙古人民自卫军卓索图盟纵队配合冀热辽军区部队，与进犯的匪军展开激烈战斗，取得了天山保卫战的胜利。

同年 5 月，为配合东北民主联军的夏季攻势作战，内蒙古人民自卫军骑兵第 1、2 师全线出击，相继收复开鲁、通辽、赤峰，内蒙古东部大部分地区再次获得解放。曾在解放区猖獗一时的股匪纷纷溃散，"热辽边区自卫军"、"东北蒙旗自卫军"等土匪武装也相继被歼灭。6 月 12 日，中共东北局发出剿匪命令："主力部队与地方部队相结合，与地方武装相配合，反复搜剿，穷追猛打，彻底肃清匪患。"[①] 7 月，骑 1 师、骑 2 师奉调开赴东北前线，其他部队继续开展剿匪斗争。

1947 年夏秋之际，锡林郭勒盟乌珠穆沁旗爆发叛乱。匪首胡图凌嘎纠集 500 余人，在锡察地区烧杀抢掠，阻断交通，破坏区乡政权，捕杀地方干部和进步群众，形成了一股危害极大的土匪武装。此外，还有达布苏喇嘛、贡嘎、温都尔夫等匪股与之时聚时散；窜犯于昭乌达盟的白金辉、塔尔巴喇嘛等匪伙、卓索图盟的匪股"压五洋"、"东霸天"也与之相呼应。他们疯狂劫掠解放区供应物资和牧民的牲畜、财产，阻截交通，颠覆地方政权。1948 年 10 月，胡图凌嘎、仁钦道尔吉两股匪帮合流，对锡察解放区的安全构成了严重威胁。12 月 8 日，中共察哈尔盟工委代理书记肖诚、察哈尔盟盟长苏剑啸等 20 余名干部、战士，在由贝子庙返回察哈尔盟途中遭胡图凌嘎匪帮 200 余人的包围，虽经奋力抵抗，终因腹背受敌、众寡悬殊，肖诚、苏剑啸等 18 人殉难。

辽沈战役结束后，部分国民党败兵由东北战场窜入昭乌达盟、卓索图盟。其中有以苏和巴特尔为首的国民党东北蒙骑第一旅残部和塔尔巴喇嘛、吐喇嘛纠集的散匪。为彻底消灭流窜的土匪、残敌，内蒙古自治政府于 1948 年 12 月 14 日向全区发布公告，重申了政策：对能够主动投降的土匪和国民党散兵游勇予以宽大处理；对继续为害者则予以严惩。同时要求各级政府、公安机关和地方武装密切配合，全力剿匪。内蒙古人民自卫军锡盟在贝子庙成立了临时剿匪指挥部，王再天任总指挥，奎璧任政委，包明德任参谋长。同时调集骑 1 师、骑 10 师及军区警卫团，分别开赴昭乌达、锡林郭勒、察哈尔盟，展开大规模剿匪行动。中共冀热辽分局也发出《关于限期肃清匪患的决定》，[②] 成立剿匪司令部，张苏任司令员，王逸伦为政委，集中力量堵截、歼灭活动在昭乌达盟以及热北地区的各支股匪。并制定了"深入匪巢，连续围剿，奔袭合击；不分地界，不让喘息，分化瓦解，剿抚兼施"

　　① 中共兴安盟委党史办公室编：《兴安党史文集》第 2 辑，中共兴安盟委党史办公室 1993 年印刷，第 176 页。

　　② 《冀热辽分局关于限期肃清匪患的决定》，中共赤峰市委档案馆档案，案卷号 6—15。

的剿匪方针。经各部队的连续追剿，疲于奔命的苏和巴特尔匪部被迫逃往乌兰察布盟，投附了绥远国民党军队。1949 年夏，该匪又与仁钦道尔吉匪帮先后西逃阿拉善旗，追随德王，参与组织"蒙古自治政府"。全国解放后，该二匪首受到人民政府的严厉制裁。

在追剿凶残狡猾的胡图凌嘎匪帮的过程中，内蒙古各参战部队顶风冒雪，连续追击、合围，先后消灭温都尔夫、达瓦根登、贡扎布等股匪。1949 年 5 月 5 日，剿匪部队终于在锡盟西乌珠穆沁旗北部包围了胡图凌嘎匪帮 300 余人，除 7 名被击毙外，其余匪徒全部被俘获。经过近半年的艰苦作战，内蒙古各族军民终于取得了剿匪斗争的胜利，从而保障了解放区各项民主改革的顺利进行。

1949 年 9 月，绥远和平解放，国民党军政人员 6 万多人起义。由于政权改制伊始，地方恶势力尚未消除，社会秩序仍不安定。起义部队中部分坚持反共立场的官兵和特务抗拒改造学习，先后多次发动叛乱，杀害派到起义部队的政治工作人员，脱离部队。1950 年初，鄂友三、苏美龙、张朴等部叛乱，此后相继发生叛变事件 50 余起，近 4 000 人卷入。叛变后的散兵与地方匪股合流，占山踞险，组成"救国军"、"自卫军"，公然叫嚣"反共救国"，袭击村镇、捕杀中共地方干部和解放军官兵。伊克昭盟南部、河套地区、大青山地区和乌兰察布盟西部匪焰尤炽。一些叛匪还身着解放军服装行凶作恶，嫁祸于人。据统计，自 1950 年 1 月至 11 月，绥远省有 49 名中共军政工作人员被叛匪杀害，劫夺各类武器 200 余支。①

1950 年 2 月，绥远军政委员会制定了在 3 年内肃清国民党股匪的剿匪方案。4 月，绥远省人民政府绥远军区司令部联合发布公告，依照"首恶者必办，胁从者不问，立功者受奖"的方针，为加强政治攻势，争取群众，孤立土匪，公布了对各类匪、特的具体处置办法。同年 7 月，绥远军区调集所属部队，与兄弟部队紧密配合，在全省范围内召开大规模剿匪斗争。先后投入剿匪行动的部队有绥远骑兵第 1 师、步兵第 22 师、第 37 军 109 师；内蒙古军区骑兵第 4 师、第 5 师；察哈尔军区骑兵第 3 师和华北军区第 202 师

---

① 何学惠、白河：《河套匪踪》，见政协乌兰察布盟委员会编：《乌盟人民剿匪记》，政协乌兰察布盟委员会 1992 年印刷，第 85 页。

等部队。绥远各军分区所辖武装、陕西榆林军分区部队也配合参战。要求各部队"跟踪追剿，不分界限，以歼灭为止"。[①]

1950 年 1 月，骑 5 师开赴鄂尔多斯高原，与伊盟军区（后改为军分区）和榆林军分区部队组成剿匪联防指挥部，吴广义任司令员，高平任副司令员，高增培任政委。各部队在统一指挥下，对以奇玉山（原国民党乌审保安司令）、贺永禄（原国民党乌审保安司令部参谋长）、张世华、高怀雄（均系陕西神木民团首领）为首的 2 000 余骑匪发动围剿。4 月，剿匪部队攻占骑匪盘踞的乌审旗王府，继而兵分两路，跟踪追击，终于将匪众全歼。

与此同时，以德王为首的"蒙古自治政府"解体后，其"蒙古军"残部千余人由阿拉善旗逃至乌兰察布盟百灵庙一带，分散为数股流窜。内蒙古军区派出骑兵第 4 师分路进剿，匪众走投无路，被迫向解放军缴械投降。

1950 年 7 月，叛匪张板楼、李银与从伊盟脱逃的张廷芝、郭宝达残匪合流，纠集千余人，流窜于包头、固阳、萨拉齐交界地带，试图利用大青山沟壑纵横、林木繁茂的复杂地形继续与解放军对抗。绥远军区命步兵第 22 师、骑兵第 1 师和骑兵第 4 师各一部协同进剿。在由白炳勋、王弼臣、赵英为成员的剿匪指挥部的指挥下，剿匪部队在包头以北的阿善沟歼灭李银匪部。随即乘胜追击，在翁格尔山一举围歼郭宝达股匪。

9 月，河套地区匪患骤起。国民党特务齐俊德、田树梅、崔正春等人和张希尧、包喜才等叛匪 400 余人集结为匪，号为"华北人民反共救国军"，叫嚣"待第三次世界大战爆发，配合国军反攻"。该匪人数虽不多，却编为两个纵队、10 个团，窜扰于绥远与宁夏交界地带，试图凭借河套地区河渠纵横、临近沙漠的地形，网罗匪徒，扩充实力。9 月中旬，绥远军区派出骑兵第 4 师两个团在师长毕力格巴图尔的率领下挺进河套，配合起义部队 109 师部队和地方武装，由狼山向西进剿，对各匪部实行分进合击、远程奔袭。剿匪部队在牛场湾、希尼乌苏分别消灭齐俊德、张希尧匪股后，又组成骆驼队进入沙漠深处，行程千里，反复搜剿，使匪众在沙漠中无法立足。10 月，包喜才等残匪在信义昌牛犋被聚歼，张希尧等匪首被迫率众投降，"华北人

---

① 中国人民解放军历史资料丛书编审委员会编：《剿匪斗争·华北地区》，解放军出版社 2001 年版，第 96 页。

民反共救国军"彻底覆灭。自大规模剿匪行动开始至 1951 年 11 月，绥远省境已歼灭土匪 168 股，毙俘匪徒 3 195 人。[①]

伊盟、大青山和河套剿匪的胜利，使绥远地区匪情大为缓解。部分脱逃残匪化整为零，或潜藏于山谷、沙漠和草原地带，或隐姓埋名，混迹乡村，以逃避打击。为彻底消除匪患，绥远军区于 1951 年初部署了新的剿匪方案，命令各参战部队集中兵力，对残匪重点活动地域分别搜剿。同时，配合土地改革和废保建政，发动群众，在广大乡村组织剿匪反霸小组，开展捉匪首、挖匪根活动。至 1951 年 4 月，先后击毙或生擒张翰琏、郑殿清、张板楼、张廷芝、刘宝财等大小匪首 200 余名，捕获匪徒 1 000 余人。

至此，长期戕害人民群众、扰乱社会秩序的匪患在内蒙古地区被彻底肃清。

第三节　20 世纪 20 年代末绥远地区旱灾救济

20 世纪 20 年代末的绥远包括今内蒙古西部的乌兰察布盟、呼和浩特、包头、巴彦淖尔盟、伊克昭盟等地区，有 17 个县（设治局）和 15 个蒙旗，村落 7 000 余个，人口 300 余万。20 世纪 20 年代末的绥远旱灾，发生于 1926 年至 1929 年。此次旱灾 1926 年已见端倪，经 1927 年的春旱，到 1928 和 1929 年，灾情达到最严重的程度，受灾地区遍及全省，受灾人口达 149 万余人。其中，极贫人口近 100 万人，次贫人口 50 万人。"灾"是自然现象，"荒"是社会现象，二者因果联系的程度取决于社会防灾与抗灾的力度。灾荒发生后，政府、社会、灾民方面，都采取了不同程度的救灾措施。虽然如此，灾害发生后，仍然造成了赤地千里、饿殍遍野、流离失所的惨痛局面。

一、政府的救灾工作

（一）组建机构，制定规章制度

1926 年春夏之交，绥远全境干旱，庄稼多枯死。同时，晋军、奉军联合

---

① 何学惠、白河：《河套匪踪》，见政协乌兰察布盟委员会编：《乌盟人民剿匪记》，第 87 页。

进攻国民军，10 余万国民军经过归绥、河套向西溃退。国民军西撤，土匪乘势蜂起。9 月，晋军入归化城。旱灾、兵灾、匪灾交织在一起。据不完全调查，到该年的 11 月份，受灾难民已经达到 60 余万。① 在这种形势下，1926 年 10 月 20 日，绥远地方人士组织成立了"绥远旱灾兵灾救济会"，李景泉为会长，郭象伋为副会长。11 月份，晋军支持的归绥道尹公署成立了全区性的赈灾机构"绥远赈务处"，附属于绥远特别区政府。"绥远赈务处"没有赈灾物资，是空架子，继续由"绥远旱灾兵灾救济会"做实际的赈灾工作。

1927 年 11 月，奉军赶走了晋军，控制了归绥城，奉军将领郭希鹏代理绥远都统。1928 年 1 月 23 日，绥远特别区召集地方绅商各界，组成了绥远灾民救济会，推都统郭希鹏为会长，垦务局总办孟斌仪和杨名声为名誉副会长，政务厅厅长刘亥年，财政厅厅长杨在中，归绥道尹刘廷选，警务处处长刘振东，平民教育处总办郭象伋，绥远总商会会长范瀛洲为副会长。②

1928 年初，南京国民政府组织"二次北伐"，奉军失败，退到关外。4 月，晋军重新控制了绥远地区。此时，绥远的灾情已经到了非常严重的程度，灾民占全区人数 1/3 以上。绥远特别区政府鉴于灾情重大，设赈务处，负责赈灾工作。救济会、商会、农会、教育会等地方团体，合组了绥远赈灾委员会。③

到 1928 年底，绥远已经有了 3 处赈灾机关，分别是省政府附属的赈务处，国民党党部指导委员会及各机关法团组织的赈灾委员会，地方人士组织的旱灾兵灾救济委员会。这 3 个机关不相隶属，事权不一，办事迟滞。徐永昌主政绥远后，决定整理赈务，合并赈灾机关、团体为一处。1928 年 12 月 16 日，取消了原有的赈务处、赈灾委员会、救济委员会等机构，合组绥远省赈务会。徐永昌兼任绥远省赈务会主席，由省政府委员 2 人（民政、财政两厅长）、省国民党党部指导委员会 2 人、地方各法团 7 人，组成常务委员会，下设事务、执行、监察 3 处。执行处分为筹募、调查、放赈、采运、保管、工赈、平粜等 7 组。服务人员驻省办公。

---

① 赵国鼎：《世远堂旧话》，见政协内蒙古自治区委员会文史资料研究委员会编：《内蒙古文史资料》第 31 辑，政协内蒙古自治区委员会文史资料研究委员会 1988 年印刷，第 76 页。
② 《省署劝募绥远灾民赈款》，载《大公报》1928 年 2 月 19 日。
③ 《晋甘绥远灾情汇报》，载《大公报》1928 年 11 月 4 日。

绥远省赈务会成立后，制定、颁布了一系列的规章制度，包括：《绥远省赈务会组织章程》、《各县办赈人员负责救济灾民办法》、《绥远工赈监督通则》、《借用种子办法》、《借用耕牛办法》、《临时借用种子办法》、《工赈进行大纲》、《集款购借麦种委员会简章》、《绥远省各县平粜局章程》、《萨托两县渠工管理处暂行办法》、《限制各县人民请求拨车买粮办法》。① 1929年12月，民政厅在"行政官吏考核条例"中还提出，对于办理赈务异常出力者予以奖励，办理赈务不力或者擅自挪用赈款者予以惩戒等规定。②

20世纪20年代末的绥远旱灾并非一省之灾，整个华北地区均遭受了严重的旱灾。范围之大，程度之深，是历史上罕见的。为了开展救灾工作，南京国民政府也成立了赈灾组织"国民政府赈灾委员会"，各部长直接负一部分责任，财政、交通、内政、外交各部部长被任命为委员。1928年9月4日，"国民政府赈灾委员会"在南京召开会议，到会者有薛笃弼、王正廷、许世英等，决定了赈济标准：第一，地方偏灾，由省政府办理；第二，新稼已经收者不赈，但是旧灾过重地区，可酌情工赈；第三，虽有一部分受灾，但是地方富庶，政府尚有余力者不赈；第四，中央赈款以办工赈不办急赈为原则；第五，确实有办急赈必要时，以施粮为原则；第六，工赈以用人多、工作易、就地施工与防灾有关为原则。③

（二）采取多种措施，开展救灾和防灾工作

1. 调查灾情

调查灾情，弄清灾情程度，是救灾的前提。绥远省政府对此项工作非常重视。《绥远省赈务会组织章程》明确规定调查灾区及赈务状况是赈务会执行处的职权。绥远省政府的灾情调查依然是由政府逐级下达命令，由村而乡而区而县，逐一汇总到省政府。绥远省赈务会多次根据需要制定灾情调查表，令各县调查，其中既有国民政府下令调查的内容，也有绥远省赈务会自行调查的内容。④

---

① 绥远省政府秘书处编：《绥远省政府年刊》，绥远省政府秘书处1929年印刷，第7页。

② 《绥远整饬吏治》，载《大公报》1929年12月28日。

③ 《赈务处议决六项施赈标准》，载《大公报》1928年9月12日。

④ 《绥远省府申斥各县玩视赈务》，载《大公报》1929年8月16日。

1929年1月，赈务会准备对归绥县赤贫人群进行赈济，归绥县政府奉命进行调查，得到比较准确的数字：第一区305人，第二区276人，第三区423人，第四区239人，第五区578人，第六区178人，共计1 999人。①

通过各县的调查报告，对全省灾情，除了蒙旗外，已经基本掌握（见表19－4）。

表19－4　绥远省各县受灾人数调查表②

县　名	灾民人数	县　名	灾民人数	县　名	灾民人数
归绥	104 722	包头	97 875	集宁	165 533
萨拉齐	207 683	清水河	44 000	兴和	74 149
托克托	109 627	五原	6 167	陶林	34 998
固阳	22 600	东胜	4 518	凉城	150 605
武川	61 419	大佘太	11 700	临河	62 887
和林	113 170	丰镇	227 166		

上表中，绥远全省受灾总人数为1 498 819人，极贫人数为999 216人，次贫人数为499 603人。③

1929年，国民政府也派出灾情视察委员王瑚到绥远等地视察灾情。

2. 报告、宣传灾情

及时、准确地向上级政府和外界报告、宣传受灾情况，才能唤起各界注意，激发同情心，有效地筹集赈灾物资。绥远政府在报告、宣传灾情方面，也做了许多努力。

首先，通过电报、信函向外界报告和宣传灾情，呼吁救济。

1928年7月6日，绥远全区旱灾兵灾救济会、绥远万字分会、包头分会、绥远全区教育会、各县教育会、各县农会、绥远总商会、各县商会、绥远回教促进会、乌伊两盟联合会，联名投函《大公报》，呼吁救灾。10月23日，国民党绥远党务指导委员会、绥远赈灾委员会、红万字分会等各团体，请愿中央速筑包宁路以工代赈。1929年1月15日，中国国民党绥远省

---

① 《绥远省防疫与赈灾》，载《大公报》1929年2月1日。

② 引自《绥远灾情》，载《大公报》1929年1月28日。

③ 《绥赈会之灾情报告》，载《大公报》1929年5月22日。

党务指导委员会向南京中央执行委员会、国民政府、冀察绥赈灾委员会、阎锡山总司令、各省各级党部、各级政府、各民众团体、各报社发出求赈电报。① 2 月 22 日，徐永昌致信东北赈灾委员会朱庆澜："今蒙旗灾情之重，至于寸草皆无，蒙旗所赖以为财产之牲畜倒毙以千万计。此次灾情愈北愈重，绥区以蒙旗为尤甚。"蒙旗赈济尤不容稍缓，不可歧视。②

其次，向平津及东三省派驻代表，劝募赈款和赈品。

绥远省赈务会成立后，派采运组正副主任常住大同和丰镇，派潘秀仁、赵允义到天津和沈阳，派尹光宇到北平，派阎继璈和阎伟在南京，作为绥远代表，向各方面求援。12 月 16 日，赵允义、潘秀仁在北平中山公园来今雨轩招待新闻记者，报告该处灾情。③ 省府主席徐永昌还多次派秘书长濮绍戡到平、津等处，向各慈善团体接洽。

此外，绥远省政府还邀请北京天津等地著名报纸杂志的记者到绥远采访，编辑了《绥远灾民》的小册子，还计划摄制反映绥远灾情实际状况的电影到各大都市巡回放映。

3. 筹集救灾款、物

1928 年 2 月 18 日，省长公署通令全省各机关，劝募捐款。④ 1928 年 10 月，决定平绥铁路附加一成作为赈款。1928 年 11 月，阎锡山致电南京国民政府内政部赈务处，请求发巨款，并由海关或铁路附征赈捐，以资赈济。向北平、天津、沈阳等地派出代表，与各慈善团体接洽。

国民政府也对募集赈款作出了规定：凡是政府官员，薪在 400 元和以上的官吏，捐薪 1 月，自 1929 年 1 月至 4 月，按月扣除。薪在 200 元及以上的官员，捐薪半月。薪在 100 元及以上的官吏，捐薪 1/5。为了鼓励捐款，还制定了奖励捐款办法，捐款 100 元至 500 元者，赠银质奖章 1 枚；捐款自 500 元至 1 万元者，赠金质奖章 1 枚；捐款在 1 万元以上者，赠匾 1 方。⑤

通过以上措施，绥远灾区从以下途径获得了一定数量的救灾款物。

---

① 《绥远省党指委会通电求赈》，载《大公报》1929 年 1 月 16 日。
② 《绥远省救死事业》，载《大公报》1929 年 2 月 23 日。
③ 《绥远灾情灾民八十余万》，载《大公报》1928 年 12 月 18 日。
④ 《省署劝募绥远灾民赈款》，载《大公报》1928 年 2 月 19 日。
⑤ 《全国五千万灾民待赈》，载《大公报》1929 年 4 月 25 日。

1928 年 4 月，绥远都统郭希鹏派人往东北奉、吉、黑、热 4 省采购赈粮 2 500 石。[①] 9 月，南京国民政府收到海外华侨第一次捐款银洋 30 万元，分配给绥远 2 万元。12 月，东省捐助赈粮 30 万元，绥远得 3 万元的粮食。1929 年 3 月，政府批准发行救济债券 1 千万元，拨出 340 万元用于灾情最重的 7 个省，分配给绥远 35 万元的债券，[②] 后追加到 70 万元。平绥路按照票价附收一成绥远赈捐，此款每月在 5 万元上下，[③] 自 1928 年 10 月至 1929 年 2 月 3 日，共收洋 241 870 元。此外，绥远政府得到的捐助还有：华北赈灾会助洋 2 000 元，绥包各商号助洋 1 000 元，绥远省旱灾兵灾救济会交 126 200 元，绥远省赈灾委员会交 6 610 元，各机关薪俸 3 210 元，省政府 2 成赈款 11 540 元，察绥总稽查处二五赈款 107 900 余元，财政厅铁路货捐附加赈款 33 051 元，粮食出口捐附加赈款 470 余元，戏妓捐附加赈款 450 余元，另借华洋义赈会洋 5 万元，借上海救生会洋 3 万元。有些地方还捐助衣服，如阎锡山拨旧军衣 32 545 件。东北筹赈会助新棉衣 1 000 套。[④] 4 月 22 日，南京赈灾委员会从储存赈款中拨给绥远省 1 万元。

4. 发放赈款、物

（1）施粥。施粥是急赈，是对赤贫者的赈济。绥远赈务会在各县城均有急赈。有的地方是党部或者政府出面组织，有些地方则是通过补助各地慈善机构来完成的。1928 年初冬，国民党萨拉齐县党部在城里的奶奶庙设立了粥厂，凡是揭不开锅的鳏寡孤独及贫民乞丐，每天下午可以到粥厂领一大碗小米稀粥。赈粥的小米是黑龙江省安达县杜家的私人粮食。杜延年是北平万国道德总会的理事长。[⑤] 在萨拉齐，赈济会与耶稣教堂合作，在关帝庙设粥厂，每日每人发给稠粥两次，灾民约计 6 000 余名。[⑥] 集宁县向省会呼吁，"地方粥厂，存米无几，若省赈会不予充分接济，停顿不远了。"[⑦] 1929 年

[①]　《绥远采办赈粮》，载《大公报》1928 年 4 月 19 日。

[②]　《全国五千万灾民待赈》，载《大公报》1929 年 4 月 25 日。

[③]　《陕绥灾报》，载《大公报》1929 年 6 月 9 日。

[④]　《绥赈会之灾情报告》，载《大公报》1929 年 5 月 22 日。

[⑤]　陈铁生：《回忆灾年当丐童》，见政协土默特左旗委员会编：《土默特文史资料》第 1 辑，政协土默特左旗委员会 1986 年印刷，第 177 页。

[⑥]　《绥远灾情》，载《大公报》1929 年 3 月 7 日。

[⑦]　《绥远灾情之一斑》，载《大公报》1929 年 12 月 21 日。

春，武川县政府设立粥厂3处，赈济灾民。①

（2）平粜。省款办理平粜局一处，由丰镇、大同两处买小米5 400余石，由天津买回面粉3 000袋，共售小米2 400石，白面3 000袋。此外由宣化买妥高粱3 000石。规定了平粜章程，令各县开办平粜局，省府拨款补助。除了包、萨两县依据章程设立外，其余各县因为筹款困难，未能照办。

（3）工赈。工赈主要有两项工作，一是开挖渠道，二是修路。最大的开渠工程是民生渠，计划开渠195里，需要款439 690元。该渠于1928年开工修建，录用民工最多时近万人。托县李三壕开渠70余里，需要款137 730余元。固阳县干支渠3条约2.5公里，需要款34 406元。筑路方面，计划修建包宁、绥兴、绥清、包东、东天、归武、陶卓、萨武、绥托、卓凉、固包、武固、五乌等汽车路13条，需要款项303 260余元。除了包宁路需款万余元，已经开工外，其余因为无款，虽然有计划未能开工。

（4）发放种子。1929年春天，共购买发放了两批种子。

第一批发放地点和数目如下（见表19-5）：②

表19-5 1929年春国民政府向绥远灾区发放第一批种子统计表

地点	数目（吨）	地点	数目（吨）	地点	数目（吨）	地点	数目（吨）	地点	数目（吨）
包头	包头 120	萨拉齐	260	归绥	武川 96	集宁	陶林 13	丰镇	兴和 17
	东胜 26				托克托 160		集宁 27		凉城 36
	固阳 80				归绥 144				丰镇 58
	大佘太 15				清水河 48				
					和林 100				

第二次绥远赈务会又贷与归绥、和林、托克托、武川等14县局，小麦500吨，草麦200吨。此外又由丰镇购运草麦种子2 600石，在晋北各县购买菜子数十石。向北平华洋义赈会借洋5万元，上海济生会借洋2万元，全数购买

---

① 呼和浩特市民族事务委员会编：《民族古籍与蒙古文化》（绥远大事记专辑），呼和浩特市民族事务委员会2004年印刷，第96页。

② 《采购种子筹划春耕》，载《大公报》1929年3月8日。

种子，由赈务会派员监放。武川自行向平市官钱局借款 6 万元，购买种子。①

（5）设收容所。1929 年 1 月，绥远城设立难民收容所两处，一在小召，专收男子；一在东顺街蒙古营盘内，专收女子。红万字会每日发给粥饭两次。② 此外，归绥公安局长卜兆瑞奉命筹办鬻卖妇孺收容所，于 1929 年 3 月开办，归红十字会接收办理，所长杨归正，地址在太平召万胜合内，收容百余人，每日每人发生活费洋 2 角，维持现状，并通知各县妇孺家长，等年光转好，令其将所用之款如数还出，取保领回。③

（6）剿灭土匪。土匪是绥远灾荒的原因之一。哪个村子遭到土匪骚扰，哪个村子就陷于贫穷，就失去了抗御天灾的能力。据家住萨拉齐的韩振誉回忆，其家曾经是 20 口左右的中等生活水平的大家庭，有耕地的骡马 3 头，四五个劳动力。1925 年旧历 2 月间，刘喇嘛匪伙百余人闯进村里，把 3 头骡马一起抢去，放了火，勒索了 500 元现大洋，从此这个家庭破产了，开始逃荒。④ 不剿灭土匪也无法开展抗灾工作。1927 年，五原、临河地区稍有收成，萨、托、固、包各县人民纷纷弃家就食。不料匪首赵半吊子（赵青山），竟将该处存粮付之一炬。饥民不死于故乡，而死于中途者，不可胜计。⑤ 1926 年中秋，匪首陈德胜率 2 000 多人拥入固阳县城，公开刁抢欺压百姓，把田间割倒的庄稼或者喂马，或者当柴烧，把囤积于窖里的粮食洗劫一空。⑥ 李培基就任绥远都统后，组织剿匪工作，调重兵把徐文彪旅包围于萨拉齐城内，全部缴械。警备司令王治安到绥远以来，督饬各部，痛剿土匪，匪首赵半吊子势力不支，窜往五原、临河一带，复经过骑兵司令赵印甫追剿，于 1929 年 3 月在五原被活捉、正法。⑦ 绥远土匪共约 6 股，到 1929 年春，除投诚外，大部分被消灭。⑧

---

① 周颂尧：《绥灾视察记》，绥远赈务会 1929 年印刷，第 26—27 页。
② 《绥远省防疫与赈灾》，载《大公报》1929 年 2 月 1 日。
③ 《绥灾善后》，载《大公报》1929 年 3 月 31 日。
④ 韩振誉：《我经历过的民国十七八年特大灾荒》，见政协呼和浩特市委员会文史资料研究委员会编：《呼和浩特文史资料》第 2 辑，政协呼和浩特市委员会文史资料研究委员会 1983 年印刷，第 68 页。
⑤ 《绥远灾情及救济办法》，载《大公报》1929 年 5 月 17 日。
⑥ 呼和浩特市民族事物委员会编：《民族古籍与蒙古文化》（绥远大事记专辑），呼和浩特市民族事物委员会 2004 年印刷，第 69 页。
⑦ 《绥省匪患》，载《大公报》1929 年 2 月 22 日。
⑧ 《绥远杂讯》，载《大公报》1929 年 3 月 30 日。

（7）防疫。绥远鼠疫蔓延，卫生部派员赴绥防疫。技正周文达，防疫司景科长和技师马志道、曾普，会同中央防疫处技师杨澄漳，赴绥设法防治。1929年3月13日，肃清绥远鼠疫回平。绥远省地方在防疫工作方面，也有所准备。集宁县政府赈务分会樊中府到省城，向绥省省医院宋大夫请示预防办法，民政厅陈厅长予以许多防疫工具，如疫苗、石炭酸、卫生球之类。樊还准备向国内各大医院，及卫生部北平中央防疫所，函求防疫书籍，逐日派人在灾民聚集之地讲演防疫常识，以唤醒人民自防。①

（8）防灾。1929年春，绥远赈务会制定了防灾计划。其内容为：①秋收后，令各县转令各村，一律组设农仓，由各该村公推公正耆老管理，裨全村农民均按地亩多寡积储米谷，以防灾歉。②今年本省对于播种鸦片，绝对严行禁止。③制定奖励农民造井章程，分令各县转令各村，普遍造井，以防旱灾。④将现在已经办理的工赈工程如水利等项目早日完成，使今年农民受益，即使春耕不受益，短期的农产品如小糜黍等类，或可及时耕种。⑤积极宣传造林。⑥今年秋收后，无论如何丰收，亦应该禁止米粮出口。②

二、政府救灾角色分析

在1926年到1929年的长达4年的旱灾中，政府经历了一个从无所作为到有限作为的角色转变。

（一）"无所作为"的阶段及表现

1926年至1928年底，属于政府无所作为阶段。具体表现在以下几个方面：

第一，土匪猖獗，无暇无力剿匪。随着国民军西撤，很多曾经被国民军收编的土匪重操旧业。生计困难，也产生了很多新土匪。通过拣拾、抢夺国民军武器，土匪实力大增。1926年8月，匪首大辫四子率众突入五原县城乡，搜抢两日。1926年中秋，匪首陈德胜率2 000多人拥入固阳县城公开刁抢欺压百姓。把固阳县改为陈胜县，官方无能为力。12月，土匪小金子、

---

① 《绥远灾情之一斑》，载《大公报》1929年12月21日。

② 《绥远赈灾及防灾计划》，载《大公报》1929年4月23日。

大白崞、小白崞匪众千余人，乘虚入五原县，散住各乡，大肆抢劫。[1] 匪首赵半吊子曾经被满泰收编为绥远骑兵 2 师，自 1927 年冬至 1928 年春为害各县。1928 年 12 月 1 日，赵匪攻陷萨拉齐大岱村，在各村奸淫掳掠，杀人放火，无所不为；村民死伤无数，房屋焚烧过半；各村居民纷纷逃入有少量驻军的察素齐镇。该镇原有居民不过 400 户，逃至者达万余人。[2]

第二，继续搜刮百姓。1928 年，丰镇知事和克俭组织衙役队 10 余队，每队设队长 1 人，由本地老吏及地痞充任，向乡村强迫预征收 1929 年的钱粮，和早已经豁免的 1927 年的钱粮。[3] 1927 年 3 月，绥远都统商震在归绥设立地亩清丈局，利用清丈土地发放"土地大照"，向蒙汉农民收取土地清丈费。

第三，救灾意识淡薄。在运输救济物资非常紧张的时候，平奉路局从平绥路局借走 54、57、66 号机车，借走 1211 号客车，到 1928 年 9 月始终不能归还。1927 年，开放烟禁，鼓励种植鸦片。1929 年春，绥远赈务会总结灾荒教训时，才认识到"本省土地，水田少而旱田多，而鸦片一物，又非水地不能种。若水地尽种鸦片，则一遭旱灾，旱地五谷绝种矣。本省去年被灾之原因虽然多，而未禁止种鸦片，亦是酿成灾荒原因之一。"[4]

虽然成立了绥远省政府附属的赈灾组织，但是只具有象征意义，没有实际开展工作。据当时在绥远旱灾兵灾救济会工作的屠义源回忆，商震任绥远都统，根本不关心受灾人民，而是通过增加捐税、种植鸦片、清理余荒夹荒来获取收入，养活 2 万多穷兵和饿匪。救济会向都统署要求筹拨赈粮，筹借牛犋和种子，呼吁肃清土匪，建议暂缓加税、种烟和清丈地亩，均置之不理。晋系军阀不支持赈灾，奉系军阀也不支持赈灾。1928 年 2 月，奉军支持的归绥道尹刘廷选成立了绥远赈济会，把绥远旱灾兵灾救济会的人调去办公，但是奉军不给现款，由东北拨运米粮赈灾。由于军运繁忙，拨运的米粮

---

[1]　呼和浩特市民族事物委员会编：《民族古籍与蒙古文化》（绥远大事记专辑），第 68—70 页。

[2]　《绥远天灾匪患》，载《大公报》1928 年 12 月 23 日。

[3]　《丰镇勒缴钱粮》，载《大公报》1928 年 8 月 12 日。

[4]　《绥远赈灾及防灾计划》，载《大公报》1929 年 4 月 23 日。

无法运到绥远，实无赈济可言。①

（二）"有限作为"的阶段及表现

从 1928 年夏开始，到 1929 年底，无论是绥远省政府，还是南京国民政府，展开了比较多的救灾活动，收到了一定的效果，但是其救灾行为只能界定为"有限作为"。

1. 救灾组织力度不够

运力不足，没能把筹集到的粮食及时运到灾区。1929 年，东北方面给了赈粮 5 700 余石，由于运输困难，只运回了一半。赈务会在大同丰镇购买了 11 000 吨粮食，由于没有车辆，运不到绥远、包头发放和平粜。大同小米每斗只售 7 角，至归绥已达 3 元，萨拉齐等处则在 4 元以上，多半受交通不便影响。即使交通机关的赈粮，亦多因交通不便，不能立即运到、发放。斯诺在其文中记载着"北京天津等地，有千千万万吨麦子小米，那是赈灾委员会收集的（大部分来自国外的捐献），可是却不能运去救济灾民。"②

政府没有有效的措施，奸商囤积居奇情况很严重。1929 年秋，《大公报》了解到，"绥省今年秋收，又复不佳，一般奸商乘此居奇，近日粮价纷纷飞涨，小米每斗已涨至 3 元，高粱每斗已经涨至 2 元 7 角。白面每元不及 6 斤，小面每元不及 7 斤。"③ 斯诺在文章中愤怒地抨击："我在萨拉齐街上看到过新尸，在农村里看到过万人冢里一层层埋着几十个这种灾荒和时疫的受害者。但是这毕竟还不是最叫人吃惊的。叫人吃惊的事情是，在许多这种城市里，仍有许多有钱人，囤积大米小麦的商人、地主老财，他们有武装警卫保护着他们在大发其财。叫人吃惊的事情是，在城市里，做官的和歌妓舞女打麻将，那里有的是粮食谷物，而且好几个月一直都有。"④

平绥路附加一成赈捐，截至 7 月底满期。因为种种关系未能展期。此项

---

① 赵国鼎：《世远堂旧话》，见政协内蒙古自治区委员会文史资料研究委员会编：《内蒙古文史资料》第 31 辑，第 78 页。

② ［美］埃德加·斯诺：《死亡和捐税》，刘立群、袁志发、包明德编著：《斯诺在内蒙古》，内蒙古人民出版社 1987 年版，第 266 页。

③ 《绥省禁麦出境》，载《大公报》1929 年 9 月 20 日。

④ ［美］埃德加·斯诺：《死亡和捐税》，刘立群、袁志发、包明德编著：《斯诺在内蒙古》，第 266 页。

赈款每月约四五万元，是绥远省赈款的重要来源。赈务会不得已再行通电乞赈。① 绥远省赈务会也叹息："现在各方面对于本省灾情，冀其援手者，仅有华洋义赈会和关东一隅。此外各省区均在自顾不暇之际，即以中央而论，亦正与各省区抱同病之叹。"②

1929 年 4 月，绥远省赈务会会长冯曦对记者说："省政府自去年就地设法维持外，向各慈善团体呼吁再三，如华洋义赈会、东北赈务会、红万字会、各处耶稣天主教堂等，皆有极大济施。粥厂林立，济会遍设。无如比户成灾，救济为难，省政府已力尽气竭。"③

2. 筹集到的赈款赈物，只解决了部分灾民困难

据集宁县赈务分会报告，人民因为乡间无物可食，乃背井离乡，到县城喝粥者，已经有八九千之众。虽有救世军设有容 3 000 人之粥厂，仍有 2 000 人向隅，无法生活。集宁县有灾民 9 万余人，靠平粜局买米者只有 1.5 万人。④

自 1928 年，固阳、萨拉齐、托克托等地区，一般灾民无法谋生，典房卖地，不值一文，遂行卖妻鬻女，聊顾目前，他处闻风而来婚买者，每县约在数千妇女之多。到了 1929 年春，此风尤为盛行。"被灾各县城内旅店中，婚卖妇女者，成群结伙，大有拥挤无以容纳之忧，统计约有千余人"。⑤

1929 年春耕，散发种子是一次最大规模的救济活动。前后两批共筹集种子数千吨，但是也只能播种一半的耕地。鬻卖的妇女儿童有数万人，绥远省公安局设立的收容所仅收容了 200 多人，与被卖掉的妇女儿童比，仅相当于几个村子的数字。向北平慈幼院输送的儿童也只有 150 人，距离遭受灾荒折磨的儿童相差何止百倍。

（三）原因分析

政府在严重的旱灾面前表现的如此无能和低能，根本原因在于政局动荡。

---

① 《绥远赈讯》，载《大公报》1929 年 10 月 6 日。
② 《绥远赈灾及防灾计划》，载《大公报》1929 年 4 月 23 日。
③ 《以工代赈救济绥灾》，载《大公报》1929 年 4 月 29 日。
④ 《绥远灾情之一斑》，载《大公报》1929 年 12 月 21 日。
⑤ 《买卖式的婚姻》，载《大公报》1929 年 3 月 12 日。

首先，军费优先，挤压赈灾费用。20 世纪 20 年代，正是北洋军阀混战和国民党新军阀混战时期，对立双方为了赢得战争，不择手段。南京国民政府发行了 1 000 万救国公债，大部分被蒋介石用于与冯玉祥、李宗仁和阎锡山的战争，用于旱灾救济微乎其微。商震控制绥远，把勒索的税收用于豢养其 2 万多军队，不肯赈灾。阎锡山曾经答应绥远民政厅长陈宝寅，由山西省总行拨给 30 万元作为赈灾之款，也是口惠而实不至，"屡次电催总行，直至最近始覆，唯款项太多，暂不能如命"。并非款项多，是阎锡山正在准备与蒋介石的战争之故。

其次，忙于战争，无力剿匪。国民军驻扎绥远时期，对土匪或者收编，或者剿灭，绥远匪患基本消失。1926 年奉、晋、直联合进攻国民军，迫使国民军丢兵卸甲，向西撤退。土匪乘隙而起，遍及全省。包头以西大部分地区被土匪盘踞。国民军西撤后，晋军和奉军又产生了严重对立。1927 年 6 月，阎锡山宣布参加南京国民政府的"二次北伐"；10 月，商震在归绥小校场召开群众大会，带兵向东进攻奉军；把绥远留给了满泰、王英、刘会文等地方部队。王英和刘会文都是土匪起家，不仅不剿匪，而且公开抢劫。晋奉开战不久，奉军即开到归绥，控制了绥远，但是在绥远也只有几个月的时间，又被晋军赶走。如此频繁的军事战争，政府没有兵力也没有时间剿匪。

再次，战争需要，截断交通。"平绥路是绥远省与内地交通的唯一通道。军阀之间不断混战，在西北有些军阀要扣留他们的全部铁路车皮，对方一节也不准东驶；而在东部，因为怕被扣留，其他国民党将领也不肯让车皮西去。"[1] 该路不断被破坏，向灾民提供救灾物资的通路也随之堵塞。

平绥铁路管理局回复徐永昌的信函，对战争截断交通，导致赈灾物品不能正常运送情况，做了清楚的解释："敝路对于该项赈粮运输，自应尽力援助，以解倒悬，奈承军事之余，机车缺乏，且多损坏，现在全路机车不过 20 辆，能供使用者尚不及半数，军运客运，胥赖于此。自入冬以来，机力减缩，而各项军运，又复增多，此处未竣，彼处继起，供不应求，应付为

---

① ［美］埃德加·斯诺：《死亡和捐税》，见刘立群、袁志发、包明德编著：《斯诺在内蒙古》，第 266 页。

难，以至各站货物雍滞，绥远粮食，亦未能如期运往。"①

三、绥远灾民的自救

（一）降低生活水平

为了从饥饿的死亡线上挣扎下去，"贫苦居民之食物，平时无人用以喂猪者，今亦取以果腹"②。人们先是依赖糠、菜维持生活。"托克托县农村，村中少有人烟。大户人家，把遗存的糜糠，用碾子捣烂，箩过了，泼上一瓢冷水，和了起来，放在蒸笼上蒸着吃。能够吃糜糠也算好的"，因为无粮就没有糠。③ 野菜的来源也十分有限，寸草不生的旱天，哪里能够生长野菜。在下湿地生长一些野菜，数量很少，粥少僧多，供不应求。在好年景，可以吃的野菜有很多种；在受灾年景，野菜种类也很少了。苦菜是最好的度荒的野菜，不容易见到。

有汁食物严重贫乏，人们就食用无汁的秸秆、树皮等。有的村子，只能吃草根，把煎葱连叶带柄用磨磨成黑面，煮成黑糊。煎葱带有碱性，吃后腹泻、浮肿。④ 集宁县农村，十分之七八以荞麦秸、莜麦秸、干草及其他小糜小黍毛根，淘洗干净，磨成面粉，和于糜黍面内，充作食物。

据周颂尧勘察各县灾情记录，灾民的食物构成如下：糠粃和榆树面，碾成面粉，与苣荬拌和蒸饼切食；糠粃合榆树面，碾成面粉，无苣荬，用锅煎成饼式；攫挖地鼠烧食；攫挖草根切碎，与糠粃榆树皮拌和蒸食；宰杀牲畜牛羊猫犬；煮食车辆上皮件套绳；煮食牛马粪之余渣；锯屑掺杂糠粃；攫挖野地灰菜驴耳朵菜，各同榆树皮煮熟，加以硝末而食；杀食黄羊野兽飞禽；麻油渣合糠粃而食；糠粃同榆树皮碾细，合以红粱煮食，谓之糊糊；糠粃同榆树皮在锅煮稠而食；吃草根；浮石研末；煮食鞋底；煮食树叶。⑤

《十八年》是流传下来的度饥荒的歌谣，歌词内容有"提起（民国）十八年，饥荒实可怜，卖一套青家具，换了二升粗糠面。粗糠面真难咽，咽下

---

① 《绥远省救死事业》，载《大公报》1929 年 2 月 23 日。
② 《绥远灾情》，载《大公报》1929 年 1 月 6 日。
③ 《绥远灾况之一斑》，载《大公报》1929 年 7 月 27 日。
④ 《绥远灾况之一斑》，载《大公报》1929 年 7 月 27 日。
⑤ 周颂尧：《绥灾视察记》，第 14—15 页。

去愁大便，两眼睛兰淋淋，大人看见泪淹心。提起正月里，榆树剥了皮，葫糁面吃完了，草籽是好东西。草籽也不多，先给娃娃吃，小的吃了大的要，大人们饿的肠子叫。提起二月正，地皮消五寸，叫丈夫扛上锹，快掏甜根根。甜根根就是甜，吃上肿了脸，浑身没一点劲，活的真伤心。提起三月正，苦菜往上生，提篮掏苦菜，饿的拐肠疼。苦菜也不多，掏下一箩筐，家里人头多，全拿它红火。"① 反映了人们灾年的生活实况。

能够有糠粃、野菜、秸秆、树皮等所谓"食物"填满肚皮是很幸运的。还有很多人，一天只能喝到一碗粥，或者几天才能有一点果腹的东西。生活水平降低到了生与死的临界点。

即使得到社会或政府救助的人，也是最低限度地维持生命。例如绥远赈灾机关实地调查归绥县赤贫之数，预计每日每人发小米 3 合。设立的难民收容所，每日发给粥饭两次。②

（二）出卖物品、房屋和土地

民以食为天。灾害发生后，粮食是最宝贵的资源。由于政府救灾不力，导致绥远地区粮价飞涨。1929 年 9 月，小米每斗已涨至 3 元，高粱每斗已经涨至 2 元 7 角，白面每元不及 6 斤，小面每元不及 7 斤，③ 是正常年景的 5 倍。为了求得一饭之饱，中等困难户，纷纷出售物品、房屋和土地以自保。

《大公报》报道："房架门窗以及家具用品等，俱经售以膳食。"④ 萨拉齐历任三尧天主堂会长逯满仓，用一二升米换一张犁或一张耧、四五升米换一间房或一亩地的比价，收集到了四五间库房的农具，耕地面积达到 12 000 亩。⑤ 斯诺在《死亡和捐税》文中记述一个灾民，他把什么都卖了，房子上的木梁，身上的衣服。民生渠附近的土地以欠租或者几个铜板的价

---

① 奇新海：《十八年（歌谣）》，见土默特右旗史志编纂委员会编：《土默特右旗史料》第 5 辑，土默特右旗史志编纂委员会 1985 年印刷，第 167 页。

② 《绥远省防疫与赈灾》，载《大公报》1929 年 2 月 1 日。

③ 《绥省禁麦出境》，载《大公报》1929 年 9 月 20 日。

④ 《绥远灾情》，载《大公报》1928 年 12 月 21 日。

⑤ 史银堂：《灾难深重的民国十八年》，见土默特右旗史志编纂委员会编：《土默特右旗史料》第 5 辑，第 165—166 页。

钱，从饥饿的农民手中被大批掠走。①

耕地的价格是非常低廉的，地价只相当于平时价格的 2 成。即使价格再低，为了活下来，也得出售。据估计卖房子卖地的灾民约占农村灾民的百分之六七十。②

（三）逃离家园

灾民自救的第 3 条路是逃荒要饭。灾民逃离家园的方向有 3 个：一是到附近轻灾和无灾地区就食，二是就近逃向有赈济物品的城市，三是逃到外省。一般来说包头地区的灾民多逃向河套和甘肃地区，呼和浩特及其以东地区的灾民多向山西逃荒。

1927 年，河套部分地区有收成，河套成了灾民逃荒的一个目的地。据《大公报》记者报道，1928 年秋，固阳、萨县、托县逃亡难民最多，大半村落已经呈现十室九空之象。有用牛车搬运者，将炕席蒙在车顶作成车棚，以避风雨，所有家具难全携带，只带匙箸盆碗等饭具。有肩挑子女，妻子跟于后者。亦有扶老携幼蹒跚于途者。大半逃亡于五原迤西一带觅食。③ 农民往河套地方逃难，不绝于途。④ 到 1928 年 7 月，仅固阳一县，已经逃亡者共 4 800 余户，计男女 19 300 余口。⑤ 逃往五原临河两县就食者，约 5 万余人。⑥ 1928 年，河套地区也同样遭受严重干旱，除了附近的城市外，灾民更多地涌向山西。⑦

平粜局和施粥厂多设在城镇，求生的本能召唤着灾民从四面八方自发地汇集到归绥、包头、萨拉齐、集宁、武川、临河、凉城等县城。或者在县城等待政府和社会救济，或者在县城讨饭。1929 年底，《大公报》记者报道集宁地区灾民情况："最近调查人民因为乡间无物可食，乃背井离乡，到县城

① ［美］埃德加·斯诺：《死亡和捐税》，见刘立群、袁志发、包明德编著：《斯诺在内蒙古》，第267 页。

② 韩振誉：《我经历过的民国十七八年特大灾荒》，见政协呼和浩特市委员会文史资料研究委员会编：《呼和浩特文史资料》第 2 辑，第 69 页。

③ 《绥远剿匪与赈济》，载《大公报》1928 年 9 月 10 日。

④ 《绥西一年未雨之大旱灾》，载《大公报》1928 年 9 月 8 日。

⑤ 《绥远乞赈》，载《大公报》1928 年 7 月 16 日。

⑥ 《绥赈会之灾情报告》，载《大公报》1929 年 5 月 22 日。

⑦ 《绥远灾情》，载《大公报》1929 年 1 月 28 日。

喝粥者，已经有八九千之众。现在仍络绎不绝。"① 1928 年，斯诺来到绥远萨拉齐，在《拯救二十五万生灵》文中记述了由乡村逃荒到县城的灾民情况："许多街道两旁挤满快要饿死的男女老幼，他们有的坐在房屋的门口，有的坐在街边的石上，有的坐在残垣断壁上，有的无力地躺在小沟里。我给一家人照了相，他们从老家向西南方向跋涉了一个星期，一路上尘土飞扬，遍地黄沙，最后在我见到他们的那一天到达萨拉齐。"②

逃荒是灾民们一条最重要的自救之路，在各种自救办法中占的比例最高。萨拉齐大城西乡五圣公村，原有 30 多户人家，1929 年逃荒走的只剩下五六户。③ 托克托县乃只盖乡黑兰圪力更村，在 1929 年有近 600 口人，逃到外地的有 40 人。④ 土默特左旗只几梁乡五里桥村，在民国时期归属于萨拉齐，全村共 17 户，有 3 户逃荒。⑤

（四）出卖人口

能够有物品和土地出售的不是最困难的灾民。还有近 40 万赤贫灾民，他们无物可以出卖，所拥有的只是嗷嗷待哺的人。把生活水平降到最低点，仍然无法生存时，出卖家庭人口就成了理所当然的最后求生之路了。出卖家庭人口虽然非常残酷，但是在当时还是属于一举三得的生存策略。其一，相比各种物品和土地房屋等动产和不动产而言，只有妇女儿童才是最值钱的"物品"；其二，减少人口可以降低家庭对粮食的需求；其三，可以为家庭成员找到一条逃生之路。20 世纪 20 年代末，绥远旱灾出售的妇女儿童情况之严重，数量之多，都是内蒙古灾荒史上罕见的。

《大公报》载："固阳、萨拉齐、托克托等地区，灾情相同，自去年一般灾民无法谋生，典房卖地，不值一文，遂行卖妻鬻女，聊顾目前。他处闻

① 《绥远灾情之一斑》，载《大公报》1929 年 12 月 21 日。
② ［美］埃德加·斯诺：《拯救二十五万生灵》，见刘立群、袁志发、包明德编著：《斯诺在内蒙古》，第 243 页。
③ 史银堂：《灾难深重的民国十八年》，见土默特右旗志编委会编：《土默特右旗史料》第 5 辑，第 164 页。
④ 孟良：《黑兰圪力更村史录》，见呼和浩特市政协文史资料委员会编：《呼和浩特文史资料》第 6 辑，呼和浩特市政协文史资料委员会 1988 年印刷，第 173—175 页。
⑤ 长城：《民国十六七年间的五里桥村》，见政协土默特左旗委员会编：《土默特文史资料》第 3 辑，政协土默特左旗委员会 1988 年印刷，第 239—240 页。

风而来婚买者，每县约在数千妇女之多。今岁开春，此风尤为盛行。受灾各县城内旅店中，婚卖妇女者，成群结伙，大有拥挤无以容纳之忧，统计约有千余人。一般贫民，视同利薮，三五成群，东奔西走，为其作伐，以沾余润。每成一事，从中渔利约在数十元，因之人牙子人市等等名称，传诵一时。其婚卖手续，一经人牙子从中说合娶过，再经官厅验明给证，方属完全，即可通行无阻。"① 集宁是人口买卖的转运站。集宁及周围的商都、陶林、兴和、凉城一带的农民领上姑娘、媳妇来卖。一时间集宁的各小店子住满了卖人口的农民，他们个个形容憔悴。在一片呼天哭地的气氛中，每天都有数以百计的人口买卖成交。② 张家口也是一个贩卖人口的主要集散地。斯诺在张家口看到：喘着气的火车头拉着几节残破的货车，其中有两节货车挤满了半裸着身体的小孩子，几乎全是女的。他们是被送到工厂或者妓院去的。③

　　1929 年 1 月《大公报》记者报道："去秋以来，经过雁门关入晋省腹地之妇女，前后不下一万七千人，多鬻身为婢仆，估计此项交易代价不下二十万元"。④ 周颂尧视察绥远灾情后估计绥远地区出卖人口情况是："总计包头县共卖出三万余人，固阳县共卖出五千余口，萨县一万余口，武川县共卖出八千余口，归绥县共卖出五千余口，其他各县均各卖出二千口不等，约计全省可达十万口之多。"⑤ 据家住萨拉齐的韩振誉回忆，卖儿女的、卖老婆的人，村村都有，约占农户的百分之一二十。土默特左旗沙尔沁公社东此老村，有百户人家，卖儿女老婆的有 10 余户。只几梁乡只几梁村有 80 户人家，300 多口人，卖人口的有 10 户。⑥ 托克托县乃只盖乡黑兰圪力更村，在

---

① 《买卖式的婚姻》，载《大公报》1929 年 3 月 12 日。

② 李忠信：《民国十八年集宁买卖人口见闻》，见集宁市政协文史资料研究委员会编：《集宁文史资料》第 1 辑，集宁市政协文史资料研究委员会 1985 年印，第 11 页。

③ ［美］埃德加·斯诺：《我一生中的觉醒点》，见刘立群、袁志发、包明德编著：《斯诺在内蒙古》，第 260 页。

④ 《绥远灾情》，载《大公报》1929 年 1 月 6 日。

⑤ 周颂尧：《绥灾视察记》，第 15 页。

⑥ 韩振誉：《我经历过的民国十七八年特大灾荒》，见政协呼和浩特市委员会文史资料研究委员会编：《呼和浩特文史资料》第 2 辑，第 70 页。

1929 年有 150 户近 600 口人，卖人口的有 43 户共 76 人。①

据杨植霖回忆，当时一个年轻的妇女只值 60 斤糜米，儿童只值 3 斤。②另据《萨拉齐县志》记载，妇女值价 200 元，童子 10 元。卖在本省与邑境者，价值尤低。③ 斯诺在 1928 年发表的《拯救二十五万生灵》文中记述道：估计每斤粮食够 5 个灾民食用一天，平粜局的粮食，小麦和高粱以及一些谷子售价为每市斤 1 角钱。照此推算，如果从平粜局购买粮食，卖一个妇女能够买到 2 000 斤粮食，基本上能够维系一个 5 口之家度过饥荒了。按照杨植霖回忆，一个妇女值 60 斤糜米，应该是当时的粮食的市场价格，只能够一个 5 口之家维系 2 个月。

卖人口的家庭和被卖的人，虽然生离死别，留下了"过了四城洼，越想越害怕；过了黄花梁，再也看不见娘；过了雁门关，两眼泪不干"④ 这样悲苦的民谣，但是通过这种方式还是救助了相当大的一部分灾民。有的被卖人口，在解放后又回到了家乡。

四、社会救助

（一）绥远地区各类慈善团体的救助活动

1926 年绥远灾情日益严重，绥远地方人士郭象伋和留日学生李景泉等发起召集绥远各界人士讨论赈济事务。于 10 月 21 日正式组织了"绥远旱灾兵灾救济会"，推举李景泉为会长，郭象伋副之。该会拟订章程 18 条，自阎锡山等处募捐近 2 万元作为筹备金，设多家粥厂赈灾。⑤ 该组织成立不久，绥远道尹公署成立绥远全区赈济处。"绥远旱灾兵灾救济会"配合赈济处一起筹划赈济事宜。此外，"绥远旱灾兵灾救济会"以郭象伋名义，向北方各省各大城市发出呼吁赈济的电函，多数都有回应。如东北 4 省义赈会输送来

---

①　孟良：《黑兰圪力更村史录》，见呼和浩特市政协文史资料委员会编：《呼和浩特文史资料》第6 辑，呼和浩特市政协文史资料委员会 1988 年印刷，第 175 页。

②　杨植霖：《青山足迹——杨植霖回忆录》，内蒙古人民出版社 1995 年版，第 22 页。

③　史银堂：《民国十七、十八年萨拉齐天灾人祸史料辑录》，见政协包头市委员会文史资料研究委员会编：《包头文史资料选编》第 8 辑，政协包头市委员会文史资料研究委员会 1986 年印刷，第 85 页。

④　四城洼是丰镇县城以南不远的一个村子，黄花梁是大同南的一个地名。

⑤　赵国鼎：《世远堂旧话》，见政协内蒙古自治区委员会文史资料研究委员会编：《内蒙古文史资料》第 31 辑，政协内蒙古自治区委员会文史资料研究委员会 1988 年印刷，第 76 页。

一列车绿豆。"绥远旱灾兵灾救济会"的采购组人员以本会募捐所得，到大同、张家口、新保安和宣化等地采购各种粗杂粮，运抵各县救灾，或由救济会成立平粜局以低于市价三四倍的价钱卖给灾民。"绥远旱灾兵灾救济会"副会长郭象伋向东北当局致函请求援助，对方筹集赈粮 5 700 余石，因运输困难，只运到灾区一半。[1]"绥远旱灾兵灾救济会"为最大程度扩大救济面，派人到平津地区宣传劝募。以"绥远旱灾兵灾救济会"为代表的一些救灾组织在其成立后一直积极从事灾民赈济活动，直至 1928 年 12 月 17 日统一于绥远省赈务会为止。[2]

1928 年冬，后套东南数百里大旱，饥民到临河求食者多达 4 万余人。临河及周边各界应临河设治局赈务分会号召，捐集赈粮 4 500 斤、款 5 000 余元，救济灾民。[3]

绥远灾荒发生后，所属各县出现了不少慈善机关团体。到 1931 年 10 月前，绥远省就所辖 11 县慈善团体进行了调查。情况见表 19 - 6。[4]

表 19 - 6　1931 年 10 月时绥远省境内慈善团体情况表

类　别	养　老	孤　儿	育　婴	施　医	丧　葬	济　贫	救　灾	其　他	总　计
机关数	3	3	7	3	1	4	17	1	39
经费			616			2 000	4 000		6 616
人数	140	83	215	10	8	3 500	1 257	8	5 221

在有关方面的努力下，全国各界都踊跃捐款捐粮，为赈济绥远灾民作出了贡献。北平万国道德总会理事长、黑龙江省安达县大地主杜延年将家中私

---

① 赵国鼎：《世远堂旧话》，见政协内蒙古自治区委员会文史资料研究委员会编：《内蒙古文史资料》第 31 辑，第 81 页。

② 1928 年 12 月 17 日，绥远省政府主席徐永昌以"办赈机关名目繁多，手续欠备"为由，将绥远各救灾团体统一为绥远省赈务会，徐自兼主席。绥远省政府编：《绥远民生渠报告书》之《引言》，1931年印刷；赵国鼎：《世远堂旧话》，见政协内蒙古自治区委员会文史资料研究委员会编：《内蒙古文史资料》第 31 辑，第 76 页。

③ 呼和浩特市民族事务委员会编：《民族古籍与蒙古文化》（绥远大事记专辑），呼和浩特市民族事务委员会 2004 年印刷，第 89 页。

④ 内政年鉴编纂委员会编：《内政年鉴》，商务印书馆 1936 年版，第 402—407 页。

人所存小米大量捐出，交由国民党萨拉齐县党部赈灾。1928 年 10 月，萨县党部在城内奶奶庙设立赈粥厂，由县党部委员马建功主持并亲手放饭，"凡是揭不开锅的鳏寡孤独及贫民乞丐，每天下午可到厂里领吃一大碗小米稀粥"。① 在绥远华洋义赈分会和中外人士积极呼吁下，得到如下种种救济：包头县、萨县、固阳县和大佘太设治局各平粜粮 200 吨、托县平粜粮 400 吨、归绥县平粜粮 800 吨、萨县民生渠县供食粮 1 800 吨；绥远红十字分会向总会和各慈善团体呼吁，其赈济粮款在 5 万元以上；北平山东赈务处、天津华北灾赈会以及各慈善团体募集大量赈款，东北筹赈会会长张学良捐助种子 1 500 余吨。②

（二）教会的救助活动

义和团运动后，在华基督教对旧日传教方法进行了一些改革，投入相当经费，加强对慕道者的训练，在训练期中，有时"利用赈灾的机会，吸引许多贫民，来受宗教的训练"。③ 基督教中尤其天主教在绥远很有势力。天主教会还在住区蒙汉居民有灾病饥荒时进行救济活动。在颠沛流离衣食无着情况下，部分蒙民转向对天主教的信仰。④ 教会除进行一般性救助外，还特别组成救世军等团体，从事救灾活动。20 世纪 20 年代末，在绥远严重灾荒面前，归绥新、旧两城救世军购买价值 14 000 元的食粮，并设立粥厂施救。⑤ 1929 年夏天，内地会、救世军等基督教团体在萨拉齐、苏波盖、陶思浩开设施粥棚赈救灾民。⑥

关于天主教在 20 世纪 20 年代时对中国民众的其他更详细的救助情况，很难找到精确的统计数据，但是可以从天主教在绥远地区势力的发展中窥其一斑。1925 年时，内蒙古地区已有 187 位圣母圣心会士，30 位中国籍神父、

---

① 陈铁生：《回忆灾年当丐童》，见政协土默特左旗委员会编：《土默特文史资料》第 1 辑，政协土默特左旗委员会 1986 年印刷，第 176—177 页。

② 周颂尧：《绥灾视察记》，第 29 页。

③ 王治心：《中国基督教史纲》，上海古籍出版社 2004 年版，第 209 页。

④ 达成义：《赤胆忠心为革命　出生入死保锡盟》，见政协内蒙古自治区委员会文史资料研究委员会编：《内蒙古文史资料》第 48 辑，政协内蒙古自治区委员会文史资料研究委员会 1995 年印刷，第 205—206 页。

⑤ 周颂尧：《绥灾视察记》，第 29 页。

⑥ 呼和浩特市民族事务委员会编：《民族古籍与蒙古文化》（绥远大事记专辑），第 99 页。

126 座教堂、14 万信徒。① 其中，天主教堂在归绥县有 13 处，信徒约有 7 800 人。和林格尔县有 2 座天主教堂。绥远全境合计教会 34 处，信徒 28 263 人。② 1926 年时，固阳县城北附近有一座教堂，"有许多群众也逃到这里。这座教堂墙高门固，门系青黑色，所以群众都叫'黑教堂'。它的教区很大，周围几十里都是教堂的土地，当地和外地流亡到这里的群众都被教堂组织起来，为它开荒种地"。③ 20 世纪 20 年代的绥远教会中以耶稣堂最有成绩，"彼等设有耶稣堂三、救世军二、圣书会博爱医院等机关，以主理其事，教徒达 572 人。"④ 到 20 世纪 30 年代初，绥远地区天主教会进一步发展，固阳设治局有教会 5 个、信徒 3 000 人，而受灾最重的萨拉齐县，这时已发展到有教会 13 处、信徒达 7 800 人。⑤ 伴随着教民人数的增加，当地教会的规模和级别也相应迅速提升。1929 年 2 月 2 日，罗马教廷诏令从西湾子代牧区分出集宁代牧区，由中国籍主教张智良为代牧。⑥ 1933 年，集宁代牧区再升格为主教区，成为内蒙古西部地区唯一主教区。⑦

这些天主教会组织虽然参与慈善事业，但多从传教活动考虑。如萨拉齐的天主教堂仅收留年龄小的儿童。⑧

（三）华洋义赈会和各地红十字会的积极救助

1929 年 3 月，南京国民政府国务委员王瑚（字铁珊）为调查绥远灾情专员，来绥视察，返回南京后，向内政部提交调查报告，⑨ 并到处大声疾呼。因其清末曾任江苏巡抚，声望所致，引起各慈善团体的关注。

成立于 1921 年的华洋义赈会是一个以"筹办天灾赈济"和"提倡防灾

---

① 顾卫民：《中国天主教编年史》，上海书店出版社 2003 年版，第 473 页。

② 白眉初编：《中华民国省区全志·京直绥察热五省区志·绥远特别区域志》，北平师范大学史地系 1924 年出版，第 14—15、26 页。

③ 马文彦：《李大钊派于右任赴苏联敦促冯玉祥回国的经过》，见政协陕西省委员会文史资料研究委员会编：《冯玉祥在陕西》，陕西人民出版社 1988 年版，第 161 页。

④ 陈重生：《西行艳异记》第 3 册，上海时报社 1940 年版，第 623 页。

⑤ 斯文·赫定：《亚洲腹地探险八年》，新疆人民出版社 1992 年版，第 458 页。

⑥ 顾卫民：《中国天主教编年史》，上海书店出版社 2003 年版，第 484 页。

⑦ 此说依据徐宗泽神父 1935 年的统计。顾卫民：《中国天主教编年史》，上海书店出版社 2003 年版，第 499 页。

⑧ 陈铁生：《回忆灾年当丐童》，见政协土默特左旗委员会编：《土默特文史资料》第 1 辑，第 176、178 页。

⑨ 周颂尧：《绥灾视察记》，第 27 页。

工作"为职志的民间组织，是当时全国最大的民间性救灾组织。① 绥远严重灾荒发生后，该组织派章元善和美国人爱德敷来绥调查，成立分会。② 同时，还派土默特一中校长孟学孔担任杀虎口驿站管理处处长兼平粜局局长，孟氏因昼夜操劳并染伤寒病而死在杀虎口任所。对于本次大规模的灾荒，华洋义赈会和南京赈务处也都进行了较详细的调查，并写成报告等资料，上呈政府有关部门。③ 例如，1930 年赈务委员会就北方数省灾情进行调查，绥远省全省人口 1 913 490 人，已有 1 383 819 人受灾，为总人口 72.32%。④ 华洋义赈会还投注大量财力，修筑了民生渠。

美国红十字会和中国红十字会等慈善团体也来绥远设立了分支机构。⑤ 旱灾期间，绥远红十字会输送难民赴北平，遣散回籍者达 3 000 人。⑥ 在人口买卖的严重现实面前，绥远红十字会受绥远赈务会之托，派员经理归化城内的两个难民收容所。自难童中挑选百名，送往北平世界红十字总会收养，再转送熊希龄所办香山慈幼院肄业。挑选难童百名，遣往黑龙江择地务农。在各县挑选 300 名送入上海红十字会工厂学工。北京、上海等地的慈善组织积极配合救灾。⑦ 业已面临严重经费紧张的香山慈幼院，此时仍出手帮助。⑧ 上海中国红十字会筹赈处在北平设立陕甘察绥灾童总收容所、灾童教养院，约一千数百名；又派顾周诸员驰赴京绥路终点包头绥远等处，设逃荒难民接济所多处，并定阴历九月初，将收容之灾童移沪，在上海设留养院二处。⑨

①　关于华洋义赈会研究，参见蔡勤禹：《民间组织与灾荒救治——民国华洋义赈会研究》，商务印书馆 2005 年版。

②　赵国鼎：《世远堂旧话》，见政协内蒙古自治区委员会文史资料研究委员会编：《内蒙古文史资料》第 31 辑，第 81 页。

③　国民政府赈务处：《各省灾情概况》，国民政府赈务处 1929 年印刷，第 45 页；《中国华洋义赈救灾总会丛刊》（甲种第 31 号），1930 年印刷，第 85 页。

④　金轮海编著：《农村复兴与乡教运动》，商务印书馆 1935 年版，第 69—70 页；黄泽苍：《中国天灾问题》，商务印书馆 1935 年版，第 44 页。

⑤　赵国鼎：《世远堂旧话》，见政协内蒙古自治区委员会文史资料研究委员会编：《内蒙古文史资料》第 31 辑，第 81 页。

⑥　周颂尧：《绥灾视察记》，第 15 页。

⑦　周颂尧：《绥灾视察记》，第 23 页。

⑧　关于香山慈幼院经费紧张事，见周秋光：《熊希龄传》，湖南师范大学出版社 1996 年版，第 604—613 页。

⑨　《一月来之灾情与赈务》，载《时事新报》1929 年 11 月，第 46 页。

1929 年 3 月，萨拉齐地方士绅徐子文受世界红十字会和万国道德总会指示，在当地处理灾童收养事宜。4 月间，将收容的大量儿童移送归绥县牛桥街收人所；5 月中，再将 150 余名灾童以专车送到北平。其中，13 岁以上者送到天津、营口等地工厂为学徒，13 岁以下者暂留北平"万国道德总会"（地址在东四三条胡同 12 号），每人发给新衣及被褥毯子；月余后转送黑龙江安达县喇嘛甸子，进入杜延年所创办的正本小学读书学习。①

除了上述华洋义赈会和红十字会的活动外，一些新闻机构和其他外籍人士也来绥视察，以不同的方式为赈灾出力。1929 年 4 月间，京沪平津各大报社组织新闻界西北灾情视察团，赴察绥宁甘视察。绥远赈济会出版了一灾情图册和一部新闻纪录片。② 平津地区大报记者闻讯后纷纷来到归绥，到处进行采访，并在报刊上发表文章，呼吁各界进行募捐。当时不少知名人士都为救灾捐款。此外，据绥远省赈务代表尹光宇称，"外人如法比瑞典各国传教士亦曾先后前往，认该省灾情，实居华北第一。"③

（四）民生渠工程始末

"绥远气候干燥，雨泽稀少，农家所恃，唯在开渠引河，以灌田亩，事虽繁重，功则稳全。从来谈西北垦殖者，莫不以水利为先，盖其势则然耳。然渠道未能遍及，故灾歉不免屡见。"1928 年绥远省发生大旱，"赤地千里，道殣相望，于是工赈之说甚嚣尘上。或谓宜修道路，或谓宜治沟渠。夫寓建设于慈善，洵属意美而法良。顾二者之间，修路仅以救灾，未若治渠之兼可防歉也。"④ 正是鉴于这种考虑，绥远省政府当局决定修筑民生渠。

筑渠工程启动后，因工程浩大而经费陷于严重短缺。为此，"省政府与中国华洋义赈救灾总会一再确［榷］商，合作订立办法，双方筹款积极修挖，其修挖一切事项由华洋义赈会设立工程处继续办理。"⑤ 从 1929 年 4 月起，华洋义赈会测量队到达绥远，开始介入民生渠工程。5 月下旬测量完毕

---

① 陈铁生：《回忆灾年当丐童》，见政协土默特左旗委员会编：《土默特文史资料》第 1 辑，第 178 页。

② 赵国鼎：《世远堂旧话》，见政协内蒙古自治区委员会文史资料研究委员会编：《内蒙古文史资料》第 31 辑，第 81 页。

③ 冯和法：《中国农村经济资料》，上海黎明书局 1933 年版，第 145—146 页。

④ 绥远省政府编：《绥远民生渠报告书》，李培基序，绥远省政府 1931 年印。

⑤ 绥远省政府编：《绥远民生渠报告书》，冯曦序，绥远省政府 1931 年印。

后，各地灾民先后到达的有 5 000 余人。6 月，华洋义赈会与绥远省政府及萨、托地方政府订立《萨托民生渠合同》，规定由绥远省出资 20 万大洋，华洋义赈会出资 24 万大洋，共同兴办民生渠工程。并规定日后工程所需款项不足时，由省政府和总会双方竭力筹措。

1929 年 7 月 1 日，华洋义赈会在萨拉齐组织工程处，先前的工赈管理处随之取消。此后全部工程归华洋义赈会负责办理。工程处主任艾德敷及总工程师塔德均由华洋义赈救灾总会任命。华洋义赈会正式接手工程后，"主张增加工人 2 万，期以 3 月完成土工，人员半由各县选送，半就萨县招收"。各地灾民纷纷前往，每天到达的有上千人。但这时有人提出"灾工所收有数，应仅就被灾较重区域招收，方为平允。至是外来灾民停止编收，就地所募及由各县选送者，为数不及万人"。① 原计划招工 2 万，3 个月竣工的计划搁浅。

工程处在招工后大约有工人 9 000 名，工人工资按照 1929 年的每方 2 角 7 分的成案办理。当时萨拉齐"工人佃农工资特少，半年每人日得工资一角许，全年不过三四十元。如遇荒年，雇佣人工仅供饭食而无工资，唯农忙时，每人每日亦能得三五角之多"②。以此推算，除去因旱灾物价上升的因素，灾民依赖此渠生活者，可能超过 2 万人。若能够继续下去，很多灾民都将从中得到实惠。

然而，1929 年夏，绥远下了场雨，农民纷纷雇工播种，并开出条件，除供给雇工膳宿外，并给工资 3—5 角，所以灾工纷纷前往，应雇者数千人。至 8 月，工地仅留 2 000 余人。最后，竟然全体解散。对工赈一方来说，兴办渠工属工赈性质，仅以灾民得食为原则，当然不能以提高工资与农民竞争灾工，唯有停工。一边是人数众多的灾民，一边却是屡次制定征工办法，仍然人工不敷，最后不得不抽拨当地驻军参加修渠的行列。劳动力的严重不足始终贯穿于第二阶段的修渠过程。这一切都使得以工代赈大打折扣。到 9 月

① 绥远通志馆编纂：《绥远通志稿》卷 249（下），1936 年稿本，第 4 页。
② 樊库主编：《绥远省分县调查概要》，绥远省立民众教育馆 1934 年印刷，第 44—45 页。另说，民生渠修筑期间共征工 6 组，每组人数不等，第 1 组 490 人、第 2 组 370 人、第 3 组 500 人、第 4 组 485 人、第 5 组 514 人、第 6 组 640 人，合计 3 000 人。绥远省政府编：《绥远民生渠报告书》之《记事》，绥远省政府 1931 年印刷。

底，庄稼部分收获后，所有短工到期解雇，其中无处谋生者，又返回修渠工地，渠工才稍有转机，但是来者并不踊跃，仍很难达到原定数额。到 10 月中旬，仅 1 500 名灾工在工作。另外，新组建的工程处在"编工之制，收支之法，或不尽适应情势，支款收工手续虽周而稍感繁缓"①，引起灾工的不满，1929 年冬，工程不得不再次停工。此后，民生渠工程修修停停，至 1931 年 6 月 22 日，民生渠的主渠才基本完工。

就民生渠工程全部而言，虽然有一部分灾民从修挖民生渠中受益，但相对于绥远人数众多的灾民，再加上两个阶段中出现的众多消极因素，原本以工代赈的目的并没有达到。就工程本身存在问题而言，华洋义赈会"为急于救灾起见"，片面追求开渠速度，"未及详细测量，即行动工"。②因民生渠"盖须经黄河旧道数处，至各支渠为驼背形，如引水灌田，高地不易上水，低地不免被淹，工程困难，可以想见，非有详细测量及计划不可也"。可在外国工程师把持下的水渠渠线设计，更充分考虑的是教堂方面的利益，最终使得工程组织和管理都出现了不少问题，以致渠的质量未得到保证，结果是"渠道太高，水不能入"。③尽管如此，华洋义赈会的救灾努力和功绩仍应得到肯定。

五、20 世纪 20 年代末绥远旱灾救济的教训

虽然政府和社会开展了不同程度的救济工作，灾民也采取了力所能及的自救措施，但是由于政局动荡等原因，救灾效果很不理想。总结本次灾荒救济工作，有以下教训值得吸取。

（一）防灾工作薄弱

天灾无常。绥远地区，自然条件恶劣，三年一小灾，五年一大灾，十年九旱，必须有较强的防灾抗灾意识和能力，才能抗御天灾侵袭。随着清朝覆灭，国内军阀混战，边疆局势动荡，绥远地区的防灾能力消磨殆尽。

---

① 绥远通志馆编纂：《绥远通志稿》卷 24（下），1936 年稿本，第 4 页。

② 绥远省民生渠水利工会编：《绥远民生渠水利工会第一届报告》，绥远省民生渠水利工会 1934 年印刷，第 13—14 页。

③ 冰心：《平绥沿线旅行记》，山西古籍出版社 2002 年版，第 272 页。

首先，能够抗御旱灾的水利设施尽废。

绥远地区，河套是水利最发达的地方，有"黄河百害，唯富一套"的美誉。即使周围地区遭受严重的旱灾，河套凭借着得天独厚的水利灌溉设施，也能够避过灾难。例如，1891—1892 年（光绪十七和光绪十八年），北方数省连年遭受特大旱灾，"归绥道七厅及蒙旗大饥，赤地千里，死者枕藉，野无青草，有食人肉者"，"唯有后套一带，赖有水渠浇灌，人有积粮，无乏食逃亡者"。① 清朝末年，贻谷奉命放垦。在放垦的同时，贻谷把地商的渠道收归国有，从 1903 年开始，进行了全面的浚修，使后套原有的农田水利工程，灌溉、排水、防汛三方面，基本上形成了一个新的格局。

进入民国后，内治不靖，军阀纷争，对于河套地区水利设施的管理，事权不一。"分利润则有余，策进行则不足。"对于水利渠道的管理，时而各渠归公，时而商社包租，时而官督民办，"结果收水租的有人，分岁租的有人；渠道淤塞，没有人疏浚，崩坏没有人整理。水大则淹没地亩，水小则不能浇地。不独荒地无人买，垦地不加多，连旧有的垦地，都逐渐变成荒野了。"②

河套地区降雨量少，农田所依赖的就是渠道。浇水就成膏腴，不浇水就成石田。有"不靠天吃饭"的谚语。既然渠道失修，耕地得不到浇灌，农民也就失去了依靠，束手待毙。不用与现在比较，仅与清光绪十八年比较，相同的灾年，不同的结果，其教训昭然若揭。

其次，兵匪骚扰，致民间存储一空。

1926 年，10 余万国民军兵败西撤，"海漫漫的土默川，到处是散兵游勇。他们村村有、户户住地往后套西去，这伙刚走，那伙又来，从秋天直到深冬，人吃马喂，支差应事，没完没了地勒索"。③ 沿途乡村，损失巨大。尾随国民军而来的奉军、晋军，一切供给均取自地方，民间供应耗繁，不堪重负。

---

① 苏希贤：《清末民初的河套水利家——王同春》，见政协巴彦淖尔盟委员会编：《河套水利》，政协巴彦淖尔盟委员会 1987 年印刷，第 43 页。

② 蒙思明：《河套农垦水利开发的沿革》，载《禹贡》1936 年 11 月 1 日第 6 卷第 5 期。

③ 张志炯：《我们家的变化》，见政协土默特左旗委员会编：《土默特文史资料》第 3 辑，政协土默特左旗委员会 1986 年印刷，第 231 页。

除了兵们合法的勒索外，还有遍地的土匪，也肆无忌惮地抢掠、糟蹋。例如，1926 年中秋，匪首陈德胜率 2 000 多人拥入固阳县城公开刁抢欺压百姓。把田间割到的庄稼或者喂马，或者当柴烧。并把囤积于窖里的粮食洗劫一空。[①] 1928 年 7 月 2 日至 14 日，和林 30 余村遭受兵匪抢劫，损失财物百万元。[②] 匪首赵青山，率领匪众，打开萨拉齐县城，除了奸淫、烧杀、抢掠外，还焚烧粮食，意在使人无法生活，投入他的土匪队伍。

1929 年，《大公报》记者评论，绥远省"向为产粮极富之区，民多盖藏，埋粮于地，虽经一二歉岁，不至成灾。乃自战事缠联，官兵则征求无已，土匪复罗攫一空。"[③] 周颂尧也在《绥灾视察记》中分析："绥远地方虽属文化落后，人民大都从事农业，加以户口稀少，平均每方里不及一人，生活程度是很低的，每年收获存储的粮食，往往足够数年需用。不想民国以还，内地多故，不遑边谋，坐至绥远土匪蜂起，俶扰不宁。""又当那内战的时候，官方需款甚多，顾不得人民的困苦，加了许多的苛捐杂税，还是不能够用，便把人民存储的粮草，尽数的勒索而去，仍不足兴，又把那车马牲畜，搜刮无遗。人民已无处生存，及至一遇荒歉，如何不成奇重的灾呢。"[④]

也有个别地方，如清水河与东胜，地方贫瘠，农民平日就有防荒的准备，以窖存粮食自救，饿死的人很少。[⑤]

1928 年以后，南京国民政府的统治初步稳定，绥远地区落入晋系阎锡山的势力范围，政局逐渐稳定下来，政府方面才有了比较积极的救济工作。

（二）政府救济措施不力

20 世纪 20 年代，正是国内军阀混战之际。各派政治军事势力为了在混战中取得胜利，根本无心也无力组织救济工作。从 1926 年到 1928 年底，绥远地区的旱灾救济工作处于放任状态。

首先，很长时期绥远政府的赈灾机构形同虚设，政府无意救灾。

---

① 呼和浩特市民族事务委员会编：《民族古籍与蒙古文化》（绥远大事记专辑），第 69 页。
② 呼和浩特市民族事务委员会编：《民族古籍与蒙古文化》（绥远大事记专辑），第 86 页。
③ 《绥远灾情及救济办法》，载《大公报》1929 年 5 月 17 日。
④ 周颂尧：《绥灾视察记》，第 2—3 页。
⑤ 赵国鼎：《世远堂旧话》，见政协内蒙古自治区委员会文史资料研究委员会编：《内蒙古文史资料》第 31 辑，第 82 页。

　　1926 年底，归绥道尹公署成立了全区赈务处，但是，拿不出东西，仍然由"绥远旱灾兵灾救济会"做实际工作。"绥远旱灾兵灾救济会"也只有不到两万元的救济款。国民军西撤后，晋军控制了绥远，商震任绥远都统，"根本不关心受灾人民，而是从增加捐税、种植鸦片、清理余荒、夹荒的收入，来养活一万多穷兵和一万余饿匪。救济会向都统署要求筹拨赈粮，筹借牛犋和种子，呼吁肃清土匪，建议暂缓加税、种烟和清丈土地，均置之不理。"难民们因此聚集在归绥郊区孤魂滩请愿。1927 年 7 月，晋军宣布参加蒋介石组织的次期北伐，与奉军作战。"晋军非但无人关心受灾人民，反而征要给养车辆"。1928 年 2 月，奉天的归绥道尹刘廷选成立了绥远赈济会，把"绥远旱灾兵灾救济会"的人调去办公。但是奉军不给现款，由东北拨运米粮，由于军运繁忙，无法运到绥远，实无赈济可言。① 即使到了灾荒非常严重的 1928 年，一些地区仍然无视赈灾工作。《大公报》记者揭露，"丰镇知事和克俭组织衙役队 10 余队，每队设队长 1 人，由本地老吏及地痞充任，向乡村强迫预征收 1929 年的钱粮，和早已经豁免的 1927 年的钱粮。"②

　　蒋介石联合冯玉祥、阎锡山、李宗仁发起的次期北伐结束后，阎锡山彻底掌控了绥远，1928 年 9 月，李培基任绥远临时区政府主席；不久，又改任徐永昌主持绥远政务。此后，政府的救灾工作才比以前有些起色。1928 年 12 月 17 日，成立了绥远省赈务会，徐自己兼任主席，民政、财政两厅长和地方人士郭象伋为常务委员，下设事务、执行、监察 3 处。执行处分为筹募、调查、放赈、采运、保管、工赈、平粜等 7 组。采运组正副主任常住大同和丰镇。潘秀仁、赵允义被派到天津和沈阳，尹光宇被派到北平，阎继璈和阎伟在南京，作为绥远代表，向各方面求援。

　　其次，军阀混战截断了交通。

　　绥远地区与内地唯一便捷的交通就是平绥铁路。但是由于军阀之间的战争，铁路主要承担了军运的任务，客运和货物运输被挤到了一个无足轻重的

　　① 赵国鼎：《世远堂旧话》，见政协内蒙古自治区委员会文史资料研究委员会编：《内蒙古文史资料》第 31 辑，第 78 页。
　　② 《丰镇勒缴钱粮》，载《大公报》1928 年 8 月 12 日。

位置，筹集到的很多赈灾物品，无法运到灾区。

著名美国记者埃德加·斯诺到绥远考察后，一个重要的印象就是向灾民运输赈济物资困难问题。"军阀混战，铁路被破坏，向灾民提供救灾物资的通路也随之堵塞。"救援饥民的工作人员面临的最大问题是运送救灾物资。[①]在北京天津等地有成千上万吨捐给灾民的麦子和小米，因为军阀扣留了火车车皮，救济粮无法运去救济灾民。[②]

1929 年，冯玉祥、阎锡山、蒋介石、李宗仁之间酝酿战争，平汉和津浦路的车辆都被军队控制起来，平绥路的车辆大都被奉军带往东北，剩下的也由晋军调到平汉和津浦两路。雁北灾情较绥远轻，赈务会在大同丰镇购买了 11 000 吨粮食，由于没有车辆，运不到绥远包头发放和平粜。1929 年春，绥远省赈务会要求平绥铁路管理局增拨车辆运输赈灾物品，平绥铁路管理局回复："敝路对于该项赈粮运输，自应尽力援助，以解倒悬，奈承军事之余，机车缺乏，且多损坏，现在全路机车不过 20 辆，能供使用者尚不及半数，军运客运，胥赖于此。自入冬以来，机力减缩，而各项军运，又复增多，此处未竣，彼处继起，供不应求，应付为难，以至各站货物雍滞，绥远粮食，亦未能如期运往。言念及此，歉疚良深。"[③] 结果，1929 年，东北方面给了赈粮 5 700 余石，由于运输困难，只运回了一半。

阎锡山统治华北四省两市之后，赈灾物品的运输状况稍微有所改善。阎锡山任用班廷献为平绥铁路局长，除了客货运费加一成作为赈款外，由每天行驶一次的混合列车拨出两辆货车（载重 80 吨），专门给华洋义赈会运粮。后来，又由徐永昌向阎锡山硬要了 4 辆共 80 吨的车皮，作为赈务会的运粮专车。这样，从 1929 年下半年到 1930 年春天，抢运了 9 个多月，从大同丰镇只运回赈粮和平粜粮食 4 900 余吨。[④]

---

① ［美］埃德加·斯诺：《拯救二十五万生灵》，刘立群、袁志发、包明德编著：《斯诺在内蒙古》，第 241 页。

② ［美］埃德加·斯诺：《死亡和捐税》，刘立群、袁志发、包明德编著：《斯诺在内蒙古》，第 266 页。

③ 《绥远省救死事业》，载《大公报》1929 年 2 月 23 日。

④ 赵国鼎：《世远堂旧话》，见政协内蒙古自治区委员会文史资料研究委员会编：《内蒙古文史资料》第 31 辑，第 82 页。

再次，土匪横行加重了灾荒的程度。

绥远地区虽然地处边陲，但是军阀混战，政局动荡局势丝毫不逊色于内地。与政局混乱密切相伴生的是土匪横行，使绥远的人民，在天灾之上，又加了一个匪灾，真正是天灾人祸，交相为用。既加重了天灾的程度，也严重地妨害了救灾工作。

包头地区，1927年底至1928年春，满泰镇守时期，政局平稳，社会尚属安静，商业活动能够正常开展。"新疆甘肃及各蒙古旗，商务活动，五原临河粮船往来，路途商人自由行走，市面不显荒年。自满泰离包，商路断绝，五原临河每发一粮船，王英军队截流粮30石，往来商船出护送费若干，此种军队，名护路队，车驼出护送费，均有定章，因此商路不同，行人裹足"。[①] 土匪洗劫商船事件多有发生，《大公报》载："有骆驼队自宁夏来包，所载货物有皮毛食米等物，被匪徒抢劫一空。有船数百艘运粮来包，匪徒勒索每船一百元后，又从事劫掠，杀死船工多名。某船船员全部遇害，船只漂流而下，已经冻在河中。"[②] 这种劫掠活动，严重地限制了正常的商业活动，商人裹足不前，就更难以做到粮食的互通有无。

土匪肆虐，是村民背井离乡的直接原因之一。绥远匪首赵半吊子（赵青山），曾经被满泰收编为绥远骑兵2师，自1927年冬至1928年春为害各县。1928年12月1日，攻陷萨拉齐大岱村，村民死伤无算，房屋焚烧过半。在各村奸淫掳掠，杀人放火，无所不为。各村居民纷纷逃入有军队驻防的察素齐镇，原有居民不过400户，至1928年底已经逃至万余人。[③] 吴干粮及小股王元有、杨老九、翟和庆等匪首，出没在归绥和林托县萨县之间。各股均有匪徒二三百人，东打西窜，南追北逃。人民受其扰害，不堪其苦。此外三五成群，相机而起者，几乎遍地皆是。[④]

---

① 《绥西一年未雨之大旱灾》，载《大公报》1928年9月8日。
② 《绥远灾情》，载《大公报》1929年1月6日。
③ 《绥远天灾匪患》，载《大公报》1928年12月23日。
④ 《绥远巨匪次第肃清》，载《大公报》1929年3月11日。

第四节　日本统治时期对东蒙古土地问题的处置和西部蒙旗社会变革

一、"满洲国"政府对蒙旗土地问题的处置

由于清末及民国时期大规模放垦蒙旗土地、汉族农民大量涌入和县治的设立，使得内蒙古东部地区"旗县并存"或旗县交错的情况相当普遍，由此而产生的旗与县之间、蒙古人与汉人之间的土地关系呈现出非常复杂的形态。总的看，内蒙古东部地区的土地大致有 3 种类型，即正式开放地（即放垦地）、非正式开放地和未开放地。

所谓正式开放地，是根据清朝及民国政府的规定，经过正式放地手续，并发给地照，又按照一定比例向蒙旗或王公交纳"蒙租"的土地。如原哲里木盟各旗放垦的土地均属这种性质。从土地所有权的角度看，这类土地的所有权依然属于蒙旗，汉族农民只有使用受益权。正因为如此，哲里木盟各旗在其出放地界内都设有征收"蒙租"的机构——地局。所谓非正式开放地，是指通过"借地养民"或没有经过政府的正式放垦手续，由当地蒙古王公或平民私自招佃放垦，收取地租，成为事实上的开放地的土地。所谓未开放地，是指基本保持畜牧业经济的牧业区。

"满洲国"政府成立后，意识到内蒙古东部地区土地关系的复杂性及其对蒙汉民族关系上的重要意义。所以没有急于制定处置和解决方法，只是维持原状，并于 1932 年 11 月 3 日以"执政"名义发布《关于保全兴安各分省各旗旗地之件》，规定"兴安各省各旗旗地除已开放之地现有合法权利者或呈经兴安总署总长之核准者外，不准私放或私行租与垦种。但原有蒙古旗民著自行垦种或为放牧其他利用旗地不在此限。"[1]

这其实就是暂时维持原来的既成事实的状态，同时禁止私放蒙地的一个法令。1934 年 10 月，确认郭尔罗斯前旗、郭尔罗斯后旗、杜尔伯特旗、依

---

[1] 《满洲国政府公报》辽沈书社 1990 年影印本，第 74 号。

克明安旗等所谓省外 4 旗实行"旗制"的同时，使得该项法令适用于这四旗。①

日本殖民统治时期，对内蒙古东部地区的正式开放地、非正式开放地以及未开放地通称为"蒙地"。蒙地的范围涉及奉天、吉林、滨江、龙江、北安、锦州、热河、兴安南、兴安西、兴安东、兴安北等 11 个省及新京特别市。由于在这样大的范围内存在着如此复杂的土地关系问题，并由此引起旗县之间在行政管理权限、税收及地租等方面的诸多纠纷，甚至蒙政部与民政部、财政部之间也产生各种摩擦和冲突。尤其是随着"地籍整理"工作的落实及"满蒙开拓团"不断进入，上述地区内的蒙地及其所有权问题就成为"满洲国"政府必须加以妥善解决的问题。

为此，土地局土地制度调查委员会从 1936 年 4 月至 6 月对蒙地的历史与现状进行了调查。11 月 25 日至 28 日，土地局召开土地制度调查委员第一次委员会议，讨论通过了《蒙地整理案》，确定了不承认蒙旗及旧王公对开放蒙地所具有的"管辖治理权"、"上级所有权"，认定开放蒙地实际占有者为所有权者；将"蒙租"改为国税，废除"蒙租征收局"的基本方针。②

1938 年初，兴安局开始对开放蒙地实际情况进行调查，并同有关的部、局和旗长、王公代表进行协商，最终提出了由蒙旗方面自动将兴安省以外的开放蒙地地理权③奉献给"满洲国"，政府方面从这些土地的受益中拿出一部分资金补助蒙旗财政的办法。这就是人们通常所说的"蒙地奉上"之举。

1938 年 8 月，兴安局制定《开放蒙地处理要纲》和《旧蒙古王公待遇要纲》。8 月 9 日，在新京召开兴安南省及省外蒙旗各旗参事官恳谈会，征求有关参事官的意见。26 日，兴安局主持召开"兴安南省及省外蒙旗各旗长恳谈会"。会上，蒙旗方面的意见主要集中在"蒙地奉上"之后给予各蒙

---

① "满洲帝国"协和会调查部编：《兴安蒙古》（日文），满洲事情指南所 1943 年刊印，第 140 页。

② ［日］广川佐保：《蒙古人加入满洲国及地域社会变化》（日文），载（日本）《亚细亚经济》2000 年 41 卷第 7 号。

③ "满洲国"政府对于"蒙地地理权"有如下解释："所谓地理权，从前称之为管辖治理权，但满洲国建立以后，民国时代的管辖治理权中有些部分可以理解为按照建国精神业已被取消，所以为表现其差异，称之为地理权"。兴安局编：《锦热蒙地奉上关系记录集成》（日文），兴安局 1940 年刊印，第 14 页。

旗的补偿金的分配及用途方面。大部分旗长及兴安局参与官博彦满都等主张将给予蒙旗的补偿金的一半用作旗的行政经费补贴，将另一半用于全体蒙古人的文化、教育和福利，"从而医治蒙古的贫、病、愚三个弊病"，① 并就此基本达成了一致意见。

10 月 3 日，"满洲国"政府正式公布《开放蒙地处理要纲》和《旧蒙古王公待遇要纲》。17 日，原哲里木盟 10 旗及依克明安旗的旗长代表扎赉特旗旗长图门满都护、杜尔伯特旗旗长色旺多尔济和蒙古王公代表旺沁帕尔赉等 3 人，向国务总理大臣张景惠递交了用蒙（正本）、汉（副本）两种文字写成的《开放蒙地地理权奉上书》和《旧王公特殊权奉上书》，并请其向"满洲帝国皇帝"溥仪代为奏陈。

《开放蒙地地理权奉上书》所列地域为奉天（法库、康平、昌图、双山、辽源、梨树县及四平街市）、吉林（怀德、九台、长春、长岭、乾安、农安、德惠县）、滨江（景星、泰来、大赉、安广、镇东、白城、洮南、开通、醴泉、瞻榆、依安、克山、克东、拜泉、林甸、泰康县）、龙江（安达、肇东、肇州县）等四省共计 32 县 1 市 1 个特别市（新京），约合 12 503 681 垧（其中蒙租赋课面积 7 479 102 垧）。所谓"地理权"，包括蒙租、渔利租、税捐津贴及未开放地的地租劈分额的征收权。②

19 日，溥仪在皇宫接见上述 11 旗的旗长及兴安南省、兴安西省及省外四旗 25 名王公代表。旗长代表扎赉特旗旗长图门满都护向溥仪递交了由 11 名旗长署名的《开放蒙地地理权奉上书》。③ 溥仪对蒙旗及蒙古王公方面自动将"开放蒙地地理权"和"特权奉上"表示"嘉纳"，并发给《赐旗长及旧蒙古王公等谕旨》。④

根据《开放蒙地处理要纲》的规定，"满洲国"政府从 1939 年起每年支付 300 万元定额补助金，其中 150 万元作为上述 11 旗财政补助费。根据蒙古人的意见，其余 150 万元作为财团法人蒙民厚生会资金。另外，根据

① 兴安局编：《开放蒙地奉上关系记录集成》（日文），兴安局 1940 年刊印，第 49 页；博和、萨音：《博彦满都生平事略》，内蒙古大学图书馆 1999 年刊印，第 61—62 页。
② 兴安局编：《开放蒙地奉上关系记录集成》（日文），第 9 页。
③ 兴安局编：《开放蒙地奉上关系记录集成》（日文），第 114 页。
④ 兴安局编：《开放蒙地奉上关系记录集成》（日文），《谕旨》。

《要纲》的规定，从蒙旗方面应收之"蒙租"滞纳金中拿出 5 成，共计 50 万元，作为"开放蒙地奉上"纪念事业费，一次性支付给各旗。[①] 1938 年 12 月 31 日撤销了奉天、吉林、滨江、龙江 4 省境内的 26 所蒙租征收局（即地局）。[②]

所谓"锦热蒙旗"，是指原卓索图盟的喀喇沁左、喀喇沁中、喀喇沁右、土默特左、土默特右等 5 旗和原昭乌达盟南部翁牛特左、翁牛特右、敖汉等 3 旗。"满洲国"成立后，于 1934 年 12 月将土默特左、右 2 旗划归锦州省，其余 6 旗归热河省。上述 8 个旗的土地所有制形态及关系，比原哲里木盟开放垦地的土地关系更为复杂。1936 年 11 月 25 日至 28 日，土地局召开土地制度调查委员第一次委员会议讨论通过《锦热蒙地权利及贡纳整理要纲》，确定了在锦热蒙地将承认地租承担者、土地占有者为土地所有权者的基本方针。[③]

由于锦热蒙地所有制形态极其复杂，不仅牵涉到蒙汉民族关系，而且锦、热两省蒙旗位于"满洲国"西南边境要地，所以锦热蒙地整理问题一直到 1938 年 9 月开放"蒙地奉上"之后，才提到议事日程上。

从 1939 年开始，兴安局会同有关部、局和热河、锦州两省公署以及锦、热各蒙旗旗长、王公代表等进行协商，着手解决悬而未决的锦热蒙地问题。8 月 24 日，由"满洲国"政府公布了《锦热蒙地处理要纲》《锦热蒙地权利整理要纲》，[④] 决定依照 1938 年"蒙地奉上"的办法，解决锦热蒙地所有权及征租权等问题。

9 月 8 日，在"满洲国"政府国务院举行了"锦热蒙地奉上"仪式，锦热蒙旗旗长代表云丹桑布向国务总理大臣张景惠递交了《锦热蒙地特殊权益奉上书》。[⑤] 9 日，溥仪接见了云丹桑布等 15 名代表，表示接受他们所奉

---

① 《盛京时报》1938 年 12 月 15 日；兴安局编：《开放蒙地奉上关系记录集成》（日文），第 20 页。

② 兴安局编：《开放蒙地奉上关系记录集成》（日文），第 16 页。

③ ［日］广川佐保：《蒙古人加入满洲国及地域社会变化》，载（日本）《亚细亚经济》2000 年 41 卷第 7 号。

④ 兴安局编：《锦热蒙地奉上关系记录集成》（日文），兴安局 1940 年刊印，第 32 页。《盛京时报》1939 年 8 月 24 日公布的《锦热蒙地之处理大纲》共 10 条，基本综合了上述两个《要纲》的内容。

⑤ 兴安局编：《锦热蒙地奉上关系记录集成》（日文），第 112 页。

献的特殊权益，① 并向他们颁发"谕旨"。另由国务总理向旗长、王公等授予勋章。②

与此同时，根据《锦热蒙地处理大纲》的规定，由"满洲国"政府从上述 8 个蒙旗的土地收益中，每年拿出 150 万元，其中 20 万元作为锦热 8 旗的财政补助费，130 万元作为新成立的财团法人蒙民裕生会资金，用于 8 个旗蒙民的文化教育及卫生等事业。③ 另外，一次性付给"蒙地奉上"纪念事业费 30 万元。④ 作为对"锦热蒙地奉上"的补偿，决定废除热河、锦州二省的"旗县并存"制，采取"废县存旗"措施。1940 年 1 月 1 日撤销了与上述 8 个旗并存的赤峰、建平、乌丹、宁城、新惠、建昌、阜新、朝阳等 8 个县。

锦热蒙地内正式开放地的地籍整理和非正式开放地的整理工作，由地政局主持进行。1939 年 4 月在热河省公署和锦州省公署内分别成立地政局，由省次长（日本人）任局长，设专任副局长，科长以下职员由地政总局、省公署、旗公署、税务监督署的日、汉、蒙人担任。由于当时锦热蒙地的土地关系及实际使用情况相当复杂，蒙古人方面希望通过土地整理能够"收回失地"，而汉人方面则希望以法定形式确保既得的利益。

1939 年 9 月，"锦热蒙地奉上"之后，热河省和锦州省分别开始进行土地审定整理工作。每个旗设立地政局支局，配备日、汉、蒙人职员，开展了宣传、调查丈量、制作地籍图的工作。在此基础上，根据《锦热蒙地土地权利整理要纲》的规定，开始确定蒙汉人的土地所有权。所谓"所有权整理"，就是将土地主人（蒙古人）和土地承租者（汉人）双方当面对质，根据地照或私下约定的契约书，达成分割双方土地所有权的协议，这一做法叫"土地权利和解"；最后确定取得土地所有权的承租者（汉人）向原土地所有权者（蒙古人）所应支付的补偿金数额，向蒙汉当事者和蒙民裕生会发

① 锦热蒙地"特殊权益"是指田赋分成、山份子（指开采矿产时向旗公署交纳的税）、三成税银（又称地基银或旗偿银）、私垦地、荒地、山川河流等所有支配权利。兴安局编：《锦热蒙地奉上关系记录集成》（日文），第 14 页。

② 《盛京时报》1939 年 9 月 10 日。

③ "满洲帝国"协和会调查部编：《兴安蒙古》（日文），第 142 页。

④ 《盛京时报》1939 年 8 月 24 日。

给土地和解书各 1 份。1943 年锦热蒙地土地整理工作基本完成。

土地整理完成之后，蒙汉人之间的私下租佃关系已不复存在，取得土地所有权的汉人向原土地出租者蒙古人所应支付的补偿金分 5 年交清。这笔资金并不是直接交给原土地所有者蒙古人，而是由财团法人蒙民裕生会各旗支会代收，每年向应获得补偿金的蒙古人支付 4 分以上的利息。①

日本殖民统治时期，这两次所谓的"蒙地奉上"和锦热蒙地整理，实际上带有很大的强制性。当时，日本参事官方面也不得不承认"在蒙古人中间并没有看到自发的奉上之意"，甚至担心"奉上之实施在于将汉人之土地权利确认为所有权形式，对此蒙古人可能产生中央政府只谋求汉人福利之心情"。② 但是，"满洲国"政府仍然以蒙旗方面"自动奉上"的名义完成了对蒙旗土地所有权的转变。"满洲国"政府通过这两次的"蒙地奉上"，将蒙古人的土地所有权转变为"满洲国"所有，蒙地整理使得"蒙租"等转化为地租，成为"满洲国"政府的收入。所以说，"蒙地奉上"和"蒙地整理"之举，是对蒙古民族的一场空前的经济掠夺。

通过两次"蒙地奉上"以后，保持其特殊性的"蒙地"只剩下兴安 4 省及省外 4 旗。鉴于兴安省"蒙地"问题的重要性，"满洲国"政府决定对兴安 4 省土地整理采取慎重态度，先从调查研究"蒙地"实际情况入手，在此基础上逐步加以解决。

为此，兴安局从 1939 年开始与兴农部、产业部及兴安学院合作，进行兴安 4 省各旗实态调查。与此同时，兴安局召集有关人士非正式地召开"蒙地恳谈会"，探讨诸如制定《蒙地法》以及具体处理方法等解决兴安四省土地所有权问题的办法。但是，当时蒙古人认为"土地必须归蒙古人共同所有，或者归由蒙古人组成的团体所有"③。在这种情况下，制定《蒙地法》的计划也被迫推迟了。

1942 年 6 月，兴安局拟订《蒙地管理要纲》，在兴安南省的王爷庙、西省的开鲁和林西、东省的扎兰屯、北省的海拉尔分别召开各旗旗长、参事官

① ［日］"满洲国"编纂刊行会编：《满洲国史·各论》（日文），第 1268 页。

② 兴安局编：《开放蒙地奉上关系记录集成》（日文），第 36 页。

③ 蒙古研究会：《蒙地管理要纲关系记录》（日文）第 1 辑，蒙古研究会 1942 年印刷，第 4 页。

会议，征求意见。8 月 20 日，"满洲国"政府公布《蒙地管理要纲》，要求兴安四省及吉林、滨江、龙江各省省长遵照执行。

但事实上，《蒙地管理要纲》及相关规定也只不过是将"蒙地"管理权限按照以往的实际情况，以法律形式加以确定，并设立相关的咨询机关和单独的会计而已，而真正的确定土地所有权等"土地整理"工作，并未着手进行。

二、内蒙古西部地区蒙古生活"豪利希亚"及"蒙旗建设运动"

日本殖民统治时期，从 1941 年开始在内蒙古西部各盟旗普遍成立了一种具有资本主义股份制性质的商业合作组织——"豪利希亚"（合作社）。当时，称其为"豪利希亚"运动，[①] 即"合作"运动。这一运动最初起源于察哈尔盟太仆寺左旗和太仆寺右旗。

锡林郭勒盟、乌兰察布盟及察哈尔北部纯牧区的牧民，历来都是依靠出售牲畜及畜产品来换取生活必需品。"蒙疆"政权建立后，物价暴涨，牧民所需的布匹、茶、烟等价格上涨了 10 倍左右，而牧民所售之牲畜、皮毛则是日本军方"统制"的物资，其价格最多提高不过三四倍。[②] 所以，牧民生活受到很大影响。

鉴于这种情况，察哈尔盟参与官简牛耕三郎等探讨从日本引进所谓的"协同组合"（日语名词，意思即合作组）的组织形式，进行商业活动和家畜品种改良、改善饲养管理的可能性。[③] 他们从日本聘请专门从事"协同组合"事务的石井实雄到太仆寺右旗进行实地调查。经过调查研究，他们认为"协同组合"形式很适合蒙旗社会组织及其结构，所以引入"协同组合"不仅有可能，而且很有必要。于是，石井起草有关引进"协同组合"的意见书、计划书等，并从 1940 年开始在太仆寺右旗、太仆寺左旗成立这一组织。根据日语"协同组合"的词义，相应采用蒙古语"豪利希亚"（即合

---

① ［日］福岛义澄编：《蒙疆年鉴》（日文版），1943 年刊印，第 124 页。

② 蒙古生计会合作部：《蒙古生活豪利希亚》第 1 辑，转引自卢明辉：《蒙古"自治运动"始末》，第 315 页。

③ ［日］简牛耕三郎：《草原的豪利希亚（协同组合）》（日文），见骆驼会本部编：《回忆中的内蒙古——内蒙古回忆录》（日文），骆驼会本部 1975 年印刷，第 70 页。

作、合伙之意）一词作为这一组织的正式名称。①

太仆寺右旗"豪利希亚"成立后，立即成立面粉加工厂和商品收购、销售机构，开始加工面粉，收购牧民的畜产品，从张家口等地输入牧民生活必需品出售给牧民；太仆司左旗除成立商品购销机构之外，还出资购买了德国人设在该旗的一家奶油提炼厂，收购牧民的牛奶，加工奶油，向张家口、北京、天津等地出售。② 此外，该旗"豪利希亚"还利用该厂设备加工乳酸饮料、乳酸饴糖和纽扣等产品。③

太仆寺左、右旗成立"豪利希亚"的消息很快在内蒙古西部盟旗引起反响，各旗纷纷到实地进行参观、考察，并要求成立此类组织。④

蒙古联合自治政府于1940年11月21日至28日在张家口召集各盟、旗长官及代表参加的蒙古生活会议。经过几天的讨论，制定了《蒙古生活豪利希亚大纲》，决定在各盟旗成立蒙古生活"豪利希亚"，并把1936年成立的蒙古生计会加以整顿，作为"豪利希亚"的总机构，推举政务院院长吴鹤龄为会长、兴蒙委员会委员长松津旺楚克和副委员长吉尔嘎郎为副会长、中岛万藏为顾问，吉尔嘎郎兼合作部部长。

成立蒙古生活"豪利希亚"的目的，是"为使其民众将自有之牲畜皮毛等生产品售得较高之价格，并以廉价购得米面、茶、布等日常必需品，以求其生活之安定"。⑤"豪利希亚"的资金来源采取股份制，每户至少认领1股，最多300股，每股金额为蒙疆币10元。第一次入股时可以牲畜折合。每年如有赢利，必须分红给各股东，以期在牧民中建立信用。如有无力缴款者，则须按每户一股，由各该旗"豪利希亚"向银行或本旗富户借给，逐年以其应得之利润扣还，或以"豪利希亚"所得公积金之一部代还。各旗

① ［日］简牛耕三郎：《草原的豪利希亚（协同组合）》（日文），见骆驼会本部编：《回忆中的内蒙古——内蒙古回忆录》（日文），第74页。

② ［日］简牛耕三郎：《草原的豪利希亚（协同组合）》（日文），见骆驼会本部编：《回忆中的内蒙古——内蒙古回忆录》（日文），第74页。

③ ［日］表武雄：《左翼旗豪利希亚和我的经历》（日文），见骆驼会本部编：《回忆中的内蒙古——内蒙古回忆录》（日文），第88—89页。

④ ［日］简牛耕三郎：《草原的豪利希亚（协同组合）》（日文），见骆驼会本部编：《回忆中的内蒙古——内蒙古回忆录》（日文），第75页。

⑤ 蒙古生计会合作部：《蒙古生活豪利希亚》第1辑，转引自卢明辉：《蒙古"自治运动"始末》，第315页。

的"豪利希亚"是由旗公署出资50%、旗民入股50%建立起来的。[1]　各旗生活"豪利希亚"业务各自独立经营，互不相属。蒙古生计会合作部，自各旗生活"豪利希亚"代表加入后，其业务之会计亦独立办理。

当时，纯牧区牧民的生活必需品的购入及畜产品的出售等则掌握在受军方委托的日资公司——大蒙公司手中。大蒙公司从驻蒙军手里以"统制"价格获得布匹和砖茶，把它分配给出入蒙地的旅蒙商。旅蒙商将这些商品高价出售给牧民，又把低价收购的皮毛、牲畜，交给大蒙公司，再由大蒙公司转交给军方。这样，牧民所受到的中间剥削相当大。

蒙古生活"豪利希亚"成立的同时，经与驻蒙军交涉、协商，决定将收购牧区皮、毛等畜产品的业务，由大蒙公司转到"豪利希亚"来经营，即所有毛、皮均由"豪利希亚"收购，再向驻蒙军缴纳，并直接从军方换取牧区所需之生活物资。各旗出售之牲畜，也尽量由"豪利希亚"直接向北京、天津及"满洲国"出口，换取所需的布匹、粮食等，廉价供应牧民。

1942年初，由于蒙古生计会罗励甫、齐达拉图等人大肆贪污肥己的事情被揭发出来，[2] 经各旗代表协商决定，设立了"豪利希亚"联合会，以取代原来的蒙古生计会，统筹各旗牲畜输出和物资购入的工作，并推乌勒济图主持这一工作。[3]

各旗蒙古生活"豪利希亚"的相继成立，是当时内蒙古西部盟旗社会经济活动中的一件新鲜事物。对于历来不善于经营商业的蒙古人来说，这是蒙古人自己兴办的股份合作制的商业机构。各旗"豪利希亚"成立后的几年中，业务不断扩大，对当地牧民的经济生活的改善起到了一定的作用。比如，太仆寺左旗"豪利希亚"经营的奶油加工厂将牧民送来的牛奶经过机器分离，把提取脂肪后的牛奶返还给牧民，并发给记有牛奶数量的传票。牧民凭传票可以到"豪利希亚"的商店购买自己需要的商品。提取脂肪的牛奶不仅可以饮用，还可以制作奶干、奶豆腐或酿制奶酒。这样，牧民的收入

---

① 扎奇斯钦：《我所知道的德王和当时的内蒙古》（二），东京外国语大学亚非语言文化研究所1993年刊印，第106页。

② 李守信：《李守信自述》，刘映元整理，见政协内蒙古自治区委员会文史资料研究委员会编：《内蒙古文史资料》第20辑，第193页。

③ ［日］福岛义澄编：《蒙疆年鉴》（日文，1944年版），蒙疆新闻社1943年刊印，第126页。

不仅可以相应地增加，而且还可以购买到相对廉价的商品。察哈尔盟"豪利希亚"联合会还为了监督和审计各旗"豪利希亚"的财务及经营，先后举办3期"豪利希亚"实务讲习会，专门讲授有关经营和财会账目方面的知识。① 又比如，伊盟达拉特旗将蒙疆银行提供的救济难民款作为"豪利希亚"的经营资金，在20个月之内便获得纯利3.5万元。该旗把这部分赢利中的2万元折合成2 000个股，分配给本旗2 000人每人1股，其余1.5万元作为该旗小学的股份。②

蒙古自治邦政府为了加强纯蒙地区的行政功能及发展财政、教育、医疗卫生、"豪利希亚"事业起见，根据兴蒙委员会制定的"确立经济、彻底普及教育、复兴民族"的三大施政方针，③ 由吴鹤龄负责起草了蒙旗十年建设计划——《蒙旗建设要纲》，并经1942年6月24日政务院会议通过。④ 这一计划中把蒙旗建设分做3个阶段，第一期4年，第二期3年，第三期3年，共计10年；第一期以兴蒙委员会为中心，与各盟旗公署组成蒙旗建设队，进入各盟旗，指导监督新政的推行；各旗逐步在旗所在地建立一个模范新村，在旗内建设若干中心村，建立固定房舍，以供行政、教育、医疗之需；第一年度的建设从西苏尼特旗、四子王旗、镶黄旗开始，逐步选定其他各旗的适当地点，进行建设。通过这样的建设，达到强化各旗行政职能，调查研究旗制及旗地，确立财政制度，设立兴蒙学校及其分校等教育设施，整顿寺庙，充实"豪利希亚"及其机构并进行定期交易，普遍设立保健所并进行防病治病措施，推行家畜防疫，建设中心村之冬营地等目标。⑤

为了切实推行这一计划，组成了蒙旗建设队，由吴鹤龄兼任总监，松津旺楚克任督办，吉尔嘎朗、穆克登宝及察盟盟长卓特巴扎普、乌盟盟长沙拉巴多尔济等5人为会办。其下设总务、调查、工程、民政、教育、保安、实业等7个班，由兴蒙委员会各处处长及所属官员具体负责；指派木村佑次

① ［日］表武雄：《左翼旗豪利希亚和我的经历》，见骆驼会本部编：《回忆中的内蒙古——内蒙古回忆录》（日文），第90页。

② ［日］福岛义澄编：《蒙疆年鉴》（日文，1944年版），第126页。

③ ［日］福岛义澄编：《蒙疆年鉴》（日文，1944年版），第122页。

④ 《蒙古》（日文）1942年第9卷第12号。

⑤ 扎奇斯钦：《我所知道的德王和当时的内蒙古》（二），第99页。

郎、中岛万藏和锡、乌、察 3 盟参与官森一郎、山本信亲、简牛耕三郎参与筹划，其下由兴蒙委员会日系职员充任顾问；为了办事方便起见，把蒙旗建设队本部设在德化。①

1942 年 7 月至 10 月，第一期蒙旗建设队分别进入西苏尼特旗、四子王旗、镶黄旗，开始着手进行为期 3 个月的蒙旗建设的调查、建设工作。第一期蒙旗建设队由吉尔嘎朗任队长、佐竹宇三任顾问（兴蒙委员会教育处专门顾问），共由 30 多人组成。② 为了不增加蒙旗的财政负担，所有建设经费一律由兴蒙委员会支付。1943 年，又增加锡盟浩济特左旗、阿巴哈纳尔左旗及乌盟达尔罕旗、察盟商都旗为建设区域。③

尽管这场蒙旗建设运动的实际成果并不明显，但它毕竟是牧区社会变革的一次尝试。同时也是德王、吴鹤龄等试图通过这样的建设，将蒙旗作为其"政治资本和根据地"④ 的一项重要措施。

---

① 扎奇斯钦：《我所知道的德王和当时的内蒙古》（二），第 99 页。
② 《蒙古》（日文）1942 年第 9 卷第 12 号。
③ 扎奇斯钦：《我所知道的德王和当时的内蒙古》（二），第 108 页。
④ 德穆楚克栋鲁普：《德穆楚克栋鲁普自述》，陶布新整理，见政协内蒙古自治区委员会文史资料研究委员会编：《内蒙古文史资料》第 13 辑，第 131 页。

第 二 十 章

民国时期内蒙古地区城镇发展

第一节　内蒙古地区城镇发展的社会背景

城市是一种空间概念，是一种定居形态。在世界各国，由于城市产生原因的不同，或者各国法律规定、社会和地理的差异，城市的定义各不相同。被大部分人接受的城市定义是一种与村落相对比的定居形态，拥有高密度的街区，为周围地方的中心。城市的三大特点是大量的人口、人口的密集和城市化。

中国古代的城和市，是两种不同的概念，城指城垣，备以防御的围墙。市则是在城垣以内进行商品交易的固定场所。防御和交易合为一体，便成为人们主要居住形态之一的城市。镇指市镇、集镇，是农村之间以至城乡之间物资交换的会合点，亦指县（厅）管辖之下的行政区划单位。

18 世纪以来在内蒙古境内兴起了许多城镇，这些城镇或因政治而兴起，或因宗教而兴起，或因商业贸易而兴起。它们是清代以来内蒙古社会变革的一个重要内容，也是不可或缺的组成部分。经过近两个世纪，进入民国之后，内蒙古的城镇兴衰不定，部分城镇落入衰败之地，而又有一部分新城镇应运而生。18 世纪以来内蒙古的传统游牧社会不得不面对各种挑战。尤其清末"新政"以来，以"官垦"为主要内容的社会大转变使内蒙古大面积的土地被开垦，大量的牧场被变成农田。与土地开垦同步进行的是，为数众多的内地移民涌入内蒙古，耕耘种地、安家落户。于是，在新垦区域出现大量的定居村落，在此基础上又出现城镇。

一、开垦蒙地政策的延续

封建君主制清朝覆亡，中华民国中央政权却落入军阀手中。在外蒙古宣布独立、整个蒙古以至西藏、新疆等边疆地区局势动荡的情况下，北洋军阀政府基本继承清朝统治蒙古的政策，维护蒙古传统的封建制度，对蒙古王公上层采取笼络收买手段，提出优待"满、蒙、回、藏各族"条件，其中明确写道"保护其原有之私产"、"王公世爵仍其旧"。1912 年 8 月，公布《蒙古待遇条例》，保护王公上层的封建特权。

袁世凯当政之初，采取了一些笼络蒙古封建上层的策略和措施，内蒙古局势得以逐步稳定。1913 年底，中俄政府签署《声明文件》，外蒙古问题也得以暂时达成协议。蒙古地区紧张局势稍有缓和，北洋军阀政权的大民族主义民族歧视、压迫和掠夺本性开始暴露。北洋政府仍沿袭清末清政府的剥夺蒙古民族原有权益的对蒙政策和措施，即改省设治，强化军政直接统治和放垦蒙地掠夺土地和资财。

1914 年以后，袁世凯政权稍有巩固，但其财政问题却日益严重。因为北洋政府自成立以来主要是依赖帝国主义各种名义的贷款来维持其反动统治的。对南方革命党人的武力镇压和各个军阀的扩军备战消耗了大量的财力物力。而这时已处于第一次世界大战爆发的前夜，各个帝国主义之间剑拔弩张，自顾不暇，大大减少了对中国北洋政府的财政贷款。因此，从 1914 年开始，袁世凯命令在全国大肆搜刮。在内蒙古地区改变他原来"暂不放垦"、"概仍其旧"的政策，积极放垦蒙地，进行经济掠夺。

1914 年 2 月，北洋政府制定《禁止私放蒙荒通则》和《垦辟蒙荒奖励办法》，开始着手垦辟蒙地。1915 年北洋政府蒙藏院公布了《边荒条例》（共 48 条），其中的第 1、2、3、14、24、26、29 等条与蒙古地区有关。通过这个条例的公布，北洋政府将蒙古地区的放荒问题置入整个边疆放荒范围之内，其意图显然是取消对蒙古地区和蒙古族的优待条件。随着全国各地反袁斗争的兴起，北洋政府在蒙古地区的垦荒政策自然没能大肆推行。

1916 年袁世凯死后，北洋军阀统治集团内部矛盾日益激化，形成了军阀割据混战的局面。各系大小军阀极力扩充自己的实力，抢占地盘。放垦蒙地成为各系军阀、官僚和商人大发横财的途径。这一时期，军阀更以武力胁迫蒙古王公上层报垦土地，以便达到占据和开垦蒙地、掠取清丈费的目的。

1912 年，张绍曾署绥远城将军后，首先整顿垦务机构，设立督办蒙旗垦务公所和水利总、分局，着手清理旧垦，开拓新垦。同时，召开西盟王公会议，要求王公札萨克迅速报垦，提出交换的优惠待遇。1915 年，设立绥远垦务总局，同年，绥远城将军改为绥远都统。

在内蒙古东部，奉系军阀利用哲里木盟科尔沁左翼中旗王公贵族的内部矛盾，从中获利。1916 年之后，张作霖更是凭借武力强迫蒙古王公放荒。在对蒙旗放垦中，他和他手下的大小军阀、官僚、政客无一不是拼命圈占土地，迅速成为大地主。1916 年张作霖强迫科尔沁左翼中旗放垦西辽河南北沃土 4 000 余方。其子张学良及鲍贵卿、冯麟阁等人即割占了 1 000 余方。1922 年，张作霖已占有通辽以西沃土 2 800 余方。这一时期，仅在通辽一县，张作霖、吴俊升、鲍贵卿、孙烈臣等军阀"就霸占了上千垧的好地"。1924 年，吴俊升又强行租占科尔沁左翼后旗斯卜海地方土地 2 000 垧；同年又与杨宇霆一起侵占该旗"松林哈特耕地二千二三百垧"。在军阀、官僚、政客们的占夺下，土地兼并现象越来越严重。

内蒙古西部在各军阀的争夺混战之中，开垦一项始终没有停顿。北洋军系、皖系、直系、国民军系、晋系、奉系等军阀虽然政令歧出，互相攻讦，但对于放垦蒙地都表示了极大的兴趣，制订了一个个垦务计划，颁布了一系列垦荒章程，掠夺大面积的蒙旗土地，搜刮大量的荒价银。

1928 年 6 月，国民党北伐军推翻北洋军阀政权，12 月，张学良在东北宣布"易帜"，南京国民政府在形式上统一了全国，确立了国民党新军阀对中国的统治。

1928 年，国民政府在蒙古地区改建行省，推行移民放垦和屯垦政策，掀起继清末、民初以来的又一次大规模放垦蒙旗土地的高潮。

在内蒙古东部，1928 年，张学良勾结蒙古王公贵族大肆开垦蒙地，开垦所谓"洮辽站荒"、"东夹荒"和"西夹荒"。迄"九一八"事变爆发，共丈放 4 万多垧。1930 年 1 月，在科尔沁左翼中旗境内又丈放了所谓"辽北荒"土地。① 与此同时，以"开发利源，巩固国防"的名义，在哲里木盟科尔沁右翼前

---

① 白拉都格其、金海、赛航：《蒙古民族通史》第 5 卷，第 336 页。

旗、科尔沁右翼后旗以及扎赉特旗和科尔沁右翼中旗等地实行了大规模的军屯。1928 年 11 月，在洮安成立"兴安区屯垦公署"。屯垦公署的设立，是东北当局从张作霖统治时期以来的安插裁汰兵弁，移民开垦，掠夺蒙旗土地牧场的一个重要的措施。屯垦的土地在科尔沁右翼前旗、科尔沁右翼后旗和扎赉特旗境内。

1929 年 3 月和 10 月，经东北政务委员会批准，兴安区屯垦公署分别在科右前旗之王爷庙和科右后旗之镇国公府设立了第一垦殖局和第二垦殖局。而所谓"垦殖局设治局之变名"，"垦殖局既为县之初步，则县及设治局之职权即为垦殖局之职权"，"凡招徕民户之司法、行政、教育、交通，与蒙民之治安、保卫、诉讼等皆属之"。① 这样一来，实际上等于将科右前旗和科右后旗改建为两个县，将这两个旗的一切地方行政、司法权力剥夺无遗，使其名存实亡。

1928 年热河改建为行省之后，也首先着手清理蒙地经界，办理蒙地升科，并向西拉木伦以北地区推行移民开垦。1929 年 7 月，热河省政府设立经界委员会。所谓清理蒙地经界，就是根据土地质量和面积，征收地价或注册费，发给地照，并保证蒙古人的收租权和收租数量。在清理蒙地时，各级官吏将它当做营私舞弊、贪污受贿的机会，搜刮和掠夺蒙汉人民。1929 年开始清理时，有的县就不按照章程注明蒙古人的收租数目。到 1930 年，各县早已把蒙古人的收租权置之不理了。

二、特别行政区和行省的设立以及农耕深入蒙旗

在蒙古地区设立行省的议论，早在 19 世纪 80、90 年代开始成为清朝封疆大吏上奏的重要内容。19 世纪 80 年代，新疆、台湾相继建省，清末新政期间，将东北 3 个将军辖区改建行省。改变蒙古的行政管理体制，使其与内地行省一体化的问题成为清朝政府的当前要事。② 但是，具体计划尚未成熟，清朝灭亡，改制问题暂时被搁置一方。袁世凯掌权之后，1914 年蒙古

---

① 白拉都格其、金海、赛航：《蒙古民族通史》第 5 卷，第 337—338 页。
② 苏德毕力格：《清朝对蒙政策的转变——筹划设省》，见中国蒙古史学会编：《蒙古史研究》第 6 辑，内蒙古大学出版社 2000 年版，第 250—259 页。

的局势稍有稳定，又将蒙古改制问题提到了议事日程上。1914 年，设立了热河、察哈尔、绥远 3 个特别行政区，各设都统为最高长官，管理军政、民政事务。3 个特别行政区分别设热河道、兴和道、绥远道。热河特别行政区管辖热河道和卓索图、昭乌达两盟各旗。察哈尔特别行政区管辖兴和道和锡林郭勒盟及察哈尔左右翼 8 旗及各牧场；绥远特别行政区管辖绥远道和伊克昭、乌兰察布 2 盟、归化城土默特旗。

1928 年 9 月，国民党政府当政不久，将热河、察哈尔、绥远 3 个特别行政区改建为热河、察哈尔、绥远 3 个行省。这样，以彻底改变对蒙政策为目的的改建行省议论和计划，经数十年的酝酿最终在 20 世纪 20 年代成为事实。其结果，一是新的行政建制，即县不断地增设，逐渐与内地趋于一体化；二是蒙古传统的行政体制被改变。

20 世纪前后几十年的开垦和内地人口的大量流入，内蒙古的经济生活发生了巨大变化。大片土地被开垦，农业区日益扩大。作为其代价，游牧区域迅速缩小，游牧业更加萎缩。

20 世纪之前，内蒙古的农业区大体形成在沿长城和柳条边的各蒙旗。进入 20 世纪之后，铁路的修铺和运用，大大改变和便利了移民进入蒙地的路线。1903 年，横贯东北的中东铁路（当时称为东清铁路）通车，到 20 年代，北平—绥远—包头、四平—郑家屯、郑家屯—洮南、洮南—齐齐哈尔、郑家屯—通辽、大虎山—通辽、洮安—王爷庙等铁路相继通车。这些铁路线，连通了内蒙古广袤的少垦或者未垦地区。昔日花费数日的路程，竟然缩短成 1 日甚至数小时即可到达。交通条件的改善，促使从内地迁来移民数量的急剧增加。因此，这时期东蒙新农业区一个显著的特点是从各条铁路的沿线，向四周迅速扩展。

卓索图盟和昭乌达盟南部可垦土地到清末已经全部开垦殆尽。昭乌达盟西部、北部尚留未垦土地，便成为热河都统致力开垦之地。1914 年设特别行政区不久，在克什克腾旗境内设经棚县，管理不断扩大的农业区。此后，虽然昭乌达盟境内的开垦没有像同一时期的哲里木盟那样迅速和声势浩大，但也不断向北推进。1924 年在地处北部的扎鲁特左、右 2 个旗放垦地置鲁北设治局，次年，在巴林左旗境内设林东设治局。1926 年在阿鲁科尔沁旗境内设天山设治局。

呼伦贝尔经清末的改制、"移民实边"和民国初年的动荡，地区经济风貌尽管没有发生显著的变化，但再也不是游牧、狩猎民族的乐土。在《呼伦贝尔概要》一书中对民国初期的呼伦贝尔人口状况和经济分布作了下面的概括："呼伦贝尔地广人稀，平均每2方里不过1人。其居民之生活，悉依地理及气候之关系而定。东北与西南两部之天然气象，既互有不同。其生产事业，自亦各异。东北部多山，居民之唯一职业，乃为林业。西南部水草丰美，故多事畜牧。唯两地有一共同之职业，厥为皮毛业。西部则因多河流及湖沼之故，渔业随之发生。且近10年来，在牙克石站以西铁路线往北之地域内，农业渐形发达。"① 当时，所指铁路线以北的农业，不仅是由汉族移民耕种，也有从沙俄迁入呼伦贝尔的俄罗斯移民从事农耕。该书又说，自1920年以降，"不数年间，耕种面积，日益扩充"。农作物种类以麦类为主，其中以小麦为最重。农产品几乎全部依靠外地输入的呼伦贝尔，通过农耕的不断扩大，也和东部各盟旗一样变成产粮之地。

内蒙古西部的绥远地区，从1914年到1928年共放垦118 932顷。②

总之，由于大兴蒙垦，东蒙在短短几十年里农耕区迅速扩大，汉族人口急剧增加。为了管理汉族农业人口而新设置许多县治。随之，旗县并存局面发生变化。县不仅在数量上，而且在范围上，不断增加。而旗虽然不见数量的减少，但在范围上大大缩小。县旗境内的农业区和游牧区也发生同样的变化，前者不断扩大，后者则不断缩小。

第二节　原有城镇及其类型

在内蒙古的土地不断被开垦的过程中，行政建置也逐渐被改变。主要以盟旗划分的内蒙古行政建置，这时与省县并存。不仅原有的县得以巩固，同时设立大量的新县。于是，新行政建置的所在地，也逐渐发展成为城镇。

---

① 邹尚友、朱枕薪编：《呼伦贝尔概要》，东北文化社1930年刊，第97页。
② 王德胜：《北洋政府对蒙政策的几个问题的初析》，见中共内蒙古地区党史研究所编：《内蒙古近代史论丛》第3辑，第76页。

　　民国年间的内蒙古城镇，据其兴起年代的不同，可以分为清代以来兴起的旧城镇和民国兴起的新城镇。清代以来的原有城镇在内蒙古东、中部有海拉尔、满洲里、扎赉诺尔、吉拉林、赤峰、大板、大沁塔拉、开鲁、林西、经棚、乌丹、小库伦、突泉、多伦诺尔等。在西部有归绥、包头、丰镇、宁远、萨拉齐、清水河、和林格尔、托克托、武川、定远营等。新兴城镇主要有五原、东胜、武川、集宁、陕坝、临河、固阳、通辽、王爷庙、林东、鲁北、天山、扎兰屯等。上述各城镇据其兴起条件和所发挥的作用，又可以分为政治、商贸、交通、宗教等不同类型。

　　无论是原有城镇，还是民国年间新兴城镇，在民国时期的动荡社会背景下，都经受了时代和社会变革的考验，有的出现繁荣发展的景象，有的则落入衰败之地。

　　另外，在清一代内蒙古东部地区出现为数众多的城镇，其中大部分城镇在清末民国初年正式被划入奉天、吉林、黑龙江等省管辖之下，所以这里仅介绍划在热河、察哈尔、绥远以及阿拉善等地的城镇。

一、政治中心城镇

（一）内蒙古中西部城镇

1. 归绥

　　由归化、绥远二城组成。归化城，约于1581年左右由土默特首领俺答汗修建。建城后，名库库和屯（Köke qotan），意青色的城。同一时期，明朝又为它取名归化城。这座修建在阴山山脉南麓的城，是当时土默特蒙古的政治、军事、经济、宗教中心。

　　进入17世纪后，归化城一度卷入战乱之中，城内房屋建筑多有毁坏。不久，清朝统一，为归化城提供了摆脱战乱、恢复原貌的机会。清朝使土默特都统（后改为副都统）驻扎在归化城，归绥道道台以及归化城同知也入住归化城，衙门林立，仍然为政治统治中心。清朝统治者在城内修筑和扩建佛教寺庙，形成清代乃至民国时期的寺庙格局。归化城规模为，"城墙为东西宽一里，南北长半里，四面各有一个城门，城门外有瓮城，城中央有鼓楼。在从鼓楼到北门的内城里，是以土默特副都统衙门为首的官府所在地，鼓楼以南的东、西、南3门内的外城里，则主要集中蒙、汉官吏的住宅和一些商店。普通居民的住宅和市肆则分布在城的四周，尤以南门外一带为最集中。"① 四周环城而居者，逐渐增多，城内城外变为一体。随之，城垣无多作用而失修，多处倒塌。1921 年，平绥铁路修至归绥，因当局认为鼓楼以及南门碍于往来而 1922 年将其拆除。1925 年又将西、北两门及北门瓮城拆除。30 年代旧有城址只剩下北、东门楼。② 归化城大街共 57 条，小街 52 条，小巷 85 条。以大南街为主干，南北贯通，名街巷纵横杂错，部位不齐。大南街不仅是全城主干街道，也是商业繁荣之区。

绥远城建于清朝与准噶尔之间的战事进入缓冲阶段的雍正末乾隆初年。从建城计划立案到工程结束，历时数年，于 1739 年（清乾隆四年）建成。清朝为这座新城起名为绥远城。城"周围九里十三步，高二丈九尺五寸"，开 4 门，分别为东门（迎旭）、南门（城薰）、西门（阜安）、北门（镇宁）。③ 城为驻防旗兵而筑，一切建置，悉按规制。每门上有箭楼，下有瓮城，四隅有角楼。城中建钟鼓楼一座，上有弥罗阁。城自建筑之后，经两次重修：1870 年（清同治九年），绥远城将军定安重建北门城楼，补修陴睨楼橹，并浚濠种树。1904 年（清光绪三十年），将军贻谷修缮城垣，疏浚城外濠渠。④

这座城，无论城外还是城内，均按计划和设计修建。因此城墙、街衢，整齐划一。城内鼓楼居全城之中心，由中心四射，形成了东、西、南、北 4 条大干街。4 条大干街周围形成小街 24 条、小巷 46 道和市场一处。⑤ 大街和向四面八方伸张的街巷，构成了整齐的棋盘似的图形。⑥

归化、绥远二城东西相邻，相距只有数里之远。至清末光绪年间，二城"市衢毗连，二城之间几无隙地"，"不异一城"。⑦ 清朝灭亡，"旗饷无着，

---

① 戴学稷编著：《呼和浩特简史》，中华书局 1981 年版，第 47 页。
② 绥远通志馆编纂：《绥远通志稿》卷 17 之《城市》，1936 年稿本。
③ 《绥远城驻防志》《城垣》，佟靖仁点校本，内蒙古大学出版社 1991 年版。
④ 绥远通志馆编纂：《绥远通志稿》卷 17 之《城市》，1936 年稿本。
⑤ 绥远通志馆编纂：《绥远通志稿》卷 17 之《城市》，1936 年稿本。
⑥ 戴学稷编著：《呼和浩特简史》，第 50 页。
⑦ 王轩、杨笃、骈宇骞，等纂修：《山西通志》卷 30 之《府州厅县考》（清光绪），中华书局点校本 1990 年版。

旗丁生计日蹙”，从而绥远城“街市日渐萧条”。[①] 自绥远城西门通向归化城的大路，因在归化城以东，被称做东大马路。一方面这条马路连接了两座城，是一条车马络绎不绝的交通要道，另一方面，马路的名称又证实了二城当中归化城位居的中心地位。

1913 年，“绥远城同知省入归化，曰归绥县”[②]。但是，归化这一称呼，相沿年久，各处仍多用旧名。1928 年设立绥远省之后，绥远城又被称为省城，归化城被称为县城。1929 年绥远省政府呈文将归化正式改为归绥。[③] 同年，绥远省主席特定省城建设计划，这一决策不仅加快了归化、绥远二城合为一体的步伐，并且城市中心从此逐渐由西东移。除了绥远省政府[④]、绥远垦务总局、高等法院等机关原驻绥远城外，教育厅、省立各学校等也先后从县城移入。1937 年 10 月，日军占领归绥后改设厚和浩特市，作为蒙古联盟自治政府所在地。

平绥铁路的修建，改变了归化、绥远二城格局，使这座城市不断向北扩大。绥远车站建在人烟稀少、地形平坦的归绥北边。从车站，有土质马路分别通向县城和省城。1921 年铁路开通之后，“商户居民购地营建，渐具街市规模”[⑤]，逐渐形成大街 9 条、小巷 8 条，成为日后归绥市主要的组成部分。

2. 萨拉齐

萨拉齐（Saɣaliči），蒙古语，意挤奶者，为归化城土默特旗地。这里北倚大青山，西南面黄河。1734 年（清雍十二年）设通判厅，萨拉齐成为厅城。直至 19 世纪 60、70 年代，萨拉齐作为一座城市，才筑城墙、城门，始具城市外观和规模。

城内的街道和建筑，经长年经营，以自然形成居多。关于萨拉齐的街道，有记载称：“干净和不太嘈杂，其建筑整齐和外表相当雅致”、“街衢宏阔”。[⑥] 民国时期，萨拉齐城内有大街 4 条、小街 14 条、小巷 52 条。中街

① 绥远通志馆编纂：《绥远通志稿》卷 17 之《城市》，1936 年稿本。
② 郑植昌修，郑裕孚纂：《归绥县志》之《舆地志》，1934 年铅印本。
③ 绥远通志馆编纂：《绥远通志稿》卷 17 之《城市》，1936 年稿本。
④ 办公地点为原绥远城将军衙署，在绥远城西街。
⑤ 绥远通志馆编纂：《绥远通志稿》卷 17 之《城市》，1936 年稿本。
⑥ ［法］古柏察：《鞑靼西藏旅行记》，耿昇译，中国藏学出版社 1991 年版，第 166—171 页；张相文：《塞北记游》，《包头史料荟萃》第 3 辑，第 192—198 页。

为城内中心，也是商业繁盛之区。以中街为起点至城 4 座门为城内 4 条大街，分别称做东街、南街、西街和北街。

3. 清水河

原为归化城土默特旗地。1736 年（清乾隆元年）设清水河通判厅，厅城选定在金盖山之南、清水河之北，地名以水名为之。城东、北、西 3 面靠山，南面临河。向无城池，直至 1930 年才创建城和城门。城周"六百丈有奇，高二丈"，东、西、南、北各设一门。[①] 城内面积甚为狭小，仅有东西大街 1 条，名为永安街，长 2 里多，"其形如箕"。[②] 永安大街为全厅商人汇聚之处。

4. 托克托

托克托，据记载因俺答汗义子恰台吉脱脱驻牧该地而得此名。[③] 脱脱（Toγtaqu），蒙古语，又音译为托克托。为归化城土默特旗地，1734 年设通判厅。这里地势北高南低，黄河由西境向东南流，黑河由东北向西南流入黄河。黑河尤逼近该城，每逢河水暴涨，严重威胁城内居民的生命财产安全。

托克托城向无城池。[④] 1922 年，由驻军和当地居民合力建土围，四面开门。1931 年，修筑土围，加固南门、东门，挖城壕开水道。同时，在城东设炮台、城西修河坝。炮台显然有助于提高防御能力，河坝则以防水患。城内街衢以大街、后街为主干。大街旧名定丰街，南北方向。大街之东与其并行有后街，是城中商业集中之地。

5. 和林格尔厅城（和林格尔）

清康熙中期用兵准噶尔，设置驿站，名为二十家子，由蒙古名和林格尔（Qorin ger）译。[⑤] 1734 年（清雍正十二年）设和林格尔厅，便以驿站命名。城向无城垣，直至 20 世纪 20 年代末，始有建城之举。1930 年秋，建筑城

①　绥远通志馆编纂：《绥远通志稿》卷 17 之《城市》，1936 年稿本。

②　《清水河厅志》卷 4 之《市镇村庄》，台湾影印《中国方志丛书》本。

③　见《归绥道志》卷 5 之《十二厅治考》："俺答汗义子脱脱驻牧之时，筑有周围十里许的城。"

④　绥远通志馆编纂：《绥远通志稿》卷 17 之《城市》，1936 年稿本。1922 年夏，始议筑城。由驻军警备分司令王世林督工监修，由当地民户分担掘土方工作，空阔处创筑新墙，有民房处增高补阙，接连成围。周 7 里余，高 9 尺，底宽 5 尺，顶宽 2 尺，四面就原有高阁门洞为门。

⑤　王轩、杨笃、骈宇骞，等纂修：《山西通志》卷 30 之《府州厅县考》（清光绪）。

围，"城周四里零 140 丈 5 尺，西北东南两方各辟一门，又开东南两便门，以利交通"。① 城内只有 1 条大街，自东南起至西北门止，长 2 里余。该街向无专名，通称大街。商民在大街"列廛而居"，很少大商号选择该地，也没有正式的交易市场。

6. 定远营

定远营在内蒙古西部地区，以王公府第发展成城镇的有定远营。定远营，1730 年（清雍正八年）由岳钟琪奏建。后乾隆皇帝将定远营赏赐给阿拉善厄鲁特旗札萨克，允许建府第常驻此地。定远营东依贺兰山，城为土城，札萨克王入驻之后又被称为王爷府。王爷府第是城内最宏伟的建筑群，建筑风格仿宫殿式样，形式布局照四合院。王府后又有花园。城内有佛寺延福寺，壮丽辉煌。城外为商业区，城外南街及西关为最繁华地区。定远营不仅为阿拉善厄鲁特旗的政治中心，也是该地商业中心，当时被称为"塞外小北京"。②

7. 丰镇（衙门口）

丰镇原为察哈尔右翼旗地。1750 年（清乾隆十五年），由丰川卫和镇宁所改设丰镇厅，得胜口边外的小村庄衙门口被选定为厅城，修筑土垣，开辟城门。清乾隆年间城市初具规模，此后又在清道光年间展修城垣。1911 年（清宣统三年）9 月，"以该街为全城适中地，创设市场。场之四周，均有青石栏杆缭绕，高尺许，门端建牌坊，额文曰：'丰镇'"。③ 至清末民初，城内所占面积，在清道光年间的基础上"又增 1/3"，"城之各门连接，四围民居就冲衢要道筑门，以事启闭，藉资防守"。④ 城内街巷稠密，建筑坚固，"有不少石头砌的房屋、庙宇和戏台，它们都是一部分用烧砖，一部分用加工粗糙的石块砌成"。⑤ 城内街市，其初由民商自行建筑，没经过合理规划。城内有大街 16 条、小街 25 条、小巷 46 条。城隍庙街，为商贩麇集之区。

---

① 绥远通志馆编纂：《绥远通志稿》卷 17 之《城市》，1936 年稿本。

② 王建章：《阿拉善旗小志》，见阿拉善盟地方志编纂委员会编：《阿拉善盟史志资料选编》第 3 辑，阿拉善盟地方志编纂委员会 1986 年印刷，第 4 页。

③ 绥远通志馆编纂：《绥远通志稿》卷 17《城市》，1936 年稿本。

④ 绥远通志馆编纂：《绥远通志稿》卷 17《城市》，1936 年稿本。

⑤ ［俄］阿·马·波兹德涅耶夫：《蒙古及蒙古人》第 2 卷，张梦玲、郑德林、卢龙，等译，内蒙古人民出版社 1983 年版，第 47 页。

8. 凉城（哈尔图）

凉城（哈尔图）原为察哈尔右翼旗地。1750 年（清乾隆十五年），裁宁朔卫和怀宁所，改设宁远厅，厅城哈尔图，为宁朔卫原驻防之地。厅城负山带河，地居险要。1912 年宁远厅改为宁远县，1914 年县名改为凉城。原无城①，1930 年，"或补厥新建，或建接民墙"，四周始有土质城墙，东、西、南、北各设一门。城内有主街道 4 条，分别称为东、西、南、北街。4 条街的交叉点为最繁盛之处，不仅"商肆集中"，县衙门也设立于此。②

9. 兴和（二道河）

原为察哈尔右翼正黄等旗地，乾隆年间归丰镇厅管辖。东洋河二源前、后河分别从西南、西北东流会合于此地，从而得名。1903 年（清光绪二十九年），析丰镇厅东境，设兴和厅。厅城二道河，原为丰镇厅境内的大乡镇之一，设有丰镇厅巡检。1932 年筑城，"周围九里许"，开 5 门。③ 城内南北、东西方向街道各有 2 条，其中连接小南门和北门的南北街道约居全城中部，其中段为县署大街，县署大街以西为县署西街，又名兴隆大街，是城内最繁盛之地。

10. 陶林厅城（科布尔）

陶林原为察哈尔右翼镶红旗地，乾隆年间归宁远厅管辖。1903 年（清光绪二十九年），"划分宁远厅属地灰腾梁以北各村"，④ 设陶林厅，厅城设在科布尔。科布尔，蒙古语（Högebür），意翻浆地。⑤ 科布尔以南为灰腾梁山区，这里地形凹下，四面隆起。1913 年陶林厅改为县，县城仍以科布尔为之。在开通铁路以前，科布尔是周围农村的中心，农产品多集中于此地，再贩运他处。平绥铁路修通，科布尔西北的桌子山，成为归绥、平地泉之间唯一的较大车站，周围的农产品大多集散桌子山。受此影响，科布尔市面逐渐萧条。1931 年，县署和当地驻军主持，由商民摊款修筑城墙、城门。城内有东、西、南、北等 4 条大街，东、西 2 条街为商业区。大多数商铺集中

① 王轩、杨笃、骈宇骞，等纂修：《山西通志》卷 30 之《府州厅县考》。
② 绥远通志馆编纂：《绥远通志稿》卷 17 之《城市》。
③ 绥远通志馆编纂：《绥远通志稿》卷 17 之《城市》。
④ 樊库主编：《绥远省分县调查概要》之《陶林县》，1934 年铅印本。
⑤ 朱永生主编：《察右中旗志》，内蒙古人民出版社 1999 年版，第 107 页。

于东街，县公署也建在东街。南、北 2 条街为居民区，商铺无多，以民居为主。1937 年，日伪将科布尔改名为复兴镇。1945 年 8 月光复后，又成为陶林县政府所在地。

（二）内蒙古东部城镇

1. 赤峰（乌兰哈达）

1774 年（清乾隆三十九年），在昭乌达盟翁牛特右翼旗地设乌兰哈达厅，1778 年（清乾隆四十三年），厅改为赤峰县，1908 年（清光绪三十四），县升为赤峰直隶州。城名乌兰哈达，蒙古语（Ulaɣanqada），意赤色山峰，其汉名由此而来。赤峰在昭乌达盟翁牛特右旗境内，从清中期以来，南连农耕区域，北接游牧草原，是名副其实的农牧交界地方的政治中心城镇。城南敖包山向东西连绵，其北则英金河从西南流东北，城位于山河之间。由于这一自然地理条件，赤峰呈东西长、南北窄的走势。1914 年前后，城东西长约 5 华里，南北宽约 3 华里，东西长几乎为南北宽的 2 倍。城有城门而无城垣，由于西北近河流，早设护堤，以防洪水。大街有 6 条直通东西，从北往南分别为头道街、二道街、三道街、四道街、五道街和六道街，"唯三道街最长，约五里有奇，余皆三里左右"[①]。南北走向的街道，被称为东、南、西、北横街。二、三道街和西横街商家林立，是著名的商业区。

2. 经棚

在昭乌达盟西北部的克什克腾旗境内，地处碧柳、乌松图鲁二河汇合之处。该地正处长城以北的南北交通要道上，从长城中、东部诸口均可以到达此地。从张家口经多伦诺尔达经棚，再从经棚到东部各蒙旗，甚至到呼伦贝尔以及外蒙古。从古北口或喜峰口经热河到经棚，再从这里到锡林郭勒盟东部各旗及外蒙古。

经棚是从 18 世纪中叶开始发展起来的。这里当时被蒙古人称做碧柳浩特（Biraɣu qota），碧柳，意两岁小牛。清同治年间（1862—1874 年），经

---

① 冯诚求：《内蒙古东部调查日记》，吉长日报 1913 年铅印本，第 71 页。

棚城镇初具规模，城镇人口发展到 8 000 多人。[①] 1884 年（清光绪十年），白岔巡检"移治经棚"[②]，经棚从原来位置向东北迁移，建在碧柳河和乌松图鲁河汇合处的三角洲地带。经棚有东西走向的大街 3 条，分别被称为前街、当铺街和后街。前街多集中手工业作坊，有皮铺、毛铺、铁匠铺和木匠铺等。后街则是一些大商号的货栈，这里还有官方机构的办公衙门。除上述主要的街道外，还有一些小巷、小街通向四方，连接城镇各角落。随着蒙旗开垦的扩大，内地与内、外蒙古广大游牧区域以及俄罗斯之间商贸的发展，经棚在交通上的优越性得以充分发挥。1914 年，设经棚县。该县是民国年间在内蒙古设置的最早的新县之一，县署建在经棚，从此经棚成为这一带新旧开垦区域的政治中心。

3. 林西

在巴林右旗境内，位于察罕木伦河上游噶尔苏台河平原上。原名乌拉苏台，蒙古语（Uliyasutai），意有柳树之地。1908 年（清光绪三十四年）设林西县，县城名林西，其意为巴林之西。1911 年（清宣统三年），始在县城四面建筑土墙，"高五尺，厚三尺"[③]。1912 年，毅军后路军驻扎林西，派兵在原城基上筑城四五尺高。1914 年，又"大兴兵工筑土城，高丈二尺，雉堞二尺，厚亦如之，四门用砖石建筑"。1915 年左右，林西城内街道已经形成为东西走向的 3 条大街、4 条小街和南北走向的 1 条大街和 4 小街。东西街与赤峰相同，从北向南分别称头道、二道、三道、四道、五道等。其中，头道、三道、五道是最大的街道。[④] 1920 年，林西城内街道又被划成"三大街、三小街"[⑤]。这样，林西在清末官垦时划定为县街，在民国初年，由驻军进行了大规模的修建。

4. 开鲁县城（开鲁）

开鲁县城在扎鲁特右翼旗境内，位于老哈河左岸平原上。这里有古塔一

---

① ［俄］阿·马·波兹德涅耶夫：《蒙古及蒙古人》第 2 卷，张梦玲、郑德林、卢龙，等译，第 408 页。

② 康清源纂：《热河经棚县志》卷 2 之《建置》，呼和浩特古丰书斋 1982 年誊印本。

③ 苏绍泉编纂：《林西县志》卷 1 之《地理志》，内蒙古图书馆手抄本，1930 年版。

④ 《满蒙调查复命书》（日文）第 8 卷之《林西事情》，关东都督府民政部庶务课 1916 年版。

⑤ 苏绍泉编纂：《林西县志》卷 1 之《地理志》。

座，"高有六丈，有十三层"。此处原名塔林苏布日嘎（Tal-a-yin suburɣ-a），意为塔甸地方。1908 年（清光绪三十四年）设开鲁县，县城定在塔林苏布日嘎，古塔位于城内东南角。[①] 设置之初，开鲁县城规模不大，城墙用土垛成，四方各 1 里余，城高约五六尺。四面开东（镇远）、西（镇边）、南（承化）、北（宣威）等 4 座门。土墙外侧挖有城壕，用以保护城池。城内居民也为数不多，房屋简陋，都是以"土坯矮房，柴门条杖"。1912 年，响应外蒙古"独立"的蒙旗军打入开鲁，简陋的新县城毁于战火。1914 年重修县城，市街"东西约一华里，南北二华里"，四周有土墙，东、西、南、北各有 1 门。[②] 连接东、西门的 1 条大街，商家稠密，是开鲁最为繁盛的地方。[③] 《蒙古地志》记载"城内尚有多处空地"。这条记载表明，1915 年左右的开鲁城内土地似乎还没有被充分利用。1921 年，开鲁县城又修外城，规模有了一定的扩大。县城南北长约 1.5 公里，东西稍长于南北，约 2.17 公里，城墙周约 7.35 公里。每面墙中间，建有砖砌城门楼，装两扇木制板门。

城内主要街道仍为十字街。十字街将城内划割为 4 个方块，街基分正号、副号，其中留有学校、寺庙和兵营、官署、监狱等用地。十字街的东西街，正值交通要道，商户、手工业作坊较为密集，南北街较稀少。主要街道有：老木厂街、兴武街、新泰隆街、共兴当街、平安街、太平街、清真街、升平街、英武街、老君堂街、西大街、北大街、宣武街、东大街、高升街、南大街、兴安街等共 34 条。1948 年后县城内由十字街划分居民区，街道改用新名，如东南角名和平街，西南角名胜利街，东北角名解放街，西北角名民主街等。[④]

5. 大沁他拉。

奈曼旗札萨克王府从清初至同治年间经过了 5 次迁徙，4 次兴建。1863 年（同治二年），第 4 座王府兴建于大沁他拉，并再未迁徙，直至民国时

① ［日］山田久太郎编：《满蒙都邑全志》（日文），日刊支那事情社 1926 年版，第 491 页；［日］滨田纯一、［日］柏原孝久编：《蒙古地志》（日文）下卷，富山房 1919 年版，第 1100 页。

② ［日］山田久太郎编：《满蒙都邑全志》，第 492 页。

③ ［日］滨田纯一、［日］柏原孝久编：《蒙古地志》（日文）下卷，第 1100 页。

④ 开鲁县档案馆编：《开鲁县志》，呼和浩特：内蒙古文化出版社 2001 年版，第 67 页。

期。王府修建之后，大沁他拉发展成为奈曼旗的政治、经济中心。

6. 大板

大板为大板升的简称。板升（bayising），原同百姓，指蒙古各部属下的种地汉人。后转义指房屋。16 世纪的土默特部在阴山山脉以南的定居点，多被称板升或拜升。后察哈尔、内喀尔喀多出现板升之称。大板升，即大房屋。巴林旗的大板升，与公主下嫁、人口聚集、创建佛寺、大建房屋分不开。

从清初到乾隆年间，大板是巴林右翼旗札萨克衙门驻地，清中叶旗衙门迁到大板北沙巴尔台，民国初年，重返大板。大板北靠巴彦套白山，南临查干沐沦河。这里地形西北和北高，南与东南低。1667 年（清康熙六年），在大板创建圆会寺（又称普觉寺），又名巴仁呼和苏木，意蓝色的西庙。习称西大庙。寺庙建筑庞大宏伟，使大板规模扩大。1706 年（清康熙四十五年），又建荟福寺，习称东大庙。大板还有娘娘庙、玉皇庙、关帝庙和康熙行宫等。这里居住着王公贵族，跟随公主迁来的"配房人"。还有喇嘛、道士以及工商业者。

1913 年，奉天东路军后统领吴俊升将王府纵火焚烧，此后王府迁回大板。1933 年，沦陷后被改名为大板上，成为伪兴安西省的候补驻地。

7. 乌丹

乌丹位于翁牛特左翼旗中部，少郎河在其南由西向东流。南距赤峰 90 公里，是经赤峰通往昭乌达盟北部各旗的交通要道。蒙古人称乌丹为宝日浩特（Boro qota），汉名乌丹，据传属蒙古名之汉译。

乌丹城四周有土围墙，高 5 尺，周 6 里，开东、西 2 个门。民国年间城区南北长约 1.5 华里，东西宽约 1 华里。板打土围墙高 1 丈左右，设大、小城门 8 座。镇内街巷多以坐落方位、形状命名，有大东门里、小东门里、南门里、小南门、北门里、小北门、烧锅前、荣增德房后、庙前、小集、黑瞎子胡同、辘轳把胡同等小街、小巷。1931 年，在翁牛特左翼旗内设全宁设治局，同年改为全宁县，治所即在乌丹城。日伪占领之后，设乌丹县，1940 年被撤销。1942 年，城内居民区被划分为建设街、太平街、尚武街、忠街、吉祥街、福盛街、马市街、永盛街等 8 条街道。1945 年，抗战胜利后，恢复乌丹县。当年，城内被划为一街、二街、三街。

8. 小库伦

小库伦位于养息牧河上游新开河河谷。自清代前中期，小库伦因宗教影响逐渐形成为有名的交易集市。早在 1649 年（清顺治六年），在小库伦始建著名的兴源寺，该寺庙是锡埒图库伦札萨克达喇嘛的驻所，也是该旗政治和宗教统治的中心寺庙。1931 年实行政教分治。日伪时期库伦旗划归兴安南省，将原绥东县和喀尔喀左翼旗并入，管辖范围大大扩大。当时的旗府所在地库伦，被称为库伦街。

9. 突泉

突泉在科尔沁右翼中旗境内，位于霍勒河之北、交流河之南。原名卜同博洛格，① 蒙古语（Bütüng bulaɣ），完泉之意。1907 年（清光绪三十三年），洮南府垦荒局选定这里划置镇基，改名为醴泉镇。1909 年（清宣统元年），设醴泉县，醴泉镇被选定为县城。当初，被划定的市街，"南北街基长 840 丈，东西街基广 600 丈"②。民国初年，城内逐渐形成南北走向的大街 7 条、小街 6 条、东西走向的大街 1 条、小街 4 条。由于县城内居民不多，"已放街基未建筑房间而弃置者尚占二分之一有奇"，而且，仍有南北基地 14 行、东西基地 6 行空闲无人承领。③ 1914 年，为了与陕西省同名县区别，将奉天省的醴泉县改名为突泉县，醴泉镇也被改称突泉镇。1915 年，突泉县改为设治局。1924 年，恢复县建制。1932 年，由奉天改归龙江省管辖。1943 年划归兴安省。

1936 年，废除区保甲制，推行街村制。突泉街（1937—1945 年称醴泉街），城内分协和、丰乐、兴学、郁文 4 个区。城郊得北厢、吉祥、振兴、向阳 4 个区。

10. 海拉尔

1734 年（清雍正十二年），清廷城在伊敏河与海拉尔河的汇合处，建城，取名呼伦城。由于呼伦城位于海拉尔河南岸，又名海拉尔城。在呼伦贝

---

① 民国年间所修《突泉乡土志》称：卜同博洛格之意，"即汉文所谓莽泉也。"莽，词义有二：一为草或草丛，另一为粗鲁、不精细。似乎不能与蒙古语卜同博洛格对译。

② 参见王树楠、吴廷燮、金毓黻，等纂修：《奉天通志》卷 87 之《建置·城堡》，东北文史丛书编辑委员会 1983 年点校版。

③ 王树楠、吴廷燮、金毓黻，等纂修：《奉天通志》卷 87 之《建置·城堡》。

尔建城，清政府派 8 旗官统领驻新建的海拉尔城。后统领改为总管，总管仍设衙门于海拉尔，由于总管满语作安本（amban），所以海拉尔又俗称安本浩特。

20 世纪初，中东铁路修铺通车，海拉尔作为此条铁路重要的车站之一，又从政治中心发展成为交通中心和商贸中心。铁路线还为海拉尔城带来了外观上的巨大变化，即海拉尔以铁路线为界，形成新、旧两街和铁道北村。新、旧两街居于铁路以南，新街在北，旧街在南。两街沿着伊敏河右岸，呈南北走向。其中，旧街即清雍正年间建起的老城，名呼伦城或者安本浩特。新街则是修建铁路之时开始兴起，不断向南扩展，其结果与旧街连成一体。新、旧两街中聚集官衙、商家和居民，是海拉尔最繁荣的地方。相比之下，位居在铁路线以北的铁道北村，不仅范围小，人口少。这里主要是铁路职工的住宅区。[①]

1920 年，北洋政府取消呼伦贝尔特别区域，以呼伦贝尔副都统统辖蒙旗事宜，同年设呼伦县和呼伦贝尔善后督办兼交涉员。副都统、县知事以及交涉员同治于海拉尔。1923 年，中东铁路海拉尔交涉分局改为海拉尔市政分局，接管市政管理权。1925 年交涉员改为呼伦贝尔道尹公署，1929 年道尹公署又改为市政筹备处。1932 年，在呼伦贝尔设立伪满洲国兴安北分省，以海拉尔为分省省会。此后，先后撤销呼伦贝尔副都统衙门、市政筹备处和呼伦县，成立海拉尔市政管理处。海拉尔市政管理处于 1940 年改为海拉尔市。[②] 1945 年呼伦贝尔获得解放，此后海拉尔仍然为呼伦贝尔地方自治政府、呼伦贝尔盟、呼纳盟政府所在地。

二、交通中心城镇

（一）包头

包头北依阴山东端，南临黄河上、中流衔接之处，[③] 东连土默特平川，

---

①　［俄］阔尔玛佐夫著：东省铁路经济调查局编：《呼伦贝尔》（汉译本），商务印书馆 1939 年版，第 71 页。

②　"满洲国"通讯社编：《满洲国现势》（日文），满洲国通信社 1942 年印刷，第 261 页。

③　黄河从宁夏的中卫县境内起至包头为全流中最有航运之利的一段。

西接河套平原。地势北高南下。清代的包头，为归化城土默特旗地，是萨拉齐厅管辖之下的镇。地名包头，相传蒙古语、汉语的不同解说。蒙古语（Buyutu）之说，意有鹿之地。汉语之说有两种不同解释。一认为同于泊头，另一认为来源于西脑包。泊头，自然起因于黄河，西脑包则是邻近小村名，意在脑包村的一旁。

包头在清乾隆年间初步发展。同一时期，清廷在西包头派遣征税笔帖式①驻扎，征收该地方交易税课。1809年（清嘉庆十四年），萨拉齐厅的善岱巡检移驻包头。巡检是协助厅县长官管理和处理境内各有关事务的属官。清道光末年，黄河码头逐渐从托克托厅的河口西移至南海子，南海子离包头仅有数里之距，包头航运交通从此大为改善。1871—1873年（清同治十一—十二年），修包头城。此后，驻守包头的大同镇总兵鉴于包头"城卑池浅，不足捍卫，乃饬部重加修理"，"既竣其城，既深其池"，并筑台于吕祖庙之前，"以供凭眺"。②1923年，宁夏驻军和包头设治局在城西、西南和东门外添筑军事炮台。③1925年，西北军创建包头外城，"其城接连内城之南，城垣长二十二里，高一丈，顶宽五尺，底宽八尺"，但因战事发生，西北军撤出包头，外城修建工事被中止，"城门尚未及修建"。④

从上述数次修建看，包头城与军事防守紧密联系在一起。地方城镇的军事地位，往往在社会秩序混乱、局势不安定的时候，易于引起统治者的重视。统治者被迫出重金，修城浚池，地方城镇建设得以改善。早期的包头是作为商业据点起步的，但是，军事防守使城镇得到空前的、大规模的修葺，城镇物质设施，如城墙、城门以及部分公共设施逐一完备。如果说19世纪末的内城修建，使包头城初具规模，那么20世纪初的外城建设，使包头城得以扩展，为包头城日后的扩展奠定了基础。

1921—1923年间，平绥线从归绥修至包头，由此黄河上、中游航运与

①　（清光绪）《大清会典事例》（中华书局影印本）卷336《户部·关税》：乾隆二十六年"又覆准……西包头……等处，设立蒙古笔帖式二员，并安设书役，抽收四项牲畜税钱"。此后，包头征税笔帖式的办公地方似乎被习称税厅。另见同书卷338之《户部·关税》。
②　绥远通志馆编纂：《绥远通志稿》卷17之《城市》，1936年稿本。
③　绥远通志馆编纂：《绥远通志稿》卷17之《城市》，1936年稿本。
④　绥远通志馆编纂：《绥远通志稿》卷17之《城市》，1936年稿本。

近代先进的交通工具得以联系，包头的交通条件大为改善，成为"西北之门户，当水陆之要冲"。① 交通条件的改善，不仅对包头的货物集散提供了原动力，而且对该座城市发展提供了原动力。商人和手工业者看好包头，从此各行各业汇聚包头，形成了 10 业、16 行。②

1923 年铁路开通，包头地方事务的管理受到政府重视。这一年，划包头镇及土默特右旗、乌兰察布盟乌拉特旗前、后两旗、伊克昭盟达拉特旗地置包头设治局。1926 年 1 月改为包头县。1933 年成立包头市政筹备处。至此，包头被视为县以上、具有特殊地位的地方中心。1938 年，蒙古联盟自治政府撤销包头县，改建包头市。抗战胜利后，绥远省恢复了包头县建置，仍保留包头市。

包头城内的街区经长年自由建起，"漫无规度，大街小巷，参差不齐"，有大小街各 10 条、小巷 70 条。③ 大小街多以方位、寺庙命名，如前大街、三官庙街等。

（二）满洲里

满洲里位于大兴安岭西端、呼伦湖之北、海拉尔河和额尔古纳河汇流之西。额尔古纳河流域在 18 世纪前半叶的中俄《尼布楚条约》中成了中国和俄罗斯之间的国界河。清末中国北部面临空前的边疆危机时，界河以东的呼伦贝尔首当其冲地遭受了沙俄的侵略。

满洲里这一地名出现于边疆危机日益严峻的 19 世纪末。1896 年（清光绪二十二年），中国与沙俄签订中俄密约，允许沙俄西伯利亚铁路的东部经中国东北领土通向太平洋港口海参崴。这条铁路被命名为东省铁路（又名东清铁路，民国年间改为中东铁路），进入中国东北边境，首站就设在地处呼伦贝尔西北的满洲里，其意为从此进入中国领土。

20 世纪初，铁路修通时满洲里已成为初具规模的城镇。铁路线把满洲里分成南北两个部分，北部是这座边城的主要部分，商家林立，人口密集。南部则是铁路人员的住宅区，统一修建的住房对这座新城镇增添不同寻常的

---

① 王益崖、盛福喜：《包头都市地理之研究》，载《地学杂志》1937 年第 1 期。
② 关于包头各行、各业，资料统计不一致，其中比较普遍的说法是十行、十六社。
③ 绥远通志馆编纂：《绥远通志稿》卷 17 之《城市》，1936 年稿本。

气氛。满洲里街道和建筑，甚受俄罗斯建筑风格的影响，俄罗斯式的房屋、公园、旅店、教堂随处可见。和内蒙古其他城镇相比，满洲里不仅风格独特，而且街道整齐，道路平坦，是一座规划性城镇。[①]

1908 年（清光绪三十四年）设胪滨府，府衙门设在距满洲里火车站 6 里之外，"围以城墙，墙系石造"。[②] 1912 年撤销胪滨府后，1920 年设胪滨县。1927 年，设满洲里市，建立市政公所。1936 年，伪满洲国将满洲里市政公所改为市政管理处，1940 年改为满洲里街，1942 年满洲里街复改为满洲里市。

三、商贸中心城镇

多伦诺尔

多伦诺尔位于蒙古高原南端，东边达大兴安岭南端西侧，南部则是阴山山脉的东端。周围为水草丰美的丘陵地带。这里是察哈尔八旗游牧地东北，北连锡林郭勒盟各旗，尤其从那里可进入喀尔喀蒙古境内。东越大兴安岭南端山岳，进入昭乌达、卓索图、哲里木 3 盟各旗，从那里可达更远的呼伦贝尔。南通长城的张家口、独石口等诸口，并从那里连接畿辅、京津地区；西则通过察哈尔游牧八旗地可达归化城和伊克昭、乌兰察布 2 盟。

1691 年（清康熙三十年），在多伦诺尔一带举行历史上有名的喀尔喀和内蒙古各旗的多伦诺尔会盟。会盟之后，在多伦诺尔修建著名的佛寺汇宗寺和善因寺，从此多伦诺尔成为内蒙古中部宗教中心。

清代至民国时期的多伦诺尔城镇由 3 个部分组成，即额尔腾河右岸的寺庙和左岸的旧新两个买卖营，即商业区。商业区的走向和规模，沿着由北南流的河流，从一开始就形成南北长东西窄的格局，并且这一格局不断扩展。到 19 世纪末，这种趋势已到"南北长度是东西宽度的三倍"的程度。[③]

18、19 世纪是多伦诺尔商业长足发展时期。多伦诺尔城镇商业区的一

---

① ［俄］库尔玛措夫编：《巴尔虎的经济概观》（日译文），［日］高桥克已译，第 138 页。

② ［俄］阔尔玛佐夫著，东省铁路经济调查局编：《呼伦贝尔》（汉译本），第 75 页。

③ ［俄］阿·马·波兹德涅耶夫：《蒙古及蒙古人》第 2 卷，张梦玲、郑德林、卢龙，等译，第 330 页。

再扩展，也证实了这一实况。以晋商为主的各地商人，接踵而至，至清咸丰、同治年间"商号增至四千余家"[①]。4 000 余家商号，此数显然过于夸张，有失真实，但也反映出多伦诺尔商业盛况。

至 20 世纪初，多伦诺尔商业贸易失去了往日的辉煌。其原因之一是在内蒙古中东部形成了许多新市场，这些新市场为就近出售畜产品和采购日用商品提供了方便，从而分割了多伦诺尔的市场，使其商业范围大大缩小。原因之二是，东清铁路的修筑。1898 年（清光绪二十二年）中俄签订密约，开始修筑横贯东北的东清铁路。该铁路从呼伦贝尔的满洲里入中国境内，是清代出现在蒙古地方的第一条近代交通工具。1903 年（清光绪二十九年）开通之后，便捷的交通条件，吸引了蒙古地方的土特产品，原本在多伦诺尔市场范围内的蒙旗产品，改道赴向了呼伦贝尔。原因之三是，外蒙古的"独立"。1911 年（清宣统三年）底，在外蒙古发生了"独立"运动，蒙古高原南北变得极其不稳。1921 年外蒙古断绝与中国的商贸来往，从而因外蒙古归附清朝而兴起的多伦诺尔，又因外蒙古的独立而走向萧条。原因之四是，多伦诺尔城镇周围没有雄厚的农业和丰富农产品的支持，手工业也只局限于地方、民族特色产品，多数物资依靠外地供给，这也是多伦诺尔商业以及城镇衰败的很重要的原因。

四、矿区城镇

（一）扎赉诺尔

扎赉诺尔在满洲里以东，为新巴尔虎左翼旗游牧地。扎赉诺尔煤矿发现于 1901 年（清光绪二十七年），扎赉诺尔煤矿从勘查至开采、经营均被操纵在俄国人手中。

扎赉诺尔矿区，由扎赉诺尔湖西北岸一直延伸至额尔古纳河，矿场出产，主要供应东清铁路西线用煤之需，还供应煤矿自身和这一地区居民的生活用煤。扎赉诺尔是矿区的中心，也是东清铁路西线的重要车站。正是由于附近的煤矿和铁路交通使扎赉诺尔作为矿城得以发展，而且矿城的价值也通过产煤、运煤而显示出来。

---

① 杨溥撰：《察哈尔口北六县调查记》，1933 年手抄本。

（二）吉拉林

吉拉林在额尔古纳河岸，又名室韦。在吉拉林开采金矿者，"其初为上阿穆公司"。[①] 1906 年（清光绪三十二年），黑龙江署将军程德全"始将金厂收回，招商承办"。[②] 1908 年（清光绪三十四年），清廷在吉拉林设置了设治局，"派员赴吉拉林设治兼办垦矿事宜"，吉拉林金矿改为官办。设治局的办公地点设在金矿以东。当时，金矿又名小西沟，距设治局仅有 8 里之远。开采仍以"旧有淘孔采取"。[③] 采矿需要劳动者，开采伊始，自然引来了众多采矿工人。工人聚集，也自然产生供给和消费问题，商业交易显得十分必要。当时的吉拉林除了金矿相关人口之外，尚无大量其他人口。1920 年，吉拉林设治局改为室韦县，仍以吉拉林为县城。[④]

由于经营不善，尤其在沙俄掠夺性开采之下，吉拉林金矿遭到了破坏，不久便报废。但作为矿区中心已有所发展的吉拉林，在民国初年成为当地政治中心。

第三节 民国时期新兴的城镇

一、内蒙古西部地区城镇

（一）五原

1903 年（清光绪二十九年），析萨拉齐厅管辖西境及伊克昭盟达拉特、杭锦旗和乌兰察布盟乌拉特等旗的部分地方，设五原厅，厅衙门"侨治包头镇"。1913 年，五原厅改为五原县。这一年，绥远城将军严饬"侨治邻邑"的新县"刻日移驻治所"，[⑤] 但是县衙门仍侨治包头。划定在达拉特旗报垦地上的城基地，直至 1914 年才开始有建城之举。河套地商王同春等筹

---

① 邹尚友、朱枕薪编：《呼伦贝尔概要》，东北文化社 1930 年铅印本，第 67—68 页。

② 万福麟监修，张伯英总纂：《黑龙江志稿》卷 23 之《财赋·矿产》，台湾《中国边疆丛书》1965 年影印本。

③ 邹尚友、朱枕薪编：《呼伦贝尔概要》，第 68 页。

④ 1929 年室韦县城遭到俄人烧毁，1930 年县城移至阿坞之苏沁屯。

⑤ 宝玉、海棠：《民国初年绥远垦务》，见内蒙古地方志编纂委员会总编室：《内蒙古史志资料选编》第 2 辑，第 279—344 页。

集资金，在隆兴长北数里外的白圪梁修筑县城，一直侨治包头的五原县衙门，终于在 1915 年迁居新县城。[①] 城为方形，南、北二面较东、西二面略长，"周长一千二百二十丈，高一丈二尺"。[②] 城四面开砖质 4 门，城外则有"瓮圈，高与城齐"，而在四隅和 4 门均修登城马道。[③] 马道，专为防御和迎战准备，这无疑是当时社会不安因素在城镇建设上的体现。

尽管四周修筑城垣，但是县城城内却发展缓慢。城内大街分东、西、南、北四街，"居民稀少，建筑散漫"，除了东西大街初具规模外，其余"均荒落，未尽修建"。[④] 1918 年时，"城内人烟寥落，反不及此地（隆兴长）。故东来者不曰住五原，而曰住隆兴长"。[⑤] 因此，1928 年，在隆兴长又建县城。隆兴长原为河套地商王同春的农庄中心，1892 年（清光绪十八年），王同春独筹资金，开挖义和渠，1900 年（清光绪二十六年）挖至隆兴长，渠水由街经过。[⑥] 渠上架桥一座，以该桥为市街中心，分东、西、南、北等 4 街。以东街为最繁华，商肆林立，人烟辐辏。[⑦] 新建的县城东西长 5 里，南北宽 2 华里，周长 14 华里，开 4 门，北门有瓮城。至此，五原县城始有新、旧两城之分。此后，旧城因年久失修，逐渐坍塌。1931 年，新城内东街、西街、东关、西关、南关，居民增至 500 余户。

1932 年，阎锡山派晋军入套屯垦，在隆镇成立屯垦办事处，开办屯垦合作社，设银号，并修通了五原至陕坝的公路。1937 年 "七七" 事变后，隆兴长成为绥西抗日战线的前沿，1939 年 3 月，国民党第八战区副司令长官部设立于此，后移至陕坝。1938 年初至 1940 年，日军曾派遣大批飞机轮番轰炸隆兴长，并于 1940 年 2 月侵入隆镇。城镇遭到严重破坏，损失惨重。

（二）东胜（羊场壕）

1907 年（清光绪三十三年），在伊克昭盟鄂尔多斯左翼中旗（郡王旗）

---

① 韩梅圃：《绥远省河套调查记》，绥远省民众教育馆 1934 年铅印本，第 2 页。
② 绥远通志馆编纂：《绥远通志稿》卷 17 之《城市》，1936 年稿本。
③ 绥远通志馆编纂：《绥远通志稿》卷 17 之《城市》，1936 年稿本。
④ 绥远通志馆编纂：《绥远通志稿》卷 17 之《城市》，1936 年稿本。
⑤ 1918 年，以考察西北为目的游历隆兴长的林竟在他的日记中反映了五原县城不景气之状况。林竟：《蒙新甘宁考察记》，甘肃人民出版社 2003 年版，第 36 页。
⑥ 韩梅圃：《绥远省河套调查记》，第 73 页。
⑦ 绥远通志馆编纂：《绥远通志稿》卷 17 之《城市》，1936 年稿本。

和鄂尔多斯右翼前末旗（札萨克旗）垦地设置东胜厅，以郡王旗境内的羊场壕为厅城。[①] 羊场壕，未修建城池，其地北距包头不远，地方官吏常侨居包头。直至1930年代才得以筑城建署。城为正方形土墙，周4里，四面开辟水道，东、北各开砖质城门。

（三）武川

1903年（光绪二十九年），析归化城厅北境及乌兰察布盟四子部落、茂明安、喀尔喀右翼等旗部分垦地，设立武川厅。和五原厅一样，新设武川厅没有当即修建厅城，1902年（光绪二十八年），早在武川厅还未正式设置之前，已经出现厅城"设治于大滩，二十九年改议设于翁衮城"的议论。但是这些议论都未果而消失。厅同知衙门"侨治于归化城"。[②] 1913年，武川厅改为武川县。1915年，归绥县北乡可可以力更被划入武川县，同时，被选定为县城。[③] 可可以力更，蒙古语（küke erge），可可，为青色，以力更，[④] 其意不确定。来往于归化城南北的商队，必经于此地，也常将商队的骆驼牧放此地。地理位置和自然条件均被看好。所以，较早就有山西、陕西各府县的商人进入此地，经营商业贸易。早在道光年间，可可以力更就建有关帝庙。[⑤] 以关帝庙为中心，形成了南北大街1条和若干小巷，而关帝庙周围被称为巷前，为商贩集售杂货之所。[⑥] 武川县城的修建，直至1920年代末才被重视起来，但是由于建筑经费难筹，几经停工和再建，勉强完工。

（四）集宁

集宁土名平地泉，以县东南有元封孔子碑刊有"集宁城"字得名。本系丰镇县北的集宁镇。1921年设集宁设治局，1922年升为县。县无城垣，仅有土壕，纵横1公里。铁路开通之后，粮商接踵而至，粮店林立，粮食贸

---

① 绥远通志馆编纂：《绥远通志稿》卷17之《城市》。

② 张鼎彝编：《绥乘》卷4之《疆域考·下》，上海泰东书局1921年铅印本；赵尔巽主编，缪荃孙、柯劭忞，等总纂：《清史稿》卷60，《地理志》误记为"治乌兰花"，中华书局1979年缩印本。

③ 文炳勋纂：《武川县志略》之《县沿革》，1940年铅印本。

④ 在内蒙古西部以以力更为名的地名不罕见，除了可可以力更外，在包头至宁夏大道上有名厂汗以力更的地方。以力更，有几种解释：一解释为一种地形，即沟壑之地；二解释为未脱毛的鞣制皮张；三解释为一种布料名。

⑤ 文炳勋纂：《武川县志略》之《县沿革》，1940年铅印本。

⑥ 绥远通志馆编纂：《绥远通志稿》卷17之《城市》。

易日渐兴隆。此后，其他各行各业商贾纷纷前来营业。在城西车站附近，"商务最盛，百货辐辏，不下绥包。"[1] 平绥通车，以火车站为中心逐渐形成桥东、桥西二大街，除外，九龙街、通顺街、财政街、马桥街也是县城主干街道。

（五）陕坝

据称，陕坝为"善巴"之音变。[2] 清末"庚子赔款"后，陕坝被划给天主教会管理，教会建立教堂。逐渐以天主教堂为中心，形成了小集镇，小镇又名"太安镇"。1926 年，镇内居民达 400 多户。20 年代陕坝镇发展很快，不仅人口快速增加，商贸也日渐兴隆，街基价格与县城略同，街市也"较城关为繁盛。"[3] 1939 年，绥远省政府从陕西榆林迁至陕坝，成为绥远省临时省会。1940 年，傅作义长官部进驻陕坝，一时军政人员猛增。1943年，陕坝市政筹备处成立，积极着手市政规划与建设。当时建设计划为六条大街，著名的街道有东西大街中正路、南北大街中山路，该两条街交叉处形成十字大街，成为市区中心。此外，有南北走向的复兴路、杭建路，东西走向的忠孝路等。在中心，党政军机关林立，人口密集。这里营建傅作义司令长官部八大处，省政府各厅处，以及中山堂、奋斗中学、奋斗日报社、塞上新社等，成为当时内蒙古西部的政治、文化中心。20 世纪 40 年代初，陕坝人口一度达 5 万余人。[4]

各大街道上商家密布，仅杭建、中正两条路旁就有大小商店 200 余家，车水马龙，热闹非凡。在中正路朝鲜巷西南开辟了摊贩综合市场，占地 800平方米，270 多户摊贩在此营业，百货、五金、绸缎布匹、医药等一应俱全。

1924 年陕坝教堂办起一所神学校，专门培养教职人员。1929 年建普爱学校，教职人员均由神甫、修女担任，各堂口还成立了医疗门诊等。

（六）临河

1925 年，在五原县西境强家油房设临河设治局，析五原县西界、杭锦、

---

①　杨文洵、朝非本、葛绥成，等编：《中国地理新志》，中华书局 1936 年版，第 233 页。

②　清朝末年，这一带已形成蒙汉杂居村落，曾有名叫善巴的喇嘛驻牧于此地，后以人名为地名。

③　绥远通志馆编纂：《绥远通志稿》卷 17 之《城市》，1936 年稿本。

④　《巴彦淖尔盟志》编纂委员会编：《巴彦淖尔盟志》，内蒙古人民出版社 1997 年版，第 970 页。

达拉特、乌拉特旗地隶之。① 当年 9 月开始筑城，次年竣工。城呈正方形，周围计 1 800 丈②，开 4 门，马道 19 个。因西近称永济渠，又称永济镇。地势西南高，东北低。城基地"计二十顷有奇，悉民间地产，出厚价收买"。③城基地编号招领，并分坛庙基址、学校基址等公用地。城内有大街 4 条，分别为东、西、南、北大街。其中，东、西大街最为繁盛，东大街商号最多，人烟稠密。此外，东关大街市面整齐，较为繁华。南、北两条横街主要集中民居。西南、西北两隅旷地尚多。④ 20 年代末人口达 2 200 余人。⑤

（七）固阳

原为乌兰察布盟喀尔喀右翼旗地，旧名为广义魁。1919 年，析五原县东界、乌拉特中旗地以及武川县西界茂明安旗地，设立固阳设治局。1926年改为县。县政府办公在天主教堂，该教堂于 1918 年由天主教徒所建。县境地在佘太河，南与包头相对，西南 34 公里余的乌拉山，汉因名其地曰固阳塞，县名亦由此而得。⑥ 县城地形凹下，1924 年开始修城，城呈长方形，周 725 丈，高 1 丈 2 尺 5 寸，女墙高 3 尺，纯为土质。四面各筑砖门一座。1930 年县政府始由教堂移入城内。城内有大街一条，名广盛街，俗称为小街子，是城内商贾集中之地。

二、内蒙古东部地区城镇

（一）林东

巴林左旗境内有个叫名查干朝鲁图（č aɣan č ilaɣutu，汉意为"白桌子"）的山，清代山上建有庙宇，名善庆寺，蒙古名赛音白斯古朗图庙。该庙为巴林左翼旗闲散贝子海林贝子家庙，因名贝子庙。⑦

巴林右翼旗在清末推广开垦，民国初年巴林左翼旗也被推广垦务。1923

---

① 王文墀撰：《绥远省临河县志》卷上之《城邑建置沿革纪略》，台湾《中国方志丛书》本。

② 绥远通志馆编纂：《绥远通志稿》卷 17 之《城市》载："周长一千一百六十一丈四寸。"

③ 王文墀撰：《绥远省临河县志》卷上之《城邑建置沿革纪略》。

④ 绥远通志馆编纂：《绥远通志稿》卷 17 之《城市》。

⑤ 王文墀撰：《绥远省临河县志》卷上之《户口表》："民国十八年，城关户额 427，丁口 2249（男 1 543，女 706）。"

⑥ 杨文洵、朝非木、葛绥成，等编：《中国地理新志》第 5 卷第 10 章之《绥远省》，第 234 页。

⑦ 因兵匪扰乱寺庙正常佛事活动，1930 年善庆庙迁至查干白其，从此庙又名查干其庙。

年在林西设立了林西巴林左翼旗垦务局，从此，该旗正式放垦。1925 年，在贝子庙设立热河垦务总局林东垦务分局，同年设林东设治局，管理开垦地亩事务。林东，意巴林之东，管理巴林东部垦务，也即巴林左旗垦务。

1927 年在贝子庙一带出现集市，被名为"庙街"。此后，汉商和手工业者日益云集。1932 年，林东设治局升为县，县名仍为林东。林东县是继清末所设林西县之后，在巴林二旗垦地上所设又一个县。白桌子山以南的"庙街"被选定为县城，城名由"庙街"改为林东。林东，北、西依山，南、东临水。地势西北高，东南低，起初，县城规划街基 3 里，呈井子形。新设县政府，还未按规划建设，1933 年日军占领林东县，不久撤销县置，并于巴林左翼旗。日伪时期，将林东改为林东街，街城有东、西、南、西南和东南等 5 个城门，北因靠山，未设门。城内形成 5 条土路街道，分别为头道、二道、三道、四道和五道街。街道的称呼，与昭乌达盟其他城镇，比如赤峰和林西基本相同，反映了这一带移民、开垦行为的一致性。5 条街道中，头道街为最长，其余 4 条均为半趟街。土改时期，五条街道被改名为民主、胜利、解放和民生等 4 街，但是旧用街名，如二道、三道、四道等街，直到 20 世纪 70 年代仍沿用。[①]

（二）天山

1926 年在阿鲁科尔沁旗境内设天山设治局，隶属热河特别区。设治局所在地初在西拉木伦河支流乌力吉木伦河北岸宝善寺，借驻寺庙房屋。第二年，因地势不便迁至乌力吉木伦河北岸、天山南麓之查干浩特。该地以山名命名之，有佛寺名查布杆庙（达成寺，清康熙年间始建），因而又称查布杆庙。1932 年，天山设治局改为天山县，县署规划建在查布杆庙附近。1933 年热河沦陷，伪满政府撤销天山县建置，在昆都建立阿鲁科尔沁旗公署。同时，将天山街改名为查布杆庙街，在原来的规划基础上，进行了一些建设。当时，主要街道有 5 条，分别为兴隆街、正阳街、安乐街、修身街和正直街。

（三）鲁北

1924 年在扎鲁特旗左、右 2 个旗境内设鲁北设治局，并在腾格林河右

---

① 《巴林左旗志》编辑委员会编：《巴林左旗志》，内蒙古人民出版社 1996 年版，第 279—285 页。

岸海里根图修建鲁北，[1] 为设治局治所。1932 年设治局改为鲁北县。1933 年，日伪撤销鲁北县，1935 年，将扎鲁特左、右 2 个旗合并为扎鲁特旗，旗府所在地为鲁北，被改称鲁北街。

（四）通辽

通辽位于西拉木伦河右岸，原属科尔沁左翼中旗（又称达尔汗王旗）卓里克图亲王领地，旧名巴林塔拉，蒙古语（Baɣarin tariy-a），意巴林的庄稼。

光绪末年，卓里克图亲王为了争夺王位，耗费巨资。从 1912 年开始便拟将东起巴林塔拉，西至爱新庙的牧场出放，以资还债。这一年巴林爱新荒务局初设于郑家屯。1912 年，开始丈放巴林爱新荒，同年选定巴林塔拉为镇，并划定镇基。但是，新划定的镇基被荒务局官员高价出售，商人纷纷抵制，无人承领。乘机购置大片土地的军阀、官僚、富商大贾等在新辟城基东北 1 里外的地方另开井字形市街，兴造街基，称做小街基。从此引发官、私两街的争夺。官街，又被称大街基。私街被称小街基，"有土筑城壕，周围六里"，有东西街 3 条，名 "景星、庆云、兴通"，土城开东门 2 道。[2] 1914 年，在巴林塔拉设立设治局，同时改称通辽镇。这一年，设立在郑家屯的巴林爱新荒务局迁入通辽。

1915 年，私街遭水灾，商户不得不迁居官街。1916 年，通辽 "商民为防匪，自行捐款，四围修筑土城，分列 8 门"。[3] 通辽镇 "地方重要，辖境扩充"，四郑铁路修通之后，便成为哲里木盟各蒙旗和奉天之间的出入孔道。

1915 年后，便大修街基，建烧锅，开商号，如吴俊升修了街道两旁的大瓦房，号称 "吴家大瓦房"。1918 年设通辽县。同年，分别设立在钱家店（奉天丈放左翼中旗河南北荒务局设立于 1916 年）和必力滚屯（左翼中旗河南北荒务局，设立于 1916 年）的两个垦务局迁入通辽。通辽镇内早已呈

---

[1] 都瓦萨主编：《扎鲁特史话》，内蒙古人民出版社 1989 年版，第 28 页。鲁北名称，据传与开鲁有关，意开鲁之北。开鲁是在扎鲁特左、右 2 个旗和阿鲁科尔沁旗境内所设第一个地方行政建置，鲁北则是继开鲁之后的又一个新建置。

[2] 参见王树楠、吴廷燮、金毓黻，等纂修：《奉天通志》卷 87 之《建置·城堡》，东北文史丛书编辑委员会 1983 年点校版。

[3] 辽宁省档案馆档案，全宗号 JC10，案卷号 247 "辽源县知事陈述'中日南满洲及东部内蒙古条约'与辽源的关系及设立通辽县"。

现"房屋栉比，街市繁兴，商贾云集"的繁荣景象。① 以镇名为县名。②

1919 年，由辽源到通辽的郑通铁路修通，1922 年建车站。同年又堵修河堤。1922 年通辽县开始试办区村制，将全县分成 8 个区，共辖 45 个村，1923 年城内架设电灯，市面更加繁荣。1927 年修通大虎山到通辽的打通铁路。

这一时期通辽的大街基快速扩张，"全城周围十七华里，东西大街五，曰中街、南大街、北大街、南顺城街、北顺城街，各街长五华里半宽四丈，南北大街六，曰永福大街、老商会街、薪金福大街、电话局街、同源久街、西顺城街，各街长三华里宽四丈，大街宽六丈。门四，曰大南门、大东门、大西门、大北门，均土筑周围有城壕，底宽二丈，高一丈。"③ 大街基和小街基相互连接，成为一体。《奉天通志》称"本县地势，据西辽河北岸，平原沃野，铁路中贯，东接四洮，南连大同，西越蒙旗，为往来热河开鲁要道，俨然东蒙都市。"④ 铁路线东西横亘在城以南，郑通路车站在大南门外，大通路车站在大东门外。县署和警察所等重要官署集中在北大街。⑤

在日伪时期街基本未动。主要大街有 3 条，即南大街、中大街、北大街，其中南大街为最繁华，是商业集中的街道，中、北大街也较其他街道繁华。1948 年前为 16 个街，1948 年 12 月调整为 12 个街。

（五）王爷庙

王爷庙在科尔沁右翼前旗境内。1691 年（清康熙三十年），科尔沁右翼前旗（札萨克图旗）第三代郡王鄂齐尔修建家庙，清廷赐匾额为"普惠寺"，对王爷家庙仍称之为王爷庙，亦把该庙所在地称为王爷庙。20 世纪 20 年代，渐渐有固定的住户，但在 1928 年以前仅仅住有 20 余户人家。

1928 年，奉系军阀在洮安设立兴安区屯垦公署，翌年，在王爷庙成立

① 辽宁省档案馆档案，全宗号 JC10，案卷号 247 "辽源县知事陈述 '中日南满洲及东部内蒙古条约' 与辽源的关系及设立通辽县"。

② 参见王树楠、吴廷燮、金毓黻，等纂修：《奉天通志》卷 87 之《建置·城堡》，东北文史丛书编辑委员会 1983 年点校版。

③ 参见王树楠、吴廷燮、金毓黻，等纂修：《奉天通志》卷 87 之《建置·城堡》，东北文史丛书编辑委员会 1983 年点校版，该志原文东西大街只记四条，北顺城街由笔者补充。

④ 参见王树楠、吴廷燮、金毓黻，等纂修：《奉天通志》卷 66 之《疆域·各县疆域》，东北文史丛书编辑委员会 1983 年点校版。

⑤ 参见王树楠、吴廷燮、金毓黻，等纂修：《奉天通志》卷 90 之《建置·廨署》，东北文史丛书编辑委员会 1983 年点校版。

第一垦殖局，王爷庙曾改称兴安镇（又称怀远镇）。这一时期，洮索（洮安至索伦）铁路修建，1931 年铺轨至王爷庙，1934 年，建立王爷庙火车站。

1929 年，由兴安屯垦公署编制兴安镇城市规划。规划城区面积 7 平方公里，为棋盘式布局。全城南北长 2 433 米，东西宽 2 886 米，四周设 133 米宽防风林带。市区分为市内、市外。市内中心为行政区，四隅为公用地。大小街道将市区划分为边长 150 米的小方块 213 个，每个小方块划分 8 个街基号，共 1 704 个。[①] 之后，不过数年，住户增至 952 户，人口达 4 633 人。[②] 由于便利的交通条件，王爷庙逐渐发展成为农产品集散地。1935 年，伪兴安南省省会迁入王爷庙，后改称兴安街和王爷庙街。1946 年，王爷庙成为东蒙古自治政府和兴安盟政府所在地。1947 年 5 月，内蒙古自治政府成立，成为首府。12 月，王爷庙升为市，改称乌兰浩特市。

（六）扎兰屯

清代，扎兰屯是西布特哈总管管辖之地。1916 年，设济沁河稽垦局和扎兰屯稽垦局，1926 年被合并成雅鲁设治局，治所在扎兰屯。1929 年，设治局改为雅鲁县。日伪统治时期，雅鲁县被撤销，在扎兰屯设置布特哈左翼旗，在博克图设置布特哈右翼旗。后上述 2 个旗被合并为布特哈旗，旗治所仍为扎兰屯。

第四节 内蒙古地区城镇的各种功能

一、行政建置

内蒙古城镇的出现和发展，不管是在清代还是在民国年间，大多与地方行政建置有关。少数城镇的兴起，虽然开始时其宗教中心或者商贸中心、军事中心地位较为突出，但在当地人口不断聚集的过程中，政府相继也派官设治，被确立政治中心地位。

---

① 乌兰浩特市情编纂委员会编：《乌兰浩特市情》，内蒙古人民出版社 1989 年版，第 369 页。

② ［日］小泉吉雄：《停滞的东部内蒙古社会及其经济实情》（日文），载《满铁调查月报》第 14 卷第 8 号，第 1—16 页。

　　民国时期内蒙古农耕区域的地方行政建置，主要为县（见表 20-1）。县是地方行政体系中的基层组织，民国沿袭清制。那些设立在内蒙古农耕区域的县，经历了从无到有，从小到大的过程。大部分县是由原有府厅州改设，一小部分则属新设。这样，各县城就逐渐发展成为该地方的政治中心。

　　内蒙古的城镇呈现出不同特点。一是，设县以前在当地早就是中心市场，交通方便，商业较有起色。另一是设县时只求选择一个较好的适中城基，可能原住人户甚少或荒无人烟。在被勘测为城基之后，人户剧增，发展迅速。

表 20-1　民国时期内蒙古各县

县　名	设置年	所在地	原建置或所属旗地	备　注
赤峰县	1778 年 （清乾隆四十三年）	乌兰哈达	翁牛特右翼旗地，由乌兰哈达厅改设，1908 年（清光绪三十四年）升为州	1913 年由赤峰州改为县
醴泉县	1909 年 （清宣统元年）	醴泉镇	科尔沁右翼中旗地	1914 年改为突泉县
绥东县	1908 年 （清光绪三十四年）	小库伦	奈曼、喀尔喀左翼旗、锡埒图库伦喇嘛旗地	1935 年被撤销，并入库伦旗
林西县	1908 年	林西	巴林左、右翼旗地	
开鲁县	1908 年	开鲁	扎鲁特左、右翼 2 个旗和阿鲁科尔沁旗地	
归绥县	1913 年	归化城	归化城土默特旗地	由归化城厅和绥远城粮饷同知合并而成
萨拉齐县	1912 年	萨拉齐	归化城土默特旗地	由清代所设萨拉齐厅改设
和林格尔县	1912 年	和林格尔	归化城土默特旗地	由清代所设和林格尔厅改设
清水河县	1912 年	清水河	归化城土默特旗地	由清代所设清水河厅改设
托克托县	1912 年	托克托	归化城土默特旗地	由清代所设托克托厅改设
丰镇县	1912 年	衙门口	察哈尔右翼旗地	由清代所设丰镇厅改设
凉城县	1913 年	哈尔图	察哈尔右翼旗地	1912 年改宁远厅为宁远县，次年改称凉城县

（续表）

县 名	设置年	所在地	原建置或所属旗地	备 注
武川县	1912 年	可可以力更	归化城土默特、乌兰察布盟四子部落、茂明安、喀尔喀右翼等旗地	由清末所设武川厅改设
五原县	1912 年	隆兴长	归化城土默特、伊克昭盟达拉特、杭锦旗和乌兰察布盟乌拉特旗地	由清末所设五原厅改设
兴和县	1912 年	二道河	察哈尔右翼旗地	由清末所设兴和厅改设
陶林县	1912 年	科布尔	察哈尔右翼旗地	由清末所设陶林厅改设
东胜县	1912 年	板素壕	伊克昭盟鄂尔多斯左翼中旗、右翼前末旗地	由清末所设东胜厅改设
多伦县	1913 年	多伦诺尔	察哈尔左翼旗地	由多伦诺尔厅改设
经棚县	1914 年	经棚	克什克腾旗地	1933 年撤销，1946 年恢复，1948 年撤销
突泉县	1914 年	突泉	科尔沁右翼中旗地	由醴泉县改，1949 年由辽北省划归兴安盟
开化（瞻榆）县	1915 年	开化	科尔沁右翼中旗地	
通辽县	1918 年	巴林塔拉	科尔沁左翼中旗地	
张北县	1914 年	张北	察哈尔左翼旗地	1914 年由清雍正年间所设张家口厅改设
沽源	1915 年	小河子	察哈尔左翼旗地	1913 年由清雍正年间所设独石口厅改为独石县，1915 年改名
商都县	1918 年	七台	商都牧群、牛羊群及察哈尔右翼正黄旗地	由 1917 年所设商都设治局改设
宝昌县	1925 年	宝昌	太仆寺左、右翼牧群、察哈尔左翼正蓝、镶白旗地	由 1917 年所设宝昌设治局改设
康保县	1925 年		察哈尔左翼正白、镶黄旗地、太仆寺左翼牧群地	由 1922 年所设康保设治局改设
尚义	1936 年	南壕堑	察哈尔旗地	由 1934 年所设尚义设治局改设
崇礼	1936 年	西湾子	察哈尔左翼 4 旗地	由 1934 年所设崇礼设治局改设
呼伦县	1920 年	海拉尔	新巴尔虎左翼旗地	伪满时期撤销

（续表）

县 名	设置年	所在地	原建置或所属旗地	备 注
胪滨县	1920 年	满洲里	新巴尔虎左翼旗地	伪满时期撤销
室韦县	1920 年	吉拉林	额尔古纳左、右旗地	伪满时期撤销
奇乾县	1921 年	奇乾	额尔古纳左、右旗地	由 1920 年所设奇乾设治局改设,伪满时期撤销
雅鲁县	1929 年	扎兰屯	西布特哈旗地	由雅鲁设治局改设,1932 年被撤销
集宁县	1922 年	平地泉	察哈尔右翼旗地	由 1921 年所设平地泉设治局改设
包头县	1926 年	包头	归化城土默特旗、乌兰察布盟乌拉特前、后 2 旗与伊克昭盟达拉特旗地	由 1923 年所设包头设治局改设
临河	1928 年	临河	乌兰察布盟乌拉特旗地	由 1926 年所设临河设治局改设
固阳	1926 年	固阳	乌兰察布盟乌拉特后旗、茂明安旗地	由 1919 年所设固阳设治局改设
天山县	1932 年	天山	阿鲁科尔沁旗地	由 1926 年所设天山设治局改设,伪满时期撤销
鲁北县	1932 年	鲁北	扎鲁特左、右 2 个旗地	由 1924 年所设鲁北设治局改设,伪满时期撤销
林东县	1932 年	林东	巴林左旗地	由 1925 年所设林东设治局改设,伪满时期撤销
索伦县	1932 年	索伦	科尔沁右翼前旗	由索伦设治局改设,1933 年后撤销
全宁县	1931 年	乌丹	翁牛特左旗地	由全宁设治局改设,1932 年撤销
乌丹县	1933 年	乌丹	翁牛特左旗地	1940 年撤销,1945 年恢复
宁城县	1932 年	小城子	喀喇沁中、右旗及平泉县属地	由宁城设治局改设,1940 年撤销,1946 年恢复

（续表）

县　名	设置年	所在地	原建置或所属旗地	备　注
化德县	1936 年	化德	商都、康保县、商都牧群及察哈尔左翼镶黄旗各部分属地	由化德设治局改设，日伪时期改为德化县，1945 年复为化德县
安北县	1937 年	大佘太	五原、固阳 2 县及包头部分属地	由 1931 年所改设安北设治局改
晏江县	1942 年	塔尔湖	五原县属地	
狼山县	1942 年	永安堡	临河县属地	
米仓县	1942 年	永济镇	临河县属地	
龙胜县	1945 年	卓子山	丰镇、凉城、集宁 3 县各部分属地	
武东县	1948 年		武川县东部属地	

　　民国时期，内蒙古的县，无论是原设旧县还是新设之县，都是开垦蒙地、移民不断流入的产物。一方面，对那些农耕区域和移民的统治需要，对城镇赋予了政治中心地位。城镇的政治中心地位，又促使该城镇成为所辖地区的商贸和文化教育中心，促进该城镇的多方面发展。如赤峰（乌兰哈达），清代前期仅仅是一处进行临时交易的集市地点，乾隆年间被视为适中之地，设厅后不久又改设县。赤峰不仅仅是管理翁牛特右翼旗广袤农耕区域的政治中心，而且逐渐发展成为农牧产品集散中心。民国时期，铁路开通，赤峰交通条件的改善使它发展成为远近闻名的大交易市场。另一方面，内蒙古农耕区域中，地方行政建置和城镇之间的互动关系，是显而易见的。也就是说，地方建置促进和推动城镇的发展，而城镇的不断扩大和发展，有助于地方行政建置更有效地发挥功能。

二、城镇经济的发展与变化

（一）商业贸易

　　商业与城镇有着不可分割的联系。美国中国经济史学者施坚雅认为："中国的居民点，不论其最初形成是作为首府所在地、军事驻地、宗教中心、采矿小镇还是制造中心，随着时间的推移，它们对周围腹地几乎总是会具有商业中心的作用。"① 内蒙古地域广阔，人口稀少，生产和消费量有限，交易市场不如人口密集地区那么繁荣。但是，当地的畜产品、大量的剩余农产品与内地的产品之间有很大的互补性，既有相当比例可提供交换的商品；又囿于自然和生产条件，许多生活必需品也仰赖于内地输入。

1. 商人及其组织

商人是内蒙古绝大多数城镇最早的居民之一。内蒙古各城镇市场上坐堂开店的坐商，同其他种类的移民一样，仍然以直隶、山东、山西等地人占多数。山西商人在金融业上掌握特殊实力，专门经营票庄、钱庄、当铺等，居于商业资本主的位置。相对而言，内蒙古东部地区各城镇商人，西部多直隶、山西商人，南部则多直隶、山东商人，而东部是从奉天、吉林等省转移进来的直隶、山东商人占多数。② 内蒙古西部地区各城镇的商人，以山西商人为多数，次为直隶商人。

在内蒙古的城镇中，商业交易和手工行业是最为活跃的领域，工商业领域内的非官方组织，成为城镇最早的、最普遍的社会组织。比如，归化城商业组织名目繁多，商贾"向有12行"之说。③ 归化城各行业所承担和发挥的社会功能涉及众多领域，主要有财政金融（通货、商帖的发行等）、商民诉讼、社会公益（卫生、道路桥梁、慈善等）。包头的工商组织的发起大约起于嘉庆年间。④ 清末民初，包头的各行各业空前发展，曾有9行之称。9行分别为皮毛、杂货、货店、油粮、六秤（米面）、蒙古、牲畜、钱、当。后在9行基础上，又发展成为11个公会。

2. 商铺

根据资本的多少和实力的厚薄，各城镇商铺可以分为两种，一种是内地大商铺设在蒙古地区的分店，另一种是专设于蒙古地区的商铺。只有拥有相

① 施坚雅：《城市与地方系统的层次》，见张仲礼主编：《中国近代经济史论著选译》，上海社会科学院出版社1987年版，第1—19页。

② 关东都督府编：《东部蒙古志》中卷（日文），关东都督府1914年印刷，第231—238页；[日]滨田纯一、[日]柏原孝久：《蒙古地志》中卷（日文），第1179页。

③ [清]张曾撰：《古丰识略》卷20《地部·市集》（抄本）："以行而计，不啻千百数矣。遇有公务则仍曰十二行，其余各以类附之，总其大者而言也"。

④ [日]今堀诚二：《中国封建社会的构造》（日文），日本学术振兴会1978年版，第34—35、508页。

当实力的内地商铺，总店设在内地，分店设在内蒙古各城镇，而且，有从内地运进货物的固定渠道。多数商铺则是以合伙或者独立出资形式，设铺于城镇。其中，除了少数资本雄厚的商铺之外，那些资本有限、实力微弱者往往从大商铺的货栈批发货物，再销售于蒙古各地。

商铺据其经营内容，又分粮店（也称粮栈）、盐店、茶庄、布店、杂货店等，但是内蒙古的商铺以多种经营为主。在内蒙古东部城镇中，粮店经营多项业务。因为粮店资金雄厚，不仅收购农产品，同时可以兼营其他行业。在城镇各种商铺当中，杂货店在数量上占优势。民国初年，经棚入会的30多家大商铺中就有12家是经营杂货或杂货兼营其他行业。同一时期，在赤峰有名可查的67家大商铺中，有27家杂货店，其中：乌丹各行当中为数最多的是杂货店，共有大小杂货店17家；林西各行各业中，较有实力的也是杂货店和烧锅，共有杂货店7家、烧锅4家。开鲁也有杂货店30家。①

商人在长期的经商过程中，根据蒙古地区的民族、地方特点，开设和组成一种特殊的、具有地方特色的商铺和行业。如归化城，有通词、西庄2业。前者专门由经营蒙古贸易的各商铺组成的行业组织，又称积金社或集锦社，民国年间被改称通词业、通译业或者外蒙公会，“本业系自行养驼，经营蒙古贸易，且介绍客商与蒙古人贸易之一种营业”②。后者又称新疆社，由经营新疆、甘肃等西路贸易的各商铺组成。

（二）金融机构和货币

金融机构是伴随着商品经济的发展而产生发展的。内蒙古各城镇随着商品经济的不断发展，城镇商业功能日益完备，金融机构在不同时期具有不同形式的发展。

1. 旧金融机构

在近代意义的金融机构银行出现之前，在城镇经济生活中发挥汇兑、借贷作用的是旧金融机构，即票号、钱铺、账局和当铺等。

票号：也称票庄、汇兑庄，由清初起步，初始阶段经营者几乎全系山西

---

① 满铁调查课编：《东部内蒙古调查报告》第2卷（日文），满铁调查课1914年印刷，第111—114、160—162、176—177、181、186页。

② 参见樊库主编：《绥远省分县调查概要·归绥县》，绥远省民众教育馆1934年铅印本。

人，总号均设于山西，所以通称山西票号。主要经营汇兑，并兼营存款、放款业务。在内蒙古各城镇当中，只有归化城、多伦诺尔[①]、赤峰等少数城镇有实力较厚的山西票号。归化城票号有"平遥帮、祁县太谷帮之分，专营汇兑"[②]。据民国初年日本人的调查，当时赤峰有票庄6家。[③]

钱铺：又称钱庄、钱店。钱铺在金融领域内经营贷款、存款、汇兑和发放钱票等业务。清末民初，商业活跃的城镇中均设有钱铺。如赤峰有9家，经棚有4家。多处钱铺发行钱票，即帖子，补充货币的缺乏。[④] 各钱铺有关人员在规定的地点和规定的时间里聚集在一起，讨论、决定各种货币交换的标准，这一活动叫做开市或银市。赤峰9家钱铺当中出钱票者有7家，在二道、三道街设银市2处，每日开盘3次。[⑤] 海拉尔和满洲里由于地理位置偏远，钱铺的汇兑范围大，海拉尔的兴盛昌、九安两大钱铺的汇兑远可达其他省区。[⑥] 再如包头，光绪年间开设的4家钱庄有宝昌玉、懋和元、德中庸、广顺恒，直至1930年该4家钱庄照常营业。[⑦]

当铺：中国典当业有着悠久的历史。清代当铺以经营高利贷性质的抵押放款为主，抵押品大多为实物，诸如金银饰物等。农民和城市贫民往往以粮食和衣物抵押。此外当铺还经营信用放款、存款、货币兑换等业务，甚至发行银票和钱票，并兼营其他买卖。如赤峰有当铺3家。[⑧] 海拉尔和满洲里的当铺"外形均系高墙厚壁，内设之柜台较任何商号为高"。[⑨] 这是一种安全设施，但也可以看做特殊实力和财力的标志。各城镇的当铺，除了本业务——典当业务在各地拥有相当的市场之外，在地方金融领域中也常发挥重要作用。它们与有实力的商家一同承担并完成该地金融机构的借贷、汇兑等许多

---

① 南满铁道株式会社社长室调查课编：《满蒙全书》（日文）第5卷，满蒙文化协会1921年印刷，第259页。

② 郑植昌修，郑裕孚纂：《归绥县志·经政志·金融》。

③ 满铁调查课编：《东部内蒙古调查报告》（日文）第2卷，第160页。

④ 关东都督府编：《东部蒙古志》（日文），中卷，关东都督府1914年印刷，第160、111页。

⑤ 冯诚求著：《内蒙古东部调查日记》第四编《自喀喇沁府至赤峰》，吉长日报社1913年铅印。

⑥ （苏）阔尔玛佐夫著，东省铁路经济调查局编：《呼伦贝尔》（汉译本），第230—231页。

⑦ 《包宁铁道沿线经济事情概况》，载《满铁调查月报》第13卷。

⑧ 冯诚求著：《内蒙古东部调查日记》第四编《自喀喇沁府至赤峰》，吉长日报社1913年铅印。

⑨ （苏）阔尔玛佐夫著，东省铁路经济调查局编：《呼伦贝尔》（汉译本），第230—231页。

业务。①

在东部各城镇里，烧锅在金融领域内也占有一席之地。为了从农家收购原料，以秋收后的粮食为抵押，向农民借贷钱物，充当发放贷款的金融机构。

2. 新的金融机构——银行

鸦片战争后，外商银行随着西方资本主义的入侵而出现在中国，而中国自办银行起步较晚、发展缓慢。1897 年（清光绪二十三年），由清朝官僚盛宣怀创办了中国第一家新式银行中国通商银行之后，在各地陆续出现了许多银行，形成了新旧金融机构并存的局面。

与内蒙古具有密切关系的银行有中国银行、中国交通银行、黑龙江广信公司、东三省官银号、热河兴业银行、绥远平市官钱局、绥远丰业银行等。

中国银行，创办于 1905 年（清光绪三十一年），原名户部银行，1908 年（清光绪三十四年）改名为大清银行，1912 年又改名为中国银行；中国交通银行，创办于 1908 年，由清政府邮传部在北京设立；黑龙江广信公司，设于 1905 年，总行设在齐齐哈尔；东三省官银号，于 1908 年由奉天官银号改设；热河兴业银行原名热河官银号，1917 年与热河公益钱局合并，改名为热河兴业银行。绥远平市官钱局成立于 1920 年，由绥远财政厅主办。绥远丰业银行，成立于 1920 年，是一所商办银行。

这些银行通过在大小城镇设立分支机构，使内蒙古各城镇出现了新的金融机构，引入了新的金融秩序。其中东三省官银号是在各城镇中设立分行（号）较多的银行之一，如海拉尔设有分号。中国交通银行则在赤峰、多伦诺尔、归化城、包头等城镇设立分行，中国银行在海拉尔、满洲里、归化城、包头等地设有分支机构。广信公司、热河兴业银行等地方性银行的分行多设在周围地区，如海拉尔、满洲里设有广信公司分行，赤峰设有热河兴业银行。绥远平市官钱局总局设在归化城，在西部各城镇，比如包头、萨拉齐、丰镇、托克托、清水河等地均设有分局。各银行的业务大体包括普通银行的各种业务，即汇兑、贷款、存款等，部分银行还发行货币。此外，满洲

---

① 关东都督府编：《东部蒙古志》（日文）中卷，第 588 页。

里的中国银行业务与它处有所不同，专门代收海关税款。①

总之，不管是全国性大银行，还是地方小银行，它们在各城镇的设立及其业务的开展对各城镇的金融业带来了新的活力和新的秩序，对城镇商业和金融业，发挥了具有近代意义的作用。但是它们毕竟居少数、普及面窄，并且自身带有初创时的经营不完善等不足，所以还不能完全统领金融市场，只能与旧的金融机构相互并存。如归化城新旧金融机构并存时期的情况，在《绥远通志稿》有较为客观的记载："即在九年（1920年）官钱局成立以后，具有发行代币券之权。而钱行以历史悠久，一切习惯、商例，积重难返。银钱行市涨落，均随宝丰社为转移。官钱局在金融上略尽调剂之责而已。"②

3. 货币种类和流通

货币的产生是与商品交换紧密联系在一起，并随着商品经济的发展而流通范围不断扩展。一方面，随着内蒙古各城镇商业活动的繁盛，流通市场的货币种类越来越多，流通范围日益扩大。另一方面，从西部包头、归化城至东北部的海拉尔，内蒙古各城镇商业范围与山西、京津、直隶、东北三省有着千丝万缕的联系，甚受上述各地货币流通影响。

民国初年，归化城市面通用"银圆、小角、铜圆、制钱及张家口与本地中、交银行所出之钞票，以及本地所出之一种钱票"。③绥远平市官钱局成立之后，该局发行的银圆票和铜圆票通用于市场。而"萨、托、包头各地人民普通行使尤以铜钱为主，商号发出凭帖，常以巨额现钱储存本号，准备兑收，积数百吊为1垛，鸹曰钱锭。各商堂前室内，钱锭累累，固以昭示信用"。④1917年、1918年之后，制钱日少，铜圆日多，物价日昂。在包头金融行业中，实力雄厚的粮店占据重要地位。清末民初，粮店所发行的凭帖，不仅在包头市场上大量充当货币，而且在萨拉齐、五原以及农村广为流通。⑤

---

① 万福麟监修，张伯英总纂：《黑龙江志稿》卷21之《财赋·钱币》。
② 绥远通志馆编纂：《绥远通志稿》卷38《金融》，1936年稿本。
③ 林竟：《蒙新甘宁考察记》，甘肃人民出版社2003年版，第19页。
④ 绥远通志馆编纂：《绥远通志稿》卷38《金融》，1936年稿本。
⑤ ［日］今堀诚二：《中国封建社会的构造》（日文），日本学术振兴会1978年刊，第38页。

多伦诺尔在中东部各城镇当中，是流通货币种类较多的地方。货币流通情况与张家口大体相同，有"银块、银圆、老钱（一厘钱）、钱票"4种。[1]以赤峰为中心的地区，以京津、直隶货币为主，有铜货、银货等多种货币。其中，有旧的货币，即制钱，也有银行发行的新币。此外还有当地发行的钱票，称哈达票（又称街帖），其流通范围在喀喇沁王府以北地区。[2]民国初年，在赤峰市面流通的货币额有银圆、铜圆、制钱共10万元左右、交通银行票约50万元、各钱铺发行的钱票（哈达票）约50万元，总货币数额达110万左右。[3]因货币不同而计算也复杂多变。民国初年，赤峰的货币计算用3种办法，第一是现洋，大洋1元值3吊980文，小洋1元值3吊200文；第二是交通票，1元值3吊30文；第三是哈达票，1元值2吊600文。日本旅行者曾非常生动地描述了赤峰货币流通情况："（货币兑换）每五天变一次，所以买东西时，如果只听到1元，却不知道对方说的是哪种1元，没有明白卖主指的是街帖（即哈达票），而付小洋1元，就当即损失600文。走在街上也经常听到买卖双方的'听说是街帖四角，而不是交通票四角，若不是那样就不买'等争论。"[4]赤峰是东部内蒙古重要的商业中心，这里的货币流通情形，一定程度上反映了周围小城镇的货币流通概况。

以通辽为中心的东部和以海拉尔、满洲里为中心的北部地区主要流通奉天、吉林、黑龙江3省的各种货币。东三省银钱种类"有现银，有帖银，有过炉银，有大小银圆，有铜圆，有制钱，有中钱，有东钱，有过码钱，有屯帖"等。主要的有吉林永衡官银号发行的官帖、奉天小银圆票和东三省官银号、黑龙江广信公司发行的各种钱币等。

总之，从各城镇货币流通的大体情况看，有两种明显的特点。一是多种货币同时流通，二是具有地方性。货币的多种多样，显然与各地金融机构有直接关系。部分城镇设立银行分行，该市场上就使用和流通银行所发行的货币。大部分城镇则没有设立银行等新的金融机构，市场上流通的则是从大城

① 剑虹生：《多伦诺尔记》，载《东方杂志》第5卷第10号。
② 关东都督府编：《东部蒙古志》（日文）中卷，第435页。
③ ［日］星武雄：《东蒙游记》（日文），东亚图书株式会社1920年版，第69页。
④ ［日］星武雄：《东蒙游记》（日文），第58—59页。其意为若按小洋1元值3吊200文，即3 200文，按哈达票1元则值2吊600文，即2 600文，所以，若付小洋1元就损失600文。

镇流入的货币，或者是充当金融机构的钱铺等所发行的帖子（街帖）。货币的地方性，取决于该地商业贸易势力和邻近各省各地的商业、金融影响。

（三）内蒙古地区自开商埠

在西方列强的侵略压力下，中国政府从清光绪二十四年（1898年）起，主动对外开放了多处通商口岸，这些口岸被称做为寻求自主自立的"自开商埠"，构成了区别于"条约口岸"的一种新的商埠类型。① 在这一潮流中，内蒙古在民国初年开辟赤峰、多伦诺尔、归化城、包头等城镇为商埠。加上清末所开海拉尔、满洲里，商埠数达6个。

内蒙古自行开辟商埠，有其政治、经济等多方面的原因。清末民初，在外国侵略势头之下，内蒙古局势日益严峻。有些官员认为：内蒙古部分城镇不仅在政治、经济等方面具有举足轻重的地位，而且地理位置优越，交通方便。如果自动开为商埠，一是可以使国家获取一笔可观的财政收入，二是有利于保护本国工商业，可减轻在国际竞争中面临的压力。

地处边疆要地呼伦贝尔的满洲里和海拉尔的开辟商埠时间也较早，海拉尔商埠开辟于清光绪三十三年（1907年），商埠地点选定在海拉尔"北门外关帝庙前附近隙地，东至依敏河，西至西土山根，长约七里；南至商市北门外，北至东清铁路新街，宽约一里"②。满洲里商埠开辟于清光绪三十四年（1908年），商埠地点定在满洲里车站西南，"长约四五里，宽约三四里"③。

赤峰和多伦诺尔商埠开辟于1914年。赤峰开辟商埠及选择商埠地点经历了一番议论。④ 最后商埠地点勘定在距赤峰县城北一里余以外的锡伯河北岸，"东界红山，南界县治，西界银河，北界招苏河"，"面积东西长四千三百二十弓，计十二里，南北长九千弓，计二十五里，全面积十六万二十亩，计三百方里"。⑤ 作为管理商埠的行政机构在赤峰县公署内设开埠局，由县

---

① 杨天宏：《口岸开放与社会变革——近代中国自开商埠研究》，中华书局2002年版，第1页。

② 万福麟监修，张伯英总纂：《黑龙江志稿》卷40之《交涉·通商》，台湾《中国边疆丛书》1965年影印本。

③ 万福麟监修，张伯英总纂：《黑龙江志稿》卷40之《交涉·通商》，台湾《中国边疆丛书》1965年影印本。

④ 《热河赤峰县调查商埠情形及奉天省城商埠局简章》，辽宁省档案馆馆藏档案，全宗号JC10，案卷号3705。

⑤ 卓宏谋著：《蒙古鉴》，1923年铅印本，第386—387页。

知事兼任开埠局长。

民国初年，日本侵略势头日益严峻。北洋政府被形势所迫，在内蒙古东、中部相继开辟洮南、辽源为商埠。洮南商埠于1914年开辟，先定"洮南城东南，南北三里东西三里，计九方里"，后改为"南北三里东西四里，计十二方里"①。洮南开辟后，出现"洮南既开，辽源自无不开之理"② 的议论。有人提出：辽源"为东部内蒙古重镇"，"上年（1915年）日本派驻军队以后明察暗探踵接于途，商旅侨氓肩摩于市，其经营内蒙之计划书称为'天府奥区，东方宝库'"。在《中日满蒙新约》中日本又获得"在东部合办农业及附随工业"③ 的特权。1917年决定，"辽源商埠拟设在县街东面……南北长约八里余，将来铁道修成，水陆交通最为便利"，"划定界内均作为中国人、外国人公共通商场，四址竖立界石，凡有约各国均准在该处设立照料商务之官员，各国商民均准在界内任便往来，照章租地，建造屋宇栈房，与中国人一体居住贸易。"④

归化城是内蒙古西部开辟的第一个商埠。于1914年与赤峰等城镇一起开为商埠。其初商埠地点勘定将归化、绥远2个城划入界内，但是"将来管理、征税恐种种权限不清"而另勘界址，"东界绥远城东南郊，南界双树村西界、归化城东关外，北界绥远城西北郊。面积南界东西长二千二百八十弓，计八里；北界东西长一千八百弓，计五里。东界南北长一千零八十弓，计三里，西界南北长二千一百六十弓，计六里。合计全面积二万二千七百二十亩，计三十九方里"⑤。

包头商埠开辟于自开商埠这一全国性举动进入后期的1921年。正在当年，平绥铁路开始由归绥延修，1923年修至包头。对包头城镇的影响来说，铁路的修通，远比开商埠要深远。何况对当时的决策者来说，开商埠一事已经变成形式。有关包头商埠零散而少见的记载，无疑也反映了当时的这一实际情况。

----

① 《洮南胡卢岛锦州开埠情形》，辽宁省档案馆馆藏档案，全宗号JC10，案卷号3706。

② 《辽源县情形之调查》，内蒙古图书馆手抄本。

③ 《辽源开办商埠事项》，辽宁省档案馆馆藏档案，全宗号JC10，案卷号3702。

④ 《辽源开办商埠事项》，辽宁省档案馆馆藏档案，全宗号JC10，案卷号3702。

⑤ 卓宏谋著：《蒙古鉴》，1923年铅印本，第359—360页。

总之，自开商埠分布在内蒙古东西南北的广袤空间之内。这些商埠地点，有的划定在城镇里，有的则在原来城镇的近旁另开商埠区。总体而言，对商埠没有进行过全面、认真规划，最多在商埠区划分街道和路线等而已。这些商埠，不管是否产生过积极作用，但有一点可以肯定的是，通过商埠的规划和开发，至少对原来城镇起了扩大规模的作用。比如赤峰商埠，受到当局重视，进行了比较认真的规划，也采取了一些实际措施。其中值得一提的是，1914年，勘定商埠地点之时，绘制一幅从未有过的赤峰街市地图，为后人留下了较有价值的资料。

三、交通条件的改善对城镇发展的影响

从光绪初年起，中国开始修建铁路，但大规模的修建是在光绪末年。与内蒙古东部毗邻的东北地区，这种近代意义的交通工具的出现，还略早于内地的发达地区。从清末至民国初年的十数年间修筑的数条铁路，使原有道路交通格局发生很大变化，对内蒙古城镇的发展和变化，产生了直接或间接的影响。

（一）中东铁路

1891年、1892年（清光绪十七、十八年），沙俄分别从海参崴（符拉迪沃斯托克）和车里雅宾斯克开始对向修建横贯西伯利亚的大铁路。1893年（清光绪十九年），沙俄拟定将这条大铁路穿过中国东北领土，直达太平洋港口海参崴。1896年（清光绪二十二年），签订《中俄密约》，沙俄攫取在中国东北修建铁路的特权。1898年（清光绪二十四年）该铁路开始动工，并于1903年（清光绪二十九年）开始通车。该铁路名东清铁路，在中国东北领土上的铁路全线由滨洲（绥芬河至满洲里）干线和南满（从哈尔滨至大连、旅顺）支线组成，西起满洲里，中经哈尔滨，东至绥芬河，南抵大连、旅顺，全长2 595.5公里。形成贯穿吉林、黑龙江、奉天及内蒙古东部的铁路网线。滨洲干线横贯呼伦贝尔、东经西布特哈、杜尔伯特旗、郭尔罗斯后旗，是在内蒙古东部经过路线最长，设站最多的铁路线。在呼伦贝尔境内共设10余站，从西往东分别为满洲里、扎赉诺尔、察冈、赫尔洪得、完工、乌古诺尔、海拉尔、哈克、扎拉木德、牙克石、免渡河、乌诺尔、伊立克都站、兴安等。其中满洲里和海拉尔定为二等车站，完工、哈克、扎拉木

德、免渡河、伊立克都等定为四等车站，其余均定为五等车站。在布特哈境内设有博克图、哈利古尔沙厂、雅鲁、巴林、哈拉苏、扎兰屯、成吉思汗等车站。其中博克图定为二等车站、扎兰屯定为三等车站，其余均定为五等车站。[①] 在杜尔伯特和郭尔罗斯后旗境内设有烟筒屯、小河子（东克什克）、喇嘛甸子、萨勒图、安达、宋站、蒙古站等，[②] 安达定为三等车站，而其余均定为五等车站。

该铁路从哈尔滨至长春的南部支线经郭尔罗斯前旗，设有陶赖昭、窑门、卜海、木沙子、长春等车站。其中除了长春定为一等车站、窑门定为三等车站外，其余3站均定为四等车站。

南满铁路是东清铁路的一部分，在日俄战争中，沙俄战败后将其转让给了日本。该铁路从长春至昌图一段，穿过郭尔罗斯前旗、科尔沁左翼中旗和科尔沁左翼后旗等3个蒙旗，其间所设车站有18处，重要的有长春、范家屯、公主岭、四平街、双庙子和昌图等车站。

上述三等以上的车站，在原有基础和铁路交通的推动之下，规模扩大，人口增多，发展迅速。

（二）京奉铁路

京奉铁路始修时间早在19世纪70年代。从1877年（清光绪三年）始修唐（唐山）胥（胥各庄）铁路，直至1911年（清宣统三年），才修完新民屯至奉天路段，工程共历30余年，北京至奉天的铁路线终于全线完工通运。该铁路线虽然没有直接经过内蒙古，但从山海关至锦州、新民屯和奉天这段路线，由于所经地区距卓索图盟和哲里木盟各蒙旗较近，而且，修至奉天再与南满铁路衔接，这样便成为连接奉天、甚至整个东北地区与关内的最重要的铁路线。不仅使上述2个盟从南往北的建昌、朝阳、阜新、小库伦、彰武、康平等离该铁路较近的各城镇，易于利用铁路交通，而且离铁路较远的赤峰等城镇，也将货物输出和输入转向了锦州和奉天。

---

① 万福麟监修，张伯英总纂：《黑龙江志稿》卷37之《交涉·路权》，台湾《中国边疆丛书》1965年影印本。

② ［日］滨田纯一、［日］柏原孝久编：《蒙古地志》（日文）中卷，富山房1919年版，第1513—1515页。

（三）京包铁路

20世纪初筹备修铺。从北京至包头，分4个路段。北京至张家口路段于1905年（清光绪三十一年）动工，1909年（清宣统元年）告竣，长198.79公里。1909—1915年间，修张家口至丰镇路段，长226.81公里。丰镇成为内蒙古西部最早开通铁路的城镇。丰镇至归绥路段修于1919—1921年间，长240.35公里。归绥至包头路段修于1921—1923年间。[①]该铁路横贯察哈尔右翼旗和归化城土默特旗地，经丰镇、归绥、萨拉齐等至包头，大大改善了西部城镇的交通、运输条件，形成了以铁路为中心路线的交通运输网，同时使陆路与黄河航运得以连接。不仅察哈尔右翼各旗、归化城土默特旗以及各县处于该交通网内，而且乌兰察布、伊克昭2个盟各旗以及各县也多依赖此路线。铁路的开通，使黄河上、中游航运与铁路运输相结合，使内蒙古西部和青海、甘肃、宁夏等各省土特产品能够迅速、大量地运往各方市场。

（四）四郑铁路

1917年，北洋政府向日本正金银行贷款500万元，修筑四郑铁路，1918年全线开通。该铁路自南满铁路的四平街站，至郑家屯，全长近88公里。全线共设36站，其中四平、八面城、三江口和郑家屯等均属较大车站。四郑路通车之后，日本又要求把四郑路向西延长到白音太来（通辽），向北延长到洮南。郑通支线在1921年竣工，长约115公里，是直接通往内蒙古境内的又一条铁路线。郑洮路段约224公里，1923年竣工。四郑铁路展至洮南通车以后，改名为四洮铁路。四郑—郑洮铁路开通之后，东北地方当局委托中日合办的东亚公司，于1925年开始修建四昂铁路。该路总长220.1公里，从洮南向北经洮安、东屏、泰来，跨嫩江至北距东省铁路昂昂溪站9公里的三间房。1926年竣工。

（五）白阿铁路

1929年8月，由兴安区屯垦公署筹款、北宁铁路局（1928年由京奉铁路局改）资助兴建洮（南）索（伦）铁路。该铁路自洮安（今白城市）向西北经由葛根庙前跨洮儿河到王爷庙，再过归流河、大石寨、德伯斯至索伦

---

①　严中平主编：《中国近代经济史统计资料选辑》，科学出版社1955年版，第173页。

的铁路，以便屯垦及开发森林矿产资源。[①] 该铁路时称洮索铁路，其洮安至王爷庙段，长 84.4 公里，1930 年末完工。日伪时期 1934 年，伪满洲国开始展修洮索铁路，从王爷庙至索伦，长 107.9 公里，1935 年完工。后来，该铁路又分别展修索伦至南兴安（索兴段，129.3 公里）、南兴安至阿尔善温泉（兴温段，16.7 公里）路段。此后该铁路称白（城）阿（尔善）铁路。[②]

四郑铁路、郑洮铁路、白阿铁路沿线重要车站，如郑家屯、通辽、洮南、洮安（白城）、王爷庙等，由于铁路运输大大便利了这些城镇的人旅和货物流通，使这些城镇迅速成为内蒙古东部地区重要的货物集散中心，更加提高了中心城镇的地位。

（六）叶赤铁路

1933 年 11 月，伪满洲国政府开始勘测京奉铁路叶柏寿车站至赤峰的铁路，并于 1934 年 4 月开工修建叶赤铁路。该铁路于 1935 年 6 月竣工，同年 8 月 19 日开始试临时营运，12 月 1 日由"满铁"铁路总局正式接管运营。该路全长 1496 公里，[③] 自叶寿柏经沙海、天义、元宝山等到赤峰，共 13 个车站。[④] 叶赤铁路的修通，不仅连接了内蒙古东部商业重镇赤峰与东北的奉天及华北的承德等地的铁路交通，而且为赤峰周边地区的经济、交通的发展带来了十分便利的条件。

铁路是先进的交通运输工具，由于铁路运输量大、速度快、运价较低，因此铁路运输对传统交通和运输产生巨大的冲击。首先，形成了新的客、货流动趋向。比如多伦诺尔从清前期一直到清末，是内蒙古中、东部地区首屈一指的商业重镇，其商业圈包括昭乌达盟、锡林郭勒盟以及外蒙古的部分蒙旗。东省铁路修筑之后，在呼伦贝尔境内以海拉尔、满洲里为首的各车站货物集散贸易发展迅速，吸引原属多伦诺尔商业范围内的各蒙旗畜产品，使大量畜产品流向呼伦贝尔铁路沿线。其次，尽管沙俄直接经营和控制着东省铁

① 马里千、陆逸志、王开济编著：《中国铁路建筑编年简史》（1881—1981 年），中国铁道出版社 1985 年版，第 47 页。

② 冯学忠主编：《科尔沁右翼前旗志》，内蒙古人民出版社 1991 年版，第 433—434 页。

③ 日本帝国驻赤峰领事馆：《赤峰事情》（1939 年），马希、余冠伦译，见内蒙古地方志编纂委员会总编室编：《内蒙古史志资料选编》第 5 辑，第 335 页。

④ 马里千、陆逸志、王开济编著：《中国铁路建筑编年简史》（1881—1981 年），第 42、47、55 页。

路，四郑铁路又是用日本贷款修筑，对列强的推销"洋货"、掠买"土货"以致军事侵略扩张提供了便利。但是，另一方面铁路运输加强了内蒙古城镇与口内各大城市和港口之间的联系，为农牧产品、工业原料及矿产品输出以及工业品和其他商品输入，提供了便捷的交通运输条件，商品流通量大大增加。再次，更重要的是，铁路的修筑，铁路运输事业的兴起和发展，促进了原有城镇商业贸易、工矿业的繁荣和发展，改变了传统商道，从而带动了一些新兴城镇的崛起，同时促使一些旧有城镇的地位发生了变化，引起一些城镇的衰落。

内蒙古东部因铁路交通而发展起来的城镇非常多，其中重要的有满洲里、博克图、扎兰屯、安达、四平、郑家屯、洮南、王爷庙、索伦、阿尔山等城镇。甚至原来仅有少数人户的村镇通辽，也由于便利的铁路交通，不仅城镇本身大有发展，而且城镇的商业范围大大扩大。与此相反，多伦诺尔、小库伦等旧的商业中心，由于远离铁路线，不仅原来的商业圈被新的商业中心所夺去，而且城镇内部的商业也因此而趋于衰落。

第二十一章

民国时期内蒙古地区的教育与科技

第一节　民国时期蒙古族教育事业

一、民国前期的教育

随着近代中国半封建半殖民地化的形成，蒙古族数百年来沿袭的传统教育发生了变化。光绪末年，清朝政府在内外交困中被迫宣布推行新政改革，以挽救危亡。与此同时，一部分接触国内外新事物较多、思想较为开明的蒙古王公也认识到只有变法图强才能振兴蒙古，而图强之法首在开启民智、兴办教育。于是，在清廷的谕令和有识蒙古王公的倡导与努力下，不仅有北京的满蒙文高等学堂、陆军贵胄学堂、陆军测绘学堂、贵胄法政学堂、殖边学堂，奉天的蒙文学堂、满蒙文中学堂、蒙古小学堂，吉林省的满蒙文中学堂，黑龙江省的满蒙文中学堂、满蒙师范学堂等招收一些蒙古子弟入学，蒙古盟旗也开始出现以吸收平民子弟为主的新式学堂或公塾，教授蒙汉文与一些近代科学知识，使几百年来"读书识字之人百不得一二，不特汉文茫然，抑且不识蒙字"① 的落后状况开始发生划时代的变化。

内蒙古各盟旗中最早兴办新式教育的是卓索图盟喀喇沁右旗。该旗札萨克郡王贡桑诺尔布年轻有为，是当时蒙古王公中的俊杰。1902 年 12 月，他

---

① 锡良：《谕哲里木盟十旗兴学劝业文》，清宣统元年（1909 年）石印本。

自捐俸银，在王府西跨院创设了崇正学堂（初名养正学堂），由旗内俊彦任蒙汉文教习，还聘请江南名士陆君略、钱桐为总教习，开始招生授课。次年夏，他又亲赴日本参观考察，颇受启发。回旗后又利用私产院落和王府戏院燕贻堂址先后创设了守正武备学堂和毓正女子学堂，分聘日本人伊藤柳太郎、吉田四郎、河原操子（女）为教员，开始招生授课。学堂的课程基本遵照钦定小学堂及蒙学堂章程办理，有修身、读经、作文、习字、历史、地理、算术、体操等，并添设满蒙文课。女学堂还学习日语、家政、编物、图画、唱歌等。学堂设立之初，因民智未开，百姓对学堂颇有疑虑，不愿送子女入学。贡王遂下令凡送子女入学者给予免除户口税的优待，并免费为学生提供住宿、午餐和学习用品等，还派篷车接送走读学生。在他的努力下，学堂越办越好，以致民智大开，学生倍增。他还先后选派优秀学生到北京、天津、保定、上海和日本留学，学习俄文、军事、测绘、农学、医学和一些工业技术等。[①] 在短短 10 年内，喀喇沁右旗不仅培养出大量人才，还带动了周邻各盟旗的教育发展。

继喀喇沁右旗之后，内蒙古其他地区也先后出现了一些新式学堂或公塾。但因蒙地广远，各地经济发展不平衡以及生产、生活方式的差异，举办新式教育的大都是靠近内地、已从事定居农业或半农半牧的内蒙古东部和南部的蒙旗，如哲里木盟科尔沁左翼前旗、后旗，右翼前旗、中旗，昭乌达盟敖汉旗、库伦旗、黑龙江省辖下西布特哈 8 旗、呼伦贝尔 8 旗和绥远城将军辖下归化城土默特旗等。

辛亥革命时期，由于政局动荡，蒙古地区的教育事业大受影响，不少学校中途停办。1912 年民国确立后，蒙古族近代教育步入了一个新的历史时期。

民国政府建立后，即下令全国广兴教育，培养人才。在各地将军、都统等的督促下，在内蒙古、青海、新疆等有蒙古族聚居的广大地区，不少因战乱停办的学校得以恢复，有些地方还增设了新的学校。

内蒙古东部地区由于受内地经济、文化的影响较强，教育较为进步。除

---

① 吴恩和、邢复礼：《贡桑诺尔布》，见政协内蒙古自治区委员会文史资料研究委员会编：《内蒙古文史资料》第 1 辑，内蒙古人民出版社 1979 年版，第 104—108 页。

原有的学校外，昭乌达盟翁牛特右旗革除以往弊政，于 1913 年在赤峰创办小学 1 所，受到热河都统的明令嘉奖。克什克腾旗于 1915 年在经棚创设了萃英初级小学。库伦旗、敖汉右旗在 1918 年也各自开办了 1 所初级小学。呼伦贝尔地区有郭道甫、福明泰等人于 1918 年及以后创办的蒙旗官立小学和墨和尔图屯蒙旗女子小学。在哲里木盟科左前旗，克兴额于 1915 年创办了本旗公立蒙汉两等小学校。①

在内蒙古西部地区，绥远特别行政区辖下的归化城土默特旗于 1914 年陆续恢复了停办数年的几所学校，并在 1926 年设立了 1 所中学。乌兰察布盟乌拉特中公旗在 1913 年曾创办过一所小学。1926 年乌拉特三公旗共同在包头成立了三公旗公立两级小学校。1916 年，察哈尔特别行政区拨款在察哈尔八旗各创办了 1 所初级小学，两年后又为四牧群（太仆寺左右两翼、商都、牛羊群）各创办了初级小学一所。1920 年，镶白、正黄两旗的小学改为高级小学，并附设初级一班。使当地的教育有了进一步的发展。

除上述地区外，锡林郭勒、乌兰察布、伊克昭各盟不少蒙旗和阿拉善、额济纳等旗，因地处边远，仍处于游牧状态，仅有少数传统的私塾和衙署公塾，尚无近代教育可言。

为了培养有利于自身统治的人才，民国政府还在北京或内蒙古邻近省区的一些城市开办专门招收蒙古学生的中学或师范学校。1913 年，在蒙藏事务局总裁贡桑诺尔布等人的提议下，民国政府合并原前清咸安宫学、唐古特学、托忒学及理藩部之蒙古学，扩充改良为蒙藏专门学校。② 因藏地遥远，学生难以来京，该校学生大多为蒙古族青少年。1914 年，察哈尔特别区在张家口创设察哈尔区立蒙旗师范讲习所，不久又扩充为察哈尔区立师范学校。以后增添招蒙官子弟 1 班，1922 年后附设蒙古师范讲习科 1 班，学制 2 年。③ 1917 年，黑龙江省在齐齐哈尔创设省立蒙旗中学校。该校经费由省方拨发和杜尔伯特、扎赉特、依克明安、郭尔罗斯后旗等 4 旗资助，教学科目

---

①　内蒙古教育志编委会编：《内蒙古教育史志资料》第 2 辑，内蒙古大学出版社 1995 年版，第 216、235—236、287—288 页。

②　内蒙古教育志编委会编：《内蒙古教育史志资料》第 2 辑，第 382—383 页。

③　内蒙古教育志编委会编：《内蒙古教育史志资料》第 2 辑，第 498 页。

及学时均照部定标准办理，但添授蒙文。[1]

由于军阀混战，政局动荡，经济凋敝，匪患丛生，蒙古族的教育很难正常发展。北京蒙藏专门学校因政局和经费的影响，时有停办之虞；黑龙江省立蒙旗中学校亦因办理不善和经费原因，于1924年停办。中央政府或省政府开办的学校尚且如此，更不要说各蒙旗自办的学校了。它们或勉强维持，或时断时续，有的干脆昙花一现。清末即创办的巴林右旗公立普励小学，直到1926年仍停留在旧式私塾阶段，所学课程还是《四书》《五经》之类。前述乌拉特中公旗、敖汉右旗所设小学和1926年伊盟郡王旗所办小学均开办不久，即因战乱或匪患停办。

尽管如此，在时代潮流的影响下，随着受新式教育的蒙古族青年逐渐增多，蒙古族的教育意识在逐步增强，蒙旗的学校也得到缓慢发展。

1927年国民党主政后，随着全国逐步统一和热河、察哈尔、绥远3特别区改省及青海建省，无论是中央政府对蒙古地区的控制，还是内地经济、文化对蒙旗的影响，都在迅速加强，从而使蒙古族教育有了更进一步的发展。为了加快蒙古地区与内地一体化的进程和强化对蒙古族的统治，国民党及国民政府对蒙古族的教育颇为重视，不仅多次下令敦促各盟旗迅速成立教育行政委员会并开办小学，按国定教材授课，还继续开办北平蒙藏学校，并先后增设南京中央政治学校附设蒙藏学校、中央大学蒙藏班（1930年）、中央政治学校西宁分校（1934年夏）、包头分校（1934年秋）、国立绥远蒙旗师范学校（1936年）等学校，同时由教育部、蒙藏委员会颁布了《待遇蒙藏学生章程》、《蒙藏回教育补助费规则》（1935年）、《蒙藏委员会保送蒙藏学生办法》等一系列规定，鼓励并资助蒙藏学生到内地各学校求学。东北政务委员会和热、察、绥3省政府亦极力督促辖下蒙旗办学，并帮助建立了东北蒙旗师范学校、黑龙江蒙旗师范学校等。

在这种情形之下，内蒙古地区蒙古族教育呈现出前所未有的活力，到内地求学的蒙古族青年也不断增多。据统计，到1930年时，"各盟旗新设立之公立、私立小学计达60余校，连旧日设立者百有余校"。[2] 在教育较为发达

---

① 内蒙古教育志编委会编：《内蒙古教育史志资料》第2辑，第398—400页。

② 内蒙古教育志编委会编：《内蒙古教育史志资料》第2辑，第4页。

的卓索图、昭乌达、哲里木诸盟学校数量大增，1931 年仅喀喇沁左旗已有公立小学 28 所，科右中旗有小学 16 所（内有高小 2 所）。① 在教育相对落后的内蒙古西部地区，尽管在匪患和特大自然灾害（1928—1929 年）的影响下，蒙旗教育步履维艰，甚至出现倒退，但以后稍有好转。到抗战前，"土默特旗计有中学 1 所，完小 1 所，初小 6 所，绥东 4 旗各于总管所在地设立国民小学 1 所，乌伊两盟各旗有小学十七所"②。僻处西北的阿拉善、额济纳两旗也都有了当地的第一所小学。

这些学校虽然大多在经费、设施、师资、教材等方面远逊于内地，有些甚至存在时间不长，但也培养出一些有知识的青年，对蒙古族文化的提高起了一定的作用。其中有些学校如伊盟准格尔旗同仁小学、哲里木盟达尔罕旗（科左中旗）第二小学等办理得较为出色，在当时享有盛名。

但是由于蒙地广远，情形各异，蒙古族教育事业的发展极不平衡。一般说来，处于农业或半农半牧地区的蒙旗，教育相对发达，以游牧为主的蒙旗则因地处偏僻，风气闭塞，教育颇为落后。总的来看，整个蒙古地区，由于政治局势不稳定，经济落后，蒙古王公和一般旗民对教育多不重视，以及其他各种因素的制约，蒙古族的教育虽然较前有一定程度的进步，但基础极其脆弱，往往稍有变故，即导致学校停办。绥远土默特旗"厄于经费之故，无论中小学，内容不免简陋"。多数小学"无不因陋就简，勉强维持"。绥东察哈尔四旗因"经济与热心教育之人才两缺"，"教育之现象亦殊不佳也"。③

农业地区尚且如此，边远游牧蒙旗自然更甚。据蒙藏委员会在 1934—1935 年间的调查，"锡盟各旗，几无教育之可言，均无正式学校，不过选择学生十数，或数十人，聚于一处，教之诵读而已，类多简陋不堪"。④ 教材亦多为《三字经》《孝经》《圣谕广训》等。察哈尔十二旗群情况稍好，学校历年毕业学生中"入内地各校升学者固不乏人，而中途辍学者实居多

---

① 内蒙古教育志编委会编：《内蒙古教育史志资料》第 2 辑，第 6 页。
② 内蒙古教育志编委会编：《内蒙古教育史志资料》第 2 辑，第 102 页。
③ 内蒙古教育志编委会编：《内蒙古教育史志资料》第 2 辑，第 88—89 页。
④ 内蒙古教育志编委会编：《内蒙古教育史志资料》第 2 辑，第 5 页。

数"。① 乌兰察布盟仅乌拉特中公旗有一所类似私塾的"神河小学",其他各旗连私塾都少见。

二、日伪统治时期的教育

1931 年"九一八"事变以后的短短几年内,内蒙古大部地区先后沦陷,处在日寇扶植的"满洲国"和蒙疆傀儡政权的统治之下。为了拉拢和利用蒙古族,日寇极力利用蒙古族人民对民国政府的民族歧视和压迫的痛恨,不仅适当裁撤某些县局,恢复旗制,在政治上对蒙旗有所扶持,而且在文化教育方面亦有所鼓励。长期以来为保存民族文化而努力的一些蒙古族上层和知识分子,遂乘机大力发展民族文化教育,以期提高民族素质,挽救民族的危亡。因此,在日伪统治区,尽管有诸多不利因素的影响,由于有兴安总署(后改蒙政部)和蒙疆政权的统筹规划与督责,以及各阶层有识之士的努力,沦陷区蒙古族的教育事业还是有了相当程度的发展。

普通教育方面,1933 年 6 月,在内蒙古东部地区的兴安 4 分省仅有初级小学 24 所,完全小学 6 所(其中女校 1 所),私塾 14 所,共有在校生 2 281 名。而 1 年后,初等学校(初小、高小、两级完全小学)已有 75 所,在校生 3 588 人。② 兴安总署还专门发布训令,要求"凡属兴安省各旗学校,务须彻底实行免收学费之旨,以便提倡教育为要"③。在这种政策的鼓励下,1935 年时小学校已多达 162 所,在校生共 8 326 人,此外还有私塾 143 所,学生 2345 人。④ 到 1941 年底,兴安 4 省和锦州、热河、吉林、滨江、龙江诸省已有蒙古族国民学校 201 所,在校生 23 742 人;国民优级学校 54 所,在校生 4 206 人;国民高等学校(即中学)10 所,在校生 1 475 人。此外还有百余所国民学舍和国民义塾,共有学生 5 000 余人。⑤

在伪蒙疆政权管辖下的内蒙古西部地区,据 1940 年末的统计,共有蒙

---

① 内蒙古教育志编委会编:《内蒙古教育史志资料》第 2 辑,第 78 页。
② 内蒙古教育志编委会编:《内蒙古教育史志资料》第 2 辑,第 27 页。
③ 内蒙古教育志编委会编:《内蒙古教育史志资料》第 2 辑,第 24 页。
④ 内蒙古教育志编委会编:《内蒙古教育史志资料》第 2 辑,第 204 页。
⑤ 内蒙古教育志编委会编:《内蒙古教育史志资料》第 2 辑,第 31—35 页。

古族初等学校 44 所，其中初级 43 所，高级 1 所，在校生共 1 932 人。① 到 1942 年末，公私立蒙古族初等学校已有 105 所，学生 6 513 人，其中教育素称落后的锡林郭勒盟有 38 所、乌兰察布盟有 18 所。中学有察哈尔盟立张北兴蒙中学、厚和兴蒙中学、锡林郭勒盟立贝子庙兴蒙中学、巴彦塔拉盟立包头兴蒙中学，共有学生 839 人。② 此外，在一些盟旗，女子教育和喇嘛教育也普遍发展起来。1943 年，仅锡林郭勒盟各旗就有旗立女子家政学校 10 所，在校生 197 人；喇嘛学校 16 所，学生 501 人。③

师范和职业教育方面，在内蒙古东部地区，1933 年夏兴安总署将原沈阳东北蒙旗师范学校和齐齐哈尔黑龙江蒙旗师范学校分别改组为兴安第一师范学校和兴安第一职业学校，并以每名学生由本旗公署补助 60—100 元的优待条件吸引蒙古族青年入学。④ 以后，又逐步在兴安四分省各设了 1 所师道学校（初名临时初等教育养成所），学制 2 年，为发展教育培养师资。1935 年，为使蒙古族人关心产业和培养锐意产业开发的人才，促进经济发展，蒙政部劝业司在布西、郑家屯、大板上、海拉尔等地为兴安 4 省各设了 1 所产业技术传习所（后改称农业学校或畜产学校），学制 2 年，主要教授木工、制革等与农牧林业有关的技术。还在兴安南省王爷庙开办了直属蒙政部的兴安学院，学制 5 年，完全官费。此外，兴安南省还设有兴安实业女学校、通辽实业女学校等。一些蒙旗如布特哈旗、西科中旗等还设有旗立的青年学校或农业学校。在王爷庙还有培养蒙古族军官、军士或进行现役军官教育的兴安军官学校（1934 年设）和培养地方医务人员的兴安医学院（1941 年设）。

在内蒙古西部地区，"蒙古联盟自治政府"于 1938 年夏恢复原有学校的同时，在厚和（今呼和浩特）设立蒙古学院，内设旗务人员训练班、师资速成班、师范班、电务人员训练班、补习班等，为各盟旗培养实用人才。该校后与巴彦塔拉、乌兰察布两盟青年学校合并，改为厚和蒙古中学。⑤ 以

---

① 内蒙古教育志编委会编：《内蒙古教育史志资料》第 2 辑，第 79—80 页。

② 内蒙古教育志编委会编：《内蒙古教育史志资料》第 2 辑，第 85—86 页。

③ 内蒙古教育志编委会编：《内蒙古教育史志资料》第 1 辑（下），内蒙古大学出版社 1995 年版，第 511 页。

④ 内蒙古教育志编委会编：《内蒙古教育史志资料》第 2 辑，第 20、203—204 页。

⑤ 内蒙古教育志编委会编：《内蒙古教育史志资料》第 2 辑，第 465、431 页。

后先后设立有察哈尔盟立师范学校（1939 年，张北）、兴蒙学院（张家口，1940 年）、蒙古军幼年学校（西苏尼特旗，1940 年，学制 3 年）、蒙古军陆军军官学校（厚和，1943 年，学制 3 年）、蒙疆喇嘛医养成所（厚和，1940 年，学制 1 年）等各类学校，专门培养各种人才。其中兴蒙学院是由原蒙旗学校发展而来的，设有预科、本科和师范科，学制均为 3 年，还附设有国民小学。在厚和、德化的兴蒙中学等都设有师范科，为苏木小学培养教师。此外，在专门培训官员的蒙疆学院（张家口，1939 年，学制 1 年）和培养专业人才的交通学院（张家口，1941 年）、中央医学院（张家口，约 1943 年，学制 3 年）都收有一些蒙古族学生。

为了进一步培养人才，伪满洲国蒙政部（后改兴安局）与蒙疆政权当局还大力向辖境外其他地区和日本派遣留学生。伪满的留学生派遣工作初由文教部统一管理，1936 年"为发挥蒙古留学生特别使命及责任起见"，其派遣工作改由蒙政部自行办理。此时蒙古族留日学生已有 40 余人。到 1941 年底，蒙古族留日学生已多达 96 人，在汪伪政权辖下的北京蒙藏学院深造者亦有 23 人。① 在伪满内地求学的学生当更多。是年，财团法人蒙民厚生会制定了该会派遣留学生的第一个五年计划，开始积极向伪满内地各大中专院校以及日本各学校推荐并派遣留学生。在其资助下，蒙古族留学生数量激增，仅 1943 年就向新京（长春）留学生预备学校、新京法政大学、新京畜产大学、建国大学、吉林师道大学、哈尔滨医科大学、哈尔滨农业大学、哈尔滨学院、哈尔滨军医学校、齐齐哈尔师道学校、奉天同善堂助产士学校、四平助产士学校、满洲医科大学等派遣了 104 人，向日本各校派遣了 28 人。此外，从 1934 年起，为"改善宗教，取法日本"，兴安当局还两次派遣了青少年喇嘛 40 余人到日本高野山兴亚密教学院、知恩院和延历寺的喇嘛训育场留学。②

伪蒙疆地区的留学生派遣工作，在 1940 年 10 月财团法人蒙古留学生后援会成立后规模才逐渐扩大的。该会制订了 10 年派遣计划，优先考虑牧业人才和小学师资的培养，并在张家口设立了官费的蒙古族留日预备学校

---

① 内蒙古教育志编委会编：《内蒙古教育史志资料》第 2 辑，第 37—39 页。
② 内蒙古教育志编委会编：《内蒙古教育史志资料》第 2 辑，第 30、39、548—558、532、570 页。

（后改称蒙古高等学院），对将"留学日本高等专门学校者施以必要之教育"①。据 1941 年 6 月调查，全境留学生总计 98 人（留日学生 94 人），其中蒙古族 72 人。②

在社会教育方面，伪政权设有一些民众教育馆、民众学校或民众讲习所等，对成年失学者进行一些扫盲教育。设在呼和浩特的蒙古文化馆（1938年成立，后改为蒙古文化研究所）较为著名，除开展图书借阅、编印刊物外，还编写教科书或印刷图书。由于蒙古喇嘛多读藏文经卷，不懂蒙文，更缺乏社会和科学知识，有关当局设立了不少喇嘛学校，向青少年喇嘛教授蒙文和基础知识等。由于办理不得力，成效不够理想，有些甚至"徒耗经费，毫无成绩"③。此外，蒙民厚生会、蒙文学会等民间机构在王爷庙、开鲁开办过蒙民识字馆、平民学校和日语补习班等，受到民众的欢迎。

日伪政权的教育是以"亲日防共"、"民族协和"、"发扬东亚道义精神"等为基本方针的愚民教育、奴化教育。学生们不仅被强迫学习列为"国语"之一的日语，还被教导要"虔心诚意"地崇拜日本及其天皇，要拥护支持"日满亲善"和"大东亚圣战"，成为效忠日满的"忠良国民"。但是广大蒙古族人民没有上当，而是利用一切可能的条件，积极发展民族教育，为民族的生存和复兴积蓄力量。1933 年阿荣旗人民克服各种困难，自行筹款办起 3 所初级小学。④ 莫力达瓦旗的蒙古族官吏成立蒙旗协助会，捐出自己工资的 1/10，来补助几所小学的经费和资助留学生等。⑤ 1943 年科尔沁左翼前旗的蒙古族民众在有识青年博和德勒格等人的带领下，几天内就募捐了 300 万元巨款，用来建立小学。⑥ 蒙民厚生会、蒙民裕生会、蒙文学会等的积极作为，更集中反映了蒙古族人民的意愿。日本侵略者对蒙古族留日生多持抗日态度的恼恨和 1945 年 8 月兴安军官学校与西苏尼特旗部分蒙古族青年、教师及学生的两次起义，以及大批蒙古族青年知识分子及学生投

① 内蒙古教育志编委会编：《内蒙古教育史志资料》第 2 辑，第 567—570 页。
② 内蒙古教育志编委会编：《内蒙古教育史志资料》第 1 辑（下），第 777 页。
③ 内蒙古教育志编委会编：《内蒙古教育史志资料》第 2 辑，第 525 页。
④ 内蒙古教育志编委会编：《内蒙古教育史志资料》第 2 辑，第 24 页。
⑤ 内蒙古教育志编委会编：《内蒙古教育史志资料》第 2 辑，第 48 页。
⑥ 内蒙古教育志编委会编：《内蒙古教育史志资料》第 2 辑，第 255—256 页。

身于民族解放运动的事实，都说明了日伪奴化教育的失败。

除学校和学生增多外，这一时期的教育有一些新的特点和进步：首先，较为务实，师范和职业教育的加强，符合蒙古族的社会需要。其次，女子学校和喇嘛学校的增多，使教育面更广。再次，蒙古语文的教学有较大的发展。

抗日战争爆发后，内蒙古未沦陷地区蒙古族教育事业的发展被迫中断。绥远省西部蒙旗及阿拉善、额济纳旗地区已成为抗战前沿，虽处于战争状态，其教育事业亦因而有了相当的发展。首先，国民政府教育部从 1939 年起为适应战时政治、军事需要，除继续督导边疆省份办理边疆教育外，开始直接办理国立边疆学校，"以提高边民教育文化水准，配合政治军事等方面之需要"，并"培植建边所需之中下级干部人员"和"发挥设校兴学之领导示范作用"。① 这种做法一直延续到抗战胜利以后。从 1939 年到 1947 年，教育部在伊克昭盟 7 旗和阿拉善、额济纳旗各设边疆小学 1 所，并设立了国立伊盟中学。② 与此同时，绥远省当局也开始催令辖下未沦陷蒙旗恢复各学校，并于 1941 年夏在教育厅下成立边地教育委员会，综理全省边地暨各蒙旗教育事宜。1942 年时乌兰察布、伊克昭两盟已有小学 27 所，经费主要由中央拨发和各旗自筹，省内给予一定的补助。③

三、抗战结束后的教育

1945 年 8 月抗日战争胜利后，内蒙古地区成为国共两大政治势力进行最后较量的重要战场之一，虽然双方在各自控制的地区对蒙古族教育的发展做过一些努力，但结果颇受局势的影响。

在国民党控制的内蒙古西部地区，绥远省接收了日伪时期留下的学校，并于 1946 年 3 月制订了《蒙旗教育复员实施计划》，④ 开始对蒙旗初等教育进行彻底革新与调整，计划在充实省立郡王旗边疆实验小学的同时，在其他

---

① 内蒙古教育志编委会编：《内蒙古教育史志资料》第 2 辑，第 11 页。
② 内蒙古教育志编委会编：《内蒙古教育史志资料》第 2 辑，第 160 页。
③ 内蒙古教育志编委会编：《内蒙古教育史志资料》第 2 辑，第 93—95 页。
④ 内蒙古教育志编委会编：《内蒙古教育史志资料》第 2 辑，第 154 页。

18 旗各设省立边疆实验小学 1 所，以期辅导改进全旗各小学，并拟对蒙旗各小学给予经费补助。1947 年 11 月，绥远省政府盟旗文化福利委员会派专人分赴乌盟各旗和绥东察哈尔四旗筹办蒙旗实验小学校 9 所。① 这时，全省蒙旗共有各级学校 60 所，在校学生近 2 000 人。② 但是随着形势愈加严峻，不少学校名存实亡。

内蒙古中、东部解放区，在中国共产党的领导下，随着地方的逐步稳定与发展，蒙古族教育也有了相当的进步。从内蒙古自治运动联合会到内蒙古自治政府，始终把普及教育、增设学校、提高民众觉悟和发展蒙古文化作为一项重要任务。在与国民党军队不断战斗的同时，发动群众，克服困难，以官费或民办官助的方式恢复和改造原有学校，并建立新学校。而且特别强调教学应以本民族语文为主，各级学校可以蒙汉分设或蒙汉分班。为此，专门组织力量编译并出版了内容一新的各种教科书。发放助学金，鼓励和帮助贫苦民众的子弟就学。此外，还大力提倡和组织识字班、冬学等，加强社会教育，扫除文盲。这些政策和措施，提高了蒙古族民众的教育意识，激发了他们发展民族文化教育的热情，从而使蒙古族教育事业有了较大的发展。以纳文慕仁盟布特哈旗、兴安盟西科后旗为例，伪满时前者有小学校 31 所，学生 1 245 人，教员 43 人；后者有小学校 13 所，学生 414 人，教员 17 人。③到 1948 年夏，布特哈旗已有小学校 75 所，学生 4 991 人，教员 107 人，分别是从前的 2.4、4、2.5 倍；西科后旗已有小学校 133 所，学生 3 601 人，教员 120 人，分别是从前的 10.2、8.7、7 倍。④ 在当时的条件下，这些学校大都设备简陋，不十分正规，但进步之大是显而易见的。

为了便于开展革命工作，中国共产党很重视培养少数民族干部。他们继承 1941 年在延安设立民族学院的传统，先后设立了内蒙古军政学院（张家口，1945 年）、内蒙古自治学院（赤峰，1946 年）、东蒙军政干部学校（科左中旗，1946 年）、鲁迅艺术学院（赤峰，1947 年）等干部学校，连同邻

① 内蒙古教育志编委会编：《内蒙古教育史志资料》第 2 辑，第 98—100 页。
② 内蒙古教育志编委会编：《内蒙古教育史志资料》第 2 辑，第 226 页。
③ 内蒙古档案馆编：《中国第一个民族自治区诞生档案史料选编》，远方出版社 1997 年版，第 124 页。
④ 内蒙古档案馆编：《中国第一个民族自治区诞生档案史料选编》，第 114 页。

境的东北军政大学等，培训出大量蒙古族干部。呼伦贝尔、哲里木、锡林郭勒等盟也都设过自己的干部学校或干部培训班。

在短短30多年内，蒙古族近代教育有了较大的发展，逐渐排挤和取代了传统的喇嘛寺庙教育和衙署公塾及私塾教育，不仅使蒙古族平民子弟有了受教育的机会，而且传播了新知识、新思想和新文化，培养出一批新型的知识分子，从而对蒙古族社会、经济、文化等各方面的发展和进步起了积极的作用。但是，由于近代中国政局动荡、战乱频仍和蒙古族游牧社会对教育的麻木，以及蒙古族封建王公大都对新式教育抱有排斥态度等原因，蒙古族近代教育无法正常发展，始终处于较为落后的状态。尤其是民国政府举办蒙古族教育的目的不是为了提高和发展蒙古族的文化，而是要将蒙古族及其文化彻底同化掉。按照官方的说法，须"由教育力量，力图蒙藏人民语言意志之统一"，"彻底培养国族意识，以求全国文化之统一"。因此，教育部编纂的小学教科书"一律以国语为主，地方语文为辅"，"中等以上学校之教科书，以用汉文编订为原则"，[1] 而且办学要蒙汉同校，进行"混合教学训练，俾潜移默化，养成国族统一情绪、团结一致精神"。[2] 这种政策引起了蒙古族各阶层的不满，在一定程度上导致了蒙旗对兴办教育的抵制和敷衍。

第二节 "满洲国"时期内蒙古东部地区教育事业

一、教育行政及其方针政策

日本殖民统治者为了严格控制文化教育事业，在扶植成立"满洲国"后，建立起各级文化教育及宗教管理机构。1932年3月"满洲国"政府成立其国务院内设文教部，下设总务司、学务司、礼俗司，掌管教育、宗教、礼俗和国民思想等有关事项。对于兴安各分省的文化教育事务则由兴安局（1932年8月改为兴安总署）政务处文教科（下设教育股、宗教股）负责。兴安各省公署民政厅设立文教科（分教育、宗教股）。各旗、县署内务科下

---

[1] 内蒙古教育志编委会编：《内蒙古教育史志资料》第2辑，第122页。

[2] 内蒙古教育志编委会编：《内蒙古教育史志资料》第2辑，第124页。

设文教股。1934 年 12 月兴安总署升格为蒙政部时，在其民政司设文教科，掌管有关教育、学艺、宗教、礼俗等事项。① 兴安各省公署民政厅掌管"关于教育宗教及礼俗事项"②。

1937 年 7 月，"满洲国"政府机构改革时将文教部并入新设的民生部（下设官房、教育司、社会司、保健司），该部教育司主管普通教育行政事务，社会司主管社会教育及宗教事务。③ 与此同时，由原蒙政部主管的兴安四省及内蒙古东部地区蒙古族文化教育及宗教事务均由民生部掌管，实现了所谓"教育的一元化领导"。

1943 年 4 月 1 日，"满洲国"政府又进行了一次所谓的"战时行政机构改革"，撤销民生部之文教司，又单独成立了文教部，下设官房、教育司、教学司、礼俗司、监察部、编审部等。10 月，兴安总省成立，总省公署内设民生厅，掌管有关教育及学艺、礼俗和宗教、史迹及名胜、天然纪念物等事项。④ 各旗县公署内仍旧设文教股主管文化教育。

日本在"满洲国"中央及地方建立起文化教育管理机构的同时，制定出相应的文化教育方针、政策，并逐步建立起了一整套殖民地文化教育制度。

1932 年 3 月 1 日，"满洲国"政府《建国宣言》宣称："教育之普及，则当唯礼教是崇，实行王道主义。"⑤ 关东军司令在其《对满蒙方策》中提出：在"满洲国""彻底普及王道主义与民族协和之建国精神和日满融合之观念；注入日本文化排斥三民主义及共产主义；镇压赤化思想之侵入。教育方面，首先是完成普通教育；高等教育以开设实用学科为原则；宗教信仰自由，但须肃清邪教"⑥。1934 年 5 月，伪满皇帝溥仪第一次访日回来后发表

①　（"满洲国"）国务院总务厅情报处编：《蒙旗行政制度改革纪念特刊》（日文），1934 年 12 月 1 日，第 7 页。

②　蔡鸿源主编：《民国法规集成》第 74 册，黄山书社 1999 年版，第 15 页。

③　中央档案馆、中国第二历史档案馆、吉林省社会科学院合编：《日本帝国主义侵华档案资料选编·伪满傀儡政权》，中华书局 1994 年版，第 265 页。

④　（"满洲国"）《政府公报》第 2789 号。

⑤　武强主编：《东北沦陷十四年教育史料》第 1 辑，吉林教育出版社 1989 年版，第 19 页。

⑥　中央档案馆、中国第二历史档案馆、吉林省社会科学院合编：《日本帝国主义侵华档案资料选编·伪满傀儡政权》，第 16 页。

所谓《回銮训民诏书》，鼓吹他与日本天皇"精神如一体"，强调日满"一德一心"等。[①]

1937年5月，"满洲国"政府正式公布《学制要纲》，确定的教育方针为："遵照建国精神及访日宣诏的趣旨以咸或使体会日满一德一心不可分的关系及民族协和的精神、阐明东方道德，尤致意于忠孝之大义，涵养旺盛之国民精神……养成忠良之国民。"[②]

1941年"满洲国"政府制定《基本国策大纲》，确定了未来10年的施政方针大纲，其中提出"振兴文教"，"以青少年之教育炼成为最重点"。[③]1942年12月，"满洲国"政府制定公布所谓《国民训》，要求"国民须念建国渊源发于唯神之道，致崇敬于天照大神，尽忠诚于皇帝陛下"；"国民须以忠孝仁义为本，民族协和，努力于道义国家之完成"；"国民须举总力实现建国理想，迈进于大东亚共荣之达成"。[④] 这一《国民训》也是成为"满洲国"教育方针之中心。

日本帝国主义通过"满洲国"政府确定的这些教育方针及指导思想，实际上是利用中国原有的封建意识形态和儒家礼教思想，向青少年灌输所谓的"王道主义"、"民族协和"、"建国精神"及"日满一德一心不可分"等思想，使东北青少年忘却中国国家观念和民族意识，养成顺从性格，安于被统治、被奴役的地位，成为忠于伪满皇帝和日本天皇的顺民。这就是日本帝国主义推行的殖民主义"奴化教育"的本质。

对于"满洲国"境内的蒙古民族的教育，同样以"民族协和"、"王道主义"等作为基本教育方针。1933年7月关东军参谋部制定的《暂行蒙古人指导方针》中提出："广泛普及教育，首先更应对居于领导地位的少数人施以必要的教育，以期提高其素质，为此设立必要的教育设施。"[⑤] 同时"满洲国"政府也不得不根据蒙古民族生活、语言和风俗习惯以及历史等特殊性，对于蒙古族的教育制定一些特殊指导方针，采取一些特殊的教育措

① 《大满洲帝国年鉴》（1940年），转引自武强主编：《东北沦陷十四年教育史料》第1辑，第5页。
② 武强主编：《东北沦陷十四年教育史料》第1辑，第451页。
③ 武强主编：《东北沦陷十四年教育史料》第1辑，第30页。
④ 武强主编：《东北沦陷十四年教育史料》第1辑，第25—26页。
⑤ ［日］岛田俊彦、［日］稻叶正夫编：《现代史资料（8）·日中战争（一）》（日文），第448页。

施，即加强劳动教育、实业教育以及将振兴民族精神与所谓的"民族协和"精神相协调，并把培养蒙古地区产业开发人才作为重点。①

1932年3月"满洲国"政府成立后，建立各级教育行政管理机构、确定教育方针、公布各种教育法规的同时，逐步恢复和调整"九一八"事变前的各级各类学校，并开始"统制"教材的审定和编纂，调整教学内容，确定起一整套殖民教育体系。

1937年5月2日，"满洲国"政府正式制定公布了《学制要纲》，决定从1938年1月1日起实行"新学制"，② 同时公布了学校令。10月，民生部公布了各级各类学校令的实施细则——即各级各类学校规程。由国务总理大臣、文教部大臣、蒙政部大臣及民政部大臣联合署名公布了《学事通则》（共8条），由国务总理大臣、文教部大臣、蒙政部大臣联合署名公布了《国民学校令》（共19条）。

实行"新学制"的《学制要纲》内容包括：①教育方针；②学校教育要纲；③学制改革之要点；④学校教育之分类与其目标及学校之种类；⑤学校要纲；⑥学校体系。"新学制"规定的学校教育分初等教育、中等教育、高等教育等3个阶段和师道（师范）教育、职业教育2个部门。

初等教育分国民学舍（国民义塾）、国民学校和国民优级学校3种。国民学舍（国民义塾）设在难于或不适于设立国民学校的地区，修业年限为1—3年，所学课程为国民科、算术、作业以及音乐、体育。私立之"国民学舍"称之为"国民义塾"。国民学校修业年限为4年（国民学舍毕业者编入国民学校3年级，成绩优秀者经考核后可进入4年级），学科目为国民科、算术、作业、音乐及体育。国民优级学校修业年限为2年，入学资格为国民学校毕业者或11岁以上同等学力者；所学科目为国民科、算术、实务、图画、音乐、体育。

中等教育是"新学制"的重点，学习年限比原来缩短了2年，分为国民高等学校和女子国民高等学校。国民高等学校修业年限为4年，入学资格为国民优级学校毕业者或13岁以上同等学力者，所学科目为国民道德、国

---

① 武强主编：《东北沦陷十四年教育史料》第1辑，第426页。
② 武强主编：《东北沦陷十四年教育史料》第1辑，第451—459页。

语、历史、地理、数学、理科、实业、图画、音乐、体育；女子国民高等学校修业年限也是 4 年，所学科目除国民高等学校所有课程之外，还有家事、裁缝手艺。此外还设有修业年限为 1 年的师道科，学习国民道德、教育、实业、图画、手工、音乐、体育科目。

高等教育是大学，修业年限一般为 3 年，入学资格为具有国民高等学校或女子国民高等学校毕业者或同等学力者，所学科目根据各大学所设专业而定。

师范教育分师道学校和师道高等学校。师道学校主要培养初等教育所需之教师，修业年限一般为 2 年，入学资格为国民高等学校 3 年级毕业生及同等学力者，除学习国民高等学校所有课程之外，还有教育、手工等科目。师道高等学校则主要培养中等学校普通科目之教师，修业年限为 3 年，入学资格为师道学校、国民高等学校、女子国民高等学校毕业生及同等学力者，男子部所学科目为国民道德、法制、经济、教育、国语、实业、历史、地理、数学、物理、化学、博物、生理卫生、图画、手工、书道、音乐、体育、语学；女子部除学习女子国民高等学校、师道科所设科目之外，还有生理卫生、书道。

职业学校则培养各种专门学科的中等专业技术人员，主要有农、工、商、女子等职业学校，修业年限一般为 2—3 年，入学资格为国民学校、国民优级学校毕业生以及同等学力者，所学科目为国民道德、国语、算术以及相应学科的专业课。

"新学制"的根本特点在于其殖民奴役性，主要表现在各级各类学校的教学体制以及课程设置等方面。"新学制"特别加强了殖民主义的政治和思想教育，要求各级各类学校学生都必须崇拜日本天皇和"满洲国"皇帝，赞颂"日满一德一心"和"民族协和"的"王道乐土"，拥护"大东亚圣战"，背诵"满洲国"皇帝的《即位诏书》、《回銮训民诏书》、《时局诏书》，每日"早礼"时要向"皇宫遥拜"，集体背诵《国民训》等。课程设置方面，小学设有"国民科"，中等学校及大学均设有"国民道德"课，集中讲授所谓的"建国精神"、"民族协和"以及"日满一德一心不可分"等内容。1942 年以后"国民科"和"国民道德"课均改为"建国精神"课，向学生宣扬"唯神之道"和"八弘一宇"等，让学生信仰日本的"天照大神"，拥护日本发动的对外侵略的"大东亚圣战"等。同时，把日语列为"国语"，将日语教学放在各级学校教育中的突出地位，从小学开始强迫学生学习日语，其课时逐渐超过汉语课。

1942 年以后随着日本国内所谓"战时体制"的确立，"满洲国"的政治、经济、文化、教育等也转变为"战时体制"。

1943 年，"满洲国"政府提出"且战且学、且学且战"的"战时教育"总方针，并采取相应措施。如修改学校规程，把"国民道德科"改为"建国精神科"，加强时局教育和敬神、拜神教育，减少教学时间增加军事训练和劳动时间。国民高等学校、师道学校、职业学校均增设教练科，向中等以上学校派遣军事教官，对男生施以军事教育和训练。"勤劳奉仕"（义务劳动）成为"满洲国"战时教育体制的主要内容之一。1942 年 12 月规定大学及相当于大学的在校学生要成立"勤劳奉公队"，每年要从事 30—45 天的劳动。1943 年 3 月修订学校规程时，把"勤劳奉仕"列入授课计划，规定中等学校男生每年劳动时间为 20 天以内，女生为 15 天以内；初等学校学生每年 10 天以内。中小学生义务劳动课程为修路、挖防空壕、打草等。这些义务劳动教育实际上把在校学生变相当做劳工，为其所谓"战时体制"服务。

日本为了强化殖民"奴化"教育，在"满洲国"各级教育行政机构中，始终设有"指导监督"教育行政的视学机构。"满洲国"视学机构分中央、省、旗县 3 级。1932 年 7 月文教部成立时就设有"督学室"。1937 年 7 月文教部并入民生部时该室设在教育司内。1940 年"督学室"改称"教学官室"，原督学官改称教学官和副教学官。1943 年 4 月，重新设立文教部时教学官则归属于教学司。省级视学机构称"视学室"，旗县（市）称"视学"。

兴安各分省公署建立之初，其文教科均设有"视学"一职，"承上司指挥办理学事视察及其他关于教育事务"①。1943 年 10 月，兴安总省成立时改称"视学官"。此外，在各省、旗县还成立了由学校校长、教师等组成的"视学委员会"或"视学委员"。省"视学委员"职责为视察学校教育中"建国精神"之贯彻、教授训练卫生、教科书使用、设备管理、教职员思想

---

① 　蔡鸿源主编：《民国法规集成》第 74 册，黄山书社 1999 年版，第 27 页。

修养及研究状况等。①　旗"视学委员"职责是除视察省"视学委员"所视察内容之外，还要视察关于"满洲国"皇帝之"御容"、诏书之"奉戴"状况、就学及出席、地方民众对教育之关心、学事事务整理、学校令及学校规程之实施、学校与家庭及社会联络、对学生毕业的指导及学生毕业后状况以及特别受命事项和其他关于学事事项等。②

这说明，各级视学机构都把监督"建国精神之贯彻状况"作为其首要职责，使得视学机构成为贯彻日本殖民主义"奴化"教育方针、政策的监督机关。

"满洲国"各级教育行政机构和视学机构之外，还有一个民间组织性质的"教育会"。1934 年 6 月"满洲帝国教育会"成立，本部设在文教部，由文教部大臣郑孝胥兼任会长。1938 年 5 月该会改组为"财团法人"，仍以文教部长为会长，副会长由文教部次长充任，学务司长兼任理事长，下设理事、监事、评议员等由中央及地方有关文教人员充任。各省均设"分会"，旗、县、市则设"支会"。该会会员分名誉会员、赞助会员、特别会员（教育行政人员）及普通会员（学校教职员）4 种，截止到 1944 年约有 5 万名会员。③

当时兴安 4 省共有 4 个教育分会，其中兴安南省教育分会下辖 30 个旗县市支会。各省教育会长由省长兼任，日籍参事兼副会长，设理事长 1 人，由民政厅长兼任，另设理事、监事及顾问、评议员若干名。各旗、县、市教育支会则由旗长、县长、市长兼支会长，由日籍参事官、副县长、副市长兼副支会长。各省教育会"以谋教育之进步改善及文教关系者之相互亲睦向上为目的"④，主要从事有关教育之调查研究，发行教育杂志及图书，召开教育会议和讲演、讲习会，介绍教育事业，与外国教育团体联络，表彰教育方面有功者，为各种文化事业团体协力等。

各级教育会虽然以民间组织形式出现，但它实质上已成为整个教育行政机构的一个组成部分，具有官办性质，而且由日本人操纵着实权。教育

---

①　内蒙古教育志编委会编：《内蒙古教育史志资料》第 1 辑（上），第 322 页。
②　内蒙古教育志编委会编：《内蒙古教育史志资料》第 1 辑（上），第 327—328 页。
③　武强主编：《东北沦陷十四年教育史料》第 1 辑，第 57 页。
④　内蒙古教育志编委会编：《内蒙古教育史志资料》第 1 辑（上），第 323 页。

会活动十分活跃，不仅举办讲演会，进行电影教育，出版书刊，发放奖学金，而且还办理分发各级各类学校教科书和学生服、学习用品等事项。所以说"满洲国"各级教育会成为日本推行殖民教育的得力工具，在为日伪统治制造舆论、宣传"奴化"思想等方面发挥了其他组织机构起不到的作用。

"满洲国"成立之初，就开始着手编纂各级各类学校教科书。刚开始多沿用中华民国教育部审定出版的教科书，由文教部对其中"不适之内容"予以审查、取舍。1937年6月，小学的教科书全部编纂完毕后，停止使用中华民国编纂发行的教科书。① 到1937年6月，共编纂发行教科书41种90卷之多。② 1938年开始实行"新学制"后，随着学制的变化又开始重新编纂教科书，并逐步使所有学校使用民生部大臣著作权之教科书（所谓"国定教科书"）。③

至于蒙古族各级学校使用的教科书，起初仍沿用原"东蒙书局"（设在沈阳）出版的蒙文教科书。④ 兴安总署成立之初即着手编纂蒙文教科书。1934年12月兴安总署改建为蒙政部以后，在其民政司文教科设"蒙文教科书编审官"，负责"掌管教科书之编纂及教科书教材及教化资料之审查"。⑤后来正式成立蒙文教科书编审委员会，"编审官"一职由蒙古族文化名人、原"东蒙书局"创办人克兴额担任，其手下还有吉儒木图、哈旺加卜、宝音仓、超鲁（张凤翔）、喇锡僧格（韩名卿）以及岸田蒔夫、三原增水等两名日本人。⑥ 蒙文教科书编审委员会先后编纂出版了小学《蒙文》、《算术》、《自然》、《修身》以及《国民读本》等各科教科书。1937年7月蒙政部被撤销后，该委员会及其业务划归民生部教育司教科书编审室。克兴额后来还编译出版了《蒙语国民高等学校辅助读本》⑦（上、下卷，共2册），在当时内

① 武强主编：《东北沦陷十四年教育史料》第1辑，第377页。
② 武强主编：《东北沦陷十四年教育史料》第1辑，第70页。
③ 武强主编：《东北沦陷十四年教育史料》第1辑，第70页。
④ 内蒙古教育志编委会编：《内蒙古教育史志资料》第1辑，第177页。
⑤ （"满洲国"）国务院总务厅情报处编：《蒙旗行政制度改革纪念特刊》（日文），第7页。
⑥ 克·莫日根：《克兴额——一个科尔沁蒙古人》，内蒙古教育出版社2001年版，第43—44页。
⑦ 武莫勒：《现存清末以来旧蒙文教科书草目》，见内蒙古教育志编委会编：《内蒙古教育史志资料》第2辑，第187—188页。

蒙古东部地区有很大影响。

二、各级各类教育

(一) 初等教育

在初等教育方面，1933 年 6 月兴安 4 个分省共有初级小学 24 所，完全小学 6 所（其中女校 1 所），私塾 14 所，在校生 2 281 名，教员 102 名。[①]到 1934 年 9 月，初等学校（初小、高小、两级完全小学）已有 75 所，在校生达 3 588 名，教员有 183 名。[②] 其中兴安南省（共 7 个旗，不包括库伦旗和通辽县）有初等学校 11 所，在校生 768 名，教员 36 名。到了 1935 年底兴安南省（包括库伦旗、通辽县，共计 8 旗 1 县）有旗、县立小学 41 所，学生 5 623 名，教员 190 名；旗县公立小学 85 所，学生 3 723 名，教员 94 名；私立小学 10 所，学生 990 名，教员 28 名。以上合计共有 136 所小学，9 336 名学生，312 名教员。[③] 另有 218 所私塾，在读学生达 3 787 名。[④]

此后几年中，兴安各省小学及在校学生继续增加。到 1939 年，兴安 4 省共有 400 所国民学校，在校生 31 087 人（其中女生 7 224 名）；80 所国民优级学校，在校生 5 690 名（其中女生 664 名）；国民学舍 105 所，学生 4 517 名（其中女生 915 名），国民义塾 134 所；私塾 194 所。[⑤]

这一时期，内蒙古东部区的蒙古族教育发展更为明显。1935 年 12 月兴安 4 省及省外 4 旗共有蒙古族小学 162 所，学生 8 326 名，另有私塾 143 所，学生 2 345 名。[⑥] 到了 1941 年 12 月，兴安 4 省和省外 4 旗蒙古族小学发展到 349 所，学生 25 018 名，其中国民学校 161 所，学生 16 780 名；国民学舍 137 所，学生 5 054 名；国民义塾 6 所，学生 232 名；国民优级学校 45 所，学生 3 052 名。[⑦] 另外，锦州省有蒙古族小学 53 所，学生 7 214 名，其

---

① 内蒙古教育志编委会编：《内蒙古教育史志资料》第 1 辑（上），第 26 页。
② 兴安总署调查课：《新兴的兴安省概观》（1934 年），徐同功译，内蒙古地方志编纂委员会总编室编：《内蒙古史志资料选编》第 5 辑，内蒙古地方志编纂委员会 1984 年印刷，第 47 页。
③ 兴安南省公署编：《兴安南省概览》（日文），兴安南省公署 1935 年印刷，第 114—116 页。
④ 兴安南省公署编：《兴安南省概览》（日文），第 117 页。
⑤ 满洲事情指南所编：《满洲帝国概览》（日文），满洲事情指南所 1940 年印刷，第 256 页。
⑥ 内蒙古教育志编委会编：《内蒙古教育史志资料》第 2 辑，第 31 页。
⑦ "满洲帝国"协和会调查部编：《兴安蒙古》（日文），满洲事情指南所 1943 年刊，第 90—93 页。

中国民学校 40 所，学生 6 962 名；国民学舍 1 所，学生 14 名；国民义塾 12 所，学生 238 名；国民优级学校 9 所，学生 1 154 名。[①] 以上合计小学 410 所，学生 33 472 名。由于缺乏资料，热河省蒙古族小学及学生数未统计在内。

上述数字表明，兴安 4 省及省外 4 旗蒙古族小学（包括国民学舍、国民义塾）在 6 年之内就由 305 所（包括私塾）增加到 349 所（包括国民学舍和国民义塾）学生人数由 10 671 名增加到 25 018 名，分别增长 14.4% 和 134.4%。

（二）中等教育

中等教育分为普通中等教育和中等职业教育以及中等师范教育。

"满洲国"成立之初，普通中等教育仍沿用旧学制，分初级中学（3 年）、高级中学（3 年）和初高级同校的两级中学，分设文理科。1938 年 1 月开始推行"新学制"后，废除初高级两级制和文理分科体制，将普通中等学校一律改为国民高等学校和女子国民高等学校，修业年限缩短为 4 年，并侧重于职业教育。

1933 年 6 月，兴安 4 省只有 2 所普通中学，220 名学生。[②] 另外，热河省 15 所中等学校中，公立中等学校 13 所（包括 2 所女子中学），私立中等学校 2 所（包括 1 所女子中学），共有 721 名学生（其中女生 93 名）。[③]

到 1938 年，兴安 4 省共有 7 所国民高等学校和 4 所女子国民高等学校，即通辽国民高等学校（农科，含畜产科）、扎兰屯国民高等学校（农科）、开鲁第一国民高等学校（农科，以畜产为主）、开鲁第二国民高等学校（农科）、海拉尔第一国民高等学校（农科，以畜产为主）、海拉尔第二国民高等学校（商科）、海拉尔第三国民高等学校（农科，以畜产科为主）[④] 和兴安女子国民高等学校（原王爷庙实业女学校）、通辽女子国民高等学校（原

---

① "满洲帝国"协和会调查部编：《兴安蒙古》（日文），第 90—93 页。
② 武强主编：《东北沦陷十四年教育史料》第 1 辑，第 231 页。
③ 武强主编：《东北沦陷十四年教育史料》第 1 辑，第 229—230 页。
④ （"满洲国"）民生部编：《中等以上教育设施设置表》（日文），（"满洲国"）民生部 1938 年印刷，第 20 页。

通辽实业女学校）、海拉尔女子国民高等学校、扎兰屯女子国民高等学校。[①]
其中开鲁第一国民高等学校、扎兰屯国民高等学校、海拉尔第一国民高等学
校和扎兰屯女子国民高等学校，以招收蒙古族学生为主。另有 1 所由蒙民厚
生会创办的王爷庙国民高等学校——育成学院（农科）。[②]

到 1941 年底，兴安 4 省、热河省、锦州省及省外 4 旗蒙古族普通中等
学校（国民高等学校）达到 10 所，在校学生 1 475 名（其中女生 137
名）。[③]

这一时期，内蒙古东部地区的中等师范教育和职业教育因受到日伪统治
者的重视，发展较快。

1933 年夏，兴安总署将原东北蒙旗师范学校（设在沈阳）改组为兴安
第一师范学校，并以每名学生由各旗公署补助 60—100 元的优惠条件吸引蒙
古族青年入学，[④] 专门培养蒙古族小学教师。该校分初级班和高级班，初级
班招收高级小学（相当于初级中学）毕业生，高级班招收初级中学或师范
毕业生，学习年限均为 3 年。所学课程为蒙文、汉文、日文、伦理学、心理
学、数学、史地、物理、化学、公民、教育、法制、经济、体育、经学、美
术、音乐、英文（高级班）。该校不收学费，并且膳宿费用亦由学校供给，
只有制服及零用费等由学生自理。学生从该校毕业后，分配到兴安各省从事
小学教育，必须服务 3 年以上，中途不得改行。[⑤] 1936 年该校与兴安第一职
业学校合并成为扎兰屯师道学校。[⑥]

此后，为解决兴安各省蒙古族初等学校教师紧缺的问题，陆续建立了兴
安师道学校（设在科右前旗王爷庙）和兴安西省教师养成所（设在开鲁）、
兴安北省教师养成所（设在海拉尔）。截至 1941 年 12 月，兴安 4 省共有 4
所师道学校（其中 2 所为教师养成所）。[⑦] 教师养成所一般招收国民优级学
校或职业学校毕业生，修业年限为 1—2 年。师道学校教育科一般讲授心理

---

① "满洲国"通讯社编：《满洲国现势》（日文），满洲国通信社 1943 年印刷，第 260 页。
② （"满洲国"）民生部编：《中等以上教育设施设置表》（日文），第 34 页。
③ "满洲帝国"协和会调查部编：《兴安蒙古》（日文），第 94 页。
④ 内蒙古教育志编委会编：《内蒙古教育史志资料》第 2 辑，第 203—204 页。
⑤ 《满洲国政府公报》第 211 号（1933 年 9 月 9 日）。
⑥ "满洲帝国"协和会调查部编：《兴安蒙古》（日文），第 96 页。
⑦ "满洲帝国"协和会调查部编：《兴安蒙古》（日文），第 96—97 页。

学概论、儿童心理学、伦理学、教育史、教授法概要、教育制度、学校的经营与管理、学校卫生概要、学校教育与家庭教育及社会教育之关系等课程。[①]

此外，从1938年开始，蒙政部为提高初等学校教员之素质，曾在新京开办短期教员讲习所，招收兴安各省推荐的优秀教师，对其进行为期4个月的教育。每期约招40名，每年举办两次。第一期共毕业39名（其中兴安南省11名、西省9名、东省6名、北省9名、省外4旗4名）。[②]

中等职业学校教育是日伪当局十分重视的一个教育部门，不仅所有中等学校教育都带有职业教育性质，而且还专门设立了很多职业学校。

1935年5月，蒙政部劝业司为了使蒙古人关心产业和培养锐意产业开发的人才，在郑家屯、布西、大板上、海拉尔为兴安4省各设一所产业技术传（讲）习所，学制大多为2年，主要教授制革、木工等与农牧林业有关的技术。[③]

此后，陆续建立的职业学校有巴林右旗大板上畜产学校（由大板上产业技术传习所改建，1941年迁到林东后改称林东畜产学校）、科尔沁左翼中旗立巴彦塔拉农业学校、莫力达瓦旗布西农业学校（1937年由布西产业传习所改建）、科尔沁右翼中旗农业学校、科尔沁左翼前旗农业学校、布特哈旗卧牛河农业学校（1937年成立布特哈青年学院，1938年改为农业学校）[④]以及通辽实业女学校、王爷庙兴安实业女学校等。此外，还有蒙民厚生会创办的科尔沁左翼后旗伊胡塔产业技术学院、兴安医学院以及在新京的私立蒙古实务学院。

巴彦塔拉农业学校成立于1935年，最初称为实业学校，有50名学生。[⑤]1938年改建为农业学校，学制3年，专业课有作物学、园艺学、病虫害、

①　（"满洲国"）《政府公报》（1937年10月10日）号外。
②　武强主编：《东北沦陷十四年教育史料》第1辑，第426页；［日］"满洲国"史编纂刊行会编：《满洲国史·各论》（日文），第1280页。
③　白拉都格其、金海、赛航：《蒙古民族通史》第5卷（上），第718—719页。
④　内蒙古教育志编委会编：《内蒙古教育史志资料》第2辑，第43页。
⑤　兴安南省公署编：《兴安南省概览》（日文），第120页。

造林学、生物学等。1939 年初仍有 50 名新生入学。[①]

布西产业技术讲习所成立于 1935 年 12 月，学制 2 年，分别从莫力达瓦旗和巴彦旗各招收 10 名蒙古族、达斡尔族等少数民族学生，专门学习农牧林业技术，所学课程有农业生产、地理、历史、算术、珠算、林业、军事教育、日语、满（汉）语、蒙语；[②] 1938 年 1 月改为布西农业学校。[③]

兴安实业女学校成立于 1931 年 7 月，学制 2 年，每期招收 100 名学生，专业课有家事、裁缝、手艺及园艺等。该校以招收蒙古族女学生为主，不收学费。[④] 后改为兴安女子国民高等学校。

伊胡塔产业技术学院始建于 1940 年，主要以培养畜牧兽医人才和管理人才为目标。该校学制 3 年，专门招收国民优级学校毕业的蒙古族学生，专业课程有畜牧学、兽医学、农业概论等。

新京蒙古实务学院由日本人佐藤富江（当时为满铁嘱托）创办。他先是应海拉尔特务机关长桥本欣五郎之邀，到海拉尔开始从事蒙古族青年训练事宜。后来到新京创办"蒙古实务学院"，招收蒙古族青年，进行为期 1 年的一般教育和农事、建筑等实业教育以及生活训练等。此后，该校成为协和会本部所属机构。[⑤] 1944 年 3 月开始招收"愿以喇嘛为职，不改初衷"[⑥] 的喇嘛学生，以培养喇嘛教团体各机关的书记、喇嘛学校教师、寺庙会计等。该校学制 1 年，免收一切费用，毕业后必须回到各自的寺庙，未经兴安局许可，不得离开寺庙从事其他职业。

兴安医学院则由蒙民厚生会投资 70 万元[⑦]，于 1941 年在王爷庙创办。该校成为当时内蒙古东部地区唯一培养蒙古族专业医务人员的学校。

兴安学院是当时在内蒙古东部地区建立较早、知名度最高的一所中等职业学校。该校建立于 1935 年 9 月，校址在王爷庙，初期归蒙政部直辖。

---

① 内蒙古教育志编委会编：《内蒙古教育史志资料》第 2 辑，第 456—457 页。
② 莫力达瓦旗公署编：《莫力达瓦旗情》（日文），李晓光译，1936 年呼伦贝尔盟历史研究会 1985 年版，第 46—47 页。
③ 内蒙古教育志编委会编：《内蒙古教育史志资料》第 2 辑，第 43 页。
④ 内蒙古教育志编委会编：《内蒙古教育史志资料》第 2 辑，第 451—453 页。
⑤ ［日］"满洲国"史编纂行会：《满洲国史·各论》（日文），第 1280 页。
⑥ 内蒙古教育志编委会编：《内蒙古教育史志资料》第 2 辑，第 532 页。
⑦ 《在王爷庙新设兴安医学院》，载《盛京时报》1940 年 12 月 19 日。

1937 年 7 月归民生部管辖。

1935 年 7 月 30 日 "满洲国" 政府公布《兴安学院官制》,[1] 规定该学院属于蒙政部大臣管理, "为对从事于实业者教授所需要之智识与技术并养成为初等学校教员者之所"。由此可见这不仅是一所培养实业人才的职业学校, 同时也是一所培养初等学校教师的师范学校。该校学制 5 年, 这也是它不同于其他中等职业学校的一个特点。该校初由蒙政部大臣齐默特色木不勒兼任校长, 后相继由兴安南省省长寿明阿和兴安总省省长博彦满都兼任校长。该学院院长 "下设日人主事 1 人", 名为 "辅佐院长, 承其命管理教务及训育, 院长有事故时, 代理其职务", 实际掌握学院权力。主事一职先后由青木英三郎、藤井正久、德宿太重担任。该校完全官费, 第五学年分为甲班和乙班。

兴安学院课程设置专业性较强, 学科面很广。所设课程有国民道德、教育、国语（日语及蒙古语）、实业、历史、地理、数学、理科、图画、手工、体育、音乐、语学（英语）。其中实业科学习农作物、园艺、土壤、肥料、土地改良、农作物病虫学、畜产、畜产加工制造、兽医、家畜卫生、牧草及其他饲料、牧场经营、农产加工制造、柞蚕养殖、制丝、育苗、造林、森林保护、森林利用、森林数学、森林经理、农林土木、农业气象、测量、产业组合、商事要项、商业经济、记簿、商业算术、商业地理等; 理科主要学习植物、动物、矿物的一般知识和物理、化学知识。

兴安学院教员中日本人占大多数, 蒙古族人占少数。课程除蒙古文用蒙语授课外, 其他课均用日语讲授; 在校生规定为 500 人（但经民生部大臣认可后可增加）, 学生来源为兴安 4 省、热河省、锦州省各旗和省外 4 旗之蒙古族及达斡尔、鄂温克等少数民族, 入学资格为高级小学、国民优级学校毕业及同等学力者。

兴安学院有自己的校歌（兴安寮歌）、校（寮）训、校旗、校徽等。[2]学院规定从该校毕业的学生, "自领到毕业证书之日起五年内, 有从事于民

① 内蒙古教育志编委会编:《内蒙古教育史志资料》第 2 辑, 第 404—405 页。

② 呼伦贝尔盟政协文史资料研究委员会编:《兴安学院回忆录》, 呼伦贝尔盟政协文史资料研究委员会 1998 年印刷, 第 3、173—174 页。

生部大臣所指定职务之义务"，如不履行这一义务时，将"偿还授业公费及其在学中所支领学资"。①

该学院从 1935 年至 1945 年共招收 11 期学生，先后共培养近千名学生，对内蒙古东部地区蒙古族文化教育事业的发展，产生了较大的积极影响。

（三）高等教育和留学生教育

高等教育和留学教育方面也有一定的发展。当时内蒙古东部地区的中等学校毕业生中有相当一部分人考入"满洲国"各大学或日本的一些大学和专科学校学习。

"满洲国"的留学生派遣工作初由文教部统一管理，1936 年起，由蒙政部专门负责蒙古族留学生派遣事宜。此时，内蒙古东部地区蒙古族留日学生已达 40 余人，到 1941 年底时达到 96 人，其中大学 5 人、高等师范学校 7 人、高等专门学校 13 人、师范学校 20 人、中等学校 8 人、高等女子学校 1 人、宗教学校 42 人；另外，在汪伪政权所辖的北京蒙藏学院学习的有 23 人。②

1939 年，财团法人蒙民厚生会成立后，积极采取鼓励和资助蒙古族留学生的措施，使得升入"满洲国"各大学、专科学校和日本的大学、高等专科学校学习的人数有所增加。1941 年，该会制订派遣留学生第一个五年计划，决定从 1942 年起向"满洲国"及日本各大专院校派遣 440 名学生。③据统计，1943 年，该会曾向新京法政大学、建国大学、新京畜产大学、吉林师道大学、满洲医科大学、哈尔滨医科大学、哈尔滨农业大学、哈尔滨学院、哈尔滨军医学校、齐齐哈尔师道学校、新京留学生预备学校、奉天同善堂助产士学校、四平助产士学校派遣了 104 名学生，向日本青森、长野、高田、静冈、山形等师范学校和京都帝国大学医学部以及善邻高等商业学校等专科学校以及其他一些中学（包括高等女子学校）派遣了 28 名留学生。④

（四）社会教育

社会教育方面，"满洲国"政府在内蒙古东部地区设立一些民众教育

---

① 内蒙古教育志编委会编：《内蒙古教育史志资料》第 2 辑，第 414—415 页。
② "满洲帝国"协和会调查部编：《兴安蒙古》（日文），满洲事情指南所 1943 年刊，第 99—103 页。
③ 内蒙古教育志编委会编：《内蒙古教育史志资料》第 2 辑，第 546—548 页。
④ 内蒙古教育志编委会编：《内蒙古教育史志资料》第 2 辑，第 548—557 页。

馆、民众学校、青年训练所等机构，对失学的一般民众进行扫盲教育。民众学校一般附设于各地的小学或民众教育馆内，由小学教师或民众教育馆之教职员兼任教师，根据所谓的"建国精神"，利用半日学校、夜校以及业余短期班等形式，"对失学之民众，用短期授以日常生活所需之知识技能，施以国民的训练为目的"①。民众教育馆为社会教育之中枢机构，要举办识字处、问事处、讲演所、阅报所、图书室、民众学校、日语讲习所以及各种展览会、研究会等，同时从事所谓民众"教化运动"等。此外，蒙民厚生会、蒙文学会等蒙古族民间团体在王爷庙、开鲁等地举办过蒙民识字馆、平民学校和日语补习班、日语研究班等。

日本殖民统治时期，内蒙古东部地区尤其是蒙古族的文化教育事业在学校的数量、种类及在校学生人数等方面相对于军阀统治时代均有相当程度的发展。这主要有内外两个方面的原因，从外因方面来说，日本殖民者为了能够强化在内蒙古东部地区的统治，需培养一批蒙古族知识分子以供其驱使，所以他们不仅在政治上对蒙旗有所扶持，撤销县局，强化旗制，而且在蒙古族文化教育方面也采取了一些鼓励措施；从内因方面讲，则与蒙古族一些上层和广大知识分子致力于发展民族文化教育，为提高民族素质、保存民族文化和挽救民族衰亡所进行的努力有很大关系。

第三节　蒙疆政权时期内蒙古西部地区教育事业

一、教育行政

1936年5月，蒙古军政府成立之初就在其政府机构中设教育署，任命金永昌为署长，崛井德五郎为顾问。不久，金永昌调任驻满代表，由锡林郭勒盟苏尼特右旗郭尔卓尔扎布任署长。教育署下分第一科和第二科，分别由萨穆丕勒诺尔布和哈斯瓦齐尔任科长，后改由陶布新和吉尔嘎朗任科长。蒙古军政府成立之后，所辖锡林郭勒盟和察哈尔盟各旗县的教育行政事务均由军政府教育署掌管，并在德化（即化德）成立蒙古学院，由郭尔卓尔扎布

---

① 武强主编：《东北沦陷十四年教育史料》第1辑，第427页。

兼任院长，设电报班、师范班和补习班，招收蒙古青年施以短期训练，以应急需。同时将张北的农业学校改建为察哈尔盟青年学校，聘请日本人为教官，招收200名蒙古青年，进行军事及文化课教学；通过善邻协会派10名蒙古族青年到日本留学。还在德化设立蒙日语文讲习所，发动军政府职员学习蒙文和日文。

1937年10月，蒙古军政府改组成立"蒙古联盟自治政府"，在其政务院下属的总务部设教育处，成为该政权所辖5盟2市的教育行政主管部门，任命陶克托胡（即陶布新）为处长，[①]并开始制定《蒙古联盟自治政府选派留日官费生规程》《蒙古联盟自治政府政务院教育会议规程》《筹设锡乌两盟蒙古青年学校办法》《蒙古学院组织法》等各种教育行政法规。[②] 1938年8月，"蒙古联盟自治政府"机构改组后，在政务院下属的民政部内设教育处，仍由陶布新任处长，掌管"一、关于教育事项；二、关于学艺事项；三、关于教科书编纂及审查事项"[③]。

地方教育行政部门为各盟公署教育厅。1938年8月，随着"蒙古联盟自治政府"的改组，撤销了各盟公署教育厅，在民政厅设立文教科。这样，民政厅成为各盟教育行政主管部门。在旗公署民政处和市、县公署民政科内均设文教股。

此外，蒙疆联合委员会于1938年8月改组后更具有政府职能。该委员会内新成立的民生部掌管所辖的蒙古联盟自治政府、晋北自治政府和察南自治政府的有关学校教育、社会教育等教育方针政策及行政事务。[④]

1939年9月1日，在蒙疆联合委员会的基础上合并蒙古联盟、察南、

---

① 陶布新：《伪蒙疆教育的忆述》，政协内蒙古自治区委员会文史资料研究委员会编：《内蒙古文史资料》第7辑，第170页；德穆楚克栋鲁普：《德穆楚克栋鲁普自述》，陶布新整理，见政协内蒙古自治区委员会文史资料研究委员会编：《内蒙古文史资料》第13辑，第67页；另见北支那经济通信社编：《北支·蒙疆现势》（日文），第723页所记，1938年8月"蒙古联盟自治政府"机构改组后的教育处长为陶克托胡（即陶布新）。然而"蒙古联盟自治政府"编：《蒙古联盟自治政府七三三年甲年度行政概要》（第2页）中所列1938年6月底前的教育处长则为哈斯巴塔尔。由此可见，最初的教育处长可能是哈斯巴塔尔，1938年8月政府机构改组后由陶布新任处长。

② "蒙古联盟自治政府"编：《蒙古联盟自治政府七三三年甲年度行政概要》，第7页。

③ 满铁调查部编：《蒙疆政府公文集》（日文）上辑，第46—47页。

④ 满铁调查部编：《蒙疆政府公文集》（日文）上辑，第14页。

晋北 3 自治政府，在张家口成立蒙古联合自治政府。该政府政务院所属的民政部（部长松津旺楚克）内设立教育科，主管辖区内有关教育行政事务。这样，日本统治者在包括内蒙古西部地区在内的蒙疆地区建立起了从上到下的殖民教育体系。

1941 年 6 月，"蒙古联合自治政府"实行机构改革，根据所辖地区内蒙古、汉、回等民族的不同特点，采取"属人行政"的政策，单独设立对蒙古族的行政机关——兴蒙委员会。在教育行政方面同样采取蒙汉族教育机关分立的措施，蒙古人的教育行政由兴蒙委员会掌管，而汉族和回族的教育行政则由内政部掌管。

兴蒙委员会教育处处长为陶布新，该处主管事务为："一、有关普及教育培养人才事项；二、有关促进文化发扬精神事项；三、有关宗教礼俗庙会祭典事项；四、有关统一蒙文及蒙文图书之事项；五、有关蒙古历史、地志、文献之整理事项；六、有关史迹、名胜、天然纪念物之事项。"[①] 内政部文教科科长由左希尧担任，该科主管事项为："一、关于学校教育事项；二、关于社会教育事项；三、关于宗教礼俗事项；四、关于史迹、名胜、天然纪念物事项；五、关于教科书编纂、审定及检查事项；六、关于教科书发行事项；七、关于留学生事项。"[②]

此后，蒙疆政权所辖地区内的蒙古族和汉族、回族的教育行政由不同的两套行政机构分别掌管。

1937 年 10 月，"蒙古联盟自治政府"成立后，仿照"满洲国"的教育体制，对其辖区内各级各类教育部门实行监督体制，在各级教育行政主管部门设立专门的教育监督机构和人员。

1938 年 8 月在政务院民政部设视学官 2 人[③]；1939 年 9 月蒙古联合自治政府成立后，在民政部和后来的内政部文教科内设立教学股和教学官 2 人，在兴蒙委员会设教学官 1 人；在盟、政厅（1943 年以后为省）公署内设立

---

① "蒙古联合自治政府"总务部编纂：《蒙古法令辑览》（汉日对照）第 1 卷之《官制篇》，蒙疆行政学会 1941 年刊印，第 47 页。

② ［日］福岛义澄编：《蒙疆年鉴》（日文，1944 年版），蒙疆新闻社 1943 年刊印，第 114 页。

③ 北支那经济通讯社编：《北支·蒙疆现势》（日文），第 719 页。

视学官；在旗、县、市公署内设视学一职，[1]专门负责监督各该辖区内各级各类教育机构及其教学。内政部文教科和兴蒙委员会"教学官奉上司之命指导监督学校教育及社会教育"[2]。旗公署"视学承上司之指挥从事视察学校事务及其他有关教育事项。"[3]

此外，蒙疆联合委员会曾于1939年5月13日成立一个属于教育咨询性质的机构"蒙疆教育审议会"[4]。1939年9月，蒙古联合自治政府成立后，该机构改称"教育审议会"。1940年1月1日，蒙古联合自治政府政务院公布《教育审议会规程》。该会由会长、副会长各一人及委员若干人组成，另设干事若干人，会长和副会长分别由民政部部长、次长担任，受政务院长之监督，"应主管部长之咨问调查审议教育制度及其他教育上重要事项"[5]，并就上述事项向有关部长提出建议。

在蒙疆地区各级教育行政部门之外，还成立了一个民间组织性质的"蒙古教育会"。该会成立于1939年11月，最初称"蒙疆教育会"，标榜"以蒙古联合自治政府统治区域内教育之进步与改善及促进文教关系者之间的亲睦向上为目的"[6]，由当时的民政部长松津旺楚克兼任会长，副会长由民政部次长大场辰之助兼任，最高顾问金井章二及兴亚院蒙疆联络部长官竹下义晴被聘为名誉顾问，各盟盟长和参与官、各政厅长官及次长任顾问。随着1941年6月政府机构改革，该会于同年8月进行改组，并将名称改为"蒙古教育会"。9月，又与当地的日本人教育机关合并，扩充了组织机构，会长由政务院院长吴鹤龄兼任，副会长由兴蒙委员会委员长、内政部长、内政部次长及回教委员会委员长兼任，教育会本部事务所设在内政部，在各盟、政厅（1943年1月以后为省）及张家口特别市公署设分会事务所，各旗县市公署设支会事务所。

该会所从事的活动为："一、调查与研究有关教育事项；二、编纂刊行

---

① ［日］福岛义澄编：《蒙疆年鉴》（日文，1944年版），蒙疆新闻社1943年刊印，第374页。

② ［日］福岛义澄编：《蒙疆年鉴》（日文，1944年版），第113、115页。

③ ［日］福岛义澄编：《蒙疆年鉴》（日文，1944年版），第123页。

④ ［日］铃木清干编：《蒙疆年鉴》（日文，1941年版），蒙疆新闻社1941年刊印，第2页。

⑤ "蒙古联合自治政府"总务部编：《蒙古法令辑览》（汉日对照）第1卷之《官制篇》，蒙疆行政学会1941年刊印，第23页。

⑥ ［日］福岛义澄编：《蒙疆年鉴》（日文，1944年版），第123页。

有关当地教育的图书杂志；三、召开有关教育的研究会、讲演会；四、培训教员之讲习；五、普及日语、蒙语、汉语；六、介绍教育事业及与教育团体的国际联络；七、与各种文化事业团体的联络与协作；八、教育视察；九、表彰教育功劳者；十、日语教育用图书及其教材、教具之斡旋；十一、当地学生用品的输入与配给。"① 该会于 1942 年 4 月 18 日曾召开该年度第一次理事会，确定举行全蒙教育状况报告会、时事讲演会、展览会，演剧，征集日语作文，绘制"大东亚共荣圈"地图及中学地理附图等工作计划。② 1943年春，该会曾编纂出版《日本语教材集》，作为中等学校高年级学生及其他日语教育机关研究班学员的日语教材。当时，日本驻张家口公使馆出资购得全部教材，转赠"蒙古自治邦政府"，并配送给有关学校及机关使用。③

由此可见，"蒙古教育会"虽以民间组织形式出现，但所从事的业务不仅包括调查、研究教育事业和举办有关教育的各种活动，而且还出版教科书、经营学生学习用具等，事实上已经具有半官方机构性质，成为日本在蒙疆地区确立的殖民地教育行政体系的一个重要组成部分。所谓"蒙古教育会"在为日伪统治制造舆论氛围、宣传"奴化"教育思想及推行殖民教育政策方面起到了其他组织机构所起不到的作用。

1937 年 10 月，"蒙古联盟自治政府"成立后，立即着手制定辖区内的学校宗旨和学制，并制定相应的教育法规。当时确定的教育宗旨是"以发扬成吉思汗精神，促进蒙古民族教育，培养实用人才为主要内容"④，从而达到"积极推进教育，力谋人民知识程度之向上，使其具有正当之思想，一扫党化教育之陈腐观念，并努力吸收东洋之新文化，以助长蒙古文化之发展"⑤ 的目标。

"蒙古联盟自治政府"确定的学制为初等教育、中等教育、高等教育 3个阶段。

---

① ［日］福岛义澄编：《蒙疆年鉴》（日文，1944 年版），蒙疆新闻社 1943 年刊印，第 381 页。
② 蒙古教育志编委会编：《内蒙古教育史志资料》第 2 辑，第 591 页。
③ ［日］福岛义澄编：《蒙疆年鉴》（日文，1944 年版），第 381 页。
④ 陶布新：《伪蒙疆教育的忆述》，见政协内蒙古自治区委员会文史资料研究委员会编：《内蒙古文史资料》第 7 辑，第 171 页。
⑤ "蒙古联盟自治政府"编：《蒙古联盟自治政府七三三年甲年度行政概要》，第 1 页。

初等教育分为初级和高级。初级学校修业年限为 4 年，高级小学为 2 年。此外，还有成人扫盲教育性质的民众学校等，修业年限没有明确规定；中等教育包括普通中学、师范学校、职业学校等。普通中学分为初级和高级，修业年限各为 3 年；师范学校分师范和简易师范 2 种，师范学校收初中毕业生，修业年限为 4 年；简易师范收高小毕业生，修业年限为 4 年；职业学校按各自的性质规定修业年限为 1 年至 3 年；高等教育修业年限 4—5 年，其中专修科 2—3 年。①

但是这一教育宗旨和学制显然与蒙疆联合委员会提出的"民族协和"、"防共亲日"的教育宗旨及"奴化"、"分化"教育政策有所不符，所以遭到民政部日本顾问的反对，从而未能正式实施。事实上，后来根据"蒙疆联合委员会"制订的教育方针，在蒙疆地区并未开展高等教育，所以也没有成立任何高等院校。

1939 年 9 月，"蒙古联合自治政府"成立后，在"蒙疆联合委员会"制定的《教育纲领》的基础上，重新制定了《学制要纲》，规定了各级各类学校的学制。新学制规定，蒙疆地区的教育分初等教育、中等教育两个阶段，还有特殊教育及留学生教育、官吏培养教育等几个门类。

初等教育分为初级小学、高级小学两种。初级小学学制为 2 年，高级小学学制为 2 年，初级小学入学者应为 11 岁以上并具有初级学校毕业和同等学力者。设置初级、高级小学的主体为市、县、旗、乡、村、地方团体组织的教育机关或个人；成立或废止学校需盟长（政厅为政厅长官）同意；对于公立小学的监督由各级教育行政主管部门负责，私立小学则由旗札萨克、旗总管及市长、县长监督。学校名称大部分称为初级小学、高级小学、两级小学并冠以政区名称或地名；一部分小学则称做国民学校。蒙汉回各民族以民族别设立小学为原则。小学学习科目为修身、国语、日语、算术、自然作业、体育、音乐、图画、实务、地理等 11 个科目，使用"蒙古联合自治政府"编纂的教科书；初级小学一、二年级一周学习时间为 23 学时，三、四年级为 26 学时；高级小学一、二年级每周学习时间为 30 学时；每学年从

---

①　陶布新：《伪蒙疆教育的忆述》，见政协内蒙古自治区委员会文史资料研究委员会编：《内蒙古文史资料》第 7 辑，第 171 页。

1月1日开始，12月31日结束。① 在初级小学、高级小学阶段大部分为男女合校，少数实行男女分校。

1941年6月，"蒙古联合自治政府"行政机构改革后，蒙、汉、回民族教育分别由兴蒙委员会和内政部负责实施。这样，蒙旗小学大多称为兴蒙学校。

中等教育包括普通中学、师范学校、女子中学、实业学校及实务学校。中学分初级中学和高级中学两种。1939年，蒙古联合自治政府曾制定公布了《公立中等学校官制》，1940年5月又修正公布了《官立中等学校官制》，规定各种中等学校设校长、副校长、教谕（一般学校）、主事（设有附属国民学校及高级国民学校的师范学校）、教导、书记等职员。官立中等学校归民政部部长管理，具体管理职责由民政部长委托盟长及政厅长官负责。② 1941年6月以后，由兴蒙委员会负责管理蒙古族中等学校，内政部负责管理汉族中等学校。一些蒙汉杂居地带不懂蒙古语的蒙古族学生到汉族中学就读。回族中等学校只有一所回教青年学校，由内政部管理。

普通中等学校学制为4年，入学资格为高级小学毕业生或同等学力年满13岁以上者；招收蒙古族学生的中等学校设修业年限为2年的实务科及修业年限为1年的师范科。中等学校学习科目为国民道德、国语、日语、历史、地理、数学、理科、图画、音乐、体育、作业，使用蒙古联合自治政府编纂和检定的教科书；女子中学入学资格、修业年限与男子中学无异，学习科目中加授女子所必要的家事、实业、裁缝、手艺等；师范学校则以培养初等教育所需师资为目的，其学习年限、入学资格等与普通学校没有多大差别；实业学校及实务学校则以接受实业、实务所需的知识、技能，养成勤劳的习惯为目的，入学资格与普通中学相同，实业学校学习年限为4年，实务学校为2—3年。③

特殊教育包括各种私塾、简易小学及各种专门学校，其中有中央警察学校（张家口）、地方警察学校（各盟、政厅所在地）、地方警察训练所、蒙

---

① ［日］铃木清干编：《蒙疆年鉴》（日文，1942年版），蒙疆新闻社1941年刊印，第315页。
② ［日］铃木清干编：《蒙疆年鉴》（日文，1941年版），蒙疆新闻社1941年刊印，第235页。
③ ［日］铃木清干编：《蒙疆年鉴》（日文，1942年版），蒙疆新闻社1941年刊印，第316页。

疆学校（后改称中央学院，在张家口）、蒙古高等学院（原名留日预备学校，在张家口）、兴蒙学院（在张家口）、中央医学院（在张家口）、交通学院（在张家口）、蒙医养成所（在厚和）、防疫技术员养成所（在厚和）、牧业实验场畜加工场（在张北）、蒙古绵羊协会种羊场（在集宁）、农事指导员养成所（巴彦塔拉盟、察哈尔盟等）、经济部财务讲习所（在张家口）、善邻回民女塾（在张家口）、铁路学院（在张家口）、天主教修道院（小修道院 4 处、大修道院 3 处、察哈尔盟养正中学）、大同清真女塾、包头市立中学班、西苏尼特旗女子家政实验学校以及蒙古军幼年学校（在西苏尼特旗）、蒙古军军官学校（在厚和）等。①

此外，社会教育机构有民众学校、民众教育馆、青年训练所、男子青年团、妇人会及各种日语普及机构等。社会教育机构大多以组织青年进行训练或对超过入学年龄者实施某种程度的知识、技能教育为目的。

在蒙疆地区教育体系中还有一个由日本人建立的教育系统。其中有针对日本人子弟的小学和中学，还有善邻协会针对蒙古族及回族的教育机关。后来，善邻协会在内蒙古西部地区所办的小学大都归各盟旗教育行政部门管理。

1936 年 5 月，蒙古军政府成立后，辖区内的小学开始采用"满洲国"编纂出版的教科书。1937 年 10 月，"蒙古联盟自治政府"成立后，仍采用"满洲国"的教科书。同时，蒙古文化馆下设一个教科书编译组，着手编辑中小学教科书及课外读物。因急于编纂以供所需，首先把"满洲国"文教部出版的小学教科书的国语一科中删去不适合蒙疆政权的内容，并加入适合蒙疆政权的内容，供各地小学使用。②

1939 年 9 月，"蒙古联合自治政府"成立后，其政务院民政部下设教科书编审室，并于 1940 年成立"教育用图书审议会"。1941 年 6 月，"蒙古联合自治政府"行政机构改革时，撤销了教科书编审室，由内政部文教科编纂汉、回族学生所用教科书，兴蒙委员会教育处负责编纂蒙古族学生所用的教科书。1942 年 12 月，又集中上述两个部门教科书编纂人员，在总务厅设

---

① ［日］福岛义澄编：《蒙疆年鉴》（日文，1944 年版），蒙疆新闻社 1943 年刊印，第 379—380 页。

② 陶布新：《伪蒙疆教育的忆述》，见政协内蒙古自治区委员会文史资料研究委员会编：《内蒙古文史资料》第 7 辑，第 174—175 页。

立了临时编审室，负责教科书的编纂出版，并于当年编纂出版了高级小学日语读本全套，初级小学用蒙古语读本 4 册、蒙文算术 4 册。[①] 当时在蒙疆地区中、小学使用的主要教科书有算术、日语、自然、国（汉）文、修身、日本史、地理等 40 余种。[②]

1940 年，"蒙古联合自治政府"确定了编纂初等中等学校教科书三年计划，并公布了教科书《编纂要领》，特别强调通过教科书向学生灌输所谓"防共亲日"、"民族协和"及"东亚新秩序"等思想。其中规定："1. 强调为东亚新秩序之一翼蒙疆建设团结一致的精神；2. 发扬东洋道义之精华；3. 适应各民族特质助长其特性；4. 特别强调民族协和、防共、厚生；5. 认识本地区特殊性，适应当地情况；6. 适应时代趋势；7. 适应建成高度国防政权"。[③]

1940 年 5 月 17 日，"蒙古联合自治政府"民政部公布《中等学校用认可教科书之件》，同样强调教科书的政治思想性，要求办理教科书认可时要严格注意"1. 适合于本政府成立之意义及使命；2. 阐明本政府之特质；3. 适合当地之特殊性"，要求应特别注意"国民道德（或修身）之教材以修养人格为基础，由齐家之德进而达及对于社会之任务，以宣扬东亚之道义、防共、民族协和之精神为原则，给予以迈进建设东亚新秩序之自觉"；"历史之教材使人明了历史上之重要事迹，会解社会变迁文化发展之过程，并阐明本政府成立之意义以养成蒙疆人民之信念"；"东亚史以蒙疆为中心而研究各国历史之发展"；"关于民族斗争史实应以民族协和精神为原则办理"；地理教材"应使人理会地球和人类及其生活状态，并阐明两者之关系，尤须使知蒙疆之现势从而促进蒙疆人民之自觉"；"关于蒙疆之地理，使知自然状态、政治、经济、产业、交通之状态及其关系并授以自然地理及人文地理之概要"。[④]

"蒙古联合自治政府"规定，从 1940 年 11 月起初等学校、中等学校和

---

① ［日］福岛义澄编：《蒙疆年鉴》（日文，1944 年版），蒙疆新闻社 1943 年刊印，第 374 页。
② ［日］福岛义澄编：《蒙疆年鉴》（日文，1944 年版），第 374 页。
③ ［日］福岛义澄编：《蒙疆年鉴》（日文，1944 年版），第 374 页。
④ "蒙古联合自治政府"总务部编：《蒙古法令辑览》（汉日对照）第 1 卷之《民政篇》，蒙疆行政学会 1941 年刊印，第 16 页。

临时地方教员训练所、青年训练所以及此类训练机关，一律使用具有民政部长著作权的教科书（即蒙古联合自治政府自编教科书）或经民政部长检定和审查之教科书（即非自编教科书）。如违反此项规定，要处以 200 元以下罚金。①

对于蒙古族小学教科书的编纂同样强调其政治思想性。善邻协会在编纂蒙古族小学教科书时明确提出："由本协会编写的蒙古儿童用小学教科书，不只在本协会，应在所有从事对蒙文化工作的机关使用，而且作为皇国对蒙古的国策之根本，确立数十年后日蒙关系，具有重大教化意义，有必要将以下各点作为重点：一、唤起作为蒙古人的自豪；二、认识作为乌拉尔、阿尔泰人种的蒙古人在世界的地位；三、特别关心蒙古之国运；四、了解日蒙亲善之必然缘由；五、重视产业教育；六、认识教育之重要性。"② 为此，该协会还具体规定了蒙古族学生修身、日语、蒙语、蒙古史、地理、经济、时事常识、劳动作业、教练、图画、唱歌等科目的授课目的和意义。其中，修身科目的教授目的和意义为"把握处于新时代之复兴精神，掌握和培养作为防共圈之一员所应具有的建设东亚新秩序的理念"；日语的教授目的是"养成亲日的氛围，通过语言理解日本，养成信赖日本的信念"；地理科目的教授目的是"说明蒙古在东亚共荣圈内的重要性，贯彻防共之要务"。③

二、教育方针及政策

日本殖民统治者在内蒙古西部地区扶植成立蒙疆政权的一个根本目的就是"防共"，即防止苏联和蒙古国的势力进入内蒙古及华北地区。另外，所谓的蒙疆地区是蒙古族、汉族、回族以及大批新迁入的日本人杂居地带，所以日本统治者从一开始便强调所谓的"民族协和"方针。这一方针中着重强调的是蒙、汉、回民族与日本的"协和"。所以说，日本殖民统治者在蒙疆地区所确定的教育方针的核心就是"防共"与"民族协和"。1941 年太

---

① "蒙古联合自治政府"总务部编：《蒙古法令辑览》（汉日对照）第 1 卷之《民政篇》，蒙疆行政学会 1941 年刊印，第 17 页。

② ［日］善邻协会编：《善邻协会史——在内蒙古的文化活动》（日文），日本蒙古协会 1971 年刊印，第 357—358 页。

③ ［日］善邻协会编：《善邻协会史——在内蒙古的文化活动》（日文），第 381 页。

平洋战争爆发后，日本殖民统治者又在其占领区强调所谓的"确立大东亚共荣圈"、"建设东亚新秩序"等，使得这些理论成为蒙疆地区教育方针的内容。

1937年10月1日，关东军司令部在其《蒙疆方面政治工作指导要纲》中就提出，察南、晋北及蒙古军政府要以"日、汉、蒙民族之融和等为第一义，以期纠正排日教育，彻底防共"①。10月25日，关东军参谋部为即将成立的"蒙古联盟自治政府"制定的《政府大纲》中明确提出，该"政府之施政就是在其领域内以防共及民族协和为根基"②。10月27日公布的《蒙古联盟自治政府组织大纲》中规定，"'蒙古联盟自治政府'以防共民族协和为基本方针，以生、聚、教、兴、养、卫6事为施政纲领"。③ 1938年1月成立直属于日本大本营的驻蒙兵团时，关东军司令植田谦吉就向驻蒙兵团司令莲沼蕃提出"蒙疆地方政治指导之根本方针就是坚持民族协和、防共亲日主义"。④ 1939年9月"蒙古联合自治政府"成立后，在其《施政纲要》中规定，"使诸民族大同协和，以人民之总意为基础，大施经纶"，"由共产主义毒害中解放诸族，以资强化世界防共线"。⑤ 在该政府《成立宣言》中明确提出肇建"蒙古联合自治政府"，"其期，则在防共、协和、厚生；其念，则在东亚永久之和平与宣扬东洋之道义"。⑥

蒙疆政权的这些基本方针，必然要反映到它的教育方针之中。1938年8月，"蒙疆联合委员会"经过改组后更具有政府职能，其下属的民生部不仅掌管涉及教育、卫生等的重要教育行政事项，而且负责制定有关教育方针、政策及相关法规。

1938年，"蒙疆联合委员会"制定了《教育纲领》，其方针为"基于蒙疆政权创建之本旨，发扬反共、民族协和之精神及东洋道义之精华而陶冶德

---

① ［日］臼井胜美、［日］稻叶正夫编：《现代史资料（9）·日中战争（二）》（日文），美铃书房1966年版，第121页。

② ［日］臼井胜美、［日］稻叶正夫编：《现代史资料（9）·日中战争（二）》（日文），第156页。

③ 满铁调查部编：《蒙疆政府公文集》（日文）上辑，满铁调查部1939年印刷，第34页。

④ ［日］臼井胜美、［日］稻叶正夫编：《现代史资料（9）·日中战争（2）》（日文），第176页。

⑤ 北支那经济通讯社编：《北支·蒙疆年鉴》（日文，1941年版）之《蒙疆篇》，第19页。

⑥ 北支那经济通讯社编：《北支·蒙疆年鉴》（日文，1941年版）之《蒙疆篇》，第18页。

行，授以实际的技能，养成坚实之人物"，要领为"根绝共产抗日思想，昂扬东方的精神"；"注重劳作教育与形成勤劳风气"；"重点置于初等教育而中等教育则以实业教育为主眼，至于高等教育则将来见机而行从事所需之设备"；"普及日语"；"教师之养成及检定由政府行之"等。[①] 这一教育纲领的目的就是将蒙疆地区教育制度与日本的军事目的相适应，彻底贯彻"亲日"精神教育。

1939年9月1日，"蒙古联合自治政府"成立后，根据其《施政纲领》的规定，确定了蒙疆政权的教育方针，即"一、给予对蒙古政权的理想和特质之认识；二、陶冶为东亚新秩序建设忠诚服务的德性；三、掌握民生之提高所必要的知识、技能；四、锻炼身心，培养强健之国民"[②]。

1940年5月，"蒙古联合自治政府"召开管区内文教科长会议，制定《学校教育要纲》，提出"以东亚新秩序建设为基调，以期民族协和，宣扬显现东洋道义"[③] 为教育实践的根本方针。此后，相继制定公布了《学制要纲》《学校令》《关于学校的官制》等教育行政法规。

1940年12月"蒙古联合自治政府"制定的《关于蒙疆建设根本方针之意见书》中明确指出，由于蒙疆地区"处在对苏关系及西北工作上的特殊防共地带，故称为高度防共自治区域"，"鉴于我政权作为对外蒙、西北工作之前进基地，采取政权主席由蒙古人担任的特殊之能动的政治形态"，"鉴于国际形势及日蒙特殊关系，采取纯战时体制，以开发国防资源为重点"，"鉴于各民族杂居地带，对各民族贯彻相对应的政策，同时通过日本民族之内部指导，以期达到各民族大同协和"；在其《教育施策》中提出："教育的根本方针在于培养把握肇建政府的根本理念，具备旺盛之精力及能够解决肇建工作中所碰到的各种问题的能力之国民。"规定各学校教育实施目标为："1. 把握、认识政府肇建精神；2. 彻底普及日语；3. 尊重实务教育；4. 重视科学的陶冶"。[④]

---

① 满铁调查部编：《蒙疆政府公文集》（日文）上辑，第217—218页。
② ［日］铃木清干编：《蒙疆年鉴》（日文，1942年版），蒙疆新闻社1941年刊印，第313页。
③ ［日］铃木清干编：《蒙疆年鉴》（日文，1942年版），第313页。
④ "蒙古联合自治政府"：《关于蒙疆建设根本方针之意见书》（日文），内蒙古自治区档案馆档案藏：《蒙古自治邦建设的沿革及施政之理念》（二）。

　　1940 年"蒙古联合自治政府"制定的教科书《编纂要领》中规定："为了作为东亚新秩序之一翼的蒙疆建设，应强调一致团结的精神"，"发扬东洋道义之精华"，"特别强调民族协和、防共、厚生"，"适应高度国防政权之建成"。①

　　由此可见，日本殖民统治者在蒙疆地区所推行的殖民教育中始终贯彻的就是所谓的"防共"和"民族协和"方针。

　　日本殖民统治者在蒙疆地区推行的殖民教育政策，可以归纳为以下几个方面：其一，实行"奴化"、"分化"教育；其二，强调日语教育；其三，强调初级教育和技能教育。

　　日本殖民统治者根据蒙疆地区战略地位和蒙疆政权的教育方针，在各级各类学校教育中始终实行"奴化"、"分化"教育政策，向蒙、汉、回族学生极力灌输所谓的"亲日防共"、"民族协和"及"发扬东洋道义精神"等思想。

　　"奴化"教育方面，规定在各级学校每天早晨举行升旗典礼时，集合全体师生首先向东方遥拜并向日本国旗和蒙疆政权旗敬礼；师生等经过日本神社、纪念塔时必须鞠躬致敬；经过日军岗哨时，必向日军敬礼；每逢日本天长、地久及日本天皇生日等节日时，学校必须放假，悬挂日本国旗，举行纪念仪式；每当日军打胜仗时，各学校师生必须参加庆祝仪式和游行；每当日军将级以上军官战死，各学校师生必须参加所谓的"慰灵祭"活动；要求小学生背诵"我等要与日本协力，建设亚细亚"等《学生信条》，② 每学期开学典礼上必须向"日蒙战殁者英灵默祷"，并由学生代表宣读誓词。③ 中等学校都进行军事训练，由日本教官担任教官，让学生学习劈刺、拳击等课目，灌输日本"武士道"精神，迫令学生对日本教官绝对服从，即使拳打脚踢也不许反抗。

　　除此之外，日本殖民统治者又极力提倡中国固有的儒教，每年秋季在文

---

　　① ［日］福岛义澄编：《蒙疆年鉴》（日文，1944 年版），蒙疆新闻社 1943 年刊印，第 374 页。

　　② "蒙古自治邦政府"蒙旗建设队编：《蒙旗建设现地工作状况中间报告书》（日文），"蒙古自治邦政府"蒙旗建设队 1942 年印，第 82 页。

　　③ "蒙古自治邦政府"蒙旗建设队编：《蒙旗建设现地工作状况中间报告书》（日文），第 84、86 页。

庙举行隆重的祭孔礼。祭孔礼沿用古时太牢的供品，实行三拜九叩之礼，主祭人由政府主席德王担任，副主席、民政部长、礼教科长等陪祭，并于祭文中尽量宣扬孔子"忠君敬上"之学说。

"分化"教育方面，不仅蒙、汉、回族的教育行政和初等、中等学校分立，而且在教育目的上也有区别。在专门招收蒙古族学生的学校里只学蒙文和日文，不准学习汉文；专门招收汉族学生的学校里只学汉文和日文，不准学习蒙文。当时，有的蒙古族人曾主张应学习汉文，而主管教育的日本人却强调"汉人文化不如日本人高，与其学习汉文，不如学日文吸收现代知识快"①。

"蒙疆联合委员会"成立后，对蒙、汉、回各民族确定了不同的教育目的。对蒙古族的教育目的是："1. 贯彻产业、实务教育；2. 贯彻体育、卫生及宗教教育；3. 吸收日语及日本文化的教育。4. 常识及改善生活的教育。"对汉族是："1. 亲日教育、日语教育；2. 经学道德教育及产业实务教育。"对回族是："1. 亲日教育、日语教育；2. 商业道德教育。"②

1940 年 11 月 25 日，"蒙古联合自治政府"政务院制定的蒙疆学院方针及要纲中规定："甲、对日系学生要让他们熟悉蒙疆特殊情况，注意培养实践能力，自觉地成为 4 个民族（指日、汉、蒙、回 4 个民族——引者）的先锋，进而成为官吏的核心；乙、对于蒙系学生应使其为蒙古民族之兴旺、发达，提高有关经济、教育及牧业的知识，进而强调卫生思想，注意保健；丙、对于汉系学生要强调东亚道义及民族协和思想，另外要提高有关商业知识；丁、对于回系学生应使其为回民族的兴旺发达，拥护回教，提高贸易知识。"③

12 月 20 日，"蒙古联合自治政府"制定蒙疆建设根本方针时提出的对蒙古族人的政策是："为了助成民族复兴、独立，目前应指导其培养实力，为此必认识到在政府内部设置蒙古人行政机关的必要性。"对于蒙古族人的

---

① 陶布新：《伪蒙疆教育的忆述》，见政协内蒙古自治区委员会文史资料研究委员会编：《内蒙古文史资料》第 7 辑，第 186 页。

② 北支那经济通讯社编：《北支·蒙疆现势》（日文），第 637—638 页。

③ ［日］铃木清干编：《蒙疆年鉴》（日文，1942 年版），蒙疆新闻社 1941 年刊印，第 317 页。

教育要"鉴于蒙古民族在我政权中的特殊地位及其民度，根据一般教育方针之外采取如下适应现地、现状的教育体制，以期培养我政权之核心人才：1. 对王公子弟的特殊教育；2. 增设盟旗（初级）小学；3. 采用流动小学制；4. 增设蒙旗高级小学；5. 增设整合中等学校并调整内容；6. 创设实务学校（预定 2 所）；7.（原文缺——引者）；8. 充实蒙旗师范学校；9. 青年教育及民众教育等"。对于回族的政策是："鉴于蒙疆政权的特殊性，以进行西北地区工作为目标，适应军（指驻蒙军——引者）的回教工作，把握地区内的回教徒。"对于回族的教育则"目前由军（指驻蒙军——引者）指导之"。对于汉族的政策则是："指导其认识蒙疆政权之理想，特别要彻底贯彻民族协和思想。为此，通过青帮等确保劳动大众层之外，组织青年层，实行动员体制。"在汉族的普通教育方面"1. 全盘修改学制；2. 检讨学校令（草案）；3. 制定青年训练所规程……"①

1943 年 3 月 19 日，兴蒙委员会召开辖下各盟视学官、文教负责人会议，强调蒙旗教育要彻底贯彻"排除共产主义、个人主义、自由主义及其他一切对立思想，坚持确立以日本为核心的东亚共荣圈的方针"②。

日本殖民统治者对于蒙疆政权辖区内的蒙、汉、回民族所实行的这种"分化"教育的目的，并不是他们自己所标榜的为了"发挥各民族之特长"，实质上是为了使其"分而治之"的殖民统治政策能够顺利推行。

日本殖民统治者在蒙疆地区的各级各类教育中始终强调日语教育的政策，不仅将日语作为蒙疆政权的官方用语，而且把"彻底普及日语"③ 作为各级教育行政部门和学校教育的一个基本目标。同时还把普及日语作为蒙疆地区社会教育的一个主要部门和蒙疆教育会等民间团体所必须进行的事业之一。④ 1939 年 12 月，"蒙古联合自治政府"民政部召集辖区内教育行政负责人、日语教育行政当事人及兴亚院蒙疆联络部有关人员召开第一次日语普及

①　"蒙古联合自治政府"：《关于蒙疆建设根本方针之意见书》（日文），见内蒙古自治区档案馆档案藏：《蒙古自治邦建设的沿革及施政之理念》（二）。

②　《蒙古》（日文）1943 年第 10 卷第 6 号。

③　"蒙古联合自治政府"：《关于蒙疆建设基本方针之意见书》（日文），见内蒙古自治区档案馆档案藏：《蒙古自治邦建设的沿革及施政之理念》（二）。

④　［日］铃木清干编：《蒙疆年鉴》（日文，1942 年版），蒙疆新闻社 1941 年刊印，第 318 页。

对策协议会，讨论普及日语教育方案，并制定了"确立日语教育的方针"①以及培养日本人教师、设立日语普及总部、统一教材并承认特殊性、资金投入、教授方法及制度、日语教科书编纂方针等。

在这样的方针指导下，各地小学学习日语的时间规定为每周7—12小时，均超过学习蒙文和汉文的时间。中等以上学校日语学习时间更多，有的课程直接用日语授课。② 如蒙古学院1939年各班日语每周时数为：师范班8学时，师范班（蒙）6学时，电务班4学时，甲补习班8学时，乙补习班6学时，丙补习班8学时。③ 1940年1月，蒙古联合自治政府以民政部训令的形式规定初等学校每周学习日语6学时，中等学校每周7学时以上。④

但是当时小学日语教师极为缺乏，察哈尔盟及锡林郭勒盟各旗小学只好让各旗的日本顾问每周担任日语授课任务。⑤ 每个中等学校也只能配备1—6名日语教师。所以，为解决日语教师缺乏的问题，在各地动员私人、教育会及各种团体设立日语学校，培养日语教师。

为普及日语，除在学校教育中采取强制措施之外，从1940年开始在蒙疆地区特别推行了"语学检定考试制度"。为此，蒙古联合自治政府政务院发布《语学检定考试规程》及《语学检定考试要纲》，⑥ 在总务部设"语学检定考试委员会"，由总务部长（日本人）任委员长，负责蒙汉人的日语等级考试和日本人的蒙语、汉语等级考试。同时为鼓励各级政府部门人员参加考试，特别规定向考试合格者发放"语学津贴"，特等每月40元，可领取4年；一等每月30元，领取3年；二等每月20元，领取2年；三等每月10元，领取1年。⑦ 从1940年开始每年进行一次以上考试。1940年开始考试时参加者达1 800余人，其中日语考试合格者为625名。据统计，从1940年到1943年的3次日语考试中，就有1 907人（其中172名蒙古人、1 578

①　《蒙古》（日文）1940年第7卷第2号。

②　陶布新：《伪蒙疆教育的忆述》，见政协内蒙古自治区委员会文史资料研究委员会编：《内蒙古文史资料》第7辑，第184页。

③　内蒙古教育志编委会编：《内蒙古教育史志资料》第2辑，第467页。

④　［日］福岛义澄编：《蒙疆年鉴》（日文，1944年版），蒙疆新闻社1943年刊印，第374页。

⑤　［日］福岛义澄编：《蒙疆年鉴》（日文，1944年版），第375页

⑥　［日］福岛义澄编：《蒙疆年鉴》（日文，1943年版），蒙疆新闻社1942年刊印，第326—327页。

⑦　［日］福岛义澄编：《蒙疆年鉴》（日文，1944年版），蒙疆新闻社1943年刊印，第375页。

名汉人、57 名回族、100 名满族）分别取得各个等级的合格证。①

在各地还普遍设立业余性质的日语补习班、进修班、讲习所等，千方百计地普及日语。1941 年 11 月 14—15 日，蒙古教育会"为了日语教育的普及"②，专门召开日语教育大会，报告日语教育现状，参观日语授课情况，举行日语讲演等。

采取这种政策、措施的目的，日本殖民统治者毫不隐讳地认为就是为"养成亲日的氛围，通过语言理解日本，养成对日本的依赖观念"。③ 推行普及日语政策的结果，有些中学毕业生不能用蒙文、汉文写通顺的文章，却能说流利的日语。当时有的汉族学生说汉语时还夹杂一些日语，被称之为"协和式语"。④

日本殖民统治者在经济上把蒙疆地区当做掠夺煤炭、钢铁、畜产品等所谓"国防资源"的殖民地，以掠夺和开发这些资源为重点，并提出所谓"工业日本，农业蒙疆"⑤ 的口号。这一政策体现在教育方面就是强调初级教育和农牧业技能教育。

"蒙古联合自治政府"于 1940 年 5 月制定的《学校管理要纲》中就明确提出，"修炼实业及实务"⑥。1940 年 12 月"蒙古联合自治政府"制定的学校教育的实施目标之一为"尊重实务教育"⑦。

对于蒙古族的教育中尤其强调实业及实务教育。早在 1935 年 7 月，关东军参谋部在内蒙古西部教育实施要纲中就规定："对蒙民的教育当前限于小学教育，要以职业教育为重点，将来伴随满洲国教育制度的确立要与之相

---

① ［日］福岛义澄编：《蒙疆年鉴》（日文，1944 年版），第 375 页。
② 《蒙古》（日文）1942 年第 9 卷第 1 号。
③ ［日］善邻协会编：《善邻协会史——在内蒙古的文化活动》（日文），第 381 页。
④ 陶布新：《伪蒙疆教育的忆述》，见政协内蒙古自治区委员会文史资料研究委员会编：《内蒙古文史资料》第 7 辑，第 185 页。
⑤ 陶布新：《伪蒙疆教育的忆述》，见政协内蒙古自治区委员会文史资料研究委员会编：《内蒙古文史资料》第 7 辑，第 173 页。
⑥ ［日］铃木清干编：《蒙疆年鉴》（日文，1942 年版），蒙疆新闻社 1941 年刊印，第 313 页。
⑦ "蒙古联合自治政府"：《关于蒙疆建设基本方针之意见书》（日文），见内蒙古档案馆档案藏：《蒙古自治邦建设的沿革及施政之理念》（二）。

适应，但除了对特别优秀的所需人员外，不随意实施高等教育为宗旨。"[①]
1936 年 1 月关东军参谋部再次强调："教育方面目前以蒙古为对象，以二、
三年的课程普及初等普通教育。"[②] 以蒙疆政权内的日本人为主成立的"蒙
古问题研究会"确定的蒙古族教育方针中也认为："鉴于蒙古的实情，将初
等教育、体育和实用教育作为重点。"[③] 这一政策在蒙疆地区中等学校的设
置和留学生派遣方面也得到体现。在蒙疆地区的学制上未对工科职业学校作
出规定，也未设立工业学校，只设立一些农牧业职业技术学校。派往日本的
留学生也只限于学农业、师范、兽医、军事、医学、政治等科，很少有学习
工科的人。

三、各级各类教育

"七七"事变后随着日军占领内蒙古西部大部分地区，使得各级各类学
校大多停办。1937 年 10 月，蒙古联盟自治政府成立后，立即着手制定各种
教育法规、派遣留学生、恢复蒙古学院、建立各盟青年学校的同时，责成辖
区内盟、旗、县、市恢复或新建小学校。

在蒙疆政权的教育体制中只有初等教育和中等教育，没有高等教育。代
替高等教育的是以培养官吏及农牧业技术人员为目的的所谓"特殊教育"
或"技能教育"。

（一）初等教育

日本殖民统治时期，内蒙古西部地区初等教育分为初级小学和高级小
学，其学制分别为 4 年和 2 年。据 1938 年 6 月的统计，"蒙古联盟自治政
府"辖区内小学数和学生数见表 21 - 1。

---

① ［日］岛田俊彦、［日］稻叶正夫编：《现代史资料（8）·日中战争（一）》（日文），美铃书
房 1965 年版，第 494—495 页。

② ［日］岛田俊彦、［日］稻叶正夫编：《现代史资料（8）·日中战争（一）》（日文），美铃书房 1965
年版，第 542 页。

③ ［日］厚和蒙古研究会：《兴蒙推进要纲》（日文），厚和蒙古研究会 1941 年印刷，第 190 页。

表21-1　1938年6月蒙古联盟自治政府辖区内小学数及学生数①

盟市别	小学校数	学生数
巴彦塔拉盟	258	14 466
察哈尔盟	233	7 943
锡林郭勒盟	10	350
乌兰察布盟	6	190
伊克昭盟	7	140
厚和市	8	2 100
包头市	8	1 013
合计	530	26 202

　　以学校和学生数量最多的巴彦塔拉盟（即原绥远省中东部5旗10县）为例，该地区事变前小学教育状况见表21-2。

表21-2　巴彦塔拉盟事变前小学数及学生数②

类　别	小学数	学生数
省立小学	8	1 861
县立小学	832	26 950
合计	840	28 811

　　两相比较，小学数量从事变前的840所减少到274所（即巴彦塔拉盟5旗10县加上厚和、包头2市），学生数量从28 811人减少到17 579人，小学数减少了556所，学生减少了11 232人，分别减少了67.4%和39%。这一数字表明，由于日本的军事占领，内蒙古西部地区的初等教育事业遭到了巨大摧残。

　　此后的几年内，日本殖民统治下的内蒙古西部地区初等教育在学校数和

---

① "蒙古联盟自治政府"编：《蒙古联盟自治政府七三三年甲年度行政概要》，第8—9页。
② 祁建民：《二十世纪三四十年代的晋察绥地区》，天津人民出版社2002年版，第218页。

学生数方面逐年有所增加。

据统计，1940 年蒙疆政权辖区内的锡林郭勒盟、察哈尔盟、巴彦塔拉盟、乌兰察布盟、伊克昭盟共有公私立蒙汉小学 694 所（其中初级小学 666 所，高级小学 28 所），学生数为 40 651 人；① 1942 年 1 月，公私立蒙汉小学共有 745 所，学生数为 40 403 人。② 到 1942 年末，共有小学 919 所，小学生数为 53 912 人。③

以小学数最多的巴彦塔拉盟为例，1940 年末蒙汉小学为 531 所，小学生数 29 428 人；1942 年初为 519 所，小学生数为 29 915 人；到 1942 年末为 626 所（其中汉族小学 610 所，蒙古族小学 16 所），小学生数增加到 38 733 人（其中汉族学生 37 574 名，蒙古族学生 1 159 名）。④ 这一数字与事变前相比，小学校数量始终没有达到事变前的 840 所，下降了 25.5%。但学生人数明显增加，从 28 811 人增加到 38 733 人，增长了 34.4%。

这一时期，蒙古族小学及学生数量也处于上升趋势。1940 年末，上述 5 个盟共有蒙古族小学 44 所（其中初级小学 43 所，高级小学 1 所），小学生人数为 1 932 名（其中男生 1 828 名，女生 104 名）；⑤ 到 1942 年末小学增加到 105 所，学生人数增加到 6 513 名（其中男生 5 457 名，女生 1 056 名），具体分布见表 21 – 3。

表 21 – 3　1942 年末蒙疆政权所辖各盟小学数、教员数及学生数⑥

地区别	学校数	教员数	学生数		
			男	女	共　计
锡林郭勒盟	38	62	1 929	434	2 363
乌兰察布盟	18	47	922	285	1 207
察哈尔盟	29	68	1 432	/	1 432

① ［日］铃木清干编：《蒙疆年鉴》（日文，1942 年版），蒙疆新闻社 1941 年刊印，第 314 页。
② ［日］福岛义澄编：《蒙疆年鉴》（日文，1943 年版），蒙疆新闻社 1942 年刊印，第 323 页。
③ ［日］福岛义澄编：《蒙疆年鉴》（日文，1944 年版），蒙疆新闻社 1943 年刊印，第 376—377 页。
④ ［日］福岛义澄编：《蒙疆年鉴》（日文，1944 年版），第 376—377 页。
⑤ ［日］铃木清干编：《蒙疆年鉴》（日文，1942 年版），第 315 页。
⑥ ［日］福岛义澄编：《蒙疆年鉴》（日文，1944 年版），第 377 页。

（续表）

地区别	学校数	教员数	学生数		
			男	女	共 计
巴彦塔拉盟	16	37	938	221	1 159
伊克昭盟	3	11	204	100	304
兴蒙学院附属国民学校	1	4	33	16	49
合计	105	229	5 457	1 056	6 513

这一组数字说明，蒙古族小学由 1940 年末的 44 所发展到 105 所，小学生由 1 932 名增加到 6 513 名。小学数和小学生人数增长幅度分别为 138.6% 和 237%。

（二）中等教育

日本殖民统治时期，中等教育是内蒙古西部地区的一个重要教育门类。中等教育分为普通中等教育和中等职业教育以及中等师范教育。

普通中学学制为 4 年，师范学校学制为 4 年，实业学校学制也是 4 年，实务学校学制为 2 至 3 年。

据 1938 年 6 月统计，"蒙古联盟自治政府" 辖区内的 5 个盟共有 4 所中等学校，在校生人数为 520 人。这 4 所中等学校分别为蒙古学院（在厚和，在校生为 170 名）、巴彦塔拉盟师范学校（在厚和，在校生人数为 100 名）、察哈尔盟青年学校（在张北，在校生为 200 名）、包头青年学校（在包头，在校生为 50 人）。①

据 1941 年 6 月统计，上述 5 个盟共有各类中等学校 7 所，在校生人数为 12 18 名。这 7 所中等学校分别为察哈尔盟师范学校（在张北，学生人数为 108 名）、德化蒙古中学（在张北，学生人数为 277 名）、巴彦塔拉盟师范学校（在厚和，学生人数为 230 名）、厚和农科实业学校（在厚和，学生人数为 183 名）、厚和蒙古中学（在厚和，学生人数为 300 名）、厚和蒙古中学包头分校（在包头，学生人数为 20 名）、德化蒙古中学贝子庙分校

① "蒙古联盟自治政府" 编：《蒙古联盟自治政府七三三年甲年度行政概要》，第 1 页。

（在锡林郭勒盟贝子庙，学生人数为 100 名）。[1]

到 1942 年末，中等学校仍为 7 所，在校生增加到 1 374 名。[2] 这时，原德化蒙古中学改名为张北兴蒙中学（教员 15 名，男生 155 名，女生 123 名，合计 278 名），厚和蒙古中学改称厚和兴蒙中学（教员 15 名，男生 218 名，女生 75 名，合计 293 名），原德化蒙古中学贝子庙分校改为贝子庙兴蒙中学（教员 13 名，男生 149 名，无女生），原厚和蒙古中学包头分校改为包头兴蒙中学（教员 8 名，男生 119 名，无女生）。[3] 这 4 所蒙古族中学归兴蒙委员会管理，另外 3 所中等学校（师范学校 2 所、农科实业中学 1 所）归内政部管理。

（三）女子初等、中等教育

日本殖民统治时期，内蒙古西部地区蒙古族女子教育的发展特别引人注目。

内蒙古东部地区蒙古族女子教育兴起于 20 世纪初，到 30 年代已经有了长足的发展，而内蒙古西部地区蒙古族女子教育一直到 20 世纪 30 年代还处在很低的水平，只有汉化较早的土默特旗等地一些蒙古族女子开始接受现代汉文化教育，而广大牧区的蒙古族女子一直还没有接受现代教育。

由于蒙疆政权内的一些蒙古族上层决策人士和知识分子的积极倡导，该地区的蒙古族女子教育事业得到初步发展。据 1940 年末的统计，只有在巴彦塔拉盟及伊克昭盟旗各小学仅有 104 名蒙古族女学生就读，[4] 而蒙古族最集中的锡林郭勒盟、察哈尔盟及乌兰察布盟各旗小学竟没有一名女学生。到了 1942 年末的时候，除察哈尔盟以外其他 4 个盟各旗小学均有蒙古族女学生，在校女生已经发展到 1 056 名，[5] 增长了 10 多倍，

这一时期，锡林郭勒盟各旗蒙古族女子教育发展最快。1940 年末的时候全盟没有一名女学生，到 1942 年末全盟 38 所小学中已有 434 名女

① ［日］铃木清干编：《蒙疆年鉴》（日文，1942 年版），蒙疆新闻社 1941 年刊印，第 316 页。
② ［日］福岛义澄编：《蒙疆年鉴》（日文，1944 年版），蒙疆新闻社 1943 年刊印，第 378 页。
③ ［日］铃木清干编：《蒙疆年鉴》（日文，1942 年版），第 378 页。
④ ［日］铃木清干编：《蒙疆年鉴》（日文，1942 年版），第 315 页。
⑤ ［日］福岛义澄编：《蒙疆年鉴》（日文，1944 年版），第 377 页。

学生。①

1941 年以后，锡林郭勒盟 10 旗及乌兰察布盟四子王旗设立兴蒙女子家政实验学校。到 1943 年 4 月，锡林郭勒盟 10 旗有 26 所女子家政实验学校，在校学生达 197 人。其中苏尼特右旗就有 5 所女子家政学校。② 苏尼特右旗女子家政实验学校成立于 1941 年 1 月，属于最早成立的女子学校。到 1942 年该校已有 4 个年级，学生 72 名，教员 4 名，其中 1 名为乳制品生产指导员。学校教室及宿舍由 21 顶蒙古包组成，学习科目除文化课之外，还学习家政、卫生、裁缝及乳制品制作、毛皮加工、蔬菜种植等实用技术。学校周围如没旗札萨克的允许，任何男子不得靠近。③ 该学校还组织女学生写作文，并将其中的一些优秀作文及诗作推荐发表在留日蒙古同乡会主办的蒙文《新蒙古》杂志上。④

这一时期，蒙古族女子中等教育也有相当的发展。1941 年 6 月只有在德化蒙古中学和厚和蒙古中学包头分校有女子中学生就读，两个中学的女生共有 75 名。到了 1942 年末的时候已经发展到 198 名，⑤ 增长了 162.7%。

（四）留学生教育

日本殖民统治时期，内蒙古西部地区及蒙古族留学生教育是发展较快的一个教育部门。向日本派遣留学生的工作，早在 1935 年 5 月蒙古军政府成立后不久即已开始。1936 年 6 月底该政府教育署就通过善邻协会选送博和温都苏、胡尔沁毕力格、赛春嘎等 10 名蒙古族学生到日本留学，并且每人每月补助 45 元。

1937 年 10 月"蒙古联盟自治政府"成立后，非常重视选派留学生的工作。1938 年 3 月相继制定公布了"蒙古联盟自治政府"《招考留日官费生简章》、《选派官员赴日留学办法》、《选派留日官费生规程》及《留日官费生遵守规则》等，规定："政府为谋沟通日蒙文化，领略真正东洋精神，达成

---

① ［日］福岛义澄编：《蒙疆年鉴》（日文，1944 年版），蒙疆新闻社 1943 年刊印，第 377 页。
② ［日］福岛义澄编：《蒙疆年鉴》（日文，1944 年版），第 378 页。
③ "蒙古自治邦政府"蒙旗建设队：《蒙旗建设现地工作状况中间报告书》（日文），第 76 页。
④ 《新蒙古》（蒙古文），1944 年 9 月，第 120—132 页。
⑤ ［日］福岛义澄编：《蒙疆年鉴》（日文，1944 年版），第 378 页。

共存共荣互助互惠之目的，特选派留日官员及留日官费生，以期学有所得，回蒙报效。"① 同时，成立"蒙古留学生基金管理委员会"，规定政府每年预算支出总额中拿出 0.5%—1%，各盟市旗县每年缴纳 5 万—10 万元，再加上各机关、学校职员捐款作为蒙古留学生基金，资助留学生完成学业。②

4 月底，"蒙古联盟自治政府"经考试选派索特那木扎木苏、才喜雅尔图、德力格尔朝克图等 10 人作为官费生赴日留学。另外，将此前由善邻协会资助赴日留学的官木布扎布、德格吉勒图、那村卜和、布尔济格特等 4 人作为官费生。③ 这样，第二期官费生共计 14 人。选派官费生的同时，决定选派 20 岁以上 30 岁以下并有中等学校毕业学历的政府官员赴日留学，其名额为政务 11 人，参议 1 人，秘书处 1 人。④ 1939 年 5 月，"蒙古联盟自治政府"又选派 14 名官费生到日本留学。⑤

1939 年 9 月"蒙古联合自治政府"成立后，其选派留学生的政策措施发生了一些变化。在此前选派的留日学生全部是蒙古族，由于 3 个自治政府合并，需要照顾察南、晋北等地汉族、回族，所以在选派留学生时为汉、回族留出一半的名额。⑥

1940 年 3 月，"蒙古联合自治政府"相继制定和公布了《留学生规程》及《关于留学生之件》，规定选派留学生事宜归民政部长管辖，留学生资格为中等以上学校毕业或同等学力者以及民政部长特别认可者。留学生必须填写《留学誓约书》并由正副两名保证人担保，还须经民政部长组织的留学生认可考试及格才能留学。留学地点及学校也由民政部长指定。留学生分官费生和私费生两种，选拔成绩优秀者为官费生，根据考取学校的不同每人每月补助 30—65 元不等的学费及生活费。同时确认"所谓留学生者，乃系指于地

① "蒙古联盟自治政府"编：《蒙古联盟自治政府七三三年甲年度行政概要》，第 7 页。

② ［日］铃木清干编：《蒙疆年鉴》（日文，1941 年版），第 236 页。

③ 田中刚：《"蒙疆政权"的留学生事业及蒙古人留学生》，载《历史研究》（日文），大阪教育大学 2001 年 3 月第 38 号。

④ "蒙古联盟自治政府"编：《蒙古联盟自治政府七三三年甲年度行政概要》，第 8 页。

⑤ 田中刚：《"蒙疆政权"的留学生事业及蒙古人留学生》，载《历史研究》（日文）2001 年 3 月第 38 号。

⑥ 陶布新：《伪蒙疆教育的忆述》，见政协内蒙古自治区委员会文史资料研究委员会编：《内蒙古文史资料》第 7 辑，第 177 页。

域外学校学习之学生"①。这样，留学日本及到"满洲国"和关东州以及汪精卫政权所辖地区学校学习者均被认定为留学生。规定派到日本的留学生由"蒙古联合自治政府"驻日代表监督，派到"满洲国"和关东州的学生由该政府驻满代表监督，派到汪精卫政权辖区的学生由该政府驻华办事处长监督。

　　1940年12月，"蒙古联合自治政府"制定《有关留学生施策》，提出了对于留学生加强监督的政策、措施，即："1. 强化各种留学生派遣及留学中之统制、监督；2. 留学地要选择质实刚健之地，专攻科目努力选择学习实务的科目（教育、医学、农业、商业等）；3. 由政府统制留学生毕业之配置。"②

　　到1941年6月，"蒙古联合自治政府"派遣的留学生达98名，其中蒙古族72名、汉族22名、回族4名；在日本的共94名、在"满洲国"的4名。③ 到1942年末，蒙疆政权派到日本的留学生达158名，其中蒙古族116名、汉族36名、回族6名，另有喇嘛留学生15名。④

　　由于蒙疆地区3个自治政府的合并，标榜"民族协和"等所谓"肇建精神"，并需要向汉、回族学生提供留学的机会，客观上势必影响到蒙古族留学生数量的增加限度。为此，刚从日本留学回来的政府参议吴鹤龄（不久担任政务院院长）联络政府中的蒙古族要人与兴亚院蒙疆联络部、驻蒙军等协商，于1940年10月在张家口成立了民办官助性质的财团法人"蒙古留学生后援会"。

　　该会由兴蒙委员会委员长松津旺楚克任会长，吴鹤龄任理事长，主要从事派遣留学生、维持和经营留学生会馆、设立留学生宿舍、监督和指导留学生等事宜，⑤ 并计划在东京或札幌设立"日蒙会馆"，以便安排留学生的生活。该会下设事业部和基金部。

　　该会基金来源于原"蒙古联盟自治政府"时期的"蒙古人教育复兴费"

---

　　① "蒙古联合自治政府"总务部编：《蒙古法令辑览》（汉日对照）第1卷之《民政篇》，第16—17页。

　　② "蒙古联合自治政府"：《关于蒙疆建设根本方针之意见书》（日文），见内蒙古自治区档案馆档案藏：《蒙古自治邦建设的沿革及施政之理念》（二）。

　　③ ［日］铃木清干编：《蒙疆年鉴》（日文，1942年版），第316页。

　　④ ［日］福岛义澄编：《蒙疆年鉴》（日文，1944年版），第380页。

　　⑤ 《蒙古》（日文）1940年第7卷第11号。

5万元、驻蒙军付给德王支配的5万元以及个人捐助等，共计14万元。[1]

10月15日，蒙古留学生后援会召开第一次理事会，讨论制定了向日本选派留学生的第一个十年计划，即每年派遣100人，10年共派1 000人，决定从1941年开始实施。确定这1 000名留学生中200人进入师范学校，以培养小学师资，成绩优良者可升入高等师范；200人进入以牧业为主的农业学校或兽医学校；100人作为产业合作社、牧业合作社、酪奶加工实习生，实际学习畜牧农业经济；100人以林业、土木建筑业为主，学习适合于内蒙古牧区牧村建设和园艺、蔬菜栽培、打井、烧砖、烧炭等技术；100人进入医学院校；还有150名女生从第6年（即1946年）起主要学习家政，接受城市和农村的劳动教育，其中30名编成特别班，入日本女校，学习育儿、卫生及孝养之道等；150人学习研究政治、法律、文学、美术、宗教以及演艺等学科。

根据蒙古留学生后援会第一次理事会的决定，于1941年8月在张家口成立了"留日学生预备学校"。该学校由蒙古留学生后援会主办，并由理事会理事长吴鹤龄主持，具体事务由留日回国的萨音托布任主事负责。该校根据学生的文化程度，分高等班和普通班，主要补习日语。[2] 1943年2月该校正式改建为"蒙古高等学院"。

蒙古留学生后援会成立以后，10年内派1 000名蒙古族学生到日本留学的计划并没有真正实现。但由于采取了民办公助的形式，不仅保证了选派蒙古族留学生的数量没有下降，而且还有所增加。据统计，1941年3月由后援会选送的第一批留日学生有20人，其中学习教育的5人，林牧5人，医学2人，兽医2人，产业合作社3人，各种实用技术3人。1942年3月选派第2批留学生共50名，其中学习教育的15人，林牧15人，医学5人，兽医5人，产业合作社5人，各种实用技术5人。[3]

从内蒙古西部地区派到日本留学的蒙古族留学生所学专业来看，重点在于农林业、畜产、师范、兽医、医学等学科。这也从另一方面反映了蒙疆政

---

① ［日］铃木清干编：《蒙疆年鉴》（日文，1941年版），第237页。

② ［日］铃木清干编：《蒙疆年鉴》（日文，1941年版），第237页。

③ 转引自田中刚：《"蒙疆政权"的留学生事业及蒙古人留学生》，载《历史研究》（日文）2001年3月第38号。

权的留学生政策与日本殖民统治者在蒙疆地区推行的资源开发战略及重视初等教育和实务教育的方针完全相适应的历史真相。

四、特殊教育设施

日本殖民统治时期，蒙疆政权建立的蒙古学院、中央学院（蒙疆学院）、兴蒙学院、蒙古高等学院、中央医学院等学校被列入特殊教育设施范围之中。

（一）蒙古学院

蒙古学院成立于 1937 年 5 月，校址在德化（今化德县），为蒙古军政府直属学校。当时由锡林郭勒盟苏尼特右旗郡王郭尔卓尔扎布任院长，学院设师范、电报、补习各班，招收蒙古族青年施行短期训练，以培养蒙古军政府及所辖各盟旗急需的干部。但是开课不久由于"七七"事变爆发，绥远国民党军队攻陷德化，蒙古学院停办。

10 月底"蒙古联盟自治政府"在厚和豪特成立后，决定："为便利研究高深学术及培植实用人才起见，特恢复前军政府在德化所办之蒙古学院，并加以扩充，设置培植各种实用人才班次，以期于最短期间，收得最大效果。"① 1938 年 2 月，任命政府常任参议郭尔卓尔扎布为院长，桑宝为教导主任，文德乐夫为事务主任，负责筹备恢复蒙古学院，同时通令所辖各盟旗按所定名额送学生前来考试。5 月，将各盟旗陆续送来的学生分为甲、乙两补习班，开始授课。6 月中旬，按照学院定章将已经到校的 174 名学生编为旗务、师资速成、师范、电务训练及补习甲、乙六班，分别授课、并于 7 月 12 日举行开学典礼。

蒙古学院隶属于"蒙古联盟自治政府"民政部，设教导处和事务处。9 月初，郭尔卓尔扎布改任畜产部部长，院长一职由蒙疆联合委员会委员阿拉唐瓦期尔（金永昌）兼任。当时该学院除院长、教导主任、事务主任之外，共有职员 12 人、教员 13 人、学生 196 人。② 到 1939 年夏建院 1 周年时，除

---

① "蒙古联盟自治政府"编：《蒙古联盟自治政府七三三年甲年度行政概要》，第 4 页。
② 内蒙古教育志编委会编：《内蒙古教育史志资料》第 2 辑，第 470 页。

院长、教导主任、事务主任外有职员 20 名、教员 20 名，学生增加到 231 人。[1] 教员以蒙古人为主，还有少数汉族和日本教员。

蒙古学院专门招收蒙古族学生，授课以蒙古语为主，汉语、日语为辅。其教育方针为："1. 思想方面：养成学生使抱负复兴蒙古民族，促进东亚和平之正确思想及信念；2. 训练方面：养成严肃整齐，坚忍耐苦，动作敏捷，服从规律之良好习惯；3. 精神方面：养成勤、敬、忠、诚等习性，以发扬团体生活之精神。"[2]

蒙古学院初设师资速成班，师范班、电务人员训练班、旗务人员训练班及补习班。

师资班学制 1 年，主要培训各盟旗在职教职员，课程有合作概要、历史、地理、数学、应用文、修身、教育概论、教育心理、小学行政、民众教育、小学教材及教学法、教育测验及统计、劳作、美术、音乐、体育及实习等。

师范班学制 3 年，专门培养小学教员，课程有合作概要、历史、地理、算术、修身、教育概论、教育心理、民众教育、小学教材及教学法、教育测验及统计、蒙文、日文、汉文、生物、化学、物理、伦理学、教育史、教育原理、普遍心理、儿童心理、卫生、劳作、美术、音乐、体育、军事训练及实习等。

电务班学制 1 年，专门培养各盟电务人员，课程有蒙文、日文、电报收发、无线电公约、通讯概要、工程概要、电池原理、实地架设通讯法等，仅毕业一期即停办。

旗务班学制半年，专门培训各盟旗在职行政人员，课程有政治概要、法制概要、卫生概要、农牧概要、合作概要、地方自治要览、普通行政、实用簿记及统计、应用文、地理、历史、体育、军事训练及行政实习等，该班也仅招收过一期学员。

补习班学制 1 年，为文化程度低的学生补习蒙文及各科基础知识，使其能够升入各班深造，甲乙两班课程有所区别，大致有历史、地理、算术、修

---

① 内蒙古教育志编委会编：《内蒙古教育史志资料》第 2 辑，第 471 页。
② 内蒙古教育志编委会编：《内蒙古教育史志资料》第 2 辑，第 465 页。

身、蒙文、日文、汉文、卫生、蒙文文法、蒙文拼写、蒙文字母、常识、自然、音乐、体育、军事训练等。①

1939 年 9 月 "蒙古联合自治政府" 成立后，蒙古学院降格为普通中学。于 1940 年 6 月 1 日该学院与巴彦塔拉盟青年学校（成立于 1938 年 5 月）、乌兰察布盟青年学校（成立于 1938 年 6 月）合并成为厚和蒙古中学，② 并将以前的编制改为一、二、三、四、预科等 5 个班。课程也有所调整，不再学习汉文，增加了军训和劳作时间。1941 年上半年将巴彦塔拉盟立包头蒙古中学③划归厚和蒙古中学，改称厚和蒙古中学包头分校，规定该分校学生自三年级起转入厚和蒙古中学，与其毕业班组成高中班。同年 3 月，厚和蒙古中学增设女子部，学制 3 年，全校学生定额为 220 名，共分 6 个班。1942 年 10 月，丹璧扎布任校长，全校共有 15 名教师，其中日籍教师 5 人，学生共 293 人，其中男生 218 人，女生 75 人。

1943 年 1 月，该校改称厚和兴蒙中学，1944 年 1 月又改称厚和兴蒙农业中学，规定女子部学制改为 4 年，停办男子部预科。全校学生定额为 260 名，分 4 个年级，分农科 4 个班，女子部 3 个班，校长由布和巴彦（汉名刘醒民）担任。是年冬，该校奉命将毕业班和三年级学生全部转入在张家口的兴蒙学院，准备充实基层各蒙古学校的师资力量。1945 年夏日本投降，该校遂告结束。

该校几易其名共存在 7 年之久。第一期旗务班有 36 名学员毕业（1939 年 1 月），④ 其他各班共有 170 名学生毕业，其中电务班 34 人（1936 年 6 月），师资班 20 人（1939 年 6 月），师范班 19 人（1940 年 9 月），男子部 5 个班共 91 人（1940 年 12 月），女子部 12 人（1943 年 12 月）。该校毕业生数量并不多，但这些学生大都来自于经济文化相对落后的盟旗，毕业后又回

① 内蒙古教育志编委会编：《内蒙古教育史志资料》第 2 辑，第 466—467 页。

② 《蒙古》（日文）1940 年第 6 卷第 7 号（总第 98 号）。

③ 包头蒙古中学前身为包头蒙古青年学校，成立于 1938 年初。1938 年 5 月 1 日该校改称巴彦塔拉盟立包头蒙古中学。1941 年上半年并入厚和蒙古中学，成为其分校。1942 年该校又从厚和蒙古中学分离出来，改称包头蒙古中学，于 1944 年冬解散，教员和学生被分配到厚和蒙古中学和百灵庙蒙古中学。忒莫勒：《蒙古学院、蒙古中学校概述》，见政协呼和浩特市委员会编：《求学岁月——蒙古学院 蒙古中学忆往》，政协呼和浩特市委员会 2000 年印刷，第 5—6 页。

④ ［日］铃木清干编：《蒙疆年鉴》（日文，1941 年版），第 1 页。

到各盟旗工作，而且日本投降后这些毕业生陆续参加了革命工作，其中许多人成长为中高级领导干部或学有专长的专家，为当地教育的发展和民族文化的提高作出了贡献。

（二）中央学院

中央学院初期称为蒙疆学院，成立于1939年6月。1937年9月以后察南、晋北及蒙古联盟3自治政府相继成立，为培养各政府官员，在张家口、大同、厚和相应成立了察南学院、晋北学院和蒙古学院。1939年以后日本政府决定合并上述3个自治政府。蒙疆联合委员会就以统一管辖地区内的教育方针和教育机关为名，决定撤销3个学院，成立蒙疆地区最高教育机关——蒙疆学院。

1939年4月15日，"蒙疆联合委员会"任命该会总务部部长、察哈尔盟盟长卓特巴扎普为院长，[①] 制定公布了《蒙疆学院官制》。[②] 6月4日，又制定公布了《蒙疆学院规则》。6月10日在张家口正式成立了蒙疆政权的最高学府蒙疆学院，并举行了开学典礼。[③]

蒙疆学院从1939年9月1日以后归"蒙古联合自治政府"政务院长管理，"以培养训练中坚官吏为目的"，[④] "培养把握蒙疆政权的真意及特殊重要性，基于东亚新秩序建设的必然动向，为实现统一指导精神的人才"。[⑤]该学院设第一部和第二部。第一部学制一年以内，入学资格为大学、专门学校毕业或同等以上学力者经选拔考试合格的日、蒙、汉、回4族学生；第二部学制也是1年以内，招收日、蒙、汉、回族中等学校毕业或同等以上学力者经选拔考试合格者。另外，政务院长认为有必要时"得使地方团体或特殊会社或准此之团体职员为蒙疆学院之委托学生"[⑥]，也可以命令蒙疆学院院长对于蒙疆政权文官及其他有关人员进行必要的教育。

---

① 《盛京时报》1939年4月12日。

② ［日］铃木清干编：《蒙疆年鉴》（日文，1942年版），蒙疆新闻社1941年刊印，第317页。该《官制》后来于1939年9月1日、1940年10月1日、1940年12月11日3次修正，1941年6月1日废止。

③ ［日］铃木清干编：《蒙疆年鉴》（日文，1941年版），蒙疆新闻社1941年刊印，第2页。

④ ［日］铃木清干编：《蒙疆年鉴》（日文，1941年版），蒙疆新闻社1941年刊印，第234页。

⑤ ［日］铃木清干编：《蒙疆年鉴》（日文，1941年版），蒙疆新闻社1941年刊印，第233页。

⑥ 内蒙古教育志编委会编：《内蒙古教育史志资料》第2辑，第193页。

该学院设院长、副院长（1 人）、学生监（1 人）、教官（9 人）、事务官（1 人）、助教（6 人）、属官（5 人）及参与、讲师、嘱托等职员。①

该学院第二部于 1939 年 6 月先期招收学员，分配给"蒙古联盟自治政府"的名额为 20 名（蒙古族），察南、晋北自治政府 10 名（汉族），"蒙疆联合委员会" 10 名（回族）。1940 年开始第一部和第二部均招收新生。

第一部所学科目有"兴亚精神论、日语、蒙语、汉语、俄语、藏语、阿拉伯语、土耳其语、行政、法制、财政、经济、教育、亚细亚文明史、地理、比较社会学、比较宗教学、比较语言学、国际事情、军事学、各种特别讲义、训练、实习、座谈会、参观旅行"；第二部学习科目有"兴亚精神论、日语、蒙语、汉语、财政、经济、教育、历史、地理、特别讲义、军事学、训练、实习、座谈会、参观旅行"。②

实际上，该学院第一部只招收各级政府中的日籍官员，第二部只招收各级政府中任职的蒙、汉、回族官员，而且第一部学员学习年限为 3—6 个月。第二部学习年限也仅为 10 个月至 1 年。1939 年 10 月，该学院第二部还曾组织第一期学员到日本、"满洲国"及华北等地进行实习旅行。③ 1940 年 10 月为止，该学院第二部共招收蒙古族学员 26 名、汉族学员 30 名、回族学员 14 名。④

1940 年 4 月，日本驻蒙军独立第二混成旅团原旅团长常冈宽治（退役中将）任蒙疆学院第二任院长。同年 11 月 25 日以政务院指令形式公布了该学院教育方针及要领，规定："蒙疆学院按照政府的施政纲领，招收 4 族学生，使其认识本地区地理上的和历史上的特殊性，为了确立防共第一线之总动员体制，给适合当地的官吏及其他人员施以必要的教育。"⑤

1941 年 6 月 1 日，随着"蒙古联合自治政府"的机构改革，蒙疆学院改名为中央学院。该学院官制中规定设院长、教官、事务官、助教、属官和

---

① 内蒙古教育志编委会编：《内蒙古教育史志资料》第 2 辑，第 192 页。
② ［日］铃木清干编：《蒙疆年鉴》（日文，1941 年版），蒙疆新闻 1941 年刊印，第 234 页。
③ ［日］铃木清干编：《蒙疆年鉴》（日文，1941 年版），第 3 页；［日］鹭谷嘉兵卫：《在蒙怀旧片段》，见［日］骆驼会本部编：《高原千里——内蒙古回忆录》（日文），第 240 页。
④ ［日］铃木清干编：《蒙疆年鉴》（日文，1941 年版），第 234 页。
⑤ ［日］铃木清干编：《蒙疆年鉴》（日文，1941 年版），蒙疆新闻 1941 年刊印，第 317—318 页。

参与、顾问、讲师及嘱托。学院"承政务院长之管理",以"养成训育中坚官吏为目的",同样分为第一部和第二部,学习"年限为1年以内"。① 1942年6月11日,"蒙古自治邦政府"政务院再次确定中央学院职员定额,设院长、教官(12人)、事务官(1人)、助教(12人)、属官(6人)。② 蒙疆学院(中央学院)第三任院长为日军第24师团原师团长黑岩义胜(退役中将,1942年3月1日上任),第四任院长为新民报社原社长武田阳男。③

蒙疆学院及后来的中央学院在校生规模并不大。据1942年10月的统计,该院建院以来历年的毕业生数见表21-4。

表21-4 截至1942年10月蒙疆学院毕业生数④

学生别	学习期限	毕业生数
第一部第一期	1940.4—1940.9	140
第一部第二期	1940.12—1941.3	44
第一部第三期	1941.4—1941.9	59
第一部第四期	1941.10—1942.10	28
第二部第一期	1939.6—1940.3	69
第二部第二期	1940.11—1941.9	75
第二部第三期	1941.10—1942.10	75

由此可知,该学院从建院到1942年10月第一部共有271名日籍学员毕业,第二部共有219名蒙族、汉族、回族学员毕业,第一、二部共计毕业490名学员。由于缺乏资料,无从得知1942年10月以后的毕业生数。

(三)兴蒙学院

该学院的前身为蒙旗学校。1939年9月"蒙古联合自治政府"成立后,于同年11月在张家口成立了蒙旗学校,由民政部长特克希卜彦(王宗洛)

① 内蒙古教育志编委会编:《内蒙古教育史志资料》第1辑,(上),第198页。
② 内蒙古教育志编委会编:《内蒙古教育史志资料》第1辑,(上),第200页。
③ 祁建民:《二十世纪三四十年代的晋察绥地区》,天津人民出版社2002年版,第221页。
④ [日]福岛义澄编:《蒙疆年鉴》(日文,1943年版),蒙疆新闻社1942年刊印,第325页。

兼任校长，超克曼度夫为主事，"专收王公子弟受训"①。

1941 年 6 月，随着"蒙古联合自治政府"机构改革，该学院改称为兴蒙学院，由民政部划归新成立的兴蒙委员会管理。7 月 25 日，"蒙古联合自治政府"政务院公布《兴蒙学院官制》，规定"兴蒙学院属于兴蒙委员会委员长管理，以养成蒙古民族之中坚人才为目的"，学院置院长、主事（1人）、教官（15 人）、教导（5 人）、属官（2 人），另设顾问、讲师及嘱托等职员；学院设预科、本科及师范科，并设附属国民学校一所。此外，"兴蒙委员会委员长认为有必要时，得令兴蒙学院院长为兴蒙需要人才之养成附设必要之训练班"。② 兴蒙学院初任院长仍为特克希卜彦，继任院长为陈绍武，末任院长为乌力吉图，主事一职由日本人担任。改建为兴蒙学院以后，除王公子弟外，也招收一般蒙古族青年。③

1943 年"蒙古自治邦政府"决定在怀柔师范科增设兴蒙学院师范第二部，招收中等学校毕业生，实施一年的短期师范教育，毕业后直接分配到各旗小学；又根据修正发布的《兴蒙学院官制》，学院设院长、主事、教官、书记以及顾问、讲师、嘱托等。④ 该学院于 1945 年 8 月随着蒙疆政权的垮台而结束。

（四）蒙古高等学院

蒙古高等学院的前身为 1941 年 8 月 1 日成立的蒙古留日预备学校。该校先由"财团法人蒙古留学生后援会"主办，招收蒙古族学生，主要补习日语，为留学日本做准备。该学院属于私立公助性质，当时由后援会理事长吴鹤龄任校长。1943 年 3 月，"蒙古自治邦政府"将该学校改建为蒙古高等学院，相继制定公布了《蒙古高等学院官制》（1943 年 3 月 4 日）、《蒙古高等学院令》（1943 年 3 月 4 日）和《蒙古高等学院规程》（1943 年 3 月 26日）等。

① 陶布新：《伪蒙疆教育的忆述》，见政协内蒙古自治区委员会文史资料研究委员会编：《内蒙古文史资料》第 7 辑，第 181 页。

② 北支那经济通讯社：《北支·蒙疆年鉴》（日文，1942 年版），第 147—148 页。

③ 陶布新：《伪蒙疆教育的忆述》，政协内蒙古自治区委员会文史资料研究委员会编：《内蒙古文史资料》第 7 辑，第 181 页。

④ 北支那经济通讯社编：《北支·蒙疆年鉴》（日文，1944 年版），北支那经济通讯社 1943 年刊印，第 517 页。

蒙古高等学院归政务院长管理，"为教育、养成、发展蒙古自治邦之中坚人材起见，对于留学于日本高等专门学校者施以必要之教育并其练成为目的"①，设院长、副院长（1人）、教官（4人）、事务官（1人）、助教（2人）、属官（3人）及讲师、嘱托；该学院入学资格为兴蒙学院本科或师范学校等中等学校毕业生或同等以上学力者，学习年限为2年；全校学生定额90名以内；所学科目为肇建精神、国势、蒙古语及蒙古文学、汉语及汉文学、日本语及日本文学、德语、英语、数学、生物、物象（即物理、化学、自然）、卫生、体练、教练（即军事训练）和音乐、图画、实务、其他课外之课程等。② 该学院从此由私办公助转变为官办，学生不仅免收学费，还由学院付给学费，院长一职仍由政务院长吴鹤龄兼任。③

蒙古高等学院学生由于是准备派到日本留学，所以学院对其思想表现特别加以强调。该学院《规程》中要求学生深刻认识"本邦肇建之本义"，"对于大东亚共荣圈一翼之本邦"的建设要形成"巩固信念"，"指导者应勉于邦民的性格育成，而重视人格之陶冶、身心之锻炼及勤劳教育"，通过"肇建精神"课的学习，使学生对于"道德之要领、对国家、社会、家族之责任并关人格修养之事项，应予知晓而努力实行之"；通过"国势"课程的学习，让学生对于"国家民族之盛衰之法理及其现状，特别将日本之发展过程、现状并关将来应理解之而及东亚共荣圈"。④

（五）中央医学院

中央医学院是日本殖民统治时期在蒙疆地区建立的一所现代医学院校，成立于1942年4月，地址在张家口。1942年6月8日，"蒙古自治邦政府"政务院制定公布了《中央医学院官制》⑤，确定该学院归内政部长管理，以"养成医师及卫生技术者"和"关于卫生防疫实验之研究事项"以及完成"内政部长于卫生行政上认为有特别必要之事项"为目的。学院设院长（1

---

① 内蒙古教育志编委会编：《内蒙古教育史志资料》第2辑，第570页。

② 内蒙古教育志编委会编：《内蒙古教育史志资料》第2辑，第572页。

③ ［日］大西正男：《内蒙古六年》，见［日］骆驼会本部编：《高原千里——内蒙古回忆录》（日文），第261页。

④ 内蒙古教育志编委会编：《内蒙古教育史志资料》第2辑，第571—572页。

⑤ 内蒙古教育志编委会编：《内蒙古教育史志资料》第2辑，（上），第201—202页。

人）、教授（7 人）、理事官（1 人）、研究官（6 人）、助教授（3 人）、事务官（1 人）、助手（26 人）、属官（6 人）等职员以及顾问、名医教授、讲师、嘱托等；学院设总务科、教育部、研究部及附属医院。附属医院置院长、医官（13 人）、药业官（1 人）、护士长（1 人）。

经过半年多的筹备，中央医学院于 1942 年 12 月 18 日正式成立。① 第一期学员于 1943 年 4 月 1 日入学。第一期学员共有 36 名，（其中 4 名为女生），是从 110 多名报名者中考试选拔出来的。其中 10 名为蒙古族学生，其余为汉、回族学生。该学院学习年限为 3 年。② 中央医学院及其附属医院院长和其他教授、研究官、医官等均由日本人担任，中央医学院院长为池口辉雄，附属医院院长为宫本田守。③

第四节　抗战时期内蒙古西部国民党统治区教育事业

一、河套地区的教育事业

20 世纪 30 年代的河套地区分隶绥远省五原县、临河县及安北设治局管辖。该地区原为伊克昭盟达拉特旗、杭锦旗和乌兰察布盟乌拉特前旗之地，清末设五原厅（1913 年改县），1925 年设临河设治局（1929 年改县）和安北设治局（1942 年改县）。该地区由于有黄河灌溉之利，从清末以来有大批内地汉人前来定居、耕种，形成连片的农业区，人口达 20 多万。但是到 30年代为止，该地区的文化教育水平还相当落后。据《绥远通志稿》记载，五原县有县立小学 4 所，乡村初级小学 24 所，在校学生 924 名；临河县有县立小学 6 所，乡村初级小学 12 所，在校学生 617 名；安北设治局有县立小学 5 所，在校生 215 名。④ 以上合计共有小学 51 所，在校生只有 1 756

---

① 北支那经济通讯社编：《北支·蒙疆年鉴》（日文，1944 年版），第 516 页。
② 《蒙古》（日文）1943 年第 10 卷第 6 期。
③ ［日］福岛义澄编：《蒙疆年鉴》（日文，1943 年版），第 42 页。
④ 绥远通志馆编纂：《绥远通志稿》之《学校志》，1936 年稿本。

名。另外，在临河有天主教会小学 10 所，在校生有 695 名；在安北有基督教会小学 1 所，招收蒙旗子弟，在校学生 60 余名。① 整个河套地区无一所中等学校。

1937 年"七七"事变爆发后，绥远省中东部地区很快沦陷，位于绥远西部的河套地区成为中日双方对峙的前沿阵地。1938 年春，日军又占领了乌梁素海东岸大佘太、西山咀一线，安北设治局东半部成为日军占领区。当时，河套成为绥远地区各路国民党军队以及散兵游勇云集之地，政局大乱，大多数学校停办。

1939 年春，傅作义带领绥远省政府及第 8 战区副司令长官部所属部队进驻河套，该地区的学校教育事业开始步入恢复和发展阶段。

绥远省政府到河套以后立即重组教育厅，并于 4 月间为适应战时教育需要在教育厅内设置教育视察员 6 名，分赴河套各县局巡回视察督导学校教育、社会教育、教育行政等事项。② 同时，按照国民政府教育部颁布的《战时各级教育实施方案纲要》，采取措施，恢复和新建了一批学校。

（一）初等教育

在初等教育方面，绥远省教育厅呈准教育部恢复了五原县兴隆长中心小学，并于 1939 年 5 月 1 日正式开学，初分 3 个学级，在校生约 110 余名；③ 恢复五原、临河、安北 3 县局之县立局立小学各 1 所，并由教育部每月各补助 100 元；各县成立乡村小学，到 1939 年底共成立 27 所，其中五原 11 所、临河 10 所、安北 5 所、包头（第 4 区）1 所。④ 到 1941 年，河套地区省立中心小学增至 4 所（五原 2 所、临河 1 所、安北 1 所），乡村小学"共设 60 所"⑤，并从 1942 年起省立中心小学一律改归学校所在地县局政府就近主办。

从 1942 年 6 月起，绥远省政府在河套地区开始推行"新县制"，从五原县析置晏江县，从临河县析置狼山、米仓 2 县，把安北设治局改设为安北

---

①　绥远通志馆编纂：《绥远通志稿》之《学校志》，1936 年稿本。
②　内蒙古教育志编委会编：《内蒙古教育史志资料》第 1 辑（上），第 239 页。
③　内蒙古教育志编委会编：《内蒙古教育史志资料》第 1 辑（上），第 107 页。
④　内蒙古教育志编委会编：《内蒙古教育史志资料》第 1 辑（上），第 361 页。
⑤　内蒙古教育志编委会编：《内蒙古教育史志资料》第 1 辑（上），第 108 页。

县，并把陕坝镇升格为相当于县级的市政筹备处。在教育制度方面，从1943 年开始遵照教育部规定，推行"国民教育制度"，即乡镇设中心小学校，保设国民学校，每校设小学部和民教部，前者对儿童实施义务教育，后者对成人、妇女实施补习教育。

到 1944 年底，在河套地区五原、临河、安北、晏江、米仓、狼山六县及陕坝市政筹备处每个镇设 1 所中心小学，每 3 个乡选择一个保设国民学校1 所，"共有中心学校 92 所，国民学校 72 所。各校小学部设 305 学级，民教部共办理 485 班"①。

这一时期，河套地区热心教育事业人士纷纷捐资助学或奖学，并兴办私立学校。绥远省政府于 1939 年底根据国民政府公布之捐资兴学条例，拟订《绥远省捐资助学及奖学褒奖暂行办法》，鼓励捐资助学、办学。1944 年，河套地区就有"捐资兴办中等学校者 3 人，兴办小学者 146 人，共计捐资429 526 元。"② 到 1944 年底，该地区共有 21 所私立小学，50 个学级。

1945 年抗战胜利时，河套地区"已有中心国民学校 92 所，国民学校102 所。各校小学部共计 357 学级，民教部经常办理 174 班"③。

从上述统计数字可以看出，这一时期河套地区的初等教育事业有了很大发展。即从 1939 年的 1 所中心小学发展到 92 所，县立小学和乡村学校由 30所发展到 102 所。由于当时处在战争时期，教育经费严重不足，各地小学的规模都很小，学校、教学设备等极为简陋，有的小学只有一个班级。尽管这样，对学校教育一直很落后的河套地区来说，如此众多学校的建立，使得教育设施的覆盖面扩大，学龄儿童入学机会大大增加。这在河套地区的历史上是不曾有过的。

（二）中等教育

在中等教育方面，从 1939 年到 1945 年在该地区先后成立了国立绥远中学、私立奋斗中学以及省立师范学校，使得中等教育从无到有，并有了长足的发展。

---

① 内蒙古教育志编委会编：《内蒙古教育史志资料》第 1 辑（上），第 241 页。
② 内蒙古教育志编委会编：《内蒙古教育史志资料》第 1 辑（上），第 250 页。
③ 内蒙古教育志编委会编：《内蒙古教育史志资料》第 1 辑（上），第 275 页。

国立绥远中学正式成立于 1939 年 6 月，由当时绥远省教育厅长阎伟兼任校长，下设教务处、训导处、总务处、会计处等机构，校址在陕坝。1940年初，日军进攻河套，绥远中学曾一度迁到宁夏省平罗县城，1940 年 5 月迁回陕坝。由于在陕坝的校址不够，上课、住宿分散在好几处，不便于管理，于 1941 年从陕坝迁到三道桥梅令庙新校址。

该校成立之初，设初中班、高中班，共招收 334 人，分编 6 个学级，教职员 25 人。① 这些学生大部分是河套地区的学生，有一部分是从绥远中部沦陷区来的流亡学生。1941 年暑期增设简易师范班，每学年招收 1 个班。初、高中修业年限各为 3 年，简易师范为 4 年（1944 年改为 3 年）。该校对学生进行文化教学外，积极开展文体活动。学校每年举行一次大型田径运动会，经常举办篮球、足球、排球比赛；每学年开展几次大型文娱活动，项目有歌咏、舞蹈、乐器、相声、快板、大鼓等表演外，还排演京剧、晋剧、话剧等节目。截止到 1947 年春该校迁到归绥，共有 8 个高中班 320 余人毕业；简易师范共有 4 个班 200 余人毕业。② 这些高中毕业生大多考取外地大专院校，简易师范毕业生则大多数充任河套地区小学教员。

私立奋斗中学是由当时的绥远省省长、第八战区副司令长官傅作义主持创办的一所私立中学。1942 年 5 月，傅作义偕王明德等人发起筹办奋斗中学，成立由 15 人组成的董事会。9 月，"陕坝私立奋斗中学"在陕坝正式成立，傅作义兼任校长，王明德任校务主任，代行校长职权。

奋斗中学确定的办学原则是要完全遵照教育部颁布的规定，保证课程标准及教学时数；初、高中采用"三三制"，男女合校。每个教学班以 50 人为限，初中设双班，高中设单班；施教重点为："不仅传授知识，更须导正认识，不仅训练个体，更须切合整体。培养学者头脑，实行战时生活。"③奋斗中学还制作了校旗、谱写了校歌，并将校长兼董事长傅作义拟写的《校长八训》作为教学方针。还由校务会议制定了"十条行政原则"和《私

　　① 内蒙古教育志编委会编：《内蒙古教育史志资料》第 1 辑（上），第 360 页。
　　② 王崇仁：《国立绥远中学始末》，见政协巴彦淖尔盟委员会文史资料研究委员会选编：《巴彦淖尔文史资料选辑》第 4 辑，政协巴彦淖尔盟委员会文史资料研究委员会 1985 年印刷，第 66 页。
　　③ 郭秩军：《私立奋斗中小学校史料辑要》，见政协巴彦淖尔盟委员会文史资料研究委员会选编：《巴彦淖尔文史资料选辑》第 4 辑，政协巴彦淖尔盟委员会文史资料研究委员会 1985 年印刷，第 25 页。

立奋斗中学学则》等。

奋斗中学董事会下设校务委员会，由校务主任负责，其下设教导处、体育处、总务处，另有招生、学生指导、经营稽核、建筑、社会教育推进等委员会。1942 年 9 月成立时，经考试录取初中一年级新生 80 名，分为甲乙两班，所学课程为国文、数学、英语、植物、动物、化学、物理、历史、地理、公民、体育、童子军、卫生、劳作、图画、地方自治等。当年该校开始购地兴建校舍，并于 1943 年全部建成。1944 年又动工兴建图书馆、理化馆及各种辅助设施。

1945 年初，该校共有学生 198 名（初一至初三每个年级 2 个班），①教职工 36 名。②该年秋季，第一届初中生毕业，并设立一个高中班。由于抗战胜利，该校于 1946 年秋季开学时迁到归绥市，改名为归绥奋斗中学。

绥远省立师范学校于 1943 年 8 月筹备成立，9 月正式开学，校址在陕坝，当年共招收简易师范班 1 个班，学生 50 名，附设短期（6 个月）师资进修班 2 个班，学生 88 名。③1944 年又招收普通师范班和简易师范班各 1 个班，学生达到 150 人。另招收短期教师进修班 2 个。简易师范学生第一年学习初中课程，师资进修班学员学习科目依照教育部规定并据地方实际需要增减，并着重教育科目之训练。该校设校长 1 人，下设教导、事务等处，各设主任 1 人，专职教师 6 人，另有会计员、事务员、教导员、文书员、图书管理员及书记等职员。④该校学生全部公费，制服、书籍、讲义由学校供给，并由省政府每人每月发给 30 元。

当时该校由于经费紧缺，教学设备极其简陋，开办时"仅有篮球架一副，向各方借阅书籍百余册。其余设备均付阙如"⑤。尽管如此，学校教学及课外活动照常举行。1944 年 3 月 29 日至 4 月 4 日，该校在绥远省教育厅

---

① 郭秋军：《私立奋斗中小学校史料辑要》，见政协巴彦淖尔盟委员会文史资料研究委员会编：《巴彦淖尔文史资料选辑》第 4 辑，第 59 页。

② 郭秋军：《私立奋斗中小学校史料辑要》，见政协巴彦淖尔盟委员会文史资料研究委员会编：《巴彦淖尔文史资料选辑》第 4 辑，第 44 页。

③ 内蒙古教育志编委会编：《内蒙古教育史志资料》第 1 辑（下），第 242 页。

④ 内蒙古教育志编委会编：《内蒙古教育史志资料》第 1 辑（上），第 264 页。

⑤ 内蒙古教育志编委会编：《内蒙古教育史志资料》第 1 辑（下），第 670 页。

的统一部署下，举办"推行师范教育运动周"，举行师范生效忠国家献身教育事业宣誓，邀请省政府各机关长官及教育专家举行师范教育演讲会，师范生演讲及论文竞赛，颁发优秀师范生奖学金及演讲论文竞赛奖金，组织学生参观陕坝各中心学校、国民学校及私立小学。与此同时，向社会人士募捐师范生奖学金，共募集 24 400 元。此项募捐除发给演讲论文竞赛之优胜者外，其余全部平均发给全体师范生。

绥远省政府于 1940 年暑期在陕坝又成立了一所相当于中等职业学校的省立补习学校，专门救济失学青年及收留沦陷区学生，共招收 60 多名学生。[①] 凡是沦陷区学生之膳食、书籍、服装等均由省政府财政厅拨给。该校设校长 1 名，教员 5 名，另有教务员、会计员、事务员及书记等职员。此后，该校每年招收普通文化补习班 1 个，招收学生 50 名，学习年限为一年；职业补习班 2 个，每班招收 50 人，学习期为 6 个月。1943 年，该校改称省立职业补习学校，分服装、工业（职工）2 个门类，专门施以职业补习教育。1944 年，举办农业补习班和职工补习班各 4 个，招收农业补习学生 184 名，职工（工业）补习学生 138 名，共计 322 人，[②] 每班学习 2 个月。

（三）社会教育

抗战时期，国民党政府比较重视社会教育，督令未沦陷省份整顿社会教育机关，加强抗日宣传，以发动民众力量支援抗战。绥远省教育厅亦遵照这一部署，采取相应的措施，使得河套地区的社会教育事业也有了一定的发展。

绥远省教育厅从 1939 年开始组织 4 个社会教育推行组，分派到各县专门办理民众学校及抗战宣传工作，并恢复了五原、临河两县民众教育馆。到 1944 年上半年，在安北、晏江、米仓、狼山及陕坝亦各设一处民教馆，共计 7 所。各民教馆经常性开办民众学校 1 所，每两日 1 期。每期招收成人或妇女班 1 个。据 1944 年统计，河套地区 7 所民教馆"共开设 32 个班，扫除文盲 1 264 人"[③]。

---

① 内蒙古教育志编委会编：《内蒙古教育史志资料》第 1 辑（上），第 235 页。
② 内蒙古教育志编委会编：《内蒙古教育史志资料》第 1 辑（上），第 274 页。
③ 内蒙古教育志编委会编：《内蒙古教育史志资料》第 1 辑（上），第 273 页。

从 1943 年开始，在 7 县（市政筹备处）选定人口集中乡镇设置书报阅览室共计 30 所，到 1944 年上半年增加到 46 所。[①]

绥远省政府从 1941 年开始按照教育部的要求，在河套各县设立民众体育场，到 1944 年上半年共设 92 个，均由所在地中心学校及国民学校校长负责管理，并每年举办省或县运动会。运动会比赛项目有田径类、球类、拔河、国（武）术、团体操等。1944 年 10 月，在陕坝举行全省运动会，共有 1 244 人参加。五原、临河、晏江、米仓、安北、狼山 6 县运动会共有 2 885 人参加。[②]

（四）其他教育设施

这一时期绥远省政府在河套地区还采取了一系列发展教育事业的措施。1942 年 4 月，成立绥远省乡土教材编辑处，7 月改组为绥远省地方教材编辑委员会，收集有关资料，编辑农事、手工业等教材。每年暑假在绥远省地方行政干部训练团设置教育组，举行小学教师训练班，施以 1 个半月的集体训练。各县政府每年暑期举办小学教师讲习会，会期 8—11 天不等，主要学习教学专业知识。1940 年秋绥远省教育厅购置石印机 1 部，专门成立印刷部，翻印高级小学课本及民众学校课本，以应急需。1941 年 10 月，绥远省教育厅创办《绥远教育》半月刊，免费分发各县乡村小学，充做教学指导、进修之用。[③] 为办理学生劳动服务及补助师生员工膳食，规定各乡村小学每校拨给校园（农场）1 处，面积约为 1 顷，由各校师生共同经营。[④] 制定《绥远省捐资兴学及奖学褒奖暂行办法》等，鼓励社会各界捐资助学事业。

由于绥远省政府在河套地区采取以上种种有力措施，在短短 6 年时间内使该地区教育事业有了前所未有的发展。

二、伊克昭盟及阿拉善旗、额济纳旗教育事业

20 世纪 30 年代初，伊克昭盟各旗和阿拉善旗、额济纳旗的新式教育事

---

①　内蒙古教育志编委会编：《内蒙古教育史志资料》第 1 辑（上），第 273 页。
②　内蒙古教育志编委会编：《内蒙古教育史志资料》第 1 辑（上），第 274 页。
③　内蒙古教育志编委会编：《内蒙古教育史志资料》第 1 辑（下），第 238 页。
④　内蒙古教育志编委会编：《内蒙古教育史志资料》第 1 辑（下），第 239 页。

业还处在萌芽阶段。当时在伊克昭盟郡王旗、准格尔旗和达拉特旗各有1所小学。从30年代初开始，国民党政府推行"开发西北"的政策，加之各蒙旗也认识到发展教育事业的重要性，纷纷要求政府资助建立各级学校。于是伊克昭盟各旗及阿拉善旗、额济纳旗的新式教育事业逐步发展起来。

1935年秋，国民政府教育部通令伊克昭盟各旗各设1所小学，并每校"发给开办费2 400元，每月补助费200元"①。此后伊克昭盟各旗小学相继成立，至1937年共有7所小学，学生均为蒙古族人。其中，郡王旗小学1所，学生30余人，蒙汉文教员各1人；达拉特旗小学1所，学生30余人，蒙汉文教员各1人；准格尔旗小学1所，学生40余人，汉文教员3人；札萨克旗小学1所，学生20余人，蒙汉文教员各2人；鄂托克旗小学1所，学生30余人，蒙文教员1人，汉文教员2人；杭锦旗小学1所，学生30余人，蒙汉文教员各2人；乌审旗小学1所，学生20余人，蒙汉文教员各2人。② 以上7所小学学生共计200余人，蒙汉文教员22人。

这些小学大多利用旗政府或召庙旧屋作为校舍，所用课本均为中华书局出版的新标准适用小学课本，所学课程与内地学校一样，只是多教一门蒙古语文。学生学费全免，另外还供给膳宿、服装、书籍等。

1937年"七七"事变后，随着归绥、包头及黄河以东地区相继沦陷，伊盟各旗小学均停课。至1938年秋，随着整个伊盟地区形势的稳定，各旗小学相继复课，学校教员和学生人数有所增加。

1939年冬，伊盟7旗共有小学9所，学生280余人，其中达拉特旗小学1所，学生40余人；准格尔旗小学3所（旗立小学2所，同仁小学1所），学生70余人（旗立小学50余人，同仁小学20余人）；杭锦旗小学1所，学生20余人；郡王旗小学1所，学生40余人；札萨克旗小学1所，学生20余人，乌审旗小学1所，学生50余人，鄂托克旗小学1所，学生30余人。③

到1943年，伊盟7旗小学增加到24所，其中准格尔旗10所、郡王旗3

---

① 边疆通讯社编：《伊克昭盟志》（1939年），见伊克昭盟地方志编纂委员会编：《鄂尔多斯史志研究文稿》第6册，伊克昭盟地方志编纂委员会1984年印刷，第279页。

② 边疆通讯社编：《伊克昭盟志》（1939年），见伊克昭盟地方志编纂委员会编：《鄂尔多斯史志研究文稿》第6册，第280页。

③ 西北研究社编：《抗战中的绥远》（1941年），油印重排本，第153页。

所、达拉特旗 2 所、乌审旗 4 所、鄂托克旗 2 所、杭锦旗 3 所。①

在伊盟 7 旗中郡王旗是最早创办新式学校的旗。1926 年，该旗就曾率先创办小学 1 所，后经匪患两度停办。1935 年春，经该旗西协理贡布扎布等努力，将其恢复。"七七"事变后，该校又一度停办，不久又恢复，校址也由旗政府移至其南 20 里处之甘珠尔庙，有蒙汉学生 30 余名，蒙汉文教员各 1 人。② 蒙古族学生学杂费全免，汉族学生免收学费。到 1943 年末该旗小学增加到 3 所。③

在伊盟 7 旗中，学校及学生人数最多的是准格尔旗。该旗新式教育事业创始于 1929 年 10 月奇子俊所创办之准格尔旗公立同仁小学。1932 年奇子俊被害以后，该小学曾一度停办。1934 年，由该旗东协理恢复招收蒙古族学生，并兼收汉族学生。蒙古族学生学费杂费全免，汉族学生免交学费。该校自创办至 1936 年先后共计 200 余人毕业。④ 该校所学课程均按照内地小学暂行课程标准，为使蒙古民族文化不致埋没，加授蒙古语文。各类课程教材大部分采用商务印书馆及中华书局出版之教科书。1940 年 10 月，该旗小学增加到 6 所，在校学生达 218 名。到 1943 年，该旗小学又增加到 10 所。⑤ 1943 年 12 月，由教育部派人到准格尔旗，将该旗暖水镇小学改名为绥远准格尔旗小学，由教育部接办。该小学于 1944 年 3 月正式开学，内分教导处、推广处及事务室，各处各设主任 1 人，事务室设事务员 1 人，新建教室、办公室、厨房各 1 所，所有课程均按照小学课程标准实施，加授蒙古语文，每 10 日出一次壁报，并举办音乐歌咏、表演戏剧、公共卫生指导、农业推广、恳亲会、民众代笔所、民众夜校等活动。

1939 年 5 月，国民政府教育部根据抗战爆发后的新形势，制定公布了《蒙旗教育暂行实施办法》，将蒙旗教育划分为沦陷区域、战区及接近战区、后方等 3 个区，把伊盟划入后方蒙旗教育之范围，决定在伊盟等后方"蒙旗适当地点设立国立实验小学若干所，以后逐年在上列地方及其他地方增设

① 内蒙古教育志编委会编：《内蒙古教育史志资料》第 2 辑，第 169—169 页。
② 内蒙古教育志编委会编：《内蒙古教育史志资料》第 2 辑，第 35 页。
③ 内蒙古教育志编委会编：《内蒙古教育史志资料》第 2 辑，第 35、168 页。
④ 内蒙古教育志编委会编：《内蒙古教育史志资料》第 2 辑，第 341 页。
⑤ 内蒙古教育志编委会编：《内蒙古教育史志资料》第 2 辑，第 168—169 页。

之"，"要求蒙旗小学一律兼办社会教育、家庭教育，或实施全民教育"，"蒙旗高级小学注重职业训练，并得酌量延长一二年，俾得受职业简师或地方自治之训练"，"蒙旗小学学生，均予以公费待遇，所需经费、由中央、省及旗政府各担任1/3"。①

根据这一规定，国民政府教育部从1939年开始直接办理边疆地区各级各类学校。1940年3月，教育部又公布《边疆区域初等教育实施要纲》和《教育部直辖边地实验中心学校暨国立边地师范学校附属小学设施要项》等两项法令。在伊盟，从1943年9月至1944年3月采取新设或将原来小学改由教育部办理等形式，先后建立直属教育部的绥远札萨克旗小学（1943年9月，于1945年1月改为国立伊盟中学附设小学）、鄂托克旗小学（1943年9月）、达拉特旗小学（1943年10月）、杭锦旗小学（1944年3月）、准格尔旗小学（1944年3月）等5所小学。② 1944年10月，将教育部直接办理的边疆地区实验中心学校一律改称为小学。

20世纪30年代以前，伊克昭盟地区没有一所中等学校。鉴于这种情况，1939年春，伊克昭盟盟长沙克都尔扎布赴重庆就国民政府委员职务时，向国民政府提请在伊盟设立一所中学。于是正式由教育部呈请行政院批准，于1939年9月成立国立伊盟中学，派经天禄（土默特旗蒙古人）为校长。1944年1月，黎圣伦接任校长，1945年8月，复委任经天禄为校长。

国立伊盟中学校址初设在札萨克旗格勒登庙。1940年夏，由于学生人数及班级增加，原校舍不敷应用，遂将校址迁至郡王旗栽生召。

国立伊盟中学设教务、训导、事务、推广4处。教务处分设教学、注册、设备3组，训导处分设训育、管理、卫生3组，事务处分设文书、庶务2组，推广处分设场务管理、营业、家畜卫生、毕业生指导4组。各处设主任1人，各组设组长1人，各设干事、书记若干人。另有校医室、会计室，军训、童训教官各1人，图书、仪器管理员各1人。

国立伊盟中学于1939年9月成立时，最初招收初中一年级新生1个班，

---

① 内蒙古教育志编委会编：《内蒙古教育史志资料》第2辑，第126—128页。

② 1945年8月抗战胜利后，又创办郡王旗小学（1945年10月）和乌审旗小学（1946年11月），内蒙古教育志编委会编：《内蒙古教育史志资料》第2辑，第13页。

"学生六十余名"。① 由于当时入学的学生全是蒙古族学生，所以按照教育部《蒙旗教育暂行实施办法》中有关中等学校蒙旗学生的规定，给予全部公费待遇，学生的膳食、服装、被褥、鞋子、书籍、纸笔、卫生用具等均由学校免费供给。② 1940 年春增设 1 个补习班，5 月初将补习班分为甲乙两组。秋季增设 1 个初中班和 1 个战区班（从沦陷区来的失学青年）。1941 年秋，招初中 1 个班，停招战区班，补习班甲乙两组合为一班，全校共有 3 个初中班、1 个战区班、1 个补习班，共 5 个班。1942 年春，又招战区班、补习班各 1 班。同年夏，该校首届初中班毕业，秋季，又招初中及补习班各 1 班。1943 年夏，第二届初中班和首届战区班毕业。1944 年夏，第三届初中班和第二届战区班毕业。从这年秋季开始，该校除招收初中一年级新生之外，又增设高中部和师范部，招收高中一年级和三年制简易师范一年级新生各 1 班。1945 年 7 月，第四届初中班毕业，招收高中一年级、初中一年级和 4 年制边疆师范一年级新生各 1 班，简易师范停止招生。③

国立伊盟中学推广处下设有工厂、农坊、牧场各 1 个。工厂为织造羊毛毡毯之小型毛织厂。1940 年，该工厂添置纺毛线、织毡木机四五架，利用当地生产之羊毛，纺线织毡，每月亦有相当数量之产品，以其盈余，救济贫寒或沦陷区无家可归之学生。该校牧场利用附近的天然草场，"饲养羊近一百头，骡马牛等十余匹"，④ 每年所剪羊毛，供工厂纺线之用。农场则多为沙地，只能栽种一些小米、荞麦等作物，收获并不多。1943 年 3 月"伊盟事变"爆发后，国民党军队占据该校，致使学校停课近 3 个月，学校工厂、牧场被破坏无遗，财产损失殆尽。

1944 年 8 月，经教育部核准国立伊盟中学设置师范部，招收简易师范班。为了便利师范班学生实习，于 1945 年初将教育部直接管理之札萨克旗小学改为国立伊盟中学附设札萨克小学。但因两校相隔较远，为了便于小学

① 边疆通讯社编：《伊克昭盟志》（1939 年），见伊克昭盟地方志编纂委员会编：《鄂尔多斯史志研究文稿》第 6 册，第 281 页。

② 荣钟麟：《伊克昭盟中学史略》，见政协伊克昭盟委员会编：《伊克昭盟文史资料》第 6 辑，政协伊克昭盟委员会 1992 年印刷，第 14 页。

③ 内蒙古教育志编委会编：《内蒙古教育史志资料》第 2 辑，第 439 页。

④ 内蒙古教育志编委会编：《内蒙古教育史志资料》第 2 辑，第 439 页。

的教学与管理，其经费、名额、设班等行政事项仍旧独立设置，由教育部直接管理。

国立伊盟中学的设立，结束了伊盟地区没有中等学校的历史。到 1947 年为止，该校先后共有 500 余人初中毕业，高中及简易师范毕业生各有百余人。[①] 为伊盟地区的蒙古族中等教育和师范教育事业的发展起到了很大的作用。

1945 年 7 月，绥远省政府曾呈请教育部批准，在伊盟境内的东胜县城成立了一所"绥远省河西师范学校"。[②] 该校由当时驻东胜的绥远省第三专员公署负责筹办，校长一职由公署专员陈国桢兼任，所招收学生均为汉族，主要来自东胜县、达拉特旗、鄂托克旗、杭锦旗以及附近各县。第一期学生共有百人左右，分为两个班，[③] 均享受公费待遇。该校教师大部分由专员公署和东胜县政府职员兼任，开设课程有语文、数学、历史、地理、生理卫生、动物、植物、教育学、心理学等。

阿拉善旗的新式学校教育事业的兴起也较晚。1931 年，该旗第十任札萨克达理扎雅袭职以后，对旗内兴办学校教育一事极为重视，并于 1935 年设立定远营蒙汉小学 1 所，内分蒙汉两部分，招收学生 20 余名。[④] 1936 年起又将该校扩充，学生增加到 86 名，分为 4 个年级，遵照教育部课程标准，采用蒙、汉文合璧教科书。[⑤] 另外，又相继成立磴口小学、沙金套海小学（上述两小学因 1938 年 2 月宁夏军队进攻定远营，达王被迫离旗赴银川后停办）。

1937 年 4 月，定远营小学附设之"阿拉善霍硕特旗立定远营女子小学校"正式成立，校长一职由达王夫人金允诚担任，校址就在阿拉善王府东院，共招收 46 名学生，分为半年级、一年级、二年级、三年级 4 个班。设

---

① 内蒙古教育志编委会编：《内蒙古教育史志资料》第 2 辑，第 17 页。

② 该校于 1946 年改称为"绥远省立包头简易师范学校"，但仍设在东胜县城。1948 年春该校迁到达拉特旗解放滩，秋迁至包头市。中华人民共和国成立后，该校并入包头市第一中学。

③ 李茂林：《河西师范发展变迁述略》，见政协伊克昭盟委员会编：《伊克昭盟文史资料》第 6 辑，第 42 页。

④ 内蒙古教育志编委会编：《内蒙古教育史志资料》第 2 辑，第 363 页。

⑤ 内蒙古教育志编委会编：《内蒙古教育史志资料》第 2 辑，第 364 页。

有国语（汉语）、蒙语、算术、社会、自然、体育、音乐、图画、卫生、公民、劳作、英语等课程。① 1938 年 2 月，宁夏马鸿逵部进攻定远营，达王与夫人被迫离旗赴银川（后转到兰州）后该校遂告停办。

1940 年 10 月，阿拉善旗政府内特设教育处，专管全旗教育事业，并整顿定远营小学。1941 年春，设简易师范学校一所，将定远营小学改为师范学校男子附属小学，恢复定远营女子学校为师范学校女子附属小学。到 1943 年，简易师范共有 2 个班，学生 24 名，校舍与男附小合并。男附小共有 5 个班、195 名学生；女附小与男附小分设，共有 4 个班，108 名学生。② 1945 年简易师范停办，将简易师范学校男女附小合并成阿拉善旗立中心小学校。到 1946 年，该校共有 6 个年级、7 个班、217 名学生（其中女生 39 名），绝大多数为汉族学生。③

1941 年，阿拉善旗又在定远营成立旗立实验小学校 1 所，专门招收牧区蒙古族学生。小学校刚成立时共招 12 名学生，分成一、二年级。④ 到 1946 年，该校学生增加到 200 余名，所学课程为国语（汉语）、公民、三民主义、算术、圣谕广训、体育、唱歌、劳作，所学课程教科书均译成蒙文，用蒙语授课。⑤

上述旗立小学外，1940 年 6 月，教育部派员在阿拉善旗筹设国立宁夏定远营实验小学，并于 11 月正式开学。该校设教导、推广 2 个组，文书、会计、事务、校医等 4 室。到 1943 年，该校已有 8 个班、245 名学生。14 名教员。⑥ 学生绝大多数为居住在定远营的汉族子弟。到 1946 年，该校已有两届学生毕业，均考入兰州、宁夏各地中等学校，在校生仍保持在 240 余

① 朝格图：《阿拉善旗女子小学校简史》，见政协阿拉善盟委员会文史资料研究委员会编：《阿拉善盟文史》第 2 辑，政协阿拉善盟委员会文史资料研究委员会 1986 年印刷，第 103 页。
② 陈国钧：《西蒙阿拉善旗社会》（1943 年），见政协阿拉善盟委员会文史资料研究委员会编：《阿拉善盟旗志史料》，政协阿拉善盟委员会文史资料研究委员会 1987 年印刷，第 32 页。
③ 内蒙古教育志编委会编：《内蒙古教育史志资料》第 2 辑，第 366 页。
④ 陈国钧：《西蒙阿拉善旗社会》（1943 年），见政协阿拉善盟委员会编：《阿拉善盟旗志史料》，第 365 页。
⑤ 内蒙古教育志编委会编：《内蒙古教育史志资料》第 2 辑，第 366 页。
⑥ 陈国钧：《西蒙阿拉善旗社会》（1943 年），见政协阿拉善盟委员会文史资料研究委员会编：《阿拉善盟旗志史料》，第 33 页。

人，分6个学级。①

该校除使用教育部颁布之课程标准授课之外，还成立教材编审会，自己编写乡土教材。1941年该校编著初级小学国语（汉语）第一、二两册，常识第一、二两册，蒙文1册；1945年又先后编印初小、高小历史、地理及乡土教材各1册。这些教材均经教育部审定，并受到奖励。据现有资料，由该旗政府油印的教科书有《蒙文读本》（国立宁夏定远营实验中心学校教材编审委员会编，1册）、《蒙汉合璧高小国语读本》（那顺达来译，3册，1945年）、《蒙汉合璧高小历史课本》（那顺达来等译，4册，1945年）、《蒙汉合璧高小地理课本》（那顺达来译，3册，1945年）、《蒙汉合璧高小公民课本》（那顺达来译，4册，1945年）、《汉蒙合璧常识教科书》（1册）、《蒙汉合璧高小自然课本》（孟和毕力格译，2册，1945年）、《蒙汉合璧卫生教科书》（1册）等。②

额济纳旗只有一所旗立小学。该小学于1936年7月正式开学，校址初在该旗东庙旗政府附近，后数次迁校址，于1938年夏随旗政府迁至哈拉哈庙附近，重建校舍并开学授课。校长一职由旗札萨克塔旺嘉布兼任，蒙汉语教员各1人。学生定额为40人，但实际到校学习者只有十余名。③到1943年该学校因经费困难不能开课，处于停办状态。

1943年4月，教育部派人到额济纳旗筹备成立国立额济纳旗小学。1944年4月，在原来旗立小学校舍正式成立国立额济纳旗小学。该校初成立时只有2名专职教师和2名兼职教师，校长一职由教育部所派孔宪珂担任，学生只有30名。④1945年该校共有一年级2个班，二年级1个班，学生仍为30人，均为牧区蒙古族学生。到1946年，该校共有5个学级，学生增加到67人，教职工增加到8人。⑤所学课程为国语（汉语）、蒙文、算术、常识、唱歌及劳作等。学生按教育部规定每月每人发膳费津贴200元，

---

① 内蒙古教育志编委会编：《内蒙古教育史志资料》第2辑，第367页。

② 中国蒙古文古籍总目编委会编：《中国蒙古文古籍总目》（上），北京图书馆出版社1999年版，第1126—1131页。

③ 内蒙古教育志编委会编：《内蒙古教育史志资料》第2辑，第370页。

④ 内蒙古教育志编委会编：《内蒙古教育史志资料》第2辑，第370页。

⑤ 内蒙古教育志编委会编：《内蒙古教育史志资料》第2辑，第375页。

文具费 10 元。新生入学时每人发制服一身，书籍、纸张等用品均由学校供给。① 在课堂教学中教员"全用汉语讲授"，而学生听不懂汉语，造成教学效果不好，进度较慢。尽管如此，这所学校是该旗唯一的学府，曾被誉为"瀚海边缘上的一所文化堡垒"②，为当地文化教育事业的发展发挥了相当的作用。

第五节　内蒙古地区科学技术与医疗卫生事业

一、近代科学技术在内蒙古的传播

早在雍正年间，就有德国及俄国学者进入呼伦贝尔等地，进行科学考察工作，内蒙古地区开始与近代科学技术接触。但是，由于清王朝的闭关自守和对蒙古地区实行严格的封禁政策，西方科学技术在内蒙古无法广泛传播，整个清代蒙古地区的科技事业极为落后。

内蒙古的近代科学技术事业，从 19 世纪末开始进入一个新的阶段。1840 年以后，西方科学技术逐步传入内蒙古地区，近代科学技术在内蒙古地区开始萌芽。1866 年，法国学者大卫（P. A. David）到内蒙古中部地区进行植物考察。③ 1870 年，俄国学者普热瓦尔斯基（H. M. Пржевальский）先后到锡林郭勒、阴山山脉、鄂尔多斯、阿拉善等地进行植物及自然环境的科学考察。④ 这一时期，比利时神父到鄂尔多斯传教时带入西医疗法。这是西方近代医学最早的传入。1877 年，归化城设立牛痘局，⑤ 是专门为居民接种牛痘的社会福利机构。1895 年，罗马圣母圣心教会

---

① 董正钧：《居延海（额济纳旗）》（1945 年），见政协阿拉善盟委员会文史资料研究委员会编：《阿拉善盟旗志史料》，第 156 页。

② 仲旭：《瀚海边缘上的一座文化堡垒——国立宁夏额济纳旗小学》（1945 年），阿拉善盟地方志编纂委员会办公室编：《阿拉善盟史志资料选编》第 1 辑，阿拉善盟地方志编纂委员会办公室 1986 年印刷，第 283 页。

③ 内蒙古自治区科学技术志编纂委员会编：《内蒙古科技大事记》，内蒙古人民出版社 1992 年版，第 24 页。

④ 内蒙古自治区科学技术志编纂委员会编：《内蒙古科技大事记》，第 24 页。

⑤ 邢野、王慧琴编：《呼和浩特千年大事》，1991 年印刷，第 38 页。

天主堂在三道河（今巴彦淖尔市磴口县）建立了内蒙古地区第一个气象观测站。①

19 世纪末，交通运输与邮电通信事业也进入较快发展时期。1899 年，中东铁路呼伦贝尔段开工，1903 年交付运营。1908 年，张家口—绥远铁路开始测量，1921 年建成。② 1897 年，始建北京经张家口、大库伦（今蒙古国首都乌兰巴托市）至恰克图（今俄罗斯联邦布里亚特共和国境内）的长途电报线路，1899 年建成。③ 1902 年，归化城、绥远城（今呼和浩特市）开设邮寄代办所 2 处，④ 为内蒙古西部地区邮政通信之始。20 世纪 20 年代初，内蒙古中部地区公路交通有所发展。与此同时，北京—包头段铁路通车。30 年代，内蒙古主要城市始建机场通航。民国初年，归绥成立电话局，1926 年，北京至绥远长途电话开通。1925 年，海拉尔电话局成立。1926 年，包头成立无线电报局。⑤ 1938 年，开通绥远—北京长途载波电话，使用日本产 M 制三路载波机。1940 年，厚和浩特市电话通信楼建成投产。由人工电话局改为自动电话局，装史端桥式自动电话机，容量为 1 200 门。⑥ 40 年代，在归绥、包头、满洲里、林西、海拉尔等城镇都发展了邮电通信、公路、铁路、机场等基础设施。

20 世纪初，帝俄修建中东铁路时，铁路员工带入奶牛在铁路沿线一带饲养，形成自然引种改良。随着中东铁路的建成，尤其 1917 年以后，俄国人又带入不同品种的奶牛到呼伦贝尔三河地区，经长期杂交选育，形成内蒙古地区最早的三河奶牛品种。⑦ 1909 年，察哈尔两翼牧场马群引进英、俄、德及伊犁种马进行改良。⑧ 20 世纪初，额尔古纳右旗以及满洲里东清铁路沿线一带，以当地的蒙古马为基础，吸收后贝加尔马、奥尔洛夫马、盎格鲁阿

①　内蒙古自治区科学技术志编纂委员会编：《内蒙古科技大事记》，第 27 页。

②　内蒙古自治区科学技术志编纂委员会编：《内蒙古自治区科学技术志》，内蒙古人民出版社 1997 年版，第 5 页。

③　内蒙古邮电志编纂委员会编：《内蒙古邮电大事记》，内蒙古人民出版社 1994 年版，第 5 页。

④　内蒙古邮电志编纂委员会编：《内蒙古邮电大事记》，第 6 页。

⑤　内蒙古邮电志编纂委员会编：《内蒙古邮电大事记》，第 15 页。

⑥　内蒙古邮电志编纂委员会编：《内蒙古邮电大事记》，第 23 页。

⑦　内蒙古大辞典编委会编：《内蒙古大辞典》，内蒙古人民出版社 1991 年版，第 304 页。

⑧　内蒙古自治科学技术志编纂委员会编：《内蒙古科技大事记》，第 32 页。

拉伯马和英国纯血马的血统，杂交而成"海拉尔马"。①

俄方矿务局进一步查明扎赍诺尔煤矿储量。1902 年，俄侨在通辽开始使用火犁（拖拉机）开荒。1903 年，俄商在胪滨（今满洲里市）开办蒸汽推动直流发电电灯厂。1906 年，俄国人在雅鲁河支流上建成扎兰屯吊桥。②

随着近代科学技术的传入，内蒙古地区开始兴办新式学堂，培养新型人才。1902 年，喀喇沁亲王贡桑诺尔布建立"崇正学堂"，1903—1904 年，又创办了"毓正女学堂"和"守正武学堂"，③ 开始讲授近代科技文化知识。1906 年，科尔沁左翼后旗创办麦林希伯小学堂和蒙古小学堂。1908 年，在沈阳开办了新式学堂—奉天蒙文学堂。同年库伦旗和郭尔罗斯前、后两旗各筹办一所新式学堂。④ 在内蒙古西部地区，1906 年，归绥中学堂（今呼和浩特市第一中学）开始讲授物理、化学课程，并建成理化仪器室。⑤ 1910 年，绥远设农事试验站，附设农林小学堂。⑥

1911 年辛亥革命以后，近代科学技术理应更深更广的发展。但由于内外交迫、军阀混战、经济凋敝，科学技术进步缓慢。

1907 年，日本人在东北成立满铁地质研究所，主要从事南满和内蒙古东部地区地质矿产调查，1909 年 3 月，开始定期出版《支那矿业时报》（1912 年后改为《地质调查所报告》）。1912 年，民国政府农商部多次派地质矿产科技人员王竹泉、谢家荣、翁文灏、孙建初来内蒙古地区进行地质矿产的调查勘测工作。⑦ 1927 年，地质学家丁道衡随团考察时，发现了包头白云鄂博铁矿。⑧

在工业方面，1905 年，在归绥地区设工艺局，引进机器织染毛布。⑨ 一些主要城镇还引进国外科学技术，开办了若干家现代小型工厂。如通辽电灯

---

① 马玉明总主编：《内蒙古资源大辞典》，内蒙古人民出版社 1999 年版，第 1394 页。

② 内蒙古自治区科学技术志编纂委员会编：《内蒙古科技大事记》，第 30—31 页。

③ 吴恩和、邢复礼：《喀喇沁亲王贡桑诺尔布》，见政协内蒙古自治区委员会编：《内蒙古近现代王公录》，政协内蒙古自治区委员会 1988 年印刷，第 4—6 页。

④ 刘世海主编：《内蒙古民族教育发展战略概论》，内蒙古教育出版社 1993 年版，第 7 页。

⑤ 内蒙古自治区科学技术志编纂委员会编：《内蒙古科技大事记》，第 31 页。

⑥ 《皇朝续文献考》卷 382 之《实业》（五）。

⑦ 内蒙古自治区科学技术志编纂委员会编：《内蒙古科技大事记》，第 31—34 页。

⑧ 内蒙古自治区科学术技志编纂委员会编：《内蒙古科技大事记》，第 40 页。

⑨ 内蒙古自治区科学技术志编纂委员会编：《内蒙古自治区科学技术志》，第 495 页。

（发电）厂、包头面粉公司、绥远毛织股份有限公司、归绥德丰义、义盛公铁工厂等都是这一时期建成的。民国时期，能够用机器生产粗呢、床毯、地毯线，以及制造磨面机、脱粒机、水车及铸铁器件等，还有扎赉诺尔火力发电厂、东蒙实业公司王爷庙皮革厂相继投产。这些较早出现的工业企业，在内蒙古近现代工业史上具有划时代的意义。

此外，1922年喀喇沁蒙古人特睦格图创制蒙古文铅字获得成功后，在北京创办了漠南蒙古地区第一家近代蒙古出版社和蒙古文印刷企业。①

在农牧业方面也逐步引进现代科学技术。1913年，王同春在后套兴修水利后又跨越黄河到达拉特旗筑坝开渠。河套渐次开挖多条大渠，引黄灌溉，并试建水闸。1918年，开挖"三公渠"。②绥远省先后成立省农事试验场、萨拉齐新农农事试验场、农业改进所等机构，从事农、牧、林、果树等科研和生产，下设农场、苗圃、果园、畜牧试验场、林业试验场，并试种苜蓿、甜菜成功，在五原建一小糖厂。建成绥远职业专门学校，设农业专修科。在东部区，助理兽医职业学校、农业中专学校和畜产学校等技术教育机构成立。在王爷庙建立了改良牛、马品种的试验场。③1922年，哲里木盟科尔沁左翼后旗建成伊胡塔职业学校，开始培养现代兽医技术人员，该所学校为内蒙古地区第一个培养兽医师的专门学校。④20世纪30年代，一批兽医药企业在西部地区开业。绥远省在归绥还建立了省立农科职业学校，并设置气象测候站。

医药卫生技术有了进一步的发展。从1917年开始，在归绥开办了现代医院。1923年，天主教会在归绥创办公教医院（今呼和浩特市医院）。山东齐鲁医学院毕业生韩鸿德在包头开设鸿德医院，接种牛痘，新法接生。由于医学技术进步，开始对鼠疫、克山病、炭疽等地方流行病进行初步调查。⑤

天主教传教士在近代内蒙古地区的考古活动、科学考察方面，做了许多

---

①　张继霞、巴拉吉尼玛：《蒙古族科学家》，远方出版社2005年版，第55页。

②　苏希贤：《王同春—河套水利开发的杰出人才》，见内蒙古政协文史资料委员会编：《王同春与河套水利》，内蒙古政协文史资料委员会1989年印刷，第53—55页。

③　郝维民主编：《百年风云内蒙古》，内蒙古教育出版社2000年版，第372页。

④　内蒙古自治区科学技术志编纂委员会编：《内蒙古科技大事记》，第38页。

⑤　内蒙古自治区科学技术志编纂委员会编：《内蒙古自治区科学技术志》，第6页。

开创性的工作。

1922 年，法国天主教神甫、古生物学家桑志华（Emile Licent）在内蒙古赤峰的林西县境内发现属于红山文化的石犁，也叫石耜。1927 年，桑志华在内蒙古东部考察时，在围场的东家营子发现属于夏家店上层文化的石棺墓。①

1929 年，法国地质学家、古人类学家德日进（Pierre Teilhard De Chardin）与杨钟健去河套南部作了为期 3 个月的野外考察。1930 年 5—8 月，德日进又到内蒙古参加了安德鲁斯（R. C. Andrews）领导的美国博物馆考察队，在内蒙古地区进行了科学考察。②

比利时天主教传教士闵宣化（Mullie Jozef）曾在内蒙古东部地区进行过考察工作，校对该地区的各种地图，记录各地汉人地名和蒙古地名。在科学考察过程中，他比较准确地把现存于内蒙古东部和热河地区的许多辽代的重要城址和怀陵、庆陵、契丹之墓、乌牛台诸墓等重要墓葬记录下来。闵宣化在内蒙古的实地考察研究，为探索和判定辽上京古城的地理位置及发现辽陵契丹字碑等近代内蒙古考古学研究领域中作出了重大贡献。③

1931 年"九一八"事变后，内蒙古东部地区科学技术更多受到日本的影响。1934 年，伪满洲国马政局在东部地区建立多处种马场，改良牛马。1936 年，设立检疫机构，对家畜传染病进行普查。1935 年，哲里木盟科尔沁左翼中旗巴彦塔拉实业学校成立，这是内蒙古东部地区最早的农业中等专业学校。④

与此同时，日本的一些学术团体和个人曾在内蒙古东部进行了各种矿产资源调查。1933 年，日本人编写了通辽开鲁地区水文地质调查报告。1938 年，满铁地质调查所出版《1：100 万满洲地质及矿产分布图》。除此，日本植物学家编著《满洲植物考察》，北满经济调查所出版《大兴安岭纵断调查报告》。1941 年，东京帝国大学调查锡林郭勒盟浑善达克沙地。同年，满铁

---

① 佟柱臣：《中国考古学要论》，鹭江出版社 2004 年版，第 79 页。
② 吴新智：《德日进在中国古人类学的创建时期》，载《第四纪研究》2003 年第 23 卷第 4 期，第 362—365 页；转引自刘青瑜：《天主教传教士对内蒙古考古学的影响》，载《中国天主教》2007 年第 1 期。
③ 刘青瑜：《天主教传教士对内蒙古考古学的影响》，载《中国天主教》2007 年第 1 期。
④ 内蒙古自治区科学技术志编纂委员会编：《内蒙古自治区科学技术志》，第 6 页。

株式会社出版《兴安北省牧野调查报告》，介绍了呼伦贝尔草原生物资源情况。①

解放战争时期，内蒙古地区科学技术事业基本处于停滞状态。②

二、农牧业科学技术

（一）生态环境的变化

内蒙古绝大部分地区地处中纬度的干旱、半干旱地带。在气候上属于中温带大陆性季风气候，冬季长而干冷，夏季高温、雨量不均，年降水量一般在 300—100 毫米，内陆地区甚至在 50 毫米以下。草原是内蒙古地区的主要地表生态，历史上基本属于游牧部落所有。尽管曾经有过屯田，但规模不大，仅生产游牧民所需粮食。内蒙古草原这一脆弱的生态环境并不适应开垦，蒙古人以游牧为主的畜牧业生产方式是对地表生态的自然利用，从而能维持草原生态平衡。农业不利于保护草原，而近代内蒙古农业的发展对该地区草原荒漠化的扩大和加剧所造成的后果却极其严重。随着大量牧场被开垦，草原面积大大缩小，内蒙古草原生态退化日益严重，导致近现代内蒙古的农进牧退与草原沙漠化的严峻问题。

19 世纪后期，大量的汉族移民向北方迁移，进入内蒙古地区。从此，内蒙古社会面貌和草原生态环境发生了巨变。因此，不论从规模还是程度上看，清朝晚期汉族移民的进入对内蒙古草原地区传统游牧业造成实质性影响。光绪二十八年（1902 年），清王朝废止实施 250 余年的关于限制汉民移居蒙地的"边禁"政策，正式开放蒙荒，并改私垦为官垦。清政府在内蒙古实施"新政"，实际上敞开了内地汉民大量涌入草原地区的门户，在察哈尔、乌兰察布等西部地区和卓索图、昭乌达、哲里木等东部地区有大批汉民移居，出现了大规模移民垦荒、丈放牧地的浪潮。在 1902—1908 年的所谓"移民实边"的高潮中，内蒙古西部地区共放垦土地 757 万亩，东部地区放垦土地 2 450 万亩。③

---

① 内蒙古自治区科学技术志编纂委员会编：《内蒙古自治区科学技术志》，第 6 页。
② 内蒙古自治区科学技术志编纂委员会编：《内蒙古自治区科学技术志》，第 6 页。
③ 内蒙古大辞典编委会编：《内蒙古大辞典》，第 82 页。

1906 年，在北京建立蒙古地区垦务总局，并拟订可耕土地开垦计划。"开垦计划"获准后，大批商业高利贷者就开始为清偿债务而侵占蒙古草原，把它们用做耕地、菜园和牧场。至 1909 年时，北京政府的垦务总局已侵占蒙古地区的大部分优良牧场。在当时的俄国考察团的材料中有以下内容："从前放牧着数千头蒙古牲畜，林立着几十个、几百个蒙古包的地方，现在已经看不到一个蒙古包、一群牲畜了。蒙古人已从自己的广阔的平川和河流上被驱逐到无水的戈壁地带。在那里，蒙古人被迫利用水井和荒瘠的牧场。"①

民国时期，无论北京政府还是南京政府，均沿袭清朝放垦内蒙古草原的"蒙地汉化"政策，并为此制定了许多奖励开垦的办法。② 民国政府鼓励垦殖，使关内省份有了更多的移民。在内蒙古地区的汉族移民人口猛增，从1923—1929 年短短的 7 年时间里，来自关内的人口就净增近 300 万，③ 使草原地区开垦规模进一步扩大，除经东北地区继续移入内蒙古东部，开垦昭乌达盟东部和呼伦贝尔盟大兴安岭东麓平齐铁路沿线地区外，也大批涌向河套西部、伊盟中部等西部地区，开辟许多不适于耕作的地区为农田。内蒙古西部地区的情况同样严峻，20 世纪 20 年代初，沿着张（张家口）库（库伦）公路到张家口北方约 160 公里的地方，可以看到很多汉人的村落，却完全见不到蒙古人的牧地。另"据 1938 年的调查结果，沿张库公路向北走行约170 公里，一直到德化（即乌兰察布盟化德县）一带，都是汉人纯农耕地带及半耕、半牧地带，广阔的波浪状肥沃地区，全都农耕化了"④。1912—1949 年间，绥远省境内的开垦面积约等于清朝时期在内蒙古地区全部开垦面积的 4 倍。据这一点推测，民国时期对内蒙古草原的开垦规模不会小于清朝。近代以来，在内蒙古地区被开垦的地带都是水草丰美、气候适宜的优质

① 苏联科学院、蒙古人民共和国科学委员会编：《蒙古人民共和国通史》，科学出版社 1958 年版，第 190—191 页。

② 恩和：《草原荒漠化的历史反思：发展的文化维度》，见额尔敦布和、恩和、双喜主编：《内蒙古草原荒漠化问题及其防治对策研究》，内蒙古大学出版社 2002 年版，第 99 页。

③ 乌兰图雅：《300 年来科尔沁的土地垦殖与沙质荒漠化》，中国科学院博士研究生学位论文 1999 年版，第 78 页。

④ 锡林郭勒盟公路交通史编辑室编：《锡林郭勒盟公路交通史料汇编》第 2 辑，锡林郭勒盟公路交通史编辑室 1985 年印刷，第 147 页。

草原或历史上著名的牧野草地。①

由于清末和民国年间的移民政策及汉族人口的连年增加，使内蒙古地区的农耕民族与游牧民族人口比例结构发生了根本性变化。到辛亥革命前夕，内蒙古地区的汉族人口就已超过 150 万。此后的 38 年期间，汉族人口有增无减，中华人民共和国成立时已达 608.1 万，蒙汉民族比例已变为 1：5.6；从事纯牧业的蒙古族人口已不足 30 万，还不到全部蒙古族人口的 1/3，从事种植业的农业人口比重已达 88.8%，农业总产值已占到工农业总产值的91.4%，种植业产值在农牧业总产值中的比重达 72%。民国时期的全面放垦、滥垦政策，对内蒙古草原生态环境的破坏极为严重。曾经是"生计周全，牲畜茂盛，较他蒙古殷富"的鄂尔多斯地方，到 20 世纪 30 年代时已变成"生计不周全、牲畜不茂盛、较他蒙古贫穷"的地方了。再以"阴山北麓丘陵伏沙地区"为例，该区域正是著名"敕勒歌"的诞生地，在上世纪初还是"草过于马脊"的优质草原，如今已成为生态脆弱地带。清末以来连续不断的开垦，其后果是草原生态恶化，牧场大面积减少，从而使世代以游牧为生的蒙古及北方游牧民族被迫放弃故地，迁往草场质量低劣、生态环境更加严酷的偏远地区，其连带后果是草原地区的荒漠化。②

（二）农业

由于民国时期内蒙古地区的农业以前所未有的势力发展，其相关的科技事业也得到了大大加强。清末以来大规模汉族移民垦殖，各种作物品种从内地引入内蒙古地区种植。民国年间，开始有计划地引进品种。1930—1934年，绥远省建设厅委托华洋义赈会从美国引进兰麦（硬粒种）、鱼麦、甜菜、银白高粱、大根高粱、大豆、亚麻和棉花等品种。1919 年，通辽地区朝鲜农民开发水田种稻。20 世纪 30 年代末，在牙克石、扎兰屯等地设立了35 处原种圃。1940 年，绥西农业改进所在临河世成西成立，从事农、牧、林、果树等科研和生产，下设世成西农场、伊始子地农场及临河、五原、伊始子地、邬家地、特布木独等 5 处苗圃和世成西果园。同年，绥远省农事试

① 恩和：《草原荒漠化的历史反思：发展的文化维度》，见额尔敦布和、恩和、双喜主编：《内蒙古草原荒漠化问题及其防治对策研究》，第 99 页。

② 恩和：《草原荒漠化的历史反思：发展的文化维度》，见额尔敦布和、恩和、双喜主编：《内蒙古草原荒漠化问题及其防治对策研究》，第 99—100 页。

验场由四川引入一批小麦品种，计有普通小麦、密穗小麦、硬粒小麦、圆锥小麦、波兰小麦等，在杭锦后旗一带试种。其中圆锥小麦种中的佛手麦品种种植面积较大，至 20 世纪 50 年代达八九万亩。1941 年，伪满洲国兴农部成立农作物奖励品种委员会，并决定在内蒙古东部一些地区推广优良品种。①

在清末河套水利开发与水利垦殖事业上，直隶邢台县人王同春以精通从黄河上开渠引水灌溉和治水技术而著名，成为当时的水利专家。1913 年，地商王同春越黄河到达拉特旗，包租同兴东土地，于哈什拉川筑活水坝，引水开渠，名为东大渠。渠长 10 公里，灌地 1.83 万亩。② 后来他逐步扩展开发水利事业，控制了整个河套地区。

20 世纪 30 年代有人将西方土壤调查方法和土壤分类系统引入内蒙古地区。1931 年，在美国专家彭德尔顿（C. Pendleton）和常庆隆、陈伟、侯光炯等人在萨拉齐附近，在东西长约 80 公里、南北宽约 40 公里范围进行土壤调查。根据土壤表层质地将这一地区的土壤分为 4 个土系，即绥远系、萨拉齐系、陶思浩系、残留土。1934 年，美国人索普（J. Thorp）和周昌芸、李庆逵、马溶之等人在绥远省的包头、萨拉齐、托克托、归化，山西省的北部及察哈尔中部和南部（包括河北省北部和锡林郭勒盟）作路线调查。用美国分类体系，将调查土壤分为钙层土（分栗钙土、黑钙土和漠境钙土）、盐土、碱土以及淋溶土三大类，但未形成完整的土壤图。1936 年，朱莲对宁夏土壤作了调查，范围包括内蒙古地区的阿拉善左旗、阿拉善右旗、额济纳旗和磴口县的一部分。土壤部分有棕土、盐土及灰钙土，以灰钙土面积最大，棕土次之，盐土只分布在三盛公、磴口和额济纳旗沿河一带。1925 年，日本人沿洮南至满洲里一线，做过包括土壤内容的农业调查。挖剖面，测土壤养分和质地，并绘出土壤图。③

20 世纪 30 年代，绥远省立归绥农科职业学校建成（校址在新城东南的大台什村附近），因为该校当时开设有气象学课程，气象测候站便设在校园内。该站成为当时归绥唯一的气象测候站。园中心设置百叶箱，里面架设各

---

① 内蒙古自治区科学技术志编纂委员会编：《内蒙古自治区科学技术志》，第 15 页。
② 内蒙古自治区科学技术志编纂委员会编：《内蒙古科技大事记》，第 34 页。
③ 内蒙古自治区科学技术志编纂委员会编：《内蒙古自治区科学技术志》，第 54—55 页。

式气温计、温度计以及自记仪。此外，在园内还设有雨量计及各式地温计等仪器。初期，该站的气象观测工作仅由归绥农科职业学校的两名教师兼职，每天定时观测 3 次。民国初年，曾在上海徐家汇召开全国气象工作会议，绥远当局也派员参加了这次会议。①

历史上内蒙古地区病虫灾害很严重，但农作物病虫害科学研究和防治工作开展较晚。清光绪三十三年（1907 年），后套各地发生蝗虫灾害。国民政府时期也曾多次报道蝗虫、黏虫和糜子钻心虫虫害。1930 年，归绥、萨拉齐、托克托一带黏虫大发生。同年绥西鼠啮田禾尤甚。20 世纪 40 年代，绥西粮食作物病害主要是小麦"黄疸"（秆锈）和糜、黍、高粱黑穗病和黑粉病。1948 年商都县和宝昌县发生莜麦黑穗病，灾害严重。40 年代末，用白酒拌种防治莜麦坚黑穗病已有一定防治效果。1940 年，伪蒙疆政府调查了化德县等地小麦黑穗病和莜麦坚黑穗病为害情况，推广温汤浸种、白酒浸渍和柏油浸渍。同时还调查了小麦锈病和马铃薯 28 星瓢虫。内蒙古东部地区曾多次组织病虫害的分布调查。1921 年，日本人三浦道哉首先发表《满洲主要农作物病害》一书。1928 年、1935 年、1939 年和 1943 年日本人陆续发表文章和调查报告，报道了包括内蒙古东部地区在内的中国东北地区农作物主要病害和病害目录。1935 和 1937 年，德永重康曾率领专业人员，先后两次调查害虫种类和分布。1940 年，又组织了全东北地区的水稻害虫调查，并拟定防治计划，设置了防治示范田。1935 年以来，东北各地对高粱、谷子黑穗病和谷子白发病实施福尔马林种子消毒。1936 年后，小麦腥黑穗病实施温汤浸种取得很好效果。蚜虫则撒布得利斯剂驱除，对水稻病虫害实施种子消毒等。20 世纪 40 年代初，曾发动群众人工捕捉黏虫。1942 年，废除福尔马林消毒法，奖励赛力散和王铜粉等粉剂防治，并得到大面积应用。1942 年，在北满马铃薯无病的地区生产无病种薯，1943 年，在牙克石设立原种场繁殖种薯效果良好。②

内蒙古地区蔬菜种植已有 400 多年历史。明隆庆四年（1570 年）土默特地区发展"板升"农业，已有汉人种瓜、茄、芥、葱等蔬菜。清雍正年

① 《城事·史记》，载《内蒙古晨报》2008 年 4 月 16 日第 7 版。
② 内蒙古自治区科学技术志编纂委员会编：《内蒙古自治区科学技术志》，第 72 页。

间的 1734 年，海拉尔建成，开始种植蔬菜。清乾隆年间（1736—1795 年）的归化城（今呼和浩特市），嘉庆年间（1796—1820 年）的包头东河等城市已普遍种植结球甘蓝、茄子、黄瓜、葱、韭、芥菜等。1933 年，种植马铃薯、长白菜、葱、韭、蒜、菠菜、芹菜、芥菜、莴苣、芫荽、茄子、黄瓜、辣椒、西胡芦、菜瓜、南瓜、金针菜、蔓菁和萝卜等 20 多种蔬菜。1937—1945 年，内蒙古地区沦陷时期，又增加洋姜（菊芋）、西红柿、白萝卜、牛蒡、菜花、葱头和豆角等。中华人民共和国成立前，大兴安岭岭北一带秋菜有甘蓝、马铃薯、大白菜、大萝卜、胡萝卜、大葱、芜菁甘蓝（布留克）等；春夏菜有黄瓜、番茄、芹菜、生菜、小白菜和水萝卜等。到 1950 年时，内蒙古自治区境内的蔬菜瓜类约有 30 种 50 多个品种。20 世纪 50 年代中后期，开始大量引进新品种。20 世纪 60 年代初，仅呼和浩特地区就引进蔬菜48 种 95 个品种，果类品种也大大增加。[1]

对内蒙古东部地区来说，森林资源极为丰富，林业是仅次于畜牧业的重要产业。特别是大兴安岭，其森林占整个东北所有林地面积的 40%，占木材储存量的一半。原来森林采伐项目由俄国和中国合办，后由"满洲国"和满铁合作实施。从 1936 年起，"满洲国"有关部门在 7 个地方设置了营林署。[2]

内蒙古地区的渔业是从湖泊、河流捕捞天然鱼起步，逐步发展到池塘人工养殖。清光绪三十四年（1908 年），《呼伦贝尔边务调查报告》中记录了额尔古纳河右岸支河产鱼种类和捕捞方法。1912 年，呼伦贝尔达赉湖开始渔业生产，1920 年，俄国在该湖西岸建立渔场。1930 年起，绥西的乌梁素海有内地迁来的渔民采用河北省白洋淀的捕鱼技术，从事天然鱼类捕捞。赤峰市达里诺尔及其附近的湖泊、泡沼，也有一些内地来的渔民从事捕鱼生产。在黄河、额尔古纳河等处也有少量捕捞自然鱼的活动。[3] 1933 年，日本人组成调查队对嫩江、达赉湖等水域的渔业进行调查。1935 年，伪满洲国

---

① 内蒙古自治区科学技术志编纂委员会编：《内蒙古自治区科学技术志》，第 89 页。

② ［日］"满洲国"史编纂刊行会编：《满洲国史·分论》（下），《东北沦陷十四年史》吉林编写组译，《东北沦陷十四年史》吉林编写组 1990 年印刷，第 998 页。

③ ［日］"满洲国"史编纂刊行会编：《满洲国史·分论》（下），第 1000 页；内蒙古自治区科学技术志编纂委员会编：《内蒙古自治区科学技术志》，第 118 页。

蒙政部又派人对达赉湖进行调查。1939 年，兴安水产株式会社成立，1940 年，该会社从江西省九江市空运数十万尾鲢、鳙、草鱼鱼苗投放达赉湖 2 号渔场，以水磨加工豆浆投喂方式饲养。①

（三）草原资源及畜牧业

内蒙古草原是北亚重要的畜牧业区，也是世界的一个特殊自然资源区域。历史上曾有一些生态学家、经济学家从各自的角度对内蒙古草原进行了科学研究。清雍正二年（1724 年），德国人梅塞施米特（D. G. Messerschmidt）由西伯利亚到内蒙古呼伦贝尔草原考察，并采集植物标本。这是近代植物学家对内蒙古地区最早的植物考察和采集工作。1830 年，俄国植物学家邦奇（A. Bunge）从大库伦经锡林郭勒、张家口到北京，沿途采集植物标本。1831 年发表《在中国北部采集的植物名录》，列入被子植物 95 科 420 种，并发现一些新分类群。1866 年，法国传教士大卫（P. A. David）在归绥、包头、乌拉山一带采集了大量植物标本。1884 年发表《大卫在中国所采集的植物》，收集维管束植物 1174 种。19 世纪中叶，在内蒙古地区采集考察的俄国学者还有普热瓦尔斯基（N. M. Przewalski）和乌普索夫（M. Upsov）等人。他们采集了大量植物标本，集中保存在彼得堡植物园。俄国植物学家柯马洛夫（V. L. Komarov）研究了上述标本，于 1901—1907 年发表《满洲植物志》3 卷，并于 1908 年完成《中国及蒙古植物区系引论》，首次对蒙古植物进行了分区研究。②

日俄战争后，日本学者对内蒙古地区的草原资源，从植物区系、植物调查和不同植物类型的开发利用进行研究，发表了很多专题论文和专著。1907 年，南满洲铁道株式会社本部从东京迁至大连以后，经常派出各种调查队，分赴各地进行考察研究，陆续发表一些考察报告。其中有关内蒙古草原和牧草研究的有《满蒙牧草植物调查》（满铁产业部农务课，1915 年）、《东蒙古的牧草和杂草》（矢部吉祯，1916 年）、《兴安北省牧野调查报告》及《兴安北省三河地方的畜产与牧野》（北满经济调查所，1942 年）、《蒙疆牧

① 内蒙古自治区科学技术志编纂委员会编：《内蒙古自治区科学技术志》，第 126 页。
② 内蒙古自治区科学技术志编纂委员会编：《内蒙古自治区科学技术志》，第 159 页。

野调查报告》（满铁北支经济调查所，1943 年）等。①

1931 年，长春成立伪满洲国大陆科学院。该院斋藤道雄、渡边政敏等专家对中国东北和内蒙古东部的饲用植物进行研究，写出了《满洲产野草的饲料学研究》第 1—6 报（1939—1940 年）、《满洲产树叶的饲料学研究》第 1—4 报（1941 年）。中国植物学者最早来到内蒙古地区的是秦仁昌教授。1923 年 5 月，他在贺兰山西坡采集早春开花植物，1941 年，在静生生物调查所汇报第 10 卷第 5 期上发表《贺兰山植物采集纪略》的专题文章。此后刘慎谔、耿以礼教授等也来内蒙古搞过一些植物方面的调查研究工作，著有《中国北部及西北部植物地理概论》（刘慎谔，1934 年）、《中国绥远百灵庙禾本科之新种》（耿以礼，1938 年）。还有 1937 年吴征镒教授在河套及乌拉山一带采集的植物标本。②

家畜品种改良方面，清末以来，引种和家畜杂交改良活动渐多。一般来说，内蒙古地区虽然适于畜牧业的发展，但是由于牧畜品质低劣和兽疫流行等原因，曾有衰退的现象。据 20 世纪 30 年代的资料记载，内蒙古东部地区每年仅因为牛疫就倒毙约 15 000 头牧畜。③ 从 1898 年开始，在呼伦贝尔境内形成自发性的黄牛改良。1904 年前后，俄国境内游牧民经常在额尔古纳右旗过冬或定居，携有后贝加尔马，与当地蒙古马杂交。部分俄国侨民把奶山羊带入呼伦贝尔。1901 年左右，清政府为了提高察哈尔牧场马群质量，先后引入德国公马 1 匹，俄国公马 3 匹，母马 1 匹，伊犁公母马各 200 匹。1913 年，中华民国农商部在察哈尔设第一种畜试验场。1917 年俄国十月革命后，俄国侨民携带部分后贝加尔马、含有奥尔洛夫马血液的改良马、西门塔尔牛、后贝加尔牛和西伯利亚牛到额尔古纳右旗三河、上库力一带定居。这些外来马、牛与当地马、牛杂交，培育出优良的三河马、三河牛等品种。④

①　内蒙古自治区科学技术志编纂委员会编：《内蒙古自治区科学技术志》，第 159 页。

②　内蒙古自治区科学技术志编纂委员会编：《内蒙古自治区科学技术志》，第 160 页。

③　[日] 善邻协会调查部编：《满洲国属内蒙古》，见内蒙古大学中共内蒙古党史、内蒙古近现代史研究所编：《内蒙古近代史译丛》第 1 辑，内蒙古人民出版社 1986 年版，第 212 页。

④　马玉明总主编：《内蒙古资源大辞典》，第 1385、1394 页；内蒙古自治区科学技术志编纂委员会编：《内蒙古自治区科学技术志》，第 177 页。

20 世纪 30 年代初，"满洲国"和满铁在东北分别设立了家畜的防疫和改良机关。1934 年，马政局在海拉尔和洮南设立"国立"种马厂，进行马匹改良事业。1935 年，向各地派去调查员进行马情调查，并且协同善邻协会兽医部到锡林郭勒盟开展马疫调查工作。[①] 1936 年，在兴安省建立通辽马场。1937 年，在兴安南省建立索伦种马育成场。1939 年，在兴安西省建立开鲁种马场。各马场共饲养种马 1 471 匹，有贝尔修伦、盎格鲁阿拉伯、盎格鲁诺曼、阿拉伯、奇特兰、英纯血、美速步等品种。兴安各省曾引入短角牛、美利奴羊、克利迭尔羊、约克夏猪、巴克夏猪等品种，进行杂交改良。[②]

"满洲国"有关部门分别在海拉尔、王爷庙和东土默特等地开办种羊厂，从事改良羊种的普及。满铁曾在公主岭农事试验所设立畜产科，从 1913 年以后，在蒙古羊的改良方面取得了较好成绩。位于林西县的第一区种羊场是在 1921 年 7 月从公主岭农事试验所引进美利奴种牝羊 10 只、牡羊 16 只的基础上建立的。[③]

1920 年，满铁与蒙古产业公司合作建成林西种羊场（也叫黑山屯种羊场），1924 年以后该种羊场由满铁独家经营，1927 年从美国引进良种羊 200 只，改良当地绵羊。[④]

1936 年，日本兽医研究人员在林西、赤峰设立检疫机构，对家畜实行检疫。1939 年，又在通辽设立一处，以后陆续增设多处。至 1943 年，上述检疫机构改称为家畜防疫所。与此同时，日本人对热河、兴安西、兴安南、兴安东和兴安北省等地区的家畜传染病首次进行普查。调查结果，以鼻疽、羊痘、口蹄疫等兽疫，为害最烈。[⑤]

1938 年，蒙疆家畜防疫处先后生产了羊痘、猪肺疫、炭疽、牛瘟、赤

---

① ［日］善邻协会调查组编：《满洲国属内蒙古》，见内蒙古大学中共内蒙古党史、内蒙古近现代史研究所编：《内蒙古近代史译丛》第 1 辑，第 212 页。

② 内蒙古自治区科学术技志编纂委员会编：《内蒙古自治区科学技术志》，第 177—178 页。

③ ［日］善邻协会调查部编：《满洲国属内蒙古》，见内蒙古大学中共内蒙古党史、内蒙古近现代史研究所编：《内蒙古近代史译丛》第 1 辑，第 212 页。

④ 满铁经济调查会编：《满铁畜产方案》（日文），满铁经济调查会 1941 年印，第 298—301 页。

⑤ 内蒙古自治区科学技术志编纂委员会编：《内蒙古科技大事记》，第 49 页。

痢、牛痘疫苗和羊痘、炭疽、牛瘟血清以及抗链球菌等 18 种生物药品。与此同时，蒙古联盟自治政府在归绥设立了兽医养成所。①

蒙古兽医方面，13—16 世纪，蒙古兽医学在原有的基础上，通过实践，不断发展提高，又吸引了藏医学精华，形成了"赫已、希拉、巴达干"学说为主要内容的理论。明末清初，在规模较大的喇嘛庙里存有蒙文版的《甘珠尔》《丹珠尔》经。期间还有人写出《本草纲目》蒙古文摘要版本。在收集到的《马经医相合录》经卷中，比较详细地论述了以马为主（包括牛、骆驼）的疾病诊断、治疗和方剂等。至今从民间收集到的蒙古兽医典籍有蒙古文木刻版《新译各种配方全益经》（附有汉、蒙、藏文药名对照）、蒙古文手抄本《马的各种疾病的治则经》、蒙古文木刻版《马的百病治疗集》等。1840 年，在巴林草原和科尔沁草原上流传有加注作者自己经验的《元享疗马集 72 症》蒙译抄本。1851—1862 年，鄂尔多斯高原蒙兽医达拉吉著有《疗马集》，以蒙药为主治疗马病，药名用满语拼音标记。1939 年，绥远省政府转发了《奖励国药兽医有效良方暂行规则》共六章 26 条，并列举有 70 种中外病名主要征候对照表。②

畜牧业经营技术方面，20 世纪初，中东铁路通车，大量俄国侨民迁入呼伦贝尔铁路沿线及额尔古纳河流域，俄国十月革命后，又有大批布利亚特蒙古人和通古斯人迁徙到呼伦贝尔草原东部地区。他们带来优良畜种和打草机具的同时，也带来新的饲养方式。部分牧户以换工和协作的方式采取了放牧和补饲相结合、游牧和半定居相结合的饲养管理方法。利用打储的饲草，在冬春营地储存，冬春季节补饲牲畜，建有质量较好的棚圈和简易房舍，夏秋季则利用天然草场放牧。

20 世纪 30 年代，在内蒙古东部各地设立的军马场、绵羊改良场、种羊饲养场，以及 1946 年在归绥市（今呼和浩特市）建立的乳牛场，引进优良家畜品种的同时，也引进了以舍饲为主的畜牧业经营技术。③

---

① 内蒙古自治区科学技术志编纂委员会编：《内蒙古科技大事记》，第 50 页。
② 内蒙古自治区科学技术志编纂委员会编：《内蒙古自治区科学技术志》，第 217 页。
③ 内蒙古自治区科学技术志编纂委员会编：《内蒙古自治区科学技术志》，第 222 页。

三、地质矿产科学技术

内蒙古地域辽阔，跨越多个地质构造单元，地层发育齐全，岩浆活动频繁，矿产种类多、储量大，历来是中外地质界所关注之地区。19 世纪末以来，俄、德、日、法、美等国家及国内地质人员先后在内蒙古部分地区开展地质和煤、铁等矿产调查工作，1949 年前初步调查了煤、铁、金、银、石棉、油页岩、芒硝、天然碱等 10 余种矿产情况。①

1864 年，俄国人本柏里在丰镇及岱海一带进行路线地质调查。其后相继有德、日、法、美等国地质学者来内蒙古地区进行零星的地质、矿产调查。1907 年以后，日本人先后成立满铁地质研究所、满铁矿业开发株式会社，派遣地质人员对内蒙古东部地区的地质矿产作过一些调查工作，发表过游记性或矿产调查性质的专题报告和文章。②

1907 年成立的日本满铁地质研究所，重点进行东三省南部和内蒙古东部地区的地质矿产调查工作。以一般地质矿物及应用地质为研究对象，开展各种有用矿物的探查、矿产地的调查及其价值的研究、矿山的鉴定、工业原料、建筑石材、地下水、温泉、地盘的调查等。③ 根据 1919 年版《蒙古地志》记载，南满洲铁道株式会社和关东都督府相关机构在内蒙古东部地区开展实地考察后指出喀喇沁 3 旗、土默特 2 旗矿产最为丰富，翁牛特右旗以及哲里木盟各地次之，并明确了各矿产地的具体分布情况。

1912 年，中华民国农商部设立地质科。1915—1933 年，多次派翁文灏、谢家荣、王竹泉、谭锡畴、孙建初等来内蒙古进行地质调查，对内蒙古中、东部地区的地质矿产作过初步论述。④ 1913 年，绥远将军府测绘所，在今呼和浩特市附近实测 1：2.5 万比例尺地形图 30 幅。1917 年，绥远都统署测绘所对伊克昭盟进行较大面积 1：10 万比例尺地形图测绘，是内蒙古地区最早的测绘队伍首次实地测绘不同比例尺地形图。⑤

---

① 内蒙古自治区科学技术志编纂委员会编：《内蒙古自治区科学技术志》，第 299 页。
② 内蒙古自治区科学技术志编纂委员会编：《内蒙古自治区科学技术志》，第 301 页。
③ 满洲文化协会编：《满洲年鉴》（日文）（一），满洲文化协会 1933 年印，第 333 页。
④ 内蒙古自治区科学技术志编纂委员会编：《内蒙古自治区科学技术志》，第 301 页。
⑤ 内蒙古自治区科学技术志编纂委员会编：《内蒙古科技大事记》，第 34 页。

1922 年，美国自然历史博物馆组织中亚考察团，连续多次对二连诺尔、西拉木伦、哲斯敖包一带进行地层调查和古生物化石采集。伯基（C. P. Berkey) 和莫里斯（F. k. Morris） 著有《蒙古地质》(Geology of Mongolia)，格雷博（A. W. Grabau） 著有《蒙古二叠系》（The Permian of Mongolia） 等专著。1931 年，中国地质学家张席禔重点研究了二连诺尔附近的第三系及其动物群，发表《内蒙古第三纪地层及其同欧美的对比》论文。[1]

1936 年，日本人在哈尔滨至满洲里等地进行重力物探剖面测量，这是内蒙古地区首次开展的地球物理探查。[2]

内蒙古的稀有、稀土矿产资源类型独特、品位高、伴生元素丰富、蕴藏量巨大。仅白云鄂博矿床所探明的稀土储量，就占全世界稀土储量的 80%；铌仅次于巴西，列世界第二。801 矿床的锆占我国储量的 73% 以上，遥居全中国之首；铍、钽也位于中国第二。稀有、稀土是内蒙古最突出的资源优势和主要出口的矿产。[3]

1927 年 7 月 3 日，地质学家丁道衡随中国—瑞典西北科学考察团，在内蒙古地区进行路线地质调查时，首先发现了白云鄂博铁矿主矿。测制矿区地质草图和采样化验，并估算了铁矿储量。其成果《绥远省白云鄂博铁矿床》发表在 1933 年第 23 号《地质汇报》刊物上。[4]

1935 年，矿物学家何作霖在研究白云鄂博铁矿标本时，发现 2 种稀土矿物，定名为"白云矿"和"鄂博矿"，并鉴定出其主要的物理性质，著有《绥远白云鄂博稀土类矿物初步研究》（《中国地质学会会志》，1935 年第 10 卷，第 2 期）。同年，严济慈教授用光谱仪分析这 2 种稀土矿物中的镧、铈、镨、钕等元素的含量，进一步证实了白云鄂博铁矿中伴生有大量的稀土元素。[5]

1945 年以后，中华民国地质调查所北平分所也到内蒙古做过调查。1946 年 6 月，黄春江在《地质评论》第 11 号上发表《绥远百灵庙白云鄂博

---

① 内蒙古自治区科学技术志编纂委员会编：《内蒙古自治区科学技术志》，第 303 页。
② 内蒙古自治区科学技样志编纂委员会编：《内蒙古科技大事记》，第 49 页。
③ 内蒙古自治区科学技术志编纂委员会编：《内蒙古自治区科学技术志》，第 307 页。
④ 内蒙古自治区科学技术志编纂委员会编：《内蒙古自治区科学技术志》，第 307 页。
⑤ 内蒙古自治区科学技术志编纂委员会编：《内蒙古自治区科学技术志》，第 307 页。

附近铁矿报告》。报告认为，白云鄂博是华北地区最大的铁矿床。建议利用黄河水作为工业水源，在包头附近建设一个规模较大的钢铁企业。①

1933 年 8 月，日本满铁地质调查所尾崎博等对阿尔山热液型萤石矿作过调查，著有《哈伦阿尔山萤石产地调查报告》。②

在煤矿地质方面，1901 年，俄国马尔克舍伊矿务局对呼伦贝尔的扎赉诺尔煤田进行了初步勘查，发现扎赉诺尔煤矿积存之煤，深在 100 米，储煤 9 500 万吨，最深 200 米，可有煤 22 000 万吨。③ 1912 年，瑞士人新常富到包头石拐一带煤田做地质田野调查。这是在大青山煤田、石拐煤田首次有人开展地质工作。④ 1925 年，中国地质调查所王竹泉到大青山以煤田为主，测绘了 1∶10 万的地质图约 1 000 平方公里，并于 1926 年发表《绥远大青山煤田地质》科学论文。1930 年，地质学家孙健初 3 次来内蒙古进行地质调查，并编撰《绥远及察哈尔西部地质志》。1934 年，中国地质调查所董纶对固阳、武川、萨拉齐、包头、大青山一带的煤田进行调查。1935 年日本侵占扎赉诺尔煤矿后，对矿区做进一步勘探，并于 1939 年进行弹性波"人工地震"剖面测量。1936 年，由东北地质局，1940 年，由日本人内野敏夫等，分别对额尔古纳左旗贝利亚矿产进行过地质调查。1939—1941 年间，志田井功等日本专业人员多次进入内蒙古大青山、乌拉山和贺兰山等地进行调查研究，并编写了《蒙疆巴彦塔拉盟大青山煤田石拐子附近地质调查报告》等。⑤

四、工业与交通科学技术

（一）工业与电力技术的引进

民国时期，内蒙古地区逐渐出现小型现代工业雏形。1905 年，归化城

---

① 内蒙古自治区科学技术志编纂委员会编：《内蒙古科技大事记》，第 55—56 页。
② 内蒙古自治区科学技术志编纂委员会编：《内蒙古自治区科学技术志》，第 318 页。
③ 内蒙古自治区科学技术志编纂委员会编：《内蒙古科技大事记》，第 30 页。
④ 内蒙古自治区科学技术志编纂委员会编：《内蒙古科技大事记》，第 34 页。
⑤ 内蒙古自治区科学技术志编纂委员会编：《内蒙古自治区科学技术志》，第 339 页。

开办毛纺工艺局，织染毛布。① 1916 年，丰镇开采云母矿，兴和开采石墨矿。② 20 世纪 20 年代初，通辽电灯厂建成发电，装有 200 千瓦发电机组 1 台，4 吨/时链条式锅炉 2 台，高压线路 2 300 伏，供电线路全长 80 公里，开始向火车站、城内驻军、县府衙门及商户供电。电厂有工人 90 名。③ 1931 年，包头面粉股份有限公司开始营业，生产双驼牌面粉，主要设备从德国购进，④ 为内蒙古西部地区第一家生产面粉的工业企业。1934 年，绥远省官商合办绥远毛织股份有限公司（后来成为内蒙古第四毛纺厂）。⑤ 1937 年，毕克齐人王子文在归绥旧城创办德丰义铁工厂，有 8 英尺车床、牛头刨、皮带钻床及砂轮机各 1 台，生产磨面机、脱粒机、弹花机和水车等。1938 年，日本人在扎赉诺尔建立火力发电厂，装有 1400 千瓦机组 1 台。⑥ 20 世纪 40 年代，在包头和王爷庙各建一皮革厂。同一时期，在东部区一些城镇小作坊开始用机器榨油、加工牛奶。在归绥市新城西街建成烟丝厂，手工生产烟丝。1938 年，日资满蒙皮革股份有限公司包头工厂（现包头皮革厂）建成，这是内蒙古地区最早的现代皮革企业。1940 年，日本人在海拉尔市采用稀发酵工艺生产酱油。在归绥市开设厚和天皮厂，加工厚片和薄片云母，工人最多达千余人，产品均运往日本，1945 年关闭。1946 年，东蒙实业公司皮革厂（后称海拉尔皮革厂）在乌兰浩特组建。⑦

1948 年，中共内蒙古工作委员会从设在乌兰浩特的内蒙古军政大学挑选出 130 多名学员，派往吉林工业专科学校学习机械制造、化工、矿山机电和土木建筑专业。这些学员毕业后，分别于 1952 年和 1953 年回到内蒙古工作。这是内蒙古自治区成立后的第一代民族工业技术干部。⑧

在出版技术和近代印刷企业方面，1922 年，卓索图盟喀喇沁右旗人特

① 高延青主编：《呼和浩特经济史》，华夏出版社 1995 年版，第 169 页。

② 内蒙古自治区科学技术志编纂委员会编：《内蒙古自治区科学技术志》，第 5 页。

③ 内蒙古自治区科学技术志编纂委员会编：《内蒙古科技大事记》，第 38—39 页。

④ 内蒙古自治区科学技术志编纂委员会编：《内蒙古自治区科学技术志》，第 504 页。

⑤ 内蒙古大辞典编委会编：《内蒙古大辞典》，第 515 页。

⑥ 内蒙古自治区科学技术志编纂委员会编：《内蒙古科技大事记》，1992 年版，第 50 页。

⑦ 内蒙古大辞典编委会编：《内蒙古大辞典》，第 522 页；郝维民主编：《百年风云内蒙古》，内蒙古教育出版社 2000 年版，第 372 页；内蒙古自治区科学技术志编纂委员会编：《内蒙古科技大事记》，第 52 页。

⑧ 内蒙古自治区科学技术志编纂委员会编：《内蒙古科技大事记》，第 57 页。

睦格图创制蒙古文铅字获得成功。这是内蒙古历史上第一次试制成功蒙古文铅印印刷术。次年特睦格图在北京创办了近代内蒙古地区第一家出版社和蒙古文印刷厂。① 特睦格图研制蒙古文铅字成功后，热心于蒙古民族振兴事业的各地蒙古族志士积极筹办蒙古文印刷厂，如 1924 年，郭道甫在沈阳创办了内蒙古东部地区影响最大的"东蒙书社"；1925 年，在上海商务印书馆开始印刷蒙古文书刊；1926 年，在内蒙古西部地区，察哈尔盟（商都）蒙古文印刷厂成立。这些蒙古文书社和印刷厂培养出来的第一代蒙古族印刷工人和技术人员，不仅成为近代蒙古文印刷业的先驱，也为蒙古文、满文、藏文铅印的发展作出了巨大的贡献，而且成为内蒙古自治区成立后蒙古文印刷业的技术骨干和印刷专业的工艺家。对外蒙古的印刷业也产生了一定的影响。②

1918 年始建的绥远印刷厂，是从天津购进印刷设备，从北京聘请技术工人办起来的，主要业务是承印《西北实业报》，1926 年始承印《绥远日报》，后由商办改为官办企业。③

在电力技术的引进方面，清光绪二十九年（1903 年），有商人在黑龙江胪滨（今满洲里市）开办内蒙古地区第一座 40 千瓦蒸汽直流发电的小电灯厂。清光绪三十二年（1906 年），白俄自治会与胪滨官府联合组成电业股份有限公司，双方投资扩建改造原电灯厂，增装 2 台蒸汽交流发电机组，容量 168 千瓦。清宣统元年（1909 年），中国官商在黑龙江呼伦城（今海拉尔市）开办电灯厂，装机 410 千瓦，电压 440 伏，直流供电。1919 年，天津商人沈文炳在绥远省归绥县（今呼和浩特）筹建电灯厂，规模 100 千瓦，机器设备均为日本造。1921 年，赤峰商界、金融界人士集资兴办赤峰电灯厂，历时 5 年，于 1926 年建成，装有 60 千瓦蒸汽发电机 1 台。1922 年，黑龙江省督军吴俊升从美国奇异公司购进全套发电设备和供电器材，在通辽筹办电灯厂，1923 年 10 月，建成发电，安装 200 千瓦发电机 1 台。1929 年，

---

① 纳古单夫：《特睦格图——蒙古文铅印术的创始人》，见《蒙古族科技人物志》（蒙古文），第 1 册，内蒙古科学技术出版社 1985 年版，第 50—51 页。

② 张继霞、巴拉吉尼玛：《蒙古族科学家》，远方出版社 2005 年版，第 56—57 页。

③ 高延青主编：《呼和浩特经济史》，华夏出版社 1995 年版，第 169 页。

又购进美国500千瓦西门子发电机1台。1929年，绥远省大盛魁经理段履庄锐意独立办电，将原绥远电灯股份有限公司改组更名为绥远塞北第一电灯股份有限公司，购进瑞士新式500千瓦发电机1台。1936年，满洲株式会社用1 000千瓦发电机1台建设扎赉诺尔火力发电厂。1942年，扎赉诺尔电厂扩建，从牡丹江电厂拆迁2 800千瓦机组1台，成为1903—1949年内蒙古境内安装的最大机组。①

（二）交通运输业

1907年，欧洲万国汽车环行会举行，车队从巴黎开始行驶，直达北京，完成了跨国界长距离汽车比赛。赛后公报称本次汽车行驶所经路途，尤以库伦—张家口道路，均为天然汽车道，最为好走。这是张库交通线首次大规模行驶汽车的历史记载。②

1916年，由景学钤、张祖荫等人发起，集股筹办大成张库汽车股份有限公司，申请民国政府交通部批准开业。交通部批示要求作出调查报告、测绘图说和试车情况，送审批准。1917年，景学钤等人单车探险，历时6日抵达库伦。该公司获得准许后，于1918年4月在张家口正式开业，从此张家口库伦间开始办理营运业务。集资10万，购车10辆，设站11个，专为乘客运货之需。从张家口到库伦的中途停车地点是：第1日，兴化城，又叫庙滩（即张北县）；第2日，滂江；第3日，乌得；第4日，叨林；第5日下午即可抵达库伦。张家口至库伦往来汽车到达日程均以5日为限。③张库汽车路线是民国年间内地与北方蒙古地区之间的重要运输路线，也是一条欧亚交通贸易路线。此外，1919年，西北汽车公司还开办了丰镇—归绥—包头之间的汽车运输业。④1923年，京绥铁路修至包头，西北汽车公司随即停办。⑤1929年，绥远省建设厅路工局修建了包头—乌拉河段公路，长633华里，

① 内蒙古自治区科学技术志编纂委员会编：《内蒙古自治区科学技术志》，第351页。

② 锡林郭勒盟公路交通史料编辑室编：《锡林郭勒盟公路交通史料汇编》第2辑，锡林郭勒盟公路交通史编辑室1985年印刷，第143页。

③ 锡林郭勒盟公路交通史料编辑室编：《锡林郭勒盟公路交通史料汇编》第2辑，第143—144页。

④ 内蒙古自治区科学技术志编纂委员会编：《内蒙古科技大事记》，第37页。

⑤ 《内蒙古公路交通史》第1册之《近代公路交通》，人民交通出版社1993年版，第58页。

土路木桥，至 1930 年全线竣工。[①] 1946 年，归绥市开办了旧城—新城—车站公共汽车，营运班车为第 12 战区汽车团拨给的 4 辆老龄汽车。[②] 到 1947 年为止，内蒙古境内公路里程共有 1947 公里，全部为晴通雨阻道路。[③]

内蒙古境内自清末开始建设铁路。光绪二十二年（1896 年），清政府与沙俄政府签订《中俄密约》，允许俄国修筑贯通中国东北的"东清铁路"（中东铁路）。1897 年，内蒙古地区史上第一条铁路——东清铁路内蒙古区段开始建设。1900 年 4 月，因义和团运动，筑路工程停工。1901 年陆续复工，7 月修至博克图。11 月 3 日，该铁路西线（今滨洲线）全线临时通车，全长 944.437 公里。内蒙古境内（满洲里至扎兰屯）574.448 公里。[④]

日俄战争后，日本通过《朴茨茅斯条约》从俄国手中夺取了旅顺、大连租借地和宽城子以南的中东铁路支线，即所谓的"南满铁路"。该铁路线大约在昌图—长春以南，经过科尔沁左翼后旗、科尔沁左翼中旗和郭尔罗斯前旗等蒙旗领地，使东蒙古的一部分成为"满铁"附属地。在第一次世界大战期间，日本掌握了"满蒙五路"和"满蒙四路"的筑路权。1918 年 12 月，四平街—郑家屯铁路全路开通。1921 年 10 月，郑家屯—通辽铁路修筑完工。[⑤] 郑通铁路与四郑铁路都是深入东蒙古腹地科尔沁中心地带的交通大动脉。

总之，1909—1931 年，在内蒙古境内修筑了京（北京丰台）包（今包头东）、四（平街）郑（家屯）、四（平）洮（南）、郑（家屯）通（辽）、打（虎山）郑（家屯）、白（城）阿（尔山）、博（克图）林（塔尔气）等一些主要铁路支线。到 1931 年，内蒙古地区境内计有铁路 1273.8 公里。1931—1945 年，又修筑了怀（远镇）索（伦）、叶（柏寿）峰（赤峰）、牙（克石）林（满归）、博（克图）林（塔尔气）一段、洮（安）怀（远镇）、洮索（今白阿线）铁路，计 593.5 公里。[⑥] 1927 年，冯玉祥命下属修建张家口—

①　内蒙古自治区科学技术志编纂委员会编：《内蒙古自治区科学技术志》，第 554 页。
②　内蒙古自治区科学技术志编纂委员会编：《内蒙古科技大事记》，第 55 页。
③　马玉明总主编：《内蒙古资源大辞典》，第 1586 页。
④　马玉明总主编：《内蒙古自治区科学技术志》，第 543 页。
⑤　吉林省社会科学院编《满铁史资料》第 2 卷之《路权编》第 2 分册，中华书局 1979 年版，第 701 页。
⑥　内蒙古自治区科学技术志编纂委员会编：《内蒙古自治区科学技术志》，第 543 页。

多伦铁路线。从张家口经万全、张北、沽源到多伦，全长 220 公里，内蒙古华兴垦牧公司经理黄玉民计划修建。① 20 世纪 30 年代，日本出于统治内蒙古的需要，将多伦诺尔作为重要军事基地，曾筹划修建多伦诺尔—平地泉（乌兰察布盟集宁市）的铁路线。② 中华人民共和国建立前夕，内蒙古境内的铁路里程有 1798 公里，营运里程 1 557 公里，共有 5 条铁路。③

在航空运输业方面，1931 年，中国和德国合办的欧亚航空公司使用德制容克式 F－13 型、W－33 型飞机，开辟由上海经过南京、天津、北平通达内蒙古林西、满洲里的民用航空线。同年发生"九一八"事变后停航。这是通往内蒙古的第一条民用航道。④ 1934 年，欧亚航空公司又开辟了兰州—银川—包头航线。⑤ 同年绥远飞机场（面积 410 余亩）建成。⑥

1936 年，"满洲"航空株式会社成立，并先后开通大连—海拉尔、锦州—赤峰、长春—通辽—开鲁—林西、沈阳—通辽—赤峰—林西等 4 条航线。⑦ 20 世纪 30 年代，林西、满洲里、包头、绥远、海拉尔、赤峰、通辽等地相继都建成机场通航。表 21－5 显示了 1931—1946 年经停内蒙古的主要航线。

表 21－5　1931—1946 年经停内蒙古主要站点的开航时间表⑧

航线名称	经停地点	开航日期	备　注
沪满线	上海、南京、北平、林西、满洲里	1931. 5. 31	欧亚航空公司经营
沈满线	沈阳、齐齐哈尔、海拉尔、满洲里	1932. 6. 21	
锦州赤峰线	锦州、朝阳、凌源	1932. 9. 10	

① 原载《蒙疆概况》；转引自锡林郭勒公路交通史料编辑室编：《锡林郭勒盟公路交通史料汇编》第 2 辑，第 57 页。

② 原载《交通杂志》之《公路运输专号》（1933 年版）；转引自锡林郭勒公路交通史料编辑室编：《锡林郭勒盟公路交通史料汇编》第 2 辑，第 58 页。

③ 马玉明总主编：《内蒙古资源大辞典》，第 1585 页。

④ 内蒙古自治区科学技术志编纂委员会编：《内蒙古科技大事记》，第 43 页。

⑤ 内蒙古自治区科学技术志编纂委员会编：《内蒙古自治区科学技术志》，第 588 页。

⑥ 内蒙古自治区科学技术志编纂委员会编：《内蒙古科技大事记》，第 47 页。

⑦ 内蒙古自治区科学技术编纂委员会编：《内蒙古科技大事记》，第 49 页。

⑧ 引自《内蒙古自治区科学技术志》，不含"满洲"航空株式会社各条航线经停站点情况。

（续表）

航线名称	经停地点	开航日期	备　注
齐满线	齐齐哈尔、满洲里	1933.7.17	
兰包线	兰州、包头	1934.7.20	欧亚航空公司经营
宁包线	兰（兰州）宁（宁夏）段延伸至包头	1934.11	
平兰线	北平、归绥、包头	1937.2	
北平包头线	北平、张家口、大同、厚和（呼和浩特）	1938.12	华航经营
平兰线	北平、归绥	1946.10	

五、医疗卫生科学技术

（一）鼠疫防治调查研究

19 世纪末，伍连德在《鼠疫流行史》中记述："公元 641—1644 年间，山西几乎每个世纪都有几次大疫流行，其中可能有鼠疫，山西鼠疫的流行与内蒙古鼠疫的流行有关。"到 1949 年前的半个世纪内，内蒙古地区曾有过 5 次鼠疫大流行。涵盖 7 盟 2 市 58 个旗县，疫区面积达 47 万平方公里。发生病例 93 252 人，死亡 81 143 人。①

1910—1911 年，满洲里地区因捕猎旱獭而造成的肺鼠疫大流行，疫情沿铁路传播到东北的各主要城市哈尔滨、沈阳、长春、齐齐哈尔，乃至关内的河北、山东等地，死亡达 60 468 人。1917 年，从乌拉特前旗新安镇开始鼠疫大流行。疫情波及河套（今巴彦淖尔）地区、乌兰察布盟、伊克昭盟、归绥市（今呼和浩特市）、包头市等地的 27 个旗县，乃至山西、陕西、河北、山东、安徽、南京等省市，死亡 14 600 余人。1920—1921 年，满洲里地区第二次鼠疫大流行。疫情首先发生于海拉尔皮革厂，因患者逃跑到扎赉诺尔煤矿，又在矿区中传播，并曾传播到齐齐哈尔、哈尔滨、长春等地。共死亡 8 000 余人。②

---

① 内蒙古自治区科学技术编纂委员会编：《内蒙古自治区科学技术志》，内蒙古人民出版社 1997 年版，第 739 页。

② 内蒙古自治区科学技术志编纂委员会编：《内蒙古自治区科学技术志》，第 739 页。

萨克纳特（Suknett）及伍连德，在满洲里附近旱獭栖居区进行调查，发现并证实旱獭间有鼠疫存在，并发现有小流行。1928 年，伍连德及波利策在通辽地区从沟鼠与蚤类中分离出鼠疫菌。①

1928 年，伊克昭盟和通辽地区鼠疫流行。波及乌兰察布盟和绥远、包头等市 17 个旗县的 327 个村屯，患者达 3 365 人，死亡 3 039 人。1945—1947 年，在内蒙古东部地区鼠疫大流行。1945 年在王爷庙（今乌兰浩特市）突然发生鼠疫，至 1946 年春季始告平息，计发生病例 541 人，死亡 533 人。1947 年，以通辽县为中心的鼠疫流行，波及哲里木盟、昭乌达盟及呼伦贝尔盟南部的 14 个旗县、419 个村屯，计发生病例 30 306 人，死亡 25 093 人。②

1840 年以后，外国专家到内蒙古地区对鼠类啮齿动物进行考察研究。1855—1860 年间，拉德（Radde，G.）在蒙古东部地区和小兴安岭地区进行考察。普热瓦尔斯基（Н. М. Пржевальский）在兴安岭地区和阿拉善、鄂尔多斯采集过大量的标本运往彼得堡。神甫大卫（David，A.）将采集的标本运往巴黎。托马斯（Thomas，D.）介绍过兴安岭北部和长春附近采集的标本。1932 年，索尔比（Sowerby，A. do. C.）出版《满洲自然史》，记载内蒙古地区的啮齿动物 13 种。1928 年，森为三编写《满洲及内蒙古东部脊椎动物目录》中列出鼠类 5 种；1939 年发表的《热河省及其北部地区的兽类》记述了 7 种鼠类。1940 年艾伦（Allen，G. M.）汇集了前人的工作，由美国自然博物馆出版《中国和蒙古的兽类》。伍连德在《满洲及内蒙古东部的啮齿动物及其在疾病中的意义》一书中，不仅列举了鼠种，还着重提到了内蒙古的鼠情。③

1922 年，在锡林郭勒盟镶黄旗二佐和正镶白旗文工苏木发生了人间布鲁氏菌病。1935 年，日本人佐佰隐明寺、板桥、田岛在林西县种羊场曾报告 21 例布鲁氏菌病患者。1938 年，日本人三木、伊滕在兴安盟科右

---

① 内蒙古自治区科学技术志编纂委员会编：《内蒙古科技大事记》，内蒙古人民出版社 1997 年版，第 39 页。

② 内蒙古自治区科学技术志编纂委员会编：《内蒙古自治区科学技术志》，第 740 页。

③ 内蒙古自治区科学技术志编纂委员会编：《内蒙古自治区科学技术志》，第 741—742 页。

前旗八公府发现 9 例波状热患者。以后在阿鲁科尔沁旗（1944 年）、巴林右旗巴彦和硕（1945 年）和巴林左旗大西沟（1947 年）等地都有布鲁氏菌病发生。[①]

总之，1947 年以前，内蒙古地方病猖獗，疾病丛生，医药卫生科学技术落后。人口平均寿命不足 35 岁，蒙古族平均寿命只有 19.6 岁。20 世纪前半期 50 年间，仅鼠疫流行就夺去了 8 万多人的生命。[②]

1947—1949 年，在经济和技术条件极其困难的情况下，内蒙古自治政府组织疫区群众开展群众性的预防工作。当时的主要手段是烧、燎、抹、垫，以消灭跳蚤和消除跳蚤的孳生场所，收到了显著的效果，使疫情的流行强度和范围大幅度下降。1949 年的疫情与 1947 年比较，疫点减少到 92 处，下降 80.4%，病例下降 97.22%，死亡人数下降 97.46%。1948 年，在通辽开始使用链霉素治疗鼠疫，治愈率达 97.06%。20 世纪 50 年代，重点加强了流行病学调查与疫源地研究工作，在全区开展鼠疫流行史调查，以明确历史上的原发地，进行有目的的疫源检索。[③]

（二）近代基础医药学

1865 年，比利时"圣母圣心会"接管内蒙古教务以后，发展治疗卫生事业，[④] 从此西医传入内蒙古地区。

1874 年，比利时神甫德玉明、魏登林到伊克昭盟鄂托克旗城川传教时，将西医疗法传到该地区，用西药为民治病。这是近代西方医学传入内蒙古地区之始。[⑤] 1921 年，比利时驻归绥（今呼和浩特市）圣母圣心会创办了一座规模较大的新式医院（后称公教医院）。该医院设备完善，有 X 光诊察室、眼科室、电疗室、紫外线、电流机、按摩机、射热器、水晶体诊察仪、视力范围诊察器等贵重仪器，成为当时内蒙古中西部地区最好的现代

[①] 内蒙古自治区科学技术志编纂委员会编：《内蒙古自治区科学技术志》，内蒙古人民出版社 1997 年版，第 744 页。

[②] 马玉明总主编：《内蒙古资源大辞典》，第 1681 页。

[③] 内蒙古科技编纂委员会编：《内蒙古自治区科学技术志》，第 740 页。

[④] 王学明：《归绥公教医院》，呼和浩特市委党史资料征集办公室、呼和浩特市地方志编修办公室编：《呼和浩特史料》第 3 集，呼和浩特市委党史资料征集办公室、呼和浩特市地方志编修办公室 1983 年印刷，第 275 页。

[⑤] 内蒙古自治区科学技术志编纂委员会编：《内蒙古科技大事记》，第 25 页。

化医院。①

对于公教医院的规模，《绥远通志稿》有如下记载："至公医院之建筑设备，则华屋连绵，崇楼耸峙。医师护士，必求上选。器械药物，务取精良。综其规制，殆不啻为绥省公私各医院之冠冕焉。"②

为提高医院医疗水平，公教医院从开办之初就延请有声望的大夫。1924年，从欧洲请来那大夫和甘大夫。一年以后，这两位大夫回国。1925年到1929年请来张汉民、宋元凯二位中国大夫。他们都是从法国医科大学毕业的博士。张大夫精通眼科，宋大夫擅长治疗神经病。1927年到1929年，请了匈牙利大夫施道拉，专治眼科；另又请到一位波兰女大夫专治内科；奥地利邹大夫专治外科。③ 1942年，比利时史福音等医生到公教医院从事临床工作。

此外，20世纪30年代，日本善邻协会在厚和旧城创办了善邻协会医院（后改称厚和医院）。该协会同时在包头、锡林郭勒、乌兰察布等地也创办了医疗诊所。据史料记载，日本人在内蒙古东部先后开办了巴林右旗福民医院、满洲赤十字社巴林左翼旗分社（又称山崎医院）、林西满铁医院等医院。1935年底，日本善邻协会经德王批准在苏尼特右旗成立了一所医疗诊所。④ 1942年2月28日，"满洲国"发布官制，在兴安南省的王爷庙设立了兴安医学院，这是当时内蒙古地区唯一培养高等西医人才的机构。⑤

1923年，韩鸿德在包头西阁外振业里开设鸿德医院。在诊治一般疾病的同时开展新法接生和接种牛痘。这是包头新法接生和预防接种的开始。⑥

在东部地区，从1923年起，奉天（今沈阳）的满洲医科大学，以久保

---

① 王学明：《归绥公教医院》，呼和浩特市委党史资料征集办公室、呼和浩特市地方志编修办公室：《呼和浩特史料》第3集，第278页。

② 绥远通志馆编纂：《绥远通志稿》卷58之《宗教·天主教耶稣教》，1936年稿本。

③ 刘青瑜：《天主教传教士在内蒙古的医疗活动及其影响——关于归绥公教医院的个案研究》，载《中国天主教》2008年第1期。

④ 恩和、图布新：《德王的维新之举》，见政协苏尼特右旗委员会：《苏尼特右旗文史资料》(4)，苏尼特右旗委员会2007年印刷，第35页。

⑤ ［日］"满洲国"史编纂刊行会编：《满洲国史·分论》（下），第1002页。

⑥ 内蒙古自治区科学技术志编纂委员会编：《内蒙古科技大事记》，第39页。

田晴光教授为中心，每年向各蒙旗派出蒙古地区诊疗团，在巡回医疗的同时开展实地调查工作。调查表明，花柳病（特别是梅毒）、眼疾（特别是沙眼）、结核、皮肤病（特别是疥癣）等传染性疾病较为突出。同一时期，善邻协会医务人员在察哈尔等地也展开了医疗和实际调查活动。①

民国初期，集宁、包头、赤峰、海拉尔等较大城镇均出现了西医医院和经营西药的药店，有些中药店也开始经营西医药器械。但药品器械均靠从区外、国外购进。②

1918 年，日本人开办的"满蒙兴业公司"经理龙山梅桂、安井洁联合华人朱钧九等人，在赤峰建立甘草膏厂（赤峰制药厂前身）生产甘草膏，1935 年又扩建生产麻黄膏，运往日本。这是内蒙古地区医药工业之始。1930 年，芬兰人维利俄在包头建立永茂源甘草公司，用大锅熬制甘草膏，日产 150 公斤，运往天津，后被查封停产。③

1940 年，日本人林大作、龙山设立"蒙疆甘草工业股份有限公司"（呼和浩特制药厂前身）。公司设在张家口市，工场设在厚和市（今呼和浩特市），主要经营甘草浸膏的生产和销售。1942 年 8 月投产，日产甘草膏 100 公斤。1945 年日本投降后，赤峰和呼和浩特两个药厂大部分设备被毁而停产。1949 年 9 月，东北人民解放军接管了赤峰麻黄膏厂。1950 年，中国人民解放军中央军事委员会卫生部接管了归绥甘草膏厂。两厂重新组建，恢复生产，后来成为内蒙古自治区两个最大的综合性制药企业。④

20 世纪 40 年代，内蒙古 7 个主要城镇设有西医中心医院，其他城镇有一些个体诊所，医疗机构共有 54 个，病床 519 张。但是广大农村牧区基本上没有医疗机构，主要由游医和蒙医流动行医。当时有个体开业医生 5 000 多名，其中中医和蒙医约 4 000 人。⑤

日本占领时期，除上述内蒙古东部区的兴安医学院以外，西部区还有一所蒙疆中央医学院。该两所医学院均随日本殖民统治结束而停办。

---

① ［日］"满洲国"史编纂刊行会编：《满洲国史·分论》（下），第 1005 页。
② 内蒙古自治区科学技术志编纂委员会编：《内蒙古自治区科学技术志》，第 866 页。
③ 内蒙古自治区科学技术志编纂委员会编：《内蒙古自治区科学技术志》，第 866 页。
④ 内蒙古自治区科学技术志编纂委员会编：《内蒙古自治区科学技术志》，第 866 页。
⑤ 内蒙古自治区科学技术志编纂委员会编：《内蒙古大辞典》，第 871 页。

1946 年 12 月，东蒙医学校与兴安军区医院合并，组成内蒙古医院。1947 年 11 月，"内蒙古自治政府"决定撤销内蒙古医学院，将其诊疗部改为内蒙古医院。1948 年 5 月，内蒙古医院改为内蒙古军区第一后方医院，又于1950 年 10 月改回内蒙古医院原称，至1954 年 10 月 12 日撤销该院，由乌兰浩特迁至海拉尔，并入呼伦贝尔盟人民医院。[①]

民国时期，内蒙古的基础医药学虽然开始发展并初具规模，但直至 20 世纪中期以后，才随着高等医学教育的发展，逐步走上正轨。

（三）蒙医药学

蒙医药学是蒙古人在漫长的历史过程中积累并传承下来的科学结晶，是东方医学的重要组成部分。它有着独特的医疗施治手段和一套具有鲜明的民族特色和地域特色的科学体系，尤其是在疑难杂症的治疗过程中，更显其疗效。[②]

游牧蒙古人由于长期生活在高原寒冷的环境而多患有寒冷性疾病。蒙古人在生活实践中发明和积累了许多适合于本民族生活习俗、生产条件以及地理环境特点的医疗知识，逐步形成了以调理寒冷为基础的民族医学体系。例如：用酸马奶、红食（牛羊肉及牛羊肉汤）滋补强身法，骨折脱位的手法复整法，以震治震之理治疗脑震荡，放血化瘀之法治疗气血瘀滞，针刺、灸熨疗法，天然温泉疗法等。特别是对外伤的急救，蒙医有独特绝技。16 世纪末《四部医典》等藏医药学经典著作，随着佛教文化传入蒙古地区。一些大寺庙中设有医学院，讲授《四部医典》为主的藏医药学。蒙古族医学家们在已有的医疗经验和知识基础上，创造性地吸收藏医理论，在长期的临床实践中创造了具有蒙古及北方游牧民族历史文化特点的新的蒙医学科学体系。18 世纪蒙古医学家伊希巴拉珠尔所著的《四部医经甘露》是蒙医学经典著作之一，首次提出"六种基本病症"（简称"六基症"）理论。认为一切疾病发生根源可归纳为赫依、希拉、巴达干、血、黄水、菌虫等 6 种因素。[③]

---

① 内蒙古自治区科学技术志编纂委员会编：《内蒙古自治区科学技术志》，第 825 页。

② 马玉明总主编：《内蒙古资源大辞典》，第 1775 页。

③ 内蒙古自治区科学技术志编纂委员会编：《内蒙古自治区科学技术志》，第 807 页。

历史证明，16 世纪藏传佛教传入蒙古地区后加快了蒙医学的发展。先后从印度和西藏文献中译出大量有关医学方面的典籍。兴建医学教育基地，引进藏医寺院教育模式，在蒙古地区先后建立了近 2 000 座寺院和几十座大小寺医学院。在蒙古地区最早建立的医学院是于 1685 年由罗布桑丹金扎拉仓创办的满巴拉仓（医学院）。罗布桑丹金扎拉仓的一套 4 部医学著作也是历史上蒙古族医学家用藏文编写的古籍中最早的医学著作。其著作全集《大堪布经王·罗布桑丹金扎拉仓全集》，共 4 卷，在蒙古赛音诺颜汗盟（今蒙古国境内）用藏文木刻版本印行。他的著作被定为该校的统用教材。[1]17 世纪以来，在内蒙古地区建有十几所蒙医药院校，当时均称满巴拉仓。其中规模较大的是伊克昭盟鄂托克旗满巴拉仓。在校生曾达百余名。毕业者获"满仁巴"（高级医师）学位。[2]

在蒙古地区建立的诸多寺院蒙医学院中瑞应寺医学院、萨雅院医学院等大型医学院已达到相当的规模和水平，成为培养蒙医药专门人才的基地。尤其是瑞应寺医学院，是当时培养内蒙古地区蒙医药专门人才的重要基地。

近代蒙医学研究范围很广，可以概括为基础理论研究、蒙药方剂学研究、疗术研究及临床研究四大学科。基础理论研究包括阴阳五行及生理、病理、诊断、治疗原则、治疗方法等内容。蒙药方剂研究包括以六味、八功、二力、十七效为理论指导的药理学研究和汤剂、散剂、丸剂、油剂、搅合剂、膏剂等各种剂型的炮制配伍原理，以及具体操作方法的研究等内容。疗术包括放血、灸疗、针刺、以震治震等治疗以及罨疗、推拿按摩和阿尔山疗法（药浴、矿泉、温泉）等柔疗的研究内容。临床包括各种以"六基症"和"寒热学说"为指导的内科、外科、温病、寒病、传染病、妇科、儿科、五官科、皮肤科以及正骨等诸学科的研究内容。基础分科为基础理论（包括诊断）、药理、方剂学等。此外，饮食起居及临床护理亦在蒙医临床研究中占有重要位置。[3]

清代是蒙医药学人才辈出、成果累累的鼎盛时期，涌现出了罗布桑丹金

---

① 安官布、金玉：《蒙医学概述》，内蒙古科学技术出版社 1995 年版，第 5 页。
② 内蒙古自治区科学技术志编纂委员会编：《内蒙古自治区科学技术志》，第 811 页。
③ 内蒙古自治区科学技术志编纂委员会编：《内蒙古自治区科学技术志》，第 807 页。

扎拉仓（1639—1704 年）、伊希巴拉珠尔（1704—1788 年）、罗布桑出鲁茹木（1740—1810 年）、占布拉（1789—1838 年）、占布拉道尔吉（1792—1855 年）、伊希丹金旺吉拉（1853—1906 年）等许多著名蒙医药学专家，编著出版了《医学本续诠释明灯》、《疾病类型详解经全》、《四部甘露》、《蒙医金匮》、《蒙医药选编》、《无误蒙药鉴》等几十部医药学著作。这些标志性著作为近现代蒙医学的形成和发展奠定了坚实的基础。①

　　传统蒙医学擅长医治创伤和接骨整骨，蒙古族医生绰尔济墨尔根、伊桑阿等在 17 世纪将这种特效祖传疗法传到内地。当时这种专门技术不仅为某些满蒙八旗士兵所掌握，而且于 1728 年又把这一蒙医学的接骨秘技传授给当时在北京学习的俄罗斯人。蒙古人的正骨术由此传到了国外。

　　到民国年间，蒙医药学的发展受到严重影响而步履维艰。这与民国时期急剧动荡的社会局势不无关系。内蒙古社会政治混乱，经济凋敝，民不聊生的状况，致使疾病丛生，人们的身体健康受到严重威胁，人均寿命不足 35 岁。尤其在蒙旗，缺医少药的状况非常严重，痢疾、伤寒、痨病、性病、布鲁氏菌病等急、慢性传染病和地方病流行日久，分布面广，发病率高，死亡人多，严重阻碍着内蒙古地区社会的发展。面对这些情况，1935 年，锡林郭勒盟苏尼特右旗札萨克亲王德穆楚克栋鲁普在本旗那仁胡都嘎西兴土木，盖房 18 间，建立该旗第一座蒙医医院。院长由温都尔庙的喇嘛大夫罗布桑尼玛出任，聘请的大夫多达 31 名，他们每年必须在医院分别定期坐诊。蒙医院的资金除一部分由王府承担外，主要来自每年 5 月的集会，一般是从13 个苏木 27 个庙宇中抽提 5 000 块白洋。药材从北京同仁堂购买。有时德王还亲自带领医生外出采购药材。德王创办的该所医院是近代内蒙古西部地区最早的蒙医医院。②

　　1947 年，王爷庙（今兴安盟乌兰浩特市）设立了喇嘛医诊疗所，后改名为蒙医联合诊所。③

　　①　安官布、金玉：《蒙医学概述》，第 6 页。
　　②　恩和、图布新：《德王的维新之举》，见政协苏尼特右旗委员会编：《苏尼特右旗文史资料》(4)，政协苏尼特右旗委员会 2007 年印刷，第 34—35 页。
　　③　内蒙古自治区科学技术志编纂委员会编：《内蒙古自治区科学技术志》，第 811 页。

　　这一时期，另一志士、蒙政会察哈尔盟盟长卓特巴扎普亲自主持翻译了《格体全录》（1929 年出版，共 4 卷）和《保产机要》（1935 年出版，共 4 卷)。[1] 据考证，这两部译著是目前已知最早的蒙古文版西医和中医文献典籍。

---

① 内蒙古自治区科学技术志编纂委员会编：《内蒙古自治区科学技术志》，第 813 页。

第二十二章

民国时期内蒙古地区的文化

第一节　内蒙古地区新闻报刊事业

一、民国前期的新闻报刊事业

（一）报刊的发展

清末以来，在西方文化的影响和清廷"新政"浪潮的带动下，内蒙古地区开始尝试兴办各种新式事业，以提高民智，改革图强。在各种新式事业中，最受重视而且最有成效的是文化教育事业的兴办。石印技术的传入和铅字印刷技术的应用，是文化教育事业得以成功的一个重要条件。与传统的雕版印刷相比，近代印刷技术效率高、成本低，为报纸、刊物等出版周期短、传播迅速的近代出版物的诞生和教科书及其他各类图书的大量印制、传播开辟了途径。可以说，没有近代印刷技术，就没有平民化、大众化的近代文化教育事业，就没有内蒙古地区文化教育事业的迅速发展。随着受过教育、能写会读的人逐渐增多，人们对各类近代知识的渴求日益强烈，各种书刊和教科书的编辑、出版和印刷事业得以迅速发展，内蒙古地区的各种文化团体也应运而生。民国建立后，随着国体变更和社会发展，内蒙古的报刊开始逐渐增多。民国初期，在内蒙古境内较有影响的报纸有归绥的《归绥日报》、《通俗画报》、《一报》、《西北实业报》和包头的《晋边日报》等。

（1）《归绥日报》：《归绥日报》是内蒙古西部最早的报纸，约创刊于

1913 年 1 月或更早。[①] 初为石印，后改铅印，日出一小张（4 开），并附有画报 1 张。主办人王定圻，主编周颂尧。王定圻，字屏章，号亚平，包头留宝窑村人。早年加入中国同盟会，辛亥革命时曾在晋绥地区从事武装活动。民国初年任归绥中学校学监、中国国民党归绥支部副部长、国会众议员。该报出刊目的是"启发民智，匡正政治"[②]。本地日销不及百份，"篇幅亦极小，不及京师报纸十分之一"[③]。后因王氏出席众议院，该报无人主持，遂停刊。唯《归绥日报》停刊后，所附画报继续单独印行，定名《通俗画报》，仍由绥远名画家梁通绘制，不久亦停刊。[④]

（2）《一报》：《一报》创刊于 1914 年春，主办人王定圻。出刊目的是："以为宣达民意，匡正政界之计。"[⑤] 铅印，每日 1 小张（4 开）。社址在旧城小召头道巷路南。[⑥] 社长李正乐，总编辑李笑天，卜兆瑞、亢锦荣管理总务及发行，邓西峰、董伟然、荣祥等为特约撰稿人。该报"对当时之贪官污吏，口诛笔伐，攻击甚力"。1915 年秋，因官府嫉恨，王定圻、李正乐、卜兆瑞、亢锦荣等被拘捕，报遂停刊。

（3）《西北实业报》（The Industrial News of North-west）：《西北实业报》是绥远总商会主办的铅印大报，出刊时间较长，有一定的影响。该报系日刊，创刊于 1918 年，铅印，对开 4 版。经理孙雅臣，社址在归绥旧城文庙街。该报注重实业，着眼于开发西北。除商业广告外，内容有社评、命令、电讯、实业纪要、实业谈丛、国外要闻、国内要闻、本区新闻、本区公文、小说、新剧栏、文苑、讲坛、笔记、名著、杂俎诸栏目。初为"一大张，嗣加副刊一小张"，"每日发行七八百份"，[⑦] 向国内外销售。自 1921 年起，逐渐衰颓不振。该报是内蒙古第一份对开大报，其英文报名和面向国外销售，显示了其开放性，这在内蒙古报业史上亦颇为罕见。

---

① 参见勺舆：《西盟游记》，中华书局 1922 年版。

② 杨家骆：《民国名人图鉴》（一），约 1936 年铅印本，第 3、65 页。

③ 参见勺舆：《西盟游记》。

④ 绥远通志馆编：《绥远通志稿》之《会社卷》，1936 年稿本。

⑤ 曹诚斋：《烈士王亚平先生事迹》，载《绥远民国日报》1934 年 7 月 9 日。

⑥ 绥远通志馆编纂：《绥远通志稿》之《会社卷》。

⑦ 绥远通志馆编纂：《绥远通志稿》之《会社卷》。

这一阶段的报刊基本上都是民间经办，既有纯新闻性的和商业性的，也有带政党色彩的，只是由于识字读报者少、经费困难及其他原因，大都此起彼伏，出刊短暂。

20 世纪二三十年代，内蒙古地方的报刊事业有了进一步的发展。特别是西部地区，发展更为迅速，截至 1937 年 10 月归绥沦陷前，绥远地区前后出刊有百余种各类报刊。在这众多报刊中，官方报刊占有极为突出的位置。其中属于特别区或省政府系统的有《绥远通俗画报》、《绥远教育季刊》、《绥远月刊》、《绥远蒙文周刊》、《绥远日报》、《绥远社会日报》、《绥远蒙文半月刊》、《绥远省政府公报》、《绥远建设季刊》、《绥远省政府年刊》、《绥远省政府行政报告》、《绥远教育公报》、《绥远民政刊要》、《绥远省财政周刊》、《绥远财政年刊》、《绥远财政季刊》、《绥远省政府乡村建设委员会会刊》、《乡村工作》、《绥远省会公安局公安季刊》、《公安新年画刊》、《绥远省新生活运动促进会会刊》、《政闻情报》等近 20 种，属于省党部及其派系的有《绥远民国日报》、《绥远朝报》、《蒙文周报》、《绥远西北日报》、《新绥远》、《绥远实业周报》、《西北实业杂志》、《抗日旬刊》、《党光旬刊》、《绥远通讯社稿》、《蒙古新闻社稿》、《绥闻晚报》等，而且各县局也多有党部出刊的报刊，如《归绥通俗日报》、《归化通讯社稿》、《包头通讯》、《包头日报》、《萨县民生周报》、《丰镇醒民周刊》、《和林周报》、《凉城党政周刊》、《武川周报》等。属于军队系统的有《七十三师军报》、《实行月刊》、《第三十五军军报》、《第三十五军月刊》等。特别是两大对开报纸《绥远民国日报》、《绥远日报》以及《绥远社会日报》、《绥远朝报》等，在绥远境内传布最广，影响颇大。

民间刊物中较为著名的有《火坑周刊》、《农工兵》、《蒙古向导》（蒙汉合璧月刊，1935 年）、绥远土默特旗旅平学会的《蒙古知行月刊》（1935 年）、绥远蒙古文化促进会的《醒蒙》（月刊，1936 年）等。

（4）《绥远通俗画报》：《绥远通俗画报》创刊于 1925 年，石印，4 开 2 版，由绥远全区通俗教育讲演所主办。出刊目的是使识字无几的乡民"明了大事，洞开心怀"。①

_____

① 闪葆贤：《说阅报之益》，载《绥远讲演月刊》1927 年第 1 期。

（5）《绥远蒙文周刊》（Qoladakin-i amurjiquluɣsan qotan-u mongqol üsüg-iyer doloɣan edürbüri darumlaqu sedkul）：《绥远蒙文周刊》于1925年8月1日，石印，由绥远垦务总局附设蒙文周刊经理处主办。该报以通达政令，开启蒙旗智识为宗旨，主要目的是加强对蒙旗的政治宣传并动员其放垦。

（6）《西北民报》：《西北民报》创刊于1925年冬，铅印，4开4版，由西北边防督办公署主办。该报名为冯玉祥西北边防督办公署的机关报，实由中国共产党张家口地委领导，设有秘密机关——中共《西北民报》支部。社长蒋听松、总编辑胡英初均为中共党员，思想敏锐，文笔犀利，用白话文撰写社论，开创了绥远报界用白话文撰写社论的先例。该报"以启发西北民智，鼓吹国民革命为宗旨"。发行于西北各地，影响颇大。

（7）《农工兵》：《农工兵》约创刊于1925年底或1926年初，主办人李大钊。内蒙古农工兵大同盟成立于1925年冬，是中国共产党领导下的反帝反封建的群众组织，李大钊任书记。该刊编辑多为北京大学和北京美术专科学校的学生，撰稿者多为中共北方区委和在内蒙古工作的一些人。主要宣传农工兵大同盟的纲领与主张，揭露帝国主义和国内军阀，号召人民起来斗争。该刊曾在北京、张家口、热河、察哈尔、绥远等地广泛发行，1927年李大钊被害后停刊。①

（8）《火坑周刊》：《火坑周刊》创刊于1926年3月20日，铅印，32开，由归绥文化青年杨令德主办。该刊是绥远地区最早的新文化刊物，内容大体分为诗、创作、地方评论、通讯等栏目，对地方文化的发展起过一定的进步作用。因印刷等原因，该刊经常延误或停顿，实已成为不定期刊。1932年停刊。

（9）《绥远民国日报》：《绥远民国日报》创刊于1929年9月。铅印，对开4版。1930年春因受蒋、冯、阎中原大战的影响，曾一度停刊。大约于1931年4月复刊，主办人陈国英，主编张登魁。该报以宣传三民主义、灌输效忠党国思想及指导地方党务工作为宗旨，共有广告、国内外新闻、地方要闻、文艺副刊4版。"每日省垣销报五百七八十份，各县五百四五十份，

---

① 郝维民、其其格：《李大钊与内蒙古革命》，见中共内蒙古地区党史研究所编著：《内蒙古近代史论丛》第1辑，内蒙古人民出版社1983年版，第255页。

省外各埠一百余份。"① 1935 年 10 月因绥远省党部撤销而改为《绥远西北日报》。

（10）《绥远社会日报》：《绥远社会日报》创刊于 1929 年 12 月 15 日。铅印，4 开 4 版。由绥远省民众教育馆（前身为绥远省社会教育所）主办。该报是原绥远通俗讲演所《绥远通俗日报》的继续，以提高民众智识为宗旨，共分广告、国内外新闻、地方要闻、专载或副刊 4 版。"赠阅省会各机关、各县局通讯员、外省各文化机关，连同售价者，共销报七百份。……省会占十分之五，外县占十分之四，存社及张贴各处者占十分之一。"② 1937 年 10 月归绥沦陷前停刊。

（11）《绥远日报》：《绥远日报》创刊于 1930 年 7 月 21 日。铅印，对开 4 版。该报系省政府的喉舌，与《绥远民国日报》并称绥远两大报纸。其"大部分工作，都浸淫于政治改造及社会建设之途径中"。"竭尽全力，以做开发西北之急先锋。"③ 1932 年冬因用第 35 五军电台接收各地要讯，发布新闻较从前大为迅速。④"每日销报一千四百余份"⑤，一直出至 1937 年夏省政府西撤时停刊。

（12）《绥远朝报》：《绥远朝报》创刊于 1933 年 10 月 25 日。⑥ 铅印，4 开 4 版。主办人郝秉让、张遐民等，总编辑徐步高（云卿）、王锡周。该报系国民党绥远地方派系潘赵派的喉舌，内容偏重社会新闻，版面虽小，但以小五号字印刷，容量颇大。"日销报一千份，计省会占十分之三，外县占十分之五，省外各埠占十分之二。"⑦ 1937 年秋停刊。

民间报刊若无官方背景和某些机关团体的资助或津贴，往往因资金和销量有限，入不敷出，大多短命，有些甚至尚未出刊，即告倒闭。

在内蒙古东部，报刊事业远较西部落后，这是因为内蒙古东部虽多分属于东三省、热河，毗邻北京、河北等地，经济、文化较西部发达，但在所属

---

① 绥远通志馆编纂：《绥远通志稿》之《文教机关卷》，1936 年稿本。
② 绥远通志馆编纂：《绥远通志稿》之《文教机关卷》。
③ 圣舆：《本报二周年纪念辞》，载《绥远日报》1932 年 7 月 21 日。
④ 《绥远日报改组》，载《绥远民国日报》1932 年 11 月 30 日。
⑤ 绥远通志馆编纂：《绥远通志稿》之《文教机关卷》。
⑥ 《朝报今日出版》，载《绥远民国日报》1933 年 10 月 25 日。
⑦ 绥远通志馆编纂：《绥远通志稿》之《会社卷》。

省区中仍属相对落后，而且处于诸省会政治、文化的影响之下，诸省会报刊的发行，在一定程度上缓解了地方创办报刊的需求，故地方报刊甚少。1931年"九一八"事变以后，因日本占领军的统治，报刊事业即完全由日伪官方掌控，无法得到正常的发展。据不完全统计，这一时期的地方报刊仅有《赤峰热区民报》、《儿童之友》（约1932年）、各旗县政府的公报（如《巴彦旗公报》、《赤峰县公报》、《通辽县公报》等），以及伪满最高蒙事机关的《兴安总署汇刊》（1933年4月）、《蒙古报》（1934年5月）、《蒙政部汇刊》（1934年12月）、《蒙古时报》（日文，1935年12月）等。民办的刊物只有兴安北省索伦旗南屯国民优级实验小学的青年教师的蒙文不定期刊和卜和克什克蒙文学会在开鲁复刊的《丙寅》（1936年11月）等。

（13）《赤峰热区民报》：《赤峰热区民报》创刊于1928年6月13日，主办人夏旨芳、石菩生。因感于"本埠为热区之中枢，地阔民稠，各机关已无一不备，唯文化机关尚付阙如"，遂"呈准官府照准"，出刊该报，以"灵通时事，开发民智"。① 石印，据说发行千余份。出刊不及1年，即因揭露兴业银行之弊，被控告停刊。②

（二）内蒙古籍人士在境外创办的报刊

民国时期，内蒙古人士在境外创办的期刊颇多。在北京（1928年以后改称北平），有由喀喇沁蒙古人巴达尔呼、特克新加布等出刊的《蒙文大同报》（创刊于1912年11月，石印，大32开，每半月一期，内容主要是传达政府的有关命令、法规，报道国内外要闻和蒙古要闻等）、《绥远旅平学会会刊》，蒙古留平学生会的《蒙古》（蒙汉合璧，1929年）、《新蒙古月刊》（1934年），蒙古文化改进会的《蒙古月刊》（1930年），蒙古青年励志会的《励志月刊》（1931年），丰镇县旅平学生会的《西北青年》（1932年），固阳县旅平绥同学会的《固阳》（约1932年），绥远农业学会的《绥远农业学会会刊》（1932年），《寒圃》（1933年），土默特旗旅平学会的《蒙古知行月刊》（1935年），绥远旅平同乡救亡会的《绥远旅平同乡救亡会刊》

---

① 《民报出版》，载《盛京时报》1928年6月26日。
② 赤峰市红山区文化志编委会：《赤峰市红山区文化志》，内蒙古科学技术出版社1999年版，第305页。

（1936 年）和绥远学生的《新绥远》（1937 年）等；在南京，有蒙古代表团驻京办事处的《蒙古代表团报告》（蒙文，1929 年），蒙古各盟旗联合驻京办事处的《蒙古旬刊》（蒙汉合璧，1930 年）、《蒙古各盟旗联合驻京办事处特别报告》（蒙汉对照，1931 年），中央政治学校附设蒙藏学校蒙古族学生的《蒙古前途》（蒙汉合璧，1933 年），绥远旅京同学会的《绥锋月刊》（约 1934 年）等；在沈阳，有《东北蒙旗师范学校校刊》（1930 年）；在日本东京，有蒙古留日同乡会的《祖国》（蒙文，1930 年）、《漠声》（蒙汉合璧，1935 年）等。

特别值得注意的是，蒙古族人士创办的期刊较从前大为增加。这些期刊大都在北京（北平）、南京以及沈阳、日本东京等设有蒙旗机关或蒙古族知识分子相对集中的大城市出刊，然后发行或传播于内蒙古各地。虽然各自的社会背景不同，观点立场各异，但大都以启迪蒙旗民众，探寻民族复兴途径为己任，反映出蒙古社会生存危机的严重和蒙古族知识分子民族意识的进一步觉醒。其中影响较大的有《蒙古农民》、《内蒙国民旬刊》、《蒙古旬刊》、《蒙古前途》、《新蒙古》等。

（1）《蒙古农民》：《蒙古农民》于 1925 年 4 月在北京蒙藏学校创刊，周刊，铅印，64 开。该刊是我国少数民族历史上第一个革命刊物，是在革命先驱李大钊的提议和关怀下，由内蒙古地区最早的共产党员、北京蒙藏学校绥远土默特籍学生奎璧等人创办的，主编多松年。出刊目的是"要把蒙古农人在军阀混战、王公盘剥和帝国主义掠夺这三个坏命运下所受的苦楚，详细地登出来"，并且"替蒙古农人想一个死里逃生之道"。该刊内容充实，语言通俗，颇有说服力，但仅出刊数期。

（2）《内蒙国民旬刊》：《内蒙国民旬刊》于 1925 年 11 月 16 日在张家口创刊，蒙古文，石印，大 16 开。该刊系内蒙古人民革命党中央机关刊，编辑主任齐庆毕力格图（外蒙古人），出版主任阿拉塔。该刊是我国少数民族历史上最早用民族文字宣传人民革命的刊物，也是我国蒙古族第一个政党报刊。它公开申明："我们现在刊行蒙古自己的报刊，一要保护和发展广大蒙古人民的生计权益；二要忠实报道真实情况，以清除广大人民的糊涂认识；三要以广大人民的自由和提高文化知识等为主"。该刊语言浅显通俗，内容分为政治、党团、优秀作品、要闻等，在牧区有较大的影响。但因政局变化，出刊时间不长。

(3)《蒙古旬刊》：《蒙古旬刊》于 1930 年 10 月在南京创刊，蒙汉合璧，铅印，16 开。该刊是蒙古各盟旗联合驻京办事处机关刊，任务是"传布国民党主义政纲及中央法令于蒙古地方；报告各省党政情形于蒙古地方；输送世界大势，新时代潮流及各种常识于蒙古地方；报告蒙古地方过去、现在之实际情况于中央及内地各省；披露各方对蒙文蒙事之改进意见及办法，以谋正当之解决；刊布本处一切重要工作，以求各界贤达之教正"。内容分本处启事、文牍、蒙事纪要、时事要闻、党义、法令、常识、蒙文研究、蒙事商榷、专载、杂俎等栏目。在蒙古各盟旗上层和知识分子中有较大的影响。

(4)《蒙古前途》：《蒙古前途》于 1933 年在南京蒙藏学校创刊，蒙汉合璧月刊，铅印，16 开。该刊系该校蒙古族学生的刊物，"本三民主义，以研究学术唤起蒙古民众及探讨蒙古实况，促进蒙古建设为宗旨"。以"唤醒广大蒙古兄弟，为振兴民族而共同努力"为目标。属综合性刊物，但以政论为主，内分时评、论著、记述、转载、文艺、蒙事纪要等栏目。每期最多出刊 1000 份，主要分送察绥各盟旗及南京、北平等地的蒙古人士和蒙古学生，在当时有较大的影响。大约 1936 年因时局紧迫而停刊。

(5)《新蒙古月刊》：《新蒙古月刊》于 1934 年 1 月在北平创刊，铅印，16 开。该刊系北平蒙古学生会会刊，以"传达蒙古同胞呼声，沟通蒙汉两族感情，研究蒙古及边疆问题，介绍蒙地实际情形"为宗旨。内容有论著、译著、文艺、专载、蒙事辑要等。1937 年因时局紧迫而停刊。

(三) 通讯社的出现

通讯社的出现，是这一时期内蒙古新闻事业发展的一个重要标志。在内蒙古西部地区，1929 年 8 月成立的包头通讯社，大概是最早的通讯社。其后陆续有塞北通讯社（1929 年 11 月）、绥远通讯社（1931 年 4 月 1 日）、西北通讯社（1932 年或 1933 年）、归化通讯社（1933 年 4 月 21 日）、边闻通讯社（1934 年 3 月 15 日）、绥远新闻社（1934 年 4 月 1 日）、武川通讯社、河套通讯社（约 1934 年）、华光通讯社（1934 年 9 月）、知行通讯社（1934 年 12 月）、蒙闻通讯社（约 1934 年底或 1935 年初）、蒙古新闻社（1935 年 3 月 20 日）、边疆通信社（1935 年 11 月 1 日）、蒙边通讯社（1936 年春）、西北新闻社（1936 年 11 月 7 日）、绥蒙新闻社（约 1936 年 12 月）等，总共约 17 家，其中省会归绥有 10 家，其余则包头 3 家，五原、临河、武川、百灵庙各 1 家。通讯社的总数虽然不少，但同一时间并存的却只有四五家，因为有的通讯社存在的时间很短。

（1）绥远新闻社：绥远新闻社成立于 1934 年 4 月，[①] 社址在归绥旧城大南街，是由当时绥远地区著名新闻工作者杨令德（当时任天津《大公报》驻绥记者、《绥远民国日报》编辑）主办，由霍世贤（当时在绥远省政府建设厅合作事业管理处任职）任社长，杨令德为总编辑，郭灵墅（时任绥远省公安局秘书）为董事长，杨震卿（时任《绥远民国日报》编辑）为经理。[②]

该社成立之初，分为新闻部和书报部。新闻部以介绍西北新闻为宗旨，出刊《绥远新闻社稿》（日刊，1934 年 4 月 1 日创刊，油印，8 开），向各报馆和一些行政机关发送；书报部主要经销平津沪各大报，代订各种杂志、经销中华书局、商务印书馆等外埠新书、课本。1935 年又购置印刷设备，设立印刷部，承印《绥远社会日报》（时为绥远省教育厅下属的民众教育馆所办，杨令德任总编辑）和其他印刷品。[③] 该新闻社不仅向《大公报》发新闻稿，还向绥远地区各报馆发送地方新闻稿，而且《绥远社会日报》则全部用该社新闻。该社于 1937 年 10 月归绥沦陷时停办。

1945 年抗战胜利后，杨令德返回归绥，重新恢复"绥远新闻社"，杨自任社长，杨万青任经理，主要经销《大公报》和其他外地报刊、书籍、课本等。1949 年"九一九"起义前，该社更名为"塞风书店"，开始经销解放区的新书。"九一九"起义后全部经销解放区的新书，并代销《人民日报》。1950 年"塞风书店"停办。

（2）蒙闻通讯社：蒙闻通讯社约成立于 1934 年 11 月，是由当时的蒙古地方自治政务委员会主办，具体负责人是朱实甫等数人。该社"以传播国

---

① 杨令德：《绥远新闻事业之沿革与概况》，见政协内蒙古自治区委员会文史资料委员会编：《内蒙古文史资料》第 30 辑，政协内蒙古自治区委员会文史资料委员会 1988 年印刷，第 68 页。

② 杨令德：《塞上忆往——杨令德回忆录》，见政协内蒙古自治区委员会文史资料委员会编：《内蒙古文史资料》第 30 辑，第 58 页。

③ 杨令德：《塞上忆往——杨令德回忆录》，第 62 页。

内外时事、新闻、训令及蒙古地方之实况，促进民族和睦，发扬蒙古文化为宗旨"，"社址设于蒙政会所在地，必要时得于适宜地点设立分社"，"社长一人，综理社内各项事务"，"下设总务股、编辑股、采访股"，[①] 出刊油印《蒙闻》（Mongɣol-un sonin sonosɣal）刊物。现存《蒙闻》系油印，16 开，周刊，封面有"蒙闻通讯社，Mongɣol-un sonin sonosɣal-i nebteregülku qoriyan"蒙汉合璧朱色钤记，并载明"本社所在地百灵庙，本刊售价每月 2 角，民国二十四年八月四日"[②]。内容有蒙古新闻、内地新闻、外国新闻、杂俎等 4 部分，除蒙古新闻外，其余消息及杂俎应主要译自汉文报刊及新闻广播。根据该社宗旨和刊物内容，可以说该刊不仅是一般意义上供各有关报刊采译的通讯稿，也是为蒙旗人士服务的新闻报刊，有助于蒙旗及时了解国内外情况。

（3）蒙古新闻社：蒙古新闻社成立于 1935 年春，社址在归绥市东顺城街蒙古地方自治政务委员会驻绥办事处后院。该社由土默特特别旗蒙古人主办，经费自筹，"以宣传蒙古新闻，提高蒙古知识，融洽蒙汉情感，促进蒙古建设为宗旨"。[③] 社长经天禄（国民党绥远省党部推进盟旗党务委员会委员），编辑部主任吴斌明，总务部主任任殿邦。每日出刊《蒙古新闻社稿》（日刊，1935 年 3 月 20 日创刊于归绥，油印，8 开，每期两三张不等），报道盟旗各地新闻，以促国人注意蒙事，每期印数不多，时绥远各报及《蒙古前途》、《蒙古向导》等刊，均采用过该社新闻稿。该社还出刊《蒙古新闻》周刊（蒙汉合璧），将国内外重要消息编译为蒙文，分发蒙旗，以便蒙人了解。[④] 1937 年夏秋之际，该社因时局紧张而停办。

（4）边疆通信社：边疆通信社成立于 1935 年 7 月 1 日，社址在归绥旧城，创始人兼社长是赵尺子。该社的目的是"把边疆的新闻传播于内地，把内地的新闻传播于边疆"。该社成立后，又于 8 月 1 日在归绥开办了第二期蒙藏语文训练班。11 月 1 日，该社开始正式发行《边疆通信社稿》（油

---

① 《蒙闻》（蒙古文）1935 年 8 月 4 日。

② 内蒙古档案馆编：《内蒙古自治区档案馆指南》，内蒙古人民出版社 1991 年版，第 21 页将其误为"蒙藏院主办"。

③ 《经天禄等筹设蒙古新闻社，本月二十日出版》，载《绥远民国日报》1935 年 3 月 14 日。

④ 忒莫勒：《建国前内蒙古地方报刊考录》，内蒙古图书馆 1987 年刊印，第 108 页。

印，8 开），"一面介绍国内新闻消息、文化稿件于绥省，一面向外埠发绥蒙、宁、青等省边疆消息"。1937 年 10 月归绥沦陷后，该社辗转于 1938 年 7 月 1 日迁至陕西榆林，在整个抗战期间，从事有以下几方面的活动：（一）继续开办蒙藏语文训练班。1938 年 9 月 1 日、1939 年 7 月 1 日先后开办了两期训练班，连同以往两期，总共四期，共毕业通晓蒙古语文的青年 7 人，为该社开展各项工作奠定了较好的人才基础。（二）办报、出书。为了更好地宣传抗战，报道抗战新闻及沦陷蒙旗遭受日寇奴役的处境，1939 年 7 月 1 日该社将以往的油印通讯稿改为蒙汉合璧的报纸——《边疆通信报》。该报 4 开 4 版，一、四版为汉文（铅印），二、三版为蒙文（石印），销往伊克昭盟、阿拉善、额济纳旗及青海 29 旗，蒙文版还秘密散发于沦陷各蒙旗。该社还编印过丛书，计有《蒙古文法》《西安半月记》《中国必胜论》《抗日的蒙古》《忽必烈东征画传》《蒙汉对音对义小词典》《蒋委员长抗战文告》《伊克昭盟志》等。（三）搜集情报，监视蒙旗和反共防共。该社在伊盟各旗均派有特派员，既负责采访新闻和发行报纸，又须搜集各种消息并监视蒙旗官民动向，还曾挑唆鄂托克旗章文轩等与中共伊盟工委制造摩擦。赵尺子不仅时常向国民党中央有关部门传送各种情报，还曾在榆林文化界人士欢迎老舍的座谈会上大放攻击共产党、破坏抗日统一战线的言论，结果引起公愤，被榆林新闻记者协会登报开除了会员资格。（四）帮助蒙旗发展教育。该社派驻伊盟各旗的特派员大都兼任当地小学教员，对当地文化教育事业的发展都有一定的贡献。抗战胜利后，该社迁回归绥，社长仍为赵尺子，主编为张治安、韩泽敷、张子恭、编辑有郝建武、董溢五、傅汉民。所出《边疆通信报》"以提高边疆文化，发扬民族精神为宗旨"，[①] 据说有日刊和三日刊两种，每期行销 2 万份。1949 年 2 月 14 日，该社因经费困难而宣告结束。

二、三四十年代日本占领区及国统区的新闻报刊事业

（一）三四十年代日本占领区的蒙古文报刊

在日本占领区，伪满洲国兴安省地区和伪蒙疆政府管辖境内，蒙古文报刊事业有一定的发展。其中较著名的有《蒙古新报》、《蒙古新闻》、《青旗》、

---

① 忒莫勒：《边疆通信社始末》，载《内蒙古文史》2002 年第 1 期。

《大青旗》等。

（1）《蒙古新报》：《蒙古新报》出刊于 1937 年 1 月 15 日，由新京（今长春）蒙古会馆主办，蒙文周刊，铅印，对开 4 版。该报是当时伪满辖下蒙古人唯一的报纸，因蒙古会馆的任务是"提高蒙古民族的文化，使之正确认识其他民族"，故该报除报道国内外要闻，连载历史小说外，还有日语会话等。另附一个 4 开《儿童新闻》（蒙文周刊），面向学龄儿童，内容有国内外要闻、常识、世界各地、故事、笑话、看图识字和算术等。该报是我国出刊较早的蒙文铅印报纸。

（2）《蒙古新闻》（Mongɣol-un sonin sedkül）：《蒙古新闻》约创刊于 1940 年夏，蒙文，铅印，4 开 4 版。编辑发行人先后为萨盖亚、那日苏。该报前身为厚和出版的《蒙古周刊》，1939 年 9 月"蒙古联盟自治政府"成立后，迁至首都张家口，由政府弘报科蒙古新闻班编辑，蒙疆新闻社印刷。1940 年 2 月 1 日并入蒙疆新闻社后不久，改名《蒙古新闻》，期次另起。1942 年 10 月又改名《蒙古新报》（Mongɣol sin-e sedkül）。大约在 1945 年 8 月日本投降前夕停刊。

（3）《青旗》（Köke tuɣ）：《青旗》1941 年 1 月 6 日创刊于新京（长春），蒙文旬刊，由青旗社主办。社长菊竹稻穗（日人，前兴安总局次长），主编竹内正、塔勤。① 铅印，初为对开 8 版，自第 89 号起改为对开 4 版；由满洲图书株式会社印刷。免费发放各旗公署、召庙、学校及有关机关，还分赠蒙疆、北支、日本、朝鲜等地。② 该报是由原蒙古会馆的《蒙古新报》改组而成，以"重新振兴蒙古民族，发展其精神文化"为宗旨。初为周刊，自第 76 号起改为旬刊。③ 内容有国内外消息、蒙事新闻、生产与生活知识、日蒙会话、文艺、读者来信及少儿栏目等。国内外消息多译自《满洲新闻》（日文）、《大同新闻》（汉文），蒙事新闻多由各地青旗社友即通讯员提供，

---

①　忒莫勒：《毕西勒图访谈录》（手稿），1986 年。

②　［日］广川佐保：《1940 年代的日本对内蒙古政策和〈青旗〉报》，载《日本蒙古学会纪要》（日文），1997 年第 28 号。

③　［日］广川佐保：《1940 年代的日本对内蒙古政策和〈青旗〉报》，载《日本蒙古学会纪要》（日文），1997 年第 28 号。

统由日人编辑审定。[1] 因内容较为丰富，知识性较强，且通俗易懂，颇受蒙人欢迎，在传播新闻和普及科学文化知识方面有相当影响。1945 年 8 月日本战败投降前夕停刊，总共出刊 180 号左右。

（4）《大青旗》：《大青旗》1943 年 1 月创刊于新京（今长春），蒙文双月刊，铅印，大 32 开。该刊系综合性刊物，以"继承和发扬蒙古民族的文化遗产"为宗旨。内容有政论、译著、战况报道、科学知识、生活常识、心得体会、故事、格言、诗歌、笑话、儿童问答、漫画等，具有知识性、启蒙性的特点。

其他还有伪蒙疆蒙古文化馆的《文化专刊》（蒙汉合璧月刊，1939 年），张家口蒙古文化会的《复兴蒙古之声》（蒙文月刊，1940 年），蒙古文化研究所的《蒙古文化》（蒙汉合璧月刊，1941 年），留日蒙古同乡会的《新蒙古》（蒙文年刊，1941 年），《青旗写真旬刊》（铅印，1942 年），蒙疆资料社的《蒙古画报》（蒙汉合璧）等。此外很多盟旗公署都出刊有自己的公报。

（二）三四十年代国民党统治区的蒙古报刊

抗日战争期间，在艰苦的战争状态下，内蒙古西部国民党统治区只有绥远省党政部门及各种团体主办的报刊，而几乎没有蒙古族自己主办的报刊。在绥远省政府的临时所在地陕坝，出刊有《奋斗日报》、《奋斗半月刊》、《文摘》、《军事贯彻》、《贯彻》（政治之部）、《政工周报》、《通俗日报》、《动员日报》、《动员通讯》、《绥远省动员委员会工作学习》、《绥远动员》、《工作指导》、《绥远党务》、《绥远团讯》、《绥远教育》、《绥远合作通讯》、《绥远青年》、《前进》、《绥远文讯》、《文艺》、《绥蒙新闻》等。在五原县，有绥远游击军的《抗战新闻汇刊》（三日刊）、《战友》（周刊）、陆军新编第五旅的《抗战电讯》、民众教育馆的《战潮》（三日刊）、《民众半月刊》以及《强民日报》、《绥闻晚报》等。在临河县，有民众教育馆的《临河公报》。在伊克昭盟，札萨克旗有绥蒙党务特派员办事处的《民众日报》（Arad olan-u edür-ün sedkül 蒙汉合璧）、《青年画报》等，郡王旗有《郡旗导报》，东胜有《东胜导报》、《东胜青年》、《扫荡简报》、《每周通讯》、《党声》、《东胜实验简报》等。此外，陕西榆林有塞风社出刊的《塞风》，

---

[1]　扎莫勒：《毕西勒图访谈录》（手稿），1986 年。

宁夏阿拉善旗有《阿旗简报》（Alašan quöiɣun-u dögöm sedkül 蒙汉合璧日刊）等。

这些报刊大都出刊短暂，而且发行较少。其中出刊时间较长、影响较大者，当推《奋斗日报》和《民众日报》。

（1）《奋斗日报》：《奋斗日报》创刊于 1938 年 7 月 1 日，初为油印，系傅作义第 35 军军报。1939 年春傅作义率部进入后套后，该报继续出刊，每期印数已多达千余份，并先后改为 16 开、8 开铅印报。从此逐渐超出军队内部，成为绥远地区最具权威的军政机关报。

（2）《民众日报》：《民众日报》创刊于 1939 年 7 月 1 日，石印，4 开 2 版（蒙汉文各 1 版），初由国民党察绥蒙旗党务特派员办事处创办，察绥蒙旗党务特派员办事处一分为二后，改由绥远蒙旗党务特派员办事处主办。内容以宣传抗日，报道绥蒙抗战动态及沦陷区情况为主，"新闻来源是该报派驻各旗的通讯员和中央社和中央广播电台的广播"，还经常附有漫画。赠阅，"发行数为三百份，在绥宁青蒙旗中，有关蒙事机关和图书馆以及各大中学校中，流传很广"。①

（三）三四十年代中国共产党创办的蒙古报刊

中国共产党方面也出有自己的报刊。1944 年冬，中共三边地委在定边创办了《蒙古报》（油印，4 开），专门对伊克昭盟蒙古民众进行革命宣传。1945 年 2 月，该报改由中共伊盟工委领导，移至伊克昭盟城川出刊，因报纸不便传递和保存，遂改为 64 开小册子。

二、抗战胜利后的新闻报刊事业

抗战胜利以后，内蒙古地区报刊事业有了进一步的发展，尤其是蒙古族的报刊事业发展迅速。

（一）抗战胜利后内蒙古西部报刊的发展

在内蒙古西部绥远省省会归绥，奋斗日报社在接收蒙疆新闻社厚和支社后，迅即出版《奋斗日报》绥远版。停刊多年的《绥闻晚报》、《绥远民国日报》等报也于 1946 年先后复刊。此外，还出刊有专门针对蒙旗的《奋斗

---

① 远帆：《论蒙旗民众日报》，载《民众日报》1940 年 7 月 27 日。

日报蒙文版》（Köčölen č armaiqu sedkül-ün mongɣol darumal 蒙汉对照三日刊）。以后陆续有私营《绥蒙新闻日报》（1947 年创刊）、《民众画报》、《新生报》（1949 年创刊）、《绥远民报》（1949 年 8 月创刊）等问世。期刊除《绥远省政府公报》、《绥远财政年刊》（1947 年）、《绥远合作通讯》、《绥远青年》（月刊）、《新绥蒙》等复刊外，还有《每月文艺》（1946 年 1 月创刊）、《绥远省政府工作报告》（1946 年）、《情报汇编》（1946 年 6 月 6 日创刊）、《斗争指导》（1946 年 9 月 1 日创刊）、《儿童益友》（1946 年 9 月创刊）、《新洲》（1946 年 10 月 15 日创刊）、《绥远建设通讯》（半月刊，1946年 10 月 16 日创刊）、《互助》（不定期刊，约 1946 年冬创刊）、《蒙古青年》（Mongɣol jalaɣus-un sar-a-in darumal 蒙汉合璧月刊，1947 年 1 月 1 日创刊）、《绥远统计季刊》（1947 年春）、《绥远统计月刊》（1947 年 5 月创刊）、《新蒙半月刊》（Sin-e mongɣol-un qaɣas sar-a-yin darumal，蒙汉合璧，1947 年 6月 15 日创刊）、《农村周刊》（1947 年 6 月 20 日创刊）、《统计知识》（1947年 6 月创刊）、《绥远物价月刊》（1947 年 8 月创刊）、《知己草》（月刊）、《阴山线上》（月刊，1947 年）、《绥远统计》（1948 年 2 月创刊）、《归绥市警察局年刊》（1947 年春创刊）、《塞上警声》（1947 年 4 月创刊）、《革新月刊》（1949 年夏创刊）等。

在包头市，有原在伊盟的《民众日报》（蒙汉合璧）和《东胜实验简报》等党部报纸迁来出刊，后者改名为《包头实验简报》。《包头日报》也于 1946 年 8 月复刊。此外还有绥远蒙旗党务特派员办事处的《绥蒙党讯》（约 1946 年初创刊）、民众教育馆的《包头民众周报》（1947 年 3 月 8 日创刊）、市警察局的《包头警政》（季刊，约 1947 年 5 月创刊）、包头第一区公署的油印《新农村》等。

其他各县亦有报纸复刊或问世，如丰镇先后有《社会日报》（1947 年 1月复刊）、《新丰镇三日刊》，固阳有《固阳民众周刊》、《固阳民众周报》，托县有《托县周报》、《万家言周报》，陶林县有《新陶林》，五原县有《五原导报》（1947 年 9 月 3 日创刊），临河县有警察局的《警魂月刊》（1947年创刊）等。

中共方面，除中共伊盟工委的《蒙古报》仍在出刊，并于 1949 年 9 月改为《伊盟报》外，中共绥蒙区党委先后在集宁和丰镇等地出刊有《绥蒙

工作通讯》（不定期刊，1946 年 3 月 10 日创刊）、《绥蒙日报》（1946 年 7
月 1 日创刊）、《工作研究》（不定期刊，1946 年 11 月 16 日创刊）、《党内生
活》（1949 年 3 月 31 日创刊）、《电讯》（1949 年 5 月中旬创刊）、《公安特
刊》（1949 年创刊），新华社绥蒙分社一度在包头出刊过《前进报》（创刊
于 1948 年 10 月下旬）。

（二）抗战胜利后内蒙古东部解放区的报刊发展

在内蒙古东部解放区，大量报刊先后问世。有内蒙古人民革命党东蒙总
部的《人民之路》（蒙文不定期刊，油印，1945 年），内蒙古人民革命青年
团的《黎明》（蒙文不定期刊，油印，1945 年）、《群众》（蒙文不定期刊，
油印，1947 年）、《先锋》（蒙文，油印，1946 年）、《青年周报》（油印，
1946 年），长春的《蒙古人民》（蒙文不定期刊，铅印，1945 年）、《民报》
（蒙文周刊，铅印，1945 年），大同会的《大同报》（油印，1945 年），东蒙
古人民自治政府的《东蒙新报》（3 日刊，铅印，1946 年）、《人民之友》
（油印，1946 年），东蒙古人民合作社的《经济新刊》（不定期，油印，
1946 年），内蒙古自治运动联合会的《内蒙古周报》（蒙汉合璧，铅印，
1946 年），该会东蒙总分会的《群众报》（蒙汉文，3 日刊，印铅，1946
年）、《内蒙自治报》（蒙汉文，日刊，铅印，1946 年），呼盟分会的《呼伦
贝尔报》（蒙文 4 日刊，铅印，1946 年），兴安报社的《自由》（蒙文 3 日
刊，铅印，1946 年）、《内蒙古》（蒙文旬刊，油印，1946 年）、《兴安报》
（周报，铅印，1946 年），中共哲盟地委的《前进报》（不定期，油印，1946
年），内蒙古骑兵第 1 师的《挺进报》（不定期，油印，1947 年），第 5 师的
《草原铁骑》（不定期，油印，1947 年），第 2 师的《铁骑》（不定期，油
印，1948 年），郭尔罗斯翻身总会的《翻身报》（3 日刊，油印，1948 年），
中共西科中旗委员会的《草原之路》（不定期，石印，1947 年）、《西中报》
（蒙汉合璧，铅印，1948 年），内蒙古日报社的《内蒙古日报》（蒙汉文，
铅印，1948 年）、《内蒙古画报》（蒙汉合璧，胶印，1948 年）、《人民知识》
（蒙文月刊，铅印，1948 年）、《内蒙古周报》（铅印，1949 年），中共昭盟
盟委《牧农报》（隔日刊，铅印，1948 年），纳文慕仁盟的《纳文慕仁报》
（铅印，1947 年），锡察行政委员会的《群众》（蒙文，油印，1947 年）、
《牧民报》（蒙文，油印，1948 年）以及《内蒙古自治政府公报》（蒙汉

文，不定期，铅印，1948 年）等。其中《东蒙新报》、《群众报》、《内蒙自治报》、《内蒙古日报》等出刊时间较长，发行量较大，在传播革命思想方面发挥了巨大的作用。其他则多系油印，或出刊短暂，或限于当地发行，影响有限。

（1）《东蒙新报》：《东蒙新报》于 1946 年 3 月 1 日在王爷庙（今乌兰浩特）创刊，3 日刊，铅印，8 开 1 版。社长朝鲁（汉名张凤翔）。该报系东蒙古人民自治政府的机关报，除宣传该政府的纲领、政策和工作及民族解放的思想外，主要刊载国内外形势和地方要闻。每期印刷 1 000 份。出刊 41 期后，改组为《群众报》。

（2）《群众报》（Olan tümen）：《群众报》创刊于 1946 年 7 月 1 日，由内蒙古自治运动联合会东蒙总分会主办，社址在王爷庙（今乌兰浩特）。有蒙汉文两版，均为铅印。汉文版为 3 日刊，4 开 2 版，共出刊 59 期。蒙文版刊期不定，初仅 4 开 1 版，从第 19 期起增为 2 版，总共出刊 30 余期。该报前身为《东蒙新报》，1946 年 5 月末，东蒙古人民自治政府取消，兴安省政府、内蒙古自治运动联合会东蒙总分会成立后，为大力加强宣传工作，遂命特古斯等人停办青年团的《群众》报，以《群众》报的办报方针来改组《东蒙新报》，故改组后更名为《群众报》。

（3）《内蒙自治报》（Öbertegen jasaqu öbör mongɣol）：《内蒙自治报》创刊于 1946 年 7 月 1 日。铅印，初为 8 开，后改 4 开。社址在王爷庙西街。该报原为《群众报》，是内蒙古自治运动联合会东蒙总分会机关报。自第 60 期（1947 年 1 月 1 日）起改名《内蒙自治报》，刊期继续。同年 9 月 1 日，经中共内蒙古工委决定，该报直接由工委领导，成为工委的机关报。以号召蒙古人民坚决粉碎美蒋反动派的民族侵略与民族压迫，宣传党与政府的各种革命政策，报道内蒙古人民自卫军作战与人民支援前线的实况，总结并交流工作经验等为宗旨，内容有社论、重要指示、地方新闻、国内外新闻、读者来信、文学副刊、常识、启事、广告等。汉文版初为双日刊，同年 11 月 15 日改为日刊。版面则从 9 月 1 日起扩为 4 开 4 版。起初日销数百份，后增至 3 000 余份。① 后改为《内蒙古日报》。

---

① 《内蒙一年》，载《内蒙古日报》（创刊号）1948 年 1 月 1 日。

（4）《内蒙古日报》（Öbör mongyol-un edür-ün sonin）：《内蒙古日报》创刊于1948年1月1日。铅印，对开4版。该报系中共内蒙古自治区委员会机关报，前身为《内蒙自治报》。1949年蒙文版停刊，改出《内蒙古周报》（后又复刊）。1949年底该报迁至张家口并停刊，次年5月16日复刊。该报是内蒙古发行量最大的报纸，至今仍在出刊。

旅居在外的内蒙古人士也出有若干期刊，如南京有《绥远新生》（月刊），北平有《烽火月刊》（1948年1月25日创刊）和河套学友会的《河套通讯》（双月刊，1947年7月7日创刊），兰州有绥远旅兰同乡会的《新绥远》（月刊，1945年12月25日创刊），四平有蒙人王华兴的《蒙旗》（月刊，1946年创刊），沈阳有《蒙古风》（月刊，1948年创刊）等。但大多出刊时间短暂，影响不大。

（三）抗战时期旅居在外的内蒙古人创办的期刊

另外，自民国成立以来，在国家党政机关、地方政府，以及有关蒙古事务的各类机构的报社或刊社中，都有一些蒙古族人士参与工作，有些还是主要负责人。例如，蒙藏事务局的《蒙文白话报》（蒙汉合璧月刊，1913年），蒙藏院的《蒙文报》（蒙汉合璧月刊，1915年），蒙藏委员会的《蒙藏旬报》（蒙藏汉合璧，1931年）、《蒙藏半月刊》（蒙藏汉合璧，1933年）、《蒙藏月报》（蒙藏汉合璧，1934年），国民党中央宣传部的《蒙藏周报》（蒙汉合璧，1929年）、《蒙藏旬刊》（蒙汉合璧，1931年）、《蒙藏月刊》（蒙汉合璧，1940年），国民党中央执委会的《蒙古语文研究专刊》（蒙汉合璧，约1936年），国立边疆文化教育馆的《中央边报》（蒙藏汉合璧，1945年），东北蒙旗处的《蒙旗旬刊》（蒙汉合璧，1929年），察哈尔省的《蒙文周报》（1925年）、《蒙声半月刊》（蒙汉合璧，1947年）以及《大国师章嘉呼图克图驻京办事处月刊》（蒙汉合璧，1931年），俄人在哈尔滨办的《蒙古新闻》（蒙文，1909—1918年），日人在沈阳办的《奉天蒙文报》（1918年），等等。蒙古族政界闻人克兴额（字指南）和伊德钦曾分任国民党中央宣传部《蒙藏周报》、蒙藏旬刊社社长和蒙文编辑主任。这些报刊在内蒙古地区也都有不同程度的流传和影响。

第二节　内蒙古地区文化机构、团体及其事业

一、出版机构及其事业

中华民国成立后，随着文化教育的发展，内蒙古地区的出版事业有了一定的进步。这一时期的出版事业基本由地方政府主办和民间私营，所出图书在内容方面亦较为广泛和丰富，既有《四书》《圣谕广训》《忠孝经》《三字经》等传统读物，又有历史、语言文学、外族文学、科学知识、辞书和各种教科书等，宗教书籍甚少。

（一）汉文图书的出版机构

在汉文图书的出版方面，出版者主要是各级地方政府及相关机构和民间组织，还没有出现真正意义上的专业出版机构。出版图书最多的是绥远省会归绥，先后有三合义印刷铺、西北实业印刷局（1918 年开办）、萃文斋、广济石印局、文元堂、晋亨局、中华书局（约 1932 年开办）、益文斋、恒丰号、全盛堂、庆隆斋、清华斋、士宝斋、晋华斋、延古斋、松华斋、信义印刷局、华北印刷局、同文石印局、绥远印刷局、鉴古斋、明远斋、明善堂、宏文印刷局、精华石印局、光华石印局、兴盛书局、成远堂、竞业石印局、文美斋、小大铅印局、华北兴记印刷局、华成印书社、厚和蒙疆印刷局等大量承揽印刷业务的商家，有印刷条件的报馆刊社也多承揽图书印刷业务。在内蒙古境内的许多县城及旗政府所在地，也都有零星的印刷商号。

在汉文图书的出版中，绥远省民众教育馆（包括其前身社会教育所）最为突出。该馆为配合讲演宣传，编辑出刊了大量民众读物，如普及文化科学知识的《工业小丛书》、《农业小丛书》、《商业小丛书》、《造林小丛书》、《蒙藏小丛书》、《交通小丛书》、《自治小丛书》、《少年小丛书》、《国耻小丛书》等。此外还编辑出版了一些深化社会教育工作和为绥远建设服务的图书，如樊库主编的《绥远省地方自治讲义》（全 4 册，1931 年）、《乡镇自治常识》、《保卫团常识》、《绥远省分县调查概要》（1934 年）、《绥远省河套调查记》（1934 年）、《绥远省全图》、《绥远省分县图》、《绥远省各县乡村调查纪实》等。

（二）蒙文图书的出版机构

与汉文图书的出版不同，蒙古族的图书出版事业进步突出，不仅有专业的出版机构，还研制出蒙文铅字，出版了相当多的蒙文书刊。影响较大的出版机构有以下几家：

1. 汉蒙翻译国华书局

汉蒙翻译国华书局于1918年春由察哈尔牛羊群总管策楞栋鲁普创办，地址在张家口上堡观音堂商都档案房内。该书局以"专选古今中外有切实用之书籍，译成蒙文，与汉文合璧编辑，以期发行蒙部，开通民智，增进文化，以辅助教育普及为宗旨"。故受到察哈尔都统田中玉和察哈尔各旗群总管及一些官吏的支持和赞助，章嘉活佛、锡林郭勒盟盟长杨桑、阿拉善和硕特旗札萨克亲王塔旺布鲁克甲喇等亦有所资助。该书局采用股份制经营，策楞栋鲁普任总经理。① 业务人员有来自察哈尔各旗群的索尼索都、索尼巴雅尔、拉喜巴拉珠尔、罗布桑道尔吉、克什克图、乌力吉等，多通晓蒙汉满文，还从北京某书局请来喀喇沁人金先生襄助。② 针对当时蒙旗缺乏教科书的实际情况，该书局先后翻译并石印出版了《汉蒙合璧幼学须知》（4册）、《汉蒙合璧国文教科书》（8册）、《汉蒙合璧二十四孝》等启蒙教材，对察哈尔地区的蒙旗教育起到一定的积极作用。大约由于政局动荡和经费不足，该书局惨淡经营约两年，即告停止。

2. 蒙文书社

蒙文书社创立于1924年，由著名蒙古族学者、出版家特睦格图主办。特睦格图（1887—1939年），汉名汪睿昌，字印侯，喀喇沁右旗人，曾留学日本，通晓蒙汉满俄日诸文。民国初年在北京蒙藏院供职时即开办漠南景新社，以摄影为主，也石印出版一些书籍。蒙文书社内分编译、审查（即校对）、印刷、营业4部，主要编著、翻译、印制和销售蒙文各种教科书和对社会有益的历史、故事等书籍，并承印蒙藏汉英法诸文的书籍、各种记录、刊物和蒙藏经卷、名片等。特睦格图自任经理兼总编辑，并从事翻译、校勘等工作。

---

① 《汉蒙翻译国华书局章程》（蒙汉合璧），石印本。

② 政协乌兰察布盟委员会、政协锡林郭勒盟委员会编：《察哈尔蒙古族史话》，政协乌兰察布盟委员会、政协锡林郭勒盟委员会1989年印刷，第250—251页。

早在 19 世纪初期，西方传教士即已发明并使用蒙文铅字。清朝光绪年间，英美传教士在上海用蒙文铅字印刷出版过不少《圣经》读本。以后，俄国人和日本人先后在我国东北出刊过蒙文铅印报刊。20 年代开始，察哈尔商都马群哈伦乌素、哈丹庙的耶稣教堂也出版过不少讲述《圣经》的蒙文铅印书籍。从清末开始，我国蒙古族有识之士即认识到使用蒙文铅印的重要性。据说，宣统年间，北京蒙藏编辑局的札拉丰阿等人欲铸造蒙文铅字来出版书籍，但未能成功。民国初年有奉天省（今辽宁省）锡伯族人黄成垿（又名黄序东，其先世为蒙古族）铸成蒙文铅字，但不久他被官府聘去任职，使蒙文铅字未能应用。① 为了提高民族文化，特睦格图克服各种困难，经过多年研究，终于创制出我国自己的蒙文铅字和满、藏文铅字，从而使蒙文图书能够迅速而大量地出版。

该社在不到 10 年内，先后出版过各类图书约 60 余种，10 万余册。其中有《元朝历代帝后像》、《成吉思汗传》（即《黄金史纲》）、《辽史纪事本末》、《金史纪事本末》、《元史演义》等历史文献，《三国演义》、《西汉演义》、《聊斋志异》、《进士缘》等文学著作，还有《蒙文分类词典》、《蒙汉词典》、《公文程式》、《蒙文教科书》等工具书和教科书，推动了社会文化教育的发展。约 1930 年底，应民国政府教育部、蒙藏委员会和蒙古各盟旗联合驻京办事处的邀请，蒙文书社大部迁至南京，专门承印这 3 个机关的蒙藏汉文书报、公牍、教科书等，很少承印个人著作。大约在 1934 年该社结束，其部分铅印设备后来辗转归伪蒙疆政府所有，仍用于蒙文图书报刊的出版。②

3. 东蒙书局

东蒙书局成立于 1927 年，由东蒙古文化名人克兴额、诺拉嘎尔扎布、喇锡僧格等募捐创办，社址在沈阳南关。起初仅有石印设备，不久即接收了原吉林省蒙话报社的一台铅印机和蒙文铅字，开始铅印出版蒙文书刊。在短短几年里，先后出版了蒙古历史、语言、文学等各类图书 10 余种。其中由

---

① 顾茞侯：《蒙文铅字感言》（未刊稿），内蒙古图书馆藏《蒙文铅字说明书》封三。

② 关于蒙文书社，主要依据纳古单夫、那林高夫：《特睦格图传》（蒙古文），内蒙古科学技术出版社 1989 年版；汪睿昌编：《蒙汉字典》封三"蒙文书社"，1928 年。

诺拉嘎尔扎布编写、克兴额审订的蒙文小学教科书《初学国文》（6 册）和古籍《蒙文启蒙苍天如意珠》《善说蒙文文法语饰》等，对蒙古族的启蒙教育产生了很大的作用。而讽刺揭露蒙古王公、喇嘛恶行的《公爷召活佛箴言诗》，则对提高蒙古民众的思想认识有较大的影响。东蒙书局还准备译印《国耻小史》《黑奴吁天录》《波兰灭亡记》《印度灭亡记》《外蒙古革命史撮要》等进步书籍，因军阀当局的禁止而未能实现。在克兴额的积极努力下，东蒙书局还从内蒙古东部地区搜集到不少珍贵的蒙满藏文古旧典籍和民间文学著作等，并着手修订，准备陆续出版，但因 1931 年"九一八"事变爆发而被迫中止。1932 年，在日伪当局的压力下，克兴额被迫到伪满兴安南省供职，东蒙书局遂告结束。其印刷设备，后赠与开鲁蒙文学会，继续为民族文化事业服务。①

4. 察哈尔蒙古图书编译馆

察哈尔蒙古图书编译馆 1935 年由察哈尔十二旗群创办，地址在张家口上堡观音堂街。馆长为察哈尔十二旗群联合政治办公处大总管卓特巴札普，副馆长为明安旗副总管萨穆丕勒诺尔布。该馆系察哈尔部公立文化机构，"专事编辑蒙古民族需要之读物，与沟通蒙汉文化之图书，以期蒙古教育普及，文化发扬为宗旨"；不以营利为目的，所出图书仅酌取工料费。经费由十二旗群分别捐支 14 400 元，并由察哈尔省政府与蒙藏委员会给予一定数额的补助。工作受察哈尔十二旗群联合政治办公处的监督和指导。业务人员除聘请北平某大学出身的汉人李雨三任总纂，负责纂修及设计事项外，其余均来自察哈尔各旗群，有特穆尔都士、噶勒桑色旺等，都通晓蒙汉文，既是编辑又是翻译。起初，所出图书在北平四维印刷所印刷。后购进张家口统一商行印刷部的全部设备并接收 4 名技工，遂成立印刷部，由巴特玛林坦负责，开始自己铅印出书。先后出版有《蒙汉合璧小学国文读本》、《蒙文孝经注释》、《蒙汉合璧圣谕广训》、《四书》、《蒙汉合璧大学读本》、《善说蒙文原理语饰》、《蒙古元史》、《今古奇观》等 10 余种，1937 年沦

---

①　博彦满都、阿萨拉图：《克兴额先生小传》，见政协内蒙古自治区委员会文史资料研究委员会编：《内蒙古文史资料》第 17 辑，第 100—101、106 页。

陷时停办。①

5. 内蒙古日报社

内蒙古日报社成立于 1948 年 1 月 1 日，前身为内蒙自治报社，社址在乌兰浩特。1948 年，成立不久的内蒙古自治政府为了加强政府宣传，提高干部、群众的思想觉悟和知识水平，决定在正式图书出版机构尚未成立以前，暂时由内蒙古日报社蒙文编辑部负责出版政治理论读物。② 在仅仅 1 年多的时间内，在额尔敦陶克陶、玛尼扎布、浩特拉、道尔基宁布等人的努力下，先后铅印出版了大约百余种图书。其中有《共产党宣言》、《卡尔·马克思》、《列宁主义问题》、《论人民民主专政》、《论联合政府》、《中国革命和中国共产党》、《新民主主义论》、《论国际主义与民族主义》以及一般政治读物《什么是帝国主义》、《什么是社会主义》、《乡村政治课》、《政治常识》、《怎样做一个新妇女》等。此外该社还出版了一些历史著作和知识性的民众读物，如《蒙古秘史》、《玛克萨尔扎布传》、《刚毅英雄陶克陶呼传》、《达木丁苏隆传》、《汉蒙辞典》、《蒙古语语法》、《卫生常识》、《育儿方法》、《自然现象》、《人类的起源》、《反对迷信，学习科学》、《可怕的鼠疫》、《蒙古民歌选》和《农历》等，在普及科学和生产知识、提高民众文化等方面都产生了很好的作用。就出版效率而言，该社的成果无疑是前所未有的，这也反映出新政权无可比拟的活力。

二、其他文化机构、团体及其事业

（一）绥远省民众教育馆

绥远省民众教育馆成立于 1925 年 2 月 1 日，初名绥远通俗教育讲演所，另附设讲演传习所一班。③ 地址暂设于归绥绥远会馆。该馆以启导国民、改良社会、开通风气、增进文化为宗旨。同年 8 月，教育厅于绥远弘庆寺成立

①《察哈尔蒙古图书编译馆简章》，见黄奋生：《蒙藏新志》（下），中华书局 1938 年版，第 1071—1074 页；李沛泽：《记三十年代中期的察哈尔蒙古图书编译馆》，见政协内蒙古自治区委员会文史资料研究委员会编：《内蒙古文史资料》第 23 辑，政协内蒙古自治区委员会文史资料研究委员会 1986 年印刷，第 195—200 页。

② 周仲德、贾来宽、张玉岭，等编著：《内蒙古出版事业概况》，内蒙古文化出版社 1990 年版，第 10 页。

③ 金洁：《绥远省民众教育馆》，载《内蒙古地方志》1992 年第 3 期。

以移风易俗为宗旨，以演编新剧、培养化妆表演人才为主要工作的绥远区立易俗社。1928 年 2 月 22 日，教育厅饬令通俗教育讲演所、易俗社及设于新旧两城的第一、第二阅报所合并，改组为绥远社会教育办事处。5 月 26 日，教育厅又取消社会教育办事处，恢复通俗教育讲演所与易俗社。第一、二阅报所归通俗教育讲演所管辖，所内还附设半日学校 1 处，学生 30 余名。[①]1929 年 3 月，通俗教育讲演所与易俗社再度合并，改组为绥远社会教育所。1931 年 7 月，社会教育所改称绥远省民众教育馆。1937 年 10 月，日寇攻占归绥，民教馆被敌伪接收，与原绥远省立图书馆合并改组为蒙古文化馆。抗日战争结束后，民教馆于 1946 年 1 月正式恢复，名为绥远省立归绥民众教育馆。1949 年 8 月，省立归绥民众教育馆与省立图书馆、省立国术馆、体育场等机构合并为社会教育推行委员会，民教馆成为其属下之民教部，直至中华人民共和国成立。

从最初的绥远通俗教育讲演所到绥远省民众教育馆，在长达 20 多年的时间里，该馆进行了一系列文化活动。

（1）讲演。在当时人民识字不多的情况下，讲演作为一种主要的宣传手段，起到了不可忽视的作用，是民教馆的主要工作之一。讲演内容，主要是普及文化常识、戒烟戒赌、解放妇女、破除迷信、增进公共道德和发展工业、畜牧业重要性的宣传以及对西欧各国工业发展的介绍等内容，地点主要是城市的主要街道及各县附近乡村。

（2）演剧。在边远落后的地区，演剧是最受民众喜爱的文化活动。因此早在易俗社成立伊始，不仅自己上演新剧，以教育民众，还培养出一批表演人才，加强了社教队伍的力量。此外，还有双簧、打鼓词等文艺形式。1930 年，社会教育所专门组设了戏剧文雅乐会。1933 年民众剧社举行过公演。1948 年，民教馆恢复后，组织了业余话剧团，开展演出活动。

（3）设立平民学校及阅报所、图书馆。1928 年通俗教育讲演所就附设过半日学校 1 处，招收学生 30 余名。1931 年，又于第一、二阅报所各附设平民学校 1 所，招收年龄在 7—25 岁的男女青少年接受教育。自第一、第二阅报所创立以来，备有各种报纸多份，任人阅览。据统计，仅 1931 年 7 月

---

① 金洁：《绥远省民众教育馆》，载《内蒙古地方志》1992 年第 3 期。

至 1932 年 6 月的 1 年间，位于归绥旧城的第一阅报所就接待读者 11 687 人次，平均每月 937.9 人次；位于归绥新城的第二阅报所接待读者 12 783 人次，平均每月 1 065.25 人次。① 1935 年还接受了原绥远省党部第一民众图书馆，继续开展图书借阅。1946 年民教馆恢复后，馆内设有书报阅览室，备有省内外报纸 16 种。

（4）出版。自 1925 年 2 月通俗教育讲演所成立起，就编辑出版有《通俗画报》，通过生动的画面，简明的文字，宣传戒烟、戒赌、放足、识字等内容，到 1926 年 10 月已出刊 530 余号。1929 年 12 月 15 日，创办民教馆机关报《绥远通俗日报》（后改名《绥远社会日报》）。该报以推行社会教育为宗旨，设广告、国内外新闻、地方要闻、专载或副刊等版面，经常报道绥远各地民教工作的情况或指陈得失，对本省社会教育工作的开展有着重要的指导和监督作用。该报文艺副刊办得也很有特色，初名为《新青年》，后改为《洪荒》，发表过不少进步青年的诗作、文章，对广大青年学生亦产生了较好的影响，活跃了绥远文坛。此外，配合讲演宣传，民教馆还编辑出刊了大量民众读物。

民教馆在讲演、演剧、出版、设立平民学校和阅报所以及图书馆等主要工作之外，还以一些临时性的活动方式开展工作。1933 年 1 月 31 日至 2 月 5 日间，民教馆针对地方每逢过旧历年人们习惯于供神烧香、赌钱贪杯、打架斗殴等不良社会风气，举办了大型年俗展览会，以图画展览、新剧表演、讲演、民意测验等活动，从不同方面教导民众破除迷信、摆脱愚昧。1937 年 5 月 5 日，民教馆为母亲及儿童节专门绘制了大型民众壁报，内容以教育儿童的家庭漫画为主。

此外，民教馆还致力于一些有益于民的社会服务工作。民教馆于 1948 年试办康治诊疗所，就诊者无论贫富，均不收费；为便于民众阅读，发挥教育效能，以归绥第 1—6 中心学校为巡回地点，于 1948 年 7 月举办巡回文库，使读者广泛阅读。另外，还定期举办民众文化茶社、升学指导、法律顾问、旅外向导、问字代笔等民众服务工作。②

---

① 《绥远社会教育所一览》，绥远省民众教育所 1933 年刊。
② 金洁：《绥远省民众教育馆》，载《内蒙古地方志》1992 年第 3 期。

绥远省民众教育馆是内蒙古地区存在时间最长的一个官办文化机构，在当时政局变动、战事频仍的形势下，对绥远地区的文化、教育、新闻、出版事业作出了可贵的贡献。

（二）蒙古文化促进会

蒙古文化促进会成立于 1929 年 9 月，会址附设于沈阳东蒙书局内。会长为哲里木盟科右中旗札萨克亲王业喜海顺，副会长为克什克腾旗辅国公诺拉嘎尔扎布和科右后旗辅国公寿明阿。该会是在东蒙名人郭道甫的倡导和蒙古族知识分子的支持下成立的，目的是以促进民族文化为手段，来挽救民族的衰亡。计划"搜集蒙古民族过去历史上之书籍、传说、古物、古迹；调查蒙古民族现在之风俗、习惯、诗歌、谚语；研究蒙古各地现在输入之新知识，筹设规模完备之蒙古文化图书馆，发刊各种杂志新闻；编定各种蒙文教科书，筹设蒙古文化俱乐部"等活动。经费主要靠募集，东北蒙旗处曾给予过资助。由于该会的努力，促成了东北蒙旗师范学校的成立，使东蒙书局的业务范围亦有所扩充，为东蒙地区文化教育事业的发展作出一定的贡献。但由于经费所限，大部分计划尚未及落实，便因"九一八"事变而结束。①

（三）北平蒙古文化改进会

北平蒙古文化改进会成立于 1929 年，会址在宣武门外石灯庵 3 号。该会是旅居北平的一些蒙古青年和热心的蒙古人士所组织，以研究蒙古社会问题及发展蒙古实业，改进蒙古文化及沟通蒙汉间以往之隔阂为宗旨，出刊过《蒙古月刊》。但不久即无声息。

（四）绥远蒙古文化促进会

绥远蒙古文化促进会于 1935 年 12 月 21 日经绥远省政府批准正式成立，内部设文书、庶务、编辑、设计 4 股，股长分别由经天禄、鲍印玺、贺云章、任殿邦担任。该会《简章》规定："本会以促进蒙古文化，提高蒙民知识为宗旨。""凡赞成本会宗旨，遵守本会章程，经本会会员二人以上之介绍，理事会之认可者，得为本会会员。""本会经费由会员筹募之。""各旗

---

① 达瓦敖斯尔：《东蒙"蒙古文化促进会"的成立与其活动》，见政协内蒙古自治区委员会文史资料研究委员会编：《内蒙古文史资料》第 19 辑，政协内蒙古自治区委员会文史资料研究委员会 1985 年印刷，第 132—133 页；黄奋生：《蒙古文化促进会简章》，见黄奋生：《蒙藏新志》（下），第 1074—1078 页。

王公如赞助本会者，得聘为名誉理事。"该会的经费并非来自会员筹募，而是由绥远省政府拨发，每月高达 1 000 元。该会实为绥远省政府为了瓦解蒙古地方自治政务委员会（会址在当时的乌兰察布盟喀尔喀右翼旗百灵庙），阻止土默特旗青年继续投向蒙政会出资设立的。也就是说，它"促进蒙古文化，提高蒙民知识"是假，瓦解蒙政会是真，表面上是自发成立的民间文化团体，实际上是绥远省政府操纵成立的并负有明确政治任务的官方组织。7 月 3 日，该会为推进会务举行理事会。8 月，该会召开第二届理事会，选定经天禄、贺耆寿、纪贞甫为常务理事，理事为任殿邦、胡凤山、鲍印玺、贡布扎布。新增会员 11 人，其中有满纳生、康济民、云健飞、殷石麟等。

绥远蒙古文化促进会成立之初，就计划创办一个刊物。1936 年 8 月 1 日才出刊了《醒蒙月刊》（Mongγol-i sergegekü sarayin darumal）。该刊系蒙汉合璧月刊，汉文铅印，蒙文石印，16 开，由绥远新闻社印制。该刊大约仅出过 1 期，系综合性刊物，除封二的《蒙古文化促进会简章》和目录、要人、题词、插图（孙中山遗像及遗嘱、傅作义半身戎装像）、《开场白》（经天禄）及《编后余谈》外，内容分短说、短评、文艺、杂俎、时事纪闻、专载等 6 栏。编者宣称："本刊的主旨在发扬蒙古文化，促进蒙古民族一切利益。"之所以名为"醒蒙"，是因为"现在国家已到大厦将倾之际，山河变色之秋，在这千钧一发的当儿，本刊皇皇坠地，钟声一杵，酣然做梦的蒙古同胞，都当醒悟"（《编后余谈》）。分析蒙古民族衰败的原因，思考使其复兴的途径或措施，便成了该刊的主要内容。该刊的蒙文部分基本是汉文内容的翻译。该会 1937 年 9 月即因局势变化，归绥即将沦陷而自动解散。

（五）兴安北省蒙古喇嘛医学研究所

兴安北省蒙古喇嘛医学研究所于 1938 年 7 月 27 日由当时的兴安北省公署在蒙旗株式会社的资助下，派医师劳兑、索德那木、僧布、道尔吉，并令各旗选送喇嘛 25 名，由索德那木（警备军医、少校）任研究指导，在海拉尔成立。

兴安北省蒙古喇嘛医学研究所以改善本省蒙医为己任，是管理本省蒙医事务的专门机构。其职权主要有：直接管辖并指导 4 旗内 7 所芒巴日仓的教学与工作；与甘珠尔庙喇嘛衙门联合指导进行与各召庙、乡村医生医德、业务有关的事务；负责药物的生产与检验。成立伊始，便印发公告，阐明成立宗旨与职责权限，并宣布要"购买和采集优秀药材，按规定炮制加工，生产按《四部医典》原理和众多智者所创秘方配制的药品，供给各芒巴日仓和各召庙、乡村的医生以及平民百姓，以发挥药物的功效"；"要严禁不熟药典者抓药和医疗上的因循守旧，严禁极力盘剥的奸商贩卖假药"。① 经过不懈地努力，在短短半年多的时间里，该所除从北京、张家口、多伦诺尔等地购买不少急需药材外，还就地采集 500 余种药材。尽管条件简陋，缺乏必要的设置，仍以马拉石碾的原始方法将药材加工成碎面儿，配制出成药约400 种。一些热心的医师还慷慨解囊，捐赠药款或良药。因求医者络绎不绝，各旗喇嘛医师所需的药品亦须从该所购买，故截至年底，售药得款 500余元，颇呈药物包销之势。

兴安北省蒙古喇嘛医学研究所的建立不仅获得蒙旗株式会社的支持，还得到许多官员的帮助。特别是对用药的严格管理，既可避免一些不应有的事故，又打击了不法奸商，维护了患者的利益，赢得了广大蒙古民众的热烈欢迎。为进一步开展工作，1939 年春，该所在《蒙古新报》（蒙古文）发表了《蒙古喇嘛医学研究所于兴安北省海拉尔市成立——为改善和弘扬〈四部医典〉之学而努力》一文，重申了成立宗旨，汇报了成立半年来的工作，并诚恳呼吁："现在本所医师竭诚致力于兴安北省的喇嘛医学，力求发挥药物的功效。故愿与蒙古各省旗医师学校相互沟通，齐心协力于医道和治疗方法的研究，以使我全蒙古民族永受恩惠。为此，我们恳请乐此善业者鼎力相助。"②

兴安北省蒙古喇嘛医学研究所对呼伦贝尔地区蒙医事业的发展有积极作用，在内蒙古蒙医史上亦占有相当的地位。值得特别注意的是，在当时的情况下，蒙古喇嘛医师已有了"必须切实改善《四部医典》之学，再辅以西医药物与治疗的长处，医师的学识才能够完备"的远见卓识，故该所的创设"非如从来只为一时的施疗"，"乃为欲与（予）彼等近代医学知识而普

---

① 《蒙古喇嘛医学研究所于兴安北省海拉尔市成立》，载《蒙古新报》（蒙古文）第 107—110 号。
② 《蒙古喇嘛医学研究所于兴安北省海拉尔市成立》，载《蒙古新报》（蒙古文）第 107—110 号。

及卫生思想"，"顺应喇嘛信仰，于内部方面与（予）以新施设者"。①

（六）蒙古文化会

蒙古文化会成立于 1940 年 10 月，以蒙疆新闻社编辑局蒙文部的蒙族知识分子为中心组成，本部即设在该蒙文部。其会则规定，"本会以谋求文化提高为目的，出刊蒙文同人杂志《复兴蒙古之声》"。② 会员分赞助会员、特别会员、普通会员。赞助会员是赞助本会，并得到职员承认者；特别会员是懂蒙语、了解蒙古情况的日本人，得到职员承认；普通会员即得到本会职员承认的蒙古人。会内设职员若干名，在特别会员和普通会员中选出，任期 1 年。③

1941 年 2 月 16 日曾在张家口召开协商会议，商讨了蒙古复兴事业。3 月 23 日，在张家口蒙古俱乐部召开第二次会议，该会的主要活动为：（一）发展会员，壮大队伍，故其会员不局限于蒙疆人士，还包括"满洲国"境内的志同道合者。与会者共 30 余人。1941 年 9 月时，会员已增至 250 名。（二）办好刊物，扩大影响。（三）为促进蒙古人了解日本文化并从中汲取营养，曾于 1941 年 5 月起，每周 3 次在张家口花巷街后堂巷 9 号开设日本语道场，给蒙古人教授日本语。该会经费主要来自会员交纳的会费和政府有关部门的赞助。

《复兴蒙古之声》（Dakin manduγsan mongγol-un č imege），蒙文月刊，油印 16 开，创刊于 1940 年 10 月。初为同人刊物，即会员交流思想，发表作品的园地。编辑干事图格莫勒，书记孝顺嘎。出刊后，在蒙疆各阶层蒙古人中，尤其是青年中引起非常的反响。自 1941 年 2 月起，该刊得到日本军方和蒙疆政府的理解和资助，由同人刊物扩大发行为一般刊物。大约从第 5 期起，改以石印出刊，编辑兼发行人亦改由萨盖亚担任。日常编辑工作主要由孝顺嘎承担，其他会内职员协助。由于印刷手段落后，字体过大，每期篇幅大都在 100 多页。自第 14 期起改为铅印后，篇幅节省至 60 页左右。该刊始终是非卖品，每期印数仅数百册，寄赠会员及赞助者。限于资料，至今还不

---

① 《参观海拉尔西庙喇嘛医术研究所》，载《盛京时报》1939 年 2 月 17 日。
② ［日］铃木清干编：《蒙疆年鉴》（日文，1942 年版），蒙疆新闻社 1941 年刊印，第 345 页。
③ ［日］铃木清干编：《蒙疆年鉴》（日文，1942 年版），第 345 页。

知道该刊何时结束，期数多少。

该刊系综合性刊物，以传承并丰富本民族的语言文字，启迪民智，复兴民族为宗旨。内容有论说、意见、教育、时事、科学知识、小说、谜语、笑话、诗歌、书简集、感想、小故事、日蒙语词汇、日蒙语解释、蒙日语会话、历史、专载、卫生保健、本会启事等栏目，每期因稿件的不同而有所差异。唤醒民族意识，促进民族复兴是该刊的首要任务，故常刊有探讨民族振兴途径和鞭笞民族缺点的文章。文学性较强是该刊的一大特点。小说或小故事栏载有各种讲述做人道理，讽喻善恶的故事，还连载过《聊斋》的片断，也有时人著作。诗歌栏几乎每期必有，多表达复兴民族的美好愿望。该刊还比较注重普及科学知识和生活常识。如讲解雷、风等自然现象的生成，水和空气的循环，植物的学问，卫生的益处和如何防治疾病等；还介绍蒸汽机发明者瓦特，邮票的发明，废物利用，五大洲的来历等。时事报道在该刊并不占重要位置，有些期甚至没有时事栏。该刊还有启事、书简集诸栏及会员介绍、本会收支明细账等，或发布征稿要求与编辑说明，或刊登会友来函，公布本会经费等反映会务的内容，是了解该会及该刊不可多得的资料。该刊对于研究近代蒙古族社会思想、语言、文学、历史、人物、报刊出版等有着独到的价值。

（七）察哈尔省盟旗文化福利委员会

1946 年 10 月在中共晋察冀军区及地方党政机关撤离张家口后，国民党第 12 战区司令长官傅作义率部占领张家口后，开始重建国民党政府在察哈尔省的统治。鉴于察哈尔省北部锡林郭勒、察哈尔两盟大都仍在中共内蒙古自治运动联合会的控制下，为了达到拉拢和控制蒙旗，防止其进一步投向中共的目的，察哈尔省当局于 1947 年 1 月 4 日正式成立察哈尔省盟旗文化福利委员会，会址设在张家口明德北大街。[①]

察哈尔省盟旗文化福利委员会直隶于察哈尔省政府，"为设计、咨询、联系机构，以提高盟旗文化，增进蒙胞福利为主旨，办理有关蒙旗之调查、研究、企划等事宜，进而协助推进蒙旗文化，改善蒙胞之生活"[②]，设主任

---

①　壮飞：《盟旗文化福利委员会成立经过及工作概况》，载《蒙声半月刊》1947 年 10 月第 7 期。

②　允中：《简介盟旗文化福利委员会》，载《蒙声半月刊》1947 年 2 月第 1 期。

委员 1 人，由张季春担任。会内初聘 10 人为委员，内有色楞那木济纳、萨穆丕勒诺尔布、诺尔布扎那、旺庆多尔济、姚长青、吉利占泰、吉尔嘎朗等。该会内部组织分为秘书室、文化组、福利组、牧畜组、总务组，设主任秘书 1 人，组长 4 人，由主任委员遴选盟旗人士或熟悉盟旗情形者，呈请省府任用。

　　察哈尔省盟旗文化福利委员会成立后，立即制定年度工作计划，并着手实施。在政治方面：主要是协助省政府招徕蒙旗上层，进行所谓盟旗复员和建立各旗保安总队的同时，开展反共宣传。成立仅月余，即出刊政治性很强的综合性刊物《蒙声半月刊》（蒙汉合璧），大力宣传当局的方针政策，还多次印制《告蒙旗同胞书》等大量传单，利用各种机会向蒙旗散发。在该会的建议下，察哈尔省广播电台还从 10 月 25 日起增设了蒙古语广播节目，以强化对蒙旗的政治宣传。此外，该会还会同省民政厅商定了盟旗保甲组织办法，以加强对蒙人的控制和管理。

　　在救济方面：协助晋绥察善后救济分署、省政府社会处及察哈尔蒙旗特派员公署、国民党察哈尔省蒙旗党部等机关发放急赈款、救济费及粮食和衣物等生活物资。还有各有关机关团体联络、发动募捐，帮助困居张家口的蒙旗人士解决困难。将布里亚特旗灾童巴图等 12 人安置入张家口市救济院。

　　在经济方面：明确了一些与县有纠纷的蒙旗不动产的产权，如镶黄、商都、正白等旗的租银地，商都在康保县境内的 3 处盐池，明安旗在康保、张北两县境内的崇禧寺、寿安寺及其庙地等。还与有关部门联系，退还蒙人在战乱中被掠或因故被扣的牲畜等。此外，还从联合国善后救济总署领到种牛 6 头，暂由太仆寺左旗政府代管，以作改良准备。该会从 1947 年 3 月 10 日起数度召集盟旗代表进行会商，并征得省方的支持，从急赈款中提出 2 亿元充做提倡股金，于 7 月 1 日成立盟旗产物运销合作社并开始营业。"该社业务以运销各盟旗产物及蒙民生活品之供给为主旨"①，在张家口设有门市部，并在太仆寺左旗（宝昌）设有办事处。② 截至 1947 年底，合作社已在康保、商都增设了两个办事处。半年的营业，尚盈余 5 亿元。

---

① 壮飞：《盟旗产物运销合作社开幕》，载《蒙声半月刊》1947 年 7 月第 5—6 期合刊。
② 壮飞：《盟旗文化福利委员会成立经过及工作概况》，载《蒙声半月刊》1947 年 10 月第 7 期。

在文化教育方面：搜集了少许蒙旗文物史迹资料，协助恢复了太仆寺左旗中心国民学校，保送学生40余人入国立察哈尔蒙旗师范学校就学等。

1948年1月，察哈尔省政府因该会性质特殊，与国民政府所定各省组织规程有异，遂经呈请由行政院准予修正备案。规定该会在隶属察哈尔省政府的同时，应受蒙藏委员会的指导。设主任委员1人，委员20—30人，由省政府从各盟旗及有关机关人士中聘任。委员中推选2—3人襄助处理会务。内部组织设5组，人员由省府从有关各厅处人员中调派兼充。

（八）绥远省盟旗文化福利委员会

绥远省盟旗文化福利委员会于1947年5月在归绥成立，[①] 主任委员由绥远省政府主席董其武兼任，副主任委员张钦，另有常务委员阎肃、王任之、张登鳌（占魁）、胡凤山、经天禄等。会内设有秘书室、总务组、视导组、政治组、福利组、文化组。该会是绥远省政府负责蒙事的专门机构，其宗旨及任务为：①增进蒙旗福利，②促进地方自治，③铲除日寇分化遗毒，④恢复蒙汉亲密团结，⑤提高蒙胞文化，⑥培植蒙旗青年参加政治工作。建设蒙旗4项要政：①改良牧畜，②提倡合作，③发展教育，④推广卫生事业。

绥远省盟旗文化福利委员会在政治方面的主要活动有，出刊《新蒙半月刊》，宣传反共"戡乱"和政府各项政策；宣抚蒙旗，调查蒙旗纠纷等。在福利方面，协助政府向各蒙旗发放救灾物资；筹措5亿万元巨款，成立蒙旗合作供销社，从北平、天津购买生活必需品，给贫困蒙民配发购买股票，以改善其生活。在教育方面，培训师资，筹设9所蒙旗实验小学。在生产方面：着手选购种畜，试办牧场，以改良牧畜事业。在文化方面：通过《新蒙半月刊》，宣传生产知识、卫生常识等。

（九）内蒙古文工团

1945年11月内蒙古自治运动联合会成立后，为了向内蒙古地区广泛宣传中共的民族政策和提高各界人民群众的政治觉悟以及培养内蒙古的艺术人才，于1946年4月1日在张家口成立了内蒙古文艺工作团（简称内蒙古文工团）。该团直属于内蒙古自治运动联合会宣传部，由周戈任团长，张凡夫

---

① 董兼：《董兼主任委员对本会职员训词》，载《新蒙半月刊》1947年6月15日第3卷第4期。

任副团长，后由布赫接任副团长。

内蒙古文工团成立之后，不仅配备了专职演员和乐队，还购置相应的服装、道具等。7月，还专门聘请华北联合大学文学院舞蹈系主任、著名舞蹈家吴晓邦等，并成立舞蹈系进行排练。① 该团成立后，经过3个月的业务学习和排练，于1946年夏到察哈尔盟政府所在地哈毕日嘎（今锡林郭勒盟正蓝旗哈毕日嘎镇），在该盟民主政府成立后的第一个"那达慕"大会上演出，受到当地牧民群众的热烈欢迎。演出的节目除了自己创作的具有蒙古族风格的歌曲、音乐、舞蹈和话剧等之外，"还演一些老解放区的作品，比如《白毛女》、《牛永贵负伤》、《夫妻识字》、《血泪仇》、《黄河大合唱》等"②。此后，该团又到察哈尔盟各旗和多伦县进行巡回演出。

9月，由于张家口市被国民党军队占领，内蒙古文工团就从察哈尔盟转移到锡林郭勒盟贝子庙等地，于1947年初又转移到昭乌达盟巴林左旗林东镇。在林东，内蒙古自治学院（初设在赤峰）学生组成的文工团合并到内蒙古文工团。2月，内蒙古文工团随内蒙古自治运动联合会机关到达兴安盟科尔沁右翼前旗王爷庙（今兴安盟乌兰浩特市），并接受一部分来自内蒙古军政大学学习回来的蒙古族青年到文工团工作。夏天，经吴晓邦推荐，后来成为中国著名舞蹈家的贾作光到内蒙古文工团当舞蹈演员。③ 同年秋天，内蒙古文工团到齐齐哈尔市，为设在那里的内蒙古军政大学进行慰问演出。此后又先后赴呼伦贝尔和纳文慕仁盟慰问演出。冬天，该团到纳文慕仁盟布特哈旗（今扎兰屯市）齐齐哈尔乡参加土改工作。④ 1948年底，内蒙古文工团应东北青联邀请到哈尔滨，为筹集青年基金进行募捐公演。这次演出以浓郁的民族特色的音乐、舞蹈节目，在观众中引起强烈反响，得到了当时在哈

---

① 鹏飞：《内蒙古文艺工作团建团初期舞蹈史实的回顾》，见内蒙古文化厅编：《内蒙古文化史料》第1辑，内蒙古文化厅1989年印刷，第83页。

② 布赫：《内蒙古新文化在前进》，内蒙古人民出版社1984年版，第12页。

③ 鹏飞：《内蒙古文艺工作团建团初期舞蹈史实的回顾》，见内蒙古文化厅编：《内蒙古文化史料》第1辑，第88页。

④ 鹏飞：《内蒙古文艺工作团建团初期舞蹈史实的回顾》，见内蒙古文化厅编：《内蒙古文化史料》第1辑，第91页。

的文学艺术界知名人士丁玲、周立波、刘芝明等的高度评价。① 1949 年初正值东北全境解放，内蒙古文工团受中共中央东北局的派遣到沈阳市，为解放军部队进行慰问演出。同年，内蒙古文工团赴北京参加第一届全国文代会的演出。②

1950 年，内蒙古文工团随内蒙古自治区政府机关从乌兰浩特市迁到察哈尔省所在地张家口市，1952 年又迁到绥远省省会归绥市（今呼和浩特市），后改称内蒙古歌舞团，成为内蒙古自治区最大的专业艺术团体。

（十）内蒙古军政大学蒙古语文研究室

1947 年 8 月，内蒙古军政大学在兴安盟乌兰浩特市成立，原设在该地的内蒙古军政干部学校被改编为内蒙古军政大学第一院，同时在齐齐哈尔市成立内蒙古军政大学第二院，并于 11 月 1 日分别举行开学典礼。③ 内蒙古军政大学成立的同时，在其第二院专门设立了蒙古语文研究机构——蒙古语文研究室。该研究室最初由清格尔泰、官布等负责筹建，后由清格尔泰（时任第二院教育科长）和从内蒙古自治学院聘请的额尔敦陶克陶担任负责人，并逐渐从内蒙古自治政府各机关和在该学院学生当中选留专职教师和研究人员，最多时曾达到 17 人。该研究室当时主要负责全校蒙古语文教学；根据教学需要编写蒙古语文教材；部分教员为全院学生讲授社会发展史、中国革命史、民族政策等课程的同时，翻译这些课程的教材和学习材料；根据翻译教材的实践，研究翻译理论、翻译方法及名词术语等；部分教员结合教学，开始蒙古语语法和正字法等研究工作，编写出版了蒙汉简明词典和汉蒙简明词典等；④ 还到呼伦贝尔地区进行过蒙古语调查等。⑤ 1949 年，内蒙古日报社出版了清格尔泰编写的《蒙古语语法》一书。该书是我国学者编写的第一部以现代语言学理论和方法研究蒙古语的著作，1950 年由内蒙古自

---

①　鹏飞：《内蒙古文艺工作团建团初期舞蹈史实的回顾》，见内蒙古文化厅编：《内蒙古文化史料》第 1 辑，第 92 页。

②　鹏飞：《内蒙古文艺工作团建团初期舞蹈史实的回顾》，见内蒙古文化厅编：《内蒙古文化史料》第 1 辑，第 83 页。

③　乌日吉图主编：《内蒙古大事记》，内蒙古人民出版社 1997 年版，第 418 页。

④　清格尔泰主编：《蒙古学百科全书·语言文字卷》（蒙古文），内蒙古人民出版社 2004 年版，第 90 页。

⑤　白拉都格其、金海、赛航：《蒙古民族通史》第 5 卷（下），第 755 页。

治区人民政府文教部重印，后又被译成英文在香港（1951年）和纽约（1963年）出版。① 1949年春，内蒙古军政大学第二院停办，蒙古语文研究室教师及研究人员分别调入内蒙古自治政府所属的其他文教机构，他们当中的大部分人员成为内蒙古地区和中央的蒙古语文机构和高等学校蒙古语文教学、科研的骨干，为蒙古文化及教育事业作出了很大的贡献。

第三节　内蒙古地区方志编纂事业

一、内蒙古地区方志编纂事业概述

内蒙古地区志书编纂事业产生于清代。从清中叶以后，大量内地汉族农民涌入内蒙古南部地区从事垦殖，清政府为了加强对移民的管理和统治，便开始在这些地区陆续设治。雍正年间开始，在内蒙古南部地区先后设立归化城厅（隶山西省大同府）、张家口厅（原为太仆寺与察哈尔牧地，今属张北县）、多伦诺尔厅（隶直隶口北道）、八沟厅（原为喀喇沁部牧地，今属河北省平泉县）等。随着农业的兴盛、人口的增多与设治，编修方志以保存地方历史与文献并加强统治的客观需要便逐渐产生。乾隆七年（1742年），内蒙古地区第一部方志《口北三厅志》② 问世以来，随着开垦设治的不断发展，志书也逐渐增多。到清末已有《塔子沟纪略》、《古丰识略》（后增订，改名《归绥识略》）、《和林格尔厅志略》、《丰镇厅志》、《呼伦贝尔副都统衙门册报志略》（满文抄本）、《归化城厅志》、《五原厅志略》、《绥远志》、《归绥道志》、《土默特志略》、《土默特旗志》等20多部方志。在清代，内蒙古地区的方志始终是南多北少，即厅县多、蒙旗少，发展很不平衡。

1912年中华民国建立后，继续推行清末以来放垦设治、鼓励移民的政策，以强化对内蒙古地区的统治。1913年改厅为县以后，1914年又在内蒙古西部地区先后设立绥远与察哈尔两个特别行政区，在东部设立热河特别行政区。在短短10余年里，内蒙古西部陆续增设了商都、宝昌、固阳、包头、

---

① 清格尔泰主编：《蒙古学百科全书·语言文字卷》（蒙古文），第485页。
② 忒莫勒：《建国前内蒙古方志考述》，内蒙古大学出版社1998年版，第246页。

安北、临河、沃野、集宁诸县局，东部则增设了经棚、鲁北、林东、天山、宁城、通辽、索伦、奇乾、布西、雅鲁诸县局。设治区域的拓展与汉族人口的迅速增长，使修志的需要较前增强。文化的进一步发展，亦使地方人士的修志意识逐渐强化。

与清代相比，民国政府亦很重视修志。由于时代的演进和经济文化的发展，中央政府的修志号召在内蒙古地区产生了一定的影响，对当地修志事业有所推动。

民国初年，北洋军阀政府曾数次饬令全国修志。1914 年教育部饬令全国各县编修乡土志，以做地方学校肄业课程。1917 年内务部会同教育部通令全国各省饬属县续修志书。内蒙古地区因战乱匪患，政局动荡，几无志书问世。

1928 年国民党主政后，国家的统一得到加强，社会经济文化亦有所发展。1928 年 12 月国民政府行政院发布第 199 号训令，要求全国省县修志。次年 12 月又颁行《修志事例概要》，对修志予以具体要求和指导。虽一再申饬，内蒙古地区终因经济文化远逊内地和日寇侵略的冲击而成效甚微。但毕竟修成一些志书，其中《绥远通志稿》卷帙浩大，内容丰富，堪称内蒙古旧志之冠。

尽管内蒙古地区的修志仍很落后，但由于国难危机极大地刺激了中央政府有关部门和国人对内蒙古的关注和重视，从而导致旨在反映现状，以应时需的简体志书大量出现，使民国时期内蒙古方志的数量远超清代。

时内蒙古地区行政设置复杂，各地的修志活动不仅取决于当地政府的态度及中央政府的督责，还深受所在省区修志活动的影响。

在东部，民国初年仅有突泉县应教育部令撰成乡土志一部，因设治日浅、居民无多而内容甚简。其后，有原呼伦贝尔兵备道官员赵春芳，因痛于呼伦贝尔"独立"撰成《呼伦贝尔纪略》，以做边政参考。

1919—1920 年，东三省巡阅使公署先后下令，命属下各县检送县志或乡土志，其"向无志书之处，亦应斟酌速编，随时呈送查核"[①]。时值呼伦贝尔撤销"自治"，重归民国政府统辖，于是地方官程廷恒等遂应命纂成

---

① 辽宁档案馆编：《编修地方志档案选编》，辽沈书社 1983 年版，第 29 页。

《呼伦贝尔志略》（1923 年）。

1926 年 8 月奉天省公署发布第 312 号训令，饬属县"凡未编辑或仅有乡土志者，应讯行筹款编辑，克日观成"，[①] 以便汇齐编纂省志。通辽县虽报称着手编纂，但终未告成。

1927 年 5 月热河道尹公署发布第 398 号训令，饬所属各县筹措经费，委员设局，纂修县志。虽再三催令督责，除经棚县于 10 月设局办理最终修成志书外，其余县局一味迁延。直到 1929 年，林西、赤峰、开鲁、绥东、天山诸县局才先后报称设局开办或着手筹备，最终仅有《林西县志》（1931 年）告成。

1929 年中苏中东铁路纠纷，呼伦贝尔地区发生军事冲突，局势紧张，深为国内外关注。为启迪国人，次年有邹尚友、朱枕薪撰成并刊出《呼伦贝尔概要》。

1931 年"九一八"事变爆发，东三省沦陷，1933 年热河省亦为日寇铁蹄践踏。伪满洲国为便于统治，在内蒙古东部地区设立兴安四省。因统治的需要，伪政权数次饬令各县编送名为"一般状况"或"地方事情"的简志，还颁布有关体例作为楷模。在整个沦陷期间，内蒙古东部先后问世有《布特哈志略》（私撰，1932 年）、《赤峰县志略》（1933 年）、《热河省宁城县志》（1935 年）、《扎鲁特旗概况》（1936 年）、《赤峰县事情》（1936 年）、《赤峰县地方事情》（1937 年）、《西科后旗志》（1938 年）、《兴安南省地方情形》（1939 年）等。与此同时，日伪当局还多次派员实地调查，编写出大量日文简志，为其统治与掠夺服务。

在内蒙古西部，民国初年因战乱匪患，地方不靖，统治者无暇顾及修志。故民初的 10 年间，除绥远官员张鼎彝编辑了一部重在沿革与地理的《绥乘》（1920 年）外，仅有内地人士撰成《多伦诺尔厅调查记》（1912 年）、《河套图志》（1917 年）。1921 年成书的《河套新编》，则是民国政府督办运河工程总局职员在河套地区公务的副产品。

1923 年，绥远垦务总局职员周晋熙经实地调查，撰成民国内蒙古第一部蒙旗简志——《鄂托克富源调查记》，以吸引国人开发。次年，在国内开

---

① 辽宁档案馆编：《编修地方志档案选编》，第 30 页。

发西北呼声的鼓舞下，他又编纂了《绥远河套治要》，希冀政府实行开拓。同年，设治未久的集宁县应欲修《察哈尔通志》的兴和道尹薛庆崧的要求，纂成《集宁县志》。以后，随着时局的发展，开发西北、巩固国防的呼声日益高涨，内蒙古西部地区的方志编纂步入了以简体志书为主，传统志书为辅的新阶段。

1925 年冯玉祥就任西北边防督办，统辖察绥地区后，励精图治，在稳定社会秩序、改良吏治的同时，鼓吹开发西北。为改变国人对绥远地区的隔膜与忽视，急需撰写简体志书来介绍绥远的现状和宣传绥远的富藏。绥远实业厅傅焕光奉命编成内容简要的《绥远小志》（后又扩充为《绥远》一书），借察哈尔特别区在张家口举办实业教育展览会之机，广为发放。但好景不长，不久直奉军阀联合击败冯玉祥国民军，察绥地区的开发建设不仅未能实现，却又成为晋奉军阀相互争夺的战场。

1930 年春，绥远省政府应民国政府的命令，设立绥远省通志馆，延请国内名学者李泰棻、王森然与地方名儒郭象伋、荣祥等着手编纂省志。同时由省教育厅严令各县局设立文献委员会，征集志材，编纂县志，以供省志参考。截至 1931 年 11 月，全省已有 13 县局成立文献委员会。[①] 但由于1928—1929 年的特大自然灾害，绥远经济凋敝，元气大伤。故虽再三督饬，18 县局中仅有归绥、和林格尔两县志书告成，清水河县乔纪延私撰简志一部。省通志初稿亦延至 1936 年底方草就。而察哈尔省亦耗时 1 年半，于1935 年 6 月纂成并刊印了《察哈尔省通志》。

1931 年东北沦陷后，随着日本势力的西进，察绥两省便成为国人瞩目的国防前线。于是开发西北、巩固国防的呼声更加高涨，国内有关机关团体或个人前来考察或游历者络绎不绝，并纷纷撰文介绍绥远。因篇幅所限，这些文章无法满足国人全面了解和开发绥远的需要，只有方志才能胜此重任。虽然绥远省方面正在创修通志，但短期内成书无望。况且卷帙浩大、贯通古今、保存一方史事与文献的传统志书，远不如重在反映现状的简体志书更适合当时的迫切需要，于是便自然出现了以绥远省方志为主，编纂简志的浪潮。

[①] 《教育厅民国二十年十一月行政报告》，载《绥远教育公报》1932 年第 2 卷第 3 期。

1932 年，奉民国政府建设委员会派遣来西北地区考察的郭颂铭率先撰成《绥远考察纪略》（次年发表）；供职绥远的韩泽敷亦经实地调查，撰成《沃野调查记》。随后，绥远省秘书处与省立民众教育馆亦先后编纂并刊出《绥远概况》（1933 年）、《绥远省分县调查概要》（1934 年）及《绥远河套调查记》（1934 年，韩梅圃撰）。前两部书因卷帙较大，内容较为丰富，在当时颇有影响，曾得到国内著名史学家冯家升先生的好评。以后，有地方青年许辑五撰成《绥远集宁县志略》。

与此同时，由于以锡林郭勒盟副盟长德王为首的蒙古上层及部分知识分子倡导内蒙古自治，不仅与绥远省方发生矛盾，在国内亦引起极大震动。民国政府蒙藏委员会遂于 1935 年夏派遣以杨芬为首的驻归绥调查组来绥远活动，以密切掌握绥远蒙旗的实际情况。该组成员多为通晓蒙古语的青年，他们除随时注意驻地日常动态和发生的事件外，还按照一定的计划与要求，分赴各旗，全面调查，先后编纂出一批以"调查报告"为名的简志。现今传世的有《伊盟左翼三旗调查报告书》（1935 年）、《伊盟右翼四旗调查报告书》（1935 年）、《乌兰察布盟调查概况》（1936 年）、《乌盟乌拉特中公旗调查报告》（1937 年）等。这些调查报告大都体例得当，记载较全面、实用，具有较高的史料价值。为供边政实施参考，蒙藏委员会着手将这些调查报告与其他省区的调查一同整理刊行，但因抗日战争的影响而被迫中止，仅有《伊盟右翼四旗调查报告书》、《伊盟左翼三旗调查报告书》分别于 1939 年和 1941 年铅印问世。

1935 年冬察哈尔北部沦陷后，绥远成为国防前沿。次年夏爆发的"绥东抗战"，更使绥远成为全国瞩目的政治焦点。在这种情况下，内地人士在积极报道绥远抗战消息的同时，亦着手编辑反映绥远现状的简体志书，以激励国人。于是，1937 年有叶秋《国防前线的绥远》、廖兆骏《绥远志略》先后问世。

1937 年 7 月 7 日抗日战争爆发。在日军的大举进攻下，数月内除伊克昭盟、阿拉善旗、额济纳旗和后套部分地区外，内蒙古西部均沦入敌手。在艰苦的战争状态下，无论是在后套坚持抗战的绥远省政府，还是属下残存的各县局，都无法顾及修志，以致国民党政府 1944 年发布的修志令在这里毫无反响，但是由于伊克昭盟与阿拉善、额济纳两旗成为屏障西北的国防前沿，战略地位至为重要，而且在号召蒙旗抗战和抵制日寇分化利用方面有着特殊的意义。故这一时期，不仅国家有关机关、团体不断派员实地调查，继续编纂调查报告，有识之士亦积极向国人介绍各旗现状。

1939 年有吴继高撰成《西蒙额济纳旗概况》；由归绥移至陕西榆林的边疆通信社和蒙藏委员会驻宁夏调查组，在实地调查的基础上，分别纂成《伊克昭盟志》和《额济纳旧土尔扈特旗调查报告书》。其中《伊克昭盟志》由蒙汉文兼通的学者谢再善执笔，内容简明切要，价值较高。1942 年有王建章撰《阿拉善旗小志》，1943 年有绥境蒙旗自治指导长官公署职员曾庆锡纂成《伊克昭盟概况》，教育部视察员陈国钧撰《内蒙伊盟七旗社会调查》、《西蒙阿拉善旗社会调查》，冀绍儒撰《阿拉善蒙古考察记》。1945 年实业部川康宁农业调查团董正钧撰成《居延海》（额济纳旗），该志取材丰富，记载翔实，堪称佳作。此外，蒙藏委员会察哈尔蒙旗特派员公署为沦陷的察哈尔地区编纂了一部《察哈尔蒙旗及各县概况》（1943 年）。

需要特别指出的是，出于团结蒙古人抗战的需要，这一时期编纂的简志大多对大汉族主义压迫蒙旗有所认识和检讨，其中以谢再善《伊克昭盟志》最为典型。

在沦陷区，因统治的需要，日伪政权也修纂过几部志书，有《武川县志略》（1940 年）、《萨拉齐县志》（1943 年）、《包头市志》（1943 年）。私人著述则有文睿华《公主府志》（1939 年）和孙斌《鹿野纪闻》（1940 年）。此外，日伪政权或机关还编纂过不少日文简志，如《内蒙察哈尔事情》（1937 年）、《厚和特别市概况》（1939 年）、《包头概况》（1939 年）、《巴彦塔拉盟要览》（1939 年）等。

与清代相同，民国时期的内蒙古依然不是统一的行政区划。在地方各自修纂志书的同时，内地人士编纂全蒙古或内蒙古志书的活动仍在继续，而且因日本帝国主义侵略的深入而愈加活跃。1915 年夏，因愤于袁世凯接受灭亡中国的"二十一条"，使东部内蒙古受制于日本帝国主义，从日本留学回国的江西学子花愣据日人著作编撰了《内蒙古纪要》一书，以警惕国人。其后，陆续有卓宏谋的《最新蒙古鉴》（1919 年）、马福祥的《蒙藏状况》（1931 年）、包维翰的《全蒙盟旗沿革志》（1931 年）、教育部的《蒙古通览》（1932 年）等问世。除《内蒙古纪要》、《最新蒙古鉴》与《蒙古通览》影响较大外，其余均内容简略，质量低下。1934 年因内蒙古自治运动兴起，卓宏谋又将旧作增订再版，名为《蒙古鉴》（4 版增订），着重宣传国民党政府的对蒙政策，为当时的政治服务。同时，国民党方面专事蒙藏工作的黄奋生，亦着手编纂《蒙藏新志》。该志于 1936 年完稿，1938 年刊行。1936 年还有北平朝阳大学边政系学生孔祥哲撰成《蒙旗概况》，次年有许公武《内蒙古地理》刊行。后者仅载内蒙古东部 4 盟，并以《漠南蒙古地理》为名，于 1945 年再版。抗日战争爆发以后，大片国土沦丧，此后无人再顾及编纂内蒙古志书。

　　1945 年 8 月抗日战争胜利结束后，内蒙古地区进入中国共产党与中国国民党两大政治势力激烈争夺和最后较量的新阶段。尽管 1946 年 10 月国民党政府又重新颁布《地方志书编纂方法》，号召修志，但内蒙古地区政局动荡，战事频仍，当局疲于应付，无力应命。在国民党统治相对稳定的西部绥远省地区，蒙藏委员会派驻西蒙调查组曾先后编纂出《土默特特别旗调查报告》（约 1947 年）、《乌盟四子部落旗调查报告》（约 1948 年春）、《乌盟茂明安旗调查报告》（1948 年）、《乌兰察布盟喀尔喀右翼旗调查报告》（1948 年夏）等。与从前的调查报告相比，这些调查报告比较粗糙，而且贯穿着明显的大汉族主义，反映出国民党统治的没落和战后对蒙政策的某些转变。此外，兰州《西北论坛》社资料室亦编写过一个内容甚为简略的《阿拉善旗概况》。

　　中华民国的建立虽未能改变中国半封建半殖民地的社会性质，但毕竟国体更张，给当时的社会经济、政治、文化及思想观念以巨大的影响。尤其是"五四"运动以来西方近代科学思想的广泛传播和新文化运动的开展，猛烈冲击了传统文化，极大地影响了方志的编纂。与内地一样，随着封建制度的灭亡和传统观念的没落，内蒙古地区的志书普遍开始注重反映地方资源、经济生产、社会生活、施政及重大事件等。从前尊崇帝王的"天章"、"宸翰"和荒诞无稽的"星野"、"占候"等被革除，人物亦不再拘于帝王将相、忠孝节义，开始记载一些于地方有贡献的平民百姓（如《绥远通志稿》、《热河省经棚县志》）。以往因"崇正教"而遭摒除的伊斯兰、基督诸宗教，亦逐步得到正视和记载。行文亦较从前通俗易懂。而且因印刷业的发展，铅印问世者较多，亡佚不传者大为减少。这一时期内蒙古的志书多达 60 余册，而且种类增多。除一般县志、旗志外，增加了地区志、盟志、乡志和府第志。因行政设置的发展，还出现了省志和市志。

特别是因时局对简体志书的需要，人们很快认识到以志书体例编纂"调查报告"或"概况"是迅速并概括反映地方现状的最佳方法。经过一番摸索，主要以"调查报告"或"概况"为名的简体志书迅速崛起；不仅数量占民国内蒙古志书的大多数，而且体例与编纂方法亦大为改进，渐趋定型。它们针对性强，成书迅速，基本只反映现状，一般没有人物、艺文、文征、金石、古迹、职官、大事记之类的内容。与注重存史和保存文献的传统志书相比，它们重在致用，不图存史，具有强烈的实用性和鲜明的应需色彩。它们虽非方志正流，却方便实用。所谓"调查报告"或"概况"，名称并不统一，尚有名"调查"、"调查记"、"考察纪略"、"概要"、"概观"、"概略"、"要览"、"事情"者有些亦以"志略"为名（《绥远集宁志略》《绥远志略》《武川县志略》等）。

各地方最初的"调查报告"或"概况"，多因创始艰难或调查不够深入及刊布条件的限制（有些借报刊问世），篇幅较小，内容较简，价值有限。随着时局的需求和人们认识的深化，"调查报告"或"概况"的体例逐步改进，内容日渐充实，字数大多都在数万左右，多者达数十万字。

尽管内蒙古方志的编纂有局限或不足，除个别完全抄自其他书籍而原书俱在者外，诸志都有自身的价值，是一笔宝贵的文化财富。

二、内蒙古地区主要方志

（一）《绥远省通志稿》

1931 年春，遵国民政府修志令，绥远省政府筹款 10 万元，组织绥远省通志馆，着手创修省志。聘国内名学者李泰棻为总纂、王森然为编纂，委地方名绅郭象伋、阎肃为正副馆长，荣祥为主任编纂，另有编纂数人，采访员若干。

通志馆成立后，首由李泰棻拟订序列目录，并预期两年半完成，报呈内政部备案。随后编印采访要点，分组采访调查，搜集资料。然因郭象伋等地方士绅把持馆务，安置私人，馆内职员多能力不足，到 1933 年 11 月，除李泰棻草成疆域沿革志、金石志、艺文志，并与王森然一同搜集了有关古代文献资料约 60 万字外，其他编纂鲜有成稿，甚至有只字未成者。至 1934 年 1 月预定完稿期限，经李泰棻改定之稿仅 1/2，未定者亦仅十之二三。于是，李泰棻与郭象伋等人的矛盾便开始激化。4 月 1 日，郭象伋乘李泰棻外出离绥，呈准省府结束裁员，止发人员薪俸，从而将李泰棻总纂之职罢免。李泰棻闻讯上书绥远省主席傅作义。但傅氏为笼络地方人士，以地方事业应遵地方人之意见作答。李泰棻、王森然愤然离去。以后，绥远省官方批准了郭象伋等人的编纂计划和 1 年零 8 个月完稿的期限，通志馆地方籍职员遂复职工作。

1936 年底初稿完成，共 120 册，另附舆图、金石拓片、照片等。为提高质量，志稿被送往北平，请国内著名学者傅增湘先生重纂定稿。

1937 年春，傅增湘聘请吴廷燮、夏仁虎、瞿宣颖、谢国桢、史念祖等人为助手，并邀请绥远通志馆馆长郭象伋驻傅氏藏园襄助。1937 年 7 月抗日战争爆发，志事中辍，人员星散，郭象伋亦返回归绥。1938 年秋，应蒙古联盟自治政府的要求，傅增湘又继续重纂《绥远通志稿》。[①] 1939 年 2 月编定缮清，3 月傅氏作总序，5 月增撰凡例与各序。[②] 傅增湘将定稿交蒙古联合自治政府内政部，1943 年由日本东亚文化研究所在东京影印出版。1945 年 5 月 23 日即将出厂的印本与定稿尽毁于美国空军的轰炸。所幸傅增湘处尚有另一部缮清本存留，抗战胜利后被绥远省政府索回。

《绥远通志稿》共分 6 志，列 36 门，统子目 80，共 115 卷，每卷 1 册，共 115 册。地理志凡 20 卷：疆域 1 卷、疆域沿革 3 卷、地质 1 卷（附土壤 1 卷）、气候 1 卷、山脉 1 卷、河流 1 卷、要隘 1 卷、城市 1 卷、衙署 1 卷（附会馆、盟旗衙署府第）、古迹 8 卷；经政志凡 39 卷：职官 4 卷、财政 9 卷、教育 7 卷、司法 1 卷（附监所）、警政 1 卷、军政 2 卷、交通 5 卷、垦务 6 卷（附垦务现状、移民）、水利 2 卷、恤政 2 卷；民事志凡 16 卷：民族 5 卷、户口 1 卷、宗教 5 卷、自治 4 卷、法团 1 卷（附会社）；产业志凡 10 卷：农林 3 卷、工业 1 卷、商业 1 卷、矿产 2 卷、畜牧 1 卷（附渔业、物产 2 卷）；文献志凡 23 卷：人物 8 卷、金石 1 卷、艺文 14 卷；大事志凡 7 卷：

①　傅增湘：《绥远通志序》，载《中国公论》1939 年第 4 期。
②　《张元济傅增湘论书尺牍》，商务印书馆 1983 年版，第 369、370 页。

大事记 6 卷、近代兵事记 1 卷。除序、凡例外，还附有金石拓片 12 张，舆地图 51 幅（绥远省疆域图 1、县旗疆界图 1、县疆域图 18、盟旗疆域图 2、城市图 5、疆域沿革图 16、地质图 1、山脉图 1、河流图 1、交通图 4、物产分布图 1）、风景照片 15 枚。[①]

《绥远通志稿》由于卷帙浩大，搜采较富，记载较全面系统，堪称内蒙古地区最有价值的方志，是研究内蒙古西部地区历史尤其是清代民国时期历史的基本史料。

（二）《呼伦贝尔志略》

1920 年 9 月 4 日东三省巡阅使公署发出政名第 19 号训令，令辖下向无志书之处斟酌速编，并呈送查核。[②] 1921 年 4 月程廷恒任督办呼伦贝尔善后事宜兼交涉员后，请准黑龙江公署设"呼伦贝尔督办公署志书编辑处"，聘请编校采辑人员 50 余人，着手编修呼伦贝尔地方志。该编辑处由程廷恒任鉴定，张家璠任总编纂，另有编纂、协纂、俄蒙文翻译、绘图、采辑、调查、校对等 50 余人，[③] 其中呼伦贝尔文化名人郭道甫亦被聘为协纂之一。

"呼伦贝尔督办公署志书编辑处"经过近 2 年的工作，编成《呼伦贝尔志略》。该志正文共 36 项，即经纬度（气候时刻附）、山水、方舆沿革、沿边形势、全境疆域方里、各县区域道里、建置（城池、官廨、市阜、村屯、鄂博、卡伦）、官制、边务、外交、兵事、军备、司法、警察（特别区警察、铁路警察附）、清乡（保卫团、商团、游击队）、市政、防疫（医院附）、交通（邮电、道路、水陆航运）、财政岁出入、宦绩、民族、户口（汉籍、蒙旗、外侨）、宗教（祠宇附）、礼俗、人物、列女、选举、教育、商业（金融、电灯厂、各县商会）、垦殖、牧畜（分牧图附）、森林、渔猎、物产（动物、植物、矿物、盐碱）、古迹、艺文，末附蒙旗复治始末与善后年事纪略，近 30 万字。

当时因款拙不能刊印，后由省长吴俊升倡导捐助，该志略遂于 1923 年由上海太平洋印刷公司铅印（排印时，曾补入鄂伦春人口等个别内容）。

---

① 《绥远通志稿史料十一件》，载《内蒙古档案》1989 年第 4 期。
② 辽宁省档案馆编：《编修地方志档案选编》，辽沈书社 1983 年版，第 29 页。
③ 程廷恒、张家璠纂：《呼伦贝尔志略》，兴安局调查课 1939 年重印本，第 371—373 页。

1939 年 3 月，伪满兴安局调查课将该志略重印，但限定"极密"，印数甚少，与初印本一样罕见。①

由于程廷恒经验丰富、助手得力，该志略虽成书迅速，但内容较为丰富，记述亦颇简练，不仅较全面地记载了呼伦贝尔地区的历史沿革、山川地理、政治、经济、军事、教育诸状况，还专项记载了边务、外交、民族等内容，较好地体现了呼伦贝尔地处边疆、民族众多的特点，是地方最有价值的文献。

（三）《伊克昭盟志》

《伊克昭盟志》由边疆通信社修纂，成书于 1939 年。边疆通信社创立于 1935 年夏，社址初在归绥，抗日战争时迁至陕西榆林。该志部分篇章曾连载于 1942 年《西北论衡》杂志，署名谢再善。他是该志采访记者和主要撰写人。

《伊克昭盟志》成书后，曾抄录数份，分送国民党中央党部、蒙藏委员会及参谋本部参考。1942 年作为《边疆通信丛书》之一铅印了 300 部，现已无从寻觅。唯呈送中央之抄本，经王宇清携至台湾，于 1965 年夏由蒙藏委员会铅印再版。②

《伊克昭盟志》是伊盟首部盟志，其编著旨在使当局及国人了解伊盟情况，并改变边疆无志的局面，书分上下两编，共 17 章。上编总志：第一章绪言；第二章鄂尔多斯之由来（明代以前的河套地方、鄂尔多斯部迁入、旗制的规定、设省与设县）；第三章伊盟地理与物产（位置地势人口、气候与山川、草原与沙漠、植物的分布、矿产、家畜与野生动物）；第四章政治制度（封建社会及其由来、盟旗组织、军制、司法）；第五章经济情况（伊盟放垦经过、蒙人渐弃牧地、牧人生活一斑、商业、工艺）；第六章教育与文化（满清愚民政策之一环、在蒙旗散布的书籍、各旗学校之成立、语言和文字、沙漠里的文学、舞蹈的艺术）；第七章喇嘛教（蒙古人的信仰、喇嘛教传布者的故乡、朝廷的优礼、喇嘛的生活、伊盟的召庙）；第八章伊盟风土记（蒙古人的气质、服饰、饮食、居与行、礼俗、社会阶级）；第九章

---

① 忒莫勒：《建国前内蒙古方志考述》，内蒙古大学出版社 1998 年版，第 209 页。
② 忒莫勒：《建国前内蒙古方志考述》，第 168 页。

交通与卫生（交通、卫生）。下编分志：第十章札萨克旗；第十一章郡王旗；第十二章准格尔旗；第十三章达拉特旗；第十四章鄂托克旗；第十五章乌审旗；第十六章杭锦旗；第十七章伊金霍洛与达尔扈特，全书共约13万余字。

《伊克昭盟志》体例得当，详略适宜。上编总志以沿革、地理、政治、经济、文化教育、风土等类综述了全盟诸大端，系统详明，篇幅约占全书的2/3。其中关于沿革、政治、经济、文化教育、喇嘛教诸部分，在记述现状的同时，又依据史籍，探究了其历史渊源与发展，并从各方面着重研究了清王朝的对蒙政策。故该志与侧重于考证的传统志书和一般文字简单枯涩、多罗列现象与数据的简志——调查或概况——大不相同，给人以全面深刻之感。下编分志扼要简明，记载了各旗的疆域、人口、交通、旗府及札萨克、仕官、保安队、税收、教育、召庙与喇嘛、对外关系、农垦或出产诸状况。

与其他志书不同，该志的采访与撰稿人多系通晓蒙文蒙语，经常出入伊盟各旗，熟悉地方情况的中青年知识分子，故内容丰富实用，记载准确可靠，不仅是内蒙古第一部盟志，而且堪称佳作。

（四）《热河省经棚县志》

《热河省经棚县志》由康清源编纂，1929年4月成书。1927年10月1日，经棚县奉令成立志局，县知事王枢自任监修，委康清源为纂修。然以地方不靖，变乱迭起，修志工作难以进行，参校、访查诸员等纷纷离职。于是康清源只得集纂修、采访于一身，独立经营，遂于1929年4月23日完稿，历时1年5个月。该志稿经热河省政府批准，交由上海商务印书馆印刷100部，1931年2月底全部印毕。现存本为康清源自藏手稿。①

《热河省经棚县志》首为康清源自序、县高级小学校长崔坤序、呈报遵令创修县志告成文与修志衔名。卷1图说：经棚县全图、经棚街全图、县政府全图、克什克腾旗及庆宁寺全图、关帝庙全图，卷2建制，卷3疆域，卷4区村，卷5户口，卷6桥梁，卷7公署，卷8法团，卷9学校，卷10山川，卷11庙祠（附庙会表、集市表），卷12寺观（附宗教表），卷13古

---

① 忒莫勒：《建国前内蒙古方志考述》，第228—229页。

迹，卷 14 冢墓，卷 15 税捐（附经济习惯表、物价表、货殖表、金融表、商工表、度量衡表），卷 16 蠲恤，卷 17 蒙旗（附民族表），卷 18 风土（附气候表），卷 19 物产（附交通表），卷 20 职官，卷 21 名宦，卷 22 举，卷 23 人物，卷 24 列女，卷 25 善举，卷 26 纪事，卷 27 艺文（附语言表），卷 28 杂志，全志共 10 万余字。

因《热河省经棚县志》系创始之书，所记多为它籍所无，故虽简略，仍有较高的史料价值。其中尤以图说、疆域、区村、户口、桥梁、公署、法团、学校、庙祠、寺观、古迹、税捐、风土、职官、名宦、选举、人物、善举、纪事诸卷为著。

（五）《归绥县志》

《归绥县志》，郑植昌修，郑裕孚纂。1931 年归绥县成立文献委员会，拟搜集志材，编纂县志，以备省志采择。1934 年 1 月，因文献委员会征集资料行将竣事，便成立修志局，[①] 由国民党归绥县党部执行委员兼常务委员徐德任局长，下设总务、调查、校辑 3 股，役员 20 余人。该局人员历经 3 个月，纂成《归绥县志》初稿。然后将初稿寄至北平，交郑裕孚总纂修订，并于 1935 年在北平铅印出版。[②]

《归绥县志》不分卷，首为序言、题名、凡例、绥远省全图（附各县疆域沿革表）、归绥县全图、归绥城郊图、历代舆地沿革图。下分 14 志 36 子目，舆地志（沿革、疆域、山川、区村、古迹、气候），建置志（城市、廨宇、沟洫、桥梁、营堡），民族志（种族、户口、礼俗），经政志（赋役、警卫、交通、垦务），学校志（学庙、学校），神教志（宗教、寺庙），党务志，产业志（农业、林业、工商业、矿业、牧业、野业），职官志，选举志（科贡、秩考、辟荐、民选、卒业、仕籍），人物志，列女志，艺文志，金石志，总共约十五六万字。在内蒙古旧志中，该志确属上乘之作，是研究呼和浩特地区历史的重要史料。

（六）《西科后旗志》

《西科后旗志》又名《科尔沁右翼后旗志》，巴彦那木尔、小西京太郎

---

① 《绥远民国日报》1934 年 2 月 8 日。
② 忒莫勒：《建国前内蒙古方志考述》，第 106 页。

修，卢伯航纂。该志的创修发轫于旗内务科长伯喜那森，他鉴于民国以来旗内迭遭变乱，档案毁失严重，遂亟倡导修志，以存地方史事与文献。1938年旗长巴彦那木尔与参事官小西京太朗任正副总纂，请卢伯航执笔编纂，旗公署诸科股长分任调查、校勘等职。同年11月完成，前后总共不超过4个月。1941年7月15日由新京印刷所铅印刊行。①

全志共5章29节。首为牟言与兴安南省要员题词，第一章溯源（旗之沿革、王公系统、旗旧制度、建国前之地方情状）。第二章地志（地理、气象）。第三章政治（旗公署组织、地方现行制度、治安、文教、土地制度、财政、金融、交通、村落户口、司法、救济事业）。第四章人事（风俗、礼仪、生活状况、传记、懿行）。第五章物产（农业、动物、山产、水产、金石、手工品、文艺），总共约6万字，并附旗区域图、察尔森市街平面图。

《西科后旗志》详今略古，除第一章中沿革、世系诸内容参考过《蒙古游牧记》等籍外，其他章节多据旗署档册文牍与调查采访，有一定的史料价值。由于成书过速，对资料缺乏剪裁与熔铸，扼要的记述与大量表格及各种文件章则相结合便成为该志的特点。这些表格虽有些琐碎，但提供了许多有价值的数据。

（七）《萨拉齐县志》

《萨拉齐县志》，韩绍祖、望月稔修，张树培总纂。1941年暮春，时任萨拉齐县县长的韩绍祖（蒙古族）感于县志阙如，遂谋及众绅，倡导修志，聘前任县长丁绍先为馆长，张树培为总纂，下设总务、编辑、调查3股，人员多达20余人。稿成后未能付梓，略有续补，记事止于是年末，延至1943年（成纪738年）小大铅印出版。

《萨拉齐县志》20余万字，总目计16门，正目计98。除序文、题词、摄影、例言、志馆题名外，卷1舆地，卷2建置，卷3胜迹，卷4民族，卷5职官，卷6政治，卷7法团，卷8产业，卷9社会事业，卷10经济，卷11礼俗，卷12生活，卷13宗教，卷14人物，卷15艺文，卷16杂记。

《萨拉齐县志》类目的设置，较为全面切要，不仅包罗地理、历史、社会、人文诸方面，而且重视经济与社会。此外，图、文、表并重，互为补

---

① 忒莫勒：《建国前内蒙古方志考述》，第224页。

充，内容较为丰富，保存有大量史料。

（八）《居延海》

《居延海》，董正钧撰，成书于 1945 年。该书除由作者择要浓缩为 7 000 余字的《居延海》一文，发表于《西北公路》月刊第 8 卷第 1 期（1945 年 12 月）外，全书至 1952 年 3 月由中华书局铅印出版。[①]

《居延海》共 8 章 25 节。首为序、前言、插图，第一章绪论（位置面积、沿革名称及地位之重要），第二章自然环境（地形、气候、土壤），第三章交通（汽车、大车、骆驼、邮电），第四章居民（宗族、人口），第五章政治宗教（政教关系、政治、宗教），第六章经济（游牧、森林、农业、商业），第七章社会（社会现象、社会病态与病理），第八章建设额济纳旗建议，末附居延海概况图与附录，总共约 10 万字。

《居延海》主要取材于调查采访和额旗政府与驻旗各机关提供的资料，另外参考了一些史籍与时人著述。因撰者是具有自然科学知识并注重调查实践的学者，故该志与其他书籍不同，记载准确、科学、实用，具有很强的学术性。撰者态度严谨，调查深入。为了解土壤、水位详情，做过大量调查，并利用自然裂沟、河岸来了解戈壁纵断面的土层，还采集了大量土壤、岩石和植物标本。为探索当地古代农业，撰者不仅参考了历史文献与民间传说，还亲赴黑城（古居延城）考察，于流沙败土中寻找废弃的渠道、农具与粮食残粒等，力求第一手资料。如此研求，该志自然内容翔实，既富史料价值，又别具特色，堪称内蒙古旧志的上品。

第四节　内蒙古地区公共图书馆事业

一、内蒙古地区公共图书馆事业发展概述

中国是文明古国，历史悠久，有着浩瀚的文化典籍与保存典籍的优良传统。但真正意义上的公共图书馆，却是在清末西方资本主义列强入侵以后才出现的。一些先进人物力图通过学习西方先进文化来挽救国家的危亡，于是

---

① 忒莫勒：《建国前内蒙古方志考述》，第 200 页。

兴办学校、培养人才、设立图书馆，以启迪民智的呼声日渐高涨。光绪中期，内地的维新派组织和一些有识之士建立了一些具有近代图书馆性质的公共藏书楼，向知识分子和部分市民阶层介绍西学，并传播变法维新思想，成为中国近代图书馆的先声。1904 年初，湖南、湖北两省先后创立省立公共图书馆，其后，各省纷纷仿效，建立图书馆便逐渐成为时代潮流。

长城以北的内蒙古地区与内地情况不同，由于自然环境的制约，蒙古民族过着迁徙不定、逐水草而居的游牧生活。这种生产和生活方式给书籍的保存带来极大的困难，使集中保存大量书籍成为不可能。随着 200 余年的开垦设治，到了清末，靠近长城的内蒙古南部地区早已成为村落棋布、汉民云集的农耕世界。随着设治的久远与学校教育的发展，识字者逐渐增多，官府与学校（如设在今呼和浩特市的绥远城将军衙署、归绥道署和长白书院等）也逐渐积累起不少书籍。甚至喀喇沁右旗的王爷亦在汉族文化的影响下，藏书颇富。

总之，清朝末年，内蒙古南部的某些地区已初步具备了设立图书馆的基本条件，毗连内地，得风气之先的喀喇沁右旗和设治最早的归化城在维新思想的启迪下先后创立了图书馆。

1902 年 10 月，蒙古族改良主义的先驱喀喇沁右旗札萨克郡王贡桑诺尔布为造就人才，提高蒙古民族的文化，创办了蒙旗第一所新式学校——崇正学堂，并以部分家藏图书为它附设了图书室。这个图书室规模虽小，却是内蒙古地区近代图书馆事业的发端，在蒙古族文化史上占有重要地位。① 1908 年 11 月，统辖归化城土默特蒙古的归化城副都统三多"将城东文昌庙余屋修葺完整，创办图书馆一所，附设阅报所"，"除科学图画书不计外，共计经史子集一万四千四百余卷"，并"裁撤署前每年酬神演剧之外销等款"，省出银 500 余两做常年经费。② 该图书馆是内蒙古地区第一个公共图书馆。1911 年辛亥革命爆发，随着清朝政府的垮台，地方各级政权亦随之瓦解，

---

① 吴恩和、刑复礼：《贡桑诺尔布》，见政协内蒙古自治区委员会文史资料研究委员会编：《内蒙古文史资料》第 1 辑，内蒙古人民出版社 1979 年版，第 109 页。

② 署归化城副都统三多：《奏创办归化城图书馆片》（宣统元年三月），见李希沁、张椒华编：《中国古代藏书与近代图书馆史料》，中华书局 1982 年版，第 168 页。

归化城图书馆亦在这政权交替之际被关闭。

1912 年中华民国的建立，虽未能改变中国半殖民地半封建的社会性质，但毕竟国体更张，给中国的社会政治、经济、文化以巨大的影响。民国政府刚一成立，便在教育部设立社会教育司，管理包括公共图书馆在内的通俗教育等。1915 年 10 月、11 月又先后颁布《通俗图书馆规程》与《图书馆规程》，明确规定各省、各特别区域以及各市县均应设立图书馆或通俗图书馆，储集各种图书，供公众阅览。这些都大大促进了图书馆事业的发展。

民国政府成立后，在保障内蒙古封建王公特权的同时，积极开垦设治，鼓励移民，加速内蒙古地区汉化的进程，以期达到"治同内地"的最终目的。在沿袭清末呼伦贝尔诸旗与哲里木盟分别划归东三省统辖的基础上，1914 年 1 月以原隶山西省的归绥道 8 县与绥远城将军统辖及监督的归化城土默特、乌兰察布盟、伊克昭盟设绥远特别行政区，2 月以新设之热河道与卓索图、昭乌达两盟设热河特别行政区，6 月以口北诸县与锡林郭勒盟、察哈尔八旗设察哈尔特别行政区。此外，将阿拉善、额济纳两旗划入甘肃省。特别行政区以及众多新县局的设置使内蒙古的汉族人口激增，汉化程度日甚一日，从而使设立学校与图书馆等文化教育设施的需要愈加强烈。

由于外蒙古的"独立"与战乱、军阀的割据，民国成立伊始，内蒙古地区便局势动荡不安，匪患四起。民众的身家性命尚且难保，何谈文化教育事业的发展。

但是，在动乱的间歇中，内蒙古地区的公共图书馆事业开始缓慢发展起来。1920 年呼伦贝尔取消自治后，呼伦县于 1922 年 12 月设立了图书馆，[①]成为民国时期内蒙古地区第一个公共图书馆。1924 年绥远丰镇县创立讲演所并附设图书室，开民国时期内蒙古西部公共图书馆事业之先河。

1925 年是内蒙古文化教育史上重要的一年。夙有救国大志并倾向革命的国民军首领冯玉祥就任西北边防督办（统辖察哈尔、绥远等地区）以后，以开发西北为指针，力图改变西北诸省区的贫困落后状况。绥远都统李鸣钟贯彻冯玉祥的方针最力，到任后首先剿除土匪，稳定社会秩序，同时改良吏治，整顿财政，发展生产，并大力提倡文化教育事业。不仅设立了五族学

---

① 程廷恒、张家璠纂：《呼伦贝尔志略》，第 228 页。

院、区立包头第二中学、职业学校、女子师范、区立通俗教育讲演所、平民学校等，还以原归化城图书馆的旧址与藏书为基础成立了绥远区立图书馆并附设阅报所。同年 7 月，绥远教育厅在厅署（旧城学务局旧址）附近附设的平民图书馆及阅报所亦正式开办。[①] 在李鸣钟的倡导下，萨拉齐县、清水河县亦先后成立图书馆或阅报所，其他各县则或酝酿或筹备，使整个绥远的社会教育呈现出一派生机。

不仅如此，绥远当局还制定《发展平民教育计划书》，拟广设"平民图书馆以培养平民之常识，凡图书、标本、仪器、模型、杂志、报章等足以补助平民教育及平民常识者，择要搜采，广为陈列，以供一般公民之阅览"。计划"就归绥新旧两城设立五处，四乡各设一处，余八县二局各设五处，两盟十三旗每旗设立两处，土默特设立三处，共计八十八处。……每处开办费一千元……共需开办费八万八千元"。"各馆皆派专人妥为设备，使人皆得随时阅览。所费无多，收益不少，施行平民教育莫善于此"。[②] 尽管该计划有些脱离实际，在当时的情况下，不要说仍处于游牧生活状态的蒙旗无法实行，就是在各县局亦不大可能。但它却充分反映了冯玉祥国民军的统治不同于其他军阀。

1926 年直奉军阀联合进攻国民军，战事又起，政局再度动荡。随着国民军兵败撤离、晋奉军阀在绥远的争夺以及匪患再起，刚刚得以发展的公共图书馆事业也遭受了巨大的打击。绥远区立图书馆与萨拉齐、丰镇县的图书馆虽然幸存，但不过是苟延残喘，勉强维持，教育厅的平民图书馆与清水河县图书馆则消失无形。热河、察哈尔受战事影响更甚，直到 1927 年才渐告稳定。

1928 年国民党主政，中国实现了形式上的统一，热河、察哈尔、绥远 3 个特别行政区亦奉令改省。截至 1937 年，全国图书馆事业始终保持向前发展的势头。内蒙古地区尽管经济文化远较内地落后，但公共图书馆事业仍有较大的发展。1929—1930 年间，当西部绥远省的经济、政治因遭受自然灾害与蒋、冯、阎大战的冲击而陷入困境时，东部的通辽、突泉先后建立了县

---

① 绥远省教育厅：《绥远教育季刊》1925 年第 2 号之《规程》，第 25—26 页。

② 绥远省教育厅：《绥远教育季刊》1925 年第 2 号之《计划》，第 5—6 页。

立通俗图书馆，林西县亦改通俗讲演所为通俗教育馆，增设了图书部。

1931 年"九一八"事变后，内蒙古东部地区先后沦陷，图书馆事业的正常发展遂告中断。但与此同时，西部的绥远省却逐渐摆脱灾荒和战乱的困扰，公共图书馆事业得以迅速发展。1931 年绥远省先后成立了集宁县社会教育所图书馆、国民党省党部第一民众图书馆（设于归绥）、凉城县社会教育所通俗图书馆。同时察哈尔省的商都县也在民众教育馆内附设了图书馆。1932 年 3 月，多伦县亦设立了图书馆（1933 年 3 月沦陷后停办）。特别是傅作义出任绥远省政府主席后，励精图治，平息匪患，改革弊政，鼓励生产，短短几年内就使绥远省的财政大为改观。1934 年时，全省财政收支已达到平衡。[①] 社会秩序的稳定与财政的好转为公共图书馆事业的发展奠定了基础，而且在全国社会教育迅速发展的形势下，建立图书馆已成为时尚，有无公共图书馆已成为地方文化发展与否的标志。

于是绥远许多县局纷纷筹措经费，创办图书馆。到 1936 年夏，全省有公共图书馆 10 余所。除托克托、东胜、沃野、武川等县局外，其他各县局几乎都设有县立图书馆或带有图书馆的民众教育馆，归绥县的察素齐与毕克齐还设有乡立图书馆。

公共图书馆事业的发展不仅仅是图书馆数量的增多，还表现在图书馆自身的发展壮大上。随着政治、经济状况的好转，许多馆的经费有所增加，藏书有所发展。例如，1934 年绥远省立图书馆年经费由 960 元猛增至 5 400元，还建造了宽敞明亮的新馆舍。截至 1937 年，藏书由 9 000 余册增至 5万册左右，并一改过去无人问津的局面，在社会上产生较大的影响。1934年萨拉齐县民众教育馆图书馆年经费已由开办之初的 360 元增至 976 元，到1937 年，藏书多达 5 600 余册。丰镇县民众教育馆图书馆早在 1934 年时藏书已达 5 139 册。藏书的大量增加使成立较早的图书馆发生了一些较大的变化。首先，因为所藏图书大都是以《万有文库》为主的普通书籍，原有的经史子集四部分类法便自然因不适用而被淘汰。1934 年绥远省立图书馆将全部藏书改用新式十进分类法分编，丰镇县民众教育馆图书馆亦改用杜威十进分类法。而成立较晚的图书馆则直接采用杜威十进分类法或杜定友、王云

---

① 绥远通志馆编纂：《绥远通志稿》卷 34 之《岁计》，1936 年稿本。

五的图书分类法。其次，在阅览方面，尽管各馆对读者没有任何限制，欢迎各阶层的民众前来阅览或借阅。但在早期，有些馆因藏书陈旧，阅者甚少。1934年以前，绥远省立图书馆的社会影响远不如省党部第一民众图书馆就是个典型例证。而大量普通书籍和一些通俗读物的入藏使读者面有所扩大，甚至有了少年儿童读者。1933年冬，和林格尔县图书馆由北平购回部分儿童读物，受到小学生们的欢迎。改组后的省立图书馆虽因款绌未能开办预定的儿童阅览室，但仍在大阅览室开展儿童阅览工作。1935年冬，包头县图书馆亦为少年儿童购进不少儿童读物。

在揭示馆藏图书方面，各馆基本上都采用卡片目录。其中绥远省立图书馆有分类、书名、著者目录各一套，最为完备。省党部第一民众图书馆除卡片目录外，还曾备有表式目录，颇方便读者。

闭架阅览是当时的普遍形式，但个别馆已部分采取开架阅览，以方便读者。1932年省党部第一民众图书馆将各地赠送的图书陈列在阅览室，供读者自由取阅。改组后的绥远省立图书馆在阅览室陈列不少工具书、参考书和报纸杂志，读者均可自由取阅，无任何手续。

毋庸否认，这些公共图书馆大都规模狭小，设备简陋，管理上亦有各种欠缺，但它们在传播文化知识、促进地方文化发展方面还是起到了一定的作用。特别是绥远省党部第一民众图书馆，由于进步人士高沐鸿、籍雨农的领导，购买了不少革命或进步书籍，在传播革命思想及新文化方面作出较突出的贡献。他们在《绥远民国日报》副刊上创办的馆刊虽仅前后两期，但却向整个社会宣告了图书馆应有的地位与作用，成为内蒙古图书馆界最早的刊物。改组后的绥远省立图书馆亦以其丰富的藏书和良好的阅览条件对社会产生了较大的影响，成为民国时期内蒙古地区图书馆事业发展鼎盛的标志。

尽管公共图书馆事业有了较迅速的发展，基础却并不牢固，产生的社会影响也有限。

首先，因官方重视不够，经费缺乏的问题始终无法解决。民国初年，由于政局不稳，战事频繁，国家与地方的教育经费多被挪用，使本来就数量甚少的社会教育经费得不到保证，能用于图书馆者更微乎其微。南京国民政府成立后，1928年10月曾明令社会教育经费暂定占整个教育经费的10%—

20%，并规定自1929年起各省市一律实施。此后，教育部又多次训令执行，然因各省市当局对社会教育认识不足，执行不力，所以收效甚微。据教育部1932年的统计，全国仅有江苏、浙江等5省市社教经费达到10%以上，但无一达到20%。① 经济文化均较发达的内地尚且如此，边远落后的内蒙古地区自然更难企及。以绥远省1933年度的岁出预算为例，全省教育文化费322 254元，而其中民众教育经费与省立民众教育馆、省立图书馆的经费总共才17 312元，仅占5.3%。② 各县局的情况亦大同小异。经费的缺乏不仅使某些县局始终未能开设图书馆，而且使已开办的图书馆也难以改善条件与增加藏书，甚至使个别图书馆时有时无，或名存实亡。难怪在1936年绥远省图书馆事业最繁荣之时，即有人因社会教育机构数量不多，经费不充裕，设备极为简陋而撰文慨叹绥远社会教育之低落。③

其次，由于当时社会文化水平的限制，图书馆无法拥有广泛的读者。据1930年全国教育会议《改进全国教育方案》的估计，全国文盲约占总人口的80%，失学儿童占学龄儿童的85%。④ 边远落后的内蒙古地区情况更严重。这样，有能力利用图书馆的人仅系少数，而且其中大多数文化水平较低，只能阅读些内容浅显的普通书籍或通俗读物以及报纸。在当时通俗出版物有限的情况下，便自然出现阅报者尚称踊跃而阅书者甚少的现象。而有些图书馆无视这种事实，盲目购置内容艰深的古籍，使本来就为数不多的读者为之却步。既浪费经费，又人为地削弱了图书馆应有的社会影响。例如，改组后的绥远省立图书馆虽已认识到旧藏多为古籍，不合社会需要而开始购置各种新书，但同时仍花费大量经费购进《四部备要》、《四库全书珍本初集》、《古今图书集成》等大量古籍，使藏书以古籍为主的局面始终未能改变。一些县级图书馆如凉城、归绥、临河等亦购进《四部备要》、《古今图书集成》或《四库全书珍本初集》等大部头古籍。

再次，由于吏治不良，图书馆经常被各行政当局用于安置私人，以致常

---

① 钟灵秀：《社会教育行政》，国立编译馆1947年版，第245页。
② 绥远通志馆编纂：《绥远通志稿》卷34之《岁计》，百分比数据系笔者推算。
③ 君平：《评绥远教育》，载《西北刍议》第2卷第4期。
④ 转引自孟宪承：《民众教育》，世界书局1933年版，第49、52页。

出现人浮于事、敷衍应付、虚縻经费的现象。如 1932 年五原县民教馆的图书馆、阅报所无任何阅览情况记录。1937 年 1 月武川县民馆图书室因"办理未得其人……馆员夫役终日闲游，馆门常时封锁"，而被绥远省教育厅饬令严加整顿。① 安北设治局甚至发生民教馆因筹建专款被负责筹建的财政局长贪污而无法成立的事件。② 凡此种种都决定了当时公共图书馆事业基础的脆弱。

日本帝国主义的入侵中断了内蒙古地区公共图书馆事业的正常发展。原有的图书馆大都遭到摧残或关闭。但是由于殖民统治的需要，日本侵略者也还恢复了一些民教馆及图书馆，以装点门面和进行欺骗宣传。在沦陷较早的东部，1933 年 12 月，赤峰县公署将已关闭的民众教育馆重新开办，内设讲演、游艺、展览、体育、图书 5 部，但馆务以附设的民众学校及民众日语班为主。③ 同年宁城县公署亦设立民教馆，内分讲演、图书 2 部，"购有书籍多种，任人阅览"④。据调查，1939 年时，兴安南省（今兴安省、哲里木盟地区）有图书馆 1 所，藏书 1 074 册，每月平均读者 75 人次。兴安北省（今呼伦贝尔盟西部地区）亦有图书馆 1 所，职员仅 1 人，藏书 700 册，每月到馆阅览者平均 25 人次，借阅者平均 5 人次。⑤ 从当时的情况看，这两所图书馆大约分别设在通辽和海拉尔。

在西部绥远省地区，各沦陷县局的民教馆或图书馆都先后关闭，被伪政权接收。在战乱中，藏书有不同程度的损失。蒙古联合自治政府成立后，将所在地归绥改为厚和豪特市，在接收绥远省立图书馆、省立民教馆和绥远通志馆的基础上设立蒙古文化馆。该馆在绥远省立图书馆藏书卡片的目录的基础上，铅印出版了《蒙古文化馆图书目录》（初编）。尽管该目录著录极为简单粗糙，却是内蒙古地区公共图书馆事业史上的第一本馆藏书本目录。此

---

① 《绥远教育公报》1937 年第 7 卷第 1 期。

② 陈佑诚：《安北设治局调查记》，载《蒙藏月报》1936 年第 5 卷第 1—6 期。

③ 日本驻赤峰领事馆：《赤峰事情》（1937 年，马希、余冠伦汉译本），内蒙古地方志编纂委员会总编室编：《内蒙古史志资料选编》第 5 辑，第 531 页。

④ 《热河省宁城县志》（1935 年），见宁城县地方志办公室编：《宁城县史料》第 1 辑，宁城县地方志办公室 1983 年印刷。

⑤ 满洲文化协会编：《满洲年鉴》（日文），满洲文化协会 1941 年印刷，第 44 页。

外，厚和豪特、萨拉齐、丰镇、武川等市县也都缀拾残余旧藏，恢复了附设有图书室的民教馆，但工作重点主要是进行奴化宣传。

在西部未沦陷区，除原有的五原、临河两县民教馆的图书室外，1938年安北县也成立了民教馆。1943年至1944年间，米仓（今杭锦后旗三道桥）、狼山（今临河市狼山镇）、晏江（今五原县塔尔湖镇）、陕坝诸县市都设立了民教馆，各馆大都设有规模简陋的阅览室。据统计，1943年时共有46所，1945年增至56所。[①] 在伊克昭盟，东胜县于1939年12月成立民教馆，馆长由省教育厅派遣的社教组长袁汝勤兼任，以开展阅览。[②] 1940年10月，绥境蒙政会在所在地札萨克旗设立伊盟民教馆，附设有书报阅览室。在阿拉善旗，1938年蒙藏委员会驻阿旗调查组在定远营（今巴彦浩特）设立通俗图书馆一所，限于经费，规模很小。约停办于1942年或1943年。[③] 1943年7月左右，阿拉善旗政府教育处在定远营南门外创办旗立图书馆，"内列报纸、图书，可供人浏览"[④]，1948年时仍存在。

从表面来看，这一时期西部国统区的公共图书馆事业有所发展，但其实不然。因抗战的需要，这些民教馆或图书馆的工作重点已不是启迪民智，而是宣传抗战，图书阅览工作在民教馆已降到十分次要甚至是可有可无的地步。而且，极其拮据的经费也使藏书不可能有较大的发展，文盲的大量增加也导致读者减少，社会影响下降。即使在当时人力、物力较充裕的临河县，民教馆也因馆址狭隘，不得不租借民房，搬来迁去地开展书报阅览。各县市的乡镇书报阅览室虽报称成立，不过是应付功令，至多图书数种，而且时有时无。

抗战胜利以后，内蒙古地区的形势发生了很大的变化。在东部和中部的广大解放区有中国共产党领导下的内蒙古自治运动联合会，在绥远省东部有

---

① 《三十六年度各省市教育工作计划汇刊》，见绥远省政府编：《绥远省政府施政报告》（1946年3月），第229页。

② 《东胜县代长史其昌呈文》（1939年12月22日），见内蒙古档案馆档案，全宗号419，卷号7，文件28。

③ 戚涛：《概述国民党政府对原阿拉善旗的统治》，见政协阿拉善盟委员会编：《阿拉善盟文史》第2辑，阿拉善盟政协文史资料委员会办公室1986年印刷，第58页。

④ 陈国钧：《西蒙阿拉善旗社会调查》（1943年），见阿拉善盟政协文史资料委员会办公室编：《阿拉善盟旗志史料》，阿拉善盟政协文史资料委员会办公室1987年印刷，第32—33页。

绥蒙解放区，从而形成了革命政权与国民党政权对峙并激烈斗争的局面。在整个解放战争时期，内蒙古地区风云变幻、战事频仍，公共图书馆事业的恢复步履维艰。

在解放区，1946 年丰镇县人民政府设立了文化馆，内设有书报阅览室，但存在时间不长。1947 年秋，乌兰浩特市政府在中共党员及干部的捐助下成立了文化馆，馆内设有图书室，藏书约 800 余册。除供干部、工人阅览外，还在基层开展流动服务。①

在国民党傅作义部统治的绥远省，公共图书馆事业较沦陷时期有所恢复和发展。光复不久，绥远省政府即以"急应开展社会教育"、"适应建国需要"而制定《办理社会教育应行注意事项》，饬令各市县恢复或设立民众教育馆、图书馆及公共体育场。② 在 1946 年度施政计划中又具体规定："将后套 7 市县原有乡镇书报阅览室 56 所继续督饬添购书报，从事充实，并恢复省立归绥图书馆及包头、归绥、萨拉齐、丰镇等四县市图书馆。其未专设图书馆之县市，一律由该县市民众教育馆附设图书室，以推广图书教育。"③但是，由于内战频繁、军费开支浩大、经济窘迫，绥远省的计划很难实现。在一些民教馆或图书馆陆续恢复的同时，另一些县市民教馆及其图书室却因经费拮据而相继关闭。截至 1947 年 7 月，被裁撤的民教馆已达 12 所，除省立图书馆、省立民教馆、归绥县图书馆外，县市民教馆仅剩 8 所。④ 1948 年4 月以后，奉绥远省当局的命令，各县市陆续恢复或设立了民教馆，以加强"反共勘乱"的宣传。⑤ 图书室的数量也有所增加。然而，由于经费拮据和民教馆侧重于政治宣传等原因，各图书馆室始终得不到应有的重视和足够的经费。老馆室藏书基本限于战后残余之旧藏，很少能添购新书。新馆室既无旧藏可资利用，又缺乏经费购置新书，境况更为窘迫。1949 年 8 月，因经

---

①　乌兰浩特市图书馆：《本馆工作概况》（手稿），1989 年。

②　《绥远省政府训令》教二字第 5 号，1945 年 11 月，见内蒙古档案馆档案，全宗号 419，卷号149，文件 73。

③　《三十六年度各省市教育工作计划汇刊》，见绥远省政府：《绥远省政府施政报告》（1946 年 3月），第 230 页。

④　《绥远省教育报告》（1947 年 7 月 4 日），见内蒙古档案馆档案，全宗号 419，卷号 261（二），文件 33。

⑤　《省教育厅代电》，见内蒙古档案馆档案，全宗号 419，卷号 323，文件 55。

费困难，省立民教馆与省立图书馆、省立国术馆、体育场合并为社会教育推行委员会。省级馆室尚且如此，县市馆室更难以想象。托克托县民教馆于1946年成立时，事业费仅够订1份报纸，藏书寥寥，全系地方士绅及热心教育者捐赠。其他县市馆室的情况虽不尽相同，但都经费紧张，难以发展。

总的来看，无论是抗战时期，还是抗战胜利以后，内蒙古地区的公共图书馆事业始终处于衰败之中，而且与从前"启民迪智"的宗旨不同，带有强烈的政治宣传色彩。随着国民党统治末日的临近，内蒙古地区的公共图书馆事业日益衰微。但是作为人类文明的事业，它不会因政权的更替而灭亡，而是在全国解放曙光的指引下，跨入了一个新的发展时期。

二、内蒙古地区主要图书馆（室）

（一）绥远省立图书馆

1925年1月，李鸣钟就任绥远特别行政区都统，以冯玉祥开发西北的方针为指导，在整顿地方秩序，发展生产的同时，大力提倡文化教育事业。遂于同年6—8月间就旧城小东街文昌庙内封存多年的原归化城图书馆的藏书与旧址创建了绥远区立图书馆，并附设第一阅报所，委石良臣为馆长，规定每年经费为960元（即每月80元），由财政厅按月拨发。开办之初，藏书不多，且偏重国学，约有线装古籍14 000余卷，及少量科学、图画等书籍。11月，著名学者李泰棻任教育厅长，对图书馆备加关注，于1926年春"请准都统李鸣钟拨款几千余元，又商准警务处长吉鸿昌发起演剧数日，助款千余元，始将馆制稍事扩充。并购置各种图书及古物"，附设古物部。厘定各项规则，力求改进。①

不久，直奉军阀联合进攻国民军，绥远政局动荡，兵祸连年。这一时期，区立图书馆除1929年初因绥远改省而改称绥远省立图书馆外，毫无生气。1926年秋，省教育厅长郭贵喧曾将第一阅报所划归社会教育所办理，图书馆专管图书事宜，设有藏书室、阅览室、办公室各一处。以事务清简，全馆仅设馆长1人，事务员1人。②

---

① 绥远通志馆编纂：《绥远通志稿》卷52之《文教机关》，1936年稿本。
② 绥远通志馆编纂：《绥远通志稿》卷52之《文教机关》，1936年稿本。

1931 年傅作义就任绥远省政府主席后，地方局势基本稳定，经济渐趋恢复。1933 年，绥远省的财政状况大为好转，加快文化教育事业的发展便自然提到议事日程上来。12 月省政府批准了《修正省立图书馆组织大纲》和教育厅裁撤民众教育处的要求，从而使该馆的月经费从最初的 80 元一跃增至 450 元（即全年 5 400 元）。1934 年 1 月，原民众教育处处长郭景林就任省立图书馆代理馆长（后任馆长）。2 月奉省政府命令据《修正省立图书馆组织大纲》进行改组，共设总务、编藏、阅览 3 部，另附设古物部，由总务部兼理。改组后，一面整理内部，将原有藏书重新登记。一改过去的 4 部分类排架为新式十进分类法（善本及丛书除外）[1]，以备大量新书的购进。一面选购适当地址，建筑新馆。6 月 6 日，省立图书馆由旧城小东街文昌庙迁入新址，开始办公。

1935 年 3 月 18 日，绥远省立图书馆在阅览室隆重举行开馆大会，省政府主席傅作义、教育厅长阎伟及各界代表百余人出席了开幕仪式，傅作义还亲自致辞表示祝贺。[2] 从此，省立图书馆进入了它最兴盛的时期。至1936 年夏，全馆总共建成图书阅览室、藏书室、办公室及宿舍 20 余间，共用工料洋 18 600 余元。[3] 新馆址占地 20 亩，内有大阅览室 5 间、藏书室10 间以及新闻阅览室、古物室、办公室、宿舍、招待室，收发室等共36 间。[4]

因经费增加，购置图书自然较前增多。在省政府与教育厅的大力支持下，省立图书馆不断得到大量临时购书费，藏书迅速增加。在努力购置各种图书的同时，还广泛地进行征集和募捐，以致惠赠成为藏书激增的重要来源。改组前馆藏中文书籍仅 314 种，9 181 册；杂志 23 种，496 册。而到1935 年底，中文藏书已达 18 827 册，其中购进 760 种，5 457 册，惠赠 653种，4 189 册；另有西文书 10 种 30 册，日文书 6 种 9 册，蒙文书 3 种，满文书 1 种 80 册。总共 1 817 种，18 949 册。杂志已达 2 623 册，其中购进 54

---

① 《修正省立图书馆组织大纲》，载《绥远教育公报》1935 年第 4 卷第 9 期。

② 《绥远社会日报》1935 年 3 月 19 日。

③ 《绥远教育厅民国 25 年行政总报告》，载《绥远教育公报》1936 年第 7 卷第 1 期。

④ 《绥远省立图书馆概况》，绥远省立图书馆 1935 年印本。

种，853 册，惠赠 148 种，1274 册。另有日报 29 种，公报 5 种，合订 164 册，画刊 17 种，73 册。① 截至 1936 年上半年，馆藏图书已多达 41 215 册。② 在当时的条件下，这已是收藏宏富，蔚为壮观了。

新馆开放后，阅览条件大为改善。大阅览室可容纳 48 人，陈列有字典、辞典、年鉴及参考用书 48 种，137 册，杂志 226 种，并附设借书处。新闻阅览室可容纳 24 人，陈列有本地及各省市日报 35 种。所有陈列书刊，均开架阅览。由于条件的改善，大量新书的购入和工作的改进，省立图书馆吸引来大量读者，在社会上产生很大的影响。据该馆统计，1935 年 3 月新馆开放仅 9 天，图书借阅就达 382 人次，4 月份为 626 人次。1935 年全年（从 3 月算起）阅览总人数达 5 373 人次，1936 年上半年达 3 153 人次，平均每天 20 人次以上，其中以军界、学界人士为多。③

1936 年夏，为了使社会和更多的读者了解馆内情况和借阅手续，该馆铅印出版了《绥远省立图书馆概况》和《绥远省立图书馆阅览指南》，详细介绍了本馆沿革、馆舍、组织、经费、藏书及目录的使用与阅览规则，等等。

1937 年 10 月归绥沦陷。蒙古联盟自治政府成立后，省立图书馆、省立民众教育馆及绥远通志馆的藏书均被接收，基本未受损失。该政府于 1938 年 6 月 1 日在合并绥远省立图书馆、省立民众教育馆及绥远通志馆的基础上成立了蒙古文化馆。该馆下设总务、研究、艺术体育、博物、图书等数部组，馆长为喀喇沁人伊德钦。图书组即图书馆，其藏书是 3 个机构藏书的总汇，分类排架及有关规章制度亦基本沿袭省馆旧制，供社会各阶层阅览。10 月，该馆为介绍馆藏、方便读者，铅印出版了《蒙古文化馆图书目录》（初编）。这时该馆藏书共 41 000 余册，另外还新购进蒙满文书籍 95 种，约 770 余册。尽管该目录仅著录书名、编撰者及函册数，甚为简略，而且错讹颇多，但却是内蒙古地区图书馆事业史上第一本馆藏书本式目录。大约在 1941 年或 1942 年，蒙古文化馆迁往张家口，改为蒙古文化研究所。

---

① 《绥远省立图书馆概况》，第 6—7 页。
② 《绥远省立图书馆概况》，第 6 页。
③ 《绥远省立图书馆概况》，第 9—10 页。

1945 年 8 月，日本无条件投降，八路军收复张家口。次年 10 月，张家口又被国民党傅作义部攻占。在战乱中，蒙古文化研究所的藏书除少数被董其武截获运回归绥外，[①] 损失过半。1947 年，所有劫后幸存的书籍全被察哈尔省立图书馆接收，经整理，汉文书籍共 17 253 册，蒙文共 819 册，日文共 7 160 册。[②]

随着战后光复工作的进展，绥远省政府将恢复省立图书馆列入 1946 年的工作计划，可是因经费未经行政院核准而未能实现。[③] 1947 年 2 月，教育厅决定在本年度恢复省馆，并计划成立筹备处，省政府委员会批准了教育厅的计划，将恢复省馆的经费正式列入省财政预算，并派程维城前往张家口检运旧有藏书。4 月，省府委员会通过决议，准予筹备处成立，正式委任程维城为筹备处主任。

11 月 10 日，省立图书馆举行开馆仪式。恢复后的全称为"绥远省立归绥图书馆"，馆长程维城，主任郭淑娴。馆内设报刊阅览室与图书阅览室各 1 处，面向市内各界。自 11 月 10 日开馆至月终，阅览者共 1 542 人次，平均每日 73 人次。假日阅览人数较多，最高达 89 人次。[④] 1948 年全年共接待读者 24 201 人次，平均每日约 66 人次。读者以学、政、军界为多，商界次之，农工甚少，而且多数是阅读报纸杂志的，阅书者较少。[⑤]

1949 年 8 月，为节省开支并提高工作效率，经省馆批准，教育厅将省立图书馆、省立民众教育馆、省立国术馆与体育场等机构合并为社会教育推行委员会，[⑥] 在省立民教馆内办公。委员会下设总务组、民教部、图书部、健康部。

绥远省和平解放后，绥远省人民政府于 1950 年 5 月将绥远省立归绥图书馆改为绥远省人民图书馆，1954 年蒙绥合并时又改为内蒙古图书馆。

---

① 《绥省设立蒙古文化促进会蒙古文化馆》，载《时事月报》第 14 卷第 1 期。
② 赵冠成：《省立图书馆已完成的工作》，载《察省教育》第 4 期。
③ 绥远省政府：《绥远省政府工作报告》（1946 年 6 月），第 27 页。
④ 内蒙古档案馆档案，全宗 419，卷 466，件 22。
⑤ 据省立图书馆每月呈报省府的阅览人数统计报告表计算。原表见内蒙古档案馆全宗号 419，卷号 466，文件 54、56、58、60—62、64、67、69—71；卷号 369，文件 40。
⑥ 内蒙古档案馆档案，全宗号 419，卷号 66，文件 73、77。

（二）国民党绥远省党部第一民众图书馆

1931 年 5 月，国民党绥远省党务指导委员会（同年 11 月改为绥远省党部），决定设立民众图书馆，拨发开办经费 1 000 元，委托高沐鸿创办了绥远省党部第一民众图书馆，约于 6 月间正式开放。因本地书局存书有限，图书须从外省购买，一时无法办妥而仅开放了阅报室。7、8 月间，该馆购回部分图书后，阅书室亦随即开放。

该馆经费由党部拨发，每月 160 元，全年共 2 920 元，较之全年经费仅 960 元的绥远省立图书馆，可以说是相当富足了。馆内设馆长 1 人，馆员（即图书管理员）1 人，公役 1 人。藏书主要靠购置，地方人士或团体亦有所捐赠。其中除本省报纸免费供应外，1932 年 5 月归绥天主堂曾一次捐赠了宗教、哲学、小说等类书籍 130 种。[①] 至 1932 年 7 月止，该馆已拥有各类图书 1419 种，报纸 13 种（《绥远日报》、《绥远民国日报》、《绥远社会日报》和北平《华北日报》、《京报》，天津《大公报》等）。

该馆成立之初的工作重点是采购各种图书，奠定藏书基础。从 1931 年 10 月至 1932 年夏在充实和丰富藏书的同时，着重于整理图书和完善各种必要的规章制度。由于藏书不多，图书以某种小学图书分类法分编，共分 10 大类。阅书室内设有书橱，陈列各地赠送的图书，开架阅览，无需任何手续。阅览民众以阅报者为多，阅报室常座无虚席。据 1932 年 6 月份的统计，阅报者平均每天约 30 余人次，多为学生，其次为军、商、政界人士，工农极少。阅书者不多，仅星期日可满座，且多限于学生和担任公职的知识界人士。

为了使该馆产生更大的社会影响和发挥更大作用，高沐鸿于 1932 年 7 月在《绥远民国日报》副刊上创办了《绥远省党部第一民众图书馆不定期刊》，内容包括本刊创始的话、本馆之成立与其一年来之经过、图书统计表、阅报室日报一览等。该刊的问世，在当时绥远图书馆界属首创，并且标志着第一民众图书馆已进入自身发展的极盛阶段，但仅仅出了 1 期。

1932 年 10 月，高沐鸿离开绥远，由籍雨农接任馆长。1934 年 1 月又重新刊出，改名为《绥远省党部第一民众图书馆月刊》，内容与上一期相似，仍载于《绥远民国日报》副刊上。

----

① 《赠书志谢》，载《绥远民国日报》1932 年 5 月 24 日至 27 日、30 日。

时隔不久，因华北事件的爆发与"何梅协定"的签订，绥远省党部被迫撤销。该馆亦于 11 月为绥远省立民众教育馆接收，改称为"绥远省立民众教育馆第一民众图书馆"，馆长改称主任。隶属于民众教育馆以后，除经费改由省教育厅支付和名称稍有变动外，一如从前，毫无变化。

据该馆 1935 年 10—12 月的统计，阅览人数共 160 余人次，借阅书籍 200 余种。阅览者以学界为最多，约占 50%，其次为政界、商界及新闻、银行、工、军、医各界。[①]

1937 年 10 月归绥沦陷后，民众图书馆的藏书被伪政权接收，成为后来蒙古文化馆的馆藏。

该馆虽然只存在了短短的 6 个年头，但由于地址适中、经费较多、藏书新和高沐鸿、籍雨农主持得力，在 1934 年省立图书馆改组扩充以前，它是归绥影响最大的图书馆。而馆刊的创办和进步与革命书籍的传播，更使它在内蒙古图书馆事业史上占有无可比拟的地位。

（三）归绥图书馆

归绥是内蒙古地区设治较早的重要城镇，清代是归绥道道治所在，民国初改为县治，是绥远省省会附郭首邑，故经济文化较为发达。正因为如此，省立图书馆、省立民众教育馆、省党部第一民众图书馆等省级社会教育机关的存在，使地方对社会教育的需求基本得到满足，加以地方财政不大充裕，公共图书馆事业的起步反较其他县局为晚。1935 年 4 月间成立县立民众教育馆，内设图书、阅报、讲演、游艺 4 股，馆长赵允仁，6 月 17 日正式开馆。[②] 1937 年 10 月归绥沦陷。蒙古联盟自治政府成立后，改归绥为厚和豪特市，于 1938 年或 1939 年上半年成立了市立民众教育馆，馆长由教育股长张广诏兼任。开办之初，馆内仅设图书馆，后来图书馆从民教馆分出，成为厚和市立图书馆。抗战胜利后，归绥市临时政务委员会于 1945 年 9 月接收了厚和市立图书馆和市立民教馆，并将其分别改为归绥市立图书馆、市立民教馆。市立图书馆仅有《万有文库》1 530 册，《丛书集成》963 册，《小学生文库》180 册，百科大字典 3 册，大小旧套书 24

①　《绥远日报》1936 年 1 月 23 日。
②　《绥远民国日报》1935 年 6 月 19 日。

函及卫生、地理挂图 11 幅。① 馆长谢春。② 11 月以后，增加人员，扩大馆内组织，馆长张兰田。③ 1946 年 4 月市县分治，图书馆与民教馆改由归绥县政府接办。民教馆由县接办后，因地方狭小，经费困难，仅有图书 37 本，未开设阅览室。1947 年又迁至杨家巷 13 号，设有民众阅览室两处，并制备书报巡回阅览箱，每两星期发出 1 次。④

（四）包头县图书馆

在 1929 年时，包头西阁（现十四中附近）楼上便已有一个规模较小、设备简陋的县立图书馆。图书馆仅有负责人夏湘清与 1 名管理员，故图书报刊甚少。据说它关闭于 1931 年。藏书除被国民党县委部牛进禄（字申之）拿走一部分，做了"力修学社"的藏书外，其余多被教育局分予各学校。⑤ 1935 年春，包头县教育局建造图书馆。5 月初竣工，县政府委员王天籁任馆长。他向地方要人及名绅募捐图书，并假《包头日报》广为宣传，扩大社会影响。在他的努力下，包头党政军工商头面人士等带头捐赠。⑥ 7 月，为进一步筹集图书，王天籁专程赴归绥向省府要人募捐。省政府主席傅作义、秘书长曾厚载、民政厅长袁庆曾、财政厅长李居义、建设厅长冯曦、教育厅长阎伟、稽查处会办张钦等都捐赠了不少书籍。⑦ 9 月 1 日，包头图书馆正式开馆。⑧ 由于宣传得力和设备与藏书远较前馆优越，故开馆伊始，读者颇为踊跃。11 月间，为提倡儿童读书，图书馆购回 300 余种儿童读物，并拟另辟儿童阅览部。⑨ 这时图书馆的藏书已颇为丰富，除儿童读物外，全部图书约有四五千册，均仿杜定友、王云五的图书编目法，分为总类、哲

① 《归绥市立图书馆备品清册》（1945 年 10 月 3 日），见内蒙古档案馆档案，全宗号 419，卷号 149，文件 46。

② 《归绥市立民教馆及图书馆人员氏名表》（1945 年 10 月 3 日），见内蒙古档案馆档案，全宗号 419，卷号 149，文件 44。

③ 《归绥市民众图书馆职员姓名略历表》，见内蒙古档案馆档案，全宗号 419，卷号 147，文件 66。

④ 归绥县《教育部社会教育机关视察报告》，见内蒙古档案馆档案，全宗号 419，卷号 203，文件 7。

⑤ 内蒙古文史馆：《包头市简志》（初稿），1959 年油印本，第 151 页。唯该书将西阁图书馆误为公园内的图书馆。

⑥ 《绥远社会日报》1935 年 8 月 14 日。

⑦ 《绥远日报》1936 年 4 月 28 日。

⑧ 《绥远社会日报》1935 年 9 月 3 日。

⑨ 《绥远日报》1935 年 11 月 21 日。

学、社会科学、语言文学、自然科学、技术、应用技术、地理、历史 10 大类。[①] 正当该馆迅速发展之际，抗日战争爆发，包头沦陷，馆藏图书在战乱中丢失殆尽。抗战胜利后，包头市图书馆始终未恢复，其原址亦改为地政管理处。

（五）萨拉齐县民众教育馆图书馆

萨拉齐县设治较早，地方富庶，文化亦较发达，早在 1905—1911 年间就设立过阅报所。1925 年，于县城中街闹市处建成当时县内唯一的新式楼房，楼上设图书馆，楼下设讲演所，并购置设备与图书，于 7 月 1 日正式开办。首任馆长由县教育局长白映星兼任。[②] 1931 年，随着社会秩序的逐渐稳定，该馆扩建了楼下走廊与办公室、小阅览室等，改善了工作及阅览条件。[③] 这时该馆藏书亦发展到 500 余种，2 210 册。[④] 1932 年 3 月，县教育局为扩充社会教育，合并图书馆，改组社会教育所，内设图书馆、阅报室、通俗讲演所、社会周报编辑处。图书馆的藏书总共 3 839 册。阅报室则订有平津及绥远省各地报纸数份。[⑤] 图书馆藏书多达 3 955 册；阅报室仅有报纸 5 种，每日阅览人数约 50 人次左右。[⑥] 1934 年 6 月，社会教育所奉令改为民众教育馆，内部仅辖有图书馆，讲演所、阅报室均已不存。图书馆年藏书达 4 393 册，每日阅览人数约 30 余人。[⑦] 1937 年 10 月萨拉齐县沦陷。伪政权建立后，恢复了民众教育馆，并附设民众问字处及日语讲习所。据该馆 1940 年 11 月的统计，图书馆藏各类图书共计 5 676 册。以后，伪城关警察署占用民众教育馆，全部藏书被搬迁封存，结果遗失大半。[⑧] 抗战胜利后不

---

① 《包头日报》1936 年 11 月 27 日。

② 绥远通志馆编纂：《绥远通志稿》卷 52 之《文教机关》，1936 年稿本；蕲阳、张树培编撰，韩绍祖主修：《萨拉齐县志》卷 6，1941 年铅印本。

③ 程景华：《解放前萨拉齐县图书馆沿革》，见政协包头市委员会编：《包头文史资料选编》第 9 辑，第 201 页。

④ 绥远通志馆编纂：《绥远通稿志》卷 52 之《文教机关》。

⑤ 绥远省政府秘书处编：《出巡汇刊》，绥远省政府秘书处 1933 年印刷。

⑥ 绥远省政府编纂：《绥远概况》之《教育编》（绥远省各图书馆调查表、民众阅报处调查表），绥远省政府 1933 年印刷。

⑦ 《绥远教育公报》1935 年第 4 卷第 8 期。

⑧ 程景华：《解放前萨拉齐县图书馆沿革》，见政协包头委员会编：《包头文史资料选编》第 9 辑，第 202 页。

久，大约在 1945 年冬，奉绥远省政府的命令，民教馆在原址重新恢复，楼上 10 间为图书馆及阅览室。阅览室于 1946 年 2 月 28 日正式开办，3 月 10 日图书馆亦正式开馆。不久图书馆并入民教馆。① 馆内分社会教育、出版两组。阅览室订有《北平日报》《民国日报》《奋斗日报》及新出版的各种杂志。1948 年春，县党部接收了民教馆，直至中华人民共和国成立。

（六）集宁县图书馆

集宁是随京绥铁路通车而兴起的城镇。1931 年 4 月县教育局创办社会教育所②，内设图书馆、阅报所、讲演所、民众学校各 1 处。1933 年时，图书馆藏书仅 165 册。阅报室有报纸 13 份，阅览情况尚佳。③ 大约在这年年底或次年初，社会教育所被撤销。1934 年春，县教育局在县城设立图书馆与阅报所，3 月 25 日举行开馆典礼。④ 1935 年时，藏书"已有七百余册，多民众读物，刊物约 10 余种，日报 8 种。每日平均阅览者约五六十人次，以商界为多"。⑤ 大约在 1937 年，县教育局将图书馆、阅报所等合并，改组为民众教育馆，直至 10 月沦陷。抗战胜利后，在绥远省政府的命令下，民众教育馆于 1946 年 11 月恢复，馆内分总务、业务两组，图书室藏有书籍 320 册，阅览室有报纸 8 种和一些挂图等。⑥ 1948 年 9 月，民教馆被绥蒙政府接收。

（七）丰镇县民众教育馆图书室

1924 年 2 月，丰镇县地方政府为了推行社会教育，设讲演所，并开展图书阅览工作。1927 年讲演所改为社会教育所，内分讲演、编辑、游艺、图书 4 股。图书股除图书阅览室外，还附有阅报室。⑦ 1932 年图书股对外称"丰镇县民众图书馆"。藏书共 2 716 册，其中《万有文库》1 000 余册、各

① 《萨拉齐县图书馆职员简历清册》，内蒙古档案馆档案，全宗号 419，卷号 312，文件 31；《教育部社教机关视察报告表》（1947 年），卷号 203，文件 4。

② 于万钟：《集宁县教育局二十年份工作报告》，《绥远省教育会月刊》第 1 卷第 2—3 期合刊。

③ 绥远省政府编纂：《绥远概况》之《教育编》（绥远省各图书馆调查表、民众阅报处调查表）。

④ 《绥远社会日报》1934 年 3 月 31 日。

⑤ 许辑五：《绥远集宁县志略》，载《西北刍议》第 2 卷第 4 期。

⑥ 《教育部社会教育机关视察报告表》，内蒙古档案馆档案，全宗号 419，卷号 203，文件 3。

⑦ 绥远通志馆编纂：《绥远通志稿》卷 52 之《文教机关》，1936 年稿本。

种杂书 695 种。① 阅报室还订有北平、天津及绥远省的报纸 12 份。② 1933 年时，馆内藏书已达 3 842 册。为工作便利，内部分成年与儿童两部。阅报室报纸杂志 30 份，每日阅览人数约在 70 人。③ 1934 年 4 月社会教育所改组为民众教育馆，下设讲演、健康、阅览 3 部及社会周报编辑社。④ 阅览部又称图书部。这时藏书共 1 390 种，5 429 册，居内蒙古地区县市图书馆之首，每日阅览人数平均 89 人次。⑤ 1937 年秋丰镇为日伪占领，图书馆事业遭受致命打击。1943 年图书馆被封闭，移交县公署。抗战胜利后，丰镇县人民政府接收原民教馆，设立了文化馆，使书报阅览室、游艺室和幼儿学习班等得以开办。1946 年 10 月国民党傅作义部攻占丰镇前夕，文化馆停办。丰镇县成为国统区后，县政府即于 10 月 10 日恢复民众教育馆，设立书报阅览室。1947 年春夏间，阅览室有报纸 12 种，杂志、图书 1 250 余册。⑥ 1948 年 8 月丰镇县解放前夕，它便于无形中涣散了。

（八）兴和县民众教育馆图书馆

兴和县于 1932 年 9 月成立社会教育所，备有报纸多份，供民众阅览。⑦ 1933 年，社会教育所奉令改为民众教育馆。据《绥远概况》"绥远民众阅报处调查表"记载，这一时期的兴和县有阅报所两处，职员 2 人，报纸等 12 份，每日阅览者约 85 人。到 1935 年夏全省统计图书馆时，民众教育馆已附设有图书馆。⑧ 1936 年 5 月时，民众教育馆内均设有图书馆、阅报处、民众学校各 1 所。抗战胜利后，兴和县民教馆于 1946 年 11 月奉令恢复，设有图书室、阅报室等。据 1947 年 3 月民教馆的呈报，图书室藏有各种书籍近 600 册，杂志 28 本，阅报室有报纸 12 种。⑨ 民教馆大约在 1947 年下半年奉令裁撤，1948 年 8 月又奉令重新恢复，不久便告解散。

---

① 绥远省政府秘书处编：《出巡汇刊》，绥远省政府秘书处 1933 年印。
② 绥远省政府秘书处编：《出巡汇刊》，绥远省政府秘书处 1933 年印。
③ 绥远省政府编纂：《绥远概况》之《教育编》（绥远各图书馆调查、绥远民众阅报处调查表）。
④ 《视察丰镇县教育报告》，载《绥远教育公报》第 4 卷第 8 期。
⑤ 许晚成：《全国图书馆调查录》，龙文书店 1935 年版，第 45 页。
⑥ 《教育部社教机关视察报告表》，见内蒙古档案馆档案，全宗号 419，卷号 203，文件 6。
⑦ 《绥远民国日报》1932 年 9 月 21 日。
⑧ 《绥远民国日报》1935 年 7 月 8 日。
⑨ 《兴和县民众教育馆内外设施报告表》，见内蒙古档案馆档案，全宗号 419，卷号 258，文件 17。

（九）凉城县民众教育馆图书馆

凉城公共图书馆事业始于社会教育所附设的通俗图书馆，创办时间不详，但1931年时即已存在。社会教育所内还设有一个阅报所。1933年春夏间，社会教育所改组成民众教育馆，这时的凉城县图书馆仅有藏书120册。① 1936年7月时，民众教育馆内分讲演、阅览、教学、陈列、出版等部，② 1937年秋凉城沦陷以后，民众教育馆被敌伪政权接收。抗战胜利后，凉城县民众教育馆于1947年3月恢复。因事业等费尚未筹妥，一切设备与图书均付阙如。③ 大约在1948年5月，民教馆又曾重新成立。

（十）陶林县民众教育馆图书馆

陶林县于1932年9月，开办民众教育馆。④ 该馆内分总务、讲演、游艺、扩充、图书5股，馆长由县教育局事务员李萌波兼充。每月经费57元，除讲演主任与事务员外，其余人员均由各机关职员兼任，不另支薪。

抗战胜利后，大约在1946年2月，陶林县民教馆重新恢复，内设民众阅报室和图书阅览室，藏书仅57册。⑤ 1947年5月，因经费短缺，奉令裁撤。1948年9月，民教馆重又恢复。

（十一）清水河县民众教育馆图书馆

清水河县于1933年7月建图书馆与阅报所，总名定为清水河民众文化馆。⑥ 8月间正式开馆，按统一规定，更名为清水河县民众教育馆。1934年1月图书馆正式成立，馆藏图书共13类，250余部，历史类居多。⑦ 1936年11月时，民众教育馆内附设图书室、阅览室、陈列室各1所，设备均甚简单。⑧ 清水河沦陷后，民众教育馆关闭。抗战胜利后，县民教馆约于1948

① 绥远省政府编：《绥远概况》之《教育编》（绥远省各图书馆调查表）。
② 《绥远教育公报》1936年第6卷第9期，第47—48页。
③ 《凉城县民众教育馆一览表》，内蒙古档案馆档案，全宗号419，卷号258，文件38。
④ 据1936年崔毓珍视察陶林县教育报告，民众教育馆"一切房舍全为租占"。开办时间据郭熙仁《民国二十二年十一月视察陶林县教育报告》，《绥远教育公报》第4卷第1期。
⑤ 《民国三十五学年度陶林社会教育统计报告表》，内蒙古档案馆档案，全宗号419，卷号335，文件21。民教馆恢复时间，据同全宗卷395，件11之《陶林县民教馆36年度现职员简历名册》的职员最早到差时间推测。
⑥ 《绥远社会日报》1933年7月19日。
⑦ 许晚成：《全国图书馆调查录》1935年版。
⑧ 《绥远教育公报》1937年第7卷第1期，第43—44页。

年5月恢复。

（十二）和林格尔县图书馆

和林县大约在1932年或1933年创立了图书馆与阅报所。图书馆藏书仅100余种。1936年11月时，该图书馆已隶属于民众教育馆，藏书只有《万有文库》一集（约近2 000册），通俗读物概付缺如。和林县沦陷前夕，县政府竟担心日本人来时图书会招惹麻烦，将图书馆藏书付之一炬。[①] 抗战胜利后，和林县民教馆于1946年10月恢复，并设有图书室。[②] 1947年，民教馆奉令裁撤，又于1948年7月重新恢复。[③]

（十三）武川县民众教育馆阅览室

大约在1935年冬或1936年初，武川县成立了民众教育馆[④]，附设有阅览室1所。阅览室仅有图书200余种。1937年10月武川被日伪攻占时，民众教育馆亦告关闭。1940年，武川县公署恢复了民众教育馆，馆内设有讲演所、阅报所和图书室。[⑤] 大约在1945年日寇投降时关闭。1946年4月，武川民教馆奉令恢复，馆内订有《奋斗日报》等5种报纸，供民众自由阅览。1947年下半年民教馆奉令裁撤。1948年5月又奉令恢复，并附设了书报阅览室。[⑥] 1949年3月，复告停办。[⑦]

（十四）临河县民众教育馆图书阅览室

临河县于1935年1月，在成立不久的民众教育馆附设民众图书馆，藏书约500余部，每日阅览者约三四十人次。抗战爆发后，民教馆的工作着重于宣传抗战，图书阅览室难以发展。1940年时藏书约900余册，但线装古籍占多数，适合一般民众阅览的书籍较少。[⑧] 1947年时，临河民教馆内订有《绥远民国日报》、《奋斗日报》、《省府公报》、《绥蒙新闻》等，供人阅览。

---

① 和林格尔县地方志编委会：《和林格尔县志》（送审稿），1990年。但内称焚书于1939年农历八月。
② 《和林县三十六年度教育人员简历册》，见内蒙古档案馆档案，全宗号419，卷号312，文件28。
③ 《和林县政府代电》（1948年7月6日），见内蒙古档案馆档案，全宗号419，卷号323，文件70。
④ 《绥远民国日报》1935年7月8日刊载的全省图书馆统计中尚无武川县民众教育馆，而1936年2月《乡村工作》创刊号上武川县已不在未设民众教育馆的县局之列。
⑤ 《武川县志》编纂委员会编：《武川县志》，内蒙古人民出版社1988年，第497页。
⑥ 董炎炳：《视察武川县社教工作》，见内蒙古档案馆档案，全宗号419，卷号202，文件41。
⑦ 《武川县政府代电》（第94号），见内蒙古档案馆档案，全宗号419，卷号369，文件38。
⑧ 《临河县民教馆动产登记簿》，见内蒙古档案馆档案，全宗号419，卷号3，文件1。

（十五）五原县民众教育馆图书馆

五原县于1931年11月建社会教育处，内设图书馆、阅报所、讲演所与平民学校。图书馆对外称"五原县通俗图书馆"，藏书不多，阅报所仅有本省报纸四五份。[①] 1933年夏，社会教育处改称民众教育馆，图书馆藏书350册，阅报所约有报纸10份，每日阅览者150人次左右。[②] 1947年时，民教馆书报阅览室备有6种报纸和少量书刊。解放后，该馆被人民政府接收，后改为人民文化馆。

（十六）固阳县民众教育馆图书室

1934年春，固阳县民教馆成立，9月杨广汇任馆长，馆内备有报纸杂志，供民众阅览。抗战胜利后，民教馆于1946年4月1日恢复，馆内设有民众阅览室，每日阅览者约10余人次。阅览室藏书共500余册。[③] 后因经费拮据，难以维持而奉令裁撤。1948年5月1日又奉省教育厅命令恢复，业务仅图书借阅和编辑民众周报。[④]

（十七）安北县民众教育馆书报阅览室

1933年秋，安北设治局教育局在佘太镇三官庙前开办了阅报所。1937年冬安北大部沦陷，设治局被迫迁至扒子补隆。1938年5月，安北民众教育馆成立，附设于设治局内，书报甚少，未能专设书报阅览室。[⑤] 1941年时，民教馆已设有图书阅览室。[⑥] 1947年奉令裁撤，大约在1948年夏又重新恢复。

（十八）米仓县民众教育馆图书阅览室

米仓县于1942年9月成立民众教育馆。成立之初将图书室设在民众学校的讲堂内，备有书报杂志300余种。[⑦] 1946年时，阅览室仅有图书366

① 中华民国教育部编：《第一次中国教育年鉴》，开明书店1934年版。

② 绥远省政府编：《绥远概况》之《教育编》（绥远省各图书馆调查表，绥远民众阅报处调查表）。

③ 《教育工作报告》（1947年12月），见内蒙古档案馆档案，全宗号419，卷号306，文件19。

④ 《视察固阳县教育应注意事项》，见内蒙古档案馆档案，全宗号419，卷号202，文件49。

⑤ 《安北民教馆二十九年秋季实施计划》，见内蒙古档案馆档案，全宗号419，卷号7（2），文件5。

⑥ 金肇圻：《安北民教馆视察报告表》（1940年6月15日），见内蒙古档案馆档案，全宗号419，卷号42，文件40。

⑦ 见内蒙古档案馆档案，全宗号419，卷号120，文件35。

本，日报 3 份，图表 9 张。[①] 1947 年时，民教馆设有阅览室与图书室，但只订有《平明日报》、《民国日报》等两份报纸，此外陈列少数书籍，阅览者亦极少。[②]

（十九）商都县民众教育图书馆

1931 年 7 月，商都县教育局将讲演所改组为民众教育馆，内设图书馆。[③] 图书馆仅有报纸数份供人阅览。1933 年，图书馆藏书共 1 796 册，以文学类居多。[④] 同年夏察哈尔抗日同盟军兴兵抗战，图书馆藏书因战乱而损失殆尽。1934 年时虽仍维持开馆，但仅有报纸、杂志数种。[⑤]

（二十）通辽县图书馆

1929 年 2 月，通辽县创立县立图书馆，藏书仅 130 种。1931 年冬通辽沦陷后，该馆被日伪接收，继续开办，藏书 1 294 册，[⑥] 汉文报刊有《康德新闻》、《盛京时报》等，日文报纸有《朝日新闻》、《每日新闻》等。[⑦] 1947 年 5 月通辽县成立县民众教育馆，9 月更名为施介文化馆。馆内设有图书部，所藏书刊居全城之首。报纸除《人民日报》、《东北日报》等之外，还有外地赠阅的《长春新报》等。1949 年 5 月 1 日正式开馆，向社会开放。

（二十一）突泉县立通俗图书馆

1929 年 5 月，突泉县政府设立通俗图书馆。该馆开办之初，藏书仅 192 册，阅览者每日平均 21 人次。[⑧] 大约在 1931 年"九一八"事变时停办。

（二十二）宁城县民众教育馆图书部

1934 年，宁城县设立民众教育馆，内分讲演、图书两部，馆长由县内

[①]　高永信：《米仓县民众教育馆报告表》（1946 年 6 月 20 日），见内蒙古档案馆档案，全宗号 419，卷号 159，文件 48。

[②]　《视察员刘惠之的报告》（1947 年 4 月 16 日），见内蒙古档案馆档案，全宗号 419，卷号 258，文件 46。

[③]　宋哲元修，梁建章总纂：《察哈尔省通志》卷 24 之《执业编》（三）称"1932 年成立"。

[④]　许晚成：《全国图书馆调查录》，1935 年版。

[⑤]　宋哲元修，梁建章总纂：《察哈尔省通志》卷 24 之《执业编》（三），1935 年印本。

[⑥]　伪满洲国国务院统计处：《第一次满洲国年报》（日文），伪满洲国国务院统计处 1933 年印刷，第 318 页。

[⑦]　德培真：《我所知道的"两馆"情况》，见内蒙古文化厅编：《内蒙古文化史料》第 3 辑，内蒙古文化厅 1990 年印刷。

[⑧]　中华民国教育部编：《第一次中国教育年鉴》，开明书店 1934 年版。

务局长李文典兼充，馆内设备简单，但图书部购有书籍多种，任人阅览。①

第五节　日本殖民统治时期内蒙古
地区的文化事业

一、内蒙古东部地区文化事业

日本在东北实行殖民统治期间为达到其"奴化"、"同化"的目的，十分重视思想意识和文化方面的舆论宣传工作。同时，蒙古族的一些开明上层及广大知识分子也是想方设法利用各种机会来发展本民族的文化教育事业。于是，在内蒙古东部地区及新京等地先后成立了一些与蒙古族文化教育有关的机构和团体，其中影响较大的有以下几个。

（一）蒙古会馆

1937年7月，撤销蒙政部和设立兴安局的同时，作为接受其指导和赞助的机构在新京成立了"财团法人蒙古会馆"。该"会馆是满洲国内全蒙古民族为体现民族协和之大精神，痛感首先自身向上发展之必要所成立的文化促进机关，同时也是民族相互亲和的设施"②，以"蒙古民族自身文化发展、民力涵养、喇嘛教对策以及普及蒙古人对其他民族的正确认识"③ 为宗旨。该馆第一任理事长为依田四郎，同年由兴安局总裁扎噶尔接任，兴安局参与官白滨晴澄、博彦满都任常任理事。馆内分总务部和事业部，共有职员14名，其中松本时雄任主事，职员有德广弘十郎、森健、塔勤等。

蒙古会馆成立时得到了关东军、郭尔罗斯前旗及科尔沁左翼中旗支付的14.73万元以及"满洲国"政府资助的7万元。此后，每年以政府补助及财产收入来维持其文化产业。馆内设蒙古人学校、宿舍、会议室、休息室、文化室、游戏室、报纸室等。

蒙古会馆从事的文化事业有以下几个方面：①调查研究及宣传介绍有关

---

① 宁城县政府编纂：《热河省宁城县志》，宁城县政府1935年印刷。

② ［日］白滨晴澄、［日］山根顺太郎：《满洲帝国蒙政十年史》（日文），兴安局调查课1941年刊，第51—52页。

③ "满洲国"通讯社：《满洲国现势》（日文），满洲国通讯社1939年印刷，第496页。

蒙古的地理、历史、民族、语言、宗教、产业、经济、教育、卫生及其他事情；②经营蒙古参考资料馆；③发行、翻译蒙文报纸、杂志及书籍；④向蒙古宣传介绍日本文化；⑤开展蒙古语"统制"及普及日语运动；⑥开展改善蒙古人生活的运动；⑦援助培养从事蒙古文化产业开发的指导人才；⑧蒙古人的职业辅导及联系就业；⑨举办有关蒙古的各种集会等。该馆从1938年起继续出刊原来由兴安局出版发行的蒙文报纸《蒙文新报》。从8月起又出版该报副刊《儿童新报》。此外编译每天的蒙古语新闻广播，多次举办蒙语、日语讲习以及日蒙儿童作品展览会等。其中儿童作品展曾赴日本展出，受到好评。① 该馆先后编译出版了《麦田和军人》、《成语》、《分类尺牍》等十几种图书数万册。②

随着财团法人蒙民厚生会、蒙民裕生会及株式会社青旗报社的相继成立，该馆于1940年12月被撤销。

（二）蒙文学会

蒙文学会于1927年1月在北京成立，由北京政法大学学生卜和克什克为主创办，以"研究蒙文，用蒙文普及各种学问，革新思想启迪蒙人智识，弘扬蒙古族文化为宗旨"③，出刊蒙文不定期会刊《丙寅》④ 杂志。

1933年春，卜和克什克到开鲁出任兴安西分省文教科长后，将蒙文学会迁到开鲁，在民政厅长诺拉嘎尔扎布的大力支持下，广招会员，多方集资，购买设备，并于1935年1月经蒙政部核准开展活动。⑤ 1936年11月重新出刊《丙寅》杂志第4卷（卷期续前），到1945年该刊共出刊7卷（从第5卷开始成为月刊，即每卷12期）。蒙文学会以该杂志为园地，鼓励会员积极搜集民间传说、故事、格言等，开展对蒙古民族历史、文化、风俗习惯等的研究，并对蒙旗政治、人口、土地、交通、自然地理、喇嘛及寺庙、教

---

① ［日］白滨晴澄、［日］山根顺太郎：《满洲帝国蒙政十年史》（日文），第53页。

② ［日］白滨晴澄、［日］山根顺太郎：《满洲帝国蒙政十年史》（日文），第53页。

③ 《蒙文学会简章》（蒙文），额尔德木图、宝音陶克陶编：《卜和克什克及其蒙文学会》（蒙古文），内蒙古文化出版社1992年版，第249页。

④ 成吉思汗即蒙古大汗位的1206年是丙寅年；另外，该学会成立的1927年1月也是丙寅年腊月，故取名《丙寅》，寓纪念成吉思汗及该学会成立之意。转引自额尔德木图、宝音陶克陶编：《卜和克什克及其蒙文学会》，第287页。

⑤ 《兴安西省创设蒙文学会》，载《盛京时报》1935年1月19日。

育、牧业、农业生产等进行专项调查和统计，探索发展蒙古族人口、提高农牧业生产、改善生活、改进文化教育事业的方法和途径，向广大蒙古族群众介绍新文化知识，确定了一大批蒙文新名词术语，出资悬赏会员的文学创作，从而产生了相当数量的用蒙文创作的诗歌、散文等文学作品，培育了新一代的蒙古族作家队伍。

蒙文学会还附设蒙语、日语补习学校，招收蒙、汉及日本人，分别教授蒙语和日语，蒙古人、汉人主要学习日语和蒙语，而日本人则主要学习蒙语。还有不少蒙汉族女学员。①

1938 年 11 月开始又成立蒙古民众训练所，免费招收失学的贫困家庭子女和成年文盲以及成年喇嘛入学，进行为期 6 个月的教学，所学科目为蒙文、算术、常识、实业等。②

蒙文学会出刊《丙寅》杂志之外，还出版了 20 余种有关蒙古历史、文学、工具书、教科书等图书，其中有《蒙古秘史》（卜和克什克蒙文转写复原，1940 年出版）、《蒙古源流》（萨冈彻辰著，卜和克什克校注，1936年）、《大元盛世青史演义》（尹湛纳希著，1940 年）、《一层楼》（尹湛纳希著，1938 年）、《泣红亭》（尹湛纳希著，1939 年）、《水浒传》（1940 年）、《古今小故事》（1944 年）、《日本教育考察日记》（卜和克什克著，1936年）、《保产大全》（1939 年）、《日本宗教参观日记》（卜和克什克著，1940年）、《心鉴》（1944 年）、《成吉思汗颂》（1939 年）等。

卜和克什克领导的蒙文学会这一个蒙古民族民间文化团体在日伪统治下的艰难环境中，对弘扬和发展蒙古族传统文化作出了很大的贡献。

（三）蒙民厚生会

1939 年 10 月，"满洲国"政府实行"开放蒙地奉上"之时，决定向"奉上"土地所有权的 11 个蒙旗每年提供 300 万元的定额补偿金。当时，大部分蒙旗要求将定额补偿金的一半用于发展全体蒙古族文化福利事业上。于

---

① 转引自额尔德木图、宝音陶克陶编：《卜和克什克及其蒙文学会》（蒙古文），第 343—344、351—352 页。

② 《附设蒙古民众训练所规则》，转引自额尔德木图、宝音陶克陶编：《卜和克什克及其蒙文学会》（蒙古文），第 353—355 页。

是，兴安局经与各旗代表及相关人士协商，于1940年7月1日在王爷庙成立了"财团法人蒙民厚生会"。该会以"振兴满洲国内蒙古人的文化及经济，以谋求其福利为目的"[①]。为达成上述目的，主要从事教育及其他文化事业和产业、经济、福利、卫生、保健等事业。最初基本经费包括"满洲国"政府支付的"蒙地奉上纪念事业费"50万元、作为发起者的12个旗（"奉上"土地的11旗加上兴安南省库伦旗）出资的600元，加上政府每年应支付的蒙旗厚生补助金150万元，共计200.06万元。[②]

蒙民厚生会设理事长1人，由兴安南省省长寿明阿兼任，设传务理事1人，由兴安南省民政厅原厅长玛尼巴达喇担任，另设理事3人、监事2人、评议员12人，由兴安南省8个旗及省外4旗旗长充任评议员。该会本部设总务部及事业部，事业部下设教育、产业、社会、技术养成等四科。另在新京及各有关省、旗、县、市公署设支部。

1939年8月15—16日蒙民厚生会召开第一次厚生大会，讨论决定事业计划及预算等。其事业计划包括文化、产业、社会等三部分，经费预算为每年约50万元。教育和文化方面，决定从1940年起7年之内每年支付45万元在兴安各省设立国民学校及国民优级学校60所；每年出资5万元，为升入"满洲国"内及日本各大学、专门学校学习之蒙古族学生提供补助；积极普及蒙文。[③] 产业及社会方面，决定成立王爷庙产业技术员养成所，补助中小农民之生活及贫民开垦，设立巡回医疗班和妇产医院及喇嘛医养成所，培养卫生技术人才，普及卫生思想等。

蒙民厚生会成立后的几年中，对发展蒙古民族文化教育医疗卫生事业方面作出了较多的贡献。

教育方面，从1939年开始陆续建设和修缮了约35所国民学校、国民优级学校校舍及宿舍，扩大了接收蒙古族学龄儿童入学的能力；对家庭困难的学生发放学费补助；1940年开始给现职优秀教师发放奖励金；1939年在王爷庙建立了私立国民高等学校育成学院；同年在王爷庙和满洲里各设一所蒙

---

① 兴安局编：《开放蒙地奉上关系记录集成》（日文），第74页。
② 满洲帝国协和会调查部编：《兴安蒙古》（日文），第103页。
③ 《蒙民厚生大会在王爷庙开幕矣》，载《盛京时报》1939年8月31日。

民习艺所，向蒙民传授制革、制毯、木工等生产技术；1940年在兴安南省科尔沁左翼后旗伊胡塔创办产业技术学院，培养畜产加工和兽医人才；1941年在王爷庙设民众识字馆本部，开展蒙民识字运动；从1939年开始向"满洲国"及日本各大学和高等专门学校派遣留学生，到1943年该会派遣的留学生达300多人，发给学费补助和贷款，到1942年该会资助的大中专学生人数达959人；[①] 1940年出资70万元帮助兴安南省建立兴安医学院及附属医院；还曾向新京蒙古实务学院、哈尔滨蒙古学生寄宿所、东亚育英会等提供资金补助。

在文化事业方面，从1942年至1944年每年出版一期《蒙民厚生会留学生会报》（日文）；[②] 1941年与蒙民裕生会共同出资30万元在新京创办蒙文编译馆；还积极向蒙文学会（在开鲁，1940年6 200元，1943年3 100元）[③]、青旗报社（在新京）提供资金资助，为修建成吉思汗庙共捐助15万元。[④]

社会及经济建设方面，1940年在一些未开垦地开办15处蒙古贫民开垦部落，向他们提供家畜、农具及贷款；从1942年开始有计划地为因天灾、疾病所困的灾民提供救济；为培养助产士，从1940年开始每年向奉天同善堂助产学校派遣20名蒙古族女子，负担其所有费用，并在各旗设立助产所；为消灭沙眼，从1941年起在各旗设立洗眼所。[⑤]

（四）蒙民裕生会

1939年9月"满洲国"政府实行"锦热蒙地奉上"之际，依照1938年"开放蒙地奉上"的成例，决定向锦热两省的9个蒙旗每年提供150万元的定额补助金。同样依照成立蒙民厚生会的办法，将定额补助金中的130万元作为基金成立"财团法人蒙民裕生会"。

① 《大青旗》1943年第1卷第1号。

② 忒莫勒：《建国前内蒙古地方报刊考录》，内蒙古图书馆1987年刊印，第19页。

③ 额尔德木图、宝音陶克陶编：《卜和克什克及其蒙文学会》（蒙古文），第319、323页。

④ 那木斯来扎布、佟巴图：《乌兰浩特成吉思汗庙》，见政协内蒙古自治区委员会文史资料研究委员会编：《伪满兴安史料》（《内蒙古文史资料》第34辑），政协内蒙古自治区委员会文史资料研究委员会1988年印刷，第281页。

⑤ ［日］白滨晴澄、［日］山根顺太郎：《满洲帝国蒙政十年史》（日文），第57页。

1940 年 3 月 22 日，财团法人蒙民裕生会在新京正式成立。[1] 该会"以满洲国内蒙古人之福利及文化发展为目的"，[2] 专门从事"蒙古人文化之启发、教育之普及、经济之振兴"等福利事业，具体包括："一、为蒙古人更生提供必要的资金及设施之助成；二、为蒙古人文化发展提供必要的资金及设施之助成；三、收集并刊行有关蒙古的资料；四、其他达成本会目的所必要的事业。"[3] 该会本部设在新京、在锦热两省所在地各设 1 所省支部，各旗均设 1 所旗支部。[4] 该会理事长 1 人，由兴安总裁扎噶尔兼任，设理事 12 人，其中 1 人任常务理事，设监事 2 名、顾问若干名。本部、省支部及旗支部职员除必要的专任职员外，大部分由中央及地方行政官员兼任。[5]

蒙民裕生会最初资金包括上述 130 万元之外，还有作为发起者之锦热两省捐赠的 400 元以及"外仓地"收入 16 万元。[6] 其中将政府每年发给的 130 万元之 6/10（78 万元）根据锦热 2 省 9 旗（原 8 旗，加上新成立的土默特中旗）人口及其他特殊权益拨给裕生会旗支部；2/10（26 万元）拨给锦热两省裕生会省支部，用于两省内蒙古人共同福利事业；其余 2/10（26 万元）拨给裕生会本部，作为全"满洲国"内蒙古人之福利事业。[7] 另外，各旗之"外仓地"收入则划归各旗旗支部，用于蒙古人的福利事业。

蒙民裕生会 1940 年开始制定并实施有关教育、产业、经济、保健方面的计划。[8] 其中文化教育及医疗卫生方面，决定普及初、中等教育，新设扩充初、中等学校，补助到国外留学的学生学费；培养产业技术人员和助产士，举办喇嘛医讲习班，设置贫民习艺所，对文盲青年实施扫盲教育，补助喇嘛教育；刊行蒙文图书，开展识字运动；新设或扩充医疗机关，普及保健卫生思想。产业方面，划定蒙民生计地，作为农牧业用地，并提供贷款及农

---

① 《蒙民裕生会发会式》，载《盛京时报》1940 年 3 月 23 日。

② 兴安局编：《锦热蒙地奉上关系记录集成》（日文），第 87 页。

③ 兴安局编：《锦热蒙地奉上关系记录集成》（日文），第 87 页。

④ 兴安局编：《锦热蒙地奉上关系记录集成》（日文），第 87 页。

⑤ "满洲帝国"协和会调查部编：《兴安蒙古》（日文），第 108 页。

⑥ "外仓地"是指在清朝雍正年间为确保卓索图盟蒙古人生计，在各旗划定一定面积的向汉族农民出租，其地租收入要向一般蒙古人平均分配，所以人为"外仓地"是旗民的共同财产。兴安局编：《锦热蒙地奉上关系记录集成》（日文），第 10 页。

⑦ "满洲帝国"协和会调查部编：《兴安蒙古》（日文），第 110 页。

⑧ ［日］白滨晴澄、［日］山根顺太郎：《满洲帝国蒙政十年史》（日文），第 58 页。

具、牲畜等。①

蒙民裕生会从 1941 年起与蒙民厚生会共同出资创办蒙文编译馆，向蒙文学会（1940 年 400 元，1943 年 300 元）、②《青旗》报社等文化团体提供经常性的资金补助。到 1945 年日本投降为止，该会新建中等学校 5 所，初等学校 10 余所，并补助贫困学生入学，使得锦热两省各旗蒙古族儿童就学率由 14% 提高到 30%。③

蒙民裕生会各旗支部从 1940 年起协同锦热两省各旗公署进行蒙地地籍整理工作，代表旗公署向汉族农民代征各旗蒙民出租土地的地租补偿金并存入各旗公署所在地之兴农合作社。

（五）青旗报社

青旗报社成立于 1940 年 12 月，在原蒙古会馆基础上由兴安局、蒙民厚生会、蒙民裕生会以及"满洲国"国务院总务厅弘报处各出资 3 万元创办，社长为菊竹实藏，编辑有竹内正、塔勤等，初设总务部、编辑部，接收原蒙古会馆职员 30 名（其中蒙古人 23 名，日本人 7 名）。该社声称以"蒙古民族之向上、文化之发展为目的"④。

青旗报社在原蒙古会馆所办的《蒙文新报》基础上，于 1941 年 1 月 6 日创刊了《青旗》报。该报为综合性报纸，最初为周报（1—75 号），后改为旬报（76—178 号），内容包括国际国内新闻、国内外蒙古人情况报道，还有健康与家庭、家畜、文艺、读者投稿、日蒙会话、儿童青旗及连载蒙古族近代文学家尹湛纳希的长篇小说《大元盛世青史演义》等栏目。⑤ 该社又于 1943 年 1 月 20 日创办综合性年刊《大青旗》，该刊以"继承和发扬蒙古民族的文化遗产"⑥ 为目的和宗旨，内容有政论、译著、新闻报道、科学知识、生活常识、心得体会、故事和诗歌、儿童问答、漫画等。

---

① "满洲帝国"协和会调查部编：《兴安蒙古》（日文），第 85—87 页。

② 额尔德木图、宝音陶克陶编：《卜和克什克及其蒙文学会》（蒙古文），第 319、324 页。

③ 中国第二历史档案馆编：《中华民国史档案资料汇编》第 5 辑之《第三编·政治》（五），江苏古籍出版社 1989 年版，第 37—38 页。

④ 《创刊致辞》（蒙古文），载《青旗》1941 年 1 月 6 日。

⑤ 广川佐保：《1940 年代日本对内蒙古的政策及〈青旗报〉》（日文），《日本蒙古学会纪要》1997 年第 28 号。

⑥ 忒莫勒：《建国前内蒙古地方报刊考录》，内蒙古图书馆 1987 年刊，第 20 页。

由于《青旗》报和《大青旗》报的实际编者为热心于提高蒙古民族文化事业的蒙古族知识分子，所以上述报刊对于蒙古族读者具有很大的知识性和启蒙性。

（六）蒙文编译馆

1940年11月蒙古会馆被撤销后，为了收集、翻译、出版、发行有关蒙古历史、文化资料、图书以及学生辅助读物等需要，由蒙民厚生会和蒙民裕生会共同出资，于1941年10月1日在新京成立了蒙文编译馆。该馆由当时东蒙文化名人克兴额任馆长，并兼任编译及审定工作，还有从事编译的嘛锡僧格、色道尔吉、巴图吉尔格拉、海品泉以及日本人西野进等共20余人。[1]

蒙文编译馆主要从事："1. 收集、整理、保管一切与蒙古文化有关的图书资料及为达成编译馆目的所有必要的图书资料；2. 校订、编译及印刷出版对保存蒙古传统文化方面有价值的图书资料；3. 编辑、出版及配给、贩卖急需之图书（如蒙文字典、蒙古史、学校辅助教材、参考书等）；4. 采录、征集在国内外学术界及专门学校以上的蒙古留学生的言论、著作，将其审定并根据需要印刷、出版"[2]。

根据这一计划，蒙文编译馆先后编辑出版了克兴额编著《蒙文辅助读本》（上、下卷），嘛锡僧格编著《初学文鉴》、《学生字典》和富俊著《蒙文虚字指要》，伊喜丹金旺吉拉著《公尼召活佛的训言》以及《圣谕广训》《吕氏小儿语》、《妙语宝藏》、《黄石公三略》、《马可波罗游记》等数十种书籍。[3]

（七）成吉思汗庙

日本殖民统治时期，在内蒙古东部地区的政治、经济、文化中心王爷庙曾建起一座成吉思汗庙。这在当时的东蒙古地区蒙古族人民的政治生活和精神生活中可以称得上是一件大事。

每年农历三月二十一日是成吉思汗诞辰纪念日。历来蒙古族人民每年这一天在成陵所在地举行隆重的祭奠仪式，纪念圣主成吉思汗。"满洲国"成

---

① 克·莫日根著：《克兴额——一个科尔沁蒙古人》，内蒙古教育出版社2001年版，第48页。

② ［日］白滨晴澄、［日］山根顺太郎：《满洲帝国蒙政十年史》（日文），第58页。

③ 克·莫日根著：《克兴额——一个科尔沁蒙古人》，内蒙古教育出版社2001年版，第48—50页。

立后，东蒙古地区好多蒙古人特别是蒙古族军政官员、知识分子每到这一天，在自己家里或集中到一定的场所举行仪式，祭祀成吉思汗。当时在王爷庙蒙古族军政官员和知识分子较集中，他们把王爷庙北山的喇嘛庙仓作为祭祀成吉思汗的场所，每年举行奉祀典礼。

1940 年祭祀成吉思汗的仪式上，一部分蒙古族人士提出了在王爷庙奉建成吉思汗庙的设想，得到全体与祭人员的赞同。于是他们推举达瓦敖斯尔（代表政界）、色丹扎布（代表军界）、桑杰扎布（代表教育界）、丁哈尔扎布（代表协和会）4 人为代表，向王爷庙特务机关长金川耕作提出蒙古人奉建成吉思汗庙的愿望。金川当即表示支持，并答应转报关东军司令部批准。

关东军司令部认为通过此举，既可以得到东部蒙古人的好感，又有利于争取蒙古人民共和国的民心，有利于实现他们建立"大东亚共荣圈"的事业。所以奉建成吉思汗庙的请求很快得到关东军司令部的批准。① 但是成吉思汗庙的奉祀地位被列在"建国神社"之下，而且修建经费全部由蒙古人自筹解决。

这样，蒙古族人士便组建了成吉思汗庙奉建委员会，由兴安局总裁巴特玛拉布坦任会长，甘珠尔扎布（陆军兴安学校校长）、玛尼巴达喇（财团法人蒙古厚生会专务理事）任副会长，兴安各省省长、各旗旗长任委员。筹建委员会下设兴建工程事务局，由玛尼巴达喇兼任局长。为了筹措修建经费，在内蒙古东部地区开展捐款活动，决定凡居住在"满洲国"境内的蒙古人每人捐款 5 角（"满洲国"币），其中兴安 4 省 70 万人，计 35 万元；锦热蒙旗及省外 4 旗 30 万人，计 15 万元。以上两项合计 50 万元。另外，蒙民厚生会捐款 15 万元；旧王公贵族及上层活佛喇嘛等共捐献 15 万元；东蒙古地区官员、职工和学生捐献 15 万元（蒙古族职工按月工资的 2.5% 捐献，日本人及其他民族职工自愿捐献）；蒙古自治邦政府捐献 5 万元。这样，先后总共筹集了 100 万元资金。②

---

① 达瓦敖斯尔：《我的经历见闻》，见政协内蒙古自治区委员会文史资料研究委员会编：《内蒙古文史资料》第 31 辑，第 145 页。

② 涂波、那木斯来扎布、佟巴图：《乌兰浩特成吉思汗庙》，见政协内蒙古自治区委员会文史资料研究委员会编：《伪满兴安史料》（《内蒙古文史资料》第 34 辑），第 280—281 页。

成吉思汗庙于 1941 年 5 月 5 日破土兴建，1944 年夏季竣工。1944 年 10 月 10 日，举行了成吉思汗庙落成典礼。参加这一盛大庆典的有来自内蒙古东部地区各省、旗、县的蒙古族军政各界代表，还有来自新京、奉天、哈尔滨等城市大专院校的蒙古族师生代表以及众多农牧民群众，共达万余人。[①] 蒙古自治邦政府还派出以兴蒙委员会委员长松津旺楚克为首的代表团前来参加。

新建成的成吉思汗庙坐落于王爷庙北山之巅，整个造型像个"山"字形，中间是高大的正殿，左右两侧连接着略小于正殿的两个偏殿。大殿的正中供奉着成吉思汗全身塑像，形象逼真，栩栩如生。成吉思汗庙的建筑是由达斡尔族画家耐勒图和日本人今村三郎共同设计的，[②] 其建筑造型基本上是仿照伊克昭盟境内的成吉思汗陵的形式，具有独特的民族风格。

成吉思汗庙奉建委员会为了纪念成吉思汗，曾经编译出版了《成吉思汗训言集》、《成吉思汗其人》、《成吉思汗纪念文集》和《成吉思汗传》等蒙文单行册子，[③] 向前来拜谒的人们免费发放。

除了王爷庙的成吉思汗庙之外，内蒙古东部地区的蒙古族在扎兰屯以南的一个小车站（即今滨洲铁路线上的成吉思汗站）旁边还曾修建了一座成吉思汗庙。由此，这一车站站名命名为成吉思汗站，庙所在地的小村名称也命名为成吉思汗镇。

在伪满皇帝溥仪奉迎日本"天照大神"为国神，在东北各地纷纷修建"建国神社"之际，内蒙古东部地区的百万蒙古人自动捐款奉建成吉思汗庙之举，不仅反映了广大蒙古人民对成吉思汗的怀念和对民族复兴的愿望，而且也是对日本的文化侵略和精神麻醉的一种抵制。从日本殖民统治者的角度来说，他们允许奉建成吉思汗庙之举，则是以此来笼络蒙古人心，从而达到巩固其殖民统治的一项重要政治措施。

---

① 达瓦敖斯尔：《我的经历见闻》，见政协内蒙古自治区委员会文史资料研究委员会编：《内蒙古文史资料》第 31 辑，第 145 页。

② ［日］春日行雄编著：《日本与蒙古一百年》（日文），第 155 页。

③ 八省区蒙古语文工作协作小组办公室编：《全国蒙文古旧图书资料联合目录》（蒙汉对照），内蒙古人民出版社 1979 年版，第 223、255、256 页。

二、内蒙古西部地区文化事业

日本在内蒙古西部地区实行殖民统治时期，鉴于所谓的"蒙疆地区"所处的战略地位及蒙古民族"独立"、"自治"要求日渐高涨等形势，十分注意文化教育方面的意识形态及舆论宣传工作，所以由日本及其傀儡政权在内蒙古西部地区及张家口等地以官方或民间形式成立了很多文化团体。

（一）善邻协会

善邻协会成立于 1934 年 1 月，是由日本陆军省、外务省要人和三井、三菱、住友等财团以及"满铁"的支持下，以民间团体形式成立的组织。其前身为 1933 年 3 月由世目恒雄等人在东京成立的"日蒙协会"，先由依田四郎（原陆军少将，后任"满洲国"兴安总署次长）任理事长，1934 年 1 月正式改称为"财团法人善邻协会"，由井上璞（原陆军中将）任理事长。该会本部设在东京，下设总务部、调查部及蒙古留学生部，

善邻协会成立时标榜："本着人道的见地，以期比邻诸民族之融合亲善，有助于相互文化之发展为目的。"① 其业务包括："一、鉴于蒙古民族之现状，主要在蒙古各地经营文化设施；二、协助蒙古产业开发，以促进其通商；三、介绍宣传相互之事情；四、经营附属研究所和图书馆；五、指导援助蒙古留学生；六、经营学校，培养从事比邻各国之文化产业开发指导之人才；七、发表有关蒙古的调查、研究成果；八、开设诊疗所，开展巡回医疗；十、调查蒙古的资源及物资；十一、其他认为达成本目的所必要的事业经理事会议决之事项。"②

善邻协会成立之初，将活动范围和对象确定为当时的中国察哈尔、绥远两省境内的蒙古人，以"指导教育、医疗、畜牧"③ 等作为工作重点。

随着日本占领区的扩大，善邻协会业务范围和对象也有很大的扩展。到1940 年时该会事业包括："一、对中国、蒙古、中央亚细亚及其邻接地区的

① ［日］善邻协会编：《善邻协会史——在内蒙古的文化活动》（日文），日本蒙古协会 1971 年刊印，第 253 页。

② ［日］善邻协会编：《善邻协会史——在内蒙古的文化活动》（日文），第 253 页。

③ ［日］善邻协会编：《善邻协会史——在内蒙古的文化活动》（日文），第 2 页。

调查研究；二、回教各民族之调查研究；三、经营学校，以培养从事东亚各民族之政治、经济、文化指导人才为目的；四、介绍有关东亚各民族的政治、经济、文化；五、收集有关东亚各民族之资料、文献，设立资料室、图书馆；六、招收及指导、教育留学生；七、派遣研究生；八、对中国、蒙古、回教圈及其他东亚各民族的文化工作；九、其他为达成本会目的所必要的事业。"①

善邻协会成立后，立即在"满洲国"首都新京（长春）设立事务所，并以此为根据地，组织"阿巴嘎班"、"西苏尼特班"等，各班配备教师、医生、兽医及精通蒙语、汉语的调查员和翻译，进入多伦及锡林郭勒盟贝子庙、西苏尼特旗进行工作。1934 年 8 月，协会理事长井上璞等一行到锡林郭勒盟等地参观、访问。10 月，该协会在多伦设立"内蒙支部"（成员 54 名），向当时的蒙政会所在地百灵庙派出"百灵庙班"，并在多伦及阿巴嘎、西苏尼特旗、西乌珠穆沁旗等地设立了蒙古族小学、诊疗所、牧场等，与关东军派驻这些地区的特务机关互为表里，积极推行以经济、文化工作为中心的渗透活动。

在东京的善邻协会本部在其"蒙古留学生部"招收蒙古留学生进行教育。1935 年 4 月将该会经营的"东京殖民贸易学校"和"保善商业学校"（夜校）合并成立"善邻协会专门学校"，培养准备派往蒙古等地工作的日本青年。同时在该校设立"蒙古学生部"和"善邻学寮"，负责安排派到日本留学的蒙古学生生活，并教授日语，送入日本各地相应的学校。该校于1939 年改称"善邻高等商业学校"，1944 年又改称"善邻外事专门学校"。②

1937 年"七七"事变以后，善邻协会"内蒙支部"一部分部员随蒙古军进入四子王旗、武川、归绥、包头等地，担任所谓"宣抚"、"接收"等工作，并在这些地方相继地成立了诊疗所和日语学校等。1938 年 2 月，该会在张家口市成立"在外本部"，撤销了新京事务所。

与此同时，为了向中国西北地区进行渗透活动，将汉、回等民族也纳入该会工作的对象，吸收在东京的"回教圈研究所"，并于 1939 年 2—3 月在

---

① 《蒙古》（日文），1939 年 4 月号。
② ［日］善邻协会编：《善邻协会史——在内蒙古的文化活动》（日文），第 2 页。

厚和、包头、萨拉齐开设了"回民诊疗所"。[①] 4 月，该会在厚和成立"兴亚义塾"，继续培养所谓"在蒙古及中国西北地区的工作者"，[②] 先后共有 6 期 97 名学生毕业。1940 年 1 月在张家口成立"回民女塾"，在厚和成立"回民医生养成所"（共有 3 期 21 名学员毕业）。

1939 年 3 月，该会设在锡林郭勒盟、察哈尔盟及厚和等地的小学、诊疗所等移交给蒙古联盟自治政府管理。

1940 年 5 月，根据驻蒙军的要求，该会分为在东京的善邻协会（理事长为陆军中将铃木美通）和在张家口的蒙古善邻协会（理事长为井上璞，1941 年 2 月由前川坦吉接任）。其中蒙古善邻协会纲领为"本皇进之大本，翼赞兴亚之大业"，"以期民族之兴隆，各得其所"，"显现日蒙如一，成为东亚新秩序建设之核心"，[③] 本部设在张家口。本部设总务部（下设庶务部、经理部、调查部、回民部），所属机构有兴亚义塾（在厚和）、回民女塾（在张家口）、厚和办事处（在厚和，下设厚和回民诊疗所）、包头支部（在包头，负责向乌盟西公旗和鄂尔多斯派遣工作班，下设包头医院、回民医生养成所）、锡盟支部（在西苏尼特旗，负责向国境地区派遣工作班）、乌盟支部（在百灵庙，负责向国境地区派遣工作班）、察哈尔绵羊试育场（在太仆寺右旗，下设畜产指导员养成所）。[④]

1944 年 1 月，根据蒙古自治邦政府指示，蒙古善邻协会将边境及牧区所设机构移交给"蒙古善邻调查所"。该协会于 1944 年春在张家口又成立了西北研究所。[⑤] 1945 年 4 月，蒙古善邻调查所成为蒙古自治邦政府下属的机构，但已名存实亡。在东京的善邻协会于 1947 年 7 月正式解散。[⑥]

善邻协会成立后，在蒙古民族社会、历史、文化的调查、研究以及出版相关图书、资料方面的确做了不少工作。

善邻协会成立之初就专门设立调查部（部长为著名学者后藤富男），负

---

① ［日］善邻协会编：《善邻协会史——在内蒙古的文化活动》（日文），第 3 页。
② ［日］善邻协会编：《善邻协会史——在内蒙古的文化活动》（日文），第 3 页。
③ ［日］善邻协会编：《善邻协会史——在内蒙古的文化活动》（日文），第 359 页。
④ ［日］善邻协会编：《善邻协会史——在内蒙古的文化活动》（日文），第 395 页。
⑤ ［日］善邻协会编：《善邻协会史——在内蒙古的文化活动》（日文），第 3 页。
⑥ ［日］善邻协会编：《善邻协会史——在内蒙古的文化活动》（日文），第 3 页。

責："一、搜集情报；二、搜集有关蒙古的研究资料；三、调查蒙古事情；四、编纂及发行有关蒙古的研究、调查、宣传书籍和印刷品。"[①] 网罗有关学者及调查员进行有关蒙古社会、历史与文化方面的调查、研究工作。1938年12月善邻协会调查部迁到张家口。该协会成立之初，由调查部负责在会内油印出版定期的《善邻协会调查旬报》。该刊共出31期，从1935年2月（总第32号）起改为《善邻协会调查月报》，公开铅印出版。1939年4月《善邻协会调查月报》（总第83号）改名为《蒙古》（总期号续前）。该刊共出版64期（83—146期），于1944年8月停刊。

从1937年4月起该协会又聘请白鸟库吉、羽田亨、和田清等为顾问，内田吟风、江上波夫、小林高四郎等为编辑委员，编辑出版学术刊物《蒙古学》（季刊），到1938年12月共出版3期。

1939年6月善邻协会东京本部成立蒙古研究所，聘请著名蒙古学家白鸟库吉为所长，羽田亨、和田清等为评议员。[②]

1940年5月，蒙古善邻协会分为在东京的善邻协会和在张家口的蒙古善邻协会后，东京的善邻协会下属的蒙古研究所继续编辑出版《蒙古》月刊之外，从7月起又出版不定期的《蒙古学报》（共出版3期）。在张家口的"蒙古善邻协会"编辑出版《内陆亚细亚》（从1940年5月起共出版2期）。

1938年善邻协会把在东京的回教圈研究所吸收进来以后，继续出版《回教圈》月刊。

善邻协会除编辑出版上述定期和不定期刊物之外，还出版了不少有蒙古及回教的单行著作。1936年5月编辑出版《蒙古年鉴》一书，系统介绍了蒙古地区的民族、文化、政治、经济、蒙古学、人物及重要事件等。该书曾被称做日本国内有关蒙古的"百科事典"。[③] 1938年10月又出版了《蒙古大观》，内容分总论和各论，系统介绍了内蒙古、西蒙古和蒙古国以及苏联境内蒙古族地区的历史与现状等，从而确立了该协会在日本"蒙古学"研究领域中的中心地位。此外，该会还曾经出版了《成吉思汗传》、《在满洲

---

① ［日］善邻协会编：《善邻协会史——在内蒙古的文化活动》（日文），第254—255页。

② 《蒙古》（日文），1940年7月号。

③ ［日］善邻协会编：《善邻协会史——在内蒙古的文化活动》（日文），第3页。

的蒙古人》、《蒙古国史》、《外蒙古红军之全貌》、《外蒙古之现势》、《布利亚特蒙古之全貌》、《蒙古读本》、《回教读本》、《回教圈史要》等著作。

（二）蒙疆新闻社

蒙疆新闻社是日本的傀儡——蒙疆政权的官方新闻社。"七七"事变前，在察哈尔省张家口出版的汉文报纸只有《察哈尔国民新报》，在绥远省归绥也只有《西北日报》和《绥远日报》等两种。1937年8月底日军进入张家口时《察哈尔国民新报》已停刊，日军接收后便利用该报社设备，于8月30日开始出版汉文《蒙疆新报》。10月中旬日军攻占归绥以后，合并《西北日报》和《绥远日报》，出版汉文《蒙疆日报》。1938年5月10日，"蒙疆联合委员会"为了强化对新闻、通讯等舆论宣传的控制，合并上述蒙疆新报社和蒙疆日报社。在张家口成立了"株式会社蒙疆新闻社"（资本金为40万元），[①] 由"蒙疆联合委员会"监督，并于6月10日创办《蒙疆新闻》（日文，8版）。

蒙疆新闻社属于蒙疆政权管辖下的一个特殊会社，据《株式会社蒙疆新闻社法》，该社"以经营蒙疆地区内的新闻、通讯之发行及贩卖事业为目的"（第2条），并"将新闻通讯发行权作为垄断事业，其他人不得发行"（第4条），该社"设理事长一人，理事四人以内、监事二人以内"（第11条）。[②] 最初的理事长为松本于英男，1939年1月由"满洲国"《日日新闻》董事主任细野繁胜接任。

到1940年9月为止，蒙疆新闻社发行的报纸达到25种之多，[③] 同时还发行《利民》（汉文，创刊于1941年10月）半月刊。[④] 该社编辑出版的主要报纸有《蒙疆新报》（汉文）、《蒙古周报》（蒙文，周刊）及《蒙疆通信》（日、汉文）；该社在大同和厚和设有支社，大同支社出版《蒙疆晋北

---

① 北支那经济通讯社编：《北支·蒙疆年鉴》（日文，1942年版）之《附录》，1943年刊印，第25页。

② 北支那经济通讯社编：《北支·蒙疆现势》（日文），第656页。

③ 倩影：《蒙疆新闻社厚和支社》，见呼和浩特市委党史资料征集办公室、呼和浩特市地方志编修办公室编：《呼和浩特史料》第7辑，呼和浩特市委党史资料征集办公室、呼和浩特市地方志编修办公室1986年印刷，第148页。

④ ［日］福岛义澄编：《蒙疆年鉴》（日文，1943年版），第43—44页。

报》（汉文），厚和支社先后出版《蒙疆日报》（汉文）、《蒙疆正报》（日文）、《蒙疆日报》（蒙文）、《蒙古民声报》（汉文）等。①

《蒙疆新报》（汉文，在张家口），创刊于1938年6月10日，日刊4版。

《蒙古周报》（蒙文，周刊）约创刊于1938年6月，4开4版，初由蒙古联盟自治政府外交处主办。② 1939年9月蒙古联合自治政府成立后该报办迁到张家口，由蒙疆新闻社主办，改名为《蒙古新闻》，实为《蒙疆新闻》的蒙文版。③ 该报从1942年10月更名为《蒙古新报》（期数续前）一直出刊到1945年2月。④

《蒙古民声报》（汉文，期刊四版），其前身为1937年10月16日成立的蒙疆日报社的《蒙疆日报》（汉文）。1938年3月，该报成为蒙古联盟自治政府机关报，6月该报社成为蒙疆新闻社厚和支社。1939年9月，《蒙疆日报》（汉文）改名为《蒙古日报》，1940年又改称《蒙古民声报》，⑤ 于1941年9月停刊。⑥

《蒙疆通讯》（日、汉文版日刊），创刊于1938年5月20日，受蒙疆新闻社委托，由蒙疆通讯总局（在张家口）发行，分为日文版和汉文版。该通讯社在大同、厚和及包头设有支社。在大同和包头各出版《蒙疆通讯》日文版。⑦

蒙疆新闻社从1941年3月至1943年12月共编辑出版《蒙疆年鉴》（日文）共4辑。

蒙疆新闻社组织机构相当庞大，在其理事会下设蒙疆新报编辑局、蒙疆新闻编辑局、蒙疆日报社（在厚和）、蒙疆晋北报社（在大同）、蒙疆印刷

---

① 北支那经济通讯社编：《北支·蒙疆年鉴》（日文，1942年版）之《附录》，北支那经济通讯社1941年刊印，第25—26页。

② 忒莫勒：《建国前内蒙古地方报刊考录》，内蒙古图书馆1987年刊印，第135页。

③ 北支那经济通讯社编：《北支·蒙疆年鉴》（日文，1942年版）之《附录》，第27页。

④ ［日］二木博史：《关于蒙疆政权时期蒙古语定期报刊》，《日本蒙古学会纪要》（日文），2001年第31号。

⑤ 北支那经济通讯社编：《北支·蒙疆年鉴》（日文，1942年版）之《附录》，第27页。

⑥ ［日］二木博史：《关于蒙疆政权时期蒙古语定期报刊》，《日本蒙古学会纪要》（日文），2001年第31号。

⑦ 北支那经济通讯社编：《北支·蒙疆年鉴》（日文，1942年版）之《附录》，第28页。

局、总务局、营业局、蒙疆事情指南所①和大同支社、厚和支社、包头支局、华北支局（北京）、天津支局、新京支局、东京支局、大阪支局以及太原、青岛、上海、南京通讯部等。该社表面上虽以企业面貌出现，但实际上是日本殖民统治者的喉舌和新闻、文化垄断机构。

该社不仅垄断蒙疆地区报刊、图书的发行及印刷事业，还经常举行美术展览、文学征赏和棒球比赛等文化、体育活动。同时配合日本殖民当局，搞所谓的"灭共国"、"决战生活周"等，号召人们穿决战服、献金、献铜、献铁、献蓖麻油、给前线日军写慰问信、张贴反共和反英美标语，利用讲演会、电影、广播等进行"亲日防共"、"王道乐土"、"大东亚共荣圈建设"、"共存共荣"、"民族协合"以及"皇军赫赫战果"等宣传。

此外，蒙疆新闻社编辑局蒙文部的蒙古族职员以"提高蒙古文化"②为宗旨，曾组织一个叫"蒙古文化会"的团体，并从1940年10月开始出版蒙文月刊《复兴蒙古之声》。该刊初为油印，从1941年2月起改为铅印，内容有评论、时事、科学知识、文学作品等。③

（三）蒙古文化馆——蒙古文化研究所

蒙古联盟自治政府成立后，于1938年3月在厚和成立"蒙古文化馆筹备处"，任命伊德钦为筹备处主任。④该处于4月间接收旧绥远省立图书馆、绥远省民众教育馆、绥远通志馆等，先行设总务及研究2部，制定各种工作大纲及步骤，开始编排、登记图书目录，筹备设立印刷所等。6月1日，蒙古文化馆正式成立，属蒙古联盟自治政府民政部管辖。该馆设馆长，"总理馆务，馆长之下，设主任5人，分管总务、研究、博物、体育、艺术各部事宜，此外设馆员若干人，承办各部一切事宜"。⑤

---

① 倩影：《蒙疆新闻社厚和支社》，呼和浩特市委党史资料征集办公室、呼和浩特市地方志编修办公室编：《呼和浩特史料》第7辑，呼和浩特市委党史资料征集办公室、呼和浩特市地方志编修办公室1986年印刷，第147页。

② 忒莫勒：《建国前内蒙古地方报刊考录》，第75页。

③ ［日］二木博史：《关于蒙疆政权时期蒙古语定期报刊》，载《日本蒙古学会纪要》（日文）2001年第31号。

④ ［日］二木博史：《关于蒙疆政权时期蒙古语定期报刊》，载《日本蒙古学会纪要》（日文）2001年第31号。

⑤ "内蒙古联盟自治政府"编：《蒙古联盟自治政府七三三年甲年度行政概要》，第5页。

"蒙古联盟自治政府"确定该馆"自发展旧文化、介绍新文化入手，从事蒙古文化发扬工作"，"对于一般蒙古社会教育，统责成该馆办理"，"目前主要工作，为编译教科书及各种普及丛书"。① 蒙古文化馆第一任馆长为阿勒唐瓦期尔（即金永昌），1938年9月他转任蒙古学院院长后由伊德钦继任馆长。②

蒙古文化馆总务部主要负责"图书之整理暨印刷之推进"，研究部主要负责"刊物书报及教科书之编辑，蒙、日、满、汉及泰西书籍之翻译"。③

该馆成立后，将接收图书从速进行整理，并添置新书，制定《借阅规则》，向社会各界开放。同时在原绥远省立图书馆卡片目录基础上编印出版了《蒙古文化馆图书目录初编》，书末附有新购满蒙文书籍和各种参考书简目。该书是"内蒙古地区图书馆事业史上第一部正式出版的书本式目录"④。

到1939年上半年，该馆有主任2人、馆员18人、办事员4人、勤务7人、印刷部工人22人、实习学生4人；图书总计41 005册，铜器、瓷器、陶器等古物609件；用蒙、汉文出版宪书、月份牌和《圣谕广训》、《蒙古社会制度史》（符拉基米尔佐夫著，瑞永汉译）、《日满教育视察报告书》、《蒙古联盟自治政府访日视察日志》、《文化专刊》、《政府公报》以及《蒙英电码对照表》、《学校教育调查表》、《社会教育调查表》《教育行政调查表》、《知识分子调查表》、《学龄儿童调查表》以及蒙、日、汉文名片、表册等多种。⑤

蒙古文化馆从1939年3月起出版馆刊《文化专刊》（蒙汉合璧，内容各异），以"发扬蒙古民族的固有文化，并输入现在的新文化"⑥ 为宗旨，内容包括论著、文艺、杂俎、专载、国际简讯等，其蒙文版总编及美工为孟

---

① "内蒙古联盟自治政府"编：《蒙古联盟自治政府七三三年甲年年度行政概要》，第4页。
② ［日］二木博史：《关于蒙疆政权时期蒙古语定期报刊》，载《日本蒙古学会纪要》（日文）2001年第31号。
③ 内蒙古档案馆档案，全宗号419，卷号182，文件号4。
④ 忒莫勒：《从蒙古文化馆到蒙古文化研究所》，载《西北民族研究》1999年第2期。
⑤ 蒙古文化馆总务部：《蒙古文化馆概况》（1939年6月1日）。
⑥ 忒莫勒：《建国前内蒙古地方报刊考录》，内蒙古图书馆1987年刊印，第51页。

克宝音（汉名田协安，阿拉善旗人），翻译为格什克巴图（鄂托克旗人）；
汉文版编辑主要有文都尔护（汉名文秀，土默特旗人）、汪国藩等人。1939
年该刊共出过 5 期，① 从第 6 期（第 2 卷第 1 期，1940 年 1 月）开始更名为
《蒙古文化》。②

　　1939 年 9 月"蒙古联合自治政府"成立后，蒙古文化馆归民政部管辖。
1939 年 11 月 6 日"蒙古联合自治政府"将该馆改名为"蒙古文化研究所"，
并公布《蒙古文化研究所官制》。③ 该所由伊德钦担任所长，郭象伋任事务
官，日本人久下司任主事代理兼调查官，此外还有属官、嘱托、雇员等，全
所共计 22 人。④

　　1941 年 6 月"蒙古联合自治政府"机构改革后，蒙古文化研究所隶
属于兴蒙委员会。7 月 25 日修正公布了《蒙古文化研究所官制》，该所
"属于兴蒙委员会委员长管理，为研究调查蒙古人类文化并谋其普及之
所"，设所长 1 人、主事 1 人、调查官 2 人、事务官 1 人、属官 5 人；所
长"承兴蒙委员会委员长之命，总理所务并指挥所属职员"，主事"承所
长之命掌理所务"，调查官"承上司之命，掌理调查研究编纂并宣传宣抚
事务"。⑤

　　1942 年 5 月，兴蒙委员会第二次定例委员会议决定将蒙古文化研究所
从厚和迁到张家口，并加以充实，"以补文化工作机关的遗憾"⑥。

　　1942 年秋，蒙古文化研究所及其职员、图书、设备等一切迁到张家口，
扩充机构，制定事业计划。据《蒙古文化研究所成纪七三七年（即 1942
年——引者）度事业计划案》⑦，该馆事业主要分为编纂和调查，其中编纂

---

① 忒莫勒：《从蒙古文化馆到蒙古文化研究所》，载《西北民族研究》1999 年第 2 期。
② ［日］二木博史：《关于蒙疆政权时期蒙古语定期报刊》，载《日本蒙古学会纪要》（日文）
2001 年第 31 号。
③ "蒙古联合自治政府"总务部编：《蒙古法令辑览》（汉日对照）第 1 卷之《官制篇》，第 36 页。
④ 房建昌：《伪蒙疆时期蒙古文化馆与蒙古文化研究所始末》，载《西北民族研究》1999 年第 2 期。
⑤ "蒙古联合自治政府"总务部编：《蒙古法令辑览》（汉日对照）第 1 卷之《官制篇》，第 36 页。
⑥ 《兴蒙委员会定例委员会会议议事录》（1942 年 5 月），转引自房建昌：《伪蒙疆时期蒙古文化馆
与蒙古文化研究所始末》，载《西北民族研究》1999 年第 2 期。
⑦ 《蒙古文化研究所成纪七三七年度事业计划案》，转引自房建昌：《伪蒙疆时期蒙古文化馆与蒙
古文化研究所》，载《西北民族研究》1999 年第 2 期。

事业包括：①编纂蒙古史；②编纂蒙古人用日蒙、蒙日辞典；③编辑出版青少年读物（月刊杂志）；④编纂识字小本；⑤编纂有关蒙古文化发展的出版物（包括常识，科学文化知识，卫生思想普及，防共问题，历史读物，童话、神话、传说、歌谣，翻译日本儿童读物）等；调查事项包括：①从寺庙及王府搜集古写本、古书；②调查蒙旗的实态；③调查保护古迹、天然纪念物；④调查搜集传说、神话、歌谣等，并编纂全集和丛书；⑤附设教育博物馆（搜集历史资料，搜集动植矿物标本，搜集蒙古风俗资料，陈列蒙古人生产用品，陈列特殊古文书、书画等，陈列各种模型标本，搜集有关蒙古文化资料）等。

蒙古文化馆改为蒙古文化研究所以后，在编纂出版有关蒙古历史和文化图书、杂志方面取得了一些成就。

1941 年底出版了该所职员格什克巴图用现代蒙古文复原转写的《元朝秘史》（在张家口铅印出版）；① 1943 年该所又与巴彦塔拉盟公署合编出版了日文《蒙古联合自治政府巴彦塔拉盟史料集成·土默特旗之部》第 1 辑（翻译第 1 号，发行人为江实）。②

编纂蒙古史一项，1941 年 11 月就由蒙古文化研究所开始着手编纂。③另据档案资料记载，1944 年 9 月"发起编纂蒙古肇建史，由伪蒙政府（指蒙古自治邦政府——引者）弘报科陶葆初负责编纂，由百灵庙会议要求自治起，中经蒙古军政府，蒙古联盟自治政府，至三政权合流为止，共 6 万余言，业已付印"④。由此可见编纂蒙古史的工作尽管按计划进行，但直到1945 年 7 月只写出并付印 6 万多字的所谓蒙疆政权"肇建史"而已。不久蒙疆政权垮台，蒙古史编纂工作并没有完成。

---

① 弍莫勒：《从蒙古文化馆到蒙古文化研究所》，见呼和浩特市政协文史资料委员会编：《呼和浩特文史资料》第 10 辑，第 134 页。

② 房建昌：《伪蒙疆时期蒙古文化馆与蒙古文化研究所》，载《西北民族研究》1999 年第 2 期。《蒙古联合自治政府巴彦塔拉盟史料集成·土默特旗之部》（第 1 辑）为 1942 年 11 月巴彦塔拉盟公署编印的《巴彦塔拉盟史料集成·土默特特别旗之部》第 1 辑《江实编》的兵司之部满文及蒙古文文书的日译本。

③ ［日］福岛义澄编：《蒙疆年鉴》（日文，1943 年版），第 44 页。

④ 中国第二历史档案馆编：《中华民国史档案资料汇编》第 5 辑之《第二编·政治》（四），江苏古籍出版社 1989 年版，第 117—118 页。

此外，蒙古文化研究所还继续编印蒙汉合璧《蒙古文化》，（即原来的《文化专刊》，1940 年 1 月出版的第 2 卷第 1 期（总第 6 期）开始改现名）。[①] 翻译《枕草子》、《源氏物语》等日本文学作品，出版《蒙文教科书卷四》（1940 年）以及各种蒙文启蒙宣传图书等。[②]

蒙古文化馆和后来的蒙古文化研究所虽为日本人所控制，存在时间也仅为短短 7 年，但在客观上为蒙古民族文化的研究和促进做了许多工作。

（四）蒙古文化生计会

蒙古文化生计会前身为 1936 年春成立的"蒙古生计会。"1940 年召开的蒙古生活会议上把该会加以整顿，作为蒙旗"豪利希亚"的总机构，推举吴鹤龄为会长，松津旺楚克（兴蒙委员会委员长）、吉尔嘎郎（兴蒙委员会副委员长）为副会长。

1943 年 5 月 15 日，该会召开理事会议，会长吴鹤龄、副会长松津旺楚克、吉尔嘎郎、监事卓特巴扎普和各干事、理事及各旗代表等 100 多人出席。会上讨论决定了该会支部简章及其他计划事项。其中有关文化教育方面的事业有以下几项：①将兴蒙学院附属小学从张家口大镜门外元宝山移到市区内该会办公处，计划补助 4 万元，用于购买教材及各种设备，对于该校蒙古族学生施以新式教育；②本年度在该会开办妇女家政讲习所，指导蒙古族女子改善生活的自觉性；③开办蒙、日文夜间讲习所，为蒙古族及其他民族职工利用业余时间学习蒙古文和日文提供方便；④将从前由蒙古俱乐部发行的月刊杂志《蒙古》改称为《文化生计》，强化内容，使其成为指导蒙古文化、厚生的会刊。⑤设立蒙古医学研究院，研究蒙医蒙药，采集草药，普及保健卫生思想等；⑥引导牧民出资加入"豪利希亚"（即合作社），争取每个旗民平均持有一个以上股份。[③] 大概这次会议上把"蒙古生计会"的名称

---

① ［日］二木博史：《关于蒙疆政权时期蒙古语定期报刊》，载《日本蒙古学会纪要》（日文）2001 年第 31 号。

② 忒莫勒：《从蒙古文化馆到蒙古文化研究所》，见呼和浩特市政协文史资料委员会编：《呼和浩特文史资料》第 10 辑，第 133 页。

③ ［日］福岛义澄编：《蒙疆年鉴》（日文，1944 年版），第 125—126 页。

改为"蒙古文化生计会"①，原因大概也是由于该会所从事的事业中增加了相当一部分文化教育方面的内容。

由于缺乏资料，这些计划的落实情况以及该会此后的活动情况不详。

据记载，该会还曾经营一处面粉加工厂，在锡林郭勒盟、察哈尔盟、乌兰察布盟有27个林场，并计划在锡林郭勒盟阿巴嘎右旗和乌兰察布盟席力图旗各增加一处林场，在林场不仅要造林，还要试种牧草及农作物；在察哈尔盟太仆寺左旗设有一个牧场，在太仆寺右旗有一个分场，饲养相当数量的良种种畜。②

（五）留日蒙古学生文化团体

20世纪三四十年代从内蒙古东西部地区通过各种途径到日本留学的蒙古族学生曾达到数百人之多。他们在日本留学期间或回国后相继成立了一些文化团体，并从事相应的文化、教育事业。其中与内蒙古西部地区相关的有"蒙古留日同学会"、"留日蒙古学生修养会"和"留日蒙古同乡会"。

蒙古留日同学会成立于1942年8月至1943年7月之间，是由居住在蒙疆地区的曾经留学日本的人员组成，以"加强会员之间的修养及亲睦，为后进者留学日本作为后援，进而为研究和介绍日本文化，创造疆内新文化做贡献，参与蒙疆建设为目的"③。该会由政务院院长吴鹤龄任会长，还设有副会长、评议员、干事等，从事有关学术、技术的调查、研究、发表以及日蒙文化交流、向留学生提供各种协助等事业。对于该会事业的具体实施情况，目前还缺乏相应的史料。据有关学者研究，该会曾经编印两期蒙古文《复兴之蒙古》杂志。该杂志创刊于1945年4月10日，由蒙古自治邦主席府出版处出版，由杭锦·官布扎布、赛春嘎（即纳·赛音朝克图）、朝克巴达尔呼（汉名陈国藩）和特木尔都希等人主持编辑，其目的是"为了满足人们这样的需要，尤其是为蒙古祖国的文化发展作出一些贡献"④。该杂志内容包括文学作品、历史、经济、科学和卫生等实用知识以及会议记录等。

---

① ［日］福岛义澄编：《蒙疆年鉴》（日文，1944年版）称，"对蒙教育、文化、厚生实业等各项施策给予侧面协力之新成立的蒙古文化生计会"（第125页）。

② ［日］福岛义澄编：《蒙疆年鉴》（日文，1944年版），第126页。

③ ［日］福岛义澄编：《蒙疆年鉴》（日文，1944年版），第127页。

④ 《复兴之蒙古》（蒙古文）1945年5月10日创刊号。

该杂志第 2 期印刷之后还没有来得及装订，便由于苏联和蒙古对日宣战，被搁置在印刷厂里。当时在张家口的美国人塞瑞斯将其带到美国，后来送到美国印第安纳大学内陆亚细亚研究所图书馆。①

留日蒙古学生修养会成立于 1940 年 7 月 8 日，地点在东京的善邻协会所属善邻学寮内，由赛春嘎、索特那木永荣等几位蒙古族留学生自发组织，目的是"为了在相互交往中提高修养，陶冶人格，增长见识，强壮体魄，使自己成为有用之材"②。该会由赛春嘎、索特那木永荣、陶特格琦、胡尔沁毕力格、才喜雅尔图 5 人任干事，并由他们几位研究起草了有关道德修养的 9 条规约，内容包括遵守学校校规，对同学及同宿舍的日本学生要亲切相待，取其长处，尽力和睦，相互理解，尊重日本的风俗习惯，注意礼让调和，不偏执，不忘自己是蒙古人，为蒙古政府效忠要修养纯良的气质、完备的道德、远大的抱负及坚强的意志等。③ 另外还制定了规范蒙古族留学生言行的 40 条规章。7 月 8 日出席留日蒙古学生修养会成立大会的有"蒙古联合自治政府"驻日代表部事务官竹下、参议府议长吴鹤龄和善邻协会理事长铃木美通、常任理事长大岛丰以及北海道帝国大学预科部教授曾我孝之等，并在会上致辞，希望参加修养会的蒙古族留学生，应"自省其长，明辨其短，扬长避短，修身正性"④。该会还计划在札幌、盛冈等地设立支部。由于缺乏史料，该会成立后的具体活动还不清楚。

留日蒙古同乡会大致成立于 20 世纪 20 年代末，主要由留学日本的蒙古族学生组成。1929 年该会曾出版过蒙古文杂志《祖国》；1935 年该会还出版过《漠声》（蒙汉合璧）杂志。⑤ 从 1941 年起该会编印蒙文杂志《新蒙古》，到 1944 年共出版 4 期，其中 1—3 期在东京出版，第 4 期在张家口印刷。⑥《新蒙古》杂志内容包括评论、历史、常识、文学、专载、少儿读物

---

① ［日］二木博史：《关于蒙疆政权时期蒙古语定期报刊》，载《日本蒙古学会纪要》（日文）2001 年第 31 号。

② 《蒙古》（日文）1940 年 8 月号。

③ 《蒙古》（日文）1940 年 8 月号。

④ 《蒙古》（日文）1940 年 8 月号。

⑤ 白拉都格其、金海、赛航：《蒙古民族通史》第 5 卷（下），第 729 页。

⑥ ［日］二木博史：《关于蒙疆政权时期蒙古语定期报刊》，载《日本蒙古学会纪要》（日文）2001 年第 31 号。

等。其中，在第3期评论栏中有关于蒙古文构词及词义，蒙译外文，用罗马字母拼写蒙文等文章；历史栏目大多为从日文翻译的有关蒙古历史的著作连载；常识栏内有关于地球引力及雨、云、雾、雪、雹、露、霜的介绍；文学栏内有诗、散文以及译文；专载栏内有介绍蒙古人民共和国文化教育现状的文章（译文）；少儿读物栏内有苏尼特右旗女子家政学校学生在假期所写的诗、心得、散文等作文。

（六）广播及图书出版

1937年8月底，日军攻占张家口以后，由"满洲国"电信电话会社西部特派员立即设立放送（广播）局，从9月10日起开始每日用日、汉两种语言播音。1938年11月1日起该放送局从"满洲国"电信电话会社分离出来，成为蒙疆联合委员会直属的广播机构。①

1937年12月底，日军厚和特务机关便在新城一处民宅内安装1部25瓦中波广播机，以"厚和放送局"名义开始广播。该放送局每天早、中、晚用汉、日语各播音1个小时，其中日语节目以转播东京电台节目为主，自播节目为辅；汉语节目主要播送"本地新闻"，由蒙古日报社提供稿件。②

张家口放送局和厚和放送局均受"蒙疆联合委员会"之交通委员会（1938年8月改为交通部）下属之邮电总局管理经营。1939年9月"蒙古联合自治政府"成立后，蒙疆地区的广播（包括电报、电话）事业统一由交通部邮电总局管理，并由特殊会社——"蒙疆电气通讯设备株式会社"（成立于1938年3月5日，日蒙合资，资本金1 200万元，理事长为沙拉巴多尔济）具体负责经营。③

到1940年5月，以张家口放送局为中心，先后在大同、厚和、包头设立了放送局。④ 其中张家口放送局安装500瓦中波广播机和两台10千瓦短波广播机，在厚和、大同各设1台500瓦中波广播机，在包头设1台50瓦广播机。

①　［日］福岛义澄编：《蒙疆年鉴》（日文，1944年版），第351页。
②　从众：《厚和放送局》，见《呼和浩特史料》第6辑，第132页。
③　北支那经济通讯社编：《北支·蒙疆年鉴》（日文，1941年版）《蒙疆篇》，第145—146页。
④　北支那经济通讯社编：《北支·蒙疆年鉴》（日文，1941年版）之《蒙疆篇》，第11页。

厚和放送局 500 瓦中波广播从 1941 年 12 月 11 日开始播音。[①] 该局的播音机房、设备及营业门市部等均由"蒙疆电气通讯设备株式会社"垄断经营。厚和放送局播放的节目以日语、汉语播音，日语节目以转播东京电台的节目为主；汉语节目大部为转播张家口电台节目或北京电台的京剧。自办节目很少，除每天 3 次节目预告和 15 分钟的"地方新闻"外，每周只有一次 15 分钟的"儿童节目"和 30 分钟的"文艺节目"。[②]

日本殖民统治者在内蒙古西部地区除了建立广播电台，加强无线电广播宣传之外，对于无线电器材的买卖、使用也控制得很严。1941 年 4 月"蒙古联合自治政府"制定公布了《无线通讯机营业取缔规则》和《广播无线电话收听规则》，严禁贩卖、使用短波收信机和送信机，无线电通讯设备的输入、制作、贩卖事项实行邮电总局长许可制；对于拥有民用中波收音机者，规定"禁止收听蒙疆地区之内放送局播放的电波以外的电台"[③]，拥有收音机者必须将其送到"蒙疆电器通讯设备株式会社"接受检查，并把选台指针固定在指定的频率上，使人们无法调台，只能收听指定电台的广播。[④]

另外，由于拥有收音机的人很少，所以为了扩大广播的收听范围，在各城市主要街道及火车站等公共场所安设约 300 个高音喇叭，按时播放指定的广播电台播出的节目。[⑤]

日本殖民统治时期，蒙疆地区图书的编辑出版印刷主要在张家口和厚和进行。其中"蒙古联合自治政府"主席府下属的出版处在出版有关蒙古历史文化图书，尤其在整理出版蒙文古典文献方面做了不少工作。

"蒙古联合自治政府"主席府出版处约于 1939 年在张家口成立，由

① 《蒙古》（日文），1942 年第 9 卷第 2 号。

② 从众：《厚和放送局》，见呼和浩特市委党史资料征集办公室、呼和浩特市地方志编修办公室编：《呼和浩特史料》第 6 辑，第 134 页。

③ ［日］福岛义澄编：《蒙疆年鉴》（日文，1944 年版），第 352 页。

④ 从众：《厚和放送局》，呼和浩特市委党史资料征集办公室、呼和浩特市地方志编修办公室编：《呼和浩特史料》第 6 辑，第 134 页。

⑤ 北支那经济通讯社编：《北支·蒙疆年鉴》（日文，1942 年版）之《蒙疆篇》，第 146 页。

"蒙古联合自治政府"主席德王的秘书超克巴达尔呼（陈国藩）具体负责。① 据不完全统计，该出版处先后出版了有关蒙古历史与文化方面的蒙文图书至少有 30 余种。② 其中主要的有《蒙古秘史》（阿勒唐瓦其尔［即金永昌］蒙译，1941 年）、《元朝秘史》（格什克巴图转写，1941 年）、《元史》（达木林苏荣从满文蒙译，1943 年）、《诸汗源流黄金史纲》（1940 年）、《大元水晶鉴》（拉希朋苏克著，1941 年）、《成吉思汗略传》（色伯克扎布编译，1941 年）、《成吉思汗征战史》（金永昌著，1943 年）、《蒙古的部族与历史》（青木富太郎著，玛尼扎布编译，1943 年）、《从人种学看蒙古民族》（横尾安夫著，吉日木台蒙译，1944 年）、《马可波罗游记》（官布扎布从英文蒙译，1944 年）、《世界与人类的起源》（特穆尔都士著，1944 年）、《蒙古的理想》（米内山庸夫著，玛尼扎布蒙译，1945 年）、《商业课本》（1943 年，石印）、《详解蒙文文法语饰》（阿格旺丹达尔著，1943 年）、《详解蒙文文法金鉴》（拉木苏荣著，1943 年、1944 年）、《蒙文正读之我见》（德王著，1942 年）、《成吉思汗的小故事》（玛尼扎布译，1944 年）、《心侣集》（赛春嘎著，1941 年）、《蒙古兴盛之歌》（赛春嘎著，1944 年）、《青史演义》（尹湛纳希著，1944 年）、《蒙古青旗》（法国人列奥尼卡沃纳著，布利雅特蒙古人策旺蒙译，1942 年），等等。该出版处约于 1945 年 8 月蒙疆政权瓦解时停办。③

三、抗战时期内蒙古西部国统区文化事业

抗战时期，河套地区的新闻、出版、戏剧等文化事业也有了很大的发展，尤其在报刊出版方面成绩较为突出。据不完全统计，这一时期该地区出版的各种报刊达到 25 种以上，其中影响较大的有《奋斗日报》、《绥远省政府公报》、《绥远教育》、《绥远青年》等。

《奋斗日报》的前身是傅作义部第 35 军驻守山西省离石县柳林镇时刊行的油印小报——《新闻简报》，创刊于 1938 年春。5 月，35 军移驻河曲以

---

① ［德］瓦尔特·海西希：《蒙古历史与文化》，阿必达、阿特横蒙译，内蒙古文化出版社 1986 年版，第 248 页。
② 白拉都格其、金海、赛航：《蒙古民族通史》第 5 卷（下），第 738 页。
③ 白拉都格其、金海、赛航：《蒙古民族通史》第 5 卷（下），第 738 页。

后决定扩充该报，并由傅作义命名为《奋斗日报》，于 7 月 1 日正式出刊（油印）。1939 年春，傅作义率部进驻河套地区后，该报亦迁到五原县城继续出刊，"每期印刷数量多达 1 200 余份"。① 从 1939 年 8 月 1 日起改为铅印（16 开），成为绥远省军政机关报。是年冬，该报社随第 8 战区副司令长官部迁到陕坝，下设社长室、编辑室、营业部，从 11 月份改为 8 开版；1941 年 9 月以后又改为 4 开版，第 1 版为国民党"中央社"通讯，第 2 版和第 3 版是省县消息，底部是《草原》和《前进》两个副刊，第 4 版是社会新闻和广告。② 1945 年 8 月日本投降后，该报社随军迁到归绥，出版归绥版《奋斗日报》，但陕坝的《奋斗日报》继续保留，由绥西专署负责。《奋斗日报》是在河套地区出版时间最长、影响最大的报纸。

《绥远省政府公报》是绥远省政府主办之机关刊，最初创刊于 1929 年 1 月，1937 年"七七"事变后停刊。1939 年 9 月，该刊在陕坝复刊，改为旬刊，卷期另起，内容有法规、命令、委任、公牍、通告、会议记录、特载等，分送各机关。该刊在河套期间共出 3 卷 50 多期，于 1942 年停刊（抗战胜利后又在归绥复刊）。③

《绥远教育》是由绥远省教育厅在陕坝主办的半月刊，创刊于 1941 年 10 月，内容包括教育理论、教育法令、教学方法、教学经验与心得、教育消息等，每期印 400 份，免费分发给各县乡小学，充作教学指导、进修之用。④ 自新第 2 卷 3 期起改为月刊。⑤

《绥远青年》（月刊）是由中国三民主义青年团绥远支团主办的机关刊，创刊于 1941 年 6 月，社址在陕坝。该刊为综合性刊物，从 1941 年到 1945 年共出版 8 卷，起初每卷出 12 期，从 1942 年第 2 卷起每卷出 6 期，内容有专论、论著、译著、生活指导、青年园地、通讯等。⑥ 该刊是抗战时期在河

---

① 忒莫勒：《建国前内蒙古地方报刊考录》，第 137 页。
② 刘映元：《傅作义将军的喉舌——〈奋斗日报〉在陕坝出刊前后》，政协巴彦淖尔盟委员会文史资料研究委员会选编：《傅作义在河套》，政协巴彦淖尔盟委员会文史资料研究委员会 1987 年印刷，第 346 页。
③ 忒莫勒：《建国前内蒙古地方报刊考录》，第 29 页。
④ 内蒙古教育志编委会编：《内蒙古史志教育资料》第 1 辑（上），第 238 页。
⑤ 忒莫勒：《建国前内蒙古地方报刊考录》，第 26 页。
⑥ 忒莫勒：《建国前内蒙古地方报刊考录》，第 56 页。

套地区连续出刊时间最长、出版期数最多的一个刊物，在向青年进行抗日和建设地方的宣传方面起了一定的作用。

抗战期间，主政河套地区军政大权的傅作义十分重视歌咏、演戏等文艺活动对于宣传抗日、动员民众方面的独特作用，所以河套地区戏剧等文艺活动较为活跃。这一时期在河套地区成立过专业的"奋斗剧团"之外，还有阳春社（京剧）、奋斗国剧社（京剧）、唐声社（山西梆子）、黄河剧团（属于步兵旅）等业余剧团。其中"奋斗剧团"存在时间最长、影响也较大。

"奋斗剧团"成立于1939年初，当时傅作义率部进驻河套地区后，为整顿当地的绥远游击军，专门成立绥远游击军政治部，把从西安、延安等地招收来的50多名青年派到该政治部工作。与此同时，从西安来的李畏、凡塞等专业演员组成"奋斗剧团"，直属于绥远游击军政治部，委任李畏为团长。最初，该剧团专业演员只有三五人，其余都是兼职性质，排练和演出时合到一起，排演完了再各自回到自己的工作岗位，后来人员逐渐发展到二三十人。[1]

该团成立后，到五原、安北、陕坝等地的部队驻地和乡镇演出自编的独幕或多幕话剧和合唱等节目，并在演出间隙中向群众教唱抗日救国歌曲，有的还用当地民歌曲调配上新词教唱。1939年5月，绥远省动员委员会（简称动委会）成立后，该剧团转隶于动委会，增加了原第八战区政治部战地宣传队的演员，并把"奋斗剧团"改名为"绥远动委会流动宣传队"，继续到各部队驻地和乡镇进行流动演出。

1941年绥远动委会撤销后，"流动宣传队"改名为"青年剧社"，直属于第8战区副司令长官部领导。该剧团不仅演出过《三江好》、《放下你的鞭子》、《胜利的明天》等独幕剧，还排演过老舍等人编的《国家至上》，曹禺的《北京人》、《日出》、《蜕变》和陈白尘的《结婚进行曲》，以及由果戈理《钦差大臣》改编的《狂欢之夜》等著名大型话剧。[2] 1943年以后"青年剧

---

① 凡塞：《河套地区抗日戏剧活动及其他片断回忆》，见政协巴彦淖尔盟委员会文史资料委员会编：《傅作义在河套》（续编），政协巴彦淖尔盟委员会文史资料委员会1991年印刷，第37页。

② 凡塞：《河套地区抗日戏剧活动及其他片断回忆》，见政协巴彦淖尔盟委员会文史资料委员会编：《傅作义在河套》（续编），第32—33页。

社"划归三青团绥远支团部领导，主要演员相继离去，剧社名存实亡。

此外，1943 年春，傅作义还在陕坝建立了"第 8 战区副司令长官部戏剧学校"，由李英夫任校长，聘请原五原"阳春社"的几位有名气的京剧演员担任教师，每年招收 30 名左右学生（年龄在 13 岁左右），专门学习京剧和文化课。1945 年 8 月日本降后，该校迁到归绥，后于 1948 年经张家口改迁到北京。①

这一时期，内蒙古西部未沦陷的伊克昭盟及阿拉善旗、额济纳旗的文化团体及其设施很少。

在伊克昭盟地区，东胜县于 1939 年 12 月在县城成立民众教育馆，购置图书报刊，供人阅览。1940 年 10 月，在当时的绥境蒙政会及伊克昭盟政府所在地札萨克旗新街设立伊盟民众教育馆。该教育馆由绥境蒙政会主办，馆长由绥境蒙政会秘书主任康济民（康达多尔济，达拉特旗札萨克）担任，下设总务、教导、生计、艺术 4 组，附设书报蒙藏阅览室和体育运动场。②1943 年春"伊盟事变"爆发后，该馆亦遭洗劫。事变平息后，始终未能恢复。

蒙藏委员会派驻该旗调查组在定远营设立通俗图书馆 1 所，约于 1943 年前后停办。③ 1943 年 7 月，阿拉善旗政府教育处筹建旗立图书馆，馆址在定远营南门外，图书馆内备有图书报刊，供人阅览。④

另外，国立伊盟中学和伊盟各旗以及阿拉善旗、额济纳旗小学大多设有书报和阅览室，其中，达拉特旗小学到 1946 年已有"自然、卫生、史地挂图 18 套，辞源及参考书 462 册"；⑤ 鄂托克旗小学到 1945 年时已有"图书

① 刑野：《抗日战争时期河套地区的文艺活动》，见巴彦淖尔盟行政公署地方志编修办公室编：《巴彦淖尔史料》第 5 辑，第 277 页。

② 忒莫勒：《近代内蒙古地区公共图书馆事业史》，见中共内蒙古地区党史研究所编著：《内蒙古近代史论丛》第 4 辑，第 141 页。

③ 忒莫勒：《近代内蒙古地区公共图书馆事业史》，见中共内蒙古地区党史研究所编著：《内蒙古近代史论丛》第 4 辑，第 141 页。

④ 陈国钧：《西蒙阿拉善旗社会》（1943 年），政协阿拉善盟委员会文史资料研究委员会编：《阿拉善盟旗志史料》，政协阿拉善盟文史资料研究委员会 1987 年印刷，第 32 页。

⑤ 内蒙古教育志编委会编：《内蒙古史志教育资料》第 2 辑，第 354 页。

190 册，标语挂图 91 张"；① 阿拉善旗定远营小学"有图书 200 余册，挂图表 70 余幅"（1946 年）；② 额济纳旗小学有"图书刊物共约千余册，其中蒙文者占 1/3，多为赠送之品，刊物三十余种，多属有关边疆者，挂图百一十张及报纸数份"③。

在内蒙古西部未沦陷的盟旗出版的报刊更少。在伊盟只有国民党绥蒙党务特派员办事处主办的蒙汉文对照《民众日报》。该报创刊于 1939 年 7 月，4 开 2 版石印。地址在札萨克旗新街，以"报道绥蒙抗战动态及沦陷区情况为主"④。国民党阿拉善旗直属区党部以"阿拉善旗实验简报社"名义于 1945 年 3 月在定远营主办一份《阿旗简报》（蒙汉合璧），⑤ 8 开 2 版，油印，由党部工作人员每晚以收音机收录国民党"中央社"的新闻，改日排印（有时隔多日才能出刊），内容有国内新闻、国际新闻、地方新闻等，免费分送各机关团体和群众、商号，是阿拉善旗唯一的地方报纸。⑥

上述两份报纸的发行范围相当有限，但在消息闭塞、交通不便的蒙旗传播国内外消息方面起到了一定作用。

---

①　内蒙古教育志编委会编：《内蒙古史志教育资料》第 2 辑，第 354 页。
②　内蒙古教育志编委会编：《内蒙古史志教育资料》第 2 辑，第 367 页。
③　董正钧：《居延海（额济纳旗）》（1945 年），政协阿拉善盟文史资料研究委员会编：《阿拉善盟旗志史料》，第 157 页。
④　忒莫勒：《建国前内蒙古地方报刊考录》，第 139—140 页。
⑤　巴图达来：《鲜为人知的〈阿旗简报〉》，载《内蒙古地方志》2004 年第 1 期。
⑥　忒莫勒：《建国前内蒙古地方报刊考录》，第 166 页。

第二十三章

民国时期内蒙古地区的宗教

第一节　喇嘛教

喇嘛教（即藏传佛教，亦称黄教）传入蒙古地区以后，成为蒙古民族全民信仰的宗教，对蒙古族的社会、政治、经济、文化、艺术及思想等方面产生了深远的影响。在清代，从顺治至乾隆1个半世纪内，由于喇嘛教受到清廷的极力扶持和礼遇，蒙古地区寺庙林立，喇嘛人数迅速增加。于是上层喇嘛的政教权力和影响力不断扩大，寺庙经济畸形发展。到第一次鸦片战争以后，清王朝内忧外患日渐加剧，国势日衰，对喇嘛教及其首领的态度逐渐冷漠。到清末，由于清朝政府对蒙政策的彻底转变，喇嘛教的地位日益下降，出现了衰落的趋势。中华民国建立后，蒙古地区社会政治、经济发生了急剧的变化。由此带来的新文化、新思想的迅速传播，以及民族民主革命的冲击，使蒙古地区的喇嘛教失去了往日的影响力和崇高地位。但是，由于一般民众和王公阶层依旧普遍信仰喇嘛教，喇嘛教对蒙古地区社会生活各个方面仍然发挥着相当重要的作用。

民国时期，蒙古地区喇嘛人数虽呈继续下降趋势，但喇嘛人数在整个蒙古族人口中仍占有相当的比例。

在内蒙古，据20世纪三四十年代的调查统计，并入伪满洲国的内蒙古东部哲里木盟、昭乌达盟、卓索图盟和呼伦贝尔、西布特哈以及伊克明安旗的蒙古族（包括达斡尔、鄂温克、鄂伦春等民族）人口为 1 081 634 人，另有喇嘛 27 848 人，喇嘛庙 994 座。① 内蒙古西部锡林郭勒盟、乌兰察布盟、伊克昭盟、察哈尔 8 旗 4 牧群、土默特旗、阿拉善旗、额济纳旗蒙古族人口为 306 637 人，另有喇嘛 53 615 人，喇嘛庙 636 座。② 合计蒙古族总人口为 1 388 271 人，喇嘛人数为 81 463 人，寺庙 1 630 座，喇嘛占蒙古族总人口的 5.87%，约占蒙古族男性人口的 11.74%。

另据 20 世纪 30 年代的统计，内蒙古西部的锡林郭勒盟、乌兰察布盟、伊克昭盟、察哈尔十二旗群、土默特旗蒙古族人口为 282 394 人（不包括喇嘛），③ 喇嘛人数为 47 862 人；④ 并入伪满洲国的内蒙古东部区蒙古族人口为 1 081 634 人，⑤ 其中喇嘛人数为 27 848 人。⑥ 内蒙古东西部蒙古族人口为 1 364 028 人，其中喇嘛 75 710 人，喇嘛占总人口的 5.6%。也就是说，每 10 个男性人口中就有一个是喇嘛。由此可见，喇嘛在蒙古族总人口中所占的比例仍比较高。其次，20 世纪上半叶在蒙古地区所发生的一系列重大政治事件中，基本都有一些上层喇嘛参与。

由此可见，喇嘛人数所占比例仍然较高。有相当数量的男子充当喇嘛，大量的寺庙香火不断，这就决定了喇嘛教必然会对蒙古社会的方方面面产生作用。所以，中华民国以后的历届中央政府对蒙古喇嘛教十分重视，在中央设立了专门的管理机构，并制定了一系列相关的政策和措施。

一、喇嘛教管理机构

在清代，对于喇嘛教事务统由理藩院（1906 年改为理藩部）掌管，并以《钦定理藩院则例》作为处理蒙古宗教事务的法律依据。此外，在北京、盛京（沈阳）、归化城（呼和浩特）、多伦诺尔、五台山分别设有喇嘛印务

① "满洲帝国"协和会调查部编：《兴安蒙古》（日文）之《附录》，第 97 页。
② 内蒙古西部地区蒙古族人口及喇嘛人数，根据贺扬灵：《察绥蒙民经济的解剖》，商务印书馆 1935 年版，第 14—19 页；黄奋生：《蒙藏新志》（上），中华书局 1938 年版，第 88—92 页；（下），第 724—727 页及其他资料综合统计。
③ 贺扬灵：《察绥蒙民经济的解剖》，第 8—15 页。
④ 贺扬灵：《察绥蒙民经济的解剖》，第 724—727 页。
⑤ "满洲帝国"协和会调查部编：《兴安蒙古》（日文）之《附录》，第 97 页。这个统计数字包括达斡尔、索伦（今鄂温克）、鄂伦春等民族人口数。
⑥ 贺扬灵：《察绥蒙民经济的解剖》，第 7 页。

处，掌管各地区的喇嘛及寺庙事务。蒙古各盟旗的喇嘛和寺庙则由各旗喇嘛印务处管理。

中华民国政府成立后，临时大总统袁世凯宣布取消清代的理藩部。此后，有关喇嘛教事务先后由内务部蒙藏事务处（1912 年 5—7 月）、蒙藏事务局（1912 年 7 月—1914 年 5 月）以及蒙藏院（1914 年 5 月—1928 年 6 月）管辖。

在蒙藏院第二司设有宗教科，掌管"京内外寺庙喇嘛箚付度牒印信升迁调补，京内外寺庙喇嘛册籍、喇嘛封叙、奖给寺庙匾额、喇嘛钱粮费用、呼毕勒罕转世掣瓶"① 等有关喇嘛教的事项。

南京国民政府成立后，于 1928 年 3 月决定成立掌管蒙藏等少数民族事务的蒙藏委员会。1929 年 2 月，蒙藏委员会正式成立，国民政府指定的委员中有班禅、章嘉、诺那等喇嘛教上层。蒙藏委员会隶属于行政院，地位与各部委会相同，是国民政府掌管边疆少数民族及宗教事务的主管机关，下设总务处、蒙事处、藏事处等。对于蒙古喇嘛教，由蒙事处第二科负责，具体制定对蒙藏宗教的方针、政策、立法、规则、条例，联络宗教领袖，管理对宗教上层人物的晋升、册封、转世、任用等；管理蒙藏宗教的整理、监督、登记、度牒、钱粮、教育、纠纷等；管理各呼图克图驻京、驻平办事处，管理蒙藏宗教领袖和上层人物的接待；调查研究蒙藏宗教情况，提出工作计划和安排等事务。②

1930 年 5 月在蒙古会议上通过的《蒙古各旗及平热等处喇嘛寺庙管理办法》和 1931 年 6 月 15 日由国民政府公布的《蒙古喇嘛寺庙监督条例》③中，均规定撤销各旗喇嘛印务处、事务处等机关，由各寺庙设立寺庙事务委员会，协助本寺住持处理寺庙事务，同时接受所属蒙旗长官的监督。

《蒙古各旗及平热等处喇嘛寺庙管理办法》规定：蒙旗各喇嘛寺庙，"由蒙旗官署监督之，其住持亦由所属蒙旗长官委派，并报请蒙藏委员会备

---

① 王德胜：《北洋军阀政府对蒙政策几个问题的初析》，见中共内蒙古地区党史研究所编：《内蒙古近代史论丛》第 3 辑，内蒙古人民出版社 1987 年版，第 126 页。

② 黄奋生：《蒙藏新志》（上），中华书局 1938 年版，第 333 页。

③ 熊耀文编：《总理对于蒙藏之遗训及中央对于蒙藏之法令》，第 251 页。

案";"各喇嘛寺庙住持，除由监督机关委派外，本寺庙内其他一切职任喇嘛，概由各该寺庙之住持按照惯例及阶级委派充任，并呈报所属监督机关备案";"凡五十人以上之寺庙，设管理寺庙事务委员会，协助住持处理本寺庙一切事务，其组织章程，由该寺庙自定之，呈准监督机关核准备案后施行；各寺庙住持将本寺庙所有喇嘛造具名册，送存所属监督机关，遇有还俗圆寂移转等事，随时登记，年终汇报所属监督机关备查；各寺庙之住持将本寺庙一切收支款项，按年造具预算决算，呈报所属监督机关核销，并于本寺庙宣示处公布之。"① 上述规定实施后，在蒙旗地方逐渐确立起由蒙旗长官即札萨克监督下，由各寺庙住持具体负责寺庙管理的新体制。这一新体制意在加强蒙旗对寺庙的监督和控驭权力，使寺庙纳入蒙旗地方行政管理轨道。

1935 年 12 月 9 日，《管理喇嘛寺庙条例》颁布实施，原先的《蒙古喇嘛寺庙监督条例》即行废止。据北平喇嘛寺庙整理委员会组织规则，蒙藏委员会正式取消原京城喇嘛印务处，设立北平喇嘛寺庙整理委员会，承蒙藏委员会之指挥监督，办理从前京城喇嘛印务处所辖各寺庙之阐扬喇嘛教义、整饬喇嘛教规、修缮喇嘛寺庙、保管喇嘛庙产、筹划喇嘛生计、颁发喇嘛钱粮等事项。②

此外，蒙藏委员会还先后制定了《喇嘛登记办法》、《喇嘛转世办法》、《喇嘛任用办法》、《喇嘛奖惩办法》、《蒙古喇嘛寺庙登记条例》以及《边疆宗教领袖来京展觐办法》、《蒙藏新疆回部来京展觐人员招待规则》等一系列法律、法规，初步建立起有关喇嘛教的法制体系。

"九一八"事变后，日本侵占东北 4 省，内蒙古东部地区被并入伪满洲国。在伪满洲国政府国务院内设立了专门负责处理蒙古族事务的兴安局（1932 年 8 月改称兴安总署，1934 年 12 月改称蒙政部，1937 年 7 月改称兴安局），有关喇嘛教事务由该局负责。1932 年 12 月，兴安总署发布《禁止喇嘛干涉政治之件》，③ 声明严格实行政教分离的方针。

1940 年 8 月，伪满洲国政府国务院公布了《喇嘛教整备要纲》，决定成

① 黄奋生：《蒙藏新志》（下），第 764 页。
② 黄奋生：《蒙藏新志》（下），第 733 页。
③ 《满洲国政府公报》第 76 号。

立喇嘛教宗团，在喇嘛中普及国民教育，奖励青年喇嘛到日本寺院留学，整理统一喇嘛等级称号，普及蒙文经典，建立喇嘛教总本山，确立寺庙财政以安定喇嘛生计。① 根据该《喇嘛教整备要纲》的决定，1940 年 12 月满洲国喇嘛教宗团在新京（长春）成立。宗团的办事机构为宗务院，设在阿鲁科尔沁旗罕庙，掌管伪满洲国境内喇嘛学位、职位、称号的授予，各寺庙教育、法会、财务、牲畜、土地等事务，以及寺庙、喇嘛数目，喇嘛生活状况的调查等。同时，在伪满洲国境内共设立兴安北、兴安南、兴安西、热河、锦州、奉天等 6 个地方教区，其下设 30 个分教区，分别成立教务所和教务分所；在新京设立喇嘛教宗团宗务院办事处（设在兴安局）。② 这样，伪满洲国境内的寺庙及喇嘛都纳入了喇嘛教宗团的统一管辖之下。

1937 年"七七"事变后，日本侵略者占领了内蒙古西部大部分地区，并在归绥成立了蒙古联盟自治政府。1939 年 9 月，该自治政府与察南、晋北自治政府合并，在张家口成立蒙古联合自治政府。1941 年 8 月又改称蒙古自治邦政府。有关喇嘛教事务先后由上述伪政权总务部、民政部和兴蒙委员会负责管理。

1940 年 12 月，蒙古联合自治政府提出《宗教施策》③，决定设立喇嘛训练所、成立喇嘛印务处、整理寺庙经济、提高喇嘛素质。

根据上述决定，蒙古自治邦政府于 1943 年 5 月在张家口召开蒙古佛教复兴会议，成立了喇嘛印务处，该印务处成为管理蒙疆政权辖区内喇嘛及寺庙的专门机构。

抗战胜利后，内蒙古中东部地区在中国共产党的领导下，于 1947 年 5 月成立了内蒙古自治政府，有关喇嘛教事务由自治政府统一管理，锡林郭勒盟及察哈尔盟政府都设有喇嘛事务处。④

---

① 《盛京时报》1940 年 8 月 21 日。
② 《盛京时报》1940 年 12 月 29 日。
③ "蒙古联合自治政府"：《关于蒙疆建设根本方针的意见书》（日文），1940 年 12 月 20 日油印本，见内蒙古自治区档案馆藏：《蒙古自治邦建设的沿革及施政之理念》（二）。
④ 内蒙古自治区档案馆编：《内蒙古自治运动联合会档案史料选编》，第 211、220—221 页。

二、民国政府对喇嘛教的基本政策

20 世纪初，由于清朝政府在蒙古地区推行"新政"，对蒙古社会造成极大的冲击，引起包括喇嘛教阶层在内的蒙古族各阶层的普遍不满与反抗。所以在辛亥革命爆发之际，外蒙古以喇嘛教首领哲布尊丹巴呼图克图为首的僧俗封建主，在沙俄的支持下宣布"独立"。内蒙古各盟旗的僧俗封建主也与之遥相呼应，使得整个蒙古地区局势动荡不安。

中华民国成立后，为了迅速稳定蒙古地区的局势，北京政府采取了一系列笼络蒙古僧俗封建上层的政策和措施。1912 年 8 月公布的《蒙古待遇条例》中即规定："蒙古各地呼图克图、喇嘛等原有之封号，概仍其旧。"① 此后，又颁布《各呼图克图第一次来京川资条例》、《驻京及年班来京蒙古王公廪饩条例》、《喇嘛等洞礼经班事宜》等。

北京政府对首先表示"翊赞共和"的内蒙古喇嘛教首领第六世章嘉呼图克图更是大加笼络，极力推崇。1912 年 11 月 4 日，大总统袁世凯发布命令，为章嘉加封"宏济光明"名号，"赍予银一万元"②，并准许其继续使用清代所授予之"灌顶普善德大国师"封号和金印、金册及各项荣典。此外，还给章嘉的父、母、弟及师父等封爵和赐予各种名号。1916 年，北京政府又为章嘉"原有灌顶普善德弘（宏）济光明大国师，加封'昭因阐化'四字名号，并金册一道"，"每年加给年俸 1 000 元"。③ 由陆军部拨马卫队一队随身保护，其俸饷由政府发给。清代所设京师喇嘛印务处，仍由章嘉呼图克图掌管。

除章嘉以外，驻多伦的仅次于章嘉活佛的甘珠尔瓦呼图克图也受到民国政府的优待，袁世凯颁赠第四世"宏济光明"名号甘珠尔瓦呼图克图"圆通善惠、甘珠尔瓦、莫尔根呼图克图"名号，赏穿带嗉貂褂，赏银 1 万两。④

---

① 《中国大事记》，《东方杂志》第 9 卷第 4 号。
② 《中华民国政府公报》（公文）第 7 册，第 353 页。
③ 妙舟：《蒙藏佛教史》，江苏广陵古籍刻印社 1993 年版，第 116—118 页。
④ 多伦县志编纂委员会编：《多伦县志》，内蒙古文化出版社 2000 年版，第 686 页。

　　由于北京政府采取笼络、优待喇嘛教上层的政策，加上章嘉呼图克图首先表示拥护民国，使得内蒙古地区的甘珠尔瓦、察罕、东阔尔等呼图克图、格根相继表示赞助共和，服从民国政府，并纷纷进京，晋见大总统袁世凯。北京政府对于这些喇嘛教上层一律授予各种封号、荣典及金钱。自1912年至1915年，北京政府授予各种封号的呼图克图、格根及所谓"有功"喇嘛达240余人。①

　　南京国民政府成立后，对于喇嘛教同样采取"优待宗教首领"的政策。② 国民政府成立后，章嘉活佛立即派代表前往表示祝贺。国民政府亦表示承认其过去的一切荣典和待遇，并任命他为蒙藏委员会委员，为其在南京设立了办事处。将原北京喇嘛印务处改为管理喇嘛事务处，仍以章嘉呼图克图统之，其职权沿用旧时印务处之规定，"所管者为北平、热河、辽宁、五台山、西宁各寺庙及多伦诺尔汇宗寺和善因寺两大寺各喇嘛之拣补选派"③。

　　1932年4月，国民政府还任命章嘉为"蒙旗宣化使"，并加封"净觉辅教"名号。1934年3月，国民政府派他到内蒙古西部地区进行"宣化"，试图阻止当时的内蒙古"高度自治"运动。1935年，章嘉被选为国民党中央监察委员会委员，1937年又被选为国民政府委员，以后又获得"护国大师"名号。

　　中华民国历届政府对于喇嘛教另一首脑人物班禅也同样大加笼络，给予优厚的待遇。第九世班禅额尔德尼曲吉尼玛由于同第十三世达赖喇嘛之间的矛盾激化，从西藏出走到内地。1925年2月他到北京后，北京政府立即给他加封"宣诚济世"名号。南京国民政府成立后，班禅派代表前往祝贺。1929年2月，班禅被指定为蒙藏委员会委员。1931年5月，国民政府正式邀请班禅到南京参加国民会议，于6月加封其为"护国宣化广慧大师"。1932年12月，任命班禅为"西陲宣化使"，并在南京和北平分别为其设立了办事处。1934年2月，又任命班禅为国民政府委员。

---

　　① 德勒格编著：《内蒙古喇嘛教史》，内蒙古人民出版社1998年版，第180页。

　　② 黄奋生：《蒙藏新志》（上），第314页。

　　③ 多伦诺尔喇嘛印务处编：《内蒙古黄教概记》，见任月海编译：《多伦文史资料》第1辑，内蒙古大学出版社2006年版，第136页。

　　中华民国政府对喇嘛教上层笼络和优待的同时，也采取了一些限制和削弱的政策，以便于控制和利用。特别是国民政府成立后，在蒙古各盟旗实行"政教分离"，严禁喇嘛教干涉盟旗地方行政。为此，蒙藏委员会制定各种专门条例、规定等，禁止"宗教首领与外人私订各种契约"，划分行政权和宗教权，"严定政教分治"的原则。[①]

　　清代以来，锡埒图库伦旗是内蒙古地区唯一的喇嘛旗，札萨克达喇嘛为一旗之主，总理全旗政教事务，既为行政长官，又为宗教首领。1931年9月，蒙藏委员会呈请行政院核准，取消了内蒙古锡埒图库伦旗政教合一制度，将该旗"兼管政教之札萨克达喇嘛一缺，划分为锡埒图库伦旗札萨克及锡埒图库伦旗兴源达喇嘛两缺"[②]，任命札萨克达喇嘛罗布生林沁为该旗札萨克，兴源寺达喇嘛一缺由旗札萨克派充。这样，内蒙古地区唯一的政教合一的喇嘛旗被取消，而且使得该旗兴源寺达喇嘛一职之任命权操于旗札萨克之手。

　　1932年成立北平喇嘛寺庙整理委员会时，蒙藏委员会明确规定该委员会"不得干预蒙古行政及蒙旗境内各喇嘛寺庙一切事项"[③]。

　　为了加强对喇嘛教上层的监督和管理，国民政府专门制定《喇嘛转世办法》，规定达赖、班禅、哲布尊丹巴以及各地向来转世的呼图克图、诺们汗、班弟达、堪布、绰尔济、呼毕勒罕喇嘛之转世灵童的寻找认定权，由蒙藏委员会掌握，禁止在达赖、班禅、哲布尊丹巴之亲族及蒙古各盟旗现任长官之家属中寻认各呼图克图之呼毕勒罕候选人。还规定各呼图克图之呼毕勒罕掣定后，必须到京觐见国民政府主席。[④] 同时，对于喇嘛的任用、奖惩以及寺庙财产的管理等方面也作了详细的规定。

　　除上述政策和措施之外，对蒙古地区喇嘛教还采取了不少改革措施。其中影响最大的是解放寺庙"黑徒"（即俗人属民），禁止未成年者充当喇嘛，提倡喇嘛还俗参加生产劳动，各寺庙设立补习学校，令年轻喇嘛学习文化知

---

① 黄奋生：《蒙藏新志》（上），第333页。
② 熊耀文编：《总理对于蒙藏之遗训及中央对于蒙藏之法令》，第268—269页。
③ 黄奋生：《蒙藏新志》（上），第734页。
④ 黄奋生：《蒙藏新志》（上），第734—737页。

识，设立寺庙图书馆以及鼓励寺庙兴办慈善公益事业等。但由于国内局势长期动荡不安，外敌入侵，内战频起，改革喇嘛教的这些措施真正能够得到落实的并不多。

三、日本殖民统治时期对喇嘛教的政策措施

（一）对喇嘛教的基本政策

20世纪初，日本侵略势力开始进入内蒙古地区以后，为了将内蒙古置于自己的势力范围之内，对喇嘛教的情况进行了一系列调查和研究。1931年"九一八"事变后，日本占领东北辽、吉、黑、热4个省，扶植建立了伪满洲国傀儡政权，遂将内蒙古东部地区并入伪满洲国版图之内。这时，日本对蒙古喇嘛教及其与政治的关系，早已有了相当的了解和研究，认识到喇嘛教在蒙古地区政治生活中的巨大影响。所以，伪满洲国政权建立后，日本侵略者在制定对蒙政策时，相应地制定了限制喇嘛教的有关政策和措施，以防喇嘛教对其殖民统治产生不利影响。与此同时，日本侵略者也把喇嘛教看作把握蒙众心理和向未被占领的其他蒙古地区侵略渗透的一个工具，所以始终不忘加以利用。

日本殖民统治者在伪满洲国政府国务院内设立了专门负责处理蒙古族事务的兴安局（1932年8月改称兴安总署，1934年12月改称蒙政部，1937年7月改称兴安局），有关喇嘛教事务由该局负责。

1932年12月，伪满洲国政府兴安总署发布《禁止喇嘛干涉政治之件》，强调严格实行政教分离的基本方针，提出："各省旗长官如有执行政务，仍以喇嘛为马首是瞻者，及各葛根呼图克图等除奉佛唪经外仍有揽政越权者，皆在断然排斥之例，务使政教分途，各收实益。"[①] 1933年7月，日本关东军参谋部在《暂行蒙古人指导方针要纲案》[②] 中又提出了"利用喇嘛教"的方针。

日本侵略者在向内蒙古西部地区扩张势力的过程中，仍很重视对喇嘛教的工作。日本关东军制定的《对察施策》（1934年1月24日）、《对内蒙施

---

① 《满洲国政府公报》第76号。

② ［日］岛田俊彦、［日］稻叶正夫编：《现代史资料（8）·日中战争（一）》（日文），第448页。

策要领》（1935 年 7 月 25 日）、《对蒙（西北）施策要领》（1936 年 1 月）等文件中，① 都强调注意利用喇嘛教，并提出了对有影响的活佛喇嘛施予金钱方面的资助，企图切断喇嘛教界与蒙古地区政治及经济方面的直接联系，以利于日本向内蒙古西部及蒙古国扩张势力。

1937 年"七七"事变后，日军占领内蒙古西部大部分地区，并在归绥扶植成立了"蒙古联盟自治政府"。对于内蒙古西部地区的喇嘛教工作，由新成立的日本驻蒙军具体负责，并通过其傀儡政权贯彻执行有关喇嘛教的方针、政策。

伪蒙古联盟自治政府（1939 年 9 月改称"蒙古联合自治政府"，1941 年 8 月又改称"蒙古自治邦政府"）成立后，根据驻蒙军的统一部署，对所辖区域内的喇嘛教状况进行了调查。1940 年 8 月，伪蒙古联合自治政府在张家口召开各盟旗王公、札萨克会议，重申了所谓"尊重喇嘛教"② 的方针。同年 12 月，伪蒙古联合自治政府制定了《宗教施策》，提出"将喇嘛教施策的重点放在养成彻底的对日依存观念，以期人数之限制，素质之改善及组织之结成"③ 的总方针，决定设立喇嘛教训练所和印务处（宗务院），召开喇嘛大会，派优秀青年喇嘛到日本留学。还计划从高野山聘请日本青年僧侣到西蒙古寺庙进行指导，以提高喇嘛素质，改善教义，编纂蒙古文经典，整理寺庙财政，使寺庙经济之合理化，普及卫生观念等。为了笼络和利用喇嘛教上层，曾先后邀请察罕胡图克图、查干格根以及其他有影响的活佛喇嘛等访问日本。

日本侵略者对喇嘛教采取上述政策的目的在于利用喇嘛教为其殖民统治服务，希望"通过蒙古佛教，使蒙古民族从精神上赞助大东亚新秩序的建设"④。为此，举办喇嘛训练班，培养情报人员，甚至向各寺庙派遣日本特务，以"研习喇嘛教义"的名义进行特务活动。

---

① ［日］岛田俊彦、［日］稻叶正夫编：《现代史资料（8）·日中战争（一）》（日文），第 469、494、542 页。

② 北支那经济通讯社编：《北支·蒙疆年鉴》（日文，1941 年版）之《蒙疆篇》，第 30 页。

③ 《关于蒙疆建设根本方针的意见书》（日文），见内蒙古档案馆藏：《蒙古自治邦建设的沿革及施政之理念（二）》（日文，油印本）。

④ ［日］福岛义澄编：《蒙疆年鉴》（日文，1944 年版），第 373 页。

　　为使喇嘛教适应日本占领下的社会新变化，日伪统治者对喇嘛教也曾采取过一些改革措施。伪满洲国成立后，提出"改善喇嘛教"[①] 的基本方针，强调"整顿喇嘛教为治蒙古之要务"[②]。根据这些基本方针，日本统治者对于喇嘛教进行了以下几个方面的改革：①普遍设立喇嘛学校，让年轻喇嘛学习蒙古语文和其他各种文化知识，以及手工艺等生产技能；②在寺庙中实行考试制度，迫使不合格的喇嘛还俗，令其参加生产劳动，并以放度牒形式限定喇嘛人数，禁止少年儿童当喇嘛；③对寺庙财产进行登记，制定严格的管理制度；④废除喇嘛特权，取消喇嘛不服兵役的制度；⑤寺庙中设立医疗设施，奖励喇嘛医为民众医治疾病；⑥实行青年喇嘛到日本各寺院留学的制度，试图将蒙古喇嘛教"日本化"。为此，从内蒙古地区先后派出100多名青年喇嘛到日本留学。[③] 同时还派日本佛僧到内蒙古地区寺庙进行所谓的"指导"。这些改革措施，在客观上对于改善蒙古喇嘛教制度，使之服务于蒙古社会产生了一定的积极影响。

　　1940年8月19日，"满洲国"国务院制定公布了《喇嘛教整备要纲》[④]。这是"满洲国"对蒙古喇嘛教政策的纲领性文件。其内容大体为：①成立喇嘛教宗团，以此作为改革喇嘛教的中心母体；②在喇嘛中普及国民教育，在重要的大寺庙内设立国民义塾或学校，即在大寺庙的教学机关——拉桑推行近代学习方式，让无学文盲喇嘛得到教育，对于成年喇嘛则采取讲习会的形式；③适当统制喇嘛到西藏长期游学之惯例，用蒙民厚生会、蒙民裕生会学费补助和奖励到日本寺院留学；④整理统一喇嘛的等级、称号、职制等；⑤普及蒙文经典，逐渐将现有的藏文经典译成蒙文；⑥建立喇嘛教总本山，成立喇嘛教宗团的同时建立总本山，作为由国内各呼图克图选出的宗团长的住所，宗务院设于总本山，成为统辖全国喇嘛教宗团的机关；⑦确立寺庙财政以安定喇嘛生计。

　　根据该《喇嘛教整备要纲》的规定，伪满洲国政府便开始对喇嘛教采

---

　　① ［日］岛田俊彦、［日］稻叶正夫编：《现代史资料（8）·日中战争（一）》（日文），第448页。
　　② 《盛京时报》1940年8月21日。
　　③ 娜仁高娃：《留学日本的蒙古知识分子——关于在智恩院学习的喇嘛们》，见乌云毕力格、娜仁高娃编：《硕果——纪念扎奇斯钦教授80寿辰》（蒙古文），内蒙古文化出版社1996年版，第426页。
　　④ 《盛京时报》1940年8月21日。

取了一系列具体的政策措施。

日本驻蒙军为了贯彻上述方针，于1941年9月派日本佛僧出身的陆军中尉幽经虎岩到伪蒙古自治邦政府，代表军方专门负责喇嘛教工作。幽经走访内蒙古西部的一些大寺庙和有影响的活佛喇嘛，对喇嘛教状况进行了一番实地调查后，便起草了《喇嘛工作实施计划纲要》。据说该纲要得到了日本驻蒙军司令部的同意。[①] 因无相关文字记载的保存，我们现在无法知道这一计划的具体内容，但据幽经的回忆录，日本驻蒙军曾企图寻找哲布尊丹巴活佛转世灵童并为其举行坐床典礼的政治阴谋，与这一计划纲要有关联。

以上是日本占领内蒙古地区以后，针对喇嘛教制定的一些方针、政策及计划，其核心是实行"政教分离"基本原则。与此同时，为了把握蒙古人的心理，极力表现出尊重喇嘛教的姿态，尽量使喇嘛教发挥有利于日本殖民统治的作用。

（二）对喇嘛教的具体措施

1. 成立喇嘛教团体

在清代，蒙古地区的寺庙和喇嘛一般由各盟旗自行管理。此外，在北京、承德、多伦、归化城、五台山及沈阳分别设有喇嘛印务处，它们则管理所在地的寺庙及喇嘛事务。中华民国时期，各盟旗对其所属的寺庙和喇嘛的管理越来越松散，上述几处喇嘛印务处也被取消。

日本侵略者认为，喇嘛教的这种涣散状态，对于其控制和利用喇嘛教，加强殖民统治有所不利。另一方面，他们也感觉到，如果利用蒙古人普遍信仰的喇嘛教，宣扬"日满协和"，以巩固其殖民统治，效果或许会更好。所以决定建立适当的宗教团体，将喇嘛教的管理纳入这一组织系统之内，并通过它贯彻既定的控制和利用喇嘛教的方针、政策。

1940年8月，伪满洲国政府制定的《喇嘛教整备要纲》中就决定成立喇嘛教宗团，"以此作为改革喇嘛教的中心母体"[②] 和管理"满洲国"境内喇嘛教的机关。为此，经兴安局、协和会等有关机构协商，制定了《成立

---

① ［日］幽经虎岩：《日本的秘密战与蒙古喇嘛工作》，朱凤汉译，载内蒙古自治区社会科学院：《资料与情报》1981年第1期。

② 《喇嘛教整备要纲》，载《盛京时报》1940年8月21日。

喇嘛宗团要纲案》。随之，兴安北、龙江等省分别召开喇嘛大会或恳谈会，选出参加喇嘛教宗团成立大会的代表。

1940年12月5日，"满洲国"喇嘛教宗团成立大会在协和会会馆正式举行。"满洲国"总理大臣张景惠、关东军参谋长木村和民生部大臣、兴安局总裁、祭祀府总裁、总务厅长官等30余名官员以及300余名喇嘛出席。会上，由兴安局总裁扎噶尔报告喇嘛教宗团成立经过，各省代表讲话表示赞成。会上推举阿鲁科尔沁旗罕庙查干呼图克图阿旺业喜拉哈巴僧格为喇嘛教宗团长，并选出了出席第一次宗团会议的70名代表。①

12月7日—8日，召开了由上述70名代表出席的喇嘛教宗团第一次会议，讨论通过了宗团章程、宗务院规则及其组织、人事安排。宗务院作为喇嘛教宗团的办事机构，设在阿鲁科尔沁旗罕庙。宗务院设庶务部和教务部，掌管宗团有关喇嘛人事、度牒、调查研究、经理会计、寺庙财产、管理文物、徒弟的教育、留学及翻译、编纂刊行教典等各项事宜。宗务院院长由宗团长任命，任期3年，可连任。首任宗务院院长为博音楚古拉。② 同时决定在新京设立宗务院办事处（设在兴安局），并划分了地方教区和分教区，确定了教务所长、分所长人选等。

喇嘛教宗团的最高机关是宗团会议，在宗团长领导下，由宗务院代表和各教区、分教区选出的13名喇嘛代表以及兴安局总裁选定的9名信徒组成，负责制定宗团章程及宗规所定事项及其他重要宗务，每年9月在新京召开一次例会。喇嘛教宗团还设若干名监事和顾问。监事由主管官厅许可，宗团长聘任，负责监察宗团的财产和教务执行情况，任期2年。首任监事有色巴勒呢玛（土默特左旗瑞应寺）、图不丹吉格木都怕尔赍扎拉三（阿鲁科尔沁旗罕庙）、博彦满都（兴安东省公署）、那木海扎布（新京特别市民生部）、乌力图（新京特别市总务厅地方处）；顾问由宗团长聘任，以备咨询。首任顾问有兴安局总裁扎噶尔、巴特玛拉布坦、参议府参议齐默特色木丕勒、民生部次长谷次亨、协和会中央本部长三宅光治（前关东军参谋长）。③

---

①　《盛京时报》1940年12月6日。

②　1941年库伦旗麦达尔呼图克图继任宗团长。

③　忒莫勒：《伪满喇嘛教宗团成立始末》，载《内蒙古社会科学》1995年第1期。

喇嘛教宗团在全"满洲国"境内共设兴安北、兴安南、兴安西、热河、锦州、奉天6个地方教区，其下设30个分教区，分别成立教务所和教务分所。①

兴安北教区下辖新巴尔虎右翼旗、新巴尔虎左翼旗、索伦旗（包括陈巴尔虎旗）3个分教区，教务所设在新巴尔虎右翼旗甘珠尔庙；兴安南教区下辖扎赉特旗（包括大赉县、泰来县）、科尔沁右翼后旗（包括安广县、镇东县）、科尔沁右翼前旗（包括白城县、洮南县、开通县）、科尔沁右翼中旗（包括瞻榆县、醴泉县）、科尔沁右翼前旗、科尔沁左翼中旗（包括双辽县、通辽县、昌图县）、科尔沁左翼后旗（包括康平县）、库伦旗等8个分教区，教务所设在科尔沁右翼前旗葛根庙；兴安西教区下辖奈曼旗、扎鲁特旗（包括开鲁县）、阿鲁科尔沁旗、巴林左旗、巴林右旗（包括林西县）、克什克腾旗等6个分教区，教务所设在扎鲁特旗梅林庙；热河教区下辖承德县（包括隆化县、丰宁县、滦平县）、翁牛特左旗、翁牛特右旗、喀喇沁左旗、喀喇沁中旗、喀喇沁右旗、敖汉旗等7个分教区，教务所设在承德县狮子沟大佛寺；锦州教区下辖土默特左旗（包括彰武县、义县）、土默特中旗、土默特右旗等3个分教区，教务所设在土默特左旗排山楼村普安寺；奉天市教区下辖奉天市、沈阳县、辽阳市、辽中县、铁岭县、开原县、复县，教务所设在奉天市实胜寺。郭尔罗斯前旗（包括乾安县、长岭县、农安县）、郭尔罗斯后旗、杜尔伯特旗、依克明安旗等4个教区由宗务院直辖。②

从1941年到1944年，在新京和科右前旗葛根庙相继召开了第二次至第五次宗团会议，讨论决定有关喇嘛教育、寺庙财产管理、《转生喇嘛规则》、宗务院所在地变更、编纂藏蒙大辞典十年计划、喇嘛募兵等问题。这期间，1943年8月，宗团长查干呼图克图圆寂。10月28—29日在新京召开的喇嘛教宗团第四次会议上，决定从1944年起将宗务院设在科右前旗葛根庙，③并推举库伦旗寿国寺麦达尔呼图克图继任喇嘛教宗团长、阿鲁科尔沁旗罕庙喇嘛林古捷为宗务院院长。④

---

① 《盛京时报》1940年12月9日。

② 忒莫勒：《伪满喇嘛教宗团成立始末》，载《内蒙古社会科学》1995年第1期。

③ 《盛京时报》1943年10月31日。

④ 《盛京时报》1943年11月1日。

　　"满洲国"政府成立喇嘛教宗团的方针是："1. 由住在满洲国的喇嘛组成；2. 传承宗祖宗喀巴大师所显彰之佛陀正法，觉证无上菩提为立教之根本教义；3. 对内宣扬建国精神，对外敦厚东亚喇嘛教教徒之亲善，排除共产思想，以期兴法护国。"① 由此可见，日本帝国主义在"满洲国"成立这一宗教团体的真正用意，不仅在于从组织上加强对喇嘛教的管理和控制，而且更主要的是在于利用喇嘛教来向所有信仰喇嘛教的国家和地区施加影响，为其侵略战争需要服务。

　　日本侵略者把成立喇嘛教团体的做法同样搬到内蒙古西部地区。但是具体实施时没有采取像东部那样明显日本化的名称和形式，② 而是采用了传统的"喇嘛印务处"这个名称。

　　如上所述，伪蒙古联合自治政府于1940年12月就已经决定成立喇嘛印务处。根据这一决定，伪蒙古自治邦政府于1943年5月11日至12日，蒙古自治邦政府在张家口召开了"蒙古佛教复兴会议"。出席的有兴蒙委员会委员长松津旺楚克、副委员长吉尔嘎朗、各盟盟长、参与官及苏尼特左旗察罕敖包庙察罕格根、多伦诺尔甘珠尔瓦呼图克图、乌拉特前旗默尔根庙默尔根格根、乌珠穆沁左旗嘎布济庙嘎布济喇嘛以及五当召、百灵庙、锡拉木伦庙、席力图召、贝子庙、喇嘛库伦、多伦诺尔等大寺庙的高级喇嘛等。

　　会议上讨论通过了由兴蒙委员会制定的《蒙古佛教复兴要领》，决定了复兴喇嘛的方针和具体实施要领。根据该《蒙古佛教复兴要领》所确定的"确立蒙古佛教行政"③ 的方针，正式成立喇嘛印务处，推举察罕格根为喇嘛印务处掌印达喇嘛、默尔根格根为副掌印达喇嘛，④ 另外，嘎布济喇嘛等4人被推举为掌印"德木齐"。会议决定各寺庙应以蒙文经典为主、藏文经典为副；寺庙内设立喇嘛学校，给青年喇嘛教授蒙文及其他常识课目，设立

---

　　① "满洲国"史编纂刊行会：《满洲国史·各论》，第1282页。
　　② "宗团"、"宗务院"、"总本山"等都是日本佛教专用名词。
　　③ ［日］福岛义澄：《蒙疆年鉴》（日文，1944年版），第371页。
　　④ ［日］福岛义澄：《蒙疆年鉴》（日文，1944年版），第372页；扎奇斯钦认为多伦诺尔甘珠尔瓦呼图克图也被推举为副掌印达喇嘛，见扎奇斯钦：《我所知道的德王和当时的内蒙古》（二），第112页。

手工艺传艺所；每年进行考核、裁汰不合格的喇嘛等事项。[1] 印务处还聘请时任德化特务机关长的幽经虎岩为顾问。

喇嘛印务处成为管理蒙古自治邦政府辖区内寺庙和喇嘛的专门机构。设立喇嘛印务处的目的在于利用这一传统的制度来主持宗教行政，将散漫的各寺庙都纳入到这一宗教机构的管辖之下，同时严格禁止喇嘛干涉盟旗地方行政。

1945 年 4 月，兴蒙委员会还曾主持召开过一次蒙古佛教复兴会议。会上讨论通过了关于编纂出版佛教教科书和训练义务教育教员等振兴喇嘛义务教育案以及发行蒙文宗教读本、出版蒙文经典、召开各盟佛教讲习会、派遣喇嘛留学生、请求各方面协力普及初等教育、严格管理寺庙所有宝物古物等提案共 7 件。[2]

此外，伪蒙古自治邦政府曾将席力图召属庙召河庙（在武川以北）的属户编为席力图旗，把多伦诺尔汇宗寺、善因寺属户编为多伦诺尔旗。于是在伪蒙疆政权辖区内出现了两个喇嘛旗。

日本侵略者在内蒙古东西部地区分别建立喇嘛教宗团和喇嘛印务处以及喇嘛旗，其真正用意在于切实掌握内蒙古喇嘛教势力，以利于其殖民统治。同时也利用这种宗教组织，向信奉佛教的亚洲其他国家和地区施展影响，为建立其所谓"大东亚共荣圈"的国策服务。

2. 邀请上层喇嘛到日本等地访问

日本侵略者清楚地知道要想真正掌握蒙古喇嘛教势力，首先必须得到喇嘛教上层人士的信任和支持。因为，蒙古喇嘛教上层不仅能够左右一般喇嘛和民众的思想及行为，而且对蒙古地区的政治也能发挥直接或间接的作用。所以，日本侵略者十分注意拉拢喇嘛教上层，与有影响的呼图克图、格根等建立密切关系，邀请他们访问日本，向他们炫耀日本的工商业、科技与文化教育的发达状况，并与日本佛教界建立联系。

20 世纪三四十年代，在内蒙古有名望的上层喇嘛大多访问过日本。

---

[1]　扎奇斯钦：《我所知道的德王和当时的内蒙古》（二），第 112 页。

[2]　中国第二历史档案馆编：《中华民国史档案资料汇编》第 5 辑之《第二编·政治》（四），第 113 页。

1938 年 9 月，伪蒙古联盟自治政府派出的政府代表团中，就包括了从外蒙古流亡到内蒙古的迪鲁瓦活佛等几名上层喇嘛。日本方面除让他们参观东京、京都等大城市的工厂、商场及名胜古迹之外，还专门让他们到京都的日本佛教净土宗总本山智恩院访问。① 另外，阿鲁科尔沁旗罕庙查干呼图克图②和苏尼特左旗察罕敖包庙的察罕格根③都曾访问过日本。

据幽经的回忆，1942 年和 1943 年他曾两次组织内蒙古西部地区有影响的十几名上层喇嘛，访问日本佛教各宗总本山和具有代表性的现代化工厂、教育设施等。这两次喇嘛访问团的一切开支均由驻蒙军的机密费中支付，并得到了日本陆军省方面的周密接待。

除此之外，日本方面还曾组织内蒙古西部地区的喇嘛到伪满洲国访问，借以炫耀所谓"满洲国"在日本支持下迅速发展的状况。1939 年 10 月，由乌珠穆沁旗的 11 名喇嘛组成内蒙喇嘛僧团，赴伪满洲国科右前旗葛根庙参加诵经大会，随后到新京参观了建国大学、满映摄影场、蒙文工厂等。④

1941 年 12 月，阿巴嘎左旗阿尤勒海庙喇嘛嘎拉桑散结扎布游历西藏、印度、尼泊尔及东南亚各国后返蒙途中，日本方面让他访问伪满洲国，并让他向新闻界发表谈话。⑤

3. 派遣青年喇嘛到日本寺院留学

日本侵略者为使蒙古喇嘛教日本化而采取的一个重要措施便是派遣大批青年喇嘛到日本各寺院学习。

1933 年，日本关东军便开始筹备有计划地派遣青年蒙古喇嘛赴日留学。1935 年 10 月，伪满洲国兴安西省、兴安南省、兴安北省的 15 名蒙古喇嘛作为首批留学生赴日本学习。⑥ 此后，从内蒙古东部地区陆续派遣青年喇嘛到

---

① 娜仁高娃：《留学日本的蒙古知识分子——关于在智恩院学习的喇嘛们》，见乌云毕力格、娜仁高娃编：《硕果——纪念扎奇斯钦教授 80 寿辰》（蒙古文），内蒙古文化出版社 1996 年版，第 439 页。

② 《团长呼图克图活佛最孚蒙古民望》，载《盛京时报》1940 年 12 月 6 日。

③ 苏尼特左旗政协：《查干葛根活佛生平事迹简介》，见政协内蒙古自治区委员会文史资料研究委员会编：《内蒙古文史资料》第 19 辑，呼和浩特：政协内蒙古自治区委员会文史资料研究委员会 1985 年印刷，第 185 页。

④ 《内蒙喇嘛僧团一行抵京》，载《盛京时报》1939 年 10 月 31 日。

⑤ 《世界和平须假手佛教国，蒙疆喇嘛大僧在国都谈话》，载《盛京时报》1941 年 12 月 4 日。

⑥ ［日］春日行雄编著：《日本与蒙古一百年》（日文），第 74 页。

日本寺院学习。

依照日本驻蒙军的安排，伪蒙古联盟自治政府从 1938 年开始派遣内蒙古西部地区的青年喇嘛到日本寺院学习。同年 5 月，从内蒙古西部地区派出首批 5 名喇嘛赴日。

从内蒙古到日本的喇嘛绝大多数到与喇嘛教因缘最近的净土宗本山京都智恩院以及高野山、比叡山、和歌山等寺院研习日本佛经。① 此外有的喇嘛也到日本佛教真言宗、日莲宗、天台宗的一些寺院学习。②

据统计，20 世纪三四十年代在日本各寺院学习的蒙古喇嘛有 100 多人，其中近一半的人在京都智恩院学习。喇嘛留学生所学的课程，以智恩院为例，有日语、修身、佛教史、亚洲史、亚洲地理、日本史、欧洲史、数学、物理、佛教常识及军事训练课等。③

首批留日喇嘛学生于 1938 年 7 月毕业返乡。④ 此后，留日的喇嘛学生陆续完成学业回国。但是返回家乡的喇嘛留学生并未全部回到各自的寺庙当喇嘛。据统计，从日本各寺院毕业的内蒙古西部地区的喇嘛，大多到当时急需日文日语人才的各机关、团体和学校从事翻译、秘书或日语教学工作。⑤

4. 利用喇嘛教进行特务及政治活动

日本侵略者利用喇嘛教的一个重要目的就是向伊克昭盟、阿拉善旗、额济纳旗、青海、新疆等未被日本占领的地区以及蒙古人民共和国扩张其势力。为此，日本方面就利用蒙古喇嘛及寺庙，向上述地区进行渗透和收集情报等特务活动，并极力拉拢从蒙古国逃亡到内蒙古的一些上层喇嘛，试图把他们变成自己侵略活动的工具。

日本关东军早在 1933 年底就派一个叫笹目恒雄的人到苏尼特右旗德王

---

① 满洲帝国协和会调查部编：《兴安蒙古》（日文），第 81 页。

② 娜仁高娃：《留学日本的蒙古知识分子——关于在智恩院学习的喇嘛们》，见乌云毕力格、娜仁高娃编：《硕果——纪念扎奇斯钦教授 80 寿辰》（蒙古文），第 42 页。

③ 娜仁高娃：《留学日本的蒙古知识分子——关于在智恩院学习的喇嘛们》，见乌云毕力格、娜仁高娃编：《硕果——纪念扎奇斯钦教授 80 寿辰》（蒙古文），第 427 页。

④ 《蒙古喇嘛日本留学僧一行归来》，《盛京时报》1938 年 7 月 28 日第 2 版。

⑤ 娜仁高娃：《留学日本的蒙古知识分子——关于在智恩院学习的喇嘛们》，见乌云毕力格、娜仁高娃编：《硕果——纪念扎奇斯钦教授 80 寿辰》（蒙古文），第 449—451 页。

府附近的温都尔庙，伪装成喇嘛①专门负责拉拢德王的工作。1935年又在锡盟贝子庙建立了关东军阿巴嘎特务机关。1938年，日本方面向内蒙古西部地区最大的寺庙五当召派去佐佐木等两名日本佛僧（后来又派去藤田等两名日本人，冒充东部蒙古人住在该庙）。1944年五当召喇嘛进藏拜佛时，藤田等两名日本特务也曾随团前往，在伊克昭盟境内被傅作义的军队捕获。②

在内蒙古东部地区著名大寺葛根庙，先后有加藤、崛内等两名佛僧以研习喇嘛教经典为名长期滞留，并受王爷庙特务机关的指挥。③

除上述寺庙之外，日本侵略者向百灵庙、察罕敖包庙、多伦、罕庙以及呼伦贝尔的甘珠尔庙等沿中蒙边境的大小寺院都派去日本特务，收集有关当地及蒙古人民共和国的情报。

日本侵略者不仅将喇嘛寺庙作为进行特务活动的据点，还利用蒙古喇嘛进行特务活动。1942年日本驻蒙军下属的德化（今化德县）特务机关专门开办"喇嘛训练所"。这一训练所实际上是为驻蒙军情报部培养特务人员的秘密机关。该训练所专门招收20岁以下的青少年喇嘛。向他们灌输反苏反共亲日思想，教授特务情报工作的专门知识和技能。喇嘛学员结业后分配到各寺庙及机关、团体、学校，进行秘密的情报工作。④曾任喇嘛印务处顾问的幽经于1943年8月转任德化特务机关长，具体负责该训练所的工作。⑤此外，日本方面还曾把从日本寺院留学回国的个别喇嘛派到特务机关工作。⑥

向蒙古人民共和国进行侵略和渗透是日本侵略者蓄谋已久的企图之一。为此，他们同样注重利用喇嘛教。曾任关东军承德特务机关长的松室孝良在

① 德穆楚克栋鲁普：《德穆楚克栋鲁普自述》，陶布新整理，见政协内蒙古自治区委员文史资料研究委员会编：《内蒙古文史资料》第13辑，第9页。

② 巴靖远：《五当召日本化装喇嘛赴藏被捕始末》，见政协内蒙古自治区委员会文史资料研究委员会编：《内蒙古文史资料》第15辑，政协内蒙古自治区委员会文史资料研究委员会1984年印刷，第107页。

③ 舍旺：《日本侵略者伸向葛根庙的魔爪》，见政协内蒙古自治区委员会文史资料研究委员会编：《伪满兴安史料》（《内蒙古文史资料》第34辑），政协内蒙古自治区委员会文史资料研究委员会1989年印刷，第140页。

④ 博彦库：《日伪时期德化喇嘛训练所》，见政协内蒙古自治区委员会文史资料研究委员会编：《内蒙古文史资料》第29辑，政协内蒙古自治区委员会文史资料研究委员会1987年版，第124、126页。

⑤ ［日］幽经虎岩：《日本的秘密战与蒙古喇嘛工作》，《资料与情报》1981年第1期。

⑥ 娜仁高娃：《留学日本的蒙古知识分子——关于在智恩院学习的喇嘛们》，见乌云毕力格、娜仁高娃编：《硕果——纪念扎奇斯钦教授80寿辰》（蒙古文），第431、450页。

其《满洲国接壤地方占领地统治案》（1934 年 2 月）中就提出"与外蒙古的王公、活佛等取得秘密联系，唆使蒙民在各地举行反苏反现政权的暴动"，[①] 并制定了利用喇嘛教的详细计划。1935 年，日本关东军又通过"善邻协会"，向逃亡到内蒙古的迪鲁瓦活佛提供物资援助，让他负责组织逃亡到内蒙古的外蒙古难民。[②] 1936 年 1 月，关东军又计划给迪鲁瓦活佛组建一个军的兵力，让他出任"蒙古独立军司令"。[③]

日本占领内蒙古期间，还曾策划了寻找外蒙古哲布尊丹巴活佛和诺彦呼图克图转世灵童的政治阴谋。

外蒙古喇嘛教首领第八代哲布尊丹巴活佛于 1924 年圆寂之后，蒙古国政府制定法令，禁止哲布尊丹巴活佛再转世。日本驻蒙军认为，寻找第九世哲布尊丹巴灵童将对内外蒙古产生重大的政治影响。所以，驻蒙军就派迪鲁瓦活佛经印度到西藏，试图让达赖喇嘛出面指认八世哲布尊丹巴的转世灵童，并将其迎请到内蒙古。但是迪鲁瓦活佛赴藏途中在香港机场被英国情报机关发现后，被送上了去重庆的飞机。[④] 这样，日本驻蒙军寻找九世哲布尊丹巴的阴谋未能得逞。

诺彦呼图克图是外蒙古有影响的活佛之一，蒙古人民共和国政府于 20 世纪 30 年代以反革命罪判处其死刑。日本驻蒙军便利用这一事件，开始在内蒙古寻找诺彦呼图克图的转世灵童。他们首先指使当时住在北平雍和宫的青海土观活佛，指认苏尼特左旗察罕敖包庙喇嘛学校的一名少年为诺彦呼图克图转世灵童。[⑤] 1942 年 7 月 15 日，在察罕敖包庙为所谓的诺彦呼图克图的转世灵童举行了隆重的坐床典礼。[⑥]

综上所述，进入 20 世纪以后，蒙古喇嘛教尽管出现衰落的趋势，但在蒙古地区的政治及蒙古民众生活中仍占有重要的地位。日本侵略者占领内蒙

---

① ［日］岛田俊彦、［日］稻叶正夫编：《现代史资料（8）·日中战争（一）》（日文），美铃书房 1965 年版，第 482 页。

② ［日］岛田俊彦、［日］稻叶正夫编：《现代史资料（8）·日中战争（一）》（日文），第 495 页。

③ ［日］岛田俊彦、［日］稻叶正夫编：《现代史资料（8）·日中战争（一）》（日文），第 544 页。

④ 扎奇斯钦：《我所知道的德王和当时的内蒙古》（二），第 96 页。

⑤ ［日］幽经虎岩：《日本的秘密战与蒙古喇嘛工作》，载《资料与情报》1981 年第 1 期。

⑥ ［日］福岛义澄编：《蒙疆年鉴》（日文，1944 年版），第 49 页。

古以后，为巩固其殖民统治，制定了一系列旨在控制和利用喇嘛教的方针、政策，并采取了成立喇嘛教团体，邀请上层活佛喇嘛到日本访问，派遣青年喇嘛到日本寺院留学，利用喇嘛教进行特务及政治阴谋活动等具体措施。日本侵略者的真正用意在于切实掌握该地区的喇嘛教势力，以利于其殖民统治，同时利用蒙古喇嘛教向信奉佛教的亚洲其他国家和地区施加影响，为建立其所谓"大东亚共荣圈"的国策服务。这些都是日本帝国主义利用宗教侵略中国的具体史实。

四、喇嘛教与内蒙古地区政治的关系

近代以来，蒙古喇嘛教尽管出现了衰落的趋势，但喇嘛教作为蒙古人全民信仰的宗教依然继续存在，其在蒙古人精神生活与蒙古地区政治生活中的地位和影响力仍不容忽略。

宗教作为一种社会现象，其最重要的功能就是满足人们心灵和精神上的需求。在民国时期，蒙古地区政局始终动荡不稳，王公上层前途堪忧，一般民众衣食难保，于是无论平民还是上层人士都普遍笃信喇嘛教，祈求佛祖的保佑。"凡冠婚丧祭吉祸福，几无一不与喇嘛教有关，对于喇嘛之道德高劭者，视若天神，平生除信仰宗教之活佛外，绝不认为有其他之权力也。"① 喇嘛教不仅仍然控制着多数蒙古人的精神世界，同时也与蒙古地区的政治生活保持着千丝万缕的联系。"因蒙人信仰喇嘛过笃，活佛得于无形中支配王公的思想，进而支配政治，活佛下之大喇嘛，其片言只语，虽王公不敢违逆。"② 此番言论，虽有些夸张，但也反映出宗教势力尚未完全退出蒙古地区的政治舞台。宗教首领们在满足普通民众的精神需求的同时，也借助于其社会影响力，时常参与乃至干预地方政治。而中央和地方的当政者亦不时利用宗教的力量和宗教领袖的影响力，以期达到政治的目的。

纵观民国初年至三四十年代的历史，在蒙古地区所发生的一系列重大的历史事件中，每每都有喇嘛教领袖们的身影，有的甚至扮演了主要角色。

---

① 多伦诺尔喇嘛印务处编：《内蒙古黄教概记》（1943 年），见任月海编译：《多伦文史资料》第 1 辑，内蒙古大学出版社 2006 年版，第 137 页。

② 黄奋生：《蒙藏新志》（下），第 718 页。

与 1911 年外蒙古第一次独立同时发生在内蒙古的独立运动中，喇嘛教上层起到了相当重要的作用。

1912 年，哲里木盟科尔沁右翼前旗郡王乌泰发动了"东蒙古独立"运动。该事件的主谋之一就是旗王爷庙锡勒图喇嘛布和布彦，事前他曾亲自赴库伦与哲布尊丹巴集团进行联系，争取库伦政权的援助。乌泰正式宣布"东蒙古独立"之时，锡勒图喇嘛和该旗格根庙活佛及嘎西喇嘛等被封为各路统兵元帅，并以所谓"神佛保佑"等办法蛊惑群众参与暴动。

喀喇沁右旗郡王贡桑诺尔布策划内蒙古"独立"活动时，该旗商卓特巴喇嘛色尔济扎木苏曾作为代表前往库伦，向外蒙古内务总理衙门呈递了以该旗所有僧俗民众的名义表示归顺哲布尊丹巴政权的文书。① 不久，该旗喇嘛罗布桑车珠又被派往库伦作进一步的联系。②

1919 年，在俄境外贝加尔地区发生布里亚特蒙古人的民族运动。同年 2 月，在日本派遣军和原沙俄军官谢苗诺夫的支持下，在赤塔召开了被称做"泛蒙古独立"的大会。会上，归化城主要活佛之一内齐托因呼图克图（出生于内蒙古扎赉特旗）被推举为"蒙古国临时政府"首脑。不久，这次运动失败后，内齐托音呼图克图在恰克图被中国驻军诱杀。

1931 年"九一八"事变之后，甘珠尔扎布等依靠日本关东军组建"内蒙独立军"时，哲里木盟科尔沁左翼中旗莫力庙第四世达尔罕呼图克图阿旺图布丹便参与这一事件，并被任命为"内蒙自治军"第 3 军军师。不久，东北军崔兴武部袭击莫力庙，阿旺图布丹等侥幸脱险，寺庙财物被劫掠一空。伪满洲国建立后，阿旺图布丹还曾率团赴日参观。③

喇嘛教两大首领之一班禅（九世），从 1925 年到 1937 年圆寂为止，大部分时间是在内蒙古地区度过的。在这 10 多年当中，他先后走访哲里木、昭乌达、呼伦贝尔、锡林郭勒、乌兰察布、伊克昭盟和归绥、包头以及阿拉善等地，其活动与当时内蒙古地区的政局有着密切的关系。

---

① 《贡桑诺尔布致博克多汗书》，见蒙古国家历史档案馆档案，No. A3—1—343—56。
② ［美］保罗·海尔：《蒙古独立运动中的内蒙古》（1911—1914 年），见内蒙古大学中共内蒙古地区党史、内蒙古近现代史研究所编：《内蒙古近代史译丛》第 1 辑，第 111 页。
③ 德勒格编著：《内蒙古喇嘛教史》，内蒙古人民出版社 1998 年版，第 379 页。

1926 年奉系军阀张作霖掌管北京政府实权以后，为利用班禅来影响内外蒙古，将他送到沈阳黄寺居住。此后，班禅便应内蒙古各盟旗王公的邀请，到各大寺庙讲经说法。1928 年 6 月张作霖被日本人炸死，张学良成了东北的新主人。8 月，在呼伦贝尔地区发生了郭道甫等人领导发动的自治运动，即呼伦贝尔青年党事件。张学良立即要求班禅前去阻止东部盟旗响应呼伦贝尔的自治运动。1929 年 11 月，张学良把班禅又接到沈阳，"想利用他，以期联络蒙藏，与东北四省一致，共同防苏"①。

1933 年由德王首倡发动的内蒙古"高度自治"运动，与班禅也有一定的关系。德王当时只是锡林郭勒盟的副盟长，声望不高，年纪又轻，想要倡导内蒙古自治，就必须得到各盟旗年高爵尊之王公的支持。经过反复考虑后，德王决定争取通过班禅来说服这些老王公们谅解并支持其发动自治运动。为此，他先和锡林郭勒盟盟长索特纳木喇布坦亲王商量后决定，联络各盟旗集资在内蒙古为班禅建庙，请其长期留住内蒙古，促成一个宗教中心。此后，在锡盟盟长索王的西乌珠穆沁旗和副盟长德王的苏尼特右旗为班禅各建一座庙。1931 年冬，德王请班禅到苏尼特右旗过冬。1932 年 3 月，班禅应乌兰察布盟盟长云端旺楚克之请，来到达尔罕旗贝勒庙（即百灵庙）。1933 年 7 月，德王、云王等在百灵庙召集内蒙古各盟王公召开第一次内蒙古自治会议，并向国民政府发出"高度自治"要求时，班禅就住在百灵庙。所以说，德王等倡导内蒙古"高度自治"时，锡盟盟长索王和乌盟盟长云王以及锡盟、乌盟各旗王公及察哈尔各旗总管大多数能够参与其事，均与班禅的影响有着直接的关系。

自清初以来，章嘉呼图克图一直是清廷派驻内蒙古的喇嘛教首领，担负着"安抚"漠南蒙古诸部的重任。中华民国成立后，章嘉首先翊赞共和，亲赴北京晋见大总统袁世凯。章嘉的这一举动，对于内蒙古地区僧俗封建上层赞助共和、归顺民国起到了相当重要的作用。

1928 年国民政府在南京成立后，任命章嘉为蒙藏委员会委员，并为其在南京设立了办事处。1929 年 1 月 22 日，章嘉以"大国师"名义致电国民

---

① 《满蒙政况关系杂纂·内蒙古关系》第 1 卷，见日本外务省外交史料馆藏档案，A—6—1—2—1—14。

政府，拒绝出任"内蒙古佛教整理委员会首席委员"职务，要求将京城喇嘛印务处改为喇嘛教委员会，由其"统一内蒙教权"，[①] 将各省、各盟旗喇嘛印务处一律改为喇嘛教委员会分会，隶属于喇嘛教委员会，委员人选由章嘉选择并由政府任命。1930 年 5 月 27 日，章嘉再次致电国民政府主席，借内蒙古各处寺庙喇嘛之名，反对将内蒙古地区各寺庙交给各盟旗管理。[②] 1932 年 4 月，国民政府还任命章嘉为"蒙旗宣化使"，加封"净觉辅教"名号，并于 7 月 14 日公布《宣化使公署组织条例》。[③] 1933 年 7 月，内蒙古"高度自治"运动兴起后，国民政府立即通过阎锡山要求章嘉以"蒙旗宣化使"名义，迅速进入内蒙古宣慰，设法阻止这次运动。同年 10 月初，章嘉从五台山到北平时，留平蒙古族大学生等打着反对章嘉干涉政治的标语，在火车站及崇祝寺进行示威，并在报刊上刊登了蒙古学生反对章嘉的新闻。[④] 由于上述原因，加上第 13 世达赖喇嘛在拉萨圆寂，使得章嘉"入蒙宣抚"的使命未能如期完成。

1934 年 3 月，章嘉从北平来到伊克昭盟、土默特旗及察哈尔等盟旗进行"宣化"，除举行诵经法会外，大量散发用蒙汉两种文字印制的《告蒙古民众书》、《告喇嘛书》、《告青年书》、《告王公书》等宣传品，极力宣传国民党政府对蒙民的所谓"德意"。[⑤] 但此时国民党中央已经通过决议，允许内蒙古实行自治，成立蒙政会。章嘉入蒙阻止蒙古自治的行动也就失去意义。所以他于 4 月底匆匆返回北平，为履行义务，即派人到南京向国民政府报告入蒙"宣化"经过。此后，章嘉便居住在五台山，抗战时期又移住重庆，再没有直接参与内蒙古地区的政治活动。

喇嘛教上层参与蒙旗内部的权力之争或直接掌管旗政，是喇嘛教与蒙古地区的政治发生关系的一个主要表现形式。

---

① 《中华民国史档案资料汇编》第 5 辑之《第一编·政治》（五），江苏古籍出版社 1989 年版，第149 页。

② 《中华民国史档案资料汇编》第 5 辑之《第一编·政治》（五），第 43 页。

③ 中国第二历史档案馆编：《中华民国史档案资料汇编》第 5 辑之《第一编·政治》（五），第62—63 页。

④ 扎奇斯钦：《我所知道的德王和当时的内蒙古》（一），第 67 页。

⑤ 乌云高娃：《诸世章嘉呼图克图》，政协内蒙古自治区委员会文史和学习委员会编：《内蒙古喇嘛教纪例》，政协内蒙古自治区委员会文史和学习委员会 1997 年印刷，第 221 页。

1928 年阿拉善旗发生"小三爷事件"，推翻了该旗王公札萨克统治，建立了新的旗政权。不久，新政权被推翻。由于该旗札萨克塔王长期居住在北平，便暂由该旗南寺（广宗寺）喇嘛坦迭斯尔得呼图克图代为执掌旗政。喇嘛坦因此卷入该旗内部权力之争的旋涡，而且与南寺的首席格根阿格旺旦曾佳木素（达格宝活佛）发生矛盾。南寺格根也与旗内的权力之争有着密切的关系，由此发生了多次流血事件。后来，阿拉善旗新任札萨克塔王之子达理扎雅回旗亲政后，南寺格根被迫远走他乡。

30 年代初，乌兰察布盟乌拉特前旗（俗称西公旗）发生了所谓的"石王事件"。即在该旗札萨克继承人问题上，旗公庙达喇嘛与新任札萨克石拉布多尔济之间发生了矛盾。到 1936 年双方兵戎相见，造成流血事件，达喇嘛被杀。随后，这一事件演变成为绥远省政府与蒙古地方自治政务委员会（即百灵庙蒙政会）之间的冲突。

在有些盟旗，上层喇嘛直接掌握盟旗军政大权，实行政教合一的统治。这是喇嘛教干涉政治的最典型的表现。

伊克昭盟鄂托克旗阿拉庙活佛扎木扬沙日布（汉名章文轩）是这方面的典型代表。章文轩 7 岁时被迎请到阿拉庙，成为该庙第八世沙卜隆，后来到塔尔寺学经，获堪布喇嘛称号。他早年曾参加过该旗的"独贵龙"运动，1926 年加入了内蒙古人民革命党，并组建了 3 个连的武装，还负责征收全旗水草捐和地盘税。1927 年他到蒙古国首都乌兰巴托，参加内蒙古人民革命党特别会议并当选为中央执行委员。他返旗后，无法在旗内立足，便到准格尔旗避难。1929 年他再度返旗，便逐步掌握了该旗的军政大权。1934 年他还特地邀请九世班禅到鄂托克旗新召和他的阿拉庙诵经。班禅前往阿拉善旗时，他又亲自护送到石咀山。这些活动更进一步提高了他的政治及宗教威望。他先后任该旗保安队司令、宁鄂边界巡防司令、伊南抗日游击司令、绥境蒙政会委员、国民党绥远蒙旗党务特派员办事处特派员等，被称做"章司令"，以至于外界人士只知鄂托克旗有章司令，而不知该旗王爷为何人。他执掌该旗军政大权达 10 余年之久，直到 1946 年初被其部下杀死为止。

日伪时期，锡林郭勒盟东乌珠穆沁旗的嘎布济喇嘛罗布桑，因不满该旗札萨克多尔济在旗内推行的苛政，组织嘎布济庙属民，停止向旗公署缴税应差，拒绝执行旗公署的任何命令，并在其寺庙附近实行定居放牧，招收牧民子弟到庙里所设的小学和手工艺工场学习，与旗公署形成对峙局面。为此，蒙古联合自治政府派兴蒙委员会委员长松津旺楚克前去解决，禁止罗布桑喇嘛干涉地方行政，严格规定该庙属民服从旗公署的管辖。同时撤销该旗札萨克职务，暂由该旗协理多布丹代理。这样才平息了东乌珠穆沁旗的这场政教之争。①

20世纪初以来，蒙古喇嘛教开始衰落的同时与蒙古地区政治的关系也显得更加密切，更加复杂。这一现象的出现，有蒙古社会内部及整个国际国内形势变化等多方面的原因。从喇嘛教及其上层本身来说，他们总希望依靠世俗政治权力或以宗教干涉政治的手段来摆脱日益衰落的命运。这是近代以来喇嘛教与蒙古地区政治发生密切关系的根本原因。

五、喇嘛寺庙经济

喇嘛寺庙是蒙古地区的宗教和文化中心，同时也是社会财富最集中的地方。进入近代以后，内蒙古牧区的寺庙仍拥有大量的牲畜、牧场，农业区和半农半牧区的寺庙则占有大片土地，有的还兼营商业及工矿业。一些大活佛成为蒙古地区最富有的阶层，其财产远远超过世俗王公贵族。寺庙经济是蒙古地区经济的重要组成部分，体系庞大、势力雄厚。

清中叶以来，随着内蒙古各地开垦面积的不断扩大，临近农区的各寺庙也开始将归其占有的牧地，租给农民收取地租，以资维持寺庙及喇嘛生计。清末推行放垦蒙地时，垦务局给那些放垦地区之内的寺庙划拨了一定数量的土地。寺庙占有的土地称"庙地"，也称做"香火地"或"膳召地"。寺庙将这些土地出租给农民耕种，按商定的比例收取租子，或由寺庙提供种子、农具和牲畜，直接雇用农民耕种，秋后按比例分成。土地收益成了这些寺庙最主要收入来源之一。

内蒙古西部地区的席力图召，是清代以来的归化城掌印札萨克达喇嘛所住的庙，不仅政治地位高，而且经济实力也十分雄厚。据统计，民国初年该庙所占有的耕地就有2万多庙。② 内蒙古西部地区的另一大寺庙——五当召

①　扎奇斯钦：《我所知道的德王和当时的内蒙古》（一），第67页。
②　德勒格编著：《内蒙古喇嘛教史》，第276页。

在 20 世纪 20 年代时拥有耕地 4 000 余顷，每年收租银 6 000 余元，收租粮 1 985 石（约合 555 800 千克）。① 阿拉善旗广宗寺、延福寺、福因寺等 3 大寺庙也有一定数量的出租土地。其中"延福寺出租的 300 亩庙田，每年可收 1 050 元田租"。福因寺有"耕地 1 000 多亩"。内蒙古东部区的库伦旗兴源寺、象教寺、福缘寺 3 大寺拥有大量的土地。其中象教寺在该旗境内拥有南北宽 5 公里、东西长约 7.5 公里的土地，每年收租约 200 余石粮谷。据 1947 年的调查，福缘寺有 51 265 亩土地，林地 170 亩，菜地 70 亩，房基地 30 亩，每年收租 400—500 石粮谷。② 昭乌达盟阿鲁科尔沁旗德博勒庙也拥有耕地 2 万亩。③

牧区及半农半牧区的寺庙则占有大量的牲畜，较大寺庙一般都有上万头牲畜。畜牧业是这些寺庙的主要收入来源。

寺庙把通过各种途径得来的牲畜交给寺庙属民——沙比纳尔放养，或以放"苏鲁克"的形式，将畜群交给一般牧民代放。以阿拉善旗广宗寺（南寺）为例，1916 年该寺庙"格根仓"的"苏鲁克"就有骆驼 382 峰，马 55 匹，牛 5 头，牦牛 82 头，骡 2 匹，驴 7 头，绵羊 259 只，山羊 58 只，大小畜合计 851 头（只）。④

归化城席力图召在大青山北召河地区拥有大片牧场，即希拉木伦苏木全境为该庙所属牧场，有大小牲畜 10 000 余头（只）。五当召的牧地东西长约 75 公里、南北宽约 40 余公里，其中除约有 4 000 余顷耕地之外，其余均为牧场和山林，拥有牛马等大畜 1 000 头（匹），羊 20 000 余只。科左中旗莫力庙有牛马 10 000 多头（匹），羊 40 000 余只。阿鲁科尔沁旗德博勒庙有羊 4 800 只，牛 1 700 头，马 1 000 匹，骆驼 700 峰。⑤

这些统计数字说明，牧区及半农半牧区的大寺庙，实际上成为该地区牧业生产及生活资料——牲畜的最大所有者。

---

① 呼和巴雅尔：《广觉寺史略》，见包头市民族宗教事务委员会、政协东河区委员会编：《包头宗教史略》，包头市民族宗教事务委员会、政协东河区委员会 1987 年印刷，第 46—50 页。

② 德勒格编著：《内蒙古喇嘛教史》，第 640—676 页。

③ 德勒格编著：《内蒙古喇嘛教史》，第 277 页。

④ 内蒙古自治区编辑组：《蒙古族社会历史调查》，内蒙古人民出版社 1986 年版，第 176 页。

⑤ 德勒格编著：《内蒙古喇嘛教史》，第 276—277 页。

寺庙经济大致可分为庙仓和"佛仓"（有的地方亦称"格根仓"）两大系统。"庙仓"属于寺庙的共同财产，"佛仓"属于呼图克图、格根等的私人财产。这两类仓，分别由专人负责收支事宜。

寺庙的另一大经济来源是喇嘛的化缘及信徒的布施收入。民国年间，随着喇嘛教的衰落和喇嘛钱粮收入的减少，化缘便成为有些寺庙所需开支及喇嘛生活的主要来源。尤其对那些没有土地、牧场、畜群、商号等收入的寺庙来说更是如此。寺庙修缮、佛像制作、法会、活佛转世或坐床、喇嘛晋升学位或留学深造等，都成为化缘的理由。施主则根据自己的财力状况，施舍牛、马、羊或财物。

喇嘛教信徒向寺庙及喇嘛布施是寺庙经济的一个重要组成部分。从蒙古王公贵族到贫民百姓都会向寺庙及喇嘛进行布施。信徒在寺庙定期法会及著名呼图克图、格根举行诵经法会时都要布施。此外，在祈求幸福平安、健康长寿，或婚丧嫁娶、迎来送往时请喇嘛指点或请到家里诵经，为此也要施舍财物。有些影响大、地位高的呼图克图、葛根等，周游各地，举行"丁科尔旺"（时轮金刚法会）之类大型讲经法会时，成千上万的信徒前来听经叩头，而无论贵族、富户，平民百姓皆尽其所能，大施奉献。例如，章嘉呼图克图、土观呼图克图、察罕达尔汗呼图克图、乃吉托音呼图克图、甘珠尔瓦呼图克图等，每周游一次各盟旗，都能得到一二万头（只）牲畜，几万至十几万元银元的收入。1928 年班禅在哲里木盟科右中旗唐嘎日格庙举行"丁科尔旺"法会时，该旗管旗章京赛音乌力吉一人就奉献银元 6 万元。班禅到锡盟西乌珠穆沁旗举行法会时，该旗王爷奉献 1 万头（只）牲畜。[1] 另据贺扬灵《察绥蒙民经济的解剖》，班禅在锡、乌两盟诵经，所得信徒布施"达 20 余万元"。[2] 另外，以阿拉善旗广宗寺为例，从 1916 年 6 月—1919 年 2 月，该寺"格根仓"的各种收入有 15 442.973 两银，145 87.442 文钱，其中施主奉献和化缘收入达 5 858.572 两银，1 047.930 文钱，[3] 占总收入的 37%，在各项收入中居第二位。

---

① 德勒格编著：《内蒙古喇嘛教史》，第 280 页。
② 贺扬灵：《察绥蒙民经济的解剖》，第 233 页。
③ 内蒙古自治区编辑组：《蒙古族社会历史调查》，第 174 页。

对于喇嘛教信徒来说，寺庙的化缘和自己对寺庙、喇嘛的各种布施、奉献，尽管出于虔诚的宗教信仰，但这无疑是一种莫大的经济负担。对于寺庙和喇嘛来说，这无疑是对信徒的无偿索取，实际上是一种变相的剥削。

城镇或农区、半农半牧区的多数寺庙和上层喇嘛大多还经营商业及工矿业。

归化城内的席力图召平时出租寺庙所属房屋 1 000 多间，并经营十多处商号。阿拉善旗定远营城内的延福寺共出租房屋 170 多间。① 该旗南寺"格根仓"从 1916 年 6 月至 1919 年 2 月的所有收入中，出租房屋及出售哈达、牲畜、布匹、粮食等商业性收入达 6 720.51 两银，6 956.372 文钱，约占总收入的 44%，居第一位。② 锡埒图库伦旗的兴源寺、象教寺、福缘寺在库伦街、沈阳等地设有大商号 8 处，出租房屋 500 多间，还有酒厂 1 处，银号 1 处。经营皮毛、绸缎、布匹、粮食、烧酒和银行等，年收入达数百万银元。阿鲁科尔沁旗德博勒庙塔尔巴喇嘛除在本旗经营商店、当铺、饭馆、客栈，以及农畜产品加工、制酒、烧砖等手工业作坊外，还在开鲁县城又开设两处大商号。③ 科左中旗莫力庙格根阿旺图布丹在通辽县城内兴建房屋，开设商号，经营百货、粮食、皮货及车马店等，并把该庙历代积存之金银财宝等存放在通辽的兴业银行，成为该行最大的股东之一。他还在寺庙附近开辟一个集市贸易的商业区，收取地皮费、房屋租赁费和税收等。④ 五当召在石拐沟与漠南公司、广兴矿业有限股份公司等联合开发煤矿，每年分得煤灰约 20 多万公斤，现洋 10 余万元。⑤

近代以来，蒙古喇嘛教趋于衰落的同时，寺庙及上层喇嘛聚积了大量的社会财富。这种巨额财富不能用于扩大再生产和经济建设，而是用于礼佛、诵经及供养庞大的寄生阶层——宗教集团。寺庙经济的恶性膨胀，社会财富过度集中于寺庙集团手中，是导致广大下层人民日趋贫困，各蒙旗财政愈来

---

① 内蒙古自治区编辑组：《蒙古族社会历史调查》，第 179 页。

② 内蒙古自治区编辑组：《蒙古族社会历史调查》，第 174 页。

③ 德勒格编著：《内蒙古喇嘛教史》，第 276—286 页。

④ 德勒格编著：《内蒙古喇嘛教史》，第 378 页。

⑤ 呼和巴雅尔：《广觉寺史略》，见包头市民族事务委员会、政协东河区文史资料委员会编：《包头宗教史料》，包头市民族事务委员会、政协东河区文史资料委员会 1998 年印刷，第 50 页。

愈凋敝的重要原因之一。

六、反对喇嘛教的社会思潮和改革喇嘛教的措施

近代以来，蒙古地区与中国内地一样经历着重大的社会变革和动荡的岁月。由于外敌入侵，清王朝民族压迫和剥削政策的推行，使得内蒙古地区各种社会矛盾日益激化，人民大众普遍贫困化，反抗侵略、反抗压迫与剥削的斗争此起彼伏。还有一少部分蒙古人迫于生活，拉帮结伙、铤而走险，形成所谓"蒙古马贼"的土匪武装，使得整个内蒙古社会更加动荡不安。进入20世纪以后，清朝和民国政府大肆放垦蒙地，使蒙古民众纷纷失去牧场、土地，被迫流落他乡，造成蒙古人新一轮贫困化。另外，由于喇嘛教的盛行，蒙古地区疾病流行，人口锐减，造成社会生产力的最重要因素——劳动力严重不足。

蒙古社会的种种危机和蒙古民族的日趋贫困、衰弱，引起了蒙古族有识之士的极大忧虑。于是有些文人雅士甚至包括一些喇嘛出身的人士，把蒙古人愚昧无知、贫病交加、日趋衰微的原因归结为喇嘛教的盛行。所以他们开始揭露和批判喇嘛教所包含的迷信思想，以及喇嘛不事生产、禁止娶妻生子的弊端等。

早在清末，随着新式学堂的建立，蒙古社会内部开始出现了新式知识分子群体。他们在接受近代新式教育，掌握西方科学文化知识的同时，也接受了包括无神论及马克思列宁主义在内的各种新的社会思潮的影响。他们为蒙古民族贫弱的现状感到忧虑之余，也开始探寻造成这种状况的根源。他们普遍认识到造成蒙古民族精神颓废、疾病流行、人口锐减、经济凋敝、文化落后的主要原因之一是喇嘛教的盛行。于是，在蒙古社会内部便开始出现改革喇嘛教甚至反对喇嘛教的社会思潮。

清末新政时期，哲里木盟科左前旗札萨克宾图郡王棍楚克苏隆就认为蒙古人信仰喇嘛教"日久相沿、迷信日众……以至不事生产，愚陋日甚"，蒙古"贫弱之根，实基于此。急欲国强，非取缔宗教不可"。① 新疆旧土尔扈

---

① 锡良著，中国科学院历史研究所第三所编：《锡良遗稿·奏稿》下册，中华书局1959年版，第164页。

特东路盟右旗札萨克郡王帕勒塔认为"蒙古除喇嘛外无所谓教，以致人多扑鲁、不谙事理"，所以必须"限制当喇嘛"①，普及教育。

蒙古族著名学者罗布桑却丹是一个喇嘛出身的人，然而他对喇嘛教的消极影响有着很深刻的认识。他认为"喇嘛们把非永生、皆虚幻之类的说教在老幼妇孺间说来道去，日久天长，使人们的习性变得极为懒散，意志变得特别懦弱"，"蒙旗各地有如此众多的白吃闲饭的人，怎能不贫困下去呢？无论何等富庶的国家也不可能养活得起这么多坐享其成的人……喇嘛们饱食终日而无所事事，怎能不使蒙古民族走向衰亡呢？""导致蒙古人走向衰亡的正是喇嘛"。② 这番话充分反映出当时蒙古人信喇嘛教已经到极度迷信的程度而丧失人类生存所必需的坚强意志和进取精神的可悲境况。

20 世纪 20 年代，马克思列宁主义开始传入蒙古地区，出现了蒙古族第一批共产主义者。他们以马克思主义的无神论思想对待蒙古喇嘛教，并提出一些改革的主张。当时在北京蒙藏学校就读的乌兰夫、李裕智、多松年、奎璧等中国共产党员们创办的《蒙古农民》杂志曾登文指出：蒙古社会所面临的军阀混战、王公贵族的压迫以及帝国主义的侵略等苦难，并非神佛所能保佑和挽救的，喇嘛教对蒙古社会造成的危害匪浅，提出"喇嘛应该娶媳妇"。③ 1925 年 10 月成立的内蒙古人民革命党在其纲领中明确规定，"内蒙古人享有信教自由，但禁止以宗教名义迷惑民众或获得财物"④，同时提出"由于喇嘛数量大增，给我们蒙古人带来了三大坏处：一、人口减少，出生率降低；二、不事生产者增多，生计荒废；失去以往天性勇猛无比善骑射之威风，变成温顺之羔羊，到如今不仅亡国，而且成为众狼之食，行将灭种"，"喇嘛们越来越抛弃佛祖之教，唯以追求私利、欺骗和剥削别人为己任，且献媚于王公、或与其勾结，成为王公的代言人和走卒"。⑤

1930 年 5 月，在南京召开的蒙古会议上，来自内蒙古各盟旗的代表提

①　《东方杂志》1904 年第 4 期。
②　罗布桑却丹：《蒙古风俗鉴》（蒙古文），内蒙古人民出版社 1981 年版，第 174—175 页。
③　《喇嘛应该娶媳妇》，载《蒙古农民》1925 年第 1 期。
④　参见《内蒙古人民革命党第一次代表大会告全体民众宣言书》（蒙古文单行本），内蒙古人民革命党中央委员会 1925 年印刷。
⑤　参见《内蒙受苦之局面》（蒙古文单行本），内蒙古人民革命党中央委员会 1926 年印刷。

出了很多改良社会政治制度、发展经济文化的提案。这些提案中有关改革喇嘛教的内容占相当大的比例，反映了当时蒙古人对喇嘛教的认识和改革的主张。昭乌达盟代表杨荫邠等提出："信教自由，本有定则，应订寺庙保管和监督条例，唯须奖励青年僧众就学以求人口之繁殖，而灭酷深之迷信。"[①]伊克昭盟准格尔旗公署提出："本旗人民复以生计困难，幼年儿童被迫而充当喇嘛者，所在皆是，危害种族前途，莫此为甚。是以此种违人道悖法理之旧习，宜急张整顿。"并提出："凡未成年儿童一概不准充当喇嘛，成年后须出于自动，尊长不得干涉"；"现在充当喇嘛，而自愿还俗者悉听其便"。[②]卓索图代表陈效良、恩和阿木尔等提出："世界各教教徒多有妻室，唯喇嘛教徒抱独身主义，于人口蕃（繁）殖大有阻碍，以后应准喇嘛娶妻生子，自图生存，藉免分利之害。"[③] 章嘉呼图克图则提出："以后可由蒙藏主管机关于各地方设立讲演所及游行讲演，并将讲演材料印成小册，使之家喻户晓信教自由之利益，地方人民愿当喇嘛者听，如不愿充当者，仍不施专制强迫之举，以养成固教御侮之知识能力，则改善宗教，适以保全宗教也。"[④]

这些提案中主要反映了喇嘛对蒙古族人口繁殖所造成的危害，提倡限制喇嘛人数以增加人口及信教自由的思想。

1930 年，有一位蒙古族知识分子以"飞航"的笔名发表了《喇嘛教的害处及废除的方法》一文，尖锐地指出由于喇嘛教的盛行，使得蒙古人"什么叫做人类竞争，什么叫做谋民族之进展，一点都不过问，简直把全个蒙古，都变成了神境鬼域，所以蒙古人口才一天比一天的减少，蒙古的生计才一天比一天的困贫，结果才弄成了现在的地广人稀，引起列强侵略的野心，将有丧地灭种的危险，这不都是信仰喇嘛的害处吗？"[⑤]

1932 年 4 月，参加国难会议的内蒙古卓索图盟副盟长阿育勒乌贵等向会议提出提案，认为"切勿误认章嘉或其他任何一个喇嘛为管理内蒙一切

---

① 蒙藏委员会编：《蒙古会议汇编》（原提案），蒙藏委员会 1930 年印刷，第 35 页。
② 蒙藏委员会编：《蒙古会议汇编》（原提案），第 66 页。
③ 蒙藏委员会编：《蒙古会议汇编》（原提案），第 77 页。
④ 蒙藏委员会编：《蒙古会议汇编》（原提案），第 132 页。
⑤ 飞航：《喇嘛教的害处及废除的方法》，载《蒙藏周报》1930 年第 35 期。

喇嘛寺庙之蒙古宗教首领，致令政教混合，有恢复神权时代之虞"，①"今后请勿再受章嘉之欺蒙，而独特优待"，"对于蒙古喇嘛仍采取不利用不取缔之放任主义，勿予任何喇嘛以可炫耀之名义，以致恢复蒙人当喇嘛之风，而使蒙古永无复兴之望"，"无须派任何喇嘛宣化蒙古，徒贻国民政府。以袭用前清利用喇嘛愚弄蒙古政策之讥引起蒙古有智识者之重大反感"，要求章嘉"（1）不得再冒称内蒙喇嘛教首领；（2）不得再冒称管理平、辽、热、察、绥、五台山及内蒙等各寺；（3）不得再干预蒙古政治，以免再出范围"。

1936 年，阿拉善旗也曾颁布限制当喇嘛办法，"规定二子以上，只许一子出家，独子不得充当喇嘛"。② 该旗札萨克达理扎雅曾"命令他属下的儿子，非得他许可不得当喇嘛"。③

日本占领内蒙古期间，控制和利用喇嘛教的同时还实行改革政策，并相应地采取了一些具体措施。在内蒙古东、西部地区一些主要寺庙设立喇嘛学校，让年轻喇嘛学习文化知识、蒙古语文及手工艺；将高级喇嘛学衔、称号、职制的授予及呼图克图转世的认定均由西藏、青海著名大寺院及呼图克图决定的惯例，改由喇嘛教宗团授予和认定；改变喇嘛到青海、西藏大寺院研习佛经的惯例，派遣青年喇嘛到日本佛教寺院留学；限制喇嘛人数，裁汰不合格的喇嘛，并鼓励还俗；废除喇嘛不服兵役的惯例，要求适龄喇嘛服兵役；强调喇嘛诵经时使用蒙语，并蒙译出版了个别佛教经典；出版喇嘛教刊物，加强对喇嘛的宣传教育；④ 组织喇嘛参加生产劳动等。这些措施，尽管出于日本统治者的决策，但它在一定程度上也反映了蒙古社会内部迫切要求对喇嘛教进行改革的呼声。

1942 年 2 月，蒙古自治邦政府主席德王曾在贝子庙召开锡盟 10 旗札萨克及各大寺庙喇嘛代表会议，制定了改革喇嘛教的 22 条规定，严格限制出

---

① 中国第二历史档案馆编：《中华民国史档案资料汇编》第 5 辑之《第一编·政治》（五），第 60—61 页。

② 陈国钧：《西蒙阿拉善旗之民俗》，载《新中华》1944 年复刊第 2 卷第 3 期。

③ 范长江：《忆西蒙》，见阿拉善盟地方志编纂委员会办公室编：《阿拉善盟史志资料选编》第 1 辑，阿拉善盟地方志编纂委员会办公室 1986 年印刷，第 129 页。

④ 广川佐保：《1940 年代日本对内蒙古的政策与〈青旗〉报》（日文），载《日本蒙古学会纪要》1997 年第 28 期。

家当喇嘛的人数，建立考试制度，考核、裁汰不称职的喇嘛，使其还俗，喇嘛外出时须携带旗公署签发的证件，喇嘛如犯法须由旗公署进行惩罚，40岁以下的喇嘛必须学习蒙文，寺庙及所属房屋内不准容留妇女过夜，不准喇嘛打骂参拜的群众，必须保持寺庙及附近的清洁卫生，寺庙没有法事活动期间让喇嘛学习编织等手工艺等。①

同年夏天，锡林郭勒盟 10 旗对 14 个寺庙的青年喇嘛进行第一次考试，结果有 141 名不及格。其中哈如勒查干庙共有 36 名喇嘛，考试不及格的有 2 名，而善达庙共有 23 名喇嘛，不及格的竟有 20 名之多。② 根据规定，这些没有及格的喇嘛被强行还俗。

抗战胜利后，在内蒙古中东部地区的清算反霸斗争及土地改革、民主改革运动中，个别地方提出"黑黄（即世俗及僧侣）封建一起消灭"的口号，实行平分寺庙土地、牲畜，揪斗喇嘛，甚至破坏寺庙佛像，强迫喇嘛娶妻等。③ 这些极左的做法，实际上也是反喇嘛教思潮的一种极端表现。

民国时期，反对和改革喇嘛教的思潮在蒙古社会内部出现和发展，使得信仰喇嘛教和当喇嘛的人数开始减少，喇嘛教已不再是完全支配蒙古人思想和行为的唯一的精神支柱了。反对和改革喇嘛教的社会思潮，进一步加速了喇嘛教的衰落。

第二节　萨满教

萨满教是蒙古人自古以来所信奉的原始宗教。喇嘛教传入蒙古以后，萨满教开始走向衰落，但萨满教的印迹并未完全消失。萨满教在蒙古人的思想活动及日常生活中仍有根深蒂固的遗留，有些地方的萨满教巫师——"博额"（男性萨满）、"伊都干"（女性萨满）及萨满教仪规等甚至保留到 20世纪五六十年代。据调查，蒙古萨满教遗留较多的地方主要有鄂尔多斯部

---

① 锡林郭勒盟公署：《札萨克会议决定事项》（日文），1942 年 3 月，见内蒙古自治区档案馆藏：《蒙古自治邦建设的沿革及施政之理念》（二）。

② 《蒙古》（日文）1942 年第 9 卷第 9 号。

③ 内蒙古自治区档案馆编：《内蒙古自治运动联合会档案史料选编》，第 215 页。

（伊克昭盟）、科尔沁部（哲里木盟）、巴尔虎部（呼伦贝尔）、布里亚特部（呼伦贝尔及俄国境内）以及今库伦旗（包括原锡埒图库伦旗、喀尔喀左翼旗和唐古特喀尔喀旗）等。

蒙古人信奉的萨满教大致可分为自然崇拜和祖先崇拜两种。自然崇拜包括对天、地、日、月、星、山、水（河、湖、泉）、火、雷、电以及一些赋予神灵色彩的实物，如矛、纛、奶桶、弓箭、马鞍以及树木、动物等的崇拜及其祭祀仪式；祖先崇拜除每个家庭对自己祖先的定期祭祀之外，还有对成吉思汗、哈萨尔等民族英雄人物的定期祭祀及其仪式。

祭"敖包"是蒙古人最普遍的一种祭祀活动，是萨满教对天、地、山、川的祭祀仪式。敖包不仅有旗敖包、苏木敖包、氏族敖包、家庭敖包（如某某台吉敖包等），还有若干共同祭祀的敖包。如呼伦贝尔17旗共同祭祀的"安邦敖包"（意即副都统敖包，在今海拉尔市北山上）、锡盟10旗共同祭祀的额尔尼敖包（在今锡林浩特市区内）等。蒙古人祭敖包，主要是祈求风调雨顺、五畜兴旺、生活幸福。

伊克昭盟乌审旗哈塔斤氏族有自己独特的祭祀13尊"阿他"（意为恶、忌妒）天神的仪式仪规。祭祀的场所建有桃状毡房，四周有用红柳条编成的篱笆院子，毡房内的祭台上供奉有天神的布幔以及弓箭、刀剑、长明灯、锣、鼓等祭祀用品。[①]哈塔斤氏的成员每年正月及春、夏、秋季规定日子举行专门的仪式，祭祀13尊"阿他"天神。[②]这些典型的萨满教祭祀活动及天神画像、祭祀毡房一直保留到20世纪60年代。

蒙古人普遍崇拜火，认为火可以使一切东西得到净化，所以不许向火扔垃圾、废物等，更不准向火吐唾沫或撒尿。新娘嫁到新郎家时，要从两堆火中间走过，寓意"净身"；新娘进入新郎家后，首先要叩拜火（灶）神。人们日常生活中，煮好饭、肉、茶等食物或酿出酒以后，首先取少许敬献火神，称其为"得额吉·额尔古呼"（意为敬献最初、最好的）。

蒙古人普遍有祭火的习俗，即每年农历腊月二十三日（有的地方是二

---

① 拉·胡日查巴特尔：《哈塔斤十三家神祭祀》（蒙古文），内蒙古文化出版社1986年版，第107—113页。

② 拉·胡日查巴特尔：《哈塔斤十三家神祭祀》（蒙古文），第128页。

十四日）举行专门的祭火仪式。将整羊、米、枣、奶油、香、哈达、黄蒿、酒等供品敬献给火神的同时，由户主或男性长者跪在前面，女性跪在后面，乞求火神保佑全家人在新的一年里生活富足、人丁兴旺、无疾病、一切顺意。祭祀仪式结束后，全家人一起享用特制的祭火饭。[①]

蒙古人还有祭祀北斗七星（大熊星座）的仪式。在鄂尔多斯，每年农历正月初七要祭祀北斗七星，即在地上垒砌与北斗七星方位相同的土堆，上边点燃柴火，向火堆抛洒食物、酒等，并向火堆跪拜。[②] 布里亚特蒙古人也崇拜北斗七星，称北斗七星为"道兰额布根"（意为7位老翁），"每天早晨，所有人家都要举行洒奶仪式，献给七老翁，以防发生不幸"[③]。

除此之外，蒙古人还有对雷电等自然现象和纛（如成陵所祭之纛）、矛（如成陵所祭之被称做"苏力德"的矛）、老树、孤石等实物以及熊、马（如成陵的白马）等动物的崇拜，并有相应的祭祀仪式。

祖先崇拜也源于蒙古人萨满教信仰。蒙古人不仅对自己的祖先定期举行祭奠仪式，并且为大汗及有影响的先人建造独特的"翁衮"定期举行祭祀。这方面具有代表性的是在鄂尔多斯保留至今的成吉思汗"八白室"（即人们通常所说的"成吉思汗陵"）。鄂尔多斯人称八白室为"成吉思汗之翁衮"。"翁衮"一词在蒙古语里可解释为几种不同意义：①神圣的，②最初的、未开发的、未受损伤的，③神灵、圣灵，④陵墓、坟墓。据调查和研究，鄂尔多斯人所讲的"成吉思汗之翁衮"当属意义之三，"神灵、圣灵"。八白室作为成吉思汗灵魂的象征被称为"翁衮"，说明在成吉思汗祭奠中显然含有蒙古人早期萨满教"翁衮"崇拜的成分。[④]

"八白室"是从元朝宫廷太庙祭祀活动延续下来的。鄂尔多斯蒙古人入居河套以后，"八白室"一直被供奉在郡王旗境内，并有500户"达尔扈特"人专司守护、祭祀事宜。"八白室"中除供奉成吉思汗的灵位之外，还

---

① 罗卜桑却丹：《蒙古风俗鉴》（蒙古文），内蒙古人民出版社1981年版，第75—76页。

② 胡日查巴特尔、乌吉木：《蒙古萨满教祭祀文化》（蒙古文），内蒙古文化出版社1991年版，第228—229页。

③ ［俄］Г. Р. 加尔达诺娃：《喇嘛教前的布里亚特宗教信仰》，见满都尔图主编：《中国各民族原始宗教资料集成》，中国社会科学出版社1999年版，第604页。

④ 乌云格日勒：《成吉思汗祭奠的萨满教根基》，载《中国社会科学院研究生院学报》2005年第6期。

有他的两位夫人和幼子拖雷及其夫人的灵位。"八白室"祭奠有年祭、季祭、月祭等，一整套祭祀仪式和仪规。其中每年农历三月二十一日（成吉思汗诞辰日）的祭典最为隆重，除鄂尔多斯7旗官员及牧民群众之外，其他地区的蒙古人也不远千里前来参拜，以祈求祖先保佑平安。

在鄂尔多斯还有成吉思汗的功臣木华黎、蒙藏文化交流史上的重要人物呼图克台彻辰洪台吉、《蒙古源流》的作者萨冈彻辰等人的陵园，都有相应的祭祀日期和仪式。在乌兰察布盟茂明安旗境内还有祭祀成吉思汗之弟哈萨尔的陵园，也要定期举行祭祀仪式。

上述陵园及祭祀仪式一直保留至今。这都反映了蒙古人对自己的祖先及民族英雄的缅怀、纪念之意外，主要还是表现了蒙古人对祖先及其灵魂的崇敬，即蒙古人古老萨满教信仰的一种遗留。

蒙古人称萨满教的男性巫师为"博额"，称女性巫师为"伊都干"（有的地方称"乌得干"或"雅德根"）。"博额"是人与神之间的媒体，即传达神的意志、旨意的人。蒙古人的"博额"有世袭和非世袭之分，即有的"博额"世世代代父子相传，有的则是通过某种灵异现象之后，认为神灵附体，成为"博额"。[①] 在萨满教比较盛行的地方，有相当数量的"博额"。据调查，20世纪40年代末在库伦旗40多个村屯中就有60多名"博额"。[②] 蒙古"博额"平时生活、劳作与普通人没有什么区别，只是在举行各种萨满教仪式时由其主持。平时，蒙古人家里发生一些意想不到的灾祸或怪异疾病时，经常请"博额"到自己家里举行请神、驱鬼、治病或占卜、算卦等仪式。女性"博额"则除了与男性"博额"一样举行驱邪、治病等仪式之外，还担当"接生妇"的角色。所以，在一些地区"伊都干"一词就是"接生妇"的专用名词。

另外，由于喇嘛教的传入和普及，蒙古萨满教仪式与祝词、咒语等也受到喇嘛教的影响。比如各地祭祀"敖包"仪式中均有喇嘛参与念经。科尔

---

① 呼日勒沙、白翠英、那钦，等：《科尔沁萨满教研究》（蒙古文），民族出版社1998年版，第9—10页。

② 呼日勒沙、白翠英、那钦，等：《科尔沁萨满教研究》（蒙古文），第391页。

沁地区的蒙古萨满教的祝词中有赞颂喇嘛教的内容。① 甚至有的"博额"具有萨满教与喇嘛教双重身份。② 同时喇嘛教也吸收了萨满教的部分仪规。③ 据记载，截至 20 世纪 40 年代，在科尔沁等东蒙古地区，仍然存在着"莱青"及其活动。"莱青"是东蒙古特有的一种介于喇嘛与萨满之间的宗教职业者。"莱青"跳神时身穿盔甲，他们念诵喇嘛教经典，降神时的动作与萨满不同，与喇嘛教的"跳布扎"近似。④ 可以认为这是这两种宗教和两种文化相互斗争和妥协的结果。

除了蒙古族以外，聚居在内蒙古地区的达斡尔人（民国时期被称做"达斡尔蒙古"⑤ 又写做"达呼尔"⑥）、索伦人（今称鄂温克族）、鄂伦春人也普遍信仰萨满教。

达斡尔人的萨满教信仰包括崇拜天、地、山、川等自然崇拜之外，还供奉多种神偶，并有相应的祭祀仪式以及专职的萨满（达斡尔语称"雅德根"）和"斡托希"（为女性，主要负责治病祭祀）、"巴格其"（萨满的助手，由男性担任）等。

达斡尔人的"雅德根"可分为"霍卓尔雅德根"（即祖先萨满）和一般"雅德根"。"霍卓尔雅德根"是领本氏族的祖先神（"霍卓尔·巴尔肯"）的萨满，须由本氏族的人员充当，但不世袭。一般"雅德根"是领外部神（"博迪·朱嘎勒"）的萨满。每个"雅德根"在一定期间内要举行一次大的祭祀或跳神仪式，达斡尔语叫做"斡米南"（有的史料中写作"鄂米囊"，⑦ 即立神树之意）。

达斡尔人供奉的神（达斡尔语叫"巴尔肯"）很多，主要有"霍卓尔·巴尔肯"（即祖先神）、"霍列力·巴尔肯"（"霍列力"为鄂温克语，意即

① 满都尔图、周锡银、佟德富主编：《中国各民族原始宗教资料集成》，第 590 页。

② 呼日勒沙、白翠英、那钦，等：《科尔沁萨满教研究》（蒙古文），第 491、413—414 页。

③ 呼日勒沙、白翠英、那钦，等：《科尔沁萨满教研究》（蒙古文），第 49 页。

④ 刘小萌、定宜庄：《萨满教与东北民族》，吉林教育出版社 1900 年版，第 72—73 页。

⑤ 阿勒坦噶塔：《达斡尔蒙古考》，东布特哈八旗筹办处 1933 年刊，第 1、12 页。

⑥ 程廷恒、张家璠纂：《呼伦贝尔志略》，兴安局调查课 1939 年重印本，第 193 页。

⑦ 程廷恒、张家璠纂：《呼伦贝尔志略》，兴安局调查课 1939 年重印本，第 207 页。

"蛇"①，是众神总称，由 17 种、58 个生物和物件组成，多用木刻，少部分为布帛上绘制）、"嘎力·巴尔肯"（火神）、"吉雅其·巴尔肯"（命运神，保护牲畜之神）、"博果勒·巴尔肯"（又称"瓦兰·巴尔肯"，即众神）、"敖雷·巴尔肯"（狐仙爷）、"娘娘·巴尔肯"（又称"喜格·额倭查"或"多其肯·额倭查"，主管天花、麻疹和儿童疾病之神）、"斡咩·巴尔肯"（又写作"奥蔑·巴尔肯"，保胎之神）、"浩佟·巴尔肯"（又称"花然·巴尔肯"，及城里之神或军营之神）等几十种。②

达斡尔人的神偶祭祀，不能随便选择，要由"雅德根"来决定。所以各家各户所供奉的神偶并不相同，一旦供奉某一种神，就要一直供奉下去。

天是达斡尔人的主要信仰之一，有专门的"祭天"仪式和祷词。达斡尔人称天为"腾格尔"，祭祀的天有"阿查·腾格尔"（即"父天"）、"额倭·腾格尔"（即"母天"），还有"达列·喀托"（即公主天）、"诺托尔·诺颜"（即"官天"）等。"祭天"时没有偶像，所以不称天为"巴尔肯"，也不跳神。"祭天"时一般以牛或猪作为供品，不一定请"雅德根"主持，凡能念"祭天"祷词的"巴格其"即可主持。③

达斡尔人也普遍祭祀"敖包"。各个"莫昆"（即家族）大多有自己的"敖包"，也有以屯落为单位或几个"莫昆"共同祭祀的"敖包"以及由官方主持祭祀的"敖包"等。祭"敖包"主要是表达对天、地、山、川的崇拜，祈求风调雨顺、人畜平安、生活幸福。祭"敖包"的同时，还要举行赛马、摔跤、搬棍、颈力等竞技活动。④

此外，达斡尔人还举行祭河（即求雨仪式，由妇女组织举行）、祭北斗七星（达斡尔语叫"多罗·霍得"）、祭"白那查"（即山神，由进山打猎的猎人举行）等祭祀活动。⑤

索伦人的萨满教信仰及其所供奉的神偶以及仪式等与达斡尔人大同小

---

① 塔娜：《达斡尔传萨满教 holier 神探源》，见内蒙古自治区达斡尔学会编：《达斡尔族研究》，内蒙古大学出版社 2000 年版，第 351 页。

② 内蒙古自治区编辑组：《达斡尔族社会历史调查》，内蒙古人民出版社 1985 年版，第 244—255 页。

③ 内蒙古自治区编辑组：《达斡尔族社会历史调查》，第 242 页。

④ 内蒙古自治区编辑组：《达斡尔族社会历史调查》，第 256 页。

⑤ 内蒙古自治区编辑组：《达斡尔族社会历史调查》，第 257 页。

异。"萨满"一词就是索伦人和鄂伦春人对从事跳神、治病职业的巫师的专用名词。索伦人的每个"哈拉"（即氏族）和"毛哄"（又写作"莫昆"，即家族）都有自己的萨满，男女不限，萨满并不世袭，老萨满死后三四年再产生新萨满。[①] 索伦人聚居的呼伦贝尔牧区的部分萨满用本民族语言跳神，另一部分是用蒙古语跳神。这两种萨满都有各自供奉的神。还有一种叫做"巴基"（意为老师）的非正式萨满。他（她）们没有前辈萨满，也没有自己供奉的神，只能给正式萨满当助手。[②]

索伦人萨满教最大的宗教仪式叫做"奥米那楞"（又写作"奥米那仁"或"鄂米囊"），各地各部落都要举行这一宗教活动。"奥米那楞"仪式，主要是一个"毛哄"（家族）的萨满请其他"毛哄"的萨满一起跳神，内容包括老萨满领新萨满跳神和祈求"毛哄"的平安。这一仪式一般持续3天3夜，[③] 有的甚至持续3—10天。

索伦人供奉的神有"霍卓热"（又写做"敖卓勒"，即祖先神）、"吉雅奇"（又写做"吉牙西"，即牲畜神，又是命运之神）、"玛鲁"〔即每个"乌力楞"（家族公社）之神，是装在皮口袋的12种物件和神偶的总称〕等多种。[④]

索伦人也和蒙古人、达斡尔人一样祭"敖包"。索伦人的"敖包"也有"哈拉"（即氏族）、"毛哄"以及苏木和旗之分。祭"敖包"的时间一般在每年农历五月十三日或五月的某一个吉日举行，仪式上主要祭祀天、地、山、川诸神灵，祈求风调雨顺、人畜平安。索伦人和蒙古人一样祭祀"敖包"时"绝对不允许妇女参加"。[⑤] 祭"敖包"的仪式之后，还要举行赛马、摔跤等比赛，成为一年一度的盛大节庆活动。

索伦人的萨满教信仰还包括对天和火的崇拜。索伦人把天分为"九天"，[⑥] 举行祭天仪式，其具体时间并不固定，根据萨满的旨意来确定。每

① 内蒙古自治区编辑组：《鄂温克族社会历史调查》，内蒙古人民出版社1986年版，第490页。
② 内蒙古自治区编辑组：《鄂温克族社会历史调查》，第492页。
③ 内蒙古自治区编辑组：《鄂温克族社会历史调查》，第337页。
④ 内蒙古自治区编辑组：《鄂温克族社会历史调查》，第488—489页。
⑤ ［日］上牧濑三郎：《索伦族的社会》（日文），（日本）生活社1940年版，第103页。
⑥ 内蒙古自治区编辑组：《鄂温克族社会历史调查》，第338页。

年农历十二月二十三日每家都举行祭火仪式，送火神回天，家中男女老幼都参加。每年秋季祭祀"吉雅奇"神时也要祭火，由家中妇女主祭。①

鄂伦春人的萨满教信仰及其供奉的神偶等与达斡尔人、索伦人基本相同。他们供奉的神偶很多，统称为"博如坎"（与蒙古语的"博尔罕"、与达斡尔语的"巴尔肯"为同一语），大致有"昭路·博如坎"、"查路·博如坎"（这两种是专司牲畜安全的神）、"卡达尔·博如坎"（狐仙爷）、"吉雅其"（财神，专司人畜疾病）、"德勒库达日依乐"（专司人畜抽风病的神）、"乌仁哈达尔"（专司无名病的神）、"胡鲁斤哈达尔"（专司疯病）、"额古都娘娘"（专司天花的神）、"尼其昆奶娘"（专司麻疹的神）、"马路·毛木台"（阻碍狩猎的神）等。这些神偶有的是木刻的，有的是绘在布或纸上，有的是绣在布帛或兽皮上，还有草扎的和用草挽起来的。木刻的神偶，统称为"毛木台"，多为"阿娇如·博如坎"（即祖先神），画像多为野外的神，刺绣的是专管马匹的神。②

鄂伦春人的每个氏族都有自己的萨满，男性萨满叫"尼罗萨满"，女性萨满叫"阿西萨满"。每个萨满都有自己供奉的神，多寡不一。他（她）们的职责主要是跳神、驱邪、治病，平时的生活和劳动与普通人相同。③

鄂伦春人还举行祭天、祭北斗七星、祭"白那恰"（即山神）的仪式。一般在每年农历十二月三十或正月初一进行祭天仪式。祭天时，祭祀人面向北方，烧九炷香叩头即可。祭祀北斗七星的时间一般在每年农历十二月二十三或正月初一晚，祭祀时要烧七炷香。④ 鄂伦春人祭祀"白那恰"主要体现的是对山神的崇拜，认为"白那恰"掌管着山里所有飞禽走兽和其他财富。"白那恰"一般是将一棵大树的树皮砍去一块，在露出的树干上画一人的脸形，并用红布遮盖，或在一块白布上画一只老虎、一个山老爷，两侧立着两个小鬼，将其放在木制的小庙模型里置于山岭中，猎人路过此处时，都要下马，给它装烟、敬酒、叩头，还用打到的猎物给它上供，祈求山神多赐给猎物。⑤

---

① 内蒙古自治区编辑组：《鄂温克族社会历史调查》，第486页。
② 内蒙古自治区编辑组：《鄂伦春族社会历史调查》第1集，内蒙古人民出版社1984年版，第49页。
③ 内蒙古自治区编辑组：《鄂伦春族社会历史调查》第1集，第55页。
④ 内蒙古自治区编辑组：《鄂伦春族社会历史调查》第1集，第50—51页。
⑤ 内蒙古自治区编辑组：《鄂伦春族社会历史调查》第1集，第50页。

第三节　汉传佛教与道教

一、汉传佛教

传入蒙古地区的佛教中，除了藏传佛教，还有汉传佛教。汉传佛教亦名佛陀、沙门教、释教等。它是传播于中国大部分地区的，经典属于汉文系统的汉地佛教，其教义和形式均渗入中国传统文化成分，形成许多派别，后来还出现了儒、释、道合一的倾向。清初以来，随着汉族人口的不断增长，汉地佛教在内蒙古的许多城镇和农村中广泛传播开来。但到清末民初以后，随着社会变革与发展，以及新文化的传播，民众宗教意识发生变化，汉传佛教出现了衰落的趋势。但是，由于汉族人口的不断增长，内蒙古地区的汉地佛教，仍有所发展，信徒为数众多。各地寺庙每年都定期举行庙会，届时善男信女云集寺院，捐赠香资供品，烧香许愿，求福祈寿，禳解灾祸。各方商人也纷纷摆摊设点，形成集市，十分热闹。

在归绥地区，佛教（沙门教）的活动比较活跃，有不少信徒。"民国年间，由于观音庙沙门性凯及法嗣湛祥等从五台、晋阳、燕京各地延聘高僧组织法会，宣扬佛法，每日信徒不下 500 人，已有一定规模。"[①] 据《绥远通志稿》所载，当时"归绥全市有佛教信众约一万二千四百三十七，其中属于男性者凡八千五百零八。属于女性者凡三千九百二十九。与全市人口相比，约当百分之十五而强也"[②]。据初步调查，中华人民共和国成立前，在归绥市有关帝庙、三贤庙、观音寺、财神庙、玉皇庙、城隍庙、龙王庙等佛道合一的寺庙 30 处。

包头地区的汉传佛教，在清代曾盛极一时。进入民国以后，同样开始衰落，寺院经济收入和佛事活动逐年减少，僧尼人数也逐年下降。民国年间，

---

① 呼和浩特市地方志编修办公室编：《呼和浩特市志》（下）卷38 之《宗教》，内蒙古人民出版社1999 年版，第 753 页。

② 绥远通志馆编纂：《绥远通志稿》第 7 册，卷55 之《宗教》，内蒙古人民出版社2007 年版，第467 页。

除居士林小型念佛堂为新建外，没有新庙宇，原有庙宇除龙泉寺、关帝庙、妙法禅寺得到修缮或重建外，多数寺庙年久失修。有的寺庙改作他用，如今龙王庙、火神庙、关帝庙及后营子多数庙宇改为小学。至 1949 年，包头城区存有较大的寺庙 7 处，和尚 29 人，尼姑 5 人。①

内蒙古西部各县城及汉族人口集中的大一些村子也都保留着旧有的寺庙。清末民初，萨拉齐县较大的寺庙有 12 座。② 有的地方还新建了一些寺院，例如萨拉齐县城及麦达召村等处，新建了源善堂、清福堂、寿灵寺等寺院。

在内蒙古东部地区，随着汉族移民的到来，汉传佛教也逐渐传播开来。汉传佛教多分布在卓索图盟地区。这与汉族移民的迁入是基本一致的。该地区在清朝和民国时期建的庙宇有 200 余座。其中，关帝庙居首位，次为娘娘庙，这与内地"武庙遍天下"的习俗是统一的，可见民间之"武圣"——"关老爷"在汉民中有很大的影响。日伪时期，由于经济衰退、人民生活贫苦，寺庙失修，佛教逐渐衰败，一些寺庙出现了僧走道住，道来僧迁，抑或僧道同住的现象。③

随着汉族移民深入蒙旗腹地，汉传佛教也从南部转向北部地区。在昭乌达盟、哲里木盟以及西布特哈、呼伦贝尔境内新设置的各县普遍传入汉传佛教，有些地方建立了寺庙。

赤峰是内蒙古东部地区汉地佛教最集中的地区。据 1939 年的调查，在赤峰市街有兴教寺（别名关帝庙）、瑞峰寺、地藏寺、宏福寺、西云寺等 9 座寺庙，市街周围农村有普济寺、保安寺、大和寺、灵峰寺、福祥寺、福佑寺、福德寺、瑞云寺、兴隆寺、香山寺等 22 座寺庙（其中有的是佛道合一的寺庙），共有 32 名佛僧，信众约有 142 600 多人。④ 这些寺庙中住庙僧人最多的只有 4 人，大部分只有一二名和尚，有的甚至没有和尚，处在破败不

① 孙斌纂：《包头市志》卷 5 之《宗教》，远方出版社 2001 年版，第 504—507 页。
② 《土默特右旗志》编纂委员会编：《土默特右旗志》，内蒙古人民出版社 1994 年版，第 1069 页。
③ 赤峰市地方志编纂委员会：《赤峰市志》（下），卷 20 之《宗教·民俗·方言》，内蒙古人民出版社 1996 年版，第 3022—3023 页。
④ 日本帝国驻赤峰领事馆：《赤峰事情》（1939 年），马希、余冠伦译，见内蒙古地方志编纂委员会总编室编：《内蒙古史志资料选编》第 5 辑，第 540—542 页。

堪的地步。

1927 年，开鲁县农民在离县城西 90 华里的富通镇（今麦新镇先锋村）原艾葛庙（扎鲁特旗喇嘛庙）的废址上集资修建了"双全寺"。该寺第一进大殿供奉玉皇大帝、观世音菩萨和千手千眼石佛以及城隍，第二进大殿供奉关公之外还有财、喜、药王三神和太上老君、鲁班以及狐仙，第三进大殿为娘娘殿。① 双全寺建成后每年农历四月二十八举行庙会，附近农民及临近的昭乌达盟、哲里木盟各旗和锡林郭勒盟乌珠穆沁旗牧民以及东北、内地商人前来拜佛、贸易、娱乐，使该村成为远近闻名的物资交流的活跃之地。1933 年日军占领开鲁县后，实行物资贸易"统制"，导致该庙会的物资交流受到很大影响，该庙的香火也逐渐走向衰落。

1938 年，山东和尚仲宣来到突泉县学堂地，进行宣教，靠群众布施、捐款修建了姑子庙。在正殿中供奉关老爷镀金塑像。次年，在突泉镇东北隅又建了关老爷庙。②

1927 年，黑龙江省安北县某寺方姓法师静一和尚云游至扎兰屯，在此布教讲经，汉传佛教始传入该地区，成为传播范围最广的教派。不久，即由方地营子同姓地主方金量出资建立了法华寺，并请德都县法原寺守一和尚为住持，宣讲《法华经》。1941 年守一和尚圆寂，由仁虔和尚接替住持。初时，地广人稀，且群众多信道教，佛寺清净冷落，僧侣布施困难。20 世纪40 年代后，人烟渐稠，香火日盛，至 1942 年，常住僧侣 11 人，并先后建立大河湾林家园子佛堂、陈家地营子弥陀寺等寺庙，信教群众已有千人之多。这一时期，佛事活跃，信徒众多，香火最盛。1930 年起，候德山集资先后在扎兰屯东山建立东山庙。该庙分上、中、下 3 个寺院。上寺院为娘娘庙，中寺院为奶奶庙，下寺院为地藏寺。每年于农历四月初八日举行庙会活动，③ 香火盛极一时。此庙毁于 1947 年。④ 20 世纪 30—40 年代，扎兰屯已成为西布特哈地区（即今扎兰屯及其周边地区）佛教中心，并开始向呼伦

---

① 王广钧：《双全寺的兴衰史》，见政协开鲁县委员会编：《开鲁县文史资料》第 1 辑，政协开鲁县委员会 1986 年印刷，第 172—174 页。

② 《突泉县志》，内蒙古人民出版社 1993 年版，第 845 页。

③ 扎兰屯市史志编辑办公室编纂：《扎兰屯市志》，百花文艺出版社 1993 年版，第 1169—1170 页。

④ 陈鹤龄：《扎兰屯民族宗教志》，文化艺术出版社 1996 年版，第 250 页。

贝尔地区发展。另据 1939 年底的调查，在当时的伪满兴安东省（即原西布特哈地区）境内，莫力达瓦旗有法华寺、关帝庙各 1 座，在巴彦旗有菩萨庙以及关帝庙、土地庙、白龙庙、娘娘庙、牛王庙、马王庙等佛道合一的寺庙。①

在呼伦贝尔地区，佛教的兴起与中东铁路的修建、通车有直接关系。1908 年，内地的佛、道、儒三教归一的清理教（又称理教或在理教）传入海拉尔地区收徒，并在此建公所称"善心堂"，还向满洲里、扎赉诺尔、吉拉林等地发展，分别建立公所。该教公所"供奉堂"或"禅堂"内除供奉其教祖之外，还供奉观世音菩萨、道教始祖老子和儒教"大成至圣先师"孔子牌位。到了 20 世纪 30 年代，清理教教徒发展到 2 100 多名，其中海拉尔（包括牙克石、南屯）就有 1 600 名（男 1 182 名、女 418 名）。②伪满洲国政府建立后，成立了"满洲国理善总会"和"满洲国劝诫烟酒总会"，1939 年将海拉尔清理教和 1922 年传入该地的"家礼教"（俗称"青帮"）组织改组为"满洲帝国理善总会海拉尔理善总分会"和"满洲帝国劝诫烟酒总会海拉尔市劝诫烟酒总分会"。③

1942 年春，兴安北省公署经"满洲国"政府批准在海拉尔建立"满洲帝国佛教总会海拉尔佛教分会"，公推海拉尔工商会会长李朝东为名誉会长，海拉尔市公署行政科长张广信为会长，另聘几名大商人为理事，王国英（原为山西籍商人，后成为道士）为常务理事，并主持佛教分会事务。"满洲帝国佛教总会海拉尔佛教分会"成立的同时，于农历四月十五日举行了盛大的"佛祖开光"仪式，"满洲帝国佛教总会"会长、哈尔滨极乐寺如光法师专程前来主持"开光"仪式，齐齐哈尔大乘寺惺如方丈为信徒宣讲《楞严经》，扎兰屯佛教僧侣 30 余人参加了这次盛大的法事，并由元静比丘尼宣讲《妙法莲华经》。海拉尔佛教分会成立后，为信徒发放了会员证和佛

---

①　《兴安东省情况（秘）》（1940 年 11 月），徐同功译，见内蒙古地方志编纂委员会总编室编：《内蒙古史志资料选编》第 5 辑，第 155 页。

②　沈周乐：《海拉尔的清理教与家礼教》，见政协海拉尔市委员会文史资料委员会编：《海拉尔文史资料》第 5 辑，政协海拉尔市委员会文史资料委员会 1995 年印刷，第 117 页。

③　沈周乐：《海拉尔的清理教与家礼教》，见政协海拉尔市委员会文史资料委员会编：《海拉尔文史资料》第 5 辑，第 121 页。

教会徽章，并经兴安北省及海拉尔市公署批准，将北门外的关帝庙（俗称北大庙）改建为海拉尔佛教分会会址，还将该庙改称"万佛寺"。[1] 于是，清理教徒中的信佛者纷纷退出清理教加入佛教分会。据兴安北省民政厅1945年6月12日统计，兴安北省（即原呼伦贝尔地区）有佛教徒3 336人，[2] 其中海拉尔万佛寺有信徒570名（男300名、女270名）。[3]

1945年8月伪满洲国垮台以后，在海拉尔的清理教与家礼教及其公所逐渐消沉，多数教徒与公所脱离关系，1951年被人民政府作为会道门组织取缔。[4]

二、道教

道教是中国最早形成的宗教，在元代开始传入蒙古地区，但元亡以后基本消失。到了明末清初，道教又传入内蒙古南部汉人较集中居住的地区。起初，主要有全真道，后又有了正一道（即火居道），甚至有极少数蒙古人开始信奉道教。[5]

道教传入归化城是在明代，主要是大同一带的道士云游到此建庙传道。到了清代雍正年间绥远城（俗称新城）建成后，满洲道士随八旗官兵及其家眷迁来建庙传道。归化城和绥远城及其周围地区道教寺庙多建于清代，到民国时期仍有不少寺庙，如五道庙、玉皇阁、城隍庙、东娘娘庙、西娘娘庙、马神庙、文昌庙以及飞龙观等旧庙仍存在。民国年间新修的道教寺庙有太清宫（位于今呼和浩特市新华广场南侧原乌兰恰特剧院旧址），是由河北省籍道士于1931年修建。该庙由玉皇阁、鲁班庙、龙王庙、观音庙等组成，掌门道士为范明证，其下有四五名道士。庙内主要供奉元始天尊、灵宝天

---

① 戚宝森：《海拉尔佛教发展及其兴衰》，见政协海拉尔市委员会文史资料委员会编：《海拉尔文史资料》第4辑，政协海拉尔市委员会文史资料委员会1992年印刷，第66—67页。

② 扎兰市史志编辑办公室编纂：《扎兰屯市志》，百花文艺出版社1993年版，第1169—1170页。

③ 沈周乐：《海拉尔的清理教与家礼教》，见政协海拉尔市委员会文史资料委员会编：《海拉尔文史资料》第5辑，第123页。

④ 沈周乐：《海拉尔的清理教与家礼教》，见政协海拉尔市委员会文史资料委员会编：《海拉尔文史资料》第5辑，第123、128页。

⑤ 孙明亮：《呼和浩特火居道与城隍庙孙氏家族》，见土默特左旗委员会文史资料研究委员会编：《土默特文史资料》第1辑，土默特左旗委员会文史资料研究委员会1986年印刷，第147页。

尊、道德天尊等道教的"三清"塑像。① 在毕克齐镇有城隍庙一座，为清初修建。到同治年间由当地蒙、汉族各界人士共同出资重修，每年中元节（农历七月十五日）举行庙会，人们恭送城隍出府。该镇内还有真武庙、马王庙、财神庙、三官庙、龙王庙、奶奶庙等。② 1940 年，武川县有关帝庙 3 处，即可可以力更镇关帝庙、什尔登关帝庙、蜈蚣坝关帝庙。③ 1949 年，托克托县也有关帝庙、龙王庙、财神庙等 7 座较大的庙，道士 20 余人。

包头无道观建筑，但存在道教中供奉的神像，真武庙供奉主宰功名利禄之神的真武大帝。城隍庙中，供奉城隍，被称为守护城池之神。文昌庙供奉文昌帝君，以文昌庙代替孔庙。转龙藏玉皇阁供奉玉皇大帝。龙泉寺供奉轩辕（黄帝）、药王（孙思邈）。妙法禅寺供奉吕洞宾，而住持人则是僧人不是道士。1939 年，萨拉齐镇有吕祖庙、七圣庙 2 所，道士 5 人。④

随着历史的发展，以及民族杂居的特点，包括归化城、绥远城和包头在内的土默特地区的佛教（沙门）和道教互相影响、互相结合，有的庙观只住道士，有的庙观僧道合住，也有此时住道士，彼时住和尚。也有道教所供奉的神像混入佛门，形成佛教供奉之神像，无所不包。

近代以来，河套地区一直是内蒙古汉族移民最集中的地方之一，随着汉族的到来，内地风俗习惯、宗教信仰也逐渐传入该地区。道教于清末民初传入河套，在陕坝设立道教院。1914 年，在五原县设立道教分院，拥有教徒3 000 多人。同时，在隆兴长镇西街建筑吕祖庙，供奉太上老君。庙内驻有青衣道士、居士、火居道士。他们常到民间传道、化缘、卜卦、算命、看风水等。每年农历四月初八至十四日为吕祖庙庙会。⑤

在内蒙古东部地区，道教也传播较广，自南部的卓索图盟、昭乌达盟至北部的呼伦贝尔地区皆有道教的踪迹。不过，由于受佛教的影响，此时传入的道教多不是纯粹的道教。从道观宫院的建筑风格、神位供奉等方面已有了

---

① 若西尼玛：《飞龙观、太清宫》，见呼和浩特市政协文史资料委员会编：《呼和浩特文史资料》第 12 辑，呼和浩特市政协文史资料委员会 1998 年印刷，第 282 页。

② 于永发：《土默特史事杂谭七题》，见呼和浩特市政协文史资料委员会编：《呼和浩特文史资料》第 10 辑，1995 年印刷，第 186—187 页。

③ 《武川县志》编纂委员会编：《武川县志》，内蒙古人民出版社 1988 年版，第 646 页。

④ 孙斌纂：《包头市志》卷 5 之《宗教》，第 504—507 页。

⑤ 《五原县志》编纂委员会编：《五原县志》，内蒙古人民出版社 1996 年版，第 790—791 页。

佛道相容性。寺观没有严格僧道界限，道观亦办庙会，而时间与佛寺大致相同。在民间信佛教者，亦信仰道教，视佛道为一途。

赤峰是内蒙古东部地区道教较为集中的地区。据1939年的调查，在赤峰市街有大仙祠、天观、三清观、普清观等4座道教祠观，有6名道士，信众约有7 000多人。① 另外，在赤峰市街及其周围农村还有城隍庙、关帝庙、东龙王庙、西龙王庙、三仙宫、马王庙等道佛合一的寺庙。②

1918年，开鲁县农民在离县城40华里的大榆树镇集资修建了"天增寺"，由建平县的一位道士（法名吉星）住持。该寺正殿内供奉关帝、财神、药王，东西配殿内供奉娘娘、龙王，每年农历四月十八日举行庙会。1948年该寺被改做教室。③ 1932年，林西县乡绅边九州在克什克腾旗兴建天水观。1936年，在昭乌达盟巴林左旗林东街修建了关帝庙。另外，翁牛特右旗、敖汉旗和宁城县也建有道教祠观。④

1901年，中东铁路修至扎兰屯。随着中东铁路的不断延伸，冀、鲁、豫、辽、吉、黑等各省大批流民涌入扎兰屯，或从事农业，或从事采伐、筑路、经商。当时为沙俄筑路官员充任翻译的道教信徒盛某，为这里的青山绿水所陶醉，遂萌生为其好友安宝道士修筑宫殿，以报旧恩之念。他利用与沙俄筑路官员的特殊关系，动用筑路材料于1901年在扎兰屯动工兴建玉清宫。玉清宫落成后，请来安宝道士坐宫，道教随之传入扎兰屯。安宝道士来后，除向信徒传授《道德经》外，还供奉吕祖并设"神机处"，为信徒扶乩占卜前生后世，用巫术符箓给信徒"驱病"，并以此发展信徒。玉清宫香火日渐兴盛，信徒一度遍及扎兰屯城区各地，有信徒达千余人之众，玉清宫遂成扎兰屯地区中心庙宇。1944年，安宝道士病死，后继无人，玉清宫香火日衰。不久，山西和尚弘西来玉清宫从事法事，宣扬佛教，并将玉清宫改建为关帝

---

① 日本帝国驻赤峰领事馆：《赤峰事情》（1939年），马希、余冠伦译，见内蒙古地方志编纂委员会总编室编印：《内蒙古史志资料选编》第5辑，第543页。

② 日本帝国驻赤峰领事馆：《赤峰事情》（1939年），马希、余冠伦译，见内蒙古地方志编纂委员会总编室编印：《内蒙古史志资料选编》第5辑，第540—541页。

③ 王伦：《天增寺始末》，见开鲁县政协文史资料工作委员会编：《开鲁县文史资料》第1辑，开鲁县政协文史资料工作委员会1986年版，第178—179页。

④ 赤峰市地方志编纂委员会：《赤峰市志》，内蒙古人民出版社1996年版，第3031—3032页。

庙。[1] 另据 1939 年底的调查，在当时的兴安东省阿荣旗也有一座道教寺庙——龙门寺。在同省布特哈旗（即扎兰屯地区）、莫力达瓦旗有关帝庙等道佛合一的寺庙，在巴彦旗也有关帝庙、土地庙、白龙庙、娘娘庙、牛王庙、马王庙等道佛合一的寺庙。[2]

海拉尔是呼伦贝尔地区的政治、经济、文化中心，在清代嘉庆年间建的城隍庙（在城北门外）、关帝庙（在城北门外）、关岳庙（在城西门外）、娘娘庙（在城东门外）、土地祠（在城西门外），到了民国年间仍保留，并逐渐成为佛教徒们的祭祀、拜佛的活动场所。此外，在满洲里和兴安岭也各有一座关帝庙。[3]

第四节　基督教

一、天主教

据《西湾圣教源流》一书记载，大约在 1700 年前后，在察哈尔南部西湾子村（今河北省崇礼县）的张姓家族中，有人开始信奉天主教。后来，该村中信教的人越来越多，也建起了简易的小教堂。至 1800 年时，天主教传入西湾子地方已有一百年的历史，"系有北京耶稣会底司铎来给他们（指教徒）送弥撒行圣事，或是西湾子教友们往北京去领圣事"。[4] 但是，直到 19 世纪 30 年代，西湾子的天主教并没有向其他地方传播开来，天主教在内蒙古地区影响甚微。1835 年以后，法国遣使会的传教士陆续来到西湾子，专门从事蒙古地区的传教活动。1840 年，罗马教廷将内蒙古划为单独教区，西湾子堂就成为该教区的总堂。从此，天主教传教士便以西湾子总堂作为根据地，向内蒙古中、东部地区进行传教活动。19 世纪 60 年代以后，随着内地汉族移民大量入教，天主教很快在内蒙古东西部各地传播开来，教堂、教

---

① 扎兰市史志编辑办公室编纂：《扎兰屯市志》，百花文艺出版社 1993 年版，第 1169 页。
② 《兴安东省情况（秘）》（1940 年 11 月），徐同功汉译，内蒙古地方志编纂委员会总编室编印：《内蒙古史志资料选编》第 5 辑，第 155 页。
③ 程廷恒、张家璠纂：《呼伦贝尔志略》，第 208—209 页。
④ 隆德礼：《西湾圣教源流》，北京西什库遣使会印字馆 1939 年排印，第 3—12 页。

民数量迅速增长。1883 年，罗马教廷将蒙古教区正式划分为东蒙古、中蒙古和西南蒙古 3 个独立教区。至 19 世纪末，天主教已成为内蒙古地区信徒最多、势力最大的洋教。

民国以后，基督教在内蒙古地区的传播活动和在华特权受到了一定的限制和削弱，但总体上仍保持着发展、壮大的趋势。在各教派中，天主教仍然占据着主导地位。这一时期，天主教传教士们的传教方式发生了重要变化。他们改变原先"一贯就在乡村和山陵地区，购地建堂，长期居住"的传教方式，将传教的重点转向了城镇。随着内蒙古地区城镇人口的不断增长，"外国传教士也认识到不进城市，不同社会接触，不了解情况，传教事业不好办理"。罗马教廷鉴于此，于 1922 年划分教区时，明文规定："今后各教区，均以城市为名，如宁夏教区、绥远教区等。"此外，为了扩大其社会影响，教会还加强了教育、医疗以及各种慈善事业的创办。1922 年，罗马教廷决定将内蒙古教区划分为热河、西湾子（察哈尔）、绥远、宁夏 4 个教区。正式划分教区时，在圣母圣心会会长吕登岸（P. J. Rutten）的建议下，二十四顷地教堂的主教和有关教士们决定，在归绥市（今呼和浩特市）旧城牛桥东河沿 9 号，修建主教座堂。同年，还在山西大同北门外卧虎湾建立内蒙古教区神学院 1 座。①

以城镇作为传教重点的同时，天主教会也积极致力于在草原深处开辟新的教民区。例如，察哈尔右翼中部的集宁地区，清末时还是个汉人不多见的游牧区域。民国以后，在传教士们的引导和教会的扶持下，这里有了数个教民村。例如，红盘（1919 年）、红格尔图（1921 年）、大脑包（1924 年）就是教民比较集中的 3 个村庄。到抗战时期，在这里由传教士或教民组织建立的村庄已增到 59 个，其中小一点的村庄也有 300 人左右的居民，大的则达 3 000 人。②

1928 年，热、察、绥 3 特别区和甘肃的宁夏地区改建为热、察、绥、宁 4 个省，集宁、兴和等 5 县由察哈尔划归绥远省。于是"圣母圣心会"又

---

① 王学明：《天主教在内蒙古地区传教简史》，见政协内蒙古自治区委员会文史资料研究委员会编：《内蒙古文史资料》第 22 辑，政协内蒙古自治区委员会文史资料研究委员会 1987 年印刷，第 157 页。
② 王守礼：《边疆公教社会事业》，付明渊译，上智编译馆 1950 年版，第 34—35 页。

从"察哈尔教区"划出"集宁教区"，总堂设在玫瑰营子。1932 年，"圣母圣心会"从"热河教区"划出"赤峰监牧区"。①

这样，圣母圣心会传教区又发展为热河、西湾子（察哈尔）、宁夏、绥远、大同、集宁、赤峰 7 个教区。至此，天主教在内蒙古地区的发展达到鼎盛。从内蒙古中部几个教区的发展状况看，在 20 世纪 30—40 年代，天主教教民人数有了迅猛的增长。据史料记载，1940 年时，绥远教区教民有44 000 人；集宁教区教民有 36 000 人；西湾子教区教民有 43 000 人。② 可见，仅内蒙中西部地区教民人数就已达 10 余万人，若再加上赤峰、宁夏等其他几个教区，当时塞外天主教教民总数应在 20 万人以上。③

在民国时期，天主教会所办的各类学校和学生人数也有了迅速的增长。中华民国成立后，随着"任子癸丑学制"的颁布和执行，教会学校的发展逐步纳入规范化、正规化的轨道。因此，传教士们根据地方情况，努力增设或改善地方学校。于是各地教堂普遍设立初级小学，区公所创办高级小学，在各教区则设立中学或师范学校。例如，1914 年二十四顷地教堂就建立了第一所初级小学。1916 年又建了一所女子小学。④

20 世纪 20 年代以后，天主教以兴办教育、医疗两项慈善设施，作为其主要传教手段。教会学校的教学是完全免费的，因此贫苦儿童也有读书的机会。对于极贫困的学生，教会还供给书籍、文具及服装等。所以这一时期各个教区教会学校的发展尤为显著。

由表 23－1、表 23－2 可以看出，1925 年有学校 738 所，学生 21 204 名（男生 10 626 名，女生 10 578 名），到 1935 年发展到学校 960 所，学生人数达到 25 450 名（男生 13 985 名，女生 11 465 名），仅仅 10 年的时间内新

① 刘映元：《天主教在河套》，见内蒙古自治区文史研究馆编：《内蒙古文史丛书·史料忆述》第 1 辑，内蒙古自治区文史研究馆 1986 年印刷，第 28 页。
② 王守礼：《边疆公教社会事业》，付明渊译，上智编译馆 1950 年版，第 4 页。
③ 据王守礼：《边疆公教社会事业》（付明渊译）所统计，1940 年塞外天主教 7 个教区教民总数已达 22 万人。
④ 王学明：《天主教在内蒙古地区传教简史·附西南蒙古教区、区堂长、二十四顷地传教简史》，见政协内蒙古自治区委员会文史资料研究委员会编：《内蒙古文史资料》第 22 辑，政协内蒙古自治区委员会文史资料研究委员会 1987 年印刷，第 183 页。

增学校 222 所，学生 4 246 名，总计学生人数超过 25 000 人，学校增至近 1 000 所。[①] 这些统计数字或许与实际情况有一些出入，但也反映出了内蒙古地区教会学校快速发展的态势。其中，初级小学的发展尤为突出，是这个时期教会学校发展的主要特征。

表 23-1　1925 年热、察、绥、宁及大同教区教会学校、学生统计表

区　别	公学初高两级				国民小学				要理学校			
	男校	男生	女校	女生	男校	男生	女校	女生	男校	男生	女校	女生
热河教区	2	155	2	82	20	498	11	291	50	1 253	58	1 995
察哈尔教区	1	73	3	158	52	1 932	23	706	72	1 476	80	2 083
绥远教区	1	52	2	65	28	906	14	664	87	1 394	65	2 263
宁夏教区	2	116	1	49	38	1 240	10	47	43	1 236	46	1 610
大同教区	1	18			11	218			5	59	10	137
总计	7	414	8	354	149	4 794	58	2 136	257	5 418	259	8 088

表 23-2　1935 年热、察、绥、宁及大同、赤峰、集宁教会学校、学生统计表

区　别	公学初高两级				国民小学				要理学校			
	男校	男生	女校	女生	男校	男生	女校	女生	男校	男生	女校	女生
热河教区	4	146	1	78	12	414	9	259	28	661	30	791
赤峰教区	1	65	1	58	10	533	9	216	31	499	30	484
察哈尔教区	9	167	5	113	70	2 469	36	1 070	50	703	60	1 720
集宁教区	3	95	3	50	24	965	16	597	30	780	39	1 203
绥远教区	1	112	2	90	39	1 023	23	547	100	2 195	91	1 790
宁夏教区	4	166	2	45	20	1 026	17	748	30	834	36	1 020
大同教区	2	99	2	70	22	577	13	258	25	456	20	258
总计	24	850	16	504	197	7 007	123	3 695	294	6 128	306	7 266

　　天主教会也设立了一些职业学校，比如于 1922 年在归绥公医院成立了

[①]　王守礼：《边疆公教社会事业》，付明渊译，第 101—103 页。

护士学校，经 3 年学科教授及临床实习，已有 200 余人毕业。①

到 20 世纪 40 年代，教会学校又有了新的发展。据归绥总堂刊行的教务概况表，当时仅绥远教区即有 110 所小学，学生人数达 5 886 名。大概每个教堂里都同时设有男女学校。其中，萨拉齐县学校最多，共有 50 所，学生 2 932 名。其他各县依次为：托克托县，学校 15 所，学生 796 名；武川县，学校 13 所，学生 620 名；包头县，学校 8 所，学生 441 名；和林县，学校 8 所，学生 337 名；固阳县，学校 7 所，学生 460 名；归绥县，学校 7 所，学生 293 名；清水河县，学校 2 所，学生 54 名。②

天主教会在内蒙古地区除了创办各类学校外，还举办了医院、孤儿院、育婴堂等社会公益事业，这些对于地处塞外的内蒙古地区来讲，都是前所未闻的新生事物。1922 年，在归绥设立公教医院。后来该医院发展成为"塞外第一漂亮医院"，占地面积 190 亩，分为病房和花园两个部分。病房有男病房、女病房，从一等到三等左右排列，甚至配备着所有现代医疗器械及其专用室。③

天主教会所举办的各类学校以及社会福利事业，对于包括近代自然科学在内的西方文化传入蒙古地区起到了传媒和桥梁的作用。特别是新式学校的创办，使许多平民子弟有机会接受新式教育。这对于开启民智，促进社会发展，改变当时内蒙古地区闭塞、落后的状况，无疑具有积极的影响和作用。

二、耶稣教

耶稣教，即基督教新教（Protestant），该教传入内蒙古地区较晚。1900 年以前，只有个别美国籍耶稣教传教士在内蒙古西部传教。义和团运动中，美国传教士及地方少数信徒遭杀害，耶稣教势力大为衰减。"庚子事件"之后，瑞典国基督教的"协同会"（属耶稣教派）经英国基督教会的同意，取得在内蒙古西部地区的传教权。

瑞典国的基督教会首先在归化城土默特旗的萨拉齐建立了教堂。教堂内

---

① 王守礼：《边疆公教社会事业》，付明渊译，第 104 页。
② ［日］前岛重南：《基督教在内蒙古——以厚和为中心的概况》，见内蒙古大学中共内蒙古地区党史、内蒙古近现代史研究所编：《内蒙古近代史译丛》第 2 辑，第 225 页。
③ ［日］前岛重南：《基督教在内蒙古——以厚和为中心的概况》，第 228 页。

设有育英小学一所，还有孤儿院、医院、工厂等。该教堂在乡村中设立的教堂有沟门教堂、速波罗教堂、沙尔沁教堂、竹乐沁教堂等。此后，瑞典教会在归绥、包头、毕克齐、察素齐、武川、托克托、固阳、扒子补隆、丰镇、凉城和察哈尔左翼 4 旗 4 牧群以及阿拉善旗定远营等地相继建立了教堂或传教站以及医疗站、学校等。① 这样，基督教在内蒙古西部农村、牧区也有了一定规模。

信奉耶稣教的蒙古人主要集中在察哈尔左翼 4 旗 4 牧群。1920 年代末，商都牧群、牛羊群及镶黄旗等蒙古人聚居地有好几处耶稣教堂及传教站，有瑞典、美国、加拿大等国的传教士向当地的蒙古人传教。

察哈尔商都牧群的哈伦乌苏是当时瑞典蒙古传教团在内蒙古中部牧区的传教中心，其下设有好几个传教分站。正白旗的柴尔图（今镶黄旗那仁乌拉苏木所在地柴日图）分站设于 1922 年，正白羊群的道云海尔罕（今正蓝旗伊和海尔罕）分站设于 1924 年。此外还有商都牧群旗的塔奔乌拉、阿达根布拉格（今镶黄旗新布拉格苏木哈夏图嘎查阿达根布拉格）等地好像也有分站。这些分站也叫"传教所"。1936 年，瑞典传教士甫博爱偕其妻到阿拉善旗定远营，建立了耶稣教福音堂。瑞典传教士们在传教过程中，还从事了一些教育、医疗方面的事业。例如，1915 年在哈伦乌苏建了 1 所小学，并在 1918 年把塔奔乌拉传教站的小学迁到哈伦乌苏合办。虽然尚无在哈伦乌苏设立医院的明确消息，但从焦尔·艾利克逊是专职医生和 1919 年还来了一位名叫格里塔·尼尔森（Greta Nilsson）的护士来看，那儿也从事着医疗工作。在乌尔嘎和柴尔图各有一所有 30 多名学生的小学和医院。在道云海尔罕设有小学、医院。在这些分站和教区工作的医生、护士和教师们是瑞典蒙古传教团的人和为他们服务的蒙古人，并且常在教区和分站间移动工作。此外，每个站还办有帮助无生活依靠的孤儿和寡妇的福利事业。②

耶稣教传教士为了能劝说蒙古人改信基督教，积极学习蒙语，熟悉蒙古

---

① 曹毅之：《内蒙古西部地区基督教之沿革》，见政协内蒙古自治区委员会文史资料研究委员会编：《内蒙古文史资料》第 23 辑，政协内蒙古自治区委员会文史资料研究委员会 1986 年印刷，第 201 页。

② 色·斯钦毕力格、色·乌尔图那顺：《清末民国察哈尔瑞典蒙古传教团》，载《内蒙古社会科学》（蒙文版）2002 年第 3 期。

人的风俗人情，在衣食住行上也力求与蒙古人一样穿皮衣、吃奶食、住帐幕、骑走马等。他们还在商都牧群的哈伦乌苏、哈丹苏莫的耶稣教堂创办印刷所，专门用蒙文翻译出版了《圣经》《旧约原义》《新约要义》及《赞美诗》等基督教经典。还翻译出版了介绍基督教的通俗读物及圣经故事等。目前在国内能看到的这种蒙文出版物不下 20 余种。

三、东正教

东正教是基督教里的一个派别，元朝时期始传入中国。后随着蒙元帝国的灭亡而消失。直至清康熙年间东正教再次传入中国，北京出现了东正教的传教士。至 19 世纪末 20 世纪初，随着中东铁路的修筑，东正教先后在哈尔滨、旅大、沈阳、满洲里等地，建立起教堂 100 余座。在内蒙古地区，东正教最早传入的是满洲里地区。1900 年，东清铁路公司西部工区在满洲里建立了谢拉菲姆东正教堂。初建时属俄国赤塔教辖区。1902 年，满洲里地区最大的诺克提也夫斯基东正教堂开始修建，是由俄国赤塔教会司祭米海依用募捐到的款修建的。该教堂至 1920 年全部竣工后，成为满洲里地区中心教堂。

1912 年初，呼伦贝尔宣布"独立"后，沿边各卡伦被俄兵捣毁，使原来就不够健全的边防管理制度废弛，在相当长一段时间内俄国人越河移驻中国几乎不受限制。有大批俄国边民移驻中国境内的额尔古纳河以东，大举耕垦。1917 年俄国十月革命前，呼伦贝尔地区中东铁路沿线及三河一带的俄国移民已达 2 万余人。俄国十月革命胜利后，又有数万名被红军击败的白俄官兵整建制或零星地撤逃到中国边境地区，他们中许多人后来在呼伦贝尔各地落户。额尔古纳河以西后贝加尔地区的俄国农民，或受白俄军队的威胁逼迫，或因逃避战火，也越界来到三河一带安家落户。

1924 年，这些俄国人在扎赉诺尔矿区建立了两座东正教堂，一座叫米海依勒·阿尔汉吉斯克教堂，另一座叫以利亚教堂。到 20 世纪 30 年代初，在呼伦贝尔境内已形成大小近 30 个由俄国移民组成的村屯和十几个中俄杂居的村屯，有的几乎是从村长到村民全村人都搬了过来。随着呼伦贝尔地区东正教徒的急剧增多，东正教会的传教活动以及教堂的建设也进入快速发展时期。从 1900 年在满洲里建成第一座东正教教堂起，到 20 世纪 40 年代末止，在呼伦贝尔各地先后建有不同规模的东正教堂 38 座。期间，除个别关闭、拆迁或毁于战火外，到 20 世纪 50 年代中期苏侨大批回国前，呼伦贝尔地区的东正教堂共约有 30 座。20 世纪 50 年代初，呼伦贝尔地区东正教徒约在 3.5 万—4 万人，大部分教堂在 1956 年前后苏侨回国后才关闭。①

第五节　伊斯兰教

伊斯兰教早在元代传入蒙古地区。随着回回民族的形成、发展，蒙古地区有了为数众多的穆斯林民众，他们依靠宗教信仰和群体的凝聚力，在喇嘛教几乎一统天下的蒙古地区一步一步地开辟自己的生存空间，最终立足于蒙地，赢得蒙汉等其他非伊斯兰民族的认可、接纳，成为塞外多民族社会的一员。

在清代，较之喇嘛教，伊斯兰教在蒙古地区虽受到相当压抑和限制，但它依然在发展、壮大，特别在是商业贸易较为发达的城镇传布开来，形成了独具特色的穆斯林生活圈。

清、近代以来，呼和浩特一直是商业最为发达的塞外重镇，对善于经商的回回人自然有很大的吸引力。首先是山西大同和右玉地区的回族来到呼和浩特经商定居。康熙以后，冀、鲁、豫、陕等地的回族又纷纷涌向呼和浩特，在这里定居谋生。到康熙中叶，呼和浩特市内（旧城）即有回族穆斯林三四百人。到乾隆中后期已增加到千余人。到同光年间，呼和浩特地区回族穆斯林的总人数大约有三四千人。据《绥远通志稿》所载，到民国年间抗日战争爆发前，呼和浩特市内有回族穆斯林 3 600 余户，男女 2.4 万余人。② 这一数字似有所扩大，但穆斯林总人口至少在 1 万人左右。③ 因为中华人民共和国成立后的 1950 年，呼和浩特市内的回族人口约有 1.2 万人。④

---

① 呼伦贝尔盟史志编纂委员会编：《呼伦贝尔盟志》，内蒙古文化出版社 1999 年版，第 2342—2343 页。

② 绥远通志馆编纂：《绥远通志稿》卷 76 之《回族》，1936 年稿本。

③ 政协呼和浩特市回民区委员会编：《呼和浩特回族史》，内蒙古人民出版社 1994 年版，第 232、233 页。

④《呼和浩特回民自治区调查报告》，见政协呼和浩特市回民区委员会编：《呼和浩特回族史料》第 7 辑，政协呼和浩特市回民区委员会 1989 年印刷，第 9 页。

　　伊斯兰教是伴随着信仰该教的回回人的到来而传入呼和浩特地区的。一般来说，凡出生在回族家庭里的男女，天生就是穆斯林。他们从童年时代开始，即接受父母身传口授的伊斯兰知识启蒙，在伊斯兰家庭氛围中，培养伊斯兰教信仰基础。成人后，逐渐具备穆斯林意识，去履行穆斯林的职责和义务。这是伊斯兰教所发挥的维护、加固其信仰者群体的根本作用。如上所述，呼和浩特地区的回族来自不同省区，自然带有地区性差别。但他们来到新的地区聚居后，使自身带着的伊斯兰信仰在日常遵行的宗教生活中得到了交融、互补和加强，逐步剔出了因理解、解释不同，或因受汉文化影响而形成的地区性差别，进一步保证了伊斯兰教的纯洁性，并为后来呼和浩特地区的回族以《古兰经》和《圣训》为根本，笃守伊斯兰教教律，发展伊斯兰教铺垫了基础。这是呼和浩特自清中叶以后成为塞外新的伊斯兰教传布中心的重要原因之一。

　　每位正统的穆斯林所履行的职责是恪守"天命"所规定的"五功"，即念、礼、斋、课、朝，因而只要有穆斯林聚居，必然有清真寺。清真寺的兴建及前来做礼拜的人数的多少，也就成了伊斯兰教盛衰的重要标志。呼和浩特地区自清代康熙年间兴建了第一座清真寺后，到民国时期，先后兴建了10余座清真寺。例如，呼和浩特清真大寺（建于1693年）、八拜清真寺（建于1761年）、呼和浩特清真西寺（约建于乾隆中期），呼和浩特清真东寺（初建于嘉庆年间，光绪年间与苏勒图清真寺合并）、呼和浩特清真北寺（原甘绥清真礼拜堂，初建于咸丰年间，扩建于1921年）、呼和浩特清真南寺（约建于同治年间）、呼和浩特清真东北寺（建于1891年）、呼和浩特新城清真寺（建于1922年）、呼和浩特车站清真寺（建于1922年）、呼和浩特清真北女寺（建于1946年）呼和浩特清真东北女寺（建于1946年）等。[①] 众多清真寺的陆续兴建，表明了呼和浩特地区穆斯林人数的不断增长和伊斯兰教的广泛传播。

　　包头是塞外第二个重要商业城镇，也是回族穆斯林比较集中居住的地区之一。据当地回族老人口碑相传，在清雍正末年，就有河北、山东的回民，

---

　　① 白贞：《呼和浩特地区伊斯兰教与清真寺》，见政协呼和浩特市回民区委员会编：《呼和浩特回族史料》第1辑，政协呼和浩特市回民区委员会1989年印刷，第75—88页。

来到包头从事贩卖牲畜的行业。进入乾隆初年，有河北沧州回族王姓、山东回族白姓以经营牲畜为业，在包头定居。[①] 道光十三年（1833 年），包头镇回族人口已有 100 多户，约六七百人。后来，也有甘肃、青海、陕西、宁夏等地的回民来到包头定居。到光绪末年包头回族人口增至 786 户，共计 3 148 人。[②] 清末民初，包头回族人口又有了显著的增长，在旧城区北梁一带，由东而西发展，复兴玉巷、东营磐梁、瓦窑沟、真武庙梁、丁家巷以及大仙庙梁、富圣明巷一带已成为回族聚居区。据《绥远通志稿》所载，当时包头回民约有 1 500 余户，共计约 2 万余人。[③] 这个数字虽有夸大之嫌，却也说明了包头人口的不断增长。

从乾隆初年至 1943 年，经历 200 年，包头地区先后建起 8 座清真寺。它们是：清真大寺（始建于乾隆初年）、萨拉齐清真寺（始建于乾隆初年）、南海子清真寺（始建于光绪年间）、瓦窑沟清真寺（始建于光绪年间）、包头清真西寺（始建于 1922 年）、包头官井梁清真寺（始建于民国初年）、包头清真中寺（始建于 1943 年）、固阳县清真寺（始建于 1922 年）。

内蒙古中部察哈尔左右翼各旗因临近河北（清代直隶省）、山西两省，自清初不断有内地移民迁入，其中亦有不少回民。察哈尔右翼境内丰镇厅所辖隆盛庄便是回回人集中居住的地方。自清朝初年开始，这里便有河北、山东等地的回回人前来定居经商，成为内蒙古境内回族聚居和建清真寺最早的小村庄之一。乾隆年间已有简易的小清真寺，供回族穆斯林做礼拜。到嘉庆年间，隆盛庄留居回族人口大增，而且往来回族客商虽属暂住，也要进寺礼拜，加上本地回民，原先的小清真寺显得简陋狭小，已无法满足穆斯林进行宗教活动需要。遂当地回民在归绥商人的支援下，出资买下现清真寺的院落，建造殿宇 5 间，使隆盛庄清真寺粗具规模。在道光年间又募集钱粮，进行扩建，基本形成现在清真寺的规模。1926 年，在原建礼拜大殿之上又加盖了一层，使之成为 3 层大殿。与此同时，为了回族妇女沐浴、礼拜方便，

---

① 马俊英：《包头回族的源流》，见包头市民族宗教志编修办公室、政协包头市东和区文史委员会编：《包头回族史料》，包头市民族宗教志编修办公室、政协包头市东和区文史委员会 1978 年印刷，第 8 页。

② 白慧中：《内蒙古回族历史研究考》，内蒙古人民出版社 2002 年版，第 156 页。

③ 绥远通志馆编纂：《绥远通志稿》卷 76 之《回族》，1936 年稿本。

还在小北街设置了清真女寺。

内蒙古西部黄河沿岸地带即河套地区，在清代其大部分属乌兰察布盟乌拉特三公旗和伊克昭盟达拉特、杭锦及鄂托克等旗。这里因黄河水利灌溉的便利，农业发展较早，到清末民初时已成为内地移民趋之若鹜的地方。到20世纪20年代，在民国政府移垦设治政策的指引下，河套地区外来人口大增，农工商发展起来。于是，山西、大同，以及宁夏等地的回民不断迁来定居。当时安北县大余太是回民比较集中的地方，民国初年已建有清真寺。后来，五原、临河、陕坝、磴口等地的回民人数也不断增多，在当地相继建了清真寺。自20世纪初开始，陕西、宁夏的汉、回民陆续进入伊克昭盟鄂托克旗西部靠黄河的陶乐地区定居，从事农耕活动，建立了9个移民村。这9个移民村的回民，占总人口的30%，约380多人。1910年，在回民比较集中的上八顷地庄建清真寺1座。民国初年，陶乐垦区划归宁夏。①

清初以来，多伦诺尔（今锡林郭勒盟多伦县）是佛寺林立、喇嘛云集的内蒙古喇嘛教中心，可以说是活佛、喇嘛们的天下。即使在这样的"异教"天地之内，回族商人们不仅开辟了经商之道，而且也建起清真寺，将伊斯兰教传播开来。从清朝雍正年间到1935年，多伦境内先后建筑6座清真寺。其中，南北两寺建于乾隆年间。其余陆续建于清中后期。这6座清真寺始建和扩建，均由穆斯林发起人主持向广大穆斯林民众募集资金作为全部经费来源，并无朝廷资助。这与蒙古地区的喇嘛寺庙的创建不可同日而语。康熙年间，多伦的回民人数达3000多人。进入民国后，因战乱多伦寺庙遭破坏，市面萧条，回民人数亦随之减少。但在1935年时，多伦仍有回民1900余人。②

内蒙古东部重镇赤峰也是回民比较集中居住的地方。最早在乾隆七年（1742年）有张、马、白等10户回族自山东迁来赤峰定居。到乾隆末年，赤峰有回民300多户，1700余人。③乾隆十二年（1747年）建成赤峰清真北寺，嘉庆八年（1803年）建成赤峰清真南寺，从此赤峰街成为本地区回

①　伊克昭盟地方志编纂委员会编：《伊克昭盟志》第6册，现代出版社1997年版，第132页。
②　多伦县志编纂委员会编：《多伦县志》，内蒙古文化出版社2000年版，第687—688页。
③　白慧中：《内蒙古回族历史研究考》，第180页。

族的主要聚居区，伊斯兰教活动中心。后来有一些回族群众相继迁入克什克腾旗、林西县、巴林左旗、喀喇沁旗等地定居建寺。1913 年，在赤峰成立了"中国回教俱进会赤峰支会"。1934 年成立伪满伊斯兰教协会赤峰分会，1937 年改称"回教协会赤峰分会"。[①] 可见，伊斯兰教和教民已成为地方社会所不可忽视的力量。

自清初以来，哲里木盟是内蒙古 6 个盟中蒙古族人口最多的一个盟。清末民初以后，随着汉、满、回以及朝鲜等其他各民族人口的不断迁入，哲盟地区也逐渐变成多民族、多宗教并存的地区。回回人进入哲里木地区活动和居住，最早可以追溯到清中叶的嘉庆末年及道光初年。回族人的大部分来自河北、山东和东北的辽宁等地。据民国初年的户籍人口资料表明，从 1912 年到 1927 年，哲盟的回族人口不断增加，全盟回族人口总数达 680 户，约 4 000 多人。[②] 回族穆斯林主要分布在通辽县、库伦旗（民国初期隶属于卓索图盟，1935 年隶属兴安南省，1945 年 8 月开始隶属于哲里木盟）、科左后旗、科左中旗等地。其中，在回族人口较集中的地方，自清末开始建立了清真寺。光绪元年（1875 年），由当地回回人募集资金，在库伦街修建了一座小清真寺。至 1912 年，库伦街回民逐渐增多，原有的小清真寺不能满足回民进行宗教活动的需要。于是在回族乡老杨七爷等人的主持下，依照当时的奉天省新立屯清真寺的式样，改建了占地 700 平方米的新清真寺。[③] 1925 年，通辽县城的回民达 100 户，人口近 600 人。[④] 回族穆斯林们募集钱粮，开始筹建清真寺。1927 年春，通辽清真寺全部竣工。开鲁清真寺始建于清宣统三年（1911 年）。当时开鲁县仅有回民数十户，只是将几间土房当做礼拜堂。1927 年，开鲁县的回族达到 1 800 多人，遂于 1929 年新建大礼拜大殿、讲经堂、门楼和沐浴室。[⑤]

在呼伦贝尔地区，在清代已有少量回回人定居。1912 年，海拉尔有回民 10 余户几十口人。此后，来自山东、河北以及东三省的回族开始在中东铁路沿线

① 赤峰市地方志编纂委员会：《赤峰市志》，内蒙古人民出版社 1996 年版，第 3035—3036 页。
② 白慧中：《内蒙古回族历史研考》，第 173 页。
③ 杨青锋主编：《哲里木盟志》（下），方志出版社 2000 年版，第 1746 页。
④ 白慧中：《内蒙古回族历史研考》，第 177 页。
⑤ 白慧中：《内蒙古回族历史研考》，第 177 页。

的满洲里、扎赉诺尔、牙克石、扎兰屯等城镇定居下来。到1926年，海拉尔的回民人口已发展到100余户。到1937年，扎兰屯亦有回民40多户①。到1947年，"呼盟有海拉尔、牙克石、扎兰屯3座清真寺，有阿訇9人，全盟有回族人口1 867人。另有满洲里、海拉尔2座俄侨的鞑靼伊斯兰教堂"②。

民国初年，银川、同心、贺兰、黄渠桥、平罗一带的一些回民来到阿拉善旗定远营，经营店铺，贩卖牲畜，拉骆驼搞运输等。至1929年，定远营已有回民50多户，在万盛店院内建立了一座清真寺，俗称"下寺"或"老寺"。1941年，由于穆斯林人口的不断增加和教派的不同，回民丁义昌等人提议在南梁顶东沿，增建一座清真寺，俗称"上寺"或"新寺"。③

在阿拉善旗还有一部分被人称做"蒙古回回"的蒙古人信奉伊斯兰教。他们主要居住于阿拉善左旗东北部的敖伦布鲁格和巴彦木仁两个苏木。还有一些人散居于吉兰太、磴口、沙金套海、巴音套海、哈腾套海、哈鲁乃、科布尔、红古尔玉林等地。在科布尔和吉兰太曾建有两座清真教坊，聘请"伊马目"主持教务。

这部分蒙古穆斯林是由阿拉善旗第二代札萨克阿宝于清康熙年间西征准噶尔时从青海西宁一带带来的"缠头回回"的后代。而这批"缠头回回"究竟属于什么民族，已无从查考。他们初到阿拉善时只有100多人，到光绪年间已有100多户，④ 到民国年间发展到200余户。⑤

在清代，他们已被阿拉善旗衙门编入该旗丁口册内，和其他蒙古人一样服兵役、纳税应差，有的还到旗衙门担任公职。到了近代，这部分蒙古穆斯林，除宗教信仰与其他蒙古人不同之外，在语言文字及生活习惯方面与当地蒙古人没有什么区别，都使用蒙文蒙语，从事畜牧业生产。所以他们早已属于蒙古民族了。

---

① 白慧中：《内蒙古回族历史研考》，第198—199页。

② 呼伦贝尔盟志史志编纂委员会编：《呼伦贝尔盟志》，内蒙古文化出版社1999年版，第2337页。

③ 章秀文、马怀诚：《伊斯兰教在阿拉善旗传播发展概况》，见政协阿拉善盟委员会编：《阿拉善盟文史》第4辑，政协阿拉善盟委员会1987年印刷，第177页。

④ 章秀文、马怀诚：《伊斯兰教在阿拉善旗传播发展概况》，见政协阿拉善盟委员会编：《阿拉善盟文史》第4辑，第184—185页。

⑤ 陈国均：《阿拉善经济状况》，载《经济汇报》1944年第9卷第11期。

第四编

人　物

阿尔宾巴雅尔

阿尔宾巴雅尔（1866—1913年），蒙古族，内蒙古伊克昭盟杭锦旗人。1880年袭札萨克贝子，1883年开始执旗政。习称阿王。1901年任伊克昭盟副盟长，成吉思汗八白室祭祀济农。1902年晋任盟长并任兵部左侍郎。同年，清廷派山西巡抚贻谷为督办蒙旗垦务大臣，赴绥远督办内蒙古西部盟旗土地，令伊克昭、乌兰察布两盟各旗派员到绥远城报垦，当即遭到乌、伊2盟各旗札萨克的强烈抵制。阿尔宾巴雅尔先后两次召集各旗札萨克和协理台吉等会商后，曾两次联名上书绥远城将军衙门和理藩院，请求停止放垦蒙地。清廷非但未批准停止官垦的请求，贻谷还以"藐视圣命"罪名相威胁，再三严令伊、乌两盟盟长迅速报垦。1903年初，派往绥远城交涉的杭锦旗仕官在贻谷的威胁利诱下，擅自报垦了本旗土地。贻谷遂借机大造"盟长贝子已主动报垦"的舆论，导致伊盟各旗陆续报垦。阿尔宾巴雅尔将擅作主张的仕官撤职后，召集旗内贵族、官员和民众代表商议办法，坚持抵制开垦。不承认所派仕官的报垦，借故拖延签发报垦文书。同时传文呼吁其他6旗共同抵制官垦。是年11月，阿尔宾巴雅尔被清廷以阻挠垦务为由，撤销盟长职务。解职后，阿尔宾巴雅尔的立场骤然转变，主动报垦杭锦旗土地，并不顾本旗各界的反对，接受了贻谷在押荒银及岁租等问题上提出的苛刻条件。1908年，贻谷获罪被清廷革职查办，乌、伊2盟垦务基本停止，阿尔宾巴雅尔复任盟长职。

1911年，辛亥革命爆发，清朝统治瓦解，外蒙古哲布尊丹巴政权宣布"独立"。阿尔宾巴雅尔在接到哲布尊丹巴发出的"檄文"后，即向库伦政府表示"归附"之意。但始终未采取附和外蒙古"独立"的实际行动。1913年1月，新任绥远城将军张绍曾将阿尔宾巴雅尔和乌兰察布盟盟长、四子王旗札萨克勒旺诺尔布以武力挟持至绥远城，参加西蒙王公会议。会议中，阿尔宾巴雅尔发表演说，表示拥护民国，同时与其他王公联名发表通电，声明反对库伦"独立"。在被迫作出"输诚悔罪，誓认共和"的表态后，阿尔宾巴雅尔被晋封为亲王。会后，与勒旺诺尔布、云端旺楚克等一同赴京觐见民国总统袁世凯。阿尔宾巴雅尔回旗后不久即因病去世。终年47岁。

（赛航 撰稿）

云端旺楚克

云端旺楚克（1871—1938年），蒙古族，内蒙古乌兰察布盟喀尔喀右翼达尔罕贝勒旗（今达尔罕茂明安联合旗）人。早年学习蒙、藏、汉文，授"斯琴济农"称号。1890年承袭喀尔喀右旗札萨克贝勒，1896年任乌兰察布盟副盟长。1912年晋升为郡王，1915年加亲王衔。后任乌兰察布盟盟长、乌兰察布盟保安长官。习称云王。

1913年，绥远将军张绍曾派出北洋政府军追剿土默特旗骑兵营玉禄所部，在喀尔喀右旗王府所在地百灵庙将云王挟持，抢劫财物、牲畜，纵火烧毁百灵庙。战事结束后，在云王主持下，百灵庙得以修缮。

1924年，云王在旗内创办了该旗历史上第一所小学，由土默特旗聘请名师授业，招收部分牧民子弟，免费就读。开启了近代新式教育。民国初年，内蒙古地区匪患严重。为抵御土匪的袭扰，云王选拔近百名青年牧民，组建了自卫队和保商团，同时还组织200多名箭丁，随时准备参与剿匪行动。这些武装曾多次击退土匪的进犯，有效地维护了地方的安全。

1928年，国民政府定鼎南京后不久，即在内蒙古地区正式设立行省，并开始大规模移民垦殖。此举招致蒙古族各阶层民众的强烈反对。以锡、乌两盟王公领衔向国民党请愿，反对在内蒙古改制设省，要求保障盟旗的自主权益。云王成为发起人之一。1933年7月，云王与锡林郭勒盟副盟长德王在百灵庙主持召开"内蒙古自治会议"，发动"高度自治"运动。会议发出通电，要求中央许可内蒙古自治，成立统一的自治政府。同年10月，在百灵庙召开第二次内蒙古自治会议。由云王主持，讨论通过了《内蒙古自治政府组织法》。

1934 年 4 月，"蒙古地方自治政务委员会"（简称蒙政会）在百灵庙成立。云王被推为蒙政会委员长。1935 年 2 月，任国民政府委员。1936 年 4 月，由日本人策划，在锡林郭勒盟乌珠穆沁右旗召开第一次"蒙古大会"，决定成立"蒙古军政府"。云王虽未出席此次会议，但被推为军政府主席。1937 年 10 月，日军侵占绥、包后，再次策划召开第二次"蒙古大会"，成立"蒙古联盟自治政府"。因病未出席的云王又被推为主席，然而云王此时已无意参与政事。1938 年 4 月，云王因病去世，终年 67 岁。

（赛航　撰稿）

沙克都尔扎布

沙克都尔扎布（1873—1945 年），汉名魁占，蒙古族，伊克昭盟札萨克旗（亦称鄂尔多斯右翼前末旗，今鄂尔多斯市伊金霍洛旗）人。1897 年，沙克都尔扎布承袭札萨克职位。习称沙王。1902 年，清政府在内蒙古西部盟旗施行"放垦蒙地"，沙王由于主动报垦而受到清廷的奖掖，被任命为伊克昭盟副盟长。1924 年，任伊克昭盟盟长兼吉农（成吉思汗陵奉祀官）。1934 年 3 月，国民政府宣布成立蒙古地方自治政务委员会（简称"蒙政会"）时，沙王被任命为该会副委员长。1936 年国民政府撤销"蒙政会"，同时分别成立察哈尔省与绥远省境内蒙古各盟旗地方自治政务委员会，沙王被任命为该委员会委员长。

1937 年"七七"事变后，日军进逼归绥。沙克都尔扎布断然拒绝日本的拉拢，率领绥靖蒙政会转移到伊克昭盟札萨克旗。1939 年，沙王应国民政府邀请前往重庆参加会议。途中，在延安受到毛泽东、贺龙等中共领导人的亲切接见。在重庆，沙王也受到了蒋介石等国民政府高级官员的接见。

1939 年 6 月，在日军已占领内蒙古西部大部分地区，伊盟形势日趋险恶的情况下，经国民政府行政院和蒙藏委员会批准，由沙王主持，成吉思汗灵寝从伊金霍洛迁往甘肃省榆中县。沿途在榆林、延安的各机关、学校及民众均举行了盛大祭奠仪式。

1941 年，国民党为加强对伊克昭盟的军事统治，成立了伊盟守备军司令部，陈长捷任总司令。陈到任后，对伊盟各旗采取高压手段，加紧实行民族压迫和经济掠夺政策。1942 年，伊盟守备军以"通共"等罪名，捕杀了乌审旗协理奇国贤，引起各旗强烈不满。1943 年 2 月，伊盟札萨克旗保安队发动武装起义，扣捕了一批国民党官员和特务。陈长捷立即派出军队攻占沙王府。札萨克旗保安队和沙王等退往乌审旗，并在沙漠中与国民党军队周旋，展开游击战。同年 6 月，国民党派出代表，与沙王进行接触、谈判。答应了起义军民提出的各项要求，撤销了陈长捷的职务，宣布暂缓开垦及征粮征税。"伊盟事变"得到和平解决。

1945 年 5 月，沙王当选为国民党第六届中央委员会执行委员。同年 7 月因病逝世。终年 72 岁。

（赛航 撰稿）

德穆楚克栋鲁普

德穆楚克栋鲁普（1902—1966 年），锡林郭勒盟苏尼特右旗札萨克。字希贤，习称"德王"。成吉思汗第 30 世孙。1908 年遵其父遗嘱承袭王位，但因其年幼，由协理台吉护理旗札萨克印务。1913 年民国政府晋爵和硕亲王。1919 年正式执掌旗札萨克印。1925 年 2 月，以锡林郭勒盟代表身份参加北京善后会议，7 月被选为北京政府临时参议院参政。1926 年被北京政府任命为锡林郭勒盟副盟长。以后又任察哈尔省政府委员。从此步入国内政坛。期间，整顿扩建旗保安队，组成专事保护张家口到外蒙古乌德间公路交通的乌［德］滂（江）守备队。与此同时，还筹措军饷，购置新式枪械，开办小型机械、汽车修理厂、毛纺工厂和医疗卫生机构，创办新式学校。20 世纪 30 年代，德王频繁出访北平、南京、沈阳等地，会见蒋介石、汪精卫、张学良等要人，联络蒙古政界人物。时值蒙古各界反对国民党在内蒙古设省，要求蒙古自治的呼声极高，1930 年 5 月迫使国民政府召开蒙古会议，制定《蒙古盟部旗组织法》，但未能满足自治要求。德王乘机广泛联络蒙古上层，招募蒙古族知识青年，培训自治骨干；借助锡盟两任盟长杨森、索特纳木喇布坦（索王）的影响，鼓动乌盟盟长云端旺楚克（云王）领衔发动"蒙古高度自治运动"。同时，为借助九世班禅额尔德尼的影响，在苏尼特右旗、乌珠穆沁旗修建召庙，邀请班禅居留内蒙古，以争取王公和宗教上层的支持。1933年7月26日，在百灵庙召开第一次自治会议，决定以锡、乌、伊3盟盟长及各旗札萨克名义致电国民政府，要求内蒙古自治，成立统一的自治政府。此举赢得了蒙古族各阶层的普遍赞同，震惊了国民党军政各界，引起热、察、绥3行省当局强烈反对。10月9日，第二次自治会议举行，通过了由德王主持制定的《蒙古自治政府组织法》和呈国民政府通电；推选云王为自治政府委员长，德王为政务厅长。而国民政府只确定在省政府下成立自治机构，不许成立统一的自治政府，并派内政部长黄绍竑、蒙藏委员会副委员长赵丕廉赴内蒙古宣抚。几经商谈，国民政府最终批准成立"蒙古地方自治政务委员会"（蒙政会），任命云王为委员长，索王和伊盟盟长沙克都尔扎布（沙王）为副委员长，德王为秘书长，并成立监督机构"蒙古地方自治指导长官公署"，何应钦为指导长官。1934年4月23日，蒙政会成立。因云王、索王、沙王很少过问蒙政会事务，蒙政会实际由德王一手操持。

对于内蒙古自治，绥、察、热行省当局百般阻挠破坏，蒙政会难以实施自治权利，与省方的矛盾日渐加深。而日本军方却乘机而入，拉拢德王。1935年底，日方邀请德王赴伪满洲国新京访问，许诺支持蒙古独立，并给予经济援助。1936年2月，由日本人操纵，在德王府成立了"蒙古军总司令部"，德王任总司令。4月24日，由日本人策划的"蒙古大会"在乌珠穆沁右旗召开，决定成立"蒙古军政府"，推举云王、索王和沙王为正副主席，德王任总裁，执掌军政府大权。5月12日，"蒙古军政府"在化德正式成立。至此，德王已公开投靠日本侵略者。

1936年下半年，伪蒙古军配合日本军队屡犯绥远。1937年10月，日伪军侵占归绥、包头后，召开第二次"蒙古大会"，成立伪"蒙古联盟自治政府"，云王仍任主席，德王任副主席；1938年3月云王病故，德王在是年秋召开的第三次"蒙古大会"上继任主席；1939年9月1日，蒙古联盟自治政府与察南自治政府、晋北自治政府合并成立"蒙古联合自治政府"，德王任主席。此后，因在蒙古独立建国问题上与日本驻蒙军产生分歧，矛盾加深。德王曾通过秘密电台与国民党方面进行联络，甚至决定出走，另谋出路，但未及实施，即被日本特务机关察觉。日本军方为稳定伪蒙疆政权，对德王等未作深究。

1945年8月，日本战败投降，伪蒙疆政权土崩瓦解。德王由张家口到达北平，从此在北平"隐居"3年之久。期间，除与国民党方面频频联系外，还与美国方面多次接触，图谋东山再起。1949年1月1日北平和平解放前夕，德王乘飞机逃往南京，旋赴阿拉善旗定远营，再次策划"蒙古自治"。4月，成立"蒙古自治筹备委员会"。不久，德王率代表团赴广州向国民党请愿，并寻求美国的支持。8月，德王在定远营主持召开"蒙古人民代表会议"，宣布成立"蒙古自治政府"，德王就任主席。9月19日绥远和平解放；中国人民解放军第19兵团迫近阿拉善旗。德王于9月20日带少数追随者潜离定远营，暂时栖身于阿拉善旗北部沙漠地带。12月29日，越境逃入蒙古人民共和国。1950年2月27日，德王被蒙古人民共和国当局以"勾结日本帝国主义，企图颠覆苏联和蒙古人民共和国"的罪名逮捕。同年9月18日引渡回国受审，以伪蒙疆政府首要战犯罪羁押服刑。1963年4月9日被特赦，被内蒙古自治区人民委员会聘为内蒙古文史馆馆员，开始撰写回忆录。1966年5月23日病故，终年64岁。

（赛航 撰稿）

巴特玛喇布坦

巴特玛喇布坦（1909—1949年），蒙古族，汉名经堂，内蒙古哲里木盟扎赉特旗人。4岁时被札萨克旺喇克的福晋过继为子。1907年承袭札萨克职，晋多罗贝勒爵。因年幼，暂由本旗贵族代理掌印。1912年晋多罗郡王，翌年，封翊卫副使晋亲王衔。1915年开始亲政。

1925年，巴特玛喇布坦在王府所在地创办小学。1929年，任黑龙江省蒙旗教育委员会委员长，并于1929年联合相邻4旗创办了黑龙江省齐齐哈尔蒙旗师范学校。"九一八"事变后，巴特玛喇布坦受到日本关东军的注意。1932年，巴特玛喇布坦应日军邀请前往新京（长春），被任命为伪兴安南省警备军少将司令官。翌年，率伪兴安军两个团，配合关东军茂木旅团与抗日武装作战。1934年晋升为陆军中将，任兴安陆军军官学校校长。1937年，伪满洲国派遣使节团赴欧洲考察，巴任副团长，以半年多的时间先后考察了德、意、英、法等国家。1938年，伪兴安师组成，巴就任司令官。同年，晋升大将军衔，任兴安军管区司令官。1939年4月，日军发动诺门罕战争，兴安师奉命参战。战争以日军惨败而告终，巴特玛喇布坦也于 1941 年被罢免军职，调任兴安局总裁。自此常驻新京赋闲。

1945 年 8 月日本投降后，巴特玛喇布坦和伪满洲国各部官员、部分日本战犯一道，被苏军押往苏联赤塔。1949 年 5 月 31 日，因病死于伯力战犯管理所。

（赛航　撰稿）

玉　禄

玉禄（1874—1925 年），字鼎臣，蒙古族，土默特旗毕克齐镇人。1903 年，到土默特陆军第 2 营当兵。辛亥革命后不久，被提升为 2 营 3 连连长。

1913 年，外蒙古军队大举南下，向内蒙古发动军事进攻。绥远将军张绍曾在组织抵御外蒙古军队进攻的同时，借口土默特步兵营官兵与外蒙古军队有联系，下令将土默特步骑两营调至归化城强行缴械，遣散兵丁。嗣后还拘押了土默特旗的 12 个参领。是时玉禄率部驻武川，闻讯后愤而起义，宣布"独立"。因大批被遣散的官兵纷纷前来投奔，玉禄的队伍迅速扩大，达千人之多。张绍曾闻变后，立即调集北洋政府军队前往围剿，但都被玉禄的义军击退。为缓和矛盾，张绍曾不得不释放羁押的参领，请土默特旗总管等仕官、乡绅出面调停。经协商，玉禄在保证部署生命财产安全、保存部队并移驻包头等条件下，接受了"招安"。所部被改编为绥远骑兵游击队，玉禄任司令，负责维持地方治安。

1916 年夏，游击队改编为警备队第 3 路。1921 年，被马福祥的"宁海军"改编为补充团（俗称"老一团"），分为 4 队，共 300 余人，玉禄任团长。该部官兵作战勇猛，不仅担负土默特旗的防剿任务，还多次出击绥西和鄂尔多斯地区，屡屡打垮数倍于己的匪伙。1923 年，绥西哥老会暴动，啸聚数千人围攻包头，玉禄率部分路出击，彻夜苦战得以解围。

1925 年，悍匪苏雨生、赵有禄、刘喇嘛等各股土匪在河西、包头、萨拉齐等地袭扰，玉禄奉绥远都统李鸣钟之命，率土默特补充团前往伊克昭盟，配合国民军石友三部剿匪。由于玉禄追匪深入，失去后援，被设伏的土匪包围，在突围战斗中受伤被俘，旋自戕而死。玉禄阵亡后，国民政府为表彰他的功绩，特予授勋，并追授陆军中将军衔。

（赛航 撰稿）

云 亨

云亨（1884—1926 年），字嘉惠，蒙古族，内蒙古归化城土默特旗人。早年读私塾，后入包头官学就读。1902 年，考入归绥中学堂，1905 年毕业，并由革命党人王建屏介绍加入同盟会，成为内蒙古西部地区最早加入同盟会的蒙古人之一。1910 年考入北京殖边学校。

1911 年，武昌起义爆发后，云亨与经权等人到包头、萨拉齐等地宣传反清革命思想，策划起义。1912 年，阎锡山所率革命军进入内蒙古后，云亨即前往包头迎接。并随革命军进攻萨拉齐。攻陷萨城后，阎锡山以孙中山、黄兴的名义任命云亨为绥远城将军。山西革命军东进受挫后，辗转撤回山西，云亨也随军抵太原。阎锡山派云亨为驻上海代表，与孙中山、黄兴联络。南北议和告成后，云亨回到太原，在山西都督府副官处任职。1915 年回到包头，任包头镇守使协办。同年赴山西投奔胡景翼，参加倒袁活动，受到当地势力的排挤。1916 年，云亨在太原被阎锡山诱捕，袁世凯死后方获释返回家乡。

1917 年，云亨与满泰等人发动土默特各界，反对绥远都统潘矩楹放垦、清丈蒙旗土地、开禁鸦片、加征赋税。是年冬，云亨又与满泰、李雨山等蒙汉族地方官员，策动警备队、矿巡队、保安团等蒙汉地方武装举行起义，矛头直指北洋军阀。起义失败后，云亨回到家乡私塾任教。1924 年，云亨应冯玉祥邀请，到北京共商组织国民军事宜。1926 年随国民军胡景翼部进驻河南洛阳，在西关视察阵地时中弹身亡，时年 42 岁。

（赛航 撰稿）

经 权

经权（1883—1918 年），字子衡，蒙古族，内蒙古归化城土默特旗人。自幼聪明好学，在乡塾就读。青年时期在原籍美岱召村作私塾先生。

辛亥革命前，经权即与革命党人多有接触，受到民族民主革命的熏染。1905 年，经王建屏等山西革命党人介绍加入了同盟会。开始在土默特旗、归化城各界人士及清军官兵中进行反清宣传，鼓吹革命，吸纳各族青年加入同盟会。1911 年，被选为萨拉齐厅咨议局议员。

武昌起义爆发，内蒙古西部地区随之震动。经权与杨云阶、云亨等人奔走于归绥、萨拉齐、包头之间，多方联络，策划起义。1911 年 11 月，归绥新军起义，不久加入阎锡山统领的山西革命军。1912 年，山西革命军经陕北进入内蒙古地区。翌年 1 月，进占包头。阎锡山以孙中山、黄兴的名义任命经权为归化城副都统。随即与云亨共同致函土默特旗各参领、管带等各级军政官员，要求其向革命军投诚。

国民军东进攻取归绥的计划失败后，辗转撤退山西忻县。经权随革命军到山西不久被阎锡山调太原警察筹备处任主任。因受当地势力排挤，失去军权，经权即辞职前往北京、上海，从事反袁活动。

1915 年，经权返乡，和云亨等人一起拟定在萨拉齐县一带组织群众，进行武装起义，反对北洋军阀的黑暗统治。但因事情败露，不幸被捕。1916 年，袁世凯死后获释。后来在北京任陆军军部少校检察官。经权还曾一度就学于陆军讲武学堂。1918 年，经权病逝，年仅 35 岁。

（赛航　撰稿）

李鸣钟

李鸣钟（1886—1949 年），字晓东，河南沈丘人。1909 年毕业于陆军随营学堂，辛亥革命时在冯玉祥营任排长。朔州起义失败后，随冯到陕西。1916 年授步兵上校，1917 年任步兵团长，并授陆军少将。1921 年升任步兵旅长，兼归德镇守使，并晋授陆军中将。1922 年任第 11 师第 21 旅旅长，豫东镇守使。

1923 年 11 月，授将军府刚威将军。1924 年任第 8 混成旅旅长；10 月任国民军第 1 军第 6 师师长。1925 年 1 月至 1926 年 1 月任绥远都统、善后会议议员，授陆军上将衔，兼国民军西路总指挥。在任期间，选贤任能，严惩贪官污吏，着力剿除匪患和帮会势力，整顿财政，修路种树，创办五族学院、包头二中、职业学校、女子师范、全区图书馆、古物陈列室、通俗讲演所、平民学校等；建平民医院、老幼救济院、妓女济良所。1926 年任甘肃军务督办，未赴任。后任京师警备代理总司令兼警察总监。1927 年为国民政府军事委员会委员。1928 年任郑州市市长，并任第 2 集团军总指挥，后又任西北政治工作委员会委员长；9 月，任河南省政府委员，国军编遣委员会委员兼遣置部主任。1930 年任鄂豫边区绥靖督办。1931 年任第 22 旅总指挥，第 30 师师长，后任军事参议院参议。1948 年 2 月，任监察院监察委员。1949 年 8 月，李鸣钟病逝于上海。

（赛航　撰稿）

郭象伋

　　郭象伋（1880—1943 年），字并卿，土默特左旗兵州亥村人。少年时，为塾师当书童，通晓《四书》《五经》。1898 年，考中秀才，由太原返回归绥，应聘到归绥南龙王庙小学堂（后改为土默特高等小学堂）任教。1909 年，郭象伋被选为拔贡，为直隶补用知县。因屡遭当地豪绅排挤，愤而辞官返回故里。后被绥远副都统三多聘为幕僚。1911 年，随三多赴外蒙古库伦（今蒙古国乌兰巴托）。时值辛亥革命爆发，返回归绥。1912 年，在归绥观察使第二科任副科长，管理归绥县学务，兼任土默特小学校长。不久升任教育科长。

　　1917 年，郭象伋任绥远水务局局长。1921 年 11 月，当选众议院议员。次年，积极支持绥远在京学生暑期回归绥公演《孔雀东南飞》《一元钱》等"文明戏"，并用演出所得款项资助平民教育，还主持创办了绥远区立第一、第二平民小学。学校开办之初，郭象伋力主实行免费教育。后任绥远省教育厅长。

　　1926 年，绥远遭受严重旱灾，加之兵匪交替为害，民众饥寒交迫。在郭象伋等人的积极倡导下，绥远各界人士召开会议，商论赈济事务。10 月，正式成立了"绥远旱灾兵灾救济会"，郭象伋被推为副会长。在灾荒肆行的数年内，郭象伋四处奔走，向社会各界募集赈灾款物，并以其名义，向北方各省各大城市发出呼吁赈济的电函，大都得到了回应。为扩大救济面，他还派人到平津地区宣传劝募。灾后，鉴于郭象伋积极从事灾民赈济活动，救济会以灾民名义向他颁赠镌刻着"赈灾救民"4字的银盾1块，以示表彰。

1930年，郭象伋任绥远通志馆馆长，潜心主持修纂《绥远通志稿》。1936年，120册的《绥远通志稿》初稿告成。这一巨著的问世，为内蒙古地区的文化事业作出了不朽的贡献。

1937年归绥沦陷后，郭象伋淡出世事，仅在蒙古文化促进会任虚职。1943年，病逝于归绥。

（赛航　撰稿）

段履庄

段履庄（1874—1940年），字敬斋，山西省祁县人。1904年，因家中贫困，随亲属到绥远谋生。不久被旅蒙商号"大盛魁"掌柜李顺延招入商号。由于勤奋好学、处事圆通，数年间，即由小伙计升任分号掌柜，1911年，被推为"大盛魁"经理。在1913年的"牛年之乱"中，段履庄因安抚土默特旗地方武装首领玉禄而受到北洋政府表彰，获袁世凯所题赠"拱卫绥远"匾额。不久，还被聘为民国政府农商部顾问。此后，他还先后以绥远商会会长和库伦（今蒙古国乌兰巴托）商会会长名义，倡议各旅蒙商号为赴库伦的中国军队提供军需给养。中俄关于外蒙古问题的交涉开始后，段履庄被任命为中俄交涉署委员，参与关于外蒙问题的谈判。

1921年，在段履庄的提议和主持下，大盛魁联股承办了绥远地方电灯股份有限公司，几经周折后开业并开始发电，1926年宣告歇业。当时大盛魁的经营虽日渐式微，但段履庄仍主张兴办电业，将原公司改组为塞北第一电灯股份有限公司，招聘技师、委任正副经理，于1929年11月再次发电。后因亏损严重，难以为继，不得不转由绥远政府接办，并改组为绥远电灯股份有限公司，段履庄仍出任董事之职。

1930年，大盛魁内部矛盾加剧，段履庄因财物纠纷，遭人刺杀而受伤。1934年，辞去绥远商会会长一职。大盛魁散伙后，段履庄隐居于归绥席力图召。1937年归绥沦陷后，日本占领军曾请段履庄出面组织维持会，并总揽归绥商务，遭到段的拒绝。1939年，段履庄结识了中共地下党员刘洪雄，加入了"绥蒙各界抗日救国会"，并为抗日秘密活动提供了部分经费。

1940 年，由于叛徒出卖，驻归绥的日本特务机关将段履庄逮捕。在狱中，日本宪兵对其施以酷刑，百般折磨。后虽经多方营救出狱，但已是奄奄一息。获释 3 日后即含恨去世。

（赛航　撰稿）

海　山

海山（1857—1917 年），蒙古族，又名松云葛根，内蒙古喀喇沁右旗人。自小受家庭影响，在父母和塾师严格教育下，研习蒙、满、汉语言文字，苦读四书五经，欲以科举应试步入仕途。为规避清朝禁止蒙古人参加科考的定制，海山与一汉族女子结婚，并以汉族身份参加科考，但未能如愿。

光绪六年（1880 年），海山在平泉裁事厅供职，不久升任为该厅负责人。数年后，又升为喀喇沁右旗统领兵丁的梅林章京。期间，海山与当地的豪绅发生矛盾，陷于控讼，几致牢狱之灾。光绪二十八年（1902 年），海山携家眷躲避到突泉，后又迁到哈尔滨。经人引荐，结识了俄国驻哈尔滨领事谢苗诺夫。获准在俄国使馆避难。在此期间，粗通了俄语。光绪三十三年（1907 年），海山赴外蒙古。

1911 年 12 月，外蒙古宣布"独立"，哲布尊丹巴登上帝位，任命海山为公安部大臣，并以访问团成员身份出访俄国，在莫斯科受到了俄国沙皇的接见。1912 年 6 月，海山随外蒙古军队向科布多发动进攻，迫使清朝驻科布多参赞大臣及城内官员、居民撤出外蒙古。

中华民国成立后，袁世凯派员赴库伦，调查海山等人情况。库伦政府羁押海山数月后予以释放。1915 年，经北京政府同意，海山归国，寓居北京。海山在外蒙古时，即着手编译蒙汉文音韵学著作。回国后，他不问政事，潜心于著述。1917 年，完成《蒙汉合璧五方元音》。是年秋，海山在北京逝世，终年 60 岁。

（赛航　撰稿）

巴布扎布

巴布扎布（1875—1916年），蒙古族，原籍土默特左旗（今辽宁省阜新蒙古族自治县），后迁居苏鲁克旗（今属辽宁省彰武县）。日俄战争时参加日本间谍松冈胜彦招募的"洋队"，配合日军在辽西地区袭扰俄军后方，颇受日本侵略势力的青睐。战后曾出任彰武县警察队长。

1911年11月，外蒙古库伦政权在沙俄的支持下宣布"独立"，成立"大蒙古帝国"。1913年，巴布扎布携家人及几十名部众，沿途又聚集部众2 000余人，投奔外蒙古库伦政府。被哲布尊丹巴封为"镇东将军"、并赐"镇国公"爵衔。1913年，在外蒙古军队侵扰内蒙古的战争中，巴布扎布被委任为"东南边界官"，率众在张家口一带和多伦诺尔以北的锡林郭勒、察哈尔草原活动。同年秋，进兵昭乌达盟北部，占领经棚（克什克腾旗），进而围攻林西，威胁赤峰。10月，政府军集结万余人由东、南方向进剿。经数次激战，巴布扎布匪众向北败逃。此后，仍拥众2 000余人，盘踞于乌珠穆沁旗、浩济特旗和贝子庙一带。武器弹药及部分军饷从外蒙古获得补给，给养则从附近蒙汉民户征敛、掠夺。

1915年，《中俄蒙协约》签订。根据《中俄蒙协约》规定，巴布扎布匪众被强令解散。数千名人在返籍途中大肆劫掠商民货物、牲畜。在此期间，巴布扎布派出代表赴日寻求援助，得到了日本浪人川岛浪速等人的接待。自此，巴布扎布投附日本侵略势力，参与了日本军方一手操控的"满蒙独立"活动。1916年初，日本军官青柳胜敏到哈拉哈河沿岸营地，与巴具体商定了起兵计划。川岛浪速和满洲宗社党也在旅大招募2 000余人组成"讨袁军"，同时联络辽西散匪，以期起事时呼应。计划巴布扎布率部沿洮南、科左中旗达尔罕王府一线南下，"讨袁军"北上，两部会合后夹攻奉天。为叛乱作准备，日本方面向巴布扎布提供了武器弹药，木泽畅、斋藤元宏、八江种矩等数十名日本浪人和退役军人以"志愿者"身份加入匪军。

1916年6月27日，巴布扎布在哈拉哈河畔誓师起兵，打出"勤王师护国军"旗号。7月1日，在日本顾问的指挥下，匪军自乌珠穆沁左旗南下，越过兴安岭，进犯突泉、洮南。途中遭到奉军吴俊升部的堵截，经两昼夜激战，匪军一度攻占突泉，并与宗社党组织的"讨袁军"会合。8 月，巴布扎布继续南下，进占四平以北铁路沿线的郭家店，威胁奉天。奉军集结优势兵力，对巴布扎布武装展开围攻，经连日鏖战，匪军大败，退入日本控制的路界。10 月 8 日，巴布扎布率众猛攻林西，驻守林西的毅军米振标部坚闭城门，奋力抵抗。次日，巴布扎布在攻城前沿督战时中弹身亡，其部众也随之溃退。

（赛航 撰稿）

旺丹尼玛

旺丹尼玛（1872—1926 年），蒙古族，内蒙古伊克昭盟人。6 岁时被认定为札萨克旗班第达庙活佛，是全旗各召庙中地位最高的活佛。少年时期到西藏学习经文，精通蒙、藏文，称班第达格根。

晚清时期，清廷在内蒙古大肆移民放垦，导致大片草场被破坏，引起蒙古族民众的强烈不满。伊克昭盟各旗各阶层都纷纷组织"独贵龙"，反对放垦，开展了保护牧场和家园的斗争。旺丹尼玛旗帜鲜明地反对开垦蒙旗土地，因而与旗札萨克沙克都尔扎布一再发生矛盾冲突。1906 年，他离旗出走，云游于伊盟其他各旗和乌兰察布、察哈尔等地，接触了清末各种社会风潮中的新事物，对蒙古族群众的贫苦状况和社会矛盾进行了深入的了解。1908 年，他回到札萨克旗，发动大批贫苦牧民，组织"独贵龙"，与旗府相对抗。为壮大声势，他还联合杭锦旗的查干宝鲁特、达拉特旗的那木斯来等"独贵龙"首领，广招人马，收集武器，组织了一支 200 多人的抗垦武装，进行长期斗争的准备。

1911 年，辛亥革命爆发，内蒙古西部地区也爆发了反清起义。旺丹尼玛领导的"独贵龙"与河套地区的反清力量取得联系，在黄河两岸开展武装斗争。他们到处打击汉族地商大户和贪官污吏，极大地震动了各盟旗和地方官府的封建统治。

1913 年，伊盟各旗王公札萨克指控旺丹尼玛"犯上作乱"，向宁夏总兵马福祥通款求援，密谋剪除旺丹尼玛等民众首领，消弭"独贵龙"运动。马福祥乘船沿黄河途经河套时，以"共商要务"为名，设计将旺丹尼玛、查干宝鲁特等人邀至船上扣捕。"独贵龙"群众闻讯后纷纷赶来援救，沿河追赶近百里。

旺丹尼玛被捕后，由于其活佛身份，马福祥未敢加害，奉命将他押至北京审讯。而查干宝鲁特等人则被押送山西服苦役，后来因长期遭受非人折磨而身死异乡。旺丹尼玛在北京受审时慷慨陈词、英勇不屈。袁世凯为了利用旺丹尼玛的身份和影响，亲自接见旺丹尼玛，并授予陆军部"兵马顾问"的虚衔。名为重用，实际是将他软禁、控制在北京。

遭软禁期间，旺丹尼玛并未消沉。他联络在京的蒙古青年知识分子及各方面的人士，积极参与筹组内蒙古人民革命党的工作。1925 年 10 月，在共产国际、中国共产党、中国国民党以及蒙古人民革命党等各方面积极指导和帮助下，内蒙古人民革命党在张家口宣告成立。旺丹尼玛参加了成立大会，并当选为党中央执行委员。

1926 年，内蒙古人民革命党中央在包头决定正式组建内蒙古人民革命军，任命旺丹尼玛为司令。旺丹尼玛首先通过苏联派驻冯玉祥国民军中的军事顾问，请求苏联提供内蒙人民革命军所急需的武器弹药。5 月，他亲自到库伦（今蒙古国乌兰巴托），领回了苏联方面提供的 1 500 支步枪和大量弹药。同时，还在伊盟的准格尔旗、乌审旗、鄂托克旗、郡王旗、札萨克旗以及乌兰察布盟乌拉特前旗组织了一支骑兵部队，兵力达 1 500 人。内蒙古人民革命党中央为了提高革命军的战斗力，在包头成立了军官学校，任命黄埔军校毕业的中共党员王瑞符为校长，招收 70 多名学员，以培养各级指挥员。正当内蒙古人民革命军计划向察哈尔和热河地区挺进时，国民军在与奉军的作战中失利，向宁夏败退。局势的突变，使内蒙古人民革命党中央不得不随国民军转移到银川。内蒙古人民革命军则撤到伊盟，以鄂尔多斯地区为根据地，抵抗奉军的进攻。

1926 年 12 月，旺丹尼玛准备离开包头前往伊盟之时，被藏在内蒙古人民革命军中的奸细毒杀，终年 54 岁。

（赛航　撰稿）

锡尼喇嘛

锡尼喇嘛（1866—1929 年），蒙古族，本名乌勒吉吉尔格勒，字乐天，贫苦牧民出身。早年曾任本旗札萨克衙门笔帖式（文员）。清末，曾参加抗垦"独贵龙"运动。1902 年，乌勒吉吉尔格勒奉命"护驾"，随慈禧太后一行从西安到达北京。此行使他对清朝的封建统治产生了极大反感。回乡后，断然辞去官职，出家当了喇嘛。因其"半路出家"，故被俗称为锡尼（意为新）喇嘛。

乌审旗贝子（民国后晋为贝勒）察克都尔色楞继任札萨克以来，残酷剥削旗民，肆意放垦牧场，以满足其奢侈生活。因而导致旗内各界的长期不满。辛亥革命爆发后，乌审旗群众再次掀起"独贵龙"反抗斗争，在群众中有很高威望的锡尼喇嘛成为全旗"独贵龙"运动的主要领导人。在锡尼喇嘛领导下，"独贵龙"组织迅速扩大，全旗僧俗民众和中下层官员几乎都参加了进来，并将原有的 12 个"独贵龙"重新编成为 11 个"独贵龙"组织。"独贵龙"还规定成员们登记名册时要严格按圆形排列、不分前后，以便于掩护领导人并体现成员之间相互平等；同时，为在更大范围内的团结，决定除旗衙门的主要仕官外，一般官员、台吉和喇嘛均可参加"独贵龙"；自备或夺取武器，以武装斗争来对付当局的镇压；大小事务均须经"独贵龙"会议集体讨论，获 2/3 以上通过才能形成决议；以及注重加强团结，严密组织纪律等各项制度。声势遍及全旗的"独贵龙"运动赢得了民众的拥护，王公贵族的特权遭到了空前打击，王府几乎失去了对旗政的控制。察克都尔色楞也因"失政"而被撤销副盟长职务。

1913 年 4 月，察克都尔色楞及其福晋那仁格日勒企图潜逃外蒙古，投奔哲布尊丹巴政权。锡尼喇嘛闻讯后率领 300 余人的"独贵龙"队伍包围王府，并抓捕了王府总管。1914 年 2 月，锡尼喇嘛率众包围再次企图外逃的察克都尔色楞夫妇，并拘押福晋，迫使其供认罪状 43 条。其后，锡尼喇嘛等将察王夫妇历年来出卖本旗土地、滥肆征敛摊派、纵容贪官污吏扰乱旗政、败坏风气及"反对民国"、企图"叛国外逃"等罪行诉诸供状，通过倾向"独贵龙"的仕官上呈了盟长和北洋军阀政府蒙藏院。1915 年 5 月，北京政府下令革去察克都尔色楞的爵职，由其子承袭贝勒。但同时下令解散乌审旗"独贵龙"，"严惩"首领锡尼喇嘛，并要求兼辖乌审等旗的宁夏护军使马福祥协助伊盟盟长具体执行。

1915年冬，伊盟盟长奉北京政府之命派员到乌审旗查办"独贵龙"。"独贵龙"群众以和平斗争手段保存了组织、掩护了锡尼喇嘛，并进一步提出了削减封建特权、不得以旗地偿债、不准加重赋役摊派、清除旗官腐败等12条要求。1917年夏，"独贵龙"群众处死了那仁格日勒，此举在鄂尔多斯地区再次引起巨大震动，乌伊两盟王公贵族无不惊慌失措。

1918年，达拉特旗札萨克逊博尔巴图继任伊盟盟长后，欲镇压乌审旗"独贵龙"。在严峻的形势下，乌审旗部分"独贵龙"组织内部的变节者组成了"六十安达（盟友）"，投靠封建势力，与锡尼喇嘛领导的"独贵龙"相对抗，并控告锡尼喇嘛组织"独贵龙""造反犯上"、杀害"诰命夫人"。1920年夏，逊博尔巴图派人以突袭手段逮捕了锡尼喇嘛等"独贵龙"领导骨干。经数月的严刑审讯，锡尼喇嘛被处以重枷刑罚，后解送原籍监管，牲畜财产被全部没收。

1920年，在"独贵龙"群众的积极营救下，监禁中的锡尼喇嘛逃出牢狱，潜往北京，在雍和宫隐居达四年之久。期间，他结识了一些革命者，并与软禁在北京的伊盟"独贵龙"著名领袖旺丹尼玛取得了联系，通过旺丹尼玛，他了解了俄国和外蒙古革命的情况。1924年，他回到家乡乌审旗，秘密约见各"独贵龙"首领，介绍在北京的见闻，准备重整旗鼓，开展斗争。此时，乌审旗札萨克特古斯阿木古郎也侦知了锡尼喇嘛的行止，并紧急调兵缉捕。锡尼喇嘛不得不再次离开乌审旗，途经阿拉善旗，前往蒙古人民共和国乌兰巴托。在外蒙古军事学校进行了短期学习。

1925年10月，内蒙古人民革命党第一次代表大会在张家口召开。锡尼喇嘛参加了大会，并当选为中央执行委员。翌年2月，锡尼喇嘛回到乌审旗，召集"独贵龙"群众，发展了内蒙古人民革命党第一批党员，并建立了7个支部。4月，在海留图庙主持召开党员大会，成立了旗党部。会议期间，突然遭到王府军队的包围，部分党员被扣捕，锡尼喇嘛等数十人突围。

1926年秋，锡尼喇嘛率领由青年牧民组成的武装队伍，偕同内人党中央派来的代表包悦卿等人从包头返回乌审旗。慑于革命声势，乌审旗札萨克特古斯阿木古郎与内人党代表、旗民代表一起举行三方会谈。锡尼喇嘛在会上宣布建立乌审旗内人党组织、革命武装保安队和民众议事会，并迫使特古斯阿木古郎等接受了三条协议：王公札萨克不得违抗民众议事会的规定；不得阻挠、干预群众参加革命活动；解散旗府武装。通过打击封建统治权力，内蒙古人民革命党的声威大震，组织得到了迅速发展。是年末，全旗已有党员 450 人，建立起 8 个党支部并重建了旗党部。旗保安队也正式改编为内蒙古人民革命军第 12 团，锡尼喇嘛任团长。1927 年春，内人党组织又发展到 17 个支部 700 余名党员。1927 年春，乌审旗札萨克与驻榆林的陕北军阀井岳秀相勾结，向锡尼喇嘛领导的革命武装发动围剿进攻，均被革命军击退。同年秋，井岳秀又增调兵力，发动了更大规模的进攻。乌审旗革命军与内人党中央派来增援的部队不畏强敌，多次击败数倍甚至数十倍于己的军阀武装。同年 10 月，特古斯阿木古郎潜逃到榆林，封建旗府遂告瓦解。锡尼喇嘛领导的乌审旗内人党组织正式建立了人民革命政权——"公会"。"公会"下设政令、司法、军事、财税四部，全面接管了旗政。宣布取消各种封建赋役征敛，废除、拒绝承担盟长衙门和绥远特别区的各种征敛摊派，禁止旗民吸用鸦片和汉商贩卖鸦片，筹办旗民学校、实行男女平等、婚姻自由、喇嘛可以还俗结婚等项政令措施。

　　1929 年 2 月，锡尼喇嘛遭叛徒暗杀，时年 63 岁。

（赛航　撰稿）

阿尤尔扎那

　　阿尤尔扎那（？—1915 年），蒙古族，内蒙古伊克昭盟（今鄂尔多斯市）达拉特旗人，生年不详。出身于贵族家庭。年轻时即已担任本旗梅林章京的职务。

　　达拉特旗地跨黄河两岸，是伊克昭盟最富庶的地区。由于大肆放垦土地招徕汉民耕种和苛重的赋税负担，使广大蒙古族牧民陷于贫困境地。札萨克执掌旗政后，不顾旗民的反对，继续放垦土地，滥征赋税，引起各阶层民众的强烈不满。阿尤尔扎那等贵族、仕官多次劝说，而逊博尔巴图置若罔闻。

　　1914 年 9 月，阿尤尔扎那忍无可忍，率领积怨已久的民众发动"独贵龙"运动,以反抗逊博尔巴图的残暴统治。是年冬,"独贵龙"发布告全旗民众书,得到了旗内贫苦牧民以及部分旗府仕官、衙役的支持。他们还在全旗组成5个"独贵龙"组织,在柴登设立总部,一致推举阿尤尔扎那为总首领。嗣后,建立了数百人的武装,控制了该旗西部3个参领区,撤换了控制区内的仕官;宣布取消一切不合理的赋役负担,减免农民的租税,公开与王府相对抗,2 500多人参加了"独贵龙"运动,一时形成了较大声势。

1915年春,"独贵龙"向盟长递交请愿书,要求停止放垦牧场、租卖旗地;土地公有,地租归旗;废除各种苛税杂捐和差役摊派。同时指陈逊博尔巴图的罪状13项,要求革除其札萨克职位,由其胞弟接任。逊博尔巴图迫于形势,召开全旗官员会议,谋求与"独贵龙"和解,遭到阿尤尔扎那等断然拒绝。

伊克昭盟盟长接到请愿书后,为平息事态,一面派人到展旦召调查调停,一面召集各旗札萨克举行秘密会议,商讨应对办法。授意逊博尔巴图暂时妥协,除革除其札萨克要求外,全部接受"独贵龙"提出的条件,并议定阿尤尔扎那升任协理,以缓和矛盾。逊博尔巴图假意求和,派出西协理与"独贵龙"方面讲和,并商谈各项善后事宜。与此同时,逊博尔巴图一方面秘嘱参与协商的仕官拖延时间,另一方面,却暗中以重金收买土匪头目聋二秃子对阿尤尔扎那实施暗杀,并将驻包头的晋军一部请到达拉特旗防卫旗府。

1915年农历4月14日晨,聋二秃子带领40多名匪徒,潜往阿尤尔扎那所在的恩克贝村,枪杀了阿尤尔扎那和他的儿子。阿尤尔扎那被害后,激愤的"独贵龙"群众又推举胡尔嘎为首领,开展了更大规模的武装斗争。

(赛航　撰稿)

嘎达梅林

嘎达梅林(1892—1931年),蒙古族,本名那达木德,汉名孟青山,哲里木盟科尔沁左翼中旗(又称达尔汗旗)人,因在兄弟四人中排行最小,故被称为"嘎达"。后来,嘎达当了梅林(统领),即被称为嘎达梅林。

嘎达梅林出身于平民家庭。12岁那年,到王府管家家中做杂役,并在附近的小学读书。虽 4 年后被迫辍学，但为他打下了较好的蒙、汉文基础。1908 年，达尔汗旗招募新兵，聘请了汉族教官训练，嘎达被人推荐去当翻译。他处事精明、果断，又兼通蒙汉语，不久就被提任为王府卫队的骁骑校。他骁勇剽悍，精于骑射，为人正直、处事公道，在旗民中有较高的声望。1921 年被晋升为军务梅林，统领全旗的骑兵武装。

自 1928 年开始，东北军阀张学良与达尔汗亲王那木济勒色楞协议，陆续放垦该旗东、西夹荒和辽北荒大片土地，引起广大牧民和各阶层的强烈不满。1929 年初，该旗民众召开大会，推选嘎达梅林等 4 名代表，决定与达尔汗王交涉，阻止放垦。会后，嘎达梅林等分别到古尔忙哈、哈拉乌苏庙、舍伯吐等地召开了数百人参加的会议，又推举出 60 名老头（蒙古语称"杰仁乌布根"）为代表，组成抗垦请愿团。同年 7 月，嘎达梅林等偕 60 名长者，赴沈阳向达尔汗王请愿。经嘎达梅林等人再三要求，达尔汗王接见了请愿代表，但拒不接受旗民要求，还让沈阳警察局逮捕了嘎达梅林等 4 名代表，押解回旗监禁，并限令其他请愿代表离开沈阳、返回本旗。随后又以"忤上"为由，革除了嘎达梅林的职务。

是年冬，嘎达梅林的妻子牡丹召集亲友劫狱，将嘎达梅林救出。反对放垦的牧民群众，在嘎达梅林领导下发动了武装起义，与王公和军阀进行军事斗争。抗垦武装由最初的 20 余人很快发展到 700 多人，转战于哲里木盟和昭乌达盟地区，捣毁垦务局，袭击垦务官员，使得测放"辽北荒"、"西夹荒"的垦务无法顺利进行。

由于起义军迅速扩大，内蒙古东部各盟旗王公深感忧虑，一面调遣各旗武装围剿，一面向奉天府乞求派兵援助。各路军警武装"虽经年兜剿，只以人少、势微，枪弹不济，莫能御制"。1930 年夏，张学良派驻洮南的张海鹏部和驻开鲁的第 17 旅崔兴武部进兵围剿起义军。在兵力、武器均占优势的正规军追剿下，嘎达梅林起义军的作战条件愈益艰苦，人员伤亡严重，损耗的武器弹药和物资也无法补充，活动范围日渐缩小，与外界的联络也逐渐中断。至 1931 年初，起义军只剩 200 多人。同年 4 月 9 日，嘎达梅林带领四五十人，在通辽北部舍伯吐一带被奉军第 17 旅李守信部 1 000 多人包围。经激烈战斗，嘎达梅林等 20 多人英勇牺牲，余部溃散，起义最终失败。

（赛航　撰稿）

特睦格图

特睦格图（1887—1939 年），蒙古族，汉名汪睿昌，字印侯。内蒙古卓索图盟喀喇沁右旗人。幼年时入本旗札萨克贡桑诺尔布创办的崇政学堂学习，后被选送到北京东省俄文学堂学习。肄业后又考入日本东京振武学堂、东京慈惠医科学校就读。通晓蒙、汉、满、日、俄等多种文字。1912 年回国后，历任北京政府蒙藏院翻译兼庶务科长、典礼司员、蒙藏学校教师，期间还自办了漠南景新社（照相馆），石印过蒙汉合璧的教科书。

1915 年左右，特睦格图开始了研制蒙古文铅字的尝试。他将蒙文以 3 种字体正楷书写，分类编排，用牛角精雕细刻。起初因字体笔画深浅粗细不一而多次失败，后经反复摸索实验，于 1922 年终于获得成功。他所研制的蒙文铅字铜模，制作精细、清秀美观，结构合理、便于阅读。蒙文铅字印刷术的成功，在蒙古文化史上具有重大意义，为大批印刷蒙古文书籍创造了必要的条件。为表彰其成就，北京政府特颁发奖状，国务院农商部还签发了专利证书。

1923 年，他又筹集资金，在北京创办蒙文书社，自任经理兼总编辑，同时还兴建蒙文书社印刷厂。因资金不足，他还向外招股，在京内蒙古人士，如贡桑诺尔布、吴恩和、金永昌、张文、杨时芳等人入了股。不久，印出第一部蒙文铅字书籍《西汉演义》一套 8 册。此后又陆续翻译、编辑出版《辽史纪事本末》《金史纪事本末》《元史》等史籍以及《成吉思汗传》《成吉思汗箴言》《元代诸皇后像》《蒙汉合璧四书》《蒙汉语分类辞典》《蒙日语会话》《内外蒙古地图》《内外蒙古各盟旗系统一览表》等工具书和普及读物，此外，还出版了《三国演义》《聊斋志异》等古典名著的蒙文译本等，共 10 万余册。这期间，特睦格图又开始创造藏文铜模和铅字。1925 年，班禅住在北京时，段祺瑞的执政府为班禅创设印经处，指定以蒙文书社的蒙、藏文铅字版印刷。为便于印刷，印经处即设在蒙文书社内。

特睦格图的铅字和活版印刷技术成功应用之后，一些欧洲人专程到蒙文书社学习。这样，蒙文活版印刷的技术便传到了西欧，1924 年传到蒙古人民共和国。1925 年，上海商务印书馆聘请蒙文书社技术员印刷蒙文书籍，

1929年，察哈尔区印刷厂成立，其技术人员也是在蒙文书社接受了培训。此后还在沈阳创办了东蒙书局，在上海商务印书馆也开办了蒙文书籍的编印业务。

1929年，特睦格图任国民政府教育部蒙藏教育司科长兼常任编审。蒙文书社也迁至南京。1934年，应聘到伪满兴安陆军军官学校任教。1936年，他计划在学校印刷蒙文讲义，遂由北京将蒙文铜模及其他印刷机械等运到王爷庙，筹备将近1年，终因经费问题未能开办。

1939年5月，特睦格图病逝于王爷庙，时年52岁。特睦格图将一生献给了蒙古民族文化的传播事业，对现代蒙古文的印刷出版作出了巨大贡献。

（赛航　撰稿）

克兴额

克兴额（1889—1950年），蒙古族，汉名包春志，字明远，哲里木盟科尔沁左翼前旗人。少年时聪颖好学，其父要求极为严格，曾几易其师。稍长，即能通读蒙、汉、满文。

1910年，奉天（今沈阳市）成立蒙古学堂。克兴额作为本旗贵族的陪读，到该校学习。不久，就当上了助理教师。1911年，奉天省成立蒙文教科书编辑局，克兴额被聘为编辑。1912年，克兴额参加了同盟会，追随孙中山，主张反封建，实行民族民主革命。1914年，克兴额正式担任"蒙文教科书编辑局"编辑，并兼奉天省翻译事务负责人。这期间，在他的主持下，编辑出版了小学蒙文教科书。

1915年，为发展蒙古族文化教育事业，克兴额回到家乡，筹建学校。经过几个月的努力，在西协理村成立了科尔沁左翼前旗公立蒙汉初级小学校，该校是东蒙古第一所新式的、以蒙汉语授课的小学。招生不分贫富、民族、男女，凡适龄儿童均可入学。开设了蒙语、汉语、数学、历史、地理、音乐等课程，完全采用新式教学方法。同时，克兴额还坚持主张通过教学，既向学生传播科学知识，也宣传民族民主革命思想。

1920年，克兴额当选为民国国会候补议员。1923年当选为正式议员。1925年，任奉天省议员。1926年，克兴额与诺拉嘎尔扎布、喇锡僧格等人在奉天募捐创办了东蒙书局，编辑出版了 6 册《蒙文小学教科书》和《蒙汉合璧字典》《初学儿童启蒙字典》《详解蒙古语字典》等。此外，蒙文书局还出版了大量蒙古历史文学语言和自然科学等方面的书籍和许多翻译作品。如：《详解蒙古语字典》《蒙汉合璧字典》《四部成语》《六部成语》和《成吉思汗传略》《青史演义》《聊斋志异》，等等。为研讨内蒙古民族问题和介绍时事，他还主持成立了《蒙旗旬刊》杂志社。

1929 年，克兴额与郭道甫、博彦满都等人组织在奉天的蒙旗各界人士和学生，成立了蒙古文化促进会。为内蒙古东部各旗文化、教育事业的发展积极奔走、呼号。1929—1931 年，在东北蒙旗师范学校任教，教授蒙古语文。同时，也在奉天城的达尔罕旗蒙古小学任教。1932 年，内蒙古东部地区被纳入伪满洲国后，克兴额历任兴安南省总理事务厅秘书长、伪满洲国蒙政部和蒙民生活部督察等职。1936 年，应卜和克什克之聘，任蒙文学会参赞。1940 年，主持伪满蒙古编译院的工作。期间，他针对日本奴化教育，编辑出版了以号召蒙古民族觉醒为内容的《辅助读物》等书籍。

1945 年，克兴额因失明而回乡疗养。1947 年，内蒙古自治政府成立后，克兴额将自己多年收藏的《格萨尔传》《喜讯》和藏、蒙、汉文合璧的《圣贤榜》等珍贵书籍捐赠给内蒙古图书馆。

克兴额还是一位杰出的诗人和作家。他一生创作了大量诗歌，但多已轶失，所传仅 7 首。其中，《拜活佛》一诗，辛辣地嘲讽了一些喇嘛的愚昧、虚伪；在《杂感》中，无情地揭露和抨击封建官吏的奢靡贪婪；《悯农》则描述农民耕作的艰辛和粮食的来之不易。该诗被收入小学课本，在内蒙古各盟旗广为流传。另有散文《四十年间日记》《柏园随笔》《郭尔罗斯旅行记》《寓言》等。

1950 年 5 月，克兴额病逝于乌兰浩特市，享年 61 岁。

（赛航　撰稿）

凌　升

凌升（1886—1936 年），又名福贤，字云志，达斡尔族，内蒙古呼伦贝尔索伦右翼正黄旗人。早年毕业于呼伦贝尔蒙旗中学，通晓汉、满、蒙文，曾任骁骑校、劝学员、佐领及额鲁特旗总管兼呼伦贝尔副都统署左右厅帮办、黑龙江省公署咨议、善后会议专门委员、北京政府参政及国务院顾问、国民政府立法院立法委员等职。

1917 年，凌升协助呼伦贝尔副都统胜福平定巴布扎布残部色布精额之乱，收复海拉尔。1919 年作为呼伦贝尔代表赴俄国参加在达斡里亚召开的"泛蒙古大会"。

1931 年"九一八"事变后，凌升作为呼伦贝尔代表，参加伪满"建国"活动，曾到旅顺请溥仪出任伪满政权元首。1932 年被伪满洲国政府任命为兴安北分省省长，1934 年升任兴安北省省长。1935 年 6 月至 11 月，为解决伪满洲国与蒙古人民共和国之间的边界纠纷，作为伪满洲国首席代表，参加在满洲里召开的"满蒙边界问题会议"。

伪满洲国成立后，凌升对日本的殖民统治曾多次公开表示不满，并进行了抵制。日本关东军对他开始进行秘密调查。1936 年 4 月 14 日，凌升在海拉尔被日本宪兵队逮捕。4 月 24 日，被日本关东军以"通苏通蒙"、"企图蒙古团结独立，阴谋叛乱危害国家"的罪名处死。时年 50 岁。

（赛航 撰稿）

卓特巴扎普

卓特巴扎普（1873—1947 年），又名卓世海，察哈尔正白旗人，蒙古族。幼年读私塾，通晓蒙、满文。1896 年任正白旗副总管。1900 年，义和团运动爆发，清光绪帝随慈禧太后出逃避乱。卓特巴扎普于沿途"护驾"至西安。后受清廷奖掖，升任总管，并兼理达里冈崖牛羊群事务。1913 年初，外蒙古库伦政府集结兵力，向内蒙古发动进攻。卓特巴扎普在旗内招募兵丁抵御进犯的外蒙古军队，兵败，被掳往外蒙古。1915 年获释。次年任明安旗总管。

1918 年，卓特巴扎普当选安福国会众议院议员。1928 年，任国民党蒙藏委员会驻北平办事处副处长。1933 年，任察哈尔省政府委员，察哈尔部保安长官。1936 年，任蒙古地方自治政务委员会副委员长。同年投附日本侵略军。1937 年，任蒙古联盟自治政府参议兼察哈尔盟盟长，蒙疆联合委员会总务委员会委员、总务部部长。1939 年，任蒙古联合自治政府政务院院长兼察哈尔盟盟长。1940 年，任汪精卫伪国民党中央执监委员、政治委员会委员。1941 年任蒙古联合自治政府参议府议长。1945 年，卓特巴扎普被进入内蒙古的蒙古人民共和国军队逮捕，以伪蒙疆战犯解往蒙古。1947年病死于蒙古后杭爱省。

（赛航　撰稿）

纪松龄

纪松龄（1899—1942 年），蒙古族，别名纪世勋，内蒙古察哈尔右翼正黄旗（今乌兰察布盟察哈尔右翼前旗）人。1915 年入察哈尔正黄旗小学读书。1925 年 7 月，由李大钊提议，冯玉祥在张家口创办国民军西北陆军干部学校，有共产党员在校任教，纪松龄入学就读，并加入中国共产党。同年10 月，参加内蒙古人民革命党第一次代表大会。

1926 年秋，内蒙古人民革命军在包头组成，纪松龄任骑兵第 1 营营长，开始军旅生涯。1927 年 8 月，赴蒙古参加内蒙古人民革命党乌兰巴托特别会议，当选为中央执行委员。会后回到内蒙古西部地区开展革命活动。9月，白云梯在宁夏发表《内蒙古国民党反共宣言》，公开叛变革命，纪松龄和其他共产党人被通缉。纪松龄遂与奎璧、王瑞甫等向伊克昭盟、包头和察哈尔地区转移。1928 年春，纪松龄赴乌兰巴托，向中共党组织、共产国际驻外蒙古代表以及内蒙古人民革命党中央报告内蒙古情况，并入蒙古人民共和国党务学校学习。

1930 年 3 月，纪松龄与宝音巴特尔、孟和吉尔格拉等人同往伊盟乌审旗，会见内蒙古人民革命党中央委员长孟和乌力吉等，商议部署内蒙古西部地区的革命工作。9 月赴苏联，入莫斯科东方共产主义劳动大学深造。1933年春，奉中共驻共产国际代表的派遣，回到内蒙古地区从事地下革命活动，开展蒙古民族上层工作，打入察哈尔正黄旗蒙古族地方武装（国民党给予的番号为绥东剿匪司令部）任参谋长。同年夏，纪松龄率部赴察北地区，配合冯玉祥的察哈尔民众抗日同盟军，与日伪军作战。

1934 年 4 月，百灵庙蒙政会成立后，纪松龄动员一批察哈尔蒙古族青壮年到蒙政会及其保安队任职或当兵。1936 年 2 月，百灵庙军事暴动部队被国民党绥远当局编为蒙旗保安总队，不久总队长云继先在兵变中被枪杀。纪松龄与乌兰夫等共产党员及时打入部队，纪松龄任代理总队长。是年末，国民政府军政部任命白海风任蒙旗保安队总队长，纪松龄任第 1 大队大队长。"七七"事变后，蒙旗保安总队改称蒙旗混成旅，白海风任旅长，纪松龄任第 1 团团长。1937 年 10 月，纪松龄率部在归绥参加抗击日伪的战斗。不久撤往伊克昭盟。1938 年初，蒙旗混成旅改称蒙旗独立旅，旅长白海风赴武汉向国民政府申请军费，纪松龄代理旅长。期间，与乌兰夫共同掌管部队事务，并与八路军 120 师取得联系。6 月，中共中央决定在蒙旗独立旅成立军政委员会，白海风总负责，乌兰夫为政治委员，纪松龄为军事委员，成为部队的领导核心成员。1939 年夏，国民政府军政部将蒙旗独立旅改编为国民革命军新编陆军第 3 师。纪松龄初时任第 7 团团长，后任副师长。驻防期间，曾与杭锦旗协调拨地，军垦种田，补充给养，减轻民众的负担。1941年 6 月，纪松龄被国民党第 8 战区副司令长官傅作义委任为绥东游击司令。1942 年 2 月 10 日，他在绥远省政府驻地陕坝被国民党特务暗杀。时年43 岁。

（郝维民　撰稿）

李海山

李海山（1890—1969 年），蒙古族，字秀芝，内蒙古哲里木盟科尔沁左翼中旗人。清末任吉新军帮统，1912 年调任卓哩克图亲王府警防亲军统领。1931 年 11 月，应国民革命军陆海空军副总司令张学良电召赴北平，被任命为辽北蒙边骑兵第一路司令，遂化装回旗，将所统蒙兵以及旗内壮丁、有识之士 5 000 余人组建军队，设司令部、统领部，分为中前后左右 5 路，每路设统领 1 员，由有军事学识之蒙古人充任，设帮统 1 员，由政府及专员所派人员充任，11 月 24 日组建完毕。遂即与日伪军在哲里木盟一带浴血奋战。1932 年 11 月编为东北义勇军第 5 军团第 1 梯队，任司令官。1933 年初奉命西撤至察北康保，又被改编为华北陆军挺进军蒙古骑兵第 1 支队，任支队长。5 月，被冯玉祥编为察哈尔民众抗日同盟军蒙民骑兵第一路，仍任司令，参加收复多伦、宝昌等地的战斗。后调驻张家口辛庄子车站，奉命保障铁路线的安全和畅通。不久，调任察哈尔省商都警备骑兵第 1 支队司令、宝昌警备副司令；并任察哈尔省政府参议、国民政府军事委员会北平分会谘议。

1934 年，李海山受宝昌警备司令姚景川诬告，所率部队被国民党军令部责令解散，他还被察哈尔省主席宋哲元下令监押 5 个多月。后经同乡奔走申诉，方得以解脱。抗日战争胜利后，于 1945 年 11 月在张家口参加中国共产党领导的内蒙古自治运动联合会成立大会，当选为联合会执委会委员，投身于内蒙古民族解放事业。

（赛航 撰稿）

白海风

白海风（1903—1956 年），蒙古族，原名白雁秋，都固仁仓。内蒙古卓索图盟喀喇沁右旗叶柏寿（今属辽宁省建平县）人。幼时在村里读私塾，后就读于热河师范学校。1923 年，入北京蒙藏学校学习，开始接受马克思主义的熏陶，并参加革命活动。是年冬，经韩麟符、陈镜湖介绍，加入中国共产党。1924 年 6 月，白海风与荣耀先等人受中共北方区组织的选派，到广州黄埔军校学习。

白海风入黄埔军校后，编入 1 期第 2 队。8 月，与来自内蒙古的同学一同受到了军校政治部主任周恩来的接见。不久，按照中共"三大"的决议，白海风以个人名义加入了国民党。11 月，以优异成绩结束学业，被分配到国民革命军中担任连长。

1927 年 8 月，白海风赴蒙古人民共和国参加内蒙古人民革命党乌兰巴托特别会议，当选为内蒙古人民革命党中央常委，负责内蒙古地区的青年工作。

1928 年 6 月，白海风以正式代表身份参加在莫斯科召开的中国共产党第六次全国代表大会。1930 年冬从东方大学毕业后，回到内蒙古从事革命斗争。不久，在北京遭国民党警察逮捕，后由曾在黄埔军校任教的何应钦出面，才得以释放。1937 年，白海风任蒙旗保安总队队长。总队分为两个大队、6个中队，另设一个独立队、一个政治教育处、一个军事训练处。部队中有许多共产党人，掌握着各部门，其中有曾与他一同在苏联学习的乌兰夫和纪松龄等9人。

蒙旗保安总队先后改为蒙旗混成旅、蒙旗独立旅，白海风皆任旅长。1938年，任中共绥蒙工委委员，蒙旗独立旅军政委员会总负责人。是年5月，白海风与乌兰夫赴延安，受到毛泽东等中共领导人的接见。1939年夏，蒙旗独立旅改编为国民革命军陆军新编第3师，白海风任中将师长。随后，率新3师进入伊克昭盟，抵御日伪军南犯。

1941年夏，新3师奉命赴甘肃省靖远县整训后，白海风先后任骑7师师长、骑2旅旅长。赴靖远县后与中共党组织失去联系。1945年当选国民党第六届候补中央执行委员，1946年当选为制宪国民大会代表。因反对内战，白海风于1947年称病赴兰州休养。1948年，赴南京参加行宪"国大"。期间，与白云梯等人联名向会议提出内蒙古自治议案。1949年7月，到阿拉善旗参加德王策划的"蒙古自治活动"。任"蒙古自治政府委员会"委员、"保安委员会"副委员长、"实业署"署长。同年8月，解放军攻克兰州。白海风与阿拉善旗札萨克达理扎雅等主张和平解放，反对德王等人提出的流亡计划。9月23日，达理扎雅和白海风等人致电中共中央主席毛泽东，宣布起义，实现了阿拉善和平解放。

中华人民共和国成立后，白海风先后担任西北军政委员会委员、经济委员会委员、民族事务委员会委员、农林部副部长、西北民族学院副院长等职。是第一、二届全国政协委员。1956年因病逝世，终年54岁。

（赛航　撰稿）

郭道甫

郭道甫（1894—？年），达斡尔族，本名墨尔森泰，习称墨尔色，号浚黄，字道甫。内蒙古呼伦贝尔索伦左翼镶黄旗（今呼伦贝尔盟鄂温克族自治旗）扎拉木台人。出身官宦之家，祖父成善曾任呼伦贝尔副都统公署左厅正堂；父荣禄曾任呼伦贝尔索伦左翼镶黄旗副总管。自幼习满、蒙、汉文字。1910年入黑龙江省立第一中学读书，1914年毕业。1915年在北京就读于外交部所办俄文法政专门学校。1917 年辍学返乡，组织呼伦贝尔学生会，呼吁振兴民族，改革社会。翌年，以家产创办海拉尔私立学校，自任校长。是年冬，代表呼伦贝尔学生会参加上乌金斯克布利雅特蒙古民族大会。1920年，为兴办教育事业，奔走于京、津和哈尔滨等地募集资金，恢复了一度停办的海拉尔学校，复任校长，福明泰任副校长，并增设中学部，招收呼伦贝尔各族 200 余名学生入学就读，教习蒙、汉、满多种文字。因其才华出众，人称"蒙古圣人"。

1922 年共产国际派布利雅特蒙古人策登依喜到呼伦贝尔开展工作，郭道甫、福明泰由此得知苏俄和外蒙古革命后的情形，便组织呼伦贝尔青年党，尝试民族民主革命，不久与福明泰同访外蒙古，并选送 7 名学生留学。此后又陆续选派三四十名青年前往求学、考察，也送一部分青年到日本和美国留学。1923 年 2 月，郭道甫所著《蒙古问题》一书出版。该书全面阐述蒙古问题发生的原因及中国与蒙古、俄国与蒙古、蒙古与世界的关系，介绍蒙古的现状，提出解决蒙古问题的见解。因其所为引起黑龙江省和呼伦贝尔当局的不满，遂赴北京，在蒙藏学校任教兼学监，并应聘任外交部秘书，在中俄交涉公署咨议处当翻译。同年 6 月，郭道甫再次赴外蒙古，一则为蒙藏学校招生，再则考察革命后的外蒙古，并转赴莫斯科拜会苏俄党政要人和共产国际负责人，归途曾到布利雅特蒙古自治共和国访问。回国后著《新蒙古》一书，系统介绍外蒙古独立及革命后的政治、军事、经济、法治和文化教育。

1924 年 1 月，孙中山在国民党一大发表新三民主义民族政策；1925 年初，在北京与李大钊共同主持召开国民会议促成会全国代表大会。在京蒙古人颇受启发和鼓舞。郭道甫与白云梯、金永昌、乐景涛、包悦卿以及旺丹尼玛等人与在京蒙古族有识之士频频聚会，探讨解决蒙古问题的途径，酝酿召开内蒙国民代表大会和组建蒙古民族的政党，领导内蒙古的反帝反封建民族民主革命。不久，由郭道甫发起的"中华民国蒙党执行会"组成，白云梯任会长。在共产国际指导下，经与中国共产党、中国国民党以及蒙古人民革命党磋商，决定建立内蒙古人民革命党，于 10 月 13 日在张家口召开第一次代表大会，郭道甫作为主要创建人之一当选为中央常委、秘书长，主持起草、制定党纲、党章和大会宣言等重要文件。会后，他与白云梯一起主持中央工作，在包头、银川指挥内蒙古西部地区的民族解放斗争。期间，还亲往阿拉善旗开展党务。

1927 年 8 月，内蒙古人民革命党在蒙古人民共和国乌兰巴托召开特别会议。会议期间，郭道甫和白云梯受到批判，均被撤销中央主要领导职务，保留中央执行委员。会后留在外蒙古，曾任蒙古人民共和国全国职工总会主席，还当选为世界工联委员。1928 年 6 月，郭道甫与福明泰组织了呼伦贝尔暴动，由于与东北军阀力量悬殊，并在张学良以谈判方式解决呼伦贝尔问题的主张下，郭道甫审时度势，毅然只身赴沈阳会见张学良，议和解决了呼伦贝尔问题。张学良荐任其为东北边防长官公署咨议，借此机会组织蒙古文化促进会，创办东北蒙旗师范学校，任校长，培养蒙古民族人才，实施以教育振兴民族的计划。1929 年，他在太平洋问题调查会第三次会议预备会上发表关于蒙古问题的长篇演讲，就蒙古问题发表了许多新见解。是年末，出版了《蒙古问题演讲录》一书。不久，为澄清呼伦贝尔暴动之原委，又撰写出版了《呼伦贝尔问题》一书。

1931 年"九一八"事变后，郭道甫致电在北平的张学良："誓死不做日本人的奴隶，要和日本帝国主义抗战到底。"12 月，从沈阳回到呼伦贝尔，并到满洲里苏联领事馆磋商抗日事宜。12 月 11 日，郭道甫被苏联国家政治保安局人员秘密逮捕。1934 年 3 月 27 日，以"从事间谍活动，替日本情报机构服务及准备武装暴动挑起武装冲突罪"被判处死刑，后改判 10 年徒刑，送劳动改造营服刑，后在狱中逝世。1989 年 5 月 17 日，苏联国家安全委员会为郭道甫平反昭雪。

郭道甫为蒙古民族的解放事业奋斗毕生，不仅著书立说，探讨蒙古民族问题，还致力于兴办教育、培养人才，是内蒙古近代历史上杰出的政治家、理论家和教育家。

（赛航 撰稿）

白云梯

白云梯（1894—1980 年），蒙古族，字巨川，蒙古名色楞栋鲁布、布延泰。内蒙古卓索图盟喀喇沁中旗（今赤峰市宁城县）人。1911 年入北京国文专修馆，1912 年入北京蒙藏学校法治经济科就读。1918 年 8 月，白云梯到广东参加孙中山召开的非常国会，跟随孙中山从事国民革命活动。1924 年 1 月，参加中国国民党第一次代表大会，当选为中央候补执行委员。11 月，随同孙中山北上，奉命在内蒙古开展国民党党务活动，同时积极筹组内蒙古人民革命党。1925 年 10 月，白云梯出席内蒙古人民革命党第一次代表大会，当选为中央委员会委员长。1926 年底，接任内蒙古人民革命军总司令。1927 年 8 月，出席内蒙古人民革命党乌兰巴托特别会议，受到批判，被撤销委员长及中央常委委员职务。同年 9 月，白云梯回到宁夏，发表"内蒙古国民党反共宣言"。11 月，到达南京后，历任国民党中央候补执行委员、执行委员、国民政府委员、中央政治会议委员、蒙藏委员会委员、常务委员、蒙古地方自治政务委员会委员等职。1947 年 7 月，任蒙藏委员会副委员长，1948 年 12 月任委员长。1949 年去台湾，历任国民党第八、九、十、十一届中央评议委员。1980 年 8 月，在台北病故，终年 86 岁。著有《蒙古民族自决运动》等。

（赛航　撰稿）

福明泰

　　福明泰（1896—1938 年），达斡尔族，又名博彦格日勒，内蒙古呼伦贝尔索伦左翼正白旗（今属鄂温克自治旗）人。1912 年毕业于海拉尔高级小学。1916 年入黑龙江省立第一中学就读。毕业后在呼伦贝尔蒙旗学校任教。1919 年"五四"运动爆发后，福明泰作为齐齐哈尔学生请愿团成员赴北京参加反帝斗争。同年，与郭道甫共同创办莫和尔图学校，并在达斡尔、鄂温克人中积极提倡新文化、新生活。1920 年，任呼伦贝尔蒙旗学校训导主任。1922 年，与郭道甫一道赴蒙古人民共和国考察。后在北京等地结识白云梯、包悦卿、乐景涛等人，接受民主革命思想，开始从事政治活动。1925 年初参与筹组内蒙古人民革命党。同年 10 月在张家口出席内蒙古人民革命党第一次代表大会，当选中央常务委员。1927 年 8 月，参加在蒙古人民共和国乌兰巴托召开的内蒙古人民革命党特别会议，中央机构改选后仍当选中央常委。1928 年 6 月，福明泰与郭道甫等以呼伦贝尔青年党名义秘密集会，发动武装暴动，反抗东北军阀统治，要求在呼伦贝尔实行民族自治。7月，任呼伦贝尔平民军参谋长，率部袭击中东铁路守备队，阻断铁路运输及通讯。战事停息后仍不妥协，率部撤往蒙古人民共和国。1929年奉派到伊克昭盟乌审旗工作。1932年，受第三国际派遣到莫斯科东方大学学习、任教。1937年10月，被苏联国家安全委员会以"日本特务罪"逮捕。1938年3月被判处死刑。1990年，苏联最高法院撤销原判，予以平反。

（赛航 撰稿）

恩克巴图

恩克巴图（1882—1944年），蒙古族，字子荣，察哈尔部太仆寺左翼牧群正白旗人。幼年曾在北京雍和宫当喇嘛，后入蒙藏学校学习。1912年追随孙中山，加入中国同盟会。约1917—1922年间，任第一届国会护法国会众议院议员。1921年出席广东非常国会，后任大总统府顾问。1924年，出席中国国民党第一次代表大会，当选为国民党中央执行委员，任国民党察哈尔特别区临时委员会筹备员。1926年，在国民党二大上当选主席团成员，并受命负责北方党务工作。同年，在北京遭奉系军阀逮捕，关押年余。1928年7月赴南京。1930年，出席国民政府在南京召开的蒙古会议，对内蒙古各盟旗代表团提出的有关实行内蒙古自治的要求给予支持，并提出废除王公札萨克制度的主张。1928年，任国民党中央执监委员、中央政治会议委员。后历任国民党第三、四、五届中央监察委员，国民政府委员、国民政府第一、二届立法委员会委员；政务官惩戒委员、蒙藏委员会委员、蒙古地方自治政务委员会委员等职。1939年，奉命潜入汪精卫伪政权，任中央委员、国民政府委员。1944年因病在北平去世。

（赛航 撰稿）

包悦卿

包悦卿（1896—1939年），蒙古族，又名赛音巴雅尔，内蒙古哲里木盟科尔沁左翼后旗人。幼时入私塾读书，后相继就读于旗立小学和奉天蒙文中学堂。后返乡，在旗札萨克衙门任见习笔帖式。期间因聚众阻止开垦旗内土地而不容于王公仕官，被驱逐出旗。1922年，包悦卿投向冯玉祥所率国民军，并奉命返旗招募数百人组建武装。1924年，部众遭奉军击溃，脱逃后避居北京。1925年初，包悦卿与白云梯、郭道甫、李丹山、金永昌等人共同筹组内蒙古人民革命党，并到哲里木盟进行宣传、动员。同年10月，参加内蒙古人民革命党第一次代表大会，当选为中央常务委员。11月，包悦卿奉派赴哲里木盟组建蒙古族武装。1927年7月，任内蒙古人民革命军参谋长，骑兵第一旅旅长兼前敌总指挥。同年9月，与白云梯、李丹山等人以内蒙古人民革命党中央名义在宁夏发表"反共宣言"，通电全国公开宣布拥护蒋介石国民党。1928年8月，任国民党内蒙古党务指导委员会委员。其后又任国民党蒙藏委员会委员、国民政府军事参议院参议，授中将衔。1933年，包悦卿应德王之邀，到百灵庙参与内蒙古"高度自治"运动。1934年，任蒙古地方自治政务委员会财政委员会委员，内蒙古盟旗驻京办事处处长。1936年，随德王投日，任蒙古军总司令部财政处处长，蒙古军第2军第8师师长。1938年，任蒙疆银行总裁。1939年夏，包悦卿在北平病逝。

（赛航　撰稿）

李守信

　　李守信（1892—1970年），蒙古族，又名李义，字子忠，蒙古名那森巴乙尔。卓索图盟土默特右旗（今属辽宁省朝阳县）人。幼年时当过喇嘛，后为人当保镖。1918年入热河游击马队，任差官。1922年被奉军收编，历任东北骑兵第9旅、第17旅连长、营长、团长、代旅长等职。期间又以"信"字为号聚匪为害地方，成为热河地区知名匪首。1930—1931年，参与镇压嘎达梅林起义。1933年热河沦陷后率部投附日本，任热河游击司令、察东警备军司令等伪职，旋在日军驱使下进犯察哈尔地区，与抗日武装作战。1936年5月，经日本关东军授意，参加以德王为首的蒙古军政府，任参谋部部长、总裁帮办。后历任蒙古军副总司令、总司令。日本驻蒙军授予大将军衔。期间，大量走私鸦片，在厚和豪特、北平、张家口等地广置土地、房产。1938年任"蒙古联盟自治政府"副主席兼参议府议长。1937年和1941年曾两度赴日本"访问"。1939年，李守信和德王与国民党方面取得联系，并设立秘密电台。国民党军事委员会任命李守信为热河省主席兼第10路军总司令。翌年，日本驻厚和特务机关破获"电台案"。但日本军方为稳定伪蒙疆政权，对德王和李守信未作进一步追究。1940年1月，李守信应汪精卫之邀赴青岛出席会议，会见各伪政权首脑。1942年8月，任蒙古自治邦政府副主席。1944年冬出席日酋冈村宁次召集的华北伪军首脑会议。

1945年8月，日本战败投降，伪蒙古自治邦随之土崩瓦解。李守信与德王等人仓皇逃往北平。9月，赴重庆晋谒蒋介石，被委以第10路军总司令之职，但未能到任。1946年内战爆发后，任国民党东北行辕中将参议、东北民众自卫军（又称热辽边区自卫军）司令，受命前往内蒙古东部地区招纳旧部，组织武装，任各盟旗联防总指挥，配合国民党军队进攻解放区。1947年2月，其部众被东北民主联军、内蒙古人民自卫军全歼于开鲁后，潜逃北平，后辗转到台湾。1949年初，受蒋介石亲自指派，返回内蒙古，追随德王在阿拉善旗参与组织"蒙古自治政府"的活动，任保安委员会副委员长、蒙古军副总司令。是年末出逃蒙古人民共和国。1950年以勾结日本帝国主义，颠覆蒙古人民共和国的罪名被逮捕。翌年被引渡回国，以战犯入狱服刑。1964年获特赦释放，被聘为内蒙古自治区文史馆馆员。1970年在呼和浩特病逝。其忆述辑为《李守信自述》。

（赛航　撰稿）

王　英

王英（？—1951年），又名杰臣，祖籍河北省邢台，出生于内蒙古五原县。其父王同春是河套地区最大的豪强地主。王英少年时就读于北京汇文中学。1920年，他依仗其父的势力，建立了一支百余人的私人武装，横行乡里。同时，入绥西哥老会，并成为"龙头"（首领）。1923年，王英被绥远都统马福祥任命为五原县保卫团团总、绥远都统参议、绥远骑兵第2营营长。1925年，冯玉祥的国民军进驻绥远后，王英被任命为五原、临河保安骑兵团团长。同年秋，又被西北边防会办任命为包（头）宁（夏）护路司令、绥远省革命协会会长。1926 年，奉军占据绥远，王英又投靠奉系，任东北军第 31 军军长。后被阎锡山委任为山西骑兵第 4 师师长。1930 年，王英与惯匪杨猴小乘绥远驻军东调之机，率匪众进逼归绥。晋军赵承绶部急驰绥远，迫使其退据河套。王英占据河套后，强迫乡民毁青苗，种植罂粟、加工鸦片，横行无忌，称霸一时。其部众不仅随意拉伕派饷，还在黄河沿岸设卡，向过往商船强征税款，恣意勒索。1931 年，绥远驻军配合晋军大举进剿王英。王英不得已逃往北平，其部众交惯匪杨猴小带领。不久，匪众在察哈尔地区被当地驻军歼灭。

1933 年，王英加入冯玉祥的察哈尔民众抗日同盟军，任察北游击司令，但未参加抗击日伪军的战斗。同盟军失败后，王英任察哈尔省政府参议。是年冬，王英、苏雨生两股匪伙为争夺地盘开启战端。几度拉锯，民众不堪其苦，纷纷逃亡。1935 年，王英投附日寇，被日军任命为"大汉义军"司令，纠合 3 000 余人，当年即在日军的驱驰下进犯绥东，被国民党傅作义部击溃。1937 年，任"绥西自治委员会"委员长，协助日军"强化治安"。1939年，组织"绥西自治联军"，任总司令。翌年，在傅作义部发动的五原战役中惨败。抗日战争胜利后，其部众为傅作义所辖第 12 战区改编，王英也先后被任命为骑兵第 1 集团军总司令、骑兵 14 纵队队长。1946 年秋，任国民政府军事委员会委员长北平行营高级参谋、平蒲路"剿共军总司令"。

全国解放后，王英于 1950 年被捕，1951 年 1 月在肃反运动中被镇压。

（赛航　撰稿）

吴鹤龄

吴鹤龄（1896—1980 年），蒙古族，原名乌尼伯英，字梅轩，内蒙古卓索图盟喀喇沁右旗人。早年入热河承德师范学校，1917 年毕业于北京法政大学。1918 年入北京大学，1926 年毕业。在读期间即受聘于北京蒙藏学校任教，并在北京政府蒙藏院、内务部任职，曾任北京基督教青年会副总干事。1928 年，吴鹤龄参加蒙古代表团赴南京请愿，从事反对热、察、绥改省，要求内蒙古自治的政治活动。1929 年任蒙古各盟旗联合驻京办事处主任、蒙藏委员会参事、蒙事处处长。1930 年，参加在南京召开的蒙古会议，参与起草、修订《蒙古盟部旗组织法》。1934 年，吴鹤龄参与德王等人发起的蒙古高度自治运动，任蒙古地方自治政务委员会委员、参事厅参事长。1936 年开始追随德王，投附日本侵华势力。历任蒙古军政府参议部部长、总裁帮办、蒙古联盟自治政府参议会议长、蒙疆联合自治政府参议府参议长、蒙古自治邦政府政务院院长、内务长官等职。期间任蒙古生计会会长，主持兴办蒙古豪利希亚（经贸合作社）；设立蒙古留日预备学校，任校长。1945 年日本投降后，吴鹤龄出任国民政府军事委员会蒙古宣导团主任，受命到内蒙古从事"蒙旗复员"活动。1949 年赴阿拉善旗，参加德王组织的蒙古自治政府，任参议会议长。同年去台湾。1980 年病死台北。生前著有《蒙古地区现代演变图志》《吴鹤龄回忆录》。

（赛航 撰稿）

玛尼巴达喇

　　玛尼巴达喇（1898—1952 年），蒙古族，又名马鸣洲，内蒙古哲里木盟科尔沁左翼前旗（宾图旗）人。贵族出身，幼时做王公伴读。1925 年毕业于北京法政大学，通晓蒙、汉、满、俄语文。1929 年，与博彦满都等人在长春组织"蒙古平民同志会"，任秘书长。提出改革盟旗政务，实行蒙旗自治，反对兴安屯垦和兴办蒙旗教育等主张。伪满洲国成立后，历任蒙政部科长、兴安局秘书、兴安南省民政厅长、蒙民厚生会专务理事、育成学院院长、兴安总省秘书长等职。1942 年，玛尼巴达喇主持了成吉思汗庙的筹建活动。因其多年从事蒙古族教育福利事业，长于游说，时人称"宾图三杰"之一。抗战胜利后，参与东蒙古自治运动。1946 年 1 月，东蒙古人民自治政府成立时，当选政府副主席、"小呼拉尔"（议会）议长。2 月，奉派率"东蒙古人民代表团"赴长春、北平，并欲前往重庆"请愿"，要求国民政府承认东蒙古人民自治政府。期间，除谒见熊式辉等国民党东北行辕、北平行营首脑外，还与国民党军统局戴笠、郑介民等要员进行了接触。1946 年 4 月内蒙古自治运动统一后，被任命为内蒙古自治运动联合会执行委员、常务委员，总务部长。5 月，当选兴安省政府委员、省参议会驻会参议员。1946 年 9 月，被兴安省政府公安总局以"出卖蒙古民族利益，从事国民党特务活动罪"逮捕。1948 年被判处徒刑，后病死狱中。

（赛航　撰稿）

傅作义

傅作义（1895—1974 年），字宜生，山西省荣河县（今临猗县）安昌村人。辛亥革命时参加太原起义，任学生军排长。1915 年毕业于北京清河镇陆军中学；1918 年毕业于保定陆军军官学校。后一直在晋系部队从军，历任排长、营附、营长、团长、旅长、中将师长、国民革命军第 3 集团军第 5 军总指挥、天津警备司令等军职。1931 年底任绥远省政府主席。1932 年春，派晋军王靖国部在河套地区实行军垦，引发蒙古族牧民的抗垦"独贵龙"运动；是秋巡视绥中、绥东数县，取缔 13 项税捐，颇受民众欢迎；在国民党四中全会上提出"移民实边，发展生产，巩固国防"案。1933 年 1 月，率 35 军参加长城抗战，6 月班师回绥。之后竭力反对百灵庙蒙古高度自治运动，保全绥、察、热行省制度。1934 年 4 月，"蒙古地方自治政务委员会"（蒙政会）成立后，阻挠破坏蒙政会行使自治职能，制造蒙旗内部矛盾；成立"绥远省乡村建设委员会"，开展乡村建设。1936 年 1 月，报请国民政府批准成立"绥境蒙旗地方自治政务委员会"（绥境蒙政会），以瓦解百灵庙"蒙政会"；8 月在绥东抗击日伪军西犯绥远成功，11 月指挥百灵庙战役，抗击日伪军。绥远抗战的胜利，震动全国，各族各界赴绥慰问，中共中央和中华苏维埃中央政府通电祝贺，毛泽东称绥远抗战是全国抗战之先声。

1937 年"七七"事变后，傅作义任第 2 战区第 7 集团军总司令，奉命率部在南口、张家口、大同一线抗敌；9 月，协同八路军指挥平型关战役、忻口战役，旋回师驻守太原。1938 年任第 2 战区北路军总司令。是年冬，任第 8 战区副司令长官。1939 年 1 月，率部移师绥西河套，绥远省政府移驻陕坝，在五原正式设立第 8 战区副司令长官部，晋绥正式分家；举办"抗战建国讨论会"，成立绥远省、县、区、乡抗战动员委员会，并与共产党合作抗日；年底发动包头战役，痛击日伪军。1940 年 2 月，日伪军进犯河套，傅作义指挥发动著名的"五原战役"，大获全胜。驻守河套期间，整治部队，成立"战地复兴委员会"、"土地整理委员会"，宣布停止放垦，清理地籍，体现耕者有其田，创办合作农场，兴修水利，发展农业，颇有成效。

1945 年 8 月，傅作义任第 12 战区司令长官。日本投降时奉命率部东进绥、察、热受降，抢占包头、归绥及诸多县城。此后卷入国民党发动的内战漩涡。1947 年 1 月任察哈尔省主席、"张垣绥靖公署"主任，12 月，任"华北剿总"总司令。1948 年与中国人民解放军且战且谈，直至 1949 年 1 月 22 日宣布接受北平和平解放。6 月，谈判达成绥远和平协议，8 月，傅作义亲临绥远，说服原下属将领接受和平解放，促成绥远"九一九"和平起义。

1949 年 9 月 21 日，傅作义参加中国人民政治协商会议第一次全体会议，并当选为第一届全国政协委员、中央人民政府委员；10 月被任命为中央人民政府水利部部长、中央人民政府军事委员会委员；12 月，任绥远省军政委员会主席、中国人民解放军绥远省军区司令员。1950 年 6 月朝鲜战争爆发后，傅作义上书毛泽东主席，主张抗美援朝，受到赞扬。1954 年 9 月参加中华人民共和国第一届全国人民代表大会，被任命为水利部部长和国防委员会副主席，并任全国政协第二届常务委员。1958 年 2 月任水利电力部部长；1965 年 1 月当选为全国政协副主席。1974 年 4 月 19 日病逝，终年79 岁。

（郝维民　撰稿）

董其武

董其武（1899—1989 年），山西省河津县人。1925 年入国民军第 2 军，先后任排长、连长、营长、混成旅副长官。1927 年转入国民革命军第 4 军，任少校侦查队长，先遣纵队支队长。曾参加北伐战争。1928 年入晋绥军，历任上尉参谋、少校参谋、中校副团长、团长、少将旅长、师长。"九一八"事变后，曾先后率部参加长城抗战和绥远抗战等著名战役。抗战胜利后，历任国军第 35 军军长、晋陕绥边区总司令部副总司令、第 12 战区政治部主任、张家口警备总司令、绥远省政府主席兼保安司令、西北军政长官公署副长官等职。

1949 年 1 月北平和平解放后，董其武积极谋求绥远和平起义。1949 年 9 月 19 日率部起义。起义后任绥远省人民政府主席，兼任绥远军政委员会副主席、绥远省军区副司令员。1950 年任中国人民志愿军第 23 兵团司令员。1952 年任中国人民解放军第 69 军军长。1955 年被授予上将军衔和一级解放勋章；1982 年加入中国共产党。曾历任第一、二、三届全国人大代表，第四、五届人大常委会委员，第一、二、三届国防委员会委员，第一、二届全国政协委员，第三、四届全国政协常委，第五、六届全国政协副主席。1989 年 3 月 3 日在北京逝世，终年 90 岁。

（赛航　撰稿）

潘秀仁

潘秀仁（1893—1965 年），字箴四，土默特左旗察素齐镇人。毕业于北京农业专门学校，回到绥远后担任归绥中学校学监，期间加入中国国民党。不久调任中山学院，任院长。1929 年，潘秀仁任国民党绥远省党务指导委员、绥远省党部常务委员，并兼管秘书工作。1935 年，"何梅协定"签订后，华北五省国民党党部全部关闭。潘秀仁赴南京出席国民党第五次全国代表大会。1936 年，任绥远省县政视察委员会总干事，并招纳前绥远省国民党省党部的旧属，从事党务活动。

1937 年 9 月，日军西侵。绥远民众抗日自卫军组成，潘秀仁为领导成员之一。归绥失陷后，率部退往山西河曲，被任命为"自卫军"副总指挥。不久，经西安赴重庆。1941 年，潘秀仁被国民党中央教育部委任为绥远省教育厅长，回绥西陕坝就职。翌年，兼任归绥流亡中学校长，并任国民党绥远省党部委员。在此期间，参与扣捕进步学生和抗日志士 40 余人。1945 年，潘秀仁作为绥远省正式代表赴重庆参加国民党第六次全国代表大会，当选为国民党中央候补执行委员。

抗日战争胜利后，潘秀仁随国民党第 12 战区部队到归绥、包头等地进行接收活动。1947 年 5 月，国民党中央改组绥远省党部，任命潘秀仁为绥远省党部主任委员、财务委员会主任委员、党（国民党）团（三民主义青年团）统一委员会委员。为此，潘秀仁积极培植党羽，恢复和扩大辖区内国民党组织，从事反共活动。1948 年，解放军进入绥境，潘秀仁以绥远国民党党部名义组织武装，准备抵抗解放军，反对和平解放绥远。1949 年 2 月，潘秀仁将国民党绥远省部迁往陕坝。5 月，潘秀仁以交涉粮饷、申请党务活动经费为名南下广州。后逃往台湾。1965 年 12 月 7 日，在台北病逝。

博彦满都

博彦满都（1894—1980 年），蒙古族，又名包豹忱，包文蔚，内蒙古哲里木盟科尔沁左翼前旗人。幼年入乡塾，学习蒙、汉、满文。1908 年入奉天（今沈阳市）蒙文学堂，后入奉天筹边专门学校。因家庭生活困难而辍学，回乡任本村小学教师。此后相继就职于沈阳蒙文报馆、辽宁省洮昌道尹公署、辽宁省立第 4 中学，任编辑、科员、教师等职。期间发表《致蒙古同胞的肺腑之言》、《改进蒙古行政制度刻不容缓》等文章，呼吁废除札萨克制度，实行社会改良。1925 年 10 月，赴张家口参加内蒙古人民革命党成立大会，加入该党，并当选为中央候补执行委员，任哲里木盟党部负责人。1929 年 3 月，与部分知识分子在长春发起组织蒙古平民同志会，任副会长。提出废除王公世袭制度，实行平民政治，兴办蒙旗教育、推进社会改良等项主张。1930 年 5 月，参加国民政府在南京召开的"蒙古会议"，参与提出《组织蒙古地方政务委员会》、《蒙古地方政务委员会组织大纲》等议案。

1932 年伪满洲国成立后，博彦满都历任伪兴安南省民政厅厅长、代理省长、伪满蒙政部民政司司长、国务院兴安局参事官、兴安东省、兴安南省、兴安总省省长等职。1940 年 5 月，参加苏、蒙、日、伪满四方在赤塔举行的有关诺门罕战争善后会议。

1945 年 8 月，日本战败投降。博彦满都与哈丰阿、特木尔巴根等人组织内蒙古解放委员会，博彦满都被推举为委员长。参与恢复内蒙古人民革命党的活动。1946 年 1 月被推举为东蒙古人民自治政府主席；4 月，赴承德参加内蒙古自治运动统一会议，当选为内蒙古自治运动联合会副主席。5 月，任兴安省参议会议长。1947 年 5 月当选为内蒙古自治政府临时参议会议长。中华人民共和国成立后，历任内蒙古自治区人民政府委员、政府参事室主任、第二至第五届全国政协委员、内蒙古政协第一至第三届委员和常委等职。1980 年 11 月 9 日在呼和浩特病逝，终年 86 岁。

（赛航　撰稿）

阿思根

阿思根（1908—1948 年），蒙古族，又名李友桐，内蒙古哲里木盟（今通辽市）科尔沁左翼中旗人。少年时在郑家屯第 8 中学读书。1919 年，响应"五四"运动，积极参加抵制日货斗争，被学校开除。后辗转到北平，入蒙藏学校学习。因参加学潮再次被学校除名。1931 年，参加"内蒙古自治军"。期间结识了共产国际和中共驻共产国际代表派遣到内蒙古东部地区开展工作的苏共党员特木尔巴根等人。1932 年 4 月，加入内蒙古人民革命党。自此，阿思根利用在"自治军"内任职的条件，秘密联络各界进步青年和上层人士，宣传民族民主革命思想。1933 年，根据共产国际远东局关于"长期潜伏，扩大统一战线，坚持对日斗争"的指示，阿思根在兴安南省警备军内进行潜伏斗争。20 世纪 30 年代两次留学日本，1938 年毕业于日本陆军大学。归国后，在伪兴安军中任上校军官。

抗日战争胜利后，阿思根与哈丰阿、特木尔巴根等革命者共同组成内蒙古人民解放委员会，开展东蒙古自治运动，争取民族解放，组织民族武装，稳定社会秩序。与此同时，阿思根与进入东北地区开辟根据地的八路军积极取得联系。同年 12 月，阿思根率部解放了突泉县，救出了被国民党地方武装扣捕的中共西满分局派往东蒙古地区开辟工作的胡秉权等人。1946 年 1 月 25 日，应八路军西满军区司令员吕正操、政委李富春的邀请，在郑家屯就八路军西满军政机关与东蒙古自治政府的关系及相互配合等问题进行了协商，达成了人们统称的"吕阿协议"。规定东蒙古人民自治军接受八路军的领导和指挥。该协议的签订，对中共在东蒙古地区工作的全面开展和建立根据地，抵御国民党军队的进攻，创造了有利条件。

1946 年 2 月，东蒙古人民自治政府在王爷庙（今乌兰浩特市）成立。同时正式组建东蒙古人民自治军，阿思根任自治政府内防部长兼东蒙古人民自治军司令员。同年 4 月，内蒙古自治运动实现统一，撤销东蒙古人民自治政府，成立兴安省政府。东蒙人民自治军统一改编为内蒙古人民自卫军，阿思根任副司令员兼兴安军区司令员。5 月，加入中国共产党，任中共兴安省委委员、兴安省政府委员、兴安军区司令员。作为蒙古民族武装力量的组织者和指挥者之一，阿思根在极其复杂的环境中，率部转战内蒙古东部各地，清剿叛匪，改造旧军队，为巩固内蒙古解放区作出了重要贡献。

1947 年 5 月 1 日，内蒙古自治区政府在王爷庙成立。阿思根任政府军事部长。7 月，中共内蒙古工委成立，当选候补委员。12 月，任内蒙古人民解放军副司令员。1948 年 1 月 3 日，阿思根因积劳成疾，在乌兰浩特病逝。

（赛航 撰稿）

达密凌苏隆

达密凌苏隆（1879—1950 年），蒙古族，出生于内蒙古察哈尔商都牧群（今锡林郭勒盟镶黄旗）一个贫苦牧民家庭。自小放牧，习骑射。1900 年（光绪二十六年），加入旗属武装。1912 年，外蒙古宣布"独立"后，出兵进犯内蒙古。是时，多伦西仓活佛喇木腾响应库伦政权，招募察哈尔各旗群兵丁与北洋政府军队作战。达密凌苏隆应招加入该部，并担任了小队长。1913 年末，该部被政府军击溃，达密凌苏隆逃回故里。1915 年，加入赵立成的"独立队"。不久为躲避政府军搜捕，逃往外蒙古。翌年，达密凌苏隆返回内蒙古，途经阿拉善旗时，因协助该旗武装驱逐匪伙而得到了该旗札萨克塔旺布里甲喇的赏识。1917 年，达就任察哈尔正黄旗十二苏木章京。1920 年，察哈尔都统衙门组建察锡护路队，达任小队长。因护路保商有功，颇受商界好评。1923 年，任正黄旗副佐领，1927 年，升任佐领。1930 年，晋任正黄旗总管。

1933 年，察哈尔抗日民众同盟军成立。达密凌苏隆率正黄旗马队加入。1934 年，绥东四旗保安司令部成立，达密凌苏隆任司令，归绥远省指挥。中共党员纪松龄在该部任参谋长。1936 年 2 月，绥远省境内蒙古各盟旗地方自治政务委员会成立，达密凌苏隆被国民政府行政院指定为该委员会委员。是年末，王英所率"大汉义军"在日军驱驰下进犯绥东，达密凌苏隆率部配合晋绥军在红格尔图地方击退伪军，受到国内舆论的赞扬。1937 年，日军攻占绥东。达密凌苏隆参加了德王主持的第二次蒙古大会，被任命为伪察哈尔盟副盟长。所部被改编为蒙古军第7师，达任少将师长（后晋升为中将）。1940年，蒙古军第7师一部在与八路军大青山抗日游击支队的遭遇战中受到重创。此后，达密凌苏隆即不与八路军为敌，并为八路军在其防区内地的活动提供方便。1941年，八路军大青山游击支队司令员姚喆途经绥东，在达密凌苏隆家借宿，受到热情接待。临行时，达还向姚喆赠送战马1匹。

1945年8月，日本战败投降，伪蒙疆政权随之瓦解。达密凌苏隆率部在商都向进入的苏联和蒙古人民共和国军队缴械投降。是年末，他与部分官兵被送往蒙古人民共和国学习、工作。1948年夏，达密凌苏隆回国，到乌兰浩特担任了内蒙古自治政府参事室参事。1950年病逝于乌兰浩特，终年71岁。

（赛航　撰稿）

荣耀先

荣耀先（1896—1926年），又名谦登若宪，蒙古族，归化城土默特旗人。1918年入北京蒙藏学校就读。1919年参加"五四"运动。1921年11月，参加李大钊主办的马克思主义学说研究会。12月，带领蒙藏学校话剧团到归绥、包头等地演出，进行反封建宣传。1922年，在绥远兴办平民教育，先后在察素齐镇和归绥市开办了土默特高等小学校察素齐分校和平民工读社。在蒙藏学习期间参加中国社会主义青年团，1923年1月，荣耀先加入中国共产党。1924年奉中共北方区委派遣，赴广东黄埔军校学习。在黄埔军校学习期间，先后参加了平定广东商团和平定广东军阀陈炯明、杨希闵叛乱的两次东征战役。毕业后，历任黄埔学生军第6军连长、中校营长等职。1926年春，参加二次北伐，4月，在战斗中牺牲，年仅30岁。

（赛航　撰稿）

朱实夫

朱实夫（1901—1941年），又名朱世富，蒙古族，内蒙古土默特旗人。

少年时入土默特高等小学校就读。1923 年，入北京蒙藏学校学习。不久加入中国社会主义青年团。1925 年冬，赴广州入黄埔军校四期步兵科学习。在校期间转为中共党员。毕业后被选送到苏联莫斯科中山大学学习军事理论，后奉派到蒙古人民共和国工作。在蒙古期间，以商人身份为掩护，往来中蒙边境，从事接送同志、传递情报工作。1931 年秋，护送王若飞等人从乌兰巴托，经绥远赴宁夏组建中共西北特别委员会。后经朱实夫联络，王若飞与乌兰夫接上关系。

1933 年，朱实夫的活动引起绥远国民党当局的怀疑，被逮捕、监禁。在狱中，朱实夫患病，由土默特旗代理总管荣祥保释就医。病愈后，任孙殿英所率 41 军学生教导大队队长。

1934 年，朱实夫与云继先等应招到百灵庙蒙政会任职。朱任保安处第 3 科科长，负责保安队军事训练。因对德王的亲日倾向不满，朱实夫、云继先率保安队官兵及部分蒙政会文职人员 900 余人举行军事暴动，宣布脱离蒙政会，随即将部队带往归绥。途中被国民党第 35 军一部包围缴械。后被改编为蒙旗保安总队，云继先任总队长，朱实夫任副总队长。同年 9 月，因绥远省当局对部队官兵的刁难、限制，加之德王又派人策反，保安总队部分士兵哗变，云继先被枪杀。在乌兰夫、纪松龄等共产党人的帮助下，朱实夫收拢残部，编为蒙旗独立旅，朱任第 2 团团长。1938 年，蒙旗独立旅改编为国民革命军新编第 3 师，朱实夫先后任第 8 团团长、副师长。1941 年，新 3 师由伊克昭盟调往甘肃整训，朱实夫奉命赶赴靖远县。不久突然死亡。时年40 岁。

（赛航 撰稿）

李裕智

李裕智（1901—1927 年），字若愚，蒙古名巴图尔沁，蒙古族。内蒙古土默特旗人。1918—1923 年，先后就读于土默特高等小学、归绥中学。曾任归绥中学学生会、归绥学生联合会委员。1921 年，李裕智在归绥学界发动了反帝爱国斗争。1923 年，组织领导归绥各界抵制日货。1923 年秋，考入北京蒙藏学校。1924 年初，加入中国社会主义青年团，不久转入中国共产党。1925 年初，李裕智奉中共北方区委派遣，赴包头开辟工作，任中共包头工委书记，并在包头组织中国国民党内蒙古党部，任党部执行委员。9 月，发动石拐沟煤矿工人罢工。10 月，李裕智参加在张家口召开的内蒙古人民革命党第一次代表大会，当选为中央候补执行委员。是年冬，在张家口参加内蒙古农工兵大同盟成立大会，当选为中央执行委员。1926 年初，赴广州出席中国国民党第二次代表大会，作关于内蒙古党务报告。9 月，参加内蒙古人民革命党伊克昭、乌兰察布两盟代表联席会议，参与部署内蒙古西部地区蒙古民族的解放运动。1927 年 7 月，在银川参加内蒙古人民革命党中央执行委员和乌伊两盟代表特别会议。9 月，内蒙古人民革命党右派集团在宁夏发表"内蒙古国民党反共宣言"后，李裕智于 10 月在赴伊克昭盟乌审旗途中被白云梯亲信暴子青杀害，年仅 26 岁。

（赛航　撰稿）

多松年

多松年（1905—1927 年），原名多寿，蒙古族，内蒙古土默特旗人。1918—1923 年，先后在归绥旧城石王庙蒙文小学、土默特高等小学读书。1923 年考入北京蒙藏学校。期间，积极参加以李大钊为首的中共北方党组织领导的革命活动，担任了北京西城区宣传员。1924 年加入中国社会主义青年团，并担任蒙藏学校团组织负责人，不久转为中国共产党党员。1925 年初，与乌兰夫、奎璧等创办了内蒙古最早的革命刊物——《蒙古农民》，联系内蒙古的实际，宣传中国共产党的民主革命纲领，并在北京参加孙中山和李大钊发动的国民会议运动以及五卅运动等一系列革命活动。是年冬，与乌兰夫、云润、康根成等被中共北方区委选送到苏联莫斯科中山大学学习。1926 年秋奉派回国，任中共察哈尔特别区工委书记。期间，深入农村、牧区和厂矿、学校，发动各界群众。至 1927 年 6 月，察哈尔特别区农村建立县、区、村农会组织 87 个。1927 年 4 月，多松年作为热、察、绥 3 个特别区的代表之一，赴武汉参加中国共产党第五次全国代表大会。他在武汉期间，还出席了国民党中央土地委员会召集的扩大会议。同年 5 月，到张家口贯彻"五大"精神，被奉系军阀察哈尔特别区都统高维岳逮捕，8 月，多松年牺牲于张家口，年仅 22 岁。

（赛航 撰稿）

陈镜湖

陈镜湖（1901—1933 年），字印潭，号小秋，曾用名陈龙川、陈士秋，化名李铁然、李学孔、李国才。内蒙古卓索图盟建平县人。1918 年考入天津直隶省立第一中学。"五四"运动爆发后，加入学生救国团、"天津学生联合会"等组织，参加反帝反封建的爱国运动。1920 年秋，参加李大钊在天津组织的"马克思主义研究会"，并与韩麟符等同学成立了"何明学会"，创办了《天津何明学会半月刊》，宣传新思想。

1922 年，陈镜湖考入南开大学。1923 年加入社会主义青年团，并负责团队组织工作，不久加入中国共产党。1924 年 1 月，参加中国国民党第一次全国代表大会，会后被派到内蒙古地区开展地下工作。1925 年，任中共热河工委书记，组建国民党热河特别区党部，任执行委员。内蒙古农工兵大同盟成立时，当选为中央执行委员。1926 年，在冯玉祥国民军中先后担任"内蒙古特别国民军"纵队司令，骑兵旅旅长等职，参加了"五原誓师"。1927 年 4 月，出席中共五大。1931 年 10 月，任中共内蒙古特委书记。

1933 年 5 月，中共内蒙古特委从热河转移到张家口后，参与组建"察哈尔民众抗日同盟军"。是年在张家口北被反动民团杀害，年仅 32 岁。

（赛航 撰稿）

贾力更

贾力更（1907—1941 年），又名康富成、巴音巴图，蒙古族。内蒙古土默特旗人。1922 年入归绥土默特高等小学校就读。翌年参加纪念"五四"运动和抵制日货等反帝爱国运动。1925 年考入北京蒙藏学校，同年加入中国共产主义青年团。不久转为中国共产党党员。

1926 年初，贾力更被中共北方区委派往广州第六期农民运动讲习所学习。结业后回到内蒙古，在土默川农村积极开展农民运动。1927年初，与王建功、高布泽博等一道，在归绥以西地区发动农民反对绥远都统府清丈地亩，"开发烟禁"，参与发动"孤魂滩"事件。大革命失败后，仍在土默川农村坚持地下斗争。1929年4月，赴蒙古人民共和国党务学校学习。1932年被分配到赤色职工国际中国工人俱乐部担任干事兼会计工作。1937年8月，奉派回国，参加抗日斗争。1938年9月，与八路军大青山支队接上关系，坚持地下斗争，开展蒙古民族工作和伪军工作。1939年9月，任中共土默特旗蒙古工作委员会主要负责人。1940年初，任中共绥西地委蒙民部部长、绥察行署蒙政处处长。为大力培养蒙古民族干部，贾力更多次选送蒙古族青年去延安学习、工作。1941年3月，作为中国共产党第七次代表大会的代表，带领一批蒙古族青年从大青山抗日游击根据地启程赴延安，途中与日伪军遭遇，在掩护战友突围的战斗中英勇牺牲。年仅34岁。

（赛航　撰稿）

高凤英

高凤英（1909—1941年），蒙古族，又名云吉祥、德勒登道尔吉。归绥（今呼和浩特市）城郊保尔和少村人。青少年时即赶马车拉脚，养家糊口。1929年加入中国共产党，在中共西蒙工委做交通工作。1930年，被选送蒙古人民共和国党务学校学习。1935年奉派回国，在绥远从事地下工作，负责国际交通联络、接转中共绥远地下党组织关系，联络地下工作人员。

1937年"七七"事变后，高凤英等人积极组织武装，准备抵御日本军队。是年10月，归绥沦陷。高凤英在归绥策动伪军反正，成功地拉出一个排的伪军到大青山哈拉沁沟一带，组成游击队，开展抗日活动。1938年秋，高凤英率游击队与杨植霖组织的"抗日团"实行联合，正式建立了中共领导的抗日武装——蒙汉抗日游击队，高凤英负责政治工作。是年9月，八路军大青山抗日支队挺进绥远，开辟大青山抗日游击根据地。高凤英率领蒙汉抗日游击队在归绥城北的面铺窑子与八路军部队会合。不久，蒙汉抗日游击队改编为绥蒙游击大队。1939年，高凤英到归（绥）武（川）边区动委会工作，深入大青山区和平川地区的乡村，为八路军筹集物资，动员各阶层群众支援抗战。

1940年，高凤英奉命调往绥西，任蒙古抗日游击队队长。翌年初，率队与和林县游击队联合作战，打击了当地的伪军"自卫团"。不久，又在归绥西南郊区后营子村和耿家营子村夺取了日军100余匹战马，装备了游击队。

1941年下半年，日伪军多次向大青山抗日根据地发动扫荡，斗争形势日趋艰险。高凤英率游击队担负着保护中共绥察区党委、绥察行署和中共绥西地委、绥西专署领导机关、人员的重要任务。10月28日，高凤英与中共绥察区党委部分干部、战士到游击队驻地万家沟宿营。傍晚，日军乘10余辆汽车，在汉奸的引领下追踪到万家沟，偷袭游击队营地。高凤英指挥游击队奋力反击，终因敌我力量众寡悬殊，高凤英及部分战士在突围战斗中牺牲。

（赛航　撰稿）

高　桥

高桥（1914—1944年），原名高明海，字镜天，化名苏然、徐文良、高桥。辽宁省辽阳县人。早年在家乡就读。1934年入河南洛阳军校受训。1935年结业后，拒绝为国民党军队服役，到唐山海关当雇员。期间，结识中共党员李楚离，自此走上革命道路。1938年加入中国共产党，6月赴河北省丰润县参加了抗日联军，并参加了中共领导的冀东暴动。此后历任抗日联军司令部作战参谋、第14总队长、第5总队长、八路军第28团1营营长、冀东军分区第13团1营营长、第11团参谋长等职，转战于丰润、辽西、遵化等地，在艰苦的环境中与日伪军作战。

1942年，冀东根据地组织了路北武工队。11月，八路军冀东军分区第11团、12团跃过长城，进入热河南部地区，高桥率200余人攻占宁城八里罕警察署、大营子分驻所。日军立即调集7个伪国兵团和警察"讨伐队"、日本守备队共8 000多兵力，向宁城一带扫荡。为避敌锋芒，八路军主力部队撤回冀东地区，高桥等率两个连在当地坚持斗争，以牵制敌军。

1944年3月29日，高桥和20余名战士在宁城八素台被日军"讨伐队"

包围，高桥及 17 名战士在突围战斗中牺牲，年仅 30 岁。

（赛航　撰稿）

刘洪雄

刘洪雄（1907—1940 年），曾用名刘典，内蒙古土默特旗滕家营村人。幼年入乡塾读书，后入归绥县高等小学校学习。因家境贫苦，几度中途辍学。1919 年，"五四"运动爆发。归绥各学校响应北京的斗争，相继罢课，举行示威游行。刘洪雄积极投身反帝爱国运动，参加学界发动的砸日资电灯公司和打"盛记"洋行等行动。1924 年，为减轻家庭负担，刘洪雄考入可享受官费津贴的山西省太原国民师范学校。在这里，他结识了该校教师、共产党员王瀛。自此，开始接触马克思列宁主义，参加革命活动。1926 年夏，在太原加入中国共产党。

1927 年大革命失败以后，刘洪雄在中共地下组织的安排下，到北京门头沟煤矿，在矿工中开展工作。期间，他发动工人举行了一次罢工，带领矿工为争取应有的权益，与资方进行了坚决的斗争。最终，矿局总办被迫妥协，罢工取得了胜利。

"九一八"事变爆发后，刘洪雄带领部分工人，奔赴东北。1932 年，他到东北抗日义勇军第 3 路任通讯大队长和支队长。其所在义勇军共有万余人，虽武器匮乏、给养无着，但仍以高昂的斗志活动在辽中、辽南地区，与日军精锐部队展开殊死战斗。1933 年春，刘洪雄在一次战斗中腿部负伤。不久，义勇军的斗争失败。刘洪雄回到家乡，在疗伤的同时，宣传抗日救亡的主张。是年夏，冯玉祥组织察哈尔民众抗日同盟军，抵御日军西进。刘洪雄闻讯后，立即赶赴张家口，加入了同盟军吉鸿昌部。转战察哈尔地区，先后参加了收复康保、宝昌、沽源、多伦的战斗。不久，冯玉祥下野，察哈尔民众抗日同盟军被迫解体。刘洪雄再次返回故里。1934 年春，被聘为归绥县保尔合少私立名言小学教师，与同在该校任教的中共地下党员杨植霖、王建功等一道，积极进行抗日宣传。

1937 年"七七"事变爆发。10 月，归绥、包头相继沦陷。刘洪雄与杨植霖、高凤英等人动员滕家营一带的蒙汉族农民 20 余人，收集了部分武器，组成了绥蒙民众抗日开路先锋队。是年底，刘洪雄、杨植霖到归绥从事地下斗争，筹集抗日经费，秘密动员社会各界反日力量，并在伪军中开展策反工作。1938年春，刘洪雄赴晋西北，向八路军120师汇报绥远敌占区情况，并请求八路军派人到绥远领导抗敌斗争。8月间，奉派打入日伪内部，以日本宪兵队参谋的公开身份从事地下斗争。搜集敌伪军事情报，购买枪支弹药。同时还通过关系，设法将宁德青、郝登鸿等地下党成员安插到伪厚和市政府和伪军中任职。

为便于开展工作，刘洪雄等人在归绥旧城三官庙街开设了一家杂货铺，作为联络点。此后，又将旧城财神庙辟为活动据点。1939年5月，根据中共绥远省委指示，刘洪雄等人秘密组建了群众性的抗日团体——绥蒙各界抗日救国会，总部设在财神庙。救国会成立后，即活跃于各阶层民众中，秘密吸收会员，宣传中共的抗日民族统一战线主张，动员各界力量，以各种形式反抗日寇的殖民统治。至1940年，救国会已有会员200余人，下设铁路、工厂、学校3个支部。会员包括工人、农民、学生以及职员、商人等各族各界人士。巴彦塔拉盟师范学校即有50余名进步学生和10余名教职员加入了救国会。随着组织的不断发展，救国会在归绥城内和郊区的联络点也增加到10余个，形成了一条抗日斗争的秘密战线。1940年初，中共归绥工作委员会成立，宁德青任书记，刘洪雄任组织部长，刘炜任宣传部长。不久，归绥工委选派了6名进步学生赴延安。

1940年8月，驻归绥的日本特务机关、宪兵队和伪警务厅组成的联合搜查本部，对绥蒙各界抗日救国会成员开始大搜捕。数十名救国会会员被捕。绥远工委负责人之一刘炜被捕叛变，使事态更加恶化，救国会遭到破坏。在紧急关头，刘洪雄不避艰险，为通知地下党员和救国会会员转移而全力奔走，还设法营救被捕的同志。8月23日，刘洪雄等人到财神庙转移文件时，被守候的特务逮捕。在狱中，日本特务机关对刘洪雄施以吊打、灌凉水、手指插竹签、火烧、电击等酷刑，试图获取更多的秘密。而刘洪雄不畏强暴，坚守组织机密，与日寇进行了顽强的抗争。1940年9月，在一次刑讯中，刘洪雄被残酷杀害，牺牲时年仅33岁。

（赛航　撰稿）

姚　喆

　　姚喆（1906—1979年），湖南省邵阳县横塘冲人。1925—1926年在湖南参加农民运动，任邵阳二区乡农民协会主席。1928年参加"平江暴动"，加入中国工农红军第7团。翌年2月加入中国共产党。井冈山斗争时期，在中央苏区历任红军班、排、连、营、团长、瑞金保卫局总队长、红3军团第5军第1师参谋长等职。长征中，姚喆先后担任中央政治保卫团团长、红3军团第12团团长，获红军三级红星勋章。红军到达陕北后，在刘志丹部相继担任第78师参谋长、北路军参谋长、陕甘宁独立师师长。抗日战争爆发后，红军改编为八路军，姚喆任120师358旅参谋长。是年末，奉命从陕北挺进山西，参加开辟晋西北抗日根据地。1938年6月，中共中央决定开辟大青山抗日游击根据地，任命李井泉为八路军大青山支队司令员，姚喆为参谋长。8月，进军绥远敌占区，转战阴山南北，开辟了大青山抗日游击根据地。12月，八路军大青山支队主力东进冀中以后，八路军大青山骑兵支队正式组建。1940年1月，姚喆任八路军大青山骑兵支队司令员。8月，绥远敌占区抗日民主政权——绥察行政办事处成立，姚喆任主任。1942年8月，日寇对大青山抗日游击根据地进行大"扫荡"以后，支队主力奉令撤往晋西北，姚喆率一部继续转战于绥西、绥中，坚持游击战争。同年10月，晋绥军区塞北军分区成立，姚喆任司令员。1945年7月，绥蒙军区组成，姚喆任司令员。

　　解放战争时期，姚喆率领绥蒙军区部队配合华北野战军战斗在绥东、绥南和晋西北。1949年"九一九"绥远和平解放后，姚喆任绥远省军区副司令员，中国人民解放军23兵团副司令员，总参高级步兵学校第一副校长、校长，武汉军区副司令员等职。1955年授中将军衔。曾当选为第四届全国人民代表大会代表和第五届全国政协常务委员。1979年春病逝，终年73岁。

（赛航　撰稿）

奇俊峰

　　奇俊峰（1915—1947 年），女，蒙古族，又名色福勒玛。内蒙古阿拉善特别旗人，贵族德钦伊沁诺日布（人称"小三爷"）之女。童年在家乡读私塾。1933 年毕业于北京惠敏女子学校。通晓蒙、汉文。1934 年嫁到乌拉特前旗，成为旗札萨克石拉布多尔济（石王）的福晋。

　　乌拉特前旗各派贵族势力矛盾由来已久，长期为争夺统治权而明争暗斗。时任东协理的鄂宝斋曾代理札萨克。在石王袭职后，鄂虽被迫卸任，但仍不愿交出实权，依靠锡林郭勒盟副盟长德王的势力对旗内施加影响。而石王则投向绥远省政府主席傅作义，以巩固统治权。双方在各自后台的支持下，屡屡发生冲突，直至兵戎相见。

　　1936 年 9 月，石王病逝。鄂宝斋等借机发难，逼迫奇俊峰交出旗府印信。奇俊峰为此亲往归绥（今呼和浩特），寻求傅作义的支持。绥远省政府遂正式作出决定：奇俊峰执掌札萨克印信、旗属军队归其统领、其所怀子嗣若为男性则承袭王位。1937 年 3 月，奇俊峰生石王遗腹子，名阿拉坦敖其尔，汉名奇法武。8 月，奇俊峰正式就任札萨克后，立即召集本旗军政人员会议，宣布接受绥远省政府领导，同时制定了减轻旗民负担，禁止乱行摊派等项措施。

　　"七七"事变爆发后，日军大举西进。1937 年 10 月，归绥、包头相继沦陷。鄂宝斋等人追随已投日的德王，返回旗内筹建亲日的伪政权。奇俊峰为摆脱日伪势力的控制，毅然与驻五原的国民党军队取得联系，并于翌年 3 月抵达五原县城，宣布"赤心爱国，抗战到底"。5 月，国民政府军事委员会任命奇俊峰为乌拉特前旗保安司令、防守司令部（设五原县城）司令，授少将衔。她随即在旗内招收了 200 余名青年，扩建了旗保安队。

　　1938 年 7 月，日伪军千余人乘数十辆汽车，进犯河套咽喉要地西山嘴。奇俊峰所辖两个团利用地形之利，与国民党军队相配合，将日伪军击溃。此役的胜利，赢得了赞誉，各方面纷纷致电祝贺。1939 年 9 月，国民党蒙藏委员会任命奇俊峰为乌拉特前旗护理札萨克，同时任绥境蒙政会委员兼该会建设委员会主任、国民党绥境蒙旗特别党部特派员。任命其子奇法武为记名札萨克。奇俊峰接任后，立即召开旗务大会，宣布在旗内推行改组旗政府、精简官员编制、恢复旗立小学等项新政措施。她还率旗府官员到旗内各处慰问，号召各界支援抗战、救济贫民。1939 年 12 月至 1940 年 3 月，国民党军队发动夺取包头、五原的绥西战役，奇俊峰率部配合作战。在其影响下，茂明安旗札萨克福晋额仁庆达赖，乌拉特后旗札萨克福晋巴云英也相继到河套投身抗日，她们被时人誉为"抗日三女王"。

1940 年夏，奇俊峰辗转赴重庆述职，途经延安时，晋见了毛泽东、刘少奇、朱德等中共领导人。在重庆，受到国民政府的表彰。蒋介石、何应钦、孔祥熙等国民党要员均予接见，并被授予中将军衔。会见时，奇俊峰向蒋介石提出了调整蒙汉关系、健全各蒙旗行政机构、扶持民族教育，培养民族人才等项建议。在重庆期间，她还应邀为妇女界作了专场报告，发表抗日演说。同年冬，奇俊峰一行返回五原，将部队扩编为 3 个团，兵力扩充至 600 余人，为前线抗日部队担负向导和侦察任务。

抗日战争胜利后，奇俊峰回旗执政，发布"告全旗人民书"，宣布废除王公贵族对旗民无偿征调徭役的制度，雇用牧民合理付薪；逐步推行民主政治，各苏木仕官须由牧民推选；开展"新生活运动"，改变落后生活方式，等等。鄂宝斋等人一面请罪表示驯服，一面伺机谋害奇俊峰。

1947 年 7 月 20 日，鄂宝斋指使亲信郝游龙雇佣凶手杀害了奇俊峰及其幼子。时年，奇俊峰 32 岁，其子奇法武仅 10 岁。

（赛航　撰稿）

巴云英

巴云英（1899—1966 年），又名德力格尔桑，女，蒙古族，内蒙古土默特旗人。1922 年与乌拉特后旗札萨克额尔克斯辰占巴拉（额王）成婚，成为福晋。1932 年生子贡嘎色楞，为记名札萨克。1936 年额王去世后，巴云英即开始执掌旗政。1937 年 10 月包头沦陷时，巴云英离开包头，前往五原参加抗日。

1939 年，国民政府任命其幼子贡嘎色楞为乌拉特后旗札萨克，因其年幼，由巴云英护理旗政。同时，国民党军政部任命巴云英为乌拉特后旗保安司令部司令，并授予少将军衔。曾率部先后参加了五原战役和包头战役，被誉为蒙古族抗战女英雄。1940 年，巴云英赴重庆述职，受到蒋介石、张治中等国民党军政首脑的接见，晋陆军中将。被媒体誉为"抗日女王"、"巾帼英雄"。

1948 年 7 月间，归绥、包头被解放军包围，绥远国民党军队欲将巴云英所率部队作为其配属力量与解放军对抗，她审时度势，毅然将部队转移到后山，并派人前往卓资山，与八路军绥蒙军区取得联系，待机起义。

1949 年 9 月 19 日，巴云英毅然参加绥远和平起义。历任中国人民解放军乌拉特后旗支队长、乌兰察布盟人民政府常务委员、政协常务委员、教育处副科长、内蒙古自治区第三届人民代表大会代表、全国第三届妇女代表大会代表、内蒙古政协委员、巴彦淖尔盟政协副主席等职。1966 年 8 月，巴云英在巴彦高勒镇病逝。终年 67 岁。

（赛航　撰稿）

关起义

关起义（1904—1947 年），蒙古族，字翼青，别名刘元复，蒙古名吉儒木图。生于辽宁省康平县西关屯一户蒙古族农民家庭。童年就读于辽源县第一高等小学，后入辽源县高等师范学校学习。1927 年，考入东北大学理工学院建筑系，攻读土木工程专业。因学习勤奋、成绩优秀，于 1931 年被遴选为赴德国留学生，但因"九一八"事变爆发而未能成行。

1931 年，关起义投笔从戎，随东北军将领高文彬前往东北，协助高联络各界人士，在通辽成立了辽北蒙边专员公署。同时加入辽北抗日义勇军。1932 年初，关起义任支队参谋长。义勇军活动于通辽、开鲁、彰武、康平一带，阻击日军。是年末，义勇军被日军击溃，撤往察北，不久解散，关起义几经周折到达北平。

1933 年，以德穆楚克栋鲁普（德王）为首的蒙古地方自治政务委员会（简称蒙政会）在乌兰察布盟成立。此时，德王尚未投日，而以振兴蒙古民族为旗号招纳青年。1934 年，关起义前往百灵庙，任蒙政会电信管理局局长兼无线电台总台长。1935 年，德王开始与日本关东军接触，关起义愤然弃职。1938 年，关起义与中共北平地下党组织取得了联系。1940 年，举家离开内蒙古，到达晋察冀边区。不久转赴延安，在延安民族学院任教。1942 年，在整风运动中，关起义以"日本特务嫌疑"被捕受审，监督劳动达 3 年之久。

1945 年抗战胜利后，中共中央派出大批干部赶赴东北和内蒙古开辟解放区。关起义也奉派到达张家口，参加筹组内蒙古自治运动联合会的工作。是年 11 月，联合会成立，关起义当选为执行委员，负责秘书处工作。不久，内蒙古实业公司成立，关起义任总公司副经理。他率领部分干部战士，深入察哈尔、锡林郭勒草原，建立分公司，组织力量向牧区运送布匹、砖茶、烟酒等生活日用品，为疏通牧区商品流通渠道，改善群众生活，作出了积极的贡献。

1946 年，关起义加入中国共产党，并被任命为察哈尔盟代理盟长。此时，国民党军队攻占张家口，并向锡林郭勒、察哈尔解放区频频发动进攻。国民党支持的地方武装和土匪十分活跃。在险峻的形势下，关起义率领武装工作队坚持斗争，发动群众，建立地方政权。

1947 年 1 月 6 日，关起义率武工队在察北哈毕日嘎一带乡村开展工作时，突遭国民党骑匪包围，在突围战斗中牺牲，时年 43 岁。

（赛航　撰稿）

苏剑啸

苏剑啸（1905—1948 年），蒙古族，别名苏宝谦，号宜庵，蒙古名苏都斯钦，内蒙古额济纳旗人。幼时在兰州第一中学就读，1928 年考入北平中国大学英文系学习。1931 年毕业后，留中大附属中学任教。1934 年离职返乡，创办了额济纳旗有史以来第一所小学，招收农牧民子弟就学。不久，开办了本旗第一个医疗所，从北平延请医生，为当地各阶层民众治疗疾病。同时，为了打击土匪，维持商户秩序，苏剑啸在旗札萨克的支持下，组织一批青壮年牧民，充实了旗保安队。

1937 年，苏剑啸任阿拉善、额济纳旗联防司令部参谋长，负责指挥本旗保安队并协调与阿拉善旗的军务。是年秋，因反抗宁夏军阀对额济纳旗政务的粗暴干预，苏剑啸被国民党宁夏当局绑架至酒泉，羁押达半年之久。

1938 年，苏剑啸前往延安，入西北抗日青年训练班学习。不久转入中国人民抗日军政大学第 10 大队学习，同年加入中国共产党。1939 年至 1942 年，在八路军晋察冀军区敌工部、社会部工作。曾奉派到张家口搜集敌伪情报，在伪蒙疆政权高中级官员中开展统战工作。1944 年，到晋察冀根据地参加整风训练班。

1945 年抗战胜利后，苏剑啸奉派前往张家口，参加中国共产党领导的内蒙古自治运动。同年 11 月，内蒙古自治运动联合会在张家口成立，苏剑啸当选为联合会执行委员。1946 年 4 月，任自治运动联合会察哈尔盟分会主任。1947 年 1 月，任察哈尔盟代盟长。1948 年 9 月，任察哈尔盟盟长。

1948 年 12 月 8 日，苏剑啸与萧诚、朱玉珊等 27 名干部战士在由贝子庙（今锡林浩特市）返回察哈尔盟途中与国民党土匪数百人遭遇。虽经奋力突围，终因寡不敌众，苏剑啸和他的 18 位战友皆在战斗中殉难。

（赛航　撰稿）

刘　春

刘春（1912—2003 年）江西省吉水县人，1934 年就读于上海蒙藏学院师资训练班，1936 年在北平参加中国左翼作家联盟、中国左翼文化总同盟。同年 3 月加入中国共产党。1937 年赴延安，参加红军，在抗日军政大学学习。毕业后入中共中央党校学习。抗日战争时期，任中央组织部组织科干事、陕北公学生活指导委员会文教科长、分校中国问题教员。1939 年初，调中央西北工作委员会任民族问题研究室负责人，从事民族问题研究。同时兼任中共中央宣传部编审委员会委员、陕北公学、抗日军政大学、中央党校中国问题、民族问题及政策教员。1940 年，参加筹建"蒙古文化促进会"、"回民文化促进会"工作，任理事、常务理事。1941—1945 年，历任中共中央西北局少数民族工作委员会委员、研究室主任、民族学院教师、教务处长、副院长、中央调查研究局第 4 分局民族研究室主任等职。

1945 年 11 月，任内蒙古自治运动联合会常委、秘书长、政治部长，晋察冀中央局文化委员会委员、内蒙古党委委员、内蒙古自治政府委员、内蒙古共产党工作委员会副书记兼组织部长、内蒙古分局委员、东部区党委书记。1949 年 9 月，作为内蒙古代表团成员，参加第一届中国人民政治协商会议，并任共同纲领整理委员会委员。中央人民政府成立后，任民族事务委员会委员。1950 年 8 月调离内蒙古。任民族事务委员会党组成员，中央民族学院副院长、党组书记，参与主持筹建中央民族学院。1951 年，任政务院文教委员会少数民族语文研究指导委员会委员。1952—1954 年，任国家民族事务委员会副主任委员、副主任、党组副书记。1958—1966 年，历任国务院科学规划委员会少数民族研究组副组长、中国科学院民族研究所所长、中共中央统战部副部长、中央民族学院院长、少数民族历史研究指导委员会主任等职。期间代表国家民委随中央代表团赴新疆庆祝新疆维吾尔自治区成立。曾任庆祝西藏自治区成立中央代表团副团长、庆祝新疆维吾尔自治区成立十周年中央代表团副团长。当选第一、二、三届全国人大代表、第三届人大代表资格审查委员会委员、民族委员会委员；中国共产党第八次代表大会代表。

“文化大革命”中，刘春遭到迫害。解除任职，并被监护。1978 年重新工作。任中国科学院常务副秘书长、党组成员，五届人大常委、法制委员会委员、中共十二大列席代表，中国科学院顾问等职。2003 年，刘春因病在北京逝世，享年 91 岁。

（赛航　撰稿）

胡秉权

胡秉权（1909—1973 年），吉林洮安县人。早年就学于北平东北大学。1936 年加入中国共产党，翌年参加八路军。抗日战争时期任晋察冀军区第 3 军分区第 5 大队政治指导员、教导员，第 3 军分区骑兵团政治处主任、区队副政治委员、晋察冀军区政治部生产民运部部长。解放战争时期，历任内蒙古骑兵第 1 师政治委员、辽吉军分区哲里木盟军分区第二政治委员、骑兵第 2 师政治委员、内蒙古军区参谋长等职。中华人民共和国成立后，胡秉权历任内蒙古军区副司令员兼参谋长、蒙绥军区副司令员兼参谋长、中国人民解放军军事学院训练部部长、副教育长、军事科学院教研馆主任等职。1961

年晋升为少将军衔。

（赛航 撰稿）

吴 桐

吴桐（1899—1962 年），字子琴，回族，托克托县人。幼年就读于托克托县小学，同时随祖父吴耀（同盟会会员）研习家传八卦掌和杨家枪法，由于勤学苦练，颇得其精。后入绥远省立第一中学学习。毕业后又考入北平体育专科学校。期间，又师从满族太极拳名家吴鉴泉学习"吴氏太极拳"。从北平体专结业后，吴桐被聘为绥远省第一中学体育教师，又得与该校武术教师、著名蒙古族武术家、阴把枪法能手云连生研究枪法和剑术。他潜心研究八卦拳、太极拳、剑术和各路枪法，与民间武术家共同交流揣摩，博采众长，形成了一套刚柔并济、攻防兼备、灵活多变、风格独特的精湛技艺。

1928 年，全国第一届武术比赛在南京举行，吴桐代表绥远省出赛，击败众多对手，获得优胜。1933 年，绥远省国术馆成立，吴桐任副馆长，馆长由绥远省政府主席傅作义兼任。此后，吴桐与绥远省武术界知名人士一道，为绥远地区培养了许多武术新秀，为传承、普及武术文化付出了毕生精力。他不仅以精湛的武艺闻名遐迩，还以乐善好施，嫉恶如仇而享誉内蒙古西部地区。

1949 年，绥远省"九一九"和平起义，吴桐积极拥护和平解放。新中国成立后，他先后担任绥远省政协委员、民族事务委员会委员、自治区体委办公室副主任等职务，并多次参加全国、华北及全区运动会的武术表演比赛，获得多项奖励。1962 年 10 月，吴桐因病逝世。生前著有武术专著《靠身锤》。

（赛航 撰稿）

杨国兴

杨国兴（1910—1985 年），又名杨子英，清水河县下城湾人。幼年在家乡小学读书，1927 年考入绥远省立师范学校。1929 年暑假期间，曾回乡参加农民群众清算国民党清水河县农会的斗争，控告县农会会长贪赃枉法的罪行，取得胜利。1931年，杨国兴转入归绥中学读书。翌年10月，加入绥远省反帝大同盟，积极参加归绥学生的抗日救亡活动。1934年4月，绥远反帝大同盟被破坏后，杨国兴在清水河县被捕，以"共产党嫌疑犯"罪名被判处2年6个月监禁。后被押解到归绥，投入国民党"绥远第一模范监狱"。在狱中，他结识了中共领导人王若飞，并在王若飞领导下，积极参加了狱中的对敌斗争。

1937年8月，杨国兴出狱后即赴太原，入山西国民师范学校军训班学习。1938年4月，加入中国共产党，后在山西国民兵军官教导团任营教导员兼中共党小组长。1939年，杨国兴任山西新军政卫队、决死2纵队团政治部副主任等职，并参加了"抗日救国牺牲同盟会"。1941—1943年，调任绥察行政公署绥南专员公署专员，参加了大青山抗日游击战争，领导绥南群众工作。1943年，杨国兴赴延安入中共中央党校学习。

抗日战争胜利后，杨国兴由延安回到绥蒙解放区，任丰镇县隆盛庄市市长、托和清县联络处长等职。1948年，任绥蒙政府研究室主任。

新中国成立后，杨国兴历任绥远省农林厅农场管理处副处长、绥远省中苏友好协会副总干事、内蒙古自治区中苏友好协会副秘书长、内蒙古博物馆馆长等职。1985年12月8日病逝。

（赛航　撰稿）

彭德大

彭德大（1914—1940年），男，汉族，江西省吉水县人，出身于贫苦农民家庭，自幼跟随父亲当船工和石匠。

1925年5月加入中国共产党，在红一方面军中当炊事员，参加了二万五千里长征。1937年，在延安抗日军政大学学习，毕业后，被派到八路军120师358旅715团第一营，担任教导员。120师开赴晋西北以后，在崞县组织抗日武装，指挥游击战争。经过艰苦细致的工作，很快组建起一个团的地方武装，后来被整编为120师358旅715团，彭德大任团政治委员。

1938年7月，八路军120师359旅715团和师直骑兵连组成八路军大青山支队后，彭德大任政治部主任。12 月 22 日，八路军 715 团主力奉命东进冀中，大青山支队留下 500 余人组成 3 个支队，分别在绥南、绥中、绥西开展游击战争。彭德大和陈刚等指挥绥西部队，为发展和巩固绥西游击根据地进行了巨大努力，并担任大青山抗日游击根据地统筹统支物资筹备委员会主任，主持筹集物资工作。1939 年 3 月，八路军大青山骑兵支队建立以后，彭德大任政治部主任。

1940 年初，彭德大在绥西指挥反顽斗争。3 月 12 日下午，在绥西明安滩反击"自卫军"第四路的战斗中不幸中流弹牺牲。终年 26 岁。

（郝维民 撰稿）

王聚德

王聚德（1911—1941 年），男，汉族，陕西省清涧县王家山人。早年在家乡参加革命活动，1927 年加入中国共产党，多次参加革命武装斗争。1933 年成立陕北抗日游击第 2 支队时，为创始人之一；土地革命时期任清涧县苏维埃政府主席和县委组织部长等职。

1934 年参加中国工农红军，后调到中共中央社会部工作。1940 年 4 月，为了加强大青山抗日游击根据地的情报工作，中共中央社会部派王聚德到绥远敌占区，领导对日伪的情报工作，并与苏联、蒙古人民共和国建立国际联系，同时参加大青山抗日斗争的领导工作。7 月，任中共晋绥边区委员会社会部长和宣传部长。1941 年 3 月，中共晋绥边区委员会改称中共绥察边区委员会，王聚德仍任社会部长兼绥西地委书记。他带领绥察区党委机关、绥西地委、专署机关的一些工作人员在绥西大青山万家沟一带活动。10 月 27 日，王聚德与蒙古抗日游击队队长高凤英带领部分机关工作人员和游击队员，在万家沟小火烧游击队营地宿营。日军陶思浩据点根据叛徒胡定良的报告，当天夜里就出动 12 辆汽车，满载日伪军，直奔万家沟，包围了小火烧。第二天凌晨，敌人以猛烈的火力射击游击队窑洞，王聚德与高凤英一起指挥战斗，英勇抵抗。但终因弹尽无援，敌众我寡，又无退路，王聚德、高凤英等 12 名抗日英雄壮烈牺牲。事后，绥察区党委秘书长王建功、蒙古抗日游击队指导员奇峻山，组织当地群众将王聚德、高凤英等烈士的遗体安葬在大青山上。

1950年，绥远省人民政府为12位烈士举行了追悼会，绥远省党政军负责人奎璧、杨植霖、姚喆等以及各族各界代表参加了追悼会，并将烈士的遗骨迁葬在哈拉沁烈士陵园。

（郝维民　撰稿）

崔　岩

崔岩（1913—1943年），男，汉族，河北省南宫县城关镇人，早年在家乡任小学教员，由于受革命思想的影响，曾领导当地农民从他家开始开展分粮吃大户的进步活动。

1931年，崔岩在北平清华大学读书时加入了中国共产党，以后在天津、石家庄及其家乡附近各县从事地下工作。

1937年5月，崔岩偕爱人海峰徒步跋涉，到达延安，入中共中央党校12班学习。不久，全国抗日战争爆发，崔岩于11月间奔赴山西抗日前线，投身于抗日事业。

1938年初，崔岩任中共山西省静乐县委书记。秋天，中共晋西北区委决定在静乐、宁武、忻县、崞县范围内成立中共静乐中心县委，崔岩任宣传部长。1939年，中共静乐地委成立后，他任地委宣传部长，并主持静乐县委工作；年底，调晋西北区党委从事宣传工作。

1940年7月，崔岩奉调到大青山抗日游击根据地工作，曾到归绥从事地下工作。1943年初，任中共绥南地委书记，在极其困难的形势下，坚持绥南地区的斗争。3月29日，日伪军突然向绥南地委和归凉县政府所在地旭泥坝沟发动袭击，崔岩在突围过程中身负重伤，光荣牺牲，年仅30岁。

（郝维民　撰稿）

程仲一

程仲一（1916—1944年），男，汉族，原名程重远，字必达，山西省五寨县梁家坪村人。

程仲一先后就学于太原第一中学、北平国立大学附中及中国大学、山西大学法学院。大学毕业后，先后在山西大学、成成中学秘密从事学生运动。1937年4月，加入了中国共产党，并在山西大学中共党员训练班学习。同年10月，回五寨县协助八路军120师工作团开展群众工作，创建抗日根据地。不久建立起五寨县战地动委会，任副主任；1938年初，任主任。1938年夏，被调到晋西北临县任动委会主任。

1939年3月，程仲一与王廷弼等带领一批干部，从晋西北到大青山抗日游击根据地，参加抗日游击战争。不久，任绥东动委会主任。1940年6月，任绥东（后改称绥南）专员公署专员；8月，绥察行政办事处成立后，调任绥中专员公署专员。1942年8月，程仲一率领绥中专员公署及游击队突破日寇对绥中游击区的"铁壁合围"，胜利突围。1943年8月，程仲一又调任绥南专员公署专员。同年冬天，他回晋西北参加了偏关整风学习。两个月后，他又重返大青山，在极其困难的形势下，在蛮汗山一带坚持游击战争。

1944年2月8日，程仲一带领部分游击队员，在归凉县崞县窑子附近的郭木匠沟宿营。崞县窑子日伪据点得知这一情报，当晚出动大批日伪军包围了郭木匠沟村。次日凌晨，日伪军用猛烈的火力封锁了游击队住处，程仲一指挥游击队员奋力反击，最后退守到一座窑洞中坚持抗击敌人，但终因寡不敌众，程仲一和游击队员全部壮烈牺牲。

当地蒙汉族人民群众对程仲一的牺牲无比悲痛。他们用他曾用过的一条毛毯将他的遗体裹好，安葬在他生前战斗过的地方——乔贵窑子村的一个山洞里。解放后，程仲一的遗骨被迁到大青山革命公墓。

（郝维民　撰稿）

主要参考文献

1. 中国第二历史档案馆编：《中华民国史档案资料汇编》第 2、5 辑，江苏古籍出版社 1989、1991 年版。

2. 中国第二历史档案馆蒙藏院档案，代号 1045，档号 1、3、4、5、90、152、509、550。

3. 中国第二历史档案馆蒙藏委员会档案，代号 141，档号 846、858、1197、1245、1246、1247、1250。

4. 日本外务省外交史料馆藏档案（日文），代号 A—1—6—1—4—2—4。

5. 卓宏谋编：《蒙古鉴》（增订 4 版），北京普善印刷局 1935 年印刷。

6. 程廷恒、张家璠：《呼伦贝尔志略》，上海太平洋印刷公司 1923 年印刷。

7. 马福祥：《蒙藏状况》，蒙藏委员会 1931 年排印本。

8. 王云五、李圣五编：《蒙古与新六省》，商务印书馆 1934 年版。

9. 黄奋生：《蒙藏新志》（上、下），中华书局 1938 年版。

10. 西盟王公招待处：《西盟会议始末记》，1913 年版。

11. 蒙藏院：《蒙藏院召集蒙事会议议事录》（蒙汉合璧），蒙藏院 1920 年刊印。

12. 满铁经济调查会编：《满洲经济年报》1934 年版。

13. 石华严：《绥远垦务计划》，绥远垦务总局 1932 年刊印。

14. 熊耀文编：《总理对于蒙藏之遗训及中央对于蒙藏之法令》，蒙藏委员会 1934 年刊印。

15. 蒙藏委员会：《蒙古会议汇编》，蒙藏委员会 1930 年印刷。

16. 贺扬灵：《察绥蒙民经济的解剖》，商务印书馆 1935 年版。

17. 樊库主编：《绥远省地方自治讲义》，绥远省政府 1931 年印刷。

18. 陈玉甲：《绥蒙辑要》，1937 年排印本。

19. 兴安区屯垦公署：《兴安屯垦区第一年工作概况》，兴安区屯垦公署 1930 年印刷。

20. 绥区屯垦督办事处：《绥区屯垦第一年工作报告书》，绥区屯垦督办办事处 1933 年印刷。

21. 绥区屯垦督办事处：《绥区屯垦第二年工作报告书》，绥区屯垦督办办事处 1934 年印刷。

22. 绥区屯垦督办事处：《绥区屯垦第三年工作报告书》，绥区屯垦督办办事处 1935 年印刷。

23. 绥区屯垦督办事处：《绥区屯垦第四年工作报告书》，绥区屯垦督办办事处 1936 年印刷。

24. 《中华民国宪法（释义及表明)》，商务印书馆 1947 年版。

25. 杜春和、林斌生、丘权政编：《北洋军阀史料选辑》（上），中国社会科学出版社 1981 年版。

26. 章有义编：《中国近代农业史资料》第 2 辑，三联书店 1957 年版。

27. 荣孟源主编：《中国国民党历次代表大会及中央全会资料》（上、下），光明日报出版社 1985 年版。

28. 卢明辉：《蒙古"自治运动"始末》，中华书局 1981 年版。

29. 黑龙江省档案馆、哈尔滨师范大学历史系编：《黑龙江历史大事记（1912—1932 年)》，黑龙江人民出版社 1984 年版。

30. 政协全国委员会文史资料研究委员会编：《文史资料选辑》第 20、27 辑，中国文史出版社 1962、2002 年版。

31. 妙舟：《蒙藏佛教史》，江苏广陵古籍刻印社 1994 年版。

32. 德勒格编著：《内蒙古喇嘛教史》，内蒙古人民出版社 1998 年版。

33. 李国忠：《民国时期中央与地方的关系》，天津人民出版社 2004

年版。

34．白拉都格其、金海、赛航：《蒙古民族通史》第 5 卷，内蒙古大学出版社 2002 年版。

35．［日］桥本平八：《呼伦贝尔蒙古政治史略》（日文），《蒙古》1940 年 8 月号。

36．［日］大场辰之助：《东部内蒙古开放通史》（日文），1936 年油印版。

37．［日］及川三男：《热河蒙旗概要》（日文），热河省公署 1936 年印刷。

38．内蒙古自治区档案馆档案，全宗 2—7 号。

39．日本外务省外交史料馆藏档案《满蒙政况关系杂纂·呼伦贝尔之部》（日文）第 1—3 卷。

40．内蒙古自治区档案馆编：《内蒙古自治运动联合会档案史料选编》，档案出版社 1989 年版。

41．中共内蒙古自治区委员会党史资料征集委员会、中国人民解放军档案馆、内蒙古自治区档案馆编：《大青山抗日游击根据地资料选编》（上、中），内蒙古人民出版社 1986、1987 年版。

42．内蒙古自治区历史档案资料目录中心编：《内蒙古自治区历史档案全宗概览》，远方出版社 1999 年版。

43．康清源纂：《经棚县志》，1929 年抄本。

44．孟定恭编：《布特哈志略》，台湾成文出版社 1986 年影印本。

45．宋哲元、梁建章纂：《察哈尔省通志》，1935 年印本。

46．《巴林左旗志》编辑委员会：《巴林左旗志》，《巴林左旗志》编辑委员会 1985 年印刷。

47．赤峰市民政局：《赤峰市历代行政区域设置概要》，赤峰市民政局 1984 年印刷。

48．内蒙古自治区地名委员会：《内蒙古自治区地名志·赤峰市分册》，内蒙古自治区地名委员会 1987 年印刷。

49．董联生、徐占江：《扎兰屯风物志》，内蒙古文化出版社 1989 年版。

50．呼伦贝尔盟地方志办公室编：《呼伦贝尔盟情》，内蒙古人民出版社 1986 年版。

51. 刘殿贵、李彤之主编：《阿荣旗情》，黑龙江人民出版社 1987 年版。

52. 兴安盟地方志办公室：《兴安盟概况》，兴安盟地方志办公室 1987 年印刷。

53. 都瓦萨主编：《扎鲁特史话》，内蒙古人民出版社 1989 年版。

54. 徐世明主编：《昭乌达风情》，中国文史出版社 1991 年版。

55. 政协巴林左旗委员会：《巴林左旗文史资料》第 1 辑，政协巴林左旗委员会 1985 年印刷。

56. 政协阿鲁科尔沁旗委员会：《阿鲁科尔沁文史》第 1 辑，政协阿鲁科尔沁旗委员会 1985 年印刷。

57. 政协喀喇沁旗委员会：《喀喇沁旗文史资料》第 2 辑，政协喀喇沁旗委员会 1985 年印刷。

58. 政协宁城县委员会：《宁城文史资料选辑》第 2 辑，政协宁城县委员会 1986 年印刷。

59. 政协奈曼旗委员会：《奈曼旗文史资料》第 3 辑，政协奈曼旗委员会 1989 年印刷。

60. 巴彦淖尔盟行署地方志编修办公室：《巴彦淖尔史料》第 4 辑，巴彦淖尔盟行政公署地方志编修办公室 1984 年印刷。

61. 善邻协会调查部编：《蒙古大观》（日文），改造社 1938 年版。

62. "蒙古联合自治政府"民政部地方科：《蒙古联合自治政府管下地方行政要览·察哈尔盟之部》（日文），"蒙古联合自治政府"民政部地方科 1941 年印刷。

63. 《蒙古联盟自治政府七三三甲年度行政概要》，蒙古联盟自治政府 1938 年印刷。

64. "蒙古联合自治政府"总务部编：《蒙古法令辑览》（汉日对照）第 1 卷，蒙疆行政学会 1941 年刊印。

65. "满洲国"通讯社：《满洲国现势》（日文），"满洲国"通讯社 1939—1943 年印刷。

66. ［日］福岛义澄、［日］铃木清干：《蒙疆年鉴》（日文），蒙疆新闻社 1941—1944 年版。

67. 《东方杂志》第 2(8)、8(12)、9(3，4，5，6)、10(12)、11(2)、12(2，6)、23(20)、27(14) 卷。

68. 《盛京时报》1908—1932 年。

69. 《满洲国政府公报》第 1—120 册，辽沈书报社 1999 年影印本。

70. 王铁崖编：《中外旧约章汇编》第 2 册，三联书店 1982 年版。

71. 王芸生编著：《六十年来中国与日本》第 5、6 卷，三联书店 1980 年版。

72. 中央档案馆、中国第二历史档案馆、吉林省社会科学院合编：《日本帝国主义侵华档案资料选编·九一八事变》，中华书局 1988 年版。

73. 中央档案馆、中国第二历史档案馆、吉林省社会科学院合编：《日本帝国主义侵华档案资料选编·东北"大讨伐"》，中华书局 1991 年版。

74. 中央档案馆、中国第二历史档案馆、吉林省社会科学院合编：《日本帝国主义侵华档案资料选编·伪满傀儡政权》，中华书局 1994 年版。

75. 复旦大学历史系编译：《日本帝国主义对外侵略史料选编（1931—1945 年)》，上海人民出版社 1975 年版。

76. 复旦大学历史系编：《中国近代对外关系史资料选辑 1840—1949》下卷第 1 分册，上海人民出版社 1977 年版。

77. 中央档案馆编：《伪满洲国的统治与内幕——伪满官员供述》，中华书局 2000 年版。

78. 蔡鸿源主编：《民国法规集成》第 74、75、76 册，黄山书社 1999 年版。

79. 内蒙古档案馆编：《中国档案精粹——内蒙古卷》，香港零至壹出版有限公司 1999 年版。

80. ［日］防卫厅防卫研究所战史室图书馆档案：《满洲·满蒙·69 号》、《中央·战争指导·重要国策文书·第 567 号》。

81. ［日］小林龙夫、［日］岛田俊彦编：《现代史资料（7）·满洲事变》（日文），美铃书房 1964 年版。

82. ［日］岛田俊彦、［日］稻叶正夫编：《现代史资料（8）·日中战争（一)》（日文），美铃书房 1965 年版。

83. ［日］臼井胜美、［日］稻叶正夫编：《现代史资料（9）·日中战争（二）》（日文），美铃书房 1966 年版。

84.［日］臼井胜美、［日］稻叶正夫编：《现代史资料（11）·满洲事变（续）》（日文），美铃书房 1987 年版。

85.［日］外务省编：《日本外交年表及主要文书》（上，日文），原书房 1978 年版。

86.［日］江口圭一：《资料·日中战争时期的鸦片政策——以蒙疆政权资料为中心》（日文），岩波书店 1985 年版。

87. 满铁调查部：《蒙疆政府公文集》上辑（日文），满铁调查部 1939 年印刷。

88. 兴安局编：《开放蒙地奉上关系记录集成》（日文），兴安局 1940 年刊印。

89. 兴安局编：《锦热蒙地奉上关系记录集成》（日文），兴安局 1940 年刊印。

90.（"满洲国"）国务院总务厅情报厅：《蒙旗行政制度改革纪念特刊》（日文），（"满洲国"）国务院总务厅情报处 1934 年印刷。

91. 兴安南省公署：《兴安南省概览》（日文），兴安南省公署 1935 年印刷。

92. 满洲帝国协和会调查部编：《兴安蒙古》（日文），满洲事情指南所 1943 年刊印。

93.《冈部直三郎大将日记》（日文），芙蓉书房 1982 年版。

94.［日］春日行雄编著：《日本与蒙古一百年》（日文），亚细亚博物馆·蒙古馆 1993 年刊印。

95.［日］葛生能久：《东亚先觉志士记传》（日文）中卷，黑龙会出版部 1935 年版。

96.［日］本山桂川：《满洲历史讲话》（日文），满铁社员会 1940 年刊印。

97. 东亚经济调查局：《满蒙政治经济提要》（日文），改造社 1932 年刊印。

98.［日］樋口弘：《日本对华投资》，商务印书馆 1959 年汉译本。

99.［日］松冈洋佑：《谈谈满铁》（日文），第一出版社 1937 年版。

100．〔日〕共藤武夫：《在满蒙的日华合办事业》（日文），满铁庶务部调查课 1930 年刊印。

101．〔日〕关宽治、〔日〕岛田俊彦：《满洲事变》王振锁、王家骅译，上海译文出版社 1983 年版。

102．〔日〕藤冈启：《满蒙经济大观》（吴自强汉译），上海民智书局 1929 年版。

103．孙邦主编：《伪满军事》，吉林人民出版社 1993 年版。

104．政协全国委员会文史资料研究委员会编：《文史资料选辑》第 39、63 辑，文史资料出版社 1963、1979 年版。

105．政协全国委员会文史资料研究委员会编：《傅作义生平》，文史资料出版社 1985 年版。

106．政协内蒙古自治区委员会文史资料研究委员会：《内蒙古文史资料》第 2、5 辑，内蒙古人民出版社 1979、1989 年版。

107．政协内蒙古自治区委员会文史资料研究委员会：《内蒙古文史资料》第 17、23、26、28、29 辑，政协内蒙古自治区委员会文史资料委员会 1985、1987、1988、1989 年印刷。

108．内蒙古地方志编纂委员会总编室：《内蒙古史志资料选编》第 2、5 辑，内蒙古地方志编纂委员会总编室编印。

109．德穆楚克栋鲁普：《德穆楚克栋鲁普自述》，政协内蒙古自治区委员会文史资料委员会 1984 年印刷。

110．李守信：《李守信自述》，刘映元整理，见政协内蒙古自治区委员会文史资料研究委员会编：《内蒙古文史资料》第 20 辑，政协内蒙古自治区委员会文史资料研究委员会 1985 年印刷。

111．《伪满兴安史料》，政协内蒙古自治区委员会文史资料委员会 1989 年印刷。

112．《伪蒙古军史料》，政协内蒙古自治区委员会文史资料委员会 1990 年印刷。

113．《内蒙古近现代王公录》，政协内蒙古自治区委员会文史资料委员会 1988 年印刷。

114．《王同春与河套水利》，政协内蒙古自治区委员会文史资料委员会

1989 年印刷。

115．政协呼伦贝尔盟委员会：《呼伦贝尔文史资料》第 2 辑，政协呼伦贝尔盟委员会 1985 年印刷。

116．王哲主编：《蒙古贞文史》，政协阜新蒙古族自治县委员会 1986 年印刷。

117．中共呼和浩特市委党史办、呼和浩特市地方志编修办公室：《呼和浩特史料》第 2、3、7、8 辑，中共呼和浩特市委党史办、呼和浩特市地方志编修办公室 1983、1985、1986、1989 年印刷。

118．中共内蒙古地区党史研究所：《内蒙古近代史论丛》第 1、2、3 辑，内蒙古人民出版社 1982、1983、1987 年版。

119．中共内蒙古地区党史研究所：《内蒙古近代史论丛》第 4 辑，内蒙古大学出版社 1991 年版。

120．《内蒙古近代史译丛》第 1 辑，内蒙古人民出版社 1986 年版。

121．《内蒙古近代史译丛》第 2 辑，内蒙古大学出版社 1988 年版。

122．中共伊盟盟委党史资料征集办公室：《伊盟革命斗争史料》第 7 辑，中共伊盟盟委党史资料征集办公室 1987 年印刷。

123．中共兴安盟委党史办：《侵华日军在兴安盟罪行录》，中共兴安盟委党史办 1985 年印刷。

124．《丰镇县志》编纂委员会：《丰镇史料》第 2 辑，《丰镇县志》编纂委员会 1983 年印刷。

125．扎奇斯钦：《我所知道的德王和当时的内蒙古》（1、2），东京外国语大学亚非语言文化研究所 1993 年刊印。

126．［日］骆驼会本部：《回忆中的内蒙古——内蒙古回忆录》（日文），日本骆驼会本部 1975 年印刷。

127．［日］骆驼会本部：《高原千里——内蒙古回忆录》（日文），骆驼会本部 1973 年印刷。

128．《吴鹤龄回忆录》（日文），《日本与蒙古》第 21 卷第 1 号，1986 年 8 月。

129．［日］松井忠雄：《内蒙三国志》（日文），原书房 1966 年版。

130．北支那经济通讯社：《北支·蒙疆现势》（日文），北支那经济通讯社 1938 年刊印。

131. 北支那经济通讯社：《北支·蒙疆年鉴》（1940—1941 年版），北支那经济通讯社 1941—1942 年刊印。

132. 《蒙古》（日文），1939 年第 10 卷、1943 年第 10 卷、1944 年第 11 卷。

133. 姜念东、伊文成、解学诗：《伪满洲国史》，吉林人民出版社 1980 年版。

134. 王承礼主编：《中国东北沦陷十四年史纲要》，中国大百科全书出版社 1991 年版。

135. 中共内蒙古自治区委员会党史研究室编：《"九一八"——"七七"内蒙古抗日救亡运动》，内蒙古人民出版社 1991 年版。

136. 厉春鹏、徐占江、阿必德：《诺门罕战争》，吉林文史出版社 1988 年版。

137. 莫德力图主编：《乌兰察布史略》，政协乌兰察布盟委员会 1997 年刊印。

138. 防卫厅防卫研究所战史室编：《华北治安战（1、2）》（日文），朝云新闻社 1968 年版。

139. 日本蒙古友好协会编：《蒙古入门》（日文），三省堂 1993 年版。

140. ［日］第二十六师团搜索队战友会：《第二十六师团搜索队志》（日文），第二十六师团搜索队战友会 1985 年印刷。

141. 中国人民解放军历史资料丛书编审委员会编：《八路军·参考资料》（1），解放军出版社 1995 年版。

142. 万仁元、方庆秋主编：《抗日战争时期国民党军机密作战日记》（上），中国档案出版社 1995 年版。

143. 中共中央书记处编：《六大以来：党内机密文件》（上），人民出版社 1981 年版。

144. 《毛泽东选集》第 2 卷，人民出版社 1991 年版。

145. 中共中央统战部编：《民族问题文献汇编》，中共中央党校出版社 1991 年版。

146. 中共内蒙古自治区委员会统战部、内蒙古自治区档案馆：《内蒙古统战史档案史料选编》第 1 卷，中共内蒙古自治区委员会统战部、内蒙古自治区档案馆 1987 年印刷。

147. 独立步兵第十三联队志刊行会：《独立步兵第十三联队志》（日文），独立步兵第十三联队志刊行会 1980 年印刷。

148. 政协河北省委员会编：《冯玉祥与抗日同盟军》，河北人民出版社 1985 年版。

149. 政协内蒙古自治区委员会：《绥远抗战》，政协内蒙古自治区委员会 1986 年印刷。

150. 陈长捷：《晋绥抗战》，中国文史出版社 1994 年版。

151. 政协海拉尔市委员会：《海拉尔文史资料》第 2、4、5 辑，政协海拉尔市委员会 1984、1992、1995 年印刷。

152. 兴安盟党史资料征集委员会：《兴安革命史话》第 1 辑，兴安盟党史资料征集委员会 1987 年印刷。

153. 中国社会科学院近代史研究所中华民国研究室：《中华民国史资料丛稿·大事记》第 24 辑，中华书局 1980 年版。

154. 张暇民：《绥远省志书概述》，台湾学生书局 1982 年版。

155. 龚古今、唐培吉主编：《中国抗日战争史稿》（上），湖北人民出版社 1983 年版。

156. 中共内蒙古自治区委员会党史研究室编：《"九一八"——"七七"内蒙古抗日救亡运动》，内蒙古人民出版社 1991 年版。

157. ［日］防卫厅防卫研究所战史室：《华北治安战（1—2）》（日文），朝云新闻社 1968 年版。

158. ［日］"满洲国"史编纂刊行会：《满洲国史·各论》（日文），满蒙同胞援护会 1971 年刊印。

159.《中共中央文件选集》第 1 册，中共中央党校出版社 1982 年版。

160. 中央档案馆、内蒙古自治区档案馆编：《内蒙古革命历史文件汇集》（馆藏本），1988 年。

161. 中共中央党校党史教研室选编：《中共党史参考资料》（六），人民出版社 1979 年版。

162.《毛泽东军事文集》第 2 卷，军事科学出版社 1993 年版。

163. 内蒙古自治区档案馆编:《绥远"九一九"和平起义档案史料选编》,内蒙古人民出版社 1986 年版。

164. 内蒙古自治区档案馆编:《中国第一个民族自治区诞生档案史料选编》,远方出版社 1997 年版。

165. 乌兰夫革命史料编研室编:《乌兰夫论牧区工作》,内蒙古人民出版社 1990 年版。

166.《乌兰夫文选》(上),中央文献出版社 1999 年版。

167. 中共内蒙古自治区委员会组织部、中共内蒙古自治区委员会党史研究室、内蒙古自治区档案馆编:《中国共产党内蒙古自治区组织史资料(1925 年 3 月—1987 年 12 月)》,内蒙古人民出版社 1995 年版。

168. 忒莫勒:《建国前内蒙古地方报刊考录》,内蒙古图书馆 1987 年刊印。

169. 内蒙古自治区档案局、内蒙古自治区档案馆编:《内蒙古自治区大事记》,内蒙古人民出版社 1988 年版。

170. 政协内蒙古自治区委员会:《内蒙古自治政府成立前后》,政协内蒙古自治区委员会 1997 年印刷。

171. 王铎:《五十春秋——我做民族工作的经历》,内蒙古人民出版社 1992 年版。

172. 郝维民主编:《内蒙古近代简史》,内蒙古大学出版社 1990 年版。

173. 郝维民主编:《内蒙古革命史》,内蒙古大学出版社 1997 年版。

174. 郝维民主编:《内蒙古自治区史》,内蒙古大学出版社 1991 年版。

175. 周清澍主编:《内蒙古历史地理》,内蒙古大学出版社 1994 年版。

176. 钱林豹:《解放战争时期内蒙古骑兵》,内蒙古大学出版社 1989 年版。

177. 杨利民主编:《中国共产党内蒙古地区简史》,内蒙古人民出版社 2001 年版。

178.《长春蒙旗会议建议书》,中国第二历史档案馆档案,代号 141,档号 1296。

179. 蒙古自治筹备委员会:《蒙古代表对国联调查团陈述之意见》(抄本),内蒙古大学内蒙古近现代史研究所资料室藏。

221. 哈尔滨日本商工会议所：《海拉尔市及其畜产贸易》（日文），哈尔滨日本商工会议所 1935 年印刷。

222. 满铁哈尔滨事务所：《从经济方面看呼伦贝尔事情》（日文），满铁哈尔滨事务所 1929 年印刷。

223. 哈尔滨商品陈列馆：《从经济方面看海拉尔》（日文），哈尔滨商品陈列馆 1934 年印刷。

224. 哈尔滨铁路局北满经济调查所：《北满主要都市的经济动向》（日文），哈尔滨铁路局北满经济调查所 1937 年印刷。

225. "满洲国"通信社：《满洲国现势》（日文），"满洲国"通信社 1942 年印刷。

226. "满洲国"史编纂刊行会：《满洲国史·各论》（日文），满蒙同胞援护会 1971 年刊印。

227. 满洲开拓史刊行会：《满洲开拓史》（日文），满洲开拓史刊行会 1980 年刊印。

228. ［日］饭岛涉：《鼠疫与近代中国——卫生的"制度化"和社会变迁》（日文），研文出版 2000 年版。

229. 孔经纬主编：《东北经济史》，四川人民出版社 1986 年版。

230. 蒋宏业主编：《中国地方银行史》，湖南出版社 1991 年版。

231. 沈斌华：《内蒙古经济发展史札记》，内蒙古人民出版社 1982 年版。

232. 牛敬忠：《近代绥远地区社会的变迁》，内蒙古大学出版社 2001 年版。

233. 苏利德：《内蒙古金融机构沿革》，远方出版社 2003 年版。

234. 阎天灵：《汉族移民与近代内蒙古社会变迁研究》，民族出版社 2004 年版。

235. 内蒙古自治区蒙古族经济史研究组：《蒙古族经济发展史研究》第 1 辑，内蒙古文化出版社 1987 年版。

236. ［清］张曾：《古丰识略》，咸丰九年（1859 年），内蒙古图书馆藏抄本。

237. ［清］张曾：《归绥识略》，咸丰十一年（1861 年），内蒙古图书馆藏抄本。

238.《谕折汇存蒙古史料摘抄》，光绪三十一年（1905 年）十二月二十三日，内蒙古大学抄本。

239. 陈篆：《止室笔记》，商务印书馆 1917 年版。

240. 内蒙古自治区档案馆编：《中国档案精粹——内蒙古卷》，香港零至壹出版公司 1999 年版。

241. 绥远财政厅编辑处编：《绥远财政公牍分类辑要》第 1 期（上），绥远财政厅编辑处 1925 年印刷。

242. 冯和法：《中国农村经济资料》，上海黎明书局 1933 年版。

243. 中国人民解放军历史资料丛书编审委员会：《剿匪斗争·华北地区》，解放军出版社 2001 年版。

244. 章伯峰、李宗一主编：《北洋军阀》第 1 卷，武汉出版社 1989 年版。

245. 呼和浩特市民族事务委员会编：《民族古籍与蒙古文化》总第 5—6 期，呼和浩特市民族事务委员会 2004 年印刷。

246.《绥远省各县乡村调查纪实》（萨拉齐县），1934 年。

247. 绥远省政府：《绥远民生渠报告书》，绥远省政府 1931 年印刷。

248. 绥远省民生渠水利工会：《绥远民生渠水利工会第一届报告》，绥远省民生渠水利工会 1934 年印刷。

249. 周颂尧：《绥灾视察记》，绥远赈务会 1929 年印刷。

250. 郭松铭：《绥远考察记略》（上），1933 年抄本。

251. 陈庚雅：《西北视察记》（上），上海申报馆 1936 年版。

252. 陈重生：《西行艳异记》第 3 册，上海时报出版 1940 年版。

253. 宣侠父：《西北远征记》，文史资料出版社 1982 年版。

254. 斯文·赫定：《亚洲腹地探险八年》，新疆人民出版社 1992 年版。

255. 冰心：《平绥沿线旅行记》，山西古籍出版社 2002 年版。

256. 周晋熙：《绥远河套治要》，1924 年。

257. 白眉初编：《中华民国省区全志·京直绥察热五省区志·绥远特别区域志》，北平师范大学史地系 1924 年印刷。

258. 孙斌纂：《包头市志》，内蒙古图书馆藏复印本，1943 年印刷。

259．刘汉鼎：《和林格尔县志草》，内蒙古图书馆藏复印本，1934 年印刷。

260．内蒙古自治区文史研究馆文炳勋纂：《武川县志略》，1940 年铅印本。

261．内蒙古自治区文史研究馆：《史料忆述》第 1 辑，内蒙古自治区文史研究馆 1983 年印刷。

262．政协呼和浩特市委员会：《呼和浩特文史资料》第 2、6、9、10、12 辑，政协呼和浩特市委员会 1983、1988、1994、1995、1998 年印刷。

263．政协包头市委员会：《包头文史资料》第 8 辑，政协包头市委员会 1986 年印刷。

264．包头地方史志编修办公室：《包头史料荟要》第 4、6 辑，包头地方史志编修办公室 1980、1982 年印刷。

265．政协包头市委员会：《包头文史资料选编》第 6、9 辑、政协包头市委员会 1982、1984 年印刷。

266．政协土默特左旗委员会：《土默特文史资料》第 1、3 辑，政协土默特左旗委员会 1986、1988 年印刷。

267．土默特右旗史志编纂委员会：《土默特右旗史料》第 5 辑，土默特右旗史志编纂委员会 1985 年印刷。

268．政协兴和县委员会：《兴和县文史资料》第 1 辑，政协兴和县委员会 1990 年印刷。

269．政协伊克昭盟委员会：《伊克昭文史资料》第 5、6、8 辑（蒙古文），政协伊克昭盟委员会 1990、1992、1997 年印刷。

270．伊克昭盟地方志编纂委员会：《鄂尔多斯史志研究文稿》第 6 辑，伊克昭盟地方志编纂委员会 1984 年印刷。

271．政协巴彦淖尔盟委员会：《巴彦淖尔文史资料》第 4、6、10、13 辑，政协巴彦淖尔盟委员会 1985、1986、1989、1992 年印刷。

272．政协巴彦淖尔盟委员会：《河套水利》，政协巴彦淖尔盟委员会 1987 年印刷。

273．政协武川县委员会委员会：《武川文史》第 7 辑，政协武川县委员会委员会 1994 年印刷。

274．政协乌兰察布盟委员会：《乌盟人民剿匪记》，政协乌兰察布盟委员会 1992 年印刷。

275．中共兴安盟委党史办公室：《兴安党史文集》第 2 辑，中共兴安盟委党史办公室 1993 年印刷。

276．杨植霖：《青山足迹——杨植霖回忆录》，内蒙古人民出版社 1995 年版。

277．内政部年鉴编纂委员会：《内政年鉴》，商务印书馆 1936 年版。

278．绥远省政府秘书处：《绥远省政府年刊》（1929 年），绥远省政府秘书处 1930 年印刷。

279．绥远省政府秘书处：《绥远省政府公报》第 39 期、第 40 卷第 4—16 号，1936 年 12 月 4—16 日印刷。

280．刘立群等编：《斯诺在内蒙古》，内蒙古人民出版社 1987 年版。

281．政协陕西省委员会文史资料研究委员编：《冯玉祥在陕西》，陕西人民出版社 1988 年版。

282．蒋暑晨：《傅作义传略》，中国青年出版社 1990 年版。

283．周秋光：《熊希龄传》，湖南师范大学出版社 1996 年版。

284．蔡少卿：《民国时期的土匪》，中国人民大学出版社 1993 年版。

285．冉光海：《中国土匪》，重庆出版社 2004 年版。

286．王治心：《中国基督教史纲》，上海古籍出版社 2004 年版。

287．顾卫民：《中国天主教编年史》，上海书店出版社 2003 年版。

288．蔡勤禹：《民间组织与灾荒救治——民国华洋义赈会研究》，商务印书馆 2005 年版。

289．金轮海编著：《农村复兴与乡教运动》，商务印书馆 1935 年版。

290．黄泽苍：《中国天灾问题》，商务印书馆 1935 年版。

291．［美］欧文·拉铁摩尔：《满洲：冲突的摇篮》，麦克米兰出版公司 1923 年版。

292．黎圣伦：《今日之内蒙》，独立出版社 1941 年版。

293．政协山西省委员会编：《阎锡山统治山西史实》，山西人民出版社 1984 年版。

294．戴学稷编著：《呼和浩特简史》，中华书局 1981 年版。

295. 李绍钦主编：《包头史话》，内蒙古人民出版社 1994 年版。

296. 张贵：《包头史稿》（下），内蒙古大学出版社 1997 年版。

297. ［日］江口圭一：《1931—1945 日本十五年侵略战争史》，杨栋梁译，天津人民出版社 1995 年版。

298. ［日］江口圭一：《日中鸦片战争》，宋志勇译，天津人民出版社 1995 年版。

299. 于恩德：《中国禁烟法令变迁史》，台湾文海出版社 1973 年版。

300. 《大青山抗日斗争史》编写组：《大青山抗日斗争史》，内蒙古人民出版社 1985 年版。

301. 政协乌兰察布盟委员会、锡林郭勒盟委员会：《察哈尔蒙古族史话》，政协乌兰察布盟委员会、锡林郭勒盟委员会 1989 年印刷。

302. ［日］川村得三：《蒙疆经济地理》（日文），丛文阁 1941 年版。

303. "蒙古联盟自治政府"巴彦塔拉盟公署编：《巴彦塔拉盟要览》（日文），蒙疆新闻社厚和支社 1939 年版。

304. 王轩等修纂：《山西通志》（光绪），中华书局 1990 年点校本。

305. 《绥远城驻防志》，佟靖仁校注，内蒙古大学出版社 1991 年版。

306. 《清水河厅志》，台湾影印《中国方志丛书》本。

307. 《突泉乡土志》，手抄本民国年间修。

308. 徐曦：《东三省纪略》，商务印书馆 1915 年版。

309. 郑植昌、郑裕孚修纂：《归绥县志》，1934 年铅印本。

310. 苏绍泉编纂：《林西县志》，内蒙古图书馆手抄本。

311. 王文墀撰：《绥远省临河县志》，《中国方志丛书》本。

312. 杨溥：《察哈尔口北六县调查记》，1933 年铅印本。

313. 张鼎彝编：《绥乘》，上海泰东图书局 1921 年版。

314. 杨文洵、韩非木、葛绥成，等编：《中国地理新志》，中华书局 1936 年版。

315. 察右中旗志编纂委员会编：《察右中旗志》，内蒙古人民出版社 1999 年版。

316. 开鲁县志编纂委员会编：《开鲁县志》，内蒙古文化出版社 2001 年版。

317. 乌兰浩特市情编纂委员会编：《乌兰浩特市情》，内蒙古人民出版社 1989 年版。

318. 冯学忠主编：《科尔沁右翼前旗志》，内蒙古人民出版社 1991 年版。

319. 巴林左旗志编纂委员会编：《巴林左旗志》，内蒙古人民出版社 1996 年版。

320. 巴彦淖尔盟志编纂委员会编：《巴彦淖尔盟志》，内蒙古人民出版社 1997 年版。

321. 童翼：《热河东部旅行笔记》，民国年间铅印本。

322. 冯诚求：《内蒙古东部调查日记》，吉长日报社 1913 年铅印本。

323. 林竞：《蒙新甘宁考察记》，甘肃人民出版社 2003 年版。

324. ［法］古柏察：《鞑靼西藏旅行记》，耿昇译，中国藏学出版社 1991 年版。

325. ［俄］阿·马·波兹德涅耶夫：《蒙古及蒙古人》第 2 卷，张梦玲、郑德林、卢龙，等译，内蒙古人民出版社 1983 年版。

326. ［日］柏原孝久、滨田纯一编：《蒙古地志》（日文），东京富山房 1919 年版。

327. 关东都督府：《东部蒙古志》（日文），关东都督府 1914 年印刷。

328. 满铁调查课：《东部内蒙古调查报告》（日文），满铁调查课 1914 年印刷。

329. 南满铁道株式会社社长室调查课编：《满蒙全书》（日文），满蒙文化协会 1921 年印刷。

330. ［日］山田久太郎编：《满蒙都邑全志》（日文），东京日刊支那事情社 1926 年版。

331. ［日］星武雄著：《东蒙游记》（日文），东亚图书株式会社 1920 年版。

332.《满蒙调查复命书》（日文），关东都督府民政部庶务课 1916 年。

333. ［日］今堀诚二：《中国封建社会的构造》（日文），日本学术振兴会 1978 年版。

334. 严中平、姚贤镐编：《中国近代经济史统计资料选辑》，科学出版社 1955 年版。

335. 马里千、陆逸志、王开济编著：《中国铁路建筑编年简史（1881—1981 年）》，中国铁道出版社 1983 年版。

336. 苑书义、任恒俊、董丛林著：《艰难的转轨历程——近代华北经济与社会发展研究》，人民出版社 1997 年版。

337. 杨天宏：《口岸开放与社会变革——近代中国自开商埠研究》，中华书局 2002 年版。

338. 张仲礼主编：《中国近代经济史论著选译》，上海社会科学院出版社 1987 年版。

339.《满铁调查月报》（日文）第 13、14 卷，1935 年。

340. 锡良：《谕哲里木盟十旗兴学劝业文》，清宣统元年（1909 年）石印本。

341. 武强主编：《东北沦陷十四年教育史料》第 1 辑，吉林教育出版社 1989 年版。

342. 吉林省社会科学院编：《满铁史资料》第 2 卷，路权编，第 2 分册，中华书局 1979 年版。

343. 内蒙古教育志编委会编：《内蒙古教育史志资料》第 1、2 辑，内蒙古大学出版社 1995 年版。

344. 内蒙古自治区科学技术志编纂委员会编：《内蒙古自治区科学技术志》，内蒙古人民出版社 1997 年版。

345. 锡林郭勒盟公路交通史编辑室：《锡林郭勒盟公路交通史料汇编》第 2 辑，锡林郭勒盟公路交通史编辑室 1986 年印刷。

346. 中国蒙古文古籍总目编委会编：《中国蒙古文古籍总目》（上），北京图书馆出版社 1999 年版。

347. 内蒙古科学技术出版社编：《蒙古族科技人物志》（蒙古文）第 1 册，内蒙古科学技术出版社 1985 年版。

348. 内蒙古自治区科学技术志编纂委员会编：《内蒙古科技大事记》，内蒙古人民出版社 1992 年版。

349. 内蒙古邮电志编纂委员会编：《内蒙古邮电大事记》，内蒙古人民出版社 1994 年版。

350. 政协苏尼特右旗委员会：《苏尼特右旗文史资料》第 4 辑，政协苏尼特右旗委员会 2007 年印刷。

351. 政协科左中旗委员会：《科左中旗文史资料》第 2 辑，政协科左中旗委员会 1991 年印刷。

352. 伊克昭盟地方志编纂委员会：《鄂尔多斯史研究文稿》第 6 册，伊克昭盟地方志编纂委员会 1985 年印刷。

353. 政协呼和浩特市委员会：《求学岁月——蒙古学院　蒙古中学忆往》，政协呼和浩特市委员会 2000 年印刷。

354. 政协呼伦贝尔盟委员会文史资料研究委员会：《兴安学院回忆录》，政协呼伦贝尔盟委员会文史资料研究委员会 1998 年印刷。

355. 政协阿拉善盟文史资料研究委员会：《阿拉善盟文史》第 2 辑，政协阿拉善盟委员会文史资料研究委员会 1986 年印刷。

356. 政协阿拉善盟文史资料研究委员会：《阿拉善盟旗志史料》，政协阿拉善盟委员会文史资料研究委员会 1987 年印刷。

357. 阿拉善盟地方志编纂委员会：《阿拉善盟史志资料选编》第 1 辑，阿拉善盟地方志编纂委员会 1986 年印刷。

358. 安官布、金玉：《蒙医学概述》，内蒙古科学技术出版社 1995 年版。

359. 巴·吉格木德：《蒙古医学简史》，曹都毕力格译，内蒙古教育出版社 1997 年版。

360. 巴·阿古拉、伊和巴雅尔编：《蒙医传统疗法》，内蒙古科学技术出版社 1990 年版。

361. 乌兰、阿古拉主编：《蒙医传统疗法及现代研究》，内蒙古人民出版社 2006 年版。

362. 《医学本续全释》，范·淖尔布、赛·乌苏日乐特藏译蒙，内蒙古科学技术出版社 1989 年版。

363. 苏联科学院、蒙古人民共和国科学委员会编：《蒙古人民共和国通史》，科学出版社 1958 年版。

364. 内蒙古自治区公路交通史志编审委员会：《内蒙古公路交通史》，人民交通出版社 1993 年版。

365. 刘世海主编：《内蒙古民族教育发展战略概论》，内蒙古教育出版社 1993 年版。

366. 高延青主编：《呼和浩特经济史》，华夏出版社 1995 年版。

367. 郝维民主编：《百年风云内蒙古》，内蒙古教育出版社 2000 年版。

368. 张继霞、巴拉吉尼玛：《蒙古族科学家》，远方出版社 2005 年版。

369. 蒙古大辞典编委会编：《内蒙古大辞典》，内蒙古人民出版社 1991 年版。

370. 马玉明总主编：《内蒙古资源大辞典》，内蒙古人民出版社 1999 年版。

371. 额尔敦布和、恩和等主编：《内蒙古草原荒漠化问题及其防止对策研究》，内蒙古大学出版社 2002 年版。

372. 满洲经济调查会：《满铁畜产方案》（日文），满铁经济调查会印刷。

373. 满洲文化协会：《满洲年鉴》（日文），满洲文化协会 1933、1941 年印刷。

374. 满洲事情指南所：《满洲帝国概览》（日文），满洲事情指南所 1940 年印刷。

375. （“满洲国”）民生部：《中等以上教育设施设置表》（日文），（“满洲国”）民生部 1938 年印刷。

376. 厚和蒙古研究会：《兴蒙推进要纲》（日文），厚和蒙古研究会 1941 年印刷。

377. 蒙古自治邦政府蒙旗建设队：《蒙旗建设现地工作状况中间报告书》（日文），蒙古自治邦政府蒙旗建设队 1942 年印刷。

378. 《蒙古自治邦建设的沿革及施政之理念》（二）（日文），内蒙古自治区档案馆藏。

379. 善邻协会编：《善邻协会史——在内蒙古的文化活动》（日文），日本蒙古协会 1971 年刊印。

380. 祁建民：《二十世纪三四十年代的晋察绥地区》，天津人民出版社 2002 年版。

381. 克·莫日根：《克兴额——一个科尔沁蒙古人》，内蒙古教育出版社 2001 年版。

382.《蒙古族科技人物志》第 1 册，内蒙古科学技术出版社 1985 年版。

383. 辽宁省档案馆编：《编修地方志档案选编》，辽沈书社 1983 年版。

384. 勺与：《西盟游记》，中华书局 1922 年版。

385. 杨家骆：《民国名人图鉴》（一），1936 年铅印本。

386. 汪睿昌编：《蒙汉字典》，北京蒙文书社 1928 年刊印。

387. 顾莨侯：《蒙文铅字感言》（未刊稿），内蒙古图书馆约 1923 年藏。

388. 韩绍祖：《汉蒙翻译国华书局章程》（蒙汉合璧），石印本。

389. 张树培纂：《萨拉齐县志》，1943 年铅印本。

390. 绥远省民众教育所：《绥远社会教育所一览》，绥远省民众教育所 1933 年刊印。

391.《绥远省立图书馆概况》，绥远省立图书馆 1935 年铅印本。

392. 孟宪承：《民众教育》，世界书局 1933 年版。

393. 钟灵秀：《社会教育行政》，国立编译馆 1947 年版。

394. 许晚成：《全国图书馆调查录》，天津龙文书店 1935 年版。

395. 中华国民教育部编：《第一次中国教育年鉴》，上海开明书店 1934 年版。

396. 李希沁、张淑华编：《中国古代藏书与近代图书馆史料》，中华书局 1982 年版。

397. 八省区蒙古语文工作协作小组办公室编：《全国蒙文古旧图书资料联合目录》（蒙汉对照），内蒙古人民出版社 1979 年版。

398. 清格尔泰主编：《蒙古学百科全书·语言文字卷》（蒙古文），内蒙古人民出版社 2004 年版。

399. 内蒙古文化厅：《内蒙古文化史料》第 1 辑，内蒙古文化厅 1989 年印刷。

400. 内蒙古文化厅：《内蒙古文化史料》第 3 辑，内蒙古文化厅 1990 年印刷。

401. 内蒙古档案馆编：《内蒙古自治区档案馆指南》，内蒙古人民出版社 1991 年版。

402. 宁城县地方志办公室：《宁城县史料》第 1 辑，宁城县地方志办公室 1983 年印刷。

403．和林格尔县地方志编委会：《和林格尔县志》（送审稿），和林格尔县地方志编委会 1990 年印刷。

404．赤峰市红山区文化志编委会：《赤峰市红山区文化志》，内蒙古科学技术出版社 1999 年版。

405．政协内蒙古自治区委员会：《塞上忆往——杨令德回忆录》，政协内蒙古自治区委员会 1988 年印刷。

406．政协巴彦淖尔盟委员会文史资料委员会：《傅作义在河套》，政协巴彦淖尔盟委员会文史资料委员会 1987 年印刷。

407．政协巴彦淖尔文史资料委员会《傅作义在河套》（续集），政协巴彦淖尔盟委员会文史资料委员会 1992 年印刷。

408．［日］白滨晴澄、［日］山根顺太郎：《满洲帝国蒙政十年史》（日文），兴安局调查课 1941 年刊印。

409．《绥远日报》1932 年 7 月—1936 年 4 月。

410．《绥远民国日报》1932 年 5 月—1935 年 7 月。

411．《绥远社会日报》1933 年 7 月—1935 年 12 月。

412．纳古单夫、那林高夫：《特睦格图传》（蒙古文），内蒙古科学技术出版社 1989 年版。

413．额尔德木图、宝音陶克陶编：《卜和克什克及其蒙文学会》（蒙古文），内蒙古文化出版社 1992 年版。

414．周仲德、贾来宽、张玉岭，等编著：《内蒙古出版事业概况》，内蒙古文化出版社 1990 年版。

415．［德］瓦尔特·海西希：《蒙古历史与文化》，阿必达、阿特横蒙译，内蒙古文化出版社 1986 年版。

416．张元济、傅增湘：《张元济傅增湘论书尺牍》，商务印书馆 1983 年版。

417．《内蒙古人民革命党第一次代表大会告全体民众宣言书》（蒙古文），内蒙古人民革命党中央委员会 1925 年刊印。

418．《内蒙受苦之局面》（蒙古文），内蒙古人民革命党中央委员会 1926 年刊印。

419．〔日〕高木翔之助编：《北支·蒙疆年鉴》（日文），北支那经济通讯社 1940 年版。

420．〔日〕上牧濑三郎：《索伦族之社会》（日文），生活社 1940 年版。

421．阿勒坦噶塔：《达斡尔蒙古考》，东布特哈八旗筹办处 1933 年刊印。

422．政协内蒙古自治区委员会：《内蒙古喇嘛教纪例》，政协内蒙古自治区委员会 1997 年印刷。

423．罗布桑却丹：《蒙古风俗鉴》（蒙古文），内蒙古人民出版社 1981 年版。

424．王守礼：《边疆公教社会事业》，付明渊译，上智编译馆 1950 年版。

425．常非：《天主教绥远教区传教简史》，内蒙古图书馆藏，1962 年抄本。

426．政协开鲁县委员会：《开鲁县文史资料》第 1 辑，政协开鲁县委员会 1986 年印刷。

427．《多伦文史资料》第 1 辑，内蒙古大学出版社 2006 年版。

428．政协鄂托克前旗委员会：《鄂托克前旗文史资料》第 1 辑，政协鄂托克前旗委员会 1989 年印刷。

429．政协呼和浩特市回民区委员会：《呼和浩特回族史料》第 1、7 辑，政协呼和浩特市回民区委员会 1989、2007 年印刷。

430．包头市民族宗教志编修办公室、政协包头市东河区委员会：《包头回族史料》，包头市民族宗教志编修办公室、政协包头市东河区委员会 1978 年印刷。

431．《全国蒙古文旧图书资料联合目录》，内蒙古人民出版社 1979 年版。

432．拉·胡日查巴特尔：《哈塔斤十三家神祭祀》（蒙古文），内蒙古文化出版社 1986 年版。

433．胡日查巴特尔、乌吉木：《蒙古萨满教祭祀文化》（蒙古文），内蒙古文化出版社 1991 年版。

434．满都尔图主编：《中国各民族原始宗教资料集成》，中国社会科学出版社 1999 年版。

435. 呼日勒沙、白春英、那钦，等：《科尔沁萨满教研究》（蒙古文），民族出版社 1998 年版。

436. 刘小萌、定宜庄：《萨满教与东北民族》，吉林教育出版社 1900 年版。

437. 政协呼和浩特市回民区委员会、《呼和浩特回族史》编辑委员会编：《呼和浩特回族史》，内蒙古人民出版社 1994 年版。

438. 白慧中：《内蒙古回族历史研考》，内蒙古人民出版社 2002 年版。

439. 多伦县志编纂委员会编：《多伦县志》，内蒙古文化出版社 2000 年版。

440. 伊克昭盟志编纂委员会编：《伊克昭盟志》第 6 册，现代出版社 1997 年版。

441. 赤峰市志编纂委员会：《赤峰市志》，内蒙古人民出版社 1996 年版。

442. 呼伦贝尔盟志编纂委员会：《呼伦贝尔盟志》，内蒙古文化出版社 1999 年版。

443. 杨青锋主编：《哲里木盟志》，方志出版社 2000 年版。

444. 突泉县志编纂委员会：《突泉县志》，内蒙古人民出版社 1993 年版。

445. 扎兰屯市志编纂委员会：《扎兰屯市志》，百花文艺出版社 1993 年版。

446. 陈鹤龄：《扎兰屯民族宗教志》，文化艺术出版社 1996 年版。

447. 包头市志编纂委员会：《包头市志》，远方出版社 2001 年版。

448. 包头市民族宗教事务委员会、政协东河区委员会：《包头宗教史略》，包头市民族宗教事务委员会、政协东河区委员会 1987 年印刷。

449. 土默特右旗志编纂委员会：《土默特右旗志》，内蒙古人民出版社 1994 年版。

450. 武川县志编纂委员会：《武川县志》，内蒙古人民出版社 1988 年版。

451. 呼和浩特市志编纂委员会：《呼和浩特市志》，内蒙古人民出版社 1999 年版。

452. 五原县志编纂委员会：《五原县志》，内蒙古人民出版社 1996 年版。

453. 内蒙古自治区编辑组：《蒙古族社会历史调查》，内蒙古人民出版社 1986 年版。

454．内蒙古自治区编辑组：《达斡尔族社会历史调查》，内蒙古人民出版社 1985 年版。

455．内蒙古自治区编辑组：《鄂温克族社会历史调查》，内蒙古人民出版社 1986 年版。

456．内蒙古自治区编辑组：《鄂伦春族社会历史调查》第 1 集，内蒙古人民出版社 1984 年版。

457．内蒙古自治区达斡尔学会编：《达斡尔族研究》，内蒙古大学出版社 2000 年版。

458．乌云毕力格、娜仁高娃编：《硕果——纪念扎奇斯钦教授 80 寿辰》，内蒙古文化出版社 1996 年版。

教育部人文社会科学百所重点研究基地
内蒙古大学蒙古学研究中心学术著作系列
TOMUS 23